Direito Constitucional
e Teoria da Constituição

Direito Constitucional
e Teoria da Constituição

7.ª Edição
(21.ª Reimpressão)

J.J. Gomes Canotilho
Professor da Faculdade de Direito de Coimbra

ALMEDINA

TÍTULO.	*Direito Constitucional – 7.ª Edição*
AUTOR.	*José Joaquim Gomes Canotilho*
EDITOR.	*Edições Almedina*
DESIGN.	Bang Design
EXECUÇÃO GRÁFICA.	Papelmunde
TIRAGEM.	1000 Ex
DEPÓSITO LEGAL.	203651/03

Biblioteca Nacional de Portugal – Catalogação na Publicação

CANOTILHO, J. J. Gomes, 1941-

Direito constitucional e teoria
da constituição. – 7ª ed., 21 reimp.
(Manuais universitários)
ISBN 978-972-40-2106-5

CDU 342
    378

Toda a reprodução desta obra, seja por fotocópia ou outro qualquer processo, sem prévia autorização escrita do Editor, é ilícita e passível de procedimento judicial contra o infractor.

Reservados todos os direitos para a Língua Portuguesa
EDIÇÕES ALMEDINA – COIMBRA – PORTUGAL

O livro e o Ambiente

A defesa do Ambiente é, hoje, uma tarefa de todos os cidadãos. Os pequenos passos, as iniciativas modestas podem ser importantes para a consciencialização dos problemas ecológicos e ambientais. O Autor, a Editora Almedina e a Norprint assumem aqui a sua cumplicidade. Este «Direito Constitucional e Teoria da Constituição» é impresso em papel ecológico "amigo do ambiente" totalmente livre de cloro.

Ao Professor Konrad Hesse
Aos meus colegas e alunos brasileiros

Nota Prévia à 1.ª edição

O *Direito Constitucional*, cuja 1.ª edição remonta há precisamente 20 anos termina aqui. Este *Direito Constitucional e Teoria da Constituição* é um livro novo. As partes mais estáveis do Direito Constitucional como a história do constitucionalismo e os traços estruturais do direito positivo vigente ainda se mantêm. Não poderíamos, porém, publicar uma nova edição com uma mensagem teórica e política-constitucional substancialmente diferente. A estrutura do livro pretende tornar clara a dinâmica jurídico-constitucional – história constitucional, doutrina constitucional, metódica constitucional e teoria da constituição. O desafio dialógico e comunicativo também se pode descodificar – recuperar a teoria da constituição que, nos tempos mais recentes, é objecto de profunda erosão provocada pelas teorias filosóficas da justiça e pelas teorias sociológicas do direito. Além disso, o direito constitucional deve olhar sem preconceitos o direito constitucional europeu e interrogar-se sobre a necessidade de novas categorias político-organizatórias nos contextos globalizantes. Mesmo no âmbito do direito constitucional positivo, afiguram-se-nos indispensáveis algumas alterações importantes quanto à compreensão do texto constitucional de 1976 e quanto ao recorte doutrinal de determinadas matérias (exs.: tribunais, estado de direito democrático, direito regional, fontes de direito). A teoria da constituição inserida na última parte do livro é, na sua quase totalidade, uma proposta discursiva completamente nova. Algumas sugestões nela avançadas carecem de um estudo mais aprofundado a que procuraremos dedicar o nosso ano sabático de 1998. A reelaboração teórica teve em conta, naturalmente, as inovações introduzidas pela quarta revisão de 1997.

O livro é dedicado ao Professor Konrad Hesse. No momento em que esta narrativa constitucional sugere a relativização da cultura jurídica germânica e uma maior abertura aos quadrantes jurídicos e constitucionais norte-americanos, é justo deixar aqui a homenagem ao Professor que orientou o início da nossa viagem pelo mundo da constituição. Um gesto de gratidão é também devido aos colegas, magistrados, advogados e alunos do Brasil. Perante a saturação do discurso constitucional nas universidades portuguesas, é de inteira justiça dizer que os maiores e mais estimulantes incentivos para a nossa investigação têm agora o seu epicentro nos espaços crítico-públicos brasileiros.

Devemos confessar ainda que as nossas preocupações teóricas andam hoje por outras galáxias do saber (complexidade dos fenómenos sociais e científicos, auto-organização). Quem nos impeliu para esta nova aventura foi o Engenheiro Francisco Correia Guedes, da Universidade Autónoma de Lisboa. A ele devo a explicação de conceitos como *constitutional boot-strapping* e metodologia *fuzzy*. Ao reconhecer a minha dívida para com este homem não posso deixar de fazer a seguinte e angustiada pergunta: o ensino universitário português ainda será "universitário"? Gostaríamos, por fim, de deixar registado o nosso agradecimento ao Dr. Mário Barata. Além da revisão do texto, prestou-nos um inestimável auxílio na tradução de algumas fórmulas e expressões enraízadas nos quadrantes jurídicos norte-americanos.

Coimbra, Outubro de 1997

J. J. Gomes Canotilho

Nota Prévia à 7.ª edição

Quando o nosso editor nos informou de que seria necessário preparar uma nova edição ou, pelo menos, uma reedição, pensámos inicialmente em optar por esta última hipótese. Várias razões apontavam nesse sentido. Em primeiro lugar, não tinhamos propostas de radical alteração da estrutura e estilo deste livro. Em segundo lugar, o direito constitucional vai, em breve, ser confrontado com os desafios do direito constitucional europeu. Acabámos, porém, por nos decidir a favor de uma nova edição. Existiam matérias expostas segundo parâmetros jurídico-constitucionais entretanto alterados (ex.: fiscalização preventiva de convenções internacionais) e matérias que careciam de explicitação textual (ex.: controlo da constitucionalidade nos processos de fiscalização concreta). Havia ausências e omissões importantes relativamente a problemas de grande relevância prática (ex.: o conceito de intervenções restritivas ao lado do conceito de leis restritivas). Por último, alguma legislação recente deu concretização a princípios jurídicos jurídico-constitucionais de capital importância na teoria dos direitos fundamentais (ex.: Código de Processo nos Tribunais Administrativos e Fiscais).

Esta edição foi preparada num ano triste. Um a um foram morrendo amigos queridos – João Amaral, Aníbal Almeida, Marques dos Santos, Barros Moura. Eles compreenderão a dedicatória deste livro. *Ab amicis honesta petamus.*

Coimbra, Setembro de 2003

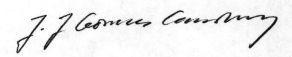

Siglas de Revistas e Obras Colectivas

ACP – *Archiv für die Zivilistische Praxis*
AnDCP – *Anuario de Derecho Constitucional y Parlamentario*
AnDP e Est. Pol. – *Anuario de Derecho Publico y Estudios Politicos*
An. Ib. Am. Jc – *Anuario Ibero americano de Justicia Constitucional*
AIJC – *Annuaire Internationale de Justice Constitutionnelle*
AJIL – *American Journal of International Law*
Ac. Doutr. – *Acórdãos Doutrinais do Supremo Tribunal Administrativo*
Anib. Jusconst. – *Anuário Ibero Americano de Justicia Constitucional*
AÖR – *Archiv des öffentlichen Rechts*
Ac TC – *Acórdãos do Tribunal Constitucional*
APSR – *American Political Science Review*
ARSP – *Archiv für Rechts-und Sozialphilosophie*
BFDC – *Boletim da Faculdade de Direito de Coimbra*
BMDC – *Boletin Mexicano de Derecho Comparado*
BFD-UNED – *Boletin de la Facultad de Derecho – UNED*
BMJ – *Boletim do Ministério da Justiça*
Cap. Cons. Const – *Les Cahiers du Consei Constitutionel*
CDCP – *Cadernos de Direito Constitucional e Ciência Política*
CC – *Constitutional Commentary*
CuC – *Cuestiones Constitucionales. Revista Mexicana de Derecho Constitucional*
CUDP – *Cuadernos de Derecho Publico*
DD – *Democrazia e Diritto*
DJ – *Direito e Justiça*
DJAP – *Dicionário Jurídico da Administração Pública*
Doc. Adm. – *Documentación Administrativa*
Dir – *O Direito*
DÖV – *Die Öffentliche Verwaltung*

DVBL – *Deutsches Verwaltungsblatt*
ED – *Estado e Direito*
EdD – *Enciclopedia del Diritto*
EuGRZ – *Europäische Grundrechte Zeitschrift*
Fo It. – *Foro italiano*
Fundamentos. *Cuadernos Monográficos de Teoria del Estado, Derecho Publico e Historia Constitucional*
G. Cost. – *Giurisprudenza Costituzionale*
JCP – *Jurisclasseurs Periodique*
JiaöR – *Jahrbuch für internationales und ausländisches öffentliches Recht*
JÖR – *Jahrbuch des öffentlichen Rechts der Gegenwart*
JUS – *Juristische Schulung*
JZ – *Juristenzeitung*
NDI – *Novissimo Digesto Italiano*
NJW – *Neue Juristische Wochenschrift*
NVwZ – *Neue Zeitschrift für Verwaltungsrecht*
ÖZÖR – *Österreichische Zeitschrift für öffentliches Recht*
Pens.Const. – *Pensamiento Constitucional*
ParPGR – *Pareceres da Procuradoria Geral da República*
POLIS – *Revista de Ciência Política*
PS – *Political Studies*
PVS – *Politische Vierteljahreszeitschrift*
QC – *Quaderni costituzionali*
PD – *Politica del Diritto*
RA – *Revue Administratif*
RaDP – *Rassegna di Diritto Pubblico*
RAE – *Revista de Assuntos Europeus*
RAP – *Revista de Administración Publica*
RbrDP – *Revista brasileira de Direito Público*
RbrEP – *Revista brasileira de Estudos Políticos*
RDA – *Revista de Direito Administrativo*
RD Cost – *Rivista di Diritto Costituzionale*
RDCI – *Revista de Direito Constitucional e Internacional*
RD Publico – *Revista de Direito Público*
RCADI – *Recueil des Cours de l'Académie de Droit International*
RCP – *Revista de Ciência Política*

RDE – *Revista de Direito e Economia*
RDES – *Revista de Direito e Estudos Sociais*
RFDL – *Revista da Faculdade de Direito de Lisboa*
RDP – *Revista de Derecho Politico*
RDPSP – *Revue du Droit Public et de la Science Politique*
REDA – *Revista española de derecho administrativo*
REDC – *Revista Española de Derecho Constitucional*
REP – *Revista de Estudios Politicos*
RFSP – *Revue Française de Science Politique*
RFDC – *Revue Française de Droit Constitutionnel*
RFD/UG – *Revista de la Facultad de Derecho de la Universidad de Granada*
RIDC – *Revue Internationale de Droit Comparé*
RIEJ – *Revue interdisciplinaire d'études juridiques*
RFDL – *Revista da Faculdade de Direito de Lisboa*
RHI – *Revista de História das Ideias*
RIL – *Revista de Informação Legislativa*
RJ – *Revista Jurídica AFDL*
RLJ – *Revista de Legislação e Jurisprudência*
RMP – *Revista do Ministério Público*
ROA – *Revista da Ordem dos Advogados*
RIFD – *Rivista Internazionale di Filosofia del Diritto*
RTDC – *Rivista Trimestrale de Diritto Civile*
RTDP– *Rivista Trimestrale di Diritto Pubblico*
RTDPC – *Rivista Trimestrale di Diritto e Procedura Civile*
Rth – *Rechtstheorie*
RVAP – *Revista Vasca de Administración Publica*
Subjudice
VVDStRL – *Veröffentlichungen der Vereinigung der deutschen Staatsrechtslehrer*
VRÜ – *Verfassung und Recht in Übersee*
ZAöVR – *Österreichische Zeitschrift für ausländisches Recht und Volkerrecht*
ZSR – *Zeitschrift für schweizerisches Recht*
THEMIS – *Revista da Faculdade de Direito da UNL*
TJ – *Tribuna da Justiça*

Capítulo Introdutório

O Ensino e a Teoria

Sumário

I - O ensino e a teoria
1. Orientação profissional e discurso académico
2. "Leitura dogmática" e "leitura teorética"
3. "Leitura estruturante" e "discurso historicista" e "comparatístico"
4. Orientação geral
5. Os destinatários do discurso

II - Como se ensina e o que se ensina
1. Lance de olhos em redor do ensino do direito constitucional
2. As "modas" e as práticas: o "novo" e o "novíssimo" direito constitucional

III - Os estudantes chegam carregados de memórias constitucionais
1. Uma presença difusa
2. O entendimento do "dito textual" e sistematização

IV - Visão global da literatura sobre direito constitucional
  A) *Direito constitucional português*
  B) *Direito constitucional alemão*

C) *Direito constitucional argentino*
D) *Direito constitucional austríaco*
E) *Direito constitucional brasileiro*
F) *Direito constitucional espanhol*
G) *Direito constitucional norte-americano*
H) *Direito constitucional francês*
I) *Direito constitucional holandês*
J) *Direito constitucional inglês*
L) *Direito constitucional italiano*
M) *Direito constitucional mexicano*
N) *Direito constitucional suíço*

1 - O ensino e a teoria

1. Orientação profissional e discurso académico

Este trabalho pretende ser um livro novo de direito constitucional. "Novos constitucionalismos" e novos "desenhos" para as instituições políticas obrigam ao repensamento dos problemas de direito constitucional. Isso não impede que ele continue a ser estruturado com a finalidade de fornecer uma abordagem universitária dos principais tópicos de direito constitucional. Pretende-se, pois, problematizar uma disciplina jurídica cada vez mais considerada como uma disciplina estruturalmente formativa para todos aqueles que desejam aprender os fundamentos básicos da organização da "cidade".

Tratando-se, como se trata, de uma ciência enquadrada na ciência geral do direito, terá sentido perguntar desde já: qual o paradigma formativo subjacente a esta mensagem científica? A resposta é esta: o autor permanece fiel ao paradigma formativo da Faculdade de Direito de Coimbra, desde há muito preocupada em formar juristas críticos e consciências pensantes e não meros oficiais de diligências jurídicas. Esclareça-se este ponto.

A ciência jurídica ensinada nas "Escolas de Direito" oscila entre duas orientações fundamentais: a "orientação profissional" e a "orientação académica". A primeira procura fornecer um saber colocado directamente ao serviço do jurista prático e das suas necessidades. A segunda, sem perder a dimensão praxeológica (irrenunciável ao direito), visa proporcionar um discurso com um nível teorético-científico (no plano dos conceitos, da construção, da argumentação) que compense a "cegueira" do mero utilitarismo e evite a unidimensionalização pragmaticista do saber jurídico.

A preferência por uma "orientação académica" de modo algum afasta a preocupação de se procurar fornecer aos alunos os conhecimentos indispensáveis ao posterior alicerçamento das *leges artis* da profissão. O ensino universitário não deve, porém, antecipar ou substituir quer os estágios profissionais quer a riqueza da vida.

2. "Leitura dogmática" e "leitura teorética"

O paradigma formativo convencionalmente apelidado de "orientação académica" justificará o frequente recurso à *teoria* e à *dogmática*. Adiantemos o sentido destes conceitos. A *dogmática constitucional* procura auxiliar o jurista constitucional, fornecendo-lhe esquemas de trabalho, regras técnicas, modos de argumentação e de raciocínio indispensáveis à "solução" ou "decisão", justa e fundamentada, dos "casos" ou "problemas" jurídico-constitucionais. A *teoria* visa proporcionar uma reflexão sobre o modo e a forma como o direito constitucional e a ciência do direito constitucional compreendem o seu objecto de estudo e cumprem as respectivas tarefas nos planos pedagógico e científico.

A iluminação de muitos problemas jurídico-constitucionais carece de um *background* explicativo e justificativo que só pode ser fornecido por uma reflexão teórica sobre o próprio direito constitucional. Vários exemplos poderiam ser aqui trazidos à colação. Não é possível, por exemplo, discutir o conceito de constituição sem se falar em "teorias da constituição". Seria metodologicamente empobrecedora uma análise dos direitos fundamentais sem uma exposição das "teorias dos direitos fundamentais". No mesmo sentido, abordar o princípio democrático sem o suporte teórico das "teorias da democracia" implicaria o esquecimento da força sinergética das "ideias sobre a democracia". A necessidade da "dogmática" e da "teoria" não implica qualquer distanciação perante as necessidades da prática e da vida. Mas compreenda-se a mensagem aqui insinuada. Sem as teorias de Newton não se teria chegado à Lua – assim o diz e demonstra Sagan; sem o húmus teórico, o direito constitucional dificilmente passará de vegetação rasteira, ao sabor dos "ventos", dos "muros" e da eficácia. Mas o inverso também tem os seu perigos: a hipertrofia teorética (e filosófica) pode insinuar a transformação de modelos teorético-constitucionais e filosóficos em verdadeiras normas jurídicas, esvaziando ou minando a efectividade e validade do direito constitucional. Por outras palavras: a fuga para o céu dos conceitos e teorias pode acarretar a diminuição da capacidade de reflexão do direito relativamente aos problemas concretos das mulheres, dos homens e de todos os seres vivos da nossa comunidade. Um "direito ex cathedra", um direito reduzido a teorias abstractas, esquece que os problemas dos homens e da *polis* se situam no terreno da experiência humana e não nas alturas abstractas de um "saber sábio" do direito. Em síntese: procura-se um direito "bem pesado" não dissolvido nem nas pressões utilitaristas de um "direito descartável" nem nas nebulosas abstractas das teorias que esquecem o lugar das coisas e o mundo dos homens.

3. "Leitura estruturante" e "discurso historicista" e "comparatístico"

O direito constitucional é um *intertexto aberto*. Deve muito a experiências constitucionais, nacionais e estrangeiras; no seu "espírito" transporta ideias de filósofos, pensadores e políticos; os seus "mitos" pressupõem as profundidades dos arquétipos enraizados dos povos; a sua "gravitação" é, agora, não um singular movimento de rotação em torno de si mesmo, mas sim um gesto de translação perante outras galáxias do saber humano. No entanto, o direito constitucional não se dissolve na "história", na "comparatística", nos "arquétipos; é um direito vigente e vivo e como tal deve ser ensinado.

A compreensão acabada de referir explica o recurso a *padrões estruturais* expositivos, ordenadores dos principais módulos problemáticos. A captação dos padrões básicos procura superar um modelo expositivo histórico-político e político-constitucional, demasiado onerado com factores genéticos e nem sempre imune à dissolução em fragmentários "factos políticos". Esta "estratégia expositiva" não dispensa alguns esclarecimentos complementares. O primeiro destina-se a lembrar a indispensabilidade da *memória* na compreensão dos problemas político-constitucionais. Como alguém afirmou (R. Bäumlin), a "história das constituições é a história apaixonada dos homens". Esta "paixão" e esta "história" marcam muitos capítulos da evolução do direito constitucional. Saber "história" é um pressuposto inelimínavel do "saber constitucional". Assim, e para darmos apenas alguns exemplos, não é possível compreender o constitucionalismo sem conhecer a história das revoluções americana e francesa; sem o enquadramento histórico da cena política inglesa – dos "João Sem Terra", dos "Tudors", dos "Stuarts", dos "Cromwells" – será ininteligível o fenómeno do parlamentarismo; o apagamento da memória do nosso século liberal – desde a Revolução de 1820 ao regicídio do príncipe Luis Filipe em 1908, passando pelas lutas liberais – terá como consequência a opacidade de qualquer discurso em torno das constituições portuguesas. Em termos mais concretos e tendo como ponto de referência o constitucionalismo português: quem não conhecer, nas suas linhas essenciais, os fenómenos históricos do "vintismo", do "cartismo" e do "setembrismo", dificilmente compreenderá as mutações e constâncias das experiências constitucionais portuguesas. Na ausência de uma cadeira de *História do Constitucionalismo*, cuja falta é cada vez mais sentida no plano formativo, procurar-se-á fornecer algumas pistas históricas referentes à "memória" dos temas e dos problemas. Isto não dispensará certamente o estudo da história portuguesa em geral e o da história das constituições portuguesas em particular.

A segunda consideração liga-se ao interesse do *direito constitucional comparado*, da *teoria comparativa de governos*, dos "direitos constitucionais euro-

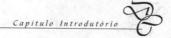

peus". O presente discurso incide sobre o direito constitucional português. É este o objecto da disciplina de Direito Constitucional. A ausência de estudos em torno da teoria comparativa de sistemas políticos obrigará muitas vezes a informações de direito estrangeiro, sem que com isto se pretenda substituir a vantagem metodológica da existência de reflexões autónomas cujo objecto fosse uma teoria comparada de formas de estado e formas de governo, ou, de um modo mais globalizante, de sistemas políticos.

4. Orientação geral

Este livro tem *ideias* mas não transporta uma *ideologia* fechada. Da mesma forma, pressupõe *convicções* (éticas, políticas, culturais) mas, de modo algum, sugere ou insinua qualquer *fundamentalismo*. A existir um *traço* orientador, ele é basicamente este: esforço de compreensão e de alicerçamento de uma *teoria e de uma doutrina de direito constitucional constitucionalmente adequadas*, isto é, aptas a compreender e explicar os problemas fundamentais do direito constitucional português sob o olhar vigilante das exigências do *direito justo* e amparadas num sistema de *domínio* político-democrático materialmente legitimado. Só assim o direito constitucional fornecerá o impulso para uma atitude crítica relativamente aos conteúdos do direito "posto" e "imposto", erguendo-se como limite contra quaisquer transcendências ("fundamentos últimos", "essências", "naturezas") clara ou encapuçadamente conducentes a *fundamentalismos* ideológicos, filosóficos ou religiosos.

5. Os destinatários do discurso

O leitor menos desprevenido terá já intuído as ambições deste livro de estudo. Não sendo uma "introdução" ou umas "lições", procura fornecer materiais de estudo aos alunos das faculdades de direito. Estando muito longe de ser um tratado, não deixa, segundo supomos, de fornecer sugestões e insinuações incentivadoras de um melhor e mais profundo conhecimento dos problemas. O ideal seria um livro como a *Economia* de Samuelson e Nordhaus concebido, nas próprias palavras dos autores, como um livro que pode ser utilizado "tanto por um caloiro como pelo aluno do curso mais avançado". À míngua de talento e saber para elaborar um livro assim, fique, pelo menos, um leque de sugestões. Uma destas sugestões prende-se com os momentos de aprendizagem. A primeira parte dedicada à explicação do constitucionalismo e à exposição do direito constitucio-

nal positivo constitui uma premissa básica para a compreensão dos problemas constitucionais. Seria, porém, científica e pedagogicamente redutor ensinar apenas o direito positivo sem fornecer algumas propostas quanto aos modos de interpretar e aplicar as normas de uma lei fundamental. Quem quiser ser um verdadeiro jurista não pode desconhecer a *metódica constitucional*. O último patamar do saber é fornecido pela teoria da constituição a que dedicaremos a Parte V. Muitos juristas julgam estas questões como mera filosofia. A nosso ver, se o direito constitucional não recuperar o impulso dialógico e crítico que hoje é fornecido pelas *teorias políticas da justiça* e pelas *teorias críticas da sociedade* ficará definitivamente prisioneiro da sua aridez formal e do seu conformismo político.

II - Como se Ensina e o que se Ensina

1. Lance de olhos em redor do ensino do direito constitucional

Se relançarmos os olhos pelos manuais e tratados de direito constitucional verificaremos logo algumas matrizes ou cunhagens típicas dos quadrantes jurídico-culturais dos respectivos autores.

Fazendo jus ao pioneirismo do direito constitucional inglês, consultemos, em primeiro lugar, um dos manuais mais conhecidos do jusconstitucionalismo anglosaxónico [1]. Os traços do direito constitucional inglês estão aí condensados: (1) estudar direito constitucional é *saber a história* do Reino Unido; (2) a *constituição* é, ela própria, *história* [2]. Tentaremos captar esta *matriz historicista* no Capítulo 1.º dedicado às dimensões histórico-culturais do constitucionalismo moderno.

Desloquemo-nos para a terra dos "founding fathers" – os Estados Unidos. Consultemos a obra mais estruturada do direito constitucional americano da actualidade [3]. A centralidade é agora conferida à Constituição escrita de 1787 e posteriores emendas. A fórmula enfática do preâmbulo desta Constituição – "*We*

---

[1] Referimo-nos ao manual de D. C. M. YARDLEY, *Introduction to British Constitutional Law*, 6.ª ed., London, Batterworths, 1984.

[2] Cfr., precisamente, A. CARLOS PEREIRA MENAUT, *El Ejemplo Constitucional de Inglaterra*, Madrid, Servicio de publicaciones Facultad Derecho, 1992, p. 14; C. TURPIN, *British Government and the Constitution*, Weidenfeld and Nicolson, London, 1990, p. 14; idem, "Tendencias recientes en el Derecho Constitucional Britanico", in *Revista de Estudios Politicos*, 80 (1993), p. 185 e ss.

[3] Referimo-nos, concretamente, ao notável livro de LAURENCE H. TRIBE, *American Constitutional Law*, 3.ª ed., Mineola, New York, The Foundation Press, Inc., 1998.

the People" – permite ao autor explanar o sentido de uma lei fundamental erguida a *direito superior* limitativo dos poderes e garantidor dos direito individuais. As célebres palavras de um autor clássico [4] são aqui sistematicamente invocadas: "à infalibilidade de um pontífice, a Reforma substitui a Bíblia; ao poder de um soberano, a Revolução americana acabou por substituí-lo por um pedaço de carta". Mas o direito constitucional americano apresenta outras especificidades. Dá grande valor à *interpretação e aplicação* das normas da constituição feita pelos juízes (*case method and problem solving*) a ponto de se poder falar num *direito constitucional jurisprudencial*. A repetida fórmula do juiz Hughes sintetiza esta matriz: "*We are under a Constitution but the Constitution is what the judges say it is*" [5]. Isto explica que muitos manuais e livros de estudo dediquem desenvolvidos capítulos ao papel dos tribunais, especialmente do *Supreme Court*, e à função de fiscalização da constitucionalidade das leis por eles exercida (*judicial review*).

O que ensinam e como ensinam os jusconstitucionalistas franceses? Talvez não andemos longe da verdade se dissermos que para um constitucionalista francês o direito constitucional é ainda *experiência constitucional* e *política constitucional*. A primeira ideia explica as grandes introduções dedicadas a *Histoire Constitutionnelle de la France*[6]. A segunda explica os grandes desenvolvimentos dedicados às *instituições políticas*, ao *regime político* e às *dinâmicas constitucionais*[7] No entanto, o direito constitucional francês não pôde fugir ao processo de *justicialização da constituição*, ou seja, à tendência, há muito verificada no direito norte-americano, de converter os problemas político-constitucionais em problemas de *aplicação judicial* da constituição. É neste contexto que se insere a recente síntese de um autor [8] quanto aos "três estádios sucessivos" do direito constitucional francês: o primeiro estádio é o do *"temps des obsédés textuels"* limitado ao estudo da constituição na parte em que disciplinava o "estatuto dos governantes"; o segundo estádio é marcado pelo *"point de vue" des politistes*, ou seja, do direito constitucional concebido como direito dos fenómenos políticos e do jogo estratégico da política ("escola duvergeriana"); o terceiro estádio, – o de

---

[4] Trata-se de E. S. CORWIN, *The "Higher Law" background of American Constitutional Law*, Ithaca, New York, Cornell University Press, 1955 (tem várias edições).

[5] Consulte-se CHARLES E. HUGHES, *Speech*, Elmira, New York, May, 3, 1907.

[6] Cfr., por exemplo, dois conhecidos manuais: o de GEORGE BURDEAU, continuado por FRANCIS HAMON e MICHEL TROPER, *Droit Constitutionnel*, 23.ª ed., Paris, Librairie Générale de Droit et Jurisprudence, 1993, e o de M. DUVERGER, *Institutions Politiques et Droit Constitutionnel*, Puf, Vol. 1.º, 18.ª ed., 1990, e Vol. 2, *Le Système Politique Français*, 20.ª ed., 1990.

[7] Cfr. o recente manual de OLIVIER DUAHMEL, *Droit Constitutionnel et Politique*, Seuil, Paris, 1993, onde é notória a profundidade do "jogo político" e das "regras do jogo" na compreensão francesa do direito constitucional. Por último, L. FAVOREU *et alii*, *Droit Constitutionnel*, 1998.

[8] Referimo-nos a DOMINIQUE TURPIN, *Droit Constitutionnel*, 1.ª ed., Paris, PUF, 1992.

"un droit constitutionnel nouveau" –, corresponderia à evolução recente do direito constitucional no sentido de um direito *"essentiellement jurisprudentiel"* ("escola judicialista" ou "justicialista" de Favoreu).

Na Alemanha, o ensino do direito constitucional oscila entre duas posições. Uma delas, continua a tradição germânica do *Direito do Estado* (*Staatsrecht*), convertendo a categoria política *Estado* em estrutura jurídica básica do direito público alemão. O mais recente tratado faz mesmo questão de recuperar a centralidade do estado no discurso jurídico-constitucional[9]. Outra posição é a de eleger a *constituição* da República Federal da Alemanha (*Grundgesetz*) como ponto de partida para a exposição dos princípios e fundamentos do direito constitucional positivo[10]. Dada a importância da jurisprudência do Tribunal Constitucional da Alemanha (*Bundesverfassungsgericht*), o direito constitucional alemão é, hoje em dia, um direito com fortes acentuações judicialistas, à semelhança do que acontece no direito americano.

Na Itália, o ensino do direito constitucional permite aos cultores do direito público uma exposição sobre os problemas gerais do estado e do direito. Daí que muitas das obras dos jusconstitucionalistas italianos comecem com introduções conceituais tendentes a iluminar o sentido de conceitos e categorias chave como *ordenamento jurídico, estado, sujeitos de direito* e *figuras organizatórias*[11]. A esta introdução segue-se, em geral, a exposição do direito constitucional italiano com base na *Costituzione della Republica Italiana* de 1947. Não deve deixar de realçar-se o equilíbrio da juspublicística italiana quanto ao desenho do objecto do direito constitucional. Além da clarificação das categorias jurídico--políticas, a constitucionalística italiana dedica largos desenvolvimentos às *fontes* de direito constitucional e cultiva hoje, à semelhança do que vimos verificar-se noutros ordenamentos, um imaginativo *direito constitucional jurisprudencial*[12].

Situação muito peculiar é a do direito constitucional espanhol. Por um lado, é visível, em alguns autores, uma reacção contra a destronização do *direito público do Estado* pelo *direito constitucional judicial*. Por isso, o direito constitucional terá de afirmar-se como *teoria do Estado* que antecede ou dá

---

[9] Temos aqui em conta Isensee/Kirchhof, *Handbuch des Staatsrechts*, 9 volumes, C. F. Müller, Juristischer Verlag, Heidelberg, 1987-1992.

[10] Como obra paradigmática citaremos: Konrad Hesse, *Grundzüge des Verfassungsrechts Bundesrepublik Deutschland*, 20.ª ed., C. F. Müller, Juristischer Verlag, Heidelberg, 1995.

[11] Cfr., por todos, o manual de Constatino Mortati, *Istituzioni di Diritto Pubblico*, 2 volumes, agora actualizado por Franco Modugno, Antonio Baldassare e Carlos Mezzanotte (10.ª ed., Padova, Cedam, 1991).

[12] Uma obra que ainda hoje julgamos paradigmática é a de Vezio Crisafulli, *Lezioni de Diritto Costituzionale*, 3 vols., Cedam, Padova, 1970, 1976, 1978. Veja-se também a exposição global de Giuliano Amato/Augusto Barbera (coord), *Manuale di Diritto Pubblico*, 4.ª ed., Bologna, Il Mulino, 1994.

fundamento ao direito constitucional positivo[13]. Perante a existência de uma constituição (Constituição de 1978) considerada como verdadeira *norma jurídica*[14], conformadora do estado e interpretada e aplicada, em última instância, por *juízes* (os juízes do Tribunal Constitucional Espanhol), o direito constitucional espanhol estrutura-se em torno do chamado *estado constitucional*[15] ou do *sistema constitucional espanhol*[16]. Entre o "direito político" e o "direito jurisprudencial" a doutrina procura um arrimo categorial (estado, sistema, princípios) para expor os principais temas do direito constitucional (estado, organização política, direitos fundamentais, controlo da constitucionalidade)[17]. Outras correntes espanholas insistem, ainda hoje, em manter-se tendencialmente fiéis à memória da *teoria pura* abordando os principais temas do direito constitucional a partir das normas e fontes de direito constitucional[18].

No Brasil, o direito constitucional está hoje numa fase de grande pujança, oferecendo os manuais de direito constitucional uma visão plurifacetada dos problemas jurídicos e políticos brasileiros. Desde obras com grande acentuação teorética em torno dos problemas da constituição[19] até às obras gerais de carácter mais institucionalista[20], os manuais mais conhecidos oferecem uma exposição global dos problemas do estado e sua organização, da constituição e dos direitos fundamentais[21]. Como o direito constitucional é um cadinho de testa-

---

[13] Veja-se, por exemplo, J. A. GONZALEZ CASANOVA, *Teoria del Estado y Derecho Constitucional*, Editorial Vicens Vives, Barcelona, 3.ª ed., 1987. Cfr. ainda, JOSE ACOSTA SANCHEZ, *Teoria del Estado y Fuentes de la Constitucion*, Universidade de Córdoba, 1989, p. 4: "a palavra constituição só adquire significado relacionada com a do Estado".

[14] Cfr. E. GARCIA DE ENTERRIA, *La Constitución como norma y el Tribunal Constitucional*, Editorial Civitas, Madrid, 1981.

[15] Veja-se, por exemplo, o *Curso de Derecho Constitucional* de JAVIER PEREZ ROYO, Marcial Pons, Madrid, 1994, e o curso de REMÉDIO SANCHEZ FERRIZ, *Introducion al Estado Constitucional*, Ariel, Barcelona, 1993.

[16] Cfr. FRANCISCO FERNANDEZ SEGADO, *El Sistema Constitucional Español*, Dykinson, Madrid, 1992; *Aproximacion a la Ciencia del Derecho Constitucional*, Ed. Jurídicas, Lima, Peru, 1995.

[17] Cfr. as propostas metodológicas de P. LUCAS VERDU "Conceptos y Caracteres del Pensamiento Politico", in *Estado e Direito*, 2/1988, p. 9 e segs.; G. GOMEZ ORFANEL, "Nocion del Derecho Constitucional", in *Estado e Direito*, 3/1989, p. 59 e segs.; RODRIGO FERNANDEZ CARVAJAL, "Notas sobre el Derecho Constitucional como Nuevo Derecho Comum", in *Anuario de Derecho Constitucional y Parlamentario* Murcia, 1989, p. 37, ss.

[18] Cfr. a obra de INACIO DE OTTO, *Derecho Constitucional, Sistema de Fuentes*, Editorial Ariel, Barcelona, 1988.

[19] Cfr., por exemplo, PAULO BONAVIDES, *Curso de Direito Constitucional*, 11.ª ed., Malheiros Editores, S. Paulo, 2001.

[20] Cfr. MANOEL GONÇALVES FERREIRA FILHO, *Curso de Direito Constitucional*, 20.ª ed., Saraiva, S. Paulo, 1995.

[21] Além das obras anteriormente mencionadas, ver, CELSO RIBEIRO BASTOS, *Curso de Direito Constitucional*, 11.ª ed., São Paulo Saraiva, 1989, JOSÉ AFONSO DA SILVA, *Curso de Direito Constitucional*

bilidade e experimentação das respostas dos homens aos problemas da cidade, a doutrina brasileira está também atenta às deslocações verificadas em sede da *teoria da constituição*, oferecendo-nos trabalhos de grande rigor e sofisticação teórica [22] a que faremos referência mais desenvolvida na quinta parte desta obra.

Faremos, neste momento, apenas um brevíssimo aceno ao que se ensina em Portugal. Se quisermos limitar-nos a alguns traços caracterizadores da doutrina constitucional portuguesa eles poderão resumir-se da seguinte forma: (1) atenção às experiências *constitucionais portuguesas*, o que justifica o relevo mais ou menos desenvolvido dado à história das constituições portuguesas [23]; (2) descrição *institucional* dos padrões organizatórios do poder político e dos órgãos de soberania; (3) centralidade, a partir de 1976, do *catálogo dos direitos fundamentais* constitucionalmente consagrados [24]; (4) relevo dogmático concedido ao problema das *fontes de direito* (constituição, lei, regulamento), ultimamente enriquecido com a questão das fontes de direito comunitário; (5) recepção do *desenvolvimento jurisprudencial* do direito constitucional através da análise dos casos mais representativos da justiça constitucional portuguesa. Todos estes temas irão também ser abordados no presente trabalho. Por isso, dispensamos aqui mais desenvolvimentos.

2. As "modas" e as práticas: o "novo" e o "novíssimo" direito constitucional

O direito constitucional, como qualquer prática social humana, tem as suas modas. Há que estar atento a elas, porque andar aqui na "moda" pode representar um *modo* privilegiado de testar a constituição e as normas do direito constitucional na sua interacção com outros subsistemas sociais, como o sistema económico, o sistema social e o sistema cultural. Mas uma moda pode ser também uma forma de "experiência constitucional" – já várias vezes referida –,

---

Positivo, Malheiros Editores, 11.ª ed., S. Paulo, 1996; L. Pinto Ferreira, *Manual de Direito Constitucional*, Forense, Rio de Janeiro, 1989; Ivo Dantas, *Direito Constitucional e Instituições Políticas* , Ed. Jalovi, S. Paulo, 1986.

[22] Cfr., por exemplo, Marcelo Neves, *A Constituição Simbólica*, Ed. Academica, S. Paulo, 1994; Gilmar Ferreira Mendes, *Jurisdição Constitucional*, Editora Saraiva, S. Paulo, 1995; Luis Roberto Barroso, *O direito constitucional e a efectividade das suas normas*, 2.ª ed., Renovas, 1993.

[23] Cfr., por todos, Marcello Caetano, *Manual de Direito Constitucional e de Ciência Política*, Coimbra Editora, Coimbra, 1972; Jorge Miranda, *Manual de Direito Constitucional*, Tomo I, 6.ª ed., Coimbra Editora, Coimbra, 1997 p. 240, ss.

[24] Cfr., por exemplo, J. Carlos Vieira de Andrade, *Os Direitos Fundamentais na Constituição Portuguesa de 1976*, Livraria Almedina, 2.ª ed., Coimbra, 2001; Jorge Miranda, *Manual de Direito Constitucional*, Tomo IV, 3.ª ed., Coimbra Editora, 2000; J. J. Gomes Canotilho, *Direito Constitucional*, 6.ª ed., Livraria Almedina, Coimbra, 1993, p. 493, ss.

um *modus* de realização dos princípios e regras da lei fundamental de um país. Concretizemos melhor estas ideias referindo algumas modas. Uma delas como já atrás se referiu, é a da viragem *jurisprudencial* do direito constitucional: o direito constitucional é aquilo que os juízes dizem que é. O fenómeno não é novo e há muito que os americanos sintetizam esta ideia na célebre fórmula, atrás citada, do juiz Hughes – "a Constituição é o que os juízes dizem" – ou, se preferirmos o texto inglês, *"we are under a Constitution but the Constitution is what the judges say it is"*. Não sendo nova esta tendência, ela é uma experiência de *living constitution* relativamente recente na Europa e está relacionada com a institucionalização de tribunais constitucionais em grande número de países. As decisões dos tribunais constitucionais passaram a considerar-se como um novo modo de praticar o direito constitucional – daí o nome de *moderno direito constitucional*. O conhecimento das sentenças principais sobre cada problema converte-se em instrumento ineliminável da formação do jurista constitucional. Conheçam-se os *leading cases* resolvidos pelos tribunais constitucionais se quisermos conhecer a constituição viva. Fica assim explicado o recurso às sentenças dos tribunais e, mais concretamente, aos acórdãos do Tribunal Constitucional português.

De novo direito constitucional, ou melhor, de "novo constitucionalismo" (*New Constitutionalism*) se fala também hoje no sentido de o direito constitucional proporcionar a releitura de programas políticos (da esquerda, do centro e da direita) [25]. Não admirará, por isso, que aproveitemos a oportunidade para abordar novos *desenhos* de reconstrução das instituições políticas. As novas formas de modernidade política e económica obrigam os cultores do direito constitucional a prestar mais atenção a certos problemas como os da crise de representação, da envolvência dos direitos constitucionais nacionais pelo emergente *direito constitucional global* ou *internacional* e pelo já vigente *direito constitucional comunitário*, e da erupção de *novos direitos* e *novos deveres* intimamente relacionados com a liberdade e dignidade da pessoa humana e com os outros seres da comunidade biótica ("direitos fundamentais dos seres vivos"). Acrescentem-se ainda os problemas da "reinvenção do território" conducentes à releitura das obras sobre "federalismo" e "antifederalismo" e à sugestão de novos fenótipos organizatórios de comunidades supranacionais (União Europeia, Mercosul, NAFTA).

Relevem-se, também, as profundas deslocações retóricas, discursivas e metodológicas operadas no direito público pelas várias *teorias da justiça* e do *agir comunicativo* que pretendem completar, quando não substituir, a clássica

---

[25] Cfr. STEPHEN L. ELKIN / KAROL EDWARD SOLTAN, (org) *A New Constitutionalism, Designing Political Institutions for a Good Society*, The University of Chicago Press Chicago e London, 1993.

teoria da constituição. Neste contexto, "estar *in*" no direito constitucional é acompanhar as novas leituras dos problemas político-constitucionais nos quadros do pluralismo político, económico e social. Se incluirmos no direito constitucional outros modos de pensar, poderemos fazer face ao "desencanto" provocado pelo formalismo jurídico conducente, em certa medida, à procura de outros modos de compreender as "regras jurídicas". Estamos a referir sobretudo as propostas de entendimento do direito como *prática social*[26] e os compromissos com formas *alternativas* do direito oficial como a do "direito achado na rua".[27]

Por último, as instituições e os indivíduos presentes numa ordem constitucional estão hoje mergulhados numa *sociedade técnica, informativa* e de *risco* que obriga o jurista constitucional a preocupar-se com o espaço entre a técnica e o direito de forma a evitar que esse espaço se transforme numa terra de ninguém jurídica. Não se admirem, por isso, as angústias constitucionais perante os fenómenos da biotecnologia ("inseminações", "clonagens"), das auto-estradas da informação (*information superhighways*) e da segurança de cidadãos perante o caso de tecnologias criptográficas.

III - Os estudantes chegam carregados de "memórias constitucionais"

1. Uma presença difusa

Uma introdução ao direito constitucional poderia começar precisamente por uma recusa: a da definição do próprio objecto. "*Indéfinissable mais présent*" assim se referiu um conhecido constitucionalista francês ao caracterizar o objecto da nossa disciplina[28]. Nada melhor, porém, do que avivar a memória dos jovens acabados de chegar à universidade e dizer-lhes quase "lapallissianamente": vós já conheceis alguns dos principais problemas do direito constitucional. Basta olhar à volta para ver que ele está *presente*. Guardamos imagens – boas ou más – de *actores políticos* como o Presidente da República, o Primeiro Ministro, o Presidente da Assembleia da República, os presidentes dos governos regionais. Para uma boa parte dos universitários também não representará

---

[26] Cfr. sobretudo BOAVENTURA DE SOUSA SANTOS, *Toward a New Common Sense/Law, Science and Politics in the Paradigmatic Transition*, Routledge, New York-London, 1995.

[27] Estamos a referir-nos a um importante movimento teórico-prático centrado no Brasil. Cfr. por ex., JOSÉ GERALDO DE SOUSA JÚNIOR (org), *Introdução crítica do direito*, série "O Direito Achado na Rua", Universidade de Brasília, 1993.

[28] É o título do artigo de GEORGE VEDEL publicado na revista *Pouvoirs*, 11/1990, p. 71.

propriamente uma novidade dizer-se que muitos dos *problemas políticos e sociais* têm contornos constitucionais. Lembremos, a título de exemplo, a questão da pena de morte, a problemática das propinas, a questão do aborto, o problema do ensino da religião nas escolas, a controvérsia sobre a "bondade" ou "maldade" do segredo bancário, a agitação em torno dos problemas da segurança social, as discussões pró e contra a regionalização. De uma forma mais ou menos difusa, os jovens estudantes possuem a intuição de que muitos *actos políticos* – eleições, referendos, demissão do governo, dissolução do parlamento, discussão do programa de governo, realização de inquéritos – estão sujeitos a certas *regras de jogo* contidas na constituição. Finalmente, há hoje uma ideia comum de que o indivíduo, o cidadão, o trabalhador, o administrado, gozam de *direitos fundamentais* consagrados numa lei fundamental, numa constituição. A conclusão a tirar destas imagens, representações e ideias sobre os actores, os actos, os problemas e as regras político-constitucionais só pode ser a da *presença* de um *direito* de inequívoca *centralidade política* – o *direito constitucional* – e de uma "lei" particularmente importante quanto à organização do poder político, quanto à definição das regras do jogo político e da política e quanto à garantia dos direitos e liberdades fundamentais. Trata-se, é bem de ver, de captar o direito constitucional em termos impressionistas e de usar, muitas vezes, os óculos da juventude para criticar a automovimentação dos actores políticos.

2. O entendimento do "dito textual" e sistematização

Como qualquer ciência (seja "ciência da natureza" seja "ciência social"), a ciência do direito constitucional utiliza conceitos que, não raras vezes, obrigarão a suspensões na leitura e à procura desesperada do seu significado nos dicionários. Este ponto é sistematicamente salientado pelos alunos: dificuldade de compreensão de conceitos e obstáculos frequentes ao entendimento do "dito" textual.

O problema, como é óbvio, prende-se com a questão mais geral de saber quais são as "memórias" culturais que os alunos devem "armazenar" para frequentar cursos universitários. Não raro acontece que se dá por ensinado aquilo que nunca se ensinou e se consideram aprendidas coisas nunca explicadas. Por último – há que reconhecer – existem sérias dificuldades de articulação (e comunicação!) entre os encarregados de várias disciplinas, criando-se sistemas de "reenvios" formais: considera-se o ensino de certas matérias da competência de outros colegas que, por sua vez, dão como pressuposto elas serem ensinadas noutras cadeiras.

Independentemente destes obstáculos e desentendimentos, há alguns pontos de partida culturais que os alunos devem conhecer. Fornecer uma "gramática" ou um "dicionário" do discurso não se coaduna com o tipo de ensino universitário, além de não ser razoável que um texto-base de direito constitucional se transforme em "dicionário de termos e palavras jurídicas". De qualquer modo, a descodificação de alguns conceitos estruturantes pode constituir um alerta feito aos alunos contra a interpretação *ingénua* de enunciados conceituais. Neste sentido, procurar-se-á, ao longo do trabalho, revelar o "segredo" (hoje dir-se-ia "fornecer o código" ou fazer a "descodificação") das *estruturas teóricas* subjacentes à economia narrativa deste texto e erguidas a vocabulário intersubjectivamente válido para tentar estruturar uma "ciência". Forneceremos como exemplo os conceitos de "norma jurídica", "órgão", "direito subjectivo", "relação jurídica", "lei", "competência", "função", cujo sentido tem de ser apurado de forma a sugerir aos alunos que o direito é uma "ciência de rigor".

A nossa experiência docente tem revelado a conveniência de uma diferente arrumação sistemática do discurso constitucional e de novas propostas de leitura dos problemas do direito público. Em certa medida, as novas propostas de leitura equivalem quase a um *antimanual* ou *direito constitucional alternativo* quando comparadas com as sugestões do anterior Direito Constitucional [29]. Com efeito, o *corte estruturalista* que perpassava nas mensagens do "Direito Constitucional" cede agora, algumas vezes, o lugar a um prudente recentramento das *dimensões histórico-culturais* do constitucionalismo moderno. Este o motivo da deslocação do enquadramento histórico para a primeira parte. Julgámos também conveniente transferir alguns problemas da *Teoria da Constituição* para uma parte autónoma que constituirá a última parte do livro. Isso permitir-nos-á – assim o cremos – evitar a sobrecarga do texto com introduções teóricas aos capítulos, nem sempre apreensíveis nos começos da aprendizagem da ciência juspublicística. Por outro lado, a existência de uma parte dedicada à reconstrução do direito constitucional e da teoria da constituição possibilitar-nos-á uma visão conclusiva, sistemática e problematizante dos novos mundos teóricos que envolvem a nossa narratividade. A sistematização dos problemas constitucionais obedece agora a este triângulo de questões: (Q.1) o que é uma constituição e porque é que a constituição assumiu centralidade política e jurídica nos modernos estados constitucionais; (Q.2) qual o direito *posto* numa lei fundamental?; (Q.3) qual a melhor constituição e quais os problemas políticos agitados pelo direito constitucional?

---

[29] Cfr., José Joaquim Gomes Canotilho, *Direito Constitucional*, 6.ª ed., Almedina, Coimbra, 1993 (com várias reimpressões).

A resposta à questão (Q.1) possibilitará o estudo da emergência histórica das constituições em geral e do constitucionalismo português em especial. A questão dois (Q.2) obriga-nos à análise do direito constitucional vigente. A questão três (Q.3) fornece o impulso para o repensamento da *teoria de constituição*.

IV - Visão global da literatura sobre Direito Constitucional

A) DIREITO CONSTITUCIONAL PORTUGUÊS

COMENTÁRIOS

Canotilho, J. J. G./Moreira, V. – *Constituição da República Portuguesa, Anotada*, 3.ª ed., Coimbra, 1993.
Magalhães, J. – *Dicionário da Revisão Constitucional*, Lisboa, 2.ª ed., 1999.
Morais, I./Ferreira de Almeida, J. M./Leite Pinto, R. – *Constituição da República Portuguesa, anotada e comentada*, Lisboa, 1983.
Nadais, A. / Vitorino, A./Canas, V. – *Constituição da República Portuguesa. Texto e Comentários à Lei n.º 1/82*, Lisboa, 1982.
Pinheiro, A. S./Fernandes, M. J. – *Comentários à IV Revisão Constitucional*, Lisboa, 1999.
Sousa, M. R./Alexandrino, J. M. – *Constituição da República Portuguesa, Comentada*, Lisboa, 2000

LIVROS DE ESTUDO, MANUAIS, TRATADOS

Canotilho, J. J. G. – *Direito Constitucional*, 6.ª ed., Coimbra, 1993.
Canotilho J. J./Moreira, V. – *Fundamentos da Constituição*, 2.ª ed., Coimbra, 1993.
Miranda, J. – *Manual de Direito Constitucional*, 6 vols.: Vol. 1, 7.ª ed., Coimbra, 2003; Vol. II, 4.ª ed., Coimbra, 2000; Vol. III, 4.ª ed., Coimbra, 1998; Vol. IV, 3.ª ed., Coimbra, 2000; Vol. V, 2.ª ed., Coimbra, 2000; Vol. VI, 1.ª ed., Coimbra, 2001;

---

* A literatura que aqui se refere é uma literatura seleccionada de acordo com os seguintes critérios: (1) *globalidade* de tratamento dos problemas constitucionais, motivo pelo qual apenas são indicados tratados, manuais e livros de estudo; (2) *actualidade* e *actualização* das obras, razão que aponta para a referência a literatura que essencialmente diz respeito ao direito constitucional vigente nos respectivos países ou, pelo menos, foca problemas considerados actuais; (3) *proximidade problemática* e *influência doutrinal* das obras, o que obrigou a uma limitação das referências bibliográficas aos autores e praxis de países que, directa ou indirectamente, têm tido influência no direito constitucional português.

— *Teoria do Estado e da Constituição*, Coimbra, 2002.
Pinto, R. L./Correia, J. M./Seara, F. R. — *Ciência Política e Direito Constitucional*, Lisboa, 2000.
Sousa, M. R. — *Direito Constitucional. Introdução à Teoria da Constituição*, Braga, 1979.

MONOGRAFIAS

Miranda, J. — *A Constituição de 1976. Formação, estrutura, princípios fundamentais*, Lisboa, 1978.
Pires, F. L. — *A Teoria da Constituição de 1976. A transição dualista*, Coimbra, 1988.

OBRAS COLECTIVAS

Estudos sobre a Constituição, coord. de Jorge Miranda, 3 vols., Lisboa, 1977, 1978 e 1979.
Estudos sobre a Jurisprudência do Tribunal Constitucional, pref. de J. M. Cardoso da Costa, Lisboa, 1993.
Études de Droit Constitutionnel Franco-Portugais, org. de P. Le Bon, Paris, 1992.
La Justice Constitutionnelle au Portugal, org. de P. Le Bon, Paris, 1989.
Portugal. O Sistema Político e Constitucional, org. de M. Baptista Coelho, Lisboa, 1989.
Nos dez anos da Constituição, org. de Jorge Miranda, Lisboa, 1987.
Perspectivas Constitucionais. Nos 20 Anos da Constituição de 1976, org. de Jorge Miranda, 3 vols., Coimbra, 1996-1998.
Legitimidade e Legitimação da Justiça Constitucional. Colóquio no 10.º Aniversário do Tribunal Constitucional, Coimbra, 1995.
Nos 20 anos da Constituição de 1976 – Jornadas de Coimbra, org. de J. J. Gomes Canotilho, Coimbra, 1999.

JURISPRUDÊNCIA CONSTITUCIONAL E PARECERES COM INCIDÊNCIA CONSTITUCIONAL

Acórdãos da Comissão Constitucional, publicados em apêndices ao Diário da República.
Acórdãos do Tribunal Constitucional, publicados, até ao momento, 52 volumes (1983-2002).

Acórdãos do Tribunal Constitucional, publicados na 1.ª e 2.ª séries do «Diário da República».
Acórdãos de Tribunais Superiores e Pareceres da Procuradoria Geral da República publicados no Boletim do Ministério da Justiça.
Pareceres da Comissão de Assuntos Constitucionais da Assembleia da República, 2 vols.
Pareceres da Comissão Constitucional, 21 vols., Lisboa, 1976-1982.
Jurisprudência Constitucional Escolhida, 3 vols., organizada por Jorge Miranda, Lisboa, vol. I, 1997, vol. II, 1998, vol. III, 1998.
Pareceres da Procuradoria Geral da República, vários volumes, Lisboa, Procuradoria Geral da República, a partir de 1996.
Guia da Jurisprudência do Tribunal Constitucional, 2 vols., organizada por Mário Torres, A. Esteves Remédio, A. Rocha Marques, M. Menéres Pimentel e António de Araújo, Coimbra, 2000.
Textos de Jurisprudência Fiscal Constitucional, 2 vols. org. de E. Paz Ferreira/R. Fernando Ferreira/O. Mota Amador, Lisboa, 1996.

COLECTÂNEAS DE DIPLOMAS DENSIFICADORES DA CONSTITUIÇÃO

Gouveia, J. B. – *Textos Fundamentais de Direito Internacional*, 2.ª ed., Lisboa 1999.
Martinez, P. R. – *Textos de Direito Internacional Público*, Coimbra, 1991.
Seara, F. R./Bastos, F. L./Correia, J. M./Rogeiro, N./Pinto, R. L. – *Legislação de Direito Constitucional*, Lisboa, 1995.

B) *DIREITO CONSTITUCIONAL ALEMÃO*

COMENTÁRIOS

Denninger, E./Hoffman-Riem, W./Schneider, H. P. *Kommentar zum Grundgesetz für dir Bundesrepublik Deutschland*, (Alternativ Kommentar), 3.ª ed., 3 vols., 2001.
Dreier, H. (org.) – *Grundgesetz. Kommentar*, Mohr, Tübingen, Vol. I, 1996, Vol. II, 1998; Vol. III, 2000
Giese, F./Schunck, E. – *Grundgesetz für die Bundesrepublik Deutschland vom 23. Mai 1949*, 9.ª ed., Frankfurt/ M., 1976.
Hamann, A./Lenz, H. – *Grundgesetz für die Bundesrepublik Deutschland*, München, 3.ª ed., Neuwied/Berlin, 1970.

Jarass/Pieroth – *Grundgesetz für die Bundesrepublik Deutschland*, München, 6.ª ed., 2002.
Leibholz, G./Rinck, H. J./Hesselberger – *Grundgesetz für die Bundesrepublik Deutschland, Kommentar an Hand der Rechtsprechung des Bundesverfassungsgerichts*, 7.ª ed., Köln, 1993 (última actualização: 2002).
Mangoldt/Klein/Starck – *Bonner Grundgesetz Kommentar*, Vol. I, 4.ª ed., München, 1999; Vol. II, 4.ª ed., München, 2000; Vol. III, 4.ª ed., München, 2001.
Maunz, T./Dürig, G./Herzog, R./Scholz, R./Lerche, P./Papier, H./Randelzhofer, A./Schmidt-Assmann, E. – *Grundgesetz, Kommentar*, München, 1958 (com actualizações).
Model, O./Müller, K. – *Grundgesetz für die Bundesrepublik Deutschland*, 11.ª ed., Köln/Berlin/Bonn/München, 1996.
von Münch I./Künig Ph. (org.) – *Grundgesetz Kommentar*, 3 vols., Vol. I, 5.ª ed., München, 2000 (org. de Ph. Kunig); Vol. II, 4/5.ª ed., 2001; Vol. III, 3.ª ed., 2003.
Sachs, M. (coord.), *Grundgesetz. Kommentar*, 3.ª ed., Beck, München, 2003.
Schmid-Bleibtreu, B./Klein, F. – *Grundgesetz für die Bundesrepublik*, 9.ª ed., Neuwied, 1999.
Wassermann (org.) – *Kommentar zum Grundgesetz für die Bundesrepublik Deutschland*, Reihe Alternativ Kommentar, 2 vols., Luchterhand, 2.ª ed., 1989.

LIVROS DE ESTUDO, MANUAIS, TRATADOS

Arndt, H. W./Rudolf, W. – *Öffentliches Recht*, München, 1977.
Arnim, H. H. – *Staatslehre der Bundesrepublik*, 1984.
Badura, P. – *Staatsrecht*, München, 2.ª ed., 1996.
Battis/Gusy, *Einführung in das Staatsrecht*, 3.ª ed., Heidelberg, 1991.
Benda, E./Maihofer, W./Vogel, H. J. – *Handbuch des Verfassungsrechts der Bundesrepublik Deutschland*, Berlin/New York, 2.ª ed., 2 vols., 1995.
Bleckmann, A. – *Staatsrecht I, Staatsorganisationsrecht*, Köln, 1993; *Staatsrecht, II, Die Grundrechte*, 4.ª ed., 1997.
Degenhart, Ch – *Staatsrecht*, 8.ª ed., Heidelberg, 1995.
Denninger, E. – *Staatsrecht*, Vol. I, Reinbeck, 1973; Vol. II, 1979.
Doehring, K. – *Staatsrecht der Bundesrepublik Deutschland*, 3.ª ed., Frankfurt/M., 1984.
Erichsen, H. U. – *Staatsrecht und Verfassungsgerichtsbarkeit*, Vol. I, 3.ª ed., München, 1982; Vol. II, Bochum, 1979.

Hamel, W. – *Deutsches Staatsrecht,* Vol. I, Berlin, 1971; Vol. II, Berlin, 1974.
Hesse, K. – *Grundzüge des Verfassungsrechts der Bundesrepublik Deutschland,* 20.ª ed., Karlsruhe/Heidelberg, 1993.
Isensee/Kirchhof (coord.), *Handbuch des Staatsrechts,* 10 vols., Heidelberg, 1987--2000.
Kriele, M. – *Einführung in die Staatslehre,* 4.ª ed., 1990.
Maunz, Th./Zippellius R. – *Deutsches Staatsrecht,* 29.ª ed., München/Berlin, 1994.
Mück, J. (org.) –*Verfassungsrecht,* Opladen, 1975.
Münch, I. v. – *Grundbegriffe des Staatsrechts,* Stuttgart/Berlin/Köln/Mainz, Vol. I, 6.ª ed., Stuttgart, 2001, Vol. II, 5.ª ed., Stuttgart, 1991.
Peters, H. – *Geschichtliche Entwicklung und Grundfragen der Verfassung,* Berlin, 1969.
Pieroth/Schlink, *Staatsrecht,* II, 15.ª ed., Heidelberg, 1999.
Schramm, Th. – *Staatsrecht,* 3 vols., Vol. I, 2.ª ed., Köln, 1977; Vol. II, 2.ª ed., 1979; Vol. III, 2.ª ed., 1980.
Schunck C./Clerk, H. – *Allgemeines Staatsrecht und Staatsrecht des Bündes und der Länder,* 15.ª ed., 1995.
Staff, J. –*Verfassungsrecht,* Baden-Baden, 1976.
Stein, E. – *Lehrbuch des Staatsrechts,* 17.ª ed., Tübingen, 2000.
Stern, K. – *Das Staatsrecht der Bundesrepublik Deutschland,* Vol. I, 2.ª ed., München, 1982; Vol. II, 1.ª ed., 1980; Vol. III/1, 1989; Vol. III/2, 1994; Vol. V, 2000.
Weber-Fas, R. – *Das Grundgesetz,* Berlin, 1983.
Zippelius, R. – *Allgemeine Staatslehre,* 11.ª ed., München, 1991.

C) *DIREITO CONSTITUCIONAL ARGENTINO*

LIVROS DE ESTUDO, MANUAIS, TRATADOS

Bidart Campos, G. – *Derecho Constitucional,* Buenos Aires, 1964.
– *Manual de Derecho Constitucional Argentino,* Buenos Aires, 1985.
– *Tratado Elemental de Derecho Constitucional Argentino,* Buenos Aires, 1992.
Gonzales Calderon, J. – *Curso de Derecho Constitucional,* Buenos Aires, 6.ª ed., 1978.
Linares Quintana, A. – *Tratado de la Ciencia del Derecho Constitucional,* Buenos Aires, 1953.
Nino, C. – *Fundamentos de Derecho Constitucional,* Buenos Aires, 1992.

Padilla, M. M. – *Derecho Constitucional*, Buenos Aires, 1998.
Quiroga Lavie, H. – *Derecho Constitucional*, Buenos Aires, 1984.
Ramella, P. – *Derecho Constitucional*, 3.ª ed., Buenos Aires, 1986.
Reinaldo Vanossi, J. – *Teoria Constitucional*, Buenos Aires, 1975.
Saguès, P. – *Elementos de Derecho Constitucional*, Buenos Aires, 1993.
Ziulu, A. G. – *Derecho Constitucional*, 2 vols., Buenos Aires, 1997.

D) *DIREITO CONSTITUCIONAL AUSTRÍACO*

COMENTÁRIOS

Ermacora, F. – *Die österreichischen Bundesverfassungsgesetze*, 9.ª ed., 1980.
Kelsen, H./Fröehlich, H./Merkl, A. – *Die Bundesverfassung vom 1. Oktober 1920*, 1922.
Klecatsky, H./Morscher – *Die österreichische Bundesverfassung, 5.ª ed.,* 1989.
Ringhofer – *Die österreichische Bundesverfassung*, 1977.
Schäffer (org.) – *Österreichische Verfassungs-und Verwaltungsgesetze, desde* 1981.

LIVROS DE ESTUDO, MANUAIS, TRATADOS

Adamovich/Fünk – *Österreichisches Verfassungsrecht*, 3.ª ed., Wien/New York, 1985.
Adamovich, L./Spanner, H. – *Handbuch des österreichischen Verfassungsrechts*, 6.ª ed., Wien/New York, 1971.
Ermacora, F. – *Österreichische Verfassungslehre*, Wien, 1970.
Klecatsky, H. – *Das österreichische Bundesverfassungsrecht*, 2.ª ed., 1973.
Klecatsky/Morscher, *Das österreichische Bundesverfassungsrecht*, 3.ª ed. 1982.
Koja, F. – *Das Verfassungsrecht der österreichischen Bundesländer*, Wien, 2.ª ed., 1988.
Öhlinger, Th. – *Verfassungsrecht*, 3.ª ed., Wien, 1997.
Walter, R. – *Österreichisches Bundesverfassungsrecht*, Wien, 1972.
Walter/Mayer – *Grundriss des österreichischen Bundesverfassungsrechts*, 8.ª ed., Wien, 1996.

E) *DIREITO CONSTITUCIONAL BRASILEIRO*

COMENTÁRIOS

Barroso, L. R. – *Constituição da República Federativa do Brasil*, Anotada, São Paulo, 1998.

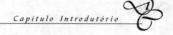

Bastos, C. R./Martins, I. G. – *Comentário à Constituição do Brasil de 1988*, 15 vols., São Paulo.
Bulos, U. L. – *Constituição Federal Anotada*, 4.ª ed., São Paulo, 2002.
Cretella Junior, J. – *Comentários à Constituição Brasileira de 1988*, 9 vols., Rio de Janeiro.
Ferreira Filho, M. G. – *Comentários à Constituição Brasileira*, 4 vols., 1989-1995, S. Paulo.
Ferreira, P. – *Comentários à Constituição Brasileira*, 7 vols., São Paulo.

LIVROS DE ESTUDO, MANUAIS, TRATADOS

Accioli, W. – *Instituições de Direito Constitucional*, 3.ª ed., Rio de Janeiro, 1984.
Andrade, A. – *Lições de Direito Constitucional*, Rio de Janeiro, 1973.
Bastos, C. R. – *Elementos de Direito Constitucional*, São Paulo, 1975.
– *Curso de Direito Constitucional*, 13.ª ed., 1990.
Bonavides, P. – *Curso de Direito Constitucional*, 11.ª ed., São Paulo, 2001.
– *Direito Constitucional*, Rio de Janeiro, 3.ª ed., 1988.
Cunha, F. W. – *Direito Constitucional do Brasil*, Rio de Janeiro, 1990.
Ferreira, L. Pinto – *Manual de Direito Constitucional*, Forense, Rio de Janeiro, 1989.
Ferreira Filho, M. G. – *Curso de Direito Constitucional*, S. Paulo, 20.ª ed., 1998.
– *Direito Constitucional Comparado – Poder Constituinte*, S. Paulo, 1974.
Franco, A. A. de M. – *Curso de Direito Constitucional*, 2 vols., Rio de Janeiro, 1958.
Horta, R. M. – *Direito Constitucional*, 2.ª ed., Belo Horizonte, 1999
Garcia, M. – *Curso de Direito Constitucional*, Rio de Janeiro, 1991.
Jacques, P. – *Curso de Direito Constitucional*, 9.ª ed., Rio de Janeiro, 1974.
Morais, A. – *Direito Constitucional*, 10.ª ed., São Paulo, 2001.
Neto, S. – *Direito Constitucional*, São Paulo, 1970.
Russomano, R. – *Curso de Direito Constitucional*, 2.ª ed., S. Paulo, 1972.
Silva, J. A. – *Curso de Direito Constitucional Positivo*, 16.ª ed., São Paulo, 1999.
Teixeira, J. H. M. – *Curso de Direito Constitucional*, São Paulo, 1991
Tavares, A. R. – *Curso de Direito Constitucional*, 2.ª ed., São Paulo, 2003
Temer, M. – *Elementos de Direito Constitucional*, 11.ª ed., São Paulo, 1995.

OBRAS CLÁSSICAS DE DIREITO CONSTITUCIONAL BRASILEIRO

Barbosa, R. – *Comentários à Constituição Federal Brasileira*, 6 vols., São Paulo, 1932-34.

Pimenta Bueno, J. A. – *Direito Público Brasileiro e Análise da Constituição do Império,* 2 vols., Rio de Janeiro, 1857.
Pontes de Miranda – *Comentários à Constituição de 1946,* 2.ª ed., 1953.

F) *DIREITO CONSTITUCIONAL ESPANHOL*

COMENTÁRIOS À CONSTITUIÇÃO DE 1978

Anua J./Aulestia E./Castells, M. – *La Constitución española,* S. Sebastian, 1978.
Falla, G. F. – *Comentarios a la Constitución,* 2.ª ed., Madrid, 1985.
Goyanes, S. E. – *Constitución española comentada,* Madrid, 1979.
Predieri, A./Enterria, G. E. – (org.) *La Constitución española de 1978,* 2.ª ed., Madrid, 1981.
Rodrigues, F. T. – *Lecturas sobre la Constitución Española,* 2 vols., Madrid, 1978.
Villaamil Alzaga, Ó. – *La Constitución española de 1978 (Comentario Sistematico)* Madrid, 1978.
Villaamil, A. (org.) – *Comentarios a las Leys Politicas, Constitución Española de 1978,* 12 vols., Madrid, – 1983 a 1989.

LIVROS DE ESTUDO, MANUAIS, TRATADOS

Acosta Sanchez, J. – *Teoria del Estado y Fuentes de la Constitución,* Cordoba, 1989.
Aguilera de Prat/P. Vilanova – *Temas de Ciência Política,* Barcelona, 1987.
Álvarez Conde, E. – *Curso de Derecho Constitucional,* 2 Vols., Madrid, 1993.
Alzaga, O./Torres del Moral – *Derecho Constitucional,* Madrid, 1983.
Aparício, M. A. – *Introducción al sistema politico y constitucional español,* 1980.
Aragon Reys, M./Solozabal Echevarria J. J., *Derecho Constitucional,* Madrid, 1998.
Callejón, F. B. (org.) – *Derecho Constitucional,* 2 vols., Madrid, 1999.
Clivillés, F. M. – *Introdución al Derecho Constitucional Español,* Madrid, 1975.
Esteban, J. – *Curso de Derecho Constitucional Español,* 3 vols., Madrid, 1992 e 1993.
Gonzalez Casanova, J. – *Teoria del Estado y Derecho Constitucional,* Barcelona, 3.ª ed., 1987.
Guerra, López L. (org.) – *Derecho Constitucional,* Valencia, 1991.
Otto J. – *Lecciones de Derecho Constitucional,* Oviedo, 1980.
– *Derecho Constitucional/Sistema de Fuentes,* 2.ª ed., 7.ª reimp., Barcelona, 1999.

Pereira Menaut, A. C. – *Lecciones de Teoria Constitucional*, Madrid, 2.ª ed., 1987.
Royo, J. P. – *Curso de Derecho Constitucional*, 5.ª ed., Madrid, 1999.
Segado, F. F. (coord.) – *El Sistema Constitucional Español*, Madrid, 1991.
Serrano, P. N. – *Tratado de Derecho Político*, Madrid, 1976.
Sospedra M. – *Lecciones de Derecho Constitucional Español*, I – *La Constitución*,
    Valencia, 1981.
    – *Aproximación al Derecho Constitucional Español. La Constitución
    de 1978*, Valencia, 1981.
Torres del Moral, A. – *Principios de Derecho Constitucional Español*, Madrid,
    4.ª ed., 1998.
Verdu, L. P. – *Curso de Derecho Politico*, Vol. I, 2.ª ed., Madrid, Vol. II, 3.ª ed.,
    Madrid, Vol. III, Madrid; vol. IV, Madrid, 1984.
Villaamil O. A./Gutièrrez, J. C./Zapata, J. R. – *Derecho Político Español segun la
    constitucion española de 1979. I – Constitucion y Fuentes del Derecho*,
    Madrid, 1997.

G) DIREITO CONSTITUCIONAL NORTE-AMERICANO

COMENTÁRIOS

Corwin, E. – *The Constitution of the U.S.A. Analysis and Interpretation*, Washington, 1959.
Killian, J. H. – *The Constitution of the United States of America. Analysis and
    Interpretation*, Washington, 1987.
Schwartz, B. – *A Commentary on the Constitution of the U.S.*, 5 vols., New York,
    1963/68.

LIVROS DE ESTUDO, MANUAIS, TRATADOS

Lockhart/Kamisar/Choper/Shiffrin – *Constitutional Law*, 6.ª ed., 1986.
Nowak, J. E./Rotunda, R./J. Young – *Constitutional Law*, 4.ª ed., 1993.
Pritchett, C. H. – *The American Constitution*, 3.ª ed., New York, 1977.
Schwartz, B. – *American Constitutional Law*, Cambridge, 1955.
    – *Constitutional Law. A Textbook*, New York, 1978.
Stone, G. – *Constitutional Law*, 2.ª ed., New York, 1996.
Stone/Seidmann/Sunstein/Tushnet – *Constitutional Law*, 3.ª ed., New York, 1999.
Tribe, L. – *American Constitutional Law*, 3.ª ed., New York, 1998.

JURISPRUDÊNCIA

Forrester, M. R. – *Cases on Constitutional Law,* St. Paul, 1959.
Freud, P./Sutherland, A./Howe, M./Brown, E. – *Constitutional Law. Cases and other Problems,* 3.ª ed., Boston/Toronto, 1967.
Gunther, G. – *Cases and Materials on Constitutional Law,* 9.ª ed., Brooklyn, 1979.

H) *DIREITO CONSTITUCIONAL FRANCÊS*

COMENTÁRIOS

Luchaire, F./Conac, G. – *La Constitution de la République Française,* 2.ª ed. Paris, 1987.

DICIONÁRIOS

Duhamel, O./Meny, Y. – *Dictionnaire Constitutionnel,* Paris, 1992.

LIVROS DE ESTUDO, MANUAIS, TRATADOS

Amson, D. – *Droit Constitutionnel,* Les Cours de Droit, 2000.
Ardand, Ph. – *Institutions Politiques, Droit Constitutionnel,* 12.ª ed. Paris, 2000.
Bourdon, J./Debbasch, C./Pontier, J. M./Ricci, J. C. – *Droit Constitutionnel et Institutions Politiques,* 3.ª ed., Paris, 1990.
Burdeau, G. – *Traité de Science Politique,* 2.ª ed., Paris, 1978.
– *Droit Constitutionnel et Institutions Politiques,* 26.ª ed., Paris, 1999.
Cabanne, J. C. – *Introduction à l'étude du Droit Constitutionnel et de la Science Politique,* Toulouse, 1981.
Cadart, J. – *Institutions Politiques et Droit Constitutionnel,* 2 vols., 3.ª ed., Paris, 1990 e 1991.
Cadoux, Ch. – *Droit Constitutionnel et Institutions Politiques,* 2 vols., Paris, vol. 1, 4.ª ed., 1998; vol. 2, 3.ª ed., 1991.
Chantebout, B. – *Droit Constitutionnel et Science Politique,* 16.ª ed. Paris, 1999.
Duhamel, O. – *Droit Constitutionnel et Politique,* Paris, 1994.

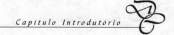

Duverger, M. – *Institutions Politiques et Droit Constitutionnel*, 1 vol. 18.ª ed., Paris, 1990, vol. 2, 21.ª ed., 1996.
Fabre, M. H. – *Principes républicains de droit constitutionnel*, Paris, 4.ª ed., 1984.
Favoreu, L./Gaia, P./Ghevontian, R./Mestre, J. L./Pfersmann, O./Roux A./Scoffoni, G. – *Droit Constitutionnel*, 4.ª ed., Paris, 2001.
Gaborit, P./Gaxie, D. – *Droit Constitutionnel et Institutions Politiques*, Paris, 1978.
Gicquel – *Droit Constitutionnel et Institutions Politiques*, 16.ª ed., Paris, 1999.
Guchet, Y. – *Droit Constitutionnel*, Paris, 1996.
Hauriou, A. (com a colaboração de J. Gicquel e P. Gélard) – *Droit Constitutionnel et Institutions Politiques*, 11.ª ed., Paris, 1991.
Jeanneau, B. – *Droit Constitutionnel et Institutions Politiques*, 11.ª ed., Paris, 1991.
Leclercq, C. – *Droit Constitutionnel, Institutions Politiques*, 9.ª ed., Paris, 1995.
Mekhantar, J. – *Droit Politique et Constitutionnel*, 2.ª ed., 1999.
Pactet, P. – *Institutions Politiques, Droit Constitutionnel*, 20.ª ed., Paris, 2001.
Prélot M./Boulouis, J. – *Institutions Politiques et Droit Constitutionnel*, 11.ª ed., Paris, 1990.
Turpin, D. – *Droit Constitutionnel*, 4.ª ed., Paris, 1999.
Vialle P. – *Droit Constitutionnel et Institutions Politiques*, 2.ª ed., 2 vols., Paris, 1998.
Zoller, E. – *Droit Constitutionnel*, 2.ª ed., Paris, 1999.

JURISPRUDÊNCIA

Favoreu, L./Philip, L. – *Les grandes décisions du Conseil Constitutionnel*, 8.ª ed., Paris, 1995.

I) DIREITO CONSTITUCIONAL HOLANDÊS

COMENTÁRIOS

Hasselt, W. J. C. – *Verzameling van Nederlandse Staatsregelingen en Grondwetten.*

LIVROS DE ESTUDO, MANUAIS, TRATADOS

Belinfante, A. D./Reede, J. L. – *Beginselen van Nederlands Staatsrecht*, 10.ª ed., 1987.
Haersolte, R. A. V. – *Inleiding tot het Nederlandse Staatsrecht*, 8.ª ed., 1983.

Koopmans, T. – *Compendium van het Staatsrecht*, 4.ª ed., 1983.
Kortmann, C. A. J. – *De Grondwetsherzieningen 1983 en 1987*, 2.ª ed., 1987.
Pot, C. W. Van – *Handboek van het Nederlandse Staatsrecht*, 11.ª ed., 1983.

J) *DIREITO CONSTITUCIONAL INGLÊS*

HISTÓRIA CONSTITUCIONAL

Goug, J. W. – *Fundamental Law in English Constitutional History*, London, 1958.
Maitland, F. W. – *The Constitutional History of England*, London, 1908, (Reimp., Cambridge, 1961).
Pollard/Hughes, D. – *Constitutional and Administrative Law. Text and Materials*, London, 1990.

LIVROS DE ESTUDO, MANUAIS, TRATADOS

Barendt, E. – *An Introduction to Constitutional Law*, Oxford, 1998.
Bradley, A. W./Weing, K. D. – *Constitutional and Administrative Law*, 12.ª ed., London, 1997.
Dicey, A. V. – *Introduction to the Study of the Law of the Constitution*, 10.ª ed., London, 1959.
Harvey, J./Bather, L. – *British Constitution and Politics*, London, 1982.
Jennings, J. – *The Law and the Constitution*, 5.ª ed., London, 1959.
Loewenstein, K. – *Staatsrecht und Staatspraxis von Grossbritannien*, 2 vols., Berlin/Heidelberg/New York, 1967.
Marshall, G. – *Constitutional Theory*, Oxford, 1980.
Mitchell, J. D. B. – *Constitutional Law*, 2.ª ed., Edimburgh, 1968.
Phillips, O. H. – *Constitutional and Administrative Law*, 7.ª ed., 1983.
Smith, S./Brazier, R. – *Constitutional and Administrative Law*, 7.ª ed., London, 1994.
Yardley, D. C. M. – *Introduction to British Constitutional Law*, 7.ª ed., London, 1990.
Wade, E. C. S./Phillips, O. H. – *Constitutional Law*, 11.ª ed., London, 1993.

JURISPRUDÊNCIA

Keir, D./Lawson, F. H. – *Cases Constitutional Law*, 6.ª ed., Oxford, 1979.
Phillips, O. M. – *Leading on Constitutional Law*, 2.ª ed., London, 1957.
Turpin, C. – *British Government and the Constitution Text, Cases and Materials*, 2.ª ed., London, 1990.

Wilson, G. – *Cases and Materials on the Constitutional and Administrative Law,* Cambridge, 1966.

L) *DIREITO CONSTITUCIONAL ITALIANO*

COMENTÁRIOS

Agro, A. S./Lavagna, C./Scoca, F./Vitucci, P. – *La Costituzione Italiana,* Torino, 1979.
Amorth – *La Costituzione italiana. Commento sistematico,* Milano, 1948.
Branca, G. (org.) – *Commentario della Costituzione,* Bologna, vários volumes a partir de 1975
Calamandrei, P./Levi, A. – *Commentario sistematico alla costituzione italiana,* Firenze, 1960.
Crisafulli V./Paladin, L. – *Commentario breve alla Costituzione,* Padova, 1990.
Falzone, W./Palermo, F./Cosentino, F. – *La Costituzione della Repubblica Italiana,* Milano, 1980.

LIVROS DE ESTUDO, MANUAIS, TRATADOS

Amato/Barbera (org.) – *Manuale di diritto pubblico,* 5.ª ed. Bologna, 1999.
Barile, P/E. Cheli/Grassis. – *Istituzioni di diritto pubblico,* I, 8.ª ed., Padova, 1998.
Bozzi, A. – *Istituzioni di diritto pubblico,* Milano, 1977.
Cuocolo, F. – *Istituzioni di diritto pubblico,* 10.ª ed., Milano, 1998.
    – *Principi di Diritto Costituzionale,* 2.ª ed., Milano, 1999.
Crisafulli, V. – *Lezioni do diritto costituzionale,* 6.ª ed., 3 vols., Padova, 1993.
Dogliani, M. – *Introduzione al diritto costituzionale,* Bologna, 1994.
Falcon, G. – *Lineamenti di Diritto Pubblico,* 6.ª ed., Padova, 1998.
Ghetti/Vignocchi – *Corso di Diritto Pubblico,* 4.ª ed., Milano, 1991.
Labriola, S. – *Lezioni di Diritto Costituzionale,* Maggilli, Rimini, 1997.
Lavagna, C. – *Istituzioni di diritto pubblico,* 6.ª ed., Torino, 1988.
Martines, T. – *Diritto Costituzionale,* 9.ª ed., Milano, 1997.
Mazzioti, M. – *Lezioni di diritto costituzionale,* 2 vols., 2.ª ed., Milano, 1993.
Mortati, C. – *Istituzioni di diritto pubblico,* 2 vols., 9.ª ed., Padova, 1975, actualizada por Modugno/Baldassare/Mezzanote, em 1991.
Musso, E. S. – *Diritto Costituzionale,* Padova, 1988.
Paladin, L. – *Diritto Costituzionale,* 2.ª ed., Padova, 1995.
Pegoraro, L./Reposo, A./Rinella, A./Scarciglia, R./Volpi, M., *Diritto Costituzionale e Publico,* Torino 2002.

Pergolesi, F. – *Diritto Costituzionale*, 2 vols., 16.ª ed., Padova, 1962/68.
Pizzorusso, A. – *Lezioni di diritto costituzionale*, Roma, 1978.
   – *Sistema istituzionali di diritto pubblico italiano*, 2.ª ed., Napoli, 1992.
   – *Manuale di Istituzioni di Diritto Pubblico*, Napoli, 1998.
Rescigno, G. – *Corso di Diritto Pubblico*, 4.ª ed., Bologna, 1994.
Ruffia, P. B. – *Diritto Costituzionale – Istituzioni di diritto publico*, 15.ª ed., Napoli, 1989.
Vergottini, G. – *Diritto Costituzionale*, 2.ª ed., Padova, 2000.
Vignudelli, A. – *Diritto Costituzionale*, Torino, 1999.
Virga, P. – *Diritto Costituzionale*, 9.ª ed., Milano, 1979.
Zagrebelsky, G. – *Manuale di Diritto Costituzionale*, Torino, 1987.

M) DIREITO CONSTITUCIONAL MEXICANO

COMENTÁRIOS

AAVV – *Constitucion Politica de los Estados Unidos Mexicanos, comentada*, 14.ª ed., México, 1998, com apresentação de Jorge Carpizo e prólogo de Diego Valdés.
Carpizo, J. – *La Constitución Mexicana de 1917*, 2.ª ed., México, 1985.

LIVROS DE ESTUDO, MANUAIS, TRATADPS

Burgoa, I. – *Derecho Constitucional Mexicano*, 7.ª ed., México, 1989.
Carmona, S. V. – *Derecho Constitucional Mexicano a fin de siglo*, México, 1995.
Madrid Hurtado, M. – *Elementos de Derecho Constitucional*, México, 1982.
Fix-Zamudio, H./Valencia Carmona, S. – *Derecho Constitucional Mexicano y Comparado*, México, 1999.
Moreno, D. – *Derecho Constitucional Mexicano*, 12.ª ed., México, 1993.
Nava, A. – *Derecho Constitucional*, México, 1993.
Ramirez, F. T. – *Derecho Constitucional Mexicano*, 29.ª ed., México, 1995.

N) DIREITO CONSTITUCIONAL SUÍÇO

COMENTÁRIOS

Aubert/Eichenberger/Müller/Rhinow/Schindler (org.) – *Commentaire de la Constitution fédérale de la Confédération Suisse*, Bâle/1987-1995.

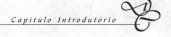

Burckhardt, W. – *Kommentar der schweizerischen Bundesverfassung vom 29 Mai 1874*, 3.ª ed., Bern, 1931.

LIVROS DE ESTUDO, MANUAIS, TRATADOS

Aubert, J. – *Traité de droit constitutionnel suisse*, 2 vols., Neuchâtel, 1967.
Bridel, M. – *Précis de droit constitutionnel et public suisse*, Lausanne, 1965.
Fleiner, F./Giacometi, Z. – *Schweizerisches Bundesstaatsrecht*, Zürich, 1949, 2.ª ed., 1965.
Häfelin/Haller – *Schweizerisches Bundesstaatsrecht*, 4.ª ed., Zurich 1998.
Hangartner, Y. – *Grundzüge des schweizerischen Staatsrechts*, Vol. I, Zürich, 1980; Vol. II, Zürich, 1982.

O) *DIREITO CONSTITUCIONAL EUROPEU*

Grene, C./Ruil-Fabri,H. – *Droits Constitutionnels Européens*, Paris, 1995.
Lenaerts, K/Nuffel, P. – *Constitutional Law of the European Union*, London, 1999.

RECOLHA DE TEXTOS DE DIREITO CONSTITUCIONAL

Em língua portuguesa:

Gouveia, J. B. – *Constituições de Estados Lusófonos*, 2.ª ed., Lisboa, 2000.
 – *Constituições dos Estados da Comunidade Europeia*, Lisboa, 1998.
Miranda, J. – *Textos constitucionais estrangeiros*, Lisboa, 1974.
 – *Constituições políticas de diversos países*, 3.ª ed., Lisboa, 1986/87.
 – *Constituições Portuguesas*, 3.ª ed., Lisboa, 1991.
 – *Constitucionalismo Luso-Brasileiro, Lisboa, 2000.*

Em língua francesa:

Berlia, G./Bastid, P. – *Corpus Constitutionnel*, Leyde, 1970. Recolha mundial das constituições em vigor, 2 tomos, 5 fascículos. Obra importantíssima, mas ainda incompleta, contendo a publicação dos textos constitucionais na língua originária e em língua francesa.
Catanis, A./Martin, M. L. – *Les Constitutions d'Afrique francophone*, Paris, 1999.

Delpérée, F./Verdussen, M./Biver, K. – *Recueil des Constitutions Européennes*, Bruxelles, 1994.
Duverger, M. – *Constitutions et documents politiques*, 10.ª ed., Paris, 1986.
Godechot, J. – *Les constitutions de la France depuis 1789*, Paris, 1977.
– *Les constitutions du Proche et du Moyen Orient*, Paris, 1957.
Gonidec, P. F. – *Les constitutions des États de la Communauté*, Paris, 1959.
Lavroff, D. G./Peiser, G. – *Les Constitutions Africaines*, Paris, 1961.
Oberdorff, H. – *Les Constitutions de l'Europe d'Lest*, Paris, 1992.
Puget, H. – *Les Constitutions d'Asie et d'Australie*, Paris, 1965.
Reyntjens, F. (org.) – *Constitutiones Africae*, Bruxelles/Paris, 1988.

Em língua espanhola:

Esteban, J. – *Constituciones Españolas y Estrangeras*, 2 vols., Madrid, 1977.
Cascajo Castro, J. L./Garcia Alvarez, M. – *Constituciones estranjeras contemporaneas*, 2.ª ed., Madrid, 1991.
Rubio Llorente, F./Darana Pelaez, M. – *Las Constituciones de los Estados de la Unión Europea*, Barcelona, 1997.

Em língua inglesa:

Blaustein, P./Flanz, G. – *Constitutions of the Countries of the World*, Oceana, Debbs Ferry (NY), 1971.
Peaslee, A. – *Constitutions of Nations*, 3.ª ed., 6 vols., L'Aja, 1965/70.
The Rebirth of Democracy 12 Constitutions of Central and Eastern Europa, CE, Strasbourg, 1995.

Em língua italiana:

Prat/Comba/Cassella – *Le Costituzioni dei Paesi della Comunità Europea*, Pavia, 1994.
Ruffia, P. B. di – *Costituzioni Stranieri Contemporanee*, 4.ª ed., Milano, 1985.

V - "Janelas" para o direito constitucional

Magalhães J. – Em livro e CD-ROM, Editorial Notícias, 1999. Contém o Dicionário da Revisão Constitucional e o texto da Constituição de 1976 (revisto) e importantíssimos materiais de trabalho sobre a Constituição de 1976 e respectivas revisões.

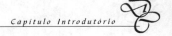

SÍTIOS NA INTERNET

Assembleia da República – www.parlamento.pt
Presidência da República – www.presidenciarepublica.pt
Presidência do Conselho de Ministros – www.pcm.gov.pt.
Tribunal Constitucional – www.tribconstitucional.pt
Assuntos Parlamentares – www.assuntosparlamentares.gov.pt

Parte 1
Constituição e Constitucionalismo

Capítulo 1

Constitucionalismo Antigo e Constitucionalismo Moderno

Sumário

A. Constituição e Constitucionalismo

  I - Movimentos constitucionais e constitucionalismo

  II - Constituição moderna e constituição histórica

  B. Modelos de Compreensão

   I - Modelo historicista: o tempo longo dos "jura et libertates"

   II - Modelo individualista: os momentos fractais da Revolução

   III - "Nós, o povo" e os usos da história: a técnica americana da liberdade

A. Constituição e Constitucionalismo

1 - Movimentos constitucionais e constitucionalismo

A categoria jurídico-política da constituição vai ter centralidade científica neste trabalho. No entanto, para se compreender o direito constitucional é necessário, em primeiro lugar, aludir aos grandes problemas jurídico-políticos a que o *movimento constitucional moderno* procurou dar resposta. Por isso, e antes de procedermos ao estudo sistemático das estruturas fundamentais do direito constitucional português (o que será feito na Parte Segunda), impõe-se uma reflexão em torno dos *ciclos longos* e dos *momentos fractais* da ideia constitucional.

O movimento constitucional gerador da constituição em sentido moderno tem várias raízes localizadas em horizontes temporais diacrónicos e em espaços históricos geográficos e culturais diferenciados. Em termos rigorosos, *não há um constitucionalismo* mas *vários constitucionalismos* (o constitucionalismo inglês, o constitucionalismo americano, o constitucionalismo francês). Será preferível dizer que existem diversos *movimentos constitucionais* com corações nacionais mas também com alguns momentos de aproximação entre si, fornecendo uma complexa tessitura histórico-cultural. E dizemos ser mais rigoroso falar de vários *movimentos constitucionais* do que de vários constitucionalismos porque isso permite recortar desde já uma noção básica de *constitucionalismo*. **Constitucionalismo** é a teoria (ou ideologia) que ergue o princípio do governo limitado indispensável à garantia dos direitos em dimensão estruturante da organização político-social de uma comunidade. Neste sentido, o constitucionalismo moderno representará uma *técnica específica de limitação do poder com fins garantísticos*[1]. O conceito de constitucionalismo transporta, assim, um claro juízo de valor. É, no fundo, uma *teoria normativa da política*, tal como a teoria da democracia ou a teoria do liberalismo.

---

[1] Cfr. N. MATTEUCI, "La Costituzione statunitense ed il moderno costituzionalismo", in *Costituzione Statunitense e il suo significato odierno*, Bologna, Il Mulino, 1989. Veja-se, também, WALTER MURPHY "Constitutions, Constitutionalism and Democracy", in DOUGLAS GREENBERG, STANLEY N. KAT, MELANIE BETH OLIVIERO, and STEVEN C. WHEATLEY (coord), *Constitutionalism and Democracy*, New York, Oxford University Press, 1995.

Numa outra acepção – histórico-descritiva – fala-se em *constitucionalismo moderno* para designar o movimento político, social e cultural que, sobretudo a partir de meados do século XVIII, questiona nos planos político, filosófico e jurídico os esquemas tradicionais de *domínio político*, sugerindo, ao mesmo tempo, a invenção de uma nova forma de ordenação e fundamentação do poder político. Este constitucionalismo, como o próprio nome indica, pretende opor-se ao chamado *constitucionalismo antigo*, isto é, o conjunto de princípios escritos ou consuetudinários alicerçadores da existência de direitos estamentais perante o monarca e simultaneamente limitadores do seu poder. Estes princípios ter-se-iam sedimentado num *tempo longo* – desde os fins da Idade Média até ao século XVIII [2].

II - *Constituição moderna e constituição histórica*

O constitucionalismo moderno legitimou o aparecimento da chamada *constituição moderna*. Por **constituição moderna** entende-se a ordenação sistemática e racional da comunidade política através de um documento escrito no qual se declaram as liberdades e os direitos e se fixam os limites do poder político. Podemos desdobrar este conceito de forma a captarmos as dimensões fundamentais que ele incorpora: (1) ordenação jurídico-política plasmada num *documento escrito*; (2) declaração, nessa carta escrita, de um conjunto de *direitos fundamentais* e do respectivo modo de *garantia*; (3) organização do poder político segundo esquemas tendentes a torná-lo um *poder limitado e moderado*. Este conceito de constituição converteu-se progressivamente num dos pressupostos básicos da cultura jurídica ocidental, a ponto de se ter já chamado "conceito ocidental de constituição" (Rogério Soares) [3]. Trata-se, porém, de um *conceito ideal* que não corresponde sequer – como a seguir se demonstrará – a nenhum dos modelos históricos de constitucionalismo. Assim, um *Englishman* sentir-se-á arrepiado ao falar-se de "ordenação sistemática e racional da comunidade através de um documento escrito". Para ele a constituição – *The English Constitution* – será a sedimentação histórica dos direitos adquiridos pelos "ingleses" e o alicerçamento, também histórico, de um governo balanceado e moderado (*the balanced constitution*). A um *Founding Father* (e a um qualquer americano) não

---

[2] Por vezes, designa-se constitucionalismo antigo todo o esquema de organização político-jurídica que precedeu o constitucionalismo moderno. Caberiam neste conceito amplo o "constitucionalismo grego" e o "constitucionalismo romano". Cfr., por último, MARIO DOGLIANI, *Introduzione al Diritto Costituzionale*, Il Mulino, 1994, Bologna, p. 152.

[3] Cfr. ROGÉRIO SOARES, "O Conceito Ocidental de Constituição", in *RLJ*, 119, p. 36 e ss.

repugnaria a ideia de uma carta escrita garantidora de direitos e reguladora de um governo com "freios" e "contrapesos" feita por um poder constituinte, mas já não se identificará com qualquer sugestão de uma cultura projectante traduzida na programação racional e sistemática da comunidade. Aos olhos de um *citoyen* revolucionário ou de um "vintista exaltado" português a constituição teria de transportar necessariamente um *momento de ruptura* e um *momento construtivista*. Momento de ruptura com a "ordem histórico-natural das coisas" que outra coisa não era senão os *privilèges* do *ancien regime*. Momento construtivista porque a constituição, feita por um novo poder – o *poder constituinte* –, teria de definir os esquemas ou projectos de ordenação de uma ordem racionalmente construída.

As considerações anteriores justificarão ainda hoje a indispensabilidade de um **conceito histórico de Constituição**. Por constituição em sentido histórico entender-se-á o conjunto de regras (escritas ou consuetudinárias) e de estruturas institucionais conformadoras de uma dada ordem jurídico-política num determinado sistema político-social[4]. Este conceito – utilizado sobretudo por historiadores – serve também para nos pôr de sobreaviso relativamente a interpretações retroactivas de organizações políticas e sociais de outras épocas em que vigoravam instituições, regras, princípios e categorias jurídico-políticas radicalmente diferentes dos conceitos e das categorias da modernidade política[5]. Mas não só isto: entre o "constitucionalismo antigo" e o "constitucionalismo moderno" vão-se desenvolvendo perspectivas políticas, religiosas e jurídico-filosóficas sem o conhecimento das quais não é possível compreender o próprio fenómeno da modernidade constitucional. Mencionemos apenas alguns exemplos. É difícil compreender a ideia moderna de *contrato social* sem conhecermos o filão da politologia humanista neoaristotélica centrado na ideia de *bem comum*. A progressiva aceitação de "pactos de domínio" entre governantes e governados como forma de limitação do poder ganha força política através da crença religiosa do calvinismo numa comunidade humana dirigida por um poder limitado por leis e radicado no povo[6]. A ideia

---

[4] Cfr, precisamente, DIETMAR WILLOWEIT, *Deutsche Verfassungsgeschichte*, 2.ª ed., Verlag C. H. Beck, München, 1992, p. 2.

[5] Eis alguns exemplos do perigo da "explicação retroactiva": a categoria moderna "Estado" não corresponde à categoria medieval de "domínio"; o conceito "soberania territorial" não se identifica com a categoria "poder e território" da Idade Média; a ideia de "Nação" não se equipara à ideia de "povo" ou "povos" dos esquemas políticos medievais; a "jurisdictio" real entendida como prerrogativa real (o "rei-juiz") medieval nada tem a ver com a *jurisdictio* modernamente concebida como função jurisdicional exercida por um poder jurisdicional separado dos outros poderes do Estado. Cfr. ANTÓNIO MANUEL HESPANHA, (org.), *Poder e Instituições na Europa do Antigo Regime*, Fundação Calouste Gulbenkian, Lisboa, 1984.

[6] Veja-se o excelente livro de BRIAN TERNEY, *Religion, Law and the Growth of the Constitutional Thought* (1150-1650), Cambridge University Press, 1982 (utilizamos a tradução francesa: *Religion et Droit dans le Développement de la Pensée Constitutionnelle*, Puf, Paris, 1993).

moderna de "República" terá de associar-se à categoria de *res publica mista*, com separação da *majestas realis* e da *majestas personalis*, que informou o modelo constitucional da Paz de Westfália. Quem quiser uma compreensão de algumas "palavras viajantes" da modernidade política, como *soberania, poder, unidade do Estado* e *lei* não poderá ignorar o relevantíssimo papel de autores como Bodin e da sua obra *Les Six Livres de la République* (1576) ou Hobbes e o seu famoso livro *The Leviathan* (1651). Mesmo os *maître-penseurs* do constitucionalismo moderno – Locke, Montesquieu e Rousseau – transportam, nalguns casos, "modos de pensar" antigos e só compreenderemos as suas propostas no contexto do saber e das "estratégias do saber" das escolas jurídicas seiscentistas e setecentistas – *jusnaturalismo, jusracionalismo, individualismo* e *contratualismo* – e dos seus respectivos mestres (Francisco Vitoria e Francisco Suarez, para o jusnaturalismo peninsular, Grócio, para o jusnaturalismo individualista, Hobbes para a teoria dos direitos subjectivos)[7]. Esta advertência serve também para salientar que o "*conceito liberal de constituição*" agitado a partir dos sécs. XVII e XVIII pressupõe uma profunda transmutação semântica de alguns dos conceitos estruturantes da teoria clássica das formas de estado (doutrina aristotélica das formas de estado). É o caso, precisamente, do conceito grego de *politeia* que só nos fins do séc. XVIII e no séc. XIX passou a entender-se como "constituição" (*constitutio*) enquanto anteriormente ela era traduzida através de conceitos como "policie", "government" e "Commonwealth", (também como "commonwealhts or government" ou "policy or government"). Por sua vez, *governo* ("government") significava a organização e exercício do poder político, de modo algum se identificando com o poder executivo como veio a suceder nas doutrinas modernas da divisão de poderes.[8]

B. Modelos de Compreensão

A constituição em sentido moderno pretendeu, como vimos, radicar duas ideias básicas: (1) ordenar, fundar e limitar o poder político; (2) reconhecer e

---

[7] É indispensável a consulta dos livros dedicados à história do direito. Cfr., por exemplo: M. J. ALMEIDA COSTA, *História do Direito Português*, 3.ª ed., Almedina, Coimbra, 1996; NUNO ESPINOSA GOMES DA SILVA, *História do Direito, I, Fontes*, Lisboa, 2.ª ed., 1991; ANTÓNIO MANUEL HESPANHA, *Manual de história institucional moderna*, Lisboa, Universidade Aberta, 1993; idem, *Panorama Histórico da Cultura Jurídica Europeia*, Lisboa, 1997; FRANCISCO TOMAZ Y VALIENTE, *Manual de Historia del Derecho Español*, Madrid, 1980-1982.

[8] Cfr., por todos, GERALD STOURZH, "Vom aristotelischem zum liberalen Verfassungsbegriff", in *Wege zur Grundrechtsdemokratie Studien zur Begrifts-und Institutionengeschichte des liberalen Verfassungsstaates*, Böhlau Verlag, Wien-Köln, 1989, p. 7.

garantir os direitos e liberdades do indivíduo. Os temas centrais do constitucionalismo são, pois, a *fundação e legitimação* do poder político e a *constitucionalização das liberdades*. Procuraremos captar estes temas através de modelos teóricos – o *modelo historicista*, o *modelo individualista* e o *modelo estadualista*[9]. Alguma coisa do que atrás foi dito sobre o constitucionalismo antigo e sobre a constituição em sentido histórico vai estar subjacente nas considerações posteriores. O que se pretende agora é fornecer *modelos de compreensão* das palavras e das coisas que estão na génese do constitucionalismo moderno. Se o *constitucionalismo* é uma teoria normativa do governo limitado e das garantias individuais, parece aceitável a abordagem desta teoria através de *modelos*, isto é, estruturas teóricas capazes de explicar o desenvolvimento da ideia constitucional.

I - Modelo historicista: o tempo longo dos "jura et libertates"

As "palavras-chave" do **modelo historicista** encontram-se no **constitucionalismo inglês**. Quais as dimensões histórico-constitucionais decisivamente caracterizadoras deste modelo histórico? Quais as cristalizações jurídico-constitucionais deste modelo que passaram a fazer parte do património da "constituição ocidental"?

As respostas à primeira interrogação podem sintetizar-se em três tópicos: (1) garantia de *direitos adquiridos* fundamentalmente traduzida na garantia do "binómio subjectivo" *liberty and property*; (2) estruturação corporativa dos direitos, pois eles pertenciam (pelo menos numa primeira fase) aos indivíduos enquanto membros de um estamento; (3) regulação destes direitos e desta estruturação através de *contratos de domínio* (*Herrschaftsverträge*) do tipo da *Magna Charta*. A evolução destes momentos constitucionais – eis a resposta à segunda interrogação – desde a *Magna Charta*, de 1215, à *Petition of Rights*, de 1628, do *Habeas Corpus Act*, de 1679, ao *Bill of Rights*, de 1689, conduzirá à sedimentação de algumas dimensões estruturantes da "constituição ocidental". Em primeiro lugar, a liberdade radicou-se subjectivamente como *liberdade pessoal* de todos os ingleses e como *segurança* da pessoa e dos bens de que se é proprietário no sentido já indiciado pelo artigo 39.º da *Magna Charta*. Em segundo lugar, a garantia da liberdade e da segurança impôs a criação de um *processo justo regulado por lei* (*due*

---

[9] Fontes de inspiração e ensinamento mais directas: MAURIZIO FIORAVANTI, *Appunti di Storia delle Costituzione Moderne*, G. Giappichelli Editore, 2.ª ed., Torino, 1995; TERENCE BALL/J. G. A. POCOCK, *Conceptual Change and the Constitution*, University Press of Kansas, Lawrence Ka, 1988.

process of law), onde se estabelecessem as regras disciplinadoras da privação da liberdade e da propriedade. Em terceiro lugar, as *leis do país* (*laws of the land*) reguladoras da tutela das liberdades são dinamicamente interpretadas e reveladas pelos juízes – e não pelo legislador! – que assim vão cimentando o chamado *direito comum (common law)* de todos os ingleses. Em quarto lugar, sobretudo a partir da *Glorious Revolution* (1688-89), ganha estatuto constitucional a ideia de *representação e soberania parlamentar* indispensável à estruturação de um *governo moderado*. O rei, os comuns e os lordes (*King in Parliament, Commons and Lords*) formavam uma espécie de "soberania colegial" ainda não desvinculada de ideias medievais. De qualquer modo, o balanceamento de forças políticas e sociais permite agora inventar a categoria política de **representação** e **soberania parlamentar**. Um corpo social dotado de identidade e que conseguiu obter a entrada no Parlamento (*Members of Parliament*) passa a exigir *respeito e capacidade de agir*. Numa palavra: passa a estar *representado* [10]. Acrescente-se ainda: a soberania parlamentar afirma-se como elemento estruturante da constituição mista, pois uma **constituição mista** é aquela em que o poder não está concentrado nas mãos de um monarca, antes é partilhado por ele e por outros órgãos do governo (rei e Parlamento). A "soberania do parlamento" exprimirá também a ideia de que o "poder supremo" deveria exercer-se através da forma de lei do parlamento. Esta ideia estará na génese de um princípio básico do constitucionalismo: *the rule of law* [11].

II - Modelo individualista: os momentos fractais da Revolução

A narrativa historicista explica como se chegou à *British Constitution* [12]. Não fornece um esquema interpretativo do constitucionalismo revolucionário continental cujo paradigma é o **constitucionalismo francês**.

Uma primeira interrogação será esta: como e porquê a formação de uma tradição constitucional francesa (ou portuguesa) não tem os mesmos traços do evolucionismo britânico? Por outras palavras: como se explica o aparecimento de

---

[10] Cfr., precisamente, a entrada "Representação" a cargo de FERNANDO GIL na *Enciclopedia Einaudi*, Vol. XI, Lisboa, 1992; JOHN WIEDHOFFT GOUGH, *L'idée de Loi Fondamentale dans l'histoire Constitutionnelle Anglaise*, p. 89 ss.

[11] DICEY, in *Introduction to the Study of the Law of the Constitution* (1885), p. 107, pôs claramente em relevo esta ideia.

[12] Estamos a insinuar uma referência ao título do livro clássico do constitucionalismo inglês de WALTER BAGEHOT, *The English Constitution*, Fontana Press, 1993 (a 1.ª edição é de 1867).

categorias políticas novas, expressas em *Kampfparole* ("palavras de combate") – *estado, nação, poder constituinte, soberania nacional, constituição escrita*[13] – para dar resposta a algumas das questões já resolvidas pelo constitucionalismo britânico? Como já se referiu, estas categorias só podem ser compreendidas se as localizarmos no terreno das fracturas épocais, ou seja, no campo das rupturas revolucionárias ocorridas no século XVIII. Isto permitirá compreender várias coisas. Em primeiro lugar, a sedimentação histórica de tipo inglês não rompera totalmente com os esquemas tardo-medievais dos "direitos dos estamentos". Ora, a Revolução Francesa procurava edificar uma nova ordem sobre os *direitos naturais dos indivíduos* – eis o primeiro momento individualista – e não com base em posições subjectivas dos indivíduos enquanto membros integradores de uma qualquer *ordem jurídica estamental*[14]. Os direitos do homem eram *individuais*: todos os homens nasciam livres e iguais em direitos e não "naturalmente desiguais" por integração, segundo a "ordem natural das coisas", num dado estamento. A defesa dos direitos, para além da defesa da *liberty and property* perante o poder político, era também um gesto de revolta contra os *privilégios* do "senhor juiz", do "senhor meirinho", do "senhor almoxarife", do "senhor lorde". A expressão póstuma[15] – *ancien régime* – mostra claramente isto: a "ruptura" com o "antigo regime" e a criação de um "novo regime" significa uma nova ordem social e não apenas uma adaptação político-social ou ajustamento prudencial da história[16].

Em segundo lugar, o momento fractal do individualismo repercute-se na *legitimação/fundação* do novo poder político. O governo limitado e moderado da Inglaterra – a sua *constituição mista* – acabou por deixar na sombra (embora isso tivesse sido discutido) uma questão fundamental da modernidade política: como podem os homens livres e iguais *dar a si próprios* uma lei fundamental? A ordem dos homens é uma *ordem artificial* (como o demonstrara Hobbes), "constitui-se", "inventa-se" ou "reinventa-se" por acordo entre os homens[17]. Numa palavra:

---

[13] Alerte-se já para o facto de certos autores elevarem hoje algumas destas categorias a alavancas ideológico-filosóficas do *totalitarismo moderno*. Cfr., por exemplo, HANNAH ARENDT, *The Human Condition*, The University of Chicago Press, Chicago e London, 1958.

[14] Por ordem jurídica estamental entende-se um tipo específico de ordem comunitária, – típica da Idade Média –, em que os direitos e deveres são atribuídos aos sujeitos segundo a sua integração num determinado estamento. Cfr. PIERANGELO SCHIERA "Sociedade 'de estados', de 'ordens' ou corporativa", in A. HESPANHA, *Poder e Instituições na Europa do Antigo Regime*, cit., p. 143 e segs.; LUIS SOUSA DA FÁBRICA, "A representação no Estado Corporativo Medieval", in *Estado e Direito*, 12/1993, p. 69 e ss.

[15] Cfr., precisamente, MARCEL MORABITO/DANIEL BOURNAUD, *Histoire Constitutionnelle et Politique de la France (1789-1958)*, 3.ª ed., Montchrestien, Paris, 1993, p. 33.

[16] Cfr. M. FIORAVANTTI, *Appunti*, cit., p. 31.

[17] Cfr. REINHOLD ZIPPELIUS, *Allgemeine Staatslehre* 12.ª ed., Verlag C. H. Beck, München, 1994, p. 121.

a ordem política é *querida e conformada* através de um *contrato social* assente nas vontades individuais (tal como o defendiam as doutrinas contratualistas).

A imbricação destes dois momentos fractais – o da afirmação de direitos naturais individuais e da "artificialização-contratualização" da ordem política – explica uma outra característica do constitucionalismo revolucionário – o *construtivismo político-constitucional*. A arquitectura política precisava de um "plano escrito", de uma constituição que, simultaneamente, garantisse direitos e conformasse o poder político. Em suma: tornava-se indispensável uma *constituição*. Feita por quem? Surge, aqui, precisamente uma das categorias mais "modernas" do constitucionalismo – a categoria do **poder constituinte** – no sentido de um poder originário pertencente à Nação, o único que, de forma autónoma e independente, poderia criar a lei superior, isto é, a *constituição*[18].

III - "Nós, o povo" e os usos da história: a técnica americana da liberdade

A epígrafe sugere aquilo que, na realidade, marcou o **constitucionalismo americano**: um *povo* (mas não uma "nação") que reclamou[19], como na França, o direito de escrever uma lei básica e na qual ele fez diferentes usos da história[20].

Fez "diferentes usos da história" sob vários pontos de vista. Através da Revolução, os americanos pretenderam reafirmar os *Rights*, na tradição britânica medieval e da *Glorious Revolution*. Não se tratava, porém, de um movimento reestruturador dos antigos direitos e liberdades[21] e da *English Constitution*, porque, entretanto, no *corpus* da constituição britânica, se tinha alojado um tirano – o parlamento soberano que impõe impostos sem representação (*taxation without representation*). Contra esta "omnipotência do legislador", a constituição era ou devia ser inspirada por princípios diferentes dos da *ancient constitution*. Ela devia garantir os cidadãos, em jeito de lei superior, contra as leis do legislador parlamentar soberano. Aqui vem entroncar o momento *We the People*, ou seja, o momento em que o povo *toma* decisões. Aos olhos dos colonos americanos ganhava contornos a ideia de democracia que um autor recente designou por

---

[18] No capítulo seguinte desenvolver-se-á este ponto.

[19] Cfr. B. ACKERMAN, *We the People, Foundations*, The Belknap Press of Harvard University Press, Cambridge, Massachusetts, London, 1991.

[20] Cfr. também o título do conhecido livro de CHARLES A. MILLER, *The Supreme Court and the Uses of History*, Harvard University Press, 1969.

[21] Veja-se, porém, J. P. REID, *The Concept of Liberty in The Age of the American Revolution*, Chicago, 1988.

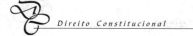

democracia dualista[22]. Existem decisões – raras – tomadas pelo povo; existem decisões – frequentes – tomadas pelo governo (*government*). As primeiras – as decisões do povo – são típicas dos "momentos constitucionais". Eis uma decisiva diferença relativamente ao historicismo britânico e uma importante aproximação ao modelo do constitucionalismo francês. Em momentos raros e sob condições especiais, o povo decide através do exercício de um *poder constituinte*: a Constituição de 1787 é a manifestação-decisão do povo no sentido acabado de referir. Ver-se-á, porém, no capítulo dedicado ao poder constituinte, que este poder surgiu na gramática política americana da época com um *telos* diferente do da Revolução Francesa. Não se pretendia tanto reinventar um soberano omnipotente (a *Nação*), mas permitir ao corpo constituinte do povo fixar num texto escrito as regras disciplinadoras e domesticadoras do poder, oponíveis, se necessário, aos governantes que actuassem em violação da constituição, concebida como lei superior[23]. Se a constituição nos esquemas revolucionários franceses terminou na legitimação do estado legicêntrico, ou, por outras palavras, dos "representantes legislativos", na cultura revolucionária americana ela serviu para "constituir" uma ordem política informada pelo princípio do "governo limitado" (*limited government*)[24]. Por outras palavras: o modelo americano de constituição assenta na ideia da *limitação normativa* do domínio político através de uma lei escrita. Esta "limitação normativa" postulava, pois, a edição de uma "bíblia política do estado" condensadora dos princípios fundamentais da comunidade política e dos direitos dos particulares. Neste sentido, a constituição não é um contrato entre governantes e governados mas sim um acordo celebrado pelo povo e no seio do povo a fim de se criar e constituir um "governo" vinculado à lei fundamental. Poder-se-á dizer, deste modo, que os *Framers* (os "pais da constituição americana") procuraram *revelar* numa lei fundamental escrita determinados direitos e princípios fundamentais que, em virtude da sua racionalidade intrínseca e da dimensão evidente da verdade neles transportada, ficam fora da disposição de uma "*possible tyranny of the majority*"[25]. A consequência lógica do entendimento da constituição como *higher law* é ainda a elevação da lei constitucional a *paramount law*, isto é, uma lei superior que torna nula (*void*) qualquer

---

[22] Cfr. BRUCE ACKERMAN, *We the People*, cit., p. 6. Entre nós, cfr. JÓNATAS MACHADO, "Povo", in *Dicionário Jurídico da Administração Pública*, Vol. VI, p. 419 e ss.

[23] Cfr. CH. H. MC ILWAIN, *Constitutionalism Ancient and Modern*, 3.ª ed., Ithaca, New York, 1966, p. 21 e segs.

[24] Veja-se, especialmente, C. J. FRIEDERICH, *Limited Government. A Comparison*, Englewood Cliffs, 1974.

[25] Por último, cfr. E. S. MORGAN, *Inventing the People: The Rise of Popular Sovereignty in England and America*, W. W. Norton and Company, New York/London, 1988.

"lei" de nível inferior, incluindo as leis ordinárias do legislador, se estas infringirem os preceitos constitucionais [26]. Diferentemente do que sucedeu no constitucionalismo inglês e no constitucionalismo francês, o conceito de "lei proeminente" (constituição) justificará a elevação do poder judicial a verdadeiro defensor da constituição e guardião dos direitos e liberdades. Através da fiscalização da constitucionalidade (*judicial review*) feita pelos juiz transpunha-se definitivamente o paradoxo formulado por John Locke em 1689: *inter legislatorem* et *populum nullus in terris est judex* (entre o legislador e o povo ninguém na terra é juiz). O povo americano deu a resposta à pergunta de Locke: *quis erit inter eos judex*? Os juizes são competentes para medir as leis segundo a medida da constituição. Eles são os "juizes" entre o povo e o legislador.[27]

Referências bibliográficas

Alexander, H. (org.) – *Constitutionalism, Philosophy and Foundations*, Cambridge, VP, 1998.

Acosta Sánchez, J. – *Teoria del Estado y Fuentes de la Constitución*, Universidad de Córdoba, Córdoba, 1989.

– *Formación de la Constitución y Jurisdición Constitucional. Fundamentos de la Democracia Constitucional*, Madrid, 1998.

Ackermann, B. – *We the People*, 1. *Foundations*. 2. *We the People, Transformations*, The Belknap Press of Harvard, Cambridge, Massachusetts, 1993 e 1998.

Amaral, D. F. – *História das Ideias Políticas*, vol. I, Coimbra, 1998.

Aragon, M. – *Estudios de Derecho Constitucional*, Madrid, 1998.

Ball, T./Pocock, J. G. A. – *Conceptual Change and the Constitution*, University Press of Kansas, Lawrence, Kansas, 1988.

Barbera, A. (org.) – *Le basi filosofiche del costituzionalismo*, Bari, 1998.

Bastid, P. – *L'idée de Constitution*, Paris, 1985.

Bellamy, R./Castiglione, D. (org.), "Constitutionalism in Transformation. European and Theoretical Perspectives", in *Political Studies*, 33, 3/1996, p. 405 ss.

---

[26] Sobre este "paramount character of the constitution vis-a-vis the legislative", vide, por último, GERALD STOURZH, "Constitution: Changing Meanings of the Term from the Early Seventeenth to the late Eighteenth Century", in TERENCE BALL/J. G. A. POCOCK, *Conceptual Change and the Constitution*, University Press of Kansas, Lawrence, 1988, p. 47.

[27] Cfr., por último, J. ARTHUR, *Words that bind: judicial review and the grounds of modern constitutional theory*, Boulder, 1995.

Bellamy, R. (org.), *Constitutionalism, Democracy and Sovereignty: American and European Perspectives*, Aldershof, Avebury, 1996.

Bonavides, Paulo – "Constitucionalismo luso-brasileiro: influxos recíprocos", in Jorge Miranda, *Perspectivas Constitucionais*, vol. I, p. 19 ss.

Brito, M. N. – *A Constituição Constituinte, Ensaio sobre o Poder de Revisão da Constituição*, Coimbra, 2000.

Burgess, G. – *The Politics of the Ancient Constitution: an Introduction to English Political Thought* (1603-1642), London, 1992.

Cerqueira, M. – *A Constituição na História*, Ed. Revan, Rio de Janeiro, 1993.

Dogliani, M. – *Introduzione al diritto costituzionale*, Il Mulino, Bologna, 1994.

Dworkin, R. – "Constitutionalism and Democracy", in *European Journal of Philosophy*, 3 (1995), p. 2 ss.

Elster, J. – *Ulysses and the Sirens. Studies in Rationality and Irrationality*, Cambridge, 1984.

– "Argumenter et Négocier dans Deux Assemblées Constituents", *Revue Française de Science Politique*, 2/44 (1994).

Ferreira Filho, M. Gonçalves – "Constitucionalismo Português e Constitucionalismo Brasileiro", in Jorge Miranda, *Perspectivas Constitucionais*, vol. I, p. 71 ss.

Fioravanti, M. – *Appunti di storia delle costituzione moderne*, Giappichelli Editore, 2.ª ed., Torino, 1995.

Floridia, G. C. – *La Costituzione dei moderni. Profili tecnici di storia costituzionale*, Giappichelli, Torino, 1991.

Friederich, C. J. – *Constitutional Government and Democracy. Theory and Pratice in Europe and América*, Boston, 1941.

Gauchet, M. – *La Révolution des Pouvoirs, La Souveraineté, Le Peuple et la Représentation 1789-1799*, Paris, 1998.

Gough Wiedhofft, J. – *L'idée de loi fondamentale dans l'histoire constitutionnelle anglaise*, Puf, Leviathan, Paris, 1992.

Hespanha, A. M. – *Panorama Histórico da Cultura Jurídica Europeia*, Lisboa, 1997.

Henkin, L. – "Revolution and Constitutions", in *Louisiana Law Review*, 1981, p. 1023.

Homem, A. P. B. – *A Lei da Liberdade. Introdução Histórica ao Pensamento Jurídico*, I, Lisboa, 2001.

Kahn, P. W. – *The Reign of Law. Marbury, Madison and the Construction of America*, New York, 1997.

Jyränki, A. (org.) – *National Constitutions in the Era of Integration*, The Hague, London, Boston, 1999.

MacDonald, F. – *Novus Ordo Seclorum: The Intellectual Origins of the Constitution*, Lawrence, Kansas University Press of Kansas, 1985.

Matteucci, N. – *Organizzazione del potere e libertà. Storia del Costituzionalismo Moderno*, Torino, 1978.

Mc Ilwain, Ch. Howard – *Constitutionalism Ancient and Modern* (1940), New York, Cornell University Press, 1947.

Morabito, M./Bournaud, D. – *Histoire constitutionnelle et politique de la France* (1789-1958), Montchrestien, 3.ª ed., Paris, 1993.

Park, J. J. – *The Dogmas of the Constitution*, trad. cast., Madrid, 1999, com prólogo de Joaquin Varela Suanzes).

Pocock, J. G. A. – *The Ancient Constitution and the Feudal Law*, New York, Cambridge University Press, 1987.

Queiroz, Cristina – "Constituição, Constitucionalismo e Democracia", in Jorge Miranda (org.), *Perspectivas Constitucionais. Nos vinte anos da Constituição de 1976*, vol. I, Coimbra, p. 457.

Rakove, J. – *Original Meanings: Politics and Ideas in the Making of the Constitution*, New York, A. Knopf, 1996.

Ridola, P. – *Diritti di Libertà e Costituzionalismo*, Torino, 1997.

Rocha, Cármen – *Constituição e Constitucionalidade*, Ed. Lê, Belo Horizonte, 1991.

Spadaro, A. – *Contributo per una teoria delle Costituzione*, Milano, 1994.

Stourzh, G. – "Fundamental Laws and Individual Rights in the 18. th. Century Constitution", in *American Foundation. Essays on the Formation of the Constitution*, New York-Westport-London, 1988.

Tass, G. A. – *Understanding State Constitutions*, New Jersey, 1998.

Tierney, B. – *Religion et Droit dans le développement de la pensée constitutionnelle*, Puf, Leviathan, Paris, 1993.

Vile, M. J. C. – *Constitutionalism and the Separation of Powers*, Clarendon Press, Oxford, 1979.

Volpe, G. – *Il Costituzionalismo del Novecento*, Bari, 2000.

Vorländer, H. – *Die Verfassung. Idee und Geschichte*, München, 1999.

Willoweit, D. – *Deutsche Verfassungsgeschichte*, 2.ª ed., Beck, München, 1992.

Capítulo 2

Modernidade Constitucional e Poder Constituinte

Sumário

A. Aproximação à problemática do poder constituinte

1. Quatro perguntas
2. Pluralidade de abordagens

B. A dimensão genética: revelar, dizer ou criar uma lei fundamental

I - Problemática do poder constituinte e experiências constituintes

II - Revelar, dizer e criar a Constituição

1. Revelar a norma – a desconfiança perante um poder constituinte. A Magna Charta e os contratos de domínio medievais
2. Dizer a norma – o poder constituinte e a criação de um corpo de regras superiores e invioláveis no exemplo americano
3. Criar a norma – o poder constituinte como fórmula fractal e projectante no modelo francês

C. A dimensão teorético-constitucional: as teorias sobre o poder constituinte

1. John Locke e o 'supreme power'
2. Sieyès e o 'pouvoir constituant'
3. Teoria do poder constituinte e constitucionalismo

D. O titular do poder constituinte

E. O procedimento constituinte

I - Fenomenologia do procedimento constituinte

1. Decisões pré-constituintes
2. Decisões constituintes – o acto procedimental constituinte
   2.1. Assembleia Constituinte – Procedimento Constituinte representativo
      a) Assembleia Constituinte soberana
      b) Assembleia Constituinte não soberana
      c) Assembleia Constituinte e Convenções do povo
   2.2. Referendo constituinte e procedimento constituinte directo

F. Vinculação jurídica do poder constituinte

A. Aproximação à Problemática do Poder Constituinte

1. Quatro perguntas

O poder constituinte surgiu no Capítulo Primeiro como uma das categorias políticas mais importantes do constitucionalismo moderno. Justifica-se esta centralidade política. Através de quatro perguntas fundamentais é possível intuir que a problemática do poder constituinte envolve outras questões complexas e controvertidas da teoria política, da filosofia, da ciência política, da teoria da constituição e do direito constitucional. Qual é então o "catálogo de perguntas"?[1] Resumidamente este:

1. O que é o poder constituinte?
2. Quem é o titular desse poder?
3. Qual o procedimento e forma do seu exercício?
4. Existem ou não limites jurídicos e políticos quanto ao exercício desse poder?

A primeira pergunta conduzir-nos-á a uma aproximação caracterizadora do poder constituinte. E, perante a multiplicidade de conceitos e definições, veremos que, no fundo, o **poder constituinte** se revela sempre como uma questão de "poder", de "força" ou de "autoridade" política que está em condições de, numa determinada situação concreta, criar, garantir ou eliminar uma Constituição entendida como lei fundamental da comunidade política.

A interrogativa formulada em segundo lugar transporta-nos a este complexo problemático: quem é o *sujeito*, quem é o *titular*, qual é a "grandeza política" capaz de mobilizar a força ordenadora do povo no sentido de instituir uma lei fundamental. Veremos que, hoje, o titular do poder constituinte só pode

---

[1] Esta metodologia retórica pode ver-se também em PETER HÄBERLE, "Die Verfassunggebende Gewalt des Volkes im Verfassungsstaat", in *AÖR*, 112 (1987); JOHN ELSTER, "Constitution Making in Eastern Europe: Rebuilding the Boat in the Open Sea", in *Public Administration*, Vol. 71 (1993), p. 167-217; A. ARATO "Construção Constitucional e Teoria da Democracia", in *Lua Nova*, 42 (1997), p. 5 ss..

ser o *povo*, e que o povo, na actualidade, se entende como uma *grandeza pluralística* formada por indivíduos, associações, grupos, igrejas, comunidades, personalidades, instituições, veiculadores de interesses, ideias, crenças e valores, plurais, convergentes ou conflituantes.

A terceira pergunta coloca-nos perante a questão do *procedimento* de elaboração e aprovação de uma constituição. De um modo específico, discutir-se-á, aqui, a forma procedimental de actuar do poder constituinte. Deverá ser um *procedimento legislativo-constituinte* desenvolvido no seio de uma assembleia constituinte expressa e exclusivamente eleita para proceder à feitura de uma constituição? Deverá, antes, ser um *procedimento referendário-plebiscitário* mediante o qual o povo, através de referendo ou plebiscito, "decide" a aprovação, como lei fundamental, de um texto que, para esse fim, foi submetido à sua aprovação?

A interrogação formulada em quarto lugar aproxima-nos da complexa problemática do *conteúdo* e *legitimidade* de uma constituição e dos limites do poder constituinte. Adiante será explicitada a seguinte tese: o poder constituinte, embora se afirme como poder originário, não se exerce num vácuo histórico-cultural. Ele "não parte do nada" e, por isso, existem certos princípios – dignidade da pessoa, justiça, liberdade, igualdade – através dos quais poderemos aferir da *bondade* ou *maldade* intrínsecas de uma constituição.

2. Pluralidade de abordagens

As perguntas acabadas de formular servirão como um roteiro dos tópicos básicos do tema do poder constituinte: conceito, sujeito, procedimento, limites do poder constituinte. Estes tópicos convocam formas de abordagem diversas. Assim, sob o ponto de vista *histórico-genético*, as preocupações centram-se na génese e origem histórica do poder constituinte. Em termos *jurídico-filosóficos* e *teorético-jurídicos*, os momentos reflexivos mais importantes incidem sobre o fundamento da validade ou pretensão de validade bem como sobre a dignidade de reconhecimento de uma constituição como lei materialmente justa (*problema da legitimidade da constituição*). A uma *perspectiva teorético-constitucional* interessam sobretudo os problemas das forças ou instâncias ordenadoras do "povo", "nação" ou "estado" presentes no momento impulsivo (inicial) do aparecimento do poder constituinte e no momento constitutivo da feitura de uma lei fundamental. Estará aqui em foco o tema da *legitimação* de uma constituição: por que é que certas "grandezas políticas" (partidos, grupos, associações, forças militares) se autoafirmam e se autolegitimam como poder criador ou reestruturador da organização fundamental de uma comunidade

política? O poder constituinte suscita ainda intrincados problemas de natureza **dogmático-constitucional** que começam na debatida questão (também jurídico-filosófica e teorético-constitucional) de saber se o poder constituinte é um "poder jurídico" ou um "poder de facto" e termina nos tópicos, não menos debatidos, da "reserva de constituição" (os assuntos que devem ser tratados por uma lei básica), da revisão ou alteração da lei constitucional e da identificação de um "núcleo duro irrevisível" de normas e princípios. A simples enumeração de temas e perspectivas indicia também que, afinal, à problemática do poder constituinte estão associados outros problemas, desde sempre discutidos em qualquer "tratado de política", como os da soberania, do contrato social, da revolução, do direito de resistência, da ascensão e queda de regimes políticos. Daí a afirmação de um autor: o poder constituinte do povo é um *conceito limite* do direito constitucional [2]. A ideia de "conceito limite" alicerça-se ainda numa outra ordem de considerações e que tem a ver com a impossibilidade de ele ser pensável como conceito ou categoria jurídica. O poder constituinte seria, em rigor, não uma competência ou faculdade juridicamente regulada mas sim uma *força* extrajurídica, um "puro facto" fora do direito. A posição que aqui será assumida orienta-se em sentido diverso. Mesmo quando o poder constituinte não seja concebível, em termos realísticos, como um poder juridicamente regulado, nem por isso ele deixa de ser politica e juridicamente relevante. No plano político, o modo de revelação de um poder constituinte conexiona-se com o pressuposto democrático da autodeterminação e autoorganização de uma colectividade. Sob o ponto de vista jurídico, o poder constituinte convoca irrecusavelmente a "força bruta" que constitui uma ordem jurídica para o terreno problemático da *legitimação* e *legitimidade*. As perguntas são então inevitáveis: qual o valor da "força constituinte" como parte de um direito justo? Como é que essa força institui um quadro normativo de princípios e regras jurídicas que se reclamam de validade jurídica? [3]

Nos tempos mais recentes, o poder constituinte surge ainda como "conceito limite" do *direito constitucional nacional*. O processo de integração europeia tem suscitado a questão de saber se é possível erguer-se uma ordem comunitária supraconstitucional assente num "poder constituinte europeu" ou, pelo menos, no exercício do poder constituinte originário dos estados sobera-

---

[2] Cfr. E. W. BÖCKENFÖRDE, "Die Verfassunggebende des Volkes – Ein Grenzbegriff des Verfassungsrechts", in E. W. BÖCKENFÖRDE, *Staat, Verfassung, Demokratie. Studien zur Verfassungstheorie und Verfassungsrecht*, Suhrkamp, Frankfurt/M, 1991, p. 90 e ss.
[3] Cfr. MIGUEL GALVÃO TELES, "A Revolução Portuguesa e as Fontes de Direito", in M. BAPTISTA COELHO, (org.), *Portugal e o Sistema Político e Constitucional*, Lisboa, 1989, p. 575 e ss.

nos.[4] Qualquer que seja a resposta, o problema está posto: é ou não política e juridicamente concebível um poder *constituinte interdependente* ou *pós-soberano* assente no exercício em comum do poder constituinte originário dos povos?

B. A Dimensão Genética: Revelar, Dizer ou Criar uma Lei Fundamental

I - Problemática do poder constituinte e experiências constituintes

Em livros anteriores, a problemática da génese do poder constituinte era abordada tendo sobretudo em vista o chamado paradigma do "pouvoir constituant" da Revolução Francesa. Hoje, deve reconhecer-se que este ponto de partida era redutor porque esquecia dois outros momentos de gestação das normas básicas: o constitucionalismo inglês e o constitucionalismo americano. Os "modelos constitucionais" analisados no Capítulo Primeiro insinuavam já esta mudança de perspectiva. Vejamos agora os momentos fundamentais das experiências constituintes. Antes disso, precisemos o sentido da perspectiva histórico-genética. A constituição pensa-se como um *texto jurídico* que, ao mesmo tempo, fixa a *constituição política* de um *estado*. Mas é preciso explicar um fenómeno intrigante da evolução da semântica constitucional, a saber: a reunião das concepções política e jurídica da constituição. Trata-se, como disse um sociólogo contemporâneo[5], de explicar como na constituição criada pelo poder constituinte se produz uma nova fixação jurídica de uma ordem política e, simultaneamente, se compreende a ordem política como uma ordem jurídica. O **"fenómeno evolucionista" da constituição** justifica, assim, um breve aceno ao processo genético do poder constituinte. Três palavras resumirão os traços caracterizadores de três experiências histórico-constituintes: os ingleses compreendem o poder constituinte como um processo histórico de *revelação* da "constituição de Inglaterra"; os americanos *dizem* num texto escrito, produzido por um poder constituinte "the fundamental and paramount law of the nation"; os franceses *criam* uma nova ordem jurídico-política através da "destruição" do antigo e da "construção do novo", traçando a arquitectura da nova "cidade política" num texto

---

[4] Cfr., por ex., G. BEARAUD, "La souveraineté de l'État, le pouvoir constituant et le traité de Maastricht", in RFDA, 1993, p. 1050.
[5] Referimo-nos a NIKLAS LUHMANN, "Verfassung als evolutionäre Errungenschaft", in *Rechtshistorisches Journal*, 1990, p. 178.

escrito – a constituição. *Revelar, dizer* e *criar* uma constituição são os *modi operandi* das três experiências constituintes.

II - Revelar, dizer e criar a Constituição

1. Revelar a norma – a desconfiança perante um poder constituinte. A Magna Charta e os contratos de domínio medievais

A ideia de um "poder constituinte" criador de uma lei básica mereceria sérias suspeitas aos "homens livres" da Idade Média. O *modo* específico e próprio de garantir os direitos e liberdades (*jura et libertates*) e estabelecer limites ao poder (aos poderes de *imperium*) não era o de criar uma lei fundamental mas sim o de confirmar a existência de "privilégios e liberdades" radicados em "velhas leis" de direito ("the good old laws"), ou seja, num *corpus* costumeiro de normas e num reduzido número de documentos escritos. Por isso, as leis básicas eram concebidas como "direito não querido". Mesmo os chamados **contratos de domínio** (*Herrschäftsverträge*) que se desenvolveram na Europa a partir do século XIII eram um complexo de normas que se destinavam fundamentalmente a regular as relações entre as várias ordens, estamentos, forças, corporativamente organizadas num determinado território e entre os homens activos nos espaços citadinos e urbanos. O sentido não é, pois, o de um simples *statement of law*, mas o de estabelecer um equilíbrio entre os "poderes medievais" de forma a garantir "restaurativamente" os direitos e liberdades (os "direitos radicados no tempo") e a assegurar um **governo moderado**, no qual gravitassem os pesos e contrapesos das diversas forças políticas e sociais.

Das anteriores considerações pode retirar-se uma ideia fundamental: às "magnas cartas" é estranha a dimensão projectante de uma nova ordem política criada por um actor abstracto ("povo", "nação"). Inerente à "ordem natural das coisas"[6] estava, pois, a indisponibilidade da ordem política, a incapacidade de querer, de construir e de projectar uma "ordem nova", bem como a rejeição de qualquer corte radical com as estruturas políticas tradicionais. Neste sentido se pode afirmar que ao "constitucionalismo histórico" repugna a ideia de um "poder" constituinte com força e competência para, por si mesmo, desenhar e planificar o modelo político de um povo.

---

[6] Cfr. J. C. HOLTE, *Magna Charta*, 2.ª ed., Cambridge University Press, Cambridge, 1992.

2. Dizer a norma – o poder constituinte e a criação de um corpo de regras superiores e invioláveis no exemplo americano

Diferentemente do que acontecia com o modelo historicístico inglês, no ordenamento político norte-americano adquire centralidade política a ideia de um **poder constituinte**. A conhecida fórmula preambular "*We the People*" indicia com clareza uma dimensão básica do poder constituinte: *criar* uma constituição. Criar uma constituição para quê? Para "registar" num documento escrito um conjunto de regras invioláveis onde se afirmasse: (1) a ideia de "povo" dos Estados Unidos como autoridade ou poder político superior; (2) subordinação do legislador e das leis que ele produz às normas da constituição; (3) inexistência de poderes "supremos" ou "absolutos", sobretudo de *um* poder soberano supremo, e afirmação de *poderes constituídos e autorizados* pela constituição colocados numa posição equiordenada e equilibrada ("*checks and balances*"); (4) garantia, de modo estável, de um conjunto de direitos plasmados em normas constitucionais, que podem opor-se e ser invocados perante o arbítrio do legislador e dos outros poderes constituídos. Dos tópicos anteriores pode reter-se esta ideia: o poder constituinte, no figurino norte americano, transporta uma *filosofia garantística*. A constituição não é fundamentalmente um projecto para o futuro, é uma forma de garantir direitos e de limitar poderes. O próprio poder constituinte não tem autonomia: serve para criar um corpo rígido de regras garantidoras de direitos e limitadoras de poderes. Se, como veremos, na Revolução Francesa o poder constituinte assume o carácter de um "poder supremo" com um titular ("povo", "nação"), na Revolução Americana o poder constituinte é o *instrumento funcional* para redefinir a "*Higher Law*" e estabelecer as regras de jogo entre os poderes constituídos e a sociedade, segundo os parâmetros político-religiosos contratualistas de algumas correntes calvinistas e das teorias contratualistas lockeanas. Numa palavra: o poder constituinte serve para fazer uma constituição oponível aos representantes do povo e não apenas uma constituição querida pelo povo soberano[7]. Mas não só isso: o *princípio republicano do povo* não tolerava a ideia de "centro político", de "concentração unitarizante" do poder. O povo dos Estados Unidos era um "povo alargado" – *people-at-large* –, que não se reduzia ao "corpo eleitor" ou aos representantes das assembleias legislativas. Isto justificará o cuidado dos "federalistas" em seguir as sugestões dos "antifederalistas": articular o poder constituinte do povo que faz uma constituição federal com a autonomia dos "Estados" e dos seus povos, ou seja, estabelecer uma

---

[7] Assim, precisamente, Maurizio Fioravanti, *Stato e Costituzione*, Giappichelli Editore, Torino, 1993, p. 230.

concordância político-prática entre as vantagens da "união" e de uma lei constitucional unitária e os sentimentos republicanos dos Estados da federação [8]. Neste sentido se afirmou já que o princípio legitimador da constituição americana de 1787 foi "muito mais a ideia federativa do que a ideia democrática" [9].

Por todos os motivos acabados de referir, pode dizer-se que a teoria do poder constituinte corresponde, no fundo, ao objectivo central (*core objective*) do constitucionalismo: a primeira função de uma ordem político-constitucional foi e continua sendo realizada através de um sistema de limites impostos àqueles que exercem o poder político [10].

3. Criar a norma – o poder constituinte como fórmula fractal e projectante no modelo francês

A Revolução Francesa transporta dimensões completamente novas quanto ao tema que nos ocupa. Referimo-nos às ideias de *poder constituinte* e de *assembleia constituinte*. Surge agora com centralidade política a **nação**, titular do poder constituinte. A nação não se reconduz à ideia de sociedade civil inglesa. Ela passa a deter um *poder constituinte* que se permite querer e criar uma nova ordem política e social, prescritivamente dirigida ao futuro mas, simultaneamente, de ruptura com o "ancien regime". No pensamento e prática da França revolucionária a imagem e representação do poder vigorosamente expressa pelo abade E. Sieyés é esta: o poder constituinte tem um titular – *la Nation* – e caracteriza-se por ser um poder *originário*, *autónomo* e *omnipotente*. Um constitucionalista francês do século passado resumia bem a concepção criacionista da Revolução: "a constituição é um acto imperativo da nação, tirado do nada e organizando a hierarquia dos poderes" [11].

Este "acto tirado do nada" só poderia ser criado por um poder para o qual se transferem atributos divinos: *potestas constituens, norma normans, creatio ex nihilo*. O sentido da transmutação de conceitos teológicos em conceitos

---

[8] Foi HAMILTON que particularmente se fez eco desta *ars inveniendi* de um poder constituinte a actuar num esquema político federal. Cfr. KELLY-HARBISON-BELZ, *The American Constitution. Its Origins and Developments*, 6.ª ed., W. W. Norton. Company, New York/London, 1983, p. 105.

[9] Assim, precisamente, FABIO KONDER KOMPARATO, *Direito Público*, Editora Saraiva, São Paulo, 1996, p. 33.

[10] Assim, precisamente, C. J. FRIEDERICH, *Transcendent Justice*, Durham, Duke University Press, 1964, p. 15.

[11] Referimo-nos a EMIL BOUTMY, *Études de droit constitutionnel, France, Angleterrre, États--Unis*, 1885, 3.ª ed., Plon, p. 241.

políticos foi, basicamente, o de conferir ao povo (nação) a qualidade de sujeito-titular constituinte dotado de poder de disposição da ordem político-social [12]. Deste modo, a "descoberta da Nação" permitiu ao "Estado-Nação" resolver três problemas políticos: (1) modo de legitimação do poder político; (2) catalisar a transformação do "estado moderno" em "república democrática"; (3) criar uma nova solidariedade entre os cidadãos politicamente activos na construção e integração da nova ordem social.

C. *A Dimensão Teorético-Constitucional: As Teorias sobre o Poder Constituinte*

O poder constituinte entendido como **soberania constituinte do povo** [13], ou seja, o poder de o povo através de um acto constituinte criar uma lei superior juridicamente ordenadora da ordem política, parece hoje uma evidência. No entanto, a distinção clara entre um *poder constituinte* que faz as leis fundamentais e um *poder legislativo* que faz as leis não fundamentais" [14] foi precedida de uma laboriosa construção teórica. Assinalaremos os passos mais importantes desta formação da teoria do poder constituinte.

1. John Locke e o "supreme power"

No complexo contexto das dissidências políticas e religiosas em que se gera o radicalismo político inglês (1681-1683), a formulação teórica do "direito de resistência" e do "direito à revolução" pressupunha um esforço analítico no sentido de dar contornos precisos ao chamado "corpo do povo". Este "corpo do povo" era sistematicamente identificado pelos *tories* com a "populaça", a "multidão", "as pessoas sem propriedade". Embora a expressão "poder constituinte" não surja de forma clara na obra de John Locke, considera-se que este sugeriu a distinção entre *poder constituinte* do povo, reconduzível ao poder de o povo alcançar uma nova "forma de governo", e o *poder ordinário* do governo

---

[12] Cfr. BÖCKENFÖRDE, "Die Verfassunggebende ...", cit., p. 62.
[13] Trata-se de uma das primeiras formulações claras da distinção e que se reconduz a VATTEL (Droit des Gens, I, 3, §§ 22, p. 153). Cfr. OLIVIER BEAUD, *La Puissance de l'État*, Puf, Paris, 1994, p. 206.
[14] Cfr. VOSSLER, «'Federative Power' und 'Consent' in der Staatslehre John Lockes», in *Geist und Geschichte*, 1964, p. 43.

e do legislativo encarregados de prover à feitura e à aplicação das leis[15]. Os pressupostos teóricos da sugestão de um *supreme power* identificados pela doutrina como poder constituinte são resumidamente estes: (1) o estado de natureza (*state of nature*) é de carácter social; (2) neste estado de natureza os indivíduos tem uma esfera de direitos naturais (*property*) antecedentes ou preexistentes à formação de qualquer governo; (3) o poder supremo é conferido à sociedade ou comunidade e não a qualquer soberano; (4) o contrato social através do qual o povo "consente" o poder supremo do legislador não confere a este um poder geral mas um poder limitado e específico e, sobretudo, não arbitrário; (5) só o corpo político (*body politic*) reunido no povo tem autoridade política para estabelecer a constituição política da sociedade.

2. Sieyès e o "pouvoir constituant"

Se em Locke a sugestão de um poder constituinte aparecia associada ao *direito de resistência* reclamado pelo radicalismo *whig*, em Sieyès a fórmula *pouvoir constituant*[16] surge estreitamente associada à luta contra a monarquia absoluta.

Os momentos fundamentais da teoria do poder constituinte de Sieyés são os seguintes: (1) recorte de um poder constituinte da *nação* entendido como poder *originário* e *soberano*; (2) plena liberdade da nação para criar uma constituição, pois a nação ao "fazer uma obra constituinte", não está sujeita a formas, limites ou condições preexistentes. Os autores modernos[17] salientam que, no fundo, a teoria do poder constituinte de Sieyès é, simultaneamente, *desconstituinte* e *reconstituinte*. O poder constituinte antes de ser constituinte é desconstituinte porque dirigido contra a "forma monárquica" ou "poder constituído pela monarquia". Uma vez abolido o poder monárquico, impõe-se uma "reorganização", um dar "forma", uma reconstrução da ordem jurídico-política. O **poder constituinte** da Nação entende-se agora como poder reconstituinte informado pela ideia criadora e projectante da instauração de uma nova ordem política plasmada numa constituição. Os poderes conformados e regulados por esta constituição criada pelo poder constituinte (inclusive o poder de rever ou emendar a constituição – *poder de revisão*) seriam **poderes constituídos**.

---

[15] Cfr. sobretudo a obra de J. LOCKE, *Two Treatises of Government*, ed. Peter Laslett, Cambridge University Press, 2.ª ed., Cambridge, 1967.
[16] Cfr. E. SIEYÈS, *Qu'est ce le Tiers État?* Col. de R. Zapperi, Genève, 1975.
[17] Cfr. por exemplo, OLIVIER BEAUD, *La Puissance de l' État*, Puf, Paris, 1994, p. 224.

3. Teoria do poder constituinte e constitucionalismo

Aparentemente, a teoria do poder constituinte, tal como foi desenvolvida pelas teorias setecentistas, estabelece uma relação lógica entre "criador" e "criatura", ou seja, entre poder constituinte e constituição. Nada de menos exacto se com isto pretendermos dizer que não existem momentos de tensão entre um poder incondicionado, permanente e irrepetível – o poder constituinte –, e um "poder constituído" pela constituição (ou "poder legislativo constituído") caracterizado pela estabilidade e vinculação a formas. Radica mesmo aqui um dos mais complexos temas da teoria política e da teoria constitucional que levou logo os autores de *The Federalist*, sobretudo Madison, a assinalar a distinção entre *constitutional politics* destinada a estabelecer os esquemas fundadores de uma ordem constitucional, e *normal politics*, desenvolvida normalmente com base nas regras e princípios estabelecidos na lei superior e fundamental. A *constitutional politics* teria, pois, um carácter excepcional, extraordinário, típico dos momentos de elevada "consciência política" e de mobilização popular. O mesmo problema preocupou também Sieyés. Por um lado, o poder constituinte "não está previamente submetido a qualquer constituição"; por outro lado, e segundo as suas próprias palavras, "uma constituição é um corpo de leis obrigatório ou não é nada". Esta tensão entre poder constituinte incondicionado e obrigatoriedade jurídica da constituição justificará a introdução do conceito de **poder constituinte derivado** ou **poder de revisão constitucional** a quem compete alterar, nos termos da constituição, as normas ou princípios por esta fixados. O "poder constituinte revolucionário" equivalia, aos olhos de Sieyés (já na sua fase conservadora), a um factor de instabilidade. Mais valia "um freio [limites do poder de revisão] do que uma insurreição permanente".

A domesticação jurídica do poder constituinte veiculada pelo estabelecimento de limites ao poder constituinte derivado ou poder de revisão originará, por sua vez, outros momentos de perplexidade jurídica e política. Referimo-nos ao chamado *paradoxo da democracia*[18]: como «pode» um poder estabelecer limites às gerações futuras? Como pode uma constituição colocar-nos perante um *dilema contramaioritário* ao dificultar deliberadamente a "vontade das gerações futuras" na mudança das suas leis? Revelar-se-á, assim, o constitucionalismo de uma antidemocraticidade básica impondo à soberania do povo "cadeias para o futuro" (Rousseau)? Voltaremos a este tema ao abordarmos os limites do poder de revisão.

---

[18] Cfr., por todos, STEPHEN HOLMES, "Pre-commitment and the Paradox of Democracy", in JOHN ELSTER/RUNE SLAGSTADT (org.), *Constitutionalism and Democracy*, Cambridge University Press, New York, 1993, p. 195 e ss. Entre nós, por último, MIGUEL GALVÃO TELES, *Temporalidade Jurídica e Constituição*, p. 14 ss.

D. O Titular do Poder Constituinte

I - Conceito de Povo

O problema do titular do poder constituinte só pode ter hoje uma resposta democrática. Povo, porém, não é um conceito unívoco mas plurívoco (F. Müller). Só o **povo** entendido como um sujeito constituído por pessoas – mulheres e homens – pode "decidir" ou deliberar sobre a conformação da sua ordem político-social. Poder constituinte significa, assim, *poder constituinte do povo* [19]. Como já atrás foi referido, o **povo**, nas democracias actuais, concebe-se como uma "grandeza pluralística" (P. Häberle), ou seja, como uma pluralidade de forças culturais, sociais e políticas tais como partidos, grupos, igrejas, associações, personalidades, decisivamente influenciadoras da formação de "opiniões", "vontades", "correntes" ou "sensibilidades" políticas nos momentos preconstituintes e nos procedimentos constituintes.

Assim caracterizado – o povo como "grandeza pluralística" –, o conceito actual de povo está muito longe do povo no sentido de *bloco* de "cidadãos activos" quer no sentido jacobino quer no sentido liberal-conservador. Com efeito, povo não é apenas a facção revolucionária capaz de levar a revolução até ao fim como pensavam os jacobinos. Tão pouco é o conjunto de "cidadãos proprietários" como pretendiam os liberais defensores do sufrágio censitário. Povo não é também a "classe do proletariado", ou seja, a classe autoproclamada em maioria revolucionária dotada da missão histórica de transformação da sociedade numa sociedade de classes. O povo concebe-se como *povo em sentido político*, isto é, grupos de pessoas que agem segundo ideias, interesses e representações de natureza política. Afasta-se, assim, um conceito naturalista, étnico ou rácico de povo caracterizado por origem, língua e/ou cultura comum.

Ao falar-se de *povo político* como titular do poder constituinte e de povo como "grandeza pluralística" pretende-se também insinuar o abandono de um mito que acompanhou quase sempre a teoria da titularidade do poder constituinte: o *mito da subjectividade originária* [20] (povo, nação, Estado). Se se quiser encontrar um *sujeito* para este poder teremos de o localizar naquele complexo de forças políticas plurais – e daí a *plurisubjectividade* do poder constituinte –

---

[19] Cfr., E. W. BÖCKENFÖRDE, *Die Verfassunggebung des Volkes*, cit., p. 63; PETER HÄBERLE, "Das Grundgesetz und die Herausforderung der Zukunft. Wer gestaltet unsere Verfassungsordnung", in *Das Akzeptierte Grundgesetz. Festschrift für Günther Dürig*, Verlag C. H. Beck, München, 1990, p. 26 e ss.

[20] Cfr. FIORAVANTI, "Potere Costituente e Diritto Pubblico", in *Stato e Costituzione*, G. Giappichelli Editore, Torino, 1993, p. 233.

capazes de definir, propor e defender ideias, padrões de conduta e modelos organizativos, susceptíveis de servir de base à constituição jurídico-formal.

II - Conceitos redutores de povo

O conceito de povo político não se reconduz à ideia de *povo activo* no sentido de minorias activistas autoproclamadas em representantes do povo e agindo por "consentimento tácito" deste (*concepção "realista" de povo*). O povo plural também não se identifica ainda com o "corpo eleitoral" ou o "povo participante nos sufrágios" tal como é definido pelas leis (designadamente leis eleitorais) e pela constituição. Este conceito acabado de referir – *conceito normativo de povo* – parte da ideia de que "o povo não pode decidir sobre 'coisas políticas' enquanto não se disser juridicamente quem é o povo". O povo seria, assim, heterodefinido por uma norma jurídica ou por uma decisão exterior a ele mesmo. Confunde-se, deste modo, o povo com os "titulares" de direito de sufrágio ou com "eleitores", sendo certo que na grandeza pluralística de povo cabem outros elementos individuais não enquadráveis no povo eleitor. Pense-se num sistema restritivo quanto à idade de sufrágio (exemplo: direito de voto apenas aos maiores de 25 anos) para compreendermos a redução do povo operada por um conceito normativo.

O povo político diferencia-se do *povo maioritário*. Em termos mais rigorosos: o povo maioritário pertence ao povo político mas não o esgota. O facto de as decisões políticas serem, na generalidade dos casos, tomadas por maioria e valerem como decisão do povo, não deve fazer esquecer-nos que as *minorias* que votaram contra, se abstiveram ou não compareceram ao sufrágio continuam a ser "povo político". Povo político será também o "povo impolítico", isto é, os grupos de indivíduos situados nas margens da "modernidade periférica" e reduzidos a meros corpos do sistema de diferenciação funcional da sociedade (Ralph Christensen).

Em conclusão: só o *povo real* – concebido como *comunidade aberta de sujeitos constituintes* que entre si "contratualizam", "pactuam" e consentem o modo de governo da cidade –, tem o poder de disposição e conformação da ordem político-social.

E. O Procedimento Constituinte

No número anterior respondeu-se à questão do sujeito constituinte – quem faz a constituição? Agora a questão reconduz-se a esta pergunta: como se

faz uma constituição? O problema a esclarecer é, por conseguinte, o do **procedimento constituinte**, também conhecido como *problema das formas de exercício do poder constituinte*.

O problema do procedimento constituinte é importante porque, como se irá ver, o procedimento constituinte é uma dimensão básica e estruturante da própria *legitimidade* da constituição. O relevo teórico-constitucional e jurídico-constitucional compreende-se também sem dificuldade: é o procedimento constituinte que inicia a *cadeia procedimental de legitimação democrática* e dá fundamento a formas derivadas de legitimação, designadamente à legitimação do exercício do poder político.

I - Fenomenologia do procedimento constituinte

1. Decisões pré-constituintes

O desencadeamento de procedimentos constituintes tendentes à elaboração de constituições anda geralmente associado a **momentos constitucionais extraordinários** (revolução, nascimento de novos estados, transições constitucionais, golpes de Estado, "quedas de muros"). Nestes factos complexos, situados ainda a montante do procedimento constituinte propriamente dito, vão geralmente implícitas "decisões" de natureza pré-constituinte. Estas decisões reconduzem-se em geral a dois tipos: (1) decisão política de elaborar uma lei fundamental – constituição; (2) edição de leis constitucionais provisórias destinadas a dar uma primeira forma jurídica ao "novo estado de coisas" e a definir as linhas orientadoras (procedimento constituinte propriamente dito). Retenha-se, portanto, esta distinção entre *decisões formais* (Murswiek) ou *decisões pré-constituintes* (Beaud)[21] e decisões materiais ou constituintes: as primeiras contêm a "vontade política" de criar uma nova constituição e de regular o procedimento constituinte adequado a tal finalidade; as segundas transportam os momentos procedimentais – iniciativa, discussão, votação, promulgação, ratificação, publicação – conducentes à adopção de uma nova constituição. Compreende-se que nesta fase pré-constituinte se estabeleçam apenas as condições mínimas e as regras indispensáveis para a feitura de uma constituição legítima. Basta um rápido bosquejo da nossa história constitucional contemporânea para confirmarmos o que se acaba de dizer. Logo no

---

[21] Cfr. BEAUD, *La Puissance de l'État*, cit., p. 265. Uma apurada análise da fenomenologia do procedimento constituite ver-se-á em A. ARATO, *Construção Constitucional e Teorias da Democracia*, cit., p. 5 ss.

primeiro comunicado da Junta de Salvação Nacional emergente do Movimento das Forças Armadas, em 25 de Abril de 1974 (26-4-1974), assumia-se o compromisso de «promover a consciencialização dos portugueses, ... em ordem a acelerar a constituição de associações cívicas que hão-de polarizar tendências a facilitar a livre eleição, por sufrágio directo, de uma Assembleia Nacional Constituinte ...» e, ainda, «abster-se de qualquer atitude política que possa condicionar a liberdade de acção e a tarefa da futura Assembleia Constituinte». No mesmo sentido, na Lei Constitucional Provisória decretada pela Junta de Salvação Nacional (14-5-1974) dispunha-se (artigo 3.º/1) que à "Assembleia Constituinte caberá elaborar e aprovar a nova Constituição", devendo esta Assembleia aprovar a nova no prazo de noventa dias, a partir da data de verificação dos poderes dos seus membros ..." (artigo 3.º/2), dissolvendo-se "automaticamente uma vez aprovada a nova Constituição" (artigo 3.º/3). Ainda como decisão pré-constituinte, esta mesma lei constitucional transitória estabelecia que a "Assembleia Constituinte será eleita por sufrágio universal, directo e secreto", devendo o procedimento de eleição ser regulado em proposta lei eleitoral a elaborar pelo Governo Provisório e a submeter à aprovação do Conselho de Estado ..." (artigo 4.º). Em síntese: depois de um primeiro *momento desconstituinte* traduzido, em geral, na revogação total ou parcial da constituição anterior (cfr., por exemplo, Lei Constitucional Provisória de 14-5-74, artigo 1.º), as *decisões pré-constituintes* reconduzem-se a: (1) decisões de iniciativa de elaboração e aprovação de uma nova constituição; (2) *decisão atributiva do poder constituinte* (a uma Assembleia Constituinte, por exemplo) e definição do procedimento jurídico de elaboração da nova constituição; (3) *leis constitucionais transitórias* enquanto não for aprovada uma nova Constituição.

2. Decisões constituintes – o acto procedimental constituinte

2.1. *Assembleia Constituinte – Procedimento Constituinte representativo*

Em rigor, o primeiro acto constituinte situa-se ainda no terreno pré-constituinte, pois ao acto de atribuição constituinte pertence decidir como é que o povo vai adoptar uma nova lei fundamental – se através de uma assembleia constituinte, se através de um referendo constituinte através de constituintes representativos e procedimentos constituintes referendários.

a) *Assembleia Constituinte soberana*

Designa-se **procedimento constituinte representativo** a técnica de elaboração de uma lei constitucional através de uma assembleia especial – a

assembleia constituinte. Na forma representativa pura cabe à assembleia constituinte elaborar e aprovar a constituição, excluindo-se qualquer intervenção directa do povo através de referendo ou plebiscito. Fala-se, neste caso, de *assembleia constituinte soberana*. É o procedimento que se pode considerar clássico na experiência constitucional portuguesa (cfr. Constituição de 1822, Constituição de 1838, Constituição de 1911 e Constituição de 1976).

b) *Assembleia Constituinte não soberana*

Existe um procedimento constituinte representativo desenvolvido por uma **assembleia constituinte não soberana** quando esta é competente apenas para elaborar e discutir o(s) projecto(s) de constituição, competindo depois ao povo, através de referendo, aprovar o projecto elaborado pela assembleia constituinte. Os motivos desta solução prendem-se com as teorias da soberania, considerando algumas delas a representação constituinte, na senda da teoria da soberania popular de Rousseau, como uma ficção, pois identifica o povo com os seus representantes, confunde mandatário (representantes) e mandantes (povo), considera delegável o que não é possível delegar (a soberania). Ora, já que não é possível, por razões práticas, o povo deliberar e aprovar (sistema rousseauniano puro) ao menos que se adopte uma solução minimamente democrática (sugerida por Condorcet). O princípio básico seria este: o povo não delega o poder de aprovar ou de rejeitar uma constituição. Por razões políticas, o povo não delega o poder de aprovar ou de rejeitar uma constituição, e daí a ideia de fazer intervir o povo soberano na aprovação ratificatória (ou não) do projecto elaborado pela assembleia constituinte (tese poder do povo de ratificar a constituição, tese da sanção constituinte popular). Neste sentido diz-se que o texto aprovado por uma assembleia constituinte é uma *proposta de constituição* enquanto que o voto do povo é uma *sanção constituinte*. No fundo, existem aqui "dois povos": o povo (*Povo I*) que elegeu os seus representantes confiando-lhes a elaboração de um texto constitucional e o povo (*Povo II*) que sanciona a proposta podendo "vetar" o texto que lhe é submetido a ratificação. A experiência constitucional comparada demonstra que não se trata de mera hipótese teórica, pois no referendo francês, de 5 de Maio de 1946, o "povo ratificador" votou contra o projecto de constituição elaborado pelo "representantes do povo" [22] em Assembleia Constituinte.

---

[22] Vide, por exemplo, OLIVIER DUHAMEL, *Droit Constitutionnel et Politique*, Éditions du Seuil, Paris, 1994, p. 743.

c) *Assembleia Constituinte e Convenções do Povo*

Ideia semelhante à anterior é fornecida pela articulação, no procedimento constituinte representativo, da feitura de uma constituição por uma Assembleia Constituinte com a ratificação popular, feita não através de referendo mas mediante **convenções do povo** reunidas em diversos centros territoriais. É a conhecida técnica norte-americana adoptada para a Constituição de 1787. Os delegados constituintes elaboraram na Convenção de Filadélfia um projecto de constituição que depois foi submetido ao consentimento do povo exercido em *conventions* expressamente reunidas para este efeito nos vários estados da união americana. "Nós o povo" americano comporta aqui também o *Povo I*, o povo reunido em convenção constituinte, e o *Povo II* representado em *constitutional conventions* especificamente convocadas para o efeito [23]. As *constitutional conventions* configuravam-se, assim, como substituição perfeita *for the people themselves* [24].

2.2. *Referendo constituinte e Procedimento constituinte directo*

Designa-se **procedimento constituinte directo** a aprovação pelo povo de um projecto de constituição sem mediação de quaisquer representantes. Este procedimento constituinte comporta também modalidades diversas. Nuns casos é submetido à "sanção popular" numa proposta de constituição (ou de revisão da constituição) elaborada por determinados órgãos políticos (exemplo: assembleia legislativa, governo) ou por um número determinado de cidadãos (iniciativa popular). Fala-se aqui do **referendo constituinte** no sentido de aprovação de uma constituição mediante livre decisão popular exercida através de um procedimento referendário justo. Esta última precisão – procedimento referendário justo – serve para distinguir o referendo constituinte do chamado *plebiscito constituinte*. Embora a distinção entre referendo e plebiscito não seja clara e tenha havido mesmo, num período inicial, a utilização indiscriminada dos dois termos, o **plebiscito** passou a designar a votação popular de um projecto de constituição unilateralmente fabricado pelos titulares do poder e dirigido a alterar em termos de duvidosa legalidade a ordem constitucional vigente (plebiscitos napoleónicos). Na história constitucional portuguesa, aproximou-se desta figura o plebiscito de aprovação da Constituição de 1933, em que as próprias abstenções foram contadas como votos a favor [25].

---

[23] Cfr., por todos, Bruce Ackerman, *We the People, Foundations*, cit., p. 138 e ss.
[24] Cfr. Bruce Ackerman, *We the People, Foundations* , cit., págs. 177 e 178.
[25] Cf. mais indicações em Jorge Miranda, *Manual, I*, 5.ª ed., p. 296.

F. Vinculação Jurídica do Poder Constituinte

Foi já referido que na teoria clássica do poder constituinte – pelo menos no seu figurino francês – o poder constituinte era considerado como um poder autónomo, incondicionado e livre. Em toda a sua radicalidade, o poder constituinte concebia-se como poder juridicamente desvinculado, podendo fazer tudo como se partisse do nada político, jurídico e social (*omnipotência do poder constituinte*). Tudo isto estaria na lógica da "teologia política" que envolveu a sua caracterização na Europa da Revolução Francesa (1789). Ao poder constituinte foram reconhecidos atributos divinos: *potestas constituens, norma normans, creatio ex nihilo*, ou seja, o poder de constituir, o poder de editar normas, o poder de criação a partir do nada[26]. A associação de poder soberano a poder constituinte – "soberano é aquele que decide sobre a constituição" – concorria para o alicerçamento da ideia de omnipotência constituinte.

A doutrina actual rejeita esta compreensão. Desde logo, se o poder constituinte se destina a criar uma constituição concebida como organização e limitação do poder, não se vê como esta "vontade de constituição" pode deixar de condicionar a vontade do criador. Por outro lado, este criador, este sujeito constituinte, este povo ou nação, é estruturado e obedece a padrões e modelos de conduta espirituais, culturais, éticos e sociais radicados na consciência jurídica geral da comunidade e, nesta medida, considerados como "vontade do povo". Além disto, as experiências humanas vão revelando a indispensabilidade de observância de certos **princípios de justiça** que, independentemente da sua configuração (como princípios *suprapositivos* ou como princípios supralegais mas *intra-jurídicos*) são compreendidos como limites da liberdade e omnipotência do poder constituinte. Acresce que um sistema jurídico interno (nacional, estadual) não pode, hoje, estar *out* da comunidade internacional. Encontra-se vinculado a **princípios de direito internacional** (princípio da independência, princípio da autodeterminação, princípio da observância de direitos humanos)[27].

Esta ideia de vinculação jurídica conduz uma parte da doutrina mais recente a falar da *"jurisdicização"* e do *carácter evolutivo* do poder constituinte. Se continua a ser indiscutível que o exercício de um poder constituinte

---

[26] Cfr. as referências de BÖCKENFÖRDE, *Die Verfassunggebung des Volkes*, cit., p. 62; TH. WÜRTENBERGER, *Zeitgeist und Recht*, Mohr, Tubingen, 2.ª ed., 1991.

[27] Entre nós, com amplos desenvolvimentos, LUZIA CABRAL PINTO, *Constituição e Teoria dos Limites Materiais do Poder Constituinte*, Coimbra, 1995; MIGUEL NOGUEIRA DE BRITO, *A Constituição Constituinte*, p. 387 ss.

anda geralmente associado a momentos fractais ou de ruptura constitucional (revolução, autodeterminação de povos, quedas de regime, transições constitucionais), também é certo que o poder constituinte nunca surge num vácuo histórico-cultural. Trata-se, antes, de um poder que, de forma democraticamente regulada, procede às alterações incidentes sobre a estrutura jurídico-política básica de uma comunidade (P. Häberle, Baldassare). De resto, as recentes transições constitucionais, que começaram em Portugal (1974) e terminaram na transformação dos estados ex-comunistas, parecem mesmo apontar para a ideia de que o poder constituinte, exercido segundo um procedimento justo e movido por intenções de conformação de uma ordem jurídico-política justamente ordenada, serve hoje como uma *técnica experimentada* de soluções de crises e rupturas políticas que em momentos extraordinários surgem no seio da comunidade. No fundo, a "instabilidade", a "anarquia", o "poder na rua", "a confrontação ideológica" das épocas de transição tendem a serenar no momento em que o poder constituinte democraticamente legitimado fixa normativamente em pactos ou constituições os valores básicos reclamados pelas "forças" constituintes[28]. A experiência demonstra também que não basta a legitimação através da fixação democrática de valores básicos; é necessário, igualmente, que o "povo inteiro" beneficie da implementação desses valores básicos. Surge aqui a ideia de *povo destinatário* de prestações civilizacionais que traduz a relevância funcional do modo como os efeitos das decisões políticas se repercutem *sobre o povo* (F. Müller).

Referências bibliográficas

AAVV – *1789 et l'invention de la Constitution*, Paris, 1994.
Acosta Sanchez, J. – *Teoria del Estado y Fuentes de la Constitucion*, Cordoba, 1989.
Amaral, Maria L. – "O Poder Constituinte e a Revisão Constitucional. Algumas notas sobre o Fundamento e Natureza do Poder da Revisão Constitucional", in *RFDL*, 1984, p. 333.
Angiolini, V. – *Constituente e Costituto nell' Italia Repubblicana*, Padova, 1995.
Barbera, A. (org.), *Le basi filosofiche del costituzionalismo*, Bari, 1998.
Baldassare, A. – " Il Referendum Costituzionale", *Quad. Cost.*, 1994.
Baracho, J. A. O. – "Teoria Geral do Poder Constituinte", *RbrEP*, n.º 52 (1981), p. 7 ss.

---

[28] Cfr. Peter Häberle, "Die Verfassunggebende ...", cit., p. 27; Baldassare, "Il referendum Costituzionale" in *Quad. Cost.*, 1994; Pablo Lucas Verdu "Dimension axiologica de la Constitución Portuguesa", in Jorge Miranda (org.), *Perspectivas Constitucionais*, I, p. 89 ss.

Blanco-Valdés, R. – "La configuración del concepto de Constitucion en los experiencias revolucionarias francesa y norte americana", in J. Miranda, *Perspectivas Constitucionais*, vol. III, p. 9 ss.

– *El valor de la Constitucion. Separación de poderes, supremacia de la ley y control de constitucionalidad en los origenes del Estado Liberal*, Madrid, 1994.

Breuer, S. – "Nationalstaat und Pouvoir Constituant bei Sieyés und Carl Schmitt", *ARSP*, 1984, p. 494 ss.

Böckenförde, E. W. – *Die Verfassunggebende Gewalt des Volkes – Ein Grenzbegriff des Verfassungsrechts*, Berlin, 1986.

Basso, P. – "Potere Costituente", in *Enc. del Diritto*, Vol. XXXIV (1985).

Brito, Miguel – *A Constituição Constituinte. Ensaio sobre o Poder de Revisão da Constituição*, Coimbra, 2000.

Buchelt, J. – *Der Begriff des Referendums und seine Bedeutung für die politische Praxis*, Hamburg, 1970.

Burdeau, G. – *Traité de Science Politique*, Vol. IV, p. 181 ss.

Colombo, P. – "'Riforma legale' e 'potere costituente' nelle costituzione rivoluzionarie francesi", in *Il Politico*, 10 (3/1985), p. 461.

Dogliani, M. – *Potere Costituente*, Torino, 1986.

Gozzi, G. (org.) – *Democrazia, Diritti, Costituzione. I fondamenti costituzionali delle democrazie contemporanee*, Bologna, 1997.

Häberle, P. – *Libertad, igualdad, fraternidad. 1789 como historia, actualidad y futuro del Estado Constitucional*, Madrid, 1998.

Hofmann, H. – *Legitimität und Rechtsgeltung*, Berlim, 1977.

Jilson C. – *Constitution Making: Conflict and Consensus in the Federal Convention of 1787*, New York, Agathon Press, 1988.

Klein, C. – *Théorie et pratique du pouvoir constituant*, Paris, 1996.

Luque, L. A. – *Democracia Directa y Estado Constitucional*, Madrid, 1977.

Martins, A. de O. – "O poder constituinte na génese do Constitucionalismo Moderno", in *Estado e Direito*, n.º 5/6, 1990, p. 86.

Maués, A. (org.) – *Constituição e Democracia*, São Paulo, 2001.

– *Poder e Democracia: o pluralismo político na Constituição de 1988,* Porto Alegre, 1999.

Miranda, J. – *A Constituição de 1976*, p. 75 ss.

– *Manual II*, p. 403 ss.

Müller, F. – *Quem é o Povo? A Questão Fundamental da Democracia*, com prefácio de Fábio Konder Comparato e introdução de Ralph Christensen, São Paulo, 1998.

– *Fragment (über) Verfassunggebende Gewalt des Volkes. Elemente einer*

Verfassungstheorie V., Berlin, 1995.

Murswiek, D. – *Die Verfassunggebende nach dem Grundgesetz für die Bundesrepublik Deutschland*, Berlin, 1978.

Negri, A. – *Le Pouvoir Constituant. Essai sur les Alternatives de la Modernité*, Paris, 1997.

Nino, C. S. – "El concepto de Poder Constituinte Originario y la Justificación Juridica", in E. Bulygin/M. Farrel/C. Nino/E. Rabossi (org.), *El Language del Derecho. Homenaje a Genaro R. Carrio*, Buenos-Aires, 1983.

Pace, A. – "La Instauración de una nueva constitución. Perfiles de teoria constitucional", in *Revista de Estudios Políticos*, 97 (1997), p. 9 ss.

Pasquino, P. – *Sieyés et l'invention de la Constitution en France*, Paris, 1998.

Pinto, Luzia – *Constituição e Teoria dos Limites Materiais do Poder Constituinte*, Coimbra, 1995.

Pombeni, R. – *Potere Costituente e Riforma Costituzionale*, Bologna, 1992.

Quermone, J. L. – "Le référendum. Essai de typologie prospective", in *RDPSP*, 3/1985, p. 576 ss.

Rebuffa, G. – *Costituzioni e Costituzionalismo*, Torino, 1990.

Rodrigues, L. B. – *O Referendo Português a Nível Nacional*, Coimbra, 1994.

Royo, J. P. – *La Reforma da la Constitución*, Madrid, 1987.

Silva, Sayonara, *Poder Reformador; Insuficiência Conceitual. Experiências constitucionais,* Rio de Janeiro, Lumen Juris, 1997, p. 49 segs.

Teles, M. G. – "Temporalidade Jurídica e Constituição", in *20 Anos da Constituição de 1976*, Jornada de Coimbra, 2000, p. 15 ss.

Tosch, E. – *Die Bindung des Verfassungsändernden Gesetzgebers an den Willen des historischen Verfassungsgebers*, Berlin, 1979.

Troper, M. – *Pour une Théorie Juridique de l'État*, Paris, Puf., 1994.

Uleri, P. – "Le forme di consultazione popolare nelle democrazia: una tipologia", in *RISP*, XV, (2/1985), p. 205 ss.

Urbano, Maria B. – *O Referendo. Perfil Histórico-Evolutivo do Instituto. Configuração jurídica do referendo em Portugal*, Coimbra, 1993.

Vega, P. – *La Reforma Constitucional y la problematica del Poder Constituyente*, Madrid, 1985.

Vile, J. R. – *The Constitutional Amending Process in American Political Thought*, New York, 1992.

Volpe, G. – *Il Costituzionalismo del Novecento*, Bari, 2000.

Wood, G. S. – *The Making of the Constitution*, Waco: Baylor University Press, 1987.

Würtenberger, Th. – *Zeitgeist und Recht*, Tübingen, Mohr, 2.ª ed., 1991.

Capítulo 3
O Estado Constitucional

Sumário

A. A constituição e o seu referente: estado? sociedade?

I - O referente da constituição

1. A sociedade e a constituição
2. A Constituição como norma ou lei do estado

II - Que coisa é o estado?

1. Estado e semântica da modernidade
2. Estado e polícia

B. O estado constitucional

I - Estado de direito

1. *The Rule of Law*
2. Constituição e lei – *always under law*
3. *L'État légal* – Declaração, constituição e lei
4. O *Rechtsstaat*

II - Estado de direito democrático-constitucional

1. Estado de direito e democracia – haverá "dois corações políticos"?
2. O Estado constitucional democrático

A. A Constituição e o seu Referente: Estado? Sociedade?

O presente Capítulo pressupõe alguns fios discursivos dos capítulos anteriores. Os modelos de constitucionalismo e a problemática do poder constituinte fornecem já alguns tópicos importantes para a compreensão do presente Capítulo destinado ao estudo do *Estado Constitucional*. O **Estado Constitucional** – realce-se desde já – é mais um ponto de partida do que um ponto de chegada. É o produto do desenvolvimento constitucional no actual momento histórico. Algumas fórmulas políticas e jurídico-constitucionais – *rule of law, État légal, Rechtsstaat, Estado de direito* – condensam determinados momentos concretizadores do Estado Constitucional tal como hoje o concebemos. No entanto, as relações entre a constituição e o Estado não são, ainda hoje, claras. Se alguns autores acentuam a constituição como a dimensão básica do "Estado Constitucional" [1], outros consideram o Estado como "dado", como "pressuposto", como "estrutura apriorística" que precede a constituição. O Estado pode vir mesmo a conhecer diferentes trajos constitucionais sem que isso perturbe a sua existência e continuidade [2]. A proposta deste curso é a seguinte: a constituição, informada pelos princípios materiais do constitucionalismo – vinculação do Estado ao direito, reconhecimento e garantia de direitos fundamentais, não confusão de poderes e democracia – é uma *estrutura política conformadora do Estado* [3].

I - O referente da constituição

A constituição pretende "dar forma", "constituir", "conformar" um dado esquema de organização política. Mas conformar o quê? O Estado? A sociedade? Afinal qual é o referente da constituição?

---

[1] Assim, por exemplo, GÖRG HAVERKATE, *Verfassungslehre*, Verlag C. H. Beck, München, 1992, p. 8, 40 segs.

[2] Cfr. J. ISENSEE, "Staat und Verfassung", in J. ISENSEE/P. KIRCHHOF (org.), *Handbuch des Staatsrechts*, Beck, Vol. I, München, 1987, p. 592.

[3] Cfr., MARTIN REDISH, *The Constitution as Political Structure*, Oxford University Press, New York, 1995.

1. A sociedade e a constituição

O artigo 16.º da Declaração dos Direitos do Homem e do Cidadão de 1789 é reiteradamente citado para identificar o "núcleo duro" de uma constituição em sentido moderno. Vale a pena, porém, transcrever o preceito para se verificar que, em geral, os autores deixam na sombra o *referente* da constituição. Eis o teor do artigo citado:

> Artigo 16.º – *"Toute société dans laquelle la garantie des droits n'est pas assurée, ni la separation des pouvoirs déterminée n'a point de Constitution"*

Como se vê, não se fala aqui em Estado mas em sociedade. A *sociedade* "*tem*" uma constituição; a constituição é a constituição da sociedade. Isto significava que nos esquemas políticos oitocentistas a constituição aspirava a ser um "corpo jurídico" de regras aplicáveis ao "corpo social". A estruturação articulada do corpo político e do corpo social através de um *corpus jurídico* recolhia ainda a ideia de *res publica* ou *Commonwealth* "constituída" ou "conformada" por uma lei fundamental [4]. Nos principais teóricos do constitucionalismo (Montesquieu, Rousseau, Locke) as estruturas sociais tinham, de resto, significativa expressão nas próprias tecnologias organizativas do poder desenhadas na constituição. Neste sentido se compreende a expressão – **constituição da República** – para exprimir ideia de que a constituição se refere não apenas ao Estado mas à própria comunidade política, ou seja, à *res publica* [5].

2. A constituição como norma ou lei do Estado

Como se explica então que, a partir do início do século XIX, a constituição passe a ter como referente o Estado e não a sociedade? Como é que a constituição é transmutada de *constituição da República* em *constituição do Estado*? Poderemos avançar três razões fundamentais, embora se deva ter em conta que não se trata de um processo linear nem de uma história conjugada no singular.

---

[4] Cfr. MICHEL TROPER, *Pour une Théorie Juridique de l'État*, Puf, Paris, 1994, p. 218; P. RIDOLA, *Diritti di libertá e Costituzionalismo*, p. 26 ss.

[5] Cfr. J. J. GOMES CANOTILHO/VITAL MOREIRA, *Constituição da República Portuguesa, Anotada*, 3.ª ed., Coimbra Editora, Coimbra, 1993, anotação II ao artigo 1º. Veja-se, também, RUSSEL L. HANSON, "Commons and Commonwealth at the American Foundings Democratic Republicanism as the New American Hybrid", in T. BALL/J. A. POCOCK, *Conceptual Change and the Constitution*, cit., p. 165 e ss. Também KANT, na *Paz Perpétua*, falaria de "Constituição republicana".

A primeira razão – de cariz histórico-genético – reporta-se à evolução semântica do conceito. Quando, nos processos constituintes americano e francês, se criou a constituição como lei conformadora do corpo político passou a entender-se que ela "constituia" os "Estados Unidos" dos americanos ou o "Estado-Nação" dos franceses. A segunda razão – de natureza político-sociológica – relaciona-se com a progressiva estruturação do *Estado Liberal* cada vez mais assente na *separação Estado-Sociedade*. Os códigos políticos – as constituições e os códigos administrativos – diziam respeito à organização dos poderes do Estado; os códigos civis e comerciais respondiam às necessidades jurídicas da sociedade civil [6]. Em terceiro lugar, pode apontar-se uma justificação filosófico-política. Sob a influência da filosofia hegeliana [7] e da juspublicística germânica, a constituição designa uma ordem – a *ordem do Estado*. Ergue-se, assim, o Estado a conceito ordenador da comunidade política, reduzindo-se a constituição a simples *lei do Estado e do seu poder*. A constituição só se compreende através do Estado [8]. O conceito de *Estado Constitucional* servirá para resolver este impasse: a constituição é uma lei proeminente que conforma o Estado.

II - Que coisa é o Estado?

1. Estado e semântica da modernidade

Abster-nos-emos aqui de longas digressões teóricas e históricas em torno do conceito de Estado. Trata-se, contudo, ainda hoje, de uma categoria política estruturante do pensamento político-constitucional europeu. Justificam--se, por isso, algumas notas referentes à sua caracterização e compreensão, recolhendo as lições que, desde Jean Bodin com *Les Six Livres de la Republique* (1576) e Thomas Hobbes com o seu *Leviathan* (1651), recortaram o *Estado*, a sua *soberania* e o seu *poder* como categorias centrais da modernidade política. O **Estado** é, assim, uma forma histórica de organização jurídica do poder dotada de *qualidades* [9] que a distinguem de outros "poderes" e "organizações de poder". Quais são essas qualidades? Em primeiro lugar, a qualidade de *poder soberano*. A **sobe-**

---

[6] Cfr., por exemplo, BARTOLOME CLAVERO "Lo Spazio dei diritti e la posizione dei giudici tra Costituzione e Codice", in *Materiali per uma storia della cultura giuridica*, XIX (1989).

[7] As fórmulas são sugestivas: "*Am Anfang war der Staat*", ou seja, no "princípio estava o Estado"; "*Der Staat ist die Wirklichkeit der sittlichen Idee*", o que significa: "O Estado é a realidade da ideia ética".

[8] Cfr. as referências de MAURIZIO FIORAVANTI, *Stato e Costituzione*, cit., p. 140; ACOSTA SANCHEZ, *Teoria del Estado*, cit., p. 4 e segs; DIETER GRIMM, *Die Zukunft der Verfassung*, cit., p. 143.

[9] Cfr., D. ALLAND, "L'État sans qualités", in *Droits*, nº 16 (1993), p. 5.

rania, em termos gerais e no sentido moderno, traduz-se num *poder supremo* no plano interno e num poder *independente* no plano internacional. Se articularmos a dimensão constitucional interna com a dimensão internacional do Estado poderemos recortar os elementos constitutivos deste: (1) *poder político de comando*; (2) que tem como destinatários os cidadãos nacionais (*povo* = sujeitos do soberano e destinatários da soberania); (3) reunidos num determinado *território* [10]. A soberania no plano interno (soberania interna) traduzir-se-ia no *monopólio* de edição do direito positivo pelo Estado [11] e no monopólio da coação física legítima para impôr a *efectividade* das suas regulações e dos seus comandos [12]. Neste contexto se afirma também o carácter *originário* da soberania, pois o Estado não precisa de recolher o fundamento das suas normas noutras normas jurídicas. A *soberania internacional* (termo que muitos internacionalistas afastam preferindo o conceito de *independência*) é, por natureza, *relativa* (existe sempre o *alter ego* soberano de outro Estado), mas significa, ainda assim, a igualdade soberana dos Estados que não reconhecem qualquer poder superior acima deles (*superiorem non recognoscem*) [13].

O Estado, tal como acaba de ser caracterizado, corresponde, no essencial, ao modelo de Estado emergente da Paz de Westefália (1648). Este modelo, assente, basicamente, na ideia de *unidade política soberana* do Estado, está hoje relativamente em crise como resultado dos fenómenos da globalização, da internacionalização e da integração interestatal. No entanto, ele continua a ser um modelo operacional se pretendermos salientar duas dimensões do Estado como *comunidade juridicamente organizada* [14]: (1) o Estado é um esquema aceitável de *racionalização* institucional das sociedades modernas; (2) o **Estado constitucional** é uma *tecnologia política de equilíbrio político-social* através da qual se combateram dois "arbítrios" ligados a modelos anteriores, a saber: a autocracia *absolutista* do poder e os privilégios orgânico-corporativo medievais [15]. Isto justificará que se refiram brevemente algumas das características do "modelo" de Estado que precedeu o moderno Estado constitucional. Impõe-se, no entanto, um esclarecimento indispensável.

---

[10] Estes três elementos – povo, território, poder – são os elementos decantados sobretudo pela doutrina de direito internacional. Note-se, porém, que o conceito de Estado em direito constitucional e em direito internacional não é coincidente. Cfr. KARL DOEHRING, *Allgemeine Staatslehre*, Müller Verlag, Heidelberg, 1991, p. 18 e ss.

[11] Cfr., por último, OLIVIER BEAUD, *La Puissance de l'État*, cit., p. 130; M. KRIELE, *Einführung in die Staatslehre*, 2.ª ed., Opladen, Westdeutscher Verlag, 1980, p. 280.

[12] Cfr., por exemplo, ZIPPELIUS, *Staatslehre*, p. 52 ss.

[13] Cfr. R. ZIPPELIUS, *Allgemeine Staatslehre*, cit., p. 47 e segs; K. DOEHRING, *Allgemeine Staatslehre*, cit., p. 22 e ss.

[14] Cfr. ZIPPELIUS, *Allgemeine Staatslehre*, cit., p. 47.

[15] Cfr. as sugestões de M. FIORAVANTI, *Stato e Costituzione*, cit., p. 75.

Uma significativa corrente da historiografia moderna põe em causa a sucessão linear de modelos de Estado ("Estado Estamental" → "Estado Absoluto" → "Estado Liberal") e censura mesmo a transposição "acrítica" para Portugal de conceitos elaborados para outros quadrantes político-culturais, como, por exemplo, os de "absolutismo", "despotismo", "Estado moderno". [16]

2. Estado e Polícia

De qualquer modo, não há dúvida que, pelo menos no constitucionalismo continental europeu, o Estado constitucional procurou uma fundação e estruturação diversa da dos precedentes tipos de Estado: o *Estado Estamental* e o *Estado de Polícia* (*Polizeistaat*). Este **Estado de Polícia**, também chamado "Estado Iluminista", "Estado de absolutismo iluminista", "Estado de despotismo esclarecido" (século XVIII), cujo paradigma em Portugal terá sido o "Estado do Marquês de Pombal", apresentava como características fundamentais as seguintes: (1) afirmação da ideia de soberania concentrada no monarca, com o consequente predomínio do soberano sobre os restantes estamentos; (2) extensão do poder soberano ao âmbito religioso, reconhecendo-se ao soberano o direito de "decidir" sobre a religião dos súbditos e de exercer a autoridade eclesiástica (*cuius regio eius religio, Dux cliviae est papa in territoriis suius*); (3) dirigismo económico através da adopção de uma política económica mercantilista; (4) assunção, no plano teórico dos fins do Estado, da promoção da *salus publica* ("bem estar", "felicidade dos súbditos") como uma das missões fundamentais do soberano, que assim deslocava para um lugar menos relevante a célebre "razão de Estado" (*raison d'État*), apontada como a dimensão teleológica básica do chamado "absolutismo empírico" ("momento absolutista" anterior ao "absolutismo iluminado"). Estas dimensões estruturaram um "tipo de Estado-providência" ou "Estado administrativo" caracterizado por uma administração extensa e intensa tendencialmente desvinculada [17] do direito tradicional dos estamentos e da lei superior (constituição) agitada pelo constitucionalismo moderno. Note-se, porém, que se o **Estado de Polícia** – a *polícia* abrangia toda a administração interna do Estado – justificou a construção de um *jus eminens* legitimador da restrição dos

---

[16] Cfr., por todos, António Manuel Hespanha, *As Vésperas do Leviathan*, Coimbra, Almedina, 1993, Vol. 1; "O Antigo Regime", in José Mattoso, *História de Portugal*, Vol. IV, Círculo de Leitores, Lisboa, 1993; Nuno Espinoza Gomes da Silva, *História do Direito Português*, Lisboa, 1992, p. 360 e ss.

[17] Dizemos "tendencialmente" para realçar as caraterísticas "portuguesas" do "Antigo Regime" em que se teria mantido um "espírito de legalidade" alicerçador de limites jurídicos ao exercício do poder régio. Vide, precisamente, Mário Reis Marques, "Sur l'histoire de la justice administrative au Portugal" in *Hispania, Entre derechos proprios e derechos nacionales*, Vol. II, Milano, 1990.

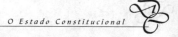

direitos adquiridos dos particulares (*jura quaesita*) através de medidas do soberano, acabou também por acolher alguns limites à possibilidade de disposição dos bens dos súbditos por parte do soberano. Tem, neste contexto, particular importância a "teoria do domínio" (ou "teoria de fisco"), pois os súbditos passaram a gozar do direito de obter o pagamento de uma indemnização a cargo do "fisco" ou "domínio" concebido doravante como uma pessoa jurídica autónoma de direito privado. "Suporta mas exige dinheiro" (*Dulde et liquidere*), "aceita a privação de direitos mas exige a indemnização pelos actos de gestão privada" (mas não pelos "actos de gestão pública" do monarca), são ideias agitadas contra um "Estado administrativo" sem limites jurídicos e que darão origem a um instituto indiscutível do Estado de direito: o instituto da *responsabilidade do Estado* por danos causados aos particulares [18].

A "Teoria do fisco" não era suficiente para alicerçar um verdadeiro Estado de direito. Só com o advento das ideias jusnaturalistas e jusracionalistas de um Estado garantidor de liberdade individual e assegurador do livre desenvolvimento económico se conseguiria uma decisiva mudança no paradigma estadual. A tarefa de polícia deixaria de ser uma tarefa totalizante do Estado para se limitar à missão estrita e bem definida de garantia da *ordem* e *tranquilidade públicas*. Não se deve confundir, pois, o *jus politiae*, tal como foi entendido desde os fins do séc. XIV até aos fins do séc. XVIII, com a **polícia** compreendida como uma função administrativa típica de prevenção de perigos e de manutenção da ordem e segurança. O primeiro – o *jus politiae* – é a polícia do **Estado de polícia**; a segunda é a polícia do **Estado Polícia** ou "Estado guarda nocturno" tal como o "crismou" Lassalle no séc. XIX.

B. O Estado Constitucional

Qualquer que seja o conceito e a justificação do Estado – e existem vários conceitos e várias justificações [19] – o Estado só se concebe hoje como **Estado constitucional**. Não deixa, porém, de ser significativo que esta expressão –

---

[18] Cfr., por último, entre nós, MARIA DA GLÓRIA FERREIRA PINTO DIAS GARCIA, *Da Justiça Administrativa em Portugal. Sua Origem e Evolução*, Lisboa, 1994, p. 29 e segs., pag. 139 e segs.; PAULO OTERO, *O Poder de substituição em Direito Administrativo*, Lisboa, 1995, Vol. I, p. 190 e ss.. Indispensáveis para a compreensão do "Estado Absoluto" em Portugal são os trabalhos de A. M. HESPANHA. Veja-se a síntese deste autor em J. MATTOSO, "O Antigo Regime", Vol. IV da *História de Portugal*, Círculo de Leitores, 1993.

Para a caracterização de "polícia" ver PIERANGELO SCHIERA, «A "polícia" como síntese de Ordem e de Bem-Estar no Moderno Estado Centralizado», in A. MANUEL HESPANHA, (org.), *Poder e Instituições na Europa do Antigo Regime*, Lisboa, 1984, p. 304 e ss.

[19] Cfr., por exemplo, ZIPPELIUS, *Allgemeine Staatslehre*, cit., pág. 275 e ss..

Estado constitucional – tenha merecido decisivo acolhimento apenas na juspublicística mais recente. Sabemos já que o constitucionalismo procurou justificar um Estado submetido ao direito, um Estado regido por leis, um Estado sem confusão de poderes. Numa palavra: tentou estruturar um *Estado com qualidades* [20], as qualidades que fazem dele um Estado Constitucional. O Estado Constitucional, para ser um estado com as qualidades identificadas pelo constitucionalismo moderno, deve ser um **Estado de direito democrático**. Eis aqui as duas grandes qualidades do Estado constitucional: Estado de *direito* e Estado *democrático*. Estas duas qualidades surgem muitas vezes separadas. Fala-se em Estado de direito, omitindo-se a dimensão democrática, e alude-se a Estado democrático silenciando a dimensão de Estado de direito. Esta dissociação corresponde, por vezes, à realidade das coisas: existem formas de domínio político onde este domínio não está domesticado [21] em termos de Estado de direito e existem Estados de direito sem qualquer legitimação em termos democráticos. O *Estado constitucional democrático de direito* procura estabelecer uma conexão interna entre democracia e Estado de direito. Vejamos como.

I - Estado de direito

A concretização do Estado constitucional de direito obriga-nos a procurar o pluralismo de estilos culturais, a diversidade de circunstâncias e condições históricas, os *códigos de observação* próprios de ordenamentos jurídicos concretos. Como veremos em seguida, a "domesticação do domínio político" pelo direito faz-se de vários modos e, por isso, deveremos ter cuidado em identificar conceitos como *Rechtsstaat, Rule of Law, État légal*, não obstante todos eles procurarem alicerçar a *juridicidade estatal*.

1. The Rule of Law

A interpretação do sentido da fórmula **Rule of Law** foi variando, mas é possível assinalar-lhe quatro dimensões básicas. *The Rule of Law* significa, em primeiro lugar, na sequência da *Magna Charta* de 1215, a obrigatoriedade da observância de um *processo justo* legalmente regulado, quando se tiver de julgar e

---

[20] Assim, D. ALLAND, "L'État sans qualités", in *Droits*, n.º 16 (1993), pág. 5.
[21] Cfr. J. HABERMAS, *Faktizität und Geltung*, ob. cit., p. 166 e ss.; *Die Einbeziehung des Anderen, Studien zur Politischentheorie*, Suhrkamp, Frankfurt/M, 1997, p. 293 ss.

punir os cidadãos, privando-os da sua liberdade e propriedade. Em segundo lugar, *Rule of Law* significa a proeminência das leis e costumes do "país" perante a discricionariedade do poder real. Em terceiro lugar, *Rule of Law* aponta para a sujeição de todos os actos do executivo à soberania do parlamento. Por fim, *Rule of Law* terá o sentido de igualdade de acesso aos tribunais por parte dos cidadãos a fim de estes aí defenderem os seus direitos segundo os princípios de direito comum dos ingleses (*Common Law*) e perante qualquer entidade (indivíduos ou poderes públicos) [22].

O sistema britânico da *Rule of Law* com os seus vários sentidos e interpretações não deixa de suscitar algumas perplexidades como o demonstram as recentes controvérsias em torno da necessidade de um "New Bill of Rights" e mesmo de uma "Written Constitution" que estabeleça vinculações jurídicas precisas à clássica e incontornável *parliamentary sovereignty* [23].

2. Constituição e lei – always under law

Nos Estados Unidos, o "império do direito" – **The Reign of Law** – ganhou contornos rasgadamente inovadores. Como primeiro tópico – e tópico central – do Estado Constitucional dos Estados Unidos será de referir a ideia de *always under law* [24]. O Estado Constitucional arranca, desde logo, do direito do povo fazer uma lei superior (*higher lawmaking*), ou seja, uma constituição onde se estabelecessem os esquemas essenciais do governo e os respectivos limites. Dentro destes esquemas constitucionais essenciais incluem-se os direitos e liberdades dos cidadãos (*rights and liberties of citizenship*) juridicamente gerados na república e, por conseguinte, inerentes à *higher law* publicamente plasmada por escrito na constituição.

Em segundo lugar, o Estado constitucional associa a *juridicidade do poder* à *justificação* (*justifying*) *do governo*. Não basta uma qualquer invocação de representação e, muito menos, um iluminismo qualquer de um qualquer monarca esclarecido. As *razões do governo* devem ser *razões públicas* que tornem patente o *consentimento* do povo em ser governado em determinadas condições. Desde logo, o governo é sempre um governo subordinado às leis (*government under law*),

---

[22] Vide, Venn Albert Dicey, *Introduction to the Study of the Law of the Constitution*, 1.ª ed., 1885.
[23] Vide, Ferdinand Mount, *The British Constitution Now: Recovery or Decline*, Heinemann, 1992, p. 16; K. D. Ewing-C. A. A. Gearty, *Freedom under Thatcher: Civil Liberties in Modern Britain*, Clarendon Press, Oxford, 1990, p. 163.
[24] Por último, cfr. Frank I. Michelman, "Always under Law", in *Constitutional Commentary*, 12/2 (1995), pag. 227 e ss.

entendidas estas como um esquema regulativo consistente e coerente formado por um conjunto unificado de princípios de justiça e de direito. Desta forma, o "governo que se aceita" ou o "governo que está justificado" será apenas o governo que nas suas acções, interpretações ou resoluções obedece a esse conjunto de princípios e regras de direito, de natureza duradoura e vinculativa, explicitados na constituição. O "governo justificado" – diga-se por outras palavras – é, assim, o governo que cumpre a *obrigação* jurídico-constitucional de governar segundo leis dotadas de unidade, publicidade, durabilidade e antecedência.

Por último, da "essência constitucional americana" fazem parte os tribunais que exercem a justiça em nome do povo (*people's court*). Os tribunais devem ser constituídos por juízes e os juízes são agentes do povo nos quais este deposita a confiança (*trust*) de preservação dos princípios de justiça e dos direitos condensados na lei superior. Se necessário, os juízes farão uso do seu "direito--dever" de acesso à constituição desaplicando as "más leis" do governo e declarando-as nulas (*judicial review of legislation*).

3. L'État légal – Declaração, constituição e lei

A ideia do Estado de direito no constitucionalismo francês assentou – pelo menos em termos teóricos –, na construção de um **État Légal** concebido como uma *ordem jurídica hierárquica*. No vértice da pirâmide hierárquica situava-se a *Déclaration* de 26 de Agosto de 1789 consagrando os "*droits naturels et sacrés de l'homme*". Esta *Déclaration* era, simultaneamente, uma "supraconstituição" e uma "pré-constituição": supra-constituição porque estabelecia uma disciplina vinculativa para a própria constituição (1791); pré-constituição porque, cronologicamente, precedeu mesmo a primeira lei superior. A constituição situa-se num plano imediatamente inferior à Declaração. A lei ocupa o terceiro lugar na pirâmide hierárquica e, na base, situam-se os actos do executivo de aplicação das leis.

Esta estrutura serve, ainda hoje, de paradigma aos estados constitucionais da actualidade. O Estado constitucional, com hierarquia de normas, seria radicalmente oposto ao Estado de Polícia. No entanto, o Estado constitucional transmutar-se-ia em simples *Estado legal*, afirmando-se a soberania ou primado da lei com base na doutrina da soberania nacional expressa pela assembleia legislativa. O princípio da primazia da lei servia para a submissão ao direito do poder político "sob um duplo ponto de vista": (1) os cidadãos têm a garantia de que a lei só pode ser editada pelo órgão legislativo, isto é, o órgão representativo da vontade geral (cfr. *Déclaration* de 1789, artigo 6.°); (2) em virtude da sua dignidade – obra dos representantes da Nação – a lei constitui a fonte de direito

hierarquicamente superior (a seguir às leis constitucionais) e, por isso, todas as medidas adoptadas pelo poder executivo a fim de lhe dar execução deviam estar em conformidade com ela (*princípio da legalidade da administração*). Mas não só isso: como produto da vontade geral, as leis eram necessariamente gerais (*generalidade da lei*) garantindo, deste modo, a observância do *princípio da igualdade perante a lei* e consequente repúdio das velhas *leges privatae* (privilégios) características do *Ancien Régime*.

A limitação do poder pelo direito acabaria, em França, numa situação paradoxal. A *supremacia da constituição* foi neutralizada pela *primazia da lei*. Daí que um célebre jurista francês [25] se tenha referido ao "Estado de direito francês" como um *Estado legal* ou *Estado de legalidade* relativamente eficaz no cumprimento do princípio da legalidade por parte da administração mas incapaz de compreender o sentido da supremacia da constituição, à imagem da *paramount law* americana, e insensível à força normativa dos direitos e liberdades "declarados" logo na *Déclaration* de 1789. Dir-se-ia que a bondade do constitucionalismo francês quanto à ideia de sujeição do poder ao direito radica mais na substância das suas ideias (constituição, direito) do que na capacidade de engendrar procedimentos e processos para lhes dar operatividade prática. Não sem razão, se fala do constitucionalismo francês como um "constitucionalismo sem Constituição".[25a]

4. O Rechtsstaat

Esta palavra – **Rechtsstaat** –, isto é, *Estado de direito*, aparece no início do século XIX como uma dimensão da discutida "via especial" do constitucionalismo alemão. Pretendia-se com isso significar que o constitucionalismo alemão se situava entre as propostas constitucionais do chamado "constitucionalismo da restauração" (paradigma: Carta Constitucional de Luís XVIII, de 1812) com o seu princípio estruturante – o princípio monárquico – e o "constitutionalismo da revolução" com o seu princípio, também estruturante, da soberania nacional (ou popular) [26]. Inicialmente, o Estado de direito começou por ser caracterizado, em termos muito abstractos, como "Estado da Razão", "Estado

---

[25] Referimo-nos a CARRÉ DE MALBERG, *Contribution à la théorie générale de l'État*, Paris, Sirey, 2 Vols., 1922.

[25a] Cfr., por último, J. ACOSTA SÁNCHEZ, *Formación de la Constitución y jurisdicción Constitucional*, Madrid, 1998, p. 145 e ss.

[26] Cfr., por exemplo, H. HOFMANN, *Recht-Politik-Verfassung*, Alfred Metzner Verlag, Frankfurt-M, 1986, p. 181 e segs. Para outros desenvolvimentos históricos, cfr. J. J. GOMES CANOTILHO, *Direito Constitucional*, 6.ª ed., Coimbra, 1993, p. 348 e ss..

limitado em nome da autodeterminação da pessoa". No final do século, estabilizaram-se os traços jurídicos essenciais deste Estado: o Estado de direito é um *Estado liberal de direito*. Contra a ideia de um *Estado de Polícia* que tudo regula e que assume como tarefa própria a prossecução da "felicidade dos súbditos", o Estado de direito é um *Estado liberal* no seu verdadeiro sentido. Limita-se à defesa da ordem e segurança públicas ("Estado polícia", "Estado gendarme", "Estado guarda nocturno"), remetendo-se os domínios económicos e sociais para os mecanismos da liberdade individual e da liberdade de concorrência. Neste contexto, os *direitos fundamentais liberais* decorriam não tanto de uma declaração revolucionária de direitos mas do respeito de uma *esfera de liberdade individual*. Compreende-se, por isso, que os dois direitos fundamentais – liberdade e propriedade (*Freiheit und Eigentum*) – só pudessem sofrer intervenções autoritárias por parte da administração quando tal fosse permitido por uma lei aprovada pela representação popular (*doutrina da lei protectora dos direitos de liberdade e de propriedade* e *doutrina da reserva de lei*).

A limitação do Estado pelo direito teria de estender-se ao próprio soberano: este estava também submetido ao *império da lei* (*Herrschaft des Gesetzes*) transformando-se em "órgão do Estado". No âmbito da actividade administrativa, fundamentalmente dedicada à defesa e segurança públicas, os poderes públicos deviam actuar nos termos da lei (*princípio da legalidade da administração*) e obedecer a princípios materiais como, por exemplo, o *princípio da proibição do excesso* (*Übermassverbot*). Logicamente, estes princípios conduzem à exigência do *controlo judicial da actividade da administração*. A fiscalização da legalidade dos actos da administração pelos tribunais poder-se-ia fazer segundo um de dois modelos: (1) ou segundo o modelo de *jurisdição ordinária* confiando aos *tribunais ordinários* o controlo da actividade administração (modelo seguido em Bremen e Hamburgo); (2) ou segundo o modelo da justiça administrativa (*Verwaltungsgerichtsbarkeit*) atribuindo a *tribunais administrativos* a tarefa de julgar os actos da administração (modelo adoptado pelas leis da Prússia de 3-7-1875, e da Baviera de 8-8-1878). [27]

II - Estado de direito democrático-constitucional

O Estado constitucional não é nem deve ser apenas um Estado de direito. Se o princípio do Estado de direito se revelou como uma "linha Magi-

---

[27] Cfr., entre nós, MARIA DA GLÓRIA DIAS GARCIA, *Da Justiça*, cit., pág. 29 e ss. Em termos paradigmáticos, cfr. DIETRICH JESCH, *Gesetz und Verwaltung*, Tübingen, 1961, p. 123 e ss. (existe tradução castelhana).

not"[28] entre "Estados que têm uma constituição" e "Estados que não têm uma constituição", isso não significa que o Estado Constitucional moderno possa limitar-se a ser apenas um Estado de direito. Ele tem de estruturar-se como **Estado de direito democrático**, isto é, como uma ordem de domínio legitimada pelo povo. A articulação do "direito" e do "poder" no Estado constitucional [29] significa, assim, que o poder do Estado deve organizar-se e exercer-se em termos democráticos. O princípio da soberania popular é, pois, uma das traves mestras do Estado constitucional. O poder político deriva do "poder dos cidadãos" [30].

1. Estado de direito e democracia – haverá "dois corações políticos"?

O Estado de direito cumpria e cumpre bem as exigências que o constitucionalismo salientou relativamente à limitação do poder político. O Estado constitucional é, assim, e em primeiro lugar, o Estado com uma *constituição* limitadora do poder através do império do direito. As ideias do "governo de leis e não de homens" [31], de "Estado submetido ao direito", de "constituição como vinculação jurídica do poder", foram, como vimos, tendencialmente realizadas por institutos como os de *rule of law, due process of law, Rechtsstaat, principe de la légalité*. No entanto, alguma coisa faltava ao Estado de direito constitucional – a *legitimação democrática do poder*. Acontece até que a conciliação entre **Estado de direito** e **democracia** merece sérias reticências a muitos autores e suscita verdadeiras perplexidades. Assim, por exemplo, nos quadrantes culturais norte--americanos é conhecido o "cisma" entre os "constitucionalistas" ("*constitutionalists*") e os "democratas" (*democrats*) para significar a opção preferencial a favor do Estado juridicamente constituído, limitado e regido por leis ("constitucionalistas"), ou o Estado constitucional dinamizado pela maioria democrática ("democratas"). Na Alemanha são inúmeras as controvérsias sobre as antinomias entre *Demokratie* e *Rechtsstaat* [32]. Na França, Benjamin Constant celebrizou a

---

[28] Ver, por exemplo, GUNNAR FOLKE SCHUPPERT, "Rigidität und Flexibilität von Verfassungsrecht", in *AÖR*, 120 (1995), p. 32 e ss.

[29] Alude a esta articulação, JÜRGEN HABERMAS, *Faktizität und Geltung*, pag. 166.

[30] Cfr. E. W. BÖCKENFÖRDE, "Demokratie als Verfassungsprinzip", in ISENSEE/KIRCHHOF (org.), *Handbuch des Staatsrechts*, Vol. I, 1987, pag. 887 e ss.

[31] Cfr., NORBERTO BOBBIO, "Governo degli uomini o governo delle leggi?", in *Il Futuro della Democrazia*, Einaudi, Torino, 1995, pág. 169 e ss.

[32] Ver as indicações em J. J. GOMES CANOTILHO, *Direito Constitucional*, 6.ª ed., pág. 389 e ss., e 458 e s.

distinção entre "liberdade dos antigos", amiga da participação na cidade, e "liberdade dos modernos" assente na distanciação perante o poder [33].

O que significam, no fundo, estas persistentes angústias perante a simbiose de Estado de direito e Estado democrático no Estado Constitucional? Respondem alguns que Estado de direito e democracia correspondem a dois modos de ver a liberdade. No Estado de direito concebe-se a liberdade como *liberdade negativa*, ou seja, uma "liberdade de defesa" ou de "distanciação" perante o Estado. É uma *liberdade liberal* que "curva" o poder. Ao Estado democrático estaria inerente a *liberdade positiva*, isto é, a liberdade assente no exercício democrático do poder. É a *liberdade democrática* que legítima o poder. A lógica escondida nestas duas liberdades leva mesmo os autores a falarem de "*two profoundly divergent and irreconcilable attitudes to the ends of life*" (Isaiah Berlin) ou da propensão para um "*dualism of American mind*", isto é, a propensão «*to divide their political hearts between the will of the people and the rule of law*» (Robert McCloskey). O coração balança, portanto, entre a vontade do povo e a *rule of law* [34]. Tentemos racionalizar este balanceamento do coração.

A ideia de que a *liberdade negativa* tem precedência sobre a participação política (*liberdade positiva*) é um dos princípios básicos do liberalismo político clássico. As liberdades políticas teriam uma importância intrínseca menor do que a liberdade pessoal e de consciência. Não admirará, pois – como salienta um influente cultor actual da filosofia política – que "se alguém for forçado a escolher entre as liberdades políticas e as restantes liberdades, o governo do bom soberano que reconhecesse estas últimas e que garantisse o domínio da lei seria preferível" [35]. A segurança da propriedade e dos direitos liberais representaria neste contexto a essência do constitucionalismo. O "homem civil" precederia o "homem político", o "burguês estaria antes do cidadão". O "Bürger" que preza a sua liberdade em face do poder terá mais liberdade do que o "Bourgeois" que cultiva a liberdade política.

---

[33] Cfr., BENJAMIN CONSTANT, "De la liberté des Anciens comparée à celle des Modernes" (1819), in *Principes de la Politique,* La Pléiade, Paris, 1964.

[34] Cfr. as indicações de FRANCIS SEJERSTEDT, "Democracy and the rule of law: some historical experiences of contradictions in the striving for good government", in JOHN ELSTER-RUNE GLADSTADT, *Constitutionalism and Democracy*, cit., pág. 131, e de ROGERS M. SMITH, *Liberalism and American Constitutional Law*, Harvard University Press, Cambridge - London, 1980, p. 213 ss.

[35] Assim, precisamente, JOHN RAWLS, *Uma Teoria da Justiça*, Lisboa, 1993, pág. 187; *Political Liberalism*, pág. 294. Cfr., também, ZIPPELIUS, *Allgemeine Staatslehre*, cit., pág. 331 ss.

2. O Estado constitucional democrático

O **Estado constitucional** é "mais" do que Estado de direito. O elemento democrático não foi apenas introduzido para "travar" o poder (*to check the power*); foi também reclamado pela necessidade de *legitimação* do mesmo poder (*to legitimize State power*). Se quisermos um Estado constitucional assente em fundamentos não metafísicos, temos de distinguir claramente duas coisas: (1) uma é a da legitimidade do direito, dos direitos fundamentais e do processo de legislação no sistema jurídico; (2) outra é a da *legitimidade* de *uma ordem de domínio* e da *legitimação do exercício do poder político* [36] O Estado "impolítico" do Estado de direito não dá resposta a este último problema: donde vem o poder. Só o princípio da *soberania popular* segundo o qual "todo o poder vem do povo" assegura e garante o direito à igual participação na formação democrática da vontade popular. Assim, o princípio da soberania popular concretizado segundo procedimentos juridicamente regulados serve de "charneira" entre o "Estado de direito" e o "Estado democrático" possibilitando a compreensão da moderna fórmula *Estado de direito democrático*. Alguns autores avançam mesmo a ideia de democracia como valor (e não apenas como processo), irrevisivelmente estruturante de uma ordem constitucional democrática [36].

Referências bibliográficas

Aragon Reys, M. – *Constitucion y Democracia*, Madrid, Tecnos, 1989.

Bellamy, R./Bufacchi, V./Castiglione, R. (org.), *Democracy and Constitutional Culture in the Union of Europa*, London, Lothian Foundation, 1995.

Barret-Kriegel, Blandine – *L'État et la démocratie*, La Documentation française, Paris, 1986.

– *L'État et les esclaves*, Paris, 1979.

Beaud, O. – *La Puissance de l'État*, Puf, Paris, 1994.

Bergeron, G. – *Petit Traité de l'État*, Paris, Puf, 1990.

Bobbio, N. – *Il Futuro della democrazia*, Einaudi, Torino, 1995.

– *Stato, governo, società*, Torino, 1988.

---

[36] Cfr., por último Carlos Ayres de Brito, "Poder Constituinte *Versus* Poder Reformador", in A. Maués (org.), *Constituição e Democracia*, p. 39 ss.

Böckenförde, E. W. – *Staat, Verfassung, Demokratie*, Suhrkamp, Frankfurt/M, 1991.

Cabo Martin, C. – *Teoria historica del estado y del derecho constitucional*, Barcelona, 2 vols., 1998.

Canotilho, J. J. G. – *Estado de Direito*, Lisboa, 1999.

Cassese, S. – "Fortuna e decadenza della Nozioni di Stato" in *Studi Giannini*, I Milano, 1988, p. 91 e ss.

Chevallier, J. – *L'État de Droit*, 2.ª ed., Paris, 1994.

Colas, D. – (org.), *L'État de Droit*, Paris, Puf, 1981.

Crozier, M. – *État modeste, État moderne*, Paris, Fayard, 1987.

Dworkin, Ronald – *Taking Rights Seriously*, Cambridge, Harvard University Press, 1977.

– *Law's Empire*, Fontana Press, London, 1991.

Elster, John-Gladstadt, Rune – (org.), *Constitutionalism and Democracy*, New York, Cambridge University Press, 1988.

Ely, J. H. – *Democracy and Distrust*, Cambridge, Harvard University Press, 1980.

Ferrajoli, L. – *La sovranità nel mondo moderno*, Milano, 1995.

Fioravanti, M. – "Lo stato di diritto come forma di stato. Notazioni preliminari sulla tradizione europeo –continentale", in R. Gherardi – G. Gozzi (ed.), *Saperi della borghesia e storia dei concetti tra Ottocento e Novecento*, Bologna, Il Mulino, 1995.

– "Stato (storia)", in *Enc. dir.*, XLIII, Milano, 1990.

Ferraz Junior, T. S. – "Constituição brasileira: modelo de Estado, Estado Democrático de Direito, objectivos e limites", in J. Miranda, *Perspectivas Constitucionais*, III, pp. 39 e ss.

Grimm, D. – *Die Zukunft der Verfassung*, Frankfurt, 1985.

Häberle, P. – "Derecho Constitucional Comun Europeo", in *Revista de Estudios Politicos*, 1993, pág. 7 e segs.

– *Retos Actuales del Estado Constitucional*, Oñati, 1996.

Habermas, J. – *Faktizität und Geltung*, Suhrkamp, Frankfurt/M, 1992.

Hamon, L. – "L'État de droit et son essense", in RFDC, 1990, 4, p. 698 ss.

Himsworth, C. M. G. – "In a State no Longer: The End of Constitutionalism", in *Public Law*, 1996, p. 639.

Joper, M. – "Le Concept d'État de Droit", *Droits*, 15, 1992, p. 51 ss.

Jowell, G./Oliver, D. (eds.), *The Changing Constitution*, 3.ª ed., 1994.

Luhmann, N. – "Verfassung als evolutionäre Errungenschaft", in *Rechtshistorisches Journal*, Frankfurt/M., Löwenkau, p. 176-220.

Morin, J. Y. – "*L'État de droit: emergence d'un principe de droit international*", in RCADI, 254 (1995), pp. 21 e ss.

Matteucci, N. – *Lo stato moderno. Lessico e Percorsi*, Bologna, 1997.

Maués, A. – (org.), *Constituição e Democracia*, São Paulo, 2001.

Pelayo, M. G. – *Las Transformaciones del Estado Contemporâneo*, Madrid, 1977.

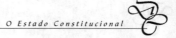

Pinelli, C. – *Costituzione e principio de esclusività*, Milano, 1990.

Pocock, J. G. A. – *The Machiavellian Moment Florentin Political Thought and the Atlantic Republic Tradition*, Princeton University Press, Princeton, 1975.

Rawls, John – *Uma Teoria da Justiça*, Lisboa, 1993.

– *O Liberalismo Político*, Lisboa, 1992.

Redor, M. J. – *De l'État légal á l'État de Droit. L'évolution des conceptions de la doctrine publiciste française 1879-1914*, Paris, 1992.

Shapiro, Ian – *The Rule of Law*, New York, New York University Press, 1994.

Silvestri, G. – "La parabola della sovranità. Ascese, declino e trasfigurazione di un concetto", in *Dig. Costituzionale*, 1996, p. 3 ss.

Smith, Rogers M. – *Liberalism and American Constitutional Law*, Harvard University Press, Cambridge, Massachusetts and London, England, 1990.

– Soberanía y Constitucion, in *Fundamentos* 1/98, Oviedo, 1998.

Soares, R. – "Direito Constitucional: Introdução, o Ser e a Ordenação Jurídica do Estado", in Paulo Ferreira da Cunha (org.), *Instituições de Direito*, II, Coimbra, 2000, p. 29 e ss.

Tarello, G. – *Storia della cultura giuridica moderna, I Assolutismo e Codificazione del diritto*, Il Mulino, Bologna, 1983.

Troper, M. – *Pour une théorie juridique de l'État*, Puf, Paris, 1994.

Parte II
O Constitucionalismo Português

Capítulo 1

Problemas Fundamentais na História/Memória do Constitucionalismo

Sumário

I - Constitucionalismo e construtivismo racionalista

II - Constitucionalismo e liberalismo

III - Constitucionalismo, individualismo e direitos do homem

IV - Constitucionalismo, soberania, legitimidade e legitimação

V - Constitucionalismo e representação política

VI - Constitucionalismo e divisão de poderes

VII - Constitucionalismo e parlamentarismo

VIII - Constitucionalismo e direito eleitoral

IX - Constitucionalismo e "invenção do território"
   1. A questão do exército nacional e das milícias
   2. Municipalismo e centralismo
   3. A "questão ibérica"

X - Constitucionalismo e codificação
XI - Constitucionalismo e partidarismo
XII - Constitucionalismo e administração pública

I - Constitucionalismo e construtivismo racionalista

Referiu-se atrás o conceito de **constituição** da época moderna no sentido de *ordenação sistemática e racional da comunidade política através de um documento escrito*. Nesta definição avulta, desde logo, a ideia de constituição como um produto da razão. E, na verdade, o racionalismo iluminista, assumindo a razão como o «movens», a «alavanca» de uma ordem política abstractamente arquitectável e realizável, alicerçaria, no plano da teoria do Estado, a ideia de uma lei, estatuto ou constituição, criadora e ordenadora de uma comunidade política [1].

A dimensão abstractizante explicará a crença dos políticos e doutrinadores liberais não só na validade geral e universal das suas construções constitucionais, mas também no dogma da *força conformadora absoluta das normas abstractas e gerais*. Daí a teoria da lei geral e abstracta, produto da razão, manifestação da vontade geral, inquebrantavelmente vinculativa de todos os cidadãos e aplicável a todas as situações por ela contempladas. Este *factor ou elemento legicêntrico*, além de incarnar o mito da lei geral, vai dar origem a um postulado político e jurídico-constitucional não isento de ambiguidades: a de que os direitos, embora naturais, só existem verdadeiramente a partir do momento em que a lei lhes dá operatividade práctica, reconhecendo-os como direitos dos indivíduos enquanto tais.[2] Será através do elemento legicêntrico que o modelo da revolução operará a articulação entre o individualismo e o estadualismo.[3]

O racionalismo abstracto, conjugado com a dimensão experimentalista, considera os esquemas constitucionais *realizáveis*, postulando, como não podia deixar de ser, a necessidade de concretização das construções racionais. A *ratio* transforma-se em *experiência* e tem força para plasmar, na realidade política, os esquemas constitucionais mentalmente elaborados. Instrumento indispensável desta transformação da razão em experiência, em actividade con-

---

[1] Cfr., principalmente, sobre o constitucionalismo, E. SCHMIDT-ASSMAN, *Der Verfassungsbegriff in der deutschen Staatslehre der Aufklärung und der Historismus*, Berlin, 1967, pp. 53 ss; N. MATTEUCCI, *Organizazione del potere e libertà*, Torino, 1976; VARELA SUANZES, "Qué ocorru con la ciencia del Derecho Constitucional en la España del siglo XIX", in *Bol. Fac. Dir.* UNED, 14 (1999).

[2] Cfr. M. FAUCHET, *La Révolution des droits de l'homme*, Paris, 1989; L. JAUME, *Les déclaration des droits de l'homme*, Paris, 1989; S. RIALS, *La déclaration des droits de l'homme et du citoyen*, Paris, 1988.

[3] Cfr. M. FIORAVANTI, *Appunti di storia*, p. 59.

cretizadora, era a linguagem escrita. O documento escrito é o *receptor-codificador* dos esquemas racionais, é a expressão formal indispensável do fenómeno de racionalização da ordem política.

A crença na força criadora e conformadora da razão explica também a *ruptura* que, nos primórdios do constitucionalismo, os chamados «revolucionários» ou «patriotas» reclamavam em relação às antigas **leis fundamentais do reino**[4]. A criação racional de uma constituição é, por si mesma, uma dedução a-histórica; não tem que ter qualquer ligação histórica com as leis do anterior regime e nem sempre é conciliável com as correcções da lei positiva, sugeridas pelas doutrinas jusnaturalistas ou pela ideia de reforma da monarquia em sentido constitucional tal como havia acontecido com a *Glorious Revolution* inglesa.[5]

É claro que o racionalismo abstracto e experimental influenciou os nossos-teorizadores liberais. Borges Carneiro havia de apelar para a razão a fim de «fazer uma constituição que dure até à consumação dos séculos»[6]. Todavia, é questionável se as teses do nosso constitucionalismo vintista se inserem na corrente do racionalismo abstracto ou se, não deixando de aderir aos postulados liberais, vão entrecruzar-se com a vertente *histórica*, oposta a uma ruptura completa com o passado histórico. Do *Manifesto aos Portugueses* da Junta Provisional do Governo Supremo do Reino, de 24 de Agosto de 1820, e da *Proclamação aos habitantes de Lisboa*, parece poder deduzir--se que o movimento liberal se justificava para reavivar as instituições do passado que garantiam as «franquias e liberdades» e que foram amesquinhadas pelo poder absoluto[7].

Impõe-se aqui, como em muitos outros domínios da historiografia portuguesa: (1) uma «releitura» (*duplex interpretatio*); (2) um «repensar das estruturas de tensão entre continuidades institucionais e rupturas revolucionárias. Por um lado, há que averiguar em que é que rigorosamente consistiu o «discurso reformista» ou «politico-histórico», interessado numa compatibilidade de reformas institucionais com as «estruturas históricas». Assim, por ex., é, por vezes, difícil distinguir, no xadrez do vintismo, entre «realismo moderado» e «gradualismo liberal». Rigorosamente, a tradição só para o «reformismo tradicionalista» tinha valor heurístico (conhecer as instituições tradicionais para conformar projectos políticos contemporâneos). Em termos gerais, os «modelos constitucionais» em conflito nas Cortes Gerais, Extraordinárias e Constituintes de 1821 (de Janeiro de 1821 a 23 de Setembro de 1822) eram os seguintes: (1) os *absolutistas*, partidários da restauração pura e simples do antigo regime (também chamados realistas); (2) os *tradicionalistas*

---

[4] Cfr. JACQUES GODECHOT, *Les Constitutions de France depuis 1789*, Paris, 1970, p. 6.
[5] Cfr. P. VIOLA, *Il Trono Vuoto. La transizione della sovranità nella rivoluzione francese*, Torino, 1989; F. FURET/R. MALEVI (org.), *Orateurs de la Révolution Française*, I, *Les Constituants*, Paris, 1989
[6] Cfr. ZÍLIA DE CASTRO, *Manuel Borges Carneiro e a Teoria do Estado Liberal*, Coimbra, 1976, p. 13; idem, "Constitucionalismo vintista. Antecedentes e pressupostos", in *Cultura-História e Filosofia*, V (1986), p. 597 ss; ANA M. FERREIRA PINA, *De Rousseau ao Imaginário da Revolução de 1820*, Lisboa, 1988, p. 74.
[7] Os textos referidos podem ver-se em *A Revolução de 1820*, recolha, prefácio e notas de JOSÉ TENGARRINHA, Lisboa, 1974, p. 41. A questão que aflorámos no texto – discurso político histórico ou filosófico na teorização liberal – é estudada por A. SILVA PEREIRA, *O «tradicionalismo» vintista e o Astro da Lusitânia*, Coimbra, 1976, sobretudo, pp. 4 e ss. Cfr. também ZÍLIA M. O. DE CASTRO, «A Sociedade e a Soberania, Doutrina de um Vintista», sep. da *Revista História das Ideias*, 1979, p. 6 ss; *Manuel Borges Carneiro e o Vintismo*, Lisboa, 1990, Vol. 2, p. 476 ss.

reformistas, defensores de um reformismo (ainda iluminista?) conducente a limitações ao poder absoluto, mas sem carácter revolucionário e de acordo com as características históricas do país; (3) os *liberais,* o grupo mais influente no período revolucionário, e que comportava dois subgrupos: o dos *radicais,* ideologicamente liberais e adeptos da tradução imediata na prática do credo revolucionário, e os *gradualistas,* também defensores de uma ordem nova de tipo liberal, mas a realizar de uma forma gradual.

Os tradicionalistas reformistas ou realistas moderados adoptavam como modelo ou o sistema moderado da monarquia inglesa ou o cartismo da restauração francesa (representantes: Francisco Manuel Trigoso, António Camelo Fortes Pina, Basílio Alberto Sousa Pinto). Os radicais (Manuel Borges Carneiro, João Maria Soares de Castelo Branco) e os gradualistas (Manuel Fernandes Tomás) irão votar juntos (com algumas variações) importantes deliberações nas Cortes: o unicameralismo, a relativização do veto real, a liberdade de imprensa, a religião do Estado, a censura prévia em assuntos tocantes à moral, ao dogma e à reforma congregacionista. Cfr. sobre isto, Fernando Piteira Santos, *Geografia e Economia na Revolução de 1820,* pp. 97 5; J. Sebastião da Silva/Graça Silva Dias, *Os primórdios da maçonaria em Portugal,* Vol. 1/2, pp. 729 55; A. Silva Pereira, O *tradicionalismo vintista e o Astro da Lusitânia,* Coimbra, 1976, e *Estado de Direito e tradicionalismo liberal,* Coimbra, 1979; I. Nobre Vargues, «Vintismo e Radicalismo liberal», in *Revista de História das Ideias,* Vol. III, 1981, pp 177 ss.

II - Constitucionalismo e liberalismo

O termo **liberalismo** engloba o *liberalismo político,* ao qual estão associadas as doutrinas dos direitos humanos e da divisão dos poderes, e o *liberalismo económico,* centrado sobre uma economia de mercado livre (capitalista). Se a sociedade burguesa fornecia o substrato sociológico ao Estado constitucional, este, por sua vez, criava condições políticas favoráveis ao desenvolvimento do liberalismo económico.

A economia capitalista necessita de *segurança jurídica* e a segurança jurídica não estava garantida no Estado Absoluto, dadas as frequentes intervenções do príncipe na esfera jurídico-patrimonial dos súbditos e o direito discricionário do mesmo príncipe quanto à alteração e revogação das leis. Ora, toda a construção constitucional liberal tem em vista a *certeza do direito.* O laço que liga ou vincula às leis gerais as funções estaduais protege o sistema da liberdade codificada do direito privado burguês e a economia do mercado [8].

O estado constitucional permitia, em segundo lugar, a ascensão política da burguesia através da *influência parlamentar* [9]. Todas as clássicas fun-

---

[8] Cfr. HABERMAS, *Strukturwandel der Öffentlichkeit,* 4.ª ed., Berlin, p. 92; M. KRIELE, *Einführung in die Staatslehre,* Hamburg, 1975, p. 194.

[9] Cfr. KRIELE, *Einführung,* cit., p. 19.

ções do Parlamento – legislação, fiscalização do governo, aprovação dos impostos – se inseriam no complexo global dos postulados do liberalismo político, mas com evidentes incidências na constituição económica. Nesta perspectiva se explica que as intervenções estaduais não autorizadas por lei fossem censuráveis, não porque lhes faltasse eventualmente uma dimensão intrínseca de justiça, mas porque afectavam a *calculabilidade* do desenvolvimento económico e do lucro segundo expectativas calculáveis. E também se compreende que as leis sejam iguais e vinculativas para todos: as leis do Estado, tal como as leis do mercado, são objectivas, dirigindo-se a todos e não podendo ser manipuladas por qualquer indivíduo em particular.

Em terceiro lugar, embora as constituições liberais não condensassem um código das liberdades económicas, o pensamento liberal considerou como princípio fundamental da constituição económica (implícita nos textos constitucionais liberais) o princípio de que, na dúvida, se devia optar pelo mínimo de restrições aos direitos fundamentais economicamente relevantes (propriedade, liberdade de profissão, indústria, comércio) [10].

Em quarto lugar, ao fazer coincidir a regra do acesso dos particulares às funções políticas com o *esquema censitário,* o constitucionalismo ratificava, sob a forma jurídica, um *status* conquistado economicamente [11].

III - Constitucionalismo, individualismo e direitos do homem

As constituições liberais costumam ser consideradas como «códigos individualistas» exaltantes dos direitos individuais do homem. A noção de **indivíduo**, elevado à posição de sujeito unificador de uma nova sociedade, manifesta-se fundamentalmente de duas maneiras: (1) a primeira acentua o desenvolvimento do sujeito moral e intelectual livre; (2) a segunda parte do desenvolvimento do sujeito económico livre no meio da livre concorrência.

A consideração do indivíduo como sujeito da autonomia individual, moral e intelectual (essência da filosofia das luzes), justificará a exigência revolucionária da constatação ou declaração dos direitos do homem, existentes *a priori.* O sentido destas declarações não se reconduzia à reafirmação de uma *teoria da tolerância,* ou seja, de apelos morais dirigidos ao soberano, tendentes a

---

[10] Cfr. VITAL MOREIRA, *A ordem jurídica do capitalismo,* cit., pp. 81 e ss.
[11] Cfr. HABERMAS, *Strukturwandel,* cit., p. 93.

obter garantias para os súbditos. A tolerância ficava sempre no domínio reservado do soberano e, consequentemente, na sua completa disponibilidade. As declarações dos direitos vão mais longe: os direitos fundamentais constituem uma esfera própria e autónoma dos cidadãos, ficam fora do alcance dos ataques legítimos do poder e contra o poder podiam ser defendidos.

A segunda perspectiva do individualismo, directamente mergulhada nas doutrinas utilitaristas, conduz-nos ao *individualismo possessivo ou proprietarista* [12]: o indivíduo é essencialmente o proprietário da sua própria pessoa, das suas capacidades e dos seus bens, e daí que a capacidade política seja considerada como uma invenção humana para protecção da propriedade do indivíduo sobre a sua pessoa e os seus bens. Consequentemente, para a manutenção das relações de troca, devidamente ordenadas entre indivíduos, estes eram considerados como proprietários de si mesmos. Trata-se, no fundo, do individualismo ideológico do liberalismo económico.

A ideologia do constitucionalismo português não se afastou destes parâmetros individualistas. Diferentemente, porém, das primeiras constituições francesas, que separaram a declaração dos direitos da constituição organizatória do Estado, a Constituição de 1822, à semelhança do que acontecia com a Constituição dos Estados Unidos, consagra o seu primeiro título aos direitos e deveres individuais dos portugueses. E logo no art. 1.º se detecta com clareza o ideário do constitucionalismo liberal: a constituição política tem por objecto manter a *liberdade, segurança e propriedade* de todos os portugueses. Resta saber se a declaração destes direitos se aproximava, também, mais do figurino americano – os direitos do homem são autênticos direitos positivos juridicamente garantidos – ou se, não obstante a sua inclusão no texto constitucional, os direitos do homem eram mais declarações *filosóficas* que jurídicas. Julgamos que, pese embora o tom retórico da redacção de alguns artigos (ex.: art. 19.º, onde se declara que «todo o português deve ser justo», sendo os seus principais deveres «venerar a religião», «amar a pátria», «defendê-la com armas», etc.), a ideia subjacente à afirmação dos direitos e deveres individuais foi a de converter os *direitos do homem* (situados no plano do direito natural) em *direitos fundamentais,* institucionalizados juridicamente e constituindo direito objectivamente vigente [13].

---

[12] Cfr. C. B. MACPHERSON, *La Teoria Política del Individualismo Posesivo,* Barcelona, 1970, p. 22 e ss.

[13] Cfr. KRIELE, *Einführung,* cit., pp. 149 e ss.

IV - Constitucionalismo, soberania, legitimidade e legitimação

O movimento constitucional desencadeou, no plano doutrinário e político, uma acesa discussão quanto a dois problemas fundamentais, intimamente relacionados: o *problema da soberania* e o *problema da legitimidade* e da *legitimação*. Trata-se de saber, por um lado, quem detém e exerce o poder soberano; trata-se, por outro lado, de obter a justificação da titularidade e exercício desse poder. A soberania deve ter um título de **legitimação** e ser exercida em termos materialmente legítimos (**legitimidade**); a legitimidade e a legitimação fundamentam a soberania. Podemos dizer, de certo modo, que a questão da legitimidade legitimação é o *lado interno* da questão da soberania [14].

Quando os ideais liberais-democráticos conseguiram afirmar-se, o problema da legitimação da soberania dinástica foi logo posto em causa. Não valia argumentar com o elemento *tradicionalista* para dizer que a soberania do rei havia sido legitimada pelo «velho bom direito»; não era pertinente invocar o *carisma* de chefe ou de rei numa altura em que ele estava próximo do cadafalso ou se tinha desprestigiado perante a Nação; argumentos *racionais* a favor da legitimidade dinástica acabavam na exaltação do absolutismo ou identificavam-se com o discurso tradicionalista. Perante isto, os revolucionários tiveram uma resposta: só a Nação é soberana, só os poderes derivados da Nação são legítimos. A teoria da **soberania nacional** foi assim, acolhida no nosso primeiro texto constitucional (art. 26.°): «A soberania reside essencialmente em a Nação. Não pode ser exercitada senão pelos seus representantes legalmente eleitos. Nenhum indivíduo ou corporação exerce autoridade pública que se não derive da mesma Nação» [15].

A Assembleia Constituinte de 1821 distinguiu perfeitamente entre *titularidade* da soberania (a Nação) e *exercício da soberania* (os representantes da Nação) consagrando ao lado do princípio democrático da legitimação – soberania nacional – o *princípio do sistema representativo*. A afirmação da teoria da *soberania nacional* no documento constitucional português de 1822 resolveu também o problema do *poder real* relegando-o para o campo dos poderes derivados da Nação – «a autoridade do rei provém da Nação, é indivisível e inalienável».

---

[14] Assim, KRIELE, *Einführung*, cit., p. 19. Sobre o alcance da soberania nacional cfr. BARTHÉLEMY-DUEZ, *Traité de Droit Constitutionnel* Paris, 1933, pp. 49 e ss.

[15] Entre nós cfr., por último, ZÍLIA DE CASTRO, "Constitucionalismo vintista", cit., pp. 34 e ss.

Fernandes Tomás, ao intervir nas Cortes Constituintes, precisaria o significado do exercício da soberania pela Nação, afirmando que se a Nação «tem a soberania, a ela pertence escolher a casa que há-de reinar; e quando esta casa lhe não agradar, pode a mesma Nação eleger outra; mas quando ela o não fez e deixa sucessivamente que o trono vá passando de um filho outro, etc. há uma eleição tácita por parte da Nação, em cada uma dessas sucessões» [16]. Na mesma linha de pensamento escreve Borges Carneiro: autoridade do rei provém da Nação; está decidido que a soberania reside nela... a soberania não vem de Deus, como em algum tempo diriam os déspotas.» [17].

V - Constitucionalismo e representação política [18]

Acabamos de aludir à estreita relação existente entre a teoria da soberania nacional e à ideia da **representação política**. A representação política tem como ponto de partida a teoria da soberania nacional e a soberania nacional conduz ao governo representativo. É que a soberania reside indivisivelmente na Nação, não podendo qualquer indivíduo ou grupo de indivíduos invocar, por direito próprio, o exercício da soberania nacional. Mas a Nação, a quem era atribuída a origem do poder, só poderia exercê-lo *delegando-o* nos seus representantes. E como os representantes *representavam* a Nação, era necessário abolir qualquer forma de *mandato imperativo* que vinculasse os representantes a interesses particulares ou a determinado círculo de eleitores. Consagrava-se, deste modo, a teoria de Montesquieu e de Sieyés, segundo a qual os representantes, uma vez recebido o mandato do povo, não podiam ser considerados como simples *comissários*, caso em que as suas decisões ficariam sujeitas a ratificação popular permanente.

O mandato dos representantes era *livre* – **mandato livre** –, podendo estes, com base nele, tomar livremente decisões em nome da Nação que representavam. A partir destes esquemas se formou a teoria do **governo representativo**, traduzida na adopção de um sistema constitucional em que o povo governa através dos seus representantes eleitos, isto por oposição quer ao regime autoritário ou despótico quer ao *governo directo*, baseado na identidade entre governantes e governados.

Não se julgue, porém, que a teoria do governo representativo não encontrou objecções. Desde logo, em Rousseau, para quem soberania nacional e representação política são termos inconciliáveis. A soberania nacional é inalienável porque se identifica com a vontade geral. Se o povo concede o seu poder

---

[16] Cfr. A *Revolução de* 1820, cit., p. 11.
[17] Cfr. ZÍLIA DE CASTRO, «A Sociedade e a Soberania, Doutrina de um Vintista», cit., pp. 32 e ss.
[18] Sobre a teoria do governo representativo cfr. a exposição de CARRÉ DE MALBERG, *Contribution a la Théorie Générale de l'État,* Paris, 1922, Vol. II, pp. 199 e ss.

soberano a outro sujeito deixará de ser soberano. Quando se recorre, nos Estados modernos, por exigências funcionais, a um corpo de deputados, estes não são representativos do povo, são representantes dos eleitores. Em relação ao povo são simples *comissários,* colocados na dependência dos comitentes e subordinados à vontade popular. Daqui decorria uma dupla consequência prática: em primeiro lugar, se o deputado é um simples mandatário, deve agir e votar na assembleia segundo as instruções imperativas que lhe foram dadas pelos seus eleitores (**mandato imperativo**); em segundo lugar, a lei aprovada em assembleia só se tornará um instrumento perfeito depois de ter a aprovação popular. A teoria do mandato imperativo mereceu a aprovação de Robespierre *(«Le mot de représentant ne peut être apliqué à aucun mandataire du peuple, parce que la volonté ne peut se représenter»)* e viria a merecer consagração expressa, no moderno constitucionalismo, nas constituições soviéticas (cfr. art. 142.º da Constituição de 1936, e art. 107.º da Constituição de 1977) [19].

A Constituição portuguesa de 1822 não se afastou dos esquemas representativos e consagrou expressamente a teoria do *mandato livre* (art. 94.º): «Cada deputado é procurador e representante de toda a Nação, e não o é somente da divisão que o elegeu» [20].

VI - Constitucionalismo e divisão de poderes

No Livro XI do *Esprit des Lois,* Montesquieu desenvolveu a famosa doutrina de que todo o bom governo se devia reger pelo **princípio de divisão dos poderes**: *legislativo, executivo* e *judiciário.* E o art. 16.º da *Déclaration des droits de l'homme et du citoyen du 26 Août 1789* transformava este princípio em dogma constitucional: *«Toute société dans laquelle la garantie des droits n'est pas assurée, ni la séparation des pouvoirs déterminée, n'a point de constitution.»*

Hoje, tende a considerar-se que a teoria da separação dos poderes engendrou um *mito* [21]. Consistiria este mito na atribuição a Montesquieu de um *modelo teórico* reconduzível à teoria dos três poderes rigorosamente separados:

---

[19] Cfr. A. MESTRE-PH. GUTTINGER, *Constitutionalisme Jacobin et Constitutionnalisme Soviétique,* Paris, 1971, p. 25; CERRONI, *La Libertad de los modernos,* cit., pp. 25 e ss.

[20] Entre nós, cfr., por último, ANA M. FERREIRA PINA, *De Rousseau ao Imaginário da Revolução de 1820,* Lisboa, 1988, pp. 90 e ss.

[21] Cfr. LOUIS ALTHUSSER, *Montesquieu, A Política e a História,* Lisboa, 1972, p. 127; EISENMANN, *L'Esprit des lois et la séparation des pouvoirs,* Mélanges Carré de Malberg, Paris, 1933, p. 157; E. W. BÖCKENFÖRDE, *Gesetz,* p. 29; PAUL VERNIERE, *Montesquieu et l'esprit des lois ou la raison impure,* 1977; TROPER, *La séparation des pouvoirs et l'histoire constitutionnelle française,* Paris, 1973. MANIN, "Frontières, Freins et

Direito Constitucional

114

o executivo (o rei e os seus ministros), o legislativo (1.ª câmara e 2.ª câmara, câmara baixa e câmara alta) e o judicial (corpo de magistrados). Cada poder recobriria uma função própria sem qualquer interferência dos outros. Foi demonstrado por Eisenmann que esta teoria nunca existiu em Montesquieu: por um lado, reconhecia-se ao executivo o direito de interferir no legislativo porque o rei gozava do *direito de veto;* em segundo lugar, porque o legislativo exerce vigilância sobre o executivo na medida em que controla as leis que votou, podendo exigir aos ministros conta da sua administração; finalmente, o legislativo interfere sobre o judicial quando se trata de julgar os nobres pela Camara dos Pares, na concessão de amnistias e nos processos políticos que deviam ser apreciados pela Camara Alta sob acusação da Camara Baixa.

Além disso, mais do que separação, do que verdadeiramente se tratava era de *combinação* de poderes: os juízes eram apenas «a boca que pronuncia as palavras da lei»; o poder executivo e legislativo distribuíam-se por três potências: o rei, a câmara alta e a câmara baixa, ou seja, a realeza, a nobreza e o povo (burguesia). O verdadeiro problema político era o de combinar estas três potências e desta combinação poderíamos deduzir qual a classe social e política favorecida [22].

Como quer que seja, é indubitável a adesão da Constituição Vintista ao «credo» da separação de poderes, embora não se tenha instituído um regime bicameral como postulava Montesquieu. Mas deste facto retira-se a conclusão atrás referida: do modo como estão combinados os poderes pode concluir-se em qual deles recaiu o benefício da divisão. Ao rejeitarem o sistema bicameral, as Constituintes de 1821 pretenderam neutralizar a influência política das forças nobiliárquico-feudais. Isto já não acontecerá na Carta Constitucional de 1826 e na Constituição de 1838, onde as forças conservadoras feudais-clericais vieram recobrar importância política através da Câmara dos Pares.

VII - Constitucionalismo e parlamentarismo

Ao falar-se de constitucionalismo costuma, por vezes, associar-se-lhe a ideia de **parlamentarismo** ou **governo parlamentar**. Um sistema constitu-

---

Contreparts: La Séparation des Pouvoirs dans le Débat Constitutionnel Américain de 1787", in RFSP, 44 (1994), pp. 283 e ss.

[22] Cfr. M. DRATH, «Die Gewaltenteilung im heutigen deutschen Staatsrecht», in *Faktoren der Machtbildung,* Berlin, 1965; ROGÉRIO SOARES, *Direito público,* cit., pág. 148. Entre nós, cfr., WLADIMIRO BRITO, *Sobre a Separação de Poderes* (polic.), 1981; NUNO PIÇARRA, *A separação dos Poderes como Doutrina e Princípio Constitucional,* Coimbra, 1989, pp. 21 e ss.

cional não postula, de modo necessário, a forma de governo parlamentar. Um sistema constitucional comporta as mais variadas formas de governo, desde o governo parlamentar ao regime presidencialista, passando pelo governo directorial e de assembleia. Todavia (restringindo-nos agora ao discurso histórico-político que estamos a fazer), põe-se a questão de saber se a Constituição de 1822, ao estabelecer a monarquia constitucional, consagrou um regime parlamentar. Isolada ou conjuntamente os critérios caracterizadores do **regime parlamentar** reconduzem-se a *critérios institucionais* e a *critérios estruturais*. Como critérios institucionais indicam-se: a compatibilidade do cargo de deputado com o de ministro; a compatibilidade do cargo de deputado com o de ministro; o primeiro-ministro é, em regra, membro do parlamento; a responsabilidade ministerial, conducente à demissão do governo em caso de retirada de confiança por parte do órgão parlamentar; controlo do governo através de interpelações; a investidura do governo, após expresso voto de confiança do parlamento; a dissolução do parlamento pelo chefe do estado, por proposta do chefe de governo, para contrabalançar a dependência do governo perante o parlamento. Como critérios estruturais apontam-se a existência de partidos organizados; alto grau de homogeneidade e acção solidária no gabinete; a existência de um primeiro-ministro definidor de directivas políticas; a existência de uma oposição legal; a existência de uma cultura favorável ao parlamentarismo [23].

A estrutura constitucional de 1822 está longe de se poder determinar por estes critérios. Desde logo, o rei era o chefe do executivo, não responsável perante as Cortes. Não se colocava qualquer questão de confiança, sendo apenas visíveis os embriões da futura evolução parlamentar no art. 156.º, no qual se determinava a responsabilidade dos secretários de estado perante as Cortes, responsabilidade esta que não podia ser «coberta» pela invocação de qualquer ordem do rei, verbal ou escrita. Todavia, a experiência do *sistema parlamentar* só durante a vigência da Carta Constitucional viria a transformar-se em *praxis* constitucional.

---

[23] Sobre estes critérios *institucionais e estruturais* cfr. K. V. BEYME, *Die parlamentarischen Regierungsystem in Europa*, München, 1970, p. 40. Cfr., também, SERGE ARNÉ, «L'histoire de la Présidence du Conseil», in *Le Président du Conseil des Ministres sous Quatrième République*, Paris, 1962; PAUL BASTID, *Les Institutions politiques de la monarchie parlementaire française*, Paris, 1960.

VIII - Constitucionalismo e direito eleitoral

O **direito eleitoral** posto em vigor nos primórdios do constitucionalismo reflecte as tendências fundamentais do ideário liberal.

a) *Direito eleitoral e liberalismo económico*

Foi já assinalado que o constitucionalismo oferecia os esquemas técnico-jurídicos ratificantes de um *status* económico determinante da possibilidade de acesso às funções políticas. Os esquemas *censitários* adoptados revelam a ideologia proprietarista subjacente: só os proprietários estão em condições de formar um público apto a proteger legislativamente a ordem económica existente.

b) *Direito eleitoral, racionalismo e capacidade política*

A limitação do direito eleitoral apenas aos possuidores de bens de raiz foi justificada, sobretudo por John Locke, em termos de *racionalidade diferenciada*[24]. O observador burguês do séc. XVII estava firmemente convencido da diferença de racionalidade entre os pobres e os «homens proprietários». A classe trabalhadora era incapaz de ter uma vida plenamente racional, isto é, incapaz de governar a sua vida de acordo com a lei natural e da razão. Daí a exclusão dos estratos sociais não proprietários do acesso às funções políticas [25].

c) *Direito eleitoral e soberania nacional*

Na teoria da soberania nacional a Nação pode fixar como entender o exercício da soberania. Nestes termos, pode decidir atribuir o direito de voto apenas a certas categorias de cidadãos. O voto não é um direito mas uma função (*teoria do eleitorado-função*), ao contrário do que acontecia na teoria rousseauniana da soberania popular reconhecedora a cada cidadão do direito pessoal de exercer uma fracção da soberania (*teoria do eleitorado-direito*) [26].

---

[24] Cfr. MACPHERSON, *La Teoria*, cit., pp. 193 e ss.
[25] Esta racionalidade diferenciada foi defendida em termos particularmente claros por ALMEIDA GARRETT e ALEXANDRE HERCULANO. Cfr., sobre isto, L. FILIPE COLAÇO ANTUNES, «Direito Eleitoral e Pensamento político no séc. XIX», sep. da Rev. *Economia e Sociologia*, n.º 31(1981), pp. 78 e ss.
[26] Cfr., por ex., MAURICE DUVERGER, *Éléments de Droit Public*, Paris, 7.ª ed., 1974, p. 17.

Os nossos teóricos e políticos vintistas não podiam deixar de estar impregnados pela ideologia liberal e por isso não admira a declaração de ineligibilidade, na Constituição de 1822, para «os que não tem para se sustentar renda suficiente, precedida de bens de raiz, comércio ou emprego» (art. 34.º/II). Mas é curioso salientar que dentro dos condicionalismos ideológicos, alguns dos nossos liberais foram até ao máximo de «consciência possível». Exemplo disso é ainda a posição de Fernandes Tomás perante uma proposta de José António Guerreiro em que se considerava dever limitar-se o direito de voto aos cidadãos com títulos jurídicos ligados à propriedade dos bens: «O Congresso privando os trabalhadores de votarem nas eleições, irá pôr a nação portuguesa em pior estado do que estava antes de se estabelecerem eleições directas; por este modo, qualquer cidadão português não gozará do direito mais precioso que o homem pode ter na sociedade que é o de escolher aquele que o há-de representar. Se se admite o rico a votar, porque há-de ser excluído o que não tem nada?» (A primeira lei eleitoral portuguesa, de 11 de Janeiro de 1822, consagraria, nesta perspectiva, um direito de sufrágio tendencialmente universal) [27].

IX - Constitucionalismo e «invenção do território»

Um dos temas, ainda hoje não inteiramente clarificado, mas que está subjacente a muitos dos problemas constitucionais do séc. XIX, é o da articulação do *poder liberal* com o *território nacional*. Poder-se-ia dizer que ao Estado liberal se deparou o problema da «**invenção do território**» (P. Alies) num contexto diferente do Estado Absoluto, mas em que o «pathos» da estadualidade aliado à ideia de soberania nacional revelava e persistência do problema do monopólio político pela instância estadual.

O problema, como se insinua no texto, vinha detrás. O reforço do poder central com o consequente desaparecimento de poderes feudais perféricos tinha-se já manifestado de várias formas no processo de formação do Estado absolutista: (1) monopólio estadual da criação do direito e identificação do direito com a lei; (2) monopólio estadual da função jurisdicional, mediante a extensão das magistraturas régias e abolições das justiças senhoriais; (3) monopólio da função militar através da criação de exércitos nacionais e extinção das milícias feudais ou concelhias; (4) publicização da função fiscal, recorrendo se ao alargamento da fiscalização estadual;

---

[27] Cfr. *A Revolução de 1820*, cit., pp. 147 e 149; JAIME RAPOSO, *A Teoria da Liberdade, Período de 1820-1823*, Coimbra, 1976, p. 88; COLAÇO ANTUNES, «Direito Eleitoral e Pensamento Político no séc. XIX), sep. da Rev. *Economia e Sociologia*, n.º 31(1981), pp. 69 e ss.

(5) assunção estadual das funções de polícia, substituindo a regulamentação económica, edilícia e sanitária dos corpos políticos periféricos pela regulamentação de polícia. Cfr., precisamente, A. M. Hespanha, *História das Instituições,* Vol. 11, Lisboa, 1983, p. 404 e ss; *O Estado Absoluto. Problemas de interpretação histórica,* Coimbra, 1979, separata de Estudos em Homenagem ao Prof. Teixeira Ribeiro, e, mais recentemente, «Para uma teoria da história institucional do Antigo Regime», in A. M. Hespanha (org.), *Poder e Instituições na Europa do Antigo Regime,* Lisboa, 1984.

Mas o processo não é linear nem isento de contradições. A «invenção» de um «Estado», de um «território» e de uma «Nação» colocava problemas de articulação nos esquemas organizatórios do Estado constitucional. Vejamos alguns exemplos.

1. A questão do exército nacional e das milícias

Como havemos de verificar, a distinção entre tropas permanentes (exército nacional) e milícias, consagrada logo na Constituição de 1822, levantava o problema fulcral da dicotomia: «defesa externa do Estado» (a cargo do exército, comandado pelo rei) e defesa da «ordem pública interna» (a cargo das milícias provinciais). A polémica em torno da existência de *milícias* e de *guardas nacionais* revela que o Estado Liberal, não obstante ter passado a aderir a uma noção de *salus publica,* diferente ou até antagónica da do Estado Absoluto, tinha, mais tarde ou mais cedo, de socorrer-se de uma «ideologia militar centralizadora» para assegurar o *fundamento burguês* do próprio Estado (a doutrina da «ordem» dos meados do século confirmará esta ideia).

Por outro lado, a forma da monarquia constitucional dualista, se não quisesse abdicar do princípio monárquico, tinha necessidade de conceber o rei como poder pré-constitucional ao qual pertencia assegurar a unidade do Estado mediante o comando centralizado do exército nacional, independente das Cortes [28].

2. Municipalismo e centralismo

A história constitucional portuguesa reflecte também o choque da ideologia da soberania nacional com certos poderes periféricos que já tinham oferecido resistência à centralização do poder real. Um deles é o problema do

---

[28] Para uma visão geral da organização das Forças Armadas nas constituições portuguesas, cfr. PEDRO RAMOS DE ALMEIDA, «As Forças Armadas na História Constitucional Portuguesa», in *Liber 25,* n.° 5, pp. 27 ss.

poder local ou do **poder administrativo municipal**. Assim, se a Constituição de 1822 ainda concede grande liberdade às câmaras no governo municipal, já a Carta Constitucional de 1826 vai reservar esta matéria às leis ordinárias. A legislação de Mouzinho da Silveira (Decreto de 16 de Maio de 1832), ao estabelecer nova organização administrativa, viria logo a demonstrar que a dialéctica do binómio território-Estado, unitária e centralizadamente concebido, se teria de defrontar com esquemas de descentralização, intimamente ligados a problemas fulcrais do poder político. O *setembrismo,* por exemplo, exigirá a descentralização local – «o poder administrativo é popular e não do trono» –, o mesmo fazendo o movimento republicano e a Revolução de 25 de Abril de 1974.

No plano da legislação ordinária, os códigos administrativos reflectiam, tendencialmente, esquemas constitucionais e políticos: a descentralização acompanhará as fases ou momentos democráticos [Código de 1836, ou Código de Passos Manuel, Código de 1878, ou Código de Rodrigues Sampaio, reposto parcialmente em vigor pela legislação republicana (Decreto de 13 de Outubro de 1910), e a actual legislação referente ao poder local]; a centralização marcará os momentos de involução autoritária (Código de 1842 ou Código de Costa Cabral, reflectindo a ideologia autoritária do cabralismo, Código de 1896 ou Código de João Franco, e Código de 1936 ou Código de Marcello Caetano).

O embrião das ideias centralizadoras administrativas do Estado Liberal não é um simples problema, como por vezes se afirma, de «jacobinismo». A tendência centralizadora liga-se a um filão liberal representado por Sieyes que defendia o objectivo político de fazer *«de toutes les parties de la France un seul corps et de tous les peuples qui la divisent une seule nation».* Era a crença unitária da monarquia, o medo da divisão da nação através de «pequenas democracias», a identificação de poder municipal com privilégios da sociedade feudal.

Cfr. as indicações sobre a génese do fenómeno descentralização/centralização, já no Antigo Regime, em A. M. Hespanha (org.), «Para uma teoria...», pp. 59 ss.

3. A «questão ibérica»

Como problema de «invenção do território», mas já num contexto diferente, se pode abordar a «**questão ibérica**», ou seja, o movimento favorável à união de Portugal e da Espanha (1850-1870). O problema era ainda, de certo modo, uma sequela da «questão colonial» do Brasil, que passou a articular-se com o problema fundamental da «optimização» de um «território» capaz de suportar uma política capitalista livre cambista.

É óbvio que a «questão ibérica» se ligava a outros problemas como a da manutenção da monarquia (e daí a defesa de um regime unitário) ou da defesa de um municipalismo federal, como advogava, por ex., José Félix Henriques Nogueira. Cfr., por último, sobre este tema, Manuela Mascarenhas, *A Questão Ibérica,* Braga, 1980, separata da Revista *Bracara Augusta,* Tomo

XXXIV, 1980; Fernando Catroga, "Nacionalismo e Ecumenismo. A Questão Ibérica na Segunda Metade do Século XIX", in *História e Filosofia,* Vol. IV (1985) p. 419, ss., que assinala como princípio teórico do iberismo o "culto iluminista da razão universal" (p. 422) e como "razões práticas", a formação de espaços económico políticos" e o "contexto do choque dos imperialismos". Interessante a relação feita neste estudo entre iberismo e maçonaria: "algumas das ideias tipicamente maçónicas – ecumenismo, fraternidade – apontavam para um horizonte ideológico em que se inscrevia a expectativa ibérica" (p. 445). Em obra mais recente, Fernando Catroga salienta a influência do "iberismo" num importante sector do pensamento republicano que aspirava a uma "republicanização e federalização da ibéria». Cfr. Fernando Catroga *O Republicanismo em Portugal. Da formação ao 5 de Outubro de 1910*, Coimbra, 1991, p. 16.

X - *Constitucionalismo e codificação*

A ideia de constituição poderá considerar-se parcialmente coincidente com as exigências da **codificação** e com as «estratégias burguesas da legalidade». Se a lei constitucional respondia à necessidade de um limite, racionalidade e calculabilidade da acção do estado, também a nível da sociedade civil o movimento da «codificação» e os esquemas de «aplicação da justiça» revelam que a nação liberal tem necessidade de uma estruturação jurídica dos conflitos sociais a nível de todo o território nacional.

As «estratégias de legalidade» «conduzem, por exemplo, às noções de «interesse geral», de «interesses do comércio», de «liberdade contratual» que outra coisa não representam senão a recomposição objectiva da ordem económica e social – é a chamada «revolução jus-liberal» dentro das estruturas territoriais nacionais. Note-se, porém, que a partir de meados do século a função dos «códigos civis» passou a ser outra: deixaram de ser a refração no plano civil das ideias individualisticas da constituição para passarem a dimensão central do *direito positivo do Estado*. Erguidos a núcleo central de um direito certo e estável, aplicável de modo seguro pelos juizes e garantidores de posições jurídico-subjectivas formadas na lei, os códigos civis convertem-se na principal fonte de direito. São eles e não as constituições que fixam os princípios gerais do direito remetendo o texto constitucional para a categoria de uma simples "lei orgânica dos poderes políticos".

Este fenómeno de «recomposição objectivante» é posto em relevo, de forma penetrante, por J. Michael Scholz, «La constitution de la justice commerciale capitaliste en Espagne et au Portugal», in *O Liberalismo na Peninsula Ibérica,* Vol. 11, p. 65, e por B. Clavero, «Historia juridica y Codigo Politico: los derechos forales y la Constitucion», in *A.H.D.E* (1980), pp. 131 e ss. Entre nós, cfr. M. Reis Marques, *O Liberalismo e a Codificação do Direito Civil em Portugal. Subsídio para o estudo da implantação em Portugal do Direito Moderno,* Coimbra, 1987. Sobre o fenómeno da substituição da "Constituição" pelo "Código Civil", cfr. B. Clavero, "Codificacion y Constitucion: paradigmas de un fenomia", in *Ocid. Fish.*, 18 (1989); *Los Derechos y los jueces,* Madrid, 1988; F. Tomas y Valiente, *Codigo y Constituciones, 1808-1987,* Madrid, 1989. Por último, entre nós, P. Ferreira da Cunha, *Para uma História Constitucional,* p. 184 ss; M. Reis Marques, *Codificação e paradigma da modernidade* Coimbra, 2001, p. 390.

XI - Constitucionalismo e partidarismo

Não obstante as reiteradas referências a «grupos, «tendências» (absolutistas, tradicionalistas, liberais) é um lugar comum afirmar-se que o constitucionalismo começou sem **partidarismo** [29]. Sobre o «espírito de partido» destilavam-se as mesmas acusações que, noutros quadrantes político-geográficos e sob perspectivas muito diversas, incidiam sobre a existência de «facções». Paradigmáticas são as palavras de Garrett: «Uma coisa muito essencial é bem distinguir o espírito de partido, do público». Este é «expressão da opinião pública» enquanto o primeiro se reconduz à «privada opinião dos interesses pessoais.» [30]

Aqui interessa sobretudo sugerir as razões justificativas da consideração do «partido ou facção» como «fenómeno criminal» (Saint Just). Elas serão fundamentalmente as seguintes: (a) a filosofia *racionalista*, pois «la raison» transcende os «interesses pessoais» de «facção» e eleva os cidadãos à captação do «interesse geral»; (2) a filosofia *individualista*, dado que a sociedade é considerada atomisticamente como adição de indivíduos e não holisticamente como um conjunto de «grupos», «classes», «organizações» ou «partidos; (3) a ideologia política rousseauniana da *vontade geral* – as «facções» ou «partidos» minavam a «vontade geral» e a «soberania do povo assim, Saint Just, Robespierre).

[29] Sobre a evolução semântica e histórica de facção e partido cfr. S. COTTA, «La Nascita dell'Idea di Partito nel Secolo XVIII», in *Atti Facoltà di Giurisprudenza Università Perugia,* LXI, 1961; E. PAUL, «Verfemdung, Duldung und Anerkennung des Parteiwesens in der Geschichte des Politischen Denkens», in *PVS,* 1964, pp. 60 e ss; H. MANSFIELD, Jr., *States-Statesmanship and Party Government: A Study of Burke and Bolingbroke,* Chicago, 1965; CATTANEO, *Il Partito Politico nel Pensiero dell Iluminismo e della Rivoluzione Francese,* Milano, 1964. O problema das "facções" era também discutido nos quadrantes políticos americanos, cfr. CASS SUNSTEIN, "The Enduring Legacy of Republicanism", in S. ELKIN/K. SOLTAN, A *New Constitutionalism. Designing Political Institutions for a Good Society,* Chicago/London, 1993.

[30] Cfr. ALMEIDA GARRETT, *Obras Completas,* Livraria Lello, 1963, Vol. 1, p. 108. Sobre isto, cfr. COLAÇO ANTUNES, «Partido e Programa político no constitucionalismo português», 1820-1850», in *Economia e Sociologia,* n.º 29/30; J. BORGES DE MACEDO, «O aparecimento em Portugal do conceito de programa político», in *Revista Portuguesa de História,* Vol. XIII, (1971), pp. 375 e ss; MARCELO REBELO DE SOUSA, *Os Partidos Políticos no Direito Constitucional Português,* pp. 24 e ss.

Além destas razões, deve apontar-se ainda uma outra: a necessidade de evitar que o próprio «pacto fundador», isto é, a Constituição e o regime constitucional, fossem contestados por partidos [31].

XII - Constitucionalismo e administração pública

A *administração pública* – ou melhor, a «construção» ou «reconstrução» da **administração pública** – constituiu um outro momento fundamental do programa constitucional revolucionário. Tratava-se de uma reacção contra a hereditariedade e venalidade dos cargos públicos e da afirmação do princípio de acesso aos cargos públicos segundo a capacidade dos indivíduos e sem outra distinção que não fossem as virtudes e talentos do indivíduo (cfr. Constituição de 1822, arts. 12.° e 13.°). Se os códigos civis (a começar no Código de Napoleão de 1807, que influenciou o nosso Código Civil de 1867, também chamado "Código de Seabra") afirmavam o princípio da igualdade nas relações jurídicas civis, também a legislação administrativa (embora não codificada) deveria erguer-se sobre um modelo de relações jurídico-funcionais assente na «igualdade do sujeito de direito». Em termos práticos, isto significava que o exercício de cargos e funções públicas não poderia radicar em condições particularísticas de privilégios. Além disso, e em consonância com a ideia de lei geral igual para todos, esse exercício só poderia ser assegurado nos termos da lei. O *direito da administração pública* converteu-se, porém, com o desenvolvimento do Estado Liberal, em *direito positivo do estado*. Tal como havia sucedido com os códigos civis, o direito da administração sofre a atractividade do estado, afasta-se da constituição e constitui-se como *corpus* autónomo e suficiente que incluirá, entre outras coisas, um sistema próprio de actos (o acto administrativo) e um sistema autónomo de justiça administrativa, separada e diferente da jurisdição ordinária (contencioso administrativo). [32]

---

[31] Cfr. CATTANEO, *Il Partito Politico*, p. 84 ss. Entre nós, cfr. MARCELO REBELO DE SOUSA, *Os Partidos Políticos no Direito Constitucional Português*, p. 24, e nota 31.

[32] O fenómeno tem sido estudado com atenção pela nova literatura juspublicística portuguesa. Cfr. MARIA DA GLÓRIA FERREIRA PINTO DIAS GARCIA, *Da Justiça Administrativa em Portugal*, Lisboa, 1994, pp. 288 e ss. e 318 e ss.; VASCO PEREIRA DA SILVA, *Em busca do acto administrativo perdido*, Coimbra, 1996, p. 11 ss. Na literatura mais especificamente historiográfica, cfr. COLOMBO, *Governo e Costituzione*. *La trasformazione del regime politico nella teoria dell'età rivoluzionarie francese*, Milano, 1993; M. FIORAVANTI, *Appunti di storia delle Costituzione Moderni*, Torino, 1996.

Referências bibliográficas

Ball, T. – (org.), – *Political Innovation and Conceptual Change*, Cambridge, 1989.
Baker, K. M. (org.), *The French Revolution and the Creation of Modern Political Culture*, Oxford, 1987.
Bonavides, P./Andrade, P – *História Constitucional do Brasil*, Brasília, 1992.
Clavero, B. – *Manual de História Constitucional de España*, Madrid, 1989.
– *Evolución historica del constitucionalismo español*, Madrid, 1984.
Chevallier, J. J./Conac, G. – *Histoire des Institutions et des régimes politiques de la France de 1789 á nos jours*, 8.ª ed., Paris, 1991.
Cunha, P. F. – *Para uma História Constitucional do Direito Português*, Coimbra, 1995.
De Cabo, C. – "La función historica del constitucionalismo y sus posibles transformaciones", in *Contra el consenso. Estudios sobre el Estado constitucional y constitucionalismo del Estado Social*, Mexico, 1991.
Dogliani, M. – *Introduzione al diritto costituzionale*, Bologna, 1994.
Fioravanti, M. – *Appunti di Storia delle Costituzione Moderni – Le libertà: presuposti culturali e modelli storici*, Giappicchelli, Torino, 2.ª ed., 1996.
Floridia, G. – *La Costituzione dei moderni*, Torino, 1991.
Friederich, C. J. – *Constitutional Government and Democracy. Theorie and Pratice in Europe and America*, Boston, 1941.
Gozzi, G. – *Democrazia, diritti, costituzione. I fondamenti costituzionali delle democrazia contemporanee*, Bologna, 1997.
Hespanha, A. M. – *Panorama Histórico da Cultura Jurídica Europeia*, Lisboa, 1997.
Matteucci, N. – *Organizzazione del potere e libertà. Storia del costituzionalismo moderno*, Torino, 1976.
Rebuffa, G. – *Costituzioni e costituzionalismi*, Torino, 1990.
Stolleis, M. – *Geschichte des öffentlichen Rechts in Deutschland*, München, 1988-1992.
Stourzh, G. – *Fundamental Laws and Individual Rights in the 18th Century Constitution*, in *The American Foundation. Essays on the Formation of the Constitution*, New York Westport – London, 1988.
Tarello, G. – *Storia della cultura giuridica moderna*, vol. I – *Assolutismo e Codificazione del diritto*, Bologna, 1976.
Troper, M./Jaune, L. (org.) – *1789 et L'invention de la Constitution*, Paris, 1994.
Volpe, G. – *Il costituzionalismo del Novecento*, Bari, 2000.

Capítulo 2

Forma Constitucional e Constituição

Sumário

A. O movimento pré-constitucional

B. O constitucionalismo vintista

    I - Poder constituinte e modelos constitucionais

    II - Estrutura da Constituição de 1822

C. O constitucionalismo da restauração

    I - Constitucionalismo histórico, constitucionalismo romântico e cartismo

    II - Estrutura e significado da Carta Constitucional de 1826

D. O constitucionalismo setembrista

    I - O constitucionalismo setembrista

Forma Constitucional e Constituição

125

II - Estrutura da Constituição de 1838

   III - A dinâmica ideológico-partidária liberal

E. *O constitucionalismo republicano*

   I - Visão global dos princípios republicanos

   II - A estrutura da Constituição de 1911

   III - As características dominantes do regime republicano e as deformações político-institucionais

F. *O constitucionalismo corporativo*

   I - A ideologia constitucional do «Estado Novo»

   II - Estrutura e princípios da Constituição de 1933

G. *Estrutura formal das constituições portuguesas*

A. O Movimento Pré-Constitucional

1. A «Súplica» de Constituição (1808)

O movimento constitucional português não começou com o vintismo. Iniciou-se com a «súplica» de Constituição dirigida a Junot, em 1808, por um grupo de cidadãos (entre os quais avultam os docentes universitários Cortes Brandão e Ricardo Raimundo Nogueira, o Juiz do povo de Lisboa, tanoeiro Abreu Campos, e o desembargador Francisco Coelho). Trata-se de um texto forjado numa «ambiance» afrancesada e que tem permanecido num relativo esquecimento [1]. O suporte social e político do projecto constitucional de 1808 não se recorta ainda hoje com suficiente segurança, mencionando-se a existência de um «partido liberal» e de sectores burgueses antibritânicos [2].

2. A «proposta» de Constituição

Se o suporte social e político do «texto napoleónico» não se recorta com nitidez, já o mesmo não acontece com o teor da petição [3] (de Abreu Campos) referente ao primeiro «projecto constitucional»: *arquétipo* constitucional reconduzível ao das constituições outorgadas (mais especificamente, a

---

[1] RAUL BRANDÃO, *El-rei Junot,* p. 195, fornece-nos informações úteis sobre este movimento constitucional «avant la lettre». Num curioso paralelismo, que se verificou em quase toda a história constitucional dos dois estados ibéricos, também em Espanha se registou um processo constitucional semelhante (Constituição de Baiona, de 1808). Cfr. M. F. CLIVILLÉS, *Derecho Consitucional Español,* Madrid, 1975, pp. 211 e ss.; MARIA H. CARVALHO DOS SANTOS, "A evolução da Ideia de Constituição em Portugal. Tentativas constitucionais durante a invasão de Junot", in VÍTOR NETO (org), *A Revolução Francesa e a Península Ibérica,* Coimbra, 1988, pp. 435 e ss; ANA CRISTINA ARAÚJO, "Revoltas e Ideologias", in CARVALHO HOMEM, (org), *Revoltas e Revoluções,* Vol. II, Coimbra, 1985, pp. 61 e ss.

[2] Cfr. as referências recentes de M. ALPERN PEREIRA, «A crise do Estado do Antigo Regime: alguns problemas conceituais e de cronologia», in *Ler História,* 2/1983, p. 10.

[3] Esta petição (que foi rejeitada pela Junta dos Três Estados) pode ver-se transcrita em DAMIÃO PERES, *História de Portugal,* Vol. VII, p. 22, nota 1, e em LOPES PRAÇA, *Collecção de leis e subsídios para o Estudo do Direito Constitucional Português,* Vol. 2, Coimbra, 1893, p. IX.

outorgada por Napoleão ao Grão-Ducado de Varsóvia); representação da Nação confiada a representantes eleitos pelas «Câmaras Municipais»; executivo exercido por meio de «ministros responsáveis» assistidos por um «Conselho de Estado»; legislativo constituído por «duas câmaras com a concorrência da autarquia executiva; organização pessoal da administração civil, fiscal e judicial, moldada segundo o «sistema francês», propondo-se, inclusive, a vigência em Portugal do Código Civil de Napoleão; conservação do regime monárquico; liberdade de cultos; elevação das colónias à categoria de províncias portuguesas; igualdade perante a lei e princípio da proporcionalidade dos impostos.

B. O Constitucionalismo Vintista

I - Poder constituinte e modelos constitucionais

A **Constituição de 1822** é um dos textos mais importantes do constitucionalismo português. Isto, não tanto pela duração da sua vigência (apenas 7 meses na sua primeira vigência, de 23 de Setembro de 1822 até Junho de 1823, e 19 meses incompletos de 10 de Setembro de 1836 a 4 de Abril de 1838), mas porque ela marca não só o início do verdadeiro constitucionalismo em Portugal, mas também porque ela é um ponto de referência obrigatório da teoria da legitimidade democrática do poder constituinte (uma das tradições constitucionais portuguesas, iniciada, precisamente, pelo documento vintista). Acresce que sobre o texto de 22 vai gravitar parte da luta político-constitucional, pelo menos até 1838 (para não se dizer até 1851, data da *Regeneração*). A partir desta última data, o vintismo será agitado pelo incipiente movimento republicano.

1. O poder constituinte

Durante o constitucionalismo monárquico da 1.ª fase não existem forças partidárias puras. O **poder constituinte**, tal como ele se manifestou nas Cortes Gerais, Extraordinárias e Constituintes de 1821, foi expressão do confronto e compromisso dos grupos (tendencialmente interclassistas) que atrás se identificaram (realistas, moderados, gradualistas e radicais) (cfr. *supra,* p. 188).

Esta distribuição é confirmada por documentos diplomáticos da época (dos encarregados de negócios da França e da Espanha). O primeiro (Lesseps) referia quatro tendências: os mode-

rados, os liberais, os ultraliberais e «os que querem fazer voltar tudo ao estado anterior». O delegado da Espanha (D. José Maria Pando) faz as seguintes diferenciações: «*los sequazes del puro regimen arbitrario*», «*los liberales exaltados*», *exageradores de todas las teorias sociales*», «*los liberales moderados*» e «*los aristocratas, amigos de la concentracion del poder, los cuales condesciendem a dar al pueblo una representacion politica*».

J. S. Silva Dias, referindo-se à revolução vintista, escreve: «Ao lado de uma perspectivação aristocrata do liberalismo que teve no duque de Orleães a figura suprema em França e em Palmela a figura suprema em Portugal, havia uma perspectivação burguesa do liberalismo. E ao lado dos liberais radicais, forte em cúpulas, mas extremamente débeis quanto a bases de apoio, encontramos os gradualistas, com a força da sua base de apoio no corpo do comércio urbano e nas profissões jurídicas, e os liberais moderados com largo apoio em franjas importantes da burguesia, da nobreza, do clero, do funcionalismo e das profissões livres. Enquanto uns optavam pelo constitucionalismo à inglesa, outros optavam pelo modelo jacobino, e outros ainda optavam por um modelo misto.» Cfr. J. S. Silva Dias, «A Revolução Liberal portuguesa: amálgama e não substituição de classes», in *O Liberalismo na Península Ibérica*, Vol. 1, p. 21 ss; «O Vintismo: realidades e estrangulamentos políticos», in *O Século XIX em Portugal*, coord. de Jaime Reis, M. F. Mónica, M. L. Lima dos Santos, Lisboa, 1979, pp. 303 ss. Para maiores desenvolvimentos, cfr. J. S. Silva Dias/Graça Silva Dias, *Os primórdios da Maçonaria em Portugal*, Vol. 1, Tomo 11, p. 753.

Em termos tendenciais, pode afirmar-se que as classes populares não estiveram representadas no poder constituinte como fracções autónomas. E isto será uma constante do nosso constitucionalismo. Em certos momentos vão aderir a movimentos revolucionários, criando-se situações político-constitucionais que permitem o acesso político de fracções da média burguesia (vintistas, setembristas, progressistas, republicanos) mas que, depois, com compromisso ou não, vão compartilhar ou ceder o poder político às fracções burguesas dominantes (conservadores, cabralistas, regeneradores).

2. Os modelos constitucionais em confronto

Pelas discussões que se vão travar nas Cortes Constituintes e pela imprensa da época é possível descortinar três tendências na questão fulcral do **modelo político-constitucional** a escolher: (1) o constitucionalismo inglês era o modelo da ala moderada; (2) o modelo convencional francês inspirava em muitos pontos o sector radical; (3) os gradualistas mostravam preferência pelo figurino espanhol da Constituição de Cádis de 1812.

II - Estrutura da Constituição de 1822

Os princípios norteadores da **Constituição de 1822** foram já referidos. Em síntese, assinalam se: (1) o *princípio democrático*, pois a «soberania reside essencialmente em a Nação» (art. 26), só à Nação «livre e independente»

pertence fazer a sua constituição ou Lei fundamental, «sem dependência do rei» (art. 27.º), e a própria «autoridade do rei provém da Nação» (art. 121.º); (2) *o princípio representativo,* dado que a soberania só «pode ser exercitada pelos seus representantes legalmente eleitos» e só aos deputados da Nação «juntos em Cortes» pertence fazer a Constituição (arts. 26.º, 27.º, 32.º, 94.º); (3) o *princípio da separação de poderes* (legislativo, executivo e judicial), «de tal maneira independentes» «que um não poderá arrogar a si as atribuições do outro» (art. 30.º); (4) *princípio da igualdade jurídica e do respeito pelos direitos pessoais* (cfr., sobretudo, arts. 3.º e 9.º).

A afirmação tão clara destes princípios levou alguns autores a afirmar que a Constituição de 1822 iniciou não só a tradição constitucional democrática mas também a tradição republicana. Joaquim de Carvalho há já alguns anos que o acentuou: [os vintistas] «anunciaram em Portugal pelas intenções, pelas leis e pelos actos, as ideias essenciais da democracia – soberania da Nação, respeito da personalidade individual e igualdade jurídica – aquelas, porventura, de uma forma mais substantiva que esta embora pela primeira vez se proclamasse em língua portuguesa ser a lei igual para todos»; «a constituição politica de 1822 foi estruturalmente republicana; da monarquia conservava apenas o símbolo: a coroa». Cfr. Joaquim de Carvalho, *História do Regime Republicano,* direc. de Luis de Montalvor, Vol. 1, Lisboa, 1930, p. 177.

1. Os direitos fundamentais

Diferentemente do que acontecia com a Constituição francesa de 1791 (com uma *Déclaration* de direitos separada), e de modo também diverso do que sucedia com a Constituição espanhola de Cádis de 1812 (em que os direitos estavam diversos no Título I), o texto de 22 incorporava logo no Título I o **catálogo dos direitos e deveres individuais** sob a epígrafe «Dos Direitos e Deveres Individuais dos Portugueses».

O documento vintista separou duas categorias de direitos que a *Déclaration* de 1789 juntava: *«droits de l'homme»* e *«droits de la Nation».* Estes últimos, como, por exemplo, a soberania da Nação, o direito de fazer leis, o direito de ter uma representação, são remetidos para o Título II. Os direitos a que se refere o Título I são rigorosamente *direitos individuais* (pessoais), embora se trate mais de garantias do que de liberdades. Muitos deles têm um «carácter afirmativo» (direito à liberdade, à segurança, à propriedade), mas outros apresentam-se com um «carácter negativo», dirigindo se essencialmente contra o *Ancien Régime:* a lei é igual para todos, não se tolerando «privilégios de foro nas causas cíveis ou crimes nem comissões especiais» (art. 9.º); «todos os portugueses podem ser admitidos aos cargos públicos, sem outra distinção que não seja a dos talentos e das suas virtudes» (art. 12.º); «os ofícios públicos não são propriedade

de pessoa alguma» (art. 13.°); «o rei não pode mandar prender cidadão algum» (art. 124.°).

Alguns preceitos consagram «imposições constitucionais» que hoje designaríamos por «direitos a prestações»: «ensino da Mocidade portuguesa de ambos os sexos a ler, escrever e contar» (art. 237.°); «criação de novos estabelecimentos de instrução pública» (art. 238.°); «fundação, conservação e aumento de casas de misericórdia e hospitais» e de «rodas de expostos, montes-pios, civilização dos Índios, e de quaisquer outros estabelecimentos de caridade» (art. 240.°).

2. O poder legislativo

O poder legislativo residia «nas Cortes com dependência da sanção do rei» (art. 30.°). Vejamos os pontos fundamentais do principal poder da Constituição Vintista.

a) *Estruturas eleitorais*

As **Cortes** configuravam-se como *assembleia unicameral, eleita bienalmente* (art. 41.°). A eleição de deputados, além de ser *indirecta* [os «cidadãos activos» limitam-se a eleger eleitores de segundo grau e daí que haja primeiro assembleias primárias (art. 44.°), e depois assembleias em «junta pública na casa da Câmara» (art. 61.°), e, finalmente, assembleias na junta de cabeça de divisão eleitoral (art. 63.°)], não era *universal,* pois quanto à capacidade eleitoral activa excluía do direito de voto as mulheres, os menores de 25 anos, os «filhos de família que estivessem no poder e companhia dos pais», os «criados de servir», os «vadios» e os «regulares» (art. 33.°), e quanto à capacidade eleitoral passiva estabelecia-se um *critério censitário,* pois eram inelegíveis, entre outros, «os que não têm para se sustentar renda suficiente, precedida de bens de raiz, comércio, indústria ou emprego» (art. 34.°). Não se exigiam candidaturas expressas («os moradores de cada concelho levavam escritos em listas os nomes e ocupações das pessoas em que votam para deputados», assim o estabelecia o art. 52.°), mas impunha-se *maioria absoluta (os* deputados, nos termos do art. 63.°, eram eleitos por «pluralidade absoluta», isto é, só eram eleitos os deputados cujos nomes se achavam inscritos em mais de metade das listas»), havendo segunda volta *(«ballotage»)* para os que não tivessem conseguido a pluralidade absoluta (art. 66.°, ss).

131   *Forma Constitucional e Constituição*

b) *Competência*

Além da competência política (tomar juramento do rei, reconhecer o sucessor da coroa, eleger a regência, aprovar os impostos e tratados de aliança, etc.), ao poder legislativo incumbia naturalmente a função legislativa (art. 102.°) e o controlo político da constitucionalidade e da legalidade (art. 102.°). A esta última competência está ligada a *responsabilidade por factos ilícitos* dos secretários de Estado perante as Cortes (no art. 159.° dispunha-se, com efeito, que os secretários de Estado eram responsáveis perante as Cortes pela «falta de observancia das leis», pelo «abuso do poder»,«pelo que obrarem contra a liberdade, segurança e propriedade dos cidadãos», por «dissipação ou mau uso dos bens públicos»). Não se tratava, pois, de uma *responsabilidade política* do executivo perante o legislativo.

c) *Procedimento*

A iniciativa das **leis** pertencia aos deputados, embora os secretários de Estado pudessem fazer *propostas,* que depois de examinadas por uma comissão das Cortes, podiam ser convertidas em *projectos de lei* (art. 109.°). É a partir desta ideia e desta terminologia que mais tarde se começará a chamar *projecto de lei* à iniciativa legislativa dos deputados e *proposta de lei* à iniciativa legislativa do Executivo (cfr. o art. 170.° da actual Constituição).

A concepção vintista de lei (cfr. art. 104.°) corresponde à matriz jacobino-rousseauniana de acto legislativo (art. 104.°: «vontade dos cidadãos declarada pela unanimidade ou pluralidade dos seus representantes») e à ideia de Parlamento (com acentuações anglo-saxónicas) como fonte monista de legitimidade legiferante (a lei como vontade dos cidadãos declarada pelos «representantes dos cidadãos juntos em cortes»). A lei surgia, assim, como norma primária universal e só com base nela ou em execução dela poderão actuar os outros poderes. Daí que o Rei tivesse apenas competência para fazer *regulamentos de execução* e não *regulamentos independentes,* como mais tarde se veio a admitir com base no princípio monárquico (de inspiração germânica). Vide, precisamente, o art. 122.°, onde claramente se alude à autoridade real como autoridade que «consiste em fazer executar as leis; expedir os decretos, instruções e regulamentos adequados a esse fim», ou seja, o de execução das leis.

d) *O veto real*

Limitada às leis (as outras atribuições das Cortes não dependiam da sanção real), a **sanção do rei** traduzia-se não num verdadeiro direito de sanção mas num direito de *veto meramente suspensivo* (o veto era suspenso por nova deliberação maioritária das Cortes, e desta segunda decisão confirmadora das

Cortes o Rei daria «logo sanção» nos termos do art. 110.º). A eventual possibilidade de *veto de bolso* era resolvida estipulando-se que, se no prazo de um mês, «o Rei não der sanção à lei, ficará entendido que a deu, e se publicará», e se o Rei recusar a assiná-la, as Cortes mandá-la-ão publicar em nome dele (art. 114.º).

3. O Rei

A Constituição de 1822 configura a monarquia como uma *monarquia limitada*. Consagrando a soberania nacional e estabelecendo a separação de poderes, o texto vintista não só acentua o *carácter derivado* da autoridade do rei (art. 121.º: «A autoridade do Rei provém da Nação»), como extrai os corolários lógicos da divisão de poderes, definindo a competência do monarca de forma positiva e de forma negativa. De forma negativa, ao estabelecer a proibição da interferência do executivo no legislativo e nos tribunais (cfr. art. 124.º). De forma positiva, o **Rei** é considerado como «Chefe de Estado» com as respectivas atribuições (cfr. art. 123.º), e como chefe do Executivo (cfr. arts. 30.º e 157.º ss). No exercício desta última função, o Rei era assistido por secretários de Estado (arts. 30.º e 157.º ss), aos quais incumbiria a assinatura de «todos os decretos ou determinações do Rei» (art. 161.º).

4. O Conselho de Estado

Composto por treze cidadãos, portugueses de origem (arts. 162.º e 163.º/2), e nomeados pelo Rei sob proposta em «terno» das Cortes (art. 164.º), o **Conselho de Estado** tem por antecedente os antigos «Conselhos de Estado» e é o embrião dos futuros órgãos constitucionais consultivos.

Ele devia ser ouvido pelo Rei «nos negócios graves, e particularmente sobre dar ou negar a sanção das leis; declarar a guerra e a paz e fazer tratados» (art. 167.º). Competia-lhe igualmente propor ao Rei pessoas para os «lugares da magistratura e para os bispados».

5. Delegação do Poder Executivo no Brasil

No momento em que foi elaborada a Constituição de 1822 existia a grave *questão colonial* do Brasil. Para isso e para assegurar a «união real» previa-se para o Brasil uma *Regência* (art. 128.º), de 5 membros, encarregada

do poder executivo. O texto vintista fala, precisamente, de *delegação do poder executivo* (art. 128.º).

6. A força militar

Estabeleceu-se uma dualidade de forças: (1) *a força militar permanente,* nacional (art. 171.º), sujeita ao Governo, e que constitui o exército; (2) as *milícias,* tropas provinciais, de serviço intermitente, que não podem ser utilizadas em tempo de paz fora das respectivas províncias, sem autorização das Cortes (art. 173.º).

Não se deve minimizar o sentido desta distinção: o Rei garante a segurança interna e externa do reino através do exército (art. 171.º), mas descentraliza-se a tutela da ordem pública interna, não podendo o monarca dispor das milícias fora da respectiva província sem autorização das Cortes (art. 173.º).

7. Início e cessação da vigência da Constituição de 1822

Assinada em 23 de Setembro de 1822, a Constituição de 1822 apenas vigora até 4 de Junho de 1823. Em termos práticos, pode dizer-se que o fim do seu primeiro período de vigência é imposto pela *Vilafrancada,* movimento contra-revolucionário chefiado por D. Miguel, em 28 de Maio de 1823. Em 3 de Junho, o Rei dissolveu as Cortes, e por lei de 4 de Junho de 1824 declarou em vigor as leis tradicionais. Por sua vez, o Decreto de 10 de Setembro de 1836, na sequência da Revolução de Setembro, estabeleceu a vigência do texto vintista, mas, como se verá, em termos muitos ambíguos.

C. *O Constitucionalismo da restauração*

I - *Constitucionalismo histórico, constitucionalismo romântico e cartismo*

1. A concepção puramente histórica de constituição [4]

O conceito de constituição abstracto-normativo da revolução liberal veio a merecer as mais apaixonadas críticas por parte do pensamento tradicio-

---

[4] Sobre a concepção de «constituição puramente histórica» cfr. SCHMIDT-ASSMAN, *Der Verfassungsbegriff,* cit., p. 137.

nalista e contra-revolucionário. Em geral, as construções doutrinárias andavam a par com o «engagement» político.

A um conceito de constituição como criação derivada a-historicamente da razão, os teóricos tradicionalistas e contra-revolucionários opõem uma constituição ligada ao ser histórico concreto – **constituição histórico-natural** –, uma constituição que «cresceu» graças à «aquisição do património razoável dos séculos» (Burke). A constituição não é uma *criação* oriunda *ex abrupto* da razão abstracta; é o *real* precedente dos séculos. E não só não é uma *criação* da razão como não pode ser *generalizável:* cada nação tem a sua «constituição natural» que a própria história se encarregou de fazer, possuindo, por isso, toda a força de legitimidade que ela confere [5]. Contrariamente à constituição liberal, a constituição natural não é um «medium» [6] entre a sociedade e o indivíduo; não é um elemento estranho que afasta a *participação* de todos na feitura da constituição; não é uma construção artificial com existência própria, cavando a radical separação entre um aparelho estadual «descarnado» e a esfera individual. A constituição é imediação, é evolução, é o «subconsciente colectivo», o «irracional», a cristalização ou precipitação dos componentes históricos de uma Nação.

A concepção histórica punha em relevo um facto não despiciendo – a correspondência que deve existir entre a constituição e a realidade constitucional [7]. A necessidade de uma adequação da constituição à realidade não legitima, porém, a erupção do irracional e do reaccionarismo, a travagem na aceleração da história. A concepção histórica da constituição (que em Portugal foi defendida sobretudo pelos miguelistas e teóricos absolutistas) é, de facto, a expressão constitucionalista da contra-revolução. Considerando que a *constituição civil* dos povos não é nunca o «resultado de uma deliberação», a concepção

---

[5] Cfr. REIS TORGAL, *Tradicionalismo e Contra-Revolução. O Pensamento e Acção de José da Gama e Castro,* Coimbra, 1973. Na doutrina cfr., por último, REMEDIO SANCHEZ FERRIZ, *La Restauración y su Constitución Política,* Valencia, 1984; S. RIALS, *Révolution et Contre-Révolution aux XIX siècle,* Paris, 1987.
[6] Cfr. SCHMIDT-ASSMAN, *Der Verfassungsbegriff,* p. 136.
[7] Esta necessidade de articulação da constituição com a realidade constitucional era salientada por autores que, propriamente, não se filiavam no pensamento contra-revolucionário, mas sim no movimento cartista, e até no movimento setembrista, como a seguir exporemos no texto. Assim, por ex., SILVESTRE PINHEIRO FERREIRA, *Projecto de Código Político para a Nação Portuguesa,* Paris, 1838, Vol. II, afirmava que (a principal razão porque tanto entre nós, como noutros países, têm caído tão facilmente debaixo dos mal-dirigidos ataques da força do absolutismo, tantas constituições defendidas pelos homens mais ilustres, era o não se acharem apoiadas num sistema de leis orgânicas, sem as quais é impossível conceber a sua execução». Em 1898, JOSÉ FREDERICO LARANJO, nos seus *Princípios de Direito Político* e *Direito Constitucional Português,* p. 54, afirmava que «o valor de uma constituição não é absoluto, não é intrínseco, mas determinado pela correspondência em que está com as necessidades e aptidões do povo para que é feita». Curiosa não deixa de ser, porém, a noção de *constituição histórica* que este autor nos dá centrada *na luta de classes:* constituições históricas que se foram formando pouco e pouco através da luta de classes e dos compromissos que elas originaram e que ordinariamente não são escritas senão em parte» (cfr. *ob. cit.* p. 53).

histórica regressa à absolutização irracional de autoridade. Com efeito, ao considerarem que o regime dos povos é dado por Deus, ou porque ele permite esse regime «germinar insensivelmente como uma planta» *(autoridade teológico-naturalista)* ou porque ele escolhe «homens raros» aos quais confia os seus poderes *(autoridade teológico-pessoal)*, as teorias contra-revolucionárias justificam quer a infalibilidade do soberano quer o repúdio das tentativas para se transformar a ordem existente (tradicionalismo).

2. O constitucionalismo romântico [8]

O **constitucionalismo romântico** não é facilmente caracterizável. É que, por um lado, tal como o constitucionalismo histórico, o romantismo tradicional rejeita os cânones normativos, racionalistas, abstractos, do constitucionalismo vintista. Contra as construções formalistas entendiam ser necessário libertar das formas a *totalidade da vida*. Ainda à semelhança do historicismo, o constitucionalismo romântico busca na história os fundamentos da constituição. Mas agora, em vez da defesa de uma constituição entendida como precipitação da história, procuram substituir o modelo ordenador liberal (constituição normativa) por um novo parâmetro de ordenação: a estrutura político-constitucional da Idade Média. Defende-se o regresso às estruturas comunais e à espiritualidade católica. Neste sentido escreverá Herculano nas *Cartas sobre a História de Portugal:* «A existência enfim intelectual, moral e material da Idade Média é que pode dar proveitosas lições à sociedade presente, com a qual tem muitas e completas analogias». A ideia de uma *consciência popular* converte-se em ideia ordenadora de uma comunidade universal. Desta forma, ao contrário do pensamento concretizador dos historicistas, os constitucionaistas românticos não são adversos à generalização. Não se trata, é certo, do geral-abstracto do constitucionalismo, mas também se não vai ao ponto de insistir na categoria do concreto real (histórico) do pensamento contra-revolucionário.

Em Portugal, a posição que se aproximou mais dos postulados românticos foi a dos *setembristas ordeiros* (Rodrigo da Fonseca Magalhães), e o seu melhor expoente foi Alexandre Herculano [9].

---

[8] Sobre o constitucionalismo romântico cfr. especialmente E. R. HÜBER, *Nationalstaat und Verfassungsstaat,* Stuttgart, 1965, pp. 48 e ss; SCHMIDT-ASSMAN, *Verfassungsbegriff,* cit., pp. 148 e ss; P. BENICHOU, *Le temps des prophètes. Doctrines de l'âge romantique,* Paris, 1977.

[9] Cfr. FREDERICO LARANJO, *Princípios de Direito Político,* cit., p. 12, do capítulo referente às constituições e leis constitucionais; OLIVEIRA MARTINS, *Portugal Contemporâneo,* Lisboa, Vol. 2.º, 1977, p. 102. Não deve admirar a presença de Herculano no círculo do constitucionalismo romântico pelo facto de se tratar

Na época posterior à Primeira Guerra Mundial, procurou-se valorizar a política romântica, considerando-a como uma das primeiras reacções contra o positivismo e o formalismo. Todavia, no campo da teoria do Estado e da constituição, o romantismo não teve o significado e importância que teve na literatura e na arte. Até porque, como muito bem assinalou HUBER, o programa romântico era um programa perigoso. Tratando-se de um movimento de renovação contra o iluminismo, o absolutismo e o classicismo, o romantismo político corria o risco de passar de um movimento de renovação a um movimento de *restauração,* a roçar, em alguns casos, pela *reacção* [10]. «Enquanto durou a Revolução – escreverá Carl Schmitt –, o romantismo político é revolucionário; com o fim de Revolução torna-se conservador e acomoda-se bastante bem às condições nitidamente reaccionárias da Restauração».

3. O constitucionalismo da Restauração

a) A *ideia de «carta constitucional»*

O pensamento contra-revolucionário insistiu na ideia de uma «constituição natural» como sendo a constituição ajustada a um ser histórico concreto. A mesma ideia – a adaptação da constituição às condições históricas – estará presente no movimento *cartista* [11]. Para os adeptos das chamadas **constituições outorgadas** ou **cartas constitucionais**, a constituição continua a ser uma ordem normativa, mas, ao mesmo tempo, devia adquirir eficácia experimental, ou seja, devia articular-se com os factores políticos reais nos vários países. O ponto nodal do constitucionalismo cartista centrar-se-ia, pois, na unidade da norma com a realidade, da ideia (constitucional) com a existência (num contexto histórico). Transferindo estas considerações para o palco político, entendia-se que a constituição não devia desprezar um factor político de primacial importância num espaço e tempo concretos: a Europa monárquica da Santa Aliança. Significa

---

de um dos mais vigorosos adeptos das ideias liberais. É que, muitos dos vintistas, jacobinos e revolucionários, vieram a desembocar numa aristocracia liberal conservadora, individualista, tendencialmente aristocrata. Sobre a posição política de HERCULANO veja-se VITOR DE SÁ, *A Crise do Liberalismo,* 2.ª ed., Lisboa, 1974, p. 143; BARRADAS DE CARVALHO, *As Ideias Políticas e Sociais de Alexandre Herculano,* 2.ª ed., Lisboa, 1971; F. CATROGA, «Ética e Sociocracia – O exemplo de Herculano na geração de 70», in *Studium Generale, Aspectos da Cultura Portuguesa Contemporânea,* n.º 4/1982, pp. 7 ss; VITOR NETO, "Herculano: Política e Sociedade", in CARVALHO HOMEM (coord), *Revoltas e Revoluções,* cit., vol. 2, pp. 647 e ss.

[10] Cfr. HÜBER, *Nationalstaat,* cit., p. 49; CARL SCHMITT, *Romantisme politique,* Paris, 1928, p. 140.

[11] Como já salientámos, um dos autores que mais cedo manifestou as suas reservas em relação às construções constitucionais do vintismo liberal foi SILVESTRE PINHEIRO FERREIRA. Sobre ele e suas perspectivas políticas veja-se o estudo de ESTEVES PEREIRA, *Silvestre Pinheiro Ferreira. O seu pensamento político,* Coimbra, 1974. Por último, cfr., MIGUEL ARTOLA, "Constitución y Carta como modelos Constitucionales", in *O Sagrado e o Profano, Revista de História das Ideias,* p. 500.

isto que os esquemas constitucionais deviam conciliar os princípios do exercício e titularidade do poder político (designadamente o princípio da soberania nacional ou popular), como o **princípio monárquico**, enfatizado a nível europeu por Metternich [12]. O Rei e a representação nacional constituem poderes diversos, não podendo derivar-se um do outro. Também não se exige uma absoluta coordenação entre os dois e uma rígida igualdade hierárquica. Pelo contrário, subjacente ao *princípio monárquico* estava a recuperação dos poderes do rei absoluto, mas agora tendo como moldura os esquemas constitucionais. Ao órgão representativo é assinalada uma função de participação no exercício do poder. Daqui se intui já que, na dúvida, era alargada a competência do rei em detrimento do parlamento.

As cartas constitucionais surgiram como um compromisso variável entre o princípio da soberania monárquica e os direitos de participação liberais-parlamentares. Mas não se tratava apenas de um compromisso entre o princípio monárquico e o princípio da soberania nacional. Um outro avultava no paralelogramo da correlação de forças políticas: o compromisso entre os elementos nobiliárquico-feudais e as forças, ideias e interesses da burguesia liberal. Assim se explica que de um *sistema monocameral* na Constituição de 1822 se passe para o *sistema bicameral* na Carta Constitucional de 1826. O enquadramento constitucional das forças nobiliárquicofeudais-clericais (que constituíam o suporte sociológico do «*Ancien Régime*») fez-se através da Câmara dos Pares.

b) *O regime censitário*

A instauração de uma *monarquia constitucional com soberania monárquica* e a recuperação do poder político pelas forças feudais-clericais através da 1.ª Câmara (Câmara dos Pares) indiciam já a evolução conservadora do constitucionalismo cartista. Mas também a eleição para a Câmara dos Deputados passa agora a estar mais severamente condicionada pelo **regime censitário**. O regime censitário alcança dignidade constitucional no art. 67.º, § 1.º, da Carta Constitucional: «Os que não tiverem renda líquida anual de cem mil réis, por bens de raiz, indústria, comércio, ou emprego», são excluídos de votar nas assembleias paroquiais. O «quarto estado», não proprietário, é excluído do eleitorado activo. Torna-se clara a "teoria económica" de partici-

---

[12] Sobre o princípio monárquico, cfr. HÜBER, *Deutsche Verfassungsgeschichte*, Stuttgart, 1963, Vol. III, p. 11; H. BOLDT, *Deutsche Staatstehre im Vormärz*, 1975; O. HINZE, *Staat und Verfassung*, 3.ª ed., 1970, pp. 359 e ss.

pação no poder político [13]. As teses que se defrontaram nos tempos da Restauração foram essencialmente três: (1) os *ultralegitimistas* ou *ultra-realistas* pronunciavam-se contra o censo eleitoral porque pensavam que as massas do campesinato votariam pelos monárquicos, sob a influência dos grandes proprietários; (2) os *ultraconservadores* continuam na senda de John Locke, fazendo derivar o direito de voto da propriedade da terra e fundando a sua tese sobre a verificação de que o indivíduo é conservador quando se torna proprietário de um imóvel; (3) a *tese «liberal»*, sustentando que o eleitorado não correspondia a um direito subjectivo dos eleitores, mas a uma função social que, para ser bem cumprida, exigia um mínimo de competência e espírito conservador, mínimo este que seria garantido pela propriedade, quer esta fosse mobiliária ou imobiliária *(sistema capacitário)* [14].

c) *A ordem legal*

Este critério vai, mais tarde, servir de pressuposto à definição da **ordem legal**, conceito que entre nós passou a ter voga após a entrada em vigor da Constituição de 1838. Foi nesta altura que se formou o *partido do centro,* aglutinando os moderados do cartismo e do setembrismo. A ideologia do partido do centro coincidia sensivelmente com aquilo que em França se chamou a *«ordre légal».* Nesta altura (1840), a ordem legal já não significa *ordem legítima,* a ordem tradicional e histórica da monarquia absoluta. Ordem legal significa a ordem fundada no direito constitucional positivo, e os *partidos ordeiros* eram aqueles que defendiam o cumprimento regular e pacífico da ordem constitucional. Tanto entre nós como na França, o vocábulo tinha relativa justificação, dadas as sucessivas guerras civis e revoltas que operavam uma ruptura violenta das instituições constitucionais. Mas radica também aqui o embrião de uma ideologia autoritário-conservadora (em Portugal, simbolizada por Costa Cabral), que tinha sempre como programa a defesa da *ordem legal,* da ordem pública, da vida normal. Contra a chamada «anarquia popular», contra os protestos motivados pela agudização das clivagens sociais o *crime da sedição* é esgrimido sistematicamente: *«toute sédition est un crime: toute violence est un commencement d'anarchie»* [15].

---

[13] Uma exposição centrada no problema das relações entre o direito de voto e a luta de classes ver-se-á em GRAF-SEILER, *Wahl und Wahlrecht im Klassenkampf,* Frankfurt/M, 1971. Cfr., também, D. ROSANVALLON, *Le moment Guizot,* Paris, 1985, pp. 121 e ss; J. J. SUEUR, "Conceptions économiques des membres de la constitution", in RDP, 1989, p. 800 ss.

[14] Sobre este ponto, cfr., entre nós, MARNOCO E SOUSA, *Direito Político,* cit. p. 474. Modernamente, ver, por ex., M. FABRE, *Principes Républicains de Droit Constitutionnel,* Paris, 1970, p. 234.

[15] Cfr. HÜBER, *Nationalstaat und Verfassungsstaat,* cit., p. 87.

Forma Constitucional e Constituição

A «gestão controlada do constitucionalismo» (M. M. Tavares Ribeiro) teria momentos de inequívoca tensão entre a constituição e a lei ordinária em nome da ideologia da «ordem legal». Exemplo típico é o das leis sobre a liberdade de imprensa, sobretudo a Carta de Lei de 3 de Agosto de 1850, conhecida por «Lei das Rolhas» e o Decreto de 29 de Maio de 1890, vulgarmente chamado «Segunda Lei das Rolhas». Cfr., sobre esta matéria, Maria M. Tavares Ribeiro, *Subsídios para a História da Liberdade de Imprensa*, Coimbra, 1984.

d) *A doutrina do «juste milieu»*

Uma outra ideia ligada à teoria da ordem legal é a do centrismo e moderação política, é a ideia do *juste milieu*. «*Quant a la politique intérieur, nous chercherons à nous tenir dans un juste milieu*», afirmava Luís Filipe em França [16]. «Queremos votar com a esquerda ou com a direita segundo tiver razão uma ou outra. Entendemos fazer assim a nossa obrigação de centro, entendemos desempenhar assim uma impopular mas indispensável função parlamentária; estamos certos de seguir assim a opinião nacional que inquestionável, e provadamente – quando no governo representativo pode provar-se – com os seus votos tem confirmado ora o procedimento de uma, ora de outra das duas secções do Partido Constitucional» [17], afirma Almeida Garrett, em Portugal, ao expor a política de *juste milieu* do *partido ordeiro*.

II - Estrutura e significado da Carta Constitucional de 1826

1. Carta prometida e projectos de carta constitucional [18]

Não obstante os propósitos visíveis do movimento da Vilafrancada – restauração do absolutismo –, o período (1823-1825) que se segue à primeira experiência liberal não é ainda marcado por uma ruptura completa com a ordem liberal. Os propósitos do rei D. João VI seriam, antes, os de enveredar pelo «moderantismo», «dando» uma carta de lei fundamental em que se

---

[16] Apud HÜBER, *Nationalstaat*, cit., p. 88.

[17] Cfr. ALMEIDA GARRETT, *Obras de Almeida Garrett*, Vol. I, «Discursos Parlamentares», p. 1295. A defesa de *ordem* e do *juste milieu* feita por GARRETT respondeu JOSÉ ESTÊVÃO, ala esquerda do setembrismo, com um notável discurso *(Segundo discurso do «Porto Pireu»)* em que denuncia o oportunismo político e o carácter oligárquico do governo ordeiro. Cfr. JOSÉ ESTÊVÃO, *Obra Política*, Prefácio, recolha e notas de JOSÉ TENGARRINHA, Vol. II, pp. 69 ss. Neste discurso, JOSÉ ESTÊVÃO anatemizava também os *«doutrinários»* Royer Collard, Guizot) que, surgidos após a queda napoleónica, constituíam uma espécie de clube partidário, situado no centro político e defendendo uma concepção moderada da política. No plano da nossa doutrina constitucional SILVESTRE PINHEIRO FERREIRA é apontado como um representante (não confesso) do espírito «doutrinário». Cfr., sobre isso, ESTEVES PEREIRA, *Silvestre Pinheiro Ferreira*, cit., p. 94; VÍTOR DE SÁ, *A Crise*, cit., p. 143.

[18] Cfr., por último, JOSÉ HENRIQUE DIAS, "A carta constitucional prometida", in *História e Filosofia*, VI (1987), pp. 543 e ss; *José Ferreira Borges. Política e Economia*, Lisboa, 1988, p. 232.

proclamasse a berania do rei» e se afiancassem os direitos do cidadão. Os documentos existentes provam isso mesmo. Na proclamação régia de 31 de Maio de 1823, D. João VI confessa: «Eu não desejo nem desejei nunca o poder absoluto, e hoje mesmo o rejeito», «... em pouco vereis as bases de um novo código que, abonando a segurança pessoal, propriedade e empregos... dê todas as garantias que a sociedade exige.»

Em 3 de Junho, em nova proclamação, adianta: vai dar-vos uma constituição em que se proscreverão os princípios que a experiência vos tem mostrado incompatíveis com a duração pacífica do Estado.»

Por decreto de 18 de Junho de 1823, nomeou-se uma comissão para «preparar o projecto da carta de lei fundamental da monarquia portuguesa» presidida pelo duque de Palmela. O projecto final deveu-se sobretudo a Ricardo Raimundo Nogueira e foi publicado pelo Professor Paulo Merêa no *Boletim da Faculdade de Direito de Coimbra,* Vol. XLIII, 1967, com o título «Projecto de Constituição de 1823». Aqui a monarquia define-se como moderada, «não absolutista» e «não representativa liberal». O poder legislativo residia no rei e nas Cortes, cabendo ainda ao primeiro o poder executivo. As Cortes eram bicamerais, sendo uma das câmaras, a do clero e da nobreza, e a outra a dos «deputados eleitos pelo povo», em sufrágio directo.

Ao lado do projecto oficial da carta de Ricardo Raimundo Nogueira, conhece-se hoje um outro projecto de «tradicionalismo reformista» de Francisco Manuel Trigoso de Aragão Morato, também membro da junta oficialmente encarregada de elaborar o projecto de carta constitucional. Pode ver-se publicado em A. Manuel Hespanha, em anexo ao estudo «Projecto institucional do radicalismo reformista: «Um projecto de constituição de Francisco Manuel Trigoso de Aragão Morato», in *O Liberalismo na Península Ibérica,* Vol. 1, p. 81. Cfr., também, Nuno Espinosa Gomes da Silva, "Projectos de Constituição entre a Vilafrancada e a Morte de D. João VI", in *Revista Jurídica,* Lisboa, 1979. Este projecto resumia-se a 24 artigos, todos relativos às Cortes. Por último, cfr. José Henrique Dias, cit., p. 564, que dá notícia de um "Projecto de Lei Fundamental do Estado" que terá sido enviado ao Duque de Palmela (9/7/1823) pelo jurista Alberto Carlos de Menezes.

Da carta ficou apenas a promessa. Os representantes da Santa Aliança manifestaram a sua oposição ao projecto. *Vide* em J. S. Silva Dias/Graça Silva Dias, *Os primórdios da Maçonaria,* 1/2, p. 893, a documentação das «pressões estrangeiras anticartistas». Sobre o "Projecto de 1823" cfr. P. Ferreira da Cunha, *Para uma História Constitucional,* pp. 371 e ss., e Nuno Espinosa Gomes da Silva, "Um resumo manuscrito de Ricardo Raimundo Nogueira, contendo considerações a favor e contra a constituição prometida por D. João VI, em 1823", in RFD UL (1999), vol. XIII, tomo 3, p. 31 ss.

2. A Carta Constitucional de 1826 [19]

a) *O poder constituinte*

Falhada a tentativa de D. João VI e dos realistas moderados, a «carta prometida» só veio a aparecer com a morte do rei. Aclamado como rei, o Imperador do Brasil (D. Pedro), perante o

---

[19] Sobre a Carta Constitucional o estudo de conjunto mais recente é o de JORGE CAMPINOS, *A Carta Constitucional de 1826,* Lisboa, 1975. Vide também a análise recente de P. FERREIRA DA CUNHA, *Para uma História Constitucional,* pp. 371 e ss.

inconveniente e melindre da *união pessoal* de dois reinos, outorgou, primeiro, uma Carta Cons-titucional à Monarquia Portuguesa, abdicando a seguir em sua filha, D. Maria. A abdicação era, porém, condicionada ao casamento desta com o tio, D. Miguel, e à garantia de vigência da Carta outorgada.

O poder constituinte baseia-se agora no *princípio monárquico:* é o monarca que, por livre vontade, outorga uma lei fundamental que, à semelhança do sucedido em França com Luís XVIII, e para vincar bem a diferença em relação ao termo constituição (considerado revolucionário), se designa por *carta.* É evidente que o facto de a carta se chamar constitucional representa já um *compromisso:* do ponto de vista formal, a monarquia vincula-se a normas jurídicas e o rei é *limitado* pela assistência de uma pluralidade de órgãos, não obstante lhe caber sempre a *iniciativa e a sanção* (iniciativa e sanção de leis, iniciativa e sanção na escolha e demissão dos ministros, iniciativa e sanção na convocação do corpo eleitoral e na dissolução das câmaras). A monarquia, dir-se-á, é ainda limitada pelo facto de ser uma monarquia *representativa* (art. 4.º: «O seu governo [da Nação] é Monárquico, Hereditário e Representativo», mas a ideia de representação já não é a ideia revolucionária. Do que se trata agora é de admitir, ao lado do rei, um órgão representativo (câmaras).

b) *Os princípios*

Os princípios informadores do documento de 1826 são fundamentalmente os seguintes: (1) o *princípio monárquico;* (2) o *princípio da divisão de poderes,* mas sem completa divisão de funções; (3) *o princípio censitário,* pois a participação no exercício do poder é constitucionalmente limitada a uma pequena minoria de possidentes; (4) reconhecimento de «Direitos Civis e Políticos dos Cidadãos Portugueses» (art. 145.º).

c) *O corpo eleitoral*

A monarquia cartista é considerada como uma verdadeira *diarquia:* o poder político é partilhado pelo rei e pela oligarquia. A capacidade eleitoral activa era apenas reconhecida àqueles que, pelo menos, tivessem «cem mil réis, por bens de raiz, indústria, comércio ou emprego» (art. 65.º/5). As condições de elegibilidade eram ainda mais rigorosas, porque só «são hábeis para serem nomeados Deputados» os que tiverem «quatrocentos mil réis de renda líquida» (art. 68.º/1). Abrem-se as portas das Cortes à riqueza fundiária e mobiliária, ou seja, à aristocracia conservadora e legitimista e à burguesia industrial e financeira, mais liberal sob o ponto de vista económico do que sob o ponto de vista político.

Direito Constitucional — *142*

d) *Os direitos fundamentais*

De uma forma significativa, os direitos dos cidadãos são remetidos, no texto de 1826, para o último artigo (art. 145.º). O catálogo dos «Direitos Civis e Políticos dos Cidadãos Portugueses» recolhe, porém, muitas das conquistas vintistas, e introduz outros direitos e garantias originais, como, por ex., «Liberdade de trabalho, cultura, indústria e comércio» (art. 145.º/23), «a garantia da dívida pública» (art. 145.º/ 22), «a nobreza hereditária e as suas regalias» (art. 145.º/31). Estas duas últimas garantias demonstram que, ao lado da afirmação da igualdade jurídica «A lei será igual para todos» (art. 145.º/12), se consagravam direitos ou garantias de classe da nobreza e da burguesia.

De registar que algumas imposições constitucionáis referentes a direitos sociais e culturais (já constantes do texto vintista) voltam a reafirmar a garantia de «socorros públicos» (art. 145.º/29), de «instrução primária e gratuita a todos os cidadãos» (art. 145.º/30) e de «Colégios Universitários» (art. 145.º/33).

e) *Poder moderador e bicameralismo*

No que respeita à organização do poder político, a Carta introduz um novo poder – o **poder moderador** – (arts. 11.º e 71.º) e consagra o sistema bicameral (art. 14.º).

A ideia do poder moderador é um «produto teórico» trabalhado sobretudo por Benjamim Constant. Designando-o por *«pouvoir royal»*, este autor justificava a sua existência pela necessidade de o «poder real» ser um «poder neutro», a fim de evitar o vício de quase todas as constituições»: *«ne pas avoir créé un pouvoir neutre, mais d'avoir placé la somme totale d'autorité dont il doit être investi dans l'un des pouvoirs actifs»*. Cfr. Benjamim Constant, «Principes de Politique», in *De la Liberté chez les Modernes,* org. de M. Gauchet, Paris, 1980, p. 280.

Que o poder moderador, considerado pela Carta como «a chave de toda a organização política» e da competência privativa do rei (art. 71.º), era uma construção artificial e acabava por entregar ao poder executivo a solução dos conflitos foi logo notado pela doutrina constitucional do século XIX e princípios do século XX. Cfr., por ex., José Tavares, *O Poder governamental no Direito Constitucional Português,* 1909, pp. 7 ss. Na história constitucional brasileira vide as excelentes páginas de Paulo Bonavides/Paes de Andrade, *História Constitucional do Brasil,* p. 96, dedicadas ao significado do "poder moderador" na carta outorgada por D. Pedro em 1824. Por último, cfr. Nelson Saldanha, "A Teoria do Poder Moderador e as Origens do Direito Público Brasileiro", in *Quaderni Fiorentini per la Storia del Pensiero Giuridico Moderno,* Milano, 18 (1989), p. 253 ss.

Ao poder moderador competiam certas funções típicas de Chefe de Estado (Benjamim Constant aludia, por isso, ao *«pouvoir royal»* como *«celui du Chef de l'État quelque titre qu'il porte»*): nomeação dos pares (art. 74.º/1), sanção dos decretos e resoluções das Cortes (art. 74.°/3), prorrogação e adiamento das Cortes, bem como dissolução das Camara dos Deputados (art. 74.°/4), perdão e comutação de penas (art. 74.°/7), nomeação e demissão de ministros (art. 74.°/5). Outras funções que a Carta atribuía ao rei como «Chefe do Poder Executivo» (art. 75.°) eram, porém, igualmente típicas das atribuições de um Chefe de Estado (convocar as Cortes, nomear embaixadores, dirigir negociações políticas com nações estrangeiras, fazer tratados de aliança, conceder títulos, honras, ordens militares e distinções, etc.), o que vem comprovar a insuficiência da distinção material entre actos reais no exercício do poder moderador e competência do rei como «Chefe do Executivo».

Com a atribuição do poder legislativo às Cortes e com a consagração do sistema bicameral (arts. 13.° e 14.°)— *Câmara dos Pares* e *Câmara dos Deputados* – a Carta Constitucional procedeu a uma partilha do poder político, satisfazendo sectores da nobreza legitimista que tinham ficado marginalizados na Constituição de 1822. Representa uma reacção ao constitucionalismo directamente representativo (P. Ferreira da Cunha). A Câmara dos Deputados «era electiva e temporária» (art. 34.°) e a Câmara dos Pares era «composta de membros vitalícios e hereditários, nomeados pelo rei, e sem número fixo». A estes Pares acresciam os Pares «por direito próprio em virtude do nascimento» (nos termos dos arts. 39.° e 40.° eram os infantes e o príncipe real, logo que chegassem à idade de 25 anos) e os pares «por direito próprio em virtude do cargo» (o Decreto de 30 de Abril de 1826 incluía neste número o patriarca de Lisboa, os arcebispos e os bispos).

A existência de um critério fortemente censitário para a eleição da Câmara dos Deputados e a existência de «pares de direito próprio», bem como a própria hereditariedade, vão merecer severas críticas dos sectores liberais e estiveram na origem das clivagens políticas (progressistas, moderadores, setembristas, cartistas, etc.) que se vão verificar durante a monarquia constitucional. A competência do rei para escolher «pares do reino» sem número fixo (algumas vezes através de «fornadas») era igualmente um dos pontos de atrito entre as fracções burguesas liberais. Os vários actos adicionais à Carta Constitucional vieram, geralmente, contemplar exigências referentes à composição da Câmara dos Pares.

Assim, o Acto Adicional de 5 de Junho de 1852 estabeleceu a eleição directa dos deputados (art. 4.°), baixou o censo para eleitor (art. 5.°/1), e posteriores leis (Lei de 8 de Maio de 1878 e Lei de 26 de Julho de 1899) alargam sucessivamente o âmbito do sufrágio.

Quanto à Câmara dos Pares, ela veio a ser profundamente alterada pelo Acto Adicional de 24 de Julho de 1885 (2.° Acto Adicional). Ficou a ser composta por pares vitalícios, nomeados pelo rei, em número de cem, de pares electivos em número de cinquenta, e de pares de direito, admitindo-se a hereditariedade do pariato a título provisório (art. 6). Todavia, através do

Acto Adicional de 1895 (3.º Acto Adicional introduzido por decreto ditatorial) e da Carta de Lei de 3 de Abril de 1896 suprimem-se os pares electivos. Finalmente, pelo Decreto de 23 de Dezembro de 1907, restabelece-se o sistema da Carta Constitucional, embora o decreto não chegasse a ter sido posto em prática.

f) *O Ministério*

Como inovação da Carta Constitucional deve referir-se o aparecimento de «Ministros de Estado» que exercem o poder executivo em nome do rei (art. 75.º). Embora não se possa falar, como pretendia Benjamim Constant, de um «poder ministerial», separado do executivo, chefiado pelo rei, a existência de um «Ministério» (Capítulo VI), composto por ministros de Estado que referendam e assinam os actos do poder executivo (art. 102.º), e de um «Presidente do Conselho» (criado por lei de 23 de Junho de 1855), apontam para a instituição do *gabinete* (órgão colegial e solidário, deliberando sob a autoridade de um Primeiro-Ministro) e para a criação do *regime parlamentar de responsabilidade política* (cfr. *supra,* Cap. 2, 7).

Da *«monarquia constitucional»,* com *«governo simplesmente representativo»* (o chefe do Estado é responsável pelos actos do poder executivo, não tendo o ministério existência autónoma) transita-se para um *regime parlamentar dualista ou orleanista.*

O gabinete assume relevo político-constitucional (e não meramente administrativo), tornando-se responsável não apenas perante o rei, mas também perante as câmaras.

É claro que esta transição foi acompanhada por amplos debates doutrinais, designadamente quanto ao papel do rei numa estrutura dualista. A fórmula francesa revolucionária *«la nation veut, le roi fait»* («a nação quer e o rei executa») coadunava-se com uma estrutura constitucional de tipo vintista, mas não com uma estrutura cartista, assente no princípio monárquico. Por sua vez, a fórmula de Thiers *«le roi règne et ne gouverne pas»* («o rei reina mas não governa») absorvia o poder executivo no poder ministerial e relegava o monarca para um papel neutral e negativo. Os doutrinários (Guizot, Royer Collard) propunham outra fórmula: *«le roi règne»* («o rei reina»), *«le roi veut et agit»* («o rei quer e age»). É curioso que a «tese parlamentar mais tarde considerada como o desenvolvimento lógico da «monarquia constitucional», foi defendida primeiro pelos ultramonarquistas. Como a maioria das câmaras pertence aos ultra (maioria do *«pays légal»*) eles reclamam, em nome da maioria, um ministério da sua confiança. Os doutrinários, por sua vez, salientam o papel político do monarca, sendo incorrecto deduzir da responsabilidade ministerial e da inviolabilidade do rei a completa indiferença deste em relação aos actos dos ministros. Veja-se, entre nós, o debate doutrinal em Marnoco e Sousa, *Direito Político,* Coimbra, 1910, pp. 249 ss; José Tavares, *O Poder Governamental,* cit., pp. 97 e ss. Cfr., por último, Jorge Miranda, *A Posição Constitucional do Primeiro-Ministro,* Lisboa, 1984, p. 10.

145   *Forma Constitucional e Constituição*

g) *O procedimento legislativo*

Em vários preceitos (arts. 45.º, 50.º, 51.º, 52.º, 53.º, 54.º, 55.º e 56.º) regula a Carta o procedimento de formação das leis. O «direito de proposição» (iniciativa) cabe a qualquer das câmaras (art. 45.º), bem como ao Poder Executivo (art. 46.º). A «oposição» (discussão) dos projectos de lei faz-se também nas duas assembleias, regulando o texto constitucional o procedimento a adoptar em caso de divergências (arts. 51.º ss). No procedimento legislativo participaria ainda o monarca, no exercício do poder moderador, através da *sanção* («aprovação da lei feita pelo Poder Executivo», Lopes Praça) e do *veto* («reprovação ou não aprovação da lei pelo poder executivo»). Ao contrário do que sucedia na Constituição de 1822, o veto real às leis tinha «efeito absoluto» (art. 58.º).

Não obstante a Carta Constitucional se basear no princípio monárquico, é curioso que as relações entre lei-regulamento continuam a ser inspiradas mais pela concepção vintista (rousseauniano-jacobina) do que pela concepção dualista germânica. A faculdade de «expedir decretos, instruções e regulamentos» pelo poder executivo» (art. 75.º, ss) continua a ser justificada pela necessidade de execução das leis e não em virtude da existência de uma legitimidade autónoma do rei que lhe permitiria legislar no uso de uma competência inerente à função de governar e, portanto, não derivada do Parlamento.

A permanência do «espírito liberal da Carta» (cfr. Lopes Praça, *Estudos sobre a Carta Constitucional*, Vol. II, p. 250) relativamente à iniciativa e discussão de leis, bem como no que respeita à distinção entre lei e execução da lei, sobretudo quando confrontado com outras cartas constitucionais (por ex., a Carta constitucional de França de 1814), vem alertar-nos para alguns problemas de compreensão da monarquia constitucional portuguesa. Em primeiro lugar, o dualismo constitucional português, de clara inspiração doutrinária, continua a basear-se numa teoria monista das fontes de direito (a lei discutida e votada pelo Parlamento) e não na ideia de legitimidade dual (do Parlamento e da Coroa) quanto à criação do direito (que permitiria, designadamente, a existência de *regulamentos independentes,* com um âmbito material independente da lei, e a defesa de uma «simples vinculação negativa» (a administração em que a lei surgia como «limite» e não como pressuposto da acção do executivo). Em segundo lugar, essa compreensão das fontes de direito permitia delinear, em termos de arquitectura constitucional, um parlamentarismo dualista (de dupla confiança) no qual o governo, embora apoiado na confiança do rei, acabava por ter uma menor liberdade de conformação política do que aquela de que dispunha na «monarquia limitada» assente no princípio monárquico (em que o Governo tinha como exclusivo suporte a confiança real). Em terceiro lugar, o conceito constitucional de lei, tendencialmente formal (= lei do Parlamento), não permitia a introdução de conceitos materiais de lei como alguma doutrina (cfr. Marnoco e Sousa) mais tarde veio a defender. Defendendo uma interpretação contrária à aqui sugerida cfr., recentemente, Paulo Otero, *O Poder de Substituição*, vol. I, pp. 330 e ss. No sentido do texto, cfr. Sérvulo Correia, *Legalidade*, cit., p. 182.

h) *Vigência da Carta Constitucional*

A Carta Constitucional foi o documento constitucional que até ao momento mais tempo esteve em vigor. Mas a sua vigência não foi ininterrupta. Costumam distinguir-se três períodos de vigência:

1.º *Primeiro período (1826-1828)*
Começando logo por haver hesitações quanto ao juramento da Carta (foi o general Saldanha que então contribuiu decisivamente para isso), esta não conseguiu criar raízes, não obstante já ter sido considerada como «uma das mais monárquicas, senão a mais monárquica das constituições do seu tempo» (Marcello Caetano). Terminaria a sua primeira vigência em 3 de Maio de 1828, data em que D. Miguel convocou os «Três Estados do Reino» na forma tradicional.

2.º *Segundo período (1834-1836)*
Terminada a guerra civil em Maio de 1834, a Carta foi reposta em vigor, reunindo as Cortes, nos termos constitucionais, em 15 de Agosto do mesmo ano. Embora começasse por ser um documento de compromisso para as várias correntes liberais, ele viria a ser vivamente contestado por uma facção liberal (radical, saldanhista) que, vitoriosa em 9 de Setembro de 1836 (Revolução de Setembro), aboliu o documento cartista e repôs em vigor a Constituição de 1822.

3.º *Terceiro período (1842-1910)*
Restaurada por decreto de 10 de Fevereiro de 1842, em virtude da vitória de Costa Cabral, a Carta Constitucional acabou por ser, embora com Actos Adicionais, o documento do compromisso liberal-conservador até à implantação da República em 1910. Sobre a restauração da carta constitucional cfr., por último, Maria M. Tavares Ribeiro, "A Restauração da Carta Constitucional e a Revolta de 1844", e Fernando Catroga "A Maçonaria e a Restauração da Carta Constitucional", ambos em Carvalho Homem (coord), *Revoltas e Revoluções,* Vol. 2, Coimbra, 1985, pp. 183 e ss; e 155 e ss.

D. *O Constitucionalismo Setembrista*

I - O constitucionalismo setembrista

1. A ideia de constituição pactuada

A morte da legitimidade e o triunfo da legalidade (da ordem legal) só podia ser admitida pelos liberais, informados pelo espírito do vintismo, quando a legalidade derivasse do povo (do princípio da soberania popular) e não do rei (princípio monárquico). Na verdade, de acordo com os dogmas revolucionários, para se poder falar de uma ordem legal, de uma ordem constitucional ou de uma legalidade constitucional, era necessário que a constituição fosse ela

própria *lei* da nação e não *vontade* do príncipe, *ratio* e não *voluntas*. Mas, por outro lado, as forças que apoiavam a monarquia restaurada eram suficientemente fortes para exigirem uma atenuação substancial dos princípios vintistas. A conciliação irá fazer se através da substituição do modelo de **constituição outorgada** pelo de **constituição pactuada**. Nestas constituições, o diploma fundamental não é já uma carta doada pela vontade do soberano, mas um *pacto* entre o soberano e a representação nacional. O pacto pode ter ainda um teor que o aproxima das cartas constitucionais (prevalência do princípio monárquico) ou ter uma feição próxima dos princípios revolucionários da soberania nacional. Como quer que seja, a superação do princípio monárquico pelas constituições pactuadas marcava efectivamente a transição da monarquia hereditária para a monarquia representativa e pronunciava a morte de legitimidade dinástica. As palavras de Chateaubriand a propósito do pacto célebre entre Luís Filipe e a representação nacional são sugestivas: «*La legitimité est morte; n'est pas Charles ou la branche ainée des Bourbons, c'est la royauté qui s'en va: l'avenir est la république.*» [20]

E não há dúvida que era este o espírito que presidia à feitura de alguns documentos constitucionais pactuados. Em Portugal, Passos Manuel (em 1837) proclamava já que «a rainha não tem prerrogativas, tem atribuições; ela não pode ser considerada senão como o primeiro magistrado da Nação... Cerquei o trono de *instituições republicanas*» [21]. A Constituição de 1838 viria a seguir, considerando que «a soberania reside essencialmente com a Nação da qual derivam todos os poderes».

2. Cartismo e setembrismo

Os grandes filões político-ideológicos que se vão tentar identificar no próximo número correspondem à evolução global do liberalismo.

Antes, porém, da exposição das estruturas constitucionais do documento setembrista (Constituição de 1838), há que proceder a uma breve explicação da dialéctica concreta *cartismo-setembrismo*. Neste terreno, as *nuances* do compromisso político, as estratégias das facções sociais e as aspirações constitucionais nem sempre se demarcam com nitidez ou pecam por excessos simplificadores. Tentar-se-á aqui fornecer alguns tópicos.

---

20 Cfr. HÜBER, *Nationalstaat*, cit., p. 88.
21 Cfr. *Discursos de Manuel da Silva Passos*, selecção de Prado d'Azevedo, Porto, 1879, p. 199. VÍTOR DE SÁ, *A Crise*, cit., p. 148, apresenta, porém, argumentos contra a arreigada ideia de considerar Passos Manuel um elemento típico de setembrismo radical e considera gratuita a própria afirmação de Passos Manuel que referimos no texto. Cfr. *ob. cit.*, p. 157.

a) A dicotomia *cartismo-setembrismo* não corresponde à dicotomia *constitucionalistas* (vintistas) e *cartistas*. Alguns setembristas não consideravam o credo vintista como elemento fundamental das suas reivindicações; alguns cartistas, defensores da Carta, não concordavam com a prática dos governos cartistas de 1832-1836.

b) O setembrismo não constituía uma corrente unitária, a ponto de se poder falar num *partido setembrista,* devendo antes destacar-se três facções, cuja ideologia e *praxis* política diferem sensivelmente: (1) o *setembrismo moderado* (Passos Manuel); (2) o *setembrismo radical;* (3) o *setembrismo vitalício.*

Embora tenham como princípio a reivindicação da soberania democrática para a elaboração da lei fundamental (nesta medida eram anticaristas, dada a legitimidade monárquica da Carta Constitucional), os setembristas divergem profundamente nas tácticas de acesso ao poder e na organização do poder político, sobretudo das câmaras (cfr., por último, J. J. Rodrigues da Silva, "O Constitucionalismo setembrista e a Revolução Francesa", in Vitor Neto (org), *A Revolução Francesa,* cit., p. 475 ss; Benedita M. Duque Vieira, A *Revolução de Setembro e a discussão constitucional de 1837,* Lisboa, 1987, p. 19 e ss; Maria de F. Bonifácio, "1834-1842 a Inglaterra perante a revolução portuguesa (hipótese para a revisão de versões coerentes", in *Análise Social,* 20, n.º 83 (1984), p. 467 ss; M. Manuela Tavares Ribeiro, "A Restauração da Carta Constitucional", in *Revolta e Revoluções,* vol. 2, p. 190.

O setembrismo radical sustenta a doutrina da «revolução legal» como meio de acesso ao poder. A legalidade (melhor: legitimidade) revolucionária era justificada não só pelo favoritismo que a Coroa concedia aos cartistas, mas também pelo impasse político criado pela Carta constitucional que, consagrando um sufrágio altamente censitário, não permitia a chegada ao poder dos estratos sociais que formavam a base social de apoio dos radicais. Defendendo, por outro lado, com energia, que a soberania, quer a nível constituinte quer constituído, residia nas Cortes, isso significava que, de forma clara, eles eram o partido que não contava com o apoio do rei. A tese da revolução legal levará esta tendência a uma *praxis* política intensamente combatida pelos partidos da «ordem» (quer dos cartistas quer dos próprios setembristas). Os radicais começavam por apoiar ou fomentar desordens a nível provincial (e na capital), reclamavam o poder para instaurarem a ordem, mas tinham depois de ceder o governo a um sector moderado que domesticava as «revoluções» que eles tinham iniciado. Esta posição do setembrismo radical está excelentemente exposta no folheto anónimo *«Os acontecimentos de Março na Capital considerados nas suas causas e efeitos. Memória dedicada aos amigos da Revolução de Setembro»,* Lisboa, 1838. Neste folheto, atribuído por Inocêncio da Silva a J. A. Campos e Almeida (Vice-Reitor da Universidade de Coimbra, em 1834, e Ministro dos Negócios Eclesiásticos e da Justiça, em 1837), alude-se aos falsos cartistas, «um partido sem nenhumas virtudes cívicas, protegido pelo palácio» e às duas tendências opostas da Revolução de Setembro: (1) uma, que tomou a iniciativa e rodeada de gente dos mesmos princípios proclamou em Setembro a reforma das instituições» e que tinha como «núcleo de acção» a Guarda Nacional de Lisboa e o Corpo do Arsenal; (2) outra, cujo foco era a «camarilha do palácio». Os«setembristas vitalícios», apodados de «traidores vitalícios», reivindicam uma representação da Nação, mas terminam por aceitar, como os cartistas, a estrutura aristocrática-burguesa, vitalícia e hereditária, da Camara dos Pares, consagrada na Carta Constitucional. *Os setembristas moderados,* como Passos Manuel, discordavam da Carta e embora considerassem parcialmente válidas as razões dos radicais quanto aos limites da acção parlamentar, entendiam que se deviam fazer reformas profundas mas graduais («reformas lentas e pausadas»), porque as reformas para serem fundadas é mister que não sejam só aprovadas por um partido, mas por todos os partidos: «a Constituição não é bandeira de nenhum partido, a Constituição está acima de todos os partidos» (Passos Manuel).

c) O cartismo não era uma corrente unitária, quer quanto à política quer quanto à abertura a «reformas» da Carta: havia críticos dos governos cartistas anteriores à Revolução de Setembro, mas que eram profundamente hostis à violação de legalidade constitucional cartista (ex.: Alexandre Herculano), e havia partidários da Carta, sobretudo pela cristalização aristocrático-burguesa que ela significava, e que recorrerão também a métodos extraconstitucionais para alcançar o poder (ex.: Costa Cabral, oriundo, de resto, do setembrismo) [22].

d) Em termos sociais e económicos, o cartismo e o setembrismo são hoje considerados pelos historiadores como uma luta não só de organização do poder político, mas de confronto entre várias fracções da classe burguesa: a burguesia financeira, agrária e comerciante (esta ligada ao comércio externo) adepta da Carta, e a burguesia industrial, defensora de um sistema proteccionista à indústria (problema pautal), aliada às classes médias e à pequena burguesia (e, em Lisboa, às classes populares), adepta do setembrismo.

Esta clivagem económica foi e é salientada por diversos autores. Cfr. ALBERT SILBERT, «Cartismo e Setembrismo», in *Do Portugal do Antigo Regime ao Portugal oitocentista*, 3.ª ed., Lisboa, 1981, pp. 179 e ss; Miriam Halpern Pereira, *Revolução. Finanças e Dependência Externa*, Lisboa, 1979, pp. 44 e ss, 286 e ss; Joel Serrão, «Democratismo versus Liberalismo», in *O Liberalismo na Península Ibérica*, Vol. I, pp. 3 e ss; Vítor de Sá, A *Revolução de Setembro de 1836*, Lisboa, 1979; M. Vilaverde Cabral, *O desenvolvimento do capitalismo em Portugal*, Lisboa, 1976, pp. 106 e ss.

e) Tendo em vista as fracções de apoio ao cartismo e ao setembrismo, não admira que se vá desenhar um movimento de confluência de cartistas e setembristas quanto a dois pontos fundamentais: (1) marginalização dos adeptos da «revolução legal», o que vai acontecer definitivamente com a Convenção de Gramido, em 1847; (2) necessidade de solidificar uma ordem liberal que permitisse o fundamento ou alicerçamento burguês do Estado. A primeira exigência torna-se visível quando se forma o *Partido Regenerador* em 1851, aglutinando cartistas moderados e setembristas (progressistas), e quando o *Partido Progressista Histórico* (que se mantém fiel ao setembrismo) entra no esquema do

---

[22] Cfr., por último, M. MANUELA TAVARES RIBEIRO, "A Restauração da Carta Constitucional", cit. pp. 193 e ss.

rotativismo, insistindo na reforma da Carta, mas sem programa doutrinário económico-social substancialmente diferente do Partido Regenerador.

O reforço da «ordem liberal» e do fundamento burguês do próprio Estado revela-se no movimento da *Regeneração.* Quer se considere este movimento como o «compromisso histórico» da burguesia (J. S. Silva Dias), quer como o «nome português do capitalismo» (Oliveira Martins, Vilaverde Cabral), ele é, depois de 1865 (*Fusão* de 1865), o instrumento da solidificação burguesa do Estado Liberal, pois as fracções da burguesia em confronto no período setembrista aceitavam agora um programa que permitia uma certa abertura da classe politica e estabelecia um *modus vivendi* entre os defensores do proteccionismo e de sistemas pautais (burguesia industrial) e os adeptos do livre cambismo (burguesia financeira e comercial). Importante não era a luta ideológica e dos interesses conjunturais entre facções, mas a partilha rotativa do poder político por partidos interessados na legitimação definitiva da ordem burguesa.

<blockquote>A política económica da Regeneração pode ver-se descrita em M. Vilaverde Cabral, *O desenvolvimento do capitalismo em Portugal no séc. XIX,* Lisboa, 1976, pp. 163 e ss; *Portugal na Alvorada do Séc. XX,* Lisboa, 1979, pp. 23 e ss. Sob o ponto de vista histórico-político cfr. Douglas Wheeler, *Republican Portugal. A Political History – 1910-1926,* Wisconsin, 1978, pp. 25 e ss.</blockquote>

II - Estrutura da Constituição de 1838

a) *Princípios*

Sob o ponto de vista formal, a **Constituição de 1838** surge como *constituição pactuada* (a exemplo de documentos semelhantes como a Constituição francesa, de 1830, e a Constituição belga de 1831) entre as cortes e o rei (cfr. no final da Constituição o juramento e a aceitação da rainha), e como uma *constituição compromisso* entre os defensores da soberania nacional (vintista) e os partidários da monarquia constitucional assente no princípio monárquico.

A ideia de compromisso está patente no desenvolvimento do problema constitucional depois da Revolução de Setembro: de uma simples revisão da Constituição de 1822 (as Cortes tinham sido convocadas para introduzirem no texto vintista «as modificações que as mencionadas Cortes entenderem convenientes», de acordo com o Decreto de 10 de Setembro de 1836) passou-se para uma nova constituição, pois de acordo com o Decreto de 6 de Novembro de 1836 os deputados teriam poderes para fazer «na Constituição do ano de 1822 e na Carta Constitucional de 1826 as alterações que julgarem necessárias, a fim de estabelecerem uma lei fundamental que assegure a liberdade legal da Nação, as prerrogativas do trono constitucional e que esteja em harmonia com as novas monarquias constitucionais da Europa».

151   *Forma Constitucional e Constituição*

b) *Declaração de direitos*

À semelhança da Constituição de 1822, o catálogo dos direitos fundamentais, agora sob o título, «Dos Direitos e Garantias dos Portugueses», é deslocado para a 1.ª parte da Constituição, antes da organização do poder político.

O direito de propriedade surge a garantir a transformação da estrutura fundiária do país no sentido da legislação burguesa liberal: «é irrevogável a venda dos Bens Nacionais feita em conformidade com as leis» (art. 23.º/2).

Deve recordar-se que as medidas legais decisivamente impulsionadoras da reforma das estruturas fundiárias feudais não foram levadas a efeito durante o período revolucionário vintista (1820-1823), mas depois da Guerra Civil. Com um texto moderado (a Carta), Mouzinho da Silveira elabora (ainda durante a guerra», que respeita a alguns textos) 22 textos «revolucionários» destinados a promover uma «reforma agrária burguesa» (lei dos forais e dos bens da coroa). A evolução subsequente acaba por neutralizar em muitos pontos as reformas de Mouzinho. Os políticos liberais (Silva Carvalho) enveredam por uma política financeira de equilíbrio conjuntural sem grandes objectivos transformadores. Assim é que a venda dos bens nacionais (depois da incorporação no património nacional dos bens da Coroa e dos bens das ordens religiosas) se reconduz a uma *desamortização,* acabando apenas por servir: (1) de pagamento de empréstimos externos e internos (favorecendo um pequeno número de capitalistas); (2) de indemnização da nobreza partidária da Carta cujos bens foram confiscados no período miguelista; (3) de indemnização de rendimentos das famílias «fiéis à Rainha e à Carta» resultantes das próprias medidas liberais. Cfr. Lei de 15 de Abril de 1835, publicada em M. Halpern Pereira, *Revolução, Finanças e Dependência Externa,* cit., p. 136. A venda viria a ser condenada por múltiplos sectores, a começar por Mouzinho da Silveira e A. Herculano. Este escrevia em *Os Opúsculos,* Vol. IV, p. 16: «Os heróis e os capitalistas substituíram-se aos donatários, aos comendadores e aos frades.» Daí que a garantia constitucional, consagrada na Constituição de 1838, da venda dos bens nacionais, seja uma autêntica cláusula de garantia da burguesia liberal e da classe senhorial da Carta. Cfr. Vitor de Sá, *A Revolução de Setembro de 1838,* pp. 15 e ss.

Relativamente aos textos constitucionais anteriores, saliente-se o aparecimento do direito de associação (art. 14.º: «Todos os cidadãos têm o direito de se associar na conformidade com as leis») e o direito de reunião (art. 14.º/2/3). Reconhece-se aos cidadãos uma espécie de «acção popular» para o controlo da constitucionalidade e da legalidade, embora, como é natural, sob a forma de «exposição» (art. 15.º: «Todo o cidadão pode expor quaisquer infracções da Constituição ou das leis, e requerer a efectiva responsabilidade dos infractores). De registar ainda que, como já fazia a Carta (art. 145.º/24), se volta a garantir também a *propriedade intelectual* (reflexo do individualismo possessivo no plano de bens imateriais), embora se não garanta constitucionalmente o ressarcimento (garantido pela Carta) pelos danos resultantes da entrada no «domínio público» (cfr. art. 23.º/4). Registe-se ainda o direito de resistência contra ordens violadoras das garantias individuais (art. 25.º) e a garantia da «liberdade do ensino público» (art. 29.º).

c) *Organização do poder político*

Consagrou-se a independência dos «poderes políticos» (art. 35.º: «os poderes políticos são essencialmente independentes; nenhum pode arrogar as atribuições do outro»). Este princípio, aliado ao princípio da soberania nacional (art. 33.º: «A soberania reside essencialmente em a Nação, da qual emanaram todos os poderes políticos»), justifica não só o desaparecimento do «poder moderador» consagrado na Carta, mas também a diminuição dos poderes do monarca relativamente a outros poderes. Assim, a «câmara alta» – *Câmara dos Senadores* – passa a ser electiva e temporária (art. 58.º) e não vitalícia e hereditária, nomeada pelo rei, como acontecia na Carta; relativamente ao poder judicial, o rei passa a ter poderes mais restritos do que a Carta, em que lhe cabia nomear magistrados (cfr. art. 75.º/3 da Carta), perdoar e moderar as penas (cf. art. 74.º/7 da Carta).

A eleição de deputados e senadores passa a ser feita por sufrágio directo (art. 71.º), mas não obstante se ter diminuído o censo condicionador da capacidade eleitoral, activa e passiva, continua a manter-se o sufrágio censitário (art. 72.º ss). Relativamente aos senadores, a capacidade eleitoral passiva ainda é mais restrita, pois enumeram-se (art. 77.º) as categorias de cidadãos que podem ser eleitos.

O rei deixou de ser, como se disse, o titular do «poder moderador» (eliminado), mas é reconhecido como Chefe do Executivo (art. 80.º), exercido por Ministros e Secretários de Estado. Continua, como na Carta, e ao contrário da Constituição de 1822, a ter o direito de *sanção* das leis (art. 81.º/1).

Confunde-se, muitas vezes, a *sanção* com o *direito de veto*. Rigorosamente, a sanção é a «adesão» do rei aos projectos de lei votados pelas câmaras; o veto á a recusa de sanção.
Todavia, como se pode deduzir da comparação do direito de veto, consagrado na Constituição de 1822, com o direito de sanção, reconhecido na Carta de 1826 e agora na Constituição de 1838, a sanção do rei e o veto são institutos baseados em filosofias diferentes. A sanção pressupõe que na elaboração da lei cooperem o rei e as câmaras, exigindo, por isso, o acto legislativo, o concurso de duas vontades (a real e a parlamentar). É a filosofia implícita das constituições pactuadas.
O veto (mesmo absoluto) pressupõe que a lei é um acto legislativo de autoria do parlamento, autónomo e perfeito, podendo o rei apenas opor-se, de forma absoluta ou temporária, à sua execução. É a filosofia lógica dos documentos que afirmam a soberania nacional, sem qualquer pactuação com o princípio monárquico. Cfr., por último, Margarida Salema, *O direito de veto no direito constitucional português,* Braga, 1980.

Não obstante uma parte dos sectores setembristas se manifestar programaticamente hostil aos «poderes soberanos de convocação, prorrogação e

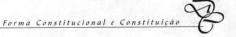

dissolução» das Cortes, o texto constitucional setembrista atribui competência ao rei, como «Chefe do Poder Executivo)), para «convocar extraordinariamente as Cortes, prorrogá-las, adiá-las» para «dissolver a Câmara dos Deputados quando assim o exigir a salvação do Estado» (art. 81.°/1/3).

No «*Manifesto de um cidadão aos ministros da coroa e à Nação. Sobre a Revolução*», Lisboa, 1836, atribuído a Manuel dos Santos Cruz, um dos pontos programáticos (n.° 3) era, precisamente, o seguinte: «Nenhuma fracção representativa poderá mais que a popular, acabando os poderes soberanos de convocação, prorrogação e dissolução.» Cfr. VITOR DE SÁ, A *Revolução de 1836*, p. 101.

d) *Início e vigência da Constituição de 1838*

Entrou em vigor em 4 de Abril de 1838 e terminou com o golpe de Estado de Costa Cabral, em 27 de Janeiro de 1842. Por decreto de 10 de Fevereiro de 1842, Costa Cabral repôs em vigor a Carta Constitucional (3.ª Vigência), mantendo-se este documento como a lei básica da nossa estrutura política até 5 de Outubro de 1910.

III - A dinâmica ideológico-partidária liberal

Uma outra ideia-força a reter nesta digressão pelo constitucionalismo é a do significado da transição de um *constitucionalismo sem partidos* para um *constitucionalismo partidário*. Huber [23] considerou que o aparecimento de partidos numa constituição apartidária é um *acto de revolução,* na medida em que a institucionalização de partidos representa a vitória do pluralismo social sobre a impermeabilidade do Estado. Descontados os pressupostos sociológicos tipica-

---

[23] Cfr. HUBER, *Deutsche Verfassungsgeschichte,* Vol. II, cit., p. 318. Entre nós, cfr., por último, M. REBELO DE SOUSA, *Os Partidos Políticos no Direito Constitucional Português,* cit., pp. 152 e ss, que se refere a «dois projectos constitucionais diferenciados»:
  – o liberalismo democrático, progressivo, defensor da soberania nacional, da ampliação do direito de sufrágio, do parlamentarismo puro e do monocameralismo;
  – o liberalismo não-democrático, conservador, defensor da titularidade real do poder constituinte, da limitação do direito de sufrágio, do parlamentarismo mitigado pelo poder real e do bicameralismo» (p. 155/56).

Parece-nos, contudo, salvo investigações mais aprofundadas, que este esquema dicotómico não é suficiente para captar a dinâmica ideológico-partidária liberal. Cfr., por último, MARIA DE FÁTIMA BONIFÁCIO "A Inglaterra perante a revolução portuguesa (hipótese para a revisão de versões correntes), in *Análise Social,* 2.°, n. 83 (1984), pp. 467 e ss.

mente alemães (uma mais acentuada separação Estado-sociedade), o que se poderá dizer é que os partidos políticos não se coadunam com os parâmetros individualistas do estado liberal representativo. Já vimos que o estado representativo assenta no binómio *interesse-razão,* que explica a coincidência originária entre o sufrágio e a propriedade privada. A razão só pertence a uma elite «capaz», «interessada» e «independente». Mas como a razão é «independente» e unificadora, por transcendência, dos interesses sociais, o mandato representativo foi considerado como livre e não imperativo. E aqui radica uma aparente contradição entre *partido político* e mandato livre: o representante liberal concebe a política «individualmente» e não grupalmente. Só que não podíamos esquecer que a política, sendo o «braço secular da razão aplicada à sociedade"[24], não resistiria por muito tempo a uma talhante separação entre *razão-política* e *interesse-económico.* Nos *partidos de notabilidades* e de *clientelismo político* que se vão formar, embora sejam todos *partidos burgueses,* revela-se já uma *dinâmica de fracção de classe*[25] que nos permite agrupá-los em três correntes fundamentais.

1. Liberalismo radical

O liberalismo radical é representado na nossa história constitucional pelo *vintismo* revolucionário e pelo *setembrismo* radical, adepto e continuador do vintismo. Os princípios constitucionais do radicalismo burguês sintetizam-se da forma seguinte.

a) *Defesa da soberania popular*

Contrariamente ao conservadorismo liberal, adepto do princípio monárquico, e ao liberalismo moderado, partidário da teoria da soberania nacional e do estado representativo, o radicalismo liberal, na senda da teoria rousseauniana e do jacobinismo, afirma o poder soberano do povo, considerando que todos os poderes, desde o legislativo ao judicial, tem a sua origem exclusiva no povo.

---

[24] Cfr. CERRONI, *La libertad de los modernos,* cit., pp. 241 e ss.
[25] O conceito de *fracção* de classe é aqui utilizado no sentido que lhe dá POULANTZAS, *Poder Político e Classes Sociais,* Porto, 1971, Vol. I, p. 89. Uma aplicacão global das categorias conceituais poulantzianas na interpretação destes fenómenos a partir da análise da separação de poderes ver-se-á, entre nós, em W. BRITO, *Sobre a Separação de Poderes,* cit., pp. 91 e ss.

b) *A ideia de República*

Dado que para o liberalismo radical todo o poder reside no povo, quer quanto à sua origem quer quanto à titularidade e exercício, não admira que, na sua pureza, o radicalismo adira à *república* como forma de governo mais consentânea com a teoria da soberania popular.

Em Portugal, os revolucionários vintistas não hostilizaram o regime hereditário por uma questão de pragmatismo político: não só a teoria da soberania popular não tinha uma «ambiance» política acolhedora, como era preciso contar com o poderoso movimento da *Restauração,* iniciado em França em 1814, e com a política intervencionista conservadora da Santa Aliança. O setembrismo radical pretendia, como vimos na frase anteriormente transcrita de Passos Manuel, cercar o trono de «instituições republicanas» e transformar a «realeza» em «monarquia representativa». Não se trata ainda de um ideário republicano dos finais do século XIX, mas nota-se já uma *acentuação democratizante, e não apenas liberalizante,* que viria a ser defendida pelos teóricos do republicanismo.

c) *A ideia da soberania parlamentar*

Trata-se de uma outra ideia, directamente derivada da soberania popular: o parlamento, expressão da vontade geral, deve ser o órgão principal de soberania. E não apenas o órgão principal: deve ser um órgão *monocameral,* visto que só há *uma* vontade popular e esta só unitariamente pode ser representada.

Esta teoria do unicameralismo foi formulada por Sieyés e acolhida no nosso documento constitucional de 1822. Mas já a Constituição setembrista, sob a pressão das forças cartistas conservadoras, não conseguiu evitar a consagração do bicameralismo.

Dentro da lógica da soberania parlamentar, o radicalismo não concebia um *governo constitucional* independente da confiança do parlamento. E mesmo um *governo parlamentar* assente na confiança da maioria da câmara não se coadunava totalmente com o radicalismo. Para este, a soberania popular implicava num *governo de assembleia.* Os «comités de salvação pública» *(Comités de salut public)* do jacobinismo foram a expresssão extrema da soberania de assembleia.

d) *A ideia de igualdade*

Não podemos esquecer que a ideologia revolucionária foi sintetizada pela tríade *«liberté, égalité et fraternité».*

Para a doutrina clássica liberal, a liberdade conciliava-se perfeitamente com a desigualdade política, limitado como estava o exercício da razão apenas aos proprietários. Ora, o radicalismo liberal nega a *racionalidade diferenciada* e considera como uma exigência da razão e da justiça a igualdade política dos cidadãos. Daí a insistência do radicalismo na igualdade do direito de voto e na defesa do sufrágio universal. Este era um dos pontos em que o radicalismo se diferenciava nitidamente do conservadorismo liberal: enquanto a burguesia conservadora se recusava a alterar o sufrágio censitário (*enrichessez-vous*, aconselhava como remédio Guizot em 1847), o radicalismo exigia que o «país legal» deixasse de ser o dinheiro. Em Portugal, o setembrismo, embora não advogasse a abolição do sistema censitário, exigia uma redução substancial do montante censitário, condicionante da capacidade eleitoral [26]. O sufrágio universal só viria a impor-se com o triunfo da revolução republicana em 1910 (e ainda aqui com importantes restrições).

e) *Suporte social*

Já referimos que os partidos liberais são todos partidos burgueses, sendo admissível, para sua caracterização, operar com a dinâmica de *fracção de classe*. É difícil, porém, delimitar rigorosamente quais *as fracções de classe* que, desde a Revolução Liberal, alimentaram entre nós a corrente do radicalismo liberal, embora, como já mostrámos, nem sequer na sua pureza primitiva. Segundo as investigações históricas e, independentemente de se saber se o «vintismo» e o «setembrismo» correspondem a fenómenos transitórios da conjuntura económica [27], parece ser tendencialmente correcto afirmar-se que foi a burguesia citadina e rural, em 1820, e as classes industriais (fabricantes, artífices, operários), juntamente com a pequena burguesia comercial, no movimento setembrista, que deram alento aos projectos políticos do radicalismo liberal, nas vestes do vintismo e setembrismo portugueses.

---

[26] Assim, no *Programa da Associação Eleitoral Setembrista,* redigida por JOSÉ ESTÊVÃO, *Obra Política,* cit., Vol. I, p. 175. Todavia, no relatório apresentado por ALMEIDA GARRETT às Cortes (24 de Janeiro de 1852) e que depois se converteu no Acto Adicional à Carta Constitucional da Monarquia, de 5 de Julho de 1852, continua a exigir-se como condição de capacidade eleitoral activa «a renda líquida anual de cem mil réis provenientes de bens de raiz, capitais, comércio, indústria ou emprego». Ver este documento em LOPES PRAÇA, *Colecção de Leis e Subsídios para o Estudo do Direito Constitucional Português,* cit., Vol. II, pp. 281 e ss.

[27] Esses estudos foram feitos por VITORINO MAGALHÃES GODINHO e ALBERT SILBERT, e deles podem ver-se as referências feitas por JOEL SERRÃO no *Dicionário de História de Portugal (vintismo e setembrismo).* Uma análise sobre as classes e fracções de classe que forneceram o suporte sociológico do liberalismo vintista ver-se-á em VÍTOR DE SÁ, *A crise do Liberalismo,* cit., pp. 61 e ss, em FERNANDO PITEIRA SANTOS, *Geografia e Economia da Revolução de 1820,* Lisboa, 1962, p. 95, e em G. SILVA DIAS e J. S. SILVA DIAS, *Os primórdios da Maçonaria em Portugal,* Vol. II, 1980.

Forma Constitucional e Constituição

2. O liberalismo compromissório [28] (liberal-conservador)

2.1. *Liberdade e poder*

O liberalismo representava na Europa a «esquerda», adversa ao poder monárquico absoluto. Todavia, no decorrer do século liberal, e à medida que o compromisso entre a burguesia e as forças conservadoras se cimentava, recortavam-se e definiam-se alguns *leit-motiv* da ideologia e da *praxis* liberal [29].

a) *Liberalismo e autoridade*

Contra a dinastia, a burocracia as forças nobiliárquico-feudais, o liberalismo defendeu a liberdade. Todavia, em breve se aperceberam os homens liberais que não bastava *criar* a liberdade; era preciso segurá-la e garanti-la. Liberdade sem poder não era possível e daí que a tese da conjunção do *momento--poder* com o *momento-liberdade* ganhasse raízes cada vez mais profundas, quer no plano interno quer no plano internacional. No plano interno, os *partidos ordeiros,* dispostos a garantir e a prosseguir a política de conciliação da classe burguesa, exaltavam a legalidade para imporem a ordem; no plano internacional, começava a divizar-se a equacionação da política externa nos termos formulados pelos teóricos alemães: a guerra como continuação da política e a política como continuação da guerra.

b) *Liberalismo e realismo político*

A teoria da ordem legal liberal foi acompanhada pela chamada política interna do *just milieu.* Por outras palavras: as aspirações racionalistas, idealistas e revolucionárias devem ser temperadas pelo bom senso e sentido das realidades. Contra o radicalismo, teórico ou verbal, impunha-se uma *política prática,* uma *política realista;* ao *liberalismo ideológico* contrapunha-se o *realismo político.* Este *leit-motiv* era expressão do alicerçamento político das forças burguesas nos meados do séc. XIX. Verdadeiramente, quem detinha o poder já não era o rei, a burocracia, os legitimistas: era a classe burguesa que se afirmava como classe dominante. A exigência, no plano da *praxis* política, do realismo

---

[28] Uma análise informada do funcionamento das instituições no parlamentarismo monárquico ver-se-á em MARCELLO CAETANO, *Manual de Ciência Política e Direito Constitucional,* cit., Vol. II, pp. 410 e ss. Cfr., também, JOSÉ TENGARRINHA «Rotativismo», in JOEL SERRÃO (org.), *Dicionário da História de Portugal,* Vol. III.

[29] Cfr. HÜBER, *Deutsche Verfassungsgeschichte,* cit., Vol. II, p. 326.

político, era expressão do *compromisso* constitucional feito entre os liberais e os conservadores.

2.2. *O compromisso constitucional conservador-liberal*

Começando por constituir a «esquerda», o liberalismo ruma em meados do século para o *centro político*. Entretanto, do lado conservador, também se delineava a tendência para se aproximar dos liberais moderados, aceitando as regras do jogo constitucional. Surge o *compromisso constitucional conservador--liberal* que dominou, com crises mais ou menos profundas, a política europeia até aos fins do séc. XIX. Este compromisso oscilou entre duas posições fundamentais:

a) *Liberalismo constitucional (centro-direita)*

Traduz-se na aceitação da *monarquia constitucional,* tal como era desenhada nas cartas constitucionais, e nas quais o poder era partilhado pelo monarca e pela representação popular. O governo era nomeado pelo monarca, respondia politicamente perante o parlamento, mas o ministério não estava dependente da confiança deste. O equilíbrio de poderes desta monarquia dualista deslocava-se, muitas vezes, a favor do rei, através do exercício do direito de veto. No campo dos direitos eleitorais, o liberalismo constitucional opunha-se, nos termos atrás referidos, à concessão da igualdade política, através da universalização do sufrágio.

Aos representantes do liberalismo constitucional se poderia dirigir a acusação que Louis Blanc fez em relação às doutrinas da ordem e do *juste milieu,* sustentadas pelo sufrágio censitário, restrito à burguesia privilegiada: «*Le criterium du pays légal est l'argent*». Em Portugal, o símbolo do domínio oligárquico é o *cabralismo* e os seus barões «gritando contos de réis», «zebrado, de riscas monárquico-democráticas», «usurariamente revolucionários e revolucionariamente usurários». Quem assim escreve [30] é um representante do elemento liberal que, mais tarde, defenderia a aproximação com o conservadorismo cartista – Almeida Garrett. Em termos partidários, dentro do constitucionalismo monárquico português, poder-se-á dizer que a verdadeira simbiose liberal-conservadora

---

[30] Veja-se o texto citado na antologia de JOEL SERRÃO, *Antologia do Pensamento Político Português,* Vol. I, Porto, 1970, pp. 125 e ss. A fracção da burguesia que nessa altura se poderia considerar politicamente dominante era a *aristocracia financeira*. Isto é bem posto em relevo por K. MARX em *A luta de classes em França, 1848-1859,* Ed. Nosso Tempo, 1971, pp. 45 e ss, e em *O 18 Brumário de Luís Bonaparte,* Ed. Nosso Tempo, 1971, pp. 24 e ss.

se verifica com a formação do *partido regenerador*[31], no qual se vieram albergar a ala moderada do partido cartista e alguns sectores do setembrismo.

b) *Parlamentarismo liberal (centro-esquerda)*

Ainda com ingredientes radicais, o parlamentarismo liberal defende ou tolera a *monarquia parlamentar*, na qual o rei seria considerado como o «poder neutro e abstracto», que «reina mas não governa». O governo tinha de ser um governo parlamentar, dependente da confiança do parlamento.

Quanto à questão do voto, uma parte dos partidários do parlamentarismo liberal aproximava-se dos constitucionalistas ao defender o critério censitário; outra parte aproximava-se dos radicais, acentuando o momento democrático da igualdade de voto.

A expressão partidária do parlamentarismo liberal português foi *o partido progressista*[32], essencialmente constituído por elementos vindos do setembrismo e do radicalismo vintista.

3. O conservadorismo ou conservantismo

O constitucionalismo racionalista provocou em toda a Europa um contramovimento, adverso às correntes liberais e revolucionárias. No plano constitucional, o pensamento contra-revolucionário desembocou na concepção histórica de constituição ou no constitucionalismo cartista de Restauração. No plano social e político, a contra-revolução defendia o regresso à «ordem tradicional». Quaisquer que sejam as colorações nacionais, o movimento conservador apoia-se nas forças nobiliárquico-feudais, burocracia, igreja, diplomacia, professorado. Em França e em Portugal, o conservadorismo é realista, clerical, feudal e militante. Vejamos quais os seus postulados fundamentais.

a) *Recusa do racionalismo*

No pensamento político e nas questões teológicas rejeita-se o racionalismo. No aspecto político, além de ser ferozmente antiliberal, combate também o absolutismo, na sua forma de josefismo iluminista [33].

---

[31] Sobre a história deste partido cfr. as indicações de OLIVEIRA MARTINS, *Portugal Contemporâneo*, 8.ª ed., Lisboa, 1977; TRINDADE COELHO, *Manual Político do Cidadão Português*, 2.ª ed., Porto, 1908.
[32] Sobre a história do Partido Progressista cfr. OLIVEIRA MARTINS, *Portugal Contemporâneo*, 8.ª ed., Lisboa, 1977, pp. 278 e ss; TRINDADE COELHO, *Manual Político do Cidadão Português*, Porto, 1906.
[33] Cfr. REIS TORGAL, *Tradicionalismo e Contra-revolução*, cit., p. 189: «Os contra-revolucio-

b) *Tradicionalismo*

Procura-se a justificação jurídica e política das instituições através do velho e imprescritível direito e das leis fundamentais do reino *(legitimismo e realismo)*. «É a Monarquia pura entre todos os Governos o mais perfeito, e o único legítimo, enquanto é o único em que são estabelecidos legalmente e em sua ordem, os direitos e os deveres», dizia-se numa obra destinada a fundamentar os 'legítimos' direitos de D. Miguel» [34].

c) *Organicismo*

O conservadorismo defende uma monarquia com uma «estrutura orgânica», com preservação das hierarquias sociais, dos estados tradicionais, dos corpos intermediários. A monarquia tradicional assenta numa *«ordem intrínseca»*: *«a ordem, as hierarquias, a autoridade, a obediência, a família, e o Pai, o Estado, e o Rei»* [35].

d) *Universalismo*

A «ordem natural», a «ordem intrínseca», é uma ordem imanente a todas as nações não subvertidas pelo liberalismo [36]. Daí a teoria da Santa Aliança ao considerar a ordem monárquica da Europa como uma necessidade unitária de defesa da velha «ordem natural». Em Portugal, as forças políticas conservadoras, terminada a guerra civil (onde se tinham colocado ao lado da causa miguelista), começam a aceitar o constitucionalismo conservador da Restauração e filiam-se no partido cartista, embora a mística legitimista e miguelista tenha sido uma constante nas forças nobiliárquico-feudais [37].

---

nários mais esclarecidos também criticavam a monarquia anterior à Revolução, e a que teorizavam, pensando na sua reposição, era uma monarquia absoluta sim, mas 'orgânica' e não um absolutismo puro»; HORTA CORREIA, *Liberalismo e Catolicismo,* Coimbra, 1974, p. 75: «O galicanismo e o josefismo vêem com maus olhos as ordens religiosas, como partes de Igreja ligadas ao poder pontifício, que escapam à autoridade episcopal e à lei do Estado.»

[34] O título da obra é *Exame da constituição de D. Pedro e dos Direitos de D. Miguel dedicado aos fiéis Portugueses,* tradução do Francês por J. P. C. B. F., Lisboa, 1829, p. 2.

[35] Cfr. ob. cit. na nota anterior e REIS TORGAL, *Tradicionalismo,* cit., pp. 268 e ss.

[36] Cfr. HÜBER, *Deutsche Verfassungsgeschichte,* cit., Vol. II, p. 332.

[37] Aliás, nem só os absolutistas e legitimistas apoiaram D. Miguel. Como informa VÍTOR DE SÁ, muitos outros nomes da direita liberal se aliaram ao infante para assegurarem o domínio da ala conservadora do liberalismo: «Quem desde então enfileira, na realidade, ao lado do rei contra as Cortes, a Constituição e as manifestações populares de Lisboa? Precisamente essas altas personalidades que, mais tarde, serão apresentadas como símbolos do liberalismo português: Palmela, Vila-Flor (Duque da Terceira), Saldanha, Sá da Bandeira...» Cfr. VÍTOR DE SÁ, *A Crise do Liberalismo,* cit., p. 71.

Forma Constitucional e Constituição

E. O Constitucionalismo Republicano

I - Visão global dos princípios republicanos

Ao referirmos o liberalismo radical, assinalámos que um dos tópicos políticos deste radicalismo era a ideia de república. Há mesmo autores que consideram legitimo reconduzir o republicanismo português à corrente esquerdista das Cortes Gerais de 1820 e ao radicalismo setembrista e da Patuleia [38]. Aqui, interessa-nos descortinar, antes de mais, os parametros político-constitucionais do republicanismo, tal como veio a ser consagrado na Constituição de 1911.

1. A república democrática

A ideia republicana expressou, desde o início, uma maior adesão ao *elemento democrático* do que aquela que lhe emprestou, durante todo o séc. XIX, o liberalismo monárquico. Todavia, se por república democrática entendermos a *República Social*, de feição declaradamente antiburguesa, tal como a visionavam os «communards» de 1871, é evidente que o que vamos encontrar na arquitectura constitucional de 1911 de modo algum corresponde à dimensão socialista do republicanismo da Comuna. Não obstante a existência de um filão republicano-social, a consciencialização das diferenças entre "socialismo" e "republicanismo" levou a uma clara demarcação dos dois movimentos [39].

a) *Soberania nacional*

A **Constituição de 1911** afastou-se deliberadamente das teses rousseaunianas da soberania popular e nem sequer consagrou uma fórmula intermédia semelhante à da constituição republicana francesa de 1848) («a soberania reside na universalidade dos cidadãos franceses»). Aderiu-se ao princípio da *sobe-*

---

[38] Cfr. MARCELLO CAETANO, *Manual*, cit., Vol. II, p. 470; JOEL SERRÃO, *Do Sebastianismo ao Socialismo em Portugal*, Lisboa, 1969, p. 65; OLIVEIRA MARQUES, A *Primeira República Portuguesa*, p. 65. Por último, cfr., CARVALHO HOMEM, A *Ideia Republicana em Portugal. O contributo de Teófilo Braga*, Coimbra, 1988.

[39] O republicanismo foi somente uma «variante da ideologia democrática burguesa, que, entre nós, procurou conciliar os princípios da tradição liberal com a filosofia comteana à qual estava subjacente um organicismo e biologismo, congenitamente antidemocráticos». Cfr. FERNANDO CATROGA, *Os inícios do positivismo*, pp. 67 e ss.; idem, *O Republicanismo em Portugal*, Vol. I, p. 26. Para uma informação dos conceitos de república democrática agitados na Assembleia Constituinte de 1911, cfr. MARNOCO E SOUSA, *Constituição Política da República Portuguesa, Comentário*, Coimbra, 1913, p. 9.

rania nacional, retomando as fórmulas das nossas constituições de 1838 e 1822: «a soberania reside essencialmente na Nação» (art. 5.º). [40]

b) *Regime representativo*

A Constituição de 1911 não apresenta, a nível nacional, qualquer instituição de democracia directa ou semidirecta [41]. A soberania da Nação manifesta-se através dos representantes eleitos, vincando-se, *expressis verbis,* a independência dos representantes em relação aos eleitores que os elegem: «Os membros do Congresso são representantes da Nação e não dos colégios que os elegem» (art. 7.º, § 1.º). Além disso, consagrou-se claramente o *mandato* livre (art. 15.º: "os Deputados e Senadores são invioláveis pelas opiniões e votos que emitirem no exercício do seu mandato), apesar de algumas posições favoráveis ao mandato imperativo. [42]

c) *Separação de poderes*

Contra a concepção do republicanismo jacobino que praticamente concentrava na assembleia os poderes do Estado, a Constituição de 1911 consagra a forma clássica de separação de poderes, considerados «independentes e harmónicos entre si» (art. 6.º).

d) *Sufrágio universal*

O sufrágio universal é considerado quase como a *ratio essendi* da República: *«Le suffrage universel est donc la démocratie elle même; La République démocratique ou le suffrage universel, une seule le même chose»* (Lamartine). Era esta também a posição das alas mais radicais do vintismo e do setembrismo. Não admirará muito que, logo no *Programa do Partido Republicano Português* (1891), nos apareça, na sequência do radicalismo liberal, a defesa do sufrágio universal e

---

[40] Sobre a justificação "republicana" deste princípio cfr. FERNANDO CATROGA, *O Republicanismo...,* Vol. II, pp. 264 e ss.

[41] Note-se que as influências municipalistas não deixaram de ter algum impacto sobre este problema. Assim é que TEÓFILO BRAGA, em manifesto eleitoral de 1878, defende o *mandato imperativo* como afirmação suprema da democracia directa. Cfr. JOAQUIM DE CARVALHO, «Formação da Ideologia Republicana», in *História do Regime Republicano,* de LUÍS DE MONTALVOR, Lisboa, 1930, Vol. I, pp. 163 e ss; TEÓFILO BRAGA, *História das Ideias Republicanas em Portugal,* Lisboa, 1880, pp. 183 e ss. É apenas uma expressão deste filão de democracia através do município a consagração do *referendum* no art. 66.º, n.º 4, da Constituição de 1911.

[42] Cfr. FERNANDO CATROGA, *O Republicanismo,* Vol. II, pp. 279 e ss.

da eleição directa das assembleias legislativas [43]. Mas se é certo que nas leis eleitorais da 1.ª República desapareceu a base censitária, nem por isso se consagrou a universalidade do sufrágio. A lei fundamental republicana consagrou o «sufrágio directo dos cidadãos eleitores» (art. 8.º), fórmula que foi interpretada no sentido de excluir o sufrágio universal [44]. Continuaram a sofrer de uma verdadeira *capitis deminutio*, no que respeita à capacidade eleitoral activa e passiva, as mulheres e os analfabetos e, em alguma medida, também os militares. Só o Decreto n.º 3.907, de 14 de Março de 1918, representa algum avanço no sentido da universalidade (alargou-se o sufrágio a todos os cidadãos de sexo masculino, maiores de 21 anos), mas esta tentativa será de curta duração, pois o Decreto n.º 5.184, de 1 de Março de 1919, virá logo a seguir, repondo em vigor o Código Eleitoral de 1913.

e) *Bicameralismo paritário*

Também aqui, a exigência do princípio democrático, considerando a representação popular como uma só vontade, expressa por uma só câmara, não encontrou posição concordante nas Constituintes de 1911. A Constituição de 1911 não se afastou dos esquemas da república burguesa francesa de 1875, onde se consagrou o sistema bicameral, destinando-se o Senado a desempenhar o papel conservador que no constitucionalismo monárquico incumbia à Camara dos Pares [45].

f) *Parlamentarismo monístico e regime parlamentar de assembleia* [46]

Tal como estavam articulados, os poderes políticos regulados no texto de 1911 vieram a resvalar para uma forma do regime parlamentar que poderemos caracterizar sob um duplo ponto de vista:

---

[43] No referido programa considerava-se o direito universal de sufrágio como directamente derivado do princípio da igualdade. Na fundamentação do sufrágio universal desempenharam importante papel entre outros, MANUEL EMÍDIO GARCIA e CONSIGLIERI PEDROSO. Cfr. F. CATROGA, *Os inícios do positivismo*, pp. 78 e ss.; *O Republicanismo*, Vol. II, p. 281 ss.

[44] Cfr. MARNOCO E SOUSA, *Constituição Política*, p. 264.

[45] O assunto foi largamente discutido na Assembleia Constituinte, onde o sistema monocameral foi defendido por TEÓFILO BRAGA. E já antes, HENRIQUES NOGUEIRA combatera o regime bicameral, argumentando que se a função legislativa se «divide em duas Câmaras, os inimigos do povo têm onde assentar os seus arraiais». Cfr. JOAQUIM DE CARVALHO, *ob. cit.*, pp. 163 e ss, e agora JOSÉ FELIX HENRIQUES NOGUEIRA, *Obra completa*, Vol. I, edição organizada por A. C. LEAL DE SILVA, Lisboa, 1977, p. 38. Fazendo a *mise au point* da discussão do bicameralismo na época da República, cfr. MARNOCO E SOUSA, *Constituição Política*, p. 235 e, por último, FERNANDO CATROGA, *O Republicanismo*, Vol. II, pp. 268 e ss.

[46] Note-se, porém, que nenhum artigo estabelecia este governo de assembleia.

(1) *regime monístico* – dado que ao Parlamento é conferido um amplo poder de controlo político sobre o governo, e ao Presidente da República nem sequer era concedido (na redacção inicial) o poder de dissolução das câmaras.

(2) *governo de assembleia* – porque não podendo ser dissolvido antes do termo constitucionalmente pré-fixado, o Congresso era o único órgão que, em teoria, podia condicionar decisivamente as directivas políticas da república democrática.

2. República laica

Se no tocante à estrutura organizatória da República a Constituição de 1911 não fez senão recolher as ideias do liberalismo radical (e nem todas), quanto a outros domínios tentou plasmar positivamente, em alguns artigos, o seu programa político. Um dos pontos desse programa era a defesa de uma república *laica* e democrática. O laicismo, produto ainda de uma visão individualista e racionalista, desdobrava-se em vários postulados republicanos: separação do Estado e da Igreja, igualdade de cultos, liberdade de culto, laicização do ensino, manutenção da legislação referente à extinção das ordens religiosas (cfr. art. 3.º, n.ºs 4 a 12). O programa republicano era um programa racional e progressista: no fundo, tratava-se de consagrar constitucionalmente uma espécie de «pluralismo denominacional»[47] (cfr. Const. 1911, art. 3/5), ou seja, a presença na comunidade, com iguais direitos formais, de um número indefinido de colectividades religiosas, não estando nenhuma delas tituladas para desfrutar de um apoio estadual positivo. "Igrejas Livres no Estado indiferente", eis o lema avançado por Manuel Emídio Garcia. Relativamente à autoridade política, a religião deixa de ser um tema público para se enquadrar na esfera dos assuntos privados, a não ser quanto à vigilância da própria liberdade religiosa. E não há dúvida que a filosofia liberal se impunha neste sector com uma lógica indesmentível: uma sociedade politicamente democrática, assente no relativismo político, postula também uma sociedade religiosamente liberal, tolerante para com todos os credos, aceites e praticados pelos cidadãos. O equilíbrio religioso originaria como consequência inevitável a secularização da educação, dado que um estado laico não pode tolerar um monopólio de orientação a favor de uma religião[48] (cfr. art. 3.º/10).

---

[47] Cfr. TALCOTT PARSONS, *Estrutura y proceso en las sociedades modernas,* Madrid, 1969, p. 337.
[48] Sobre este ponto cfr. FERNANDO CATROGA, *A importância do positivismo,* p. 314. Para uma cabal e brilhante demonstração do sentido da militância laica e do anticlericalismo cfr. FERNANDO CATROGA,

Este programa laicista, embora pretendesse ser "um ideário" global de cariz essencialmente cultural (F. Catroga), resvalou algumas vezes para um anticlericalismo sectário ao pretender impor-se como um "projecto de hegemonização de uma nova mundividência". Era certo que as forças clericais, quase sempre ao lado das forças legitimistas e nobiliárquico-feudais, estavam agora contra a República, mas um programa laicista não se devia confundir com anticlericalismo [49]. Ao polarizar-se a política religiosa na ideia de deslocação da religião do "espaço público" para o "espaço privado" pretendia-se neutralizar os poderes simbólico, político e cultural do catolicismo, o que favoreceu a aglutinação das forças católicas contra o regime republicano [50]. Estas forças passaram a acusar a República de ser não "a católica" mas "anticatólica".

3. República descentralizada

Um dos credos republicanos, na versão jacobina, era o da «República una e indivisível». O carácter unitário e indivisível da República andava, deste modo, ligado à ideia da soberania popular, à ideia de participação directa dos cidadãos e à ideia do centralismo administrativo. Não admira que os «republicanos representativos» considerassem a República una e indivisível como «uma ditadura permanente, executada em nome da multidão pelos chefes da sua escolha», e defendessem, como forma de organização da República, a «federação

---

O Republicanismo, cit., II, p. 268 ss. «Nem contra a religião nem a favor da religião... Nem a favor de Deus nem contra Deus, eis o lema de ensino público segundo a Constituição.» Cfr. MARNOCO E SOUSA, *Constituição Política*, p. 88.

[49] Neste aspecto, revelou-se mais perspicaz a direita católica. SALAZAR não hesitou em pôr o problema de saber se para salvar a Igreja não seria preferível aceitar a República. E já antes dele, o *Centro Nacional Católico* acentuava no seu programa: «Prescinde das questões de regimes e formas de governo acatando e cooperando com os poderes públicos, como de facto se acham constituídos, em tudo que possa interessar ao bem comum e à defesa das liberdades e princípios religiosos.» Cfr. QUIRINO DE JESUS, *Nacionalismo Português*, Porto, 1932, p. 58. Cfr. também o art. 2.º das *Bases Regulamentares do Centro Católico Português*, de 1919, in BRAGA DA CRUZ, *As Origens da Democracia Cristã e o Salazarismo*, Lisboa, 1980, p. 428. A errada indissociação do ideal democrático da política jacobina foi logo denunciada por ANTÓNIO SÉRGIO, desmascarando o carácter conservador dos cidadãos jacobinos, apostados nas questões institucionais de monarquia ou república, mas desprezando os problemas basilares de organização económica. Cfr. ANTÓNIO SÉRGIO, *Ensaios*, Lisboa, 1971, Vol. I, pp. 60, 32, 225. Cfr., por último, em termos exaustivos, FERNANDO CATROGA, *A Militância Laica e a Descristianização da Morte em Portugal* (1965-1911), vol. I, Coimbra 1988, pp. 489 e ss; VITOR NETO, "A Questão Religiosa na 1.ª República. A Questão dos Padres Pensionistas", in *O Sagrado e o Profano*, Revista da História das Ideias, 9, (1988); CARVALHO HOMEM, "Algumas notas sobre o positivismo religioso e social", in *O Sagrado e o Profano*, 9.

[50] O anticlericalismo assentava, no plano da filosofia da história, no agnosticismo positivista. Cfr. FERNANDO CATROGA, *A importância do positivismo*, pp. 310 e ss.; *O Republicanismo*, Vol. II, pp. 324 e ss.

democrática», a «república democrática federativa» [51]. Insistia-se, também, na necessidade de revitalização de uma perspectiva municipalista, «criando tantos centros da autoridade local quantos forem os centros naturais da vida» [52]. Saliente-se que o *republicanismo federativo* era também uma manifestação da corrente republicano-socialista que, veiculando a ideologia proudhoniana, aliava o republicanismo ao reformismo social [53].

A Constituição de 1911 consagrou o carácter unitário da República, mas estabeleceu as bases a que havia de obedecer a organização da vida local. Proibiu-se, designadamente, a ingerência do executivo nos corpos administrativos, legitimou-se o exercício do *referendum* local, e impôs-se a representação das minorias nos corpos administrativos (cfr. art. 66.º). Ao proclamar-se a «Nação Portuguesa organizada em Estado Unitário» (art. 1.º) entendia-se que Portugal era «um dos países em que havia mais unidade social [54] e política, devendo por isso a sua república ser unitária». A própria rejeição pela Constituinte da fórmula "República Democrática" a favor de "Estado Unitário" radicou na necessidade de negar acolhimento à ideia federalista [55].

A Constituição de 1911 é uma constituição liberal sob o ponto de vista da constituição económica. Nela não se divisam normas consagradoras dos chamados direitos sociais, nem se traçam directivas quanto à intervenção do Estado. Isto é tanto mais de acentuar quanto é certo existir no republicanismo uma corrente que, desde Antero e Henriques Nogueira, não compreendia que «houvesse república verdadeira fora do socialismo» ou que «fora da república pudesse o socialismo realizar-se completamente». Acresce que, na altura, os problemas do «socialismo de estado», do «intervencionismo do estado», da «constituição económica mista», da «revolução social», colocavam já o Estado perante indeclináveis tarefas de conformação social, a realizar não apenas ao nível da administração mas no plano mais elevado da constituição. O triunfo da república

---

[51] Cfr. ANTERO DE QUENTAL, *Prosas*, Vol. III, pp. 196-202. Este texto pode ver-se na colectânea de JOEL SERRÃO, *Antologia*, cit., p. 55. No mesmo sentido de ANTERO, escrevia um outro adepto do ideal republicano CARRILHO VIDEIRA: «Nenhuma República unitária tem subsistido até hoje, senão periodicamente, pelo terror, terminando sempre pela ditadura.» «Quisera, por último que Portugal, como povo pequeno e oprimido, procurasse na *Federação*, com os outros povos peninsulares a forma, a importância e a verdadeira independência que lhes faltam na sua tão escarnecida nacionalidade.» Cfr. JOAQUIM DE CARVALHO, cit., pp. 163 e ss; JOEL SERRÃO, *Antologia*, cit., p. 302; HENRIQUES NOGUEIRA, *Obra Completa*, cit., pp. 23 e 161.

[52] ANTERO DE QUENTAL, *Prosas*, cit., p. 196-202; JOEL SERRÃO, *Antologia*, cit., p. 307.

[53] HENRIQUES NOGUEIRA foi um dos primeiros expoentes desta ideia de república social que contrapunha ao racionalismo individualista e ao liberalismo burguês da Carta. Cfr. JOEL SERRÃO, *Do Sebastianismo*, cit., p. 72; FERNANDO CATROGA, *Os inícios do positivismo em Portugal*, Coimbra, 1977, p. 397.; *O Republicanismo*, Vol. II, p. 276.

[54] Cfr. MARNOCO E SOUSA, *Constituição Política*, p. 23.

[55] Cfr. FERNANDO CATROGA, *O Republicanismo*, Vol. II, p. 276.

burguesa em França (depois da experiência das comunas de 1848 e 1871), com o consequente triunfo da *ala republicana oportunista* de Gambetta, e o termo da república espanhola, influenciaram decisivamente [56] o movimento republicano português que, embora aberto a certas manifestações reformistas ou laborais (movimento associacionista, cooperativas, previdência), não conseguiu suplantar uma visão liberal da sociedade e do estado logo no momento constituinte da República. A influência do *positivismo social* sobre alguns dos principais representantes do republicanismo actuaria igualmente num sentido limitadamente intervencionista, pois ao exaltar romanticamente a ciência como base de uma nova ordem social e religiosa unitária, o positivismo social julgava ter uma solução para cada problema. A solução para o problema social estaria, como opinava Gambetta, «na aliança do proletariado com a burguesia» [57]. Não obstante a inexistência de normas constitucionais sociais, seria menos correcto acusar o republicanismo de total insensibilidade perante a "questão social".

4. Suporte social

Basílio Teles referiu que no republicanismo «todas as energias e valores sociais figuravam no partido nascente; havia escritores, professores, advogados, militares de graduação, proprietários, comerciantes, industriais, operários, representando pensamento, riqueza e trabalho» [58]. Os republicanos não

---

[56] Estas influências são postas em relevo por TEÓFILO BRAGA, *História,* cit., pp. 145 e ss.; por último, cfr. FERNANDO CATROGA, *O Republicanismo,* Vol. II, pp. 371 e ss.

[57] Um dos autores mais profundamente influenciados entre nós pelo positivismo foi TEÓFILO BRAGA. Vejam-se estas palavras, de sabor gambettiano, dirigidas contra a «indisciplina dos metafísicos, socialistas e internacionalistas»: «Acima das questões do salário e das horas de trabalho, e do domínio dos instrumentos de transformação, está o problema do individualismo, que tem de fazer-se reconhecer e modificar assim a organização do Estado; é esta a compensação positiva da justa exigência do proletariado, e por isso, o termo socialismo é exageradamente amplo para designar os conflitos da esfera industrial como querem os alucinadores, os sectários, que o desacreditaram aplicando-o às suas hipóteses metafísicas. O nome científico do problema, como ele está posto, seria o *Associacionismo*». Sobre a influência do positivismo noutra grande figura do republicanismo, José Falcão, veja-se FERNANDO CATROGA, *José Falcão, Um Lente Republicano,* Coimbra, 1976, p. 26. A doutrina do associacionismo, tal como era concebida pelos republicanos, pode ver-se em COSTA GOODOLPHIM, *A Associação,* prefácio de CÉSAR OLIVEIRA, Lisboa, 1974. A influência da Comuna de Paris no movimento republicano pode ver-se em ANA MARIA ALVES, *Portugal e a Comuna de Paris,* Lisboa, 1971, p. 129. A frase de Gambetta, referida no texto, colhemo-la em GEORGES WEIL, *Histoire du Mouvement Social en France,* Paris, reimpressão de 1973, p. 250. Para melhor esclarecimento sobre a influência do positivismo na ideologia republicana cfr. F. CATROGA, *Os inícios do positivismo,* cit., pp. 44 e ss; *A importância do positivismo na consolidação da ideologia republicana em Portugal,* Coimbra, 1977.

[58] Apud JOEL SERRÃO, *Do Sebastianismo,* cit., p. 83. A estrutura social do tempo da República é estudada agora com abundante documentação por OLIVEIRA MARQUES, *História da 1.ª República*

constituíam uma classe, unida por grandes interesses comuns e separada das outras por condições particulares. Começaram como "partido de quadros" dirigido por intelectuais e funcionários com um projecto "socialmente heterogéneo" adequado a uma dimensão interclassista e popular e a uma estratégia política integradora. Daí a polissemia do seu discurso e o interclassismo do seu projecto (F. Catroga), mas também a relativa ambiguidade político-constitucional e a vida difícil que as instituições tiveram no período de 1910-1926.

II - A estrutura da Constituição de 1911

1. A declaração de direitos

A **Constituição de 1911** é o expoente e o coroamento do liberalismo democrático português. Isso mesmo se verifica no *catálogo dos direitos fundamentais* (condensados principalmente no art. 3.º), de claro sentido individualista, mas no qual se garantem as mais importantes liberdades públicas dos cidadãos. [59]

A fórmula-síntese é ainda a da Constituição de 1822. Tal como no texto vintista, garante-se, no documento republicano, a «inviolabilidade de direitos concernentes à liberdade, à segurança individual e à propriedade» (art. 3.º). Como expressões do *«apport»* republicano para o constitucionalismo democrático devem salientar-se alguns pontos.

1 – *Proibição da pena de morte.* Tendo o Acto Adicional de 1892 abolido a pena de morte para crimes políticos (art. 16.º), regime que foi alargado pela lei de 1 de Julho aos crimes civis, e tendo o Decreto de 16 de Março de 1911

Portuguesa, Lisboa, 1977, pp. 307 ss. Alguns dados sobre a luta de classes na 1.ª República podem ver-se em CÉSAR OLIVEIRA, *O Operariado e a República Democrática*, Lisboa, 1974. Uma análise recente da sociedade e economia durante o período republicano ver-se-á em FERNANDO MEDEIROS, *A Sociedade e a Economia nas origens do Salazarismo*, Lisboa, 1978, e em M. VILAVERDE CABRAL, *Portugal na Alvorada do século XX*, Lisboa, 1979, sobretudo, pp. 371 e ss. Cfr. também M. ALPERN PEREIRA, «A 1.ª República: projectos e realizações», in *Política e Economia em Portugal nos sécs. XIX e XX*, Lisboa, 1979, pp. 121 e ss. FERNANDO CATROGA, *O Republicanismo*, Vol. I, pp. 104 e ss., oferece elementos para a compreensão da base social de apoio do republicanismo, sobretudo do chamado "caixeirismo jacobino".

[59] Deve notar-se que o republicanismo, não obstante a adesão a ideias de evolucionismo historicista, não rejeitou a herança jusnaturalista e jusracionalista das grandes declarações de direitos. A liberdade dos republicanos é uma liberdade dos modernos com fortes dimensões intersubjectivas e não uma "liberdade dos antigos" cosmologicamente situada. Cfr. o nosso artigo "O círculo e a linha" "liberdade dos antigos" a "liberdade dos modernos" na teoria republicana dos direitos fundamentais", in *Revista da História das Ideias*, Vol. 9, III, 1987, p. 733 ss. Por último, em termos claros, F. CATROGA, *O Republicanismo*, Vol. II, pp. 225 e ss.

estendido a mesma abolição aos crimes militares, a Constituição de 1911 limitou-se a consolidar as aquisições progressivas do nosso ordenamento jurídico e a prescrever que «Em nenhum caso poderá ser estabelecida a pena de morte» (art. 3.º/ 22).

2 – *Garantia de «habeas corpus».* Desconhecida pelos instrumentos constitucionais monárquicos e introduzida no texto republicano por influência da Constituição brasileira de 1891 (art. 72.º/22), a garantia de *habeas corpus* é um importante meio de defesa da liberdade dos cidadãos. Através de recurso sumário garante-se ao cidadão a possibilidade de reagir, mantendo ou recuperando a liberdade, ilegal ou abusivamente ameaçada pelo poder.

3 – *Consagração da liberdade de religião e culto,* nas suas várias dimensões (art. 3.º, n.os 4-10). As constituições monárquicas haviam permanecido fiéis à fórmula de consagração de uma «religião oficial»; o documento republicano extrai do princípio constitucional inovador da liberdade de consciência e de crença a «igualdade política e civil de todos os cultos» (art. 3.º/5).

4 – Garantia dos direitos não apenas contra os abusos do poder executivo mas também contra o poder legislativo através do instituto do *controlo judicial da constitucionalidade das leis* (cfr. art. 63.º).

5 – Finalmente, registe-se a consagração de *direitos fundamentais fora da constituição formal.* Não esquecendo que os grandes textos republicanos franceses garantidores da liberdade eram, além da Declaração de Direitos, leis ordinárias votadas durante a 3.ª República, o legislador constituinte registou uma fórmula que lembra os problemas suscitados pelo art. 17.º da Constituição de 1976, na sua redacção primitiva: «A especificação das garantias e direitos expressos na Constituição não exclui outras garantias e direitos não enumerados, mas resultantes da forma de governo que ela estabelece e dos princípios que consignam ou constam doutras leis» (cfr. art. 4.º).

Os direitos sociais, económicos e culturais têm um lugar mais que modesto no documento republicano não obstante o impulso humanista do ideário republicano e do "estatuto ideorealista" que ele assinalava aos valores essenciais do solidarismo. Consagra-se a obrigatoriedade e gratuitidade do ensino primário elementar (art. 3.º/11) e reconhece-se o direito à assistência pública (art. 3.º/29). Reconheceu-se também a liberdade de trabalho (art. 3.º/26), mas apenas como consequência do princípio da liberdade individual: O direito à greve, embora reconhecido logo em 1910 (Decreto de 6 de Dezembro) pelo regime republicano, foi rejeitado pela Assembleia Constituinte com o argumento de que «na Constituição deveria figurar o que era verdadeiramente constitucional e, em matéria de direitos, o que aproveitasse a todos e não somente a determinadas classes» (Marnoco e Sousa).

A ideia do direito de greve como simples manifestação da liberdade do trabalho ou como um «estado de guerra que resulta das circunstâncias e dos factos que se não pode aconselhar» (Afonso Costa) explicará muitas das incompreensões do regime republicano perante o movimento operário. Cfr., por ex., César de Oliveira, *O Operariado e a República Democrática*, 2.ª ed., Lisboa, 1974; Fernando Catroga, *O Republicanismo*, Vol. II, p. 316.

2. A estrutura organizatória do poder político

O princípio fundamental é o da divisão tripartida dos poderes – legislativo, executivo e judicial – considerados «independentes e harmónicos entre si» (art. 6.º). A independência é funcionalmente determinada, embora neste aspecto a constituição republicana não seja tão clara como as constituições de 1822 (art. 30.º) e de 1838 (art. 35.º). Conclui-se, porém, e a doutrina assim o entendeu, que se visava fundamentalmente uma independência funcional (o «legislativo é independente quando legisla, o executivo quando administra, o judicial quando julga»).

a) *Os órgãos legislativos*

O Congresso – assim se chamava o Parlamento da 1.ª República, sob a influência das teorias constitucionais americana e brasileira – era formado por duas câmaras – a *Câmara dos Deputados* e o *Senado* (cfr. art. 7.º). Eleitas por sufrágio directo (art. 8.º), e com competência legislativa tendencialmente igual, distinguem-se quanto à composição, duração de mandato e competência privativa: a Câmara dos Deputados era composta por representantes eleitos trienalmente pelos vários círculos eleitorais, e a ela era atribuída competência privativa quanto à iniciativa em matéria de impostos, organização militar, discussão de propostas do poder executivo, revisão da constituição, crimes de responsabilidade, prorrogação e adiamento da sessão legislativa (art. 23.º); o Senado era constituído por representantes dos distritos do continente e das ilhas (3 por cada) e das províncias ultramarinas (1), eleitos por seis anos (com renovação de metade dos seus membros na altura de eleição de deputados, isto é, de três em três anos) e a ele era atribuída competência privativa quanto à aprovação ou rejeição das propostas de nomeação dos governadores e comissários da República para as províncias do Ultramar (art. 25.º).

Ao Congresso, que reunia durante quatro meses ao ano, podendo a sessão ser prorrogada ou adiada por deliberação própria das duas Câmaras em sessão conjunta (art. 11.º), competiam essencialmente: (1) funções legislativas; (2) funções financeiras; (3) funções eleitorais, designadamente a eleição do

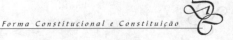

171   Forma Constitucional e Constituição

Presidente da República; (4) funções de controlo político do Governo, além de outras funções como fixação dos limites do território, autorização da declaração de guerra, declaração do estado de sítio e revisão da constituição (art. 26.º).

b) *O Presidente da República*

Embora nas Constituintes de 1911 tivesse havido uma forte corrente contra a existência de um Presidente da República – «instituição desarmónica com a natureza do regime democrático», «título sem poder real», «simulacro coroado», «dignidade sem autoridade» «caminho directo para a ditadura e para a tirania» – reconheceu-se a necessidade de, na estrutura do poder político, haver um elemento «coordenador». Esta «desconfiança» da «Presidência» não podia deixar de conduzir à definição do estatuto presidencial em termos puramente representativos.

Representante da Nação nas relações gerais do Estado tanto internas como externas (art. 37.º), ao Presidente da República não foi reconhecido (na redacção inicial da Lei Fundamental de 1911) nem o direito de veto das leis nem o direito de dissolução do Parlamento.

A sua posição constitucional como chefe do executivo era também ambígua: a Constituição limitava-se a afirmar que «O Poder Executivo é exercido pelo Presidente da República e pelos Ministros» (art. 36.º), mas não se afirmava expressamente que ele era o chefe do executivo. Todavia, dos arts. 47.º e 48.º, referentes às atribuições do Presidente, era possível deduzir-se que a ele competiam atribuições do poder executivo, embora exercidas por intermédio dos ministros.

Com um mandato de quatro anos e sem possibilidade de reeleição no quatriénio imediato (art. 42.º), o Presidente da República era eleito pelo sistema que se viria a considerar como pertencendo à própria *ratio essendi* dos regimes parlamentares: escolha pelas câmaras em sessão conjunta. Exigia-se uma maioria qualificada de 2/3 nas duas primeiras votações e se nenhum dos candidatos obtivesse maioria, a eleição continuaria na terceira votação apenas entre os dois mais votados, sendo finalmente eleito o que tivesse maior número de votos (art. 38.º/1).

Este sistema que teve como fonte o art. 2.º da Lei constitucional francesa, de 25 de Fevereiro de 1875, e os arts. 43.º e ss da Constituição brasileira de 1891, foi um dos pontos nevrálgicos do regime republicano. A dependência do Presidente da República perante o Congresso, quer porque era por ele eleito quer porque era o chefe do executivo, conduziu, como reacção, à defesa de um sistema presidencialista, que, aliás, tinha sido o consagrado no projecto primitivo apresentado à Assembleia Constituinte de 1911. A eleição do Presidente da República

por sufrágio directo veio a ser introduzida pela *reforma ditatorial de 1918* (Decreto n.º 3.997, de 30 de Maio de 1918) e permitiu a escolha de Sidónio Pais para a presidência. Com o assassinato deste, a Lei n.º 833, de 16 de Dezembro de 1918, declarou em pleno vigor a Constituição de 1911, até à sua revisão nos termos constitucionais.

Outra das críticas dirigidas ao sistema dirigia se não tanto contra o sistema de eleição pelo Congresso e contra o regime parlamentar, mas contra a prática de um governo monista de Assembleia, dado que o presidente não tinha o direito de dissolução das Câmaras. Daí que na *Revisão de 1919-1921* o Congresso tenha atribuído ao Presidente da República competência para «dissolver as câmaras legislativas, quando assim o exigem os interesses da Pátria e da República, mediante prévia consulta do Conselho Parlamentar» (Lei n.º 891, de 22 de Setembro de 1919).

c) *O Ministério*

A lei básica da 1.ª República não estabelecia, *expressis verbis*, a organização ministerial de *gabinete*, mas ao determinar que entre os ministros haveria um nomeado pelo Presidente que seria o Presidente do Ministério, responsável não só pelos negócios da sua pasta, mas também pelos de política geral (art. 53.º), estava-se a consagrar um regime de gabinete.

O *gabinete* é considerado na doutrina constitucional e na teoria do governo parlamentar como «unidade política»: (1) que assume constitucionalmente a responsabilidade dos actos do chefe do Estado; (2) que é dirigido por um «primeiro-ministro» ou «presidente de ministério»; (3) que impõe a responsabilidade solidária de todos os ministros com a direcção geral do governo.

A dúvida só poderia subsistir quanto à exigência da responsabilidade solidária, porque nos restantes aspectos (existência de um presidente do ministério, responsabilidade política perante as câmaras, referenda dos actos do chefe do Estado) estavam preenchidos os requisitos do regime de gabinete. A responsabilidade solidária existiria, no entender da doutrina, pelo menos quanto aos *actos de política geral*. Se assim não se entendesse, e se se considerasse haver tão-somente *responsabilidade ministerial individual*, o facto de o Presidente do Ministério responder não só pelo negócios da sua pasta mas também pelos da política geral, conduzia, nos seus resultados práticos, a soluções próximas das da responsabilidade solidária.

Impunha também o texto republicano que todos os actos do Presidente da República deveriam ser referendados, pelo menos, pelo ministro competente (art. 49.º). A referenda (assinatura pelo ministro dos actos emanados do chefe do Estado) resultava da irresponsabilidade política do Presidente da República pela actuação dos membros do executivo.

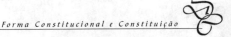

A Constituição de 1911 não fazia qualquer excepção quanto à exigência de referenda, mas teria de deduzir-se logicamente que não carecia de referenda a nomeação de um novo Presidente do Ministério, pois um «premier» não podia assumir a responsabilidade pela nomeação do sucessor. A questão foi expressamente resolvida na revisão de 1919-21 que veio dispensar a referenda ministerial para a nomeação do Presidente do Ministério de um novo governo.

d) *A fiscalização judicial da constitucionalidade das leis*

O controlo político da constitucionalidade e da legalidade continua a pertencer, de acordo com a tradição francesa e na senda do nosso constitucionalismo monárquico, ao órgão representativo – o Congresso (art. 26.º/2). Ao controlo político acresce, pela primeira vez, a fiscalização pelos tribunais da constitucionalidade das leis (art. 63.º). Isto significava que, não obstante se ter consagrado a prevalência do Congresso e se ter afirmado a «superioridade da função legislativa», o poder legislativo ordinário só podia elaborar leis nos limites de constituição e só estas podiam ser aplicadas pelo poder judicial.

Oriunda do sistema americano, a ideia de *judicial review* impor-se-á em Portugal como «própria do regime republicano». Afonso Costa demonstraria que o juiz, ao julgar, tem de apurar o direito aplicável e para apurar o direito aplicável não mais pode deixar de apreciar a constitucionalidade das leis. O poder judicial de fiscalização da inconstitucionalidade transitará (com algumas modificações) para a Constituição de 1933 e para a Constituição de 1976.

e) *Descentralização administrativa*

De acordo com os princípios republicanos e em consonância com uma tradição constitucional defensora da revitalização e descentralização local, o documento constitucional de 1911 reagiu contra a centralização administrativa (de que era última expressão o Código Administrativo de 1896), consagrando importantes princípios: (1) proibição da ingerência do poder executivo na vida dos corpos administrativos (art. 66.º/1); (2) anulação contenciosa dos actos ilegais dos corpos administrativos (art. 66.º/2); (3) distinção dos poderes municipais em deliberativo e executivo (art. 66.º/3); (4) representação das minorias (art. 66.º/5); (5) consagração do *referendum* (art. 66.º/4); (6) autonomia financeira de corpos administrativos (art. 66.º/6).

III - As características dominantes do regime republicano e as deformações político-institucionais [60]

1. O parlamentarismo absoluto

Como já se disse, o regime da 1.ª República foi caracterizado pela existência de um «parlamentarismo absoluto», ou seja, um regime em que o Parlamento é «dono» da vida política, dominando por completo o executivo (Carré de Malberg). Não existe possibilidade de dissolução das câmaras pelo chefe do Estado e a responsabilidade ministerial solidária é, muitas vezes, teórica. Só se distinguia do regime puro de assembleia porque havia um Presidente da República, distinto do Ministério. Os defeitos do parlamentarismo monista foram contemplados na Revisão de 1919-1921, mas o pluralismo partidário havia de conduzir a muitos dos mesmos impasses da 1.ª fase do regime republicano.

2. A instabilidade governamental

Uma das deformações institucionais mais salientes do regime foi a instabilidade governamental. Esta instabilidade era provocada não só pela maneira fácil como se punha em jogo a responsabilidade política do executivo (o gabinete tomava o hábito de se demitir quando era colocado em minoria por uma das câmaras, em qualquer momento, não interessando que o motivo fosse o debate orçamental, a discussão de um projecto de lei, uma interpelação ou até a colocação de um assunto na ordem do dia), mas também pela competição e indisciplina partidária que obrigava a coligações, por vezes ocasionais e efémeras.

Em vez de reforçarem a «concentração republicana», os partidos em minoria consideravam sistematicamente o «gabinete» como um inimigo e um suspeito, entrando em «revoluções», «coligações» ou «alianças» para obterem a maioria. O partido dominante (no caso português, o Partido Democrático) acaba por cair na táctica do «transformismo» (os ministros entram em arranjos ministeriais sucessivos), de acordo com as «combinações ministeriais» feitas nas câmaras (sobretudo nas Câmaras dos Deputados).

---

[60] Cfr., por último, MARCELO REBELO DE SOUSA, *Os Partidos Políticos,* cit. pp. 174 e ss.

Forma Constitucional e Constituição

3. O «apagamento» do Presidente da República

Escolhido pelas Câmaras e desprovido de instrumentos eficazes de moderação (ex.: o poder de dissolução), o Presidente da República não estava em condições de exercer a função presidencial na linha de tradição dualista. A tentativa de governos extrapartidários (ex.: governo de Pimenta de Castro, nomeado por Manuel de Arriaga em 1915) demonstrou logo que, também no regime parlamentar republicano português, o Presidente da República estava sujeito ao sistema de «revogabilidade indirecta» (Arriaga demitiu-se do cargo depois do movimento de 14 de Maio contra a ditadura de Pimenta de Castro).

4. O multipartidarismo competitivo e desorganizado

A 1.ª República teve como elemento político-estruturalmente caracterizador um pluralismo partidário, bastante agressivo no plano verbal, tendencialmente competitivo e desorganizado [61].

Não é possível aqui fazer uma análise ou até mesmo uma descrição do fenómeno partidário da l.ª República. Far-se-á, em primeiro lugar, uma menção dos partidos republicanos dominantes do regime: (1) *Partido Democrático,* herdeiro do Partido Republicano Português (PRP), ideologicamente de centro-esquerda, dotado de boa estrutura organizatório-territorial, e que teve como principais chefes, durante o regime republicano, Afonso Costa (1911-1917) e António Maria da Silva (1919 em diante); (2) *Partido Republicano Evolucionista* (os «evolucionistas»), proveniente do desmembramento do Partido Republicano, ideologicamente conservador, e que teve como chefe principal desde a sua fundação, em 1912, António José de Almeida; (3) *União Republicana* (os «unionistas»), tal como o anterior oriundo da ala conservadora, dirigido por Brito Camacho (a ele pertencia Sidónio Pais); (4) *Partido Reformista,* de Machado dos Santos.

A tendência desagregadora do multipartidarismo republicano revela-se sobretudo nas frequentes «cisões», «fusões» e «uniões»: *Partido Centrista,* de Egas Moniz, saído, em 1916, dos evolucionistas; *Partido Nacional Republicano,* formado por centristas e dezembristas (movimento que derrubou em Dezembro de 1917 o governo de Afonso Costa) e apoiante de Sidónio Pais; *Partido Republicano Liberal* (fusão de evolucionistas e unionistas em 1919); *Partido Popular,* dirigido por Júlio Martins, formado por deputados e senadores evolucionistas que não entraram no Partido Liberal; *Partido Reconstituinte,* resultante de uma cisão do Partido Democrático em 1920, de elementos do Partido Popular e de «outubristas» (participantes no movimento de 19 de Outubro de 1921); *Partido Nacionalista,* fusão de liberais e constituintes, em 1923; *Esquerda Demo-*

---

[61] Desorganizado quanto à disciplina parlamentar e partidária e desorganizado quanto a acordos de coligação como o demonstra a instabilidade governamental permanente, não obstante o «papel liderante» e a boa estrutura organizatória do Partido Democrático. Cfr., porém, M. REBELO DE SOUSA, *Os Partidos Políticos,* cit., p. 172; KATHLEEN SCHWARTZMANN, «Contributo para a sistematização dum aparente caos político: caso da Primeira República Portuguesa», in *Análise Social,* Vol. XVII (1981), pp. 53 e ss.

crática, autonomização da ala esquerda do Partido Democrático, em 1925, chefiada por José Domingues dos Santos; *União Liberal Republicana,* cisão do Partido Nacionalista, em 1926, dos partidários de Cunha Leal.

Além destes partidos, havia o leque partidário dos partidos «extra-sistema» e «contra-sistema»: *Partido Socialista,* fundado em 1875; *Partido Comunista,* fundado em 1921, com base na *Federação Marximalista Portuguesa,* aparecida em 1919; *Anarquistas,* associados aos movimentos operários, nos finais do séc. XIX; *Monárquicos,* divididos entre *integralistas, Causa Monárquica* (monárquicos ortodoxos), *Acção Realista Portuguesa* (próximo do programa integralista) e *Partido Legitimista* (adeptos da candidatura do príncipe D. Miguel). Como grupos de influência devem salientar-se o grupo *Seara Nova,* o *Centro Académico da Democracia Cristã (C. A. D C.),* restaurado em 1912 por Salazar e pelo futuro Cardeal Cerejeira; o *Centro Católico Português* (fundado em 1917), e a *Maçonaria.* Vide, sobre isto, Oliveira Marques, *A Primeira República Portuguesa,* pp. 65 e ss; *Guia de História da 1.ª República Portuguesa,* Lisboa, 1981, pp. 115 e ss.

5. A «realidade» das forças colectivas

Nos últimos anos da Monarquia e durante a 1.ª República, o movimento operário, o sindicalismo e a ideologia socialista começam a ganhar uma estrutura ideológica e organizativa mais definida. Entram na acção política, organizam congressos, criam órgãos de imprensa e definem programas que progressivamente vão estar em conflito com a proposta económico-social republicana. Neste contexto se deve interpretar o aparecimento, em 1914, da *União Operária Nacional,* que daria origem, em 1919, à *Confederação Geral do Trabalho (C.G.T.).*

A organização operária respondeu a «direita» portuguesa com uma tentativa de partido classista: a *União de Interesses Económicos,* fundada em 1924, por industriais, financeiros, grandes comerciantes, proprietários rurais, para a defesa do sistema capitalista.

6. A recepção constitucional dos partidos políticos

A realidade constitucional republicana de partidarismo hipertrofiado contrastava com a ausência, a nível constitucional formal, de qualquer incorporação jurídica da realidade partidária. A primeira manifestação de formalização constitucional de partidos verificar-se-á apenas em 1919 com a criação do *Conselho Parlamentar* (Lei de Revisão Constitucional n.º 891, de 22/9/1919), composto inicialmente por 18 membros eleitos pelo Congresso e «representativos das diversas correntes de opinião dotadas de representação parlamentar», e, a partir de 1921, nomeados directamente pelos partidos políticos e comunicados ao Presidente da Mesa do Congresso.

F. O Constitucionalismo Corporativo

I - A ideologia constitucional do «Estado Novo»

Com a **Constituição de 1933** institucionalizava-se em Portugal um regime político-constitucional marcadamente autoritário [62]. Registaremos aqui algumas das ideias fundamentais inspiradoras do Estado Novo e a forma como elas vieram a ser plasmadas no documento constitucional de 1933.

1. A ideia hierárquico-corporativa de Estado

Subjacente à Constituição de 1933 estava uma filosofia política que aspirava à fundamentação de uma política reestruturante da sociedade, capaz de superar o Estado atomista da Revolução Francesa e o liberalismo bem como o parlamentarismo e o partidarismo. Já a contra-revolução, através dos expoentes doutrinários do tradicionalismo e da Restauração, tinha censurado o processo artificial da constituição racionalista, os esquemas inorgânicos da selecção dos chefes pelos partidos políticos, o sistema representativo assente em critérios individualistas, exclusivamente político (cfr. *supra*). Ideias semelhantes vêm a ser defendidas pelos doutrinadores da *Action Française* e do *Integralismo Lusitano* [63].

A constituição política não podia nem devia romper o tecido orgânico da constituição social. Pelo contrário: devia reconhecer os grupos intermediários entre o indivíduo e o Estado, como a família, os organismos corporativos, as autarquias locais e a Igreja. Neste sentido, o art. 5.º proclamava o Estado português como uma *república corporativa*, baseada na interferência de todos os *elementos estruturais da Nação* na vida administrativa e na feitura das leis. Coerentemente, instituía-se uma Câmara Corporativa, onde estavam, directa ou indirectamente, representados os referidos elementos estruturais. Esta representação orgânica foi considerada por Salazar como «uma expressão mais fiel do que qualquer outra do sistema representativo» [64]. Todavia, a evolução do sistema

---

[62] Como recorda M. REBELO DE SOUSA, *Os Partidos Políticos*, cit., o qualificativo «antidemocrático e antiliberal, autoritário e intervencionista» pertence a OLIVEIRA SALAZAR *(Discursos e Notas Políticas*, Vol. III, Coimbra, 1943, p. 236). Cfr., também, MANUEL BRAGA DA CRUZ "A Revolução Nacional de 1926: da Ditadura Militar à Formação do Estado Novo", in CARVALHO HOMEM, (coord.), *Revoltas e Revoluções*, Vol. 2, cit., pp. 347 e ss.

[63] E pelo *«centrismo católico»*. Sobre a influência do movimento católico nas origens do Salazarismo cfr. BRAGA DA CRUZ, As *Origens da Democracia Cristã*, pp. 351 e ss.

[64] Cfr. OLIVEIRA SALAZAR, *Discursos*, Vol. I, Coimbra, 1935, p. 87.

não comprovou, na prática, a força desta representação. A Câmara Corporativa limitou-se a dar pareceres sobre as propostas ou projectos de lei que fossem presentes à Assembleia Nacional e, a partir de 1959, data em que a eleição do Chefe do Estado começou a fazer-se por intermédio de um colégio eleitoral, passou também a participar na eleição do Presidente da República. Desde o início, esteve também patente a ambiguidade política do Estado corporativo: quem é que representa o primado político no Estado corporativo? Suprimida a liberdade sindical, a liberdade partidária, a autonomia local, fácil é ver-se que a ideia gremial não se compatibilizava com uma estrutura democrática e daí a transformação da ideia corporativa na sua contrária: uma ditadura inorgânica, centralista e sem continuidade orgânica [65].

2. A ideia de Estado forte

Perante as debilidades assacadas ao Estado democrático da 1.ª República, a Constituição de 1933 procurou instituir um mecanismo constitucional capaz de furtar o regime à instabilidade governativa. O *Estado forte* traduzia-se, antes de mais, num *executivo forte,* independente do órgão legislativo. Traduzia-se, em segundo lugar, num *legislativo* não partidariamente dividido, limitado à formulação das bases gerais dos regimes jurídicos e à ratificação dos decretos-leis do governo. Traduzia-se, em terceiro lugar, na existência de um Chefe de Estado, eleito directamente pela Nação, que só perante ela respondia, e ao qual competia nomear ou demitir livremente o Presidente do Conselho de Ministros. Esta estrutura política, corolário lógico do antiparlamentarismo e o antipartidarismo [66] do Estado Novo, tinha elementos suficientes para evoluir ou para um *sistema presidencialista* ou para um *regime de Primeiro-Ministro* ou de *Chanceler.* A «praxis política» evoluiu no segundo sentido, tendo Marcelo Caetano considerado existir entre nós um *presidencialismo do primeiro-ministro* [67]. De um modo geral, o executivo tornou-se o fulcro do poder político e, começando por ter o poder de executar as leis, acaba por ser investido do poder de emanar normas jurídicas primárias, tal como a Assembleia Nacional (revisão de 1945). Daqui se conclui que o regime, ao evoluir para um presidencialismo de primeiro-ministro,

---

[65] Cfr. H. Heller, *Europa y el fascismo,* Madrid, 1931, p. 37.
[66] Cfr. Oliveira Salazar, *Discursos,* Vol. I, p. 376.
[67] Cfr. Marcello Caetano, *Manual,* cit., Vol. II, p. 573. Vide, porém, a análise de Jorge Campinos, *O Presidencialismo do Estado Novo,* Lisboa, 1978, pp. 37 e 139, centrada na distinção entre *fachada jurídica* – o presidencialismo constitucional do Presidente da República – e *realidade política* – o presidencialismo funcional do Presidente do Conselho.

concentrou no executivo funções presidenciais e legislativas (além das tarefas próprias do Governo) possibilitadoras da estruturação de um poder político autoritário. E certo que, aparentemente, se consagrou a divisão dos poderes, seguindo-se a opinião de um dos inspiradores do documento [68]. «Vista com tal isenção, a feitura da Constituição deve transferir da actual quase todas as disposições do liberalismo depurado e estritamente político. São elas, em primeiro lugar, depois de melhoradas, as que dizem respeito à divisão e concordância dos poderes, ao Chefe do Estado, ao Governo e ao Parlamento, com as modificações indispensáveis». Estas «modificações indispensáveis» à purificação dos esquemas liberais transformaram-se em instrumentos do autoritarismo conservador.

3. A ideia supra-individualista de Nação

O Estado Corporativo repudiou *ab initio* a recepção total das ideologias nazi-fascistas, procurando uma relativa distanciação em relação aos figurinos totalitários da Europa dos anos 30 [69]. A ambiguidade política das forças conservadoras triunfantes em 1926 e a gradual incorporação de elementos

---

[68] Cfr. QUIRINO DE JESUS, *Nacionalismo Português*, cit., p. 77. Dizemos que a Constituição de 1933 só aparentemente consagrou a divisão dos poderes porque, na realidade, ela não fala em poderes mas em órgãos de soberania (cfr. art. 71.º). Cfr. também MARCELLO CAETANO, *As Minhas memórias de Salazar*, Lisboa, 1977, pp. 44 e ss.

[69] SALAZAR teve oportunidade de cotejar a ditadura portuguesa com a ditadura fascista italiana: «A nossa ditadura aproxima-se, evidentemente, da ditadura fascista pelo reforço da autoridade, guerra declarada a certos princípios da democracia, pelo seu carácter nacional, pela sua preocupação de ordem social. Afasta-se dela, contudo, pelos seus processos de renovação. A ditadura fascista tende para um cesarismo pagão, para um estado que não conhece limites de ordem jurídica ou moral, que marcha para o seu fim sem encontrar embaraços ou obstáculos» Cfr. OLIVEIRA SALAZAR, *Discursos*, Vol. I, cit., p. 285. No mesmo sentido, QUIRINO DE JESUS *Nacionalismo Português*, cit., p. 121, defendia que «nacionalismo português tal como foi proclamado pela ditadura, é distinto de qualquer dos outros surgidos na Europa. Não é inspirado pela doutrina de Maurras e de l'Action Française que é a do estado monárquico, omnipotente, dominador das consciências. Não é igual ao fascismo italiano que representa a mesma ideia de quase deificação do Estado, absoluto, imperialista e guerreiro. Não se parece com o socialismo nacional da Alemanha e da Áustria, que tem semelhanças com o extremismo de esquerda e está subordinado à abolição dos tratados de paz e reinstalação do imperialismo germânico». Mas já um outro influente político do Estado Novo acentuava o carácter totalitário da ideologia corporativa: «... o Estado não pode deixar de ter uma doutrina e creio que essa há-de ser totalitária; há-de abranger todas as formas de actividade e até a própria concepção de vida. Aqui o Estado não impõe escravizando a vontade; propõe orientando a educação por forma a despertar na alma de todos uma ideologia idêntica à sua própria ideologia» Cfr. MÁRIO DE FIGUEIREDO, *Princípios Essenciais do Estado Novo*, Conferência realizada na Sala dos Capelos da Universidade de Coimbra, em 28 de Maio de 1936. Vide a caracterização recente do Estado Corporativo como *ditadura militar* em NICOS POULANTZAS, *A Crise das Ditaduras, Portugal, Grécia, Espanha*, Lisboa, 1975. Cfr. ainda MANUEL DE LUCENA, *A Evolução do Sistema Corporativo Português*, I. *O Salazarismo*, 1976, pp. 28 e ss; "Interpretações do salazarismo", I, in *Análise Social*, 83 (1984), pp. 423 e ss.

fascizantes conduziram a uma simbiose do pensamento tradicionalista com a ideologia fascista. Procurou evitar-se um «panteísmo estatal» e, por isso, a separação Estado-sociedade, a distinção entre a soberania política e soberania social, própria do liberalismo orgânico krausista, coadunava-se melhor com o corporativismo do Integralismo Lusitano [70] (a nação entendida como sociedade civil composta de várias unidades orgânicas) e com o organicismo do Centro Católico do que com o dogma mussoliniano da deificação do Estado. Resultou, assim, uma espécie de "fascismo baptizado" (M. Braga da Cruz). A instauração de uma nova ordem hierarquizada, em substituição da democracia atomista clássica, não postularia uma adesão ao lema mussoliniano «Tudo pelo Estado, nada contra o Estado», sendo suficiente a fórmula o Tudo pela Nação, nada contra a Nação». De qualquer modo, o *nacionalismo português* do Estado Novo aceitava perfeitamente as concepções *supra-individualistas*, como se pode deduzir desta fórmula do *Estatuto do Trabalho Nacional:* «Os fins e os interesses da Nação dominam os dos indivíduos e grupos que a compõem» [71].

Tal como pretendeu evitar o deísmo estadual, a ideologia política do Estado Novo não se revelou declaradamente *racista* como o nacional-socialismo. No entanto, na redacção primitiva do art. 11.º, respeitante à família, não deixou de consagrar-se que «O Estado assegura a constituição e defesa da família, como fonte de conservação e desenvolvimento da raça». Nesta exaltação da raça talvez esteja presente a influência anti-semítica que os doutrinadores do Integralismo Lusitano herdaram de Maurras.

4. A ideia de economia dirigida e a existência de uma constituição económica

O antiliberalismo do Estado Novo consistia, à semelhança do que aconteceu com os outros filões do pensamento conservador, em combater o liberalismo, mais como uma concepção do mundo e da vida *(Weltanschauung)*[72] do que como forma de domínio social e económico, correspondente à época do

---

[70] Quanto a este último cfr. BRAGA DA CRUZ, *As origens,* cit., pp. 351 e ss; «O Integralismo Lusitano e as Origens do Salazarismo», in *Análise Social,* n.º 70 (1982), pp. 137 e ss.

[71] Sobre a evolução do conceito de Nação na ordem constitucional de 1933 cfr. A. TOMASHAUSEN, *Verfassung und Verfassungswirklichkeit im neuen Portugal,* Berlin, 1980, pp. 55 e ss.

[72] Isto é bem posto em relevo quanto ao «anticapitalismo» conservador alemão por H. GERSTENBERGER, *Der revolutionäire Konservatismus, ein Beitrag zur Analyse der Liberalismus,* Berlin, 1969, pp. 37 e ss. Entre nós, vide, por ex., AVELÃS NUNES, «Mentalidade Agrária Pré-Científica», in *Sobre o Capitalismo Português,* Textos Vértice, Coimbra, 1973, pp. 143 e ss; MANUEL DE LUCENA, *A Evolução do Sistema Corporativo Português,* Vol. I, *O Salazarismo,* Lisboa, 1976, pp. 170 e ss; JORGE CAMPINOS, *A ideologia política do Estado Salazarista,* Lisboa, 1975; M. REBELO DE SOUSA, *Os Partidos Políticos,* cit., p. 205.

capitalismo de concorrência [73]. Não obstante isto, a Constituição de 1933, tal como já tinha feito a Constituição de Weimar, encarou a transformação da base social do liberalismo e a evolução do capitalismo de concorrência. E daí que, ao contrário da Constituição de 1911, nos surja um «bloco» de artigos consagrados ao «capitalismo organizado», onde se definem os princípios de coordenação e regulamentação da vida económico-social (constituição económica). Todavia, esta direcção ou mediação do Estado, à qual se apontam infundadamente laivos de *socialismo catedrático*[74], viria a traduzir-se numa drástica restrição dos direitos fundamentais dos trabalhadores (proibição do direito à greve, proibição da liberdade sindical) em contraposição com as liberdades reconhecidas ao outro «parceiro social».

II - Estrutura e princípios da Constituição de 1933

a) *O poder constituinte*

O texto constitucional corporativo é a única constituição portuguesa que adoptou o sistema plebiscitário como forma de exercício do poder constituinte. A partir de um projecto de Salazar, e com auxílio de alguns colaboradores e de um Conselho Político Nacional, foi elaborado um texto (Decreto n.º 22.241, de 21 de Fevereiro de 1933), submetido posteriormente, com ligeiras alterações, a plebiscito nacional (19 de Março de 1933).

b) *Direitos fundamentais*

A declaração de direitos, fundamentalmente condensada no art. 8.º, retomava o estilo das constituições liberais quanto a direitos, liberdades e garantias individuais. Previa-se também a hipótese de direitos constitucionais «fora do catálogo» (constantes da Constituição e até de leis ordinárias, nos termos do art. 8.º/§1). O que caracterizou, porém, a Constituição de 1933 quanto a esta matéria, revelando o seu sentido autoritário, foi o facto de alguns dos direitos mais significativos (cfr. art. 8.º/§2) ficarem submetidos ao regime que viesse a ser

---

[73] Cfr., sobretudo, TEIXEIRA RIBEIRO, «Princípios e Fins do Sistema Corporativo Português», *Boletim da Faculdade de Direito de Coimbra*, Vol. XVI (1939); «O Destino do Corporativismo», *Revista de Direito e de Estudos Sociais*, Vol. I (1945).
[74] Cfr. MARCELLO CAETANO, *Manual, cit.*, Vol. II, p. 504.

estabelecido por «leis especiais». Os direitos fundamentais moviam-se no âmbito da lei, em vez de a lei se mover no âmbito dos direitos fundamentais; a constitucionalidade dos direitos degradava-se em legalidade e legalização dos mesmos, ficando o cidadão submetido à discricionariedade limitadora do legislador. Partindo de uma concepção anti-individualista, o legislador constituinte de 1933 pontualizou melhor do que o legislador republicano de 1911 alguns direitos sociais, económicos e culturais e as correspondentes imposições estaduais para a sua satisfação (cfr. arts. 13.º, 42.º, 43.º, etc.).

c) *Constituição económica*

A Constituição de 1933, na senda da Constituição de Weimar, formalizou, pela primeira vez, em Portugal, a constituição económica. Por outras palavras: os vários domínios da «ordem económica e social» (cfr. Título VIII da Constituição de 1933), são formalmente constitucionalizados, fixando-se a nível da constituição formal um quadro jurídico para os bens de produção, agentes económicos, organização e regulação da economia. Além disso, e na medida em que muitas das normas da constituição económica definem programas e estabelecem directivas para a ordem económica, a constituição deixou de ser um estatuto organizatório liberal para se erigir em *constituição programático-dirigente*.

d) A *estrutura político-organizatória*

Consagrando a soberania nacional (art. 71.º), o documento constitucional de 1933 individualiza como «órgãos de soberania» o Chefe do Estado, a Assembleia Nacional, o Governo e os Tribunais.

1 – *Chefe do Estado*

Os poderes que eram atribuídos ao *Chefe do Estado* como Presidente da República eleito pela Nação revelavam a opção originária pelo «presidencialismo atípico»: (*i*) o Chefe do Estado não é o chefe do executivo, tal como acontece nos regimes tipicamente presidencialistas e tal como sucedia nas monarquias dualistas; (*ii*) o Governo, embora constitucionalmente autonomizado, responde politicamente perante o Presidente da República, o que aponta para as tradições da monarquia constitucional com governo representativo; (*iii*) porém, o facto de se autonomizar o Governo, sem lhe conferir um regime típico de «gabinete» (nas tradições do regime parlamentar), demonstra que se abria caminho para aquilo que já se chamou com relativa propriedade "presidencialismo de primeiro-ministro (Marcello Caetano), «sistema representativo simples de chanceler» (Jorge Miranda), «sistema presidencialista de chanceler» (M. Galvão Teles), «presidencialismo funcional do Presidente do Conselho de Ministros» (Jorge Campinos) [75].

2 – *Assembleia Nacional*

A *Assembleia Nacional* (art. 85.° ss) ficou a ser, depois da revisão constitucional de 1959, o único órgão de soberania directamente eleito. Como órgão legislativo, a sua competência foi seriamente diminuída pela atribuição ao Governo de competência legislativa normal (decretos-leis), embora na última revisão (Lei 3/71, de 16 de Agosto) se tentasse recuperar a dignidade legislativa da Assembleia através da inclusão de novas matérias da competência reservada do órgão representativo (cfr. art. 93.°). Além disso, prescrevia-se que as leis votadas pela Assembleia se restringissem à «aprovação das bases gerais dos regimes jurídicos» (art. 92.°).

Como órgão político, as funções da Assembleia eram também limitadas dada a inexistência da responsabilidade governamental perante este órgão e o seu curto período de funcionamento (cfr. art. 94.°).

3 – *Câmara Corporativa*

Como estrutura corporativa surge a Câmara Corporativa, «composta por representantes das autarquias locais e dos interesses sociais» (art. 102.°). A sua função não era a de uma segunda câmara deliberativa, mas a de um órgão auxiliar, competindo-lhe «relatar e dar parecer sobre todas as propostas ou projectos de lei e sobre todas as convenções ou tratados internacionais que forem presentes à Assembleia Nacional» (art. 103.°). Tornou-se, porém, um importante centro de convergência de poderes burocráticos e tecnocráticos com os interesses económicos.

4 – *Conselho de Estado*

De natureza consultiva, o *Conselho de Estado* funcionava junto do Presidente da República (art. 83.°), competindo-lhe também verificar a impossibilidade de reunião do colégio eleitoral para a eleição do Chefe do Estado, a impossibilidade de realização das eleições para deputados (art. 84.°) e a impossibilidade física permanente do Presidente da República (art. 80.° §1).

---

[75] A doutrina tende hoje a assinalar a evolução orgânico-institucional do regime a partir da Revisão Constitucional de 1971. Cfr., por ex., MARCELO REBELO DE SOUSA, *Os Partidos Políticos*, cit., pp. 211 e ss, que alude a «sistema de concentração de poderes bicéfalo – tendo por cabeças o Presidente da República e o Presidente do Conselho de Ministros».

e) *A estrutura partidária*

Afirmando a sua "inimizade" à «fragmentação partidária» (Oliveira Salazar) e à «política formal e convencional dos partidos» (Marcello Caetano), compreende-se o desconhecimento, pelo regime corporativo, dos partidos a nível constitucional formal. O regime não deixou, todavia, de recorrer a esquemas organizatórios destinados a desempenharem funções atribuídas aos partidos políticos (União Nacional e Acção Nacional Popular): suporte político, mobilização, recrutamento de dirigentes, mediação eleitoral. [76]

Referências bibliográficas

A) O MOVIMENTO PRÉ-CONSTITUCIONAL

Alpern Pereira, Miriam— «A crise do Estado do Antigo Regime: alguns problemas conceituais e de cronologia», in *Ler História,* 2/1983.

Carvalho dos Santos, Maria Helena: – "A Evolução da Ideia de Constituição em Portugal. Tentativas constitucionais durante a invasão de Junot", in VITOR NETO (coord.), *A Revolução Francesa e a Península Ibérica,* Coimbra, 1988, pp. 435 e ss.

Cristina Araújo, Ana Cristina – "Revoltas e Ideologias" in Carvalho HOMEM, *Revoltas e Revoluções,* Vol. II, Coimbra, 1985; pp. 61 e ss.

B) CONSTITUCIONALISMO VINTISTA

Caetano, M. – *Manual de Ciência Política e Direito Constitucional,* 6.ª ed., Lisboa, Vol. II, 1972, pp. 409 ss.

Henrique Dias – "A carta constitucional prometida", in *História e Filosofia,* Vol. VI, (1987), pp. 543 e ss.

Castro, Zília de – "Constitucionalismo vintista. Antecedentes e pressupostos", in *Cultura, História e Filosofia,* (1986), pp. 597 e ss.

Ferreira Pina, *De Rousseau ao Imaginário da Revolução de 1820,* Lisboa, 1988, p. 74.

---

[76] Cfr. a discussão da caracterização, como partido, da União Nacional e da Acção Nacional Popular em M. REBELO DE SOUSA, *Os Partidos Políticos,* cit., p. 184, e bibliografia aí citada. Cfr., também AFONSO QUEIRÓ, *Partidos e partido único no pensamento político de Salazar,* 1970, p. 12; ARLINDO CALDEIRA, "A União Nacional: antecedentes, organização e funções", in *Análise Social,* 94 (1986), pp. 343 e ss.

Dias, J. S. S. – *O Vintismo: realidade e estrangulamentos políticos,* in REIS, J./MONICA, M. F./Lima dos Santos, M. L. (org.), *O séc. XIX em Portugal,* Lisboa, 1979.

Dias G./Dias J. S. S. – *Os primórdios da Maçonaria em Portugal,* Vol. I, Tomo II, Coimbra, 1979.

Martins, O. – *Portugal Contemporâneo,* 2 vols., Lisboa, 1976.

Miranda, J. – *Manual de Direito Constitucional,* Vol. I, pp. 277 ss.

Soares, M. – «Constituição de 1822», in JOEL SERRÃO (dir.), *Dicionário da História de Portugal,* Lisboa, 1963.

Bastid, P. – *Les institutions politiques de la monarchie parlamentaire française (1814-1818),* Paris, 1954.

Laranjo, J. F. – *Princípios de Direito Político e Direito Constitucional Português,* Coimbra, 1898.

Schmidt-Assman, *Der Verfassungsbegriff,* cit., pp. 137 e ss.

C) CONSTITUCIONALISMO DA RESTAURAÇÃO

Bonavides, P./Andrade, P. – *História constitucional do Brasil,* 2.ª ed., Brasília, 1990.

Caetano, M. – *Manual de Ciência Política e Direito Constitucional,* Vol. I, pp. 423 e ss.

Campinos, J. – *A Carta Constitucional de 1826,* Lisboa, 1975.

Miranda, J. – *Manual,* Vol. I, pp. 230 e ss.

Praça, L. – *Estudos sobre a Carta Constitucional e Acto Adicional de 1852,* 3 vols., Coimbra, 1878/1880.

Ribeiro, Maria M. T. – "A Restauração da Carta Constitucional", in *Revoltas e Revoluções,* Vol. II, p. 190.

Sousa, Marnoco – *Direito Político – Poderes de Estado,* Coimbra, 1910.

D) CONSTITUCIONALISMO SETEMBRISTA

Cabral, M. V. – *O desenvolvimento do capitalismo em Portugal,* Lisboa, 1976.

Caetano, M. – *Manual,* Vol. II, pp. 437 e ss.

Dias, J. S. S./Dias, G. S. – *Os primórdios da maçonaria em Portugal,* I/2, pp. 838 e ss.

Miranda, J. – *Manual,* cit., pp. 238 e ss.

Pereira, M. H. – *Revolução, Finanças e Dependência Externa,* Lisboa, 1979.

Sá, V. – *A Revolução de Setembro de 1836,* Lisboa, 1972.

Silbert, A. – «Cartismo e Setembrismo», in *Do Portugal do Antigo Regime ao Portugal Oitocentista,* 3.ª ed., Lisboa, 1981, pp. 197 e ss.

Silva, J. J. Rodrigues da – "O constitucionalismo setembrista e a Revolução Francesa", in Vitor Neto (coord), *A Revolução Francesa na Península Ibérica*, 1989.
– *As Cortes Constituintes de 1837-1838 – Liberais em confronto*, Lisboa, 1992.
Vieira, Benedita – *A Revolução de Setembro e o Discurso constitucional de 1837*, Lisboa, 1987.

E) CONSTITUCIONALISMO REPUBLICANO

Caetano, M. – *Manual*, Vol. II, p. 470 ss.
Catroga, F. – *A importância do positivismo na consolidação da ideologia republicana em Portugal*, Coimbra, 1977.
– *A Militância Laica e a Descristianização da Morte em Portugal (1965-1911)*, Vol. I, Coimbra, 1988.
– *O Republicanismo em Portugal. Da formação ao 5 de Outubro de 1910*, 2 vols., Coimbra, 1991.
Homem, A. Carvalho – *A Ideia Republicana em Portugal. O contributo de Teófilo Braga*, Coimbra, 1988.
Miranda, J. – *Manual*, Vol. I, pp. 285 e ss.
Sousa, M. – *Constituição Política Portuguesa, Comentário*, Coimbra, 1913.

F) CONSTITUCIONALISMO CORPORATIVO

Caetano, M. – *Manual*, Vol. II, pp. 486 ss.
Campinos, J. – *O presidencialismo do Estado Novo*, Lisboa, 1978.
Canotilho, J. J. – «Partido Político» e «Regime Político», in *Dicionário de História de Portugal*, org. de Joel Serrão, actualização de António Barreto/Filomena Mónica, vol. 2, Lisboa, 2000
Cruz, B. J. – *As origens da Democracia Cristã e o Salazarismo*, Lisboa, 1980.
– *O Partido e o Estado no Salazarismo*, Lisboa, 1988.
Machete, R. – «Os princípios e classificações Fundamentais do corporativismo», in *Estudos de Direito Público e de Ciência Política*, Lisboa, 1991, pp. 613 e ss.
Miranda, J. – *Manual*, Vol. I, pp. 247 e ss.
Moreira, Vital – *Direito Corporativo*, Coimbra, 1973 (ciclostilo).
– "O Sistema jurídico-constitucional do 'Estado Novo'", in João Medina (org.), *História de Portugal*, Lisboa.
Otero, P. – «A concepção unitarista do Estado na Constituição de 1933», in RFDUL, 1990, pp. 445 e ss.
Ribeiro, J. J. T. – «O destino do corporativismo português», *Revista de Direito e de Estudos Sociais*, Vol. I, 1945.

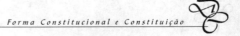

ESTRUTURA FORMAL DAS CONSTITUIÇÕES PORTUGUESAS

CONSTITUIÇÃO DE 1822 (240 artigos)	CONSTITUIÇÃO DE 1911 (87 artigos)	CONSTITUIÇÃO DE 1976 (298 art.)*
I – Dos direitos e deveres individuais dos Portugueses II – Da Nação Portuguesa, e seu território, religião, governo e dinastia III – Do Poder Legislativo ou das Cortes IV – Do Poder Executivo do Rei V – Do Poder Judicial VI – Do Governo administrativo e económico	I – Da forma de Governo e do Território da Nação Portuguesa II – Dos direitos e garantias individuais III – Da soberania e dos poderes do Estado IV – Das instituições locais e administrativas V – Da administração das províncias ultramarinas VI – Disposições gerais VII – Da Revisão Constitucional	*PREÂMBULO* **Princípios Fundamentais** PARTE I **Direitos e deveres fundamentais** I – Princípios gerais II – Direito, liberdades e garantias III – Direitos e deveres económicos, sociais e culturais

CARTA CONSTITUCIONAL DE 1826 (145 artigos)	CONSTITUIÇÃO DE 1933 (142 arts.)	
I – Do Reino de Portugal, seu território, governo e religião II – Dos cidadãos portugueses III – Dos poderes e representação nacional IV – Do Poder legislativo V – Do Rei VI – Do Poder Judicial VII – Da administração e economia das províncias VIII – Das disposições gerais e garantia dos direitos civis e políticos dos cidadãos portugueses	PARTE I I – Da Nação Portuguesa II – Dos cidadãos III – Da Família IV – Das Corporações morais e económicas V – Da família, das corporações, das autarquias como elementos políticos VI – Da Opinião Pública VII – Da ordem administrativa, política e civil VIII – Da ordem económica e social IX – Da educação, ensino e cultura nacional X – Das relações do Estado com a Igreja Católica e demais cultos XI – Do domínio público e privado XII – Da Defesa Nacional XIII – Das administrações de interesse colectivo XIV – Das finanças do Estado	PARTE II **Organização económica** I – Princípios gerais II – Planos III – Política agrícola, comercial e industrial IV – Sistema financeiro e fiscal PARTE III **Organização do poder político** I – Princípios gerais II – Presidente da República III – Assembleia da República IV – Governo V – Tribunais VI – Tribunal Constitucional VII – Regiões autónomas VIII – Poder local IX – Administração Pública X – Defesa Nacional

CONSTITUIÇÃO DE 1838 (139 arts. + 1 art. transitório)		
I – Da Nação Portuguesa, seu território, religião, governo e dinastia II – Dos cidadãos portugueses III – Dos Direitos e garantias dos Portugueses IV – Dos Poderes Políticos V – Do Poder Legislativo VI – Do Poder Executivo VII – Do Poder Judiciário VIII – Do Poder Administrativo e Municipal IX – Das Províncias Ultramarinas X – Da Reforma da Constituição	PARTE II I – Da soberania II – Do Chefe do Estado III – Da Assembleia Nacional IV – Do Governo V – Dos Tribunais VI – Das circunscrições políticas e administrativas e das autarquias locais VII – Do Império colonial português Disposições complementares a) Revisão Constitucional b) Disposições especiais e transitórias	PARTE IV **Garantia e Revisão da Constituição** I – Fiscalização da constitucionalidade II – Revisão constitucional **Disposições finais e transitórias**

* Sistematização de acordo com a Lei Constitucional n.º 1/97 (4.ª Revisão da Constituição).

Parte III
Padrões Estruturais do Direito Constitucional Vigente

Título 1

*Constituição, República e Estado
na Ordem Jurídico-Constitucional de 1976*

Capítulo 1

Notas Gerais Sobre a Constituição da República de 1976

Sumário

A. A Constituição de 1976 e as continuidades e descontinuidades constitucionais

  I - Descontinuidades

   1. A tradição constitucional portuguesa das rupturas constitucionais
   2. Descontinuidade material

  II - Continuidades

B. A constituição e as matrizes estrangeiras

C. O procedimento constituinte de 1976

  I - Justiça procedimental imperfeita

  II - Os momentos constitucionais

   1. Momento revolucionário
   2. Momento extraordinário
   3. Momento maquiavélico

D. A constituição e as revisões da constituição. De quantas "constituições" é composta a "constituição"?

1. As tensões e contradições
2. A primeira revisão (1982) e o fim das metanarrativas e da legitimidade revolucionária
3. A segunda revisão (1989) – a reversibilidade da constituição económica
4. A terceira revisão (1992) – a caminho de uma constituição regional?
5. A quarta revisão (1997) – o renascer da questão constitucional
6. A quinta revisão (2001) – a internacionalização da constituição penal
7. Conclusão

E. Características formais da Constituição de 1976

1. Constituição unitextual
2. Constituição rígida
3. Constituição longa
4. Constituição programática
5. Constituição compromissória

A. A Constituição de 1976 e as Continuidades e Descontinuidades Constitucionais

Nesta Parte III estudar-se-ão as estruturas fundamentais do *direito constitucional português*. Enquanto na Parte Primeira se investigaram as coordenadas básicas para situar as preocupações políticas e jurídicas do constitucionalismo moderno, nesta Parte Terceira teremos como objectivo central o estudo do direito constitucional positivamente vigente. Procurar-se-á, pois, adoptar uma *perspectiva dogmático-constitucional* (e não teorético-constitucional) centrada na Constituição da República em vigor, ou seja, a *Constituição da República Portuguesa, de 2 de Abril de 1976* (CRP). Esta perspectiva possibilitar-nos-á estruturar um *discurso constitucionalmente adequado*, ou seja, um discurso que *observa* a *nossa* Constituição e o *nosso* direito constitucional. Note-se, porém: se o direito constitucional confere centralidade à Constituição formal de 1976, isso não significa que não tenhamos de fazer apelos a algumas experiências constitucionais estrangeiras e a alguns dados da "constituição material".

I - Descontinuidades

1. A tradição constitucional portuguesa das rupturas constitucionais

A **Constituição de 1976** insere-se na linha de *descontinuidade* do direito constitucional português. O código binário *continuidade/descontinuidade* aplicado no direito constitucional significa basicamente o seguinte: existe **continuidade constitucional** quando uma ordem jurídico-constitucional que sucede a outra se reconduz, jurídica e politicamente, à ordem constitucional precedente; fala-se de **descontinuidade constitucional** quando uma nova ordem constitucional implica uma ruptura com a ordem constitucional anterior. Neste sentido, existirá uma *relação de descontinuidade* quando uma *nova* constituição adquiriu efectividade e validade num determinado espaço jurídico sem que para tal se tenham observado os preceitos reguladores de alteração ou revisão da constituição vigente que, assim, deixa de ser, por sua vez, válida e efectiva no mesmo espaço jurídico. Os conceitos de continuidade e descontinuidade, tal como acabam de ser recortados, são conceitos centrados na continuidade ou descontinuidade da constituição formal, pois tomam sobretudo em conta o procedimento e forma da mudança da constituição. Por outras palavras: quando a *nova* constituição é feita e aprovada segundo os esquemas regulativos da "velha" constituição existe continuidade formal; quando o novo texto constitucional postergou os preceitos do "velho" texto quanto ao procedimento de alteração estamos perante a *descontinuidade formal*.

A aplicação do código binário continuidade/descontinuidade formal à história constitucional portuguesa permite-nos considerar o constitucionalismo português como um constitucionalismo dominado pelas rupturas ou descontinuidades formais. A Constituição de 1822, elaborada na sequência da Revolução vintista (1820), rompe com a "constituição monárquica" tradicional. A Carta Constitucional de 1826 ("Constituição outorgada ou dada" por D. Pedro IV) surge depois do "interregno constitucional" de D. João VI sem obedecer aos critérios de revisão da Constituição de 1822. A Constituição de 1838, elaborada depois da Revolução de Setembro de 1836, rompe com o procedimento de revisão proposto na Carta de 1826. A Constituição de 1911, emergente da Revolução republicana de 5 de Outubro de 1910, rompe deliberadamente com a Carta Constitucional de 1826, que retomara a vigência depois da "Revolta Cabralista" em 1842. A Constituição de 1933, que sedimenta os fundamentos jurídico-políticos do Movimento de 28 de Maio de 1926, fez tábua-rasa do procedimento de revisão fixado pela Constituição de 1911. Finalmente, o poder constituinte emergente da Revolução de 25 de Abril de 1974 pulverizou os procedimentos de revisão estabelecidos pela Constituição de 1933.

O "texto de Abril" é, pois, um texto de ruptura, um *momento de descontinuidade* inserido no ciclo longo de descontinuidades do constitucionalismo português.

2. Descontinuidade material

A compreensão das rupturas ou descontinuidades constitucionais não se basta com um critério formal. Alguns autores (exemplo: Carl Schmitt) aludem a uma descontinuidade em sentido *material* quando se verifica uma destruição do antigo poder constituinte e da sua obra (momento desconstituinte) por um novo poder constituinte alicerçado num título legitimatório radicalmente diferente do anterior. Não é suficiente a não observância dos procedimentos formais de revisão ou emenda; é ainda necessário um novo título de legitimação.

Se quisermos transferir o conceito de descontinuidade constitucional material para a história constitucional portuguesa, aqui encontramos momentos inequívocos desta descontinuidade. Assim, por exemplo, a Constituição de 1822 resulta do exercício do poder constituinte democrático (título de legitimação: a nação, o povo) materialmente distinto do poder constituinte monárquico. A Carta Constitucional de 1826 é, de novo, um momento de descontinuidade material porque ela reafirma o poder constituinte monárquico postergando o "poder constituinte da nação" presente na Constituição de 1822. A Constituição republicana de 1911 consubstancia uma nova ruptura ou descontinuidade material ao apelar para o poder constituinte do povo com total rejeição do antigo poder constituinte monárquico.

A descontinuidade material pode traduzir-se não tanto no diferente título de legitimação do poder constituinte mas na ruptura consciente com o passado no plano dos princípios políticos constitucionalmente conformadores. Assim, e apesar das constituições de 1933 e 1976 surgirem formalmente como manifestação do poder constituinte democrático (sob a forma plebiscitária a primeira e sob a forma representativa a segunda) elas em nada se comparam quanto aos princípios políticos estruturantes. O "Estado Novo" desenhado pela Constituição de 1933 é radicalmente distinto do "Estado Democrático" arquitectado pelo texto de 1976. Precisamente por isso é que a "aproximação" entre as duas Constituições, que alguns[1] já pretenderam fazer, radica mais no esforço retórico de deslegitimação do texto de Abril ou numa esforçada comparação formal do que na análise serena dos princípios políticos estruturantes das constituições em confronto.

II - Continuidades

As descontinuidades constitucionais coexistem com algumas *memórias e tradições* do constitucionalismo português. Desde logo, podemos verificar duas grandes tendências no constitucionalismo português. Uma, a *corrente democrática*, que teve como momentos principais o constitucionalismo vintista (pelo menos em algumas das suas tendências), o constitucionalismo setembrista (também com gradações políticas diferenciadas), o constitucionalismo republicano de 1911 e, por último, o constitucionalismo democrático-social de 1976. A outra – a *tendência autoritária* e *conservadora* – encontra as suas expressões mais significativas no cartismo (Carta de 1826) e no constitucionalismo corporativo

---

[1] A começar por Manuel Lucena, *O Estado da Revolução*, pp. 88 e ss., e a terminar em Paulo Otero, *O Poder de Substituição*, pp. 668 e ss.

do "Estado Novo" (Constituição de 1933). Deve, porém, chamar-se a atenção para o facto de este código binário progressista/conservador ser insuficiente para captar outras tendências do constitucionalismo português. Assim, por exemplo, a inserção de um catálogo de direitos e liberdades na constituição formal é uma constante em todas as constituições portuguesas. Do mesmo modo, a fiscalização judicial difusa dos actos normativos que começa na Constituição de 1911 passa para a Constituição de 1933 e mantém-se na actual lei fundamental de 1976, tornando-se uma espécie de *património constitucional* português. As autarquias locais, mesmo com regimes jurídicos diversos consoante o regime era mais autoritário ou mais liberal, afirmaram-se como um ordenamento territorial sempre presente nos textos constitucionais. A prática das "leis do governo" (e não apenas do parlamento) começou no constitucionalismo monárquico com os "decretos ditatoriais", reforçou-se no constitucionalismo corporativo e continuou nos quadros constitucionais de 1976. A separação Chefe de Estado-Chefe do Governo começa em 1834 e mantém-se em todos os textos constitucionais.

Dos exemplos atrás apontados pode deduzir-se a existência de *patrimónios* culturais constitucionais (catálogo de direitos e liberdades, autarquias

PAINEL 1 – A CONSTITUIÇÃO DE 1976 NO CICLO LONGO DE CONTINUIDADE E DESCONTINUIDADE DO CONSTITUCIONALISMO PORTUGUÊS	
Descontinuidade Formal	*Descontinuidade Material*
1. Constituição de 1822 *versus* constituição tradicional da monarquia	Poder constituinte democrático das Cortes Gerais Extraordinárias e Constituintes de 1821 *versus* poder constituinte monárquico
2. Carta Constitucional de 1826 *versus* Constituição de 1822	Poder constituinte monárquico *versus* poder constituinte democrático
3. Constituição de 1838 *versus* Carta Constitucional de 1826	Poder constituinte democrático *versus* poder constituinte monárquico
4. Constituição de 1911 *versus* Carta Constitucional de 1826	Poder constituinte democrático republicano *versus* poder constituinte monárquico
5. Constituição de 1933 *versus* Constituição de 1911	Poder constituinte autoritário-plebiscitário de 1933 *versus* poder constituinte democrático representativo de 1911
6. Constituição de 1976 *versus* Constituição de 1933	Poder constituinte democrático representativo de 1976 *versus* poder autoritário-plebiscitário de 1933

locais, fiscalização judicial) e de "engenharias" constitucionais (exemplos: decretos-leis do governo, dualismo Chefe de Estado-Chefe de Governo). Mais discutível é a questão de saber se, com base nestes "patrimónios" e "engenharias constitucionais", é legítimo falar em traços identificadores de todo o constitucionalismo português. O predomínio das rupturas e descontinuidades sobre as constâncias constitucionais aponta, *prima facie*, para uma resposta negativa.

B. A Constituição e as Matrizes Estrangeiras

A Constituição de 1976 é um texto profundamente original no plano comparado. A especificidade da Revolução de 25 de Abril de 1974 e os seus desenvolvimentos ulteriores crismaram o texto constitucional de soluções rasgadamente inovadoras em relação a textos constitucionais estrangeiros. É possível, no entanto, detectar o rasto de fontes constitucionais estrangeiras no articulado constitucional. Assim, a influência da Lei Fundamental de Bona de 1949 (*Grundgesetz*) torna-se visível no catálogo de direitos, liberdades e garantias e dela recolhe importantíssimos aspectos quanto ao regime destes direitos (exemplo: aplicabilidade directa dos preceitos consagradores de direitos, liberdades e garantias, eficácia directa dos direitos, liberdades e garantias em relação a entidades privadas, consideração de um "núcleo essencial" como reduto inexpugnável destes mesmos direitos, liberdades e garantias [2]). A presença do texto constitucional italiano de 1948 é notória também quanto a alguns aspectos dos direitos fundamentais (exemplo: direitos fundamentais de formações sociais, direitos sociais e económicos), quanto a alguns princípios estruturantes (exemplo: princípio "laborista") e quanto aos estatutos das Regiões Autónomas dos Açores e da Madeira (correspondentes às regiões de "estatuto especial" da Constituição italiana). O modelo francês de organização do poder político tem algumas refracções no texto de 1976 sobretudo no que toca aos esquemas semipresidencialistas. Além destas influências do "constitucionalismo ocidental", notam-se também inspirações de outros modelos como o das constituições socialistas dos países ex-comunistas (catálogo de direitos económicos, sociais e culturais) [3].

---

[2] Para outros desenvolvimentos, cfr. J. M. Cardoso da Costa, *A Lei Fundamental de Bona e o direito constitucional português*, separata do BFDC, XXV, 1989.

[3] Cfr. Jorge Miranda, *Manual*, I, cit., pp. 352 e ss.; Gomes Canotilho-Vital Moreira, *Fundamentos da Constituição*, cit., pág. 14; G. de Vergottini, *Le Origine*, pp. 231 e ss.

C. O Procedimento Constituinte de 1976

I - Justiça Procedimental Imperfeita

A teoria do poder constituinte foi apresentada no Capítulo 3 da Parte I. Os ensinamentos aí avançados servem como quadro conceitual e problemático do procedimento constituinte português conducente à elaboração e aprovação do texto constitucional de 1976.

A primeira nota a salientar é esta: a elaboração do texto de 1976 obedeceu ao paradigma clássico da *soberania constituinte* e da *democracia dualista*: (1) eleição de *deputados constituintes*, segundo as regras do sufrágio universal, igual, directo e secreto; (2) formação de uma *assembleia constituinte* exclusivamente competente para a feitura de uma lei fundamental; (3) atribuição de *soberania constituinte* a essa assembleia, pois a ela competiria não apenas a feitura do texto mas também a sua *aprovação* em termos definitivos (técnica da assembleia constituinte soberana). A pergunta que se poderá fazer é esta: teria havido *justiça constitucional processual* (ou procedimental) no procedimento constituinte português? Por **justiça procedimental constituinte** designaremos aqui, na senda de John Rawls, as etapas de elaboração de uma constituição reconduzíveis, no seu conjunto, a um procedimento considerado justo e, por conseguinte, gerador de uma "boa constituição". Como não existe um processo que, *a priori* ou em termos absolutos, se possa considerar um procedimento ou processo justo, temos de nos satisfazer com uma *justiça processual imperfeita*[4]. Mas, mesmo com esta relatividade da justiça constitucional imperfeita, teria o procedimento constituinte observado as dimensões básicas da justiça no plano processual? Por outras palavras: a justiça processual (imperfeita) chegou, em algum momento, a tocar a *injustiça* processual? Vejamos.

Quanto à etapa (1) – eleição de deputados – não há razões bastantes para contestar a justiça processual constituinte de 1976. Embora tivessem sido consagradas algumas "incapacidades cívicas", a lei eleitoral para a Assembleia Constituinte (Decretos-Leis n.º 621-A, 621-B e 621-C/74, de 15 de Novembro) tem sido considerada como a "mais democrática das leis eleitorais publicadas até à altura em Portugal"[5].

Relativamente ao procedimento de trabalho da Assembleia Constituinte, o *regimento* que regulou o seu funcionamento mostrou-se procedimen-

---

[4] Cfr. JOHN RAWLS, *Uma Teoria da Justiça*, pág. 164.
[5] Assim, precisamente, JORGE MIRANDA, *Manual*, Vol. I, 5.ª ed., pp. 335 e ss.

Direito Constitucional

talmente adequado e justo como *plano* de elaboração de um texto e método de trabalho de uma assembleia constituinte[6].

Os momentos (2) e (3) – natureza e poderes da Assembleia Constituinte – não padecem, *prima facie*, de entorses visíveis em termos de justiça processual. A Lei n.º 3/74, de 25 de Abril, definidora da estrutura constitucional provisória, levou à risca os ensinamentos da teoria do poder constituinte. Os poderes eram os de uma assembleia constituinte eleita com a exclusiva missão de fazer um texto fundamental e de, simultaneamente, aprovar esse texto como Constituição. Neste ponto, saliente-se até que a referida Lei n.º 3/74 se desviou do "Programa do Movimento das Forças Armadas" ("Programa do MFA") que cometia também à Assembleia Constituinte (Ponto B-5) a "adopção de reformas de fundo". Compreende-se, porém, esse desvio. Além de recolher as "lições do constitucionalismo" quanto à "exclusividade" da missão constituinte, não pode esquecer-se que existiam na altura outros órgãos políticos criados pela Lei n.º 3/74 (Presidente da República, Junta de Salvação Nacional, Governo Provisório) aos quais foram razoavelmente atribuidas as tarefas políticas normais de um Estado de direito.

No entanto, o procedimento constituinte viria a merecer contestação no plano da justiça processual quanto a dois pontos: o da inexistência de *referendo* para a aprovação do texto e o da existência de *coacção* sobre os constituintes. Relativamente à ausência de referendo ratificativo do «projecto» de constituição, deve esclarecer-se que a Lei n.º 3/74 não fazia qualquer referência à participação popular referendária. Sugeria-se, sim, a adopção do modelo de *assembleia constituinte soberana*. A "invenção" do problema do referendo terá de compreender-se no quadro geral do "problema da Constituição de 1976", ou melhor, no quadro da contestação da legitimidade material da lei fundamental aprovada pela Constituinte. Pretendeu-se, num primeiro momento, recorrer à votação referendária para neutralizar as chamadas "conquistas revolucionárias" inseridas no texto constitucional antes de 25 de Novembro de 1975. Num segundo momento – perante a inconsequência da primeira reivindicação –, pretendeu-se avançar com a ideia de plebiscito para superar a Constituição de 1976 sem estar amarrado aos limites de revisão (temporais, circunstanciais e materiais) por ela estabelecidos[7]. A ratificação referendária foi considerada, como

---

[6] Veja-se VITAL MOREIRA, "A formação dos princípios fundamentais da Constituição", in JORGE MIRANDA (org), *Estudos sobre a Constituição*, Vol. III, Lisboa, 1979; JORGE MIRANDA, *Fontes e trabalhos preparatórios*, 2 vols., Lisboa, 1978.

[7] Veja-se, por todos, FRANCISCO LUCAS PIRES, *A Teoria da Constituição de 1976*, Lisboa, 1989, pp. 125 e ss.

se viu atrás, como um corolário lógico da "soberania popular" e nada haveria a objectar se ela tivesse sido considerada pela Lei Constitucional n.º 3/74 como dimensão necessária da justiça processual constituinte. No contexto político português, a exigência do referendo nada mais foi do que um dos instrumentos da "querela constitucional" em torno do texto de 1976[8].

A "injustiça processual" radicava também na falta de liberdade da Assembleia Constituinte. Teria resultado esta falta de liberdade do facto de os militares detentores da chamada "legitimidade revolucionária" haverem obrigado os partidos com assento na Assembleia Constituinte, e, por isso, detentores, através dos seus deputados constituintes, da chamada "legitimidade democrática", a assinarem e observarem as cláusulas constantes de *Plataformas de Acordo Constitucional*. Na prática, as duas Plataformas de Acordo Constitucional (vulgarmente chamadas "Pactos MFA-Partidos")[9] ter-se-iam transformado em verdadeiros "*diktats*" regulativos. O carácter coactivo traduzia-se fundamentalmente na obrigatoriedade da inserção *qua tale* de algumas cláusulas das plataformas no próprio texto da Constituição. Ora, se as cláusulas se impunham aos deputados constituintes, isso significava que nas matérias nelas contempladas não haveria liberdade de iniciativa, discussão e deliberação.

A discussão deste segundo momento de eventual "injustiça processual" deve ter em conta três tópicos. O primeiro diz respeito à incontornável dependência da constituição formal perante a constituição material. Nenhuma constituição é elaborada no vácuo sócio-político. Na elaboração da *Grundgesetz* de Bona de 1949 tiveram peso decisivo as forças de ocupação aliadas. A Constituição francesa de 1958 tem a presença do general De Gaulle. Na elaboração da Constituição espanhola de 1978 teve relevância indiscutível o chamado "Pacto de Moncloa". Na feitura da Constituição brasileira de 1988 o Movimento dos "Directas Já" e a coligação de forças heterogéneas em plena Assembleia Constituinte (o chamado "centrão") condicionaram claramente a elaboração da actual lei básica brasileira. O segundo tópico prende-se com a questão de saber se as Plataformas inquinaram decisivamente a liberdade dos deputados constituintes quanto às matérias acima referidas. Ressalvada a inserção do Conselho da Revolução e de algumas fórmulas emancipatórias[10], a Constituição é um mapa ideológico, político e cultural dos projectos, discussões, diferenças e diferendos que se cruzaram na Assembleia Constituinte.

---

[8] Cfr., também, as indicações de JORGE MIRANDA, *Manual*, I, pp. 340 e 347, que assinala justamente o aparecimento "tardio" da reivindicação do referendo.

[9] A *Plataforma I* foi assinada em 13 de Abril de 1975; a *Plataforma II*, que substituiu a primeira, foi assinada em 26 de Fevereiro de 1976.

[10] Cfr. JORGE MIRANDA, *Manual*, I, cit., p. 352.

Direito Constitucional 202

O terceiro tópico relaciona-se com a "componente militar". A elevação a órgão do poder político do "Conselho de Revolução" estaria em completa dissonância com o paradigma da "constituição ocidental". Este argumento esquece os *momentos constitucionais* que rodearam a feitura do texto de 1976. Vejamos.

PAINEL 2 – PROCEDIMENTO CONSTITUINTE	
Legitimação através do Procedimento	*Justiça Procedimental Imperfeita?*
1. Lei reguladora das eleições para a Assembleia Constituinte	1. Falta de referendo
2. Eleição de deputados à Assembleia Constituinte	2. Pactos MFA-Partidos
3. Regimento da Assembleia Constituinte	
4. Trabalho da Assembleia Constituinte	
5. Votação e aprovação	
6. Promulgação	

II - Os momentos constitucionais

A Constituição de 1976 é uma constituição de momentos: é a constituição de um *momento revolucionário*, é a constituição de um *momento extraordinário*, é a constituição de um *momento maquiavélico*.

1. Momento revolucionário

Há vários critérios disponíveis para a caracterização de um acontecimento como *revolucionário*. Sob o ponto de vista político e jurídico-constitucional poderemos reter esta noção há pouco tempo sugerida por Ralf Dahrendorf[11]: **revolução** é o fenómeno político-social (ou conjunto de fenómenos) originador de mudanças rápidas e radicais essencialmente traduzidas no plano político-social pela deslegitimação de toda uma classe governante, com a consequente substituição da maioria dos seus principais membros e uma transformação constitucional de vastíssimas consequências. As transformações subsequentes ao Movimento das Forças Armadas de 25 de Abril de 1974 reunem estas características. As principais "leis constitucionais" ("leis", na terminologia deste

---

[11] Cfr. RALF DAHRENDORF, *Reflexões sobre a Revolução na Europa*, Lisboa, 1993, p. 14.

período) são leis de destituição de dirigentes e de deslegitimação dos aparelhos políticos do Estado Novo (a Lei n.º 1/74, de 25 de Abril, "destituiu o Presidente da República", "exonerou" os membros do Governo e "dissolveu" a Assembleia Nacional e o Conselho de Estado; a Lei n.º 2/74, de 14 de Maio, extinguiu a Assembleia Nacional e a Câmara Corporativa). As transformações constitucionais compreendidas como estruturação de um novo corpo de regras político-constitucionais começarão formalmente com a Lei n.º 3/74, de 14 de Maio, que definiu uma estrutura constitucional provisória e revogou formalmente a Constituição de 1933 com ressalva das normas que não contrariassem essa lei ou os princípios do Programa do MFA[12].

Existe também um conceito de revolução mais centrado nas transformações económicas e sociais. **Revolução**, neste sentido, será o processo histórico de alterações estruturantes nos planos económico, político e social. Estruturantes no plano político são, por exemplo, desde logo, a *decisão de descolonização* (Lei n.º 7/74, de 27 de Julho) e a *decisão de institucionalização da Revolução* (Lei n.º 5/75, de 14 de Março), que criou o Conselho da Revolução, atribuindo-lhe não apenas os poderes conjuntos da Junta de Salvação Nacional, do Conselho de Estado e do Conselho dos Chefes de Estado-Maior das Forças Armadas, mas também competência legislativa para empreender as "necessárias reformas da estrutura económica portuguesa". Estruturantes no plano económico são, por exemplo, as *decisões* da reforma agrária e das nacionalizações. Algumas destas transformações revolucionárias seriam acolhidas no texto constitucional de 1976 e aí residirá, com efeito, um dos momentos fundamentais do "problema constitucional" como a seguir se explicará.

O momento constitucional revolucionário português originou ainda as duas formas típicas que Hannah Arendt[13] assinalou às movimentações constitucionais no século XVIII: a forma da *revolução permanente* que não conduz a uma constituição estável (foi o que sucedeu em todo o nosso constitucionalismo) e a forma da *fundação consensual*, possibilitadora da implantação de uma lei fundamental meio "garantística" e meio "restaurativa", mas que oferece uma medida de regulação constitucional sustentável para o funcionamento estabilizado do poder político. A seguir se demonstrará isto: a recentração "garantístico-restaurativa" ocupará duas revisões, podendo dizer-se que só a partir de

---

[12] Os textos destas leis podem consultar-se na colectânea de ORLANDO NEVES, *Textos Históricos da Revolução*, 3 volumes, Lisboa, 1975/76.

[13] Cfr. HANNAH ARENDT, *Sobre a Revolução*, Moraes Editores, Lisboa, 1971. Sobre os vários sentidos de revolução – sistémico, fenomenológico, hermenêutico e legal – cfr. A. ARATO, "Revolution, Restoration, Legitimation", in M. D. KENNEDY, (org.) *Envisioning East Europe*, 1984.

[14] Cfr., por último, CARDOSO DA COSTA, *A Evolução Constitucional no Quadro da Constituição da República de 1976*, Tribunal Constitucional, Lisboa, 1994.

1989[14], (com a segunda revisão do texto de 1976) se obteve um "consenso" ou "arco constitucional" suficientemente amplo para serenar a querela em torno da Constituição. Por outras palavras: a **consolidação** e a **persistência** democráticas foram conseguidas através de um longo processo de acordos nos quais intervieram as forças politicamente mais significativas[15].

2. Momento extraordinário

Na Capítulo 2 (2/V) da Parte I introduzimos, na esteira de Bruce Ackermann[16], o conceito de *momento constitucional extraordinário*. A verdadeira constituição – recorde-se – é, para este autor, o conjunto de princípios abraçados por "Nós, o Povo" em momentos extraordinários de intensa participação popular com refracções inequívocas na conformação da constituição, com ou sem modificação do texto constitucional. Em termos realistas e históricos, a constituição radica mais na vontade dos governados do que em princípios inerentes à justiça natural. O "povo unido" não continua unido por muito tempo (R. Dahrendorf) e, por isso, os momentos constitucionais transportam, a maior parte das vezes, *conflitos de ideias ou projectos constitucionais* aos quais se seguem alterações na compreensão da disciplina constitucional. Assim, podemos ver exemplos significativos destes conflitos no período pré-constitucional na "questão da unicidade sindical", na proibição de "partidos neo-fascistas" ("Partido Liberal", "Partido do Progresso"), na questão da institucionalização do "poder popular" ("comissões de moradores", "comissões populares de base"), na polémica em torno da "Aliança Povo-MFA".

3. Momento maquiavélico[17]

No ano de 1974 vivia-se em Portugal um *momento maquiavélico* no sentido exposto no Capítulo 4.º da Parte Primeira. "Momento Maquiavélico" é um nome para um problema. O nome para o momento em que uma república (uma sociedade historicamente concreta) se vê confrontada, na sua dinâmica temporal, com a gestação, no interior das suas estruturas económicas e sociais e dentro dos seus quadros institucionais, de uma torrente de acontecimentos aparentemente

---

[15] Cfr. R. GUNTHER, P. NIKIFOROS DIAMANDOUROS, HANS-JÜRGEN PUHLE, *The Politics of Democratic Consolidation*, Southern Europe in Comparative Perspective, The Johns Hopkins University Press, Baltimore, London, 1995.

[16] Cfr. BRUCE ACKERMANN, *We The People, Foundations*, cit.

[17] Faz-se alusão ao livro de POCOCK, *The Machiavellian Moment*, Princeton University Press, New Jersey, 1975. Entre nós, cfr. R. LEITE PINTO, *O 'Momento Maquiavélico' na Teoria Constitucional Norte-Americana*, pp. 29 e ss.

"irracionais" mas profundamente desestabilizadores. A fortuna da "República Corporativa" de 1933 foi decidida por estes "momentos": – movimentos de libertação e guerra anticolonial, fracasso da tentativa "marcelista" de "liberalização do regime", ruptura na unidade das forças militares, cultura hegemónica antifascista, isolamento internacional, problemas económicos estruturais. Em termos simbólicos, o Movimento das Forças Armadas procurou restaurar a *virtude* e a *fortuna* da "nossa República" através de uma "autocorrecção revolucionária". O momento maquiavélico não faltou mesmo no seu sentido mais conhecido e discutível: impor a *virtude* na República contra os seus "inimigos". É neste quadro que se insere a criação, na lei eleitoral para a Assembleia Constituinte, de "incapacidades cívicas" para aqueles que entre 28 de Maio de 1926 e 25 de Abril tivessem sido designados para desempenhar funções políticas ou de confiança política no regime corporativo, a incriminação "retroactiva" dos agentes da PIDE pela Lei n.º 8/75, expressamente acolhida como lei constitucional no artigo 308.º do texto primitivo da Constituição, a admissibilidade de não indemnização (artigo 82.º) para a expropriação de bens pertencentes a grandes capitalistas e latifundiários, a proibição de associações ou organizações que perfilhem a "ideologia fascista" (artigo 46.º/4).

4. Conclusão

PAINEL 3 – OS MOMENTOS CONSTITUCIONAIS DE 1976		
Momento Revolucionário	*Momento Extraordinário*	*Momento Maquiavélico*
1. Revolução política (Democratização e descolonização)	1. Momento de ruptura (Movimento de 25 de Abril)	1. Incapacidades cívicas
2. Revolução económica (Reforma agrária, nacionalizações)	2. Momento revolucionário (de 11 de Março a 25 de Novembro)	2. Proibição de organizações fascistas
3. Revolução social (movimentações sindicais, centralidade das organizações de trabalhadores)	3. Momento estabilizador e termidoriano (de 25 de Novembro de 1975 à aprovação da Constituição em 2 de Abril de 1976)	3. Incriminação retroactiva dos agentes da PIDE
	4. Momento restaurativo (contestação da Constituição e propostas plebiscitárias de 1979 a 1989)	4. Admissibilidade de expropriações sem indemnização
	5. Momento europeu (no plano legal desde 1986 e no plano constitucional desde 1989, e, sobretudo, 1992)	

Os "momentos" são propostas heurísticas (de descoberta) para a compreensão da *complexidade* do procedimento constituinte de 1976. Em rigor, eles interpenetram-se, podendo dizer-se que o momento revolucionário é "tudo", consumindo o momento extraordinário e o momento maquiavélico. Pode, porém, haver um momento extraordinário ou um momento maquiavélico sem revolução.

D. *A constituição e as revisões da constituição. De quantas "constituições" é composta a "constituição"?*

1. As tensões e contradições

O problema da coerência e unidade da Constituição da República de 1976 começou cedo. Melhor: logo após a promulgação do texto constitucional[18], a doutrina assinalaria uma tensão interna que percorria a Constituição. De um lado, existia uma *constituição liberal e democrática;* do outro, haveria uma *constituição dirigente e autoritária*, finalisticamente dirigida à "prossecução do socialismo". Mais: no próprio plano da legitimidade política entrecruzavam-se dois títulos legitimatórios: a *legitimidade revolucionária*, cujo expoente máximo era a consagração do *Conselho da Revolução* (a partir da Lei n.º 5/75, de 14 de Março) como "órgão de soberania", e a *legitimidade democrática*, que encontrava expressão nos órgãos de soberania baseados directa ou indirectamente no sufrágio universal (Assembleia da República, Presidente da República, Governo).

A observação das relações entre a *constituição formal* e a *realidade constitucional* levaria mesmo alguns autores a radicalizar a oposição entre a *constitutio scripta* e a *constituição viva*, concretamente existentes, sugerindo-se até a tendencial "inconstitucionalidade" do texto de 1976 pela sua manifesta oposição à *constituição real*[19]. No seio destas narrativas surgiam ainda "críticas" quanto à bondade programática da Constituição de 1976. A acentuação hipertrofiante de *normas tarefa* e de *normas-fim* convertiam o texto de 1976 num "entulho programático" – *constituição programática* – impeditivo de aberturas e

---

[18] Cfr., por exemplo, MANUEL DE LUCENA, *O Estado da Revolução* (*A Constituição de 1976*), Lisboa, 1978.

[19] Paradigmático neste ponto: FRANCISCO LUCAS PIRES, *A Teoria da Constituição de 1976*, Lisboa, 1988. Antes dele, ANDRÉ TOMASHAUSEN "Constituição e Realidade Constitucional", *Revista da Ordem dos Advogados*, 1977; HEINRICH EWALD HÖRSTER "O Imposto Complementar e o Estado de direito", in *Revista de Direito e Economia*, 1977.

alternativas políticas que só uma *constituição-processo* pode facultar. Daí uma nova tensão ou contradição entre o paradigma da *constituição-processo* insinuado pelo esquema de organização política centrado na legitimidade democrática e o paradigma da *constituição-programa* que converte a constituição num "caminho de ferro económico e social" neutralizador de políticas públicas alternativas.

O antagonismo entre as "duas constituições" incorporadas no mesmo texto era de tal modo insanável que já não poderia ser resolvido sem se *romper* com a Constituição de 1976. Não bastava rever: era necessário um *referendo-plebiscito* democraticamente superador do antagonismo congénito da Constituição de Abril[20]. A evolução jurídica e político-constitucional não permitiu a concretização da "tentação plebiscitária" mas tornou inevitável um *desenvolvimento constitucional* tendente a "desideologizar" e a "desmilitarizar" o texto constitucional. É neste contexto que surge a Primeira Revisão Constitucional[21], substancialmente alteradora de numerosos preceitos constitucionais (Lei Constitucional n.º 1/82, de 30 de Setembro).

2. A primeira revisão (1982) e o fim das metanarrativas e da legitimidade revolucionária

Uma parte da doutrina, embora sem negar a conflitualidade dialéctica entre vários momentos materiais da Constituição, sustentou a possibilidade de uma interpretação dinamicamente coerente das normas constitucionais (Jorge Miranda, Gomes Canotilho-Vital Moreira). O texto permitia alternâncias políticas e a carga programática não perturbaria em termos radicais a dinamização política segundo as várias propostas ideológico-partidárias. Como quer que seja, a Constituição apresentava-se carregada de *metanarrativas* que levavam ao paroxismo a modernidade política. O *sujeito projectante* (o "povo", o "Movimento das Forças Armadas", a "vontade popular", "as classes trabalhadoras") e a *utopia reconstrutiva* ("sociedade sem classes") eram alguns dos momentos dessa modernidade. Nesta perspectiva se explica a eliminação, pelo legislador de revisão, de fórmulas linguísticas típicas das *narrativas emancipatórias*, como, por exemplo, "criação de condições para o exercício democrático do poder pelas classes trabalhadoras" (artigo 2.º, *in fine*, artigo 80.º, na versão de 1976), "transição para

---

[20] As propostas plebiscitárias partiram de políticos (FRANCISCO SÁ CARNEIRO, SOARES CARNEIRO) e de doutrinadores (PEDRO SANTANA LOPES, BARBOSA DE MELO, CARDOSO DA COSTA, VIEIRA DE ANDRADE, LUCAS PIRES).

[21] Cfr., para mais informações, JORGE MIRANDA, *Manual de Direito Constitucional*, 5.ª ed., Coimbra Editora, 1996, pp. 374 e ss.

o socialismo" (artigo 2.º), "sociedade sem classes" (artigo 1.º), "processo revolucionário" (artigo 10.º). É sob a mesma óptica de atenuação da componente ideológica que se revêem directrizes programáticas quanto à organização económica (artigo 80.º), reforma agrária (artigo 96.º), "expropriação de latifundiários e de grandes proprietários, empresários ou accionistas" sem indemnização (artigo 82.º/2, na versão originária de 1976) [22].

A segunda alteração estrutural diz respeito à *desmilitarização* do projecto constitucional. É neste contexto que se compreende a extinção do *Conselho de Revolução* com a consequente reordenação de competências dos restantes órgãos de soberania e a criação do Tribunal Constitucional.

A estas alterações que modificaram o *texto* e o *projecto*, o *sujeito* e os *fins* da acção política, acrescentaram-se outras inequivocamente racionalizadoras da arquitectura jurídico-constitucional portuguesa [23]. Daí a pergunta: a *Constituição* ainda ficou a mesma? A resposta é *sim* se considerarmos que os princípios estruturantes (Estado de direito, democracia, socialidade) e os direitos fundamentais continuaram a servir de matriz caracterizadora do texto constitucional de 1976. No plano da organização do poder político, a separação e interdependência dos órgãos de soberania manteve-se também dentro dos padrões politicamente conformadores do texto originário. "Uma" constituição, porém, desapareceu ou foi substancialmente alterada: a das *metanarrativas políticas* e da *automovimentação da legitimidade revolucionária*.

3. A segunda revisão (1989) – a reversibilidade da constituição económica

A "questão constitucional" não terminará com a primeira revisão da Constituição. Se aqui se verificou uma *recentração política* não se chegou, porém, à *recentração económica*. Foi esta a tarefa primordial da Segunda Revisão da Constituição [24]. Embora o âmbito da revisão tivesse sido muito mais amplo do que o da "constituição económica" [25], é indiscutível que a matriz fundamental do "revisionismo de 1989" é uma matriz económica. Isso é visível, por exemplo, na supressão da "irreversibilidade das nacionalizações", na eliminação das referências

---

[22] Sobre o alcance da revisão da constituição económica cfr. ANTÓNIO DE SOUSA FRANCO, "A Revisão da Constituição Económica", in *Revista da Ordem dos Advogados*, 1982, pp. 601 e ss.

[23] Ver elenco detalhado em JORGE MIRANDA, *Manual*, cit, Tomo I, 5.ª ed., pp. 374 e ss.

[24] Lei Constitucional n.º 1/89, de 1 de Junho de 1989, publicada em 8 de Julho.

[25] Ver indicação pormenorizada em JORGE MIRANDA, *Manual*, I, cit., pp. 382 e ss., e síntese em J. J. GOMES CANOTILHO-VITAL MOREIRA, *Fundamentos da Constituição*, pp. 68 ss.

a "nacionalizações" e a "reforma agrária", na eliminação da imposição da apropriação colectiva dos "principais meios de produção e solos", no reconhecimento da possibilidade de reprivatização dos meios de produção e de outros bens nacionalizados depois de 25 de Abril, na substituição do plano por planos de desenvolvimento económico e social.

A constituição ainda é a mesma? A resposta é *sim* pelos motivos indicados quanto à Primeira Revisão. Porém, "uma outra" constituição do texto originário sofreu mutação profunda: a *constituição económica* do texto originário marcada por inequívocas dimensões socializantes é substituída por uma outra constituição económica aberta ao "mercado comum".

4. A terceira revisão constitucional (1992) – a caminho de uma constituição regional?

A partir do momento em que Portugal aderiu à Comunidade Económica Europeia operou-se uma transformação radical da nossa *constituição económica* – "constituição económica", "constituição financeira e fiscal", "constituição industrial", "constituição agrícola", "constituição comercial". Em boa medida, as normas constitucionais definidoras dos quadros normativos destas "constituições" passaram a ser "desbancadas" pelas normas comunitárias incidentes sobre as mesmas matérias. Outras transformações estruturais foram contempladas pela assinatura do **Tratado de Maastricht**, em 7 de Fevereiro de 1992, instituidor da União Europeia. Os domínios abrangidos pelo Tratado da União (Tratado de Maastricht) tocam no cerne daquilo que os autores alemães chamam *Staatlichkeit* ("estatalidade", "soberania estatal", "raiz ou essência do Estado"). É o caso da política externa, da defesa, da cidadania europeia, da investigação, do desenvolvimento tecnológico, e, sobretudo, da política monetária, da moeda única e do banco central europeu. O "exercício em comum da soberania" em domínios tão estruturalmente "estatais" e tão radicalmente ligados às decisões políticas democraticamente legitimadas seria "inconstitucional" se as próprias constituições nacionais não autorizassem *expressis verbis* a União Europeia.

A Terceira Revisão da Constituição (Lei Constitucional n.° 1/92, de 25 de Novembro)[26] mais não fez do que dar guarida a um "facto consumado": o Tratado de Maastricht. Neste sentido se compreende o artigo 7.°/6 quanto ao exercício em comum dos poderes necessários à construção da união europeia, o

---

[26] Publicada no Suplemento do Diário da República, Série I/A, n.° 273, de 25 de Novembro de 1992.

artigo 15.º quanto à capacidade eleitoral dos cidadãos dos países membros da União Europeia residentes em Portugal e eleição de Deputados por Portugal ao Parlamento Europeu, e o artigo 105.º que retirou o exclusivo da emissão de moeda ao Banco de Portugal [27].

Vários e complexos problemas suscita a abertura à "desnacionalização" e a cobertura do "déficite democrático" provocados pela inserção da cláusula de união europeia. O principal é este: o de saber se a "Constituição da República Portuguesa" está a caminho de se transformar numa "constituição regional" praticamente semelhante à constituição dos "estados federados". A resposta, por enquanto, é negativa. A Comunidade e União Europeias são "constituidas por Estados que escolheram livremente, em virtude dos tratados que os instituiram, exercer em comum certas das suas competências". Como já referimos, o Tribunal Constitucional Alemão (sentença de 12 de Outubro de 1993) sustenta a doutrina de que são os Estados e – não a União! – que continuam "donos do Tratado". O Tribunal Constitucional italiano refere-se a "duas ordens jurídicas separadas mas coordenadas". Todas estas posições apontam para a salvaguarda da *autonomia constitucional interna*. Mas no debate sobre a conformação institucional da União Europeia é possível descortinar também uma "perspectiva federalista" [28] ancorada numa "*constituição europeia*" [29]. Neste caso, sim, a nossa Constituição deixará de ser uma "constituição soberana" para se transmutar numa "*constituição de tipo regional*".

5. A quarta revisão (1997) – o renascer da questão constitucional

A Revisão de 1997 (4.ª Revisão) não tem, ao contrário das revisões anteriores, uma ideia força dominante. Pode dizer-se, contudo, que a *reforma da organização do poder político* ocupou o lugar central na última revisão do texto de 1976. No entanto, as alterações não se limitaram ao campo da organização do poder político. Houve emendas significativas em quase todos os títulos da Constituição [29a]. Neste momento, far-se-á uma breve referência às principais alterações, deixando para ulteriores desenvolvimentos e para os lugares adequados a explanação dos tópicos concretos. Por último, tecer-se-á um juizo global quanto às questões de justiça procedimental.

---

[27] Cfr. JORGE MIRANDA, "O Tratado de Maastricht e a Constituição Portuguesa", in *Brotéria*, 1993, pp. 363 e ss.; "O Tratado de Maastricht e a Constituição Portuguesa", in *A União Europeia na Encruzilhada*, Coimbra, 1996, p. 49.
[28] Cfr., por exemplo, LAURENT COHEN-TANUGI, *Le Choix de l'Europe*, Paris, 1995, p. 156.
[29] Cfr., por último, DIETER GRIMM, *Braucht Europa eine Verfassung?*, München, 1995.
[29a] Cfr., o elenco completo em JORGE MIRANDA, *Manual*, I, 7.ª ed., pp. 400 ss.

Os projectos de revisão apresentados por alguns partidos transportavam ainda alguns ecos da antiga "questão" constitucional. Em nome da "limpeza semântica" (fórmula usada no projecto de revisão do PSD)[30] propôs-se (mas sem vencimento) a supressão do **Preâmbulo** (Projecto de revisão do PP) porque ele se considera ainda o símbolo do "pecado original" do texto de 1976, designadamente quanto à récita emancipatória e quanto ao "ideologismo político" e partidário. Neste ponto incidiu, como vimos, a revisão de 1982.

A flexibilização do sistema económico – o *leit-motiv* da revisão de 1989 – encontra ainda algumas expressões na revisão de 1997 como, por exemplo, consagração da facultatividade da existência de sectores básicos – artigo 86.º/3 –, possibilitando-se, assim, a revogação da actual lei dos sectores básicos da economia.

Em sede de direitos fundamentais, consagraram-se algumas melhorias a analisar mais pormenorizadamente no capítulo dedicado aos direitos fundamentais (exemplos: reforço do direito de acesso ao direito e à tutela jurisdicional, consagração do processo equitativo, reconhecimento expresso do direito ao desenvolvimento da personalidade, constitucionalização do papel de garantia da assistência de advogado, proibição do trabalho imposto).

As novidades mais importantes situam-se, porém, a outros níveis – aos níveis da *consciência ético-jurídica da comunidade*. Por um lado, avança-se no terreno movediço da "**constituição bio-médica**", consagrando-se um prematuro dever de protecção da identidade genética do ser humano, nomeadamente na criação, desenvolvimento e utilização das tecnologias e na experimentação científica (artigo 26.º/3). Por outro lado, a revisão procura acolher exigências securitárias (do Tratado de Schengen, dos tratados referentes ao combate ao terrorismo e criminalidade organizada) relativizando algumas dimensões do património jurídico-constitucional português. Referimo-nos à diminuição dos direitos, liberdades e garantias dos cidadãos portugueses e de cidadãos estrangeiros no caso de pedidos de **extradição** (artigo 35.º/3). Os cidadãos portugueses gozavam da garantia de nunca poderem ser extraditados. Agora podem ser objecto da medida de extradição. Esta última inovação demonstra, de resto, que o direito constitucional nacional é hoje, cada vez mais, um direito internacional e comunitariamente dependente. Na verdade, o novo regime da extradição deve ser compreendido tendo em conta o Tratado de Schengen, a Convenção de Dublin e o Tratado de Roma sobre o Tribunal Penal Internacional.

A "**reforma do sistema político**" foi o tema central dos principais projectos de revisão. As alterações à organização do poder político foram grandes

---

[30] Os 11 projectos de revisão constitucional foram publicados em separata (Separata n.º 6/VII) no *Diário da Assembleia da República*, de 8 de Abril de 1996.

e politicamente significativas. Em primeiro lugar, alargou-se, relativamente a alguns actos eleitorais e referendários, o *universo eleitoral* aos eleitores portugueses recenseados no estrangeiro ("voto dos emigrantes"), permitindo-se-lhes a participação em referendos nacionais (artigo 115.º/2) e nas eleições para Presidente da República (artigo 121.º). Em segundo lugar, o esquema organizatório da Assembleia da República sofreu relevantes modificações. Fixou-se um número de deputados entre 180-230 (art. 148.º), o que permite a redução do actual quadro representativo da AR através de lei (a aprovar por 2/3). Admitiu-se um círculo nacional e circunscrições uninominais de candidatura (artigo 149.º).

Um outro momento importante da Revisão de 1997 relaciona-se com a *quebra da* **unidade legislativa da República**[30a]. Traduziu-se esta perda (a roçar a violação dos limites materiais da revisão) na degradação do "legislador da República" a "legislador do Continente", pois, por um lado, as *leis gerais da República* serão apenas aquelas que expressamente *decretem* a sua extensão às Regiões Autónomas (artigo 112.º/5). Além disso, como melhor se explicará no capítulo dedicado à legislação regional, as leis regionais só terão de respeitar os *princípios* fundamentais das leis gerais da República (artigo 227.º/a e b) que, ainda assim, poderão ser derrogados através de autorização da Assembleia da República.

Um dos mais antigos e radicados princípios republicanos – **dever de serviço militar** para todos os cidadãos aptos – foi agora desconstitucionalizado, deixando a defesa nacional de assentar no serviço militar obrigatório (art. 276.º/2). Abre-se, assim, o caminho para a "contratualização do serviço militar", ou seja, para a criação de estruturas militares acolhedoras do princípio do voluntariado ("serviço militar de natureza voluntária").

A revisão de 1997 está longe de encerrar o ciclo da "reforma constitucional permanente". Pelo contrário, assistiu-se a um renovamento da "questão constitucional". Desde logo, o procedimento constituinte de revisão teve alguns momentos de manifesta *injustiça processual*. Foi o caso do "Acordo de Revisão"[31] negociado secretamente por representantes do PS e do PSD, com a marginalização da Comissão de Revisão Constitucional e dos outros grupos parlamentares com assento na Assembleia da República. Esta injustiça processual transporta um claro défice de *política deliberativa* de cariz republicano: sobre os problemas da *res publica* delibera-se em termos plurais, abertos e conflituantes. Não se negoceia em segredo. Acresce ainda o facto de a revisão ter "desconstitucionalizado" traços

---

[30a] Cfr., também, JORGE MIRANDA, *Manual*, I, 7.ª ed., p. 407.

[31] Constante do documento "Rumo à RC/97", preparado por uma "Comissão bilateral" do PS e PSD. Cfr., a análise exaustiva de ANTÓNIO DE ARAÚJO, *A Revisão Constitucional de 1997*, Coimbra, 1999.

da *identidade* do sistema constitucional (é o caso, por exemplo, do número concreto de deputados, remetido para a lei, e da definição do universo eleitoral nas eleições presidenciais).

5. A quinta revisão constitucional (2001)

A 5.ª Revisão Constitucional (Lei Constitucional 1/2001, de 12-12) está directamente relacionada com a criação do *Tribunal Penal Internacional* (TIP) instituido pelo Estatuto de Roma, de 17 de Julho de 1998 – a *internacionalização da Constituição penal* (cfr. art. 7.º/7). No entanto, uma revisão que se pretendia extraordinária, destinada a resolver, de forma cirúrgica, os problemas suscitados pela ratificação do Tratado que criou o Tribunal em referência, rapidamente viu alargado o seu objecto. Avançam-se propostas de revisão destinadas a aprofundar a igualdade de direitos de cidadãos de países de língua portuguesa (art. 15.º/3), a alargar a possibilidade de restrições da inviolabilidade de domicílio (art. 34.º/5), a positivar a restrição do direito à greve de associações sindicais integradas por agentes de forças de segurança e admitir a associação sindical (art. 270.º) e a limitar a renovação sucessiva do mandato dos titulares de cargos políticos. Quer dizer: transmuta-se a extraordinariedade da revisão em momento de barganha de posições constitucionais, perturbando a distinção entre revisões ordinárias e extraordinárias.

6. Conclusão

A análise das revisões constitucionais permite-nos formular uma apreciação global. O impulso revolucionário conformou o texto de 1976, em larga medida, como um *texto pós-revolucionário*[32]. No entanto, se uma *constituição é a culminação natural de uma revolução bem sucedida*[33] então pode dizer-se que a revolução só foi bem sucedida depois de os momentos estabilizadores propiciados pelas diversas revisões constitucionais terem garantido a *consolidação* e *persistência* democráticas. Nesta medida, só a *constituição revista* revela as constâncias e mutações de uma *identidade constitucional*. A *revolução* terá de *rever-se* ainda no texto constitucional apesar das *revisões*.

---

[32] Neste sentido, JORGE MIRANDA, *Manual*, I, cit., p. 419; GOMES CANOTILHO-VITAL MOREIRA, *Fundamentos da Constituição*, pp. 26 e ss., VITAL MOREIRA, "A Constituição ainda é a mesma?", in *Nos Vinte Anos da Constituição*, Coimbra, 1999, pp. 198 e ss.
[33] Cfr. BRUCE ACKERMAN, *We The People*, cit., p. 206.

PAINEL 4 – AS REVISÕES DA CONSTITUIÇÃO DE 1976				
1.ª Revisão (1982)	2.ª Revisão (1989)	3.ª Revisão (1992)	4.ª Revisão (1997)	5.ª Revisão (2001)
Fim das metanarrativas e da legitimidade revolucionária	Reversibilidade da constituição económica	A caminho de uma constituição regional em virtude da cláusula europeia	Reforma do sistema político e "reacender" da questão constitucional	Internacionalização da constituição penal

E. Características formais da Constituição de 1976

1. Constituição unitextual

O direito constitucional formal está basicamente contido num único instrumento (cfr. *supra*). Salvo algumas excepções (cfr. CRP, artigos 290.º, 292.º e 294.º), tudo o que é constitucional em termos formais está na Constituição. Esta **unitextualidade** deriva, em larga medida, de dois factores: (1) não existência de "leis de emenda" da Constituição fora do texto constitucional, pois as alterações resultantes das leis constitucionais de revisão "serão inseridas no lugar próprio mediante substituições, supressões e aditamentos necessários" (CRP, artigo 287.º/1); (2) não existência de *leis com valor constitucional* ao lado da Constituição, como acontece em alguns países onde a disciplina de certas matérias é feita através de leis com força constitucional.

2. Constituição rígida

A **rigidez** traduz-se fundamentalmente na atribuição às normas constitucionais de uma capacidade de *resistência* à *derogação* superior à de qualquer lei ordinária. Significa isto que a Constituição (normas constitucionais) só pode ser modificada através de um *procedimento de revisão específico* e dentro de certos limites (formais, circunstanciais e materiais) como se verá no estudo sobre o procedimento de revisão (cfr. CRP, artigos 284.º e segs.). Os outros actos normativos desprovidos do valor e da força de *leis constitucionais de revisão* (CRP, artigos 119.º/1/1, 161.º/1 e 166.º/1) não possuem capacidade derrogatória relativamente às normas constitucionais. No caso de estes outros actos normativos editarem disciplina jurídica em desconformidade com as regras e princípios da Constituição eles são *inconstitucionais* (cfr. CRP, artigo 277.º/1) com as consequências jurídicas que serão indicadas no momento da análise da fiscalização da constitucionalidade. A opção por um "texto rígido", no sentido assinalado, é hoje justificado pela necessidade de se garantir a *identidade* da constituição sem impedir o desenvolvimento constitucional. Rigidez é sinónimo de *garantia* contra mudanças constantes, frequentes e imprevistas ao sabor das maiorias legislativas transitórias. A *rigidez não é um entrave* ao desenvolvimento constitucional, pois a constituição deve poder ser revista sempre que a sua *capacidade reflexiva* para captar a realidade constitucional se mostre insuficiente.

A dicotomia entre rigidez/flexibilidade não postula necessariamente uma alternativa radical; exige-se, sim, uma articulação ou coordenação das duas dimensões, pois, se, por um lado, o texto constitucional não deve permanecer alheio à mudança, também, por outro lado, há elementos do direito constitucional (princípios estruturantes) que devem permanecer estáveis, sob pena de a constituição deixar de ser uma ordem jurídica fundamental do Estado para se dissolver na dinâmica das forças políticas. Neste sentido se fala da *identidade da constituição* caracterizada por certos princípios de conteúdo inalterável.

Por vezes, a questão da flexibilidade e rigidez do direito constitucional relaciona-se com o problema da *interpretação* das normas constitucionais (cfr., *infra*, parte IV sobre as estruturas metódicas). Aqui, como se explicará adiante, os problemas surgem quanto à chamada interpretação "evolutiva" ou "actualística" que considera legítimo poder o intérprete das normas constitucionais "actualizá-las", a fim de adaptar o texto ao mutável clima histórico-social dos princípios e valores fundamentais positivados na constituição.

3. Constituição longa

A distinção entre **constituições longas e constituições curtas** (*breves*) não tem qualquer justificação científica. Nos tempos actuais, ela ainda é referida por alguns autores com o fito de criticarem as constituições longas, sistematicamente associadas a constituições programáticas, prolixas, confusas e ideológicas. Pouco ou nenhum interesse apresenta tal dicotomia a não ser, talvez, para se recordarem os dois paradigmas de *legiferação constituinte* experimentados pelo constitucionalismo. A Constituição dos Estados Unidos tinha apenas sete artigos, com numerosas divisões em secções, faltando-lhe inclusivamente um catálogo de direitos (objecto das primeiras dez emendas aprovadas em 1791 – *Bill of Rights*). A Constituição francesa de 1795 (a "Constituição do Directório") inaugurou

outro paradigma – o paradigma das constituições longas –, pois continha 377 artigos. No mesmo sentido, a nossa primeira constituição – a Constituição de 1822 – era uma constituição longa com 240 artigos.

As "constituições breves" limitam-se, em geral, a um instrumento de governo, tendo como objectivo primordial organizar, definir e limitar o poder. Constituições breves na história constitucional portuguesa, foram, neste sentido, a Carta Constitucional de 1826, a Constituição setembrista de 1838 e a Constituição Republicana de 1911. Já a Constituição de 1933 era, inequivocamente, uma constituição longa. O objectivo do texto constitucional democrático de 76 foi o de não apenas organizar e limitar o poder mas também o de conformar finalisticamente esse poder através da imposição de normas-tarefa e normas-fim. A isto acresce um desenvolvido catálogo de direitos fundamentais onde, ao lado dos direitos clássicos da liberdade, aparecem desenvolvidamente regulados *direitos da nossa contemporaneidade*, desde os direitos dos trabalhadores à protecção contra a informática (CRP, artigo 35.º) e à protecção dos consumidores (CRP, artigo 60.º), passando pela protecção do ambiente e qualidade de vida (artigo 66.º). O carácter longo não é uma opção; é um resultado da compreensão da lei fundamental como lei material fundamental de um *Estado supervisionador* de uma sociedade pluralista e complexa.

Não se deve confundir com constituição aquilo que por vezes se designa por "pequena constituição" (*piccole costituzione*). Trata-se, em geral, de uma lei constitucional transitória, definidora dos poderes do Estado e das relações entre eles, e que antecipa a constituição a aprovar posteriormente (como foi o caso, entre nós, da L 3/74, de 14 de Maio, instituidora de uma estrutura constitucional provisória).

4. Constituição programática

A Constituição da República de 1976 é uma **constituição programática** porque contem numerosas *normas-tarefa* e *normas-fim* (cfr., por exemplo, artigos 9.º e 80.º) definidoras de programas de acção e de linhas de orientação dirigidas ao Estado. Trata-se, pois, de uma lei fundamental não reduzida a um simples *instrumento de governo*, ou seja, um texto constitucional limitado à individualização dos órgãos e à definição de competências e procedimentos da acção dos poderes públicos. A ideia de "programa" associava-se ao *carácter dirigente* da Constituição. A Constituição comandaria a acção do Estado e imporia aos órgãos competentes a realização das metas programáticas nela estabelecidas. Hoje, em virtude da transformação do papel do Estado, o programa constitucional assume mais o papel de legitimador da *socialidade estatal* do que a função de um direito dirigente do centro político.

5. Constituição compromissória

Numa sociedade plural e complexa, a constituição é sempre um produto do "pacto" entre forças políticas e sociais. Através de "barganha" e de "argumentação", de "convergências" e "diferenças", de cooperação na deliberação mesmo em caso de desacordos persistentes, foi possível chegar, no procedimento constituinte, a um *compromisso constitucional* ou, se preferirmos, a vários "compromissos constitucionais". O carácter compromissório da Constituição de 1976 representa uma *força* e não uma debilidade [34]. Mesmo quando se tratava de "conflitos profundos" (*deep conflict*), houve a possibilidade de se chegar a bases normativas razoáveis. Basta referir o compromisso entre o princípio liberal e o princípio socialista, o compromisso entre uma visão personalista-individual dos direitos, liberdades e garantias e uma perspectiva dialéctico-social dos direitos económicos, sociais e culturais, o compromisso entre "legitimidade eleitoral" e "legitimidade revolucionária", o compromisso entre princípio da unidade do Estado e o princípio da autonomia regional e local, o compromisso entre democracia representativa e democracia participativa. Em alguns casos, o compromisso resultou das circunstâncias [35] (consagração da Aliança Povo-MFA, imposição da irreversibilidade das nacionalizações, atribuição da fiscalização da constitucionalidade ao Conselho da Revolução). Noutros casos, pode falar-se de «*consenso sobreposto* ou *por sobreposição*» (*overlapping consensus*) como, por exemplo, no recorte de um sistema de governo que recolhe dimensões básicas do parlamentarismo e valoriza o papel constitucional do presidente da república como aconteceu nos sistemas semipresidencialistas ("forma de governo semi-presidencial" ou "parlamentar-presidencial"). Finalmente, noutros casos, conseguiu-se um *compromisso dinâmico e pluralista* gerador de transformações na compreensão de problemas constitucionais, como é, por exemplo, o caso do reconhecimento de "direitos, liberdades e garantias dos trabalhadores", a articulação de um sistema constitucional concentrado da fiscalização da constitucionalidade com o sistema de fiscalização judicial difusa, a conciliação da apropriação colectiva de meios de produção com o princípio da liberdade de iniciativa económica pri-

---

[34] Ver, para o caso semelhante da Itália, G. AMATO-A. BARBERA, *Manuale di Diritto Pubblico*, p. 95.

[35] Cfr. J. RAWLS, *Political Liberalism*, pág. 26.

vada [36]. Globalmente considerados, os compromissos constitucionais possibilitaram um projecto constitucional que tem servido para resolver razoavelmente os problemas suscitados pelo *pluralismo* político, pela *complexidade* social e pela *democracia* conflitual. É este carácter dinâmico que está na base dos sucessivos compromissos obtidos em sede de revisão [37].

Referências bibliográficas

Araújo, A./Brito, M. N. – "Argumentar e negociar em debates constitucionais: a revisão constitucional de 1997", in J. Miranda, *Perspectivas Constitucionais*, vol. III, pp. 117 e ss.

Araújo, A. – *A Revisão Constitucional de 1997. Um ensaio de história político-constitucional*, Coimbra, 1999.

Coelho, M. B. (org.) – *Portugal – O Sistema Político-Constitucional – 1974-1987*, Lisboa, 1989.

Gomes Canotilho, J. J./Moreira, Vital – *Fundamentos da Constituição*, Coimbra, 1993

Lucas Pires, Francisco – *Teoria da Constituição de 1976 – A transição dualista*, Coimbra, 1988.

Lucena, Manuel de – *O Estado da Revolução – A Constituição de 1976*, Lisboa, 1978

Magalhães, J. – *Dicionário da Revisão Constitucional*, Lisboa, 1997.

Martinez, J. M. – "La Constitución Portuguesa de 1976 y sus reformas", in *Revista General de Derecho*, n.º 544-45, 1990, p. 78.

Maxwell, K./Monje, S. (org.) – *Portugal: the Constitution and the Consolidation of Democracy*, New York, 1991.

Miranda, Jorge – *A Constituição de 1976, Estrutura, princípios fundamentais*, Lisboa, 1978.

– "A Organização do poder político e a 5.ª Comissão da Assembleia Constituinte", in J. Miranda, *Perspectivas Constitucionais*, vol. III, pp. 567 e ss.

– *Manual de Direito Constitucional*, I, 6.ª ed., Coimbra, 1997, pp. 402 e s.

– "Decisões políticas: Aprovação, Abstenção e Rejeição no Momento Constituinte de 1976", in *20 Anos da Constituição de 1976*, p. 177 ss.

---

[36] Para outros traços "originais", ver JORGE MIRANDA, *Manual*, I, p. 354.

[37] Neste sentido GOMES CANOTILHO-VITAL MOREIRA, *Fundamentos da Constituição*, pp. 27 e ss.; VITAL MOREIRA, "Constituição e Democracia na Experiência Portuguesa", in ANTÓNIO MAUÉS (org.), *Constituição e Democracia*, São Paulo, 2001, p. 215 ss. e, em termos aproximados, JORGE MIRANDA, *Manual*, I, cit., pp. 348, 351 e ss.

Moreira, Vital – "A edificação do novo sistema institucional democrático", in António Reis (org.), *Portugal Contemporâneo*, vol. I, Lisboa, 1992, pp. 81 e ss.
– "A Constituição ainda é a mesma?", in *20 Anos da Constituição de 1976*, Coimbra, 1999.

Otero, Paulo – "A Desconstrução da Democracia Constitucional", in Jorge Miranda, *Perspectivas Constitucionais*, vol. II, pp. 601 e ss.
– *O Acordo de revisão constitucional: significado político e jurídico*, Lisboa 1997.

Teles, M. G. – "A segunda plataforma de Acordo Constitucional entre o Movimento das Forças Armadas e os Partidos Políticos", in Jorge Miranda, *Perspectivas Constitucionais*, vol. III, p. 681.
– "O Problema da Continuidade da Ordem Jurídica e a Revolução Portuguesa", in BMJ, n.º 345 (1985), p. 11 ss.
– "Temporalidade Jurídica e Constituição" in J. J. Gomes Canotilho, (org.), *Nos Vinte Anos de Constituição – Jornadas de Coimbra*, Coimbra 2000, p. 25 ss.

Tomashausen, Andre – *Verfassung und Verfassungswirklichkeit in neuen Portugal*, Berlin, 1981

Vergottini, Giuseppe de – *Le origini della Seconda Repúbblica Portoghese*, Milano, 1977

Capítulo 2
A República Portuguesa

Sumário

A. O que é que constitui a República Portuguesa?

1. Autodeterminação e autogoverno
2. República soberana e soberania popular
3. República e dignidade da pessoa humana
4. República e liberdades
5. *Res publica* e *res privata*

B. A forma republicana de governo

1. O rasto textual
2. Densificação da forma republicana de governo

C. O Estado de direito democrático

1. Estado de direito democrático português
2. O Estado de direito democrático internacionalmente vinculado
3. Estado constitucional integrante de uma comunidade jurídica de Estados Democráticos de Direito
4. Estado de direito democrático na Comunidade de Países de Língua Portuguesa (CPLP)

A. O que é que constitui a República Portuguesa

Será possível descobrir um qualquer ADN na República Portuguesa? Por palavras mais explícitas: quais os *traços* fundamentais da **República Portuguesa** tal como ela está constitutivamente recortada na Constituição da República Portuguesa de 1976? A pergunta – de resto, pouco original [1] – não encontra respostas explícitas no texto da Constituição. Afirma-se neste que "Portugal é uma República soberana" (artigo 1.º) e configura-se a República Portuguesa como "um Estado de direito democrático".

Em sede de limites materiais de revisão, alude-se à "forma republicana de governo" (artigo 288.º/b). Os nosso dois órgãos de soberania dotados de legitimação democrática directa são «órgãos da República»: Presidente da República (artigos 110.º e 121.º e segs.) e Assembleia da República (artigos 110.º e 147.º e segs.) A compreensão destas fórmulas linguísticas é, em geral, feita através da densificação do **princípio republicano** [2] e da explicitação dos *lugares da memória e história* do republicanismo português [3]. O modo tradicional de compreender a República deve hoje merecer algumas revisões. Com isso estaremos também em consonância com o *republican turn* ou *republican revival* a que hoje se assiste no direito constitucional, na história das ideias e na filosofia política. A "revisita" republicana prende-se ainda com a actual controvérsia entre "liberais" e republicanos (comunitaristas) desenvolvida sobretudo nos quadrantes culturais norte-americanos. Os tópicos subsequentes pretendem basicamente captar os *traços constitutivos* da República Portuguesa sem sobrecarregar o discurso expositivo com discussões teóricas.

---

[1] Cfr. EDWIN T. HAEFELE, «What Constitutes the American Republic?», in STEPHEN L. ELKIN/KAROL E. SOLTAN, *A New Constitutionalism*, 1993, p. 207.

[2] Cfr., por exemplo, J. J. GOMES CANOTILHO, *Direito Constitucional*, 6.ª ed., pp. 483 e ss.

[3] Cfr., por todos, FERNANDO CATROGA, *O Republicanismo em Portugal*, vol. 1.º, p. 26 e agora, R. LEITE PINTO, *O Momento Maquiavélico*, pp. 189 e ss. Cfr., também, por último, JÓNATAS MACHADO, *A Liberdade de Expressão*, p. 171 ss.

1. Autodeterminação e autogoverno

Em primeiro lugar, a *República* significa uma *comunidade política,* uma "unidade colectiva" de indivíduos que se *autodetermina* politicamente através da criação e manutenção de instituições políticas próprias assentes na decisão e participação dos cidadãos no governo dos mesmos *(self-government).* Não interessa saber se os princípios da **autodeterminação** *e autogoverno* da comunidade política se configuram como *pré-condições (precommittment)* [4], como *bases processuais* ou como momentos de um *consenso* fundador da República. Basta salientar que a República só é *soberana* (cfr. artigo 1.º da CRP) quando for autodeterminada e autogovernada. Para haver um **autogoverno** *(self-government)* republicano impõe-se a observância de três regras: (1) uma *representação territorial*; (2) um *procedimento justo* de selecção dos representantes; (3) uma *deliberação* maioritária dos representantes limitada pelo reconhecimento prévio de direitos e liberdades dos cidadãos.

2. República soberana e soberania popular

A República Portuguesa, além de ser soberana no sentido de comunidade *autodeterminada* e *autogovernada,* é ainda soberana ao acolher como *título de legitimação* a *soberania popular* (artigo 2.º). A República assume-se como *res publica-res populi* para excluir qualquer título de legitimação metafísico. Esta rejeição de legitimação metafísica abrange não apenas as tradicionais justificações de domínio de carácter dinástico-hereditário, divino ou divino-dinástico, mas também as "experiências" modernas de "condução dos povos" assentes na "vontade do chefe" *(Führerprinzip),* na "vanguarda do partido único" (leninismo) ou na "vontade de deus" (fundamentalismo) [5]. A República é ainda uma ordem de domínio – de pessoas sobre pessoas –, mas trata-se de um domínio sujeito à *deliberação política* de cidadãos livres e iguais. Precisamente por isso, a forma republicana de governo está associada à ideia de **democracia deliberativa.** Por democracia deliberativa entende-se uma ordem política na qual os cidadãos se comprometem: (1) a resolver colectivamente os problemas colocados pelas suas

---

[4] Cfr. MIGUEL GALVÃO TELES/PAULO CANELAS DE CASTRO «Portugal and the Right of Peoples to Self-Determination», in *Archiv des Völkerrechts,* 34/1 (1996), pp. 2 e ss.; M. NOGUEIRA DE BRITO, *A Constituição Constituinte,* pp. 220 e ss.

[5] Cfr., por exemplo, WILHELM HENKE, "Die Republik", in ISENSEE/KIRCHHOF, *Handbuch des Staatsrechts,* Vol. I, 1988.

escolhas colectivas através da discussão pública; (2) a aceitar como legítimas as instituições políticas de base na medida em que estas constituem o quadro de uma deliberação pública tomada com toda a liberdade.[6]

3. República e dignidade da pessoa humana

Outra *esfera* constitutiva da República Portuguesa é a **dignidade da pessoa humana** (artigo 2.º). O que é ou que sentido tem uma República baseada na dignidade da pessoa humana? A resposta deve tomar em consideração o princípio material subjacente à ideia de dignidade da pessoa humana. Trata-se do *princípio antrópico* que acolhe a ideia pré-moderna e moderna da *dignitas-hominis* (Pico della Mirandola) ou seja, do indivíduo conformador de si próprio e da sua vida segundo o seu próprio projecto espiritual (*plastes et fictor*).[7]

Perante as experiências históricas da aniquilação do ser humano (inquisição, escravatura, nazismo, stalinismo, polpotismo, genocídios étnicos) a dignidade da pessoa humana como base da República significa, sem transcendências ou metafísicas, o reconhecimento do *homo noumenon,* ou seja, do indivíduo como limite e fundamento do domínio político da República. Neste sentido, a República é uma organização política que serve o homem, não é o homem que serve os aparelhos político-organizatórios. A compreensão da dignidade da pessoa humana associada à ideia de *homo noumenon*[8] justificará a conformação constitucional da República Portuguesa onde é proibida a pena de morte (artigo 24.º) e a prisão perpétua (artigo 30.º/1). A pessoa ao serviço da qual está a República também pode *cooperar* na República, na medida em que a pessoa é alguém que pode assumir a condição de *cidadão*, ou seja, um membro normal e plenamente cooperante ao longo da sua vida.[9]

Por último, a dignidade da pessoa humana exprime a abertura da República à ideia de **comunidade constitucional inclusiva** pautada pelo multi-

---

[6] Seguimos aqui as sugestões de J. HABERMAS, *Faktizität und Geltung*, cit., pp. 349 e ss. Uma "concepção liberal" não se opõe, neste ponto, a uma concepção republicana da política. Cfr. J. RAWLS, *Political Liberalism*, p. 205 (p. 203 da trad. portuguesa).

[7] Cfr., por último, ROLF GROSCHNER, *Menschenwürde und Sepulkralkultur in grundgesetzlichen Ordnung*, 1995, pp. 29 e ss. Desenvolvidamente, cfr. a excelente síntese de I. W. SARLET, *Dignidade da Pessoa Humana e Direitos Fundamentais*, Porto Alegre, 2001.

[8] Amplas sugestões em KARL ALBRECHT SCHACHTSCHNEIDER, *Res publica – res populi. Grundlegung einer Allgemeinen Republiklehre. Ein Beitrag zur Freiheits – Recht – und Staatslehre,* Berlin, Duncker y Humblot, p. 125.

[9] Utilizamos, assim, o conceito de pessoa que nos fornece J. RAWLS, in *Political Liberalism*, pp. 39 e ss., (p. 46 da trad. portuguesa). Cfr. também JORGE MIRANDA, *Manual*, IV, pp. 180 e ss.

culturalismo mundividencial, religioso ou filosófico. O expresso reconhecimento da dignidade da pessoa humana como *núcleo essencial* da República significará, assim, o *contrário* de "verdades" ou "fixismos" políticos, religiosos ou filosóficos. O republicanismo clássico exprimia esta ideia através dos *princípios da não identificação e da neutralidade*, pois a República só poderia conceber-se como *ordem livre* na medida em que não se identificasse com qualquer "tese", "dogma", "religião" ou "verdade" de compreensão do mundo e da vida [10]. O republicanismo não pressupõe qualquer doutrina religiosa, filosófica ou moral abrangente (J. Rawls).

4. República e liberdades

A República Portuguesa é uma ordem política assente no respeito e garantia de efectivação dos direitos e liberdades fundamentais (artigo 2.º). O republicanismo não fala em *liberdade* mas em *liberdades*. Existem **liberdades republicanas** e não uma *liberdade republicana*. A ideia de que a República respeita e garante a efectivação de *liberdades* significa, desde logo, que a Constituição não garante uma qualquer liberdade extrajuridica como, por exemplo, a liberdade natural do liberalismo ou a liberdade nihilista do anarquismo. Por outras palavras, inspiradas num conhecido cultor da teoria da justiça contemporânea: a República não atribui nenhuma prioridade à liberdade enquanto tal, pois a questão nuclear foi sempre a obtenção de certas **liberdades básicas** específicas tal como elas se encontram nas várias cartas de direitos e declarações de direitos do homem.[11]

Em segundo lugar, as liberdades republicanas apontam para uma ordem constitucional livre em virtude da articulação de dois tipos de direitos: os direitos e liberdades de natureza pessoal tendencialmente constitutivos da liberdade do *Bürger*, típica do Estado de direito liberal, e os direitos e liberdades de participação politica fundamentalmente constitutivos da ordem democrática do *citoyen*. Poder-se-á dizer que as liberdades republicanas procuram uma articulação da **liberdade dos antigos** com a **liberdade dos modernos**, ou seja, uma articulação da *liberdade-participação política* com a *liberdade-defesa* perante o poder. A República é aqui "branca" e "azul".

Em terceiro lugar, e retomando algumas das teses da "república social", a República Portuguesa assume claramente a ideia de *socialidade*. Vis-

---

[10] Sobre o conceito de *comunidade constitucional inclusiva* vide, entre nós, desenvolvidamente, JÓNATAS MACHADO, *Liberdade Religiosa numa Comunidade Constitucional Inclusiva*, Coimbra, 1996, pp. 128 e ss.
[11] Cfr. RAWLS, *Political Liberalism*, p. 258 (p. 278 da tradução portuguesa).

lumbra-se na conformação constitucional da República Portuguesa aquilo que um autor americano chamou de *republicanismo post-New Deal* [12]. Trata-se de uma proposta de compreensão de uma República que respeita o direito de propriedade privada (artigo 62.º) e a liberdade de iniciativa económica (artigo 61.º) (pressupostos liberais), mas que assume também como tarefa um mecanismo regulativo público mais orientado para a prossecução do bem comum *(public good)* e para a solução de assimetrias sociais (no trabalho, na família, no ensino) do que para a arbitragem dos interesses dos grupos. Neste sentido, a República é "vermelha": aspira a ser uma ordem livre marcada pela *reciprocidade, igualdade* e *solidariedade* (cfr., por exemplo, na Constituição da República Portuguesa, os artigos 63.º segs).

Por fim, a República Portuguesa é *verde*. Embora no texto da Constituição a República se afirme apenas como um Estado de direito democrático, parece legítimo acrescentar-se um outro elemento constitutivo – *o elemento ecológico*. O princípio antrópico, mediante o expresso reconhecimento da dignidade da pessoa humana, constitui ainda a a base fundacional da República, mas a Constituição tem importantes sugestões textuais no sentido de uma **República ecologicamente autosustentada** (cfr. artigos 9.º/e, 52.º/3, 66.º, 81.º/b). A dimensão ecológica obrigará, porventura, ao repensamento da localização do homem dentro da comunidade biótica independentemente de se saber se existem *direitos fundamentais dos seres vivos* (dos animais, das plantas). Por outro lado, a dimensão ecológica da República justificará a expressa assumpção da *responsabilidade dos poderes públicos perante as gerações futuras* em termos de autosustentabilidade ambiental [13]. O ambiente passa a ser, assim, não apenas um momento ético da República (ética político-ambiental), mas também uma dimensão orientadora de comportamentos públicos e privados ambientalmente relevantes.

5. *Res publica* e *res privata*

A República Portuguesa incorpora aquilo que sempre se considerou como um princípio republicano por excelência: a concepção de *função pública* e *cargos públicos* estritamente vinculados à prossecução dos interesses públicos (art. 269.º) e do bem comum (*res publica*) e radicalmente diferenciados dos assuntos ou negócios privados dos titulares dos órgãos, funcionários ou agentes

---

[12] Cfr., por todos, MARK TUSHNET, *Red, White and Blue: a Critical Analysis of Constitutional Law*, 1988; CASS SUNSTEIN, *After the Rights Revolution*, Cambridge (Mass.), Harvard U.P., 1990, p. 12; G. SKINER, *Liberty before Liberalism*, Cambridge, 1999.

[13] Indicando o tema da "protecção de gerações" na doutrina constitucional, cfr. P. HÄBERLE, *Verfassungslehre*, p. 603.

dos poderes públicos (*res privata*) [14]. Por isso se estabelecem *ineligibilidades* destinadas a garantir a isenção e independência do exercício dos cargos públicos (artigo 50.º/3), se consagram *incompatibilidades* (artigos 117.º/2, 154.º, 216.º/3, 269.º/1 e 5) e se prescreve a responsabilidade criminal, civil e disciplinar (artigos 117.º, 269.º) dos titulares de cargos políticos.

B. A forma republicana de governo

1. O rasto textual

No artigo 288.º/b estabelece-se o *respeito* pela **forma republicana de governo** como um dos limites materiais de revisão. Retoma-se, neste preceito constitucional, a fórmula da Constituição de 1911 (artigo 82.º/2) onde também se prescrevia a proibição de propostas de revisão constitucional cujo intuito fosse o de "abolir a forma republicana do governo". O rasto textual destas fórmulas encontra-se na Constituição de 1787 dos Estados Unidos (artigo 4.º, secção 4): "*The United States shall guarantee to every state in this Union a Republican Form of Government...*". No plano do direito comparado, podemos ainda referir como paradigmática a redacção do artigo 139.º da Constituição italiana de 1949: "*La forma republicana non pui essere oggetto di revisione costituzionale*".

A nível semântico, os enunciados linguísticos das constituições parecem reiterar a existência de uma *forma republicana de governo, constitutiva de uma inarredável identidade constitucional*. Quando se trata, porém, de descobrir os traços caracterizadores dessa forma republicana as dificuldades são imensas. Por um lado, a nível do direito constitucional positivo, a constituição é omissa quanto à densificação expressa da forma republicana. Por outro lado, em termos de direito comparado, há sempre que perguntar se para lá de fórmulas linguísticas idênticas ou semelhantes não haverá "memórias" e mensagens jurídicas e políticas substancialmente diferentes.

2. Densificação da forma republicana de governo

a) Uma primeira dimensão jurídico-constitucional – comum a todos os textos mencionados – é da radical incompatibilidade de um governo

---

[14] Cfr. P. HÄBERLE, "Die republikanische Bereichstrias: privat/öffentlich/staatlich", in P. HÄBERLE, *Verfassungslehre als Kulturwissenschaft*, 2.ª ed., Berlin, 1998, p. 656 ss.

republicano com o princípio monárquico (dimensão antimonárquica) e com os privilégios hereditários e títulos nobiliárquicos (dimensão anti-aristocrática).

b) Um segundo traço de "forma republicana de governo" reconduz-se à exigência de uma *estrutura político-organizatória* garantidora das liberdades cívicas e políticas. Neste sentido, a "forma republicana" aponta para a ideia de um arranjo de competências e funções dos órgãos políticos em termos de balanceamento, de freios e contrapesos *(checks and balances)*. A "forma republicana de governo" não é tanto ou não é primordialmente uma " forma antimonárquica" mas um esquema organizatório de controlo do poder.

c) Em terceiro lugar, e como já se aludiu atrás, a forma republicana pressupõe um *catálogo de liberdades* (regime de liberdade) onde se articulem intersubjectivamente a *liberdade dos antigos* (direito de participação política) e a *liberdade dos modernos* (direitos de defesa individuais).

d) A "forma republicana de governo" aponta também para a existência de corpos territoriais autónomos (administração autónoma, *self-government*) que pode legitimar tanto um esquema territorial de natureza federativa (caso dos Estados Unidos) ou de autonomia regional (Itália) como de autarquias locais ("poder local") de âmbito territorial mais restrito (cfr. CRP, artigos 235.º segs.).

e) A "forma republicana de governo" reivindica uma *legitimação do poder político* baseada no povo ("governo do povo"). Num governo republicano a legitimidade das leis funda-se no princípio democrático (sobretudo no princípio democrático representativo) com a consequente articulação da *autodeterminação do povo* com o "*governo de leis*" e não "governo de homens". Aqui se insere a desconfiança congénita do republicanismo perante formas de poder pessoal (dinásticas, militares, religiosas).

f) A "forma republicana de governo" recolhe e acentua a ideia "antiprivilégio" no que respeita à definição dos *princípios e critérios ordenadores do acesso à função pública e aos cargos públicos.* De um modo geral, a forma republicana de governo prefere os critérios da *electividade, colegialidade, temporariedade* e *pluralidade,* aos critérios da designação, hierarquia e vitaliciedade [15]. Note-se que subjacentes a estes critérios estão outros princípios pressupostos pela forma republicana de governo como, por exemplo, os princípios da liberdade, da igualdade e do consenso. A mais moderna formulação do princípio da igualdade de acesso aos cargos públicos aponta para a ideia de **oportunidade equitativa**: a garantia do justo valor das liberdades políticas significa que este valor, seja quais

---

[15] Cfr. Acórdão do Tribunal Constitucional n.º 364/91, DR, I-A, de 23/9/91, onde se discute expressamente o princípio da temporariedade dos cargos como dimensão do princípio republicano.

forem as posições sociais e económicas dos cidadãos, tem de ser aproximadamente igual, ou, no mínimo, suficientemente igual, no sentido de que todos tenham uma oportunidade equitativa de ocupar cargos públicos e de influenciar o resultado das decisões políticas.[16]

Para lá destas densificações resta saber se, também entre nós, a forma republicana de governo implica alguma desconfiança relativamente às formas de *democracia directa* e uma outra compreensão do *poder constituinte*, entendido como o poder do povo para alterar ou abolir a constituição estabelecida sempre que a considere inconsistente com a sua felicidade.[17]

C. O *Estado de direito democrático*

1. Estado de direito democrático português

As considerações anteriores permitem também compreender o enunciado linguístico do artigo 2.º da Constituição da República Portuguesa de 1976 – "A República Portuguesa é um Estado de direito democrático". Isso significa que o "Estado de direito é democrático e só sendo-o é que é Estado de direito; o Estado democrático é Estado de direito e só sendo-o é que é democrático". Há, assim, uma *democracia de Estado de direito* e um *Estado de direito de democracia* [18].

Em termos concretos – e tendo em conta a Constituição da República Portuguesa de 1976 – a dimensão de **Estado de direito** encontra expressão jurídico-constitucional num complexo de *princípios e regras* dispersos pelo texto constitucional. Indicaremos, a título exemplificativo, o princípio da constitucionalidade (artigo 3.º), o controlo judicial da constitucionalidade de actos normativos, a começar pelos actos de valor legislativo (artigos 277 e segs.); o princípio da legalidade da administração (artigo 266.º); o princípio da responsabilidade do Estado por danos causados aos cidadãos (artigo 22.º); o princípio da independência dos juízes (artigo 218.º); os princípios da proporcionalidade e da tipicidade no domínio de medidas de polícia (artigo 272.º). Acrescente-se a isto o regime garantístico dos direitos, liberdades e garantias (artigos 17.º, 18.º, 24.º e ss.), o direito de acesso aos tribunais (artigos 20.º, 268.º), a reserva de lei em matéria

---

[16] Assim, precisamente, J. RAWLS, *Political Liberalism*, pp. 228 e ss. (p. 308 da tradução portuguesa).

[17] Vide, em termos informados, R., LEITE PINTO, *O Momento Maquiavélico*, pp. 168 e ss.

[18] Assim, J. J. GOMES CANOTILHO/VITAL MOREIRA, *Constituição da República Portuguesa Anotada*, anotações ao artigo 2.º.

de restrição de direitos, liberdades e garantias (artigo 18.°/3). No seu conjunto, estes princípios e regras concretizam a ideia nuclear do Estado de direito – *sujeição do poder a princípios e regras jurídicas* –, garantindo às pessoas e cidadãos liberdade, igualdade perante a lei e segurança.

Mas o Estado constitucional é também um **Estado democrático**. A *legitimidade* do domínio político e a *legitimação* do exercício do poder radicam na soberania popular (artigos 2.° e 3.°) e na vontade popular (artigo 9.°). Instrumentos desta soberania popular são, por exemplo, o exercício do direito de voto através do sufrágio universal, igual, directo e secreto (artigos 10.°, 117.° e 118.°), a participação democrática dos cidadãos na resolução dos problemas nacionais (artigo 9.°/c) através do exercício do poder local e do poder regional (artigo 227.°). Globalmente considerados, estes princípios – e recorde-se que eles são apenas exemplificativos – revelam que o Estado Constitucional só é constitucional se for democrático. Daí que "tal como a vertente do Estado de direito não pode ser vista senão à luz do princípio democrático, também a vertente do Estado democrático não pode ser entendida senão na perspectiva de Estado de direito. Tal como só existe um *Estado de direito democrático*, também só existe um *Estado democrático de direito*", isto é, sujeito a regras jurídicas[19].

A articulação das dimensões de Estado de direito e de Estado democrático no moderno **Estado constitucional democrático de direito** permite-nos concluir que, no fundo, a proclamada tensão entre "constitucionalistas" e "democratas", entre Estado de direito e democracia, é um dos "mitos"do pensamento político moderno[20]. Saber se o "governo de leis" é melhor que o "governo de homens"ou vice-versa é, pois, uma questão mal posta: o governo dos homens é sempre um governo *sob* leis e *através* de leis. É, basicamente, um governo de homens segundo a lei constitucional, ela própria imperativamente informada pelos princípios jurídicos radicados na consciência jurídica geral nacional e internacional.

2. Estado de direito democrático internacionalmente vinculado

A teorização do Estado de direito democrático centrou-se até aqui em duas ideias básicas: o Estado limitado pelo direito e o poder político estatal legitimado pelo povo. O direito é o *direito interno* do Estado; o poder democrático é o *poder do povo* que reside no território do Estado ou pertence ao Estado.

---

[19] Cfr. J. J. GOMES CANOTILHO/VITAL MOREIRA, *Constituição da República Portuguesa Anotada*, cit., anotações ao artigo 2.°.

[20] Vide STEPHEN HOLMES, "Precommitment and the Paradox of Democracy", in JOHN ELSTER/RUNE SLAGSTADT, *Constitutionalism and Democracy*, cit., pág. 197.

Hoje, os limites jurídicos impostos ao Estado advêm também, em medida crescente, de *princípios e regras jurídicas internacionais*. Estes princípios e regras estão, em grande número, recebidos ou incorporados no direito interno fazendo parte *of the law of the land* (CRP, artigo 8.º/1 e 2). Nenhum Estado pode permanecer *out*, isto é, fora da comunidade internacional. Por isso, ele deve submeter-se às normas de direito internacional quer nas relações internacionais quer no próprio actuar interno. A doutrina mais recente acentua mesmo a **amizade** e a **abertura ao direito internacional** como uma das dimensões caracterizadoras do Estado de direito [21].

Em termos mais concretos, a vinculação do Estado ao direito internacional começa, logo, pela observância e cumprimento do chamado **jus cogens** internacional. Embora a doutrina ainda não tenha recortado, de forma clara e indiscutível, o núcleo duro deste "direito forte" ("direito cogente") existem alguns princípios inquebrantavelmente limitativos do Estado. Referiremos, por exemplo, o princípio da paz, o princípio da independência nacional, o princípio do respeito dos direitos do homem, o direito dos povos à autodeterminação, o princípio da independência e igualdade entre os povos, o princípio da solução pacífica dos conflitos, o princípio da não ingerência nos assuntos internos de outros Estados. Estes princípios constam de "textos internacionais" [22] (declarações, resoluções, tratados) e nos textos constitucionais mais recentes eles também não deixam de ter acolhimento como normas de conduta e como limites jurídicos do actuar estadual. Para citarmos apenas as constituições de países da "Comunidade de Países de Língua Portuguesa" (CPLP), é o caso da Constituição da República Portuguesa de 1976 (artigo 7.º/1), da Constituição da República Federativa do Brasil de 1988 (artigo 4.º), da Constituição da República Democrática de São Tomé e Príncipe de 1999 (artigo 12.º), da Lei Constitucional da República de Angola de 1992 (artigo 15.º), da Constituição da República de Moçambique de 1990 (artigos 62.º e 63.º), da Constituição da República de Cabo Verde de 1992 (artigo 11.º) e da Constituição da República da Guiné de 1993 (artigo 18.º). [23]

Em segundo lugar, os direitos fundamentais tal como estruturaram o Estado de direito no plano interno, surgem também, nas vestes de **direitos**

---

[21] Cfr., por exemplo, CHRISTIAN TOMUSCHAT, "Die Staatsrechtliche Entscheidung für die internationale Offenheit", in ISENSEE/KIRCHHOF, *Staatsrecht*, Vol. VII, cit., pp. 482 e ss.

[22] Desde logo, da Convenção de Viena sobre o Direito dos Tratados de 1969 (artigos 53.º, 64.º e 71.º). Cfr. A. CASSESE, "Modern Constitutions and International Law", in *Recueil des Cours*, Académie de Droit International, Dordrecht, 1986, pp. 337 e ss.; CELSO A. MELLO, *Direito Constitucional Internacional*, 2.ª ed., p. 20 ss.

[23] Cfr. os textos actuais das Constituições referidas em J. BACELAR DE GOUVEIA, *As Constituições dos Estados Lusófonos*, 2.ª ed., Lisboa, 2000.

humanos ou de **direitos do homem**, como um núcleo básico do direito internacional vinculativo das ordens jurídicas internas. Estado de direito é o Estado que respeita e cumpre os direitos do homem consagrados nos grandes *pactos internacionais* (exemplo: Pacto Internacional de Direitos Pessoais, Civis e Políticos; Pacto Internacional dos Direitos Económicos, Sociais e Culturais), nas grandes *declarações internacionais* (exemplo: Declaração Universal dos Direitos do Homem) e noutras grandes *convenções* de direito internacional (exemplo: Convenção Europeia dos Direitos do Homem). [24]

A vinculação do Estado pelo direito internacional é, em alguns Estados, de tal forma intensa que leva as próprias constituições internas a proclamarem o direito internacional como fonte de direito de valor superior à própria constituição (exemplo: Holanda e Áustria).

Para finalizar esta referência ao direito internacional como *fonte de juridicidade* do poder estatal impõe-se ainda salientar que o direito internacional recorta hoje *pré-condições* políticas indispensáveis à implantação de um Estado democrático de direito. Dentre essas pré-condições, destaca-se o **princípio da autodeterminação dos povos**. A autodeterminação precede o Estado de direito e precede a democracia: ela é o momento verdadeiramente *fundacional* de qualquer comunidade constituída como Estado democrático de direito [25]. O cumprimento das pré-condições políticas jurídico-internacionalmente reconhecidas permite também estabelecer uma clara indissociabilidade entre a "forma de Estado" interna e a sua "imagem" na ordem jurídica internacional. Por outras palavras, que colhemos em Hans Kelsen: existe uma correspondência tendencial entre "*State-Form*" e "*World-Outlook*" [26].

3. Estado Constitucional integrante de uma Comunidade Jurídica de Estados Democráticos de Direito

O Estado constitucional democrático de direito tal como se sedimentou a partir da modernidade política é, como dissemos, um ponto de partida e nunca um ponto de chegada. Como ponto de partida constitui uma *tecnologia jurídico-política razoável* para estruturar uma ordem de segurança e paz jurídicas.

---

[24] Cfr., ALBERT BLECKMANN, "Verfassungsrang der Europäischen Menschenrechts-Konvention?", in *EuGRZ*, 1994, pp. 149 e ss.

[25] Cfr., precisamente, MIGUEL GALVÃO TELES / PAULO CANELAS DE CASTRO, "Portugal and the Right of Peoples to Self-Determination", in *Archiv des Völkerrechts*, 34/1 (1996), pp. 2 e ss.

[26] Cfr., H. KELSEN, "State-Form and World-Outlook", in D. WEINBERGER (org.), *Essays in Legal and Political Philosophy*, 1973, pp. 95 e ss.

Mas os esquemas político-organizatórios, ou seja, os *fenótipos organizativos* não chegaram ao "fim da história". A prova mais exuberante desta afirmação encontramo-la nos actuais fenómenos de *integração interestatal* ou de *organizações políticas supraestaduais* (UE, NAFTA, MERCOSUL). O Estado constitucional democrático de direito insere-se agora – e referimo-nos obviamente ao Estado Português – numa comunidade jurídica mais vasta que designaremos por **Comunidade jurídica de Estados constitucionais democráticos de direito**. Esta inserção dos Estados numa comunidade jurídica mais ampla tem importantes consequências a nível da construção jurídico-constitucional do Estado.

1. Direito constitucional interno sobre a Europa

a) A cláusula europeia

Em muitas constituições da Europa encontra-se uma cláusula que os autores designam por **cláusula europeia** (CRP, artigo 7.º/5). Esta cláusula é uma referência aberta para elementos materiais de uma comunidade jurídico-política (Europa, direitos fundamentais, união económica e monetária, justiça, cidadania europeia, união europeia).

Em rigor, a cláusula em referência eleva apenas a *Europa* a *tarefa e valor* do Estado Constitucional, mas a concretização dessa tarefa e desse valor implicarão a conformação de uma *Comunidade constitucional de Estados* (eventualmente com uma "constituição europeia") na qual se insere o Estado Constitucional.

b) A cláusula de integração europeia

A **cláusula de integração europeia** que alguns Estados europeus consagraram no texto constitucional, sobretudo para dar guarida ao Tratado de Maastricht, tem um sentido jurídico-político mais definido do que a "cláusula Europa" (CRP, artigo 7.º/6). Aqui trata-se já de "convencionar o exercício em comum dos poderes necessários à construção europeia" (CRP, artigo 7.º/6). "O exercício em comum de poderes necessários à construção europeia" implica naturalmente a deslocação de competências soberanas específicas do Estado Constitucional para a Comunidade Jurídica Europeia. Não está em causa a dissolução do *Estado nacional* (a "República Portuguesa é um Estado") nem a aniquilação da *essentialia da Constituição*, mas o Estado constitucional passa a ter de compreender a "soberania" e a "competência de competências" de forma radicalmente diversa da que Bodin e Hobbes descreveram nas "vésperas do Leviathan" (nascimento do Estado moderno).

2. "Direito constitucional Europeu"

Não há um Estado europeu; há uma Comunidade Jurídica de Estados democráticos de direito. No entanto e anteriormente à inclusão de "cláusulas europeias" e de "cláusulas de integração europeia" nos textos constitucionais, já os Estados europeus (em número sucessivamente crescente) tinham aderido aos tratados institutivos da Comunidade Económica Europeia (CEE), da Comunidade Europeia (CE) e da União Europeia (UE). O impacto dos tratados no direito constitucional interno é evidente. Independentemente de se considerar o Tratado(s) da União Europeia como uma verdadeira constituição ("Constituição da União Europeia") [27], o sistema de relações entre os ordenamentos constitucionais internos e o ordenamento comunitário coloca novos limites ao "velho Estado Constitucional". O Tribunal de Justiça da Comunidade Europeia (TJCE) vem recortando uma série de princípios jurídicos e políticos substancialmente transformadores da "estadualidade soberana". O *princípio da primazia do direito comunitário* e o consequente *princípio da prioridade ou apreensão de competências* desbanca o direito nacional e ousa mesmo afirmar (mas aqui com sérias reticências de muitos quadrantes jurídicos, políticos, doutrinários) a sua proeminência perante a constituição dos Estados-membros. O *princípio da autonomia do direito comunitário* aponta para a diferenciação da ordem jurídica comunitária em relação às ordens jurídicas dos Estados-membros. Mais do que isso: a autonomia parece implicar a auto-organização e auto-reprodução de uma verdadeira ordem jurídica (com "fecho normativo", como hoje se diz) susceptível de originar um *Estado de direito europeu* com a subsequente obrigação dos Estados-membros respeitarem a sua autonomia. Se aos princípios da primazia e autonomia acrescentarmos o *princípio da aplicabilidade directa* do direito europeu, ou seja, o princípio de que as normas (pelo menos dos Tratados e regulamentos, e, indiscutivelmente, de algumas normas constantes de directivas que imponham aos Estados-membros obrigações suficientemente precisas, claras e determinadas) têm eficácia imediata nas ordens jurídicas dos Estados-membros, podendo ser invocadas e feitas valer directamente pelos particulares, estão conjugados os princípios estruturantes para um novo passo: a "Constituição da União Europeia" ou "Carta Constitucional de Base da União Europeia". Mas se o Estado Constitucional soberano está morto nas suas pretensões de "absoluto político", a estadualidade constitucional é ainda um limite e um ponto de partida. Disso se deu

---

[27] Cfr., entre nós, F. LUCAS PIRES, "A Caminho de uma Constituição Europeia?", in *Análise Social*, Vol. XXVII (118-119), 1992, pp. 725 e ss.

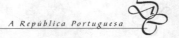

conta o Tribunal Constitucional Alemão ao considerar, na sentença relativa ao Tratado de Maastricht (12 de Outubro de 1993), que os Estados continuam "donos do tratado" [28]. De qualquer modo, nenhuma "leitura constitucionalista"poderá razoavelmente defender que a supranacionalidade e as amplas e sucessivas deslocações de competências deixaram incólume o Estado Constitucional clássico. Este e a sua constituição convertem-se progressivamente numa *ordem jurídica fundamental parcial* inserida na ordem jurídica europeia. Contudo, e como se observou já, a *existência* da União Europeia pressupõe a *existência dos Estados membros*, autoconstituídos como Estados democráticos de direito [29]. As relações entre os Estados membros e a ordem jurídica comunitária não devem, de resto, reconduzir-se, como até aqui, a uma questão de limites – os *limites* das constituições nacionais ao processo de integração. As leis fundamentais devem considerar-se *activamente estruturantes* da própria "constituição europeia" (princípio democrático, Estado de direito, catálogo de direitos fundamentais, subsidiariedade) [30]. Por esta via se chegará à **comunidade de direito europeia**.

4. Estado de direito democrático na Comunidade de Países de Língua Portuguesa (CPLP)

O Estado de direito democrático-constitucional tornou-se, como vimos, um paradigma de organização e legitimação de uma *ordem política*. A "decisão", plasmada na constituição, de se estruturar um esquema fundador e organizatório da comunidade política segundo os cânones do Estado de direito democrático significa, pelo menos, a *rejeição* de tipos de Estado estruturalmente totalitários, autoritários ou autocráticos. É esta a razão que nos permite dizer que nos países membros da "Comunidade de Países de Língua Portuguesa" (CPLP) se descortina progressivamente uma **razão pública** [31] tendente à realização de uma colectividade política de cidadãos iguais, regidos por uma constituição e por leis legitimadoras de *instituições políticas básicas*. Nesse sentido, a *razão pública* de

---

[28] Cfr. F. LUCAS PIRES, "União Europeia: Um Poder Próprio ou Delegado", in *Boletim da Faculdade de Direito*, Coimbra, 1994, pp. 149 e ss.; JORGE MIRANDA, "O Tratado de Maastricht e a Constituição portuguesa", in *Brotéria*, 1993, pp. 363 e ss.; *Manual*, III, 3.ª ed., pp. 193 e ss.

[29] Cfr. KONRAD HESSE, "Verfassung und Verfassungsrecht", in BENDA/MAIHOFER/VOGEL, *Handbuch des Verfassungsrechts der Bundesrepublik Deutschland*, 2.ª ed., Walter de Gruyter, Berlin – New York, 1994, pp. 3 e ss.

[30] Cfr. W. VON SIMSON – J. SCHWARTZ, *Europäische Integration und Grundgesetz. Maastricht und die Folgen für das deutsche Verfassungsrecht*, W. de Gruyter, Berlin – New York, 1992, p. 73.

[31] Cfr. JOHN RAWLS, *Political Liberalism*, cit., pp. 213 e ss.; JONATAS MACHADO, *Liberdade Religiosa*, p. 146.

um governo sob o "império do direito" e sob o "mando de mulheres e homens" ancorado em esquemas de legitimação democrática encontra a sua formulação linguística na expressão "Estado de direito democrático": "A República Portuguesa é um Estado de direito democrático" (CRP, artigo 2.º), "A República Federativa do Brasil... constitui-se em Estado Democrático de Direito..." (Constituição Brasileira de 1988, artigo 1.º), "A República Democrática de São Tomé e Príncipe é um Estado de Direito Democrático" (Constituição de 1990, artigo 6.º), "A República de Angola é um Estado democrático de direito..." (Lei Constitucional da República de Angola de 1992, artigo 2.º), "A República de Cabo Verde organiza-se em Estado de direito democrático..."(Constituição de Cabo Verde de 1992, artigo 2.º/1), "A República da Guiné-Bissau é um Estado de democracia constitucionalmente instituída..." (Constituição da Guiné-Bissau de 1993, artigo 3.º).

As fórmulas linguísticas não são inteiramente coincidentes. Numas constituições fala-se de "Estado democrático de direito", noutras de "Estado de direito democrático", noutra ainda prefere-se a fórmula elíptica "de democracia constitucionalmente instituída". A reclamação de "Estado de direito democrático" pode, de resto, ser apenas uma das múltiplas formas de *simbolização* constitucional [32]. O Estado de direito democrático – para lograr ter força político-normativa –, necessita: (1) de um conjunto de instituições políticas básicas; (2) de um conjunto de condições económicas, sociais e culturais favoráveis a estas instituições; (3) e de um conjunto de esquemas político-constitucionais (forma de governo, controlo judicial, sistema eleitoral, sistema partidário). Só assim, e mais uma vez, o direito constitucional será um direito "vivo" e não apenas uma "*law in the books*" [33].

Justifica-se, por fim, mais um esclarecimento indispensável. O Estado democrático de direito é um *padrão legitimatório aceitável* mas não é um *paradigma totalitário* necessariamente identificado com o "paradigma capital-expansionista" (Boaventura Sousa Santos) [34]. Se renunciar à universalização de um "super-estado" supranacional e se se limitar ao papel de "herói local", a ele cabe, ainda, em termos de direito e sob a forma democrática, cumprir a função de injunção de solidariedades territoriais e a função de produção de bens colectivos [35].

---

[32] Cfr. MARCELO NEVES, *A Constitucionalização simbólica*, cit., pp. 33 e ss.; MAURÍCIO VILLEGAS, *La eficacia simbolica del derecho*, Ediciones Uniandes, Bogotá, 1993, pp. 34 ss.

[33] Cfr. ROBERT DAHL, "Thinking about Democratic Constitutions. Conclusions from Democratic Experience", in IAN SHAPIRO/RUSSEL HARDIN, (org.) *Political Order*, New York University Press, London-New York, 1996, pp. 175 e ss.

[34] Cfr. BOAVENTURA SOUSA SANTOS, *Pela Mão de Alice*, cit., p. 284.

[35] Cfr. HELMUT WILKE, *Die Ironie des Staates*, Suhrkamp, Frankfurt-M, 1992, pp. 362 e ss.

Referências bibliográficas

Castiglione, D. – "The Political Theory of the Constitution", in *Political Studies*, XLIV (1996), pp. 417 e ss.

De Assis, R. – *Una Aproximación a los modelos de Estado de Derecho*, Madrid, 1999.

Garcia, Eloy – *El Estado Constitucional ante su "Momento Maquiavélico"*, Madrid, 2000.

Haefele, Edwin T. – «What Constitutes the American Republic?», in Stephen L. Elkin//Karol E. Soltan, *A New Constitutionalism*, 1993, pág. 207.

Häberle, P. – *Verfassungslehre als Kulturwissenschaft*, 2.ª ed., Berlin, 1998.

Henke, W. – "Die Republik", in Isensee/Kirchhof, *Handbuch des Staatsrechts*, Vol. I, 1988.

Machado, J. – *Liberdade Religiosa numa Comunidade Constitucional Inclusiva*, Coimbra, 1996, pp. 128 e ss.

Mathieu, B./Verpeaux, M. (org.) – *La République en Droit Français*, Economica, Paris, 1996.

Pettit, Ph. – *Republicanismo. Una Teoria sobre Libertad y Gobierno*, Barcelona – Buenos Aires – México, 1999.

Pinto, R. L. – *O 'Movimento Maquiavélico' na Teoria Constitucional Norte-Americana. Republicanismo, História, Teoria Política e Constituição*, Universidade Lusiada, Lisboa, 1998.

– "Algumas hipóteses sobre a 'República' e o 'Republicanismo' no Constitucionalismo Português", in J. Miranda, *Perspectivas Constitucionais*, III, pp. 195 e ss.

Preuss, V. – "Republikanische Verfassung und gesellschaftliche Konflikte", in A. Noll (org.), *Die Verfassung der Republik*, Wien/New York, 1997.

Reposo, A. – *La forma republicana secondo l'art. 139 della costituzione*, Padova, 1972.

Rideau, J. – "Communauté de droit et États de Droit", in *Mélanges R. J. Dupuy*, Paris, 1991, p. 249.

Schachtschneider, K. A. – *Res publica res populi. Grundlegung einer Allgemeinen Republiklehre. Ein Beitrag zur Freiheits – Recht – und Staatslehre*, Berlin, Duncker y Humblot, p. 125.

Sunstein, Cass – *After the Rights Revolution*, Cambridge (Mass.) Harvard U.P., 1990, p. 12.

Schwarze, J. – "Die europäische Dimension des Verfassungsrecht", in *Festschrift für Everling*, vol. I, Baden-Baden, 1995, p. 1355.

Tushnet, M. – *Red, White and Blue: a Critical Analysis of Constitutional Law*, 1988.

Vimbert, Ch. – *La tradition Républicaine en Droit Public Français*, LGDJ, Paris, 1992.

Zuleeg, M. – "Die Europäische Gemeinschaft als Rechtsgemeinschaft", *NJW*, 1994, pp. 545 e ss.

Título 2
A República Portuguesa e os seus Princípios Estruturantes

Capítulo 1
O Princípio do Estado de Direito

Sumário

A. Dimensões Formais e Materiais do Princípio do Estado de Direito

1. Juridicidade
2. Constitucionalidade
3. Sistema de direitos fundamentais
4. Divisão de poderes
5. Garantia da administração autónoma local

B. O Princípio do Estado de Direito Democrático na Constituição de 1976

1. A constituição e o princípio do estado de direito
2. Elementos formais e elementos materiais

C. O Princípio do Estado de Direito e os Subprincípios Concretizadores

I - O princípio da legalidade da administração

II - Os princípios da segurança jurídica e da protecção da confiança dos cidadãos

1. O princípio geral da segurança jurídica
2. Protecção da segurança jurídica relativamente a actos normativos
3. Protecção da segurança jurídica relativamente a actos jurisdicionais
4. Protecção da segurança jurídica relativamente a actos da administração

III - O princípio da proibição do excesso

1. Origem do princípio
2. A "europeização" do princípio da proibição do excesso
3. Subprincípios constitutivos
4. Dimensão normativa
5. Campos de aplicação
6. "Proibição por defeito"

IV - O princípio da protecção jurídica e das garantias processuais

1. As garantias processuais e procedimentais
2. O princípio da garantia de via judiciária

A. Dimensões Formais e Materiais do Princípio do Estado de Direito

Independentemente das densificações e concretizações que o princípio do estado de direito encontra de forma expressa ou implícita no texto constitucional, é possível sintetizar os pressupostos materiais subjacentes a este princípio da seguinte forma: (1) juridicidade; (2) constitucionalidade; (3) direitos fundamentais.

1. Juridicidade[1]

a) *Matéria, procedimento, forma*

O princípio do estado de direito é, fundamentalmente, um princípio constitutivo, de natureza material, procedimental e formal (a doutrina alemã refere-se a *material-verfahrenmässiges Formprinzip*), que visa dar resposta ao problema do conteúdo, extensão e modo de proceder da actividade do estado. Ao «decidir-se» por um estado de direito a constituição visa conformar as estruturas do poder político e a organização da sociedade segundo a *medida do direito*. Mas o que significa *direito* neste contexto? A clarificação do sentido de «direito» ou «medida do direito» é, muitas vezes, perturbada por pré-compreensões (ideológicas, religiosas, políticas, económicas, culturais), mas, de forma intencionalmente expositiva, podemos assinalar algumas premissas básicas[2]. O **direito** compreende-se como um *meio de ordenação* racional e vinculativa de uma comunidade organizada e, para cumprir esta função ordenadora, o direito estabelece *regras e medidas*, prescreve *formas* e *procedimentos* e cria *instituições*. Articulando medidas ou regras materiais com formas e procedimentos, o direito é, simultaneamente, *medida material* e *forma* da vida colectiva (K. Hesse). Forma e

---

[1] Para uma aproximação ao conceito de juridicidade cfr. CASTANHEIRA NEVES, *Curso de Introdução ao Estudo do Direito*, 496; «Interpretação Jurídica», in *Polis*, p. 666; MARIA G. F. PINTO DIAS GARCIA, *Da Justiça Administrativa em Portugal. Sua Origem e Evolução*, Lisboa, 1993, p. 664.

[2] Cfr. G. TARELLO, «Organizzazione giuridica e società moderna», in S. CASTIGNONE/R. GUASTINI/G. TARELLO, *Introduzione teorica allo studio del diritto*, Genova, 5.ª ed., 1988, pp. 5 e ss.

conteúdo pressupõem-se reciprocamente: como meio de ordenação racional, o direito é indissociável da realização da *justiça*, da efectivação de *valores* políticos, económicos, sociais e culturais; como *forma*, ele aponta para a necessidade de garantias jurídico-formais de modo a evitar acções e comportamentos arbitrários e irregulares de poderes públicos. As palavras plásticas de Jhering são aqui recordadas: «a forma é inimiga jurada do arbítrio e irmã gémea da liberdade». Como medida e forma da vida colectiva, o **direito** compreende-se no sentido de uma *ordem jurídica global* que «ordena» a vida política (especificamente através do direito constitucional), regula relações jurídicas civis e comerciais (através do direito civil e comercial), disciplina o comportamento da administração (direito administrativo), sanciona actos ou comportamentos contrários ou «desviantes» da ordem jurídica, designadamente por lesões graves dos bens constitucionalmente protegidos (direito criminal), cria formas, procedimentos e processos para «canalisar, em termos jurídicos», a solução dos conflitos de interesses públicos e privados (direito processual, direito procedimental).

b) *Distanciação/diferenciação*

A ideia de ordenação através do direito implica a conexão de *dimensões objectivas* (direito objectivo) com *dimensões subjectivas* (direitos subjectivos). As regras de direito estabelecem padrões de conduta ou comportamentos (direito objectivo), mas garantem também uma *distanciação* e *diferenciação* do indivíduo através do direito perante os poderes públicos, assegurando-lhes um estatuto subjectivo essencialmente constituído pelo catálogo de direitos, liberdades e garantias pessoais. O estado de direito é uma *forma de* **estado de distância** (Kloepfer), porque garante os indivíduos perante o Estado e os outros indivíduos, além de lhes assegurar, positivamente, um irredutível espaço subjectivo de autonomia marcado pela *diferença* e *individualidade*[3]. A caracterização do estado de direito como «estado de diferença e distanciação» através do direito não significa uma antinomia entre direito e estado, pois a função do direito num estado de direito material não é apenas negativa ou defensiva, mas *positiva*: o direito deve assegurar, também positivamente, o desenvolvimento da personalidade, conformando a vida social, económica e cultural. Neste sentido se afirma que o estado de direito não se concebe, hoje, como «estado anti-estadual» (Hesse).[4] O estado de direito é um estado materialmente referenciado por uma ideia de

---

[3] Cfr., por último, S. HUSTER, *Rechte und Ziele*, Berlin, 1993, pp. 67 e ss.
[4] Cfr. E. BENDA, *Handbuch des Verfassungsrechts*, pp. 480 e ss.; I. V. MÜNCH, *Staatsrecht*, I, 6.ª ed., 2000, p. 135 e ss.

justiça à qual é inerente a justiça social promovida pelo Estado ou por quaisquer outras comunidades políticas.[5]

c) *Justiça*

O direito que informa a juridicidade estatal aponta para a ideia de *justiça*. O que é que faz a diferença entre um *estado de direito* e um *estado de direito justo*? A resposta depende da **esfera de justiça** que se pretenda reconhecer. **Estado de justiça** é aquele em que se observam e protegem os direitos (*rights*) incluindo os direitos das minorias (Dworkin). *Estado de Justiça* é também aquele em que há equidade (*fairness*) na distribuição de direitos e deveres fundamentais e na determinação da divisão de benefícios da cooperação em sociedade (Rawls). *Estado de Justiça* considerar-se-á ainda o "estado social de justiça" (*justiça social*) em que existe igualdade de distribuição de bens e igualdade de oportunidades (Marx). Embora a ideia de justiça compreenda diversas esferas, nela está sempre presente (embora com ela não se identifique) uma ideia de **igualdade**: "direito a ser considerado como um igual" (Rawls), "direito a ser titular de igual respeito e consideração" (Dworkin), "direito a iguais atribuições na comunicação política" (Ackerman, Habermas), "direito a ser tratado igualmente pela lei e pelos órgãos aplicadores da lei".[5] A justiça fará, assim, parte da própria **ideia de direito** (Radbruch) e esta concretizar-se-á através de princípios jurídicos materiais cujo denominador comum se reconduz à afirmação e respeito da dignidade da pessoa humana, à protecção da liberdade e desenvolvimento da personalidade e à realização da igualdade (cf. Ac TC 132/91).

2. Constitucionalidade

a) *A ideia de estado constitucional*

O estado de direito é um **estado constitucional**. Pressupõe a existência de uma constituição normativa estruturante de uma *ordem jurídico-normativa fundamental* vinculativa de todos os poderes públicos. A constituição confere à ordem estadual e aos actos dos poderes públicos medida e forma. Precisamente por isso, a lei constitucional não é apenas – como sugeria a teoria tradicional do estado de direito – uma simples lei incluída no sistema ou no com-

---

[5] Cfr., por ex., T. CAMPBELL, *Justice*, MacMillan, London, 1994; S. HUSTER, *Rechte und Ziele*, Duncker y Humblot, Berlin, 1993, pp. 29 e ss.; I. von MÜNCH, "Rechtsstaat versus. Gerechtigkeit, in *Der Staat*, 33 (1994), p. 174 ss.; SOMMERMANN, "Taugt die Gerechtigkeit als Masstab der Rechtsstaatlichkeit" in *Jura*, 21 (1999), p. 337 e ss.

plexo normativo-estadual. Trata-se de uma verdadeira ordenação normativa fundamental dotada de *supremacia* – **supremacia da constituição** – e é nesta supremacia normativa da lei constitucional que o *«primado do direito»* do estado de direito encontra uma primeira e decisiva expressão[6]. Do princípio da constitucionalidade e da supremacia da constituição deduzem-se vários outros elementos constitutivos do princípio do estado de direito.

b) *Vinculação do legislador à constituição*

A **vinculação do legislador à constituição** sugere a indispensabilidade de as leis serem feitas pelo *órgão*, terem a *forma* e seguirem o *procedimento* nos termos constitucionalmente fixados. Sob o ponto de vista *orgânico, formal* e *procedimental* as leis não podem contrariar o princípio da constitucionalidade. A constituição é, além disso, um *parâmetro material intrínseco* dos actos legislativos, motivo pelo qual só serão válidas as leis materialmente conformes com a constituição. A proeminência ou supremacia da constituição manifesta-se, em terceiro lugar, na *proibição de leis de alteração constitucional*, salvo as leis de revisão elaboradas nos termos previstos pela própria Constituição (cfr. arts. 161.º/a e 284.º a 289.º).

c) *Vinculação de todos os actos do estado à constituição*

O **princípio da conformidade dos actos do estado com a constituição** é mais amplo que o *princípio da constitucionalidade das leis*. Ele exige, desde logo, a conformidade intrínseca e formal de todos os actos dos poderes públicos (em sentido amplo: estado, poderes autónomos, entidades públicas) com a constituição (art. 3.º/2). Mesmo os actos não normativos directamente densificadores de momentos políticos da constituição – actos políticos – devem sujeitar-se aos parâmetros constitucionais e ao controlo (político ou jurídico) da sua conformidade com as normas da Constituição (cfr. art. 3.º/3). O princípio da constitucionalidade não é apenas uma exigência de que actos dos poderes públicos não violem por *acção* as regras e princípios constitucionais; também a *omissão* inconstitucional, por falta de cumprimento de deveres jurídicos de

---

[6] Sobre este princípio estruturante do estado de direito, cfr. HESSE, *Grundzüge*, p. 77; BENDA, «Der soziale Rechtsstaat», in BENDA / MAIHOFER, *Handbuch*, p. 485; R. WAHL, «Die Vorrang der Verfassung», in *Der Staat*, 1 (1989), pp. 485 ss.; E. SCHMIDT-ASSMANN, «Der Rechtsstaat», in ISENSEE/KIRCHHOF, *Staatsrecht*, I, p. 1002. Entre nós, em sentido diferente, falando de uma "reserva de direito" acima da Constituição, cfr. M. AFONSO VAZ, *Lei e Reserva de Lei*, Porto, 1992, pp. 177 e ss.

legislar contidos em normas constitucionais, constitui uma violação do princípio da constitucionalidade (cfr. art. 283.º).

Como corolário lógico do princípio da constitucionalidade e do princípio da legalidade (ver *infra*) deve registar-se o *dever da administração revogar os actos ilegais* que eventualmente tenha praticado.

d) *O princípio da reserva da constituição*

O princípio da supremacia da constituição exprime-se também através da chamada *reserva de constituição (Verfassungsvorbehalt)*. Em termos gerais, a **reserva de constituição** significa que determinadas questões respeitantes ao estatuto jurídico do político não devem ser reguladas por leis ordinárias mas sim pela constituição. Esta reserva de constituição articula-se com a *liberdade de conformação do legislador*, ou seja, um espaço de conformação atribuído ao legislador e que significa não ter querido a constituição remeter para o órgão legiferante apenas tarefas de mera execução de normas constitucionais.

A reserva de constituição concretiza-se sobretudo através de dois princípios: o *princípio da tipicidade constitucional de competências* e o *princípio da constitucionalidade de restrições a direitos, liberdades e garantias*. Na *definição do quadro de competências,* as funções e competências dos órgãos constitucionais do poder político devem ser exclusivamente constituídas pela constituição, ou, por outras palavras, todas as funções e competências dos órgãos constitucionais do poder político devem ter fundamento na constituição e reconduzir-se às normas constitucionais de competência. O princípio fundamental do estado de direito democrático não é o de que o que a constituição não proíbe é permitido (transferência livre ou encapuçada do princípio da liberdade individual para o direito constitucional), mas sim o de que os *órgãos do estado só têm competência para fazer aquilo que a constituição lhes permite* (cfr. art. 111.º/2). No âmbito dos *direitos, liberdades e garantias*, a reserva de constituição significa deverem as restrições destes direitos ser feitas directamente pela constituição ou através de lei, mediante autorização constitucional expressa e nos casos previstos pela constituição (cfr. art. 18.º/2).[7]

---

[7] Em termos teoréticos-constitucionais, a reserva de constituição implica também a ideia de todos os poderes políticos serem conformados normalmente pela constituição, em vez de serem considerados como entidades pré-constitucionais às quais a constituição traria apenas limites jurídicos. Para a discussão de alguns problemas relacionados com a reserva de constituição, cfr. W. SCHMIDT, in *AÖR*, n.º 106, pp. 497 e ss; PEDRO CRUZ VILLALÓN, «Reserva de Constitucion?», in *REDC*, 9/1983, pp. 185 ss. Excluindo também a ideia de Constituição como «nova totalidade» («neue Totalität»), cfr., por último, SCHMIDT-ASSMANN, «Der Rechtsstaat» in ISENSEE/KIRCHHOF, *Staatsrecht*, I, p. 1002. Entre nós, cfr., por último, AFONSO VAZ, *Lei e Reserva de Lei*, p. 285.

e) *Força normativa da constituição*

O princípio da constitucionalidade não equivale, como resulta do que se acaba de afirmar em *c*), a uma total normação jurídica feita directamente pela constituição. No entanto, quando existe uma normação *jurídico-constitucional* ela não pode ser postergada quaisquer que sejam os pretextos invocados. Assim, o princípio da constitucionalidade postulará a **força normativa da constituição** contra a dissolução político-jurídica eventualmente resultante: (1) da pretensão de prevalência de «fundamentos políticos», de «superiores interesses da nação», da «soberania da nação», do «realismo financeiro» sobre a normatividade jurídico-constitucional; (2) da pretensão de, através do apelo ao «direito» ou à «ideia de direito», querer neutralizar a força normativa da constituição, material e democraticamente legitimada, e substituir-lhe uma *superlegalidade* ou *legalidade de duplo grau* ancorada em «valores» ou princípios transcendentes (Preuss) revelados por instâncias desprovidas de legitimação política e jurídica.

3. Sistema de direitos fundamentais [8]

A Constituição da República não deixa quaisquer dúvidas sobre a indispensabilidade de uma **base antropológica** constitucionalmente estruturante do Estado de direito (cfr. CRP, art. 1.º: «Portugal é uma República soberana baseada na *dignidade da pessoa humana*»; art. 2.º: «A República Portuguesa é um Estado de direito democrático baseado no respeito e na *garantia de efectivação dos direitos e liberdades fundamentais*»).

A densificação do sentido constitucional dos direitos, liberdades e garantias é mais fácil do que a determinação do sentido específico do enunciado «dignidade da pessoa humana» (cfr. *supra*). Pela análise dos direitos fundamentais, constitucionalmente consagrados, deduz-se que a raiz antropológica se reconduz ao homem como *pessoa*, como *cidadão*, como *trabalhador* e como *administrado*[9]. Nesta perspectiva, tem-se sugerido uma «integração pragmática» dos direitos fundamentais. Em primeiro lugar, afirmação da integridade física e espiritual do homem como dimensão irrenunciável da sua *individualidade* autonomamente responsável (CRP, arts. 24.º, 25.º, 26.º). Em segundo lugar,

---

[8] Cfr. o processo de subjectivização do direito em L. FERRY/A. RENAUT, *Philosophie Politique*, II – *Des Droits de l'homme à l'idée républicaine*, Paris, 1985, p. 72.

[9] Cfr. CH. STARCK, in MANGOLDT/KLEIN/STARCK, *Grundgesetz, Kommentar*, I, Art. 1. Em sentido diferente, cfr., JORGE MIRANDA, *Manual*, IV, pp. 166 e ss. No sentido do texto, GOMES CANOTILHO/VITAL MOREIRA, *Fundamentos da Constituição*, p. 111.

garantia da identidade e integridade da pessoa através do *livre desenvolvimento da personalidade* (cfr. a consagração explícita deste direito no art. 26.º da CRP, introduzido pela LC 1/97, e a refracção do mesmo direito no art. 73/2.º da CRP). Reflectindo o imperativo social do estado de direito, aponta-se para a *libertação da «angústia da existência»* da pessoa mediante mecanismos de socialidade, dentre os quais se incluem a possibilidade de trabalho, emprego e qualificação profissional e a garantia de condições existenciais mínimas através de mecanismos providenciais e assistenciais como o subsídio de desemprego e o rendimento mínimo garantido (cfr. CRP, arts. 53.º, 58.º, 63.º, 64.º). Reafirma-se, em quarto lugar, a garantia e defesa da *autonomia individual* através da vinculação dos poderes públicos a conteúdos, formas e procedimentos do estado de direito. Finalmente, realça-se a dimensão igualdade-justiça dos cidadãos, expressa na mesma *dignidade social* e na *igualdade de tratamento normativo* (cfr. CRP, art. 13.º), isto é, igualdade perante a lei e através da lei.

Esta «teoria de cinco-componentes» (Podlech) parece adequada às sugestões normativas da constituição e ao contexto jurídico-cultural português. Além disso, fornece *tópoi* de concretização jurídico-judicialmente controláveis [10]. Dentre esses tópicos devem mencionar-se especialmente os seguintes: vinculação pelos direitos, liberdades e garantias de todas as entidades públicas e privadas (CRP, art. 18.º), vinculação dos órgãos da Comunidade Europeia pelos direitos e liberdades constitucionalmente consagrados, vinculação dos processos e procedimentos públicos pelos direitos fundamentais (CRP, art. 37.º, 267.º, 268.º), dever de protecção dos direitos fundamentais ante terceiros por parte dos poderes públicos.

Parece-nos ser aqui – na garantia dos direitos fundamentais –, e não apenas no problema da «autonomia» ou «independência» do indivíduo, que se deve colocar o «reduto antropológico» do estado de direito. Até porque, como salienta Pérez Luno, «na sua perspectiva histórica a teoria dos direitos fundamentais precedeu a formulação da noção de Estado de direito». Cfr. Pérez Luno, «Sobre el estado de derecho y su significación constitucional», in *Sistema*, n.º 57 (1983). No mesmo sentido do texto, pondo em relevo que a garantia de apenas alguns dos chamados direitos do homem – sobretudo a propriedade e a liberdade civil – conduziu fundamentalmente à estruturação de uma ordem de domínio estadual e à segurança do *status quo* social, Grimmer, *Demokratie und Grundrechte*, cit., p. 74. Cfr., também, P. Reynaud «Des Droits de l'Homme á l'État de droit. Les droits de l'homme et leurs garanties chez les theoriciens français classiques de droit public», in *Droits* 2/1985, pp. 61 e ss.

---

[10] Cfr. por todos, A. PODLECH, comentário ao art. 1.º do *Alternativ-Kommentar* da *Grundgesetz*. Entre nós, cfr. JORGE MIRANDA, *Manual de Direito Constitucional*, IV, pp. 266 e ss. Uma «semântica critica» do princípio da dignidade da pessoa humana ver-se-á em HENRIQUE MEIRELES, *Marx e o Direito Civil*, Coimbra, 1989 (polic.), pp. 409 e ss., 449. Apelando também para os direitos fundamentais como elemento decisivamente legitimante do Estado, cfr. LUZIA CABRAL PINTO, *Limites do Poder Constituinte*, Coimbra, 1993.

4. Divisão de poderes

As três dimensões anteriormente analisadas – juridicidade, constitucionalidade, direitos fundamentais – indiciam já que o princípio do estado de direito é informado por duas ideias ordenadoras: (1) ideia de *ordenação subjectiva*, garantindo um *status* jurídico aos indivíduos essencialmente ancorado nos direitos fundamentais; (2) ideia de *ordenação objectiva*, assente no princípio da constitucionalidade, que, por sua vez, acolhe como princípio objectivamente estruturante o *princípio da divisão de poderes*. Estas duas dimensões não se divorciam uma da outra, mas o acento tónico caberá agora à ordenação funcional objectiva do Estado de direito.

4.1 *Dimensão negativa e dimensão positiva: limite do poder e responsabilidade pelo poder*

A constitucionalística mais recente salienta que o **princípio da separação de poderes** transporta duas dimensões complementares: (1) a separação como «divisão», «controlo» e «limite» do poder – dimensão negativa; (2) a separação como constitucionalização, ordenação e organização do poder do Estado tendente a decisões funcionalmente eficazes e materialmente justas (dimensão positiva) [11]. O sentido referido em (1) corresponde, em rigor, à ideia de **divisão de poderes**; o sentido referido em (2) aponta sobretudo para a ideia de **separação de poderes**. O princípio da divisão como forma e meio de *limite do poder* (divisão de poderes e balanço de poderes) assegura uma *medida jurídica* ao poder do estado e, consequentemente, serve para garantir e proteger a esfera jurídico-subjectiva dos indivíduos e evitar a concentração de poder. O princípio da separação na qualidade de *princípio positivo* assegura uma justa e adequada ordenação das funções do estado e, consequentemente, intervém como esquema relacional de competências, tarefas, funções e responsabilidades dos órgãos constitucionais de soberania [12]. Nesta perspectiva, separação ou divisão de poderes significa *responsabilidade* pelo exercício de um poder [13].

---

[11] Cfr. K. HESSE, *Grundzüge*, p. 185, 482; STERN, *Staatsrecht*, II, p. 546; I. V. MÜNCH, *Staatsrecht*, cit., p. 136.

[12] Cfr. GOMES CANOTILHO, «A Concretização da Constituição pelo Legislador e pelo Tribunal Constitucional», in JORGE MIRANDA (org.), *Nos dez anos da Constituição*, p. 352; NUNO PIÇARRA, *A Separação de Poderes como doutrina e como princípio constitucional*, Coimbra,1988, p. 262.

[13] Cfr. por último, SCHMIDT-ASSMANN, «Der Rechtsstaat», p. 1012; HANSJÖRG SEILER, *Gewaltenteilung*, Bern, 1994, pp. 253 e ss.

4.2 Relevância jurídico-constitucional

a) *Princípio jurídico-organizatório*

Duas ideias básicas continuam a estar subjacentes à *separação funcional* dos órgãos constitucionais. Uma, é a da **ordenação de funções** através de uma ajustada atribuição de competências expressa na fixação clara de regras processuais e na vinculação à *forma jurídica* dos poderes a quem é feita essa atribuição. Nessa perspectiva, ou seja, como *racionalização, estabilização* e *delimitação* do poder estadual, a separação dos poderes é um *princípio organizatório fundamental da Constituição*[14]. É o sentido presente no art. 111.° da CRP. O carácter constitutivo da separação constitucional de competências justifica os termos restritivos das *delegações de competências* dos órgãos de soberania (cfr. art. 111.°/2). A delegação indiscriminada de competências constituiria uma porta aberta para a dissolução da *ordenação democrática das funções*, constitucionalmente estabelecida. Através da criação de uma estrutura constitucional com funções, competências e legitimação de órgãos, claramente fixada, obtém-se um controlo recíproco do poder *(checks and balances)* e uma *organização jurídica de limites* dos órgãos do poder.

A ordenação funcional separada deve entender-se também como uma *ordenação controlante-cooperante de funções*[15]. Isto não se reconduz rigidamente a conceitos como «balanço de poderes» ou «limitação recíproca de poder», nem postula uma rigorosa distinção entre funções formais e funções materiais. O que importa num estado constitucional de direito não será tanto saber se o que legislador, o governo ou o juiz fazem são actos legislativos, executivos ou jurisdicionais, mas se o que eles fazem *pode ser feito* e é feito de *forma legítima* (cfr., porém, *infra*).

b) *Princípio normativo autónomo*

A justeza de uma decisão pode justificar uma «compartimentação de funções» não coincidente como uma rígida separação orgânica. O exercício de poderes administrativos pelo parlamento (ex.: funções de polícia pelo seu presidente), o exercício de funções legislativas pelo Governo (cfr. CRP, art. 198.°), o exercício de funções administrativas pelo juiz, são apenas exemplos de ordena-

---

[14] Cfr. HESSE, *Grundzüge*, cit., pp. 194 ss. e, entre nós, NUNO PIÇARRA, *A separação dos poderes*, cit., p. 262.

[15] Cfr. ACHTERBERG, *Probleme*, p. 109.

ção funcional não coincidente com arquétipos apriorísticos e que só nos contextos constitucionais concretos deve ser explicada. A sobreposição das linhas divisórias de funções não justifica, por si só, que se fale de «rupturas de divisão de poderes». Estas rupturas ou *desvios do princípio da divisão de poderes* só são, porém, legítimos se e na medida em que não interfiram com o núcleo essencial da ordenação constitucional de poderes. Com efeito quando o **núcleo essencial** *(Kernbereich)* dos limites de competências, constitucionalmente fixado, for objecto de violação pode estar em jogo todo o sistema de *legitimação, responsabilidade, controlo* e *sanção,* definido no texto constitucional. É o que se poderá passar com a *deslocação* da protecção jurídica dos tribunais para outro órgão (ex.: a apreciação de arbitrariedades do executivo pelo parlamento em substituição dos tribunais pode conduzir a que o parlamento confirme as próprias arbitrariedades do governo, sobretudo nas hipóteses de governos maioritários). Um pedido de inquérito parlamentar às actividades de um município é susceptível de deslocar uma função constitucional do governo – exercer a tutela sobre a administração autónoma nos termos 199.º/1 da CRP – para o seio do parlamento. A reiterada utilização de «leis-concretas» pela assembleia legislativa pode significar a prática de actos administrativos sob a forma de leis, acabando numa deslocação nuclear das funções primariamente competentes do executivo para o âmbito do legislativo. Por outro lado, a sistemática assunção de poderes legislativos por parte dos governos é susceptível de conduzir à concentração de poderes políticos e legislativos no órgão governamental de forma a poder considerar-se nuclearmente lesado o núcleo essencial de funções[16] Nestes casos, o princípio da separação pode funcionar como *princípio normativo autónomo* invocável na solução de litígios jurídico-constitucionais[17].

c) *Princípio fundamentador de incompatibilidades*

A problemática levantada no número anterior tem algo a ver com o problema da chamada *divisão* ou **separação pessoal de poderes ou funções.** A separação organizatório-funcional pressuporia uma separação pessoal. Isto é

---

[16] Cfr. WOLFF-BACHOF, *Verwaltungsrecht,* I, cit., § 16, IIb. Em sentido crítico, cfr. N. ACHTERBERG, *Probleme,* cit., p. 230. Problema será o de se saber em que consiste o núcleo essencial de competência. Os critérios geralmente invocados – a intenção, intensidade ou «quantidade» do desvio das competências constitucionalmente fixadas – podem novamente conduzir-nos às discussões relativamente infrutuosas da caracterização material das funções. Cfr., as observações críticas de G. ZIMMER, *Funktion-Kompetenz-Legitimation,* 1979, pp. 23 e ss. Cfr. NUNO PIÇARRA, «A separação dos poderes na Constituição de 1976. Alguns aspectos», in JORGE MIRANDA, (org), *Nos dez anos de constituição,* p. 164.

[17] Tenha-se em vista a vigorosa polémica no direito constitucional brasileiro em torno das *medidas provisórias* (actos provisórios com valor legislativo editados pelo Presidente que é, simultaneamente, chefe de Estado e chefe de Governo).

particularmente acentuado no que respeita aos titulares da função judicial. Quanto à separação pessoal governo-parlamento, tende hoje a considerar-se, sobretudo nos Estados de partidos maioritários, que não há rigorosa delimitação entre parlamento-governo mas entre governo (parlamentar-executivo) e oposição. De qualquer modo, um completo entrelaçamento pessoal de funções executivas e parlamentares é evitado através do *princípio da incompatibilidade* entre *cargo* (executivo) e *mandato* (parlamentar) (cfr. arts. 154.º/1, 161.º/1/*a* e 216.º).

5. Garantia da administração autónoma local

A **garantia da administração municipal autónoma** é um elemento constitutivo do estado de direito [18]. A história mostra ser o problema da administração autónoma uma questão estreitamente conexionada com o *princípio democrático*. A «democracia descentralizada», isto é, a democracia assente num «poder local autónomo» assegurava a separação territorial de poderes e contribuia para uma maior participação democrática no exercício do poder. Não é tão clara a sua ligação com o *princípio do estado de direito*, mas a ideia de estado de direito estava indiscutivelmente associada à ideia da descentralização administrativa como limite ao poder unicitário e conformador do estado e como forma de separação entre o estado e a sociedade civil. A Constituição Portuguesa aponta também para a conexão da administração autónoma com o princípio democrático da *organização do estado* (cfr. arts. 6.º e 235.º/1).

Não obstante a configuração da autonomia local não se traduzir, hoje, numa simples auto-organização da sociedade e como contrapoder do estado, o **princípio da garantia da autonomia local** terá a ver com o estado de direito sobretudo nas dimensões de *autonomia normativa* (cfr. art. 241.º sobre a competência regulamentar) e de *garantia institucional* que assegura aos municípios um espaço de conformação autónoma cujo *conteúdo essencial* não pode ser destruído pela administração estadual [19]. Foi este conteúdo essencial que o regime da constituição de 1933 destruiu ao transformar a autonomia local em

---

[18] Cfr. E. STEIN, *Staatsrecht*, cit., p. 53.
[19] Cfr. J. BURMEISTER, *Verfassungstheoretische Neukonzeption der (kommunalen) Selbstverwaltungsgarantie*, 1977, pp. 5 e ss. Entre nós, cfr. o penetrante apuramento conceitual de BAPTISTA MACHADO, *Participação*, cit., pp. 1 e ss. Sobre a autonomia regional, cfr. F. AMÂNCIO FERREIRA, *As regiões autónomas na Constituição Portuguesa*, Coimbra, 1980. Concretamente, sobre o poder local, cfr. VITAL MOREIRA, «As regiões, a autonomia municipal e a unidade do Estado», in *Poder Local*, n.º 3, Set.-Out., 1977, pp. 11 e ss; JORGE MIRANDA, *A Constituição*, cit., pp. 451 e ss.; *Manual de Direito Constitucional*, Vol. III, pp. 201; A. CÂNDIDO DE OLIVEIRA, *Direito das Autarquias*, pp. 226 e ss.; PAULO OTERO, *O Poder de Substituição*, II p. 678.

administração indirecta ou mediata do estado.[20] A Constituição de 1976 elevou a limite material da revisão constitucional (cfr. art. 288.º/n) a garantia da administração autónoma local.

As origens do conceito são várias: doutrina do *pouvoir municipal* (4.º poder, ao lado do legislativo, executivo e judicial, Constituição belga, 1831), doutrina da *décentralisation* (contra o centralismo napoleónico), doutrina inglesa do *self government* (administração como forma de autogoverno entre o estado e a sociedade) e a doutrina do *cooperativismo* ou *associação* (contra a burocracia). Cfr. Engli-Maus, *Quellen zum modernen Gemeindeverfassungsrecht in Deutschland*, 1975. "Apontando para uma justificação pré-moderna" da administração autónoma cfr., entre nós, Marcelo Rebelo de Sousa, "Distribuição pelos Municípios de Energia Eléctrica de Baixa Tensão" in CJ, 1988, p. 26 ss. Por último, *vide* Vital Moreira, *Administração Autónoma*, cit., pp. 99 e ss. Desenvolvidas considerações históricas-políticas e doutrinárias sobre a "administração local" e o "poder local" ver-se-ão na doutrina espanhola: Garcia de Enterria, *Revolucion Francesa y Administracion Contemporanea*, Madrid, 1981; Luciano Vandelli, "Las Premissas a la Ordenacion Constitucional de la Administracion Española" e F. Sosa Wagner, "La Autonomia Local", ambos em *Estudios sobre la Constitucion Española. Homenaje al Professor Eduardo Garcia de Enterria*, Tomo IV, Madrid, 1991; A. Fanlo Loras, *Fundamentos Constitucionales de la Autonomia Local*, Madrid, 1990.

B. O Princípio do Estado de Direito Democrático na Constituição de 1976

1. A Constituição e o princípio do estado de direito

A não ser no Preâmbulo, a Constituição de 1976 não fazia, no texto originário, qualquer alusão expressa a estado de direito. No articulado encontrava-se a fórmula *legalidade democrática*.[21] Depois da revisão de 1982, a fórmula «estado de direito democrático» encontra-se no art. 2.º e no art. 9.º/b.

Além de estar expressamente consagrado na constituição, o **princípio do estado de direito** tem vindo a ser aplicado pela jurisprudência constitucional portuguesa como um princípio geral dotado de um «mínimo normativo» capaz de fundamentar autonomamente direitos e pretensões dos cidadãos e justificar a

---

[20] Cfr. a demonstração em VITAL MOREIRA, *Administração Autónoma*, cit., pp. 104 e ss.
[21] Cfr. JORGE MIRANDA, *A Constituição de 1976*, pp. 496 e ss; CASTANHEIRA NEVES, *A Revolução e o Direito*, pp. 203 ss.; REIS NOVAIS, *O Estado de Direito*, Coimbra, 1987; VITALINO CANAS, "Princípio da Proporcionalidade", in DJAP vol. VII; A. DE OLIVEIRA MARTINS, "Legalidade Democrática e Legitimidade do Poder Político na Constituição", in JORGE MIRANDA (org.), *Perspectivas Constitucionais*, II, pp. 577 e ss.

inconstitucionalidade de actos normativos violadores dos princípios do Estado de direito.[22] Hoje, além de princípio constitucional, é também *princípio estruturante da União Europeia* (cf. art. 6.º, na redacção dada pelo Tratado de Amesterdão).

2. Elementos formais e elementos materiais

O princípio do estado de direito não é um conceito pré- ou extra-constitucional mas um conceito constitucionalmente caracterizado. Ele é, desde logo, uma *forma de racionalização* de uma estrutura estadual-constitucional. No princípio de estado de direito conjugam-se elementos formais e materiais, exprimindo, deste modo, *a profunda imbricação entre forma e conteúdo* no exercício de actividades do poder público ou de entidades dotadas de poderes públicos. Na exposição subsequente procurar-se-ão identificar alguns elementos mas sem se fazer uma absoluta diferenciação entre elementos formais e materiais[23]. As dimensões materiais do estado de direito de modo algum se podem considerar o contrário das dimensões formais. No entanto, para quem pretender manter estas categorias dir-se-á que, em geral, os elementos considerados como *momentos formais do estado de direito* são: (1) o princípio da constitucionalidade e correlativo princípio da supremacia da constituição (2) *divisão dos poderes*, entendida como princípio impositivo da vinculação dos actos estaduais a uma competência, constitucionalmente definida e da ordenação relativamente separada de funções; (3) *princípio da legalidade da administração;* (4) *independência dos tribunais* (institucional, funcional e pessoal) e *vinculação do juiz à lei;* (5) *garantia da protecção jurídica* e *abertura da via judiciária* para assegurar ao cidadão o acesso ao direito e aos tribunais. Vejamos, mais de perto, alguns desses princípios.

---

[22] Dentre os vários textos jurisprudenciais exemplificativos seleccionar-se-ão: Acórdão TC n.º 11/83, in *DR*, I, de 20-10-1983; Acórdão TC n.º 23/83, in *DR*, II, de 1-2-1984; Acórdão n.º 437 da Comissão Constitucional, in *BMJ*, n.º 314; Acórdão TC n.º 86/84, in *DR*, de 2-2-1985; Acórdão TC n.º 73/84, in *DR*, II, de 11-1-1985 (cfr. Ac. TC n.º 93/84, *DR*, I, 16-11-1984).

[23] Cfr. HESSE, *Grundzüge*, cit., p. 79; ZIPPELLIUS, *Allgemeine Staatslehre*, p. 287. Talvez por isso, LARENZ, *Richtiges Recht*, cit., p. 136, prefere falar em «princípios do Estado de direito em sentido estrito» *(rechsstaatliche Prinzipien im engeren Sinn)*. Cfr. agora K. PETER SOMMERMANN, anotação ao art. 20.º do comentário GG, *Grundgesetz Kommentar*, 4.ª ed., vol. 2, 2000, p. 105 ss.

C. O Princípio do Estado de Direito e os Subprincípios Concretizadores

I - O princípio da legalidade da administração

O **princípio da legalidade da administração** foi erigido, muitas vezes, em «cerne essencial» do Estado de direito. Ele será objecto de maiores desenvolvimentos em sede das fontes de direito constitucional. Aqui limitar-nos--emos a algumas considerações básicas. O princípio da legalidade postula dois princípios fundamentais: o *princípio da supremacia* ou *prevalência da lei (Vorrang des Gesetzes)* e o *princípio da reserva de lei (Vorbehalt des Gesetzes)*. Estes princípios permanecem válidos, pois num Estado democrático-constitucional a lei parlamentar é, ainda, a expressão privilegiada do princípio democrático (daí a sua supremacia) e o instrumento mais apropriado e seguro para definir os regimes de certas matérias, sobretudo dos direitos fundamentais e da vertebração democrática do Estado (daí a reserva de lei) [24]. De uma forma genérica, o princípio da supremacia da lei e o princípio da reserva de lei apontam para a *vinculação jurídico-constitucional do poder executivo* (cfr., *infra*, Fontes de direito e estruturas normativas).

Em termos específicos, o **princípio da prevalência da lei** significa que a lei deliberada e aprovada pelo Parlamento tem superioridade e preferência relativamente a actos da administração (regulamentos, actos administrativos, actos pararegulamentares, actos administrativos gerais como circulares e instruções). O princípio da prevalência da lei vincula a administração, proibindo-lhe quer a prática de actos contrários à lei (proibição de desrespeito da lei) quer impondo-lhe a adopção de medidas necessárias e adequadas ao cumprimento da lei (exiquência de aplicação da lei). Por sua vez, o **princípio da reserva de lei** afirma que as restrições aos direitos, liberdades e garantias só podem ser feitas por lei ou mediante autorização desta. Além disso, o regime jurídico de certas matérias (cfr. CRP, arts. 164.º e 165.º) deve também caber, prioritariamente, à assembleia representativa.

---

[24] Sobre este assunto, cfr. BADURA, «Rechtssetzung durch Gemeinden», *DÖV*, 963; MÁRIO ESTEVES, *Direito Administrativo*, pp. 113 e ss. Sobre o problema da autonomia, cfr. BAPTISTA MACHADO, *Participação*, cit., pp. 1 e ss.; FREITAS DO AMARAL, *Direito Administrativo*, p. 566; SÉRVULO CORREIA, *Legalidade*, pp. 263 e ss.; VIEIRA DE ANDRADE, *Autonomia Regulamentar e Reserva de Lei*, 1987; AFONSO QUEIRÓ, *Lições de Direito Administrativo*, p. 452; ROGÉRIO SOARES, «Princípio da legalidade e administração constitutiva», in BFDC, LVII, 1981, pp. 169 e ss.

II - Os princípios da segurança jurídica e da protecção da confiança dos cidadãos

1. O princípio geral da segurança jurídica

O homem necessita de *segurança* para conduzir, planificar e conformar autónoma e responsavelmente a sua vida. Por isso, desde cedo se consideraram os princípios da *segurança jurídica* e da *protecção da confiança* como elementos constitutivos do Estado de direito.

Estes dois princípios – segurança jurídica e protecção da confiança – andam estreitamente associados, a ponto de alguns autores considerarem o princípio da protecção de confiança como um subprincípio ou como uma dimensão específica da segurança jurídica. Em geral, considera-se que a **segurança jurídica** está conexionada com elementos objectivos da ordem jurídica – garantia de estabilidade jurídica, segurança de orientação e realização do direito – enquanto a **protecção da confiança** se prende mais com as componentes subjectivas da segurança, designadamente a calculabilidade e previsibilidade dos indivíduos em relação aos efeitos jurídicos dos actos dos poderes públicos. A segurança e a protecção da confiança exigem, no fundo: (1) fiabilidade, clareza, racionalidade e transparência dos actos do poder; (2) de forma que em relação a eles o cidadão veja garantida a segurança nas suas disposições pessoais e nos efeitos jurídicos dos seus próprios actos. Deduz-se já que os postulados da segurança jurídica e da protecção da confiança são exigíveis perante *qualquer acto* de *qualquer poder* – legislativo, executivo e judicial. O **princípio geral da segurança jurídica** em sentido amplo (abrangendo, pois, a ideia de protecção da confiança) pode formular-se do seguinte modo: o indivíduo têm do direito poder confiar em que aos seus actos ou às decisões públicas incidentes sobre os seus direitos, posições ou relações jurídicas alicerçados em normas jurídicas vigentes e válidas por esses actos jurídicos deixado pelas autoridades com base nessas normas se ligam os efeitos jurídicos previstos e prescritos no ordenamento jurídico. As refracções mais importantes do princípio da segurança jurídica são as seguintes: (1) relativamente a *actos normativos* – proibição de normas retroactivas restritivas de direitos ou interesses juridicamente protegidos; (2) relativamente a *actos jurisdicionais* – inalterabilidade do caso julgado; (3) em relação a *actos da administração* – tendencial estabilidade dos casos decididos através de actos administrativos constitutivos de direitos (cf. Ac. Tc 786/96 e 141/02).

2. Protecção da segurança jurídica relativamente a actos normativos

2.1. *O princípio da precisão ou determinabilidade das normas jurídicas*

A segurança jurídica postula o **princípio da precisão ou determinabilidade dos actos normativos**, ou seja, a conformação material e formal dos actos normativos em termos linguisticamente claros, compreensíveis e não contraditórios. Nesta perspectiva se fala de *princípios jurídicos de normação jurídica* concretizadores das exigências de determinabilidade, clareza e fiabilidade da ordem jurídica e, consequentemente, da segurança jurídica e do Estado de direito.

O princípio da determinabilidade das leis reconduz-se, sob o ponto de vista intrínseco, a duas ideias fundamentais. A primeira é a da *exigência de clareza das normas* legais, pois de uma lei obscura ou contraditória pode não ser possível, através da interpretação, obter um sentido inequívoco capaz de alicerçar uma solução jurídica para o problema concreto. A segunda aponta para a *exigência de densidade suficiente* na regulamentação legal, pois um acto legislativo (ou um acto normativo em geral) que não contém uma disciplina suficientemente concreta (= densa, determinada) não oferece uma *medida* jurídica capaz de: (1) alicerçar *posições* juridicamente protegidas dos cidadãos; (2) constituir uma *norma de actuação* para a administração; (3) possibilitar, como *norma de controlo*, a fiscalização da legalidade e a defesa dos direitos e interesses dos cidadãos (Acs. 285/92, DR, 17-8-92 e 233/94, DR, II, 27-8-94).

Como é de intuir, a natureza da lei – aberta ou indeterminada, precisa ou concreta – tem muito a ver com as relações legiferação-aplicação da lei. A indeterminabilidade e abertura da lei poderá ser justificada pelo facto de o legislador se querer limitar a leis de direcção e deixar à administração amplos poderes de decisão. Isto já foi observado: a indeterminabilidade normativa significa, muitas vezes, delegação da competência de decisão. A determinabilidade ou indeterminabilidade é, pois, um problema de distribuição de tarefas entre o legislador e o aplicador ou executor das leis. O controlo destas «normas abertas» deve ser reforçado. Elas podem, por um lado, dar cobertura a uma inversão das competências constitucionais e legais; por outro lado, podem tornar claudicante a previsibilidade normativa em relação ao cidadão e ao juiz. De facto, as cláusulas gerais podem encobrir uma «menor valia» democrática, cabendo, pelo menos, ao legislador, uma reserva global dos aspectos essenciais da matéria a regular. A exigência da determinabilidade das leis ganha particular acuidade no domínio das leis restritivas ou de leis autorizadoras de restrição [25].

A aplicação prática do princípio da precisão e determinabilidade das leis pode ver-se no Ac. TC 285/92, *DR*, I-17-8 (*leis dos disponíveis*), e no Ac. 458/93, *DR*, I-A, 17-9-93 (*segredo de Estado*).

---

[25] Cfr., por último, KÜNIG, *Rechtsstaatsprinzip*, 1986, p. 400; SÉRVULO CORREIA, *A Legalidade*, pp. 53 e ss.; M. J. PAPIER/J. MÖLLER, "Das Bestimmtheitsgebot und seine Durchsetzung", in AöR 2/122 (1997), p. 178 ss.; SCHNAPP, in I. von MÜNCH/KÜNIG, *GG. Kommentar*, 4.ª ed., anotação 21 e 23 ao art. 20.º

2.2. Proibição de pré-efeitos de actos normativos

O **princípio da proibição de pré-efeitos** de actos normativos formula-se assim: os actos legislativos e outros actos normativos não podem produzir quaisquer efeitos jurídicos (pretensão de eficácia) quando não estejam ainda em vigor nos termos constitucional e legalmente prescritos *(proibição de pré--efeitos das leis e de actos normativos).*

   No chamado caso «Martelli», a extradição do cidadão italiano Roberto Martelli constitui um exemplo flagrante da violação do princípio da segurança e da confiança através de pré--efeitos. O Supremo Tribunal de Justiça (Acórdão de 4-11-1981) decide aplicar ao caso a Convenção Europeia para Repressão do Terrorismo, não obstante ter reconhecido que a referida convenção não tinha entrado em vigor relativamente a Portugal. A doutrina aí defendida – pré-efeitos interpretativos de convenções internacionais já aprovadas para ratificação mas ainda não em vigor – ofende o princípio geral do Estado de direito democrático, além de violar claramente o art. 8.°/2. Vide acórdão do STJ de 4-11-81, em *RAE*, 1982, pp. 145 ss. Um caso de pré-efeitos legais inconstitucionais verificou-se também no caso debatido no acórdão do Tribunal Constitucional n.° 15/83, de 30/1/84, em que o Primeiro-Ministro pedia a fiscalização abstracta de um diploma ainda não publicado. O TC não configurou, porém, como questão de proibição de pré-efeitos, o caso em referência. Um outro caso que o TC não configurou como questão de pré-efeitos, mas em que se poderia discutir se não haveria uma violação do princípio da protecção da confiança (além da violação do art. 168.°/2 da CRP) foi o da aprovação pelo Governo de um decreto-lei antes da publicação da correspondente lei de autorização legislativa (cfr. Acs TC 41/86, *DR*, II, 15-5-86, e 69/86, *DR*, II, 9-6-86).

2.3 Proibição de normas retroactivas

a) *Os pontos de partida*

   A mudança ou alteração frequente das leis (de normas jurídicas) pode perturbar a confiança das pessoas, sobretudo quando as mudanças implicam efeitos negativos na esfera jurídica dessas mesmas pessoas. O princípio do estado de direito [26], densificado pelos princípios da segurança e da confiança jurídica, implica, por um lado, na qualidade de elemento objectivo da ordem jurídica, a durabilidade e permanência da própria ordem jurídica, da paz jurídico-social e das situações jurídicas; por outro lado, como dimensão garantística jurídico-subjectiva dos cidadãos, legitima a confiança na permanência das respectivas situações jurídicas. Daqui a ideia de uma *certa medida de confiança* na

---

[26] Cfr., A. RIBEIRO MENDES, "Le Principe de non rétroactivité des lois", in *Annuaire Internationale de Justice Constitutionnelle*, VI (1990), pp. 413 e ss. No direito criminal, cfr. A. CASTANHEIRA NEVES, "O princípio da legalidade criminal", in *Digesta*, I, pp. 360 e ss.

actuação dos entes públicos dentro das leis vigentes e de uma certa *protecção* dos cidadãos no caso de mudança legal necessária para o desenvolvimento da actividade de poderes públicos. Todavia, uma absoluta proibição da retroactividade de normas jurídicas impediria as instâncias legiferantes de realizar novas exigências de justiça e de concretizar as ideias de ordenação social positivamente plasmadas na Constituição. A ponderação dos valores jurídicos da segurança e da confiança e da conformação actualizada e justa das relações jurídicas pelos poderes normativos democraticamente legitimados justifica um melhor esclarecimento da retroactividade das fontes de direito.[27] Note-se que embora o problema da retroactividade se discuta a propósito da eficácia intertemporal das leis deve distinguir-se entre **leis retroactivas** e **disposições transitórias**: quando uma nova lei não pode ter eficácia em relação ao passado existe uma *proibição de retroactividade;* quando uma nova lei não pode ter eficácia imediata diz-se que existe necessidade de *direito transitório*[28]. A consideração destes vários pontos de partida conduz-nos ao seguinte esquema.

b) *Orientação normativo-constitucional*

Os limites jurídicos das leis e de outras normas jurídicas têm de ser aferidos segundo os parâmetros das normas constitucionais, devendo considerar--se que uma lei retroactiva é sempre inconstitucional quando uma norma constitucional assim o determina. Existe uma **proibição constitucional de retroactividade** no caso de: (1) leis penais (art. 29/1.º/2.º/3.º e 4.º); (2) leis restritivas de direitos, liberdades e garantias dos cidadãos (art. 18.º/3)[29]; (3) leis fiscais (art. 103.º/3, na redacção da LC 1/97).

A orientação normativo-constitucional não significa que o problema da retroactividade das leis deva ser visualizado apenas com base em regras constitucionais. Uma lei retroactiva pode ser inconstitucional quando um princípio constitucional, positivamente plasmado e com suficiente densidade, isso justifique

Alguns princípios, como o princípio da segurança jurídica e o princípio de confiança do cidadão, podem ser tópicos ou pontos de vista importantes

---

[27] Cfr. THILO RENSMANN, «Reformdruck und Vertrauenschutz», in JZ, 1999, p. 168 ss.
[28] Sobre os problemas de direito transitório em direito constitucional cfr. MIGUEL GALVÃO TELES, «Inconstitucionalidade pretérita», in JORGE MIRANDA (org.), *Nos dez anos da Constituição*, Lisboa, 1986, pp. 277 e ss.
[29] Isto não significa que as leis retroactivas «ampliativas» (não restritivas) de direitos não suscitem problemas, pois, desde logo, há sempre que considerar os seus efeitos sob o prisma do princípio da igualdade. Cfr. DÜRIG, in MAUNZ / DÜRIG, *Kommentar*, Anotação 221 ao art. 3.º/1 da *Grundgesetz*.

para a questão da retroactividade, *mas apenas na qualidade de princípios densificadores do princípio do estado de direito* eles servem de pressuposto material à proibição da retroactividade das leis. Não é pela simples razão de o cidadão ter confiado na não-retroactividade das leis que a retroactividade é juridicamente inadmissível; mas o cidadão pode confiar na não-retroactividade quando ela se revelar ostensivamente inconstitucional perante certas normas ou princípios jurídico-constitucionais [30].

      A jurisprudência constitucional portuguesa tem também articulado o princípio da confiança e da segurança jurídica com o princípio do estado de direito, evitando o discurso tautológico a partir de princípios abstractos. Assim, por ex., no Parecer n.º 14/82 da Comissão Constitucional [31] afirma-se que o princípio do Estado de direito democrático «garante seguramente um mínimo de certeza nos direitos das pessoas e nas suas expectativas juridicamente criadas e, consequentemente, a confiança dos cidadãos e da comunidade na tutela jurídica». De igual modo, o Acórdão n.º 11/83 do Tribunal Constitucional (*DR*, I, de 20-10-1983) salienta que «se o princípio da protecção jurídica, ínsito na ideia de Estado de direito democrático, não exclui em absoluto a possibilidade de leis fiscais retroactivas, exclui-a seguramente quando se esteja perante uma retroactividade intolerável, que afecte de forma inadmissível e arbitrária os direitos e expectativas legitimamente fundados dos cidadãos contribuintes». Cfr. ainda Ac. TC, n.º 93/84, *DR*, I, de 16-11-84, que, em termos claros e explícitos, afirma: «contudo, se uma lei retroactiva não é, *per se*, inconstitucional, poderá sê-lo se a retroactividade implicar a violação de princípios e disposições constitucionais autónomas.» Vide também Acs. TC 307/90, *DR*, II, 9-3-91, 232/91; 365/91 e 95/92, *DR*, II, 18-8-92, 410/95. As formulações cautelosas do Tribunal Constitucional tinham razão de ser, devendo questionar-se se a nova norma constitucional (art. 103.º/3) não será excessiva. Cfr. Jorge Bacelar Gouveia, "O enquadramento constitucional do Direito dos Impostos em Portugal: a jurisprudência do Tribunal Constitucional", in *Perspectivas Constitucionais*, I, p. 419; "A irretroactividade da norma fiscal na Constituição Portuguesa", in *Perspectivas Constitucionais*, III, pp. 445 e ss.

c) *Valores negativos da retroactividade*

      Importa, em primeiro lugar, fornecer algumas indicações sobre o conceito de **retroactividade** de normas jurídicas. *Retroactividade* consiste basicamente numa ficção: (1) decretar a validade e vigência de uma norma a partir de um marco temporal (data) anterior à data da sua entrada em vigor; (2) ligar os *efeitos jurídicos* de uma norma a situações de facto existentes antes da sua entrada em vigor. No primeiro caso (1), fala-se em *retroactividade em sentido*

---

[30] Nestes termos, cfr., B. PIEROTH, *Rückwirkung und Übergangsrecht*, Berlin, 1982, p. 124. Mais recentemente, tendo em vista o direito europeu: HERMANN-JOSEF BLANKE, *Vertrauenschutz im deutschen und europäischen Verwaltungsrecht*, Tübingen, 2000. No plano jurisprudencial, cfr. Acórdão TC n.º 11/83, *DR*, I, de 20-10-1983, e acórdão TC n.º 93/84, *DR*, I, de 16-11-1984.
[31] Cfr. *Pareceres da Comissão Constitucional*, Vol. 19, pp. 183 e ss.

restrito (efeito retroactivo); no caso (2) alude-se a *conexão retroactiva quanto a efeitos jurídicos*. Haverá uma retroactividade autêntica quando uma lei fiscal publicada em Dezembro retroage os seus efeitos de 1 de Janeiro do mesmo ano. Existirá uma conexão retroactiva quando, por motivos ambientais e de ordenamento do território, se estabelece a proibição de edificação extensiva a edifícios já construídos ou com licença de construção.

Diferentemente, fala-se de **retroactividade inautêntica** quando uma norma jurídica incide sobre situações ou relações jurídicas já existentes embora a nova disciplina jurídica pretenda ter efeitos para o futuro.

Os casos de **retroactividade autêntica** em que uma norma pretende ter efeitos sobre o passado (eficácia *ex tunc*) devem distinguir-se dos casos em que uma lei, pretendendo vigorar para o futuro (eficácia *ex nunc*), acaba por «tocar» em situações, direitos ou relações jurídicas desenvolvidos no passado mas ainda existentes [32]. Podem apontar-se vários exemplos: normas modificadoras dos pressupostos do exercício de uma profissão; regras de promoção nas carreiras públicas; normas que regulam, de forma inovadora, relações jurídicas contratuais tendencialmente duradouras (exs. contratos de arrendamento); normas reguladoras dos regimes pensionísticos da segurança social. Nestes casos, a nova regulação jurídica não pretende substituir *ex tunc* a disciplina normativa existente, mas ela acaba por atingir situações, posições jurídicas e garantias «geradas» no passado e relativamente às quais os cidadãos têm a legítima expectativa de não serem perturbados pelos novos preceitos jurídicos. Quer dizer: há certos efeitos jurídicos da lei nova vinculados a pressupostos ou relações iniciadas no passado (cfr. Acs TC 287/90, 232/91 e 365/91). Nestas hipóteses pode ou não ser invocado, para a obtenção de uma norma de decisão, o princípio da confiança? A resposta, em geral, aponta para uma menor intensidade normativa do princípio nas hipóteses de «retroactividade inautêntica» (também chamada **retrospectividade**) do que nos casos de verdadeira retroactividade. O problema que se coloca é o de delimitar com rigor a valores negativos da retroactividade. Em primeiro lugar, devem trazer-se à colação os direitos fundamentais: saber se a nova normação jurídica tocou desproporcionada, desadequada e desnecessariamente dimensões importantes dos direitos fundamentais (cfr. Ac. TC 759/95), ou se o legislador teve o cuidado de prever uma *disciplina transitória* justa para as situações em causa. No primeiro caso – protecção de confiança através de direitos

---

[32] A doutrina alemã mais recente refere-se, aqui, na senda das novas tendências da jurisprudência constitucional, a *Rechtsfolgenbezogen e Rückwirkungsverbot*. Cfr. M. BAUER, «Neue Tendenzen in der bundesverfassungsgerichtlichen Rechtsprechung zum Rückwirkungsverbot», in *NVWZ*, 1984, pp. 220 e ss. No plano jurisprudencial cfr., por ex., o Ac TC 313/89, *DR*, II, 16-6-89.

fundamentais – deverá desenvolver-se, de acordo com os dados concretos, uma retórica argumentativa tendente a tornar transparente se o princípio da protecção da confiança é um *topos* concretizador dos direitos fundamentais, se é uma dimensão do princípio da proibição do excesso, ou se constitui mesmo uma dimensão autónoma, integrada no âmbito de protecção da norma garantidora do direito fundamental [33]. O caso das disposições transitórias será referido no número seguinte.

d) *Protecção da confiança e disposições transitórias*

A aplicação das leis não se reconduz, de forma radical, a esquemas dicotómicos de estabilidade/novidade. Por outras palavras: entre a permanência indefinida da disciplina jurídica existente e a aplicação incondicionada da nova normação, existem soluções de compromisso plasmadas em **normas ou disposições transitórias** (cfr. CRP, arts. 290.° e segs.; Código Civil, art. 12.°; Código Penal, art. 2.°). Os instrumentos do direito transitório são vários: confirmação do direito em vigor para os casos cujos pressupostos se gerarem e desenvolverem à sombra da lei antiga; entrada gradual em vigor da lei nova; dilatação da *vacatio legis*; disciplina específica para situações, posições ou relações jurídicas imbricadas com as «leis velhas» e com as «leis novas» [34].

No plano do direito constitucional, o princípio da protecção da confiança justificará que o Tribunal Constitucional controle a conformidade constitucional de uma lei, analisando se era ou não *necessária* e *indispensável* uma disciplina transitória, ou se esta regulou, de forma *justa*, *adequada* e *proporcionada*, os problemas resultantes da conexão de efeitos jurídicos da lei nova a pressupostos – posições, relações, situações – anteriores e subsistentes no momento da sua entrada em vigor [35].

e) *Protecção da confiança e direito comunitário*

O princípio da protecção da confiança através da proibição de normas jurídicas retroactivas aplica-se aos actos normativos comunitários. Neste

---

[33] Cfr. B. PIEROTH, *Rückwirkung und Übergangsrecht*, cit., p. 367 ss.

[34] Trata-se, aqui, fundamentalmente, de um problema de *teoria ou doutrina de legislação*. Cfr., entre nós, MENEZES CORDEIRO, «Problemas de Aplicação da Lei no tempo. Disposições transitórias», in JORGE MIRANDA/M. REBELO DE SOUSA, *A Feitura das Leis*, vol. II, pp. 362 e ss. Cfr. também as obras de introdução ao estudo do direito: BAPTISTA MACHADO, *Introdução*, pp. 229 e ss.; OLIVEIRA ASCENSÃO, *O Direito*, pp. 379 e ss.

[35] Cfr. PIEROTH, *Rückwirkung und Übergangsrecht*, cit., pp. 71 e ss., 149 e ss. Por último, cfr. M. ASCHKE, *Übergangsregelungen als verfassungsrechtlicher Problem*, Frankfurt/M, 1987, p. 368 ss.

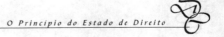

sentido, o **princípio da não retroactividade de preceitos comunitários** abrange os regulamentos, directivas e deliberações independentemente da instância que os editou. O princípio deve também valer para os casos em que a regulação interna dos estados-membros é substituída por uma regulação comunitária. Em princípio, a determinação dos efeitos jurídicos relativamente a pressupostos de facto ocorridos antes da entrada em vigor da nova regulação comunitária terá de reportar-se ao direito interno vigente na altera da ocorrência destes pressupostos [36].

3. Protecção da segurança jurídica relativamente a actos jurisdicionais

O **princípio da segurança jurídica** não é apenas um elemento essencial do princípio do estado de direito [37] relativamente a actos normativos. As ideias nucleares da segurança jurídica desenvolvem-se em torno de dois conceitos: (1) *estabilidade* ou eficácia *ex post* da segurança jurídica dado que as decisões dos poderes públicos uma vez adoptadas, na forma e procedimento legalmente exigidos, não devem poder ser arbitrariamente modificadas, sendo apenas razoável a alteração das mesmas quando ocorram pressupostos materiais particularmente relevantes; (2) *previsibilidade* ou *eficácia ex ante* do princípio da segurança jurídica que, fundamentalmente, se reconduz à exigência de certeza e calculabilidade, por parte dos cidadãos, em relação aos efeitos jurídicos dos actos normativos. Neste momento, interessa-nos sobretudo a segurança jurídica sob o ponto de vista da estabilidade dado que a eficácia *ex ante* foi abordada no número anterior.

A segurança jurídica no âmbito dos actos jurisdicionais aponta para o *caso julgado* [38]. O instituto do **caso julgado** assenta na estabilidade definitiva das decisões judiciais, quer porque está excluída a possibilidade de recurso ou a reapreciação de questões já decididas e incidentes sobre a relação processual dentro do mesmo processo – *caso julgado formal* –, quer porque a relação material controvertida («questão de mérito» «questão de fundo») é decidida em termos definitivos

---

[36] Ver, por todos, T. HEUKEL, *Intertemporales Gemeinschaftes Rückbewirkung, Sofortwirkung und Rechtsschutz in der Rechtsprechung des Gerichtshof der Europäischen Gemeinschaften*, Berlin, 1990. No plano jurisprudencial, cfr. o "Caso Crispoltoni", in EUZW, 1992, pp. 262 e ss.

[37] Cfr., por último, PH. KUNIG, *Rechtsstaatsprinzip*, pp. 350 e ss; SCHMIDT-ASSMANN, «Rechtsstaat», in ISENSEE/KIRCHHOF (org.), *Staatsrecht*, vol. I, p. 1030.

[38] Sobre este instituto cfr. sobretudo a doutrina processualística: MANUEL DE ANDRADE, *Noções Elementares de Processo Civil*, 2.ª ed., Coimbra, 1979, pp. 304 e ss; ANTUNES VARELA/MIGUEL BELEZA/ /SAMPAIO NORA, *Manual de Processo Civil*, Coimbra, 1989, pp. 294 e ss. No direito público, cfr. RUI MACHETE, "Caso Julgado", in *Estudos de Direito Público e Ciência Política*, 1991, pp. 158 e ss.; ROBIN DE ANDRADE, *A revogação de actos administrativos*, pp. 78 e ss.

e irretratáveis, impondo-se a todos os tribunais e a todas as autoridades – *caso julgado material*. (Cfr. Código de Processo Civil, arts. 497.º/1, 672.º e 673.º).

Embora o **princípio da intangibilidade do caso julgado** não esteja previsto, *expressis verbis*, na Constituição, ele decorre de vários preceitos do texto constitucional (CRP, arts. 29.º/4, 282.º/3) e é considerado como subprincípio inerente ao princípio do Estado de direito na sua dimensão de princípio garantidor de certeza jurídica[39]. As excepções ao caso julgado deverão ter, por isso, um fundamento material inequívoco (exs.: «revisão de sentença», no caso de condenação injusta ou «erro judiciário»; aplicabilidade retroactiva de sentença do TC declarativa da inconstitucionalidade ou da ilegalidade com força obrigatória geral).

É diferente falar em segurança jurídica quando se trata de caso julgado e em segurança jurídica quando está em causa a *uniformidade ou estabilidade da jurisprudência*. Sob o ponto de vista do cidadão, não existe um direito à manutenção da jurisprudência dos tribunais, mas sempre se coloca a questão de saber se e como a protecção da confiança pode estar condicionada pela uniformidade, ou, pelo menos, estabilidade, na orientação dos tribunais. É uma dimensão irredutível da função jurisdicional a obrigação de os juízes decidirem, nos termos da lei, segundo a sua convicção e responsabilidade. A bondade da decisão pode ser discutida pelos tribunais superiores que, inclusivamente, a poderão «revogar» ou «anular», mas o juiz é, nos feitos submetidos a julgamento, autonomamente responsável.

4. Protecção da segurança jurídica relativamente a actos da administração

Relativamente aos actos da administração, o princípio geral da segurança jurídica aponta para a ideia de **força de caso decidido dos actos administrativos**. Embora não haja um paralelismo entre sentença judicial, força de caso julgado e acto administrativo, força de caso decidido (*Bestandkraft*) entende-se que o acto administrativo goza de uma tendencial imutabilidade que se traduz: (1) na *autovinculação* da administração (*Sellstbindung*) na qualidade de autora do acto e como consequência da obrigatoriedade do acto; (2) na *tendencial irrevogabilidade* do acto administrativo a fim de salvaguardar os interesses dos particulares destinatários do acto (protecção da confiança e da segurança).

---

[39] Neste sentido, cfr. GOMES CANOTILHO/VITAL MOREIRA, *Constituição da República*, pp. 1041 e ss. Na doutrina constitucional, cfr. JORGE MIRANDA, *Manual*, e, por último, E. SCHMIDT-ASSMANN, «Rechtsstaat», p. 1038; H. MAURER, «Kontinuitätsgewähr und Vertrauaenschutz», ambos in ISENSEE/ /KIRCHHOF, (org) *Staatsrecht*, respectivamente, vol. I, p. 1030, e vol. III, pp. 268 e ss.

Repare-se que se falou de "força de caso decidido" e de "tendencial imutabilidade". Na actual *sociedade de risco* cresce a necessidade de *actos provisórios* e de *actos precários* a fim de a administração poder reagir à alteração das situações fácticas e reorientar a prossecução do interesse público segundo os novos conhecimentos técnicos e científicos. Isto tem de articular-se com a salvaguarda de outros princípios constitucionais, entre os quais se conta a protecção da confiança, a segurança jurídica, a boa fé dos administrados e os direitos fundamentais.[40]

    O *dever de revogação de actos ilegais* como dimensão necessária do princípio da constitucionalidade tem sido objecto de discussão. Alguma doutrina – sobretudo administrativista – considera que a *revogação*, ou melhor, a *anulação* dos actos ilegais é uma faculdade discricionária da administração, não estando esta obrigada a revogar tais actos (cfr., entre nós Marcello Caetano, *Manual*, I, 10.ª ed., p. 544 ss.; Rogério Soares, *Interesse Público*, p. 456). Em termos jurídico-constitucionais, o *dever oficioso de anulação* de actos inválidos deve ter em conta a articulação de vários subprincípios concretizadores do princípio do Estado de direito: os princípios da protecção e da segurança jurídica, por um lado, e o princípio da constitucionalidade, por outro lado. De resto, como a doutrina tem salientado (cfr., por último, Ulrich Knocke, *Rechtsfragen der Rücknahme von Verwaltungsakten*, Berlin, 1989, p. 31) os actos da administração podem ser inválidos porque violam, desde logo, o princípio da reserva de lei ou o princípio da primazia da lei. Tendo em conta as exigências resultantes dos princípios de protecção da confiança e da segurança jurídica (direitos dos particulares directamente interessados, direitos de terceiros) não se vê como é que a anulação de actos inválidos possa ser uma faculdade discricionária. Os princípios da constitucionalidade e da legalidade não se compaginam com a «arrogância» da administração sobre os próprios vícios. Ela *deverá* anular ou sanar os vícios nos termos da lei. Cfr., entre nós, Robin de Andrade, *A Revogação de Actos Administrativos*, pág. 255; M. Esteves de Oliveira, *Direito Administrativo, I*, p. 613; M. Glória Ferreira Pinto, *Considerações sobre a Reclamação Prévia ao Recurso Contencioso*, 1987, p. 12; Paulo Otero, *O Poder de Substituição*, II, p. 582.

III - O princípio da proibição do excesso

1. Origem do princípio[41]

    O princípio da proporcionalidade dizia primitivamente respeito ao problema da limitação do poder executivo, sendo considerado como *medida* para as restrições administrativas da liberdade individual. É com este sentido que a teoria do estado o considera, já no séc. XVIII, como máxima suprapositiva, e que ele foi

---

    [40] Cfr., FILIPA CALVÃO, *Os Actos Precários e os Actos Provisórios no Direito Administrativo*, Porto, 1998.
    [41] Cfr. BARBARA REMMERT, *Verfassungs -und verwaltungsrechtsgeschichtliche Grundfragen des Ubermassverbots*, Heidelberg, 1994.

introduzido, no séc. XIX, no direito administrativo como princípio geral do direito de polícia (cfr. art. 272.º/1). Posteriormente, o **princípio da proporcionalidade em sentido amplo**, também conhecido por **princípio da proibição de excesso** *(Übermassverbot)*, foi erigido à dignidade de princípio constitucional (cfr. arts. 18.º/2, 19.º/4, 265.º e 266.º/2). Discutido é o seu fundamento constitucional, pois enquanto alguns autores e sentenças judiciais pretendem derivá-lo do princípio do estado de direito (cfr., por último, Ac TC 200/2001, DR. II, de 27/06/2001), outros acentuam que ele está intimamente conexionado com os *direitos fundamentais* [42] (Cfr. Acs TC 364/91, DR, I, de 23/8 – *Caso das ineligibilidades locais* –, e 650/93, DR, II, 31-3-94). Na qualidade de regra de razoabilidade – *rule of reasonableness* – desde cedo começou a influenciar a jurisprudência dos países de *Common Law*. Através da regra da razoabilidade, o juiz tentava (e tenta) avaliar caso a caso as dimensões do comportamento razoável tendo em conta a situação de facto e a regra do precedente. Hoje, assiste-se a uma nítida *europeização do princípio da proibição do excesso* através do cruzamento das várias culturas jurídicas europeias.

2. A «europeização» do princípio da proibição do excesso [43]

Vejamos alguns exemplos que demonstram a importância da justa aplicação do princípio da proibição do excesso na actual cultura jurídica comunitária e europeia: (1) poderá a autoridade administrativa competente proibir uma conferência literária com o fundamento na necessidade de manutenção da ordem pública antes de recorrer a outras medidas menos coactivas da liberdade

---

[42] Cfr. LERCHE, *Übermass und Verfassungsrecht*, 1960; MAUNZ / DÜRIG, *Kommentar*, art. 20, n.º 71; ZIMMERLI, *Der Grundsatz der Verhältnismässigkeit im öffentlichen Recht*, Bern, 1979; WELLHOFER, *Das Übermassverbot im Verwaltungsrecht*, Würzburg, 1970, p. 71; F. OSSENBÜHL, «Masshalten mit dem Übermassverbot»; P. KIRCHHOF, «Gleichmass und Übermass» e K. STERN, «Zur Entstehung und Ableitung des Übermassverbot» in *Festschrift für P. Lerche*, München, 1993; SÉRVULO CORREIA, *Legalidade*, pp. 113 e ss.; G. BRAIBANT, «Le Principe de la proportionalité», in *Mélanges Waline*, Paris, 1974, p. 297 ss.; J. LEMASURIER, «Vers un nouveau principe général du droit: le principe "bilan coûts avantages"», in *Mélanges Waline*, cit., pp. 551 e ss.; FORTSARKIS, *Conceptualisme et empirisme en droit administratif français*, Paris, 1977, pp. 479 e ss.; XAVIER PHILIPPE, *Le Contrôle de Proportionnalité dans les Jurisprudences Constitutionnelle et Administrative Françaises*, 1990, pp. 24 e ss.; VITALINO CANAS, *Proporcionalidade (princípio)* in DJAP, Lisboa, 1994, pp. 636 e ss.; «O princípio da proibição do excesso na Constituição: arqueologia e aplicações», in JORGE MIRANDA, *Perspectivas Constitucionais*, vol. II, pp. 323 e ss. Por último, cfr. as indicações de direito comparado em SUZANA DE TOLEDO BARROS, *O Princípio da Proporcionalidade e o Controlo de Constitucionalidade de Leis Restritivas de Direitos Fundamentais*, Brasília, 1996, pp. 3; DANIEL SARMIENTO, *A Ponderação de Interesses na Constituição Federal*, p. 77 e ss. Aprofundando a história do princípio, cfr. BARBARA REMMERT, *Verfassungs - und Verwaltungsrechtsgeschichtliche Grundlagen des Übermassverbots*, Heidelberg, 1994.

[43] Cfr. A. SANDULLI, "Eccesso di Potere e Controlo di Proporzionalità. Profili Comparative", in RTDP, 2/1995, pp. 329 e ss.; M. L. FERNÁNDEZ ESTEBAN, *The Rule of Law in the European Constitution*, The Hague, 1999; J. A. FROWEIN/PEUKERT, EMRK-*Kommentar*, 2.ª ed., 1996, Introdução ao art. 8-11.

de expressão e criação literária? (2) será "necessária", "adequada" e "proporcional", a medida administrativa de encerramento de um "estabelecimento comercial" por colocar à venda produtos sem tabelamento dos preços? (3) haverá violação do princípio ou proibição do excesso numa medida administrativa que proíbe o exercício de religião numa construção de interesse histórico com fundamento na necessidade de protecção de valores arquitectónicos? (4) será necessária a nulidade de apreensão de um jornal para impedir a divulgação de informações que já foram tornadas públicas através da Internet? Casos como estes ou semelhantes têm sido objecto de litígio nos vários quadrantes jurídico-culturais europeus. A convergência dos sistemas de *common law* e de direito administrativo, no ordenamento europeu, vem realçar que o **princípio da proporcionalidade ou da proibição do excesso** é, hoje, assumido como um *princípio de controlo* exercido pelos tribunais sobre a adequação dos meios administrativos (sobretudo coactivos) à prossecução do escopo e ao balanceamento concreto dos direitos ou interesses em conflito.

A intuição da dimensão material do princípio não é nova como atrás se acentuou. Já nos séculos XVIII e XIX, ela está presente na ideia britânica de *reasonableness*, no conceito prussiano de *Verhältnismässigkeit*, na figura de *détournement du pouvoir* em França e na categoria italiana do *eccesso di potere*. No entanto, o alcance do princípio era mais o de revelação de sintomas de patologias administrativas – arbitrariedade, exorbitância de actos discricionários da administração – do que o de um *princípio material de controlo* das actividades dos poderes públicos. No pós-guerra, as potencialidades expansivas do instituto são cada vez mais sentidas pelos cidadãos e juristas comprometidos na radicação de um direito materialmente justo. Na Inglaterra, começam a confrontar-se os poderes públicos com o sentido substantivo do *manifest unreasonableness*. Na França, sujeitam-se os actos administrativos ao controlo apertado do *erreur manifeste d'apréciation*. A doutrina alemã ergue o princípio de proibição do excesso *(Übermassverbot)* a princípio constitucional e começa a controlar os actos do poder público sob o ponto de vista do princípio da proporcionalidade. Os juristas italianos procuram recortar os juizos de *manifesta illogicità*, de *congruità* e *ragionevolezza*.

Através de **standards** jurisprudenciais como o da proporcionalidade, razoabilidade, proibição de excesso, é possível hoje recolocar a administração (e, de um modo geral, os poderes públicos) num plano menos sobranceiro e incontestado relativamente ao cidadão. Assim, quando se pedir a um juiz uma apreciação dos danos causados pela carga policial numa manifestação, o que se visa não é contestar a legitimidade da administração na defesa do interesse e ordem públicos mas sim o de averiguar da razoabilidade, proporcionalidade e necessidade da medida de polícia. Quando se solicita a um tribunal que aprecie

a legitimidade da busca e apreensão de um jornal difusor de notícias desfavoráveis ao Governo, não se exige ao juiz que se arvore em "censor" e "administrador negativo" mas que, através da utilização de "standards" de controlo, verifique se a administração se pauta por critérios de necessidade, proporcionalidade e razoabilidade. Quando se procura um tribunal para decidir sobre a adequação de medidas expropriatórias para salvaguardar o património paisagístico e cultural, o cidadão demandante não pretende que o juiz se substitua à administração como responsável pela defesa do património, mas apenas que aprecie a proporcionalidade da intervenção ablatória da administração, tendo em conta o escopo invocado para a prática do acto expropriativo. Este controlo – razoabilidade-coerência, razoabilidade-adequação, proporcionalidade-necessidade – é hoje objecto de difusão em toda a Europa através do Tribunal de Justiça das Comunidades (cfr. Tratado da União Europeia, art. 5.º, segundo a numeração do Tratado de Amesterdão).[44] Trata-se, afinal, de um controlo de natureza *equitativa* que, não pondo em causa os poderes constitucionalmente competentes para a prática de actos autoritativos e sem afectar a certeza do direito, contribui para a integração do "momento de justiça" no palco da conflitualidade social.

  O princípio da proporcionalidade é também utilizado na jurisprudência do Tribunal Europeu dos Direitos do Homem na concretização/aplicação de algumas normas da Convenção Europeia dos Direitos do Homem (art. 8.º e 11.º). As medidas restritivas dos direitos fundamentais devem ser proporcionais ao fim visado e jamais atingirem a substância do direito.[45]

3. Subprincípios constitutivos

a) *Princípio da conformidade ou adequação de meios («Geeignetheit»)*

  O **princípio da conformidade ou adequação** impõe que a medida adoptada para a realização do interesse público deve ser *apropriada* à prossecução do fim ou fins a ele subjacentes. Consequentemente, a exigência de conformidade pressupõe a investigação e a prova de que o acto do poder público é *apto*

---

[44] Cf. GIUSEPPE FERRARI, "Il principio di proporzionalità", in V. PARISIO, *Potere discrezionale e potere giudiziario*, Milano, 1998, p. 120 ss.; DIANA GALETIA "El principio de proporcionalidad en el Derecho Comunitario", in *Cuadernos de Derecho Publico*, 5 (1998), p. 75 ss.

[45] Cfr. IRENEU BARRETO, *A Convenção Europeia dos Direitos do Homem*, 2.ª ed., 1999, p. 192; BARDO FASSBENDER "El principio de proporcionalidad en la Jurisprudencia del Tribunal Europeo de Derechos Humanos" *Cuadernos de Derecho Publico*, 5 (1998) p. 51; JOHN CREMONA, "The Proportionality Principle in the European Court of Human Rights", in U. BEYERLIN (org.), *Festschrift für R. Bernhardt*, Berlin/Heidelberg, 1995, p. 323 ss.

para e *conforme* os fins justificativos da sua adopção *(Zielkonformität, Zwecktauglichkeit)*. Trata-se, pois, de controlar a *relação de adequação medida-fim*. Este controlo, há muito debatido relativamente ao poder discricionário e ao poder vinculado da administração, oferece maiores dificuldades quando se trata de um controlo do *fim* das leis dada a liberdade de conformação do legislador.

b) *Princípio da exigibilidade ou da necessidade («Erforderlichkeit»)*

O **princípio da exigibilidade**, também conhecido como «princípio da necessidade» ou da «menor ingerência possível», coloca a tónica na ideia de que o cidadão tem *direito à menor desvantagem possível*. Assim, exigir-se-ia sempre a prova de que, para a obtenção de determinados fins, não era possível adoptar outro meio menos oneroso para o cidadão. Dada a natural relatividade do princípio, a doutrina tenta acrescentar outros elementos conducentes a uma maior operacionalidade prática: *a)* a *exigibilidade material*, pois o meio deve ser o mais «poupado» possível quanto à limitação dos direitos fundamentais; *b)* a *exigibilidade espacial* aponta para a necessidade de limitar o âmbito da intervenção; *c)* a *exigibilidade temporal* pressupõe a rigorosa delimitação no tempo da medida coactiva do poder público; *d)* a *exigibilidade pessoal* significa que a medida se deve limitar à pessoa ou pessoas cujos interesses devem ser sacrificados.

O princípio da exigibilidade não põe em crise, na maior parte dos casos, a adopção da medida *(necessidade absoluta)* mas sim a *necessidade relativa*, ou seja, se o legislador poderia ter adoptado outro meio igualmente eficaz e menos desvantajoso para os cidadãos.

c) *O princípio da proporcionalidade em sentido restrito («Verhältnismässigkeit»)*

Quando se chegar à conclusão da necessidade e adequação da medida coactiva do poder público para alcançar determinado fim, mesmo neste caso deve perguntar-se se o resultado obtido com a intervenção é *proporcional* à «carga coactiva» da mesma. Está aqui em causa o **princípio da proporcionalidade em sentido restrito**, entendido como princípio da "justa medida". Meios e fim são colocados em equação mediante um juízo de ponderação, com o objectivo de se avaliar se o meio utilizado é ou não desproporcionado em relação ao fim. Trata-se, pois, de uma questão de «medida» ou «desmedida» para se alcançar um fim: pesar as desvantagens dos meios em relação às vantagens do fim[46].

---

[46] Cfr. Sérvulo Correia, *Legalidade*, pp. 75 e ss., 113 e ss.; X. Philippe, *Le Contrôle de Proportionnalité*, p. 55.

4. Dimensão normativa

Feita uma sumária descrição do princípio da proporcionalidade (em sentido amplo) importa determinar a sua dimensão normativa, isto é, a sua *referência constitucional*. Este princípio é um *princípio normativo* concreto da ordem constitucional portuguesa (cfr. arts. 18.º/2 e 266.º/2).[47] Isto resulta, desde logo, do art. 18.º/2. Como relevantíssima manifestação concreta pode ver-se, por ex., o art. 19.º/4, onde se estabelece que a opção pelo estado de sítio ou pelo estado de emergência, bem como as respectivas declaração e execução, devem respeitar o *princípio da proporcionalidade* e limitar-se quanto à sua extensão e aos meios utilizados, ao estritamente *necessário* ao pronto restabelecimento da normatividade constitucional. A força normativo-constitucional do princípio resulta ainda do art. 272.º/1, consagrador do princípio da tipicidade ("as previstas na lei") e do princípio da necessidade ("proibição para além do estritamente necessário") das medidas de polícia. Por último, há a salientar a expressa constitucionalização do princípio da proporcionalidade (introduzida pela LC 1/89) como princípio materialmente constitutivo de toda a administração pública (CRP, art. 266.º).

Deixamos aqui intocadas duas questões importantes: uma, a da *justicialidade* dos actos que violam estes princípios; outra, a de saber se através do critério da *ponderação de bens*, corrente na interpretação constitucional, não se correrá o risco de esvaziar estes princípios de significado prático. Cfr. Grabitz, *Der Prinzip*, cit. 600. Relativamente ao primeiro problema, cfr. o Ac TC 282/86, *DR*, I, 11-11-86 (*«Caso dos técnicos de contas»*), onde se considerou a violação do princípio da proporcionalidade como fundamento normativo constitucional da declaração de inconstitucionalidade de normas referentes à suspensão e cancelamento da inscrição oficial de técnicos de contas que cometeram certas infracções, e o Ac TC 103/87, *DR*, I, 6-5-87 (*«Caso dos direitos dos agentes da PSP»*) onde se admitiu como violadoras do princípio da proporcionalidade certas restrições aos direitos dos agentes da PSP (participação em reuniões não públicas de carácter político, exercício de direito de petição colectiva). Por último, cfr., por ex., o AC 634/93, in *Acórdãos*, vol. 26, onde se considerou existir violação do princípio da proporcionalidade por uma norma constante do Código Penal e Disciplinar da Marinha Mercante na parte em que estabelecia a punição como desertor daquele que, sendo tripulante de um navio, o deixe sem motivo justificado partir para o mar sem embarcar, quando tal tripulante não desempenhe funções directamente relacionadas com a manutenção, segurança e equipagem do navio. Quanto ao problema da ponderação, vide *infra*, Parte IV. Mais recentemente, o princípio da proporcionalidade foi invocado para sustentar a inconstitucionalidade de normas referentes a custas nos tribunais tributários (Ac. 1182/96) e para alicerçar o juízo de inconstitucionalidade referente a normas penais e contraordenacionais relativa à perda dos instrumentos do crime (cf. Ac. TC, 176/2000, 1202/2000). Na doutrina penal, cfr. Jorge de Figueiredo Dias, *Direito Penal Português*, p. 72.

---

[47] Lerche, *Übermass*, cit., p. 316; Larenz, *Methodenlehre*, p. 468; Grabitz, *Der Grundsatz*, p. 583; Dechsling, *Das Verhältnismässigkeitsgebot*, München, 1989; Willis Guerra Filho, "Nota em torno do princípio da proporcionalidade", p. 259.

5. Campos de aplicação

O campo de aplicação mais importante do princípio da proporcionalidade é o da *restrição* dos direitos, liberdades e garantias por actos dos poderes públicos. No entanto, o domínio lógico de aplicação do princípio da proporcionalidade estende-se aos *conflitos de bens jurídicos* de qualquer espécie. Assim, por exemplo, pode fazer-se apelo ao princípio no campo da relação entre a *pena* e a *culpa* no direito criminal.[48] Também é admissível o recurso ao princípio no âmbito dos *direitos a prestações*. É, por exemplo, o que se passa quando se trata de saber se uma subvenção é apropriada e se os fins visados através da sua atribuição não poderiam ser alcançados através de subvenções mais reduzidas.[49]

O princípio da proibição do excesso aplica-se a todas as espécies de actos dos poderes públicos. Vincula o *legislador,* a *administração* e a *jurisdição*. Observar-se-á apenas que o *controlo* judicial baseado no princípio da proporcionalidade não tem extensão e intensidade semelhantes consoante se trate de actos legislativos, de actos da administração ou de actos de jurisdição. Ao legislador (e, eventualmente, a certas entidades com competência regulamentar) é reconhecido um considerável espaço de conformação (liberdade de conformação) na ponderação dos bens quando edita uma nova regulação (cf. Acs. TC 484/2000 e 187/2001, DR, II, de 26-06-2001). Esta liberdade de conformação tem especial relevância ao discutir-se os requisitos da *adequação* dos meios e da *proporcionalidade* em sentido restrito. Isto justifica que, perante o espaço de conformação do legislador, os tribunais se limitem a examinar se a regulação legislativa é *manifestamente* inadequada ou se existe um *erro manifesto* de apreciação por parte do legislador (cf. Ac. TC 108/99, DR, II, 104/99). Acresce que o princípio da proporcionalidade na qualidade de *medida de racionalidade regulativa* não pode ser invocado de *per se,* mas sempre com referência a posições jurídicas concretas.[50]

A administração deve observar sempre, nos casos concretos, as exigências da proibição do excesso sobretudo e principalmente nos casos em que dispõem de espaços de discricionariedade ou de espaços de livre decisão. Nas hipóteses de uma estreita vinculação imposta por lei, o princípio de proibição do excesso analisa-se mais a partir da própria lei do que do acto concreto da administração.

---

[48] Vide, precisamente, JORGE DE FIGUEIREDO DIAS, *Direito Penal Português,* Lisboa, 1993, pp. 446 e ss.

[49] Cfr., por último, STEFAN HUSTER, *Rechte und Ziele,* Berlin, 1993, pp. 108 e ss.

[50] Cfr., por ex., KARL-PETER SOMMERMANN, in *Bonner Kommentar,* vol. II, p. 153.

6. "Proibição por defeito" ou por insuficiência de protecção

O sentido mais geral da proibição do excesso é, como se acaba de ver, este: evitar cargas coactivas excessivas ou actos de ingerência desmedidos na esfera jurídica dos particulares. Há, porém, um outro lado da protecção que, em vez de salientar o *excesso*, releva a *proibição por defeito (Untermassverbot)*. Existe um **defeito de protecção** quando as entidades sobre quem recai um *dever de protecção (Schutzpflicht)* adoptam medidas insuficientes para garantir uma protecção constitucionalmente adequada dos direitos fundamentais. Podemos formular esta ideia usando uma formulação positiva: o estado deve adoptar medidas suficientes, de natureza normativa ou de natureza material, conducente a uma protecção adequada e eficaz dos direitos fundamentais. A verificação de uma *insuficiência de juridicidade estatal* deverá atender à natureza das posições jurídicas ameaçadas e à intensidade do perigo de lesão de direitos fundamentais. O controlo da insuficiência pressupõe a verificação «se a protecção satisfaz as exigências mínimas na sua eficiência e se os bens jurídicos e interesses contrapostos não estão sobreavaliados» (Canaris). É neste contexto que se discute, por ex., se a protecção do feto – protecção da vida – exige *criminalização* da interrupção da gravidez ou se o livre desenvolvimento da personalidade dos jovens impõe a *criminalização* do trabalho infantil (cfr. art. 69.º/3).

Cfr. Ac. TC 288/98, *DR*, I-A, de 18-4-98 ("Caso do referendo sobre a interrupção da gravidez") onde este princípio é invocado expressamente no voto de vencido do Conselheiro Mota Pinto. Na doutrina especializada, vejam-se: J. DIETLEIN "Das Untermassverbot", in ZG, 1991, pp. 131 e ss.; K. E. MAIN, "Das Untermassverbot", in JZ, 18 (1996), pp. 75 e ss; HAIN, "Der Gesetzgeber in der Klemme zwischen Übermass-und Untermassverbot?", DVBl, 1993, p. 982; D. MERTEN, Grundrechtliche Schütfzpflichten und Untermassverbot, Speyer, 1994, p. 28; L. MICHAEL, "Die drei Argumentationstrukturen des Grundsatzes der Verhältnismässigkeit Dogmatik des Über-und Untermassverbotes und der Gleichheitssätze", in *Jus*, 2000; C. CANARIS, *Direitos Fundamentais e Direito Privado*, Coimbra, 2003, p. 123. Entre nós, cfr., por último, MARIA DA CONCEIÇÃO FERREIRA DA CUNHA, *Constituição e Crime – uma perspectiva da criminalização e da descriminalização*, Porto, 1995, pp. 271 e ss.

IV - O princípio da protecção jurídica e das garantias processuais

«Terceira dimensão do Estado de direito», «pilar fundamental do Estado de direito», «coroamento do Estado de direito», são algumas das expressões utilizadas para salientar a importância, no Estado de direito, da existência de uma **protecção jurídico-judiciária individual** *sem lacunas* (cfr. arts. 20.º/1, 268.º/4). Embora a protecção dos direitos através do direito exija uma prévia e inequívoca consagração desses direitos (cfr. DL 389-B/87, de 29/12, sobre o regime legal de acesso ao direito e aos tribunais), o sentido nuclear da protecção judicial dos direitos é esta: a garantia dos direitos fundamentais só pode ser efectiva quando, no caso da violação destes, houver uma instância independente que restabeleça a sua integridade.

1. As garantias processuais e procedimentais

Do princípio do Estado de direito deduz-se, sem dúvida, a exigência de um *procedimento justo e adequado de acesso* ao direito e *de realização do direito*. Como a realização do direito é determinada pela conformação jurídica do *procedimento* e do *processo*, a Constituição contém alguns princípios e normas designados por **garantias gerais de procedimento e de processo**. As principais dimensões podem aglutinar-se da forma seguinte.

a) *Garantias de processo judicial*

Dentre as **garantias do processo judicial** podem mencionar-se: a garantia do processo equitativo (art. 20.º/4), o princípio do juiz legal (art. 32.º/7), o princípio da audição (art. 28.º/1), o princípio de igualdade processual das partes (arts. 13.º e 20.º/2), o princípio da conformação do processo segundo os direitos fundamentais (art. 32.º), o princípio da fundamentação dos actos judiciais (art. 205.º/1), o princípio da legalidade processual (art. 32.º).

b) *Garantias de processo penal*

Além dos princípios gerais do processo judicial, a Constituição estabelece e consagra importantes **princípios materialmente informadores do processo penal**, tais como a garantia de audiência do arguido (art. 28.º/1), a proibição de tribunais de excepção (art. 209.º/4), a proibição da dupla incriminação (art. 29.º/5), o princípio da notificação das decisões penais (arts. 27.º/4 e 28.º/3) e o princípio do contraditório (art. 32.º/5) o direito de escolher defensor (art. 32.º/3) e a assistência obrigatória do advogado em certas fases do processo penal (art. 32.º/3) o princípio da excepcionalidade da prisão preventiva (art. 28.º/2).

c) *Garantias do procedimento administrativo*

A exigência de um procedimento juridicamente adequado para o desenvolvimento da actividade administrativa considera-se como dimensão insubs-

274

tituível da administração do Estado de direito democrático. Como garantias de um **procedimento administrativo justo** mencionam-se, entre outras: o direito de participação do particular nos procedimentos em que está interessado (art. 267.º/4), o princípio da imparcialidade da administração (art. 266.º/2), o princípio da audição jurídica (art. 269.º/3), o princípio da informação (art. 268.º/1), o princípio da fundamentação dos actos administrativos lesivos de posições jurídicas subjectivas (art. 268.º/2), o princípio da conformação do procedimento segundo os direitos fundamentais (arts. 266.º/1 e 267.º/4), o princípio de boa fé (art. 266.º/2, na redacção do LC 1/97) e o princípio do arquivo aberto (art. 268.º/2).[51] Além destes princípios expressamente consagrados na Constituição, outros há previstos nas leis. Merecem referência os princípios consagrados no Código de Procedimento Administrativo: princípio da boa-fé (CPA, arts. 6.º e 60.º), princípio da informalidade procedimental (CPA, arts. 10.º 84.º, 86.º), princípio da celeridade procedimental (CPA, art. 57.º), princípio do inquisitório (CPA, art. 56.º), princípio da participação e da colaboração, (art. 8.º), princípio da justiça (CPA, art. 6.º).

2 O princípio da garantia de via judiciária [52]

A **garantia da via judiciária**, constitucionalmente consagrada (art. 20.º), comporta dimensões materiais, funcionais e organizatórias. Vejamos algumas delas.

a) *Imposição jurídico-constitucional ao legislador*

O princípio visa garantir uma melhor definição jurídico-material das relações entre Estado-cidadão e particulares-particulares, e, ao mesmo tempo, assegurar uma defesa dos direitos «segundo os meios e métodos de um processo juridicamente adequado». Por isso, a abertura da via judiciária é uma *imposição directamente dirigida ao legislador* no sentido de dar operatividade prática à defesa de direitos. Esta imposição é de particular importância nos *aspectos processuais*.

---

[51] Cfr. entre nós, V. PEREIRA DA SILVA, *Em busca do acto administrativo perdido*, pp. 301 e ss.; M. ESTEVES DE OLIVEIRA/P. COSTA GONÇALVES/J. PACHECO DE AMORIM, *Código de Procedimento Administrativo*, 2.ª ed., Coimbra, 1997, pp. 33 e ss.; JOÃO LOUREIRO, *O Procedimento Administrativo entre a Eficiência e Garantia dos Particulares*, Coimbra, 1995, p. 201 ss.

[52] Cfr., na doutrina portuguesa, PEREIRA ANDRÉ, *A defesa dos direitos e o acesso aos tribunais*, Lisboa, 1980; PEREIRA DA FONSECA, «Princípio geral da tutela jurisdicional dos direitos fundamentais», in *Scientia Jurídica*, 1981; LOPES DO REGO, "Acesso ao Direito e aos Tribunais", in AA.VV, *Estudos sobre a jurisprudência do Tribunal Constitucional*, 1993, pp. 74 e ss.

b) *Função organizatório-material*

A defesa de direitos através dos tribunais representa também uma «decisão fundamental organizatória» (D. Lorenz), pois o controlo judicial constitui uma espécie de «contrapeso» clássico em relação ao exercício dos poderes executivo e legislativo.

c) *Garantia de protecção jurídica*

Verdadeiramente fundamental no princípio da abertura da via judiciária é a sua conexão com a defesa dos direitos. Reforça o *princípio da efectividade dos direitos fundamentais* proibindo a sua inexequibilidade ou eficácia por falta de meios judiciais. Esta efectiva protecção jurídica implica um controlo das *questões de facto* e das *questões de direito* suscitadas no processo, de forma a possibilitar uma decisão material do litígio feita por um juiz em termos juridicamente vinculantes.

d) *Garantia de um processo judicial*

O art. 20.º da Constituição *abre imediatamente a via para um tribunal*. É certo que ele não decide qual a jurisdição concreta competente nem cria para o caso uma nova jurisdição. Isso significa que algumas das jurisdições existentes têm o dever de não declinar a competência para apreciar o «caso» carecido de protecção jurídica. Hoje, colocam-se dúvidas quanto à razoabilidade da competência residual da jurisdição ordinária («anacrónica e vivendo da tradição», disse Betterman)[53], mas enquanto a jurisdição administrativa não tiver instrumentos processuais adequados para a defesa dos direitos (cfr. CRP, art. 268.º/5), aos tribunais ordinários civis caberá, na falta de lei, a incumbência constitucional de defesa dos direitos.

e) *Criação de um direito subjectivo*

A defesa dos direitos e o acesso aos tribunais não pode divorciar-se das várias dimensões reconhecidas pela constituição ao catálogo dos direitos fundamentais. O sentido global resultante da combinação das dimensões objectiva e subjectiva dos direitos fundamentais é o de que o cidadão, em princípio, tem assegurada uma *posição jurídica subjectiva* cuja violação lhe permite exigir a

---

[53] Cfr. algumas razões em GUILHERME FONSECA, *A Constituição e a defesa dos administrados*, pp. 23 e ss. Deve notar-se, no entanto, que o princípio do Estado de direito pressupõe existência de *uma* via judiciária, mas não a sua completa determinação, que, em geral, só é definida nas leis de organização judiciária.

protecção jurídica. Isto pressupõe que, ao lado da criação de processos legais aptos para garantir essa defesa, se abandone a clássica ligação da justiciabilidade ao direito subjectivo e se passe a incluir no *espaço subjectivo* do cidadão todo o *círculo de situações juridicamente protegidas*. O princípio da protecção jurídica fundamenta, assim, um alargamento da dimensão subjectiva, e alicerça, ao mesmo tempo, um *verdadeiro direito* ou *pretensão de defesa* das posições jurídicas ilegalmente lesadas (cfr. art. 202.º/2, que se refere, precisamente, «a defesa dos direitos e interesses legalmente protegidos»).

f) *Protecção jurídica e princípio da constitucionalidade*

Ao estudar-se o *princípio da constitucionalidade*, referiu-se que ele implica a conformação material e formal de todos os actos com a Constituição (cfr. art. 3.º/3). Neste sentido se fala da "constitucionalidade da lei", da "constitucionalidade da jurisprudência" e da "constitucionalidade da administração". Do *princípio da legalidade da administração* deduziram-se também (cfr. *supra*) importantes consequências, sob o ponto de vista do Estado de direito, quanto à vinculação das acções e omissões da administração pelos princípios da preeminência e da reserva da lei. A ideia de juridicidade constitucional é rebelde, espaços *livres do direito*, designadamente do direito constitucional.

Por vezes, alguma doutrina continua a assinalar uma menor vinculação ao direito de certos actos ou relações como são as relações especiais de poder, os actos de jurisdição e os actos do governo. Quanto à primeira categoria, já diversas vezes foi definida a concepção correcta e adequada a um Estado de direito democrático. Restam os outros dois: (1) os *actos de jurisdição*, ou não se consideram actos do poder público *stricto sensu*, ou então diz-se que a protecção jurídica é protecção através do juiz mas não contra o juiz; a garantia da protecção jurídica impõe o contrário: a protecção é também contra o juiz e actos do poder judicial, sendo absurdo que os juízes, detentores de poderes públicos e vinculados aos direitos fundamentais, pudessem ficar impunes *ad infinitum* no caso de violação de direitos fundamentais (ex.: em processo penal); (2) os *actos soberanos, livres de jurisdição*, são a segunda e importante excepção ao controlo jurídico, considerando-se que estes actos de direcção respeitantes à totalidade do Estado (Scheuner) são actos políticos ou decisões constitucionais gerais, insubmissos a qualquer controlo. Há que não confundir duas coisas: uma, é a do inevitável espaço de conformação política de órgãos com competência para definir as *linhas de direcção política* do Estado; a outra, é a da conformação dos actos de governo ou «actos de direcção política» como espaços livres da própria Constituição. De resto, esta protecção jurídica não significa necessariamente protecção judicial (ex.: protecção através do Parlamento, Provedor de Justiça) [54].

De todo o modo, subsistem não poucas dificuldades quanto ao controlo judicial de actos político-legislativos de grande relevância como são as leis de amnistia e os actos presidenciais de indultos e comutação de pessoas.

---

[54] Cfr., ESTEVES DE OLIVEIRA, *Direito Administrativo*, pp. 314 e ss. CRISTINA QUEIRÓS, *Os Actos Políticos no Estado de Direito*, pp. 135 e ss.

g) *Princípio da responsabilidade do Estado e princípio da compensação de prejuízos*

A protecção jurídica exige a consagração de institutos que garantam uma compensação, no caso de violação de direitos, liberdades ou garantias, pelos prejuízos derivados dos actos do poder público. Além da necessidade de eliminação geral dos resultados lesivos, reputa-se importante a existência de: (1) um *sistema jurídico-público da responsabilidade do Estado* com o consequente dever de reparação do prejuízo causado por actos dos titulares de órgãos, funcionários e agentes no exercício das funções política, legislativa, jurisdicional e administrativa (CRP, arts. 2.°, 22.°, 271.°) e (2) *indemnização dos sacrifícios especiais* impostos a determinados cidadãos (ex.: art. 62.°/2, onde se consagra a justa indemnização em casos de requisição e de expropriação de bens)[55] (cfr. CRP, arts. 20.°, 22.° e 271.°).

Referências bibliográficas

A) ESTADO DE DIREITO

1. Intertextualidade

Considera-se hoje indiscutível a influência da filosofia política de I. Kant no desenvolvimento da ideia de estado de direito. Dentre as suas obras, cumpre salientar aquelas que têm directa incidência sobre o tema: «Über den Gemeinspruch. Das mag in der Theorie richtig sein, taugt aber nicht für die Praxis», in *Kants Gesammelte Schriften,* Berlin, 1969, Vol. VIII; «Zum ewigen Frieden», in *Kants Gesammelte Schriften,* Vol. VIII; «Metaphysische Anfangsgründe der Rechtslehre», in *Metaphysik der Sitten, Kants Gesammelte Schriften,* Vol. VI. Sobre a Teoria do Estado de direito em Kant cfr., por último, G. Dietze, *Kant und der Rechtsstaat,* Tübingen, 1982.

---

[55] Cfr. AFONSO VAZ, *A responsabilidade civil do Estado. Considerações breves sobre o seu estatuto constitucional,* Porto, 1995; FAUSTO DE QUADROS (org.), *Responsabilidade civil extra-contratual da Administração Pública,* Coimbra, 1995; MARGARIDA CORTEZ, *A Responsabilidade Civil da Administração por actos ilícitos,* Coimbra, 2001); RUI MEDEIROS, *Ensaio sobre a Responsabilidade Civil do Estado por actos da Função Legislativa,* Coimbra, 1992. Por último, cfr. MARIA LÚCIA AMARAL, *Responsabilidade do Estado e Dever de Indemnizar do Legislador,* Coimbra, 1998.

Outro autor que teve grande influência na perspectivação liberal do Estado de direito foi W. Von Humboldt, «Ideen zu einem Versuch die Grënzen der Wirksamkeit des Staats zu bestimmen», in *Gesammelte Schriften*, Berlin, 1903, Vol. I.

2. Bibliografia

Os contributos mais importantes para o estudo do estado de direito poderão ver-se em M. Tohidipur, *Der bürgerliche Rechtsstaat*, Frankturt/M, 1978, 2 vols. Aqui se recolhem vários estudos, como os de E. W. Böckenförde, K. Hesse, R. Thoma, J. Maus, U. Scheuner.

Em língua espanhola têm surgido estudos importantes: A. Baratta, «El Estado de Derecho. Historia del concepto y problematica actual», in *Sistema*, n.° 17/18 (1977); E. Dias, *Legalidad y legitimidad en el socialismo democratico*, Madrid, 1982; P. Luno, «Sobre el Estado de derecho y su significación constitucional», in *Sistema*, n.° 57 (1983) e *Derechos Humanos, Estado de Derecho y Constitución*, Madrid, 1984; P. L. Verdu, «Estado de Derecho y Justicia Constitucional», in *REP*, n.° 33 (1984); A. Brewer Carias, *Estado de Derecho y Control Judicial*, Madrid, 1987. Schönbohm, H. (org.), *Derechos Humanos, Estado de Derecho, Desarollo Social en LatinoAmerica y Alemania*, 1994. Na França, vide o volume de D. Colas (org) *L'État de droit*, Paris, 1987; J. Chevalier, «L'État de droit», in RDP, 1988, p. 313 ss. Por último, cfr. Emeri, C. – «L'État de droit dans les systèmes polyarchiques européennes», in *Revue française de Droit Constitutionnel*, 9/1992, pp. 27 e ss.; Berti, G. – «Stato de diritto informale», in RTDP, 1/1992, pp. 3 e ss.; Püttner, G. – «Lo stato di diritto informale», in RTDP, 1/1992.

Na bibliografia portuguesa ou em língua portuguesa, salienta-se:

André, Pereira – *Defesa dos Direitos e Acesso aos Tribunais*, Coimbra, 1981.
Baptista Machado, J. – *Participação e descentralização*, Coimbra, 1982.
Canas, Vitalino – "Princípio da Proporcionalidade", in *Dicionário Jurídico da Administração Pública*, vol. VII
Correia. J. M. S. – *Legalidade e Autonomia Contratual nos Contratos Administrativos*, Coimbra, 1988, pp. 2 e ss.
Dias Eliaz – *Estado de Direito e Sociedade Democrática*, Lisboa, 1969.
Dias Garcia, Maria G. F. P. – *Da Justiça Administrativa em Portugal. Sua Origem e Evolução*, Lisboa, 1993, p. 684 ss.
Machete, R. – *O Contencioso Administrativo*, Separata do Dicionário Jurídico da Administração Pública, Coimbra, 1973, p. 14.
Martins, A. – «O Estado de Direito e a ordem política portuguesa», in *Fronteira*, n.° 9, 1980, pp. 10 e ss.

Miranda, J. – *A Constituição de 1976*, pp. 473 e ss.
– *Manual de Direito Constitucional*, Tomo IV, 3.ª ed., Coimbra, 2000.
Moreira, V. – *A Ordem Jurídica do Capitalismo*, 2.ª ed., 1979.
– *A Constituição e a Revisão Constitucional*, Lisboa, 1980.
Neves, Castanheira – *A Revolução e o Direito*, 1976, p. 203.
Novais, J. – *O Estado de Direito*, Coimbra, 1988
Otero, P. – *O Poder de Substituição em Direito Administrativo*, Lisboa, 1995, vol. II, pp. 551 e ss.
Queiroz, Cristina – *Os actos políticos no Estado de Direito. O problema do controlo jurídico do poder*, Coimbra, 1990.
Ribeiro, V. – *O Estado de Direito e o princípio da legalidade da administração*, Coimbra, 1979.
Soares, R. – *Interesse Público, Legalidade e Mérito*, Coimbra, 1955.
– *Direito Público e Sociedade Técnica*, Coimbra, 1969.
Vaz, M. A. – *Lei e Reserva de Lei*, Porto, 1992, p. 240.
– "O princípio da proibição de excesso na Constituição: arqueologia e aplicações", in Jorge Miranda (org.), *Perspectivas Constitucionais*, II, pp. 323 e ss.

3. Trabalhos recentes

Barilari, A. – *L'Etat de Droit. Réflexion sur les limites du juridisme*, Paris, 2000.
Barros, Suzana T. – *O princípio da proporcionalidade e o Controlo das leis restritivas de direitos fundamentais*, Brasília Jurídica, Brasília, 1996.
Brocker, M. – *Die Grundlegung des liberalen Verfassungsstaates*, Freiburg/München, 1995.
Buchwald, D. – *Prinzipien des Rechtsstaats. Zur Kritik der gegenwärtigen Dogmatik des Staatsrechts anhand des allgemeinen Rechtsstaatsprinzip nach dem Grundgesetz der Bundesrepublik Deutschland*, 1996.
– "Zur Rechtsstaatlichkeit des Europäischen Union", *Der Staat*, 37(1998), p. 189 ss.
Buechele, P. A. – *O princípio da Proporcionalidade e a Interpretação da Constituição*, Rio de Janeiro, 1999.
Canotilho, J. J. – *Estado de Direito*, Lisboa, 1999.
Chevalier, J. – *L'État de Droit*, Paris, 1994.
De Assis, R. – *Una Aproximación a los modelos de Estado de Derecho*, Madrid, 1999.
Diaz, E. – *Estado de Derecho y Sociedad Democratica*, 9.ª ed., Madrid, 1998.
Fernandez Esteban, Maria Luisa – *The Rule of Law in the European Constitution*, Den Haag, 1999.
Ferreira Filho, M. G. – *Estado de Direito e Constituição*, São Paulo, 1988.
Hoske, H. (org.) – *Der Rechtsstaat am Ende*, München/Landsberg, 1995.

Hofmann, R./Marko, J./Merli, F./Wiederin, E. (org.), *Rechtstaatlichkeit in Europa*, Heidelberg, 1996.

Karpen, U. – *Der Rechtsstaat des Grundgesetzes*, 1992.

Krawietz W./Pattaro, E./Erh-Soon, T. (org.), *Rule of Law. Political and Legal Systems in Transition*, in *Rechtstheorie*, 17 (1997).

Kriegel, B. – *État de Droit ou Empire?*, Paris, 2002.

Künig, Ph. – *Das Rechtsstaatsprinzip*, Heidelberg, 1986.

Lúcia Amaral, M./Polakiewicz, J. – "Rechtsstaatlichkeit in Portugal" in Hoffmman/Marko/Merli/Wiederin (org.) *Rechtsstaatlichkeit in Europa*, Heidelberg, 1995.

Loureiro, J. – *O Procedimento Administrativo entre a Eficiência e a Garantia dos Particulares*, Coimbra, 1995.

Mockle, D. (org.) – *Mondialisation et État de Droit*, Bruxelles, 2002.

Pawlowski, H./Roellecke, G. – *Der Universalitätsanspruch des demokratischen Rechtsstaates*, Stuttgart, 1996.

Pegoraro, L. – *Linguaggio e certezza della legge nella giurisprudenza costituzionale*, Milano, 1986.

– "La tutela della certezza giuridica in alcune costituzione contemporanee", in *Scritti per Uberto Scarpelli*, Milano, 1998 pp. 705 e ss.

Remmert, B. – *Verfassungs -und verwaltungsrechtsgeschichtliche Grundlagen des Übermassverbotes*, Heidelberg, 1994.

Ribeiro Mendes, A. – "Le principe de non retroactivité des lois", in *Annuaire International de Justice Constitutionnelle*, 6 (1990), p. 413 ss.

Sobota, K. – *Das Prinzip Rechtsstaat*, Jena, 1997.

Stumm, Raquel D. – *Princípio da Proporcionalidade no Direito Constitucional Brasileiro*, Livraria do Advogado, Porto Alegre, 1995.

Sarcevic, E. – *Der Rechtsstaat*, Leipzig, 1996.

Vipiana, P. M. – *Introduzione allo studio del principio di ragionevolezza nel diritto pubblico*, Padova, 1993.

Xynopoulos, G. – *Le contrôle de proportionnalité dans le contentieux de la constitutionnalité et de la legalité*, Paris, 1995.

Capítulo 2
O Princípio Democrático

Sumário

A. Caracterização do princípio democrático

I - Justificação do princípio democrático. "A fórmula de Lincoln"
1. A democracia como princípio normativo
2. O princípio democrático-normativo como princípio complexo
3. A democracia como processo dinâmico
4. O princípio democrático como princípio informador do Estado e da sociedade
5. O princípio democrático como princípio de organização
6. O princípio democrático e os direitos fundamentais

II - Justificação negativa do princípio democrático. "A fórmula de Popper"

B. A concretização constitucional do princípio democrático

I - O princípio da soberania popular

II - O princípio da representação popular
1. Representação democrática formal
2. Representação democrática material

III - O princípio da democracia semidirecta
   1. Procedimentos de democracia semidirecta
   2. As iniciativas dos cidadãos e as acções directas
   3. Os procedimentos de democracia semidirecta na Constituição

IV - Traços fundamentais do regime jurídico-constitucional do referendo
   1. Âmbito material
   2. Iniciativa
   3. Eficácia jurídica
   4. Universo eleitoral

V - O princípio de participação

C. Princípio democrático e direito de sufrágio

I - Os princípios materiais do sufrágio
   1. Princípio da universalidade
   2. Princípio da imediaticidade
   3. Princípio da liberdade
   4. Princípio do secretismo
   5. Princípio da igualdade
   6. Princípio da periodicidade
   7. Princípio da unicidade

D. Princípio democrático e sistema eleitoral

I - Sistema proporcional e sistema maioritário

II - O sistema eleitoral na Constituição
   1. O sistema eleitoral como reserva de constituição
   2. O sistema proporcional como elemento constitutivo do princípio democrático

3. As tentativas de pessoalização do voto e de garantia de proximidade entre eleitores e eleitos
   4. A nova redacção do art. 149.º da CRP

E. Princípio democrático e sistema partidário

I - Concepção constitucional

II - As dimensões constitucionais do sistema partidário
   1. Os partidos políticos como direito constitucional formal
   2. Os partidos políticos como associações privadas com funções constitucionais
   3. Liberdade interna e liberdade externa
   4. A igualdade de oportunidades dos partidos
   5. Prestação de contas dos partidos
   6. A posição jurídico-constitucional dos filiados partidários dentro do partido

III - O direito à oposição

IV - Oposição e desobediência civil - O princípio democrático e os seus limites

F. Princípio democrático e princípio maioritário

I - Fundamento

II - Limites

III - Consagração constitucional

A. Caracterização do Princípio Democrático

I - Justificação do princípio democrático. A "fórmula de Lincoln"

1. A democracia como princípio normativo

É conhecida a formulação de Lincoln quanto à "essência" da democracia: "governo do povo, pelo povo e para o povo". Ainda hoje se considera esta formulação como a síntese mais lapidar dos momentos fundamentais do princípio democrático. Designamos aqui a **fórmula de Lincoln** como um modo de justificação *positiva* da democracia.

A Constituição, ao consagrar o princípio democrático, não se «decidiu» por uma teoria em abstracto (cfr., *infra*, Parte V). Procurou uma ordenação normativa para um país e para uma *realidade histórica*. Precisamente por isso, o estudo que aqui se vai fazer da democracia reconduz-se, em termos básicos, à análise do princípio democrático segundo a *medida e a forma* que lhes são emprestadas pela Constituição da República de 1976. Preocupar-nos-emos, pois, com os contornos da democracia tal como eles são definidos na Constituição. O objectivo deste capítulo não é o da discussão de *teorias sobre a democracia* (ver, adiante, Parte V) mas o da análise do *princípio democrático como norma jurídica* constitucionalmente positivada[1].

Da mesma forma que o princípio do estado de direito, também o princípio democrático é um princípio jurídico-constitucional com dimensões materiais e dimensões organizativo-procedimentais. Com efeito, a Constituição Portuguesa de 1976 respondeu normativamente aos problemas da *legitimidade-legitimação* da ordem jurídico-constitucional em termos substanciais e em termos procedimentais: *normativo-substancialmente*, porque a constituição condicionou a *legitimidade* do domínio político à prossecução de determinados fins e à realização

---

[1] Cfr. perspectiva idêntica em R. Dreier, "Il Prinzipio di Democrazia della Costituzione Tedesca", in G. Gozzi (org.), *Democrazia, Diritto, Costituzione*, Bologna, 1997, pp. 19 e ss.; G. Wege, *Zur normativen Bedeutung des Demokratieprinzips nach dem Art 79, Abs. 3 GG*, 1996.

de determinados valores e princípios (soberania popular, garantia dos direitos fundamentais, pluralismo de expressão e organização política democrática); *normativo-processualmente*, porque vinculou a *legitimação* do poder à observância de determinadas regras e processos *(Legitimation durch Verfahren)*. É com base na articulação das «bondades materiais» e das «bondades procedimentais» que a Constituição respondeu aos desafios da legitimidade-legitimação ao conformar normativamente o princípio democrático como *forma de vida*, como *forma de racionalização do processo político* e como *forma de legitimação do poder*[2]. O princípio democrático, constitucionalmente consagrado, é mais do que um *método* ou *técnica* de os governantes escolherem os governados, pois, como princípio normativo, considerado nos seus vários aspectos políticos, económicos, sociais e culturais, ele aspira a tornar-se *impulso dirigente* de uma sociedade. O art. 2.º, conjugado com outros artigos (cfr., por ex., arts. 9.º e 81.º), sugere a existência de um *objectivo* a realizar através da democracia.

2. O princípio democrático-normativo como princípio complexo

Só encarando as várias dimensões do princípio democrático (propósito das chamadas *teorias complexas da democracia*) se conseguirá explicar a relevância dos vários elementos que as teorias clássicas procuravam unilateralmente transformar em *ratio* e *ethos* da democracia. Em primeiro lugar, o princípio democrático acolhe os mais importantes postulados da **teoria democrática representativa** – órgãos representativos, eleições periódicas, pluralismo partidário, separação de poderes. Em segundo lugar, o princípio democrático implica **democracia participativa**, isto é, a estruturação de processos que ofereçam aos cidadãos efectivas possibilidades de aprender a democracia, participar nos processos de decisão, exercer controlo crítico na divergência de opiniões, produzir *inputs* políticos democráticos. É para este sentido participativo que aponta o exercício democrático do poder (art. 2.º), a participação democrática dos cidadãos (art. 9.º/*c*), o reconhecimento constitucional da participação directa e activa dos cidadãos como instrumento fundamental da consolidação do sistema democrático (art. 109.º) e aprofundamento da democracia participativa (art. 2.º). Com a consagração de uma inequívoca *dimensão representativa* do princípio democrático, a Constituição teve em conta não só a mudança estrutural desta

---

[2] Sobre a eficácia jurídica do princípio democrático, cfr. M. ARAGON, «La Eficacia Jurídica del Princípio Democrático», in *REDC*, 24 (1988), pp. 9 e ss.; *Constitución y Democracia*, Madrid, 1990; K. HESSE, *Grundzüge*, pp. 54 e ss.; M. JESTAEDT, *Demokratieprinzip und Kondominialverwaltung*, 1993, p. 155 ss. Entre nós, cf., GOMES CANOTILHO / VITAL MOREIRA, *Fundamentos da Constituição*, cit., Cap. II, 5, 6 e 7.

dimensão nos modernos Estados, mas também a necessidade de dar *eficiência, selectividade e racionalidade* ao princípio democrático *(orientação de 'output').* Afastando-se das concepções restritivas de democracia, a Constituição alicerçou a *dimensão participativa* como outra componente essencial da democracia. As premissas antropológico-políticas da participação são conhecidas: o homem só se transforma em homem através da autodeterminação e a autodeterminação reside primariamente na participação política *(orientação de 'input')*[2a]. Entre o conceito de democracia reduzida a um processo de representação e o conceito de democracia como optimização de participação, a Lei Fundamental «apostou» num conceito «complexo-normativo», traduzido numa relação dialéctica (mas também integradora) dos dois elementos – representativo e participativo.

3. A democracia como processo dinâmico

O princípio democrático não se compadece com uma compreensão estática de democracia. Antes de mais, é um *processo de continuidade transpessoal*, irredutível a qualquer vinculação do processo político a determinadas pessoas. Por outro lado, a democracia é um processo dinâmico inerente a uma sociedade *aberta* e *activa,* oferecendo aos cidadãos a possibilidade de desenvolvimento integral e de liberdade de participação crítica no processo político em condições de igualdade económica, política e social (cfr. CRP, art. 9.º/*d*). Neste sentido se podem interpretar os preceitos constitucionais que apontam para a transformação da República portuguesa numa sociedade livre, justa e solidária (art. 1.º), para a realização da democracia económica, social e cultural (art. 2.º), para a promoção do bem estar e a qualidade de vida do povo e a igualdade real entre os portugueses, bem como para a efectivação de direitos económicos, sociais e culturais mediante transformação e modernização das estruturas económicas e sociais (art. 9.º/*d*).

4. O princípio democrático como princípio informador do Estado e da sociedade

A interpretação do postulado essencial do princípio democrático de que «todo o poder vem do povo» reconduzia-se, na teoria clássica, à exigência da organização do estado segundo os princípios democráticos. Excepcionalmente, admitia-se que o postulado da organização democrática fosse extensivo aos partidos políticos em virtude da importância destes para a formação da vontade

---

[2a] Em certos quadrantes culturais (ex.: Brasil) ganha particular importância o direito constitucional da democracia participativa. Cfr., por todos, PAULO BONAVIDES, *Teoria Constitucional da Democracia Participativa*, São Paulo, 2001.

democrática. O princípio democrático aponta, porém, no sentido constitucional, para um **processo de democratização** extensivo a diferentes aspectos da vida económica, social e cultural. A Revisão de 1997 (4.ª Revisão) tornou explicita esta extensão aos próprios partidos políticos exigindo a observância de regras democráticas na formação dos órgãos dirigentes (CRP, art. 51.º/5). O controlo da gestão (art. 54.º/5.º/*b*), a gestão democrática das escolas (art. 77.º), a liberdade interna da imprensa (art. 38.º/*a*), a participação na administração local (art. 233.º), são exemplos do entendimento do princípio democrático como princípio informador do Estado e da sociedade. A democracia é, no sentido constitucional, *democratização da democracia*.

5. O princípio democrático como princípio de organização

Assinalou-se atrás que o poder político assenta em estruturas de domínio. O princípio democrático não elimina a existência das estruturas de domínio mas implica uma *forma* de organização desse domínio. Daí o caracterizar-se o princípio democrático como **princípio de organização** da titularidade e exercício do poder. Como não existe uma identidade ente governantes e governados e como não é possível legitimar um domínio com base em simples doutrinas fundamentantes é o princípio democrático que permite organizar o domínio político segundo o programa de autodeterminação e autogoverno: o poder político é constituído, legitimado e controlado por cidadãos (povo), igualmente legitimados para participarem no processo de organização da forma de Estado e de governo.

6. O princípio democrático e os direitos fundamentais

Tal como são um elemento constitutivo do estado de direito, os **direitos fundamentais** são um elemento básico para a realização do princípio democrático. Mais concretamente: *os direitos fundamentais têm uma função democrática*, dado que o exercício democrático do poder: (1) significa a contribuição de *todos* os cidadãos (arts. 48.º e 109.º) para o seu exercício (princípio-direito da igualdade e da participação política); (2) implica participação *livre* assente em importantes garantias para a liberdade desse exercício (o direito de associação, de formação de partidos, de liberdade de expressão, são, por ex., direitos constitutivos do próprio princípio democrático); (3) coenvolve a abertura do processo político no sentido da criação de direitos sociais, económicos e culturais, constitutivos de uma democracia económica, social e cultural (art. 2.º). Realce-se esta dinâmica dialéctica entre os direitos fundamentais e o princípio democrático. Ao pressupor a participação igual dos cidadãos, o princípio democrático entrelaça-

Direito Constitucional — *290*

-se com os direitos subjectivos de *participação* e *associação*, que se tornam, assim, fundamentos funcionais da democracia. Por sua vez, os direitos fundamentais, como *direitos subjectivos de liberdade*, criam um espaço pessoal contra o exercício de poder antidemocrático, e, como direitos legitimadores de um domínio democrático, asseguram o exercício da democracia mediante a exigência de *garantias de organização* e de *processos* com transparência democrática (princípio maioritário, publicidade crítica, direito eleitoral). Por fim, como direitos subjectivos a *prestações sociais, económicas e culturais*, os direitos fundamentais constituem dimensões impositivas para o *preenchimento intrínseco*, através do legislador democrático, desses direitos. Foi esta compreensão que inspirou logo o art. 2.° da CRP ao referir-se a Estado democrático baseado na *soberania popular e na garantia dos direitos fundamentais* (cfr. art. 2.°)[3].

II - Justificação negativa do princípio democrático. A "fórmula de Popper"

A democracia pode ser entendida fundamentalmente como forma ou técnica processual de selecção e destituição pacífica de dirigentes[4]. A **fórmula de Popper** é a expressão mais sugestiva deste modo de conceber o princípio democrático: "A democracia nunca foi a soberania do povo, não o pode ser, não o deve ser". A justificação da democracia em termos negativos e basicamente procedimentais, pretende por em relevo que a essência da democracia consiste na estruturação de mecanismos de selecção dos governantes e, concomitantemente, de mecanismos de limitação prática do poder, visando criar, desenvolver e proteger *instituições* políticas adequadas e eficazes para um governo sem as tentações da tirania. As modalidades de "destituição" dos dirigentes e de "revogação" de mandatos e cargos políticos assumem aqui um papel constitutivo e

---

[3] A coordenação e interdependência entre direitos fundamentais e princípio democrático é assinalada, por ex., por Hesse, *Grundzüge*, cit., p. 112; K. Stern, *Staatsrecht*, Vol. I, p. 470; Badura, «Die parlamentarische Demokratie», in Isensee / Kirchhof, *Handbuch*, vol. I, p. 971. Sobre os direitos fundamentais como fundamento da democracia, cfr. *Grundrechte als Fundament der Demokratie*, org. de J. Perels, Frankfurt/M, 1979; D. Grimmer, *Demokratie und Grundrechte*, p. 298. Por último, cfr. G. Folke Schuppert, "Grundrechte und Demokratie", in EUGRZ, 1983 pp. 525 e ss.; J. Paul Müller, "Grundrechte in der Demokratie", in EUGRZ, 1983, pp. 337 e ss. G. Gozzi, *Democrazia e Diritti*, Bario, 1999. Na doutrina espanhola, cfr., por último, as excelentes análises de Pérez Luno, *Derechos Humanos, Estado de Derecho y Constitución*, cit., pp. 224 e ss., e de Lucas Verdu, *Estimativa y politica*, cit., pp. 30 e ss. Acentuando a importância dos direitos fundamentais a partir de uma óptica de ciência política, cfr. R. A. Dahl, *Polyarchy: Participation and Opposition*, 1971 (existem traduções espanhola, francesa e italiana); A. Lijphart, *Democracies Patterns of Majoritarian and Consensus Government in twenty-one Countries*, London, 1984, pp. 19 e ss.

[4] Cf. Popper, "Popper and Democracy – The Oppen Society and its Ennemies Revisited", *The Economist*, 23/4/1988, p. 25 ss.

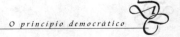

organizador da ordem constitucional democrático. Tão ou mais importantes que os *procedimentos eleitorais legitimadores* são os *procedimentos constitucionais deslegitimadores* tendentes a possibilitar o afastamento dos titulares de cargos políticos (*impeachment, recall*, responsabilidade política, destituição, moção de censura).

Esta compreensão do princípio democrático como princípio de controlo tem sido agitada em tempos recentes a propósito da limitação temporal de mandatos de cargos electivos ("problema dos dinousauros políticos") e da capacidade de resposta do sistema político-constitucional à "corrupção política".

B. A concretização constitucional do princípio democrático

I - O princípio da soberania popular

O **princípio da soberania popular** transporta sempre várias dimensões historicamente sedimentadas: (1) *o domínio político* – o domínio de homens sobre homens – não é um domínio pressuposto e aceite; carece de uma justificação quanto à sua origem, isto é, precisa de *legitimação*; (2) a *legitimação* do domínio político só pode derivar do próprio **povo** e não de qualquer outra instância «fora» do povo real (ordem divina, ordem natural, ordem hereditária, ordem democrática); (3) *o povo* é, ele mesmo, o titular da soberania ou do poder, o que significa: (i) de forma *negativa*, o poder do povo distingue-se de outras formas de domínio «não populares» (monarca, classe, casta); (ii) de forma *positiva*, a necessidade de uma legitimação democrática efectiva para o exercício do poder (o poder e exercício do poder derivam concretamente do povo), pois o povo é o titular e o ponto de referência dessa mesma legitimação – ela vem do povo e a este se deve reconduzir; (4) *a soberania popular* – o povo, a vontade do povo e a formação da vontade política do povo – existe, é eficaz e vinculativa no âmbito de uma ordem constitucional *materialmente* informada pelos princípios da liberdade política, da igualdade dos cidadãos, de organização plural de interesses politicamente relevantes, e *procedimentalmente* dotada de instrumentos garantidores da operacionalidade prática deste princípio (cfr. CRP, art. 2.° e 10.°); (5) a *constituição*, material, formal e procedimentalmente legitimada, fornece o plano da construção organizatória da democracia, pois é ela que determina os pressupostos e os procedimentos segundo os quais as «decisões» e as «manifestações de vontade do povo» são jurídica e politicamente relevantes[5].

---

[5] Cfr. BADURA, «Die Parlamentarische Demokratie» que fala de *organisatorischer Bauplan der Demokratie*, e E. W. BÖCKENFÖRDE, «Demokratie als Verfassungsprinzip», ambos em ISENSEE/KIRCHHOF,

II - O princípio da representação popular

1. Representação democrática formal

O **princípio da representação**, como componente do princípio democrático, assenta nos seguintes postulados: (1) exercício jurídico, constitucionalmente autorizado, de «funções de domínio», feito em nome do povo, por órgãos de soberania do Estado; (2) derivação directa ou indirecta da legitimação de domínio do princípio da soberania popular; (3) exercício do poder com vista a prosseguir os fins ou interesses do povo [6]. Nisto se resumia a tradicional ideia de Lincoln: «governo do povo, pelo povo, para o povo.»

A constituição portuguesa elege como «modus» primário de realização da «vontade do povo» a *representação parlamentar*. A **representação democrática** significa, em primeiro lugar, a autorização dada pelo povo a um órgão soberano, institucionalmente legitimado pela Constituição (criado pelo poder constituinte e inscrito na lei fundamental), para agir autonomamente em nome do povo e para o povo. A representação (em geral parlamentar) assenta, assim, na *soberania popular*. Esta, por sua vez, e como se acentuou atrás, pressupõe a ideia de *povo igual*, ou seja, o povo formado por cidadãos iguais, livres e autónomos e não por um povo distribuido, agrupado e hierarquizado em termos estamentais, corporativos ou orgânicos. É isso que se pretende realçar quando se fala da representação do povo como "a realização prática da soberania popular num Estado jurídico-constitucionalmente ordenado".[7] Esta autorização e legitimação jurídico-formal concedida a um órgão «governante» (delegação da vontade) para exercer o poder político designa-se **representação formal**.

Handbuch des Staatsrechts, vol. I, pp. 887 e ss e 953 e ss; M. ARAGON, «La Eficácia Juridica del Principio Democratico», in *REDC*, 24(1988), pp. 9 e ss.

[6] Para uma discussão «aggiornada» do problema da representação cfr. o n.º 7/1978 da revista *Pouvoirs*: *«Le régime réprésentatif est-il démocratique?»*; N. BOBBIO, «Quali alternative alla democracia representativa», in F. COEN (org.), *Il Marxismo e lo Stato*, Nuova serie dei Quaderni di «Mondoperario», 1976, n.º 4; H. BOLDT, «Parlamentarismustheorie», in Der *Staat*, 19 (1980), p. 385; A. RUIZ MIGUEL, «Problemas del Ambito de la Democracia»; F. LAPORTA, «Sobre la Teoria de la Democracia y el concepto de Representacion Politica: alcunas propostas para debate»; GARZON VALDEZ, «Representacion y Democracia», in *DOXA, Cuadernos de Filosofia del Derecho*, 6(1989), pp. 97 e ss; PASQUINO (org.), *Rappresentanza e Democrazia*, Bari, 1988, p. 5; TORRES DEL MORAL «Democracia y Representacion en los origenes del Estado Constitucional», in *REP*, 203 (1975), p. 145 ss; S. RIALS, «Représentations de la représentation», in *Droits*, 6/1987; F. D'ARCY / G. SAEL, *La Représentation*, Paris, 1985; NOCILLA/CIAURRO, «Rappresentanza politica», in *Enc. del. Dir.*, XXXVIII, 1987, pp. 555 e ss.

[7] Cfr., BADURA, *Staatsrecht*, 1986, p. 10; HOFMANN, "Repräsentation, Mehrheitsprinzip und Minderheitenschutz", in *Verfassungsrechtliche Perspektiven*, Tübingen, 1994, p. 173.

2. Representação democrática material

A representação democrática, constitucionalmente conformada, não se reduz, porém, a uma simples «delegação da vontade do povo». A força (legitimidade e legitimação) do órgão representativo assenta também no conteúdo dos seus actos, pois só quando os cidadãos (povo), para além das suas diferenças e concepções políticas, se podem reencontrar nos actos dos representantes em virtude do conteúdo justo destes actos, é possível afirmar a existência e a realização de uma **representação democrática material**. Existe, pois, na representação democrática, um *momento referencial substantivo*, um *momento normativo* que, de forma tendencial, se pode reconduzir às três ideias seguintes: (1) representação como *actuação* (cuidado) no interesse de outros e, concretamente, dos cidadãos portugueses; (2) representação como *disposição para responder* (*responsiveness*, na terminologia norte-americana)[8], ou seja, sensibilização e capacidade de percepção dos representantes para decidir em congruência com os desejos e necessidades dos representados, afectados e vinculados pelos actos dos representantes; (3) representação como *processo dialéctico entre representantes e representados* no sentido de uma realização actualizante dos momentos ou *interesses universalizáveis do povo* e existentes no povo (não em puras ideias de dever ser ou em valores aprioristicos)[9].

III - O princípio da democracia semidirecta

1. Procedimentos de democracia semidirecta

O exercício do poder directamente pelo povo – *democracia directa* – pressupõe uma estrutura territorial e social praticamente inexistente na época actual. O arquétipo dos *Town Meetings* americanos ou dos *Landsgemeinde* suíços desapareceu quase por completo nas *democracias constitucionais* complexas (cfr. entre nós, art. 245.º/2 da CRP, onde se prevê o "plenário de cidadãos

---

[8] Cfr., por todos, EULAU / KARPS, *The Puzzle of Representation. Specifying Components of Responsiveness*, in «Legislative Studies Quarterly», 2 (1977), pp. 233 ss., recolhido em FISICHELLA (org.), *La Rappresentanza Politica*, 1983; BÖCKENFÖRDE, «Democrazia e Rappresentanza», in *Quaderni Costituzionali*, V (1985).
[9] Salientando esta ideia de actualização como ponto de referência normativo, cfr. BÖCKENFÖRDE, «Demokratie als Verfassungsprinzip», in ISENSEE/KIRCHHOF, *Handbuch des Staatsrechts*, vol. I, p. 940. Cfr., também, entre nós, R. LEITE PINTO, «Democracia Pluralista Consensual», in *ROA*, 1984, pp. 263 e ss.

eleitores"). Não desapareceram, porém, os mecanismos político-constitucionais de *democracia semi-directa*, progressivamente presentes nas constituições modernas de vários Estados (Suíça, Dimanarca, Irlanda, França, Áustria, Alemanha, Itália, Suécia). Eis um esquema sintético desses procedimentos de democracia semidirecta.[10]

a) *Referendo*

O **referendo** é uma consulta feita aos eleitores sobre uma *questão* ou sobre um *texto* através de um procedimento formal regulado na lei (*procedimento referendário*). A iniciativa do referendo pode pertencer aos órgãos do Estado (governo, deputados) ou a um certo número de cidadãos (iniciativa popular).

b) *Iniciativa popular*

A **iniciativa popular** é um procedimento democrático que consiste em facultar ao povo (a uma percentagem de eleitores ou a um certo número de eleitores) a iniciativa de uma proposta tendente à adopção de uma norma constitucional ou legislativa. Através da iniciativa popular, os cidadãos podem: (1) ou pedir à assembleia legislativa a edição de uma lei sobre determinada matéria; (2) ou apresentar um projecto de lei completamente redigido (*iniciativa formulada*). Trata-se, pois, de promoção "da actividade legislativa (*law promoting*). A iniciativa popular pode também dirigir-se a uma *decisão* quanto a determinada questão. A *decisão popular* é, precisamente, a decisão vinculativa do povo quanto ao projecto ou questão objecto de iniciativa popular.

c) *Veto*

O **veto** é o instrumento político que permite aos cidadãos exigir que uma determinada lei seja submetida a voto popular. Se esta votação conduzir à rejeição do acto legislativo este deverá ser considerado como nunca tendo existido no ordenamento jurídico. A iniciativa dos cidadãos assume-se como actividade de controlo legislativo (*law-controlling*).

---

[10] Cfr., por todos, JORGE MIRANDA, *Estudos de Direito Eleitoral*, Lisboa, 1995, pp. 104 e ss, onde se podem ver outras acepções de referendo. No direito estrangeiro cfr., por último, G. JÜRGENS, *Direkte Demokratie in den Bundesländern*, Stuttgart, 1992; BUTLER/RANNEY, *Referendums: a Comparative Study of Pratice and Theory*, Washington, 1978; S. MÖCKLI, *Direkte Demokratie. Ein internationaler Vergleich*, Bern, 1994; M. SETÄLÄ, *Referendums and Democratic Government*, London, 1999; GALLAGHER/ULERI, *The Referendum Experience in Europa*, Basingstoke, 1996.

d) *Plebiscito*

Plebiscito é, na sua expressão mais neutra, a pronuncia popular incidente sobre escolhas ou decisões políticas, como, por exemplo, a confiança num chefe político, a opção por uma ou outra forma de governo. Quando a pronuncia popular incide sobre um texto normativo (uma lei, uma constituição) o plebiscito aproxima-se do referendo. Nele está, porém, presente um momento "decisionista" que não se verifica no referendo. Por este motivo, a pronuncia popular para a aprovação da Constituição de 1993 foi um plebiscito e não um referendo; a tentativa de fazer aprovar uma constituição presidencialista já depois de 25 de Abril (Spínola/Palma Carlos) foi uma "tentativa plebiscitária". Estes tipos de consultas plebiscitárias consideram-se verdadeiras "*handy tool*" para regimes autoritários (G. Smith).

2. As iniciativas dos cidadãos e as acções directas

Os casos de iniciativa dos cidadãos contra «centrais nucleares», os movimentos a «favor do aborto» e "contra o aborto", as exigências de referendo sobre a responsabilidade dos juizes e sobre as leis eleitorais, são exemplos de questões que nem sempre uma «dimensão super-representativa» de um «Estado de partidos» permitirá submeter à publicidade crítica [11]. O mesmo se poderá dizer dos referendos dinamizados na Europa Ocidental a propósito do processo de integração europeia. Por este motivo, a doutrina refere as iniciativas dos cidadãos como uma nova dimensão da **democracia dos cidadãos** (*Bürgerdemokratie*). Estas iniciativas não têm de estar juridicamente conformadas (ex.: através de associações dotadas de organização e forma jurídicas). Veja-se o exemplo do chamado «*small democratic workplace*" praticado nas cidades a propósito das "crises" no desenvolvimento urbanístico. Devem considerar-se como factores de *formação da vontade do povo*, embora seja discutível se elas podem ser consideradas, à semelhança dos partidos, como factores de formação da *vontade político-estatal*. O perigo da sua transformação em esquemas plebiscitários leva alguns autores a

---

[11] Cfr., por ex.; K. TROITZSCH, *Volksbegehren und Volksentscheid*, Meisenheim, 1979; W. BENDER, *Die unmittelbare Teilnahme des Volkes an staatlichen Entscheidungen durch Volksbegehren und Volksentscheid*, Freiburg, 1978. Associando estas iniciativas à «crise do estado de partidos», cfr. M. STOLLEIS, *Parteienstaatlichkeit – Krisensymptom des demokratischen Verfassungsstaats?* in *VVDSTRL*, 44 (1986), p. 17; B. GUGGENBERGER / U. KEMPF, *Bürgerinitiative und repräsentatives System*, 1984; J. FIJALKOWSKI, «Neuer Konsens durch plebiszitäre Öffnung», in A. RANDELZHOFER (org), *Konsens und Konflikt*, 1985, p. 236; BOUISSOU, «Pour une réhabilitation de l'institution référendaire», *Mélanges Burdeau*, 1977.

recusar-lhe esta última qualidade. O mesmo se passa relativamente ao **referendo electrónico**.[12]

    Zippelius adianta também como exemplos deste impasse «representativo-partidário» as questões de financiamento dos partidos, os vencimentos dos deputados e titulares dos órgãos de cargos políticos, o domínio político-partidário dos media e da televisão[13]. Daí o recurso a formas espontâneas de mobilização da opinião pública, a acções exemplares de publicidade crítica, a tribunais de opinião e à desobediência civil. Algumas destas formas que político-filosoficamente são consideradas pelos autores (e políticos) como «sinais» de perigo para o Estado de direito (ex.: a desobediência civil) (cfr. *infra*) radicam na ideia de *«politização do concreto»*. PAULO BONAVIDES invoca a necessidade de "repolitização da legitimidade". Cfr. PAULO BONAVIDES, *Teoria Constitucional da Democracia Participativa*, São Paulo, 2001. Cfr. também A. MAUÉS, "Ordem Social: Fundamentos da Democracia Participativa", in F. SCAFF (org.), *Ordem Económica e Social. Estudos em Homenagem a A. Brandão de Oliveira*, São Paulo, 1999, p. 31 e ss.

3. Os procedimentos de democracia semidirecta na Constituição

    No texto originário de 1976, o receio de as *decisões políticas* obtidas através da consulta directa do povo ou através de iniciativas do próprio povo poderem ser objecto de manipulação pelos *agenda-setter* justificou uma deliberada hostilidade a procedimentos políticos de democracia semidirecta. No plano da história constitucional, pesavam sobretudo as heranças plebiscitárias da República de Weimar e as consultas plebiscitárias gaullistas. No contexto político interno, a recordação da aprovação plebiscitária do texto constitucional de 1933 e as tentativas plebiscitárias revisionistas (continuadas depois da aprovação do próprio texto de 1976) reforçaram as dúvidas quanto à bondade democrática dos esquemas de democracia semidirecta.[14] Progressivamente, as sucessivas revisões da Constituição têm vindo a reabilitar alguns desses esquemas, por serem considerados como equilibradores de uma estrutura política "ultra-representativa" e "ultra-partidária". Na revisão de 1982 consagrou-se (cfr. o art. 238.º) o *referendo local* (consultas populares directas); na revisão de 1989 introduziu-se o *referendo político e legislativo* (art. 112.º); na revisão de 1997 aprofundou-se a extensão deste referendo ao mesmo tempo que se abriu à *iniciativa dos cidadãos* a possibi-

---

    [12] Cfr., por ex., A. TAUDT, *Die Stellung der Bürgerinitiativen im Verfassungssystem des Grundgesetzes der Bundesrepublik Deutschland*, Frankfurt/M, 1987, p. 92; G. SARTORI, *The Theory of Democracy Revisited*, New Jersey, 1987.
    [13] Cfr. ZIPPELIUS, *Allgemeine Staatslehre*, 10.ª ed., pp. 173 e ss.
    [14] Cfr., PIERRE BON, "Le référendum dans les Droits Ibériques", in JORGE MIRANDA (org.), *Perspectivas Constitucionais. Nos Vinte Anos da Constituição*, vol. II, Coimbra, 1997, pp. 531 e ss; J. MIRANDA, *Estudos de Direito Eleitoral*, pp. 105 e ss; VITALINO CANAS, *Referendo Nacional. Introdução e Regime*, Lisboa, 1998.

lidade de desencadear o mecanismo referendário, a nível nacional (arts. 115.º/2, 166.º) ou a nível local (art. 240.º na versão da LC 1/97). Ainda na revisão de 1997, deu-se acolhimento ao *referendo regional* incidente sobre questões de relevante interesse específico das Regiões Autónomas (art. 232.º/2) e ao *referendo da instituição em concreto das regiões administrativas* (art. 256.º).

IV - Traços fundamentais do regime jurídico-constitucional do referendo

1. Referendo nacional

a) *Âmbito material*

Chama-se **referendo nacional** ao referendo incidente sobre "questões de relevante interesse nacional" e que devam ser decididas pela Assembleia da República ou pelo Governo através de acto convencional de direito internacional ou de acto legislativo (CRP, art. 115.º/3). Tratando-se, como se trata, de um *referendo político* e *legislativo*, as consultas referendárias têm por objecto matérias de especial relevância político-legislativa. Existem, porém, importantes restrições ao âmbito material do referendo individualizadas no art. 115.º/4. São excluídos do âmbito material do referendo: (1) os *referendos constitucionais*, isto é, os referendos tendentes a introduzir alterações à constituição (art. 115.º/4/*a*); (2) os referendos em matérias de competência *política* reservada da AR (art. 115.º/4/*c*); (3) os referendos em matérias de competência *legislativa* de reserva absoluta da AR; (4) os referendos sobre questões ou actos de conteúdo *orçamental, tributário* ou *financeiro*. Em (1) reafirma-se a firmeza antiplebiscitária dos mecanismos de revisão da Constituição; em (2) e (3) impede-se a erosão do princípio da democracia representativa; em (4) neutralizam-se os referendos demagógicos com sérias consequências para uma política orçamental, tributária e financeira responsável.

Relativamente ao âmbito material dos referendos políticos e legislativos, a LC 1/97 procurou resolver algumas questões levantadas pelo texto sibilino aprovado em 1989 (cfr. L 15-A/98, de 3 de Abril – Lei Orgânica do Referendo). Assim, a proibição de referendos em matéria da competência política reservada da AR (art. 161.º/*i*) não prejudica a possibilidade de submeter a referendo questões de relevante interesse nacional que devam ser objecto de convenção internacional (tratados e acordos), ou seja, questões relativas a tratados de participação de Portugal em organizações internacionais e tratados de defesa,

quer sejam da competência da AR (art. 161.º/*i*) quer do Governo (art. 197.º/1/c). Abriu-se, assim, a admissibilidade constitucional para o referendo sobre a integração de Portugal na União Europeia. Quanto às matérias da competência legislativa de reserva absoluta parece admitir-se a possibilidade de referendo sobre as bases do sistema de ensino (arts. 115.º/4/*d*) (cf. Ac. TC 288/98, 17-4, *DR*, I-A, supl. de 18-4-98).

b) *Iniciativa*

A **iniciativa do referendo** pertence à Assembleia da República, ao Governo e aos cidadãos (art. 115.º/1/2). O procedimento referendário é um procedimento semelhante ao procedimento legislativo (cfr. art. 170.º). Não se deve confundir *iniciativa de referendo* com *decisão de referendo*. A **decisão de referendo** pertence exclusivamente ao Presidente da República (art. 115.º/1). Com o objectivo de o referendo não perturbar a repartição constitucional de competências dos órgãos de soberania (cfr. CRP, art. 115.º/1, e L 15-A/98, arts. 5.º e 10.º), a iniciativa da Assembleia da República ou do Governo deve ter em conta as competências materiais destes órgãos (art. 115.º/1: "em matérias das respectivas competências"). Quanto à iniciativa popular, parece deduzir-se do texto que ela pode incidir quer em matérias da competência da Assembleia da República quer do Governo, devendo, como é óbvio, ter-se presente as proibições constitucionais referentes ao âmbito do referendo (cfr. L 15-A/98, de 3-4, Lei Orgânica do Referendo).

c) *Eficácia jurídica*

O referendo tem **eficácia vinculativa** quando o número de votantes for superior a metade dos eleitores inscritos no recenseamento (art. 115.º/11, na redacção do LC 1/97). Eficácia vinculativa significa a *obrigatoriedade* de os órgãos competentes praticarem actos políticos ou actos político-normativos juridicamente incorporadores do conteúdo das respostas referendárias.[15] Assim, se os eleitores se pronunciarem a favor da instituição em concreto de regiões administrativas (art. 256.º) deverá a Assembleia da República aprovar uma lei de instituição em concreto de cada uma das regiões administrativas. Resta saber qual

---

[15] Cfr., PIERRE BON, "Le référendum dans les Droits Ibériques", in JORGE MIRANDA, *Perspectivas Constitucionais*, vol. II, p. 549 ss.; VITALINO CANAS, *Referendo Nacional. Introdução e Regime*, Lisboa, 1998, p. 32

o efeito útil de um referendo em que o número de cidadãos eleitores foi inferior a metade dos eleitores inscritos no recenseamento. Tem, pelo menos, o sentido de indicação sociologicamente útil para os órgãos de soberania competentes quanto à matéria objecto de consulta referendária.

d) *Universo eleitoral*

O referendo tem, tendencialmente, o **universo eleitoral** das eleições para o Presidente da República (arts. 115.º/12 e 124.º/2), ou seja, têm direito de participação no referendo os cidadãos portugueses eleitores recenseados no território nacional bem como os cidadãos portugueses residentes no estrangeiro ("emigrantes"). A LC 1/97 alargou, assim, o referendo ao voto dos emigrantes embora apenas nos casos em que a matéria "lhes diga especificamente respeito" (art. 115.º/12, *in fine*). O que é uma matéria que diga especificamente respeito a cidadãos residentes no estrangeiro? Virá aqui a caber uma importante função interpretativa ao Tribunal Constitucional (cfr. já Acs. TC 531/98, *DR* I-A, 30-7-98, 288/98, *DR* I-A, 18-4--98, 532/98, *DR* I-A, 30-7-98) em sede de fiscalização preventiva e obrigatória da constitucionalidade e da legalidade do referendo (arts. 115.º/8 e 225.º/2/*f*).

2. Referendo regional

Entende-se por **referendo regional** o referendo incidente sobre questões de interesse específico regional, no âmbito das Regiões Autónomas dos Açores e da Madeira (CRP, art. 232.º/2, acrescentado pela Revisão de 1997). A iniciativa do referendo regional compete à respectiva assembleia legislativa regional e o universo subjectivo dos cidadãos "referendantes" circunscreve-se aos cidadãos eleitores recenseados no respectivo território. Os princípios materiais do procedimento referendário regional são os previstos no art. 115.º da CRP com as necessárias adaptações (CRP, art. 232.º/2, *in fine*).

3. Referendo local

Considera-se **referendo local** o referendo que tem por objecto questões de relevante interesse local que devam ser decididas pelos órgãos autárquicos municipais ou de freguesia e que se integram nas suas competências (CRP, artigo 240.º, Lei Orgânica 4/2000, de 24/8/2000 – Regime Jurídico do Referendo Local). Tal como no referendo local, há matérias excluídas do referendo. Às matérias excluídas do referendo nacional acrescentam-se outras:

matérias reguladas por acto legislativo ou por acto regulamentar estadual que vincule as autarquias locais, as matérias que tenham sido objecto de decisão expressa em actos constitutivos de direito ou de interesse juridicamente protegidos e as matérias que tenham sido objecto de decisão judicial com trânsito em julgado (Cfr. Lei n.º 4/2000, artigo 4.º).

V - O princípio da participação

Já atrás houve oportunidade de referir o problema da **participação política** como um problema estreitamente conexionado com a *democratização da sociedade: democratizar a democracia através da participação* significa, em termos gerais, intensificar a *optimização da participação directa e activa de homens e mulheres* (CRP, art. 109.º) no processo de decisão (Villmar). Trata-se, pois, de acentuar aquilo que em ciência política se chama orientação de *input*. Também se assinalou já o relevo atribuído pela Constituição à «participação organizada dos cidadãos» na resolução dos problemas nacionais (CRP, art. 9.º/*c*).

C. Princípio democrático e direito de sufrágio

O sufrágio é um instrumento fundamental de realização do princípio democrático. Através dele, legitima-se democraticamente a conversão da vontade política em posição de poder e domínio, estabelece-se a organização legitimante de distribuição dos poderes, procede-se à criação do «pessoal político» e marca-se o ritmo da vida política de um país. Daí a importância do **direito de voto** como direito estruturante do próprio princípio democrático e a relevância do *procedimento eleitoral justo* para a garantia da autenticidade do sufrágio (cfr. CRP, arts. 113.º e 113.º/7).

I - Os princípios materiais do sufrágio[16]

O sufrágio deve ser *geral, igual, directo, secreto* e *periódico* (arts. 10.º/1, 49.º/1, 113.º/1 e 115.º/7). Justificam-se estes requisitos do direito de voto.

---

[16] Cfr. J. MIRANDA, «O direito eleitoral na Constituição», in *Estudos sobre a Constituição*, 2, pp. 463 e ss.; GOMES CANOTILHO/VITAL MOREIRA, *Constituição da República Portuguesa, Anotada*, notas aos arts. 10.º, 49.º e 116.º.

1. Princípio da universalidade

O **princípio da universalidade do sufrágio** impõe o alargamento do direito de voto a todos os cidadãos. Todos os cidadãos podem votar ("direito de sufrágio activo", "capacidade eleitoral activa") e todos os cidadãos podem ser eleitos ("direito de sufrágio sucessivo", "capacidade eleitoral passiva"). Com excepção dos cidadãos sem capacidade eleitoral, a Constituição proíbe o *sufrágio restrito*, qualquer que seja o seu fundamento (sexo, raça, rendimento, instrução, ideologia). O princípio da universalidade do sufrágio actua, assim, como *proibição de discriminação* (cfr. art. 13.º) vedando a exclusão injustificada dos cidadãos da participação eleitoral. Mas ele tem também um *sentido dinâmico* no sentido de obrigar, eventualmente, à extensão do direito de voto a cidadãos estrangeiros (cfr. CRP, art. 15.º), e de tornar inconstitucionais restrições ao direito de sufrágio desnecessárias e desproporcionadas (inelegibilidades e incompatibilidades) ou consideradas como consequências automáticas de certas actividades (ex. perda do direito de voto como «pena acessória» em caso de condenação por actividade criminosa). Conexiona-se, ainda, com o princípio da universalidade do sufrágio a obrigação de o legislador assegurar, na medida do possível, a possibilidade real do exercício do voto. (Cfr. ACs TC 523/89, *DR*, II, 23-3, 364/91, *DR*, I, 23-8).

O princípio da universalidade comporta restrições assentes em "motivos ponderosos": cidadania portuguesa (cfr., porém, art. 15.º/3 e 4 da CRP, relativo à cidadania da União Europeia e à cidadania da CPLP"), residência, inexistência de doenças psiquiátricas ou de penas de restrição temporária.

O princípio da universalidade prende-se hoje com a construção de *comunidades inclusivas*, onde as comunidades migrantes dispõem de direitos políticos, e com a construção da *cidadania europeia* impositiva do alargamento do direito de voto a cidadãos de países da União Europeia. Dentre as comunidades inclusivas merece menção a *Comunidade dos Países de Língua Portuguesa* (CPLP). O art. 15.º/3 e 4 da Constituição fornece abertura para a *cidadania europeia* e para a *cidadania lusófona*. A redacção dada pela LC 1/2001 (5.ª Revisão) reforçou a densificação desta última.

2. Princípio da imediaticidade

O **voto directo** ou *imediato* significa que o voto tem de resultar «imediatamente» da manifestação da vontade do eleitor, sem intervenção de «grandes eleitores» ou de qualquer vontade alheia. Por outras palavras: a imediaticidade do sufrágio garante ao cidadão activo a «primeira» e a «última palavra», pois os eleitores dão directamente o seu voto aos cidadãos (incluídos ou não em listas) cuja eleição constitui o escopo último de todo o procedimento eleitoral. No *sufrágio indirecto* ou *mediato*, os eleitores limitam-se a eleger um colégio de delegados eleitorais («grandes eleitores») que, por sua vez, escolherão os candidatos para os diversos órgãos do poder político.

Um problema suscitado pelo princípio da imediaticidade é o da permanência, como deputado, do candidato eleito que abandona a lista submetida à «votação imediata» dos eleitores. Se a votação por lista escolhida pelos partidos tem sido considerada como compatível com o princípio da imediação [17], já o abandono do partido na lista do qual foi eleito pode levantar problemas se o princípio da imediaticidade do sufrágio for analisado com o devido rigor. Os mesmos problemas se põem quando existam fraccionamentos de partidos ou novas formações partidárias. A favor da manutenção do mandato invoca-se o princípio da representação: o deputado representa o povo e não os partidos e pode inclusivamente ser um candidato independente. A favor da perda de mandato esgrime-se com o facto de o deputado, ao abandonar o partido renunciar, de facto, ao seu próprio mandato como deputado [18].

3. Princípio da liberdade

O **princípio da liberdade de voto** significa garantir ao eleitor o exercício do direito de voto sem qualquer coacção física ou psicológica de entidades públicas ou de entidades privadas. Deste princípio da liberdade de voto deriva a ilegitimidade da imposição legal do *voto obrigatório*. A liberdade de voto abrange, assim, o se e o como: *a liberdade de votar ou não votar e a liberdade no votar*. Desta forma, independentemente da sua caracterização jurídica – direito de liberdade, direito subjectivo –, o direito de voto livre é mais extenso que a protecção do voto livre. Na falta de preceito constitucional a admitir o voto como um dever fundamental obrigatório, tem de considerar-se a imposição legal do voto obrigatório como viciada de inconstitucionalidade (cfr. art. 49.°/2, no qual se considera o voto como *dever cívico* e não como *dever jurídico* [19]). Nos tempos

---

[17] Cfr. H. J. RINK, «Der Grundsatz der unmittelbaren Wahl im Parteienstaat», in *JZ*, 1958, p. 193; J. FROWEIN, «Bundesverfassungsgericht und Wahlrecht», in *AÖR*, 99 (1977), p. 72; CAAMAÑO DOMINGUEZ, *El mandato Parlamentario*, Madrid, 1991, p. 270 ss; GONZÁLEZ ENCINAR (org.), *Derecho de Partidos*, Madrid, 1992; ELOY GARCIA, *Inmunidad parlamentaria y Estado de Partidos*, Madrid, 1986, pp. 110 e ss.

[18] Cfr. ELOY GARCIA, *Inmunidad Parlamentaria y Estado de Partidos*, Madrid, 1989, pp. 110 ss; AGUILERA DE PRAT, «Problemas de la Democracia y de los Partidos en el Estado Social», in *REP*, 67 (1990), p. 93 ss.; CAAMAÑO DOMINGUEZ, *El Mandato*, pp. 270 e ss.

[19] Cfr., por ex., as referências de K. STERN, *Staatsrecht*, Vol. I, cit., p. 248 e de W. FRENZ, "Wahlrecht-Wahlaflicht?", in ZRP, 1994, p. 91 ss. No plano do direito comparado, cfr., por último, F. LANCHESTER, «Il voto obligatorio. Da principio a strumento. Un'analisi comparata», in *Il Politico*, 1983, pp. 31

mais recentes, o princípio da liberdade de voto passou a compreender-se também como *liberdade e igualdade na preparação do próprio acto eleitoral*. Esta perspectiva poderá tornar questionável a obrigatoriedade do sistema de lista partidária fechada, deixando sem liberdade os cidadãos apartidários e inviabilizando a formação de "candidaturas independentes" (cfr. agora Lei 1/2001, de 14/01, que consagrou o poder de apresentação de candidaturas a eleições locais por grupos de cidadãos eleitores).

A ideia de liberdade de voto é também convocada a propósito das *sondagens*. Assinala-se, em termos críticos, a influência destas sobre o processo de formação da vontade política e os indesejáveis efeitos de "band-wagon" (saltar para a carruagem dos mais fortes) e de "under-dog" (optar pelos marginais).

4. Princípio do voto secreto

Em termos simples, o **princípio do voto secreto** significa que o cidadão eleitor guarda para si a sua decisão de voto. O **voto secreto** pressupõe, por isso, não só a pessoalidade do voto (o que excluiria, no seu devido rigor, o voto por procuração ou por correspondência), como a proibição de «sinalização» do voto (listas diferentes, papel, urnas).

O princípio do sufrágio secreto é uma garantia da própria *liberdade de voto*. Além de exigir, como se disse, a proibição de «sinalização» do voto, pressupõe também a impossibilidade de uma reconstrução posterior do sentido da imputabilidade subjectiva do voto. O carácter secreto do voto não é incompatível com a exigência de assinaturas individualmente reconhecidas e legalmente exigidas para a propositura de listas (*quorum* de proponentes) nem com a existência de listas públicas de apoio a candidaturas independentes ou partidárias. No entanto, como o direito de voto não é apenas um direito subjectivo, transportando também uma dimensão institucional, o cidadão eleitor não pode renunciar ao segredo de voto. A liberdade individual de voto e o voto livre no plano institucional condicionam-se reciprocamente. Sob o ponto de vista do segredo de voto, não deixa de ser problemático o *voto por correspondência*, porque ele não permite às entidades responsáveis garantir ao voto um autêntico carácter secreto.

---

e ss.; M. LUCIANI, *Il voto e la democracia*, Roma, 1991. Entre nós, cfr. JORGE MIRANDA, «O direito eleitoral na Constituição», cit., p. 472; GOMES CANOTILHO/VITAL MOREIRA, *Constituição da República*, notas ao art. 49.º e ao art. 116.º. No plano jurisprudencial, cfr. Parecer da Comissão Constitucional n.º 29/78, *Pareceres*, Vol. 7.º, pp. 74 e ss, e Ac do TC, Ac. 320/89.

A distinção entre pessoalidade e presencialidade de voto foi feita nos Pareceres da Comissão Constitucional n.º 29/78, *Pareceres*, Vol. 16.º, 27/82, *Pareceres*, Vol. 20.º, considerando inconstitucional o voto por representação por contrariar o princípio da pessoalidade. Cfr. as Resoluções n.º 238/78 e 328/79, in *Pareceres*, Vols. 7.º e 10.º.

5. Princípio da igualdade

O **princípio da igualdade de voto** exige que todos os votos tenham uma eficácia jurídica igual, ou seja, o mesmo *peso*. O voto deve ter o mesmo *valor de resultado* (consideração igual para a distribuição de mandatos). Este princípio não é hoje, em geral, perturbado por formas históricas de discriminação que, de resto, têm mais a ver com o princípio da universalidade do que com o voto igual. Pode sê-lo, porém, pela manipulação dos círculos eleitorais. Daí a insistência dos autores na caracterização do voto igual: igual peso numérico *(Zählwert)* e igual valor quanto ao resultado *(Erfolgswert)*. No sistema maioritário, o valor de resultado dos votos é tendencialmente desigualitário, pois o candidato menos votado não tem qualquer «resultado». Mesmo assim, o princípio de voto igual é aqui importante para evitar a falsificação dos resultados através da delimitação arbitrária de círculos (*gerrymandering*)[20] ou através da grandeza desigual dos círculos eleitorais (*malapportionment*) ou seja, «geometria de círculos eleitorais».

Da exigência de igual valor quanto ao resultado deriva também a exigência (para além da proporcionalidade) de não condicionamento da possibilidade de representação à obtenção de percentagens globais mínimas – **proibição de cláusulas-barreira** (cfr. arts. 113.º/5 e 152.º/1). O princípio do voto igual, na sua dimensão de igual valor quanto ao resultado, tem sido estendido à própria luta eleitoral.

Tal como acontece com o princípio de universalidade, o princípio de igualdade de voto não se limita ao acto eleitoral em si, antes envolve todo *procedimento* de sufrágio (ex.: igualdade na concorrência eleitoral, igualdade nas candidaturas).

A jurisprudência constitucional teve oportunidade de discutir o problema da liberdade de voto no acórdão incidente sobre a lei eleitoral para o Parlamento Europeu. O alargamento do direito de voto a todos os nacionais residentes no estrangeiro, independentemente das concretas condições de liberdade e igualdade, conduzia a um resultado injusto, pois o próprio *procedimento eleitoral* era, ele mesmo, injusto. Cfr. Acórdão, TC 320/89, DR, I, 4/4 («*Caso das eleições para o Parlamento Europeu*»).

---

[20] O sistema arbitrário da delimitação de círculos ficou conhecido como «*Gerry-mandering*», em «homenagem» ao político americano GERRY que não hesitou em desenhar círculos em forma de salamandra para assegurar a vitória dos candidatos do seu partido.

6. Princípio da periodicidade

Embora seja diferente de sistema constitucional para sistema constitucional, o princípio democrático, na sua dimensão representativa, impõe o sufrágio periódico (art. 113.º/1) e a renovação periódica dos cargos políticos (cfr. art. 117.º). Nisto se traduz basicamente o **princípio da periodicidade do sufrágio**. Impede-se, com isto, a vitaliciedade de mandatos, embora, através de sucessivas renovações da legitimidade eleitoral, possam existir, de facto, mandatos (ex.: de deputados ou presidentes da câmara) sem limites temporais, sendo duvidoso que a lei, sem autorização constitucional, possa limitar o número de mandatos de forma a aniquilar a capacidade eleitoral passiva dos cidadãos (cfr. Ac TC 364/91, *DR*, I 23-8, "*Caso das incapacidades eleitorais passivas dos presidentes de câmaras municipais*). Por outro lado, o princípio democrático articula-se aqui com o princípio do Estado de direito: a *duração* do período de exercício dos cargos deve ser previamente fixada no texto constitucional, proibindo-se qualquer alteração desta delimitação temporal a não ser nos casos e pelas formas previstas na própria Constituição (cfr. arts. 128.º/2 e 171.º/2). A renovação dos cargos traduz-se, em geral, em eleições simultâneas ou sucessivas para os diferentes órgãos de soberania. O princípio democrático, articulado com o princípio do Estado de direito, proíbe qualquer *alteração* ou *inversão legal da ordem de eleições. Poder a tempo, mudado no tempo constitucionalmente previsto*, é, pois, a consequência fundamental do princípio da renovação (cfr. art. 113.º/6).

7. Princípio da unicidade

O princípio da unicidade é um corolário lógico do princípio de igualdade. Se os votos têm todos o mesmo peso, também o cidadão-eleitor é vedado defraudar o princípio um homem um voto, votando várias vezes no mesmo ou em locais diferentes. O eleitor só vota uma vez (cfr. por ex., L 15-A/98, art. 108.º).

D. Princípio Democrático e Sistema Eleitoral

I - Sistema proporcional e sistema maioritário

A discussão do sistema eleitoral centra-se nas vantagens e desvantagens dos dois grandes sistemas: o **sistema proporcional** e o **sistema maioritário**.

Na escolha de um destes sistema considera-se, muitas vezes, estar subjacente a opção por *diferentes concepções de democracia:* o sistema maioritário andaria ligado ao tipo de democracia representativa (ou «modelo Westminster») e o sistema porporcional ao tipo de democracia participativa (ou «modelo consensual»). É uma construção com bases históricas (adiante referidas) mas não explicativo de várias experiências constitucionais. De qualquer modo, é possível detectar os fundamentos materiais em que um e outro dos sistemas pretendem alicerçar-se. O **sistema proporcional**, defendido logo na Revolução Francesa («O parlamento deve ser um mapa reduzido do povo», dizia Mirabeau), invoca fundamentalmente: *a)* a *igualdade material,* pois a proporcionalidade corresponde melhor à exigência de voto igual, designadamente quanto ao valor do resultado *(Erfolgswert*[21]); *b) adequação à democracia partidária,* dado que a moderna democracia não é uma democracia individualista de «notabilidades» mas uma democracia partidária em que cada partido tem um programa *(preferência pelos problemas),* de acordo com a ideologia ou interesses por eles mediados (partidos como *expressões de antagonismos e convergências*), e na qual, em princípio, só os indivíduos escolhidos pelos partidos têm reais possibilidades de ser eleitos *(monopólio partidário);* *c) representação de todos os grupos sociais* em virtude de a representação no parlamento dever ser «um espelho da sociedade política» (Leibholz); ora só o sistema proporcional, em ligação com a estrutura partidária, possibilita a «reprodução», no órgão representativo, dos mais importantes grupos sociais e políticos.

Por sua vez, o **sistema maioritário** tem invocado: (1) *formação de governos funcionais,* pois o sistema eleitoral não visa apenas ou fundamentalmente formar uma representação que «reproduza o povo» mas possibilitar a formação de governos eficazes e estáveis; (2) *alternância do poder através do sistema bipartidário,* dado que o sistema maioritário impossibilita, na prática, a formação de pequenos partidos, sendo um importante factor psicológico» (Duverger) para evitar a pulverização partidária e favorecer o sistema bipartidário; (3) *robustecimento da oposição,* pois o sistema maioritário possibilita uma clara separação entre governo e oposição, robustecendo aquele e esta, sem necessidade de recurso a

---

[21] Sobre a problemática da relação do princípio da igualdade e o sistema proporcional cfr., por ex., D. W. RAE, *The Political Consequences of Electoral Laws,* 2.ª ed., New Haven, 1972, H. MEYER, *Wahlsystem und Verfassungsordnung,* Frankfurt/M, 1973, pp. 83 ss.; «La Représentation proportionnelle», in *Pouvoirs,* 32 (1985). Sobre o sistema maioritário cfr. P. FAURE, *La décision de la majorité* – 1976; A. LIJPHART, *Democracies,* cit., pp. 117 e ss; VERNON/BOGDANOR/BUTLER, *Democracy and Elections. Electoral Systems and their political consequences,* Cambridge, London, 1985; F. LANCHESTER, *Sistemi eletoralli e forma di Governo,* Bologna, 1981. Entre nós, cfr. A. GONÇALVES PEREIRA, «Sistema eleitoral e Sistema de governo», in BAPTISTA COELHO (org.), *Portugal: o Sistema Político e Constitucional – 1974/1987,* Lisboa, 1989, pp. 279 e ss; M. LUCIANI, *Il voto e la democrazia,* Roma, 1997; A. PANTÉLIS/S. KOUTSOUBINAS, *Les Régimes Électoraux des Pays de l'Union Européenne,* London/Bruxelles, 1999.

coligações frágeis. Legitimidade e responsabilidade do governo, estabilidade do sistema governamental, capacidade de acção e autoridade seriam, em resumo, as vantagens do *sistema eleitoral maioritário* e do *regime bipartidário*.

A discussão destas questões tem de ter em conta as bases sociais do sistema de partidos e os factores nacionais[22]. Não deve esquecer-se também que o problema do sistema eleitoral foi e ainda é uma *questão de poder:* seja por factores étnicos (recorde-se a primeira fase a favor do voto proporcional nos cantões suíços, 1891, na Bélgica, 1899, na Finlândia, 1901, na Dinamarca, 1895), seja por motivos ideológicos ou sociais (recorde-se a luta do movimento operário contra o monopólio da representatividade da burguesia), seja, nos tempos actuais, pela luta dos novos grupos candidatos à intervenção política (ex.: os *Grünen* na R.F.A., os reformados em Portugal), o sistema proporcional é o melhor meio contra a redução de alternativas, contra o estreitamento dos horizontes políticos e contra a unidimensionalidade e saturação políticas[23]. Lijphart[24] relativiza os «fundamentalismos» maioritários e proporcionais ao salientar justamente que «a democracia pode ser gerida com sucesso de modos muito diversos». Se se pretender uma «lei tendencial» poderá avançar-se: «o modelo de democracia maioritária revela-se particularmente adequado às sociedades homogéneas; o modelo consensual assente no voto proporcional é mais adaptado às sociedades plurais». Nos últimos tempos, a discussão tende a centrar-se no recorte de *regimes mistos* em que se assegure a *personalização* do voto e a *proximidade* entre eleitores e eleitos sem perturbar a justiça do princípio da igualdade quanto ao *valor de resultado* do voto indirectamente associado ao sistema proporcional (cfr., *infra*). Uma análise científica dos sistemas eleitorais poderá ver-se no recente livro de Manuel Braga da Cruz, *Sistemas Eleitorais. O debate científico*, Lisboa, 1998. A génese do debate científico e universitário em Portugal pressupõe a leitura obrigatória do excelente livro de António Cândido *Condições Científicas do Direito de Sufrágio directo Múltiplo e Voto Uninominal*, Coimbra, 1998 (reprodução da edição de 1878).

II - O sistema eleitoral na Constituição

A discussão dos sistemas eleitorais está ligada à estrutura partidária. A isso se fará referência no número seguinte. Antes, porém, analisar-se-á a «opção de sistema» feita pela Constituição portuguesa.

---

[22] Cfr. M. DUVERGER, *Institutions Politiques et Droit Constitutionnel*, Paris, 1978, pp. 129 e ss. Boa visão global do problema em A. HAURIOU/J. GICQUEL, *Droit Constitutionnel et Institutions Politiques*, 7.ª ed., 1980, pp. 300 e ss. Entre nós, cfr., por último, TIAGO DE OLIVEIRA, «O sistema eleitoral português como forma de representação», in *Análise Social*, Vol. XVII (1981), pp. 7 e ss; MARCELO R. DE SOUSA, *Os Partidos Políticos na Constituição*, pp. 121 e ss. e 640 e ss; GONÇALVES PEREIRA, «Sistema Eleitoral e Sistema de Governo», cit., p. 282. Na literatura espanhola, cfr. por ex., AGUILERA DE PRAT/P. VILANOVA, *Temas de Ciência Política*, pp. 142 e ss.

[23] Cfr. sobre isto, por ex., J. RASCHKE, *Mehrheitswahlrecht – Mittel zur Demokratisierung oder Formierung der Gesellschaft?*, in M. GREIFFENHAGEN, *Demokratisierung*, cit., p. 252.

[24] Cfr. A. LIJPHART, *Democracies*, cit., p. 13; MASSARI/PASQUINO (org.), *Rappresentare e governare*, Bologna, 1994.

1. O sistema eleitoral como reserva de constituição

Entre nós, os princípios fundamentais relativos ao sistema eleitoral não foram deixados à liberdade de conformação do legislador. Eles são *direito constitucional formal*. Isto significa que nas relações entre o sistema eleitoral e os elementos constitutivos do princípio democrático – designadamente o princípio da igualdade – se estabeleceu uma *prevalência* e uma *reserva de constituição*. Assim, o conteúdo da igualdade eleitoral não ficou dependente do sistema eleitoral, ou seja, o **princípio da igualdade eleitoral** *não é uma função do sistema eleitoral* a regular pelo legislador. Pelo contrário: o princípio da igualdade, juntamente com outros princípios constitucionais, possui um *carácter constitutivo* para a definição e conformação de todo o sistema eleitoral. Para além das vinculações materiais que o legislador terá de observar, a Constituição não deixou espaço livre de decisão quanto ao ponto fundamental: a *escolha do próprio sistema eleitoral*.

2. O sistema proporcional como elemento constitutivo do princípio democrático

O **sistema eleitoral proporcional** foi considerado como um elemento básico do sistema democrático a ponto de constituir um dos limites materiais de revisão (cfr. art. 288.º/*h*). A Constituição optou concretamente por uma das *fórmulas de proporcionalidade* relativamente às eleições para a Assembleia da República (cfr. art. 149.º/1, método de Hondt). A lei, nos outros casos de eleição de órgãos colegiais (cfr. arts. 113.º/5, 231.º/2, 239.º/2), está vinculada ao sistema proporcional mas tem liberdade de conformação quanto à escolha da *fórmula de proporcionalidade* (fórmula de restos, fórmula da média mais alta, fórmula de Hondt), ou seja, quanto à fórmula de conversão de votos em mandatos. O sistema proporcional (excepto no caso das eleições para Presidente da República) tem *carácter constitutivo*, sendo inconstitucional qualquer relativização deste sistema através de sistemas mistos criados por lei sem qualquer base constitucional (por ex., o sistema proporcional combinado com o sistema maioritário), bem como qualquer «engenharia de círculos» que perverta, na prática, a regra da proporcionalidade. Tem-se, ainda, por inconstitucional, a conversão, por via da lei, de maiorias relativas em maiorias absolutas, porque isso transmuta o sistema proporcional em sistema maioritário. Depois da revisão constitucional de 1997, estas ideias obrigam a alguns esclarecimentos complementares.

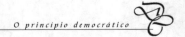

3. As tentativas de pessoalização do voto e de garantia de proximidade entre eleitores e eleitos

Uma das acusações dirigidas ao sistema proporcional é a de que ele potencia a alienação política, hipertrofia o monopólio partidário e torna impessoal a escolha dos representantes políticos. A revisão constitucional de 1997 procurou responder a estas críticas através da flexibilização do sistema eleitoral. E fê-lo tendo em conta as *fórmulas de escrutínio* e os *sistemas de pessoalização do voto*.

3.1 *Escrutínio uninominal e escrutínio por lista*

As diferenças entre estes dois modos de escrutínio têm em conta: (1) o número de mandatos; (2) a extensão territorial dos círculos eleitorais. No **escrutínio uninominal** há apenas um mandato a preencher; no **escrutínio plurinominal** disputam-se vários lugares (e daí a existência de uma *lista*). Compreende-se também que, em geral, os círculos eleitorais, para escrutínios uninominais, tenham um âmbito territorial mais restrito do que os círculos eleitorais destinados a um escrutínio por lista plurinominal. Em geral, ambas as modalidades de escrutínio (plurinominal e uninominal) são dotadas de operatividade prática nos sistemas maioritários, ao passo que no sistema proporcional só funciona o escrutínio por lista. Vamos ver que as coisas não se passam bem assim no sistema recortado pela Lei Constitucional 1/97, onde se prevê (art. 149.º) a *complementaridade entre círculos plurinominais e uninominais* sem se perturbar o sistema de *representação proporcional*.

3.2 *As tentativas de pessoalização de voto e de garantia da proximidade entre eleitores e eleitos*

Dentre as várias sugestões tendentes a assegurar a pessoalização do voto e a garantia de proximidade entre eleitores e eleitos destacamos aqui três: (1) o sistema de *panachage*; (2) o sistema de *voto preferencial*; (3) o sistema de *duplo voto* ou *sistema de representação proporcional personalizado*. No sistema de **panachage** permite-se ao cidadão eleitor a escolha de nomes dentre os propostos nas várias listas concorrentes. Trata-se de um sistema proporcional com sistema de escrutínio plurinominal de lista. A grande diferença é que aqui as listas *não estão bloqueadas* e, por isso, se autoriza o eleitor escolher nomes de várias listas podendo seleccionar uma lista "já feita" ou fornecer a sua "própria" lista com nomes das diferentes listas apresentadas a sufrágio. O esquema de conversão de

votos em mandatos é o da representação proporcional mas existem dificuldades técnicas porque o total de votos obtidos por uma lista é diferente do número de votos obtidos por cada candidato. No sistema de **voto preferencial** permite-se aos eleitores a modificação da ordem dos candidatos dentro de uma determinada lista. Diferentemente do sistema de *panachage*, não se escolhem nomes de várias listas; faculta-se aos eleitores a modificação da ordem de apresentação dos candidatos dentro de uma lista. O sistema de *duplo voto* ou **sistema de representação proporcional pessoalizado** *(personalisierte Verhältniswahlrecht)*, cujo modelo mais conhecido é o actual sistema alemão *(Modell Deutschland)*,[25] procura conciliar as vantagens da representação proporcional com as do escrutínio uninominal. Em rigor, e como iremos ver, não se trata de um sistema misto (maioritário-proporcional) mas de um sistema proporcional. Vale a pena explicar este sistema porque é aquele que está subjacente (mas sem com ele se identificar) à nova definição de círculos eleitorais feita pela LC 1/97 (art. 149.º).

1.º *Momento: determinação do número de mandatos*

O número de deputados ao *Bundestag* é fixado em 656, sendo para esse efeito criadas 328 circunscrições eleitorais. Portanto, o número de deputados é o dobro das circunscrições eleitorais. A esses mandatos podem apenas candidatar-se os partidos políticos (privilégio de listas partidárias – *Listenprivileg*). As listas são *bloqueadas*; a ordem dos candidatos dentro de cada lista é imodificavelmente fixada antes das eleições.

2.º *Momento: 1.º voto e 2.º voto (método Geyerhahn)*

Os cidadãos votam na *lista* de um partido concorrente às eleições na sua respectiva região (Land). É o que se chama *segundo voto* (*Zweitstimme*). Trata-se do voto decisivo porque é ele que vai determinar (segundo o sistema proporcional de *Hare/Niemeyer*, que, desde 1985, substitui o sistema de *Hondt*) o número de mandatos obtido por cada lista. Com o *primeiro voto* (*Erststimme*) são escolhidos deputados nas 328 circunscrições através de escrutínio uninominal maioritário de uma volta (*plurality system*). É, por conseguinte, escolhido o candidato que maior número de votos obtiver na respectiva circunscrição.

3.º *Momento: duplo voto*

Como se acaba de ver, o cidadão tem dois votos e assiná-los-á num boletim dividido em duas partes: (1) *Erststimme* (primeiro voto) com os nomes dos candidatos à eleição pelo círculo eleitoral; (2) *Zweitstimme* (segundo voto) com as listas partidárias apresentadas a sufrágio no respectivo *Land*.

4.º *Momento: conversão de votos em mandatos*

A conversão de votos em mandatos faz-se através de uma operação matemática de agregação de votos a nível nacional que consiste em determinar, segundo o sistema proporcional,

---

[25] Sobre este sistema cfr. M. BENEDITA URBANO, *O Sistema Eleitoral da República Federal da Alemanha*, BFDC, vol. 74 (1998), p. 605 e ss.

qual o número de lugares obtido por cada lista no âmbito do *Land* através do segundo voto. A harmonização do voto em lista a nível do *Land* (sistema proporcional) com o voto pessoal (a nível da circunscrição) faz-se subtraindo ao número de candidatos eleitos através da lista o número de candidatos eleitos mediante o voto pessoal. Poderá desta forma acontecer que num *Land* o número de lugares obtidos por um partido exceda o número de lugares a que tem direito tal como foi calculado com base no segundo voto. Nesse caso, o partido dispõe de mandatos "supranumerários", o que não perturba a representação das outras forças políticas, pois esses mandatos acrescentam-se ao número fixo de deputados (652).

5.º *Momento: exemplo*

Vamos supor que num *Land* existem 20 lugares, 10 circunscrições e 2.000.000 de votos expressos. Através do primeiro voto (escrutínio uninominal maioritário) os resultados são os seguintes:

CDU: 5 eleitos;   SPD: 4 eleitos;   FDP: 1 eleito

O segundo voto (sistema proporcional com listas bloqueadas) conduz à seguinte conversão de votos em mandatos (sistema Hare-Niemeyer):

CDU – 900.000 votos, ou seja, 45%, com o direito a um total de 10 mandatos.
SPD – 820.000 votos, ou seja 41%, com direito a 9 mandatos.
FDP – 160.000 votos, ou seja 8%, com direito a 1 eleito.

Outros partidos – 70.000, sem representação, porque não obtiveram 5% a nível federal nem 3 lugares obtidos através do voto pessoal.

Votos nulos: 5.000.
Votos brancos: 45.000.

Os lugares suplementares (a partir do 2.º voto) serão assim distribuídos:

CDU: 10 – 5 = 5 eleitos por lista
SPD: 9 – 4 = 5 eleitos por lista
FDP: 1 – 1 = 0 eleitos por lista

6.º *Momento: apreciação*

O sistema não é tão "pessoalizado" como parece. Em primeiro lugar, porque mesmo o *voto pessoal* não deixa de ser um voto em *candidatos de listas*. Não existe, em segundo lugar, uma tradição de *deputados independentes*, e, por isso, não existe grande diferença quanto ao título de legitimação entre os deputados eleitos através de voto pessoal e os deputados eleitos em listas bloqueadas. Observe-se, porém, que nos últimos tempos se assiste a um aumento significativo de mandatos "supranumerários". Isto aponta para uma estratégia de "*Überhangsmandaten*" (mandatos supranumerários) perturbadores do equilíbrio do sistema (e até da constitucionalidade: o sistema proporcional corroído por um voto maioritário com um "duplo peso"). O segundo voto é também ambíguo porque, muitas vezes, destina-se não a marcar a orientação partidária mas a distribuir votos pelos eventuais parceiros de suporte do governo. Cf. H. Nicolaus, "*Demokratie, Verhältniswahl and Überhangsmandate*, 1995, p. 100; "Wahlgesetzwidrigkeit der 16 Uberhangsmandate im 13 Bundestag", NJW, 1995, p. 1001; H. JAKOB, *Überhangmandat und Gleichheit der Wahl*, 1998.

4. A nova redacção do art. 149.º da CRP

A LC 1/97 (CRP, art. 149.º) alterou profundamente o sistema eleitoral através de um esquema diversificado de círculos eleitorais.[26] Prevê-se a possibilidade de três espécies de círculos: (1) *círculos plurinominais*; (2) *círculos uninominais*; (3) *círculo nacional*. Este último círculo, pela sua própria natureza, terá de coincidir com um *círculo territorial nacional*, ou seja, um círculo que abranja todo o território nacional. As finalidades mais invocadas são as de possibilitar uma redistribuição dos "restos" e dos votos "inúteis" num sentido favorável à proporcionalidade do sistema (o que não acontece no sistema português) ou a de fazer eleger num círculo nacional os candidatos politicamente mais representativos. Os *círculos plurinominais* destinam-se, como até aqui, a possibilitar a apresentação de listas bloqueadas de natureza partidária e a funcionar como *círculos eleitorais de apuramento*. Menos clara é a categoria de *círculos uninominais*, pois a Constituição continua a eleger o sistema de representação proporcional como sistema estruturante do sistema político-constitucional. A ideia parece ser a de facultar a existência de *círculos uninominais de candidatura* (*círculos eleitorais de candidatura*) que permita solucionar a questão da pessoalidade do voto e a aproximação de eleitores e eleitos no quadro de um sistema proporcional. De qualquer modo, o legislador está vinculado à manutenção do sistema de representação proporcional. À lei eleitoral compete articular esta pluralidade de círculos.

E. Princípio Democrático e Sistema Partidário

I - Concepção constitucional

O **pluralismo partidário** é um *elemento constitutivo* do princípio democrático e da própria ordem constitucional (cfr. arts. 2.º, 10.º/2 e 51.º) a ponto de constituir um limite material de revisão (art. 288.º/*h*). Nisto vai implícita também uma opção fundamental que teve presente os debates de mais de um século acerca dos sistemas eleitorais e dos sistemas partidários: de um lado, os apologetas do sistema maioritário, conducente, em via de princípio, ao dualismo partidário; do outro, os adeptos do sistema proporcional, considerado mais

---

[26] Para uma visão geral do sistema, cfr. VITAL MOREIRA *et alii*, "Reforma da lei eleitoral", in BFDC, LXXIV (1998), pp. 557 e ss.

conforme com o princípio democrático. A Constituição, ao consagrar o sistema proporcional como elemento caracterizador da ordem constitucional, parece ter apontado para a inadmissibilidade da marginalização jurídico-constitucional de quaisquer forças partidárias (cfr., porém, art. 46.°/4). O *pluralismo partidário* foi, assim, erigido a princípio constitutivo de *identidade constitucional*. É este pluralismo partidário que está sujacente a várias "decisões" constitucionais como, por exemplo, a formação de governos de minoria ou de maioria relativa (cfr. art. 195.°), a proibição de «cláusulas barreira» (cfr. art. 149.°/1) e o alargamento do princípio geral da representação proporcional (cfr. art. 113.°/5) às próprias eleições locais (arts. 239.°/2) e regionais (art. 231.°/2).

II - As dimensões constitucionais do sistema partidário

Dada a sua fundamental importância na realização do princípio democrático, impõem-se algumas considerações sobre a posição jurídico-constitucional dos partidos políticos na ordem constitucional portuguesa. O objectivo destas notas não é uma teoria sobre os partidos [27], mas tão-somente uma curta caracterização da sua natureza e posição jurídico-constitucional.

1. Os partidos políticos como direito constitucional formal

A Constituição de 1976 deu substantividade normativa à completa substituição do regime autoritário, antipartidário e antipluralista simbolizado pela Constituição de 1933. Os partidos eram uma *realidade política e constitucional* [28] (tanto entre nós como noutros quadrantes constitucionais), com uma

---

[27] Cfr., entre nós, MARCELO REBELO DE SOUSA, «Os partidos políticos na Constituição», in *Estudos sobre a Constituição*, Vol. II, p. 62; *Direito Constitucional*, cit., pp. 181 e ss; *Os Partidos Políticos*, pp. 80 ss; «A Constituição e os Partidos Políticos», in BAPTISTA COELHO, *Portugal*, cit., pp. 663 e ss. Em geral, sobre os partidos políticos, cfr. M. DUVERGER, *Les Partis Politiques*, 6.ª ed., Paris, 1967; D. L. SEILER, *Les Partis Politiques en Europe*, Paris, 1978; idem, *Partis et Familles Politiques*, Paris, 1980; LIPSET/ROKKAN, *Party Systems and Voter Alignments, Crossnational Perspectives*, New York, 1976; ROKKAN, *Citizen, Elections, Parties*, Oslo, 1970; G. SCHMID, *Politische Parteien, Verfassung und Gesetz*, Basel, 1981; GARCIA PELAYO, *El Estado de Partidos*, Madrid, 1986; GONZALEZ ENCINAR (org.), *Derecho de Partidos*, Madrid, 1992. Por último cfr., R. MORODO/P. LUCAS MURILLO DE LA CUEVA, *El Ordenamiento Constitucional de los Partidos Políticos*, México, 2001, p. 4 ss.

[28] Sobre o movimento de constitucionalização dos partidos potíticos cfr., desenvolvidamente, M. REBELO DE SOUSA, *Os Partidos Políticos*, cit., pp. 64 ss.; «A Constituição e os Partidos Políticos», in BAPTISTA COELHO, (org.), *Portugal. O Sistema Político e Constitucional*, cit., p. 663 ss.

inegável influência na mobilização dos cidadãos, na organização de diversidades ideológicas e na aglutinação de interesses de grupos e classes sociais. Estava definitivamente superada a ideia de Georg Jellinek: não terem os partidos, enquanto tais, qualquer lugar na ordem estadual. Mesmo que lhes fosse reconhecida influência política, eles apenas podiam ser tratados como maiorias ou como minorias [29]. Paradoxalmente, os partidos assumiam um papel constitucional, mas, ao mesmo tempo, eram remetidos para o domínio dos «acontecimentos extraconstitucionais». A Constituição de 1976 é, neste aspecto, explícita: os partidos são uma *realidade constitucional* e *direito constitucional formal* (arts. 10.º/2.º, 40.º, 51.º, 114.º, 151.º, 180.º, 187.º, 288.º/*i*). Esta «decisão» não foi apenas «reflexo» da realidade. O princípio democrático, como já se referiu, não assenta numa *unidade imposta ou pressuposta*, mas sim no pluralismo político e social. Consequentemente, a democracia só podia ser *democracia com partidos* e o Estado constitucional só podia caracterizar-se como um **Estado constitucional de partidos** [30, 31].

2. Os partidos como associações privadas com funções constitucionais

Em virtude do reconhecimento constitucional dos partidos políticos e da sua influência para a formação da «vontade política» já se pretendeu que os partidos exerciam funções de um *órgão constitucional*. Segundo alguns, eles eram mesmo um órgão do Estado [32]. A *constitucionalização dos partidos* ou «incorporação constitucional dos partidos» (Hesse) implicaria que eles deixassem de ser apenas uma realidade sociológico-política para passarem a ser entidades

---

[29] Cfr. G. JELLINEK, *Allgemeine Staatslehre*, 3.ª ed., p. 114. Sobre a institucionalização jurídica dos partidos cfr. K. LOEWENSTEIN, *Verfassungslehre*, 2.ª ed., 1969, p. 390. Para o estudo das várias fases da atitude do Estado perante os partidos políticos – oposição-indiferença-legitimação-incorporação – cfr. as referências de CHIMENTI, «I Partiti Politici», in BARBERA/AMATO, *Manuale di diritto pubblico*, p. 325.

[30] Cfr. a evolução para a «democracia de partidos» em GARCIA PELAYO, *El Estado de Partidos*, Madrid, 1984, p. 29 ss.; ELOY GARCIA, *Inmunidad Parlamentaria y Estado de Partidos*, Madrid, 1989, pp. 85 e ss. Sobre o funcionamento do parlamento e partidos em Portugal cfr. J. M. BRAGA DA CRUZ, «O Parlamento e os Partidos», in *Análise Social*, 100, pp. 102 e ss.

[31] Mesmo antes da entrada em vigor da Constituição, o DL 595/74, de 7/10 (Lei dos Partidos Políticos), havia já consagrado os partidos como entidades organizatórias, política e constitucionalmente relevantes.

[32] Esta ideia foi defendida na Alemanha, a partir da concepção de LEIBHOLZ, *Strukturprobleme der modernen Demokratie*, 1974, p. 92, que fala da participação dos partidos políticos na formação da vontade do povo como equivalente a «funções de um órgão constitucional» (a expressão é, de resto, colhida de uma sentença do *Bundesverfassungsgericht*). FORSTHOFF, *DÖV*, n.º 56, p. 513, chegou a falar de «estadualização dos partidos». Sobre o significado do reconhecimento jurídico-constitucional dos partidos políticos cfr. G. SCHMID, *Politische Parteien*, pp. 91 ss. Entre nós, cfr., M. REBELO DE SOUSA, *Os Partidos Políticos*, pp. 81 ss.

jurídico-constitucionalmente relevantes. O reconhecimento de relevância jurídico-constitucional de modo algum corresponde à sua «estatização». Isto deriva fundamentalmente do facto de os partidos terem um *estatuto constitucional* configurado como *direito subjectivo, direito político* e *liberdade fundamental*. A Constituição reconhece a liberdade de formação dos partidos políticos como um direito fundamental (art. 51.º) e concede-lhes um estatuto privilegiado em relação ao direito geral de associação.[33]

Além de não serem órgãos estaduais ou constitucionais, os partidos não devem qualificar-se como *corporações de direito público,* pois embora lhes seja constitucionalmente atribuída uma função política, nem por isso se pode falar de um «estatuto singular de direito público». Do *estatuto subjectivo* deriva a sua caracterização como *associações de direito privado* às quais se reconhecem direitos fundamentais (na medida em que sejam aplicáveis a pessoas colectivas) [34].

Além disso, e não obstante a Constituição reconhecer aos partidos um direito fundamental de participação política e instituir quase um monopólio partidário de representação política, os partidos também não são *órgãos do povo* nem titulares de poderes do Estado. Trata-se de organizações aglutinadoras dos interesses e mundividências de certas classes e grupos sociais impulsionadores da formação da vontade popular, sendo incorrecto qualificá-los como «órgãos» de uma «unidade místico-espiritual» reconduzível, em último termo, ao povo (cfr. Lei Orgânica 2/2003, art. 2.º, onde se especificam os fins dos partidos políticos). A sua função de *mediação política* – organização e expressão da vontade popular (art. 10.º/2), participação nos órgãos representativos (art. 114.º/1) e influência na formação do governo (art. 187.º/1) – indicia o reconhecimento de uma *qualidade jurídico-constitucional diferenciadora* das associações partidárias em relação às simples associações privadas. Como *elementos funcionais de uma ordem constitucional,* os partidos situam-se no ponto nevrálgico de imbricação do poder do

---

[33] Cfr., no direito alemão, HENKE, *Das Recht der politischen Parteien,* Göttingen, 1972, pp. 110 e ss; K. H. SEIFERT, *Die politischen Parteien im Recht der Bundesrepublik Deutschland,* Köln/Berlin/Bonn/ /München, 1973, p. 79; I. von MÜNCH, *Staatssrecht,* I, 6.ª ed., 2000, p. 84.

[34] Cfr., desenvolvidamente, M. R. KHEITMI, *Les Partis Politiques et le Droit Positif Français,* Paris, 1964. Na doutrina portuguesa, cfr. a análise de M. REBELO DE SOUSA, *Os Partidos Políticos,* cit., pp. 91 e ss; «A Constituição e os Partidos Políticos», cit., p. 611. Cfr. também CRISAFULLI, «I Partiti nella Costituzione Italiana», in *Studi per il Ventennale,* Firenze, 1969; RIDOLA, «Partiti Politici», in *Enc. Dir.,* XXXII, 1982; S. GALEOTTI, «Quelques réflexions sur les groupements et les organismes sans personalité juridique», in *Travaux de l'Association Henri Capitant,* vol. XXI, Paris, 1969, p. 335; GALEOTTI, *Alla ricerca della governabilità,* Milano, 1983, pp. 75 e ss; F. BASTIDA FREIJEDO "La Relevancia Constitucional de los Partidos politicos y sus diferentes significados. La falsa cuestion de la natureza juridica de los partidos", in J. J. GONZALEZ DE ENCINAR, *Derecho de Partido,* Madrid, 1992, pp. 67 e ss; J. L. GARCIA GUERRERO, *Democracia Representativa de Partidos,* pp. 165 e ss.; P. L. MURILLO DE LA CUEVA, *El Derecho de Asociacion,* Madrid, 1996, p. 33 ss.

Estado juridicamente sancionado com o poder da sociedade politicamente legitimado. Já não é líquida a resposta à questão de saber se os partidos políticos podem aspirar a ser mais que elementos funcionais de um estado constitucional democrático. Mais concretamente: será adequado, sob o ponto de vista constitucional, a institucionalização de uma *estadualidade partidária*? Entende-se por **estadualidade partidária** a estrutura política na qual os partidos se assumem crescentemente como "partidos-de-estado", sendo, como quaisquer outros órgãos constitucionais do Estado, dotados de financiamento estatal (cfr. o n.º 6 do art. 51.º, introduzido pela LC 1/97), de funcionários pagos pelo Estado e pretendendo para si o quase monopólio na ocupação dos cargos políticos [35]. A resposta é negativa. Vejam-se os desenvolvimentos subsequentes.

3. Liberdade interna e liberdade externa

A **liberdade externa** dos partidos reconduz-se fundamentalmente à *liberdade de fundação de partidos políticos* (art. 51.º) e à *liberdade de actuação partidária*. Fala-se aqui em *princípio da liberdade* (cf. L 2/2003, Lei dos Partidos Políticos, art. 4.º) porque se pretende salientar a «dimensão negativa» ou «defensiva» em relação às ingerências estaduais. Como consequência da liberdade de fundação de partidos, será inconstitucional qualquer regime prévio de autorização ou licença (cfr. art. 46.º/1). Há, porém, limites à fundação de partidos, designadamente por *estrangeiros*, porque estes não são, em geral, titulares de direitos políticos. Vigora o chamado *princípio da cidadania* (cf. L 2/2003, art. 7.º): os partidos políticos são integrados por cidadãos titulares de direitos políticos. O princípio da cidadania condiciona a filiação de estrangeiros (e apátridas) em partidos políticos, dado que eles só gozarão dos direitos de participação compatíveis com o estatuto de direitos políticos que lhe estiver reconhecido (cfr. L 2/2003, art. 20.º/4).

A liberdade de fundação de partidos não tem apenas uma dimensão negativa: positivamente, a associação partidária é um verdadeiro direito subjectivo dos cidadãos (art. 51.º/1). Como corolário da liberdade de associação partidária, ninguém pode ser obrigado a fazer parte de um partido ou coagido, por qualquer meio, a nele permanecer (art. 46.º/3). Estreitamente conexionados com a liberdade externa estão os limites relativos à sua *extinção* e *suspensão* (cfr. L n.º 28/82, de 15 de Janeiro, art. 104.º). Nos termos da Constituição

---

[35] Cfr., por ex., F. THEDIECK, "Demokratietheorien und Grundgesetz", in JA, 1991, p. 349; H. MAURER, "Die Rechtsstellung der politischen Parteien", in JUS, 1991, pp. 888 e ss; STOLLEIS/SCHÄFER/RHINOW, *Parteienstaatlichkeit Krisensymptome des demokratischen Verfassungsstaats?* VVDSTRL, 44 (1986).

(arts. 46.º/4, 223.º/2/*e*) e da lei (LTC, art. 104.º e L 2/2003, arts. 17.º e 18.º) pertence ao Tribunal Constitucional ordenar a extinção de um partido político (cfr. Ac. TC 17/94, relativo ao *Caso MAN – Movimento de Acção Nacional*).

A **liberdade interna** dos partidos revela-se, sobretudo, em duas questões fundamentais: *a)* sobre os partidos não pode haver qualquer controlo ideológico-programático; *b)* não é admissível um controlo sobre a organização interna do partido (cfr. art. 51.º/3). Isto significaria a exclusão de qualquer controlo quanto à «democraticidade» interna ou ideológica de um partido. A revisão de 1997 veio estabelecer aqui uma importante inovação. A liberdade interna não pode neutralizar o *princípio democrático* (cf. L 2/2003, art. 5.º). A organização interna dos partidos deve obedecer, à semelhança de outras organizações sociais constitucionalmente relevantes (cfr. art. 55.º sobre a democraticidade interna das associações sindicais), às regras básicas inerentes ao princípio democrático (cfr. art. 223.º/2/*h*). Deu-se, assim, guarida, à ideia, defendida por alguns autores, de que a *democracia de partidos* postula a *democracia nos partidos* (cf. LTC, arts. 103.º-C, 103.º-D, 103.º-E). A **democracia interna** pressupõe, entre outras exigências, a *proibição do princípio do chefe (Führerprinzip)*, a exigência da formação da vontade a partir das bases, o direito dos membros do partido a actuação efectiva dentro do partido, o direito à liberdade de expressão, o direito à oposição, o direito à igualdade de tratamento de todos os membros.[36] A exigência de observância de princípios democráticos não pressupõe uma relação necessária com a ideia de **inimizade constitucional**. Se é legítimo aludir a uma «inimizade constitucional», ela só pode ter como referente aquilo que a Constituição considera a negação histórica portuguesa[37] do princípio democrático e dos seus elementos (soberania popular, igualdade, respeito dos direitos e liberdades fundamentais, pluralismo de expressão e organização e política democráticas), ou seja, as *organizações de ideologia fascista* (arts. 2.º, 46.º/4 e 160.º/1/*d* da CRP, art. 10.º da LTC e L 2/2003, art. 8.º). No entanto, a redacção do art. 46.º/4, derivada da revisão de 1997 (4.ª Revisão), parece indicar uma outra inimizade constitucional associada à inobservância de alguns princípios do *jus cogens* internacional e com recepção expressa no próprio texto constitucional.

---

[36] Cfr. R. BLANCO VALDÉS, "Democracia de Partidos y Democracia en los partidos", in J. J. GONZALEZ DE ENCINAR, *Derecho de los partidos*, pp. 41 e ss; M. CERMEL, *La democrazia nei partiti*, Padova, 1998; F. GRAWERT, *Parteienausschluss und Innerparteiliche Demokratie*, 1987; C. PINELLI, *Discipline e Controlli sulla 'democrazia interna' dei partiti*, Padova, 1984, p. 19 ss.

[37] Cfr., os termos sibilinos do Ac TC 17/94, DR, II, 31-03-94, relativo ao *Caso MAN – Movimento de Acção Nacional*, em que se pretendeu "actualizar· metodicamente o conceito de "organização fascista" fazendo apelo à ordem democrática alemã. Cfr., agora, R. MORODO/P. L. MURILLO DE LA CUEVA, *El Ordenamiento*, cit., p. 30 ss.; 78 ss.; NAVARRO MÉNDEZ, *Partidos Políticos y 'democracia interna'*, Madrid, 1999, p. 321 ss.

Referimo-nos ao *princípio da proibição de discriminação de raças* (cfr. art. 13.º) que, de resto, sempre foi violado pelas organizações fascistas. Daí a actual norma do art. 46.º/4, proibindo a formação de *partidos racistas* (cfr., também, arts. 160.º/1/*d*, 223.º/2/*c*).

Os direitos fundamentais – sobretudo os direitos, liberdades e garantias – valem nas relações entre o partido e os seus membros nos termos do art. 18.º/1 da CRP (cf., também, L 2/2003, art. 23.º). Neste contexto, colocam-se importantes problemas relacionados com a "liberdade igual" dentro dos partidos cuja expressão mais discutida é das **quotas femininas** quanto à nomeação de mulheres para a lista de candidatos e para a ocupação de cargos partidários. O princípio que parece radicar-se é o da *proibição da subrepresentação de sexos*. Como corolários desta proibição indicam-se os seguintes: (1) participação directa, activa e *equilibrada* de homens e mulheres na actividade política; (2) não discriminação no acesso aos órgãos partidários e nas candidaturas apresentadas pelos partidos políticos (cf. L. 2/2003, art. 29.º).

4. A igualdade de oportunidades dos partidos

A liberdade partidária é inseparável da *garantia da igualdade*, ou seja, o reconhecimento jurídico a todos os partidos de iguais possibilidades de desenvolvimento e participação na formação da vontade popular. Seria, por ex., inconstitucional estabelecer regimes jurídicos diferentes para os diversos partidos (uns como corporações de direito público, outros como associações privadas) ou reconhecer papel dirigente a um partido. *A liberdade partidária e a igualdade de oportunidades* no desenvolvimento da actividade política são duas dimensões da liberdade partidária: *proibição de ingerência positiva e de ingerência negativa* dos poderes públicos na fundação, existência ou desenvolvimento dos partidos[38]. Mais difícil é determinar e delimitar concretamente a **igualdade de oportunidades** *(Chancengleichheit)*[39]. Por um lado, os partidos são, de facto, desiguais quanto à inserção política, à implantação eleitoral e popular, à capacidade de mobilização, à organização e recursos materiais. Por outro lado, a igualdade de oportunidades reconduz-se, em geral, a uma igualdade jurídica e não a uma *«égalité des conditions»*, a uma igualdade qualitativa. Os princípios da igualdade e

---

[38] Cfr. HESSE, *Grundzüge*, cit., p. 72.
[39] Cfr. H. R. LIPPHARDT, *Die Gleichheit der politischen Parteien vor den öffentlichen Gewalt*, Berlin, 1975. A doutrina alemã utiliza aqui também a fórmula de «igualdade de concorrência» *(Gleichheit der Wettbewerbschancen)*.

da liberdade de concorrência partidária pressupõem a «abertura» do processo político através da «paridade» de tratamento, da «tolerância» e «neutralidade» das entidades públicas e da «relatividade» dos valores políticos (cfr. art. 116.º/3). Uma «igualdade esquemática» excluirá, desde logo, qualquer discriminação jurídica entre «partidos grandes» e «pequenos», «partidos de governo» e «partidos de oposição», partidos com «representação parlamentar» e «partidos sem representação parlamentar». Adianta-se também que os partidos do governo não podem extrair quaisquer «mais-valias» da «posse legal do poder».

a) *Igualdade de oportunidades e concorrência eleitoral*

A **igualdade de oportunidades na concorrência eleitoral** (cfr. art. 113.º/3.º-*b*, da CRP, e art. 56.º da Lei n.º 14/79, de 16-5, reguladora das eleições para a AR, e Lei n.º 71/78, de 27-12, art. 5.º, reguladora da Comissão Nacional de Eleições) foi um dos primeiros domínios onde se começou a tentar dar operatividade prática ao princípio da igualdade de oportunidades através da definição de regras relativas ao direito de voto, ao sistema eleitoral e à campanha eleitoral[40]. Alguns problemas são hoje discutidos: (*i*) distinção entre direito de informação do governo e aproveitamento, pelo governo, dos órgãos de informação (a doutrina inclina-se aqui para fortes limites às notas oficiosas e às informações do governo depois do começo da campanha eleitoral); (*ii*) se os tempos de emissão para propaganda eleitoral devem estar sujeitos a todos os corolários do princípio da representatividade (cfr. art. 40.º/1, 2 e 3), conducentes a uma «igualdade gradativa» (ex.: partidos que concorram em todo o território nacional terão direito a mais tempo de emissão do que os que concorrem apenas por certos círculos); (*iii*) o problema da legitimidade de *cláusulas-barreira* (impositivas de uma percentagem mínima de votos para um partido ter assento parlamentar) inequivocamente inconstitucionais na ordem constitucional portuguesa (cfr. arts. 113.º/5 e 152.º/1); (*iiii*) o problema do arbítrio na divisão dos círculos eleitorais, salientando-se que a «geometria eleitoral» pode ser tão inconstitucional ao delinear círculos de grandeza diferente como ao estabelecer círculos completamente iguais [41].

---

[40] Cfr. K. H. SEIFERT, *Die politischen Parteien*, cit., pp. 145 e ss. Entre nós, cfr. M. GALVÃO TELES, «O regime jurídico das campanhas eleitorais no Direito Comparado», in *Estudos em homenagem do Prof. Marcello Caetano*, pp. 228 ss; M. REBELO DE SOUSA, *Os Partidos Políticos*, cit., pp. 102 e ss.

[41] Cfr. K. H. SEIFERT, *Die politischen Parteien*, cit., pp. 145 e ss.; B. AYALA, *O Direito de Antena Eleitoral*, p. 625 ss.; VITAL MOREIRA, "O Direito de Resposta e de Réplica Política...," in RMP, 57 (1994), p. 57

Algumas das mais recentes controvérsias relativas à igualdade eleitoral dizem respeito ao chamado **tráfico comunicativo** (utilização de ruas e estradas para a propaganda eleitoral). É discutível se o *uso especial* das vias públicas carece de licença ou autorização. Em princípio, os partidos têm direito à autorização dos espaços públicos dada a relevância constitucional da liberdade partidária e da liberdade de expressão e de informação. As excepções (restrições) têm de ser fundamentadas em interesses constitucionalmente relevantes (ex.: perigo para o tráfego e vida das pessoas, violação grave do ambiente).

b) *Igualdade de oportunidades e financiamento dos partidos*

Uma dimensão fundamental do *princípio da igualdade de oportunidades* é a questão do **financiamento público dos partidos**. De acordo com a caracterização dos partidos – associações privadas com estatuto subjectivo de liberdade externa e interna e organizações independentes do Estado, livremente concorrentes –, é questionável a transformação em *tarefa do Estado* do financiamento da actividade partidária (cfr., art. 51.°/6). É materialmente justo o financiamento das campanhas eleitorais dado o seu importante contributo para a formação da vontade política. A passagem legítima de um *financiamento estadual imediato* pagamento dos custos da campanha eleitoral a quem tiver uma percentagem mínima de votos) para *um financiamento estadual mediato* (atribuição de subsídios aos partidos representados no parlamento) tem merecido sérias objecções. Se o financiamento público dos partidos solidifica a sua posição perante influências externas (o que é mais que duvidoso) nem por isso os subsídios orçamentais deixam de constituir uma inversão do próprio princípio democrático: a formação da vontade parte do povo para os órgãos do Estado e não destes para o povo. Acrescente-se ainda: o subsídio dos partidos pode ser um «prémio ao poder» e uma tentativa camuflada da redução partidária externa e do próprio espectro político [42]. O art. 51.°/6 (aditado pela LC 1/97) dá, porém, guarida a uma concepção estadualista de financiamento público, pois neste financiamento cabem não só os financiamentos de campanhas eleitorais mas também os chamados

---

[42] O problema tem sido muito discutido. Cfr., por ex., P. HUG, *Die Verfassungsrechtliche Problematik der Parteifinanzierung*, Zürich, 1970; H. PLATE, *Parteifinanzierung und Grundgesetz*, 1966. Vejam-se ainda as referências gerais de K. STERN, *Staatsrecht*, Vol. I, cit., p. 252; J. v. MÜNCH, *Grundbegriffe des Staatsrechts*, Vol. II, 1976, pp. 44 e ss; G. SCHMID, *Politische Parteien*, pp. 115 e ss.; GARCIA PELAYO, *El Estado de Partidos*, p. 65 ss. Entre os estudos mais informativos contam-se o de G. LARDEYET, *Le financement des partis politiques et des campagnes électorales*, Paris, 1980, e o de D. TSATSOS (org.), *Parteifinanzierung im europäischen Vergleich*, Baden-Baden, 1992, onde se pode ver o estudo de M. REBELO DE SOUSA sobre o financiamento dos partidos em Portugal (pp. 399 e ss.); GONZÁLEZ VARAS, *La financiación de los partidos políticos*, Madrid, 1995. Na literatura portuguesa, cfr. a tese de M. REBELO DE SOUSA, *Os Partidos Políticos*, cit., p. 403.

financiamentos estruturais mediatos (cfr. Leis 56/98, de 18-8, 97/98, de 17-8, e 23/2000, de 23-8, relativas às contas e financiamentos dos partidos políticos hoje revogados pela Lei 19/2003, de 20/6, que, contudo, só entrará integralmente em vigor em 1/1/2005). O principal argumento a favor do financiamento público (e, para alguns, exclusivamente público) é do respeito pelo *princípio da igualdade de oportunidades* de todos os partidos políticos.

O problema do financiamento dos partidos não diz apenas respeito ao financiamento público. Também os **financiamentos privados** colocam sérios problemas de igualdade (saber se deve haver um *plafond* máximo, saber se deve existir uma exigência de publicidade, saber se é razoável distinguir entre financiamento de pessoas individuais e de pessoas colectivas, saber se os estipendios privados para os partidos podem beneficiar de tratamento fiscal especial). A exigência de anonimato é incompatível não apenas com o dever de prestar contas mas também com a liberdade interna ("quem paga, diz a musica que se deve tocar nos partidos políticos). A lei (cf. L 19/2003, de 20/6, Financiamento dos Partidos Políticos e das Campanhas Eleitorais) veio consagrar a proibição de donativos ou empréstimos de pessoas colectivas (art. 8.º). Quanto aos contributos financeiros de pessoas colectivas (empresas, fundações), radicou-se a ideia (depois dos conhecidos escândalos de Köhl, Miterrand, Chirac, Elf) que há bons motivos para proibir subsídios financeiros canalisados por pessoas colectivas. Elas não são nem podem ser membros dos partidos e não dispõem de qualquer capacidade eleitoral activa e passiva. Não respeitam, pois, o *princípio de cidadania*, segundo o qual os partidos políticos são integrados apenas por cidadãos.

Admitido que seja o financiamento estadual dos partidos, impõe-se ainda discutir vários problemas.

(1) Qual o destinatário do financiamento? Se se optar pelo «modelo norte-americano», o financiamento reverterá a favor do candidato; se o modelo escolhido for o «europeu» as subvenções financeiras destinar-se-ão aos partidos; se se aderir a um critério misto (Canadá) as subvenções financeiras beneficiarão simultaneamente os partidos e os candidatos.

(2) O que é que se deve financiar? Trata-se agora de saber se o financiamento se deve limitar às campanhas eleitorais ou se a institucionalização do financiamento público se deve alargar às actividades normais dos partidos. Neste último sentido pode argumentar-se com o facto de o cumprimento das funções constitucionalmente atribuídas aos partidos não se limitar aos períodos eleitorais (assim na Itália, Áustria, Espanha, Portugal).

(3) Quais, dentre os partidos e candidatos, devem beneficiar das subvenções financeiras? A questão reconduz-se à escolha de um critério selectivo dos beneficiários do financiamento. Um dos critérios possíveis é o da *representação parlamentar* (Finlândia, Dinamarca, Espanha, Portugal), segundo o qual só a partidos com representação parlamentar podem beneficiar do financiamento público. A repartição far-se-á tendo em conta o número de mandatos ou número de votos. Este critério – eis aqui a objecção principal – pode conduzir à rigidificação e petrificação do sistema partidário. Outro critério toma como base, para a atribuição de subvenções, o *número*

de votos obtidos, financiando-se os candidatos ou partidos que tenham obtido uma determinada percentagem de votos (Estados Unidos, Canadá, Alemanha). Em alguns países, utiliza-se um critério misto: representação parlamentar e percentagem de votos. Isto conduz ao financiamento dos partidos com representação parlamentar, distribuindo uma parte igual por todos os grupos com formação parlamentar, e outra parte em função do número de votos obtidos por cada um deles (Áustria, Itália, Suécia). É também o sistema misto que hoje se encontra legalmente consagrado em Portugal (cf. L 19/2003, arts. 5.º, 17.º, 18.º).

(4) A que níveis se devem financiar os partidos? A nível nacional, a nível regional, a nível local ou a todos conjuntamente? Um sistema de financiamento público a nível municipal existe na Alemanha e na Suécia, propiciando-se com isso uma relativa independência das organizações locais partidárias relativamente aos esquemas organizatórios nacionais.

(5) O financiamento público implica a proibição de outras fontes de financiamento? Em algumas legislações existem medidas restritivas (exs. nos Estados Unidos os candidatos presidenciais que optem pelas subvenções públicas devem renunciar aos subsídios privados e limitar os seus gastos às subvenções públicas; na Itália proibem-se as doações provenientes dos órgãos da administração, de pessoas públicas e de sociedades com participação pública em percentagem superior a 20%). Entre nós, deve ter-se em conta as restrições estabelecidas na Lei (L 19/2003, art. 7.º) quanto aos donativos singulares (art. 3.º) e às despesas de campanhas eleitorais (art. 20.º).

Finalmente, é de ponderar se as diferenciações estabelecidas para o financiamento dos partidos não correrão o risco de transformarem uma «igualdade de oportunidades gradativas» *(abgestufte Chancengleichheit),* cujos limites não são precisos, numa «cláusula de diferenciação» que viola ostensivamente o princípio da igualdade.

Sobre todos estes problemas cfr., por ex. Gambino, *Partiti Politici* e *forma di governo: finanziamento pubblico, transformazione del partito,* Napoli, 1977; Schwartmann, R. – *Verfassungsfragen der Allgemeinfinanzierung politische Parteien,* Neuwied, Berlin, 1995; S. González Varas, *La Financiación de los partidos políticos,* Madrid, 1995. Entre nós, cfr., José Manuel Meirim, *O financiamento dos partidos políticos e das campanhas eleitorais,* Lisboa, 1994.

c) *Destinatário constitucional da igualdade de oportunidades*

Também não é isento de dificuldades o problema da identificação do *destinatário da imposição constitucional* da igualdade de oportunidades. Que ela se dirige ao *estado* e a quaisquer outros poderes públicos está fora de quaisquer dúvidas. A forma de actuação (pública ou privada, actos materiais ou actos jurídicos) não tem qualquer relevância. As perplexidades surgem já quanto à questão de saber se o princípio constitucional da igualdade de oportunidades se impõe também a *terceiros.* A vinculação de entidades privadas (cfr. art. 56.º da L n.º 14/79, de 16 de Março) parece, desde logo, resultar da *eficácia externa,* constitucionalmente consagrada, quanto aos direitos, liberdades e garantias (cfr. art. 18.º/1). Todavia, a imposição constitucional da igualdade de oportunidades não pode transformar-se numa obrigação dos cidadãos a «abstinências» partidárias. O sentido útil da eficácia externa do princípio da igualdade reside na necessidade de submeter as organizações com carácter de *domínio* (ex.: países

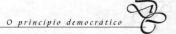

com concentração monopolista de imprensa) ou visivelmente condicionadoras da liberdade de voto (ex.: igrejas) a não violar o princípio da igualdade de oportunidades [43]. Em termos positivos, esta eficácia externa significa também direito a igual tratamento por parte de entidades privadas no que respeita, por ex., a tempos de antena, inserção de propaganda eleitoral, utilização de salas de espectáculos (cfr., por ex., L 14/79, de 16/5 – Lei eleitoral para a Assembleia da República –, arts. 61.º ss.).

5. Prestação de contas dos partidos

Os partidos políticos estão constitucionalmente obrigados a tornar públicos os respectivos *patrimónios* e *contas* (CRP, art. 51.º/6). O sentido desta exigência constitucional é a de submeter à publicidade crítica – desde logo dos militantes, membros ou associados dos próprios partidos – as fontes de financiamento e, consequentemente, as pessoas ou grupos que influenciam o programa político-partidário. Além disso, o **princípio da publicidade do património e contas** contribui ou pode contribuir para a integridade da formação da vontade político-democrática. A Constituição impõe à lei a definição e concretização dos requisitos e limites do financiamento público dos partidos e das exigências da publicidade do seu património e das suas contas (cfr. Leis 56/98, de 20/8, 23/2000 de 23/8, e Lei Orgânica 1/2001, de 14/8) e, agora, a L 19/2003, de 20/6, ainda não integralmente em vigor. No âmbito normativo do preceito constitucional cabem todos os *meios* financeiros e bens patrimoniais, sejam eles de natureza real (bens imóveis) sejam de natureza obrigacional. É discutível, porém, se as fundações, organizações ou institutos de investigação, empresas, instituições, que estão próximos dos partidos, mas são juridicamente separadas deles, devem considerar-se como "candidatos positivos" do art. 51.º/6 da Constituição. O princípio da publicidade neutraliza o anonimato dos eventuais patrocinadores.

No ordenamento jurídico português, incumbe ao Tribunal Constitucional apreciar o cumprimento ou incumprimento das obrigações constitucionais e legais (cf. L 2/2003, art. 18.º/1/e) referentes à apresentação de contas dos partidos (cf. Acs. TC arts. 103.º-A e 103.º-B, Leis 56/98, de 17/08, 23/2000 de 23/8). A prestação de contas é obrigatória para todos os partidos inscritos e registados no Tribunal Constitucional, independentemente do exercício ou não

---

[43] Cfr. K. H. SEIFERT, *Die politischen Parteien*, cit., p. 136; JULICH, *Chancengleichheit der Parteien*, 1967. No que respeita às igrejas, os autores salientam que não está em causa a defesa, por ex., dos princípios cristãos, mas o facto de condicionarem a liberdade de voto, considerando, por ex., como «pecado», a votação em certos partidos. Cfr. K. H. SEIFERT, *Die politischen Parteien*, cit., p. 380.

de actividade política, do recebimento ou não de verbas públicas, ou da sua dimensão política, ou da existência ou não de representação parlamentar (cf. Acs. TC 522/98, 36/2000, 551/2000). A L 19/2003 reforçou as dimensões técnicas deste controlo ao criar a *Entidade das Contas e Financiamentos Políticos* (art. 24.º). Trata-se de um órgão independente a funcionar junto do Tribunal Constitucional e que tem como funções coadjudá-lo tecnicamente na apreciação e fiscalização das contas dos partidos e das campanhas eleitorais.

6. A posição jurídico-constitucional dos filiados partidários dentro do partido

O princípio da democracia interna ou intrapartidária apontava já para a ideia de uma **vinculação constitucional directa dos partidos políticos pelos direitos, liberdades e garantias**, designadamente os direitos de participação política. Este princípio da vinculação constitucional impõe ainda o reconhecimento de direitos fundamentais aos respectivos militantes enquanto membros de um partido (liberdade de expressão, liberdade de comunicação, igualdade, direito de oposição). Estes direitos não são apenas um corolário do princípio da democracia intrapartidária. Os partidos políticos, quer sejam associações privadas de direito privado quer associações de direito público, configuram-se como **espaços normativamente informados** pelos princípios e regras constitucionais. Além disso, a vinculação directa dos partidos políticos pelos direitos, liberdades e garantias, está, na ordem jurídico-constitucional portuguesa, expressamente consagrada no art. 18.º, n.º 2. Isto não significa que não haja algumas especificidades.

É, desde logo, o caso da liberdade de inscrição. Esta tem de conciliar-se com o direito dos órgãos partidários poderem recusar o pedido de inscrição, não se podendo falar de um **direito fundamental à inscrição num partido**. Quando muito, poderá dizer-se que são inconstitucionais cláusulas – barreira gerais ou que a recusa de inscrição não deve ser arbitrária ou discriminatória (cf. L 2/2003, art. 20.º/3).

O cidadão tem o direito de abandonar um partido através da comunicação da sua vontade de "desfiliação" (cf. L 2/2003, art. 20.º/1). Suscita já dificuldades o regime de expulsão de um membro de um partido político. Aqui, diferentemente do que acontece quanto ao pedido de filiação, entende-se, em geral, que a medida de exclusão ou de expulsão de um filiado deve ser fundamentada e possibilitar ao membro afectado por essa medida o exercício do direito de ser ouvido, do direito de defesa, do direito de recurso para os órgãos superiores ou para os órgãos estatutariamente competentes para a solução de litígios (cf. L 2/2003, art. 23.º/2). É questionável se existe ou deve existir recurso para os

tribunais ordinários das medidas sancionatórias intrapartidárias, designadamente, da pena de expulsão. No plano do direito constitucional positivo, deve ter-se em conta a competência do Tribunal Constitucional (acrescentada pela LC 1/97) para julgar as acções de impugnação de eleições e deliberações de órgãos de partidos políticos que, nos termos da lei, sejam recorríveis (CRP, art. 223.º, 2/h). Ora, nos termos da lei (LTC, art. 103.º/d e L 2/2003, art. 31.º/2) "qualquer militante de um partido político pode impugnar, com fundamento em ilegalidade ou violação de regra estatutária, as decisões punitivas dos respectivos órgãos partidários, tomadas em processo disciplinar em que seja arguido, e, bem assim, as deliberações dos mesmos órgãos que afectem directa e pessoalmente os seus direitos de participação na actividade do partido". Discute-se, no plano doutrinário, se é correcto transformar em "causa de um tribunal estadual" a bondade ou mérito da medida sancionatória partidária, colocando as decisões judiciais no lugar das decisões dos órgãos partidários a quem compete valorar político-partidariamente a actuação dos seus membros. A Lei do Tribunal Constitucional (art. 103.º-D) parece sugerir que o recurso para o Tribunal Constitucional se deve limitar a questões de **ilegalidade** ou de **violação** de **regras** constantes do estatuto partidário.[44] Considera-se, por exemplo, como fundamento legítimo de exclusão a inscrição de um membro num partido adversário ou concorrente, o apoio a candidatos concorrentes de outros partidos e a candidatura nas listas de partidos adversários. O mesmo valerá para deliberações de incompatibilidade entre a qualidade de membro e o desenvolvimento de actividades em organizações (fundações, centros) pertencentes a outros partidos. Já é menos líquido a exclusão de membros pela tomada de posições públicas (através de órgãos de comunicação, de conferências de imprensa, de publicação de livros) divergentes ou criticas das posições oficiosas dos órgãos dirigentes (cfr., precisamente, os Acs. TC 185/2003 e 355/2003, *caso Carlos Brito e outros* vs PCP). Deve ter-se em conta, sobretudo, o princípio da proporcionalidade, pois muitos dos litígios intrapartidários pressupõem uma relação de conflito entre o direito de liberdade de expressão e o direito de criação, autoorganização e autonomia disciplinar das organizações político-partidárias (cf. Ac. TC 355/2003, DR, II, 4.10.2003).

---

[44] Cfr., por ex., MORLOCK, anotações ao artigo 21.º da *Grundgesetz*, in DREIER, *Grundesetz Kommentar*, II, anotação 128.

III - O direito à oposição

O **direito de oposição democrática** (cfr. art. 114.º/2) é um direito imediatamente decorrente da liberdade de opinião e da liberdade de associação partidária. Precisamente por isso, o direito de oposição não se limita à *oposição parlamentar* (o art. 114.º/3, conjugado com o número 1.º do mesmo artigo, poderia ser interpretado nesse sentido), antes abrange o direito à *oposição extraparlamentar*, desde que exercido nos termos da Constituição (art. 10.º/2). Por outro lado, como salienta o Tribunal Constitucional Alemão, a oposição exerce-se não apenas face à maioria parlamentar mas também face à *maioria parlamentar e governo*.[45] A interpretação restritiva do direito à oposição (no sentido de uma simples oposição parlamentar ao «governo de sua majestade»), conduziria, desde logo, a que as forças políticas não representadas no Parlamento vissem a sua liberdade política, o seu direito de participação na vida pública, o seu direito fundamental de associação e a sua liberdade de expressão, indirectamente restringidos (para além do permitido pelo art. 18.º) por uma «anódina» interpretação do direito de oposição democrática (cfr. art. 1.º/3 da L n.º 24/98, de 26 de Maio – Estatuto de Direito de Oposição –, onde se refere precisamente o direito de oposição dos partidos sem representação parlamentar). A ideia de *oposição extraparlamentar* conexiona-se, de resto, com outros direitos fundamentais como, por ex., os direitos de reunião e manifestação (art. 45.º), e com o próprio princípio democrático (cfr. Lei n.º 24/98, art. 3.º/4). O princípio democrático postulará mesmo a oposição extraparlamentar quando a oposição parlamentar deixar de ter expressão significativa, como é o caso das «grandes coligações» formadas por todos ou pelos principais partidos com assento no Parlamento *(Allparteienregierung)*.

Específico da *oposição parlamentar* é o direito à informação regular e directa sobre o andamento dos principais assuntos de interesse público (art. 114.º/3), o direito de fiscalização e de crítica no âmbito da Assembleia da República (arts. 156.º, 180.º/2/c e 194.º), o direito de participação na organização e funcionamento do próprio parlamento (arts. 175.º/b, 176.º/3, 178.º/2 e 180.º/1) e o direito de antena (art. 40.º/2) [46]. Particularmente relevante é o *direito de consulta prévia* (cf. Lei n.º 24/98, art. 5.º) sobre questões políticas

---

[45] Cfr., LUCA MEZZETTI, *Giustizia Costitutionale e Opposizione Parlamentare*, pp. 56 e ss.
[46] Cfr., MARCELO REBELO DE SOUSA, *Os Partidos Políticos*, cit., p. 497; J. M. SILVA LEITÃO, *Constituição e Direito de Oposição*, Coimbra, 1987, pp. 138 e ss. Uma visão dos modelos de oposição parlamentar e de justiça constitucional na Europa ver-se-á em LUCA MEZZETTI, *Giustizia Costituzionale e Opposizione Parlamentare*, Rimini, 1992.

importantes (marcação da data de eleições, orientações de política externa, políticas de defesa e segurança interna). O conjunto destes direitos designa-se por **direitos de oposição**. Constitucionalmente duvidosa é a limitação do direito de réplica política apenas aos partidos de oposição representados na Assembleia da República (cfr., porém, L 36/86, art. 2.º, de 5/9 – garantia de réplica política dos partidos de oposição).

IV - Oposição e desobediência civil - O princípio democrático e os seus limites

Na juspublicística mais moderna tem sido discutido se a desobediência civil pode considerar-se como forma de expressão da oposição política e se ela cabe no âmbito normativo de certos direitos fundamentais (ex.: liberdade de expressão, direito de manifestação).

A desobediência civil distinguir-se-ia do direito de resistência porque ela não visa combater globalmente um sistema político corrupto ou injusto. Trata-se, apenas, na conhecida definição de John Rawls, de um «acto público, não violento, consciente e político, contrário à lei, praticado com o propósito de provocar uma alteração da lei ou dos programas de governo». Sob o ponto de vista jurídico-constitucional, a **desobediência civil** poder-se-ia caracterizar como o direito de qualquer cidadão, individual ou colectivamente, de forma pública e não violenta, com fundamento em imperativos ético-políticos, poder realizar os pressupostos de uma norma de proibição, com a finalidade de protestar, de forma adequada e proporcional, contra uma grave injustiça (Dreier). Trata-se, assim, de dar guarida constitucional ao "direito à indignação", procurando-se convencer a opinião pública de que *uma lei, uma política* ou *medidas de uma política* são ilegítimas tornando-se a contestação pública destas plenamente justificada.

Rejeitando energicamente a desobediência civil e incluindo-a no domínio da infracção penal, cfr. H. H. Klein, «Ziviler Ungehorsam im demokratischen Rechtsstaat», in B. Rüthers/K. Stern (org.), *Freiheit und Verantwortung im Verfassungsstaat. Festgabe zum 10 jährigen Jubiläum der Gesellschaft für Rechtspolitik*, München, 1984, p. 177 ss. Para uma opinião mais positiva sobre o direito de desobediência civil, cfr. Dreier, «Widerstandrecht im Rechtsstaat?» «Bemerkungen zum zivilen Ungehorsam», in *Festschrift für U. Scupin, zum 80 Geburtstag*, Berlin, 1983. O estudo do conceito de desobediência civil terá de começar, hoje, pela leitura de John Rawls, *A Theory of Justice* (trad. portuguesa: *Teoria da Justiça*), pág. 364 ss., e *Political Liberalism* (existe trad. port.), p. 348. Cfr., também, J. Habermas, *Faktizität und Geltung*, cit., p. 435; J. L. Cohen/A. Arato, *Civil Society and Politial Theory*, 1992, pp. 587 e ss. Entre nós, cfr. Maria da Assunção Andrade Esteves, *A Constitucionalização do Direito de Resistência*, Lisboa, 1989, pp. 136 e ss. Por último, cfr. Maria Garcia, *Desobediência Civil. Direito Fundamental,* São Paulo, 1994; O. Eceiizabadarrena, *La desobediemcia civil en el estado constitucional democrático*, Madrid, 1999.

F. Princípio Democrático e Princípio Maioritário

I - Fundamento

Existe uma conexão intrínseca entre o **princípio democrático** e o **princípio maioritário**. As raízes do princípio maioritário reconduzem-se aos princípios da igualdade democrática, da liberdade e da autodeterminação. Se a liberdade de participação democrática é igual e vale para todos os cidadãos, então o estabelecimento vinculativo de uma determinada ordenação jurídica pressupõe, pelo menos, a concordância da maioria. E como, por outro lado, a igualdade de participação democrática pressupõe a igualdade dos votos, então estes só poderão fornecer o suporte para decisões através do respectivo número e não através de um diferente «peso»: os votos contam-se, não se pesam. Os indivíduos livres e iguais possibilitam, através do voto livre e igual, a adopção de um método político de decisão que, pelo menos, beneficia de uma *legitimidade quantitativa maioritária*.

II - Limites

A democracia tem como suporte ineliminável o princípio maioritário, mas isso não significa qualquer «absolutismo da maioria» e, muito menos, o domínio da maioria. O *direito da maioria* é sempre um *direito em concorrência* com o *direito das minorias* com o consequente reconhecimento de estas se poderem tornar maiorias.

A maioria não pode dispor de toda a «legalidade», ou seja, não lhe está facultado, pelo simples facto de ser maioria, tornar disponível o que é indisponível, como acontece, por ex., com os direitos, liberdades e garantias e, em geral, com toda a disciplina constitucionalmente fixada (o princípio da constitucionalidade sobrepõe-se ao princípio maioritário). Por vezes, a importância do assunto exige *maiorias qualificadas* não só para se garantir a bondade intrínseca da decisão mas também para a protecção das minorias (cfr. arts. 109.º/3). Por último, devem referir-se os *limites internos* do princípio maioritário: se ele tem a seu favor a possibilidade de as suas decisões se tornarem vinculativas por serem sufragadas por um maior número de cidadãos, isso não significa que a solução maioritária seja materialmente mais justa [47] nem a única verdadeira.

---

[47] Cfr., por ex., HESSE, *Grundzüge*, cit., p. 58; RAWLS, *A Theory of Justice*, p. 397. Entre nós, cfr. BAPTISTA MACHADO, *Introdução ao Direito*, p. 41.

O princípio maioritário não exclui, antes respeita, o «pensar de outra maneira», o «pensamento alternativo». Noutros termos: o princípio maioritário assenta politicamente num «relativismo pragmático» [48] e não num «fundamentalismo de maiorias». Para utilizarmos as palavras de um ex-presidente do Tribunal Constitucional Alemão: o pressuposto básico da praticabilidade do princípio maioritário é a ausência de pretensões absolutas de verdade [49].

III - Consagração constitucional

Não existe um preceito constitucional a reconhecer o **princípio maioritário como princípio constitucional geral**. Várias normas apontam, porém, nesse sentido. No art. 116.º/3, estabelece-se o princípio maioritário para as deliberações dos órgãos colegiais; no art. 163.º/*i* exige-se a maioria qualificada de dois terços para a eleição de certos cargos; no art. 168.º/5 e 6, reafirma-se o princípio da maioria para a aprovação de certas leis; no art. 136.º/2/3, o princípio de maioria é mencionado a propósito da superação do veto político do Presidente da República; nos arts. 284.º e 286.º estabelecem-se maiorias qualificadas para a revisão da constituição. Noutras disposições encontra-se subjacente o princípio da protecção das minorias (ex. art. 278.º/4, 281.º/*g*). Estes dois preceitos da Constituição, inseridos na Parte IV referente à garantia da Constituição, demonstram claramente que a *garantia das minorias* políticas e do estatuto da oposição é também uma *garantia* da própria constituição.[50]

---

[48] Sobre o princípio maioritário, cfr., por ex., SCHEUNER, *Das Mehrheitsprinzip in der Demokratie*, 1973; CLAUDE LECLERQ, *Le Principe de la majorité*, Paris, 1971; PIERRE FAVRE, *La décision de la majorité*, Paris, 1976; E. RUFFINI, *La ragione dei più. Ricerche sulla storia del principio maggioritario*, Bologna, 1977; N. BOBBIO, «La regola di maggioranza: limiti e aporie», in N. BOBBIO/C. OFFE/S. LOMBARDINI, *Democrazia, maggioranza e minoranza*, Bologna, 1981, p. 70; W. HEUN, *Das Mehrheitsprinzip in der Demokratie, Grundlagen, Struktur, Begrenzungen*, Berlin, 1983; H. HATTENAUER/W. KALTFLEITER (org.) *Mehrheitsprinzip, Konsens und Verfassung*, Heidelberg, 1986. A. PIZZORUSSO, *Minoranze e maggioranze*, Torino, 1993.

[49] Cfr. BENDA, «Konsens und Mehrheitsprinzip im Grundgesetz und in der Rechtsprechung des Bundesverfassungsgerichts», in HATTENHAUER/KALTFLEITER, *Mehrheitsprinzip*, cit., p. 64; F. RUBIO LLORENTE, "Minorias y Maiorias en el Poder Constituyente", in *Anuario de Derecho Constitucional y Parlamentar*, 3 (1991), pp. 33 e ss.

[50] Salientando expressamente este ponto, cfr. LUCA MEZZETTI, *Giustizia Costituzionale*, p. 316. Entre nós, cf., J. SOUSA BRITO, "Jurisdição Constitucional e Princípio Democrático", p. 41.

Referências bibliográficas

Acosta Sanchez, J. – "La articulación entre Representación, Constitución y Democracia", in REP, 86 (1994), pp. 99 e ss.

Aragon Reys, M. – *Constitución y Democracia*, Madrid, 1989.

Ayala, B. D. – "O direito de antena eleitoral", in Jorge Miranda, *Perspectivas constitucionais*, vol. I, p. 648.

Baracho, J. A. O. – "A teoria geral de Direito Eleitoral e seus reflexos", in Jorge Miranda (org.), *Perspectivas Constitucionais*, vol. II, pp. 477 e ss.

Bastida Freijedo, F. – "Elecciones y estado democratico de derecho", in *Estudios de Derecho Publico en Homenaje a Ignacio de Otto*, Universidad de Oviedo, 1993, pp. 16 e ss.

– "Constitucion y Democracia", in RCEC, 8 (1991), pp. 9 e ss.

Blanco Valdés R. – *Los Partidos Politicos*, Madrid, 1990.

Brito, J. S. – "Jurisdição Constitucional e Princípio Democrático", in *Legitimidade e Legitimação da Justiça Constitucional*.

Böckenförde, E. W. – "Demokratie als Verfassungsprinzip", in Isensee/Kirchhof, *Staatsrecht*, I, pp. 839 e ss.

Canas, V. – *Referendo Nacional. Introdução e Regime*, Lisboa, 1998.

Costa, J. M. C. – "Constitution et partis politiques (Portugal)", in *Annuaire International de Justice Constitutionnelle*, 1993, pp. 195 e ss.

D'Atena, A. – "Il principio democratico nel sistema dei principi costituzionali", in Jorge Miranda (org.), *Perspectivas Constitucionais*, I, p. 437.

Fernandes, J. B. – "A Representação Proporcional na Constituição da República Portuguesa", in *Estudos Vários de Direito Eleitoral*, AAFDL, Lisboa, 1996, p. 171.

Garcia, Maria da Glória – "A Constituição e a Construção da Democracia", in *Perspectivas Constitucionais*, vol. II, pp. 568 e ss.

Garcia-Pelayo, M. – *El Estado de Partidos*, Madrid, 1984.

Garrorena Morales, A. – *Representación Politica y Constitución Democrática*, Madrid, 1991.

Gomes, Carla, A. – "A evolução do conceito de soberania: tendencias recentes", in SJ, 274/276 (1998), p. 185 ss.

Gomes Canotilho, J. J./Moreira, Vital – *Fundamentos da Constituição*, p. 192 ss.

González Encinar, J. J. – *Derecho de los Partidos*, Madrid, 1992.

Hamon, L. – *Le Référendum. Étude Comparative*, Paris, 1995.

Martins, A. O. – "Legalidade Democrática e Legitimidade do Poder Político", in Jorge Miranda (org.), *Perspectivas Constitucionais*, vol. II, pp. 577 e ss.

Miranda, J. – *Estudos de direito eleitoral*, Lisboa, 1995.

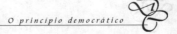

– *Manual de Direito Constitucional*, vol. V, Coimbra, 1997, pp. 337 e ss.

Moreira, V. – "O Direito de Resposta e de Réplica Política: A Constituição o deu, a lei o tirou e AACS o denegou", in *Revista do Ministério Público*, 57, 1994.

– "Princípio da Maioria e Princípio da Constitucionalidade: Legitimidade e Limites da Justiça Constitucional", in *Legitimidade e Legitimação da Justiça Constitucional*, p. 196.

Morodo, R./Murillo de la Cueva, P. L. – *El Ordenamiento Constitucional de los Partidos Políticos*, México, 2001.

Otero, P. – "A «Desconstrução» da Democracia Constitucional", in Jorge Miranda (org.), *Perspectivas Constitucionais*, vol. II, pp. 601 e ss.

Pelayo, G. – *El Estado de Partidos*, Madrid, 1984.

Pinto, R. L. – "Democracia Pluralista Consensual", in ROA, 1989, pp. 263 e ss.

– *Referendo local e descentralização política*, Coimbra, 1988.

Pizzorusso, A. – *Maggioranza e minoranze*, Torino, 1993.

Rescigno, G. U. – "Alcune note sulla rappresentanza politica", in *Pol. Dir.*, 1995, p. 543.

Rodrigues, L. B. – *O referendo português a nível nacional*, Coimbra, 1994.

Schneider, H. P. – *Democracia y Constitucion*, Madrid, 1991.

Urbano, M. B. – *O Referendo. Perfil histórico evolutivo*, Coimbra, 1998.

Silva, L. V. A. – *Sistemas Eleitorais. Tipos, efeitos jurídico-políticos e aplicação ao caso brasileiro*, São Paulo, 1999.

Stricker, G. – *Der Parteienfinanzierungstaat*, 1998.

Capítulo 3
O Princípio da Socialidade

Sumário

A. «Decisão socialista» e «abertura» económica, social e cultural

　I - A «decisão socialista» no texto originário da Constituição

　II - A abertura económico-social operada pelas leis de revisão

B. Significado jurídico-constitucional do princípio da democracia económica e social

1. Imposição constitucional e discricionariedade legislativa
2. O direito como instrumento de conformação social
3. O princípio do não retrocesso social
4. O princípio da democracia económica, social e cultural como elemento de interpretação
5. Imposição da democracia económica, social e cultural
6. O princípio como fundamento de pretensões jurídicas
7. O princípio da democracia económica, social e cultural como princípio organizatório
8. O princípio da democracia económica, social e cultural como limite da revisão constitucional

C. A concretização constitucional do princípio da democracia económica e social

1. O princípio da democracia económica e social e as tarefas ou funções do Estado
2. A «constituição económica»
3. A «constituição do trabalho»
4. A «constituição social»
5. A «constituição cultural»
6. O princípio da igualdade

D. O princípio da socialidade e o Estado regulador

I - O Estado social de regulação

II - Estado social e novo serviço público

A. «Decisão socialista» e «abertura» económica, social e cultural

A realização da democracia económica, social e cultural é uma consequência política e lógico-material do princípio democrático (E. W. Böckenförde). Precisamente por isso, quase todos os estados europeus integraram, de uma forma ou doutra, o **princípio da socialidade** no núcleo firme do Estado Constitucional democrático.[1] O princípio da socialidade é, linguisticamente, uma fórmula plástica utilizada pela Constituição alemã e que não encontra recepção textual na Constituição da República Portuguesa. Esta é a razão que justifica a utilização no texto do enunciado linguistico da lei fundamental portuguesa – princípio da democracia económica, social e cultural. Nesse sentido aponta logo o art. 2.º da CRP, ao considerar como objectivo do Estado de direito democrático «a realização da democracia económica, social e cultural» (cfr., também, arts. 9.º, 80.º, 81.º).

I - A «decisão socialista» no texto originário da Constituição

O problema da extensão da ideia de democracia foi «decidido» no texto originário da Constituição portuguesa de 1976 através da *opção socialista* (art. 2.º). Para esta opção (que, de resto, *não se identificava* com qualquer posição ou doutrina em particular) contribuiram vários factores, todos eles expressos ou implícitos em considerações anteriores sobre a génese da democracia social e económica: *a)* a democracia social e económica é indissociável do problema da reconversão da estrutura dos meios de produção num sentido socialista (art. 9.º/*d*); *b)* a democracia social é uma «questão de trabalho» intimamente ligada às classes trabalhadoras (cfr. arts. 59.º e 60.º); *c)* a democracia social e económica com base no princípio socialista é uma forma de reacção e contraposição a relações de produção capitalista (cfr. primitivos arts. 89.º e 96.º), que, entre nós, se alicerçaram frequentemente em sistemas políticos autoritários e fascizantes (cfr. Preâmbulo); *d)* a democracia social e económica assente na apropriação colectiva dos principais meios de produção é uma forma de garantia da efectivação de direitos sociais, económicos e culturais (art. 9.º/*d*);

---

[1] Cfr., por último, R. HOFMANN/P. HOLLÄNDER/F. MERLI/E. WIEJDERIN (org.), *Armut und Verfassung. Sozialstaatlichkeit im europäischen Vergleich*, Wien, 1998.

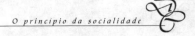

e) a democracia social e económica, alicerçada no princípio socialista, aponta para a abolição da exploração e opressão do homem pelo homem (cfr., sobretudo, art. 9.º/*d*).

A formulação de uma opção socialista foi severamente contestada. Umas vezes discutia-se se um princípio com a natureza do princípio socialista (ou até nas vestes mais modestas de cláusulas da socialidade) devia estar consagrado na constituição. A questão, na sua globalidade, podia reduzir-se a esta pergunta: será politicamente desejável e tecnicamente correcta a inserção de princípios de conteúdo social na lei fundamental de um país? Quem partir da noção de uma lei fundamental no sentido liberal de «simples limite do poder», quem proclamar a constituição como garantia do *status quo*, sobretudo do *status quo* da distribuição de bens patrimoniais, quem proclamar o «isolamento» do estado de direito da sua «ambiance social», quem continuar a insistir na ideia de constituição de um «estado total», neutro e formal, como garantia de uma «unidade» pressuposta, enfim, quem considerar a «questão social» apenas como uma realidade natural, não pode ter outra resposta que não seja a de relegar os princípios sociais de uma constituição (desde o princípio socialista a qualquer cláusula da socialidade, por mais «vaga» e «indiferenciada» que seja) para o lugar modestíssimo de um problema administrativo [2]. Apenas três observações: 1) se hoje se considera indiscutível que o princípio democrático tem uma inegável dimensão social e económica, ao lado da dimensão política, não se compreende que a democracia política «tenha lugar» na constituição e a democracia social seja apenas tarefa do «estado administrativo»; 2) a insistência na formalidade e neutralidade de um estado de direito e da sua constituição deixa «sub-repticiamente» «livre» o «domínio da política» e não fornece quaisquer aberturas para uma compreensão actual da democracia; 3) a reserva da «cláusula de socialidade» pela administração significa retirar da própria democracia política (do Parlamento e da lei) importantes «domínios constitucionais» com o único fim de estabilizar as relações de domínio existentes. Isso é confessado com clareza por um dos principais arautos da antinomia entre estado de direito e estado social: «as funções do *Daseinsvorsorge* são as de estabilizar em alto grau as relações de domínio existentes», porque «as revoluções só podem ter sucesso quando se conseguir ter nas mãos o aparelho do *Daseinsvorsorge*» [3]. A questão aqui aflorada conexiona-se com o problema geral da legitimidade da constituição económica directiva. Veja-se a discussão em Vital Moreira, *Economia e Constituição*, cit., pp. 117 ss. Por último, num sentido claramente crítico em relação à «programática socialista», cfr. Lucas Pires, *A Teoria da Constituição de 1976*, cit., p. 371. Para uma compreensão constitucionalmente adequada da «decisão socialista», cfr. Jorge Miranda, *Manual*, I, 195; *A interpretação da constituição económica*, 1987. Na doutrina espanhola cfr. A. Garrorena, *El Estado Español como Estado Social y Democratico de Derecho*, 1980; Parejo Alfonso, *Estado Social y Administración Publica – Los postulados constitucionales de la reforma administrativa*, Madrid, 1983, p. 54 ss.; J. A. Esteves Araújo, «Estructura y Limites del Derecho como Instrumento del Estado Social», in E. Olivas, (org.), *Problemas de Legitimacion del Estado Social*, p. 154. No plano da teoria da constituição, em sentido claramente crítico, cfr. G. Haverkate, *Verfassungslehre*, p. 278 ss. Reestruturando o discurso da socialidade a partir de premissas económicas, cfr., A. Sen, *Development as Freedom* (trad. port. *Desenvolvimento como Liberdade*). Num sentido também crítico da constitucionalização de direitos sociais e de cláusulas de socialidade, cfr., J. I. Martinez Estay, *Jurisprudência Constitucional Española sobre Derechos Sociales*, Barcelona, 1997. Uma posição a favor de um Estado administrativo prestador assente na ideia da administração como destinatária de imposições constitucionais de

---

[2] Cfr., principalmente, FORSTHOFF, «Begriff und Wesen des sozialen Rechtsstaates», in VVDSTRL, n.º 12 (1954), p. 18 = FORSTHOFF, *Rechtsstaatlichkeit und Sozialstaatlichkeit*, cit.

[3] Cfr., precisamente, E. FORSTHOFF, *Die Daseinsvorsorge und die Kommunen*, Köln, 1958, p. 202.

bem-estar, cfr., entre nós, Paulo Otero, *O Poder da Substituição*, II, Lisboa, 1995, pp. 596 e ss. No direito brasileiro cfr., por último, Lenio Streck, *Jurisdição Constitucional e Hermenêutica*, p. 34 ss.

II - A abertura económico-social operada pelas leis de revisão

As revisões constitucionais de 1982 (1.ª revisão), de 1989 (2.ª revisão) e de 1997 (4.ª revisão) eliminaram a opção abstracta-ideológica da «decisão socialista» e das suas refracções escatológicas («libertação da exploração do homem pelo homem) e económicas (apropriação colectiva dos principais meios de produção e irreversibilidade das nacionalizações) a favor de *novas premissas normativas da justiça económico-social*, caracterizadas por uma maior abertura para o «social concreto», por uma maior «normalidade social» desenvolvida ou implementada quer pelo Estado quer pelos cidadãos, por uma maior atenção aos vectores do «ambiente humano» não estritamente reconduzíveis aos meios económicos do social. [4]

Se a realização da democracia económica, social e cultural é uma «consequência lógico-material da democracia política», a Constituição distingue entre «democracia política» (cfr. art. 9.º/c) e «democracia económica social e cultural» (cfr. art. 2.º). Esta é um objectivo a realizar mediante a observância das exigências do princípio democrático e do princípio do estado de direito (soberania popular, respeito dos direitos e liberdades fundamentais, pluralismo de expressão, organização política democrática).

O **princípio da democracia económica, social e cultural** tem a mesma dignidade constitucional do princípio do estado de direito[5] e do princípio da democracia política, estando, tal como eles, garantido contra leis de revisão substancialmente perversoras (cfr. *infra*). Todavia, ele apresenta duas dimensões específicas relativamente a estes dois princípios: (1) uma dimensão teleológica, pois a democracia económica, social e cultural é um «objectivo» a realizar no contexto de um processo público aberto – "Estado social como processo" –, e, por isso, ela apresenta-se como um fim do Estado (art. 9.º/d); (2) uma dimensão impositivo-constitucional, pois muitas das suas concretizações assentam no cumprimento de fins e tarefas por parte de órgãos de entidades públicas.

---

[4] Cfr. SOUSA FRANCO/OLIVEIRA MARTINS, *A Constituição Económica…*, p. 332 ss.

[5] Cfr., por último, ZACHER, *Das Sozialstaatsziel*, in ISENSEE/KIRCHHOF, *Handbuch*, cit., p. 1102; «Der Sozialstaat als Prozess», in *Abhandlungen zum Sozialrecht*, Heidelberg, 1993, p. 73 ss.

B. Significado jurídico-constitucional do princípio da democracia económica e social

1. Imposição constitucional e discricionariedade legislativa

O princípio da democracia económica e social contém uma *imposição* obrigatória dirigida aos órgãos de direcção política (legislativo, executivo) no sentido de desenvolverem uma actividade económica e social conformadora das estruturas socioeconómicas, de forma a evoluir-se para uma sociedade democrática (cfr. arts. 2.º e 9.º). No seu cerne essencial, o princípio da democracia económica, social e cultural é um *mandato constitucional juridicamente vinculativo* que limita a *discricionariedade legislativa* quanto ao «se» da actuação, deixando, porém, uma margem considerável de liberdade de conformação política quanto ao *como* da sua concretização (cfr. Ac TC 189/80).

2. O direito como instrumento de conformação social

O princípio da democracia económica e social constitui uma *autorização constitucional* no sentido de o legislador democrático e os outros órgãos encarregados da concretização político-constitucional adoptarem as medidas necessárias para a evolução da ordem constitucional sob a óptica de uma «justiça constitucional» nas vestes de uma «justiça social».

O princípio da democracia económica e social impõe *tarefas ao Estado* e justifica que elas sejam tarefas de conformação, transformação e modernização das estruturas económicas e sociais, de forma a promover a igualdade real entre os portugueses (arts. 9.º/d e 81.º/a e b).

3. O princípio do não retrocesso social

O princípio da democracia económica e social aponta para a **proibição de retrocesso social**.

A ideia aqui expressa também tem sido designada como proibição de «contra-revolução social» ou da «evolução reaccionária». Com isto quer dizer-se que os direitos sociais e económicos (ex.: direito dos trabalhadores, direito à assistência, direito à educação), uma vez obtido um determinado grau de realização, passam a constituir, simultaneamente, uma *garantia institucional* e um

direito subjectivo. A "proibição de retrocesso social" nada pode fazer contra as recessões e crises económicas (*reversibilidade fáctica*),[6] mas o princípio em análise limita a reversibilidade dos *direitos adquiridos* (ex.: segurança social, subsídio de desemprego, prestações de saúde), em clara violação do *princípio da protecção da confiança e da segurança dos cidadãos no âmbito económico, social e cultural,* e do *núcleo essencial* da existência mínima inerente ao respeito pela dignidade da pessoa humana. O reconhecimento desta protecção de «direitos prestacionais de propriedade», subjectivamente adquiridos, constitui um limite jurídico do legislador e, ao mesmo tempo, uma obrigação de prossecução de uma política congruente com os direitos concretos e as expectativas subjectivamente alicerçadas. A violação do núcleo essencial efectivado justificará a sanção de inconstitucionalidade relativamente a normas manifestamente aniquiladoras da chamada «justiça social». Assim, por ex., será inconstitucional uma lei que extinga o direito a subsídio de desemprego ou pretenda alargar desproporcionadamente o tempo de serviço necessário para a aquisição do direito à reforma[7] (cfr. Ac TC 39/84 – *Caso do Serviço Nacional de Saúde* – e Ac 148/94, DR, I, 13/5/94 – *Caso das propinas* e, por último, Ac TC 509/2002, DR, I, 12/2 – *Caso do rendimento mínimo garantido*). A liberdade de conformação do legislador nas leis sociais nunca pode afirmar-se sem reservas, pois está sempre sujeita ao princípio da igualdade, princípio da proibição de discriminações sociais e de políticas antisociais. As eventuais modificações destas leis devem observar os princípios do Estado de direito vinculativos da actividade legislativa e o *núcleo essencial* dos direitos sociais. O princípio da **proibição de retrocesso social** pode formular-se

---

[6] Nisto insiste a doutrina alemã. Cfr. SCHLENKER, *Sozialesrückschrittsverbot und Grundgesetz*, Berlin, 1986. Cfr., porém, em sentido próximo do texto, L. CARLASSARE, "Forma di Stato e diritti fondamentali", in *Gu. Cost*, 1995, p. 45; J. MIRANDA, *Manual*, IV, p. 397.

[7] Cfr. D. SUHR, «Rechtsstaatlichkeit und Sozialstaatlichkeit», in *Der Staat*, n.º 9, p. 92; LENZ, *Die unbeagliche Nähe der Koalitionsgarantie zum Sozialstaat*, in H. MAUS, *Gesellschaft, Recht, Politik*, Neuwied, 1968, pp. 203 e 208; K. HESSE, *Grundzüge*, cit., pp. 86 e ss, defende expressamente a tese da «irreversibilidade» *(Nichtumkehrbarkeitstheorie)*: o princípio da socialidade proíbe a eliminação do núcleo daqueles domínios jurídicos que pertencem à essência do Estado social (protecção do trabalho, tempo de trabalho, auxílio social, segurança social, direito à contratação colectiva). Cfr. porém, ROSANVALLON, *La Crise de l'État-Providence*, Paris, 1981, onde se traçam objecções à definição de um conteúdo para o Estado Social, dado que o sistema de necessidades se acaba por confundir com a dinâmica social. Contra: J. CARLOS VIEIRA DE ANDRADE, «Direitos e garantias fundamentais», in BAPTISTA COELHO, *Portugal. O Sistema Político e Constitucional*, p. 695. Reafirmando a posição do texto, embora com outros matizes, cfr. GOMES CANOTILHO, «Direito, direitos, tribunal, tribunais», in BAPTISTA COELHO, *Portugal*, cit., p. 910. Posição cautelosa pode ver-se, por último, em BADURA, *Der Sozialstaat*, in *DÖV*, 1989, p. 496. Na doutrina espanhola, cfr. J. de ESTEBAN/LOPEZ GUERRA, *El Regimen Constitucional Español*, 1980, p. 348, e, por último, VALLESPIN OÑA, «Estado de Bienestar y Constitucion» in *Revista do Centro de Estudios Constitucionales*, I, 1988, p. 135. Por último, cfr., DAVID DUARTE, «Lei, Medida e Democracia Social» in SI, n.º 238/240, 1992, pp. 301 e ss; LENIO STRECK, *Hermenêutica Jurídica em Crise*, Porto Alegre, 2000, p. 45; *Jurisdição Constitucional e Hermenêutica*, p. 35.

assim: o núcleo essencial dos direitos sociais já realizado e efectivado através de medidas legislativas ("lei da segurança social", "lei do subsídio de desemprego", "lei do serviço de saúde") deve considerar-se constitucionalmente garantido, sendo inconstitucionais quaisquer medidas estaduais que, sem a criação de outros esquemas alternativos ou compensatórios, se traduzam, na prática, numa "anulação", "revogação" ou "aniquilação" pura a simples desse núcleo essencial[8]. Não se trata, pois, de proibir um retrocesso social captado em termos ideológicos ou formulado em termos gerais ou de garantir em abstracto um *status quo* social, mas de proteger direitos fundamentais sociais sobretudo no seu núcleo essencial. A liberdade de conformação do legislador e inerente auto-reversibilidade têm como limite o núcleo essencial já realizado, sobretudo quando o núcleo essencial se reconduz à garantia do mínimo de existência condigna inerente ao respeito pela dignidade da pessoa humana (cf. Ac. 509/2002, DR, I 12/2/2003). O problema, hoje, coloca-se perante a *desregulamentação* da prestação de serviços essenciais (gás, água, telecomunicações), impondo-se ao Estado o dever da adopção de medidas neutralizadoras da diminuição dos direitos sociais do «cidadão-utente.[9]

     Paulo Otero, *O Poder de Substituição em Direito Administrativo*, vol. II, cit., p. 620, tentou recentemente demonstrar que se o «princípio do não retrocesso social» vincula o legislador já o mesmo não se pode dizer quando estão em causa medidas sociais criadas por decretos regulamentares. Quer dizer: o «governo regulamentar» pode ser reaccionário mesmo que não o possa ser o «governo legislador»! O problema não está apenas na forma do acto. O essencial é saber se o acto estadual esvazia de conteúdo essencial a realização jurídica de um direito social.

     Por sua vez, M. Afonso Vaz, *Lei e Reserva de Lei. A causa da Lei na Constituição de 1976*, 1992, p. 385, critica também a tese da irreversibilidade, dado que a reserva da Constituição pressupõe a autonomia do legislador em matérias que a Constituição não reservou nem pode reservar o conteúdo material. A lógica é a mesma: o legislador «cria» os direitos sociais, o legislador «dispõe» dos direitos sociais. Mas fica por demonstrar o essencial: em que medida se dispõe autonomamente do núcleo essencial dos «direitos sociais» efectivado na lei? Existe um «poder legislativo de auto-reversibilidade» abstracto? Cfr., por último, Jorge Miranda, *Manual*, IV, p. 397.

     Por último, A. Reis Novais, *As Restrições*, p. 138, nota 228, ao radicalizar a distinção qualitativa entre direitos, liberdades e garantias e direitos económicos, sociais e culturais, nega também qualquer autonomia ou validade ao princípio da proibição de retrocesso. Deixa por explicar coisas importantes: qual a natureza jurídica de patamares progressivamente realizados de determinados direitos sociais? A proibição de retrocesso, por exemplo, do direito ao ensino básico reduzindo este à velha "escola primária" é tão só uma proibição assente no princípio da protecção da confiança?

---

[8] Cfr. DEGENHART, *Staatsrecht*, I, 8.ª ed., Heidelberg, 1992, p. 132; HAVERKATE, *Verfassungslehre*, Berlim, 1992, p. 280; INGO W. SARLET, *Die Problematik der sozialen Grundrechte in der brasilianischen Verfassung und im deutschen Grundgesetz*, Frankfurt/A, 1997, p. 271; JÖRG POLAKIEWICZ, "Soziale Grundrechte und Staatszielbestimmungen in den Verfassungsordnungen Italiens, Portugals und Spaniens", in ZaöRV, 54/2 (1994), pp. 340 e ss; JORGE MIRANDA, *Manual*, IV, p. 397.

[9] Veja-se a ilustração desta ideia no direito do ambiente em G. LÜBBE-WOLFF, «Beschleunigung von Genemigungsverfahren auf Kosten des Umweltschutzes, in *ZUR*, 1995, p. 57 ss.

4. O princípio da democracia económica, social e cultural como elemento de interpretação

O princípio da democracia económica e social é um *elemento essencial de interpretação* na forma de *interpretação conforme a constituição*. O legislador, a administração e os tribunais terão de considerar o princípio da democracia económica e social como *princípio obrigatório de interpretação* para avaliar a conformidade dos actos do poder público com a constituição [10].

Nos casos de *exercício de poder discricionário* e de interpretação de *conceitos indeterminados*, o princípio da democracia económica e social constitui uma *medida vinculativa* do exercício da discricionariedade e uma *linha de direcção obrigatória* na concretização do conceito indeterminado. Neste sentido se fala da interpretação dentro do «espírito» do princípio da democracia económica e social e da presunção do exercício do poder discricionário da administração à luz do princípio da socialidade [11].

5. Imposição da democracia económica, social e cultural

O princípio da democracia económica e social justifica e legitima a intervenção económica constitutiva e concretizadora do Estado nos domínios económico, cultural e social ("realização e concretização de direitos sociais"). O *princípio da subsidiariedade* está hoje consagrado como princípio constitucional (cfr., CRP, arts. 6.º e 7.º/6), mas este não pode ser invocado na qualidade de cláusula-barreira ou de presunção de não estatalidade para impor a excepcionalidade das intervenções públicas. O princípio da subsidiariedade, tradicionalmente erigido em princípio constitucional, significava que o Estado tinha uma função apenas acessória ou complementar na conformação da vida económica e social. Era uma ideia do capitalismo liberal. Todavia, como sugestivamente foi salientado [12], o estado, ao converter-se em estado socialmente vinculado, colocou-se em

---

[10] Cfr. BOGGS, *Die Verfassungskonforme Auslegung*, 1966, p. 61; GRIMM, «Verfassungsfunktion und Grundgesetzreform», in *AÖR*, 97, p. 499; BADURA, «Der Sozialstaat», cit., p. 492; BALDASSARE, *Diritti Sociali*, cit., p. 14; STERN, *Staatsrecht*, I, p. 916.

[11] Cfr. BADURA, «Auftrag und Grenze der Verwaltung im sozialen Rechtsstaat», in *DÖV*, 1968, pp. 446 e 448; JORGE MIRANDA, «A interpretação...», pp. 281 e ss.

[12] Cfr. H. P. BULL, *Die Staatsaufgaben nach dem Grundgesetz*, Krankfurt/M., 1973, p. 198. Cfr. porém, LEISNER, *Subsidiaritätsprinzip und Verfassungsrecht*, 1968, pp. 191 e ss, e a revalorização do «princípio da auto-responsabilidade» na moderna juspublicística em ZACHER, «Das Sozialstaatsziel», ISENSEE/ /KIRCHHOF, *Handbuch des Staatsrechts*, I, cit., p. 1062.

«oposição à ideia de subsidiariedade». As intervenções socialmente constitutivas do estado não devem, por isso, confundir-se com disciplina da economia, nem devem dissolver-se numa ideia de facultatividade de acção do Estado conducente a actividades meramente supletivas em sectores de rasgada carência no plano social. Está, assim, fora de causa a ideia de *subsidiariedade horizontal ou social* referente a relações entre os poderes públicos e os privados. O Estado é obrigado pela Constituição a manter e desempenhar um papel relevante no âmbito de direitos sociais. Isto não significa que tenha sido eliminado o *princípio da auto-responsabilidade* ou se negue a bondade de fórmulas dinâmicas da sociedade civil socialmente comprometidas: cada um tem, em princípio, capacidade para obter um grau de existência digno, para si e para a sua família. Por outro lado, o livre desenvolvimento cultural, social e económico dos cidadãos é um *processo público aberto* às mediações de entidades privadas (instituições de solidariedade social, associações desportivas, cooperativas de habitação). O princípio da democracia económica, social e cultural é, porém, uma *imposição* constitucional conducente à adopção de medidas existenciais para os indivíduos e grupos que, em virtude de condicionalismos particulares ou de condições sociais, encontram dificuldades no desenvolvimento da personalidade em termos económicos, sociais e culturais [13] (ex.: rendimento mínimo garantido, subsídio de desemprego). A actividade social do Estado é, assim, actividade necessária e objectivamente pública. [14] Estado é aqui entendido em sentido amplo. Quando determinadas tarefas não pertencem ao Estado por obediência ao *princípio da subsidiariedade territorial* ou *vertical* (art. 6.°/1, na redacção da LC 1/97) as actividades sociais dos entes regionais e autárquicos terão as mesmas características (cfr. *infra*, Cap. 6).

6. O princípio como fundamento de pretensões jurídicas

O princípio da democracia social e económica de modo algum se pode conceber como um «conceito em branco» sem qualquer substância normativo-constitucional [15]. Problemática é já a resposta à questão de saber se o princípio da democracia económica e social pode ser *fundamento imediato e autónomo de pretensões jurídicas*. Entre nós, não se pode argumentar com o facto de o

---

[13] Cfr. HARTWICH, *Sozialstaatspostulat*, cit., p. 340.
[14] Cfr. ROVERSI MONACO, «Compiti, Servizi e Instrumenti della Pubblica Amministrazione», in L. MAZZAROLLI et alii, *Diritto Amministrativo*, I, Bologna, 1993, p. 669.
[15] Cfr. C. MENZEL, «Die Sozialstaatlichkeit als Verfassungsprinzip der Bundesrepublik», in *DÖV*, 1972 = M. TOHIDIPUR (org.), *Der bürgerliche Rechtsstaat*, cit., Vol. II, pp. 317 e ss; KARL-PETER SOMMERMANN, *Staatsziele und Staatszielbestimmungen*, Tübingen, 1997, p. 437 ss.

princípio da democracia social se reduzir a uma simples cláusula de socialidade, de carácter político-organizatório-programático, que não alicerça a consagração concreta de direitos sociais, económicos e culturais [16]. O princípio da democracia económica e social encontra-se concretamente plasmado em numerosos preceitos consagradores de direitos subjectivos dos cidadãos. Pergunta-se, porém, se para além destas expressões concretas, o cidadão pode, com base no princípio geral da democracia económica e social, fundamentar, perante a administração e os tribunais, pretensões subjectivas. A resposta, em geral, é negativa, considerando-se que o princípio da democracia económica e social é tão-somente um *princípio jurídico fundamental objectivo* e não uma *norma de prestação subjectiva*. A favor desta consideração milita ainda o facto de a democracia económica e social ser uma tarefa do legislador e não dos tribunais. Estes não teriam, na aplicação do princípio da democracia social e económica, qualquer medida racional que os auxiliasse na tarefa de decisão. De qualquer modo, ao princípio da democracia económica e social pode e deve reconhecer-se em alguns casos a natureza de princípio jurídico fundamental, imediatamente vinculante. Trata-se de casos em que se poderá falar de **inconstitucionalidade da lei por violação do princípio da socialidade**: (1) no caso de *arbitrária inactividade do legislador* (inconstitucionalidade por omissão), os cidadãos podem dirigir-se aos órgãos que, no nosso sistema, têm competência para suscitar a questão da inconstitucionalidade por omissão (cfr. art. 283.º) com o fim de obterem uma «recomendação» a favor da concretização legislativa das «imposições constitucionais de legislar» contidas no princípio da democracia económica e social; (2) no caso de particulares situações sociais de necessidade, justificadoras de uma imediata pretensão dos cidadãos a partir do *princípio da defesa de condições mínimas de existência* inerente ao respeito da dignidade da pessoa humana (cf. Ac TC 509/2002, DR, I, 12/3); (3) no caso de o legislador intervir restritivamente na legislação social existente sacrificando o mínimo de existência do cidadão (ex: lei que autorizasse a penhora total ou quase total dos salários ou das pensões de reforma para satisfazer a execução por dívida).[17] A dimensão subjectiva do princípio justificará também, no caso de se verificarem determinados condicionalismos, a *prevalência* dos direitos econó-

---

[16] Cfr. BALDASSARE, *Diritti Sociali*, p. 13, que assinala a mesma característica ao texto constitucional italiano.

[17] A modéstia desta conclusão revela bem que o problema de concretização normativo-constitucional do princípio de democracia económica e social se desenvolve, em grande medida, no plano da luta político-constitucional. Considerando também que o princípio da socialidade é inadequado para fundamentar pretensões jurídicas enquanto não estiver concretizado, cfr., por último, BADURA, *Der Sozialstaat*, p. 494. Entre nós cfr., GOMES CANOTILHO, «A concretização da Constituição pelo Legislador e pelo Tribunal Constitucional», in *Nos 10 anos de Constituição*, p. 365; PAULO OTERO, *O Poder de Substituição*, II, p. 600.

micos, sociais e culturais em relação de *conflito* com outros direitos. Assim, por ex., o princípio da socialidade prevalecerá sobre o direito de propriedade no caso de o despejo de habitação constituir uma medida gravemente atentatória da dignidade da pessoa humana. O juiz poderá e deverá suspender a execução da sentença de despejo e o proprietário deverá ser indemnizado pela não execução da mesma sentença.

7. O princípio da democracia económica, social e cultural como princípio organizatório

O princípio da democracia económica, social e cultural é relevante ainda como *princípio organizatório da prossecução de tarefas* pelos poderes públicos. A administração pública é uma administração *socialmente vinculada* à estruturação de serviços fornecedores de prestações sociais (ensino, saúde, segurança social). Esta vinculação social não proíbe que essas prestações sejam asseguradas por *esquemas organizatórios jurídico-privados* ou por *entidades autónomas*. O Estado social entende-se, de resto, hoje, como um esquema político-organizativo socialmente activante, mas não como um esquema obrigatoriamente prestador de serviços de forma directa. Mas há um limite imposto pelo princípio da democracia económica, social e cultural: o acesso aos bens públicos (ensino, saúde, energia, água, comunicação, crédito) não pode implicar a violação do *núcleo essencial* dos direitos sociais já efectivados. A transmutação de formas de organização públicas em esquemas organizatórios privados (ex.: telecomunicações, energia, crédito) pressupõe a continuação do **princípio da universalidade de acesso das pessoas aos bens indispensáveis a um mínimo de existência.**[18] Os serviços públicos deixam (ou podem deixar) de ter como suportes empresas públicas ou serviços públicos. Os **serviços de interesse económico geral** previstos no TUE (art. 86.º) passaram a ser serviços prestados ao público por particulares ou empresas particulares. Isso não significa que eles deixem de estar vinculados pelos direitos fundamentais. A *Carta Europeia de Direitos Fundamentais*, proclamada solenemente em Nice (2001) e agora integrada no *Projecto de Constituição Europeia* (art. II-36.º), eleva mesmo a direito fundamental o direito a serviços de interesse económico geral (art. 36.º). Os serviços de interesse económico geral devem ser *igualitários* (prestam-se a todos que reunam as condições de utente) e *progressivos* (através de tarifas redistributivas pode servir-

---

[18] Cf., sobre os esquemas organizatórios jurídico-privados, M. JOÃO ESTORNINHO, *A Fuga para o Direito Privado*, Coimbra, 1996, pp. 200 e ss.

se quem menos tem). Por sua vez, as condições de acesso à *rede* por parte das empresas devem ser objectivas, transparentes e não discriminatórias.

8. O princípio da democracia económica, social e cultural como limite da revisão constitucional

O princípio da democracia económica e social é um *princípio garantido contra a revisão constitucional*. É certo que o art. 288.º não faz alusão, *expressis verbis*, ao princípio da democracia económica e social como limite material de revisão, mas também a não faz quanto ao princípio de democracia política. Todavia, se das alíneas *d*), *h*) e *i*) se deduz, indiscutivelmente, que a dimensão política do princípio democrático está incluída nos limites materiais de revisão, também das alíneas *e*), *f*) e *g*) se conclui que a *dimensão económica e social do princípio democrático é um limite material de revisão*. Consequentemente, o regime substantivo do princípio, sobretudo quando corporizado pelos direitos, económicos, sociais e culturais, não pode ser perturbado pelas leis de revisão [19].

C. *A Concretização Constitucional do Princípio da Democracia Económica e Social*

1. A constituição económica

Utilizaremos aqui o termo de **constituição económica** no seu *sentido restrito*, ou seja, o conjunto de disposições constitucionais – regras e princípios – que dizem respeito à conformação da ordem fundamental da economia [20]. A

---

[19] Em sentido análogo, cfr. JORGE MIRANDA, *Manual de Direito Constitucional*, vol. IV, p. 343. Na doutrina brasileira cfr. FRANCISCO RÉGIS ARAÚJO (org.), *Direito Constitucional Económico*, Fortaleza, 2001.

[20] Cfr. GOMES CANOTILHO/VITAL MOREIRA, *Constituição*, nota prévia à organização económica; VITAL MOREIRA, *Economia e Constituição*, pp. 40 e ss, cit. Nesta última obra, pp. 69 e ss, se podem ver, porém, os problemas que o conceito de constituição económica (em sentido restrito e formal) pode suscitar. A utilização do conceito restrito de constituição económica no sentido do texto pode ver-se, por último, em BADURA, *Wirtschaftsverwaltungsrecht*, in V. MÜNCH e outros, *Besonderes Verwaltungsrecht*, 5.ª ed., 1979, p. 260. Mais recentemente, cfr. M. LUCIANI, «Economia nel diritto costituzionale», in *Digesto disc. pubbl.*, V, 1980, p. 373/G.; BOGNETTI, *La Costituzione economica italiana*, 2.ª ed., 1995; COLAPIETRO, *La Giurisprudenza Costituzionale nella crisi dello Stato soziale*, Padova, 1996. Entre nós, cfr. OLIVEIRA MARTINS, «A Constituição Económica Portuguesa: do Programa à Mediação», in BAPTISTA COELHO (org.) – *Portugal, Sistema Político e Constitucional*,

Constituição, em estreita conexão com o princípio democrático (nas suas dimensões, política e económica), consagrou uma «constituição económica» que, embora não reproduza uma «ordem económica» ou um «sistema económico» «abstracto» e «puro», é fundamentalmente caracterizada pela ideia de democratização económica e social. Neste contexto, o âmbito de liberdade de conformação política e legislativa aparece restringido directamente pela Constituição: a política económica e social a concretizar pelo legislador deve assumir-se *política de concretização dos princípios constitucionais* e não uma política totalmente livre, a coberto de uma hipotética «neutralidade económica» da Constituição ou de um pretenso mandato democrático da maioria parlamentar. Por outras palavras: o princípio da democracia social e económica, quer na sua configuração geral, quer nas concretizações concretas, disseminadas ao longo da Constituição, constitui um *limite* e um *impulso* para o legislador. Como *limite,* o legislador não pode executar uma política económica e social de sinal contrário ao imposto pelas normas constitucionais; como *impulso,* o princípio da democracia económica e social exige positivamente ao legislador (e aos outros órgãos concretizadores) a prossecução de uma política em conformidade com as normas concretamente impositivas da Constituição[21]. Esta política, como demonstra J. Rawls, tanto pode ser de cariz liberal--social (não socialista) como de natureza social-democrata (com alguns acenos socializantes), desde que se proponha satisfazer as expectativas dos menos favorecidos em condições de uma justa igualdade de oportunidades.

3. A constituição do trabalho

A Constituição não dedica qualquer capítulo especial a uma **constituição do trabalho** [22]. Isto compreende-se por dois motivos fundamentais: (1) dado

---

pp. 779 ss.; SOUSA FRANCO/OLIVEIRA MARTINS, *A Constituição Económica Portuguesa,* pp. 12 e ss; M. AFONSO VAZ, *Direito Económico,* pp. 121 e ss.; M. MANUEL LEITÃO MARQUES/CARLOS SANTOS/EDUARDA GONÇALVES, *Direito Económico,* 4.ª ed., 2001.

[21] Das considerações do texto se pode deduzir que se a Constituição não encerra um «esquema dogmático e rígido», também não é uma «porta escancarada» a políticas económicas, em manifesta contradição com o texto constitucional. Neste ponto, merecem-nos reticências as considerações de JORGE MIRANDA, *A Constituição,* cit., p. 517, e de LUCAS PIRES, *A Teoria da Constituição,* pp. 184 e ss, 341 e ss. O alicerçamento de uma «política económica» em dissonância com a Constituição não perturba o entendimento normativo do princípio, mas a «sobrecarga económica» do texto constitucional, na sua versão originária, acabaria por lançar sobre a lei fundamental toda a conflitualidade social e económica, em vez de esta se centrar no terreno da luta política. Nesta perspectiva, as considerações do texto são, hoje, entendidas num sentido mais juridicamente directivo do que juridicamente impositivo.

[22] Aliás, a «constituição do trabalho» tal como a «constituição económica» ou a «constituição financeira» não constituem realidades autónomas dentro de uma constituição, devendo sempre interpretar-se

os preceitos constitucionais do trabalho se reconduzirem a normas de garantia do direito ao trabalho, do direito de trabalho e dos direitos dos trabalhadores, a Constituição vincou a sua inequívoca dimensão subjectiva e o seu carácter de «direitos fundamentais», deslocando esses preceitos para o capítulo referente a direitos fundamentais; (2) superando a tendência clássica (com justificação histórica) para caracterizar o direito de trabalho como simples direito de protecção («orientação protectiva» no direito de trabalho), a Constituição erigiu o «trabalho», o «emprego», os «direitos dos trabalhadores» e a «intervenção democrática dos trabalhadores» em elemento constitutivo da própria ordem constitucional global e em instrumento privilegiado de realização do princípio da democracia económica e social (cfr. art. 2.º).

O primeiro aspecto ganhou uma dimensão ainda mais inequívoca com a LC n.º 1/82 (Lei da 1.ª Revisão), ao autonomizarem-se no Cap. III da Parte I, os *direitos, liberdades e garantias dos trabalhadores* (cfr. arts. 53.º ss.). O segundo aspecto foi deliberadamente colocado em plano mais modesto pela LC n.º 1/82 e pela LC n.º 1/89, embora o problema do trabalho continue a ser compreendido não apenas sob o ângulo do «trabalho subordinado», mas também sob o ponto de vista do «poder dos trabalhadores» como «poder socialmente emancipatório»[23] (cfr. arts. 54.º/1 e 5, 55.º/2/*d*, 56.º/2/*b* e *c*). Perante os fenómenos da «globalização» e «deslocalização» das grandes unidades produtivas, este aspecto tende ainda a ceder o passo a sugestões mais flexíveis no sentido de poder para a defesa do *emprego* e da *qualificação profissional* (cfr. art. 58.º/2/*c*). Neste contexto, a Carta Europeia de Direitos Fundamentais consagra como direito fundamental de socialidade o direito de acesso gratuito a um serviço de emprego (art. 29.º).

4. A constituição social

O conceito de **constituição social** servirá aqui para designar o conjunto de direitos e princípios de natureza social formalmente plasmados na Cons-

---

no contexto global da constituição. O seu valor é, pois, essencialmente heurístico e operativo. Sobre a interpretação da «constituição do trabalho» cfr. BARROS MOURA, «A Constituição portuguesa e os trabalhadores», in BAPTISTA COELHO, (org.), *Portugal, Sistema Político-Constitucional*, cit., p. 814. Sobre o «constitucionalismo social», cf. ARNALDO SÜSSEKIND, *O Direito Constitucional do Trabalho*, 2.ª ed., Rio de Janeiro-São Paulo, 2001, p. 13 ss.

[23] O conceito de «trabalho», como transparece do texto, é um conceito constitucional polissémico, afigurando-se-nos erróneo querer captar o conceito de «trabalho» sob uma perspectiva unidimensional, cfr. JORGE MIRANDA, *A Constituição*, cit., p. 520; BARROS MOURA, «A Constituição Portuguesa e os trabalhadores», cit., p. 820.

tituição [24]. Ao contrário do que acontece na maior parte das constituições, esta «constituição social» não se reduz a um conceito extraconstitucional, a um «dado constituído», sociologicamente relevante; é um amplo superconceito que engloba os princípios fundamentais daquilo a que vulgarmente se chama «direito social».

a) *Direitos sociais*

No Cap. II, referente aos direitos económicos, sociais e culturais, encontra-se um amplo «catálogo de direitos sociais». Estes direitos apelam para uma democracia económica e social num duplo sentido: (1) em primeiro lugar, são direitos de todos os portugueses e, tendencialmente, de todas as pessoas residentes em Portugal, (segurança social, saúde, habitação, ambiente e qualidade de vida, como se pode ver, por ex., através dos arts. 63.º, 64.º, 65.º, 66.º e 67.º); (2) em segundo lugar, pressupõem um tratamento preferencial para as pessoas que, em virtude de condições económicas, físicas ou sociais, não podem desfrutar destes direitos (cfr. art. 63.º/4, 64.º/2, 65.º/3, 67.º/e, 68.º, 69.º, 70.º, 71.º e 72.º). Um terceiro sentido se poderá ainda apontar à dimensão da democracia económica e social no campo dos direitos sociais: a tendencial igualdade dos cidadãos no que respeita às prestações sociais. Isto aponta, por ex., para um «sistema de segurança social unificado» (art. 63.º/2), para um «serviço nacional de saúde, universal, geral e tendencialmente gratuito» (art. 64.º/2), e para uma «política nacional de prevenção e tratamento, reabilitação e integração dos deficientes» (art. 71.º/2).

b) *O princípio de democracia social*

Para além da *dimensão subjectiva* do princípio da democracia social, implícita no reconhecimento de numerosos direitos sociais (direitos subjectivos públicos), o **princípio da democracia social**, como *princípio objectivo,* pode derivar-se ainda de outras disposições constitucionais. Desde logo, a *dignidade da pessoa humana* (cfr. art. 1.º) é considerada noutros países como um princípio objectivo e uma «via de derivação» política de direitos sociais.[25] Do *princípio da igualdade* (dignidade social, art. 13.º), deriva-se a *imposição,* sobretudo dirigida ao legislador, no sentido de criar condições sociais (cfr., também, art. 9.º/*d*) que assegurem uma igual dignidade social em todos os aspectos (cfr., por ex., arts. 81.º/*a, b e d* e 93.º/*c*).

---

[24] Cfr. W. WERTENBRUCH, *Sozialverfassung-Sozialverwaltung,* Frankfurt/M., 1974, pp. 2 e ss; BALDASSARE, *Diritti Sociali,* in *Enciclopedia Giuridica,* vol. XI.
[25] Entre nós, cfr. JORGE MIRANDA, *Manual,* IV, p. 234; PAULO OTERO, *O Poder de Substituição,* II, p. 588.

Do conjunto de princípios referentes à organização económica (cfr. arts. citados) deduz-se que a transformação das estruturas económicas visa também uma igualdade social. Neste sentido, o princípio de democracia social não se reduz a um esquema de segurança, previdência e assistência social, antes abrange um conjunto de tarefas conformadoras, tendentes a assegurar uma verdadeira «dignidade social» ao cidadão e uma igualdade real entre os portugueses (art. 9.º/d).

5. A constituição cultural

O princípio da democracia económica e social tem manifestas incidências na chamada **constituição cultural**[26]. Do conjunto das normas constitucionais referentes à «constituição cultural» (direito à educação e à cultura, direito ao ensino, direito ao desporto) verifica-se que o princípio da democracia económica e social não se limita, unilateralmente, a uma simples dimensão económica: quando se fala de prestações existenciais para «assegurar uma existência humana digna» pretende-se também aludir à indissociabilidade da «existência digna» de uma expressão cultural e, ao mesmo tempo, à inseparabilidade da «democracia cultural» de um dever de cuidado pelas prestações culturais (*Daseinsvorsorge*) material. Acresce que as instituições democráticas do ensino incentivam e asseguram o acesso de todos os cidadãos à fruição e criação cultural (art. 73.º/2 e 3), ao direito ao ensino e à igualdade de oportunidades de acesso e êxito escolar (art. 74.º/1), ao ensino básico universal, obrigatório e gratuito (art. 74.º/2-a), ao acesso de todos os cidadãos aos graus mais elevados de ensino e à investigação e criação artística segundo as suas capacidades (art. 74.º/3-d). A criação dos pressupostos concretos do direito à cultura e ensino (pressupostos materiais da igualdade de oportunidades) é condição inelimável de uma *real liberdade* de formação de desenvolvimento da personalidade, (cfr. art. 73.º/2) e instrumento indispensável da própria *emancipação* (progresso social e participação democrática, art. 73.º/2). *Igualdade de oportunidades, participação, individualização e emancipação,* são componentes do direito à educação e à cultura, e dimensões concretas implícitas no princípio da *democracia cultural*[27].

---

[26] Sobre este conceito cfr., por ex., STEIN, *Staatsrecht,* cit., pp. 192 e ss, que se refere a um «*Kulturverfassungsrecht*»; HÄBERLE (org.), *Kulturstaatlichkeit und Kulturverfassungsrecht,* 1982; D. GRIMM, *Kulturauftrag im staatlichen Gemeinwesen,* in VVDSTRL, 42 (1984), pp. 7, 46 e ss; SPAGNA MUSSO, *Lo Stato di cultura nella Costituzione italiana,* Napoli, 1961; MICHELE AINIS, *Cultura e Politica. Il modello costituzionale,* Padova, 1991.

[27] Cfr. HEIMANN/STEIN, «Das Recht auf Bildung», in *AÖR,* 97 (1972) pp. 185-232; REUTER, «Soziales Grundrecht auf Bildung», in *DVBL,* 74, pp. 7-19; H. JARASS, "Zum Grundrechte auf Bildung und Aushildung", in DÖV, 1995, pp. 674 e ss.

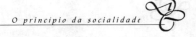

Por último, as instituições democráticas do ensino e da cultura transformam-se, no quadro constitucional, em *«mecanismos de direcção»*, conformadores de *novas* estruturas sociais: progresso social e participação democrática (art. 73.º/2), ligação do ensino com as actividades económicas, sociais e culturais (art. 74.º/3-*f*)[28]. Coerentemente, e como imposição directa do princípio da democracia económica e social, a Constituição não desprezou o problema da *dependência social da socialização cultural,* ou seja, o significado das «barreiras culturais» para o acesso e êxito escolar (art. 74.º/1)[29]. Daí a existência de preceitos (até agora não cumpridos ou erradamente cumpridos), garantidores do acesso de todos os cidadãos à fruição e criação cultural (art. 73.º/3), do incentivo do acesso todos os cidadãos «aos meios e instrumentos da acção cultural» (art. 78.º/2/*a*).

Note-se que a revisão de 1989 (LC 1/89) esbateu a dimensão de princípio democrático-cultural vinculada a uma perspectiva laborista. A Constituição deixou de aludir a favorecimento de «filhos de classes trabalhadoras» ou mesmo a «trabalhadores» e «filhos de trabalhadores» (cfr. art. 76.º na redacção originária de 1976 e na redacção de 1982). A revisão de 1997 (LC 1/97) eliminou os restos da compreensão "classista" do ensino (exs.: alteração do art. 78.º/2/*a* relativo à especial protecção dos trabalhadores no acesso à fruição e criação cultural).

6. O princípio da igualdade

Das considerações anteriormente desenvolvidas quanto à concretização do princípio da democracia económica e social deduz-se que entre este princípio e o princípio da igualdade há uma conexão bastante estreita. A democracia económica e social abrange as duas dimensões da tríade clássica: *liberté* e *égalité*. Em face da Constituição, não se pode interpretar o **princípio da igualdade** como um «princípio estático» indiferente à eliminação das desigualdades, e o princípio da democracia económica como um «princípio dinâmico», impositivo de uma igualdade material. Isto poderia significar, de novo, quer a relativização do princípio da igualdade, quer a relativização do princípio da democracia social. Aquele interpretar-se-ia no sentido de igualdade formal perante a lei, esquecendo a dimensão da «dignidade social» (cfr. art. 13.º); este constituiria tão-somente um

---

[28] Esta função de «direcção» através do ensino é salientada por REUTER, cit., pp. 17 e ss; HEIMANN/STEIN, cit., pp. 202 e ss.

[29] A demonstração da dependência social da socialização cultural pode ver-se em MOLLENHAUER, *Sozialisation und Schulerfolg,* in H. ROTH, *Begabung und Lernen,* 5.ª ed., Stuttgart, 1970, pp. 169-296.

instrumento de diminuição de desigualdades fácticas. A igualdade material postulada pelo princípio da igualdade é também a igualdade real veiculada pelo princípio da democracia económica e social. Nesta perspectiva, o princípio da democracia económica e social não é um simples «instrumento», não tem uma função instrumental a respeito do princípio da igualdade, embora se lhe possa assinalar uma «função conformadora» tradicionalmente recusada ao princípio da igualdade: garantia de *igualdade de oportunidades* e não apenas de uma certa *«justiça de oportunidades»* [30]. Isto significa o *dever de compensação positiva da «desigualdade de oportunidades»* (cfr., por ex., arts. 9.°/*d*, 20.°/1, 74.°/1, etc.). O princípio da igualdade e o princípio da democracia económica e social aglutinam-se reciprocamente numa «unidade» não redutível a momentos unidimensionais de «estática» ou «dinâmica» da igualdade. Em fórmula sintética, dir-se-á que o princípio da igualdade é, simultaneamente, um princípio de igualdade de Estado de direito *(rechtsstaatliche Chancengleichheit)* e um princípio de igualdade de democracia económica e social *(sozialstaatliche Chancengleichheit)* [31].

D. O princípio da socialidade e o Estado regulador

I - O Estado social de regulação

A anterior exposição referente ao princípio da socialidade tem como referência o Estado Social juridicamente conformado pela Constituição de 1976. Deu-se já a entender que as várias revisões da lei constitucional portuguesa têm vindo a redifinir o papel do Estado no âmbito das *políticas públicas* de carácter económico, social e cultural, sem, contudo, alterarem o paradigma de Estado socialmente prestacional. O problema que se pode e deve pôr é o de saber se o Estado Social, tal como ele se encontra jurídico-politicamente plasmado na Constituição, não foi já objecto de *adaptações não convencionais* [32] profundas originadas pelo aprofundamento da união e integração europeias e pelo processo de globalização da economia. As tarefas sociais e económicas do estado não se identificam

---

[30] Cfr., em sentido contrário, MAUNZ-DÜRIG-HERZOG-SCHOLZ, *Kommentar*, cit., art. 20.°, p. 187.

[31] Cfr. KLOEPFER, *Gleichheit als Verfassungsauftrage*, 1980, pp. 41 e ss; R. ZIPPELLIUS, *Der Gleichheitssatz*, in *VVDSTRL*, 1988. Entre nós, cfr. CASTANHEIRA NEVES, *Assentos*, pp. 111 e ss; MARIA DA GLÓRIA FERREIRA PINTO, *O princípio da igualdade*, p. 20 ss; JORGE MIRANDA, *Manual*, vol. IV, p. 236.

[32] Cfr. B. ACKERMANN, *We the People* – 2, *Transformations*, p. 384.

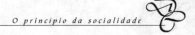

com monopólio estatal e há muito que deixaram de ser recortadas com base no esquema dicotómico da separação entre Estado e sociedade. Elas podem: (1) ser desempenhadas exclusivamente por entidades públicas; (2) ser prosseguidas por entidades resultantes de formas várias de *partnership* entre o Estado (autarquias locais, regiões autónomas) e entidades privadas; (3) ser desenvolvidas apenas por entes do sector privado. Mais concretamente: o Estado não tem de construir e manter *infraestruturas* rodoviárias, de energia, de telecomunicações, de tratamento de resíduos, mas deve assumir a *responsabilidade regulativa*[33] dos serviços públicos de interesse geral (cfr. Artigo 86º do Tratado de Amesterdão). Neste sentido se diz que o *Estado Social* assume hoje a forma moderna de **Estado Regulador** *de serviços públicos essenciais*. De uma forma crescente, a própria regulação e supervisão é confiada a *entidades administrativas independentes* (exemplos: Comissão do Mercado de Valores Mobiliários, Instituto das Telecomunicações) não directamente subordinadas ao poder político governamental. A socialidade estatal subjacente às prestações de **serviços de interesse económico geral** é *pública* na medida em que a regulação dessa prestação assenta em *regras públicas* definidas por entidades públicas directa ou indirectamente legitimadas. A razão desta mudança quanto a responsabilidade estatal pela regulação de serviços económicos de interesse geral não assenta apenas em premissas ideológicas ("menos Estado, melhor Estado", "autoregulação da economia contra planificação estatal", "concorrência económica como expressão da liberdade") mas na verificação de que a prossecução de muitas tarefas outrora inseridas no "núcleo duro" de tarefas do Estado (serviços essenciais, investigação, emprego) faz apelo a recursos financeiros, saberes, competências, experiências técnicas e profissionais que se encontram fora do aparelho do Estado. Consequentemente, elas só podem ser disponíveis lá onde se encontram (nas grandes empresas de telecomunicações, de produção e exploração de energia, de transportes, etc.). A *liberalização* e a *privatização* dos serviços económicos de interesse geral não significa, de resto, a despedida do Estado e a inexistência de regras públicas.[34] Pelo contrário, os *sistemas ou redes de infraestruturas* indispensáveis à gestão dos serviços de interesse económico geral são sistemas próximos do estado e de outras entidades reguladoras (por exemplo, a Comunidade Europeia) assentes em formas mistas de estruturas regulativas, nas quais a *autoregulação privada* e a *intervenção pública regulativa* se combinam e ganham eficácia. É neste sentido que

---

[33] Por último, cfr. GEORG HERMES, *Staatliche Infrastrukturverantwortung*, Tübingen, 1998, pp. 153 e ss.; N. RANGONE, *I servizi pubblici*. Bologna, 1999, p. 125; R. PITSCHAU «Der neue Soziale Rechtsstaat – Vom Wandel der Arbeits – und Sozial Verfassung des Grundgesetzes», in *Festschrift Zacher*, 1998. p. 755 seg.

[34] G. ARINO ORTIZ, *Princípios de Derecho Publico Económico*, Granada, 1999, p. XXVIII, e PAULO OTERO, *Legalidade e Administração Pública*, p. 302.

a mais recente literatura juspublicística fala de *autoregulamentação regulada*.[35] Desta forma, o "velho Estado Social" deixou de estar ancorado (pelo menos, em parte) numa administração pública e num direito administrativo preocupado com os quadros jurídicos da administração de prestações (*Leistungsverwaltung*) comprometida com os cuidados existenciais do cidadão (*Daseinsvorsorge*)[36]. Subsistem, porém, (até por imposição constitucional) serviços estatais, ao lado de serviços de interesse económico geral, submetidos a regras vinculativas *ou* a regulações económicas constitutivas do mercado de *redes infraestruturantes*. Pretende-se, desta forma, garantir as dimensões inarredáveis da socialidade estatal (e comunitária). Vejamos, *per suma capita*, alguns princípios destas regulações das infraestruturas económicas dos serviços de interesse geral em que se procuram articular dois modelos: o de *service publique*, de matriz francesa, e o de *public utility regulation* (de cariz anglo-saxónico).

II - Estado Social e novo serviço público

As empresas encarregadas de serviços de interesse económico geral (artigo 86º TUE) estão sujeitas a regulações públicas definidoras das "regras do jogo" não apenas para a defesa da concorrência mas também para a garantia de direitos sociais cuja efectivação depende desses serviços. O regime jurídico dessas empresas é materialmente informado por quatro liberdades: *liberdade de entrada*, *liberdade de acesso ao mercado ou à rede*, *liberdade de contratação* e *liberdade de investimentos*.[37]

Sob o ponto de vista da garantia de direitos sociais, ligados às prestações ou tarefas que as empresas realizam, cumpre destacar as regras respeitantes aos *serviços de interesse económico geral* (*Public Service Obligations*, PSO's): *garantia de prestações essenciais*, acessibilidade de todos os usuários independentemente da localização geográfica (*princípio da acessibilidade* e *disponibilidade universal*), *preço acessível* (*affordability*) de forma a não tornar impeditivo, para alguns

---

[35] Cf., precisamente, J. P. Schneider (org.), *Regulierte Selbstregulierung, Symposium Hoffmann-Riem*, 2000.
[36] Cfr. H. Bauer, *Privatisierung vom Verwaltungsaufgaben*, in VVDSTRL, 1995, pp. 243 e ss.
[37] Vide G. Arino Ortiz, *Princípios de Derecho Publico Económico*, pp. 564 e ss.; M. Clarich, «Servicio pubblico e servizio universale: evoluzione normativa e profili ricostruttivi», in *Dir. Publ.*, 1998 (2), p. 198; Rangone, *I Servizi Pubblici*, 1998, p. 225 ss.

cidadãos, o acesso a essas prestações essenciais. O cidadão social torna-se «cidadão utente» de serviços de interesse económico geral.[38]

A transferência de tarefas – repete-se – para os sujeitos privados não significa um abandono da *responsabilidade estatal* pela prossecução do interesse público inerente à realização do princípio da socialidade.[39] Não se trata, pois, de uma *desconstrução* do Estado Social a favor das forças autoregulativas do mercado livre. A garantia de dimensões prestacionais indispensáveis à realização e concretização de direitos económicos, sociais e culturais, não assenta já, exclusiva e predominantemente, numa *tarefa* de socialidade do Estado, antes tem como suporte as prestações fornecidas, com carácter de universalidade, por infraestruturas privadas.[40] No plano teórico pode discutir-se se a nova «cidadania social» se reconduz à atribuição de direitos sociais ou se se trata de oportunidades sociais condicionadas à prestação de serviços sociais.

Referências bibliográficas

Os problemas do princípio da democracia económica, social e cultural podem ser abordados sob várias perspectivas. Têm um relevo central nas disciplinas de Direito Económico e constituem um núcleo importante da temática dos direitos fundamentais. Aqui referir-se-á apenas alguma bibliografia geral.

Ariño Ortiz, G. – *Princípios de Derecho Publico Económico*, Granada, 1999.
Aragón Reyes, M. – *Libertades económicas y Estado Social*, Madrid, 1995.
Baldassare A. – *Diritti Sociali*, p. 13.
Baracho, J. A. – *O princípio da subsidiariedade. Conceito e evolução*, Rio de Janeiro, 1994.
Bidart Campos, G. – "La democracia social en la Constitucion Portuguesa", in J. Miranda (org.), *Perspectivas Constitucionais*, I, pp. 231 e ss
Cabo Martin, C. de – *La Crisis del Estado Social*, Madrid, 1986.
Caliess, C. – *Subsidiaritäts – und Solidaritätsprinzip in der Europäischen Union*, 1996.

---

[38] Cf. S. BATTINI, «La tutela dell'utente e la carta dei servizi pubblici,», in *Riv. Trim. Dir. Pub.*, 1998, 194 ss.

[39] Cf. C. MARZUOLI, "Le privatizzazione tra pubblico come soggetto e pubblico come regole", in Dir. Pub., 2/1999; p. 393 ss.

[40] Cfr., expressamente, KAY WINDTHORST, *Der Universaldienst im Bereich der Telekomunikation*, Berlin, 2000, pp. 258 e ss; TRONCOSO REIGADA, "Dogmatica Administrativa…", pp. 134 e ss.

Carbonell, M./Parcero, J./Vasquez, R. (org.), *Derechos Sociales y derechos de las minorias*, México, 2000.

Cascajo Castro, J. L. – *La Tutela Constitucional de los Derechos Sociales*, Madrid, 1988.

Colomer Vinadel A./Lópes Gonzalez, J. C. "Programa ideológico y eficacia jurídica de los derechos sociales. El caso de Portugal en derecho comparado", in J. Miranda (org.), *Perspectivas Constitucionais*, III, pp. 307 e ss.

Costa Santos, J. – *Bem-Estar Social e Decisão Financeira*, Coimbra, 1993.

Cussetti, L. – *La cultura del mercato fra interpretazioni della Costituzione e principi comunitario*, Torino, 1997.

Esteban, J./López Guerra, L. – *El Régimen Constitucional Español*, Madrid, vol. 1, 1980, p. 347.

Ferrari, E. – *I Servizi Sociali*, Milano, Giuffrè, 1986.

Freixes Sanjuán, T. – *Les Derechos Sociales de los Trabajadores en la Constitucion*, 1986, p. 396.

Garcia, Maria da Glória – "A Constituição e a Democracia Social", in *Direito e Justiça*, XI, 1/1997, pp. 15 e ss.

Gomes Canotilho/Vital Moreira – *Fundamentos da Constituição*, 2.ª ed., Coimbra, 1993, Cap. III, 4.2.

– *Constituição da República Portuguesa*, Anotada, Coimbra, 1993, pp. 285 e ss.

Grimm, D. (org.) – *Staatsaufgaben*, Baden-Baden, 1994.

– *Wachsende Staatsaufgaben, sinkende Steuerungsfähigkeit des Rechts*, Baden-Baden, 1990.

Gusy, Ch. (org.), *Privatisierung von Staatsaufgaben. Kriterien – Grenzen – Folgen*, 1998.

Hermes, G. – *Staatliche Infrastruktur Verantwortung*, Tübingen, 1998.

Horn, H. R. – «Aspectos Sociales Intrínsecos del Estado de Derecho Contemporaneo», in G C 5 (2001), p. 146 ss.

Kovac R./Simon, D. (org.), *Service Public et Communauté européenne: entre l'intéret général et le marché»*, Actes du Colloque de Strasbourg, 17-19, Octobre, 1996.

Link/Ress – *Staatszwecke im Verfassungstaat*, VVDSTRL, 48 (1990), pp. 7 e ss, 56 e ss.

Luciani, M. – «Sui diritti sociali», in *Studi in onore di Manlio Mazziotti di Celso*, Vol. II, Padova, Cedam, 1995, p. 93 ss.

Martinez Estay, J. G. – *Jurisprudencia Constitucional Española sobre Derechos Sociales*, Barcelona, 1997.

Martins, G. O. – «A Constituição Económica Portuguesa: do Programa à Mediação», in Baptista Coelho (org.), *Portugal: Sistema Político e Constitucional, 1974-1987*, Lisboa, 1988, pp. 779 e ss.

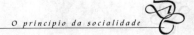

Menichetti, E. – «Acesso di Servizi Sociali e cittadinanza», in *Dir. Publ.* 3/2000, p. 849 ss.
Mezzadra, S. – *La costituzione sociale*, Bologna, 1999.
Miranda, J. – *Manual de Direito Constitucional*, I, pp. 357 ss.; vol. IV, pp. 343 e ss.
– «A interpretação da constituição económica», in *Estudos em Homenagem ao Prof. Afonso Rodrigues Queiró*, I, Coimbra, 1984, pp. 281 e ss.
Neuner, J. – *Privatrecht und Sozialstaat*, München, 1999.
Pastori, G. – «Diritti e servizi oltre la crisi dello Stato Sociale», *in Studi in onore di Vittorio Ottaviano*, II, Milano, 1993, pp. 1081 e ss.
Pires, L. F. – "A política social comunitária como exemplo do princípio da subsidiariedade", in RDES, XXXIII, 2.ª Série, 3-4 (1991).
– *A Teoria da Constituição de 1976*, pp. 184 e ss.
Porras, A. – *Introducción a una teoria del Estado post-social*, Barcelona, 1988.
Rangone, I *Servizi Pubblici*, Bologna, Il Manlio, 1999.
Riklin, A./Batliner (org.) *Subsidiarität*, Baden-Baden, 1994.
Salema, M. – *O princípio da subsidariedade em perspectiva jurídico-política*, Coimbra, 2003.
Saraiva, P. L. – "Mandado de garantia social no Direito luso-brasileiro", in Jorge Miranda, (org.), *Perspectivas Constitucionais*, III, pp. 237 e ss.
Sorace, D. – «Servizi pubblici e servizi (economici) di pubblica utilità», in *Dir. Pub.* 2/1999, p. 371 ss.
Ritter, A. – *Der Sozialstaat. Entstehung und Entwicklung im internationalen Vergleich*, 2.ª ed., 1991.
Sarlet, I. – *Die Problematik der sozialen Gundrechte in der brasilianische Verfassung und im deutschen Grundgesetz*, Frankfurt/M, 1997.
Sousa Franco A./Oliveira Martins, G. – *A Constituição Económica Portuguesa. Ensaio interpretativo*, Coimbra, 1993.
Schneider, J. P. (org.), *Reguliernde Selbstregulierung, Symposium Hoffmann-Riem*, 2000.
Troncoso Reigada, A. – "Dogmática Administrativa y Derecho Constitucional: El caso del Servicio Publico", in REDC, n.º 57 (1999), pp. 87 e ss.

Capítulo 4

O Princípio da Unidade do Estado

Sumário

I - O Estado Unitário na Constituição

II - O regime autonómico insular

III - O princípio da autonomia das autarquias locais

IV - O princípio da subsidiariedade

I - O Estado unitário na Constituição

O art. 6.º da Constituição da República Portuguesa ergue a princípio estruturante do Estado o **princípio da unidade do Estado** (art. 6.º/1: "O Estado é unitário..."). Trata-se de um princípio ordenador fundamentalmente virado para a vertebração organizatório-territorial do poder do Estado. A Constituição não define Estado Unitário, mas tendo em conta os elementos históricos e de direito comparado bem como a unidade sistemática da lei fundamental, podemos caracterizar como **Estado Unitário** aquele que, num determinado território e para a população que nele vive, tem um suporte único para a *estatalidade* (ou estadualidade). Dizer-se que há um suporte único para a estadualidade significa que: (1) existe uma organização política e jurídica – o Estado – à qual se imputa em termos exclusivos a totalidade das competências tipicamente estatais (ex: representação externa, defesa, justiça); (2) consequentemente, existe uma só *soberania* interna e externa, não existindo outras organizações soberanas colocadas em posição de equiordenação (confederação) ou em posição de diferenciação (estado membro de um estado federal); (3) da unitariedade do Estado resulta a *imediaticidade* das relações jurídicas entre o poder central e os cidadãos (não existem "corpos intermediários" a servir de "écran" entre o Estado e os cidadãos); (4) do carácter unitário deriva ainda a ideia de *indivisibilidade* territorial. Em suma: unidade do Estado significa República *una,* com uma *única Constituição* e órgãos de soberania únicos para todo o território nacional.[1]

II - O regime autonómico insular

A soma de todas as características apontadas ao modelo de Estado unitário conduziu à identificação do Estado Unitário com o *Estado centralizado* sem qualquer abertura política para formas de autonomia regional e de descen-

---

[1] Cfr. GOMES CANOTILHO/VITAL MOREIRA, *Fundamentos,* p. 90. Sobre a história e noção de unidade do Estado cfr. R. DEBBASCH, *Le principe revolutionnaire d'unité et d'indivisibilité de la Republique*, Paris, 1988; C. GREWE, "L'unité de l'État entre indivisibilité et pluralisme", in RFDP, 1998, p. 1349 ss.

tralização territorial. A Constituição Portuguesa avançou no sentido contrário: o carácter unitário do estado é compatível com a autonomia regional e a descentralização territorial devendo considerar-se estas dimensões como elementos constitucionais da organização e funcionamento do próprio Estado unitário (art. 6.º).

O respeito pelo **regime autonómico insular** (fórmula introduzida pela LC n.º 1/97) é uma obrigação constitucional do Estado (art. 6.º/l), estando este regime garantido contra as próprias leis de revisão (art. 288.º/*o*). Embora as fórmulas utilizadas no artigo 6.º ("regime autonómico") e no art. 288.º/*o*) ("autonomia político-administrativa dos Arquipélagos dos Açores e da Madeira") não sejam idênticas, pode, contudo, deduzir-se que: (1) existe um *núcleo estável e irreformável* fundamentalmente reconduzido à autonomia político-administrativa; (2) um *regime jurídico-autonómico insular* entendido como o complexo normativo contido na Constituição, nos estatutos regionais e no bloco de legalidade regional e especificamente respeitante à organização, competências e funcionamento dos órgãos de governo próprio das Regiões Autónomas.

O princípio do Estado Unitário articula-se na ordem constitucional portuguesa com a ideia de *autogoverno regional* circunscrito às Regiões dos Açores e da Madeira. O *regime autonómico insular* engloba várias "autonomias": (1) autonomia como expressão de *autonomia política* e existência de *órgãos de governo próprios* das Regiões Autónomas (arts. 6.º/2, 225.º e 231.º); (2) autonomia como *autonomia normativa*, ou seja, competência legislativa e regulamentar para se apetrechar de ordenamento jurídico autónomo (arts. 112.º/1, 227.º, 228.º e 232.º); (3) *autonomia da administração* (art. 228.º), traduzida num leque de competências e funções próprias distintas das da administração central; (4) autonomia no sentido de *autonomia económica e financeira* (arts. 164.º/*t* e 229.º/3) o que implica a garantia de recursos financeiros suficientes para a prossecução das tarefas autonómicas indicadas na Constituição e nos estatutos; (5) *autonomia como liberdade de decisão* dentro do leque de competências constitucional e estatutariamente definidas sem qualquer tutela ou controlo dos órgãos do governo central.

As várias dimensões do regime autonómico insular apontam para uma *componente regional* forte na organização unitária do Estado. Trata-se, porém, de um regime autonómico com carácter de excepção que de modo algum justifica a caracterização do Estado unitário português como "Estado regional" ou como "Estado unitário regional". Não se coloca, assim, entre nós, o problema de saber se o Estado com componente regionais é tão-só um "Estado unitário descentralizado" ou é já uma verdadeira espécie de "Estado Federal". [2] Embora na

---

[2] Veja-se uma síntese da problemática em JAVIER RUIPÉREZ, *La Proteción Constitucional de las Autonomias*, Madrid, 1994. Cfr., entre nós, JORGE MIRANDA, *Manual*, III, p. 282, que fala de "Estado regional parcial".

última Revisão da Constituição (4.ª Revisão) tivesse havido uma proposta no sentido de transformar os Açores e a Madeira em "estados federais", o fenótipo organizatório continua o mesmo: Estado unitário. Isso mesmo é vincado pelo art. 225.º/3 da CRP ("A autonomia político-administrativa regional não afecta a integridade da soberania do Estado ...").

III - O princípio da autonomia das autarquias locais

Depois de afirmar o princípio da autonomia das autarquias locais como dimensão da organização do Estado unitário (art. 6.º/1), a Constituição refere-se à existência de autarquias locais (art. 235.º) como componente da organização democrática do Estado. A autonomia das autarquias locais é, assim, um princípio estruturante da organização política e da organização territorial do Estado. Esta autonomia, constitucionalmente garantida e caracterizada, começa logo pela inserção do **Poder Local** (Título VIII) num título autónomo, fora da administração do Estado. A designação "Poder Local" significa, desde logo, isto: participação no exercício do poder público de entidades territoriais (pessoas colectivas) diferentes da entidade territorial Estado e dotadas de órgãos representativos democraticamente legitimados que visam a prossecução de interesses próprios das populações respectivas (art. 235.º/2). Em segundo lugar, a existência de autarquias locais é uma *garantia institucional* (art. 235.º/1: "A organização democrática do Estado compreende a existência de autarquias locais") e, por isso, transporta um *núcleo ou reduto de poder local* indisponível pelo Estado. Como dimensões concretas deste **núcleo essencial do poder autárquico** serão de relevar: (1) o *direito à existência* (cfr. art. 235.º/1); neste sentido, poder local implica *autogoverno local*, ou seja, "*governo próprio* por meio de órgãos representativos eleitos, directa ou indirectamente, pela colectividade base, e não por órgãos nomeados do exterior" (Vital Moreira); (2) garantia de *órgãos representativos* dotados de determinadas competências autárquicas; (3) garantia de *prossecução de interesses próprios* (autodeterminação) das populações respectivas através dos órgãos de governo próprios (art. 235.º/2).[3] Existe, assim, um conteúdo subjectivo, um conteúdo objectivo e um conteúdo institucional globalmente integradores da autonomia das autarquias locais. Por outras palavras: a autonomia local constitucionalmente garantida inclui, à semelhança do "regime autonómico insular" (1) um *núcleo estável e irrevisível* (cfr. art. 288.º/n, onde se estabelece a

---
[3] Cfr., sobre o conceito constitucional de descentralização e administração autónoma, VITAL MOREIRA, *Administração Autónoma*, pp. 160 e ss.

autonomia das autarquias locais como limite material das leis de revisão constitucional) fundamentalmente reconduzível ao *direito de existência,* não podendo o legislador eliminá-las, embora caiba na sua liberdade de conformação (pelo menos quanto às freguesias e municípios) a criação e extinção de autarquias; (2) o direito à *organização própria* e o direito às *competências próprias* para, através dos órgãos representativos, livremente eleitos (componente democrática) se prosseguirem os interesses próprios das populações. Esta prossecução pode ser feita de forma *autónoma* ou em *cooperação* com o poder político central e regional.

IV - Regiões administrativas

O carácter unitário do Estado articula-se também com a ideia de **regionalização administrativa** expressa na criação de **regiões administrativas** (CRP, art. 255.º). Trata-se de autarquias de natureza administrativa (e não de natureza política como as Regiões Autónomas). A *criação* legal e posterior *instituição em concreto* (CRP, art. 256.º), feita também através de lei precedida de referendo, não perturba a existência constitucionalmente necessária de regiões administrativas. Tal como as outras autarquias locais (freguesia e municípios), as regiões administrativas são colectividades territoriais dotadas de autogoverno mediante órgãos representativos próprios. As atribuições das regiões administrativas recortam-se tendo em conta os princípios basilares do Estado unitário (CRP, art. 6.º): *princípio da descentralização* (CRP, art. 237.º/1), *princípio da subsidiariedade* (CRP, art. 6.º/1) e *princípio da prossecução de interesses próprios das populações regionais* (CRP, art. 235.º).

V - O princípio da subsidiariedade

Em articulação com a cláusula de integração europeia (art. 7.º/6) e com o princípio do Estado Unitário (art. 6.º/1), o *princípio da subsidiariedade* adquiriu (depois da revisão de 1992, no que respeita à União Europeia, e depois da revisão de 1997, no que se refere à estrutura vertical-territorial do Estado Unitário), dimensão estruturante da ordem constitucional portuguesa.

O princípio da subsidiariedade densificado a nível das relações Estados-membros/União Europeia e do Estado Unitário/regiões e autarquias locais é expressão de um **princípio geral de subsidiariedade** que pode formular-se assim: as comunidades ou esquemas organizatório-políticos superiores só

362

deverão assumir as funções que as comunidades mais pequenas não podem cumprir da mesma forma ou de forma mais eficiente. [4] O princípio da subsidiariedade articula-se com o princípio da *descentralização democrática*: os poderes autonómicos regionais e locais das regiões autónomas e das autarquias locais (comunidades de dimensões mais restritas) devem ter competências próprias para regular e tratar as tarefas e assuntos das populações das respectivas áreas territoriais (administração autónoma em sentido democrático). Estreitamente associado a este princípio da administração autónoma democrática, está *o princípio da desburocratização* (art. 267.º/1) assegurando a participação das populações na defesa e prossecução dos seus interesses (princípio da subsidiariedade como princípio antiburocrático).

Assim compreendido, o princípio da subsidiariedade é estruturalmente um *princípio relacional*, pois assenta nos esquemas de relação constituídos entre entidades diversas. Assim essas entidades são de natureza territorial (Estado-municípios, Estado-Membro – Comunidade Europeia). Mas pode alargar-se a esquemas relacionais diversos (Estado-entidades funcionais autónomas; Estado-sociedade civil). Além de ser um princípio relacional é também um *princípio de preferência* dado que estabelece uma decisão de preferência a favor do âmbito mais próximo da cidade.[5]

Referências bibliográficas

Amâncio Ferreira, F. – *As Regiões Autónomas na Constituição Portuguesa*, Coimbra, 1980.

Atena, A. – "Costituzione e Prinzipio di Sussidiarità", in *Guad. Cost.*, 1/2001, p. 14 ss.

Bandrés Sánchez-Cruzat, J. M. – *El principio de subsidiariedad y la Administración Local*, Madrid, 1999.

Baptista Machado, J. – "Participação e Descentralização", in *Revista de Direito e Estudos Sociais* XXII, p. 1-108.

Cândido de Oliveira, A. – *Direito das Autarquias Locais*, Coimbra, 1993.

Debbasch, R. – *Le principe révolutionnaire d'unité et d'indivisibilité de la République*, Paris, 1988.

---

[4] Cfr., R. ZIPPELIUS, *Teoria Geral do Estado*, 3.ª ed., 1997, p. 159; VITAL MOREIRA, *Administração Autónoma*, p. 250.

[5] Cfr., J. ISENSEE, *Subsidiaritätsprinzip und Verfassungsrecht*, p. 226 ss.; A. D'ATENA, "Costituzione e Prinzipio di Sussidiarità", in *Quad. Cost.* 1/2001, p. 14 ss.; MARGARIDA SALEMA, *O Princípio da Subsidiariedade*, p. 329 ss.

Flauss, J. F. – "Le principe d'égalité et l'existence de droits particuliers", in *États, Régions et droits locaux*, Paris, 1997, pp. 89 e ss.

Grewe, C. – "L'unité de l'État: entre indivisibilité et pluralisme", in RFDP, 5/6 1998, pp. 1349 e ss.

Isensee, J. – *Subsidiaritätsprinzip und Verfassungsrecht. Eine Studie über das Regulativ des Verhältnisses von Staat und Gesellschaft*, Berlin, 1968.

Miranda, J. – *Manual*, III, 4.ª ed., Coimbra, 1998, pp. 300 e ss.

Morais, C. B. – "A dimensão interna do princípio da subsidiariedade no ordenamento português", in ROA, 58 (1998), p. 779 ss.

Moreira, Vital – *Administração Autónoma e Associações Públicas*, Coimbra, 1997.

– "Organização, Atribuições, Poderes e Competências das Regiões Administrativas", in BFDC, LXXXIV (1998), pp. 657 e ss.

Nabais, Casalta J. – *A Autonomia Local*, Coimbra, 1990.

Quadros, F. – *O princípio da subsidiariedade no Direito Comunitário após o Tratado da União Europeia*, Coimbra, 1995.

Queiró, A. – "Descentralização", in *Dicionário Jurídico da Administração Pública*, III, pp. 569-574.

Rinella/Coen/Scarciglia (Org.) – *Sussidiarità e ordinamenti costituzionali*, Padova, 1999.

Salema, M. – "Autonomia Regional", in J. Miranda (org.), *Nos dez anos da Constituição*, Lisboa, 1989, p.

– *O Princípio da Subsidiariedade em Perspectiva Jurídico-Política*, Coimbra, 2003.

J. P. Silva – "Regiões Autónomas", in DJAP, VII, 1996, pp. 130 e ss.

Silva, V. P. – "Le Portugal en tant qu'État Régional", in P. Bon (org.), *Études de Droit Constitutionnel Franco-Portugais*, 1990.

Capítulo 5

Os Princípios da Integração Europeia e da Abertura ao Direito Internacional

Sumário

A. O princípio da integração europeia

I - O exercício em comum de poderes soberanos

II - O princípio da unidade do Estado e a Integração Europeia

1. O princípio da limitação de competências
2. O princípio da subsidariedade

B. A Constituição e a abertura internacional

I - Sentido da abertura internacional

II - Limites à abertura internacional

A. O Princípio da Integração Europeia

I - O exercício em comum de poderes soberanos

No artigo 7.º/6 (aditado ao texto originário da Constituição pela revisão constitucional de 1992) consagra-se a abertura constitucional para a *construção da união europeia*. Mediante a autorização para o *exercício em comum* de alguns poderes soberanos, estabelece-se o fundamento jurídico-constitucional para a participação de Portugal na União Europeia. Através deste exercício em comum de poderes soberanos, Portugal passou a aceitar a sua *integração* numa comunidade supranacional, daí resultando, desde logo, duas consequências jurídico-constitucionais de particular relevância: (1) a soberania exclusiva dos órgãos do poder político no âmbito de validade e eficácia da Constituição portuguesa sofre as restrições resultantes da "partilha de poderes"; (2) a abertura da ordem jurídica portuguesa ao direito comunitário resultante da integração europeia implica a validade e aplicação directa na ordem interna do direito comunitário europeu.

II - O princípio da Unidade do Estado e a Integração Europeia

1. O princípio da limitação de competências

O "**artigo-Europa**" (artigo 7º/6) não se limita a prever o exercício em comum dos poderes necessários para a construção da *união europeia*. Estabelece também princípios e restrições que hão-de pautar as relações entre a União Europeia e Portugal. Desde logo, o *princípio da limitação de competências* da organização supranacional em que Portugal se integra. A União Europeia não é um "Estado" soberano dotado de competências e poderes globais, mas sim uma comunidade de estados dotada das competências que os estados membros, através de tratados internacionais, lhe vão atribuindo. Neste sentido se diz que a Comunidade tem simples *competências de atribuição* (*competences d'attribution*) ou dispõe de poderes especificamente conferidos.

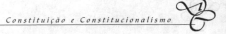

2. O princípio da subsidiariedade

A integração europeia está constitucionalmente vinculada ao *princípio da subsidiariedade*. Isso mesmo é dito pela Constituição (artigo 7.º/6) em consonância com o artigo 5.º/2 do Tratado da União Europeia. Este princípio, introduzido pelo Tratado de Maastricht (artigo 3.º/2), e que corresponde a uma iniciativa alemã apoiada pela Inglaterra, suscita muitas dúvidas quanto à sua verdadeira natureza e alcance. Convém ter presente o disposto no artigo 5.º/2 do Tratado da União Europeia. Nos domínios que não sejam das suas atribuições exclusivas, a Comunidade intervém apenas, de acordo com o princípio da subsidiariedade, se e na medida em que os objectivos da acção encarada não possam ser suficientemente realizados pelos estados-membros, e, possam, pois, devido à dimensão ou aos efeitos da acção prevista, ser melhor alcançados a nível comunitário. Este princípio é completado pelo *princípio de proporcionalidade*, pois, nos termos do artigo 5.º/3 do Tratado, "A acção da Comunidade não deve exceder o necessário para atingir os objectivos do presente Tratado".

Atrás do princípio da subsidiariedade parece estar: (1) a ideia de freio e balanço relativamente a um crescente "centralismo europeu"; (2) a ideia de "regionalizar" mais fortemente os processos de decisão comunitária; (3) a ideia de encontrar decisões o mais possível próximas dos cidadãos (*democracia da proximidade*). Também não é alheia ao princípio da subsidiariedade a ideia de pluralismo e diferenças culturais e históricas dos Estados-membros bem como das respectivas dimensões territoriais.

Como pode ver-se, o texto atrás referido (artigo 5.º) do Tratado da União Europeia consagra o princípio da subsidiariedade apenas em relação a *competências paralelas* ou *concorrentes* entre a União e os Estados-membros. Não se aplica, pois, às matérias de exclusiva competência da Comunidade (política comercial, política agrícola, política de pescas). Além disso, o princípio da subsidiariedade deve interpretar-se como um *princípio dinâmico*, pois tanto pode conduzir a um exercício de competências mais intenso por parte da Comunidade como a um exercício mais comedido. A dinamicidade biunívoca do princípio detecta-se claramente no *Protocolo* para a aplicação dos princípios da subsidiariedade e da proporcionalidade, pois mesmo quando se trata de competências concorrentes ou paralelas a Comunidade pode actuar verificados dois pressupostos: (1) falta de eficiência na acção dos Estados-membros; (2) "mais valia" da acção comunitária, ou seja, os fins da Comunidade, dada a sua extensão e efeitos, podem ser melhor alcançados a nível comunitário (cfr., agora, *Projecto de constituição para a Europa*, art. 9.º).

B. A Constituição e a abertura internacional

I - Sentido de abertura internacional

As relações entre a Constituição e o direito internacional no plano das fontes de direito serão estudadas mais adiante. Em sede de princípios estruturantes, interessa revelar que uma das ideias centrais da Constituição de 1976 foi a de afastar decididamente a arrogância do "orgulhosamente sós" e de radicar o **princípio da abertura internacional** (cf. *supra*, Parte III, cap. 2). Este princípio, a que alguns autores chamam *princípio internacionalista*, está fundamentalmente plasmado no artigo 7.º da Constituição referente às relações internacionais. A abertura internacional transporta várias dimensões. Aqui serão referidas as mais importantes. Significa, em primeiro lugar, a *inclusão* do Estado português na comunidade internacional, aceitando as dimensões fácticas e jurídicas da interdependência internacional. A abertura internacional pressuporá, indissoluvelmente, a *abertura da constituição* que deixa de ter a pretensão de fornecer um esquema regulativo exclusivo e totalizante assente num poder estatal soberano para aceitar os quadros ordenadores da comunidade internacional.

A abertura internacional significa, em segundo lugar, a afirmação do *direito internacional* como direito do próprio país e o reconhecimento de alguns dos seus princípios ou regras como *medida de justiça*, vinculativa da própria ordem jurídica interna.[1] Neste sentido se fala de *amizade para com o direito internacional*, conducente, em último termo, à ideia de *Estado internacionalmente limitado*. A consideração de alguns princípios e regras de direito internacional como *medidas de justiça* justifica também o apelo ao *princípio da interpretação em conformidade com os direitos do homem* tal como eles se encontram plasmados nos grandes tratados de Direito Internacional (CRP, art. 16.º).

Em terceiro lugar, a abertura internacional aponta para a indispensabilidade de os poderes públicos constitucionalmente competentes tomarem *participação activa* na solução dos problemas internacionais (nas organizações internacionais, na defesa da paz e segurança internacionais, na defesa dos direitos humanos).

Em quarto lugar, a abertura internacional pressupõe uma base antropológica amiga de todos os homens e de todos os povos (dignidade

---

[1] Cfr., por último, Alejandro Saiz Arnaiz, *La Apertura Constitucional al Derecho Internacional y Europeo de los Derechos Humanos El articulo 102 de la Constitución Española*, Madrid, 1999, pp. 52 e ss.

humana, direitos humanos) o que, entre outras coisas, justificará a adopção do *princípio do tratamento do nacional* em relação a estrangeiros e uma *política de asilo* solidariamente responsável.

II - Limites à abertura internacional

A abertura internacional e a abertura da Constituição, nos termos acabados de descrever, não são uma abertura para *qualquer* ordem internacional. Pelo contrário, é uma ordem internacional informada e conformada por determinados princípios a que se refere expressamente o artigo 7.º da Constituição da República. A ordem internacional e as relações internacionais devem assentar em princípios intrinsecamente justos: o princípio da independência nacional, o respeito dos direitos dos homens, dos direitos dos povos, da igualdade entre os estados, de solução pacífica dos conflitos internacionais, da não ingerência nos assuntos internos de outros Estado e da cooperação com todos os outros povos para a emancipação e progresso da humanidade (artigo 7.º/1). A ordem internacional e a ordem constitucional interna interactivamente abertas são *ordens fundadas nos direitos humanos e nos direitos dos povos*[2] e daí as declarações universais e as convenções internacionais garantidoras dos direitos do homem ao lado dos catálogos de direitos fundamentais inseridos nas constituições internas (cfr. Artigo 7º/1/2/3). A ordem internacional e a ordem constitucional interna são *ordens de paz* e de solução pacífica dos conflitos, o que justifica o estabelecimento de um sistema de segurança colectiva (ONU, NATO, UEO) e a criação de tribunais internacionais (Tribunal Internacional de Justiça, Tribunal Europeu de Direitos do Homem, Tribunal Penal Internacional). A ideia de limites à abertura internacional pode formular-se de forma inversa. Deste modo: a crescente *constitucionalização*[3] do direito internacional através de princípios cogentes de valor superior converte-o num direito de ordenação e dá fundamento a uma responsabilidade dos Estados *erga omnes* (cf. o novo art. 7.º/7 da CRP, introduzido pela LC 1/2001).

---

[2] Cf. KARL-PETER SOMMERMANN, "Völkerrechtliche garantierte Menshenrecht als Maßstab der Verfassungskonkretisierung", in AöR, 114 (1989), p. 419 ss.

[3] Cfr., expressamente, J. A. FROWEIN, "Konstitutionalisierung des Völkerrechts", in DUCKE/ /HUMMER/GIRBBERGER/BOELE-WOELKI/ENGEL/FROWEIN, *Völkerrecht und Internationales Privatrecht in einem sich globalisierenden internationalen System – Auswirkungen der Entstaatlichung transnationaler Rechtsbeziehungen*, 2000, p. 353 ss.

Referências bibliográficas

Bellamy, R./Bufacchi, V./Castiglione D. (org.) – *Democracy and Constitutional Culture in the Union of Europe*, Lothian Foundation, London, 1995.

Canotilho, J. J. – "Offenheit vor dem Völkerrecht und Völkerrechtsfreundlichkeit des portugiesischen Rechts", in *Archiv des Völkerrechts*, 1/34 (1996), pp. 47 e ss.

Cassese, A. – "Modern Constitutions and International Law", in *Recueil des Cours*, Haia, Dordrecht, 1986, p. 337.

Di Fabio, U. – *Das Recht offener Staaten, Grundlinien einer Staats-und Rechtstheorie*, 1998.

Ferrajoli, L. – *La sovranità nel mondo moderno*, Milano, 1995.

Hobe, S. – *Der offene Verfassungsstaat zwischen Souveränität und Interdependenz*, Berlin, 1998.

Jyränki, A. – *National Constitutions in the Era of Integration*, Kluwer, The Hague, London – Boston, 1999.

Wahl, R. – "Die Internationalisierung des Staates", in *FS Hollerbach*, 2001, p. 193 ss.

Mello, Celso – *Direito Constitucional Internacional*, 2.ª ed., Rio de Janeiro, São Paulo, 2000.

Panunzio, S. (org.), *I costituzionalisti e l'Europa*, Milano, 2002.

Pescatore, P. – "La Constitution, son contenu, son utilité. La Constitution nationale et les exigences découlant du droit intérnationale et du droit d'intégration européenne. Essai sur la legitimité des structures supra-étatiques" in *Revue du Droit Suisse*, III, 1992.

Rawls, J. – *Le droit des gens*, Paris, 1998.

Saiz Arnaiz, A. – *La Apertura Constitucional al Derecho Internacional y Europeo de los Derechos Humanos. El articulo 102 de la Constitución Española*, Madrid, 1999.

Tomuschat, Ch. – "Die staatsrechtliche Entscheidung für die internationale Offenheit", in Isensee/Kirchhof, *Staatsrecht*, VII, pp. 482 e ss.

— Der Verfassungstaat in Geflecht der internationalen Beziehungen, VVDSTRL, 36 (1978), p. 7 ss.

Weiler, J. H. H. – *The Constitution of Europe*, Cambridge, Cambridge University Press, 1999.

Título 3
Os Direitos e Deveres Fundamentais

Capítulo 1

Sentido e Forma dos Direitos Fundamentais

Sumário

A. Constitucionalização e Fundamentalização

1. Positivação
2. Constitucionalização
3. Fundamentalização

B. História e Memória

1. Da igualdade material ao *«nomos»* unitário e à *«recta ratio»*
2. Da *«lex natura»* cristã à secularização do direito natural
3. Dos direitos estamentais aos direitos individuais
4. Da tolerância religiosa à liberdade de religião e crença
5. Do contratualismo jusracionalista aos direitos do homem
6. Da autonomia privada ao individualismo possessivo
7. Capitalismo mercantil e autonomia do *«homo œconomicus»*

8. Socialismo, direitos sociais, económicos e culturais
9. Generatividade geracional: os direitos da terceira geração
10. A inclusividade: os direito dos estrangeiros e das minorias

A. Constitucionalização e Fundamentalização

1. Positivação

Os direitos fundamentais serão estudados enquanto direitos jurídico-positivamente vigentes numa ordem constitucional. Como iremos ver, o local exacto desta positivação jurídica é a constituição. A **positivação** de direitos fundamentais significa a incorporação na ordem jurídica positiva dos direitos considerados "naturais" e "inalienáveis" do indivíduo. Não basta uma qualquer positivação. É necessário assinalar-lhes a dimensão de *Fundamental Rights* colocados no lugar cimeiro das fontes de direito: as normas constitucionais. Sem esta positivação jurídica, os «direitos do homem são esperanças, aspirações, ideias, impulsos, ou, até, por vezes, mera retórica política», mas não direitos protegidos sob a forma de normas (regras e princípios) de direito constitucional *(Grundrechtsnormen)*. Por outras palavras, que pertencem a Cruz Villalon: «onde não existir constituição não haverá direitos fundamentais. Existirão outras coisas, seguramente mais importantes, direitos humanos, dignidade da pessoa; existirão coisas parecidas, igualmente importantes, como as liberdades públicas francesas, os direitos subjectivos públicos dos alemães; haverá, enfim, coisas distintas como foros ou privilégios». Daí a conclusão do autor em referência: os direitos fundamentais são-no, enquanto tais, na medida em que encontram reconhecimento nas constituições e deste reconhecimento se derivem consequências jurídicas[1]. Por outras palavras ainda que são as de um influente filósofo da actualidade: se se deseja falar de direitos no sentido de direito positivo é preciso distinguir entre droits de *l'homme* na qualidade de normas de acção moralmente justificadas e *droits* de l'homme enquanto normas constitucionais dotadas de valor de direito positivo.[2] Um discurso como este correria, porém, o risco de ser uma narrativa positivisticamente fechada em clara «dessintonia» com as premissas básicas de um sistema aberto de regras e princípios. Este o motivo das observações subsequentes.

---

[1] Cfr. CRUZ VILLALON, «Formación y Evolución», cit., p. 41. Cfr. também K. STERN, *Das Staatsrecht*, cit., III/1, 1988, pp. 43 e ss; VIEIRA DE ANDRADE, *Os Direitos Fundamentais*, pp. 20 e ss.
[2] Cfr. J. HABERMAS, *Faktizität und Geltung*, cit., pp. 151 w ss.

A positivação constitucional não significa que os direitos fundamentais deixem de ser *elementos constitutivos da legitimidade constitucional*, e, por conseguinte, elementos legitimativo-fundamentantes da própria ordem jurídico--constitucional positiva[3], nem que a simples positivação jurídico-constitucional os torne, só por si, «realidades jurídicas efectivas» (ex. catálogo de direitos fundamentais em constituições meramente semânticas). Por outras palavras: a positivação jurídico-constitucional não «dissolve» nem «consome» quer o momento de *«jusnaturalização»* quer as *raízes fundamentantes* dos direitos fundamentais (dignidade humana, fraternidade, igualdade, liberdade). Neste sentido se devem interpretar logo os arts. 1.º e 2.º da CRP, ao basearem, respectivamente, a República na «dignidade da pessoa humana» (art. 1.º), e o Estado de direito democrático no «respeito e na garantia de efectivação dos direitos e liberdades fundamentais»[4]. Esta ideia tornar-se-á mais transparente se aprofundarmos o sentido das categorias «constitucionalização» e «fundamentalização» de direitos.

2. Constitucionalização

Designa-se por **constitucionalização** a incorporação de direitos subjectivos do homem em normas formalmente básicas, subtraindo-se o seu reconhecimento e garantia à disponibilidade do legislador ordinário (Stourzh). A constitucionalização tem como consequência mais notória a protecção dos direitos fundamentais mediante o controlo jurisdicional da constitucionalidade dos actos normativos reguladores destes direitos. Por isso e para isso, os direitos fundamentais devem ser compreendidos, interpretados e aplicados como *normas jurídicas vinculativas* e não como trechos ostentatórios ao jeito das grandes "declarações de direitos".

3. Fundamentalização

A categoria de «fundamentalidade» (Alexy) aponta para a especial dignidade de protecção dos direitos num sentido formal e num sentido material.

---

[3] Cfr., entre nós, por último, Luzia Cabral Pinto, *A Legitimação do Poder Constituinte*, Coimbra, 1993, pp. 200 e ss; Jónatas Machado, *Liberdade Religiosa*, pp. 78 e ss.

[4] Cfr., entre nós, Vieira de Andrade, *Os Direitos Fundamentais*, cit., pp. 2 e ss; Jorge Miranda, *Manual*, IV, p. 41. Riquíssimas informações sobre os «quadros teóricos» dos direitos invioláveis encontram-se em Baldassare, «Diritti Inviolabili», in *Enciclopedia Giuridica*, Vol. XI; P. Grossi, *I diritti di libertà*, pp. 100 e ss.

a) *Fundamentalidade formal*

A **fundamentalidade formal**, geralmente associada à constitucionalização, assinala quatro dimensões relevantes: (1) as normas consagradoras de direitos fundamentais, enquanto normas fundamentais, são normas colocadas no grau superior da ordem jurídica; (2) como normas constitucionais encontram-se submetidas aos procedimentos agravados de revisão; (3) como normas incorporadoras de direitos fundamentais passam, muitas vezes, a constituir limites materiais da própria revisão (cfr. CRP, art. 288.º/*d* e *e*); (4) como normas dotadas de vinculatividade imediata dos poderes públicos constituem parâmetros materiais de escolhas, decisões, acções e controlo, dos órgãos legislativos, administrativos e jurisdicionais (cfr. afloramento desta ideia no art. 18.º/1 da CRP).

b) *Fundamentalidade material*

A ideia de **fundamentalidade material** insinua que o conteúdo dos direitos fundamentais é decisivamente constitutivo das estruturas básicas do Estado e da sociedade. *Prima facie*, a fundamentalidade material poderá parecer desnecessária perante a constitucionalização e a fundamentalidade formal a ela associada. Mas não é assim. Por um lado, a fundamentalização pode não estar associada à constituição escrita e à ideia de fundamentalidade formal como o demonstra a tradição inglesa das *Common-Law Liberties*[5]. Por outro lado, só a ideia de fundamentalidade material pode fornecer suporte para: (1) a abertura da constituição a outros direitos, também fundamentais, mas não constitucionalizados, isto é, direitos materialmente mas não formalmente fundamentais (cfr. CRP, art. 16.º/1.º); (2) a aplicação a estes direitos só materialmente constitucionais de alguns aspectos do regime jurídico inerente à fundamentalidade formal; (3) a abertura a novos direitos fundamentais (Jorge Miranda). Daí o falar-se, nos sentidos (1) e (3), em *cláusula aberta* ou em *princípio da não tipicidade* dos direitos fundamentais[6]. Preferimos chamar-lhe «norma com *fattispecie* aberta» (Baldassare) que, juntamente com uma *compreensão aberta do âmbito normativo das*

---

[5] Cfr., por todos, STOURZH, *Vom Widerstandsrecht zur Verfassungsgerichtsbarkeit*, 1974, p. 381; "Vom aristotelischen zum liberalen Verfassungsbegriff Staatsformenlehre und Fundamentalgesetze in England und Nordamerika im 17. und 18 Jahrhundert", in G. STOURZH, *Wege zur Grundrechtsdemokratie*, Wien, 1989, p. 77. Cfr., também, GUIDO GERIN, «Fondamentalità e (Meta)positività dei diritti umani», in REVEDIN (org.), *Diritti dell'uomo*, 1988, pp. 201 e ss.

[6] Cfr. JORGE MIRANDA, *Manual*, IV, p. 153; HENRIQUE MOTA, «Le principe de la liste ouverte en matière de droits fondamentaux», in La *Justice Constitutionnelle au Portugal*, 1989, p. 177; VIEIRA DE ANDRADE, *Os direitos fundamentais*, p. 34.

normas concretamente consagradoras de direitos fundamentais, possibilitará uma concretização e desenvolvimento plural de todo o sistema constitucional.

Ao não tomar em conta esta distinção – *fattispecie aberta* do art. 16.º/1 e compreensão aberta do âmbito normativo das normas concretamente consagradoras – Henrique Mota, *Le Principe*, cit., p. 184, além de se defrontar com dificuldades na inserção normativa de alguns pretensos novos direitos que caberão no âmbito de direitos já existentes – direito do embrião à implantação uterina, direito das crianças ao conhecimento da identidade dos seus parentes biológicos – acaba também, como se verá adiante, por fechar unidimensionalmente a «textura aberta» do próprio art. 16.º/1. Cfr., por ex., Baldassare, *Diritti Inviolabili*, cit., p. 19; Höffling, *Offene Grundrechtsinterpretation*, p. 175.

B. História e Memória

Estas notas históricas assumem um carácter necessariamente esquemático. Em geral, costuma fazer-se um *corte histórico* no processo de desenvolvimento da ideia de direitos fundamentais, conducente a uma separação absoluta entre duas épocas: uma, anterior ao *Virginia Bill of Rights* (12-6-1776) e à *Déclaration des Droits de l'Homme et du Citoyen* (26-8-1789), caracterizada por uma relativa *cegueira* em relação à ideia dos direitos do homem; outra, posterior a esses documentos, fundamentalmente marcada pela chamada *constitucionalização* ou *positivação* dos direitos do homem nos documentos constitucionais[7].

O processo histórico não é assim tão linear e daí o rápido bosquejo subsequente, centrado nos principais *momentos de consciencialização* do problema dos direitos do homem[8].

1. Da igualdade material ao «*nomos*» unitário e à «*recta ratio*»

Quando se põe a pergunta da existência da ideia de direitos do homem na antiguidade a resposta é negativa. Basta recordar que Platão e Aris-

---

[7] Recentemente, KLAUS STERN, *Das Staatsrecht der Bundesrepublik Deutschland*, III/1, 1988, p. 56, propôs quatro fases: 1 – uma pré-história até 1600, aproximadamente; 2 – uma história intermédia até 1776; 3 – uma história principal que começa com o *Virginia Bill of Rights*; 4 – história da constitucionalização-positivação na primeira metade do séc. XIX.

[8] Cfr. J. SZABO, «Fundamentos históricos e desenvolvimento dos direitos do Homem», in VASAK, *As dimensões*, cit., pp. 27 e ss; STH. RIALS, «Ouverture: généalogie des droits de l'homme», in *Droits, Revue Française de Theorie Juridique*, 2/1985, pp. 3 e ss; M. VILLEY, *Le Droit et les droits de l'homme*, Paris, 1983; BALDASSARE, «Le ideologie costituzionali dei diritti di libertà», in *Democrazia e Diritto*, 2/1976, pp. 265 e ss. Entre nós, cfr., por último, JORGE MIRANDA, *Manual de Direito Constitucional*, Tomo IV, p. 12 ss.

tóteles consideravam o **estatuto da escravidão** como algo de natural. O primeiro julgava que só um pequeno número de homens especialmente qualificados possuía um verdadeiro saber acerca da pilotagem do Estado e perante este pequeno número os demais indivíduos estavam obrigados a uma obediência incondicionada, convertendo-se em seus súbditos ou escravos. Significativo é o tema por ele desenvolvido das três raças (de ouro, de prata e de bronze) destinadas a desempenhar funções diferentes na cidade (*República,* Livro 111). O segundo, enfrentando a questão da iniquidade do estatuto da escravidão, acaba por fazer a defesa da condição natural do escravo: «Aquele que por lei natural não pertence a si mesmo mas que não obstante ser homem pertence a outro, é naturalmente escravo»[9].

Todavia, a antiguidade clássica não se quedou numa completa cegueira em relação à ideia de direitos fundamentais. O pensamento sofístico, a partir da natureza biológica comum dos homens, aproxima-se da tese da **igualdade natural** e da **ideia de humanidade**. «Por natureza são todos iguais, quer sejam bárbaros ou helenos» defenderá o sofista Antifon; «Deus criou todos os homens livres, a nenhum fez escravo», proclamava Alcidamas[10]. No pensamento estóico assume o princípio da igualdade um lugar proeminente: a igualdade radica no facto de todos os homens se encontrarem sob um *nomos* unitário que os converte em cidadãos do grande Estado universal[11]. Quer dizer: direitos de todo o mundo e não apenas direitos limitados ao espaço da *polis*. Aqui se visualiza já a ideia de *universalização ou planetarização* dos direitos do homem. No mundo romano, o pensamento estóico tentará deslocar a doutrina da igualdade da antropologia e da ética para o terreno da filosofia e doutrina políticas. É clássica a posição de Cícero: «a lei verdadeira é a razão coincidente com a natureza na qual todos participam» *(ratio naturae quae est lex divina et humana)*. E não menos clássicas são as palavras poéticas de Terêncio: «Eu sou homem e nada do que é humano me é alheio». No entanto, a ideia de igualdade dos homens, assente numa dimensão individual e cosmológica, não conseguiu ultrapassar o plano filosófico e converter-se em categoria jurídica e, muito menos, em medida natural da comunidade social[12].

---

[9] Cfr. ARISTÓTELES, A *Política,* Ed. Presença, 1965, Cap. II. Sobre a dimensão cosmológica da «liberdade dos antigos» cfr. o nosso artigo «O círculo e a linha. Da 'liberdade dos antigos' à 'liberdade dos modernos' na teoria republicana dos direitos fundamentais», in *O Sagrado e o Profano,* Hom. ao Prof. SILVA DIAS, Coimbra, 1988, pp. 733 e ss. A releitura moderna do problema da igualdade no mundo romano-cristão encontrar-se-á nas páginas brilhantes de L. SFEZ, *Leçons sur l'Égalité,* Paris, 1984, pp. 39 e ss.

[10] Cfr. H. WELZEL, *Derecho Natural y Justicia Material,* Madrid, 1957, p. 12; G. OESTREICH, *Geschichte der Menschenrechte und Grundfreiheiten im Umriss,* Berlin p. 10; K. LÖW, *Die Grundrechte,* München, 1977, p. 40.

[11] Cfr. WELZEL, cit., p. 42; OESTREICH, *Geschichte,* cit., p. 16.

[12] Cfr. E. BLOCH, *Naturrecht und menschliche Würde,* 1961, p. 36; OESTREICH, *Geschichte,* cit., p. 18.

2. Da «*lex natura*» cristã à secularização do direito natural

As concepções cristãs medievais, especialmente o direito natural tomista, ao distinguir entre *lex divina*, *lex natura* e *lex positiva,* abririam o caminho para a necessidade de submeter o direito positivo às normas jurídicas naturais, fundadas na própria natureza dos homens. Mas como era a consciência humana que possibilitava ao homem aquilatar da congruência do direito positivo com o direito divino, colocava-se sempre o problema do conhecimento das *leis justas* e das entidades que, para além da consciência individual, sujeita a erros, captavam a conformidade da *lex positiva* com a *lex divina*. Ora, foi a **secularização do direito natural** pela teoria dos valores objectivos da escolástica espanhola (Francisco de Vitória, Vazquez e Suarez) que, substituindo a vontade divina pela «natureza ou razão das coisas», deu origem a uma concepção secular do direito natural, posteriormente desenvolvida por Grotius, Pufendorf e Locke. Aqui são os preceitos da «*rectae rationis*» (noção explicitada logo no séc. XIV por Guilherme de Ockam) que, desvinculados do peso metafísico e nominalístico, conduzirão à ideia de *direitos naturais do indivíduo* e à concepção de *direitos humanos universais*[13].

3. Dos direitos estamentais aos direitos individuais

A proto-história dos direitos fundamentais costuma salientar a importância das **cartas de franquias medievais** dadas pelos reis aos vassalos, a mais célebre das quais foi a *Magna Charta Libertatum* de 1215. Não se tratava, porém, de uma manifestação da ideia de direitos fundamentais inatos, mas da afirmação de direitos corporativos da aristocracia feudal em face do seu suserano. A finalidade da *Magna Charta* era, pois, o estabelecimento de um *modus vivendi* entre o rei e os barões, que consistia fundamentalmente no reconhecimento de certos direitos de supremacia ao rei em troca de certos direitos de liberdade estamentais consagrados nas cartas de franquia[14].

Mas a *Magna Charta,* embora contivesse fundamentalmente direitos estamentais, fornecia já «aberturas» para a transformação dos direitos corpo-

---

[13] Sobre a influência da secularização em geral sobre a doutrina dos direitos fundamentais, cfr. PECES-BARBA, *Tránsito a la modernidad y Derechos Fundamentales,* Madrid, 1983, p. 132.

[14] A Magna Carta procurou também alicerçar os interesses locais em face das prerrogativas reais. Neste sentido, era um documento de garantia e franquia dos cidadãos, semelhante aos que foram concedidos em Espanha, Portugal, Hungria, Polónia, Suécia, na altura da transição do estado feudal pessoal da alta Idade Média para o estado territorial da baixa Idade Média. Cfr. OESTREICH, *Geschichte,* cit., p. 26. Por último, cfr. KYRIAZIS-GOUVELIS, *Magna Carta. Palladium der Freiheiten oder Feudals Stabilimentum,* Berlin, 1984.

rativos em direitos do homem. O seu vigor «irradiante» no sentido da individualização dos privilégios estamentais detecta-se na interpretação que passou a ser dada ao célebre art. 39.º, onde se preceituava que «Nenhum homem livre será detido ou sujeito a prisão, ou privado dos seus bens, ou colocado fora da lei, ou exilado, ou de qualquer modo molestado, e nós não procederemos, nem mandaremos proceder contra ele, senão em julgamento regular pelos seus pares ou de harmonia com a lei do país». Embora este preceito começasse por aproveitar apenas a certos estratos sociais – os cidadãos *optimo jure* – acabou por ter uma dimensão mais geral quando o conceito de homem *livre*[15] se tornou extensivo a todos os ingleses. É este o significado histórico da leitura de Coke, quatro séculos mais tarde: a transformação dos direitos corporativos de algumas classes em direitos de todos os ingleses[16] (*just rights and liberties* como «*birthrights*», como «*inheritance*»).

4. Da tolerância religiosa à liberdade de religião e crença

A quebra de unidade religiosa da cristandade deu origem à aparição de minorias religiosas que defendiam o direito de cada um à «verdadeira fé». Esta defesa da liberdade religiosa postulava, pelo menos, a ideia de **tolerância religiosa** e a proibição do Estado em impor ao foro íntimo do crente uma religião oficial. Por este facto, alguns autores, como G. Jellinek, vão mesmo ao ponto de ver na luta pela liberdade de religião a verdadeira origem dos direitos fundamentais. Parece, porém, que se tratava mais da ideia de tolerância religiosa para credos diferentes do que propriamente da concepção da liberdade de religião e crença, como direito inalienável do homem, tal como veio a ser proclamado nos modernos documentos constitucionais[17].

5. Do contratualismo jusracionalista aos direitos do homem

A secularização do direito natural de que atrás se falou não teve incidência no que respeita à fundamentação desse mesmo direito natural. É que

---

[15] Só eram livres os barões e, depois, os proprietários dos condados e os burgueses representados na Câmara dos Comuns, mas já não a grande massa dos vilões.

[16] Cfr. OESTREICH, *Geschichte*, cit., p. 25; KRIELE, *Einführung in die Staatslehre*, p. 152. É esta individualização dos direitos estamentais que se tornará patente na *Petition of Rights* de 1638, no *Habeas Corpus* de 1679, e no *Bill of Rights* de 1689.

[17] Se alguma coisa alicerçou a teoria da tolerância religiosa no campo da teoria do Estado foi o *princípio da não identificação do Estado* em matéria religiosa. Cfr. KRIELE, *Einführung, cit.,* p. 153. Para maiores desenvolvimentos sobre a ideia de tolerância como «primeira forma moderna de aparecimento histórico dos direitos fundamentais» cfr. G. PECES-BARBA, *Trânsito a la modernidad y Derechos Fundamentales*, pp. 85 e ss.

todos os teóricos do direito natural racionalista se preocuparam com a justificação do Estado e com a legislação do domínio. E se Hobbes chega ao *Leviathan* (1651), partindo da ideia de que os indivíduos, ao celebrarem o pacto social, abandonam os seus direitos e liberdades ao soberano absoluto que deve proteger os cidadãos, já Locke, na senda da escola de Salamanca, a partir da mesma ideia de contrato, reage contra o processo de absolutização, acompanhado de uma máquina burocrática centralizadora, na qual a nobreza continuava a deter posições privilegiadas, mas da qual a burguesia se sentia marginalizada. A falta de liberdade política da burguesia constituirá um dos incentivos principais a favor da luta pelos direitos do homem[18].

6. Da autonomia privada ao individualismo possessivo

Se as ideias contratuais de Hobbes acabaram na legitimação do poder absoluto, em Locke a teoria contratual conduzirá à defesa da *autonomia privada,* essencialmente cristalizada no direito à vida, à liberdade e à propriedade. Esta concepção do **individualismo possessivo** influenciará, em parte, decisivamente, a *teoria liberal* dos direitos fundamentais que os considerará sempre como *direitos de defesa* do cidadão perante o Estado, devendo este abster-se da invasão da autonomia privada[19]. Daí que o *Government* se reduzisse à «*Preservation of their* (isto é, dos homens) *Property*», e o modelo dos direitos de liberdade fosse essencialmente um *modelo económico,* traduzido no facto de os direitos dos indivíduos se reconduzirem à autodeterminação do indivíduo através da livre disposição sobre a sua pessoa e os seus bens. Deve realçar-se, porém, que a doutrina de Locke, juntamente com a de Rousseau, concebia a liberdade como *liberdade no Estado-sociedade,* como corpos políticos indiferenciados, ao contrário das doutrinas fisiocráticas da ordem natural, conducentes à concepção exclusiva de uma liberdade perante o Estado. É esta concepção, assente no dualismo Estado-sociedade e na ideia de esfera de liberdade só limitada pelos direitos dos outros, que adquirirá contornos mais precisos no constitucionalismo tardio das monarquias dualistas, onde a definição de uma «*staatsfreie Sphäre*» se reconduzirá à delimitação do direito do monarca sob o ponto de vista dos súbditos. A evolução

---

[18] Cfr. PECES-BARBA, *Tránsito a la modernidad,* cit. pp. 159 e ss, que põe bem em relevo a articulação pacto social-direitos fundamentais.

[19] Sobre as influências do individualismo possessivo de Locke na teoria dos direitos fundamentais cfr. A. B. MACHPERSON, *La Teoria Politica del Individualismo Posesivo, cit.,* pp. 22 ss; GRABITZ, *Freiheit und Verfassung,* Tübingen, 1976, pp. 139 e ss; GOERLICH, *Wertordnung und Grundgesetz,* cit. p. 152; K. GRIMMER, *Demokratie und Grundrechte,* Berlin, 1980, p. 25.

desta doutrina acabaria numa *Statuslehre* de G. Jellinek, em que os direitos de liberdade já não eram direitos subjectivos de defesa perante o Estado, mas *auto-vinculações jurídicas* do Estado, agora entendido como ente dotado de personalidade jurídica [20].

7. Capitalismo mercantil e autonomia do «*homo œconomicus*»

Os direitos do homem não se baseiam apenas «em grandezas invariáveis jusnaturalisticamente formuladas». Deduz-se isso das considerações feitas em 5. e 6., nas quais é patente a sua conexão com as constelações histórico-sociais. Neste momento apenas se acentuará a ideia da interdependência da «instância filosófico jurídica» dos direitos fundamentais com a «instância económica». O capitalismo mercantil, com a sua acumulação de riquezas e a necessidade de segurança das convenções comerciais, postulava a existência de um estatuto individual estável, assente numa larga autonomia do «homo œconomicus» [21].

8. Socialismo, direitos sociais, económicos e culturais

Se o capitalismo mercantil e a luta pela emancipação da «sociedade burguesa» são inseparáveis da consciencialização dos direitos do homem, de feição individualista, a luta das classes trabalhadoras e as teorias socialistas (sobretudo Marx, em A *Questão Judaica*) põem em relevo a unidimensionalização dos direitos do homem «egoísta» e a necessidade de completar (ou substituir) os tradicionais direitos do cidadão burguês pelos direitos do «homem total», o que só seria possível numa nova sociedade. Independentemente da adesão aos postulados marxistas, a radicação da ideia da necessidade de garantir o homem no plano económico, social e cultural, de forma a alcançar um fundamento existencial-material, humanamente digno, passou a fazer parte do património da humanidade. As declarações universais dos direitos tentam hoje uma «coexis-

---

[20] Cfr., por último, K. GRIMMER, *Demokratie und Grundrechte*, p. 68, que salienta justamente a passagem dos direitos fundamentais a simples vinculação da lei e a simples norma de competência na doutrina de G. JELLINEK. Cfr., também, BALDASSARE, «Le ideologie costituzionali dei diritti di libertá», in *Democrazia e Diritto*, 2/1976, p. 276. Na doutrina portuguesa cfr. a referência à doutrina de G. JELLINEK e respectiva crítica, logo em 1912, por ROCHA SARAIVA, *Construção Jurídica do Estado*, Coimbra, 1912, p. 37 ss. Uma «explicação--adesão» do positivismo jurídico em matéria de direitos fundamentais encontra-se em CARRÉ DE MALBERG, *Contribution à la Théorie Générale de l'État*, I, p. 231.

[21] Cfr. sobre este ponto, PH. BRAUD, *La notion de liberté publique en droit français*, Paris, 1968, p. 23; J. ROBERT, *Libertés publiques et droits de l'homme*, pp. 11 e ss.

tência integrada» dos direitos liberais e dos direitos sociais, económicos e culturais, embora o modo como os estados, na prática, asseguram essa imbricação, seja profundamente desigual [22].

9. Generatividade geracional: os direitos da terceira geração

A partir da década de 60, começou a desenhar-se uma nova categoria de direitos humanos vulgarmente chamados *direitos da terceira geração*. Nesta perspectiva, os direitos do homem reconduzir-se-iam a três categorias fundamentais: os direitos de liberdade, os direitos de prestação (igualdade) e os direitos de solidariedade [23]. Estes últimos direitos, nos quais se incluem o direito ao desenvolvimento o direito ao património comum da humanidade pressupõem o dever de colaboração de todos os estados e não apenas o actuar activo de cada um e transportam uma dimensão colectiva justificadora de um outro nome dos direitos em causa: **direitos dos povos**. Por vezes, estes direitos são chamados **direitos de quarta geração**. A primeira seria a dos direitos de liberdade, os direitos das revoluções francesas e americana; a segunda seria a dos direitos democráticos de participação política; a terceira seria a dos direitos sociais e dos trabalhadores; a quarta a dos *direitos dos povos* [24]. A discussão internacional em torno do problema da autodeterminação, da nova ordem económica internacional, da participação no património comum, da nova ordem de informação, acabou por gerar a ideia de direitos de terceira (ou quarta geração): direito à autodeterminação, direito ao património comum da humanidade [25], direito a um ambiente saudável e sustentável, direito à comunicação, direito à paz e direito ao desenvolvimento.

É discutida a natureza destes direitos [26]. Critica-se a précompreensão que lhes está subjacente, pois ela sugere a perda de relevância e até a substituição dos direitos das primeiras gerações. A ideia de *generatividade geracional* também não é totalmente correcta: os direitos são de todas as gerações. Em

---

[22] Cfr. OESTREICH, *Geschichte,* cit., p. 105; SCHAMBECK, *Grundrechte und Sozialordnung,* Berlin, 1969, pp. 17 e ss.

[23] Cfr. RIEDEL, "Menschenrechte der Dritten Dirmension", in EUGRZ, 1989, pp. 9 e ss; M. ZIEK, "The Concept of 'Generations' A Human Rights and the Right to Benefit from the Common Heritage of Mankind with Reference to Extraterrestrial Realms", in VRÜ, 25 (1992), p. 161.

[24] Cfr. ZIEK, "The Concept of 'Generations', cit., p. 162; I. SARLET, *A eficácia dos direitos fundamentais,* p. 41 ss.

[25] Cfr., entre nós, JOSÉ MANUEL PUREZA, *O Património Comum da Humanidade: rumo a um direito internacional da solidariedade,* Coimbra, 1995.

[26] Cfr. E. RIEDEL, *Theorie der Menschenrechtsstandards,* p. 227 ss.; P. BONAVIDES, *Curso de Direito Constitucional,* p. 524.

terceiro lugar, não se trata apenas de direitos com um suporte colectivo – o direito dos povos, o direito da humanidade. Neste sentido se fala de *solidarity rights*, de direitos de solidariedade, sendo certo que a solidariedade já era uma dimensão "indimensionável" dos direitos económicos, sociais e culturais. Precisamente por isso, preferem hoje os autores falar de *três dimensões de direitos do homem* (E. Riedel) e não de "três gerações".[27]

10. A inclusividade: o direito dos estrangeiros e das minorias

As modernas sociedades há muito que perderam um dos seus traços característicos: identidade comunitária baseada numa forte homogeneidade social. Tornaram-se multiculturais, multiétnicas. No seio das sociedades inclusivas vivem minorias nacionais, étnicas, religiosas e linguísticas. Reconhecendo este facto, a Assembleia Geral das Nações Unidas adoptou, em Dezembro de 1992, uma *Declaração dos direitos das pessoas pertencentes a minorias nacionais ou étnicas, religiosas e linguísticas*. A noção de minorias e de direitos de minorias levanta muitos problemas. **Minoria** será, fundamentalmente, um grupo de cidadãos de um Estado, em minoria numérica ou em posição não dominante nesse Estado, dotado de características étnicas, religiosas ou linguísticas que diferem das da maioria da população, solidários uns com os outros e animados de uma vontade de sobrevivência e de afirmação da igualdade de facto e de direitos com a maioria.[28]

No campo dos direitos fundamentais existem dois grupos diferentes: (1) direitos dos indivíduos pertencentes às minorias; (2) direitos das minorias propriamente ditas. Indivíduo e grupo e grupo/indivíduo surgem estreitamente relacionadas. Como pessoas, não podem reivindicar outra coisa senão a do tratamento como igual quanto aos direitos fundamentais. Enquanto grupo, põe-se o problema de *direitos colectivos especiais* dada a sua identidade e forte sentimento de pertença e de partilha (língua, religião, família, escola). Neste sentido se fala de minorias *by will* (em contraposição às minorias *by force*): aquelas que atribuem valor à sua diferença e especificidade relativamente à maioria, exigindo a protecção e garantia efectiva desta diferença e especificidade (cfr. Convenção Quadro

---

[27] Cfr. E. RIEDEL, "Menschenrechte der dritten Dimension", p. 11; STERN, *Staatsrecht*, III/2, pp. 1552 e ss; SHARPENACK, *Das "Recht auf Entwicklung"*, cit., pp. 147 e ss; P. BONAVIDES, *Direito Constitucional*, 6.ª ed., 1997, pp. 582 e ss; M. CARBONNEL/J. CRUZ PARCERO/R. VÁSQUEZ, *Derechos Sociales y derechos de las minorías*, México, 2000; A. PIZZORUSSO, *Minoranze e maggioranze*, Torino, 1993.

[28] Seguimos a definição de J. DESCHÊNES, Proposition concernant une définition du terme minorité. Cfr. FENET/COUBI/SCHULTETENCHKHOFF/ANSBACK, *Le Droit et les Minorités*, Bruxelles, 1995; FROWEIN/HOFMANN/OETER (org.), *Das Minderheitenrecht europäischer Staaten*, Berlin, 1994.

para a Protecção de Minorias Nacionais, de 1995, e ratificado por Portugal em 25/06/2001).

Referências bibliográficas

A bibliografia sofre direitos fundamentais é praticamente inesgotável. Indicar-se-ão apenas algumas obras actuais.

1. Obras gerais sobre direitos fundamentais

Andrade, J. C. V. – *Os Direitos Fundamentais na Constituição Portuguesa de 1976*, Coimbra, 2.ª ed., 2001.

Avilés, M. C. B. – *La teoria juridica de los derechos fundamentales*, Madrid, 2000.

Barile, P. – *Diritti dell'uomo e libertà fondamentali*, Bologna, 1984.

Bleckmann, A. – *Staatsrecht II. Die Grundrechte*, Köln/Berlin/Bonn/München, 3.ª ed., 1989.

Burdeau, G. – *Libertés Publiques*, 4.ª ed., Paris, 1972.

Campos, G. B. – *Teoria General de los Derechos Humanos*, México, 1989.

Colliard, C. A. – *Libertés Publiques*, 6.ª ed., Paris, 1982.

Comparato, F. K. – *A afirmação histórica dos direitos humanos*, São Paulo, 1999.

Cunha, P. F. – *Teoria de Constituição II – Direitos Humanos e Direitos Fundamentais*, Lisboa, 2000.

Grossi, P. – *I diritti di libertà ad uso di lezioni*, 2.ª ed., Torino, 1991.

Hesse, K. – "Grundrechte: Bestand und Bedeutung" in Benda/Maihofer/Vogel (org.), *Handbuch des Verfassungsrechts*, Berlin/New York, 1983, p.

Isensee/Kirchhof, *Handbuch des Staatsrecht*, vol. V.

Jiménez Campo, J. – *Derechos Fundamentales (Concepto y garantias)*, Madrid, Trotta, 1999.

Lebreton, G. – *Libertés Publiques et Droits de l'Homme*, 4.ª ed., Paris, 1999.

Madiot, Y. – *Droits de l'Homme et Libertés Publiques*, Paris, 1976.

Miranda, J. – *Manual de Direito Constitucional*, vol. IV, 3.ª ed., Coimbra, 2000.

Müller F. – *Die Positivität der Grundrechte. Fragen einer praktischen Grundrechtsdogmatik*, Berlin, 1969.

Müller, J. P. – *Elemente einer schweizerischen Grundrechtstheorie*, Bern, 1982.

Nabais, A. C. – *Os direitos fundamentais na Constituição Portuguesa*, in BMJ, 400/1990.

Peces Barba, G. – *Derechos Fundamentales 1. Teoria General*, Madrid, 1993.

Pérez Luno, A. – *Derechos Humanos, Estado de Derecho y Constitución,* Madrid, 1984.
Pieroth B./Schlink, B. – *Grundrechte, Staatsrecht* II, Heidelberg, 1992.
Rivero, J. – *Les Libertés Publiques,* 2 vols., Paris, 1988 e 1983.
Robert, J. – *Libertés Publiques et Droits de l'Homme,* 4.ª ed., Paris, 1988.
Saladin, P.– *Grundrechte im Wandel,* 2.ª ed., Bern, 1975.
Segado, F. F. – «La Teoria Jurídica de los Derechos Fundamentales en la doctrina Constitucional», in REDC, 39/1993, p. 195 ss.
Stern, K. – *Staatsrecht der Bundesrepublik Deutschland,* III/1, München, 1988; III/2, München, 1994.
Villaverde, I. – "Esbozo de una Teoria General de los Derechos Fundamentales", in *Revista Jurídica de Asturias,* 22 (1998), pp. 37 e ss.

2. Bibliografia específica

Andrade, J. C. V. – *Os direitos fundamentais,* pp. 54 ss.
Baldassare, A. – "I diritti fondamentali nello stato costituzionale", in *Scritti in onore di A. Predieri,* I. Milano, 1996, pp. 70 e ss.
– *Diritti della persona e valori costituzionali,* Torino, 1997.
Böckenförde, E. W. – «Grundrechtstheorie und Grundrechtsinterpretation», in *NJW,* 1974, p. 1529.
Braud, Ph. – *La notion de liberté publique en droit français,* Paris, 1968.
Brugger, W. – "Menschenrechte im modernen Staat", AöR, 114 (1989), pp. 537 e ss.
Champeil-Desplats, V. – "La notion de droit fondamental et le droit constitutionnel français", Dalloz, 1995.
Cruz Villalon, P. – "Formación y evolución de los derechos fundamentales", in REDC, 25(1989), p. 40.
Freixes, T. – *Constitución y derechos fundamentales,* Barcelona, 1992.
Grimmer, K. – *Demokratie und Grundrechte,* Berlin, 1981.
Hartung, F. – *Die Entwicklung der Menschen-und Bürgerrechte von 1776-bis Gegenwart,* 4.ª ed., 1972.
Kröger, K – *Grundrechtstheorie als Verfassungsproblem,* Baden-Baden, 1983.
Lebreton, G. – *Libertés Publiques et Droits de l'Homme,* Paris, 1996.
Moderne, F. – "La notion de droit fondamentale dans les traditions constitutionnelles des États membres de l'Union Européenne", in F. Sudre H. Labayle (org.), *Realités et perspectives du droit communautaire des droits fondamentaux,* Bruxelles, 2000.
Oestreich, G. – *Geschichte der Menschenrechte und Grundfreiheiten im Umriss,* 2.ª ed., 1978.

Peces Barba, G. – *Trânsito a la modernidad y derechos Fundamentales*, Madrid, 1983.

Perez Luño, A. – "Las Generaciones de Derechos Humanos", in *Revista del Centro de Estudios Constitucionales*, 10 (1991), p. 203 ss.

– *Los derechos fundamentales*, Madrid, 1984.

Revedin (org.), – *Diritti dell'uomo e ideologie contemporanee*, Padova, 1988.

Riedel, E. – *Theorie der Menschenrechtsstandards*, München, 1988.

– "Menschenrechte der dritten Dimension", EuGRZ, 1989, p. 9.

Rubio Llorente – *Derechos fundamentales y principios constitucionales*, Barcelona, 1995.

Sarlet, I. – *A eficácia dos direitos fundamentais*, Porto Alegre, 1998.

Scharenack, H. – *Das Recht auf Entwicklung*, Frankfurt/M., 1996.

Vasak, K. – *As dimensões internacionais dos direitos do homem*, Lisboa, 1983.

– "A 30-year Struggle", *Courier de l'Unesco*, 1977, pp. 29 e ss.

Wilke, G. – *Stand und Kritik der neueren Grundrechtstheorie*, Berlin, 1975, pp. 24 e ss.

Wülfing, Th. – *Grundrechtlicher Gesetzesvorbehalt und Grundrechtsschranken*, Berlin, 1981.

Capítulo 2
Sistema, Estrutura e Função dos Direitos Fundamentais

Sumário

A. O Sistema dos Direitos Fundamentais

I - Classificações doutrinais e históricas

1. Direitos do homem e direitos fundamentais
2. Direitos do homem e direitos do cidadão
3. Direitos naturais e civis
4. Direitos civis e liberdades ou direitos políticos
5. Direitos civis e direitos ou liberdades individuais
6. Direitos e liberdades públicas
7. Direitos e garantias
8. Direitos fundamentais e direitos de personalidade
9. Direitos, liberdades e garantias e direitos económicos, sociais e culturais
10. Direitos fundamentais e garantias institucionais

II - O sistema do direito constitucional positivo

1. Os direitos, liberdades e garantias
2. Direitos económicos, sociais e culturais

3. Direitos fundamentais formalmente constitucionais e direitos fundamentais sem assento constitucional
4. Direitos fundamentais dispersos
5. Direitos de «natureza análoga» aos direitos, liberdades e garantias
6. Direitos formal e materialmente constitucionais e direitos só formalmente constitucionais

B. Funções dos Direitos Fundamentais

I - Função de defesa ou de liberdade

II - Função de prestação social

III - Função de protecção perante terceiros

IV - Função de não discriminação

A. O Sistema dos Direitos Fundamentais

I - Classificações doutrinais e históricas

No presente número procura-se uma precisão terminológica. Não se trata de fazer uma tipologia dos direitos fundamentais mas de registar classificações (algumas com valor meramente histórico) sobre os direitos fundamentais.

1. Direitos do homem e direitos fundamentais

As expressões «direitos do homem» e «direitos fundamentais» são frequentemente utilizadas como sinónimas. Segundo a sua origem e significado poderíamos distingui-las da seguinte maneira: **direitos do homem** são direitos válidos para todos os povos e em todos os tempos (dimensão jusnaturalista-universalista); **direitos fundamentais** são os direitos do homem, jurídico-institucionalmente garantidos e limitados espacio-temporalmente[1]. Os direitos do homem arrancariam da própria natureza humana e daí o seu carácter inviolável, intemporal e universal; os direitos fundamentais seriam os direitos objectivamente vigentes numa ordem jurídica concreta[2].

2. Direitos do homem e direitos do cidadão

Como é sabido, a Declaração de Direitos de 1789 intitulou-se *Declaração dos Direitos do Homem e do Cidadão*. Daí que se procurasse distinguir entre **direitos do homem** e **direitos do cidadão**: os primeiros pertencem ao homem enquanto tal; os segundos pertencem ao homem enquanto ser social, isto

---

[1] Para uma visão tridimensional dos direitos fundamentais – dimensão jusnaturalista, dimensão universalista e dimensão constitucional – cfr. VIEIRA DE ANDRADE, *Os direitos fundamentais*, Coimbra, 1983, pp. 3 e ss.

[2] Sobre esta dimensão cfr. KRIELE, *Einführung*. cit., p. 150. Por último, entre nós, cfr. JORGE MIRANDA, *Manual*, vol. IV, p. 51 ss. Veja-se também, desenvolvidamente, K. STERN, *Das Staatsrecht der Bundesrepublik Deutschland*, vol. III/1, 1988, pp. 39 e ss, onde se colhem informações recentes (Portugal[76], Espanha[78], Holanda[83], Grécia[75], Turquia[82]) a favor do conceito «direitos fundamentais».

é, como indivíduo vivendo em sociedade[3]. Esta classificação pressupõe uma separação talhante entre *status negativus* e *status activus* (na terminologia de G. Jellinek), entre direito individual e direito político. Vendo bem as coisas, a distinção em referência é uma sequela da teoria da separação entre sociedade e Estado, pois o binómio homem-cidadão assenta no pressuposto de que a sociedade civil, separada da sociedade política e hostil a qualquer intervenção estadual, é, por essência, apolítica. Isto permitiu a célebre oposição entre **liberdade dos antigos** e **liberdade dos modernos**: se a liberdade dos antigos consistia, segundo Aristóteles, na participação activa nos negócios públicos, a liberdade dos modernos, na definição de Benjamin Constant, teria como escopo *«la sécurité des jouissances privées»*[4]. Esta oposição, arvorada em autêntica lei de desenvolvimento da história, dava cobertura política ao regime censitário, baseado, precisamente, na distinção entre *l'homme citoyen* e o homem *tout court*[5]. De resto, já anteriormente, Kant *(Doutrina do Direito,* § XLVI) se aproximara do Estado constitucional aristocrático ao distinguir também entre *Staatsbürger* (cidadãos activos) e cidadãos passivos *(Staatsgenossen)*.

3. Direitos naturais e direitos civis

Esta distinção aproxima-se da anterior. O Título I da Constituição francesa de 1791 referia-se *ipsis verbis* aos «direitos naturais e civis» que lhe competia garantir. Os **direitos naturais**, como o nome indica, eram inerentes ao indivíduo e anteriores a qualquer contrato social; os **direitos civis** (*cives* = cidadão) são os chamados *Civil Rights* da terminologia americana, ou seja, os direitos pertencentes ao indivíduo como cidadão e proclamados nas constituições ou leis avulsas.

4. Direitos civis e liberdades ou direitos políticos

É uma distinção introduzida dentro da categoria dos direitos civis. Os **direitos civis** são reconhecidos pelo direito positivo a todos os homens que vivem em sociedade; os segundos – os **direitos políticos** – só são atribuídos aos *cidadãos activo*s. Sieyés formula esta distinção da seguinte maneira: os direitos civis «devem beneficiar todos os indivíduos»; pelo contrário, nem todos têm o direito a tomar parte activa na formação dos poderes públicos, beneficiando de

---

[3] Cfr. BRAUD, *La notion de liberté,* cit., p. 8; T. MAUNZ, *Staatsrecht,* cit., p. 201.

[4] Assim, precisamente, B. CONSTANT, *De la Liberté des Anciens comparée à celle des Modernes,* Paris, 1872, p. 37; P. BASTID, *Benjamin Constant et sa doctrine,* Paris, 1966, 2 vols.

[5] Cfr. G. VLACHOS, «La structure des droits de l'homme et le problème de leur règlementation en régime pluraliste», in *Revue Internationale de Droit Comparée,* 1972, n.° 2, p. 811.

direitos políticos. Tal como já sucedia com a dicotomia entre direitos do homem e do cidadão o artifício da distinção permitirá proclamar o princípio da igualdade, mas, ao mesmo tempo, evitar o sufrágio universal.

A expressão *Direitos Civis e Direitos Políticos dos Cidadãos Portugueses* encontra-se na Carta Constitucional portuguesa de 1826 (art. 145.º e Título Vlll). A doutrina da época separava, precisamente, os *direitos políticos ou cívicos* e os *direitos civis* do seguinte modo: (1) os direitos civis exercem-se no domínio de interesses privados, os políticos ou cívicos na esfera dos interesses públicos; (2) estes pertencem só aos cidadãos activos; aqueles a todos os nacionais, podendo até ser comunicados aos estrangeiros. Cfr. Lopes Praça, *Estudos Sobre a Carta Constitucional de 1826*, Coimbra, 1878, Vol. 1, p. 164.

5. Direitos civis e direitos ou liberdades individuais

Aqui não há qualquer contraposição: os **direitos civis**, depois de esvaziados dos direitos políticos, passam a ser considerados pela publicística francesa como **direitos individuais** ou **liberdades individuais** ou ainda *liberdades fundamentais*. A designação de direitos individuais reflecte melhor a filosofia individualista da escola liberal e daí a sua escolha em detrimento da fórmula direitos civis.

A fórmula *direitos e garantias individuais* surge na Constituição de 1911 (cfr. Título 11, art. 3.º). Todavia, a expressão direitos individuais é entendida sobretudo no sentido de «direitos públicos individuais», isto é, direitos «concernentes à liberdade, à segurança individual e à propriedade». Cfr. Marnoco e Sousa, *Constituição Política da República Portuguesa*, Coimbra, 1913, p. 33; Rocha Saraiva, *Construção Jurídica do Estado*, Coimbra, 1912, p. 80.

6. Direitos e liberdades públicas

Como acabámos de ver, os direitos civis, depois de separados dos direitos políticos, passaram a ser designados também por liberdades individuais. No entanto, costuma fazer-se uma outra distinção com base na posição jurídica do cidadão, titular dos direitos, em relação ao Estado. As liberdades estariam ligadas ao *status negativus* e através delas visa-se defender a esfera dos cidadãos perante a intervenção do Estado. Daí o nome de **direitos de liberdade**, *liberdades autonomia* e *direitos negativos*. Por sua vez, os direitos estariam ligados ou ao *status activus* ou ao *status positivus*. Os direitos ligados ao *status activus* salientam a participação do cidadão como elemento activo da vida política (direito de voto, direito aos cargos públicos). Aqui radicam expressões como *direitos políticos, direitos do cidadão, liberdades de participação* (cfr. arts. 48.º ss). Direitos são ainda as posições jurídicas do cidadão conexionadas com o *status positivus:* trata-se dos direitos dos cidadãos às prestações necessárias ao desenvolvimento pleno da

Sistema, estrutura e função dos direitos fundamentais

existência individual. Daí a sua designação como *direitos positivos ou direitos de prestação,* modernamente conhecidos por *direitos económicos, sociais e culturais* (cfr. arts. 58.º ss).

7. Direitos e garantias

Rigorosamente, as clássicas garantias são também direitos, embora muitas vezes se salientasse nelas o *carácter instrumental* de protecção dos direitos. As **garantias** traduziam-se quer no direito dos cidadãos a exigir dos poderes públicos a protecção dos seus direitos, quer no reconhecimento de meios processuais adequados a essa finalidade (ex.: direito de acesso aos tribunais para defesa dos direitos, princípios do *nullum crimen sine lege* e *nulla poena sine crimen,* direito de *habeas corpus,* princípio *non bis in idem*).

8. Direitos fundamentais e direitos de personalidade

Muitos dos direitos fundamentais são direitos de personalidade, mas nem todos os direitos fundamentais são direitos de personalidade. Os **direitos de personalidade** abarcam certamente os direitos de estado (por ex.: direito de cidadania), os direitos sobre a própria pessoa (direito à vida, à integridade moral e física, direito à privacidade), os direitos distintivos da personalidade (direito à identidade pessoal, direito à informática) e muitos dos direitos de liberdade (liberdade de expressão). Tradicionalmente, afastavam-se dos direitos de personalidade os direitos fundamentais políticos e os direitos a prestações por não serem atinentes ao ser como pessoa. Contudo, hoje em dia, dada a interdependência entre o estatuto positivo e o estatuto negativo do cidadão, e em face da concepção de um direito geral de personalidade como «direito à pessoa ser e à pessoa devir»[6], cada vez mais os direitos fundamentais tendem a ser direitos de personalidade e vice-versa. A LC 1/97 veio, de resto, autonomizar um **direito ao desenvolvimento da personalidade** (art. 26.º/1). No entanto, não é apenas uma ordem de direitos subjectivos, mas também uma *ordem objectiva* que justificará, entre outras coisas, o reconhecimento de direitos fundamentais a pessoas colectivas e organizações (ex.: os direitos reconhecidos às organizações de trabalhadores na Constituição Portuguesa). Neste domínio é particularmente visível a separação entre direitos fundamentais e direitos de personalidade[7].

---

[6] Cfr. ORLANDO DE CARVALHO, *Teoria Geral da Relação Jurídica,* Coimbra, 1970, p. 36.
[7] Cfr. ORLANDO DE CARVALHO, *Os direitos do homem no direito civil português,* Coimbra, 1973; CASTRO MENDES, «Direitos, Liberdades e Garantias», in *Estudos sobre a Constituição,* Vol. 1, 1977,

9. Direitos, liberdades e garantias e direitos económicos, sociais e culturais

É uma distinção particularmente importante no plano do direito constitucional positivo e no plano do direito internacional. Quanto ao direito constitucional vigente basta dizer que a estrutura classificatória básica assenta (cfr. *infra*) na distinção entre «Direitos, liberdades e garantias» (Título II) e «Direitos económicos, sociais e culturais» (Título III); relativamente ao direito internacional, o interesse da distinção radica no facto de ela se aproximar da classificação de direitos constante dos dois pactos internacionais das Nações Unidas sobre direitos fundamentais – «direitos pessoais, civis e políticos» (PIDCP) e «direitos económicos, sociais e culturais» (PIDESC)[8].

11. Direitos fundamentais e garantias institucionais

É uma distinção clássica da doutrina alemã. As chamadas **garantias institucionais** *(Einrichtungsgarantien)* compreendiam as garantias jurídico-públicas *(institutionnelle Garantien)* e as *garantias jurídico-privadas (Institutsgarantie)*. Embora muitas vezes estejam consagradas e protegidas pelas leis constitucionais, elas não seriam verdadeiros direitos atribuídos directamente a uma pessoa; as instituições, *como tais,* têm um sujeito e um objecto diferente dos direitos dos cidadãos. Assim, a maternidade, a família, a administração autónoma, a imprensa livre, o funcionalismo público, a autonomia académica, são instituições protegidas directamente como realidades sociais objectivas e só, *indirectamente,* se expandem para a protecção dos direitos individuais. Contudo, como atrás já foi salientado, o *duplo carácter* atribuído aos direitos fundamentais – individual e institucional – faz com que hoje, por exemplo, o direito de constituir família (art. 36.º/1) se deva considerar indissociável da protecção da instituição família como tal (art. 67.º). Sob o ponto de vista da protecção jurídica constitucional, as garantias institucionais não garantem aos particulares posições subjectivas autónomas e daí a inaplicabilidade do regime dos direitos, liberdades e garantias. Exceptuam-se os casos de imbricação de garantias institucionais e de garantias dos direitos fundamentais (por ex., é praticamente indissociável a protecção do direito de liberdade de imprensa da protecção da instituição imprensa livre). A protecção das garantias institucionais aproxima-se da protecção dos direitos

---

Lisboa, p. 11; por último, amplamente, RABINDRANATH CAPELO DE SOUSA, «A Constituição e os direitos de personalidade», in *Estudos sobre a Constituição*, Vol. 2, Lisboa, 1978, pp. 93 e ss; *O Direito Geral de Personalidade*, Coimbra, 1995; JORGE MIRANDA, *Manual*, IV, cit., p. 56; D. LEITE DE CAMPOS, *Os direitos de personalidade*, Coimbra, 1991; P. MOTA PINTO, "Direito ao desenvolvimento da personalidade", in *Portugal-Brasil – Ano 2000*, Coimbra, 2000, p. 221.

[8] Cfr. VASAK, *As dimensões internacionais*, pp. 27 e ss.

fundamentais quando se exige, em face das intervenções limitativas do legislador, a salvaguarda do «mínimo essencial» (núcleo essencial) das instituições[9].

II - O sistema do direito constitucional positivo

1. Os direitos, liberdades e garantias

Uma das classificações mais importantes sob o ponto de vista jurídico-constitucional, é a que se refere aos **direitos, liberdades e garantias** (Título II) e à sua sistematização positiva: *direitos, liberdades e garantias pessoais* (Cap. I), *direitos, liberdades e garantias de participação de política* (Cap. II) e *direitos, liberdades e garantias dos trabalhadores* (Cap. III). Esta classificação é relevante sob vários pontos de vista: (1) porque ela não constitui um simples esquema classificatório, antes pressupõe um *regime jurídico-constitucional especial,* materialmente caracterizador (cfr. art. 17.º), desta espécie de direitos fundamentais; (2) porque esta classificação e este regime vão servir de parâmetro material a outros *direitos análogos* dispersos ao longo da Constituição; (3) porque aos preceitos constitucionais consagradores de direitos, liberdades e garantias se atribui *uma força vinculante* e uma *densidade aplicativa* («aplicabilidade directa») que apontam para um reforço da «mais-valia» normativa destes preceitos relativamente a outras normas da Constituição, incluindo-se aqui as normas referentes a outros direitos fundamentais[10].

Não obstante se tratar de uma classificação a vários títulos relevante, nem por isso se torna fácil desvendar os *traços específicos* dos direitos, liberdades e garantias relativamente aos outros direitos. Como critérios tendenciais apontam-se os seguintes.

a) *O critério do «radical subjectivo»*

Os direitos, liberdades e garantias seriam, de acordo com este critério, os direitos com *referência pessoal ao homem individual* («radical subjectivo»).

---

[9] A doutrina das garantias institucionais foi elaborada primeiramente por SCHMITT, *Verfassungslehre,* 1.ª ed., 1928, e, depois, em *Freiheitsrechte und institutionelle Garantien der Reichverfassung,* agora em *Verfassungsrechtliche Aufsätze,* 1958, pp. 140 e ss. Cfr., também, HÄBERLE, *Die Wesensgehaltgarantie,* cit., e N. LUHMANN, *Grundrechte als Institution,* 2.ª ed., Berlin, 1974. Entre nós, cfr., por último, JORGE MIRANDA, *Manual,* IV, pp. 68 e ss; M. AFONSO VAZ, *Lei e Reserva de Lei,* p. 367; RUI MACHETE, «O Poder Local e o Conceito de Autonomia Institucional», in *Estudos de Direito Público e Ciência Política,* pp. 570 e ss; MÁRCIO ARANHA, *Interpretação Constitucional e as Garantias Institucionais dos Direitos Fundamentais,* São Paulo, 1999.

[10] Cfr., também, JORGE MIRANDA, *Manual,* IV, pp. 92 e ss.

Trata-se de um critério não constitucionalmente adequado, pois é a própria Constituição que inclui, *expressis verbis,* na categoria de direitos, liberdades e garantias, direitos de pessoas colectivas, designadamente direitos de organizações políticas e sociais (arts. 40.º, 54.º, 56.º e 57.º) [11]

b) *O critério da natureza «defensiva» e «negativa»*

Em termos sintéticos, a ideia central deste critério (de resto, ainda relacionado com o anterior) seria a seguinte: direitos, liberdades e garantias são os direitos de liberdade, cujo destinatário é o Estado, e que têm como objecto a obrigação de abstenção do mesmo relativamente à esfera jurídico-subjectiva por eles definida e protegida. Embora os direitos, liberdades e garantias abranjam a generalidade dos clássicos direitos de liberdade, trata-se, de novo, de um critério não constitucionalmente adequado. Por um lado, a constituição qualifica, expressamente, como direitos, liberdades e garantias, direitos positivos a acções ou prestações do Estado (exs.: art. 40.º, relativo ao direito de antena, e art. 35.º, referente ao direito à informática). Por outro lado, os destinatários dos direitos, liberdades e garantias não são apenas os poderes públicos, mas também as entidades privadas (exs.: art. 36.º/3, referente aos direitos dos cônjuges; art. 53.º, relativamente aos direitos dos trabalhadores; art. 57.º, relacionado com o direito de greve). Finalmente, em terceiro lugar, mesmo que a dimensão garantística aponte basicamente para a inexistência de agressão ou coacção político-estatal, isso não significa que eles não se configurem, igualmente, como direitos a exigir o cumprimento do **dever de protecção** a cargo do Estado (*Schutzpflicht*) das condições de exercício de liberdade (exs.: o direito à vida, consagrado no art. 24.º/1, significa não apenas direito a não ser morto, mas também direito a viver, no sentido do direito a dispor de condições de subsistência mínimas e o direito a exigir das entidades estatais a adopção de medidas impeditivas da agressão deste direito por parte de terceiros).

c) *O critério da determinação ou determinabilidade constitucional do conteúdo*

Uma outra tentativa de caracterização material do conteúdo dos direitos, liberdades e garantias reconduz-se à seguinte matriz[12]: são direitos,

---

[11] Este critério parecia estar subjacente em alguns pareceres da extinta Comissão Constitucional. Cfr., por ex., Parecer da Comissão Constitucional n.º 18/78, in *Pareceres,* Vol. VI. Sobre isso, cfr. JOÃO CAUPERS, *Os direitos fundamentais*, pp. 119 e ss.

[12] Cfr., por todos, VIEIRA DE ANDRADE, *Os direitos fundamentais,* cit., pp. 189 e ss.; AFONSO VAZ, *Lei e Reserva de Lei*, p. 305; BACELAR GOUVEIA, *Os Direitos Fundamentais Atípicos*, p. 437. Por último, vide a *mise au point* de REIS NOVAIS, *As restrições*, p. 146 ss.

liberdades e garantias «aqueles cujo conteúdo é essencialmente determinado (ou determinável) ao nível das opções constitucionais»; não são direitos, liberdades e garantias aqueles que só se tornam «líquidos e certos» no plano da legislação ordinária, isto é, aqueles cujo conteúdo é essencialmente determinado por opções do legislador ordinário [13]. Este critério (ao qual não é alheia uma pré-compreensão reconduzível à ideia de que o conteúdo dos direitos não enquadráveis nos direitos, liberdades e garantias, designadamente dos direitos sociais é, na prática, uma questão de «política legislativa», autonomamente determinada pelo legislador ordinário, sem vinculações materiais relevantes determinadas pela Constituição), depara também com dificuldades, sobretudo no que se refere aos direitos, liberdades e garantias procedimentalmente dependentes (de actos legislativos concretizadores) [14]. Todavia, este critério aponta, de forma correcta, para uma das dimensões materiais constitucionalmente reconhecidas. Se as normas constitucionais consagradoras de direitos, liberdades e garantias são dotadas de aplicabilidade directa (o que não significa ser a mediação legislativa desnecessária ou irrelevante), então é porque os direitos por elas reconhecidos são dotados de densidade normativa suficiente para serem feitos valer na ausência de lei ou mesmo contra a lei. Trata-se, porém, de uma das dimensões materiais dos direitos, liberdades e garantias, e não de um critério único e exclusivo. [15, 16]

d) *Aproximação tendencial aos traços distintivos dos direitos, liberdades e garantias*

Os critérios anteriores só tendencialmente nos aproximam dos traços distintivos dos direitos, liberdades e garantias. Perante as dificuldades de selecção de um critério material susceptível de se converter em operador hermenêutico seguro[17], é dogmaticamente mais avisado procurar as dimensões mais

---

[13] Cfr., nestes termos, VIEIRA DE ANDRADE, *Os direitos fundamentais,* cit., p. 189.

[14] Cfr. VIEIRA DE ANDRADE, *Os direitos fundamentais,* p. 201, nota 27.

[15] Cfr., por último, VIEIRA DE ANDRADE, *O dever de fundamentação do acto administrativo,* p. 217, onde se explica melhor o sentido de determinação e determinabilidade. A explicação da ideia de "determinabilidade" é agora desenvolvida por M. AFONSO VAZ, *Lei e Reserva de Lei* cit., pp. 365 e ss. Na doutrina estrangeira cfr., por todos, K. STERN, *Staatsrecht,* III/1, p. 486.

[16] Cfr., por último, JORGE MIRANDA, *Manual,* IV, p. 106, que acentua ainda mais a necessidade de não se fazer uma «contraposição global extrema» entre direitos, liberdades e garantias, e direitos económicos, sociais e culturais, que acarreta o risco de «desvalorização destes últimos».

[17] De qualquer modo, não deve afastar-se a bondade dogmática da busca de critérios materiais ou substancialistas. A recente tentativa funcionalista de REIS NOVAIS, *As restrições,* p. 147, acaba por não responder às questões mais complexas. Se o acento tónico se deve colocar na estrutura dos direitos ("natureza estrutural dos direitos"), como reconduzir o direito à justiça e o direito aos tribunais a um direito, liberdade e garantia? Este exemplo serve também para demonstrar o artificialismo da distinção entre o direito como um todo "ou direito principal" e os direitos instrumentais ("pretensões jurídicas" ou "posições"). Qual o direito principal no direito de acesso à justiça e aos tribunais?

relevantes da categoria constitucional em análise. Para além das dimensões constitucionalmente constitutivas do seu regime jurídico, merecem ser aqui salientadas algumas notas.[18] A primeira é a de que, em geral, as *normas* consagradoras de direitos, liberdades e garantias recortam, logo a nível constitucional, uma *pretensão jurídica individual* (direito subjectivo) a favor de determinados titulares com o correspondente dever jurídico por parte dos destinatários passivos. Este traço explica a insistência da doutrina na ideia de *aplicabilidade directa* destas normas (cfr., CRP, art. 18.º/1) e na ideia de **determinabilidade constitucional** – e não meramente legal – do conteúdo da referida pretensão subjectiva individual. Do mesmo modo, é esta articulação de determinabilidade constitucional e aplicabilidade directa que justifica uma outra nota caracterizadora. Dada a sua radicação subjectiva, os direitos, liberdades e garantias valem, de forma tendencial, como direitos *self executing*, independentemente da mediação concretizadora ou densificadora dos poderes públicos.

As anteriores dimensões jurídico-constitucionais – *aplicabilidade directa, determinabilidade constitucional do conteúdo, exequibilidade autónoma* – apontam para uma *específica estrutura e função* dos direitos, liberdades e garantias. Trata-se de direitos cuja referência primária é a sua *função de defesa*, auto-impondo-se como "direitos negativos" directamente conformadores de um espaço subjectivo de distanciação e autonomia com o correspondente dever de abstenção ou proibição de agressão por parte dos destinatários passivos, públicos e privados. Nesta medida, ficam fora da categoria de direitos, liberdades e garantias, os direitos fundamentais que consistam, e na medida em que consistam exclusivamente, em *prestações do Estado*, por serem fundamentalmente constituídos a nível político-legislativo.

Os anteriores traços caracterizadores justificam ainda algumas explicações complementares. A primeira destas explicações relaciona-se com o significado da *função de defesa* como elemento caracterizador dos direitos em referência. Basta existir um direito subjectivo determinado constitucionalmente, com a consequente imposição aos destinatários passivos de um dever de abstenção (proibição de agressão), para, *prima facie*, podermos falar de direitos, liberdades e garantias. Isso não significa que, para além desta dimensão negativa, não possa existir também uma dimensão positiva, eventualmente conducente ao reconhecimento de *direitos a prestações*. Assim, por exemplo, o direito à vida (CRP, art. 24.º) é um direito subjectivo de defesa, cuja determinabilidade jurídico-constitucional não oferece dúvidas, pois reconhece-se, logo a nível normativo-constitucional, o direito de o indivíduo afirmar, sem mais, o direito

---

[18] Cfr. GOMES CANOTILHO/VITAL MOREIRA, *Fundamentos da Constituição*, Cap. III, 4.1 e 4.2.

de viver, com os correspondentes deveres jurídicos dos poderes públicos e dos outros indivíduos de não agredirem o "bem da vida" ("dever de abstenção"). Isto não exclui a possibilidade de neste direito coexistir uma dimensão protectiva, ou seja, uma pretensão jurídica à protecção, através do Estado, do direito à vida (dever de protecção jurídica) que obrigará este, por ex., à criação de serviços de polícia, de um sistema prisional e de uma organização judiciária. Todavia, o traço caracterizador do direito à vida é o primeiro – direito de defesa – e é esse traço caracterizador que, *prima facie*, justifica o enquadramento deste direito no catálogo de direitos, liberdades e garantias. Pelo contrário, o "direito à escola" ("o direito à universidade", "o direito aos graus mais elevados de ensino") não é um direito, liberdade e garantia, pois trata-se de um direito necessariamente dependente de *prestações* ("criação de universidades", criação de "institutos superiores"), não podendo o respectivo titular, a partir da norma constitucional, retirar um direito subjectivo *self executing*.

A segunda nota consiste em realçar a inexistência de uma conexão necessária entre uma pretensão jurídica autónoma e a *justiciabilidade* dessa mesma pretensão. Em termos tendenciais, pode dizer-se que um índice relativamente seguro para aquilatar da existência de um direito subjectivo, reconhecedor de pretensões jurídicas directamente actuáveis com base na norma constitucional, é a possibilidade de o titular activo poder recorrer aos tribunais para accionar judicialmente – em caso de necessidade – a satisfação dessas pretensões jurídicas contra os respectivos destinatários passivos. Ninguém contesta, por exemplo, que o *direito de liberdade* legitima qualquer cidadão a recorrer aos tribunais quando ele for alvo de ordem de prisão ilegítima (cf. CRP, art. 31.º referente ao *Habeas Corpus*). Embora a justiciabilidade seja uma dimensão importante da radicação subjectiva de um direito, seria constitucionalmente empobrecedora a caracterização de um direito como direito de liberdade e garantia a partir da sua indissociabilidade com a dimensão de justiciabilidade. Basta um exemplo para verificarmos os perigos de tal ideia. O direito de asilo é um direito que, *prima facie*, se traduz no direito de um cidadão ameaçado procurar "refúgio" num outro Estado, mas isso não implica que este cidadão possa e deva recorrer aos tribunais. Recorrer aos tribunais do Estado da sua nacionalidade ("o Estado perseguidor") é quase um "non sense" e recorrer aos tribunais do Estado asilante pressuporia a eliminação de uma tendencial discricionariedade política na concessão do direito de asilo.[19]

---

[19] Contra, REIS NOVAIS, *As restrições*, p. 101 ss, que retoma o critério da judicialidade como elemento intrínseco do direito subjectivo público.

2. Direitos económicos, sociais e culturais

Outra relevantíssima classificação do direito constitucional positivo é a do Título III: **direitos económicos, sociais e culturais**, distribuídos por três capítulos dedicados respectivamente aos *direitos e deveres económicos* (Cap. I, arts. 58.º a 62.º), aos *direitos e deveres sociais* (Cap. II, arts. 63.º a 72.º) e aos *direitos e deveres culturais* (Cap. III, arts. 73.º a 79.º). Não se trata de uma classificação contraposta à dos direitos, liberdades e garantias. São apenas direitos diferentes destes, sujeitos ao *regime geral* dos direitos fundamentais, mas não beneficiando do *regime especial* dos direitos, liberdades e garantias (a não ser que constituam direitos de natureza análoga aos direitos, liberdades e garantias). Muitos destes direitos consistem em direitos a prestações ou actividades do Estado, mas na categoria de direitos económicos, sociais e culturais a Constituição inclui alguns direitos de natureza negativo-defensiva (exs.: arts. 61.º e 62.º relativos aos direitos de iniciativa privada e o direito de propriedade privada). Por outro lado, o destinatário de alguns destes direitos não é apenas o Estado, mas também a generalidade dos cidadãos (cfr. arts. 60.º, 68.º e 69.º). Em terceiro lugar, do facto de a Constituição ter feito um esforço sistematizador, tornando mais extenso e completo o catálogo dos direitos, liberdades e garantias, não está excluído que alguns dos direitos económicos, sociais e culturais, possam ser configurados como direitos de «natureza análoga» aos direitos, liberdades e garantias.

3. Direitos fundamentais formalmente constitucionais e direitos fundamentais sem assento constitucional

Os direitos consagrados e reconhecidos pela constituição designam-se, por vezes, **direitos fundamentais formalmente constitucionais**, porque eles são enunciados e protegidos por normas com valor constitucional formal (normas que têm a forma constitucional)[20]. A Constituição admite (cfr. art. 16.º), porém, outros direitos fundamentais constantes das leis e das regras aplicáveis de direito internacional. Em virtude de as normas que os reconhecem e protegem não terem a forma constitucional, estes direitos são chamados **direitos materialmente fundamentais**. Por outro lado, trata-se de uma «norma de *fattispecie* aberta», de forma a abranger, para além das positivações concretas, todas as

---

[20] Cfr. as indicações de JORGE MIRANDA, *Manual*, IV, pp. 153 e ss.

possibilidades de «direitos» que se propõem no horizonte da acção humana. Daí que os autores se refiram também aqui ao *princípio da não identificação* ou da *cláusula aberta*. Problema é o de saber como distinguir, dentre os direitos sem assento constitucional, aqueles com dignidade suficiente para serem considerados *fundamentais*. A orientação tendencial de princípio é a de considerar como direitos extraconstitucionais materialmente fundamentais os direitos equiparáveis pelo seu objecto e importância aos diversos tipos de direitos formalmente fundamentais[21]. Neste sentido, o âmbito normativo do art. 16.º/1 «alarga-se» ou «abre-se» a todos os direitos fundamentais e não, como já se pretendeu[22], a uma certa categoria deles – os direitos, liberdades e garantias.

        O reconhecimento de direitos materialmente fundamentais remonta, na nossa história constitucional, à Constituição de 1911. Aqui se considerava (art. 4.º), na senda da Constituição brasileira de 1891, que a especificação das garantias e direitos expressos na Constituição não excluía outras garantias e direitos não enumerados mas que «constam de outras leis».

        Os problemas suscitados por direitos fundamentais não expressamente positivados em normas constitucionais foram logo detectados pela doutrina mais representativa. «As garantias que constam de outras leis – escrevia Marnoco e Sousa – são garantias ordinárias, mas não constitucionais. De duas uma: ou as garantias que constam de outras leis constituem matéria constitucional, mas nesse caso cai-se no absurdo de considerar como constitucionais garantias estabelecidas pelas leis ordinárias, tornando-se difícil a reforma dessas leis, ou tais garantias não constituem matéria constitucional e nesse caso não se pode explicar a referência que este artigo lhes faz, pois a constituição deve ocupar-se unicamente das garantias constitucionais». Cfr. Marnoco e Sousa, *Constituição Política da República Portuguesa*, Coimbra, 1913, p. 205. Por último, cfr. António Vitorino, «Protecção Constitucional e Protecção Internacional dos Direitos do Homem: concorrência ou complementaridade», in AAFDL, Lisboa, 1993, p. 30; Jorge Bacelar Gouveia, «Os Direitos Fundamentais à Protecção dos Dados Pessoais Informatizados», in ROA, 1991, pp. 728 e ss.; *Direitos Fundamentais Atípicos*, Lisboa, 1995, pp. 39 e ss.

4. Direitos fundamentais dispersos

        O amplo catálogo de direitos fundamentais ao qual é dedicada a Parte I da Constituição não esgota o campo constitucional dos direitos fundamentais. Dispersos ao longo da Constituição existem outros direitos fundamentais, vulgarmente chamados *direitos fundamentais formalmente constitucionais*

---

[21] Nestes termos, cfr. GOMES CANOTILHO/VITAL MOREIRA, *Fundamentos da Constituição*, Cap. III.

[22] Cfr. HENRIQUE MOTA, cit., p. 199, que «fecha» a abertura, dizendo que «o objecto do princípio da lista aberta, do ponto de vista constitucional, são os direitos, liberdades e garantias». Cfr., porém, no entendimento que se nos afigura jurídico-constitucionalmente correcto, JORGE MIRANDA, *Manual*, IV, pp. 152 e ss.

mas fora do catálogo ou **direitos fundamentais dispersos**. Alguns destes direitos são direitos de natureza análoga aos direitos, liberdades e garantias (exs.: arts. 106.º/3, 127.º/1, 217.º, 246.º/2, 268.º/2, 3, 4 e 5, 269.º/3, 271.º/3 e 276.º/7); outros aproximam-se dos direitos sociais (ex.: art. 102.º).

5. Direitos de «natureza análoga» aos direitos, liberdades e garantias

O art. 17.º menciona uma categoria de direitos – **os direitos de natureza análoga aos direitos, liberdades e garantias** – cujos contornos não são fáceis de determinar. A qualificação ou não de um direito como direito de natureza análoga aos direitos, liberdades e garantias possui, porém, um relevantíssimo alcance, pois, em caso afirmativo, esses direitos gozam de um regime constitucional particularmente cuidadoso – o *regime dos direitos, liberdades e garantias*. Como pontos de partida devem considerar-se:

(1) os direitos de natureza análoga são os direitos que, embora não referidos no catálogo dos direitos, liberdades e garantias, beneficiam de um regime jurídico constitucional idêntico ao destes;

(2) os direitos de natureza análoga tanto podem encontrar-se entre os direitos económicos, sociais e culturais (Título II) como entre os restantes direitos fundamentais dispersos ao longo da constituição. Por sua vez, as operações metódicas conducentes à captação da «natureza análoga» devem tomar em consideração o esquema que consta do quadro junto.

DIREITOS, LIBERDADES E GARANTIAS DE «NATUREZA ANÁLOGA»

	Pessoais	De participação política	Dos trabalhadores
Direitos = *status positivus* e *status activus* – direitos inerentes ao homem como indivíduo ou como participante na vida política	*Direito* pessoal de natureza análoga (n. a.)	Direito de participação política de n. a.	Direito de n. a. dos trabalhadores
Liberdades = *status negativus* – defesa da esfera jurídica dos cidadãos perante os poderes políticos	Liberdade pessoal de n.a.	Liberdade de participação política de n.a.	Liberdade de n.a. dos trabalhadores
Garantias = *status activus processualis* – garantias ou meios processuais adequados para a defesa dos direitos	Garantia pessoal de n.a.	Garantia de participação política de n.a.	Garantia de n.a. dos trabalhadores

Como se vê no quadro, a tarefa de densificação metódica deve procurar, em cada caso concreto, a analogia relativamente: (1) a cada uma das categorias (direitos, liberdades e garantias) e não em relação ao conjunto dos direitos, liberdades e garantias; (2) a cada uma das espécies sistematizadas na constituição (direitos, liberdades e garantias de natureza pessoal; direitos, liberdades ou garantia de participação política; direitos, liberdades ou garantias dos trabalhadores)[23].

6. Direitos formal e materialmente constitucionais e direitos só formalmente constitucionais

Da distinção anteriormente referida – direitos fundamentais formalmente constitucionais, isto é, os direitos expressamente consagrados na constituição formal, e direitos fundamentais constantes das leis, mas não formalmente normados na constituição –, deve distinguir-se uma outra: a distinção entre **direitos fundamentais em sentido formal e material** e **direitos fundamentais em sentido meramente formal**. No âmbito dos direitos fundamentais, a distinção reconduz-se ao seguinte: há direitos fundamentais consagrados na constituição que só pelo facto de beneficiarem da positivação constitucional merecem a classificação de constitucionais (e fundamentais), mas o seu conteúdo não se pode considerar materialmente fundamental; outros, pelo contrário, além de revestirem a forma constitucional, devem considerar-se materiais quanto à sua natureza intrínseca (direitos formal e materialmente constitucionais). A base da distinção deve procurar-se, segundo uma persistente tradição doutrinal, na «subjectividade pessoal», no «radical subjectivo», caracterizador dos *direitos fundamentais materiais*. **Direitos fundamentais materiais** seriam, nesta perspectiva, os direitos subjectivamente conformadores de um espaço de liberdade de decisão e de auto-realização, servindo simultaneamente para assegurar ou garantir a defesa desta subjectividade pessoal. No plano jurídico-constitucional, trata-se de uma distinção dificilmente compatível com o regime geral dos direitos fundamentais positivamente consagrado. Por um lado, e não obstante a dicotomia entre direitos, liberdades e garantias e direitos económicos, sociais e culturais, a Constituição qualificou ambas as categorias de direitos como direitos fundamentais (cfr. Título 1). Em segundo lugar, e como resulta da própria sistematização dos direitos, liberdades e garantias, em direitos, liberdades e garantias pessoais, direitos, liberdades e garantias de participação

---

[23] Cfr. JORGE MIRANDA, *Manual*, IV, pp. 142 e ss, onde se pode ver uma extensa lista de «direitos análogos». Alguns dos seus exemplos de direitos análogos merecem-nos reticências.

política e direitos, liberdades e garantias dos trabalhadores, a *base antropológica* dos direitos fundamentais não é apenas o «homem individual», mas também o homem inserido em relações sociopolíticas e socioeconómicas e em grupos de vária natureza, com funções sociais diferenciadas[24]. Veremos melhor este problema nas páginas seguintes dedicadas à estrutura dos direitos fundamentais.

    Uma tentativa de distinção entre direitos constitucionais materiais e direitos só formalmente constitucionais foi feita, entre nós, por Vieira de Andrade, *Os Direitos Fundamentais,* pp. 78 ss e 89 ss, que, partindo de uma pré-compreensão típica do subjectivismo axiológico e de um individualismo metodológico próximo das teorias atomísticas da sociedade, expulsa do catálogo material de direitos todos aqueles que não tenham um «radical subjectivo», isto é, não pressuponham a ideia-princípio da dignidade da pessoa humana. O resultado a que chega é um exemplo típico de uma teoria de direitos fundamentais não constitucionalmente adequada. Em primeiro lugar, debate-se com sérios embaraços perante a consagração expressa de direitos fundamentais das pessoas colectivas (art. 12.º/2), vendo-se obrigado a afirmar que mesmo os direitos das pessoas colectivas são «direitos individuais ainda que colectivizados» (p. 179). Em segundo lugar, contra as disposições inequívocas da lei constitucional garantidoras de direitos fundamentais a associações e organizações, como as organizações sindicais e as comissões de trabalhadores (arts. 54.º e 56.º), o autor, em nome da pureza da «ideia-princípio da dignidade da pessoa humana», rebaixa estes direitos, sem qualquer base constitucional, a simples poderes concedidos a certas entidades com o objectivo de concretizar opções de organização económico-social» (p. 92). Finalmente, a distinção entre direitos fundamentais materiais e direitos fundamentais formais, tal como é proposta pelo autor, não tem quaisquer resultados práticos, pois a constituição consagrou, com o mesmo título e a mesma dignidade, ambos os tipos de direitos. Trata-se, pois, de uma distinção ideológica. Neste sentido, cfr. Gomes Canotilho/Vital Moreira, *Constituição da República*, p. 113. Num sentido próximo do defendido no texto, cfr. Mortati, *Principi Fondamentali*, in C. Barbera (org.), *Commentario della Costituzione*, Roma, 1982, p. 119; N. Bobbio, «Libertá fondamentali e formazioni sociali», in *Pol. Dir.*, 1975, p. 435. Por último, cfr. a posição matizada de Jorge Miranda, *Manual*, IV, p. 76, e Vaz Patto, *A vinculação de entidades públicas*, p. 486.

B. *Funções dos Direitos Fundamentais*[25]

I - *Função de defesa ou de liberdade*

    A primeira função dos direitos fundamentais – sobretudo dos direitos, liberdades e garantias – é a defesa da pessoa humana e da sua dignidade perante os poderes do Estado (e de outros esquemas políticos coactivos).

    [24] Cfr. GOMES CANOTILHO/VITAL MOREIRA, *Constituição da República Portuguesa Anotada*, p. 112; JOÃO CAUPERS, *Os direitos fundamentais*, pp. 119 e ss.
    [25] Sobre as funções dos direitos fundamentais cfr. A. BLECKMANN, *Staatsrecht*, II, p. 197 ss.; I. V. MÜNCH, *Staatsrecht*, 6.ª ed., p. MUNCH/KÜNIG, *Grundgesetz Kommentar*, 5.ª ed., Introdução aos arts. 1.º a 19.º

Os direitos fundamentais cumprem a função de **direitos de defesa** dos cidadãos sob uma dupla perspectiva: (1) constituem, num plano jurídico--objectivo, normas de competência negativa para os poderes públicos, proibindo fundamentalmente as ingerências destes na esfera jurídica individual; (2) implicam, num plano jurídico-subjectivo, o poder de exercer positivamente direitos fundamentais (liberdade positiva) e de exigir omissões dos poderes públicos, de forma a evitar agressões lesivas por parte dos mesmos (liberdade negativa).

Assim, por ex., o art. 37.º da CRP garante subjectivamente: (a) direito de exprimir e divulgar livremente o pensamento pela palavra, pela imagem ou por qualquer outro meio (liberdade positiva); (b) direito de a liberdade de expressão e informação ser feita sem impedimentos ou discriminações por parte dos poderes públicos (liberdade negativa). Além disso, impõe-se objectivamente aos poderes públicos a proibição de qualquer tipo ou forma de censura (cfr. art. 37.º/2).

II - Função de prestação social

Os **direitos a prestações** significam, em sentido estrito, direito do particular a obter algo através do Estado (saúde, educação, segurança social). É claro que se o particular tiver meios financeiros suficientes e houver resposta satisfatória do mercado à procura destes bens sociais, ele pode obter a satisfação das suas "pretensões prestacionais" através do comércio privado (cuidados de saúde privados, seguros privados, ensino privado) [26].

A função de prestação dos direitos fundamentais anda associada a três núcleos problemáticos dos direitos sociais, económicos e culturais: (1) ao problema dos **direitos sociais originários**, ou seja, se os particulares podem derivar directamente das normas constitucionais pretensões prestacionais (ex: derivar da norma consagradora do direito à habitação uma pretensão prestacional traduzida no "direito de exigir" uma casa); (2) ao problema dos **direitos sociais derivados** que se reconduz ao direito de exigir uma actuação legislativa concretizadora das "normas constitucionais sociais" (sob pena de omissão inconstitucional) e no direito de exigir e obter a participação igual nas prestações criadas pelo legislador (ex: prestações médicas e hospitalares existentes); (3) ao problema de saber se as normas consagradoras de direitos fundamentais sociais tem uma dimensão objectiva juridicamente vinculativa dos poderes públicos no sentido de obrigarem estes (independentemente de direitos subjectivos ou pretensões

---

[26] Cfr. ALEXY, *Theorie der Grundrechte*, p. 454.

subjectivas dos indivíduos) a **políticas sociais activas** conducentes à criação de instituições (ex: hospitais, escolas), serviços (ex: serviços de segurança social) e fornecimento de prestações (ex: rendimento mínimo, subsídio de desemprego, bolsas de estudo, habitações económicas). A resposta aos dois primeiros problemas é discutível. Relativamente à última questão, é líquido que as normas consagradoras de direitos sociais, económicos e culturais da Constituição Portuguesa de 1976 individualizam e impõem *políticas públicas* socialmente activas.

III - Função de protecção perante terceiros

Muitos direitos impõem um *dever ao Estado* (poderes públicos) no sentido de este *proteger* perante *terceiros* os titulares de direitos fundamentais. Neste sentido o Estado tem o dever de proteger o direito à vida perante eventuais agressões de outros indivíduos (é a ideia traduzida pela doutrina alemã na fórmula *Schutzpflicht*). O mesmo acontece com numerosos direitos como o direito de inviolabilidade de domicílio, o direito de protecção de dados informáticos, o direito de associação. Em todos estes casos, da garantia constitucional de um direito resulta o dever do Estado adoptar medidas positivas destinadas a proteger o exercício dos direitos fundamentais perante actividades perturbadoras ou lesivas dos mesmos praticadas por terceiros. Daí o falar-se da **função de protecção perante terceiros**. Diferentemente do que acontece com a função de prestação, o esquema relacional não se estabelece aqui entre o titular do direito fundamental e o Estado (ou uma autoridade encarregada de desempenhar uma tarefa pública) mas entre o indivíduo e outros indivíduos (vide *infra* conflitos de direitos fundamentais) [27].

Esta função de protecção de terceiros obrigará também o Estado a concretizar as normas reguladoras das relações jurídico-civis de forma a assegurar nestas relações a observância dos direitos fundamentais (ex: regulação do casamento de forma a assegurar a igualdade entre cônjuges) (cfr. *infra*, aplicação dos direitos fundamentais nas relações jurídicas privadas).

IV - Função de não discriminação

Uma das funções dos direitos fundamentais ultimamente mais acentuada pela doutrina (sobretudo a doutrina norte-americana) é a que se pode

---

[27] Cfr. ISENSEE/KIRCHOF, *Staatsrecht*, Vol. 5, pp. 189 e ss.; STERN, *Staatsrecht*, III/1, p. 931 ss.

chamar **função de não discriminação**. A partir do princípio da igualdade e dos direitos de igualdade específicos consagrados na constituição, a doutrina deriva esta função primária e básica dos direitos fundamentais: assegurar que o Estado trate os seus cidadãos como cidadãos fundamentalmente iguais.[28] Esta função de não discriminação abrange todos os direitos. Tanto se aplica aos direitos, liberdades e garantias pessoais (ex: não discriminação em virtude de religião), como aos direitos de participação política (ex: direito de acesso aos cargos públicos) como ainda aos direitos dos trabalhadores (ex: direito ao emprego e formação profissional). Alarga-se, de igual modo, aos direitos a prestações (prestações de saúde, habitação). É com base nesta função de não discriminação que se discute o *problema das quotas* (ex: "parlamento paritário de homens e mulheres") e o problema das *afirmative actions* tendentes a compensar a desigualdade de oportunidades (ex: "quotas de deficientes") [29]. É ainda com uma acentuação-radicalização da função antidiscriminatória dos direitos fundamentais que alguns grupos minoritários defendem a efectivação plena da igualdade de direitos numa sociedade multicultural e hiperinclusiva ("direitos dos homossexuais", "direitos das mães solteiras" "direitos das pessoas portadoras de HIV").

A última revisão (1997) acentuou claramente esta função antidiscriminatória dos direitos fundamentais (cfr. CRP, arts. 26.°, *in fine*, 46.°/4, 69.°/1, 109.°) e no mesmo sentido se orientam as mais recentes Convenções Internacionais (cf. *Protocolo Opcional à Convenção sobre a Eliminação de todas as Formas de Discriminação contra as Mulheres*, adoptado em Nova Iorque em 6/10/1999).

Referências bibliográficas

Alexy, R. – *Theorie der Grundrechte*, Frankfurt/M., 1985.
Andrade, J. C. V. – *Os direitos fundamentais*, cit., p. 54 ss.
Baldassare – *Diritti Inviolabili*, in *Enciclopedia Giuridica*, vol. XI.
Barile, C. – *Diritti dell'uomo e libertà fondamentali*, Bologna, 1989.
Bleckmann, A. – *Staatsrecht*, II, p. 187 ss.

---

[28] Cfr. R. ORRÚ, *La Costituzione di tutti*, Torino, 1998.
[29] Cfr., por último, de forma clara, HANS JARASS, "Bausteine einer umfasssenden Grundrechtsdogmatik", in AÖR, 120/3 (1995), p. 348. Entre nós, *vide* VITAL MOREIRA, "A IV Revisão Constitucional e a Igualdade de Homens e Mulheres no Exercício de Direitos Cívicos e Políticos (Nota sobre o art. 109.° da CRP", in BFDC, LXXIV (1998), pp. 407 e ss.

Braud, Ph. – *La Notion de Liberté publique en droit public français*, Paris, 1968.

Carbone, L. – *I doveri pubblici individuali nella costituzione*, Milano, 1968.

Canotilho, J. J. G./Moreira, V. – *Constituição da República Portuguesa*, p. 101 ss.

Canotilho, J. J. G. – *Direitos fundamentais, procedimento, processo e organização*, Coimbra, 1990.

Champeil-Desplats, V. – "La notion de droit fondamental et le droit constitutionnel français", in Dalloz, 1995, p. 323.

Chevalier, J. – "L'État de droit", in RDP, 1988, pp. 313 e ss.

Miranda, J. – *Manual de Direito Constitucional*, IV, pp. 48 e ss. e 163 e ss.

Mossé-Bastide, R. – *La Liberté*, Paris, 1983.

Münch, I. – *Staatsrecht*, I, 6.ª ed., 2000, p. 415 ss.

Nabais, J. C. – "Os direitos fundamentais na Constituição Portuguesa", in *Boletim do Ministério da Justiça*, 400(1990), pp. 15 e ss.

Saint-James, V. – *La conciliation des droits de l'Homme et des libertés en droit public français*, Paris, 1995.

Unrh, G. – *Zur Dogmatik der grundrechtlichen Schutzpflichten*, 1996.

Ventura, Catarina – "Os direitos fundamentais à luz da Quarta Revisão Constitucional", in BFDC, LXXIV (1998), pp. 439 e ss.

Capítulo 3
Regime Geral dos Direitos Fundamentais

Sumário

A. Regime geral de direitos fundamentais e regime específico de direitos, liberdades e garantias

1. Regime/regimes
2. Significado jurídico

B. O regime geral dos direitos fundamentais

I - Âmbito da titularidade de direitos fundamentais

1. O princípio da universalidade
2. Direitos de cidadãos portugueses, direitos de cidadãos de países de língua portuguesa, direitos de cidadãos da União Europeia e direitos de estrangeiros e apátridas
3. Direitos fundamentais de cidadãos portugueses residentes no estrangeiro
4. Direitos fundamentais de pessoas colectivas
5. Direitos fundamentais colectivos
6. Titularidade e capacidade de direitos

II - O princípio da igualdade

1. Igualdade na aplicação do direito e igualdade na criação do direito
2. Princípio da igualdade e igualdade de oportunidades
3. A igualdade perante os encargos públicos
4. Princípio da igualdade e princípios da igualdade (ou direitos de igualdade)
5. A dimensão objectiva do princípio da igualdade

III - O princípio de acesso ao direito e da garantia da tutela jurisdicional efectiva

A. Regime Geral de Direitos Fundamentais e Regime Específico de Direitos, Liberdades e Garantias

1. Regime/regimes

A Constituição, – desde o texto originário de 1976 até ao texto resultante da Lei n.º 1/97 (4.ª Revisão), passando pelo texto da 1.ª Revisão (Lei n.º 1/82) e da 2.ª Revisão (L 1/89) –, não consagrou uma disciplina jurídico--constitucional unitária dos direitos fundamentais, antes estabeleceu:

(1) *um regime geral dos direitos fundamentais*, que é um regime aplicável a todos os direitos fundamentais, quer sejam consagrados como «direitos, liberdades e garantias» ou como «direitos económicos, sociais e culturais», e quer se encontrem no «catálogo dos direitos fundamentais» ou fora desse catálogo, dispersos pela Constituição;

(2) *um regime específico dos direitos, liberdades e garantias*, ou seja, uma disciplina jurídica da natureza particular, consagrada nas normas constitucionais, e aplicável, em via de princípio, aos «direitos, liberdades e garantias» e aos direitos de «natureza análoga».

A relação entre «regime geral» e «regime especial» não é, porém, uma relação de exclusão ou de separação. Seria incorrecto dizer que existem dois regimes distintos para dois grupos diversos de direitos fundamentais. O que existe é um *regime geral* (a todos aplicável) e um *regime especial* (próprio dos direitos, liberdades e garantias e dos direitos de natureza análoga) que se acrescenta àquele[1]. A Constituição não se refere a qualquer regime particular dos direitos económicos, sociais e culturais, embora possam existir certas dimensões (dimensão impositiva, dimensão prestacional) mais típicas deste grupo de direitos[2]. Por outro lado, não está excluída a existência de regras e princípios con-

---

[1] Cfr. GOMES CANOTILHO/VITAL MOREIRA, *Fundamentos da Constituição*, p. 120.
[2] Preferimos mais falar em «dimensões» do que em «regras específicas», como faz JORGE MIRANDA, *Manual*, IV, p. 137, pois algumas das dimensões específicas dos direitos económicos, sociais e culturais que este autor assinala não são regras jurídicas (ex.: dependência da realidade constitucional, conexão com tarefas e incumbências).

sagrados na constituição e especificamente respeitantes a certas «categorias de direitos» (cfr., por exemplo, o artigo 19.º/6 da CRP, onde se individualizam «direitos, liberdades e garantias» com um regime «específico» em situações de estado de sítio ou estado de emergência) [3].

2. Significado jurídico

O significado de um regime de direitos «qualificado» ou de «garantias reforçadas» – o regime dos direitos, liberdades e garantias – não é o de reduzir o «regime geral» a uma disciplina jurídica mais frouxa ou com menos dignidade (basta pensar em alguns dos seus princípios estruturantes, como o princípio da universalidade e o princípio da igualdade), mas o de estabelecer um regime que exprima a natureza desses direitos – na sua concreta expressão constitucional positiva – como elementos estruturantes do Estado de direito democrático (de *Bauelemente* fala a este respeito a doutrina alemã).

B. O Regime Geral dos Direitos Fundamentais

I - Âmbito da titularidade de direitos fundamentais

1. O princípio da universalidade

O processo de fundamentalização, constitucionalização e positivação dos direitos fundamentais colocou o indivíduo, a pessoa, o homem, como centro da titularidade de direitos. A delimitação do âmbito dessa titularidade levanta alguns problemas: (1) – todos os indivíduos terão os direitos reconhecidos pelas normas de direitos fundamentais, ou serão apenas os cidadãos portugueses os únicos dotados de «subjectividade jurídica» para lhes ser atribuída a titularidade de direitos fundamentais?; (2) – só as «pessoas naturais» têm direitos ou a titularidade de direitos estende-se também a «substratos sociais» (organizações, associações, pessoas colectivas)?; (3) – quando começa e acaba a titularidade de direitos fundamentais?

O princípio geral – **princípio da universalidade** – está consagrado no artigo 12.º: os direitos fundamentais são «direitos de todos», são direitos

---

[3] Cfr., por último, JORGE MIRANDA, *Manual*, IV, p. 146, onde se alude a uma «ordem decrescente de consistência e protecção jurídica dos direitos fundamentais». A ideia de «ordem decrescente» merece-nos reservas, porque pode sugerir a existência de um diferente «grau ou valor» quando, na realidade, se trata de regime jurídico «qualificado», aliado, de resto, à natureza específica dos direitos.

humanos e não apenas direitos dos cidadãos portugueses, a não ser quando a constituição ou a lei (com autorização constitucional) estabeleça uma «reserva dos direitos» para os «nacionais» ou cidadãos portugueses. Há, porém, alguns desvios a este princípio.

2. Direitos de cidadãos portugueses, direitos de cidadãos de países de língua portuguesa, direitos de cidadãos da União Europeia e direitos de estrangeiros e apátridas

Quatro «círculos subjectivos» podem ser detectados nas normas consagradoras de direitos fundamentais. O primeiro círculo – o círculo de **cidadania portuguesa** – é formado pelos direitos fundamentais exclusivamente pertencentes aos cidadãos portugueses (CRP, artigos 15.°/2/3, 121.°/1, 275.°/2): os direitos políticos, o exercício de funções públicas que não tenham carácter meramente técnico, e outros direitos reservados pela Constituição ou pela lei aos cidadãos portugueses. Um segundo círculo – o círculo da **cidadania europeia** (cfr. Tratado da União Europeia, arts. 8.° e segs.) – é formado pelos direitos de cidadãos portugueses que devem ser alargados aos cidadãos estrangeiros residentes em Portugal e que sejam nacionais de estados membros da União Europeia (art. 15.°/5). Um terceiro círculo – o círculo da **cidadania da CPLP** – é constituído pelos direitos que pertencem aos cidadãos portugueses mas que podem ser alargados a cidadãos de países de língua portuguesa (art. 15.°/3) da CRP, arts. 5.° e 12.°/1 da Constituição Brasileira, art. 16.° da Constituição de S. Tomé e Príncipe e art. 27.° da Constituição de Cabo Verde). A última revisão constitucional (LC 1/2001, de 12-12) deu guarida constitucional ao reforço do catálogo de direitos dos cidadãos da CPLP. O último círculo – a **"cidadania de todos"** – é constituído pelos «direitos de todos», extensivos a estrangeiros e apátridas [4].

A 2.ª revisão (Lei n.° 1/89) alargou a titularidade de alguns direitos políticos a estrangeiros residentes em território nacional (artigo 15.°/4: direito de sufrágio a nível local). O «alargamento» ou «restrição» de direitos fundamentais de estrangeiros pressupõe uma certa medida de «discricionariedade» do legislador constituinte, ou, mediante autorização da constituição, do legislador ordinário [5].

---

[4] O regime jurídico-constitucional dos «estrangeiros» tem sofrido oscilações nas constituições portuguesas. Cfr., por exemplo, JORGE MIRANDA, *Manual*, III, p. 133. Sobre as "cidadanias múltiplas" ou "múltiplos de cidadanias", cfr. FRANCIS DELPEREE, "La Citoyenneté multiple", in J. MIRANDA (org.), *Perspectivas Constitucionais*, II, pp. 213 e ss.; M. CARTABIA, "Cittadinanza Europea" in *Enc. Giur.*, vol. IV (1995), p. 2 ss.

[5] Cfr. GOMES CANOTILHO/VITAL MOREIRA, *Constituição da República*, p. 157; MÁRIO TORRES, *O Estatuto Constitucional dos Estrangeiros*, 2001, p. 24.

Contudo, também aqui se coloca uma «teoria de limites» do poder constituinte (ou dos poderes constituídos constitucionalmente competentes) quanto à exclusão de direitos de estrangeiros [6]. Existe um **núcleo essencial de direitos fundamentais de estrangeiros e apátridas**. Em via de princípio, os cidadãos estrangeiros não podem ser privados: (1) de direitos, liberdades e garantias que, mesmo em regime de excepção constitucional – estado de sítio e estado de emergência –, não podem ser suspensos (cfr. CRP, artigo 19.º/6); (2) de direitos, liberdades e garantias ou direitos de natureza análoga estritamente relacionados com o desenvolvimento da personalidade humana (exemplos: artigo 36.º/1 e 2 consagrador do direito de constituir e contrair casamento e direito à manutenção e educação dos filhos; artigo 42.º – direito à criação intelectual, artística e científica; artigo 26.º – direito à reserva da vida privada e familiar). De resto, este «núcleo essencial» não prejudica a sua complementação através da concretização ou desenvolvimento judicial dos direitos fundamentais [7]. (Cfr., por ex., Acs. TC 962/96 e 365/2000, referentes ao direito a apoio judiciário de estrangeiros e apátridas). A categoria de estrangeiros não é, hoje, homogénea. Para além da distinção entre "estrangeiros comunitários" e "estrangeiros da CPLP", a lei distingue entre *estrangeiros regularmente residentes* e *estrangeiros presentes no território português,* havendo, por isso, vários tipos de *vistos* (visto de escala, visto de trânsito, visto de curta duração, visto de residencia, visto de estudo, visto de trabalho, visto de entrada temporária). A lei estabelece as condições da emissão de vistos (cf. DL n.º 244/88, de 8.8, alterado pelos 297/89, de 26.6, DL n.º 4/2001, de 10.1, e DL 34/2003, de 25.2).

Deve, de resto, salientar-se que há **direitos fundamentais exclusivos de estrangeiros,** como é o caso do direito de asilo (CRP, art. 33.º) e de alguns direitos de carácter procedimental e processual relacionados com a *expulsão* e *extradição* (art. 33.º). Quanto a este último direito ele é também, direito de nacionais sujeitos a medidas de extradição nos termos do art. 33.º/3 e 4 (LC 1/2001, 5.ª Revisão da Constituição).

A orientação aqui proposta corresponde ao significado profundo da «positivação-constitucionalização» dos **direitos do homem**: a ideia dos «direitos do homem» não proíbe que o legislador constituinte conforme os «seus direitos fundamentais» através da sua «constituição», mas a base antropológica dos direitos do homem «proíbe» a aniquilação dos direitos de outros homens – os estrangeiros ou apátridas –, designadamente quando essa «aniquilação» equivale à violação

---

[6] Cfr. as recentes imposições da Constituição brasileira de 1988 (artigos 176.º/1 e 178.º/2) sobre a exploração e aproveitamento de jazidas e propriedade e comando de navios.

[7] Cfr. VIEIRA DE ANDRADE, *Os direitos fundamentais*, p. 184; JORGE MIRANDA, *Manual*, III, p. 136; MÁRIO TORRES, *O Estatuto Constitucional dos Estrangeiros*, p. 18 e ss.

dos «limites últimos da justiça» [8]. Acresce que a diferenciação entre «direitos dos portugueses» e «direitos de todos» pressupõe sempre uma *justificação* ou *fundamento material*, não devendo esquecer-se o relevo dos *standards mínimos* fixados pelo direito internacional relativamente à determinação deste fundamento material [9]. No direito constitucional português, esta fundamentação substantiva resulta claramente do artigo 16.º/2 [10]. É, seguramente, a inexistência de qualquer fundamento material justificador da discriminação que explica a extensão de certos direitos a prestações a cidadãos estrangeiros (cfr. CRP, artigo 59.º/1) e coloca problemas à admissibilidade de regimes diferenciados no campo dos impostos e dos direitos sociais (ex.: discriminação de estrangeiros quanto ao regime de rendas de casa). Estes problemas obrigam, como se deduz da anterior argumentação, a uma cuidadosa articulação dos princípios da universalidade e da igualdade (artigo 13.º) e a uma apreciação tópica dos vários casos problemáticos (cfr. Ac TC 54/87). Finalmente, os imperativos da **comunidade constitucional inclusiva** apontam decididamente para a extensão do "tratamento de nacional" a comunidades migrantes implantadas em território estrangeiro mas fortemente constitutivas do *multiculturalismo* social da referida comunidade constitucional. Na doutrina italiana alude-se à valorização da "cidadania-participação" (*cittadinanza-participazione*) perante a "cidadania-pertença" ligada à ideia de nacionalidade (*cittadinanza appertenza*). Uma dimensão concreta da "cidadania-participação" poderá eventualmente detectar-se naqueles direitos de nacionais materialmente potenciados pelo reconhecimento de direitos a pessoas estrangeiras (ex.: reforço do direito à informação através do alargamento da liberdade de comunicação a entidades estrangeiras).

      Os direitos dos estrangeiros só podem ser definidos através de lei (cfr. artigo 168.º/*b*). Nestes termos, consideram-se inteiramente justas as considerações do Parecer da CC n.º 36/79, in *Pareceres*, Vol. 10.º, conducentes a duas conclusões fundamentais: (1) o exercício de funções públicas, sem carácter predominantemente técnico, está sempre vedado a estrangeiros, não podendo um ministro autorizar que eles as desempenhem; (2) o exercício de funções públicas meramente técnicas deve ser definido por lei, não tendo a administração a possibilidade de qualquer valoração própria ou de definição de critérios em tal matéria. Cfr., também, Jorge Miranda, *O regime dos direitos, liberdades e garantias*, p. 58.

---

[8] Cfr., por último, K. STERN, *Staatsrecht*, III/1, p. 1026; G. U. RESCIGNO – "Note sull cittadinanza", in *Dir. Pub.*, 3/2000, p. 751 ss.

[9] Cfr., por exemplo, R. GEIGER, *Grundgesetz und Völkerrecht*, 1985, pp. 111 e ss. Cfr., por todos, EIBE RIEDEL, *Theorie des Menschenrechtstandards*, Berlin, 1986. Entre nós, cfr. J. MANUEL PUREZA, "A universalidade dos direitos do homem face aos desenvolvimentos científicos e tecnológicos", Separata de *Documentação e Direito Comparado*, Lisboa, 1991; JOSÉ LEITÃO, "O Significado da Nova Lei do Trabalho de Estrangeiros", in *Forum Justitiae*, 1/5 (1999), p. 39 ss.

[10] Cfr., por todos, JORGE MIRANDA, *Manual*, IV, pp. 147 e ss.

Regime geral dos direitos fundamentais

A CRP também não faz distinção entre «cidadãos de origem» e «cidadãos naturalizados», sendo inconstitucional qualquer restrição de direitos dos «portugueses não originários» que não tenha fundamento na Constituição (cfr., por exemplo, artigo 122.º), que reconhece capacidade eleitoral passiva para Presidente da República apenas aos «portugueses de origem»). A Comissão Constitucional, no Parecer n.º 30/79, in *Pareceres*, Vol. 10.º, entendeu, e bem, que a filosofia universalista que inspira muitos preceitos da Constituição (artigos 12.º, 13.º, 15.º/1 e 48.º/4), impõe como regra o princípio da equiparação entre portugueses de origem e portugueses naturalizados. Ressalvam-se, como é óbvio, as excepções constitucionalmente estabelecidas (cfr. artigo 122.º) ou constitucionalmente autorizadas. Vide, em termos actualizados, Mário Torres, "O Estatuto Constitucional dos Estrangeiros", in *Scientia Jurídica*, 290 (2001), p. 7 ss.

3. Direitos fundamentais de cidadãos portugueses residentes no estrangeiro

Os **cidadãos portugueses residentes no estrangeiro** gozam dos direitos «que não sejam incompatíveis com a ausência do país» (CRP, artigo 14.º). A determinação dos direitos incompatíveis com a ausência do país só pode fazer-se caso a caso, atendendo ao estatuto constitucional de cada um dos direitos fundamentais.

4. Direitos fundamentais de pessoas colectivas

Nos termos do artigo 12.º/2, «as **pessoas colectivas** gozam dos direitos e estão sujeitas aos deveres compatíveis com a sua natureza».

O enunciado semântico do artigo 12.º/2 aponta claramente para o relevo jurídico de três conceitos: *pessoas colectivas, direitos fundamentais, compatibilidade com a sua natureza* [11]. O conceito de direitos fundamentais já foi explicado atrás. Resta esclarecer os outros dois.

4.1. *Pessoas de direito privado*

O conceito de **pessoas colectivas** abrange, sem dúvida, as entidades organizatórias susceptíveis de capacidade jurídica geral, mas não está excluída a extensão da capacidade a outras entidades dotadas apenas de *subjectividade jurídica parcial* (ex.: pessoas colectivas sem personalidade jurídica) [12]. O conceito

---

[11] Para uma aproximação ao conceito de pessoa colectiva cfr., por último, JOSÉ GABRIEL QUEIRÓ, «Pessoa Colectiva», in *Dicionário Jurídico de Administração Pública*, vol. VI, 1994, p. 371.

[12] Cfr., por exemplo, MAUNZ/DÜRIG, *Kommentar*, anotação 29 ao artigo 19.º/III; BETHGE, *Die Grundrechtsberechtigung juristischer Personen nach Art. 19, Abs. 3 Grundgesetz*, 1985, p. 32. Parecendo

de *natureza de pessoas colectivas* pretende responder a duas questões: *que direitos* (que categoria) e que *pessoas colectivas* estão incluídas entre os «candidatos positivos» insinuados pelo artigo 12.°/2.

Ao reconhecer-se «às pessoas colectivas direitos compatíveis com a sua natureza» pretende-se não apenas que se tenha em conta a «essência» do direito fundamental concreto, mas também a «essência» da pessoa colectiva em causa (pessoa colectiva dotada de personalidade jurídica, pessoa colectiva sem personalidade jurídica, pessoa colectiva de substrato pessoal como as associações, ou de substrato patrimonial como as fundações, pessoa colectiva de direito público ou pessoa colectiva de direito privado).

Por pessoas colectivas entendem-se aqui diferentes «unidades organizatórias»: pessoas colectivas nacionais e estrangeiras e pessoas colectivas de direito privado e de direito público (associações, fundações). A extensão dos direitos e deveres fundamentais às pessoas colectivas (pessoas jurídicas) significa que alguns direitos não são «direitos do homem», podendo haver titularidade de direitos fundamentais e capacidade de exercício por parte de pessoas não identificadas com cidadãos de «carne e osso».

Determinar quais os direitos e deveres «compatíveis com a natureza» das pessoas colectivas depende do conceito e do âmbito normativo específico do direito fundamental. Os direitos postuladores de uma *referência humana* não podem, em virtude da sua natureza, ser extensivos a pessoas colectivas: direito à vida (artigo 24.°), direito de constituir família e de celebrar casamento (artigo 36.°), a liberdade de consciência (artigo 41.°). Em fórmula sintética e aproximada: as pessoas colectivas gozam de direitos fundamentais que não pressuponham *características intrínsecas ou naturais do homem como sejam o corpo ou bens espirituais* (cfr., também, artigo 160.° do Código Civil).

As pessoas colectivas gozam de direitos fundamentais como, por exemplo, a liberdade de imprensa, a liberdade de reunião, a liberdade de profissão, a liberdade de domicílio, devendo, no entanto, neste âmbito de direitos fundamentais extensivos às pessoas colectivas, verificar-se, caso a caso, se o domínio da norma é aplicável às pessoas jurídicas. Assim, por exemplo, se parece irrecusável a extensão da titularidade da liberdade de imprensa às pessoas colectivas (artigo 38.°/2/*a*), já é discutível se a liberdade interna de imprensa pode ter como titulares outras pessoas para além dos jornalistas e dos colaboradores literários (artigo 38.°/2/*a*). Do mesmo modo, se as igrejas podem reivindicar liberdade de

---

restringir a titularidade de direitos fundamentais apenas às primeiras, cfr. JORGE MIRANDA, *Manual*, IV, p. 224. Num sentido também mais restritivo, cfr. GOMES CANOTILHO/VITAL MOREIRA, *Constituição da República Portuguesa*, 3.ª ed., Anot. III ao art. 12.°

religião e de culto (artigo 41.º), já o mesmo não é possível dizer-se quanto à liberdade de consciência (artigo 41.º). Noutros casos, a multidimensionalidade de um direito pode justificar que a pessoa colectiva disfrute de certas dimensões desse direito, mas que não possa beneficiar doutras dimensões do mesmo direito. É o caso, por ex., do direito ao desenvolvimento da personalidade no que respeita à liberdade de acção (liberdade económica e de concorrência), compatível com a sua natureza, mas já não quanto à protecção da personalidade em si mesmo.[13]

Deve também ter-se em conta o *princípio da especialidade*, dado que, de acordo com os princípios gerais, as pessoas colectivas só têm os direitos necessários e adequados à realização do respectivo escopo (fins e objectivos). É, porém, questionável a caracterização deste princípio da especialidade, pois, sob pena de constituir mais um limite imanente apócrifo, ele deve evidenciar-se como restrição expressa da titularidade de direitos.

4.2. *Pessoas colectivas de direito público*

A titularidade de direitos por parte de **pessoas colectivas de direito público** tem sido muito discutida na doutrina. A tese negativa baseia-se, fundamentalmente, em dois argumentos: (1) os direitos fundamentais arrancam da ideia de uma esfera de liberdade perante os poderes públicos, não sendo concebível gozarem as corporações, instituições ou fundações de direito público da titularidade de direitos fundamentais no exercício de tarefas públicas (argumento da natureza dos direitos fundamentais); (2) é incompatível considerar o Estado (as suas corporações, instituições ou fundações) como destinatário dos direitos fundamentais, e, simultaneamente, como titular dos mesmos direitos fundamentais (argumento da «identidade» ou da «confusão»). No caso de lesão de «direitos» de uma corporação pública por parte de outra entidade pública estaríamos perante *conflitos de competências* e não perante lesões de direitos fundamentais de pessoas colectivas públicas.

A negação da capacidade de direitos fundamentais às pessoas colectivas de direito público não pode acolher-se em todas as suas dimensões. Embora

---

[13] Relativamente à problemática da titularidade de direitos das pessoas colectivas, cfr., entre nós, VIEIRA DE ANDRADE, *Os direitos fundamentais*, pp. 175 e ss; NUNO E SOUSA, *A liberdade de Imprensa*, Coimbra, 1984, pp. 77 e ss; GOMES CANOTILHO/VITAL MOREIRA, *Constituição da República Portuguesa, Anotada*, anotação ao artigo 12.º; JORGE MIRANDA, *Manual*, IV, p. 223; JÓNATAS MACHADO, *Liberdade de Religião*, pp. 220 e ss. Por último, cfr., P. MOTA PINTO, "O direito ao desenvolvimento da personalidade", in *Portugal-Brasil*, Ano 2000, Coimbra, 2000, p. 221. No plano jurisprudencial, cfr. Ac TC 198/85, *DR*, II, 15/2/86.

não se dê grande valia ao argumento literal, o artigo 12.º/2 não distingue entre pessoas colectivas de direito público e de direito privado, sendo apenas relevante saber se o direito fundamental em questão é ou não compatível com a natureza da pessoa colectiva. Por outro lado, a «natureza» dos direitos fundamentais não é, na Constituição de 1976, puramente individualista, prosseguindo certas pessoas colectivas de direito público interesses protegidos por direitos fundamentais específicos. Além disso, estas mesmas pessoas podem encontrar-se em «típicas situações de sujeição» e não numa posição de «proeminência» ou de «poder». Assim, as universidades gozam constitucionalmente de autonomia científica, pedagógica, administrativa e financeira (artigo 76.º/2), sendo aceitável (mas trata-se apenas de uma posição de aceitabilidade) conceber esta autonomia como um direito fundamental [14] e não como uma mera garantia institucional. O mesmo se diga quanto a certas pessoas colectivas territoriais (autarquias locais) no que respeita ao direito de autonomia perante o Estado (artigo 277.º/1) e a certas corporações públicas (exemplo: de radiodifusão) [15]. A doutrina e jurisprudência revelam muito maior abertura quanto ao reconhecimento de direitos fundamentais às *associações públicas* enquadráveis na administração autónoma (ex: ordens profissionais). Não é pelo facto de serem públicas que elas deixam de ser associações e, consequentemente, deixam de ser titulares de certos direitos fundamentais reconhecidos às pessoas colectivas (ex: direito de propriedade, direito de defesa judicial, direito de petição e representação, direito de impugnação contenciosa de actos administrativos lesivos dos seus direitos e interesses, direito do bom nome e reputação) [16].

A doutrina adversa à titularidade de direitos fundamentais das pessoas colectivas de direito público admite, no entanto, que estas gozam de alguns *direitos processuais fundamentais*, como o direito do juiz legal (artigo 32.º/7) e o direito de ser ouvido. [17]

---

[14] Neste sentido, por último, PAULO OTERO, *O Poder de Substituição em Direito Administrativo*, vol. II, cit., p. 548.

[15] Aludindo a esta «tríade de excepção» – igrejas e corporações religiosas, universidades e corporações de radiodifusão – como exemplos de pessoas colectivas de direito público titulares de direitos fundamentais, cfr., por último, STERN, *Staatsrecht*, III/1, p. 1151, com referência à jurisprudência constitucional alemã e tendo em conta as especificidades do ordenamento alemão; PIEROTH/SCHLINK, *Grundrechte, Staatsrecht*, II, 3.ª ed., 1987, p. 46. Entre nós, por último, cfr., VITAL MOREIRA, *Administração Autónoma*, p. 377 ss.; J. MIRANDA, *Manual*, IV, p. 219 ss.

[16] Cfr., por último, «Costituzione italiana ed enti pubblici», in CERULLI IRELLI (org.) *Ent. pubblici ed enti pubblici*, Turim, 1994, p. 122 ss. Entre nós, cfr. VITAL MOREIRA, *Administração Autónoma*, p. 510.

[17] Cfr., entre nós, VIEIRA DE ANDRADE, *Os direitos fundamentais*, pp. 180 e ss; NUNO E SOUSA, *A liberdade de Imprensa*, p. 235. Cfr., por último, BLECKMANN, *Staatsrecht II – Die Grundrechte*, 3.ª ed., 1989, p. 119.

5. Direitos fundamentais colectivos

Tal como certos direitos fundamentais pressupõem uma referência humana não sendo susceptíveis de gozo e exercício por parte de pessoas colectivas, também existem na constituição direitos fundamentais cuja titularidade pertence às pessoas colectivas como tais, e não aos seus membros individualmente considerados. Existem na Constituição várias refracções desta ideia: o direito de antena (art. 40.º) pertence aos partidos políticos e às organizações sindicais e profissionais; o exercício do controlo de gestão pertence às comissões de trabalhadores (art. 54.º/5/*b*); a participação na legislação de trabalho é um direito das comissões de trabalhadores (art. 54.º/5/*d*) e das associações sindicais (artigo 56.º/2/*a*); o direito à contratação colectiva é reservado às associações sindicais (art. 56.º/3). Trata-se dos chamados **direitos fundamentais colectivos**, isto é, direitos colectivos das organizações, cujo escopo directo é a tutela de formações sociais, garantidoras de espaços de liberdade e de participação no seio da sociedade plural e conflitual[18]. Existem também **direitos fundamentais de exercício colectivo**, ou seja, direitos cuja titularidade é individual, mas cujo exercício só colectivamente se pode afirmar (ex: direito de greve).

6. Titularidade e capacidade de direitos

Costuma distinguir-se entre *titularidade* de direitos e *capacidade* de direitos a fim de se resolverem alguns problemas práticos como, por ex., o da idade mínima para o exercício de alguns direitos (cfr. art. 49.º/1 direito de sufrágio) e para a resolução de conflito de direitos e deveres (ex.: art. 36.º/3 direitos dos pais em relação aos filhos). A distinção é decalcada do direito privado onde se distingue entre **capacidade jurídica**, isto é, aptidão para ser sujeito de relações jurídicas (cfr. Código Civil, artigo 67.º), e **capacidade de exercício ou capacidade de agir**, ou seja, idoneidade do sujeito para cuidar directamente dos seus próprios direitos e interesses praticando actos jurídicos conexionados com a titularidade de direitos e obrigações. Aqui, a distinção tem razão de ser porque é admissível a disjunção entre titularidade de direito e capacidade concreta para o seu exercício (ex.: um recém-nascido pode ser qualificado como herdeiro ou proprietário de bens – titularidade de direitos –, mas não tem capacidade de exercício para os alienar ou onerar).

---

[18] Contra, sem qualquer base constitucional, cfr. VIEIRA DE ANDRADE, *Os direitos fundamentais*, pp. 177 e 180, que reduz estes direitos a simples «competências». Cfr., no sentido que nos parece correcto, JÓNATAS MACHADO, *Liberdade Religiosa*, pp. 234 e ss.

No âmbito dos direitos fundamentais, já é problemática a disjunção entre titularidade de direitos e capacidade de direitos, não só porque não tem grande sentido reconhecer direitos fundamentais insusceptíveis de ser exercidos (ex.: como conceber o direito de reunião e manifestação a quem ainda não sabe mover-se, comunicar e agir?), mas também porque essa disjunção pode ser um expediente para se restringirem inconstitucionalmente direitos fundamentais a pretexto de a restrição incidir apenas sobre a capacidade de exercício e não sobre a titularidade de direitos.

Para a resolução de alguns problemas práticos referem-se tópicos gerais de orientação. Em todos os direitos fundamentais que não impliquem exigência de conhecimento ou tomadas de decisão (ex.: direito à vida e integridade pessoal, direito à liberdade) o exercício dos direitos fundamentais não está vinculado a qualquer limite de idade, pois a capacidade de exercício inclui aqui e pressupõe mesmo a capacidade de direitos. A titularidade de direitos fundamentais condicionada pela maioridade ou pela emancipação nos termos do direito civil deve articular-se com a regulamentação da lei civil (ex.: o exercício do direito de constituir família e de contrair casamento, nos termos do artigo 36.º/1, está dependente da idade mínima exigida pela lei civil – artigo 1601.º/a do Código Civil – onde se fixa a idade mínima de 16 anos). A solução anterior é aplicável aos casos de conexão dos direitos fundamentais com situações típicas ligadas a determinada idade (ex.: o direito à objecção de consciência quanto à prestação de serviço militar armado – artigos 41.º/6 e 276.º/4 – liga-se à idade relevante para serviço militar). O problema adquire grande relevo quando se trata de pessoas inseridas em instituições especiais (Forças Armadas, Instituto de Reinserção Social). Para além destes tópicos gerais, deve reconhecer-se não estar o direito constitucional em condições de fornecer uma fundamentação global da capacidade de exercício de direitos relativamente ao problema do limite da idade mínima (Hesse)[19]. No entanto, é possível indicar a "mensagem" geral da constituição quanto aos direitos fundamentais de menores: os menores têm em regra (*prima facie*) os mesmos direitos dos adultos, admitindo-se excepções (sobretudo quanto ao exercício) quando da *natureza do direito em causa* se possa extrair metódico-interpretativamente a legitimidade de restrições nos termos do regime específico dos direitos, liberdades e garantias.

---

[19] Entre nós, cfr. JORGE MIRANDA, *Manual*, IV, p. 221. Sobre este problema, cfr., por último, P. STANZIONE, *Capacità e minore nella problematica della persona umana*, Napoli, 1975; RAMOS CHAPARRO, "Niños y Jovenes en el Derecho Civil Constitucional", in *Derecho Privado y Constitución*, 7/1995; p. 167 ss.; SOELL, *Die Geltung der Grundrechte für Minderjährige*, Berlin, 1984; PIEROTH/SCHLINK, *Grundrechte, Staatsrecht*, II, p. 39; K. STERN, *Staatsrecht*, III/1, p. 1065; ZIPPELIUS, *Allgemeine Staatslehre*, 12.ª ed., pp. 337 e ss. Recuperando a distinção entre titularidade de direitos e capacidade de exercício, cfr. J. REIS NOVAIS, "Renúncia a Direitos Fundamentais", in *Perspectivas Constitucionais*, I, p. 280.

II - O princípio da igualdade

1. Igualdade na aplicação do direito e igualdade na criação do direito

Um dos princípios estruturantes do regime geral dos direitos fundamentais é o **princípio da igualdade**. A igualdade é, desde logo, a **igualdade formal** ("igualdade jurídica", "igualdade liberal" estritamente postulada pelo constitucionalismo liberal: os homens nascem e permanecem livres e iguais em direitos. Por isso se considera que esta igualdade é um pressuposto para a uniformização do regime das liberdades individuais a favor de todos os sujeitos de um ordenamento jurídico.[20] A igualdade jurídica surge, assim, indissociável da própria *liberdade* individual. O enunciado semântico do artigo 13.º – o princípio da igualdade – condensa hoje uma grande riqueza de conteúdo cujos traços mais importantes são os seguintes.

1.1. *Igualdade na aplicação do direito*

A afirmação – «todos os cidadãos são iguais perante a lei» – significava, tradicionalmente, a *exigência de igualdade na aplicação do direito*. Numa fórmula sintética, sistematicamente repetida, escrevia Anschütz: «as leis devem ser executadas sem olhar às pessoas»[21]. A **igualdade na aplicação do direito** continua a ser uma das dimensões básicas do princípio da igualdade constitucionalmente garantido e, como se irá verificar, ela assume particular relevância no âmbito da aplicação igual da lei (do direito) pelos órgãos da administração e pelos tribunais (cfr. Ac TC 142/85).

1.2. *Igualdade quanto à criação do direito*

Ser igual perante a lei não significa apenas aplicação igual da lei. A lei, ela própria, deve tratar por igual todos os cidadãos. O princípio da igualdade dirige-se ao próprio legislador, vinculando-o à criação de um direito igual para todos os cidadãos. Mas o que significa «criação de direito igual»? A aproximação a este difícil problema pode fazer-se da seguinte forma.

---

[20] Cfr. por último, G. DE VERGOTTINI, *Diritto Costituzionale*, 2.ª ed., Padova, 2000, p. 307; C. STARCK, in BB, *Bonner Grundgesetz, Kommentar*, 4.ª ed., vol. I, p. 315.
[21] Cfr. K. HESSE, *Grundzüge*, p. 167.

a) *Criação de direito igual (= princípio da universalidade ou princípio da justiça pessoal)*

O princípio da igualdade, no sentido de **igualdade na própria lei**, é um postulado de racionalidade prática: para todos os indivíduos com as mesmas características devem prever-se, através da lei, iguais situações ou resultados jurídicos. Todavia, o princípio da igualdade, reduzido a um postulado de universalização, pouco adiantaria, já que ele permite discriminação quanto ao conteúdo (exemplo: todos os indivíduos de raça judaica devem ter sinalização na testa; todos os indivíduos de «raça negra» devem ser tratados «igualmente» em «escolas» separadas das escolas reservadas a brancos). A lei tratava igualmente todos os judeus e todos os pretos mesmo que criasse para eles uma disciplina intrinsecamente discriminatória. Daí a sugestiva formulação de Castanheira Neves: «a igualdade perante a lei oferecerá uma garantia bem insuficiente se não for acompanhada (ou não tiver também a natureza) de uma igualdade na própria lei, isto é, exigida ao próprio legislador relativamente ao conteúdo da lei»[22]. Não há, pois, igualdade no *não direito*. Reduzido a um sentido formal, o princípio da igualdade acabaria por se traduzir num simples *princípio de prevalência da lei* em face da jurisdição e da administração[23]. Consequentemente, é preciso delinear os contornos do princípio da igualdade em sentido material. Isto não significa que o princípio da igualdade formal não seja relevante nem seja correcto. Realça-se apenas o seu carácter tendencialmente tautológico, «uma vez que o cerne do problema permanece irresolvido, qual seja, saber quem são os iguais e quem são os desiguais»[24]. Assim, por exemplo, uma lei fiscal impositiva da mesma *taxa* de imposto para todos os cidadãos seria formalmente igual, mas seria profundamente desigual quanto ao seu conteúdo, pois equiparava todos os cidadãos, independentemente dos seus rendimentos, dos seus encargos e da sua situação familiar.

b) *Criação de direito igual = exigência de igualdade material através da lei*

Intui-se, com facilidade, não ser no sentido da igualdade formal que se consagra no artigo 13.º/1 da CRP o princípio da igualdade. Exige-se uma

---

[22] Cfr. CASTANHEIRA NEVES, *O Instituto dos «Assentos»*, p. 166.

[23] Cfr. já o nosso livro *Constituição Dirigente*, p. 381. Por último, cfr. MARIA DA GLÓRIA FERREIRA PINTO, «Princípio da igualdade – Fórmula vazia ou fórmula carregada de sentido?», in *BMJ*, n.º 398 (1987), p. 7; JORGE MIRANDA, «Igualdade», in *Polis*, III, p. 404; J. MARTINS CLARO, «Princípio da igualdade», in JORGE MIRANDA (org.), *Nos dez anos da Constituição*, 1987, p. 33; JÓNATAS MACHADO, *Liberdade Religiosa*, pp. 282 e ss.

[24] Assim, precisamente, CELSO RIBEIRO BASTOS, *Curso de Direito Constitucional*, 1988, p. 166. Cfr., também, CARMEN ANTUNES ROCHA, *O princípio constitucional da igualdade*, 1990, pp. 37 e ss; CELSO BANDEIRA DE MELLO, *Conteúdo jurídico do princípio da igualdade*, S. Paulo, 1978; MARTIM DE ALBUQUERQUE, *Da Igualdade*, Coimbra, 1993.

igualdade material através da lei, devendo tratar-se por «igual o que é igual e desigualmente o que é desigual». Diferentemente da estrutura lógica formal de *identidade*, a *igualdade* pressupõe diferenciações. A igualdade designa uma *relação* entre diversas pessoas e coisas. Reconduz-se, assim, a uma *igualdade relacional*, pois ela pressupõe uma relação tripolar (Podlech): o indivíduo *a* é igual ao indivíduo *b*, tendo em conta determinadas características. Um exemplo extraído da jurisprudência portuguesa: o indivíduo *a* (casado) é igual ao indivíduo *b* (solteiro) quanto ao acesso ao serviço militar na Marinha, desde que reúna as condições de admissão legal e regulamentarmente exigidas (características C_1, C_2 e C_3). (Cfr. Ac TC 336/86 e, mais recentemente, Acs. TC 186/91, 400/91).

c) *Igualdade justa: a igualdade pressupõe um juízo e um critério de valoração*

A fórmula «o igual deve ser tratado igualmente e o desigual desigualmente» não contêm o critério material de um juízo de valor sobre a relação de igualdade (ou desigualdade). A questão da **igualdade justa** pode colocar-se nestes termos: o que é que nos leva a afirmar que uma lei trata dois indivíduos de uma forma igualmente justa? Qual o critério de valoração para a relação de igualdade?

Uma possível resposta, sufragada em algumas sentenças do Tribunal Constitucional, reconduz-se à **proibição geral do arbítrio**: existe observância da igualdade quando indivíduos ou situações iguais não são arbitrariamente (*proibição do arbítrio*) tratados como desiguais. Por outras palavras: o princípio da igualdade é violado quando a desigualdade de tratamento surge como arbitrária. O arbítrio da desigualdade seria condição necessária e suficiente da violação do princípio da igualdade. Embora ainda hoje seja corrente a associação do princípio da igualdade com o princípio da proibição do arbítrio, este princípio, como simples princípio de limite, será também insuficiente se não transportar já, no seu enunciado normativo-material, critérios possibilitadores da valoração das relações de igualdade ou desigualdade. Esta a justificação de o princípio da proibição do arbítrio andar sempre ligado a um **fundamento material** ou **critério material objectivo**. Ele costuma ser sintetizado da forma seguinte: existe uma violação arbitrária da igualdade jurídica quando a disciplina jurídica não se basear num: (*i*) fundamento sério; (*ii*) não tiver um sentido legítimo; (*iii*) estabelecer diferenciação jurídica sem um fundamento razoável. Todavia, a proibição do arbítrio intrinsecamente determinada pela exigência de um «fundamento razoável» implica, de novo, o problema da *qualificação* desse fundamento, isto é, a qualificação de um fundamento como razoável aponta para um *problema de valoração*.

A necessidade de valoração ou de critérios de qualificação bem como a necessidade de encontrar «elementos de comparação» subjacentes ao

carácter relacional do princípio da igualdade implicam: (1) a insuficiência do «arbítrio» como fundamento adequado de «valoração» e de «comparação»; (2) a imprescindibilidade da análise da «natureza», do «peso», dos «fundamentos» ou «motivos» justificadores de soluções diferenciadas; (3) insuficiência da consideração do princípio da igualdade como um direito de natureza apenas «defensiva» ou «negativa». Esta ideia de **igualdade justa** deverá aplicar-se mesmo quando estamos em face de medidas legislativas de graça ou de clemência (perdão, amnistia), pois embora se trate de medidas que, pela sua natureza, transportam referências individuais ou individualizáveis, elas não dispensam a existência de fundamentos materiais justificativos de eventuais tratamentos diferenciadores (cfr. Acs TC 490/97, 25/200 e 347/2000).

Sobre o sentido do princípio da igualdade sob as vestes de proibição do arbítrio na jurisprudência constitucional portuguesa cfr., por exemplo, Ac. TC 44/84, DR, II Série, de 22/5; Ac. TC 186/90, *DR*, II Série, de 12/9; Ac. 187/90, *DR*, II Série, de 12/9; Ac. TC 188/90, *DR*, II Série, de 12/9. Cfr. por último, 330/93, 381/93, 16/93, 335/94, 486/96, 536/96, 786/96.

Afirma-se, por exemplo, no Ac. 39/88: «O princípio da igualdade não proíbe, pois, que a lei estabeleça distinções. *Proíbe*, isso sim, o arbítrio; ou seja, proíbe as diferenciações de tratamento sem fundamento material bastante, que o mesmo é dizer sem qualquer justificação razoável, segundo critérios de valor objectivo constitucionalmente relevantes. Proíbe também que se tratem por igual situações essencialmente desiguais. E proíbe ainda a discriminação: ou seja, as diferenciações de tratamento fundadas em categorias meramente subjectivas como são as indicadas exemplificativamente no n.º 2 do artigo 13.º».

Neste sentido parece-nos correcta a recente evolução da jurisprudência do TC ao afirmar que «a teoria da proibição do arbítrio» não é um critério definidor do conteúdo do princípio da igualdade, antes expressa e limita a competência do controlo judicial. Trata-se de um critério de controlabilidade judicial do princípio da igualdade que não põe em causa a liberdade de conformação do legislador ou da discricionariedade legislativa. A proibição do arbítrio constitui um critério essencialmente negativo, com base no qual são julgados apenas os casos de flagrante e intolerável desigualdade. A interpretação do princípio da igualdade como proibição do arbítrio significa uma autolimitação do juiz, o qual não controla os juízos da oportunidade política da lei, isto é, se o legislador, num caso concreto, encontrou a solução mais adequada ao fim, mais razoável ou mais justa».

Note-se, porém, que o princípio da proibição do arbítrio não se reduz, como poderá intuir-se desta sentença do TC, a um simples princípio da controlabilidade judicial do princípio da igualdade, pois o arbítrio é, como logo notou Leibholz (*Die Gleichheit vor dem Gesetz*, p. 76), a «forma mais extrema da injustiça». O que ele não resolve são os problemas de «desigualdade» (ou igualdade) que não se reconduzam a uma solução arbitrária. Cfr. Casalta Nabais «Les Droits Fondamentaux dans la Jurisprudence du Tribunal Constitutionnel», in *La Justice Constitutionnelle au Portugal*, p. 246.

A ideia da superação do princípio da igualdade como «princípio negativo» é independente da questão de natureza da actividade desenvolvida pelo Tribunal Constitucional ao controlar a violação ou não do princípio da igualdade. Ao contrário do que parece sugerir Casalta Nabais, «Les Droits Fondamentaux dans la Jurisprudence du Tribunal Constitutionnel», cit,

p. 258, seguindo algumas indicações da jurisprudência constitucional, o princípio da igualdade não é, estruturalmente, apenas um princípio negativo. A equiparação «direito de igualdade» a direito, liberdade e garantia (*Gleichheitsrecht = Freiheitsrecht*) não tem em conta que, sob o ponto de vista estrutural, podem deduzir-se do princípio geral da igualdade: (1) direitos de igualdade abstractos, de tipo definitivo; (2) direitos de igualdade concretos, de tipo definitivo; (3) direitos de igualdade abstractos, de tipo *prima facie* (cfr. Alexy, *Theorie der Grundrechte*, p. 390).

Assim, por exemplo, no caso de direitos de igualdade concretos, de tipo definitivo, o direito «à omissão de tratamento desigual» tanto pode consistir em direito de igualdade de tipo positivo como de tipo negativo. Se alguém é atingido desigualmente por uma proibição, então ele pode, a partir do princípio da igualdade, fundamentar um direito subjectivo, definitivo e concreto, à omissão da proibição; se, pelo contrário, ele não é beneficiado por prestações concedidas a outros grupos, então ele terá já um direito subjectivo concreto à mesma prestação (a omissão de tratamento desigual implica aqui uma dimensão positiva). (Cfr. Ac TC 143/85).

2. Princípio da igualdade e igualdade de oportunidades

Como já atrás se referiu (cfr. *supra*), o princípio da igualdade é não apenas um *princípio de Estado de direito* mas também um princípio de *Estado social*. Independentemente do problema da distinção entre «igualdade fáctica» e «igualdade jurídica» e dos problemas económicos e políticos ligados à primeira (ex.: políticas e teorias da distribuição e redistribuição de rendimentos), o princípio da igualdade pode e deve considerar-se um **princípio de justiça social**. Assume relevo enquanto princípio de igualdade de oportunidades (*Equality of opportunity*) e de condições reais de vida. Garantir a «liberdade real» ou «liberdade igual» (*gleiche Freiheit*) é o propósito de numerosas normas e princípios consagrados na Constituição (exs.: CRP, arts. 58.º/2/*b*, 59.º/1/*a*, 59.º/2/*c* e *f*, 64.º/2, 67.º/2/*a*, 73.º, 74.º, 78.º/2/*a*) [25].

Esta igualdade conexiona-se, por um lado, com uma política de «justiça social» e com a concretização das imposições constitucionais tendentes à efectivação dos direitos económicos, sociais e culturais. Por outro, ela é inerente à própria ideia de *igual dignidade social* (e de igual dignidade da pessoa humana) consagrada no artigo 13.º/2 que, deste modo, funciona não apenas com fundamento antropológico-axiológico contra *discriminações*, objectivas ou subjectivas, mas também como princípio jurídico-constitucional impositivo de compensação de desigualdade de oportunidades [26] e como princípio sancionador da viola-

---

[25] Cfr. enumeração desenvolvida em JORGE MIRANDA, *Manual*, IV, p. 235 ss. Em sentido crítico, LUCAS PIRES, *A Teoria da Constituição*, pp. 343 e ss.

[26] Cfr. a proximidade do discurso de BALDASSARE, «Diritti Sociali», in *Enciclopedia Giuridica*, Vol. XI; PIZZORUSSO, *Che cos'e l'egualianza. Il principio etico e la norma giuridica nella vita real*, Roma, 1983. Preocupações semelhantes em JORGE MIRANDA, *Manual*, IV, pp. 233 e ss.

ção da igualdade por comportamentos omissivos (inconstitucionalidade por omissão) [27].

3. A igualdade perante os encargos públicos

Uma outra manifestação do princípio da igualdade é a que os autores designam por *igualdade perante os encargos públicos* (*égalité devant les charges publiques, Lastengleichheit*). O seu sentido tendencial é o seguinte: (1) os encargos públicos (impostos, restrições ao direito de propriedade) devem ser repartidos de forma igual pelos cidadãos; (2) no caso de existir um sacrifício especial de um indivíduo ou grupo de indivíduos justificado por razões de interesse público, deverá reconhecer-se uma indemnização ou compensação aos indivíduos particularmente sacrificados.

Cfr. CRP, artigo 62.°/2, onde se consagra o dever de indemnização justa em caso de expropriação. Vejam-se os Acs. TC 341/86, *DR*, II, de 19/3; 442/87, *DR*, II, de 17/2; 3/88, *DR*, II, de 14/3; 5/88, *DR*, II, de 114/3; 131/88, *DR*, II, de 29/6; 109/88, *DR*, II, de 1/9; 381/89, *DR*, II, de 8/9; 420/89, *DR*, II, de 15/9. Cfr., ainda, artigo 22.°, onde se garante a responsabilidade patrimonial do Estado e demais entidades públicas, e os artigos 103.° e 104.° relativos aos impostos. É um princípio que tende, na actualidade, a ganhar novas dimensões perante o acréscimo de vínculos expropriatórios ou quase expropriatórios (vínculos de urbanismo, vínculos ambientais, vínculos do património artístico) [28].

4. Princípio da igualdade e princípios da igualdade (ou direitos de igualdade)

A Constituição concretiza, em muitos preceitos, o princípio da igualdade (artigos 29.°/4, 36.°/4, 37.°, 40.°, 41.°, 47.°, 50.°, 58.°/2, 113.°/3/b, 230.°/c, 269.°/2.°)[29]. Relativamente a estes preceitos consagradores de direitos especiais de igualdade, o princípio geral do artigo 13.°/1 vale como *lex generalis*. Isto significa, logicamente, duas coisas: (1) que os fundamentos materiais da igualdade subjacentes às normas constitucionais consagradoras de direitos especiais de igualdade sobrepõem-se ou têm preferência, como *lex specialis*, relativamente aos critérios gerais do artigo 13.°/1[30]; (2) que os critérios de valoração

---

[27] Note-se que a violação do princípio da igualdade por omissão não se limita a esta dimensão da igualdade.

[28] Cfr., por todos, sobre o sentido deste princípio e suas origens, P. DEVOLVE, *Le Principe d'Égalité devant les charges publiques*, Paris, 1969.

[29] Cfr. JORGE MIRANDA, *Manual*, IV, p. 233.

[30] Cfr., também, MARTINS CLARO, «O princípio da igualdade», cit., p. 34. Na doutrina estrangeira, cfr. MAUNZ/DÜRIG, *Grundgesetz*, artigo 3.°, anotação 248; K. HESSE, *Grundzüge*, p. 169.

destes direitos podem exigir soluções materialmente diferentes daquelas que resultariam apenas da consideração do princípio geral da igualdade.

Assim, por exemplo, o Tribunal Constitucional considerou, e bem (cfr. Acs. TC 204/85, *DR* II, 31/9; 309/85, *DR* II, 11/4; 18/86, *DR* II, 24/4; 64/86, *DR* II, 3-6; 122/86, *DR* II, 6/8), que não se poderia julgar como inconstitucional uma norma que, tendo em conta a imposição legiferante do artigo 55.º/6, exigia um processo jurisdicional para o despedimento dos delegados sindicais. Esta norma tratava favoravelmente uma categoria de trabalhadores, mas não violava o princípio de igualdade porque ela visava estabelecer não um privilégio mas garantir direitos, liberdade, e garantias como o da segurança no emprego (artigo 53.º) e o da liberdade sindical (artigo 55.º). Problema diferente é o de saber se a jurisdicionalização do processo de despedimento de dirigentes de organizações de trabalhadores não será mesmo um momento garantístico imprescindível à efectivação destes direitos. O legislador entendeu que não, suprimindo o sistema de jurisdicionalização do processo e o Tribunal Constitucional não viu nisso nenhum atentado à Constituição (cf. Ac. TC 581/95, *DR*, I, de 22/1/96). É questionável se o *due process* jurisdicional pode ser eliminado sem que o legislador individualize as garantias antes asseguradas pela jurisdicionalização.

5. A dimensão objectiva do princípio da igualdade

O princípio da igualdade, além das inequívocas dimensões subjectivas já assinaladas, é também um princípio com dimensão objectiva, isto é, vale como princípio jurídico informador de toda a ordem jurídico-constitucional. Consequentemente, coloca-se em relação a ele o problema de saber se tem *relevância entre particulares*. Esta questão conexiona-se com outro leque problemático que será desenvolvido em páginas subsequentes: o da *eficácia dos direitos fundamentais na ordem jurídica privada* (cfr., *infra*) [31].

A dimensão objectiva do princípio de igualdade – desde sempre associado ao princípio da não discriminação social – ganhou na última década novos conteúdos. Assim, por ex., coloca-se o problema de saber se em nome do combate contra doenças transmissíveis (ex.: Sida) ou contagiosas (tuberculose, hepatite) poderão ou não fazer-se testes compulsivos e, no caso de resposta afirmativa, põe-se a questão de determinar o critério mais constitucionalmente adequado – *o critério da universalidade* ou o *critério da selectividade*. A nosso ver, só o critério da universalidade garante que um simples teste se não transforme na etapa primeira da discriminação e da violação do princípio da igualdade. Isto significa, em termos práticos, que o teste da sida possa e deva ser feito, por ex., a *todos* os que dêem entrada num hospital, sejam recrutados para as Forças Armadas ou frequentem estabelecimentos de ensino. É claro que a identificação dos afectados deve rodear-se das garantias constitucionalmente impostas quanto ao segredo de privacidade e tratamento de dados pessoais.

---

[31] Cfr. as sugestões de JORGE MIRANDA, *Manual*, IV, p. 246.

III - O princípio de acesso ao direito e da garantia da tutela jurisdicional efectiva

O terceiro princípio do regime geral dos direitos fundamentais é o **princípio do acesso ao direito e aos tribunais**, consagrado no artigo 20.º da CRP[32]. Não iremos, porém, desenvolver aqui este princípio. Ele será analisado no capítulo dedicado, precisamente, à garantia e defesa dos direitos fundamentais. Note-se que o «direito de acesso aos tribunais» colocado em epígrafe no texto anterior da Constituição foi agora substituído pelo *direito à tutela jurisdicional efectiva*. Visa-se não apenas garantir o acesso aos tribunais mas sim e principalmente possibilitar aos cidadãos a defesa de direitos e interesses legalmente protegidos através de um acto de *jurisdictio*.

Em termos gerais – e como vem reiteradamente afirmando o Tribunal Constitucional na senda do ensinamento de Manuel de Andrade –, o direito de acesso aos tribunais reconduz-se fundamentalmente ao direito a uma solução jurídica de actos e relações jurídicas controvertidas, a que se deve chegar um prazo razoável e com garantias de imparcialidade e independência possibilitando-se, designadamente, um correcto funcionamento das regras do contraditório, em termos de cada uma das partes poder deduzir as suas razões (de facto e de direito), oferecer as suas provas, controlar as provas do adversário e discretear sobre o valor e resultado de causas e outras» (cfr. Ac. TC 86/88, *DR*, II, 22/8/88). Significa isto que o direito à tutela jurisdicional efectiva se concretiza fundamentalmente através de um *processo jurisdicional equitativo – due process –* cujas dimensões básicas serão estudadas no Capítulo dedicado a protecção dos direitos fundamentais (vide *infra*).

Referências bibliográficas

A) Regime geral de direitos fundamentais e regime específico de direitos, liberdades e garantias

Andrade, J. C. V. – *Os direitos fundamentais*, pp. 184 e ss.
Canotilho/Moreira – *Fundamentos da Constituição*, Cap. III.

---

[32] Considerando este princípio como um princípio comum a todos os direitos, cfr. GOMES CANOTILHO/VITAL MOREIRA, *Constituição da República*, pp. 161 e ss; JORGE MIRANDA, *Manual*, IV, p. 251.

Marques dos Santos, A. – "Nacionalidade e Efectividade", in *Estudos em memória do Doutor João de Castro Mendes*, Rev. Fac. Direito de Lisboa, 1995, pp. 446 e ss
– "Constituição e direito internacional Privado", in *Perspectivas Constitucionais*, vol. III, pp. 372 e ss.
Miranda, J. – *Manual*, IV, pp. 137 e ss.
Nabais, J. – *Os direitos fundamentais na jurisprudência do Tribunal Constitucional português,* Coimbra, 1990.

B) Regime geral de direitos fundamentais

Obras citadas em A e ainda:

Bleckmann, A. – *Staatsrecht*, II. *Die Grundrechte,* pp. 67 e ss.
Carbone, L. – *I doveri pubblici individuali nella costituzione*, Milano, 1968.
Cano Mata, A. – *El principio de igualdade en la doctrina del Tribunal Constitucional*, Madrid, 1983.
Cerri, A. – *L'Eguaglianza nella Giurisprudenza della Corte Costituzionale*, Milano, 1976.
Jouanjan, O. – *Le principe d'égalité devant la loi en droit allemand*, Economica, Paris, 1992.
Kirchhof, A. – "Gleichheit in der Funktionenordnung", in Isensee/Kirchhof, *Staatsrecht*, V, 1992, p.
Moderne, Franck – "La dignité de la personne come principe constitutionnel dans les constitutions portugaise et française", in *Perspectivas Constitucionais*, org. de Jorge Miranda, I, pp. 197 e ss.
Rubio Llorente, F. – "La igualdad en la Jurisprudencia del Tribunal Constitucional. Introducción", in *Rev. Esp. Der. Const.*, 31 (1991), pp. 9 e ss.
Stern, K. – *Staatsrecht*, III/1, pp. 1026 e ss.
Zolo, D. (org.), *La cittadinanza. Appartenenza, identitá, diritti*, Roma-Bari, Laterza, 1994.

Capítulo 4

Regime Específico dos Direitos, Liberdades e Garantias

Sumário

A. Visão Global do Regime Específico de Direitos, Liberdades e Garantias

B. Análise do Regime Específico dos Direitos, Liberdades e Garantias

    I - A Aplicabilidade Directa (artigo 18.°/1, segmento 1)

    II - A Vinculação de Entidades Públicas e Privadas (artigo 18.°/1, segmento 2)

        1. Vinculação de entidades públicas
        2. Vinculação de entidades privadas

    III - O Regime das Leis Restritivas (artigo 18.°/2/3)

        1. Âmbito de protecção de direitos e conteúdo juridicamente garantido
        2. Delimitação do conceito de restrição
        3. Os limites dos limites

C. Casos Especiais de Restrição

1. Perda de direitos
2. Renúncia a direitos
3. Estatutos especiais

A. Visão Global do Regime Específico de Direitos, Liberdades e Garantias

Os direitos, liberdades e garantias e direitos de natureza análoga beneficiam de um regime específico (CRP, artigo 17.º). Com efeito, a Constituição contém regras e princípios que, na sua globalidade, consagram uma *disciplina jurídico-constitucional específica* para esta categoria de direitos fundamentais.

Os traços caracterizadores deste **regime próprio dos direitos, liberdades e garantias** são os seguintes[1]:

– aplicabilidade directa das normas que os reconhecem, consagram ou garantem (art. 18.º/1);
– vinculatividade de entidades públicas e privadas (art. 18.º/1);
– reserva da lei para a sua restrição (art. 18.º/2 e 168.º/1/*b*);
– princípio da autorização constitucional expressa para a sua restrição (art. 18.º/2);
– princípio da proporcionalidade como princípio informador das leis restritivas (art. 18.º/2);
– princípio da generalidade e abstracção das leis restritivas (art. 18.º/3);
– princípio da não retroactividade de leis restritivas (art. 18.º/3);
– princípio da salvaguarda do núcleo essencial (art. 18.º/3);
– limitação da possibilidade de suspensão nos casos de estado de sítio e estado de emergência (art. 19.º/1);
– garantia do direito de resistência (art. 21.º).
– garantia da responsabilidade do Estado e demais entidades públicas (art. 22.º);
– garantia perante o exercício da acção penal e da adopção de medidas de polícia (art. 272.º/3);
– garantia contra «leis de revisão» restritivas do seu conteúdo (art. 288.º/d).

---

[1] Cfr. GOMES CANOTILHO/VITAL MOREIRA, *Fundamentos da Constituição*, Cap. III, 4.5, 4.6 e 4.7; *Constituição da República*, anotações ao art. 18.º. JORGE MIRANDA, *Manual*, IV, pp. 311 e ss, distingue entre um regime material, um regime orgânico e um regime de revisão dos direitos, liberdades e garantias. Cfr., também, VIEIRA DE ANDRADE, *Os direitos fundamentais*, pp. 188 e ss; «Direitos e Liberdades», cit., pp. 685 e ss.

Como se intui, a Constituição consagrou um regime especial, caracterizado pela existência de regras e princípios – orgânicos e materiais – de índole particularmente garantística. Vamos proceder à descodificação deste regime.

B. Análise do Regime Específico dos Direitos, Liberdades e Garantias

I - A Aplicabilidade Directa (artigo 18.º/1, segmento 1)

Deve ter-se aqui em conta o sentido da aplicabilidade directa de preceitos consagradores de direitos, liberdades e garantias a que atrás se fez referência. Recorde-se o sentido fundamental desta **aplicabilidade directa**: os direitos, liberdades e garantias são regras e princípios jurídicos, imediatamente eficazes e actuais, por via directa da Constituição e não através da *auctoritas interpositio* do legislador. Não são simples *norma normarum* mas *norma normata*[2], isto é, não são meras normas para a produção de outras normas, mas sim normas directamente reguladoras de relações jurídico-materiais. Lembremos, de novo, que se esta ideia de aplicabilidade directa significa uma *normatividade qualificada*, nem sempre os direitos, liberdades e garantias dispensam a concretização através das entidades legiferantes. Por outras palavras: a aplicabilidade directa das normas consagradoras de direitos, liberdades e garantias não implica sempre, de forma automática, a transformação destes em *direitos subjectivos, concretos e definitivos*.

II - A Vinculação de Entidades Públicas e Privadas (artigo 18.º/1, segmento 2)

1. Vinculação de entidades públicas

1.1. *Conceito extensivo de entidades públicas*

O artigo 18.º/1 do CRP estabelece a vinculação das **entidades públicas** através das normas consagradoras de direitos, liberdades e garantias. Como destinatários de tal vinculação perfilam-se, desde logo, os poderes públicos

---

[2] Cfr. K. Stern, *Staatsrecht*, III/1, p. 1195.

438

– o legislador, o governo/administração e os tribunais. Ao utilizar o enunciado linguístico «entidades públicas» o texto constitucional pretende, através de uma espécie de «superconceito» – entidades públicas –, tornar claro que a «decisão» constitucional se deve entender no sentido de uma *vinculação explícita e principal* de todas as entidades públicas, desde o legislador aos tribunais e à administração, desde os órgãos do Estado aos órgãos regionais e locais, desde os entes da administração central até às entidades públicas autónomas. A cláusula de vinculação de todas as entidades públicas exige, pois, uma vinculação sem lacunas: abrange todos os *âmbitos funcionais* dos sujeitos públicos e é independente da *forma jurídica* através da qual as entidades públicas praticam os seus actos ou desenvolvem as suas actividades. O entendimento da vinculação das entidades públicas, nos termos em que acaba de ser feito, sugere, pois, a vinculação destas entidades, quer utilizemos uma *perspectiva funcional* – funções das entidades públicas –, quer apelemos para uma *compreensão formal organizatória* – os titulares ou órgãos dessas entidades. Em termos práticos, vinculação de uma entidade pública como, por exemplo, o legislador, significa que «vinculados» estão tanto os órgãos legislativos (Assembleia da República, Governo, assembleias legislativas regionais) como as funções, independentemente de saber por quem são exercidas (os actos legislativos). Neste sentido, as "comissões de inquérito" constituídas pela Assembleia da República são, como é óbvio, "entidades públicas" vinculadas pelos direitos, liberdades e garantias. Registe-se, ainda, uma outra nota justificativa do apelo ao conceito de entidades públicas: a vinculação é extensiva a *todos os poderes públicos* e não apenas aos poderes estaduais, abrangendo as pessoas colectivas de direito público, a administração directa e indirecta e a administração autónoma[3]. Cabem aqui, portanto, entidades com poderes públicos como as ordens profissionais e as federações desportivas. Tomando em conta todas estas dimensões, pode afirmar-se que as entidades públicas *estão sob reserva de direitos, liberdades e garantias*. As *formas* de actuação dessas entidades podem ser extremamente diversas: desde os actos normativos típicos (leis, regulamentos) às várias medidas administrativas ou decisões judiciais, passando pelas próprias intervenções fácticas, nenhum acto das entidades públicas é «livre» dos direitos fundamentais.

---

[3] Cfr., entre nós, JORGE MIRANDA, *Manual*, IV, p. 285.

1.2. A vinculação do legislador

A conhecida e repetida fórmula de H. Krüger – «leis apenas no âmbito dos direitos fundamentais» – exprime plasticamente o sentido da **vinculação do legislador e dos actos legislativos pelos direitos, liberdades e garantias.**

a) *O sentido proibitivo (proibição) da vinculação do legislador (princípio da constitucionalidade)*

A cláusula de vinculação tem uma dimensão proibitiva: veda às entidades legiferantes a possibilidade de criarem actos legislativos contrários às normas e princípios constitucionais, isto é, proíbe a emanação de leis inconstitucionais lesivas de direitos, liberdades e garantias. As normas consagradoras de direitos, liberdades e garantias constituem, nesta perspectiva, *normas negativas de competência*[4] porque estabelecem limites ao exercício de competências das entidades públicas legiferantes.

b) *A dimensão positiva da vinculação do legislador*

A vinculação dos órgãos legislativos significa também o dever de estes conformarem as relações da vida, as relações entre o Estado e os cidadãos e as relações entre os indivíduos, segundo as medidas e directivas materiais consubstanciadas nas normas garantidoras de direitos, liberdades e garantias. Neste sentido, o legislador deve «realizar» os direitos, liberdades e garantias, optimizando a sua normatividade e actualidade[5]. Muitos direitos, liberdades e garantias carecem de uma ordenação legal (ex: o direito de cidadania, o direito de celebrar casamento); outros pressupõem dimensões institucionais, procedimentais e organizatórias «criadas» pelo legislador (ex.: o direito de acesso aos tribunais implica a criação e organização de tribunais, bem como a definição de vias processuais adequadas; o exercício do direito de antena pressupõe a sua regulação legal).

---

[4] Cfr. K. HESSE, *Grundzüge*, p. 118; ALEXY, *Theorie der Grundrechte*, p. 222. Entre nós, cfr. JORGE MIRANDA, *Manual*, IV, p. 287; VIEIRA DE ANDRADE, *Os direitos fundamentais*, p 270; JOÃO CAUPERS, *Os direitos fundamentais dos trabalhadores*, p. 154.

[5] Este dever de «optimização» é mesmo um dever de utilização da forma jurídica da lei (lei formal ou decreto-lei autorizado) para regular o regime de direitos, liberdades e garantias. Cfr. JORGE MIRANDA, *Manual*, IV, p. 331.

Como os direitos, liberdades e garantias possuem também uma dimensão objectiva, eles valem como princípios informadores da ordem jurídica que o legislador deve incorporar e mediatizar ao regular as diferentes relações jurídicas (ex.: as leis de imprensa devem concretizar o princípio da liberdade de imprensa; as leis respeitantes às universidades devem plasmar os princípios da autonomia e da liberdade de criação intelectual, artística e científica).

c) *O sentido extensivo de «legislador»*

Como já foi referido, a vinculação de entidades públicas é extensiva aos órgãos e à função. Quando se fala em **vinculação do legislador** convém notar a não identificação desta expressão com o sentido jurídico-constitucional de legislador. A constituição aponta para a vinculação de *todos os actos normativos* através de direitos, liberdades e garantias. Incluem-se os actos praticados por entidades públicas (leis, regulamentos, estatutos) ou por entidades privadas mas a que a lei confere força de norma jurídico-pública (ex.: contratos colectivos de trabalho)[6]. Além disso, estão vinculados aos direitos, liberdades e garantias os actos com eficácia externa do poder legislativo não reconduzíveis a actos legislativos ou normativos (ex.: no exercício das comissões de inquérito).

A relevância de «normas jurídicas privadas» (*Private Rechtssetzung*) colocar-se-á em sede de vinculação de entidades privadas. Elas não cabem no âmbito de «normação» para efeitos de delimitação do sentido de «actos de entidades públicas»[7].

Já mais dificuldades suscita o problema de saber se as «normas técnicas», as «regulações técnico-científicas», os «standards técnicos», (ex.: regras quanto à segurança de reactores nucleares, «normas» de segurança e de controlo de qualidade de medicamentos) emanadas de entidades privadas («Associação para o controlo de qualidade», «Instituto de Qualidade», «Comissão de energia nuclear»), podem considerar-se como actos de normação de «relevância» pública, e, como tais, sujeitos à vinculação de direitos, liberdades e garantias, nos termos em que esta vinculação vale para as entidades públicas[8].

---

[6] Cfr. K. KIRCHHOF, *Privatrechtssetzung*, 1987, pp. 189 e ss; K. STERN, *Staatsrecht*, III/1, p. 1201.

[7] Certas normas privadas (regulamentos de empresa, ordens de serviço) podem ser contrárias aos direitos, liberdades e garantias (*grundrechtswidrig*), mas a questão da sua «constitucionalidade» não tem o regime das normas jurídico-públicas.

[8] O problema começa a ser objecto de discussão. Cfr. D. MURSWIEK, *Die staatliche Verantwortung für die Risiken der Technik*, 1985; F. KIRCHHOF, «Kontrolle der Technik als staatliche und private Aufgabe», in *NVwZ*, 1988, pp. 99 e ss. Entre nós, cfr., J. MATOS PEREIRA, *Direito e Normas Técnicas*, Lisboa, 2001.

Por vezes, não é fácil saber se estamos perante normas jurídicas públicas ou perante normas jurídicas privadas. É o caso das normas editadas pelas associações e federações desportivas que, embora sejam pessoas colectivas privadas, têm as características de pessoas de utilidade pública desportiva. As suas normas podem lesar, em termos graves, os direitos, liberdades e garantias, pelo que não é líquido que elas não devam ser consideradas «normas de legislação» para efeitos do art. 18.º/1. Cfr. o Ac TC 472/89, DR, II, 22/9/89, que não acompanhamos integralmente nas conclusões. Cfr., também, parecer PGR, 100/88, DR, II, de 8/6/89.

1.3. *A vinculação da administração*

1.3.1. *Eficácia em relação à «actividade privada da administração»*

Não se discutirá o sentido do termo «entidades públicas» para efeitos de determinar as pessoas, órgãos e instituições da administração, sujeitas ao princípio da eficácia imediata dos direitos fundamentais[9]. E isto por dois motivos. Estando consagrada no artigo 18.º/1 a eficácia jurídica dos direitos fundamentais em relação a entidades privadas (a cuja problemática aludiremos em seguida) deve entender-se: *a)* a questão da vinculação da administração quando actua nas vestes de direito privado (a chamada eficácia privada dos direitos fundamentais – *Fiskalgeltung der Grundrechte*) não assume autonomia, pois quer se trate de desempenho imediato de tarefas públicas na forma do direito privado (direito privado da administração), quer se trate de actos privados em sentido estrito, em que os poderes públicos actuam nas vestes de um particular, a fórmula da Constituição portuguesa (vinculação de entidades públicas e privadas), permite perfeitamente a extensão da eficácia dos direitos fundamentais aos dois casos de «actuação privada» da administração; *b)* por outro lado, a admitir-se a tese negativa, aceitar-se-ia também a «formação de uma reserva da actividade estadual fora da Constituição», sendo possível à administração furtar-se à eficácia imediata dos direitos fundamentais mediante o manejo das formas de direito privado[10]. Assim, por exemplo, a compra de um imóvel a um particular pela administração não poderá deixar de estar sujeita ao princípio de igualdade, impedindo-se que o vendedor seja escolhido em virtude da sua religião ou das suas concepções políticas.

---

[9] Vide as referências de VIEIRA DE ANDRADE, *Os direitos fundamentais*, cit., pp. 260 e ss; JORGE MIRANDA, *Manual*, IV, p. 287; PAULO OTERO, *O Poder de Substituição*, II, cit., p. 533.

[10] Cfr. HESSE, *Grundzüge*, cit., p. 145. Entre nós, cfr. GOMES CANOTILHO/VITAL MOREIRA, *Fundamentos da Constituição*, Cap. III; VIEIRA DE ANDRADE, *Os direitos fundamentais*, cit., pp. 267 e ss; JORGE MIRANDA, *Manual*, IV, p. 288.; PAULO OTERO, *O Poder de Substituição*, cit., II, p. 534; RUI MEDEIROS, *Valores Jurídicos Negativos da Lei Inconstitucional*, OD, 1989, p. 505, 632; MARIA JOÃO ESTORNINHO, *A fuga para o Direito Privado. Contributo para o estudo da actividade de direito privado da Administração Pública*, Coimbra, 1996, p. 239.

1.3.2. *O princípio da constitucionalidade imediata da administração*

O **princípio da constitucionalidade imediata da administração** impõe que a administração (entenda-se: as várias administrações públicas, central, regional ou local, directa, indirecta, autónoma e concessionada) e já vinculada às normas consagradoras de direitos, liberdades e garantias. Isto significaria em todo o rigor: (1) a administração, ao exercer a sua competência de execução da lei, só deve executar as leis constitucionais, isto é, as leis conforme aos preceitos constitucionais consagradores de direitos, liberdades e garantias; (2) a administração, ao praticar actos de execução de leis constitucionais (= leis conforme os direitos fundamentais), deve executá-las constitucionalmente, isto é, interpretar e aplicar estas leis de um modo conforme os direitos, liberdades e garantias.

A afirmação contida em (2) não oferece dificuldades. No plano prático, as principais questões suscitam-se na interpretação e aplicação de *cláusulas gerais* e de *conceitos jurídicos indeterminados*, bem como no exercício de poderes discricionários por parte da administração. Em qualquer dos casos, a administração deve ponderar todos os pontos de vista de interesse para os direitos, liberdades e garantias e relevantes para a solução do caso concreto.

Já a afirmação contida em (1) levanta as maiores dificuldades. Pareceria evidente que o princípio da vinculação imediata da administração pelos preceitos consagradores de direitos, liberdades e garantias só podia ter como corolário lógico o dever de execução de leis constitucionais (= conforme os direitos, liberdades e garantias) mas não de leis inconstitucionais. Mas a administração não terá também o dever de ser «guardiã» dos direitos fundamentais em face de leis que claramente os violam? Por outras palavras: *a força dirigente dos direitos fundamentais* não imporá a todos e a cada um dos órgãos da administração um dever de controlo (*«Prüfung»*) ou de «rejeição» (*Verwerfung*) das leis ofensivas dos direitos, liberdades e garantias? O problema do **poder-dever de rejeição de leis (normas) inconstitucionais pela administração** é complexo, pois coloca-nos perante a questão de vinculação da administração pelo princípio da *constitucionalidade* (aqui traduzido sobretudo na eficácia directa dos preceitos constitucionais consagradores de direitos, liberdades e garantias) e pelo *princípio da legalidade*, ou seja, a subordinação da administração à lei. Devemos reter alguns tópicos essenciais na perspectivação deste problema. Em primeiro lugar, o princípio básico é o de recusar à administração em geral e aos agentes administrativos em particular qualquer poder de controlo da constitucionalidade das leis, mesmo se dessa aplicação resultar a violação dos direitos fundamentais. Aos agentes administrativos é sempre possível a *representação – direito de representação –* às entidades hierarquicamente superiores das consequências da aplicação das leis, mas até a uma possível decisão judicial da inconstitucionalidade permanecerão vinculados às leis e às ordens concretas de aplicação dos órgãos colocados num grau superior da hierarquia (artigo 271.º/2). Estes, por sua vez, poderão exercer o *poder de substituição legal* para integrar a eventual inércia dos órgãos administrativos violadora de direitos, liberdades e garantias ou para exercer uma substituição revogatória de um acto da administração lesivo dos mesmos. O funcionário ou agente administrativo deverá, porém, *desobedecer* a ordens concretas de aplicação das *leis inexistentes,* violadoras dos direitos fundamentais, quando elas implicarem a prática de um crime (cfr. artigo 271.º/3). Isto parece impor-se, designadamente, quando a aplicação da lei conduza à afectação do direito à vida ou integridade pessoal, direitos que nem em situação de estado-de-sítio podem ser suspensos (artigo 19.º/6). As leis violadoras do núcleo essencial dos direitos fundamentais, e, inquestionavelmente, as leis aniquiladoras do direito à vida e da integridade pessoal, são leis *inexistentes,* pelo que os agentes administrativos poderão deparar com o *direito de resistência* dos particulares (artigo 21.º)[11]. Acresce que, hoje, em termos de direito positivo (cfr. Cod. Procedimento Administrativo, art. 133.º/2/*d*), serão nulos todos os actos administrativos violadores do conteúdo essencial dos direitos fundamentais.[12] A «radicalidade» do direito de resistência justificará porventura outras formas de intervenção de administração tendentes a colocar a solução do problema nos quadros da legalidade (ex: intervenção substitutiva de outras autoridades). Fora destes parâmetros, é questionável a atribuição de uma *Verwerfungskompetenz* (poder de rejeição) aos agentes da administração, sendo insuficientes e inseguros os critérios que a doutrina tem até agora desenvolvido. Note-se que a inexistência de um «poder de rejeição» não significa a impossibilidade, e, porventura, obrigatoriedade, de a administração lançar um «olhar preventivo» (apelando, por exemplo, para os órgãos superiores ou entidades competentes) relativamente a leis cuja inconstitucionalidade é «evidente» ou altamente provável. Além disso, a prevalência tendencial do princípio da legalidade não deve transferir-se de plano para os «regulamentos» e «preceitos administrativos». Neste sentido, não está de todo vedado aos agentes administrativos desobedecer a "regulamentos" ou circulares administrativas violadoras de direitos, liberdades e garantias. Parece ser razoável dar prevalência ao princípio da "vinculatividade imediata" das normas garantidoras dos direitos, liberdades e garantias em relação ao princípio da legalidade nos casos em que este deixou de

---

[11] Cfr., M. REBELO DE SOUSA, *O Valor jurídico do acto inconstitucional,* 1988, p. 332. Num sentido algo diferente, mas não com soluções substancialmente divergentes do defendido no texto, cfr. JORGE MIRANDA, *Manual,* IV, p. 282 s.; M. ASSUNÇÃO ESTEVES, *A Constitucionalização do direito de resistência,* p. 242.

[12] Cfr. MÁRIO ESTEVES/PACHECO DE AMORIM/P. COSTA GONÇALVES, *Código de Procedimento Administrativo,* p. 646.

poder ancorar-se em normas constitucionais (ex.: leis pré-constitucionais) ou passou a ficar "enfraquecido" por decisões do TC no sentido da inconstitucionalidade do acto legislativo. Para além disto, é ainda de ponderar se a vinculação imediata da administração não deverá conduzir mesmo, como sugerem com bons argumentos alguns autores [13], à «desaplicação do acto ostensivamente violador da essência dos direitos fundamentais», sem prejuízo de um posterior acesso à via jurisdicional para um controlo da legalidade/constitucionalidade de tal comportamento desaplicador do acto jurídico que em circunstâncias normais seria vinculativo para a administração [14].

Por último, deve registar-se a moderna problemática da *vinculação imediata da administração pelo direito europeu*, que, em rigor, justificaria o dever da administração dos estados-membros não aplicarem o direito legal interno quando este se revelar em contradição com o direito comunitário, sobretudo com os direitos fundamentais autonomamente recortados no direito europeu.[15]

1.3.3. *A vinculação dos «actos de governo»*

A *força dirigente* dos direitos fundamentais relativamente ao poder executivo impõe-se mesmo perante os tradicionais *actos de governo*, praticados no exercício de uma função política ou governamental. Se, em geral, é difícil dar operatividade prática ao controlo dos actos políticos, embora seja inequívoca a sua vinculação ao princípio da constitucionalidade – artigo 3.º/3 – e ao princípio da eficácia directa dos direitos fundamentais – artigo 18.º/1 –, parece segura a aplicação destes dois princípios, com a consequente possibilidade de controlo judicial, quando um «acto político» é, na realidade, um acto administrativo directamente violador de direitos fundamentais (ex.: a chamada *vinculação aos direitos fundamentais do poder dirigente da política externa*).

A hipótese não é meramente teórica. Assim, já entre nós, o Presidente da República, através de *decreto retroactivo*, demitiu das suas funções (aniquilando o direito de *jus in officio*) e contra uma sentença do Supremo Tribunal Administrativo, um funcionário da carreira diplomática. Com efeito, num decreto do PR (Diário da República de 1 de Junho, II Série, n.º 126), invocando o artigo 138.º da Constituição, diz-se pura e simplesmente: «F..., embaixador dos serviços externos – decreto de 22 do corrente mês, exonerado do referido cargo com efeitos desde 24 de Setembro de 1976, data em que foi publicado o decreto que o exonerou das funções de embaixador de Portugal em Maputo». Veja-se o excelente Acórdão do S.T.A., de 5 de Novembro de 1981, sobre o caso em referência, com pertinentes comentários de Mário Esteves, em *RDA* n.º 10 (1982). Cfr., sobre isto, Schuppert, *Die verfassungsgerichtliche Kontrolle der auswärtigen Gewalt*, 1973.

---

[13] Cfr. PAULO OTERO, *O Poder de Substituição em Direito Administrativo*, vol. II, Lisboa, 1995, p. 536, 562; RUI MEDEIROS, *A Decisão de Inconstitucionalidade*, pp. 167 e ss.

[14] Precisamente nestes termos, cfr. PAULO OTERO, ob. e loc. cit. Cfr., também, VAZ PATTO, "A Vinculação das entidades públicas pelos direitos, liberdades e garantias", p. 491; RUI MEDEIROS. *A Decisão de Inconstitucionalidade*, pp. 167 e ss.

[15] Cfr. sobre este problema E. SCHMIDT-ASSMANN, "Gefährdungen des Rechrs und Gesetzesbindung der Exekutive", in *Festschrift für K. Stern*, 1997, p. 761 ss.

1.3.4. *A vinculação da administração dotada de «discricionariedade»*

A vinculação dos actos de governo pelas normas consagradoras de direitos, liberdades e garantias insinua já uma ideia fundamental a reter nesta problemática. Quanto mais ténue for a vinculação da administração à lei (como no caso de actos de governo), tanto mais forte é a sua vinculação imediata pelos direitos, liberdades e garantias. Assim, os direitos, liberdades e garantias constituem, desde logo, *medidas de valoração* decisivas quando a administração tem de densificar *conceitos indeterminados* («segurança pública», «sigilo», «segredo de Estado», «segurança do Estado»). Da mesma forma, quando a administração pratica actos no exercício de um *poder discricionário*, ela está obrigada a actuar em conformidade com os direitos, liberdades e garantias. Aqui, dada a frouxa pré-determinação da lei, estes direitos surgem como parâmetros imediatos de vinculação do poder discricionário da administração[15]. Desta forma, a violação da lei constitucional, sobretudo a violação das normas constitucionais consagradas de direitos, liberdades e garantias pode originar *invalidade* de actos administrativos com o consequente recurso contencioso.

1.4. *A vinculação do poder judicial*

Aos tribunais cabe a tarefa clássica da «defesa dos direitos e interesses legalmente protegidos dos cidadãos» (CRP, artigo 205.º/2). Os tribunais, porém, não estão apenas «ao serviço da defesa de direitos fundamentais»; eles próprios, como *órgãos do poder público*, devem considerar-se vinculados pelos direitos fundamentais. Esta **vinculação dos tribunais pelos direitos, liberdades e garantias** efectiva-se ou concretiza-se: (1) através do *processo* justo aplicado no exercício da função jurisdicional ou (2) através da *determinação e direcção das decisões jurisdicionais* pelos direitos fundamentais materiais.

1.4.1. *Vinculação através de direitos processuais fundamentais*

Considera-se, hoje, que a «constituição dos tribunais» (*Gerichtsverfassung*) e o «procedimento jurisdicional» (= processo judicial) estão, em larga medida, «constitucionalizados» (Cappelletti, Schwab-Gottwald). Isto significa a compreensão constitucionalmente «referenciada» do direito processual e do direito organizatório dos tribunais. Os direitos fundamentais, por um lado, e a organização e procedimento, por outro, desenvolvem uma eficácia recíproca: a organização e o procedimento devem ser compreendidos à luz dos direitos fundamentais; estes, por sua vez, influenciam a organização e o procedimento.

---

[15] Cfr. referências em N. ACHTERBERG, *Allgemeines Verwaltungsrecht*, 2.ª ed., 1986, p. 230; JORGE MIRANDA, *Manual*, IV, p. 299; SÉRVULO CORREIA, *Legalidade e Autonomia Contratual*, cit., p. 499; J. M. CARDOSO DA COSTA, *A Tutela de Direitos Fundamentais*, p. 208; PAULO OTERO, *O Poder de Substituição*, vol. II, p. 567.

1.4.2. Vinculação do conteúdo dos actos jurisdicionais pelos direitos fundamentais

Os direitos fundamentais podem também vincular os actos jurisdicionais como «normas de decisão». Agora, não se trata de captar o efeito vinculativo das normas consagradoras de direitos fundamentais como «normas de organização» ou de «processo», mas como *medidas de decisão material-jurisdicional* (Lorenz: *Grundrechte als Urteilsmasstab*). A relevância da **vinculação da jurisdição pelos direitos fundamentais** é principalmente discutida em três conjuntos problemáticos: (1) – no âmbito da fiscalização judicial, sobretudo quando se coloca o problema da desconformidade da lei com normas constitucionais consagradoras de direitos, liberdades e garantias; (2) – no plano da eficácia vinculativa das decisões do Tribunal Constitucional relativamente aos outros tribunais; (3) – no domínio da delimitação de competências e definição dos poderes de cognição entre o Tribunal Constitucional e os restantes tribunais. Alguns destes problemas serão discutidos quando se abordar *ex professo* a «justiça constitucional». De qualquer modo, convém, desde já, deixar assinaladas as principais refracções da vinculação dos tribunais pelos direitos fundamentais.

1.4.3. A «constitucionalidade da jurisdição»

Os tribunais estão sujeitos à lei (CRP, artigo 206.º), devendo, por isso, considerar a lei como a primeira mediação metódica do «justo» constitucional[16]. Todavia, se a lei surge como primeira «mediação» da vinculação constitucional (R. Grawert), nem sempre existe harmonia entre a constituição e a lei, pois esta pode estar em desconformidade com a primeira. Nestes casos, existe uma dupla vinculação (mas vinculação antinómica) para o juiz. Deve obediência à lei, mas, por outro lado, não pode aplicar «normas que infrinjam o disposto na constituição ou os princípios nela consignados» (CRP, artigo 207.º). Isto significa a prevalência da vinculação pela constituição (princípio da constitucionalidade) em desfavor da vinculação pela lei (princípio da legalidade). A constituição prevalece como norma superior, reconhecendo-se aos tribunais o **direito de acesso directo à constituição** – sobretudo às normas constitucionais consagradoras de direitos, liberdades e garantias –, a fim de «fiscalizarem» («direito de exame», «direito de fiscalização») a

---

[16] Mesmo quando se salienta o «carácter criador da obtenção do direito pelos tribunais», a doutrina constitucional entende que à lei pertence a «hierarquia e o predicado de uma decisão da maioria democrática» e que, num Estado de direito democrático constitucional, compete, em primeiro lugar, ao legislador, proceder à mediação do direito. Cfr. H. P. IPSEN, *Richterrecht und Verfassung*, Berlin, pp. 155 e ss; F. MÜLLER, *Richterrecht*, pp. 88 e ss.

conformidade da lei com as normas e princípios da constituição. Este exame do «direito da lei», sob o ponto de vista da constitucionalidade, a que procedem os tribunais, pode conduzi-los a várias e complexas tarefas.

2. Vinculação de entidades privadas

A Constituição de 1976 (CRP, artigo 18.°/1) consagra a eficácia das normas consagradoras de direitos, liberdades e garantias e de direitos análogos na ordem jurídica privada. A doutrina alude aqui a **eficácia horizontal** das normas garantidoras de direitos, liberdades e garantias (a juspublicística alemã utiliza o termo *Drittwirkung*). Resta saber *como* e de *que forma* se concebe esta eficácia. As respostas clássicas reconduzem-se a duas teorias: (1) *teoria da eficácia «directa» ou «imediata» (unmittelbare, direkte Drittwirkung*; (2) *teoria da eficácia indirecta ou mediata (mittelbare, indirekte Drittwirkung)*.

De acordo com a primeira teoria, os direitos, liberdades e garantias e direitos de natureza análoga aplicam-se obrigatória e directamente no comércio jurídico entre entidades privadas (individuais ou colectivas). Teriam, pois, uma eficácia absoluta, podendo os indivíduos, sem qualquer necessidade de mediação concretizadora dos poderes públicos, fazer apelo aos direitos, liberdades e garantias. Para a teoria referida em segundo lugar – *a teoria de eficácia indirecta* –, os direitos, liberdades e garantias teriam uma eficácia indirecta nas relações privadas, pois a sua vinculatividade exercer-se-ia *prima facie* sobre o legislador, que seria obrigado a conformar as referidas relações obedecendo aos princípios materiais positivados nas normas de direitod, liberdades e garantias. Veremos adiante (Parte IV, *Metódica Constitucional*), os delicados problemas suscitados pela aplicação dos direitos, liberdades e garantias nas relações jurídicas civis.

III - O regime das leis restritivas (artigo 18.°/2/3)

1. Âmbito de protecção de direitos e conteúdo juridicamente garantido

Os direitos fundamentais têm como referente ("referem-se", "dizem respeito a") determinados sectores (âmbitos, domínios) da realidade social. É fácil compreender esta ideia: o direito à vida tem como referente a vida humana; a liberdade de criação artística refere-se à arte; o direito à inviolabilidade de

domicílio e de correspondência diz respeito ao domicílio ("habitação", "casa") e à comunicação (escrita, oral, telefónica, internética).

Ao articularmos um direito fundamental com determinado âmbito da realidade social estamos a "descrever", em termos materiais, o âmbito de protecção de um direito fundamental. Neste sentido se diz que os "âmbitos da vida" ("os domínios da realidade") abrangidos ou compreendidos pelos direitos fundamentais valem como *âmbito de protecção* desses mesmos direitos.

Não basta, porém, dizer que a "vida", a "arte", o "domicílio", são domínios materiais a que se refere o âmbito de protecção dos respectivos direitos fundamentais. Temos de saber como e em que medida esses domínios ou âmbitos materiais são *jurídico-constitucionalmente protegidos*. Uma coisa é "dizer" que o domicílio é o referente do direito à inviolabilidade do domicílio; outra coisa é recortar, em termos jurídicos, o *conteúdo juridicamente garantido* desse direito. Um exemplo simples ilustrará melhor a distinção entre o *âmbito de protecção* descrito materialmente e o *conteúdo juridicamente garantido*: o art. 45.º da CRP, garante a liberdade de reunião, (âmbito de protecção material: a reunião de pessoas no contexto da vida colectiva), mas acrescenta imediatamente que só garante, em termos jurídico-constitucionais, as reuniões "pacíficas e sem armas". Num primeiro momento, ("momento descritivo") afirma-se que a manifestação é o "sector da realidade social" que entra no âmbito de protecção da liberdade de manifestação; num segundo momento ("momento normativo") recorta-se limitativamente o conteúdo merecedor de garantia jurídico-constitucional (apenas as manifestações "pacíficas e sem armas").

A diferenciação entre "momento descritivo" e "momento normativo" do âmbito de protecção aponta já para a necessidade de uma distinção clara entre *âmbito de protecção* e *conteúdo juridicamente garantido*. O conteúdo juridicamente protegido não pode fixar-se para cada direito de forma geral e abstracta. Pelo contrário: para *cada direito* impõe-se um específico *trabalho de mediação jurídica* [17]. O facto de um determinado comportamento, situação ou coisa serem descritos como fazendo parte do âmbito ou sector da realidade social considerada como referente de um direito fundamental aponta, numa primeira aproximação das coisas, (*prima facie*) para a sua "integração" no âmbito de protecção. Daí não se segue necessariamente que esse "comportamento", "situação" ou "coisa" sejam recortados, em termos jurídico-constitucionais, como um conteúdo de um direito juridicamente garantido. Veja-se o exemplo dos "graffiti" ou dos ""sprayers". Dizer-se que eles "entram" no sector da realidade social des-

---

[17] Assim, K. HESSE, "Bedeutung der Grundrechte", in Benda (org.), *Handbuch des Verfassungsrechts der Bundesrepublik Deutschland*, 2.ª ed., 1994, p. 138.

crito como "arte" não implica, necessariamente, que sejam protegidos como tal. A lei pode vir a considerar como parcialmente censurável, seja a que título for, a impregnação de desenhos ou outros sinais em edifícios públicos ou privados. Por aqui se vê já que o conteúdo juridicamente garantido está estritamente associado às *mediações jurídicas* feitas em torno de um direito fundamental em concreto. Nesta problemática de mediações jurídicas vêm entroncar delicadas questões de metódica e metodologia jurídica (cfr. infra, Cap.) que vão desde problemas de interpretação e concretização de textos normativos até à ponderação de direitos em situação de conflito. Neste momento, interessa-nos uma importantíssima forma de mediação jurídica: a *restrição de direitos*.

2. Restrição de direitos

Há três "universos" de restrições de direitos recortados por actos normativos com valor de lei: (1) restrições feitas directamente pela Constituição; (2) restrições feitas por lei mas expressamente autorizadas pela Constituição; (3) restrições operadas através de lei mas sem autorização expressa da Constituição. Na hipótese (1) fala-se de *restrições constitucionais directas*. É a lei constitucional que, de forma expressa, procede a um primeiro recorte restritivo do conteúdo juridicamente garantido de um direito fundamental (ex.: art. 45.°, restrição da liberdade de reunião proibindo as manifestações violentas ou armadas). No caso (2) alude-se a *reserva de lei restritiva*. A Constituição autoriza a lei (cfr. CRP, art. 18.°/2) a estabelecer restrições ao conteúdo juridicamente garantido de um direito (ex.: art. 27.°, restrições através da lei à liberdade individual, designadamente em matéria criminal). No caso (3) a doutrina fala de *restrições não expressamente autorizadas pela Constituição*[18]. Trata-se de restrições ao conteúdo juridicamente garantido de um direito sem qualquer autorização constitucional expressa. Estamos perante os casos mais difíceis quer em sede de legitimidade constitucional (justificação) quer no plano da modelação concreta do âmbito da protecção e do conteúdo juridicamente garantido. De qualquer modo, também aqui podem existir mediações restritivas. Não se compreenderia, por exemplo, que o direito de manifestação (art. 45.°, 2), embora consagrado no texto constitucional sem quaisquer restrições constitucionais directas e sem autorização de lei restritiva, não pudesse ser restringido por lei, proibindo-se desde logo, as manifestações violentas e com armas. Alguns sectores doutrinais aludem, neste contexto, a "limites

---

[18] Cfr., por todos, JORGE NOVAIS, *As Restrições não expressamente autorizadas*, cit., p. 569.

imanentes" de direitos fundamentais (cfr. *infra*, Parte IV, Título 2, Cap. 1, D). Numa primeira aproximação, devemos assentar nos seguintes pontos: (1) os direitos sem restrições *ex constitutione* (isto é, estabelecidos pela própria Constituição) e sem reserva de lei restritiva, não podem considerar-se como direitos irrestritos ou irrestringíveis; (2) estão sujeitos aos limites básicos decorrentes da ordem jurídico-constitucional (ex.: o direito de manifestação está sujeito aos limites da "não violência" e aos limites resultantes da necessidade de protecção do conteúdo juridicamente garantido dos direitos dos outros, como, por exemplo, a liberdade de deslocação [19]); (3) estes limites podem (e nalguns casos devem) ser conformados pelo legislador, obedecendo aos princípios e procedimento metódico das leis restritivas.

Além das leis restritivas devemos ainda recortar as chamadas **medidas ou intervenções restritivas** que consistem em actos ou actuações das autoridades públicas restritivamente incidentes de modo concreto e imediato sobre um direito (exs.: decisão judicial de prisão preventiva, decisão administrativa de proibição de manifestação). (Cf. *infra*, Parte IV, Título 2, Cap. 1, B, II, 3).

3. Os limites dos limites

3.1. *Enunciado do problema*

As leis restritivas estão sujeitas a uma série de requisitos restritivos dessas mesmas leis. Por isso se fala aqui das restrições às restrições ou de **limites dos limites**. Trata-se de estudar ou analisar a 3.ª instância do procedimento da restrição de direitos. Depois de determinado o âmbito de protecção e averiguada a existência de uma autêntica restrição através de lei, cumpre verificar se a lei restritiva preenche os requisitos constitucionais fixados. As questões a debater são essencialmente as seguintes: (1) trata-se de uma *lei formal* e *organicamente* constitucional?; estamos perante uma lei da AR ou perante um decreto-lei autorizado do Governo?; (2) existe autorização expressa da Constituição para o estabelecimento de limites através de lei? (art. 18.º/2); (3) a lei restritiva tem carácter geral e abstracto? (art. 18.º/3); (4) a lei restritiva tem efeitos retroactivos? (art. 18.º/3); (5) a lei restritiva observa o *princípio da proibição do excesso,* estabelecendo as restrições necessárias para a salvaguarda de outros direitos ou interesses constitucionalmente protegidos? (art. 18.º/2, *in fine*); (6) a lei restritiva diminui a extensão e alcance do *conteúdo essencial* dos preceitos constitucionais? (art. 18.º/3, *in fine*).

---

[19] Não é suficiente, porém, invocar fins ou princípios demasiado genéricos, como, por exemplo, "protecção da Constituição", "prossecução da acção penal" e "moral pública".

As interrogações precedentes apontam para a existência de *requisitos formais e de requisitos materiais,* positivados na constituição, que as leis restritivas de direitos, liberdades e garantias devem imperativamente satisfazer. Estes requisitos podem estar contidos em *regras* ou em *princípios* da constituição. Os *requisitos formais* actuam como uma «zona de protecção formal» (exigência de lei da AR ou de decreto-lei autorizado, exigência de expressa autorização restritiva contida na constituição); *os requisitos materiais* pretendem assegurar a conformidade substancial da lei restritiva com os princípios e regras da Constituição (princípio da proporcionalidade, princípio da generalidade e abstracção, princípio de não--retroactividade, princípio da salvaguarda do conteúdo essencial).

2.2. Análise dos requisitos das leis restritivas

Trata-se de uma das operações metódicas necessárias para se evitar a aniquilação dos direitos, liberdades e garantias através de leis restritivas do respectivo âmbito de protecção. São vários os limites estabelecidos pelas normas constitucionais às leis limitativas de direitos (a doutrina alude aqui, na senda da doutrina germânica, a *limites de limites,* «Schranken der Schranken»).

2.2.1. *Exigência de autorização de restrição expressa* (art. 18.º/2)

O legislador não tem, no ordenamento jurídico-constitucional português, uma autorização geral de restrição de direitos, liberdades e garantias. A lei fundamental individualizou expressamente os direitos que podem ficar no âmbito de uma reserva de lei restritiva. Esta **autorização de restrição** expressa tem como objectivo obrigar o legislador a procurar sempre nas normas constitucionais o *fundamento concreto* para o exercício da sua competência de restrição de direitos, liberdades e garantias visa criar *segurança jurídica* nos cidadãos, que poderão contar com a inexistência de medidas restritivas de direitos fora dos casos expressamente considerados pelas normas constitucionais como sujeitos a reserva de lei restritiva.

Além disso, a exigência de autorização constitucional expressa visa exercer uma *função da advertência (Warnfunktion)* relativamente ao legislador, tornando-o consciente do significado e alcance da limitação de direitos, liberdades e garantias, e constituir uma *norma de proibição,* pois sob reserva de lei restritiva não se poderão englobar outros direitos salvo os autorizados pela Constituição.

2.2.2. *O requisito de lei formal* (art. 18.º/2)

Só nos casos expressamente previstos na Constituição podem ser restringidos os direitos, liberdades e garantias e *só* a lei os pode restringir (art. 18.º/2: **reserva de lei restritiva**).

Os direitos, liberdades e garantias só podem ser restringidos por *lei*. Articulando o art. 18.º/2 com outros preceitos da Constituição (arts. 162.º/2, 164.º e 165.º), a exigência da forma de lei para a restrição de direitos, liberdades e garantias tem um alcance jurídico-constitucional bem definido. A intervenção de um *acto legislativo* (e não de qualquer outro acto normativo) com a forma de *lei da AR* para a limitação de direitos, liberdades e garantias (art. 165.º/1-*c*) reafirma a ideia do Parlamento como órgão "amigo" das liberdades, e da "reserva de lei do Parlamento" como instrumento privilegiado da defesa dos direitos, mesmo quando está em causa a própria restrição desses direitos. Esta ideia explica também o acerto da orientação jurisprudencial detectada em vários acórdãos do TC: as restrições de direitos não fazem parte da competência normal do Governo, dos órgãos das Regiões Autónomas e das autarquias locais. Quando a restrição for efectivada por *decreto-lei autorizado* do Governo (art. 165.º/1, 2, 3 e 4) este decreto-lei deve estar em conformidade com a lei de autorização (cfr. arts. 112.º/2 e 165.º/2). No entanto, existem alguns direitos, liberdades e garantias que só podem ser restringidos por lei da AR (alude-se nesta hipótese a «reserva de lei do parlamento»), incluindo-se aqui todos os direitos cuja regulamentação é de reserva absoluta de competência legislativa da AR (cfr. art. 164.º/*f, h, i, j, l, o*).

O requisito de lei formal significa também, no direito constitucional vigente, a exigência de uma «cadeia ininterrupta de legitimidade legal» relativamente aos actos que, concretamente, restrinjam direitos, liberdades e garantias. Através desta exigência, exclui-se a possibilidade de limitações que não tenham fundamento na lei.

(1) Exemplos de casos de restrição legítimos, em virtude da existência de «cadeia de legitimidade legal»:

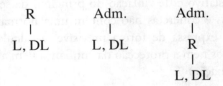

(2) Exemplos de restrições inconstitucionais por ruptura da «cadeia de legitimidade legal»

Adm.   R
  |
  R

No primeiro complexo de exemplos verifica-se que quer seja um regulamento (R) a adoptar medidas restritivas, quer seja um acto administrativo (Adm.) sempre um fundamento legal; no segundo complexo, verifica-se que, inconstitucionalmente, regulamentos, actos administrativos e decretos legislativos regionais estabelecem restrições não baseadas em lei (cfr. Acs. TC n.º 74/84, *DR,* I, de 11-9-84, e 248/85, DR, I, 15-9, 37/87, *DR,* I, 17-3) [20].

2.2.3. O *requisito da generalidade e abstracção da lei restritiva* (art. 18.º/3)

Estabelece o art. 18.º/3 que as leis restritivas devem «revestir carácter geral e abstracto». Uma **lei geral e abstracta** é aquela que se dirige a um número indeterminado ou indeterminável de pessoas (destinatários) ou regula um número indeterminado ou indeterminável de casos. Uma **lei individual e concreta** é aquela que se dirige a um número determinado ou determinável de pessoas ou disciplina um número determinado ou determinável de casos.

Através desta caracterização de leis gerais e abstractas e de leis individuais e concretas podemos assinalar o alcance claro e inequívoco deste requisito: *proibição de leis de natureza individual e concreta restritivas de direitos, liberdades e garantias.* As razões materiais desta proibição sintetizam-se da seguinte forma: (*a*) as leis particulares (individuais e concretas) de natureza restritiva violam o princípio material da igualdade, agredindo em termos materialmente desiguais os direitos, liberdades e garantias; (*b*) as leis individuais e concretas restritivas de direitos, liberdades e garantias representam a manipulação da forma da *lei* pelos órgãos legislativos ao praticarem um acto administrativo individual e concreto sob as vestes legais (os autores discutem a existência, neste caso, de abuso do poder legislativo e de violação do princípio da separação de poderes); (*c*) as leis individuais e concretas não contêm uma normativização dos pressupostos da limitação expressa de forma previsível e calculável e, por isso, não garantem aos cidadãos nem a protecção da confiança nem alternativas de acção e racionalidade de actuação.

---

[20] Esta cadeia de «legitimidade legal» pode, por vezes, implicar uma maior discricionariedade de concretização regulamentar como se verifica em alguns casos de regulamentos autárquicos, que Vieira de Andrade, *Autonomia Regulamentar,* p. 32, chama «regulamentos autorizados».

454

A **lei individual restritiva inconstitucional**, por violação do art. 18.º/3, será, por conseguinte: (1) toda a lei que imponha restrições aos direitos, liberdades e garantias de uma pessoa ou de várias pessoas *determinadas;* (2) imponha restrições a uma pessoa ou a um círculo de pesssoas que, embora não determinadas, podem ser *determináveis* através da conformação intrínseca da lei e tendo em conta o momento da sua entrada em vigor.

O critério para a determinação da existência de uma lei individual restritiva não é a formulação ou o enunciado linguístico da lei, mas o seu conteúdo e respectivos efeitos. Podem existir **leis individuais camufladas** que, formalmente contêm uma normação geral e abstracta, mas, materialmente, isto é, segundo o conteúdo e efeitos, se dirigem, na realidade, a um círculo determinado ou determinável de pessoas.

Existem, também, *leis concretas não-individuais,* isto é, leis que não se referem a um círculo determinado ou determinável de pessoas, mas a um círculo determinado ou determinável de casos particulares (ex.: lei proibitiva de uma reunião ou manifestação, em que participam um número indeterminado ou indeterminável de pessoas). Independentemente de se saber se leis deste tipo são, apesar de tudo, e ainda, leis pessoais (pelo menos para os organizadores), é indubitável praticar-se, sob a forma de lei, um acto administrativo *(acto administrativo em forma de lei)* que pode ser impugnado através de recurso contencioso (cfr. art. 268.º/4).

Note-se que não cabem no âmbito da restrição do art. 18.º/3 as *leis- -medida (Maßnahmegesetze)* a não ser que essas leis-medida se revelem leis restritivas individuais. Mesmo as leis individuais podem não ser inconstitucionais se, em vez de terem um conteúdo restritivo, atribuirem vantagens ou compensações a certas pessoas individualmente determinadas (ex.: lei que concede uma pensão de sobrevivência às viúvas de bombeiros mortos durante o combate a incêndios). Estas leis individuais «beneficiadoras» ou «ampliativas» devem, porém, ser excepcionais sob pena de se violar o princípio da igualdade (cfr. Acs. TC 8/84 e 12/84, *Acórdãos*, Vol. 2, 74/84, *Acórdãos*, Vol. 5, 201/86, *Acórdãos*, Vol. 7/2).

A problemática da exigência da generalidade da lei como pressuposto da restrição de direitos, liberdades e garantias, para além de ser complexa, anda, muitas vezes, associada a outros problemas. Assim, e como resultou já do texto, é manifesta a relação da generalidade da lei com o *princípio da igualdade*. Esta relação não se estabelece apenas com o princípio da igualdade entendido como princípio da proibição do arbítrio, pois uma lei restritiva não arbitrária, mas individual, viola também o art. 18.º/3 da Constituição.

O requisito constitucional da generalidade é também indissociável da questão jurídico-dogmática das *leis individuais*. Leis individuais – repita-se – em sentido restrito, são aquelas que estabelecem benefícios ou prejuízos para certas e determinadas pessoas. Todavia, também se reconduzem à categoria de leis individuais aquelas leis que não se dirigem "como tal" a pessoas individualmente consideradas, mas que, em virtude dos efeitos jurídicos nelas previstos, estes só podem

Regime específico dos direitos, liberdades e garantias

relacionar-se com certas e determinadas pessoas no momento da entrada em vigor da lei (a "doutrina alemã" fala aqui de *Einzelpersongesetz* em sentido amplo). No texto esta problemática aparece relacionada com as leis *individuais camufladas*. As leis individuais chamam-se *leis concretas* quando estabelecem uma disciplina jurídica tendo em conta não pessoas individuais mas situações de facto determinadas ou determináveis (alude-se aqui, na doutrina germânica, a *Einzelfallgesetz*).

2.2.4. *O requisito da não retroactividade da lei restritiva* (art. 18.º/3)

O **princípio da não retroactividade** não é um princípio constitucional irrestritamente válido na ordem jurídica portuguesa (cfr. *supra*), mas é-o, sem quaisquer excepções, no que respeita a leis restritivas de direitos, liberdades e garantias ou de direitos análogos (cfr. arts. 18.º/3 e 17.º). Com a LC n.º 1/82, o princípio da não-retroactividade deixou de ser um princípio circunscrito ao âmbito penal (cfr. art. 29.º) para passar a princípio geral das leis restritivas de direitos, liberdades e garantias. As dificuldades eventualmente existentes serão, para além das inerentes à própria configuração da retroactividade, as relacionadas com a determinação dos direitos de natureza análoga aos direitos, liberdades e garantias (que, por força do art. 18.º/3, passaram a beneficiar também da proibição de retroactividade das leis que eventualmente os restrinjam).

Um problema de relevante interesse prático é o de saber se a proibição de leis retroactivas restritivas de direitos, liberdades e garantias tem em vista apenas a retroactividade total ou autêntica *(echte Rückwirkung)* – aplicação de uma nova lei a factos pertencentes ao passado e definitivamente estabilizados – ou se é extensiva também a *retroactividade parcial ou inautêntica (unechte Rückwirkung)* caracterizada pela aplicação imediata de uma lei a situações de facto nascidas no passado mas que continuam a existir no presente («quasi-retroactividade»). Hoje, a doutrina prefere falar em **retroactividade** e **retrospectividade**. Uma lei restritiva de direitos, liberdades e garantias será retroactiva *(Rückbewirkung)* quando as consequências jurídicas atribuídas aos factos por ela regulados se produzem no passado, ou seja, numa data anterior à da sua entrada em vigor. É óbvio que esta retroactividade, em matéria de leis restritivas de direitos, liberdades e garantias, é inconstitucional, o que, de resto, já resultava dos princípios da protecção da confiança e da segurança jurídica. Todavia, também a retrospectividade – tomada em consideração de factos anteriores à entrada em vigor da lei – não pode deixar de ser inconstitucional, precisamente quando é arbitrária ou restringe direitos, liberdades e garantias. Assim, por exemplo, será inconstitucional uma lei que sujeita a imposto rendimentos recebidos antes da sua entrada em vigor e, que, face à legislação anterior, estavam isentos de tributação fiscal (retroactividade) (cfr., agora, sem quaisquer dúvidas, o art. 103.º/3 na redacção da Lei 1/97); é inconstitucional

uma lei que vem estabelecer novos regimes de incompatibilidades entre cargos e mandatos electivos e aplicar esse regime a autarcas já eleitos (retrospectividade) (cfr. Acs. TC 256/90, 287/90, 759/95).

>Foi precisamente o caso da L 56/90, de 5/9, sobre as incompatibilidades de cargos políticos e altos cargos públicos que estabeleceu uma nova incompatibilidade – entre presidente da câmara e deputado ao Parlamento Europeu –, mandando aplicar, imediatamente, esse regime aos presidentes e deputados já eleitos. O Tribunal Constitucional, Ac. 256/90, *DR*, II, n.º 184 (*«caso das incompatibilidades dos cargos políticos e altos cargos públicos»*), fugiu à questão da retroactividade e retrospectividade de leis restritivas de direitos, liberdades e garantias, considerando que a lei em causa não era inovatória. Sobre as categorias de *Rückwirkung der Rechsfolge* e *tatbeständliche Anknüpfung*, cfr. Fiedler, «Neuorientierung der Verfassungsrechtssprechung zum Rückwirkungsverbot und zum Vertrauensschutz?», NJW, 1988, p. 1624; Vogel, «Rechtssicherheit und Rückwirkung zwischen Vernunftrecht und Verfassungsrecht, *JZ*, 1988, p. 833.

2.2.5. *O princípio da proibição do excesso* (art. 18.º/2)

O princípio da proibição do excesso, atrás considerado como um subprincípio densificador do Estado de direito democrático (cfr., *supra*), significa, no âmbito específico das leis restritivas de direitos, liberdades e garantias, que qualquer limitação, feita por lei ou com base na lei, deve ser adequada (apropriada), necessária (exigível) e proporcional (com justa medida). A exigência da *adequação* aponta para a necessidade de a medida restritiva ser apropriada para a prossecução dos fins invocados pela lei (conformidade com os fins). A exigência da *necessidade* pretende evitar a adopção de medidas restritivas de direitos, liberdades e garantias que, embora adequadas, não são necessárias para se obterem os fins de protecção visados pela Constituição ou a lei. Uma medida será então exigível ou necessária quando não for possível escolher outro meio igualmente eficaz, mas menos «coactivo», relativamente aos direitos restringidos. O princípio da *proporcionalidade* em sentido restrito (= princípio da «justa medida») significa que uma lei restritiva, mesmo adequada e necessária, pode ser inconstitucional, quando adopte «cargas coactivas» de direitos, liberdades e garantias «desmedidas», «desajustadas», «excessivas» ou «desproporcionadas» em relação aos resultados obtidos.

O princípio da proibição do excesso (ou da proporcionalidade em sentido amplo), consagrado na parte final do art. 18.º/2, constitui um *limite constitucional à liberdade de conformação do legislador*. A Constituição, ao autorizar a lei a restringir direitos, liberdades e garantias, de forma a permitir ao legislador a realização de uma tarefa de *concordância prática* justificada pela defesa de outros bens ou direitos constitucionalmente protegidos, impõe uma clara vinculação ao exercício dos poderes discricionários do legislador. Em primeiro lugar, entre *o fim da*

autorização constitucional para uma emanação de leis restritivas e o *exercício do poder discricionário* por parte do legislador ao realizar esse fim deve existir uma inequívoca conexão material de *meios e fins*. Em segundo lugar, no exercício do seu poder ou *liberdade de conformação dos pressupostos das restrições* de direitos, liberdades e garantias, o legislador está vinculado ao princípio material da proibição do excesso.

A questão, como se intui, coloca problemas complexos em sede de controlo concreto da constitucionalidade, se se interpretar a «necessidade», a «adequação» e a «proporcionalidade» da medida legal restritiva como uma questão de «mérito político» situada no âmbito de liberdade de conformação do legislador. Deve apurar-se um «sistema gradativo» de liberdade de conformação, pois: (1) há casos em que o legislador está estritamente vinculado, podendo afirmar-se que ele apenas possui uma *competência de concretização legislativa* (ex.: na definição do direito à liberdade e integridade física, o legislador só pode concretizar a defesa de «interesses constitucionalmente protegidos» nos precisos e estritos termos definidos pela CRP); (2) noutros casos, a competência de qualificação dos interesses públicos é já mais livre, mas, ainda assim, *positivamente vinculada* impedindo o legislador de limitar direitos em nome de interesses públicos não constitucionalmente protegidos (ex.: será inconstitucional a relativização do direito ao despedimento sem justa causa dos trabalhadores com base no interesse da «produtividade das empresas», pois este interesse não é um «bem superior» ou «prevalecente» constitucionalmente protegido).

A liberdade de conformação do legislador exige das entidades judiciais de controlo uma relativa prudência quanto à aplicação do *princípio da proibição do excesso*, mas elas não poderão abdicar de dar uma específica aplicação a este princípio, sobretudo quando está em jogo a apreciação de medidas especialmente restritivas (ex.: do exercício dos direitos de expressão, reunião, manifestação, associação, petição colectiva e a capacidade eleitoral nos termos do art. 270.º). O princípio da proporcionalidade terá ainda interesse para o eventual controlo preventivo da constitucionalidade da lei geral restritiva.

A relevância prática do princípio da proibição do excesso pode ser ilustrada através de alguns casos decididos pelo TC (ver Acs TC 4/84, 703/84, 23/84, 225/88, 282/86, 1182/96).

2.2.6. *O princípio da salvaguarda do núcleo essencial* (art. 18.º/3)

A ideia fundamental deste requisito é aparentemente simples: existe **um núcleo essencial** dos direitos, liberdades e garantias que não pode, em caso algum, ser violado. Mesmo nos casos em que o legislador está constitucionalmente autorizado a editar normas restritivas, ele permanece vinculado à salvaguarda do núcleo essencial dos direitos ou direitos restringidos. Para além desta formulação (pouco rica, de resto, relativamente ao conteúdo de informação), discutem-se fundamentalmente dois problemas [21]: (1) *qual o objecto de protec-*

---

[21] Cf. PIEROTH/SCHLINK, *Staatsrecht*, II, p. 342, MÜNCH/KÜNIG, *Grundgesetz Kommentar* I, anotações ao art. 19.º; J. MIRANDA, *Manual*, IV, pp. 340 e ss; K. STERN, *Staatsrecht*, III/2, pp. 838 e ss.; J. REIS NOVAIS, *As Restrições*, p. 779 ss.

ção: o direito subjectivo individual ou a garantia objectiva? (2) *qual o valor da protecção:* o núcleo essencial é um valor absoluto ou depende da sua confrontação com outros direitos ou bens?

a) *O objecto de protecção*

Existem aqui duas teorias em confronto. A *teoria objectiva* considera dever referir-se a protecção do núcleo essencial ao direito fundamental como norma objectiva e não como direito subjectivo individual. Por outras palavras: o objecto de protecção do preceito é a garantia geral e abstracta prevista na norma e não a posição jurídica concreta do particular. A *teoria subjectiva* toma como «referente» a protecção do núcleo essencial do direito fundamental na sua dimensão de direito subjectivo do indivíduo. De acordo com a primeira teoria, visa-se assegurar a eficácia de um direito fundamental na sua globalidade; de acordo com a segunda, pretende-se afirmar que, em caso algum, pode ser sacrificado o direito subjectivo de uma pessoa, a ponto de, para ele, esse direito deixar de ter qualquer significado (cfr. Ac. TC 254/99).[22]

A solução do problema não pode reconduzir-se a alternativas radicais porque a restrição dos direitos, liberdades e garantias deve ter em atenção a função dos direitos na vida comunitária, sendo irrealista uma teoria subjectiva desconhecedora desta função, designadamente pelas consequências daí resultantes para a existência da própria comunidade, quotidianamente confrontada com a necessidade de limitação dos direitos fundamentais mesmo no seu núcleo essencial (ex.: penas de prisão longas para crimes graves, independentemente de se saber se depois do seu cumprimento restará algum tempo de liberdade ao criminoso). Todavia, a protecção do núcleo essencial não pode abdicar da dimensão subjectiva dos direitos fundamentais e daí a necessidade de evitar restrições conducentes à aniquilação de um direito subjectivo individual (ex.: proibição de prisão perpétua ou pena de morte, pois estas penas violariam o núcleo essencial do direito à liberdade ou do direito à vida).

b) *O valor da protecção*

As orientações fundamentais aqui em confronto são também duas. *As teorias absolutas* vêem no núcleo essencial um conteúdo normativo irrestringível, abstractamente fixado; as teorias *relativas* vêem no núcleo essencial o resultado de um processo de ponderação de bens. De acordo com a primeira orienta-

---

[22] Por último, desenvolvidamente, J. REIS NOVAIS, *As Restrições*, p. 783 ss.

ção, o núcleo essencial é uma posição subjectiva de tal modo indisponível que não pode ser relativizada por qualquer direito ou interesse contraposto. Para a segunda, o núcleo essencial é o resultado de um processo de ponderação, constituindo aquela parte do direito fundamental que, em face de outros direitos ou bens constitucionalmente protegidos e com ele colidentes, acaba por ser julgada prevalecente e consequentemente subtraída à disposição do legislador.

Também aqui não há alternativas radicais porque, em toda a sua radicalidade, as teorias relativas acabariam por reconduzir o núcleo essencial ao princípio da proporcionalidade, proibindo designadamente o legislador de, na solução de conflitos, limitar direitos, liberdades e garantias para além do justo e do necessário[23]. Tudo o que fosse desproporcionado ou excessivo violaria o núcleo essencial. Por seu turno, as teorias absolutas esquecem que a determinação do âmbito de protecção de um direito pressupõe necessariamente a equação com outros bens, havendo possibilidade de o núcleo de certos direitos, liberdades e garantias poder vir a ser relativizado em face da necessidade de defesa destes outros bens.[24]

c) *Indicação do direito constitucional positivo*

No plano constitucional positivo, as teorias objectivistas parecem ter a seu favor a própria letra do art. 18.º/3. Com efeito, o enunciado linguístico – «não podem diminuir a extensão e o alcance do conteúdo essencial dos *preceitos constitucionais*» – aponta para a necessidade de se considerarem os preceitos consagradores de direitos, liberdades e garantias como normas de natureza e conteúdo objectivo. Esta indicação literal não invalida, porém, a razoabilidade da solução matizada anteriormente defendida.

Relativamente ao problema do valor absoluto ou relativo do núcleo essencial, é inequívoco que a Constituição não confunde o princípio da proporcionalidade (consagrado no art. 18.º/2, *in fine*) com exigência de salvaguarda do núcleo essencial (consagrada no art. 18.º/3, *in fine*). Se é razoável o entendimento de o âmbito de protecção de um direito dever obter-se, caso a caso, tendo em conta outros direitos ou bens constitucionalmente protegidos, também é certo que a proibição da diminuição da extensão do núcleo essencial só terá sentido se

---

[23] Além disso, poderiam conduzir a resultados inversos aos pretendidos: proteger-se apenas o «núcleo duro» e não todo o direito. Cfr. I. OTTO Y PARDO, in L. MARTIN-RETORTILLO/I. DE OTTO Y PARDO, *Derechos Fundamentales y Constitucion*, p. 132.

[24] Cfr. HESSE, *Verfassungsrecht*, p. 332; ALEXY, *Grundrechte*, p. 269; STELZER, *Wesensgehaltargument*, pp. 164 e ss. Entre nós, por último, J. REIS NOVAIS, *As Restrições*, p. 779; JORGE MIRANDA, *Manual*, IV, p. 308.

constituir um reduto último intransponível por qualquer medida legal restritiva (Cfr. Acs. TC 8/84, *DR*, II, 3/5/86; 76/85, *DR*, II, 8/6/85; 31/87, *DR*, II, 1/4/87 353/91, 869/96, 575/96, 644/98, 254/99).

Este sentido pressupõe a aceitação tendencial de uma *teoria mista*[25]. Parece-nos de rejeitar a ideia, recentemente defendida entre nós,[26] de que a garantia do núcleo essencial nada mais é que "uma mera proclamação e sinalização da ponderação e vinculação do legislador ordinário e restantes poderes constituídos pelos direitos fundamentais". Bastam dois exemplos para se ver a autonomia do núcleo essencial relativamente ao princípio da proibição do excesso. Quando se proibe a pena de morte não se pretende dizer que esta pena é "apenas" excessiva. Pretende-se salientar que, depois do cumprimento desta pena, "não resta nada" do mais sagrado dos direitos – o direito à vida. Segundo exemplo: quando se censura a prisão perpétua, a ideia não é somente a de acentuar o seu carácter desproporcionado, como talvez seja o caso da discussão da pena máxima de prisão (25 anos? 30 anos?). A liberdade está sujeita à ponderação de direitos e bens, mas afirmar-se um núcleo absoluto significa só isto: o valor liberdade individual é constitutivo da ordem constitucional. É este o sentido que nos parece estar presente no projecto de Constituição Europeia, onde se estababelece (art. II-52) que "qualquer restrição ao exercício dos direitos e liberdades" "deve respeitar o conteúdo essencial desses direitos e liberdades".

C. Casos Especiais de Restrição

1. Perda de direitos

O sistema de protecção constitucional dos direitos fundamentais não tolera ideias avançadas noutros quadrantes jurídicos como a da **perda de direitos fundamentais pela sua utilização abusiva**. Este instituto está previsto na Constituição de Bona (art. 18.º), nos termos da qual um cidadão pode ser privado de alguns direitos quando deles abusar para combater «a ordem fundamental livre e democrática». Dentro do mesmo espírito se insere a *Parteiverbot* (proibição e dissolução de partidos) prevista no art. 21.º da mesma Constituição. Subjacente à concepção da *Grundgesetz* está a velha ideia de que não «deve haver

---

[25] Cf., porém, as críticas pertinentes de J. REIS NOVAIS, *As Restrições*, p. 795 ss.
[26] Vide, J. REIS NOVAIS, *As Restrições*, p. 798.
[27] Cf., porém J. REIS NOVAIS, *As Restrições*, p. 798.

liberdade para os inimigos da liberdade» (*"militant democracy"*), pois só assim, de forma «militante», se obterá a protecção da ordem livre e democrática e, portanto, dos direitos fundamentais. Uma tal concepção, que já se pretendeu transpor para a ordem constitucional portuguesa, em vez de contribuir para a protecção dos direitos fundamentais, pode evoluir no sentido contrário. A proibição de partidos, a interdição profissional dos radicais *(Berufsverbot),* a exigência de lealdade dos funcionários, demonstra ser a instituição constitucional da perda de direitos fundamentais por utilização abusiva uma cláusula emergente de um integrismo autoritário. Ela é inadmissível na ordem constitucional portuguesa: (1) não está consagrada em nenhum preceito e o facto de se proibirem organizações que sejam racistas ou perfilhem a ideologia fascista (art. 46.º/4) não é qualquer indício relevante no sentido da funcionalização dos direitos fundamentais; (2) a constituição portuguesa não aderiu a concepções funcionalistas puras de direitos fundamentais, não se podendo, portanto, afirmar que os direitos devem ser exercidos de forma teleologicamente vinculada (por ex., em prol da ordem livre e democrática ou da construção do socialismo); (3) a ideia da perda dos direitos fundamentais pode conduzir à «morte cívica» do cidadão, o que é completamente incompatível com o sentido objectivo e subjectivo do catálogo dos direitos, liberdades e garantias consagrado na Constituição portuguesa [28].

O sentido que parece razoável atribuir a uma cláusula de proibição do **abuso de direito** será o que está explicitado no art. II-54 do Projecto da Constituição Europeia: "Nenhuma norma de direitos fundamentais deve ser interpretada no sentido de implicar qualquer direito de exercer actividades ou praticar actos que visem a destruição de direitos ou liberdades nesta [Carta Europeia de Direitos Fundamentais] reconhecidos". Uma coisa é não ter direito a destruir direitos ou exercer actividades para a destruição de direitos. Outra é a de institucionalizar a lógica da perda de direitos por utilização abusiva.

---

[28] Uma denúncia enérgica das conclusões a que chegam a doutrina, a jurisprudência e a prática política alemãs através do instituto da «perda de direitos fundamentais» por utilização abusiva ver-se-á em H. RIDDER, in J. MÜCK, *Verfassungsrecht,* cit., p. 139, que fala de «excomunhão de cidadãos». MAUNZ-DÜRIG-HERZOG-SCHOLZ, *Kommentar,* comentário ao art. 18, n.º 78, recorrem aqui à subtileza da distinção entre «*Entpolitisierung*» e «*Entbürgerlichung*». Cfr., M. KUTSCHA, *Verfassung und «streitbare Demokratie»,* Köln, 1979. Procurámos denunciar os perigos desta concepção no nosso artigo «Ordem Constitucional, Partidos Políticos e Direitos Fundamentais», in *Nação e Defesa,* n.º 10 (1976).

Enérgica rejeição da «funcionalização» dos direitos fundamentais (mesmo para defesa do próprio regime democrático) pode ver-se também, na doutrina italiana, em BARBERA, «Principi Fondamentale», in G. BRANCA (org.), *Commentario della Costituzione,* Vol I, 1975, p. 105. Entre nós, cfr., por último, JORGE MIRANDA, *Manual,* IV, p. 275 e J. REIS NOVAIS, *As restrições,* cit., p. 798. Uma discussão global e convincente desta questão sob o ponto de vista da *teoria da justiça* e do liberalismo político encontra-se em J. RAWLS, *Political Liberalism,* cit., pp. 348 e ss. (p. 318 e ss., da trad. port.).

2. Renúncia a direitos [29]

As clássicas declarações de direitos referiam-se aos direitos inalienáveis e imprescritíveis. Todavia, ao lado do processo de relativização dos direitos resultante da ideia clássica de *réglémentation des libertés,* assistiu-se e assiste-se ainda a um processo paralelo de relativização através da ideia de **renúncia** a direitos fundamentais. Esta concepção está particularmente radicada nos casos referidos na exposição subsequente e nela se coloca a questão da protecção de direitos fundamentais contra o próprio titular.

2.1. *Relações jurídicas especiais*

Nos casos de relações jurídicas especiais ou de *relações especiais de poder,* a renúncia deduzir-se-ia do princípio *volenti non fit injuria.* Os cidadãos submetiam-se voluntariamente à diminuição dos seus direitos fundamentais. Renunciavam, *ex voluntate sua,* aos direitos perturbadores desse estatuto especial. É uma concepção ultrapassada: (*a*) um militar, um funcionário, um estudante, ao ingressarem em certas relações especiais, não renunciam a qualquer direito, sendo o recurso à ideia de *sujeição voluntária* e de abdicação de direitos a face oculta de sobrevivência absolutista do «domínio do Estado» sobre os «súbditos» ao seu serviço; (*b*) mesmo a aceitar-se uma dimensão voluntária de restrição de direitos, a vontade pura do particular não pode conduzir a uma relativização completa do princípio da *reserva de lei.* Se a Constituição só permite restrição através de lei e nos casos nela expressamente previstos, seria fácil eliminar *a força dirigente* dos direitos fundamentais, imanente a esta reserva, se a vontade individual se sobrepusesse ao sentido constitucional da reserva e transformasse os direitos, liberdades e garantias em direitos totalmente disponíveis susceptíveis, *inclusive,* de renúncia [30]. As relações jurídicas especiais não legitimam uma *renúncia* a direitos fundamentais; colocam, sim, problemas particulares quanto a três pontos: (1) especificidade da restrição de alguns direitos funda-

---

[29] Cf. JORGE REIS NOVAIS, "Renúncia a Direitos Fundamentais", in J. MIRANDA (org.), *Perspectivas Constitucionais,* I, pp. 265 e ss; LITTWIN, *Grundrechtsschutz gegen sich selbst,* Frankfurt/M, 1993.

[30] Cfr. os problemas levantados pela reserva de lei nas relações especiais de poder em JESCH, *Gesetz und Verwaltung,* cit., p. 211; «Grundrechte im Gewaltverhältnis», in *JUS,* 1972, pp. 701 e ss. Em relação aos militares, ver já MARTENS, *Grundgesetz und Wehrverfassung,* Hamburg, 1961, p. 17, e ERICHSEN, «Besonderes Gewaltverhältnis und Sonderverordnung», in *Fests. für H. J. WOLFF,* München, 1973, pp. 219 e 246; F. SCHNAPP, *Amtsrecht und Beamtenrecht,* Berlin, 1997, pp. 23 e ss. Por último, entre nós, LIBERAL FERNANDES, As *Forças Armadas e a PSP perante a Liberdade Sindical,* Coimbra, 1990.

mentais; (2) aplicação da exigência da lei restritiva e respectivos princípios; (3) protecção jurídica dos cidadãos inseridos em esquemas organizativos regidos por relações jurídicas especiais. Nenhuma destas questões justifica a ideia de renúncia a direitos.

2.2. *Renúncia contratual*

O *princípio da autonomia contratual* justificava, à semelhança do princípio *volenti non fit injuria,* uma redução do alcance do princípio da reserva de lei restritiva. De qualquer modo, a **renúncia a direitos fundamentais**, mesmo a admitir-se, pressupõe sempre como *conditio sine qua* que o titular do direito dispunha sobre a sua posição jurídica de *forma livre* e *autodeterminado*. Dispor contra si próprios exige liberdade e autodeterminação. Assim, reconhecer-se-iam como legítimas algumas renúncias a direitos fundamentais, expressa ou implicitamente consagradas no contrato de trabalho (ex.: obrigação de residência no local de trabalho, renunciando o operário à liberdade do lugar de habitação e deslocação, obrigação de renúncia ao descanso semanal, etc.). Daqui se passa para a renúncia – individual ou colectiva – a direitos como: o direito a não ser despedido sem justa causa, o direito a não exercer funções sindicais, o direito a não fazer propaganda partidária ou até praticar uma profissão religiosa[31].

O problema vai entroncar na questão, já estudada, da eficácia *erga omnes* dos direitos fundamentais, e no problema, há muito tratado pela doutrina, da **renúncia aos direitos de personalidade**. A orientação a seguir deve ser fundamentalmente *diferenciada:* (1) é irrenunciável qualquer direito medularmente inerente à dignidade da pessoa humana[32] (vida, estatuto de pessoa, com a consequente proibição de escravatura, trabalhos forçados, redução a *res nulius*); (2) os direitos fundamentais, como totalidade, são irrenunciáveis; (3) os direitos, liberdades e garantias, isoladamente considerados, são também *irrenunciáveis,* devendo distinguir-se entre renúncia ao núcleo substancial do direito (constitucionalmente proibida) e limitação voluntária ao exercício (aceitável sob certas condições) de direitos; (4) os direitos fundamentais dos trabalhadores e das

---

[31] Cf. as formas de renúncia e exemplos apontados por D. CONRAD, *Freiheitsrecht und Arbeitsverfassung,* Berlin, 1965, pp. 171 ss. Por último, cfr. M. SACHS, in *Verw. Arch,* «Volenti non fit injuria», 1985, 398 ss; J. PIETZCKER, «Die Rechtsfigur des Grundrechtsverzichts», in, *Der Staat,* 1978, pp. 527 e ss; G. ROBBERS, «Der Grundrechtsverzicht», *JUS,* 1985, p. 925; BLECKMANN, «Der Grundrechtsverzicht», *JZ,* 1988, pp. 57 e ss. Cfr., também, M. COSTA ANDRADE, *Consentimento e Acordo em Direito Penal,* Coimbra, 1991.

[32] Cf., por último, I. SARLET, *Dignidade da Pessoa Humana e Direitos Fundamentais,* p. 109 ss.

suas organizações são, na ordem constitucional portuguesa, irrenunciáveis, sobretudo quando se trata de direitos, liberdades e garantias dos trabalhadores (cfr. arts. 53.º a 58.º); (5) a admissibilidade de uma auto-restrição mais ampla que a restrição legal está sujeita ao mesmo limite absoluto da reserva de lei restritiva – manutenção do núcleo essencial do direito afectado; (e) a autolimitação voluntária ao exercício de um direito num caso concreto (uma renúncia geral de exercício é inadmissível) deve considerar-se sempre sob *reserva de revogação* a todo o tempo; (6) uma solução *diferenciada* exige ainda que se tome em atenção o *direito fundamental concreto* e o *fim da renúncia*. Em síntese, propor-se-á como eixo argumentativo a invocação do carácter inalienável dos direitos, liberdades e garantias (e direitos de natureza análoga). Dizer que as liberdades básicas são inalienáveis é o mesmo que dizer que qualquer acordo entre cidadãos que prescinda de uma liberdade básica ou a viole, mesmo que esse acordo possa ser racional e voluntário, é nulo *ab initio*, isto é, não tem qualquer força legal nem afecta as liberdades básicas de qualquer cidadão. [33]

Da renúncia de direitos deve distinguir-se o *não exercício fáctico* de um direito (não participar numa manifestação, não entrar em partidos políticos) e o não exercício por não utilização oportuna dos instrumentos de protecção jurídica (ex.: não interposição de um recurso no prazo legal) (cf. Acs. TC 7/87 de 9-1, e 221/89, de 22-2). Poderá, assim, existir uma disposição individual acerca de posições de direitos fundamentais, mas o "uso negativo" de um direito não significa renúncia a esse mesmo direito. [34]

2.3. *Renúncia por via de contratos ou acordos colectivos*

A posição anterior referente à renúncia individual valerá também para renúncias individuais ou colectivas a direitos a prestações necessariamente indissociáveis de uma existência digna (condições de trabalho, cuidados de saúde, pensões de invalidez). Neste sentido, as normas dos contratos e acordos colectivos de trabalho estão vinculados aos direitos fundamentais. Além disso, deve ter-se em consideração que qualquer ideia a favor da disposição de direitos sociais a prestações por parte dos seus titulares só pode ter como objecto prestações *actuais*, não podendo haver renúncia definitiva a pretensões *futuras*.

---

[33] Precisamente nestes termos paradigmáticos cfr. J. RAWLS, *Political Liberalism*, p. 363 (p. 340 da trad. port.).

[34] Cf. a posição cautelosa e diferenciada de J. REIS NOVAIS, "Renúncia…", cit., p. 271.

3. Estatutos especiais

Nas considerações feitas atrás sobre os limites dos direitos fundamentais tivemos apenas em conta o chamado *estatuto geral dos cidadãos*. Mas há outras pessoas colocadas numa *situação especial* geradora de mais deveres e obrigações do que aqueles que resultam para o cidadão como tal. Referimo-nos às chamadas **relações especiais**, tradicionalmente designadas por *relações especiais de poder* (ou até *estatutos de sujeição*)[35]. Como exemplos referem-se as situações dos funcionários públicos, dos militares e dos presos. Além de deverem ter fundamento, expresso ou implícito, na Constituição (cfr. arts. 30.º/5 e 270.º), cumpre apurar sempre se a especificidade estatutária exige restrições aos direitos fundamentais *(princípio da exigibilidade)*. As relações especiais de poder são de diferente natureza e poderão exigir uma limitação do estatuto geral do cidadão em grau muito *diferenciado*. Assim, não se pode comparar o regime estatutário de um militar (CRP, art. 270.º), com o de um preso (cfr., art. 30.º/5), nem o regime de um funcionário com o de um estudante. Isto é por vezes esquecido, como o demonstra a habitual e sistemática transferência dos princípios disciplinares dos funcionários para as relações dos estudantes nas escolas.

Finalmente, as relações especiais de poder serão susceptíveis de originar problemas de *ordenação* entre direitos fundamentais e outros valores constitucionais. Eles deverão ser resolvidos à luz dos *direitos fundamentais* mediante uma tarefa de *concordância prática e de ponderação*, possibilitadora da garantia dos direitos sem tornar impraticáveis os estatutos especiais[36]. Os estatutos especiais conducentes a restrições de direitos devem ter como «referência» instituições cujos fins e especificidades constituam eles mesmos bens ou interesses constitucionalmente protegidos (cfr. art. 30.º/5 para o direito penitenciário, art. 269.º para a função pública, e art. 275.º para as Forças Armadas, e Acs. do TC 31/84, 75/85 e 103/87). Ao contrário do defendido pela doutrina clássica das relações especiais de poder, os cidadãos regidos por estatutos especiais não renunciam a direitos

---

[35] SCHMITTHENNER falava, em 1845, de «relações de sujeição orgânica», expressão que indica bem a compreensão inicial das relações especiais do poder como *espaços livres do direito* (tratava-se afinal de relações situadas na ordem interna do Estado e, portanto, no domínio do *não-direito*). A caracterização destas relações tem-se mantido obscura até à actualidade. Vide PODLECH, *Das Grundrecht der Gewissensfreiheit und die besonderen Gewissensfreiheit und die besonderen Gewaltverhältnisse*, Berlin, 1969, pp. 44 e ss., que justamente põe em relevo a inexistência de caracteres distintivos («intenção de expressão»), nas formações sociais a que se aplica o predicado «relações especiais de poder» (extensão do conceito) e as consequências jurídicas que dela se pretendem extrair (significado dogmático). Entre nós, por último, J. REIS NOVAIS, *As Restrições*, p. 510 ss.

[36] Cfr., neste sentido, HESSE, *Grundzüge*, cit., p. 38; WOLF-BACHOF, *Verwaltungsrecht*, Vol. I, p. 269; I. V. MÜNCH, *Allgemeines Verwaltungsrecht*, 1976, p. 28; VIEIRA DE ANDRADE, *Os direitos fundamentais*, cit., p. 238; JORGE MIRANDA, *Manual*, IV, p. 302 ss.; K. STERN, *Staatsrecht*, III/2, pp. 920 e ss.

fundamentais *(irrenunciabilidade dos direitos fundamentais)* nem se vinculam voluntariamente a qualquer estatuto de sujeição, produtor de uma *capitis deminutio*[37]. Trata-se tão-somente de relações de vida disciplinadas por um estatuto específico. Este estatuto, porém, não se situa fora da esfera constitucional, desde logo porque as pessoas sujeitas a estatutos especiais mantêm a titularidade de direitos (cf. arts. 30.°/5 e 270.°). Não é uma ordem extraconstitucional mas sim um estatuto heteronomamente vinculado, *devendo encontrar o seu fundamento na Constituição* (ou estar pelo menos pressuposto)[38]. As restrições de direitos fundamentais justificadas com base numa relação especial de poder, mas sem fundamento expresso na Constituição, só podem ser aceites na medida do estritamente necessário para a salvaguarda de bens constitucionalmente positivados e expressamente defendidos pelas instituições onde se desenvolvem estas relações (limitações de alguns direitos aos funcionários dos serviços de estrangeiros e fronteiras, aos magistrados, aos diplomatas).[39]

Referências bibliográficas

Abrantes, J. J. – *Vinculação de entidades privadas aos direitos fundamentais*, Lisboa, 1990.

Aguiar de Luque, L. – "Los limites de los Derechos Fundamentales", in *Revista del Centro de Estudios Constitucionales*, 1(1993), p. 9 ss.

Andrade, J. C. V. – *Os direitos fundamentais*, cit., pp. 118 e ss, 254 e ss.

Bianca, A. – *Le Autorità Privata*, Napoli, 1977.

Buoncristiano, M. – *Profili della tutela civile contro poteri privati*, Padova, 1986.

---

[37] A doutrina pretendeu distinguir entre relações de serviço *(Betriebsverhältnis)* e relação fundamental *(Grundverhältnis)*. Assim, ULE, *apud* ERICHSEN-MARTENS, *Allgemeine Verwaltungsrecht*, 1975, p. 139. Uma revisão das concepções relativas às relações especiais de poder foi efectuada por JESCH, *Gesetz und Verwaltung*, Tübingen, 1961, p. 206, a partir do problema da reserva de lei. A doutrina clássica das relações especiais, divulgada sobretudo por OTTO MAYER, *Verwaltungsrecht*, 2.ª ed., Vol. I, 1914, pp. 85 e ss, é hoje considerada uma doutrina «grosseira» e já na própria época em que OTTO MAYER a defendeu se lhe apontava o defeito de criar uma «legalidade aparente». Cfr., por último, F. SCHNAPP, *Amtsrecht und Beamtenrecht*, cit., p. 63, que atribui relevo didáctico ao conceito, mas sem que através dele se possam justificar soluções jurídicas materiais.

[38] Acentua expressamente esta ideia, HESSE, *Grundzüge*, cit., p. 138, devendo, por isso, rejeitar-se a tese de que as relações especiais de poder contêm uma «limitação específica e implícita dos direitos fundamentais».

[39] Parecem-nos pertinentes as críticas que J. REIS NOVAIS, *As Restrições*, p. 516, dirigiu às posições defendidas em edições anteriores deste livro.

Canotilho/Moreira – *Fundamentos da Constituição*, Cap. III

– *Constituição da República*, anotação ao art. 18.°

Fernandes, A. L. – *As Forças Armadas e a PSP perante a Liberdade Sindical*, Coimbra, 1990.

Garcia Torres/Jiménez Blanco – *Derechos Fundamentales y relaciones entre particulares*, Madrid, 1986.

Gavara de Cara, J. C. – *Derechos fundamentales y desarollo legislativo*, Madrid, 1994.

Garcia, P. V. – "Dificultades y problemas para la construcción de un constitucionalismo de la igualdad (el caso de la eficacia horizontal de los Derechos Fundamentales), A *Der. Const. Parl.*, 1994, pp. 41 e ss.

Gouveia, J. B. – *Os direitos fundamentais atípicos*, pp. 437 e ss.

Häberle, P. – *Die Wesengehaltgarantie des Art. 19; Abs. 2 Grundgesetz*, 3.ª ed., Heidelberg, 1983.

Hesse, K. – *Verfassungsrecht und Privatrecht*, Heidelberg, 1998.

Hillgruber, Ch. – *Der Schutz des Menschen vor sich selbst*, München, 1992.

Kempf – «Grundrechte im besonderen Gewaltverhältnis», in *JUS*, 1972, p. 701.

Leisner, W. – *Grundrechte und Privatrecht*, München, 1960.

Leite, J. – «A Liberdade sindical dos profissionais da PSP. Notas a um Acórdão», in *RMP*, 39, pp. 9 e ss.

Lerche, P. – "Grundrechtswirkungen im Privatrecht. Einheit der Rechtsordnung und materialle Verfassung", in *Festschrift für W. Odersky*, Berlin – New York, 1996, pp. 215 e ss.

Littwin, F. – *Grundrechtschutz gegen sich selbst*, Frankfurt/M, 1993.

Lombardi, P. – *Potere privato e diritti fondamentali*, Torino, 1970.

Martin Retortillo/Otto y Pardo – *Derechos Fundamentales y Constitucion*, pp. 132 e ss.

Miranda, J. – *Manual*, IV, pp. 311 e ss.

Moncada, L. C. – "As relações especiais de poder no direito português", in *Rev. Jur. Un. Moderna*, 1, 1998, p. 181 ss.

Münch, I./Salvador Coderch, P./Ferrer i Riba, J. – *Zur Drittwirkung der Grundrechte*, Frankfurt/M., 1998.

Nigro, M. – «Formazioni sociali, poteri privato e libertà del terzo», in *Politica del Diritto*, 1975, pp. 587 e ss.

– *Potere, poteri emergenti e loro vicissitudine nell'esperienze giuridica italiana*, Padova, 1980.

Novais, J. – «Renúncia a Direitos Fundamentais», in J. Miranda (org.), *Perspectivas Constitucionais*, I, pp. 265 e ss.

– *As Restrições aos Direitos Fundamentais não expressamente autorizados pela Constituição*, Coimbra, 2003.

Oeter, S. – «Drittwirkung der Grundrechte und die Autonomie des Privatrechts», in AOR, 119 (1994), pp. 529 e ss.

Pegoraro, L. – "La Tutela della certeza giuridica in alcune costituzioni contemporanee", in *Scritti per Uberto Scarpelli*, Milano, Giuffrè, 1998, pp. 705 e ss.

Pietzcker, G. – «Die Rechtsfigur des Grundrechtsverzichts», in *Der Staat*, 1978, p. 527.

Robbers, G. – "Der Grundrechtsverzicht", in JUS, 1985, pp. 925 e ss.

Silva, V. P. – «A Vinculação de entidades privadas pelos direitos, liberdades e garantias», in *RDES*, 1987, pp. 299 e ss.

Stern, K. – *Staatsrecht*, III/2, pp. 920 e ss.

Stelzer, M. – *Das Wesensgehaltargument und der Grundsatz der Verhältnismässigkeit*, 1991.

Stettner, G. – «Verfassungsdogmatische Erwägungen zur Grundrechtsverwirkung», in *DVBL*, 1975, p. 801.

Wiedemam, A. – *Die Bindung der Tarifnormen an Grundrechte*, Heidelberg, 1994.

Vaz Patto, P. – "A vinculação das entidades públicas pelos direitos, liberdades e garantias", in *Documentação, Direito Comparado*, 33/34, 1988, pp. 473 e ss.

Villaverde, I – "Esbozo de una Teoria General de los Derechos Fundamentales", in *Revista Juridica de Asturias* 22 (1998), pp. 33 e ss.

Capítulo 5

O Regime dos Direitos Económicos, Sociais e Culturais

Sumário

A. Pressupostos dos Direitos Económicos, Sociais e Culturais

  I - Pressupostos

  II - Elementos estruturais

B. Modelos de Positivação

  1. As "normas sociais" como normas programáticas
  2. As "normas sociais" como normas de organização
  3. As "normas sociais" como "garantias institucionais"
  4. As "normas sociais" como direitos subjectivos públicos

C. Dimensões Subjectiva e Objectiva

  I - Dimensão subjectiva

  II - Dimensão objectiva

D. A Problemática dos Direitos a Prestações

I - Direitos originários

II - Direitos derivados

E. Dimensões Constitutivas

I - Liberdade igual

II - Conteúdo determinado a nível constitucional

III - Garantias relativas à organização e procedimento

F. Eficácia nas Relações Jurídico-Privadas

A. Pressupostos dos direitos económicos, sociais e culturais

I - Pressupostos

Os direitos económicos, sociais e culturais e respectiva protecção andam estreitamente associados a um conjunto de condições – económicas, sociais e culturais – que a moderna doutrina dos direitos fundamentais designa por **pressupostos de direitos fundamentais**[1]. Consideram-se **pressupostos de direitos fundamentais** a multiplicidade de factores – capacidade económica do Estado, clima espiritual da sociedade, estilo de vida, distribuição de bens, nível de ensino, desenvolvimento económico, criatividade cultural, convenções sociais, ética filosófica ou religiosa – que condicionam, de forma positiva e negativa, a existência e protecção dos direitos económicos, sociais e culturais. Estes pressupostos são pressupostos de todos os direitos fundamentais. Alguns deles, porém, como os da distribuição dos bens e da riqueza, o desenvolvimento económico e o nível de ensino, têm aqui particular relevância. Mais do que noutros domínios os *Realien* (os "dados reais") condicionam decisivamente o regime jurídico--constitucional do estatuto positivo dos cidadãos.

II - Elementos estruturais

Além destes pressupostos – que condicionam mas que, em rigor, não fazem parte do regime jurídico destes direito –, existem outros elementos que poderemos designar por **elementos estruturais** e elementos configuradores dos direitos económicos, sociais e culturais. Temos aqui em vista um conjunto de elementos – desde elementos individuais até aos dados normativo-constitucionais – que numa sociedade concreta estão na base da protecção dos direitos sociais. Assim, a concepção da dignidade da pessoa humana e do livre desenvol-

---

[1] Cfr. ISENSEE, in ISENSEE/KIRCHOF, *Staatsrecht*, Vol. V, 1992, pp. 356 e ss; STERN, *Staatsrecht*, III/2, p. 1778.

vimento da personalidade pode estar na origem de uma política de realização de direitos sociais activa e comprometida ou de uma política quietista e resignada consoante se considere que, abaixo de um certo nível de bem-estar material, social, de aprendizagem e de educação, as pessoas não podem tomar parte na sociedade como cidadãos e, muito menos, como cidadãos iguais [2], ou se entenda que a "cidadania social" é basicamente uma "conquista individual". De igual forma, a concretização destes direitos é indissociável de dimensões histórico-sociais, como, por exemplo, o enraizamento de associações e organizações de defesa de direitos sociais (movimento operário, movimento cooperativo, movimento mutualista, formação de partidos laboristas).

A protecção dos direitos económicos, sociais e culturais é também indissociável de elementos juridicamente configuradores deste tipo de direitos. É diferente a perspectiva e o modo de alicerçar juridicamente os direitos sociais dentro de um enquadramento constitucional dotado de um catálogo individualizador de direitos sociais ou num enquadramento político-constitucional sem positivação constitucional desses mesmos direitos. Vejamos, mais de perto, este problema da positivação constitucional de direitos económicos, sociais e culturais.

B. Modelos de Positivação

Sob o ponto de vista jurídico-constitucional, apontam-se principalmente quatro possibilidades de conformação jurídica dos direitos sociais, económicos e culturais.

1. As "normas sociais" como normas programáticas

As normas consagradoras de direitos sociais, económicos e culturais são, segundo alguns autores, *normas programáticas*. As constituições condensam, nestas normas programáticas, princípios definidores dos fins do Estado, de conteúdo eminentemente social (cfr. artigo 9.º). A relevância delas seria essencialmente política, pois servem apenas para pressão política sobre os órgãos competentes. Todavia, sob o ponto de vista jurídico, a introdução de direitos sociais nas vestes de *programas constitucionais*, teria também algum relevo. Por um lado, através das nor-

---

[2] Assim, precisamente, RAWLS, *Liberalismo Político*, p. 169.

mas programáticas pode obter-se o fundamento constitucional da regulamentação das prestações sociais e, por outro lado, as normas programáticas, transportando princípios conformadores e dinamizadores da Constituição, são susceptíveis de ser trazidas à colação no momento de concretização [3].

2. As "normas sociais" como normas de organização

Os *direitos sociais como normas de organização* é outro dos instrumentos jurídicos para a estatuição de direitos sociais. As normas constitucionais organizatórias atributivas de competência imporiam ao legislador a realização de certos direitos sociais. Ao impor constitucionalmente a certos órgãos a emanação de medidas tendentes à prossecução do bem-estar do povo, à sua segurança económica e social, abrir-se-ia o caminho para as regulamentações legais dos direitos sociais. Mas, tal como no caso das normas programáticas, à não actuação dos órgãos competentes para a concretização destas imposições não se ligam quaisquer sanções jurídicas mas apenas efeitos políticos.

3. As "normas sociais" como "garantias institucionais"

Os *direitos fundamentais como garantias institucionais* é a terceira possibilidade de positivação de direitos sociais. A constitucionalização das garantias institucionais traduzir-se-ia numa imposição dirigida ao legislador, obrigando-o, por um lado, a respeitar a essência da instituição e, por outro lado, a protegê-la tendo em atenção os dados sociais, económicos e políticos (ex.: medidas protectoras da família, da saúde pública, da administração local). Não se trata, porém, ainda, do reconhecimento de direitos subjectivos, embora as garantias institucionais sejam elementos importantes da interpretação da lei e da Constituição no âmbito dos direitos sociais.

4. As "normas sociais" como direitos subjectivos públicos

Os direitos sociais como *direitos subjectivos públicos* é a quarta possibilidade de positivação. Há uma grande diferença entre situar os direitos sociais,

---

[3] Sobre este alcance das normas programático-sociais, cfr. TOMANDL, *Der Einbau sozialer Grundrechts in das positive Recht*, Tübingen, 1967, p. 24; BRUNNER, *Die Problematik der sozialen Grundrechts*, Tübingen, 1971, p. 7; SCHAMBECK, *Grundrechte*, cit., pp. 99 e ss. Por último, cfr. R. ALEXY, "Derechos Sociales Fundamentales", in M. CARBONELL *et alii*, *Derechos Sociales*, p. 68, e, já antes, *Grundrechtstheorie*, Frankfurt/M, 1985.

económicos e culturais num nível constitucional e com uma *dimensão subjectiva*, e considerá-los como simples imposições constitucionais, donde derivariam *direitos reflexos* para os cidadãos. [4]

C - Dimensões Subjectiva e Objectiva

I - Dimensão subjectiva

Os direitos sociais são compreendidos como autênticos **direitos subjectivos** inerentes ao espaço existencial do cidadão, independentemente da sua justicialidade e exequibilidade imediatas. Assim, o direito à segurança social (art. 63.º), o direito à saúde (art. 64.º), o direito à habitação (art. 65.º), o direito ao ambiente e qualidade de vida (art. 66.º), o direito à educação e cultura (art. 73.º), o direito ao ensino (art. 74.º), o direito à formação e criação cultural (art. 78.º), o direito à cultura física e desporto (art. 79.º), são direitos com a mesma dignidade subjectiva dos direitos, liberdades e garantias [5]. Nem o Estado nem terceiros podem agredir posições jurídicas reentrantes no âmbito de protecção destes direitos (ex: saúde) – cfr. Acs TC nº 39/84 e 101/92.

II - Dimensão objectiva

Não obstante a inequívoca dimensão subjectiva assinalada a estes direitos, a sua operatividade prática diverge, em muitos casos, da apontada anteriormente quanto aos direitos, liberdades e garantias. As normas constitucionais consagradoras de direitos económicos, sociais e culturais, modelam a **dimensão objectiva** de duas formas: (1) *imposições legiferantes*, apontando para a obrigatoriedade de o legislador actuar positivamente, criando as condições materiais e institucionais para o exercício desses direitos (cfr., por exemplo, arts. 58.º/3, 60.º/2, 63.º/2, 64.º/3, 65.º/2, 66.º/2, 73.º/2/3, 78.º/2); (2) fornecimento de *prestações* aos cidadãos, densificadoras da dimensão subjectiva essencial destes direitos e executoras do cumprimento das imposições institucionais.

---

[4] Sobre a positivação jurídico-constitucional dos direitos sociais, cfr., agora, I. SARLET, *Die Problematik der Sozialen Grundrechts*, pág. 575 e ss. *A eficácia dos direitos fundamentais*, p. 298.

[5] Salientando com rigor esta ideia, cfr. J.P. MÜLLER, *Elemente*, cit., pp. 59 e ss. Cfr., por último, L. PRIETO SANCTIS, "Los Derechos Sociales y el principio de igualdade substancial", in M. CARBONELL *et alii, Derechos Sociales*, pp. 24 e ss.

Estas várias dimensões não devem confundir-se. Ao contrário do que geralmente se afirma, um direito económico, social e cultural não se dissolve numa mera norma programática ou numa imposição constitucional. Exemplifique-se: o direito à saúde (art. 64.º/1) é um direito social, independentemente das *imposições constitucionais* destinadas a assegurar a sua eficácia (ex.: a criação de um serviço nacional de saúde, geral e tendencialmente gratuito, como impõe o art. 64.º/2) e das *prestações* fornecidas pelo Estado para assegurar o mesmo direito (por exemplo, cuidados de medicina preventiva, curativa e de reabilitação, nos termos do art. 64.º/3/a) [6].

D. *A Problemática dos Direitos a Prestações*

I - Direitos originários

Com base na indiscutível dimensão subjectiva dos direitos "sociais" afirma-se a existência de ***direitos originários a prestações*** quando: (1) a partir da garantia constitucional de certos direitos; (2) se reconhece, simultaneamente, o dever do Estado na criação dos pressupostos materiais, indispensáveis ao exercício efectivo desses direitos; (3) e a faculdade de o cidadão exigir, de forma imediata, as prestações constitutivas desses direitos. Exs.: (i) a partir do direito ao trabalho pode derivar-se o dever do Estado na criação de postos de trabalho e a pretensão dos cidadãos a um posto de trabalho?; (ii) com base no direito de expressão é legítimo derivar o dever de o Estado criar meios de informação e de os colocar à disposição dos cidadãos, reconhecendo-se a estes o direito de exigir a sua criação?

Estes exemplos apontam para o problema fundamental dos direitos originários a prestações: a garantia da protecção jurídica pressupõe uma actuação positiva dos órgãos dos poderes públicos, o que leva uma significativa parte da doutrina a negar a sua configuração como verdadeiros direitos. A expressa consagração constitucional de direitos económicos, sociais e culturais não implica, de forma automática, um *"modus" de normativização uniforme* ou seja, uma estrutura jurídica homogénea para todos os direitos [7]. Alguns direitos económicos, culturais e sociais, são verdadeiros direitos *self-executing* (ex.: liberdade de profissão, liberdade sindical, direito de propriedade); outros são

---

[6] BALDASSARE, *Diritti Sociali*, cit., p. 29, sublinha incisivamente que os direitos económicos, sociais e culturais, são *direitos constitucionais* do particular.
[7] Cfr. a excelente análise de I. SARLET, *A eficácia dos direitos fundamentais*, pp. 257 e ss.

direitos a prestações dependentes da actividade mediadora dos poderes públicos (exs.: direito à saúde, direito ao ensino).

O entendimento dos direitos sociais, económicos e culturais como *direitos originários* implica, como já foi salientado, uma mudança na *função* dos direitos fundamentais e põe com acuidade o *problema da sua efectivação*. Não obstante se falar aqui da efectivação dentro de uma «reserva possível», para significar a dependência dos direitos económicos, sociais e culturais dos «recursos económicos», a efectivação dos direitos económicos, sociais e culturais não se reduz a um simples «apelo» ao legislador. Existe uma verdadeira *imposição constitucional*, legitimadora, entre outras coisas, de transformações económicas e sociais na medida em que estas forem necessárias para a efectivação desses direitos (cfr. artigos 2.º, 9.º/d, 80.º, 81.º).

As normas constitucionais consagradoras dos direitos sociais, económicos e culturais implicam, além disso, uma *interpretação* das normas legais de modo conforme com "a constituição social económica e cultural" (por ex., no caso de dúvida sobre o âmbito de segurança social deve seguir-se a interpretação mais conforme com a efectiva realização deste direito). Por outro lado, a inércia do Estado quanto à criação de condições de efectivação pode dar lugar a *inconstitucionalidade por omissão* (artigo 283.º), considerando-se que as normas constitucionais consagradoras de direitos económicos, sociais e culturais implicam a inconstitucionalidade das normas legais que não desenvolvem a realização do direito fundamental ou a realizam diminuindo a efectivação legal anteriormente atingida [8, 9].

II - Direitos derivados

Os poderes públicos têm uma significativa «quota» de responsabilidade no desempenho de tarefas económicas, sociais e culturais, incumbindo-lhes pôr à disposição dos cidadãos prestações de vária espécie, como instituições de ensino, saúde, segurança, transportes, telecomunicações, etc. À medida que o Estado vai concretizando as suas responsabilidades no sentido de assegurar prestações existenciais dos cidadãos (é o fenómeno que a doutrina alemã designa por *Daseinsvorsorge*), resulta, de forma imediata, para os cidadãos: (1) o direito de igual acesso, obtenção e utilização de todas as instituições públicas criadas pelos

---

[8] Cfr. Ac. TC n.º 39/84 (caso do Serviço Nacional de Saúde). Cfr., ainda, I. SARLET, *A eficácia*, cit., p. 268, que alude a "cargas eficaciais"; L. R. BARROSO, *O direito constitucional e a efectividade das suas normas*, pp. 118 e ss.

[9] Cfr. por último, I. SARLET, *A eficácia*, cit., pp. 258 e ss.

poderes públicos (exs.: igual acesso às instituições de ensino, igual acesso aos serviços de saúde, igual acesso à utilização das vias e transportes públicos); (2) o direito de igual quota-parte (participação) nas prestações fornecidas por estes serviços ou instituições à comunidade (ex.: direito de quota-parte às prestações de saúde, às prestações escolares, às prestações de reforma e invalidez).

Com base nestes pressupostos, alude a doutrina a *direitos derivados a prestações (derivative Teilhaberecht)* entendidos como direito dos cidadãos a uma participação igual nas prestações estaduais concretizadas por lei segundo a medida das capacidades existentes. Os direitos derivados a prestações, naquilo em que constituem a densificação de direitos fundamentais, passam a desempenhar uma função de «guarda de flanco» (J.P. Müller) desses direitos garantindo o grau de concretização já obtido. Consequentemente, eles radicam-se subjectivamente não podendo os poderes públicos eliminar, sem compensação ou alternativa, o *núcleo essencial* já realizado desses direitos. Neste sentido se fala também de *cláusulas de proibição de evolução reaccionária* ou de *retrocesso social* (ex.: consagradas legalmente as prestações de assistência social, o legislador não pode eliminá-las posteriormente sem alternativas ou compensações «retornando sobre os seus passos»; reconhecido, através de lei, o subsídio de desemprego como dimensão do direito ao trabalho, não pode o legislador extinguir este direito, violando o núcleo essencial do direito social constitucionalmente protegido).

A doutrina aqui defendida mereceu aplauso jurisprudencial no Acórdão do TC n.º 39/84 (*DR*, I, 5-5-1984) que declarou inconstitucional o DL n.º 254/82 que revogara grande parte da L n.º 56/79, de 15/79, criadora do Serviço Nacional de Saúde. Nesta importante decisão escreveu-se de forma incisiva e paradigmática: «a partir do momento em que o Estado cumpre (total ou parcialmente) as tarefas constitucionalmente impostas para realizar um direito social, o respeito constitucional deste deixa de consistir (ou deixa de consistir apenas) numa obrigação positiva, para se transformar ou passar também a ser uma obrigação negativa. O Estado, que estava obrigado a actuar para dar satisfação ao direito social, passa a estar obrigado a abster-se de atentar contra a realização dada ao direito social». Considerações parcialmente semelhantes podem ver-se no Ac Tc 509/2002 – "Caso do Rendimento Mínimo Garantido" – embora o Tribunal tenha acabado por dar centralidade jurídica e dogmática à ideia de conteúdo mínimo do direito a um mínimo de existência condigna postulado, em primeira linha, pelo princípio do respeito pela dignidade da pessoa humana. No mesmo sentido cfr., no plano doutrinal, J. Paul Müller, *Soziale Grundrechte in der Verfassung*, Basel, 1981, pág. 186; K. Hesse, «Bedeutung der Grundrechte», in Benda/Maihoffer/Vogel, *Handbuch des Verfassungsrechts*, Berlin, 1983, p. 98; J. Miranda, *Manual de Direito Constitucional*, Vol. IV, p. 351; Gomes Canotilho, *Constituição Dirigente e Vinculação do Legislador*, p. 374; G. Zagrebelsky, «Object et portée de la protection des droits fundamentaux. Cour Constitutionnele italienne», in L. Favoreu (org.), *Cours Constitutionneles européennes. Droits Fondamentaux*, Paris, 1982, p. 325. Em sentido contrário, cfr. Vieira de Andrade, *Os Direitos Fundamentais na Constituição portuguesa*, Coimbra, 1983, p. 309; «Direitos e garantias fundamentais», in Baptista Coelho (org.), *Portugal. O Sistema Político e Constitucional*, pp. 685 e ss, e os votos de vencido do citado Acórdão do TC n.º 39/84; M. Afonso Vaz, *Lei e Reserva de Lei*, pp. 365 e ss. Por último, cfr. I. Sarlet, *Die Problematik der sozialen Grundrechte in der brasilianischen Verfassung und im deutschen Grundgesetz*, Frankfurt/M, 1996; *A eficácia dos direitos fundamentais*, pp. 274, 369 e ss.

E. Dimensões Constitutivas

I - Liberdade igual

Existe uma relação indissociável entre direitos económicos, sociais e culturais e direitos, liberdades e garantias. Se os direitos económicos, sociais e culturais pressupõem a "liberdade", também os direitos, liberdades e garantias estão ligados a *referentes* económicos, sociais e culturais. Neste sentido se afirma que o paradigma estruturante da ordem jurídico-constitucional portuguesa é o paradigma da **liberdade igual**. A **liberdade igual** aponta para a *igualdade real* (art. 9.º/d), o que pressupõe a tendencial possibilidade de todos terem acesso aos bens económicos, sociais e culturais. "Liberdade igual" significa, por exemplo, não apenas o direito a inviolabilidade de domicílio, mas o direito a ter casa; não apenas o direito à vida e integridade física, mas também o acesso a cuidados médicos; não apenas o direito de expressão mas também a possibilidade de formar a própria opinião; não apenas direito ao trabalho e emprego livremente escolhido, mas também a efectiva posse de um posto de trabalho [10].

A liberdade igual torna indispensável uma tarefa de distribuição/redistribuição dos "bens sociais" entre: (1) classes e estratos das populações; (2) entre nações; (3) entre gerações [11]. Por outro lado, como os resultados da distribuição primária destes bens através do mercado não conduzem automaticamente à liberdade igual, coloca-se o problema de saber quem pode e deve fazer a redistribuição justa dos bens sociais. É neste contexto que surge o tema/problema do Estado social como o Estado distribuidor de "prestações sociais".

II - Conteúdo determinado a nível constitucional

Uma das maiores dificuldades surgidas na determinação dos elementos constitutivos dos direitos fundamentais é esta: os direitos sociais só

---

[10] Em termos claros, cfr. G. HAVERKATE, *Verfassungslehre*, p. 258.
[11] Assim, G. HAVERKATE, *Verfassungslehre*, p. 258.

existem quando as leis e as políticas sociais os garantirem. Por outras palavras: é o legislador ordinário que cria e determina o conteúdo de um direito social. Este é o discurso saturado da doutrina e jurisprudência. "Os direitos sociais ficam dependentes, na sua exacta configuração e dimensão, de uma intervenção legislativa, concretizadora e conformadora, só então adquirindo plena eficácia e exequibilidade"[12]. Uma tal construção e concepção da garantia jurídico-constitucional dos direitos sociais equivale praticamente a um "grau zero de garantia" (Haverkate). Quais são, no fundo, os argumentos para reduzir os direitos sociais a uma garantia constitucional platónica? Em primeiro lugar, os custos dos direitos sociais. Os direitos de liberdade não custam, em geral, muito dinheiro, podendo ser garantidos a todos os cidadãos sem se sobrecarregarem os cofres públicos. Os direitos sociais, pelo contrário, pressupõem grandes disponibilidades financeiras por parte do Estado. Por isso, rapidamente se aderiu à construção dogmática da *reserva do possível* (*Vorbehalt des Möglichen*) para traduzir a ideia de que os direitos sociais só existem quando e enquanto existir dinheiro nos cofres públicos.[13] Um direito social sob "reserva dos cofres cheios" equivale, na prática, a nenhuma vinculação jurídica. Para atenuar esta desoladora conclusão adianta-se, por vezes, que a única vinculação razoável e possível do Estado em sede de direitos sociais se reconduz à garantia do *mínimo social*[14]. Segundo alguns autores, porém, esta garantia do mínimo social resulta já do dever indeclinável dos poderes públicos de garantir a dignidade da pessoa humana e não de qualquer densificação jurídico-constitucional de direitos sociais. Assim, por exemplo, o "rendimento mínimo garantido" não será a concretização de qualquer direito social em concreto (direito ao trabalho, direito à saúde, direito à habitação) mas apenas o cumprimento do dever de socialidade imposto pelo respeito da dignidade da pessoa humana e pelo direito ao livre desenvolvimento da personalidade. Perante a agudeza desta crítica, desloca-se o cerne da questão para a indeterminabilidade jurídico-constitucional dos direitos fundamentais sociais. "A actuação legislativa nos direitos sociais não está balizada por uma reserva constitucional de conteúdo" (M. Afonso Vaz). Estes nunca legitimarão *pretensões jurídicas originárias*, isto é, pretensões derivadas directamente dos

---

[12] Assim, J. M. CARDOSO DA COSTA, "A hierarquia das normas constitucionais e a sua função de protecção dos direitos fundamentais", in *BMJ*, 396 (1990), p. 8; M. AFONSO VAZ, *Lei e Reserva de Lei*, p. 373.

[13] Por último, insistindo nesta ideia de "reserva do possível", REIS NOVAIS, *As Restrições*, p. 138 ss.

[14] Cfr. R. ALEXY, *Theorie der Grundrechte*, p. 465. Cfr. agora a análise informada de I. SARLET, *A eficácia*, pp. 259 ss; C. NINO, "Sobre los Derechos Sociales", in M. CARBONELL *et alii*, *Derechos Sociales*, pp. 137 e ss.; CARMEN LÚCIA A. ROCHA, "O princípio da dignidade da pessoa humana e a exclusão social", in *Revista de Interesse Público*, 4 (1999), p. 23 ss.

preceitos constitucionais. Por outras palavras: nenhuma das normas constitucionais garantidoras de *direitos sociais fundamentais* poderia ser estruturalmente entendida como norma vinculante, garantidora, em termos definitivos, de direitos subjectivos. Os direitos sociais dotados de conteúdo concreto serão os consagrados em *normas das regulações legais*. Não haverá um direito fundamental à saúde, mas um conjunto de direitos fundados nas leis reguladoras dos serviços de saúde. Não existirá um direito fundamental à segurança social, mas apenas um conjunto de *direitos legais sociais* (cfr., no plano jurisprudencial, Acs. TC 131/92, 508/99, 29/2000).

Do que se escreveu a propósito dos direitos sociais como *direitos subjectivos constitucionais*, poderemos e deveremos ver em que é que reside a força jurídico-constitucional dos direitos económicos, sociais e culturais. O Ac. n.º 39/84 do Tribunal Constitucional relativo à extinção legal do Serviço Nacional de Saúde fixou alguns traços juridicamente constitutivos das normas constitucionais consagradoras de direitos económicos, sociais e culturais: (i) os direitos fundamentais sociais consagrados em normas da Constituição dispõem de *vinculatividade normativo-constitucional* (não são meros "programas" ou "linhas de direcção política"); (ii) as normas garantidoras de direitos sociais devem servir de *parâmetro de controlo* judicial quando esteja em causa a apreciação da constitucionalidade de medidas legais ou regulamentares restritivas destes direitos; (iii) as *normas de legislar* acopladas à consagração de direitos sociais são autênticas *imposições legiferantes*, cujo não cumprimento poderá justificar, como já se referiu, a *inconstitucionalidade por omissão*; (iv) as *tarefas* constitucionalmente impostas ao Estado para a concretização destes direitos devem traduzir-se na edição de *medidas concretas e determinadas* e não em promessas vagas e abstractas; (v) a produção de medidas concretizadoras dos direitos sociais não é deixada à livre *disponibilidade do legislador*, embora este beneficie de um ampla *liberdade de conformação* quer quanto às soluções normativas concretas quer quanto ao modo organizatório e ritmo de concretização.

III - Garantias relativas à organização e procedimento

Tal como os direitos, liberdades e garantias, também a realização dos direitos económicos, sociais e culturais assenta na existência de *esquemas organizativos e procedimentais funcionalmente adequados*. Assim, por exemplo, a Constituição Portuguesa considera a existência de um "Serviço Nacional de Saúde" como uma garantia da realização do direito à saúde. Da mesma forma, a existência de um

serviço de segurança social constitui a forma organizatória de dar concretização ao direito à segurança social. Embora a *formatação estatal* destes serviços seja criticada porque ela se insere já no âmbito das *políticas públicas*, reconhece-se que o acesso aos "bens sociais" é indissociável da preexistência de instituições, esquemas organizatórios e procedimentos que forneçam o suporte logístico, institucional e material assegurador da dinamização dos direitos sociais. Neste sentido, a efectivação do acesso aos graus mais elevados de ensino impõe, pelo menos, a "maximização" dos estabelecimentos públicos existentes. A efectivação do direito à habitação aponta para políticas estatais, regionais e locais socialmente activas no sentido da organização de parques habitacionais de "renda socialmente razoável".[15]

F. Eficácia nas Relações Jurídico-Privadas

O artigo 18.º/1 da Constituição parece limitar a "eficácia horizontal" dos direitos fundamentais aos direitos, liberdades e garantias. O problema da eficácia imediata de direitos fundamentais nas relações jurídicas privadas pode colocar-se também relativamente a direitos sociais. Imagine-se, por exemplo, que a lei não regulava a atribuição às mães de direitos de dispensa de trabalho por período adequado. Poderia uma mulher invocar directamente o direito social da maternidade (artigo 68.º/3 e 4) justificando as suas faltas ao trabalho e neutralizar um eventual despedimento? Considere-se o exemplo de um estudante que, na ausência de lei, invoca o artigo 74.º/2/d para exigir da entidade patronal horários de trabalho compatíveis com a frequência de estabelecimento de ensino. A doutrina não tem dúvidas em aceitar a "eficácia horizontal" dos direitos sociais, económicos e culturais sob as duas modalidades de "efeito mediato" ou de "eficácia indirecta": (1) impondo ao legislador a "atracção das normas sociais" segundo os direitos constitucionais sociais (ex.: lei sobre a dispensa de trabalho, lei sobre o estatuto do trabalhador estudante); (2) obrigando o intérprete a uma interpretação conforme as normas constitucionais sociais (ex.: o direito ao ensino básico universal, obrigatório e gratuito, obriga a interpretar as normas relativas ao sistema geral de educação pré-escolar num sentido favorável à universalidade e gratuitidade desta educação).

A teleologia intrinseca da Constituição portuguesa aponta para uma **eficácia horizontal dos direitos económicos, sociais e culturais**. Isto parece indiscutível em relação ao *núcleo essencial* de direitos sociais ligados à protecção

---

[15] Cfr. JOÃO LOUREIRO, *O Procedimento Administrativo*, pp. 201 e ss.

da *dignidade humana*. O comércio jurídico privado está, portanto, vinculado pelos direitos fundamentais sociais sobretudo no que respeita ao núcleo desses direitos intimamente ligados à dignidade da pessoa humana (ex.: contratos lesivos da saúde da pessoa, contrato lesivo dos direitos dos consumidores).[16]

Referências bibliográficas

Baldassare, A. – *Diritti Sociali*, in *Enc. Giuridica*, V. XI (1989), pp. 13 e ss.
Canaris, C. –
Canotilho, J. J. – "Tomemos a sério os direitos económicos, sociais e culturais", in *Estudos em Homenagem ao Prof. Doutor Ferrer Correia*, vol. III (1991), pp. 461 e ss.
Cascajo Castro, J. L. – *La Tutela Constitucional de los Derechos Sociales*, Madrid, 1988.
Cecile, F. – *Social Rights under the Constitution. Government and Decent Life*, Oxford, 2000.
Colomer Viade, A./López Gonzalez, J. L. – "Programa ideológico y eficacia juridica de los derechos sociales", in J. Miranda, *Perspectivas constitucionais*, vol. III, pp. 307 e ss.
Cossio Diaz, J. R. – *Estado social y Derechos de Prestación*, Madrid, 1989.
Eichenhofer, E. – "Costituzione e diritto sociale", in *Diritto Pubblico*, 2/1997, p. 459 ss.
Faria, J. E. – *Direitos Humanos, Direitos Sociais e Justiça*, São Paulo, 1994.
Heussling, Eva – *Soziale Grundrechte in der portugiesischen Verfassung von 1976*, Nomos, Baden-Baden, 1997.
Maydell, B. – *Soziale Recht in der EG*, Berlin, 1990.
Miranda, J. – *Manual de Direito Constitucional*, vol. IV, 3.ª ed., Coimbra, Coimbra Editora, 2000.
Navarro Munuera, A. "El Marco Constitucional de los Derechos Sociales en el ordenamiento español", in *Diritto Pubblico*, 2/1997, p. 483 ss.
Pérez Luño, A. E. – *Derechos Humanos, Estado de Derecho y Constitución*, 5.ª ed., Madrid, 1995.
Polakiewicz, J. – "Soziale Grundrechte und Staatszielbestimmungen in den Verfassungsordnungen Italiens, Portugals und Spaniens", in ZaÖRV, 54/2 (1994), pp. 340 e ss.
Sarlet, I. W. – *Die Problematik der sozialen Grundrechte in der brasilianischen Verfassung und im deutschen Grundgesetz*, Peter Lang, Frankfurt/M, 1996.
– *A eficácia dos direitos fundamentais*, Porto Alegre, 1998.

---

[16] Cfr. J. Neuner, *Privatrecht und Sozialstaat*, München, 1999, p. 230.

"Os Direitos Fundamentais Sociais", in *O Direito Público em Tempos de Crise, Estudos em homenagem a Ruy Ruben Ruschel*, Porto Alegre, 1999, p. 129 e ss.

Ucha, Ana – "Direitos Sociais", in *Estudos sobre a Jurisprudência do Tribunal Constitucional*, Lisboa, 1993, pp. 223 e ss.

Carbonell, M./Cruz Parcero, J./Vasquez, R. (org.), *Derechos Sociales y derechos de las minorias*, México, 2000.

Capítulo 6

A Protecção dos Direitos Fundamentais

Sumário

A. Meios de Defesa Jurisdicionais

I - A garantia de acesso aos tribunais

II - Protecção através de um processo justo (due process)

1. Origens do direito ao processo equitativo
2. O que é um processo justo?

III - O direito à tutela jurisdicional

1. Natureza do direito à protecção judicial
2. O direito de acesso aos tribunais como direito a uma protecção jurisdicional adequada

IV - Dimensões jurídico-constitucionais do direito ao processo equitativo

1. Direito a uma decisão fundada no direito
2. Direito a pressupostos constitucionais materialmente adequados
3. Protecção jurídica eficaz e temporalmente adequada
4. Direito à execução das decisões dos tribunais
5. Dimensões garantísticas e dimensões prestacionais

V - Direito de acesso à Justiça Administrativa

  1. Garantia do recurso contencioso
  2. O princípio da plenitude da garantia jurisdicional administrativa

VI - Direito a processos céleres e prioritários

VII - Direito de suscitar a "questão" da inconstitucionalidade ou de ilegalidade

VIII - Acção de Responsabilidade

  1. Responsabilidade da administração
  2. Responsabilidade por facto da função jurisdicional
  3. Responsabilidade do "Estado legislador"

IX - Direito de Acção Popular (artigo 52.°/3)

B. Meios de Defesa não Jurisdicionais

I - Direito de resistência

II - Direito de petição

III - Direito a um procedimento justo

IV - Direito à autodeterminação informativa

V - Direito ao arquivo aberto

VI - Garantias impugnatórias no procedimento administrativo

C. Defesa de Direitos perante Autoridades Administrativas Independentes

D. Problemas Específicos na Protecção dos Direitos Económicos, Sociais e Culturais

I - Garantia do núcleo essencial

II - Política de solidariedade social

III - Concretização legislativa das imposições constitucionais

IV - Controlo judicial da realização dos direitos sociais

E. Protecção Internacional

1 - O direito de recurso para a Comissão Europeia de Direitos do Homem
2 - Exposição ao Comité dos Direitos do Homem
3 - A protecção internacional dos direitos económicos, sociais e culturais

F. Protecção dos Direitos Fundamentais na União Europeia

I - Os momentos de consciencialização europeia de direitos fundamentais
II - Positivação de direitos a nível comunitário

1. Direitos, liberdades e garantias
2. Direitos económicos, sociais e culturais

III - A Constitucionalização do princípio da melhor tutela europeia

A. Meios de Defesa Jurisdicionais [1]

A «garantia» dos direitos fundamentais encontrou já, ao longo deste trabalho, algumas reflexões problemáticas. Recordem-se os problemas da aplicabilidade directa das normas consagradoras de direitos, liberdades e garantias, as questões das garantias processuais em sede do princípio estruturante do Estado de direito e os problemas relacionados com a restrição, conformação e concretização dos direitos fundamentais. No presente Capítulo procurar-se-á abordar, de forma fragmentária, mais alguma da vasta temática dos instrumentos de protecção dos direitos fundamentais.

I - A garantia de acesso aos tribunais [2]

A **garantia do acesso aos tribunais** foi atrás considerada como uma concretização do princípio estruturante do Estado de direito. Neste momento, trata-se apenas de estabelecer o conteúdo desta garantia jurídico-constitucional sob o ponto de vista da defesa dos direitos fundamentais (cfr. CRP, arts. 20.°, 202.°/2 e 268.°/4 e 5, DUDH, art. 10.°, PIDCP, art. 14.°/1/1, CEDM, art. 6.°/1).

---

[1] Esta matéria é sintetizada de formas muito diversas pelos autores. Uns falam aqui de *garantias constitucionais* (cfr., por exemplo, ALESSANDRO PACE, *Problematica delle Libertà Costituzionale*, Padova, 1984); outros utilizam a expressão *tutela dos direitos fundamentais* (cfr., por exemplo, CARDOSO DA COSTA, *A tutela dos direitos fundamentais*, separata de Documentação e Direito Comparado); noutros casos, o enunciado linguístico preferido é o de *protecção dos direitos fundamentais* (cfr., por exemplo, K. A. BETTERMANN, *Der Schutz der Grundrechte in der ordentlichen Gerichtsbarkeit*, in NEUMANN/BETTERMANN/NIPPERDEY/SCHEUNER, *Die Grundrechte*, Vol. III, p. 779; noutros casos prefere-se a fórmula *remédios dos direitos fundamentais* (cfr. VIEIRA DE ANDRADE, *Os direitos fundamentais*, p. 335). O que interessa é saber do que se trata independentemente do maior ou menor rigor dos enunciados linguísticos: determinar e individualizar os meios e remédios à disposição dos cidadãos para garantirem a efectividade dos seus direitos e reagirem contra as violações dos mesmos.

[2] Cfr., para uma visão global da problemática, M. CAPPELLETTI/R. DAVID, *L'Accès a la Justice et l'État Providence*, Paris, 1984, pp. 93 e ss; J. ALMAGRO NOSETE, *Constitucion y Proceso*, Madrid, 1984, pp. 267 e ss; GUILHERME DA FONSECA, «A defesa dos direitos. Princípio geral da tutela jurisdicional dos direitos fundamentais», *BMJ*, 344, 1985, pp. 11 e ss; A. PEREIRA ANDRÉ, *A defesa dos direitos e o acesso aos Tribunais*, Lisboa, 1980; CARLOS LOPES DO REGO, "Acesso ao Direito e aos Tribunais", in *Estudos sobre a jurisprudência do Tribunal Constitucional*, 1993, pp. 41 e ss; J. LEBRE DE FREITAS, *Introdução ao Processo Civil*, Coimbra, 1996, pp. 71 e ss.

Em termos sintéticos, a garantia do acesso aos tribunais (CRP, artigo 20.º/1, e Decreto-Lei n.º 387-B/87) significa, fundamentalmente, *direito à protecção jurídica através dos tribunais* (cfr. Acs TC 447/93, 249/94, 473/94, 529/94). A indicação do tribunal competente, bem como da forma e do processo, pertence ao legislador («margem de livre regulação do legislador»).

II - *Protecção através de um processo justo (due process)*

1. Origens do direito ao processo equitativo

O **direito ao processo equitativo** está hoje positivamente consagrado no art. 20.º da CRP, no art. 6.º da Convenção Europeia dos Direitos do Homem, no art. 14.º do Pacto Internacional Relativo aos Direitos Civis e Políticos e no art. 10.º da Declaração Universal dos Direitos do Homem.

As doutrinas caracterizadoras do direito a um processo equitativo (CRP, art. 20.º/4) têm quase sempre como ponto de partida a experiência constitucional americana do **due process of law**. Nem sempre, porém, se tornam explícitas as premissas e a memória deste *due process*. Vale a pena, por isso, prestar alguma atenção às leituras americanas incidentes sobre o "processo devido" (=processo justo) e verificar em que medida estas leituras podem ser transferidas para o nosso quadro jurídico-constitucional (cfr. art. 20.º/4).

As origens do *due process of law* costumam reconduzir-se aos esquemas garantísticos da Magna Carta, designadamente ao artigo 39.º deste documento, nos termos do qual:

"Nenhum homem livre será detido ou sujeito a prisão, ou privado dos seus bens, ou colocado fora da lei ou exilado, ou de qualquer modo molestado e nós não procederemos ou mandaremos proceder contra ele, senão mediante um julgamento regular pelos seus pares e *de harmonia com a lei do país*".[3]

A fórmula "de harmonia com a lei do país" não era, porém, clara. Não admira, pois, que na leitura posterior da Carta feita por Eduardo III, em 1354, seja utilizado não o enunciado linguístico "de harmonia com a lei do país", mas uma fórmula semanticamente mais rica mas também mais indefinida: *processo devido em direito.*

---

[3] Cfr. J. C. HOLT, *Magna Charta*, 2.ª ed., Cambridge, 1992, p. 460.

492

Qual, na verdade, o significado a atribuir a uma tal formulação de *due process*? Dois dos mais célebres comentadores ingleses – Coke e Blackstone – insinuam uma interpretação tendencialmente restritiva.[4] Coke definiu o **processo devido** como sendo aquele que consagra "processo e acusação por homens de bem e justos e, consequentemente, requer um juízo e prova de culpabilidade do acusado". Por sua vez, Blackstone, nos seus *Commentaries on the Laws of England*, parece reiterar esta interpretação, pois para ele processo devido consiste em fazer uso do "mandamento apropriado para levar a tribunal uma pessoa acusada mas não presente". Em rigor, o processo devido seria o complexo de actos situados entre o momento inicial de comparência e juízo de acusação e a sentença condenatória de prisão. Como hoje se escreve na literatura norte-americana, o processo devido era um *process with small scope* porque se tratava de um processo judicial. Os tempos não estavam ainda maduros para se avançar para um *process with large scope* compreendido como um processo político valorativamente orientado para a defesa de valores e direitos fundamentais. Esta é uma história que começa a divisar-se em torno dos *Amendments* V e XIV da Constituição dos Estados Unidos da América.[5]

A leitura básica das *Emendas* relacionadas com o *due process of law* pode sintetizar-se da seguinte forma: **processo devido em direito** significa a obrigatoriedade da observância de um tipo de processo legalmente previsto antes de alguém ser privado da vida, da liberdade e da propriedade. Nestes termos, o processo devido é o processo previsto na lei para a *aplicação de penas privativas* da vida, da liberdade e da propriedade. Dito ainda por outras palavras: *due process* equivale ao *processo justo definido* por lei para se *dizer o direito* no momento jurisdicional de aplicação de sanções criminais particularmente graves.

Esta leitura básica abre a porta para uma outra ideia já atrás acentuada. É ela a do *processo devido* como processo justo de *criação legal de normas jurídicas*, designadamente das *normas restritivas* das liberdades dos cidadãos. Por outras palavras porventura mais expressivas: o *due process of law* pressupõe que o processo legalmente previsto para aplicação de penas seja ele próprio um "processo devido" obedecendo aos trâmites procedimentais formalmente estabelecidos na constituição ou plasmados em regras regimentais das assembleias legislativas. Procedimentos justos e adequados moldam a actividade legiferante. Dizer o direito segundo um processo justo pressupõe que justo seja o procedimento de criação legal dos mesmos processos.

---

[4] Cfr. TRIBE, *American Constitucional Law*, p. 663.
[5] Cfr. TRIBE, *American Constitutional Law*, p. 678.

2. O que é um processo justo?

Como qualificar um processo como *justo*? Quais os critérios materiais orientadores da determinação do carácter "devido" ou "indevido" de um processo? As respostas – sobretudo as da doutrina americana – reconduzem--se fundamentalmente a duas concepções de "processo devido" – a *concepção processual* e a concepção *material* ou *substantiva*. A **teoria processual** (*process oriented theory*), que poderíamos designar também por *teoria do processo devido por qualificação legal*, limita-se a dizer que uma pessoa "privada" dos seus direitos fundamentais da vida, liberdade e propriedade tem direito a exigir que essa privação seja feita segundo um processo especificado na lei. Consequentemente, o acento tónico deve colocar-se na observância ou não do processo criado por lei para a aplicação de medidas privativas da vida, liberdade ou propriedade.[6]

A **teoria substantiva** pretende justificar a ideia material de um *processo justo*, pois uma pessoa tem direito não apenas a um *processo legal* mas sobretudo a um *processo legal, justo e adequado*, quando se trate de legitimar o sacrifício da vida, liberdade e propriedade dos particulares. Esta última teoria é, como salienta a doutrina norte-americana, uma *value-oriented theory*, pois o processo devido deve ser materialmente informado pelos princípios da justiça. Mais do que isso: o "processo devido" começa por ser um processo justo logo no momento da criação normativo-legislativa. Os objectivos da exigência do processo devido não poderiam ser conseguidos se o legislador pudesse livre e voluntariamente converter qualquer processo em processo equitativo. Esta a razão pela qual os autores passaram a reclamar a necessidade de critérios materiais informadores do processo devido expressa ou implicitamente revelados pelas normas da Constituição e pelos usos e procedimentos estabelecidos no direito comum ou disposições "estatutárias". Passou, assim, a falar-se de *processo devido substantivo*. O problema nuclear da exigência de um *due process* não estaria tanto – ou pelo menos não estaria exclusivamente – no procedimento legal mediante o qual alguém é declarado culpado e castigado ("privado da vida, da liberdade e da propriedade") por haver violado a lei, mas sim no facto de a lei poder ela própria transportar a "injustiça" privando uma pessoa de direitos fundamentais. Às autoridades legiferantes deve ser vedado o direito de disporem arbitrariamente da vida, da liberdade e da propriedade das pessoas, isto é, sem razões materialmente fundadas para o fazerem. Radica aqui também um dos argu-

---

[6] Cfr. a discussão teorético-constitucional destas concepções em ELY, *Democracy and Distrust. A Theory of Judicial Review*, Cambridge, Mass., 1980, p. 73; DWORKIN, *A Matter of Principle*, Cambridge, Mass., 1985, p. 57.

mentos invocados para, posteriormente, se defender a *judicial review of legislation*. Os juízes, baseados em princípios constitucionais de justiça, poderiam e deveriam analisar os requisitos intrínsecos da lei. Mais um passo era dado para a evolução do processo devido. Este passará a ser considerado como *protecção alargada de direitos fundamentais* quer nas dimensões processuais quer nas dimensões substantivas.

A protecção alargada através da exigência de um processo equitativo significará também que o controlo dos tribunais relativamente ao carácter "justo" ou "equitativo" do processo se estenderá, segundo as condições particulares de cada caso, às dimensões materiais e processuais do processo no seu conjunto. O parâmetro de controlo será, sob o ponto de vista intrínseco, o catálogo dos direitos, liberdades e garantias constitucionalmente consagrados e os direitos de natureza análoga constantes de leis ou de convenções internacionais (CRP, art. 16.º).[7] Mas o controlo pautar-se-á ainda pela observância de outras dimensões processuais materialmente relevantes. Vejamos algumas destas dimensões.

III - O direito à tutela jurisdicional

A ideia de um *due process* jurisdicional que, como se viu, esteve na origem da sedimentação da *justiça processual* e *procedimental*, é hoje agitada a propósito da conformação justa e adequada do *direito à tutela jurisdicional*. Como prescreve agora (depois da revisão de 1997) o art. 20.º/4 da CRP, "todos têm direito a que uma causa em que intervenham seja objecto de decisão em prazo razoável e mediante *processo equitativo*". Uma definição abrangente de tutela jurisdicional efectiva encontra-se agora no *Código de Processo nos Tribunais Administrativos e Fiscais* (Lei 15/2002 de 15/2, alterada pela Lei 4-A/2003, de 19/2): "direito de obter, em prazo razoável, uma decisão judicial que aprecie, com força de caso julgado, cada pretensão regularmente deduzida em juízo, bem como a possibilidade de a fazer executar e de obter as providências cautelares antecipatórias ou conservatórias destinadas a assegurar o efeito útil da decisão". Esta definição completa a que estava já legalmente consagrada no art. 2.º do Cód. Proc. Civil.

---

[7] Cfr. WINFRIED BRUGGER, *Grundrechte und Verfassungsgerichtsbarkeit in den Vereinigten Staaten von Amerika*, Tübingen, 1987, p. 44.

1. **Natureza do direito à protecção judicial**

Pela própria arqueologia do *due process* verifica-se que este se concebia fundamentalmente como um *direito de defesa* do particular perante os poderes públicos. Quando os textos constitucionais, internacionais e legislativos, reconhecem, hoje, um direito de acesso aos tribunais este direito concebe-se como uma dupla dimensão: (1) um *direito de defesa* ante os tribunais e contra actos dos poderes públicos; (2) um *direito de protecção do particular através de tribunais* do Estado no sentido de este o proteger perante a violação dos seus direitos por terceiros (*dever* de protecção do Estado e *direito* do particular a exigir essa protecção).

A intervenção do Estado para defender os direitos dos particulares perante outros particulares torna claro que o particular só pode, em geral, ver dirimidos os seus litígios perante outros indivíduos através de órgãos jurisdicionais do Estado. Dissemos "em geral" porque hoje se assiste ao desenvolvimento de outras formas de acesso ao direito fora dos esquemas organizatórios estatais (tribunais arbitrais, centros de arbitragem). Esta "dependência" do direito à protecção judicial de *prestações* do Estado (criação de tribunais, processos jurisdicionais) justifica a afirmação corrente de que o *conteúdo essencial do direito* de acesso aos tribunais é a *garantia da via judiciária* (= "garantia da via judicial", "garantia da protecção judicial", "garantia da protecção jurídica através dos tribunais").

a) *O direito de acesso aos tribunais como direito de acesso a uma protecção jurídica individual*

Uma primeira e ineliminável dimensão do direito à protecção judiciária é a **protecção jurídica individual**. O particular tem o direito fundamental de recorrer aos tribunais para assegurar a defesa dos seus *direitos e interesses legalmente protegidos* (cfr. art. 20.º/1).

b) *O direito de acesso aos tribunais como garantia institucional*

Ao assegurar o direito de acesso aos tribunais para defesa de direitos e interesses, o artigo 20.º da Constituição da República Portuguesa inclui no seu âmbito normativo a *garantia institucional* da via judiciária, isto é, de tribunais. O texto fundamental não fixa, de forma esgotante, os tipos de tribunais, nem contém uma disciplina densa do chamado "direito constitucional judiciário". Por isso, o direito de acesso aos tribunais é um *direito fundamental formal* que carece de densificação através de outros direitos fundamentais materiais. A interconexão entre "direito de acesso aos tribunais" e "direitos materiais" aponta para duas dimensões básicas de um esquema referencial: (1) os direitos e interesses do particular determinam o próprio *fim* do direito de acesso aos tribunais, mas este, por sua vez, garante a *realização* daqueles direitos e interesses; (2) os direitos e interesses são efectivados *através dos tribunais* mas são eles que fornecem as *medidas materiais de protecção* por esses mesmos tribunais.

Desta imbricação entre direito de acesso aos tribunais e direitos fundamentais resultam dimensões ineliminaveis do **núcleo essencial da garantia institucional da via judiciária**. A *garantia institucional* conexiona-se com o *dever de uma garantia jurisdicional de justiça* a cargo do Estado. Este dever resulta não apenas do texto da constituição, mas também de um princípio geral ("de direito", das "nações civilizadas") que impõe um dever de protecção através dos tribunais como um corolário lógico: (1) do monopólio de coacção física legítima por parte do Estado; (2) do dever de manutenção da paz jurídica num determinado território; (3) da proibição de autodefesa a não ser em circunstâncias excepcionais definidas na Constituição e na lei (cfr. CRP. art. 21.º).

2. **O direito de acesso aos tribunais como direito a uma protecção jurisdicional adequada**

As normas – constitucionais, internacionais e legais – garantidoras da *abertura* da via judiciária devem assegurar a *eficácia* da protecção jurisdicional. O que significam, porém, mais concretamente, estas *abertura e eficácia* da protecção jurisdicional de direitos e interesses? Os tópicos a ter em conta são os seguintes.[8] Como conteúdo *constitucional* e *internacional mínimo*, exige-se que a *protecção jurisdicional* não fique aniquilada em virtude da inexistência de uma **determinação legal** da via judicial adequada. Além deste conteúdo mínimo, é de questionar se bastará o facto de a lei assegurar, de qualquer forma, mesmo vaga e imprecisa, a abertura da via judiciária. Se a *determinação dos caminhos judiciais* for de tal modo confusa (ex.: através de reenvios sucessivos de competências) que o particular se sinta tão desprotegido como se não houvesse via judiciária nenhuma, haverá violação do princípio do Estado de direito e do direito fundamental de acesso ao direito e à via judiciária.

A imposição de clareza na concretização legal do direito de acesso aos tribunais não significa a necessidade da adopção da forma processual mais simples nem desvincula o particular do seu dever de informação quanto às pos-

---

[8] Cfr., *supra*, princípio do Estado de direito.

sibilidades de acesso à via jurisdicional. Pressupõe, porém, que a determinação legal da via judiciária adequada não se traduza, na prática, num *jogo formal* sistematicamente reconduzível à existência de formalidades e pressupostos processuais cuja "desatenção" pelos particulares implica a "perda automática das causas". Os autores aludem aqui ao dever funcional dos juízes convidarem as partes à *regularização* do processo. Vejamos mais de perto algumas destas questões.

IV - Dimensões jurídico-constitucionais do direito ao processo equitativo

1. Direito a uma decisão fundada no direito

O direito de acesso aos tribunais implica o **direito ao processo** entendendo-se que este postula um direito a uma *decisão final* incidente sobre o *fundo da causa* sempre que se hajam cumprido e observado os requisitos processuais da acção ou recurso. Por outras palavras: no direito de acesso aos tribunais inclui-se o **direito de obter uma decisão fundada no direito**, embora dependente da observância de certos requisitos ou pressupostos processuais legalmente consagrados. Por isso, a efectivação de um direito ao processo *não* equivale necessariamente a uma decisão favorável; basta uma *decisão fundada no direito* quer seja favorável quer desfavorável às pretensões deduzidas em juízo. Por outras palavras, constantes da actual Lei de Processo nos Tribunais Administrativos (art. 7.º): a promoção do acesso à justiça inclui o direito à "emissão de pronúncias sobre o mérito das pretensões formuladas".

2. Direito a pressupostos constitucionais materialmente adequados

A sequência direito de acesso aos tribunais → garantia da via judiciária → direito ao processo → direito a uma decisão fundada no direito, deixa intuir que todas estas dimensões do direito de acesso não são incompatíveis com a exigência de *pressupostos processuais*, ou seja, de um conjunto de requisitos cuja verificação e observância é necessário para um órgão judicial poder examinar as pretensões formuladas no *pedido*. Daí que, como se disse, o direito à tutela jurisdicional não se identifique com o direito a uma decisão favorável, antes se reconduza ao direito de obter uma decisão fundada no direito sempre que se cumpram os requisitos legalmente exigidos. Aqui, porém, surge uma nova e importante afloração do *due process:* o direito à tutela jurisdicional não pode ficar comprometido em virtude da exigência legal de pressupostos processuais desnecessários, não adequados e desproporcionados. Compreende-se, pois, que o direito ao processo implique: (1) a proibição de requisitos processuais desnecessários ou desviados de um sentido conforme ao direito fundamental de acesso aos tribunais; (2) a exigência de fixação legal prévia dos requisitos e pressupostos processuais dos recursos e acções; (3) a *sanação* de irregularidades processuais como exigência do direito à tutela judicial.

3. Protecção jurídica eficaz e temporalmente adequada

A protecção jurídica através dos tribunais implica a garantia de uma **protecção eficaz e temporalmente adequada**. Neste sentido, ela engloba a exigência de uma apreciação, pelo juiz, da matéria de facto e de direito, objecto do litígio ou da pretensão do particular, e a respectiva «resposta» plasmada numa decisão judicial vinculativa (em termos a regular pelas leis de processo). O controlo judicial deve, pelo menos em sede de primeira instância, fixar as chamadas «matérias ou questões de facto», não se devendo configurar como um «tribunal de revista» limitado à apreciação das «questões» e «vícios de direito». Além disso, ao demandante de uma protecção jurídica deve ser reconhecida a possibilidade de, em *tempo útil* («adequação temporal», «justiça temporalmente adequada»), obter uma sentença executória com força de *caso julgado* – «a justiça tardia equivale a uma denegação da justiça»[9] (cfr., *supra*). Note-se que a exigência de um *processo sem dilações indevidas*, ou seja, de uma protecção judicial em tempo adequado, não significa necessariamente «justiça acelerada». A «aceleração» da protecção jurídica que se traduza em diminuição de garantias processuais e materiais (prazos de recurso, supressão de instâncias excessiva) pode conduzir a uma justiça pronta mas materialmente injusta. Noutros casos, a existência de processos céleres, expeditos e eficazes – de especial importância no âmbito do direito penal mas extensiva a outros domínios (cfr. art. 20.º/5, aditado pela LC 1/97 e Cod. Processo nos Tribunais Administrativos, art. 112.º e ss., referentes a processos cautelares) –, é condição indispensável de uma protecção jurídica adequada (ex.: prazos em caso de *Habeas Corpus*, apreciação da prisão preventiva dentro do prazo de 48 horas, suspensão da eficácia de actos administrativos, procedimentos cautelares)[10].

---

[9] Cfr. Maria Luísa Castan, «La polemica cuestion de la determinacion del plazo razonable en la administracion de justicia», in *REDC*, 10 (1984).

[10] Caso interessante de reconhecimento do direito à protecção jurisdicional sem dilações indevidas pode ver-se no Ac do STA, *Acórdãos Doutrinais*, 344/45, 1990, «omissão de pronúncia de sentença em prazo razoável».

O Tribunal Constitucional tem entendido que o direito de acesso aos tribunais não garante, necessariamente, e em todos os casos, o *direito a um duplo grau de jurisdição* (cfr. Ac 38/87, in *DR*, I, n.º 63, de 17/3/87; Ac 65/88, in *DR*, II, n.º 192, de 20/8/88; Ac 359/86, in *DR*, II, n.º 85, de 11/4/87; Ac 358/86, in *DR*, II, n.º 85, de 11/4/87. Outros acórdãos no mesmo sentido: Ac TC, n.º 219/89, in *DR*, II, n.º 148, de 30/6/89; Ac TC, n.º 124/90, in *DR*, II, n.º 33, de 8/2/91; Ac. TC, n.º 340/90).

O direito a um duplo grau de jurisdição não é, *prima facie*, um direito fundamental, mas a regra – que não poderá ser subvertida pelo legislador, não obstante a liberdade de conformação deste, desde logo quanto ao valor das alçadas –, é a da existência de duas instâncias quanto a «matérias de facto» e de uma instância de revisão quanto a «questões de direito» (cfr. M. Wolf, *Gerichtsverfassungsrecht aller Verfahrenszweige*, 1987, pp. 121 e ss). A extinção de instâncias relativamente a processos pendentes pode colocar problemas relacionados com os princípios da protecção da confiança e do juiz legal (cfr. Ac TC 338/86, in DR, II, n.º 65, de 19/3/87).

A jurisprudência do TC que considera incensurável a inexistência de duplo grau de jurisdição no que respeita à suspensão de eficácia de actos contenciosamente impugnados (cfr. Ac do TC 65/88, in *DR*, II, n.º 192, de 20-8-88, e Ac do TC n.º 202/90, in *DR*, II, n.º 17, de 21-1-91, e artigo 103.º/*d* do Decreto-Lei n.º 267/85) merece-nos muitas reticências. O processo de suspensão de eficácia dos actos administrativas, não obstante a sua íntima conexão com a interposição de recurso (cfr. Decreto-Lei n.º 267/85, artigo 77.º), é um processo jurisdicional distinto, na *causa petendi* e no *petitum*, tem uma natureza decisória autónoma, é susceptível de incidir de forma decisiva na solução material do litígio. Cfr., por exemplo, «Corte costituzionali e doppio grado di giurisdizione», in *Giurisprudenza Costituzionale*, 2/1982, p. 49 ss. Entre nós, cfr., por último, no sentido que nos parece mais defensável, Luciano Marcos, «Da inconstitucionalidade do art. 103.º/*d*, da L.P.T.A.», in *Revista Jurídica*, 13/14 (1990), pp. 41 e ss; C. Monteiro, "Suspensão da eficácia de actos administrativos de conteúdo negativo", in Ass. Aca. Fac. Direito de Lisboa, 1990; Maria Fernanda Maçãs, "A relevância constitucional de suspensão da eficácia dos actos administrativos", in *Estudos sobre a jurisprudência do Tribunal Constitucional*, Lisboa, 1993, pp. 327 e ss.

4. Direito à execução das decisões dos tribunais

Finalmente, a existência de uma protecção jurídica eficaz pressupõe o **direito à execução das sentenças** («fazer cumprir as sentenças») dos tribunais através dos tribunais (ou de outras autoridades públicas), devendo o Estado fornecer todos os meios jurídicos e materiais necessários e adequados para dar cumprimento às sentenças do juiz. Esta dimensão da protecção jurídica é extensiva, em princípio, à execução de sentenças proferidas contra o próprio Estado (CRP, artigo 205.º/2 e 3, e Lei 15/2002, arts. 157 ss.). Realce-se que, no caso de existir uma sentença vinculativa reconhecedora de um direito, a execução da decisão do tribunal não é apenas uma dimensão da legalidade democrática («dimensão objectiva»), mas também um *direito subjectivo público* do particular, ao qual devem ser reconhecidos meios compensatórios (indemnização), medidas compulsórias ou «acções de queixa» (cfr. Convenção Europeia dos Direitos do

Homem, artigo 6.º), no caso de não execução ilegal de decisões dos tribunais (cfr. o caso *Hornsby*, de 19/03/1997, em que o Tribunal Europeu dos Direito do Homem sublinha o momento de execução como dimensão intrínseca da justiça do processo).

5. Dimensões garantísticas e dimensões prestacionais

A garantia do acesso aos tribunais perspectivou-se, até agora, em termos essencialmente «defensivos» ou garantísticos: defesa dos direitos através dos tribunais. Todavia, a garantia do acesso aos tribunais pressupõe também *dimensões de natureza prestacional* na medida em que o Estado deve criar órgãos judiciários e processos adequados (direitos fundamentais dependentes da organização e procedimento) e assegurar prestações («apoio judiciário», «patrocínio judiciário», dispensa total ou parcial de pagamento de custas e preparos), tendentes a evitar a denegação da justiça por insuficiência de meios económicos (CRP, artigo 20.º). O acesso à justiça é um acesso materialmente informado pelo princípio da igualdade de oportunidades.[11]

O Tribunal Constitucional considerou que o direito de acesso é inconstitucionalmente violado quando se condiciona o seguimento do recurso ao depósito prévio de certa quantia, não tendo o recorrente condições económicas para satisfazer esse pagamento. Cfr. Acs TC, n.ºˢ 318/85, 269/87, 345/87, 412/87, 30/88 e 56/88, in *DR*, II, n.º 87, de 15/4/86; *DR*, II, n.º 202, de 3-9-87; *DR*, II, n.º 275, de 28-11-87; *DR*, II, n.º 1 de 2-1-88; *DR*, I, n.º 34, de 10-2-88, e *DR*, II, n.º 188, de 16-8-88, respectivamente.

6. Veja-se um caso

O sentido autónomo do direito a um processo equitativo pode captar-se na *sentença Lobo Machado/Portugal*, de 20/02/1996, proferida pelo Tribunal Europeu de Direitos do Homem.[12] Neste caso considerou-se que o direito a um processo equitativo deve compreender o direito a um processo contraditório. Uma das dimensões fundamentais deste direito consiste na faculdade de as partes de um processo – penal, civil ou administrativo – tomarem conhecimento e discutir todos os elementos ou observações apresentados ao juiz, visando

---

[11] Note-se que o direito de acesso aos tribunais é mais restrito do que o direito de «acesso ao direito», pois este inclui o direito à informação jurídica, o direito ao funcionamento de gabinetes de consulta jurídica, etc. (cfr. Decreto-Lei n.º 385/87, artigos 7.º/1, 11.º e 15.º).

[12] Cfr. *Recueil des Arrêts et Decisions*, 1996-I, p. 195 ss.

influenciar a decisão. Esta dimensão será basicamente neutralizada quando, durante o processo, o interessado não tiver qualquer possibilidade de tomar conhecimento e de responder ao parecer do Procurador-Geral-Adjunto antes do julgamento do recurso pelo Supremo Tribunal de Justiça. A própria presença do mesmo Procurador no julgamento junto do Supremo, onde teve oportunidade de reiterar a doutrina do parecer anteriormente emitido, representaria uma violação não só do princípio do contraditório mas também do princípio da imparcialidade. Haveria lesão do princípio do contraditório porque o Tribunal ouvia apenas uma das partes em confronto. Haveria violação do princípio da imparcialidade porque mesmo não perturbando, de facto, a imparcialidade dos juízes, era preciso dar a aparência ("teoria da aparência") de que o julgamento era verdadeiramente imparcial. Não basta fazer-se justiça; deve parecer que ela é feita (*"justice must not only be done; it must bee seen to be done"*). Recentemente, o Tribunal Constitucional português adoptou posição idêntica ao declarar com força obrigatória geral a norma constante do art. 15.º da Lei de Processo dos Tribunais Administrativos e Fiscais (cfr., hoje, Lei 4-A/2003, de 19-2, que altera a Lei 15/2002, art. 6.º), por violação do direito processo equitativo, na medida em que esta norma não permite às partes tomar conhecimento e discutir a intervenção do Ministério Público (cfr. Ac. TC 157/2001, DR, I-A, 10/05/2001)[13]. As dimensões fundamentais do processo equitativo em sede de justiça administrativa encontram hoje consagração expressa na Lei de Processo de Tribunais Administrativos (cf. Lei n.º 15/2002, alterada pela Lei 4-A/2003, de 19-2). Aí podemos ver normativamente plasmados os princípios do contraditório e da igualdade de partes (arts. 6.º, 53.º 68.º/2, 95.º/2, 99.º/2, 106.º/2).

V - Direito de Acesso à Justiça Administrativa

1. Garantia do recurso contencioso

1.1. *Protecção jurídica individual*

O artigo 268.º/4 da CRP garante aos particulares (cidadãos portugueses ou estrangeiros, pessoas físicas ou pessoas jurídicas) *tutela jurisdicional efectiva* dos seus direitos ou interesses legalmente protegidos (art. 268.º/4). Trata-

---

[13] Cf., J. C. VIEIRA DE ANDRADE, *A Justiça Administrativa*, 2.ª ed., Coimbra, 2000, p. 271 ss.

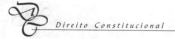

-se de uma concretização da garantia de acesso aos tribunais (artigo 20.°), pois é configurada como *garantia de protecção jurisdicional* (dirige-se à protecção dos particulares através dos tribunais), e possui, ela própria, a *qualidade ou natureza de direito análogo* aos direitos, liberdades e garantias (CRP, artigo 17.°). O texto constitucional, na redacção da LC 1/97, fornece a abertura inequívoca para processos de justiça administrativa relativamente aos quais a doutrina, legislador e jurisprudência, se mostravam até agora reticentes. A Lei 15/2002, de 22/2, (Código de Processo nos Tribunais Administrativos) alterou radicalmente a falta de concretização das normas constitucionais consagrando: (1) acção para a prática de actos administrativos legalmente devidos; (2) adopção de medidas cautelares adequadas. O legislador deve dar cumprimento à *imposição legiferante* contida no art. 268.°/4 (cf. as dimensões concretizadas no art. 2.° do Código de Processo nos Tribunais Administrativos). O facto de se tratar de uma imposição legiferante não significa que o juiz não possa aplicar directamente este preceito interpretando o direito ordinário em conformidade com a Constituição. Isso terá desde logo relevância prática: (1) na desaplicação por inconstitucionalidade de normas erguidas como impedimento legal a uma protecção adequada de direitos e interesses legalmente protegidos dos particulares; (2) na *formatação judicial constitucionalmente adequada* de instrumentos processuais já existentes (ex.: providências cautelares não especificadas, "aceleração" de processos para, de forma equitativa, eficaz e expedita, se defenderem direitos, liberdades e garantias, nos termos do art. 20.°/4 e ss.).

1.2. *Garantia institucional*

Além da sua natureza de direito análogo aos direitos, liberdades e garantias, a garantia de tutela jurisdicional configura-se também como *garantia institucional*. Isto aponta para exigência e garantia de uma organização judiciária possibilitadora de uma protecção jurídica eficaz e temporalmente adequada dos particulares[14].

1.3. *Protecção de direitos e interesses*

A garantia de protecção jurídica individual pressupõe a lesão de *direitos subjectivos ou interesses legalmente protegidos* (art. 268.°/4). A fórmula constitu-

---

[14] GUILHERME FREDERICO DA FONSECA, «A defesa dos direitos. Princípio Geral da Tutela Jurisdicional dos Direitos Fundamentais», in *BMJ*, n.° 344 (1985), pp. 11 e ss.

cional – «tutela jurisdicional efectiva dos seus *direitos* ou *interesses legalmente protegidos*» – aponta para uma interpretação extensiva daquilo a que se poderá chamar os «candidatos positivos» incluídos no âmbito de protecção da norma. Entre as posições jurídicas protegidas incluem-se os direitos fundamentais e os restantes direitos subjectivos públicos e privados bem como outros interesses juridicamente protegidos não reconduzíveis a direitos subjectivos (entendidos num sentido restritivo). Saber se existe ou não um direito ou um interesse legalmente protegido depende, em termos tendenciais, da existência de uma norma material (lei, regulamento, estatuto, contrato) cujo escopo seja, ou, pelo menos, seja também, proteger os interesses dos particulares, de forma a que estes, com base nessa norma, possam recortar um poder jurídico individualizado legitimador da defesa dos seus interesses [15] contra a administração.

Jurídico-constitucionalmente, a ideia da protecção jurídico-individual-subjectiva através da garantia do recurso contencioso sugere que a questão da existência de um direito subjectivo ou interesse legalmente protegido deverá ter em conta, além do escopo da norma (*Schutztheorie, Schutznormlehre, Schutzzwecklehre*), o complexo normativo material regulador da *relação jurídica concreta* (desde o direito constitucional até às estruturas materiais e fácticas). Neste sentido, a ponderação de interesses de terceiros nas *relações multipolares* e a exigência da *tomada em consideração* (*Rücksichtnahmegebot*) destes interesses poderá conduzir a soluções mais generosas do que aquelas que resultam da teoria do fim da protecção da norma. Assim, certos interesses agitados no âmbito da elaboração de planos e no «direito de vizinhança» de cariz urbanístico poderão considerar-se interesses jurídico-constitucionalmente protegidos, embora só muito remotamente eles se afigurem incluídos no fim de protecção da norma. Cfr., por exemplo, Alexy, *Das Gebot der Rücksichtnahme im baurechtlichen Nachbarschutz*, in *DÖV*, 1984, p. 953 ss; Bauer, «Schutznormtheorie im Wandel», cit, p. 115 ss; Pereira da Silva, *Contributo*, p. 99; Rui Machete, «A Garantia Contenciosa para obter o reconhecimento de um direito ou interesse legalmente protegido», in J. Miranda (coord.), *Nos dez anos da Constituição*, p. 234; Luís Sousa da Fábrica, «A acção para o reconhecimento de Direitos e Interesses Legalmente Protegidos», in BMJ, 364 (1987), p. 48.; Rui Medeiros, «Estrutura e âmbito da acção para o reconhecimento de um direito ou interesse legalmente protegido», in *RDES*, XXXI, IV, 1/2 (1989), pp. 1 e ss; Vieira de Andrade, *O Dever de Fundamentação*, pp. 105 e ss.

1.4. *Actos da administração*

A garantia de impugnação judicial de *actos* ou *normas* administrativas lesivas de direitos e interesses legalmente protegidos (art. 268.°/4, na redacção da

---

[15] Subjacente ao discurso do texto está a conhecida teoria do fim da protecção da norma (*Schutznormtheorie*). Sobre ela, por último, PEREIRA DA SILVA, *Para um contencioso administrativo*, cit., pp. 96 e ss. Na doutrina alemã, cfr. H. BAUER, «Schutznormtheorie im Wandel», in D. HECKMANN/K. MESSERSCHMIDT, *Gegenwartsfragen des öffentlichen Rechts*, Berlin, 1988, pp. 113 e ss.

LC 1/97) significa protecção contra qualquer *actuação da administração* lesiva de direitos subjectivos ou interesses legalmente protegidos do particular. Na categoria «actuação da administração» incluem-se (cf. Lei 15/2002, de 22/2, arts. 50.º ss.) não apenas os *actos administrativos* activos ou omissivos, praticados por órgãos, funcionários ou agentes da administração central, regional, local, mas também «prescrições técnicas» (programas de decisão informáticos, sinais de trânsito). Além disso, cabe no âmbito de protecção de tutela jurisdicional efectiva o *direito à impugnação de normas administrativas*, como hoje estatui claramente o art. 268.º/5 (aditado pela LC 1/97), ou seja, *actos normativos* da administração (regulamentos, estatutos, decretos, resoluções) [16] (cf. Lei 15/2002, de 22/2, arts. 72 ss.).

Mais duvidosa é a questão de saber se a garantia do recurso contencioso abrange os *actos legislativos*, mas a doutrina e jurisprudência inclinam-se a favor da solução afirmativa quando se trata de verdadeiros *actos administrativos sob a forma de lei*, lesivos, de modo directo e imediato, de direitos e interesses legalmente protegidos. [17].

2. O princípio da plenitude da garantia jurisdicional administrativa

As revisões constitucionais de 1989 e de 1997 densificaram melhor o **direito de acesso à justiça administrativa** para tutela dos direitos e interesses legalmente protegidos dos administrados. O titular deste direito continua a ser o *particular* enquanto *administrado*. Todavia, os preceitos constitucionais garantidores do acesso à justiça pretendem tornar claro que é sempre admitida a protecção jurisdicional administrativa de posições subjectivas (direitos e interesses), sem se limitar esta protecção à adopção de meios específicos de impugnação (ex.: «recurso» contencioso) ou à existência de determinadas formas de actuação da administração (ex.: actos administrativos). Neste sentido se fala hoje do **princípio da plenitude da garantia jurisdicional administrativa**: a qualquer ofensa de direitos ou interesses legalmente protegidos e a qualquer ilegalidade da administração deve corresponder uma forma de garantia jurisdicional adequada (arts. 268.º/4 e ss.).

---

[16] Cfr. C. BLANCO DE MORAIS, *A invalidade dos regulamentos estaduais e os fundamentos da sua impugnação contenciosa*, Lisboa, 1987; J. COUTINHO DE ABREU, *Sobre os regulamentos administrativos e o princípio da legalidade*, Coimbra, 1987.

[17] Por vezes, confundem-se os «actos administrativos sob a forma de lei» com as «leis individuais». As leis individuais são verdadeiras leis que pressupõem valorações políticas, típicas dos órgãos dotados de competência política (Governo, Assembleia da República). Assim, por exemplo, uma lei individual, criadora de uma pensão de sobrevivência a favor das viúvas dos bombeiros mortos em incêndios (nominativamente individualizadas), é uma verdadeira lei e não um acto administrativo sob a forma de lei.

A autonomização do direito de acesso à justiça administrativa impõe constitucionalmente a institucionalização de *acções* a título principal e não meramente subsidiário[18] (como hoje dispõe a LPTAF – Lei de Processo dos Tribunais Administrativos e Fiscais –, artigo 69.º/2, que só admite acções para o reconhecimento de direito ou interesse legítimo «quando os restantes meios contenciosos, incluindo os relativos à execução de sentenças, não assegurem a efectiva tutela jurisdicional do direito ou interesse em causa»). Estas acções (declarativas, condenatórias, constitutivas) devem ser adequadas à garantia jurisdicional dos administrados (mesmo que tenha de se recorrer à aplicação analógica das normas de processo civil). A revisão de 1997 consagrou definitivamente a eliminação do clássico *princípio da tipicidade das formas processuais de contencioso administrativo* e a relativização do princípio tradicional da *decisão prévia*[19].

VI - Direito a processos céleres e prioritários

Uma das mais importantes inovações introduzidas pela LC 1/97 (4.ª Revisão) consistiu na criação de **procedimentos judiciais céleres e prioritários** (CRP, art. 20.º/4) de modo a obter tutela efectiva e em tempo útil contra ameaças ou violações de direitos, liberdades e garantias. Não é fácil delimitar o sentido do **direito a um processo célere e prioritário**. Devem reter-se, numa primeira aproximação, alguns tópicos: *a)* o preceito constitucional (art. 20.º/4) constitui, desde logo, uma *imposição constitucional* no sentido de o legislador ordinário conformar os vários processos (penal, civil, administrativo) no sentido de assegurar por via preferente e sumária a protecção de direitos, liberdades e garantias; *b)* a consagração de procedimentos judiciais céleres e prioritários não significa a introdução de uma *acção ou recurso de amparo* especificamente dirigida à tutela de direitos, liberdades e garantias, mas de um *direito constitucional de amparo* de direitos a efectivar através das vias judiciais normais; *c)* a efectivação deste direito pressupõe uma nova *formatação processual* tendente a responder às exigências de celeridade e prioridade (assim, por exemplo, redução de prazos, eliminação de eventuais recur-

---

[18] Cfr. as considerações de RUI MEDEIROS, «Estrutura e âmbito...», cit., pp. 60 e ss.
[19] Cfr. D. FREITAS DO AMARAL, «Direitos Fundamentais dos Administrados», in *Nos Dez Anos de Constituição*, p. 27; VASCO PEREIRA DA SILVA, *Em busca do acto administrativo perdido*, pp. 450 e ss. Defendendo a razoabilidade do carácter subsidiário das «acções» relativamente ao instituto clássico do recurso, cfr., por último, PAULO OTERO, *O Poder de Substituição*, II, p. 659; M. AROSO DE ALMEIDA, "Os direitos fundamentais dos administrados após a revisão constitucional de 1989", in *Direito e Justiça*, VI (1992), p. 287; ISABEL FONSECA, *Introdução ao estudo sistemático da tutela cautelar no processo administrativo*, 1999.

sos hierárquicos necessários no contencioso administrativo). A concretização legislativa deste direito encontra, hoje, uma consagração relevante no Código de Processo dos Tribunais Administrativos e Fiscais que prevê um *processo de intimação para a protecção de direitos, liberdades e garantias* (art. 109.º ss., e 142.º/3/a) quando "a célere emissão de uma decisão de mérito que imponha à Administração a adopção de uma conduta positiva ou negativa se revele indispensável para assegurar o exercício, em tempo útil, de um direito, liberdade e garantia".

Um problema não inteiramente resolvido é o da extensão destes processos céleres e prioritários. O texto constitucional parece apontar apenas para um reduzido âmbito: os direitos, liberdades e garantias *pessoais*. A lei poderá e deverá, no entanto, institucionalizar processos céleres e prioritários para a defesa de direitos, liberdades e garantias da participação *política* (cf. Lei 15/2002, de 22/2 – Código de Processo dos Tribunais Administrativos e Fiscais, art. 97.º) e de direitos, liberdades e garantias dos *trabalhadores*.

VII - Direito de suscitar a «questão» de inconstitucionalidade ou de ilegalidade

Não existe, no sistema jurídico-constitucional português, um processo de **«queixa constitucional»** (*Verfassungsbeschwerde, staatsrechtliche Beschwerde, recurso de amparo*) que permita aos cidadãos lesados nos seus direitos fundamentais apelarem directamente para um tribunal constitucional (em condições a regular pelas leis de organização, funcionamento e processo). Todavia, os particulares têm o *direito constitucional à justiça constitucional* (F. Alves Correia) podem, nos feitos submetidos à apreciação de qualquer tribunal e em que sejam parte, invocar a inconstitucionalidade de qualquer norma ou a ilegalidade de actos normativos violadores de leis com valor reforçado, fazendo assim funcionar o sistema de controlo da constitucionalidade e da ilegalidade numa perspectiva de *controlo subjectivo*.

Conexionado com este direito de suscitar a questão da inconstitucionalidade nos feitos submetidos a decisão do juiz, está o *direito de recurso* para o Tribunal Constitucional (cfr. artigo 280.º) a estudar em capítulos subsequentes.

A jurisprudência do primeiro sexénio do Tribunal Constitucional demonstrou que, também na ordem jurídico-constitucional portuguesa, este Tribunal se legitimou como «defensor da Constituição» enquanto «guardião dos direitos fundamentais», sobretudo dos direitos, liberdades e garantias. As particulares cautelas por ele reveladas quando, em via de recurso, controlava as decisões dos tribunais conexionadas com os direitos, liberdades e garantias, sugerem uma nova refracção da *constitucionalidade da jurisdição*. Consiste ela na vinculação dos tribunais às decisões do Tribunal Constitucional, pois as sentenças judiciais passaram a estar sob a *reserva da interpretação* (e controlo) por ele dada à concretização dos direitos fundamentais. Cfr. também, no direito francês, a recente evolução neste sentido: L. Favoreu, «Le droit constitutionnel jurisprudentiel», in *RDP*, 1989, pp. 399 e ss; D. Turpin, *Droit Constitutionnel*, 1991, pp. 9 e ss. Cfr., ainda, L. Favoreu (org.), *Cours Constitutionnelles européennes et droits fondamentaux*, 1982; L. Paladin, «La Tutela delle libertà fondamentali offerta dalle corti costituzionali europee: spunti comparatistici», in L. Carlassare (org.) *La Garanzie giurisdizionali dei diritti fondamentali*, Padova, 1988. Cf., por último, F. Alves Correia, *Direito Constitucional à Justiça Constitucional*, Coimbra, 2001.

VIII - Acção de responsabilidade

1. Responsabilidade da administração

Os particulares lesados nos seus direitos, designadamente nos seus direitos, liberdades e garantias, por acções ou omissões de titulares de órgãos, funcionários ou agentes do Estado e demais entidades públicas, praticados no exercício das suas funções e por causa desse exercício, podem demandar o Estado – «responsabilidade do Estado» –, exigindo uma reparação dos danos emergentes desses actos (CRP, artigos 22.º, 27.º; ETAF, artigo 51.º/1/h).

No âmbito de protecção 22.º da CRP[20] incluem-se seguramente acções de responsabilidade contra a *administração* por actos *ilícitos* (acções ou omissões) dos titulares de órgãos, funcionários ou agentes, sejam eles *actos jurídicos* (actos administrativos) sejam *actos materiais* (erro de diagnóstico de um médico, uso de armas de fogo, buracos e valas na via pública sem sinalização). Não é líquido, mas propende-se para a solução positiva, se o preceito referido compreende a responsabilidade da administração por actos lícitos.

2. Responsabilidade por facto da função jurisdicional

Além da responsabilidade da administração, a norma constitucional está «aberta» à *responsabilidade por facto das leis* («responsabilidade do Estado-legislador») e à responsabilidade por facto da *função jurisdicional* («responsabi-

---

[20] Em sentido diferente, cfr. DIMAS DE LACERDA «Responsabilidade civil extracontratual do estado», in *Contencioso Administrativo*, 1986, p. 239. Cfr., também, JORGE MIRANDA, *Manual*, IV, p. 286 ss.

lidade do Estado-juiz»). Relativamente a esta última, a Constituição consagra expressamente o dever de indemnização nos casos de privação inconstitucional ou ilegal da liberdade (CRP, artigo 27.º/5) e nos casos de erro judiciário (CRP, artigo 29.º/6), mas a responsabilidade do Estado-juiz pode e deve estender-se a outros casos de «culpa grave» de que resultem danos de especial gravidade para o particular (cfr. arts. 225.º e 226.º do Cód. Processo Penal).

Não obstante as reticências da jurisprudência portuguesa, a orientação mais recente de alguns países vai no sentido de consagrar a responsabilidade dos magistrados (de tribunais individuais ou colectivos) quando a sua actividade dolosa ou gravemente negligente provoca um dano injusto aos particulares. Sob pena de se paralisar o funcionamento da justiça e perturbar a independência dos juízes, impõe-se aqui um regime particularmente cauteloso, afastando, desde logo, qualquer hipótese de responsabilidade por actos de interpretação das normas de direito e pela valoração dos factos e da prova. Por outro lado, é duvidoso que, fora dos casos de responsabilidade penal e disciplinar do juiz, se possa admitir a responsabilidade civil do juiz com a consequente possibilidade de direito de regresso por parte do Estado.

No entanto, podem descortinar-se hipóteses de responsabilidade do Estado por actos ilícitos dos juízes e outros magistrados quando: (1) houver grave violação da lei resultante de «negligência grosseira»; (2) afirmação de factos cuja inexistência é manifestamente comprovada pelo processo; (3) negação de factos, cuja existência resulta indesmentivelmente dos actos do processo; (4) adopção de medidas privativas da liberdade fora dos casos previstos na lei; (5) denegação da justiça resultante da recusa, omissão ou atraso do magistrado no cumprimento dos seus deveres funcionais. Foi neste sentido que se orientou a lei italiana de 13 de Abril de 1988, n.º 117, depois de uma consulta referendária. Cfr., por exemplo, Pinius, *Responsabilità del giudice*, Enc. Diritto, XXXIX, 1471; Cicala, *La responsabilità civile del magistrato*, Milano, 1988; Giuliani/Piccardi, *La responsabilità del giudice*, Milano, 1987; Cirillo/Sorrentino, *La responsabilità dei giudice*, Napoli, 1988; M. Cappelletti, «Qui custodes custodiet», in Cappelletti, *Le Pouvoir des Juges*, Paris, 1990, pp. 115 e ss; J. Mas, «La responsabilidad patrimonial del Estado por el funcionamiento de la administración de justicia» in *REDC*, 13 (1985).

No mesmo sentido, pode ver-se a lei francesa de 5 de Julho de 1972, artigo 11.º, relativa à reparação de danos provocados pelo funcionamento «defeituoso» do serviço de justiça, existindo «falta grave» (culpa) ou denegação da justiça. Cfr. Lombard, «La responsabilité de l'État du fait de la fonction juridictionnelle et la loi du 5 juillet 1972», *RDP*, 1975, p. 585. O *Arrêt Durmont* torna extensiva esta disciplina «à responsabilidade por facto da justiça administrativa». Exemplo notável de previsível evolução do direito português é o Ac. do STA, de 7-3-89, in *Acórdãos Doutrinais*, 344/45 (1990), onde se afirma que «o nosso ordenamento jurídico prevê a responsabilidade civil extracontratual do Estado por danos provenientes por factos ilícitos culposos resultantes da função jurisdicional». Cfr., também, Ac TC 90/84, in *DR*, II, n.º 31, de 6-2-85, referente ao direito de indemnização por prisão preventiva ilegal, que, contudo, desenvolve uma retórica e parte de premissas que se nos afiguram jurídico-constitucionalmente claudicantes. Cf., entre nós, L. Guilherme Catarino, *A Responsabilidade do Estado pela Administração da Justiça*, Coimbra, 1999; J. Aveiro Pereira, *A Responsabilidade Civil por Actos Jurisdicionais*, Coimbra, 2001.

3. Responsabilidade do «Estado legislador»

A «responsabilidade do Estado legislador» por actos ilícitos cabe também no âmbito de protecção do artigo 22.º da CRP. Embora se costume argumentar a favor da irresponsabilidade do Estado por facto das leis com a ideia de a disciplina da lei ser geral e abstracta, deve ponderar-se que: (1) algumas leis «declaradas» ou «julgadas» inconstitucionais podem ter ocasionado violação de direitos, liberdades e garantias ou prejuízos para os cidadãos; (2) algumas leis com as características de lei-medida são leis *self executing*, podendo ter gerado prejuízos sérios aos cidadãos; (3) algumas leis, gerais e abstractas, podem vir a impor encargos apenas a alguns particulares (leis fixadoras de vínculos ecológicos, urbanísticos, de nacionalização de bens, etc.), violando quer o direito de propriedade quer o princípio da igualdade (restrições afectadoras do conteúdo essencial de um direito). Tendo em conta o que se acaba de dizer, impõe-se, no plano jurídico-constitucional: (1) reconhecimento de responsabilidade do Estado por actos legislativos ilícitos enquadrável no âmbito normativo do art. 22.º; (2) dever de indemnizar por actos legislativos lícitos impositivos de sacrifícios especiais nos cidadãos, de que se pode ver refracção no art. 62.º/2 (indemnização por expropriação). A possível exigência de um regime legal da responsabilidade por facto das leis significa não que o legislador possa afastar os deveres de ressarcibilidade e indemnizabilidade que incumbem ao Estado mas que deve concretizar e conformar esse regime através da lei.[21]

IX - Direito de acção popular (Artigo 52.º/3)

«Nas sociedades contemporâneas o indivíduo isolado está desarmado» (M. Cappelletti). Através do **direito de acção popular** consagrado no artigo 52.º/3 (na redacção da Lei n.º 1/89), a Constituição deu guarida a um reforço das acções populares tradicionais («*actio popularis*», «*public interest action*») e à introdução de acções populares ou colectivas destinadas à defesa de *interesses difusos (class actions, Verbandsklagen, actions collectives)*. Nas acções (vide as expressões legais do Código Administrativo, artigos 365.º e 822.º), «qualquer um do povo», invocando o interesse público, pode substituir-se aos órgãos competentes para reagir contra a usurpação ou lesão de bens ou direitos das autarquias locais (cfr. CRP, art. 52.º/3/*b*) ou contra deliberações ilegais dos órgãos destas (que podem lesar também os direitos do particular: usurpação, por

---

[21] Cfr., entre nós, por último, RUI MEDEIROS, *Ensaio sobre a responsabilidade civil do Estado por factos das leis*, Coimbra, 1992; MARIA LÚCIA AMARAL, *Responsabilidade do Estado e Dever de Indemnizar do Legislador*, Coimbra, 1998.

exemplo, de um caminho público). Estas acções podem e devem hoje estender-se à defesa dos bens protegidos e individualizados no artigo 52.º/3 (cfr., também, Cod. Proced. Administrativo, art. 50.º). Não é de excluir que a fórmula "qualquer um do povo" abranja pessoas colectivas, pois trata-se de um dos direitos compatíveis com a natureza das próprias pessoas colectivas e com a própria natureza do direito em causa. Há apenas que atender a algumas dimensões do princípio da especialidade a fim de se recortar com rigor quais os fins prosseguidos por essas mesmas pessoas colectivas.

Nas acções colectivas, qualquer cidadão, individualmente ou associado («associações de defesa»), mesmo não invocando o *interesse público,* pode intentar uma acção em defesa de *um interesse do público* em geral ou de categorias ou classes com grande número de pessoas – *interesses difusos* –, («saúde pública», «ambiente», «qualidade de vida», «património cultural») e dos seus próprios direitos subjectivos («direito ao ambiente», «direito à qualidade de vida», «direito à saúde»). Estes dois tipos de acções tendem hoje a confundir-se porque a defesa de interesses difusos coincide com a defesa de interesses públicos e a defesa de direitos individuais (daí a fórmula americana *public interest action*)[22].

A lei reguladora do direito de acção popular (Lei n.º 83/95, de 31 de Agosto) distingue entre **direito procedimental de participação popular** e **direito de acção popular** (art. 1.º). O primeiro visa garantir aos cidadãos, associações ou fundações defensoras da saúde pública, ambiente, qualidade de vida, consumo de bens e serviços, património cultural e o domínio público, uma série de direitos de participação em procedimentos administrativos tais como planos de desenvolvimento, planos de urbanismo, planos directores e de ordenamento do território, decisões sobre localização e realização de obras públicas com impacto relevante no ambiente ou nas condições económicas e sociais da população (art. 4.º). O direito de acção popular abrange dois tipos de acções: a *acção procedimental administrativa* e a *acção popular civil* (art. 12.º). A acção procedimental pode consistir numa *acção* judicial administrativa destinada à defesa dos interesses já referidos ou num *recurso* contencioso contra actos administrativos ilegais lesivos dos mesmos interesses (art. 12.º/1). A *acção popular civil* (art. 12.º/2) segue as formas de acção do Código de Processo Civil, isto é, pode revestir as formas de acção preventiva, condenatória ou inibitória.

---

[22] Entre nós, cfr. COLAÇO ANTUNES, «Para uma tutela jurisdicional dos interesses difusos», in *BFDC*, LX, 1984, p. 191; «Subsídios para a tutela de interesses difusos», in *ROA*, 45 (1985), pp. 917 e ss; *A tutela dos interesses difusos,* Coimbra, 1990; JORGE MIRANDA, *Manual de Direito Constitucional,* IV, pp. 66 e ss.; J. EDUARDO FIGUEIREDO DIAS, *Tutela Ambiental e Contencioso Administrativo (Da Legitimidade Processual e das suas consequências),* Coimbra, 1997. A fórmula de M. CAPPELLETTI, citada no texto, pode ver-se em *Giudici legislatori,* Milano, 1984, agora reproduzido em *Pouvoir des Juges,* Paris, 1990, p. 59.

B. Meios de Defesa não Jurisdicionais

I - Direito de resistência

O **direito de resistência** é a *ultima ratio* do cidadão ofendido nos seus direitos, liberdades e garantias, por actos do poder público ou por acções de entidades privadas.

Pela redacção do artigo 21.° deduz-se que não está aqui em causa o *direito de resistência colectivo* («direito político») contra formas de governo ou regimes carecidos de legitimidade, embora este direito seja também reconhecido pela Constituição na qualidade de *direito dos povos contra a opressão* (cfr. CRP, artigo 7.°/3). Discutível será o problema de saber se, quer nas vestes de um direito resistência individual quer nas vestes de um direito colectivo, cabe no âmbito normativo dos artigos 21.° e 7.°/3 da CRP o *direito à desobediência civil*[23] (cfr. *supra*). Abrange seguramente o direito de desobediência a ordens conducentes à prática de um crime (CRP, artigo 271.°/3).

II - Direito de petição

De um modo geral, entende-se por **direito de petição** a faculdade reconhecida a indivíduo ou grupo de indivíduos de se dirigir a quaisquer autoridades públicas apresentando petições, representações, reclamações ou queixas destinadas à defesa dos seus direitos, da constituição, das leis ou do interesse geral (art. 52.°). A LC 1/97 integrou no âmbito normativo deste direito o *direito de ser informado* em prazo razoável sobre o resultado da respectiva apreciação (art. 52.°/1).

a) *Em relação aos órgãos de soberania (artigo 52.°)*[24]

É um direito político que tanto se pode dirigir à defesa dos direitos pessoais (queixa, reclamação) como à defesa da constituição, das leis ou do interesse geral. Pode exercer-se individual ou colectivamente perante quaisquer

---

[23] Cfr. JORGE MIRANDA, *Manual*, IV p. 323; MARIA FERNANDA PALMA, «A Justificação por Legítima Defesa como problema de Delimitação dos Direitos», AAFDL, 1990, p. 220.

[24] L. BARBOSA RODRIGUES, "O direito de petição perante a Assembleia da República", in JORGE MIRANDA (org.), *Perspectivas Constitucionais*, II, pp. 643 e ss.

órgãos de soberania ou autoridade. Este direito está hoje legalmente regulado na Lei n.º 43/90, de 10-8, alterada pela Lei 6/93, de 1-3, e pela lei 15/2003, de 4/6.

b) *Em relação ao Provedor de Justiça (artigo 23.º)*[25]

O **Provedor de Justiça** é a versão portuguesa do *Ombudsman*. Os poderes de apreciação do Provedor de Justiça relativos às queixas apresentadas pelos cidadãos exercem-se de acordo com um procedimento regulado na lei (L 9/91, de 9-4, alterada pela L 30/96, de 14-8, referentes ao Estatuto do Provedor de Justiça). A função do Provedor não se limita à defesa da legalidade, cabendo-lhe «providenciar e reparar injustiças» praticadas quer por ilegalidade quer por «parcialidade» ou «má administração». A actividade administrativa sujeita ao poder de apreciação e recomendação do Provedor de Justiça abrange inequivocamente a administração militar e todos os estatutos especiais de poder[26] (cf. L 19/95, de 13 de Julho).

De relevante significado jurídico-constitucional é a possibilidade de os cidadãos poderem solicitar ao Provedor de Justiça a dinamização do *pedido de declaração de inconstitucionalidade* por acção (CRP, artigo 281.º/2/d) e por omissão (CRP, artigo 283.º). O direito de petição junto do Provedor de Justiça pode ainda ter por fim solicitar a sua actuação no sentido de: (1) requerer ao Tribunal Constitucional que «declare que uma qualquer *organização perfilha a ideologia fascista* e decretar a respectiva extinção» (cfr. CRP, artigo 46.º, e LPTC, artigo 9.º/d); (2) requerer ao Ministério Público a propositura de acção judicial relativamente a *cláusulas gerais dos contratos* (Decreto-Lei n.º 446/85, de 15 de Outubro, alterado pelo DL n.º 220/95, de 31/8) abusivas ou contrárias à boa fé (ex.: cláusulas de seguros de carácter abusivo lesivas dos particulares).

O direito de petição ao Provedor de Justiça não se limita aos direitos, liberdades e garantias; a sua intervenção pode ser solicitada pelos cidadãos quando está em causa a concretização de direitos económicos, sociais e culturais[27]. Em aberto fica a possibilidade de o Provedor de Justiça poder intervir em casos de violação de direitos, liberdades e garantias no âmbito de *relações jurídicas privadas*, designadamente nos casos de efeitos directamente previstos na Constituição e traduzidos em relações especiais de *poderes privados* (ex.: recomendação

---

[25] Cfr. F. ALVES CORREIA, *Do Ombudsmann ao Provedor de Justiça*, Coimbra, 1979; L. LINGNAU DA SILVEIRA, «O Provedor de Justiça», in BAPTISTA COELHO (org.) *Portugal político*, cit., pp. 701 e ss; J. MENÉRES PIMENTEL, «O Provedor de Justiça», in DJAP, n.º I, 1994, p. 301.

[26] Cfr. Lei n.º 29/82, de 11 de Dezembro (Lei da Defesa Nacional e das Forças Armadas), artigo 33.º, que prevê a possibilidade de queixas de militares ao Provedor da Justiça contra autoridades militares.

[27] Apontando neste sentido, L. LINGNAU DA SILVEIRA, «O Provedor de Justiça», cit, pp. 708 e ss.

quanto ao exercício da liberdade interna de imprensa nos termos do art. 38.º/2, recomendações quanto ao exercício do direito de rectificação nos termos do art. 37.º/4 da CRP).

III - Direito a um procedimento justo

A interconexão dinâmica entre direitos fundamentais e procedimento foi salientada quando se analisou o problema da conformação destes direitos (cfr., *supra*). Resta acrescentar que o sentido garantístico do *procedimento* pode ter outras dimensões relevantes para o particular, como, por exemplo, o direito de participação no procedimento administrativo e o direito de ser ouvido (CRP, artigos 267.º/4 e 268.º/1)[28]. Mais modernamente, o *procedimento justo* tende a densificar-se como *procedimento comunicativamente* (ou informativamente) *justo*, que obrigará, por exemplo, à criação de comunicações pré-procedimentais como consultas ou fases preliminares do procedimento a instâncias de parte, institucionalização de "mesas redondas" sob a forma de conferência de interessados, cooperação informal através de avisos, informações, esclarecimentos, criação de mediadores privados entre a administração e os interessados

O direito a um procedimento justo implicará, hoje, a existência de *procedimentos colectivos* (*Massenverfahren* na terminologia alemã), possibilitadores da intervenção colectiva dos cidadãos na defesa de direitos económicos, sociais e culturais de grande relevância para a existência colectiva (ex.: «procedimentos de massas» para a defesa do ambiente, da saúde, do património cultural, dos consumidores). Trata-se, aqui, de um tipo de procedimento que visa satisfazer os mesmos objectivos da acção popular de natureza jurisdicional, e, por isso, deve considerar-se abrangido pelo âmbito de protecção do artigo 52.º/3 da CRP (cfr. *supra*). A concretização legal deste direito encontra-se, hoje, na já referida Lei n.º 83/95, de 31 de Agosto (art. 10.º).

IV - Direito à autodeterminação informativa

O segredo não é compatível com as liberdades e direitos do homem. Ao segredo acrescenta-se um novo perigo para o cidadão: «a digitalização dos

---

[28] Cfr. PAULO OTERO, «As Garantias Impugnatórias de Particulares no Código de Procedimento Administrativo», in SJ, 1992, n.º 235/237, p. 50. Por último, cfr. RAQUEL CARVALHO, *O direito à informação administrativa procedimental*, Coimbra, 1999; PEDRO GONÇALVES, *Notificação dos actos administrativos*, in Ab uno ad Omnes (75 anos da Coimbra Editora), 1998, p. 1101.

direitos fundamentais». Contrapondo-se à ideia de *arcana praxis,* tende hoje a ganhar contornos um direito geral à **autodeterminação**[29] **informativa** que se traduz, fundamentalmente, na faculdade de o particular determinar e controlar a utilização dos seus dados pessoais (cfr. CRP, artigo 35.º, e Leis 10/91, de 29-4, e 28/94, de 29-8, reguladoras da protecção de dados pessoais face à informática). Este direito de autodeterminação pode exigir a criação de meios de defesa jurisdicionais, e, nesse sentido, apontam já hoje convenções internacionais e o *direito de Habeas Data*[30] consagrado na Constituição brasileira de 1988 (cfr. Ac. TC n.º 182/89, in *DR,* I, n.º 51, de 2/3/89).

V - *Direito ao arquivo aberto*

Aditado pela Lei 1/89, o artigo 268.º/1 e 2 veio consagrar expressamente o **direito ao arquivo aberto**, ou seja, o direito de acesso aos arquivos e registos administrativos. Note-se que a Constituição não faz depender a liberdade de acesso aos documentos administrativos da existência de um interesse pessoal. Salvaguardados os casos de documentos nominativos ou de documentos reservados por motivos de segurança ou de justiça, a ideia de *democracia administrativa*[31] aponta não só para um direito de acesso aos arquivos e registos públicos para defesa de direitos individuais, mas também para um *direito de saber* (cfr. Ac TC 156/92) o que se passa no âmbito dos esquemas político-burocráticos, possibilitando ao cidadão o acesso a «dossiers», relatórios, actas, estudos, estatísticas, directivas, instruções, circulares e notas (cfr. CPA, arts. 61.º ss.). A operatividade prática deste direito (cfr. Leis 65/93, de 27-8, e 8/95, de 29-3, reguladoras do acesso aos documentos administrativos) dependerá da criação de procedimentos (ex.: recurso a uma «comissão de acesso aos documentos administrativos») e de processos adequados (acções judiciais para efectivar o «direito ao arquivo aberto»). O *direito ao arquivo aberto* deve hoje conceber-se não apenas como o direito a obter infor-

---

[29] Cfr., por todos, K. VOGELSANG, *Grundrechte auf informationelle Selbstbestimmung,* Baden-Baden, 1987; P. LUCAS MURILLO, *El derecho a la autodeterminacion informativa,* Madrid, 1990. Entre nós, cfr. AGOSTINHO EIRAS, *Segredo de justiça e controlo de dados pessoais informatizados,* Coimbra, 1992.

[30] Cfr. Convenção Europeia de 28 de Janeiro de 1981 para a protecção das pessoas em face do tratamento automatizado de dados de carácter pessoal.

[31] Assim, J. LEMASURIER, «Vers une démocratie administrative: du refus d'informer au droit d'être informé», RDP, 1980, p. 1239 ss; BARBOSA DE MELO, *As garantias administrativas na Dinamarca e o princípio do arquivo aberto,* Coimbra, 1983; ESTEVES DE OLIVEIRA/GONÇALVES, P./AMORIM J. P., *Código de Procedimento Administrativo,* 2.ª ed., pp. 321 e ss. Por último, A. SCHERZBERG, *Die Öffentlichkeit der Verwaltung,* 2000.

mações por parte dos cidadãos, mas também como direito a uma *comunicação aberta* entre as autoridades e os cidadãos. A comunicação aberta implicará, entre outras coisas, o dever de a administração *fornecer activamente informações*, (ex.: colocar os dados informativos na Internet, criar *sites* adequados, ofertas *on-line*). A isto acresce o chamado dever de *informação informada ou finalística* que pode incluir informações indispensáveis para alicerçar o direito de acesso aos tribunais (informação sobre a composição dos fármacos, sobre a compatibilidade ambiental dos produtos). (Cf. Ac. TC 254/99, de 4-5).

VI - Garantias impugnatórias no procedimento administrativo

No âmbito do procedimento administrativo os particulares podem defender os seus direitos junto da própria administração através de alguns instrumentos impugnatórios (reclamações e recursos administrativos).

Desde logo, é-lhes facultado o **recurso hierárquico** para o órgão superior, podendo este revogar o acto lesivo dos direitos do recorrente (cfr. arts. 158.º e ss. do Cod. Proc. Administrativo).

C. Defesa de Direitos perante Autoridades Administrativas Independentes

A protecção dos direitos fundamentais exige uma referência expressa às **entidades administrativas independentes** (CRP, artigo 267.º/3). O aparecimento de órgãos independentes da administração ("organizações não governamentais", "agências independentes", "organizações quase autónomas", "autoridades administrativas independentes") está indissoluvelmente ligado a dois núcleos problemáticos: (1) regulação da economia e dos seus agentes e (2) defesa dos direitos fundamentais.[32] Interessam-nos aqui nesta última perspectiva. A Constituição, na Revisão de 1997, aditou ao artigo 267.º um novo número, permitindo à lei criar entidades administrativas independentes. Já, antes, porém, a própria Constituição havia recortado normativamente duas entidades independentes especialmente vocacionadas para a defesa dos direitos. Referimo-nos ao *Provedor de Justiça* (criado pelo Decreto-Lei n.º 212/75, de 21 de Abril, e, depois,

---

[32] Cfr., VITAL MOREIRA, *Administração Autónoma e Associações Públicas*, pp. 127 e ss; JORGE MIRANDA, *Manual*, V, pp. 37 e ss.

formalmente incorporado na Constituição, e a que já se dedicou atenção nas páginas anteriores) e à *Alta Autoridade para a Comunicação Social* (CRP, artigo 35.º, Lei n.º 43/98, de 6 de Agosto). Nos termos constitucionais, cabe à Alta Autoridade para a Comunicação Social assegurar "O direito à informação, a liberdade de imprensa e a independência dos meios de comunicação social perante o poder político e o poder económico, bem como a possibilidade de expressão e confronto das diversas correntes de opinião e o exercício dos direitos de antena, de resposta e de réplica política".

A estas entidades independentes formalmente constitucionais há hoje que acrescentar outras criadas por lei. Referiremos algumas. É o caso da *Comissão Nacional de Eleições* (Lei n.º 21/78, de 27 de Dezembro), da *Comissão Nacional de Objecção de Consciência* (Lei n.º 7/92, de 12 de Maio, alterada pela Lei n.º 137/99, de 28 de Agosto), da *Comissão Nacional de Protecção de Dados Pessoais Informatizados* (CRP, art. 35.º/2, Lei 67/98, de 26 de Outubro), a *Comissão Nacional de Acesso aos Documentos Administrativos* (Lei n.º 65/93, de 26 de Agosto, com alterações feitas pela Lei 8/95, de 29 de Março, e pela Lei 94/99, de 16 de Julho), o *Conselho de Fiscalização do Serviço de Informação* (Lei n.º 30/84, de 5/10, e Lei n.º 4/95, de 21-2), a *Comissão para a Fiscalização do Segredo de Estado* (Lei n.º 6/94, de 7-4). Estas autoridades não se reconduzem a um modelo organizativo homogéneo[33], mas é comum a todas as entidades referidas a função de garantia de direitos fundamentais específicos (cfr. CRP, artigos 35.º/2, 39.º, 40.º e 41.º). Para isso, dispõem de autonomia organizativa e funcional, fundamentalmente reconduzível à independência em relação à organização governamental e administrativa e a directivas do governo e do parlamento.

A garantia de direitos fundamentais assegurada pelas entidades administrativas quer sob a forma de regras (*rulemaking*) quer sob a forma de resolução de litígios (*adjudication*) é exercida não apenas perante entidades públicas mas também perante entidades privadas (poderes privados), o que vem acrescentar novas dimensões garantísticas à norma do artigo 18.º/1 da CRP que, como vimos, consagra a vinculação de entidades privadas pelos direitos, liberdades e garantias.[34]

---

[33] Cfr., F. LONGO, "Ragione e modalità dell'istituzione della autorità independenti", in S. CASSESE/FRANCHINI, *I garanti delle regole*, Bologna, 1996, pp. 13 e ss; JORGE MIRANDA, *Manual*, IV, pp. 366 e ss.

[34] Expressamente neste sentido cfr. MARCO D'ALBERTI, "Le autorità indipendenti – quali garanzie?", in L. LANFRANCHI, *Garanzie costituzionali e diritti fondamentali*, p. 170. Entre nós, cfr., J. LUCAS CARDOSO, *Autoridades Administrativas Independentes e Constituição*, Coimbra, 2002, p. 215 ss.

D. Problemas Específicos na Protecção dos Direitos Económicos, Sociais e Culturais

I - Garantia do núcleo essencial

Relativamente aos direitos, liberdades e garantias, a Constituição portuguesa garante e protege um *núcleo essencial* destes direitos contra leis restritivas (núcleo essencial como reduto último de defesa). Coloca-se também o problema de saber se os direitos económicos, sociais e culturais exigem a garantia de um *núcleo essencial* como condição do mínimo de existência (núcleo essencial como *standard* mínimo). Das várias normas sociais, económicas e culturais é possível deduzir-se um princípio jurídico estruturante de toda a ordem económico-social portuguesa: todos (princípio da universalidade) têm um direito fundamental a um **núcleo básico de direitos sociais** (*minimum core of economic and social rights*), na ausência do qual o estado português se deve considerar infractor das obrigações jurídico-sociais constitucional e internacionalmente impostas. Nesta perspectiva, o "rendimento mínimo garantido", as "prestações de assistência social básica", o "subsídio de desemprego" são verdadeiros direitos sociais *originariamente* derivados da constituição sempre que eles constituam o *standard* mínimo de existência indispensável à fruição de qualquer direito.[35]

II - Política de solidariedade social

A LC 1/97 alterou a epígrafe do art. 63.º referente à segurança social. Onde se lia "Segurança Social" lê-se agora "Segurança Social e Solidariedade". Isto significa que o direito à segurança social, tal como outros direitos sociais (direito à saúde, educação e habitação) impõe uma *política de solidariedade* social. Os direitos sociais realizam-se através de *políticas públicas* ("política da segurança social", "política da saúde", "política do ensino") orientados segundo o princípio básico e estruturante da solidariedade social. Designa-se, por isso, **política de solidariedade social** o conjunto de dinâmicas político-sociais através das quais a comunidade política (Estado, organizações sociais, instituições particulares de solidariedade

---

[35] Cfr., na moderna doutrina, R. PLANT, *Modern Political Thought*, Oxford, Blackwell, 1991, cap. 3 a 7; R. ALEXY, *Theorie der Grundrechte*, pp. 465 e ss.; JULIA ILIOPOULOS-STRANGAS (org.), *La Protection des Droits Sociaux Fondamentaux dans les États membres de l'Union Européenne*, 2000.

social e, agora, a Comunidade Europeia) gera, cria e implementa protecções institucionalizadas no âmbito económico, social e cultural como, por exemplo, o sistema de segurança social, o sistema de pensões de velhice e invalidez, o sistema de creches e jardins-de-infância, o sistema de apoio à terceira idade, o sistema de protecção da juventude, o sistema de protecção de deficientes e incapacitados (cfr. CRP, arts. 63.º, 67.º/2/b, 69.º, 70.º/1/e, 71.º e 72.º).

III - Concretização legislativa das imposições constitucionais

Viu-se atrás que os direitos fundamentais de natureza económica, social e cultural dispunham de *vinculatividade normativo-constitucional*, impondo-se aos poderes públicos a realização destes direitos através de medidas políticas, legislativas e administrativas concretas e determinadas. Embora não se possa, em geral, derivar directamente das normas consagradoras destes direitos prestações sociais (excepcionalidade de direitos originários a prestações), tão pouco a produção dos instrumentos normativo-concretizadores é deixada à livre disponibilidade do legislador. A natureza de *norma-tarefa* aponta para um verdadeiro dever do legislador de dar operacionalidade prática a estas imposições sob pena de inconstitucionalidade por omissão (CRP, art. 283.º). Se o legislador não é inteiramente livre no cumprimento destas imposições, dispõe, contudo, de *liberdade de conformação* quer quanto às soluções normativas concretas quer quanto ao modo organizatório e gradualidade de concretizações.

IV - Controlo judicial da realização dos direitos sociais

Os tribunais não são órgãos de conformação social activa. Também o não é o Tribunal Constitucional. Nos casos mais significativos em que este Tribunal foi chamado a pronunciar-se sobre direitos sociais em sede de fiscalização abstracta – Ac. 39/84, *Caso do Serviço Nacional de Saúde*, Ac. 151/92, *Caso do Direito à Habitação*, Ac. 148/94, *Caso das Propinas Universitárias*[36] – considerou-se que: (1) as normas consagradoras de direitos sociais podem e devem servir de parâmetro de controlo judicial, mas que (2) eles ficam dependentes, na sua

---

[36] Estes acórdãos podem consultar-se na colectânea de JORGE MIRANDA, *Jurisprudência Constitucional Escolhida*, vol. I, Lisboa, 1996, p. 895.

exacta configuração e dimensão, de uma intervenção legislativa conformadora e concretizadora, só então adquirindo plena eficácia e exequibilidade.[37] Esta posição é sufragada pela generalidade das jurisprudências constitucionais. Ela transporta, porém, um ponto de partida metódico não inteiramente aceitável: a de que as concretizações legislativas de *direitos derivados a prestações*, indissociáveis da realização efectiva dos direitos sociais, assentam, na prática, em critérios de oportunidade técnico-financeira e política. Impõem-se, no entanto, algumas notas metódicas. Em primeiro lugar, o Tribunal deve controlar se a actuação legislativa socialmente densificadora de direitos sociais se pauta por critérios reais de *realização gradual* e não por meros indicadores de iniciativas legislativas (muitas vezes não acabadas). Em segundo lugar, o Tribunal não pode abster-se de um *controlo jurídico de razoabilidade* fundado no princípio da igualdade. Algumas vezes, os direitos a prestações terão como objecto não tanto *pretensões a prestações*, mas sim pretensões de defesa por violação do próprio princípio da igualdade. Assim, por ex., a diferenciação de pensões de sobrevivência consoante o cônjuge seja homem ou mulher. Outras vezes, impõe-se o controlo da *razoabilidade* de soluções legislativas incidentes sobre direitos sociais porque estas soluções violam directamente os próprios direitos sociais. É o que se passa, por exemplo, com o estabelecimento de prazos de caducidade ou de prescrição preclusivos da obtenção de uma pensão de invalidez ou de uma pensão de sobrevivência.[38]

E. Protecção Internacional

Não obstante a tradição de algumas dimensões internacionais na protecção dos direitos fundamentais[39], o direito internacional clássico considerava o «indivíduo» como «estranho» ao processo dialéctico-normativo deste direito. Hoje, a introdução dos *standards dos direitos* do homem no direito internacional[40] – garantia e defesa de um determinado *standard* para todos os homens – obrigou ao desenvolvimento de um *direito internacional individual-*

---

[37] Cfr., J. M. CARDOSO DA COSTA, "A hierarquia das normas constitucionais e a sua função de protecção dos direitos fundamentais", in BMJ, 396 (1990), p. 8.

[38] Cfr., R. BIN, *Diritti e Argomenti*, 1992, p. 107. Vide também as referências de JÖRG POLAKIEWICZ, "Soziale Grundrechte…", p. 363 e de JORGE MIRANDA, *Manual*, IV, pp. 392 e ss.; VIEIRA DE ANDRADE, *Os Direitos Fundamentais*, 2.ª ed., p. 379.

[39] Entre nós cfr., por todos, JORGE MIRANDA, *Manual de Direito Constitucional*, IV, pp. 191 e ss.

[40] Cfr., por último, EIBE RIEDEL, *Theorie der Menschenrechtsstandards*, Berlin, 1986; DUPUY, P. M. «L'individu et le Droit International (théorie et fondements du droit international)», *APD*, 32 (1987); LATTANZI, *Garanzie dei diritti dell"uomo nel diritto internazionale generale*, Milano, 1983.

mente (não estadualmente) *referenciado*. Para lá da protecção diplomática e da protecção humanitária[41], desenvolve-se uma *teoria jurídico-contratual internacional da justiça*, tendo por objectivo alicerçar uma nova dimensão de vinculatividade na protecção dos direitos do homem[42]. Aqui se vêem inserir, entre outros, o *Pacto Internacional de Direitos Civis e Políticos*, o *Pacto dos Direitos Económicos, Sociais e Culturais*[43], o *Protocolo Facultativo adicional ao Pacto de Direitos Civis e Políticos* e a *Convenção Europeia de Direitos do Homem*. Esta última Convenção é hoje considerada, para utilizarmos as palavras do Tribunal Europeu, como um "instrumento constitucional da ordem pública europeia". É neste contexto que se devem assinalar alguns relevantes mecanismos de defesa.

I - O direito de recurso para a Comissão Europeia de Direitos do Homem

Com a ratificação, por Portugal, da **Convenção Europeia dos Direitos do Homem** e respectivos Protocolos Adicionais, com especial relevo para o Protocolo Adicional n.º 11 (ratificado por Portugal em 03-05-97 e entrado em vigor em 1-11-98), os cidadãos portugueses podem, nos termos dos artigos 34.º e seguintes, daquela Convenção, recorrer individualmente, através de petição – **direito de recurso para o Tribunal Europeu de Direitos do Homem** –, para o Tribunal Europeu dos Direitos do Homem (artigo 34.º). Esta petição ou queixa pode conduzir à atribuição, pelo Tribunal, de uma *reparação razoável*, no caso de se concluir que houve violação da Convenção ou dos seus protocolos e se o direito interno da Alta Parte Contratante não permitir, senão imperfeitamente, obviar às consequências de tal violação (art. 41.º)[44].

II - Exposição ao Comité dos Direitos do Homem

De acordo com o **Protocolo Adicional ao Pacto Internacional de Direitos Civis e Políticos**, os cidadãos dos Estados que o hajam ratificado têm o

---

[41] Cfr. JORGE MIRANDA, *Manual de Direito Constitucional*, IV, p. 192.

[42] Assim, precisamente, J. M. PUREZA, «Os direitos do homem na comunidade planetária: auto-referência ou harmonia especial», in *Estado e Direito*, 4/1989, p. 20.

[43] Para mais informações, JORGE MIRANDA, *Manual de Direito Constitucional*, IV, p. 203.

[44] Existem já casos célebres de condenação do Estado português em virtude da violação do direito à protecção judicial sem dilações indevidas. Cfr., por ex., o «caso Guincho», in *Colectânea de Jurisprudência*, IX, vol. 3.º. No plano doutrinal, cfr., desenvolvidamente, JOÃO RAPOSO, «As condições de admissão das queixas individuais no sistema da Convenção Europeia dos Direitos do Homem», in *Estado e*

direito de exposição e queixa ao Comité de Direitos do Homem, invocando a lesão de qualquer dos direitos reconhecidos e garantidos no Pacto. Este *Comité* dá conhecimento destas comunicações, exposições ou queixas aos Estados, com o objectivo de deles obter justificação ou explicação. Além disso, cumpre-lhe analisar a exposição do particular, transmitir a este as conclusões, e inseri-las no relatório a enviar à Assembleia Geral das Nações Unidas [45].

III - A protecção internacional dos direitos económicos, sociais e culturais

A protecção internacional de alguns direitos económicos, sociais e culturais advém também do cumprimento, através da ratificação pelos órgãos políticos competentes e posterior execução, das convenções da *Organização Internacional do Trabalho* (O.I.T.), sobretudo no que respeita à política social, ao direito de trabalho, ao direito à segurança social e à igualdade de tratamento [46]. Além disso, é importante o **Pacto Internacional sobre direitos económicos, sociais e culturais** (aprovado para ratificação pela Lei n.º 45/78, de 11 de Julho), onde se garante o catálogo de direitos sociais, económicos e culturais, impondo-se (artigo 16.º) o dever de os Estados-Partes apresentarem relatórios sobre as medidas adoptadas com vista a assegurar os direitos reconhecidos no Pacto [47].

Na **Carta Social Europeia**, os Estados-Parte obrigam-se também a garantir certos *direitos sociais fundamentais* tais como o direito ao trabalho, direito a condições de trabalho higiénicas e salubres, direito a salário equitativo, direito a assistência médica e segurança social. Merecerá um tratamento autónomo, que será feito a seguir, a protecção dos direitos fundamentais no âmbito da *União Europeia*. De relevar, quanto a este aspecto, que o Tratado de Amsterdão, diferentemente do que acontecia nos tratados anteriores, faz expressa menção (ver, logo, o Preâmbulo) ao compromisso quanto à efectivação de direitos sociais enumerados na Carta Social Europeia (1961) e na Convenção sobre Direitos do Trabalhador.

Direito, 2/88, p. 45 ss. O esquema da tramitação junto das instituições da Convenção Europeia dos Direitos do Homem pode ver-se em P. ROMANO MARTINEZ, *Textos de Direito Internacional Público*, 1991, p. 251. Por último, IRENEU BARRETO, *A Convenção Europeia dos Direitos do Homem*, Lisboa, 1999.

[45] Cfr. JORGE MIRANDA, *Manual de Direito Constitucional*, IV, pp. 203 e ss.

[46] Cfr. algumas convenções internacionais em JORGE LEITE/COUTINHO DE ALMEIDA, *Leis do Trabalho*, 4.ª ed., Coimbra, 1990.

[47] Cfr. VASAK, *As dimensões internacionais dos direitos do homem*, cit., pp. 235 e ss. Entre nós, cfr. JOÃO CAUPERS, *Os direitos fundamentais dos trabalhadores*, cit., pp. 192 e ss.

F. Protecção dos Direitos Fundamentais na União Europeia

I - Os momentos de consciencialização europeia de direitos fundamentais

A protecção dos **direitos fundamentais no âmbito da União Europeia** é, hoje, de uma relevância não despicienda[48]. Em termos deliberadamente sintéticos, podemos distinguir quatro *momentos de consciencialização* de direitos fundamentais no âmbito da União Europeia. O primeiro corresponde à fase de estruturação da integração económica (Tratado de Paris, Tratado de Roma – 1968). O paradigma económico subjacente a estes tratados explica a parcimónia da Comunidade Europeia quanto a direitos fundamentais. O Tratado de Roma dava guarida a relevantes liberdades económicas: não discriminação em razão da nacionalidade (artigo 6.°), igualdade de remuneração entre homens e mulheres (artigo 141.°), direito de livre circulação e de acesso ao exercício de uma actividade económica no território de um Estado-membro diferente do estado da nacionalidade[49] (artigo 148.°). Para além destes, ganharam relevo prático o direito de acção perante o Tribunal de Justiça, no âmbito do contencioso da legalidade (artigo 173.°), e o direito à efectivação da responsabilidade contratual e extra-contratual da Comunidade pelos danos causados pelas suas instituições ou pelos seus agentes no exercício das suas funções (artigo 215.°).

A segunda fase tem como referência normativa o *Acto Único Europeu* (assinado no Luxemburgo, em 17 de Fevereiro de 1986, entrando em vigor em 1 de Agosto de 1987) e o *Tratado da União Europeia* (também conhecido por Tratado de Maastricht, assinado nesta cidade, em 6 de Fevereiro de 1992, para entrar em vigor em 1 de Janeiro de 1993). No Preâmbulo do primeiro tratado utiliza-se uma fórmula abrangente dos vários direitos fundamentais, garantidos e protegidos pelas constituições nacionais e pelos tratados internacionais. O Estados-membros comprometem-se a "promover conjuntamente a democracia, com base nos direitos fundamentais reconhecidos nas constituições e legislações dos Estados-membros, na Convenção da Protecção dos Direitos do Homem e das Liberdades Fundamentais e na Carta Social

---

[48] Entre nós, cfr. RUI MOURA RAMOS, "Maastricht e os direitos do cidadão europeu", in AAVV, *A União Europeia na encruzilhada*, Coimbra, 1994, p. 13; MARIA LUISA DUARTE, "A União Europeia e os Direitos Fundamentais. Métodos de Protecção", in AAVV, *Portugal-Brasil, Ano 2000 – Tema Direito*, Coimbra, 1999, pp. 26 e ss. Para uma visão de conjunto, cfr. J. F. RENUCCI, *Droit européen des droits de l'homme*, Paris, 1999; A. MANZELLA, "Del mercato ai diritti", in AAVV, *Riscrivere i diritti in Europa*, Bologna, 2001, p. 144 ss.

[49] Como se sabe, esta liberdade atingiu a notoriedade máxima no campo do desporto profissional (*caso Bosmann*).

Europeia, nomeadamente a liberdade, a igualdade e a justiça social". O Tratado da União Europeia reforçou o compromisso da Europa comunitária com os direitos fundamentais ao consagrar uma norma expressa (e não apenas uma declaração preambular como no Acto Único Europeu) à vinculação da União pelos direitos fundamentais. Neste sentido proclama o respeito dos "direitos fundamentais", tal como os garante a Convenção Europeia de Salvaguarda dos Direitos do Homem e das Liberdades Fundamentais e tal como resultam das tradições constitucionais comuns aos Estados-membros, enquanto princípios gerais do direito comunitário.

A terceira fase é decisivamente marcada pelo Tratado de Amesterdão ao recortar o *estatuto de cidadania da União Europeia*. Como é compreensível, o direito à cidadania europeia não se poderia reduzir às liberdades comunitárias do *homo oeconomicus*. Avança-se para uma cidadania política e correlativos direitos: o direito de votar e de ser eleito nas eleições municipais do Estado-membro da residência (artigo 19.º/1) nas mesmas condições que os nacionais desse Estado; o direito de eleger e de ser eleito nas eleições para o Parlamento Europeu no Estado-membro da residência; o direito de protecção diplomática e consular por parte das autoridades diplomáticas e consulares de qualquer Estado-membro no território de países terceiros em que o Estado-membro de que é nacional não se encontre representado, o direito de livre permanência no território dos Estados-membros (artigo 18.º/1).[50]

A quarta fase, ainda em curso, é dominada pela ideia de uma *carta de direitos fundamentais da União Europeia*. Esta Carta recebeu o crisma político na cimeira de Nice (7 e 8 de Dezembro de 2000) mas a definição do seu estatuto jurídico foi remetida para uma futura conferência governamental em 2004. Não obstante os progressos do estatuto da cidadania europeia, verifica-se que os órgãos da União estão desvinculados de um verdadeiro catálogo de direitos. A remissão para a Convenção Europeia dos Direitos do Homem e para as constituições nacionais e tratados internacionais pode ser uma remissão quase em branco quando se trata de direitos que só a nível da União podem adquirir eficácia óptima (direito de asilo, direito do ambiente, direitos dos consumidores).[51]

---

[50] Cfr. F. SUDRE, "La Communauté européenne et les droits fondamentaux aprés le Traité d'Amsterdam: vers un nouveau système de protection des droits de l'homme?", in JCP, 1 e 2, 1998, pp. 11 e ss; W. PAULY, "Strukturfragen des unionsrechtlichen Grundrechtschutzes. Zur konstitutionellen Bedeutung von Art F. Abs. 2 EUV", in *EUR*, 1998, pp. 242 e ss.

[51] À insuficiência de protecção normativa aliava-se o agnosticismo do juiz comunitário relativamente à recepção material dos direitos fundamentais. A obsessão pelo primado do direito comunitário fazia esquecer o primado dos direitos fundamentais. Cfr. MARIA LUISA DUARTE, *A União Europeia*, p. 34. Veja-se, também, JASON COPPEL, "The European Court of Justice: Taking Rights Seriously?", in *Commonn Market Law Review*, 1992, pp. 669 e ss.

As fases de conscencialização acabadas de assinalar têm como referência normativa os tratados da CE e da União Europeia e, pressupõem, como é natural, *vontade de direitos fundamentais* por parte dos órgãos políticos da comunidade. Mas o direito comunitário é também um *direito jurisprudencial*. De uma fase "agnóstica" inicial, o Tribunal de Justiça das Comunidades passa para uma fase jurisprudencial marcada por decisões orientadas segundo os *princípios gerais de direito comum* aos Estados-membros (ponto de partida: caso *Stauder*, de 12 de Novembro de 1969) e, posteriormente, pelos tratados internacionais garantidores de direitos fundamentais, designadamente a Convenção Europeia dos Direitos do Homem (ponto de partida: caso *Ruhli*, de 28 de Outubro de 1975).[52]

II - Positivação de direitos a nível comunitário

1. Direitos, liberdades e garantias

Independentemente da positivação comunitária de direitos fundamentais resultante do reenvio para as constituições nacionais, documentos internacionais e Convenção Europeia de Direitos do Homem, o direito comunitário tem sedimentado alguns direitos de forma tendencialmente inovadora. É o que acontece, por exemplo, com as quatro liberdades – liberdade de circulação de capitais (TUE, artigo 14.°/2 e 56.° a 60.°), liberdade de circulação de mercadorias (TUE, artigos 14.°/2, 23.° e 24.°), liberdade de circulação de pessoas (TUE, artigos 14.°/2, 18.°, 39.° a 42.°, 61.° a 69.°), liberdade de circulação de serviços (TUE, artigos14.°/2 e 49.° a 55.°).

Para além destes direitos de liberdade económica, devem mencionar-se: a *proibição de discriminação* em razão da nacionalidade (TUE, artigos 12.°, 39.°/2, 54.°) e em razão do sexo (TUE, artigos 2.°, 13.°, 141.°), a *liberdade de residência* (TUE, artigo 18.°/1), o *direito de petição* perante o Parlamento Europeu (TUE, artigos 21.°, 194.°) e o *direito de acesso* aos documentos do Parlamento Europeu, do Conselho e da Comissão (TUE, artigos 207.°/3 e 255.°)[53]. O Tribunal de Justiça da Comunidade tem igualmente forjado a densificação destes direitos fundamentais. Saliente-se, a título de exemplo, alguns *leading*

---

[52] Cfr. H. WEILER, "Fundamental Rights and Fundamental Boundaries on Standards and Values in the Protection of Human Rights", in N. NEUWAHL (org.), *The European Union and the Human Rights*, The Hague, 1995, pp. 51 e ss.
[53] Vide os dumentos principais em A. TIZZANO/J.L. VILAÇA/M. GORJÃO-HENRIQUES, *Código da União Europeia*, 2.ª ed., Coimbra, 2000.

cases: *casos Ruckdeschel* (Rec. 1977) e *Alemanha v/ Comissão* (Rec. 1994), relacionados com o direito à igualdade de tratamento; *casos Ferweda* (Rec. 1980), *National Panasonic* (Rec. 1988), relativos à protecção e respeito da vida privada e familiar, do domicílio e da correspondência; *casos Hofmann la Roche* (Rec. 1979), *Orkem, Solvay* (Rec. 1989), *Hoechst* (Rec. 1989), incidentes sobre o "direito" aos direitos de defesa; *caso Prais* (Rec. 1976), relativo à liberdade de religião; *casos Johreston e Heylens* (Rec. 1987), relacionados com o recurso judicial efectivo.[54]

2. Direitos económicos, sociais e culturais

Merece aqui particular relevo a **Carta Comunitária dos Direitos Sociais Fundamentais dos Trabalhadores** (feita em Estrasburgo em 9 de Dezembro de 1989) na qual se reafirmam importantes direitos económicos, sociais e culturais dos trabalhadores. Quase todos estes direitos encontram positivação na Constituição da República portuguesa. No entanto, dado o carácter *pluriespacial* do exercício das actividades laborais e das políticas sociais e de emprego, podem adquirir mais efectividade numa perspectiva comunitária do que sob uma óptica estatal-territorial.

III - A Constitucionalização do princípio da melhor tutela europeia

O artigo 52.º/3 da Carta de Direitos Fundamentais da União Europeia (reproduzido no art. II-53 no *Projecto de Constituição para a Europa*) estabelece um importante e inovador princípio em sede direitos fundamentais – o **princípio da melhor tutela**. Este princípio reafirma um princípio básico da interpretação em sede direitos fundamentais: nenhuma disposição da carta deve ser interpretada no sentido de reduzir o nível de protecção dos direitos fundamentais assegurado pela Convenção Europeia dos Direitos do Homem e pelas Constituições dos Estados-Membros (cfr. art. 53.º). No entanto, se a Carta de Direitos Fundamentais garantir uma protecção mais extensa ou mais ampla (ou seja, melhor tutela) ela terá preferência de aplicação relativamente às normas correspondentes da Convenção Europeia e das Constituições dos Estados-Membros.

---

[54] Sobre esta problemática cfr. H. LABAYLE, *"Droits fondamentaux et droit européen"*, in AJDA, 1998, pp. 75 e ss; J. SCHWARZE, "Grundrecht der Person im europäischen Gemeinschaftrecht", in NJ, 1994, pp. 53 e ss.

Referências bibliográficas

Amaral, D. F. – «Direitos fundamentais dos administrados», in Jorge Miranda, (org.), *Nos dez anos da Constituição*, Lisboa, 1987.

Andrade, J. C. – Os direitos fundamentais na Constituição Portuguesa de 1976, 2.ª ed., Coimbra, 2001.

André, A. – *Defesa dos direitos e acesso aos tribunais*, Lisboa, 1980.

Antunes, L. F. C. – *Mito e realidade da transparência administrativa*, Coimbra, 1990.

Barile, P. – "Garanzie Costituzionali e Diritti Fondamentali: un Introduzione", in J. Miranda (org.), *Perspectivas Constitucionais*, II, pp. 131 e ss.

Barreto, I. C. – *A Convenção Europeia dos Direitos do Homem, Anotada*, 2.ª ed., Coimbra, 1999.

Brito, M. – "Acesso ao direito e aos tribunais", in *O Direito*, 1995, pp. 351 e ss.

Carlassare, L. (org.) – *Le garanzie giurisdizionali dei diritti fondamentali*, Padova, 1988.

Caupers, J. – *Os direitos fundamentais dos trabalhadores e a Constituição*, Coimbra, 1985.

Canotilho, J. G. – *Tomemos a sério os direitos económicos, sociais e culturais*, Coimbra, 1988.

Cascajo, J. L. – *La tutela constitucional de los derechos sociales*, Madrid, 1988.

Cappelletti, M. (org.) – *Acess to Justice and the Welfare State*, Firenze, 1981.

Cohen-Jonathan, G. – "Droit Constitutionnel et Convention Européenne des Droits de l'Homme", in RFDC, 13 (1993), pp. 197 e ss.

Colomer Viade A./Lopez Gonzalez, J. L. – "Programa ideológico y eficacia de los derechos sociales", in J. Miranda (org.), *Perspectivas Constitucionais*, III, pp. 307 e ss.

Costa, J. M. – *A tutela dos direitos fundamentais*, Lisboa, 1981.

Espada, J. C. – "Direitos sociais de cidadania", in *Análise Social*, 131-132 (1995), pp. 265 ss.

Farinha, J. D. P. – "Tutela dos Direitos Fundamentais em Portugal", in *O Direito*, 1994-I-II, p. 39.

Favoreu, L. (org.) – *Cours Constitutionnelles européennes et droits fondamentaux*, Paris, 1982.

Figueruelo Burrieza – *El derecho a la tutela judicial efectiva*, Madrid, 1990.

Fix-Zamudio, H. – *La proteccion juridica y procesal de los derechos humanos ante las jurisdiciones nacionales*, Mexico, 1982.

Fonseca, G. F. – «A defesa dos direitos. Princípio geral da tutela jurisdicional dos direitos fundamentais», *BMJ*, 344 (1985), p. 11 ss.

Lanfranchi, L. (org.) – *Garanzie Costituzionali e diritti fondamentali*, Roma, 1997.

Lopez Pina, A. (org.) – *La garantia constitucional de los derechos fundamentales*, Madrid, Civitas, 1991.

Miranda, J. – *Manual de Direito Constitucional*, IV, p. 62 ss.

Nabais, J. Casalta – "Os direitos fundamentais na Constituição Portuguesa, in BMJ, 400 (1990), pp. 15 e ss.

Nosete, J. A. – *Protección procesal de los derechos humanos ante los tribunales ordinarios*, Madrid, 1987.

Orrú, Romano – *La petizione al pubblico potere tra diritto e libertà*, Giappichelli, Torino, 1996.

Palomeque, M. – *Los derechos laborales en la Constitución española*, Madrid, 1991.

Pérez, González J. – *El Derecho a la tutela jurisdicional*, 2.ª ed., Madrid, 1989.

Romboli, R. (org.) – *La tutela dei diritti fondamentali davanti la Corte Costituzionale*, Torino, 1994.

Sánchez-Cruzat, J. M. – *Derecho Fundamental al Proceso Debido y el Tribunal Constitucional*, Pamplona, 1992.

Silva, J. A. – "Jurisdição Constitucional da Liberdade no Brasil", in *An ib Just. Const.*, 3 (1999), pp. 9 e ss.

Teixeira, Sálvio F. (org.) – *As garantias do cidadão na justiça*, São Paulo, 1993.

– Vers une charte des droits fondamentaux de l'Union Européenne, *La Documentation Française*, número especial 264 (Agosto 2000).

Wambier, L. R. – *Tutela jurisdicional das liberdades públicas*, Curitiba, 1991.

Capítulo 7
Deveres Fundamentais

Sumário

A. Enquadramento constitucional

B. Compreensão

   I - Não correspectividade entre direitos e deveres fundamentais

   II - Deveres autónomos e deveres conexos com direitos

C. Tipologia

   I - Deveres cívico-políticos e deveres de carácter económico-social

   II - "Deveres constitucionais formais" e "deveres constitucionais materiais"

D. Deveres fundamentais e restrições de direitos fundamentais

E. Estrutura

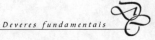

A. Enquadramento constitucional

Já houve tempo em que os **deveres fundamentais** foram considerados como categoria jurídica de igual dignidade à dos direitos fundamentais. Desde logo, na filosofia republicana. A República era o reino da *virtude* no sentido romano, que só pode funcionar se os cidadãos cumprirem um certo número de deveres: servir a pátria, votar, ser solidário, aprender. Neste sentido, a teoria da cidadania republicana implicaria que um indivíduo teria não apenas direitos mas também deveres[1]. Nos começos do século, sob a inspiração da Constituição de Weimar, onde existia uma parte intitulada "Direitos fundamentais e Deveres fundamentais dos alemães", a doutrina juspublicista falava de igual dignidade de direitos e deveres fundamentais (Heller)[2]. Todavia, também já nesta altura não faltavam autores a considerar os deveres fundamentais como contrários à ideia de estado de direito liberal (Carl Schmitt).

A centralidade da categoria de deveres fundamentais reaparece nas construções jurídico-políticas nacional-socialista e comunista. No ideário nazi, os deveres fundamentais dos cidadãos convertem-se em deveres fundamentais dos "membros do povo" (dever de serviço de poderes, dever de trabalhar, dever de defender o povo). Na compreensão comunista, os direitos fundamentais eram também relativizados pelos deveres fundamentais: os indivíduos tinham direitos conexos com deveres, o que, nos quadros políticos dos ex-países comunistas, acabou por aniquilar os direitos e hipertrofiar os deveres[3]. Estas duas experiências históricas explicam a desconfiança e indiferença dos textos constitucionais em face dos deveres fundamentais. Os tempos estão, hoje, maduros para uma reproblematização desta importante categoria jurídica e política. E a pergunta a fazer é esta: o que significam deveres fundamentais num Estado de direito democrático? Significam, em primeiro lugar, que eles colocam, tal como os direitos, problemas de articulação e de relação do indivíduo com a comunidade.

---

[1] Cfr. Ch. VIMBERT, *La Tradition Republicaine en Droit Public Français*, Paris, 1992, pp. 137 e ss. Cfr., entre nós, J. CASALTA NABAIS, *O dever fundamental de pagar impostos*, pp. 41 e ss.

[2] Veja-se K. STERN, *Staatsrecht* III/2, München, 1994, pp. 193 e ss.

[3] Cfr. D. LUCHTERHAND, *Der Verstaatliche Mensch*, 1985, pp. 107 e ss.

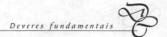

Compreende-se, neste contexto, que a Parte I da Constituição da República tenha como epígrafe "Direitos e deveres fundamentais" e que o art. 12.º consagre o princípio da universalidade quer quanto a direitos quer quanto a deveres: "todos os cidadãos gozam dos direitos e estão sujeitos aos deveres consignados na Constituição". Em segundo lugar, a fórmula constitucional não significa – como se explicará em seguida – a simetria de direitos e deveres mas estabelece um fundamento constitucional claro, isto é, uma base de legitimação, para os deveres fundamentais. O fundamento constitucional, tal como ele se recorta na Constituição de 1976, não é, em primeira linha, a necessidade de defender ideias morais ou entes metafísicos (virtude, fraternidade, povo, estado, república), mas sim a de radicar posições de direitos fundamentais ancorados na liberdade, na dignidade da pessoa humana, na igualdade no direito e através do direito. É neste sentido que se defende serem os deveres fundamentais um "capítulo dos próprios direitos fundamentais". (P. Badura). A dimensão jurídico-constitucional dos deveres ultrapassa, porém, o círculo dos direitos. Os deveres fundamentais são também referidos como *categorias jurídico-internacionais* na Declaração Internacional dos Direitos do Homem (art. 29.º/1), no Pacto Internacional de Direitos Civis e Políticos (cfr. Preâmbulo), na Convenção Americana dos Direitos do Homem (art. 32.º/1) e na Carta Africana de Direitos do Homem (art. 29.º/7). A Constituição não consagra, no entanto, um *catálogo de deveres fundamentais* à semelhança dos direitos fundamentais. Há apenas *deveres fundamentais de natureza pontual* necessariamente baseados numa norma constitucional ou numa lei mediante autorização constitucional. Pode falar-se, também aqui, de uma **reserva de constituição quanto a deveres fundamentais**.

B. *Compreensão*

I - *Não correspectividade entre direitos e deveres fundamentais*

A ideia de deveres fundamentais é susceptível de ser entendida como o «outro lado» dos direitos fundamentais. Como ao titular de um direito fundamental corresponde, em princípio, um dever por parte de um outro titular, poder-se-ia dizer que o particular está vinculado aos direitos fundamentais como destinatário de um dever fundamental [4]. Neste sentido, um direito fundamental,

---

[4] Cfr. por último, GÖTZ/HOFMANN, *Grundpflichten als Verfassungsrechtliche Dimension*, in *VVDSTRL* 41, (1983), pp. 7, 42 e ss; BETHGE, "Die Verfassungsrechtliche Problematik der Grundpflichten», in JA, 1985, pp. 249 e ss; STOBER, «Grundpflichten versus Grundrechte?», in *Rechtstheorie*, 1984, pp. 39 e ss. Entre

enquanto protegido, pressuporia um dever correspondente. Esta perspectiva deve afastar-se. Os deveres fundamentais recortam-se na ordem jurídicoconstitucional portuguesa como uma categoria autónoma. Como iremos ver, os direitos, liberdades e garantias vinculam também entidades privadas (art. 18.º/1), mas com isso apenas se pretende afirmar a existência de uma eficácia (directa ou mediata) destes direitos na ordem jurídica privada; não se estabelece a correspectividade estrita entre direitos fundamentais e deveres fundamentais. Vale aqui o *princípio da assinalagmaticidade* ou da *assimetria* entre direitos e deveres fundamentais[5], entendendo-se mesmo ser a assimetria entre direitos e deveres uma condição necessária de um "estado de liberdade". O carácter não relacional entre direitos e deveres resulta ainda da compreensão não funcionalística dos direitos fundamentais na ordem constitucional portuguesa (cfr. *infra*, Parte IV).

II - Deveres autónomos e deveres conexos com direitos

As considerações anteriores não afastam a possibilidade da existência de **deveres conexos com direitos fundamentais e deveres fundamentais não autónomos** ou *deveres fundamentais correlativos a direitos*. É o que acontece, por ex., com o dever cívico de voto relacionado com o direito de voto (art. 49.º/2), com o dever de educação dos filhos correspondente ao direito de educação dos pais (art. 36.º/5), o dever de defesa e promoção da saúde associado ao direito à protecção da saúde (art. 64.º/1), o dever de defesa do ambiente (art. 66.º/1) relacionado com o direito ao ambiente, o dever de escolaridade básica associado ao direito ao ensino (art. 74.º/3/a) e o dever de defesa do património relacionado com o direito à fruição e criação cultural (art. 78.º/1).

Ao lado de deveres conexos com direitos fundamentais existem também *deveres autónomos* (exs.: art. 103.º, dever de pagar impostos; art. 113.º/2 e 4, dever de recenseamento e dever de colaborar na administração eleitoral; art. 276.º, dever de defesa da pátria, do serviço militar e do serviço cívico; art. 88.º/2, dever de exploração da terra).

---

nós, cfr. JORGE MIRANDA, *Manual,* IV, cit., pp. 70 e ss, 161 e ss; J. CASALTA NABAIS, *O dever fundamental de pagar impostos,* p. 15 ss. Cfr., também, PECES BARBA, «Los deberes fundamentales», in *Estado e Direito,* 1/88, pp. 9 e ss; R. ZIPPELLIUS, *Allgemeine Staatslehre,* 12.ª ed., p. 325; R. ASSIS ROIG, *Deberes y Obligaciones en la Constitución,* Madrid, 1991; J. VARELA DIAZ, "La ideia de deber constitucional", in REDC, 4/1982, p. 69.
    [5] Cfr. H. HOFMANN, "Grundpflichten und Grundrechte", in ISENSEE/KIRCHHOF, *Staatsrecht,* vol. V, p. 114.

C. Tipologia

I - Deveres cívico-políticos e deveres de carácter económico-social

Embora não exista uma divisão categorial semelhante à dos direitos, liberdades e garantias/direitos económicos, sociais e culturais, é possível detectar deveres primordialmente *cívico-políticos* (dever de defesa da pátria, dever de voto), e deveres de *carácter económico, social e cultural* (dever de defender a saúde, dever de defesa do património)[6]. Estes deveres constitucionalmente positivados em normas constitucionais são "deveres jurídicos (= deveres de natureza jurídica)", embora a Constituição, ao aludir a dever cívico (ex.: direito de voto), queira claramente excluir a ideia de sanção geralmente associada às normas deônticas. Cfr. *infra*, Parte IV.

II - «Deveres constitucionais formais» e «deveres constitucionais materiais»

A constituição não fornece qualquer abertura, ao contrário do que sucede em relação aos direitos (art. 16.º/1), para a existência de **deveres fundamentais extraconstitucionais**. Em princípio, não existe uma *cláusula aberta* para a admissibilidade de deveres materialmente fundamentais[7], mas, também aqui, se podem admitir *deveres legais fundamentais* (dever de registo, dever de colaborar na administração da justiça). No entanto, como a criação *ex lege* de deveres fundamentais implica, muitas vezes, uma restrição da esfera jurídica dos cidadãos, impõe-se um regime particularmente cauteloso semelhante ao das leis restritivas de direitos, liberdades e garantias (cfr. *infra*)[8]. Este cuidado é extensivo aos casos em que em a imposição de um **juramento** significa a assumpção de deveres estritamente relacionados com o desempenho do cargo (dever de fidelidade à República, dever de observar o segredo de Estado, dever de observar o segredo de justiça, etc.).[9]

---

[6] Cfr. GOMES CANOTILHO/VITAL MOREIRA, *Fundamentos da Constituição*, p. 107 e s; J. CASALTA NABAIS, *O dever fundamental de pagar impostos*, pp. 111 e ss. Para outras classificações cfr. JORGE MIRANDA, *Manual*, IV, p. 163.

[7] Cfr. LAVAGNA, *Basi per uno studio*, p. 15; LOMBARDI, *Contributo*, pp. 29 e ss.

[8] Cfr. GOMES CANOTILHO/VITAL MOREIRA, *Fundamentos da Constituição*, p. 119; JORGE MIRANDA, *Manual*, IV, p. 165.

[9] Vide, por ex., G. FERRARI, "Giuramento", *Enc. Giu. Trecanni*, Roma, 1998.

D. Deveres fundamentais e restrições de direitos fundamentais

A aplicação aos deveres legalmente constituídos do regime das leis restritivas de direitos, liberdades e garantias não equivale à equiparação dos *deveres* a *restrições* legais de direitos e, muito menos, a "limites imanentes" dos mesmos direitos. Tal como as restrições, os deveres fundamentais têm esse "efeito negativo".[10] Os deveres fundamentais reconduzem-se a *normas jurídico--constitucionais autónomas* que podem até relacionar-se com o âmbito normativo de vários direitos. Mesmo quando alguns deveres fundamentais estão conexos com direitos – dever de defesa do ambiente, dever de educação dos filhos – não se pode dizer que estes deveres constituem "restrições" ou "limites imanentes" dos direitos com ele conexos. O dever de defesa do ambiente não é uma "restrição do direito ao ambiente", o dever de educação dos filhos não é um "limite imanente" do direito de educação dos pais. Se isso fosse assim, os deveres fundamentais deixariam de ser uma categoria constitucional autónoma.

E. Estrutura

Os "deveres fundamentais", ou melhor, as normas da constituição que consagram deveres fundamentais, só excepcionalmente têm a natureza e estrutura de "direito directamente aplicável". Ressalvando, porventura, alguns deveres "directamente exigíveis" (Jorge Miranda)[11] como, por ex., o dever de educação dos filhos (cfr. CRP, art. 36.º/3 e 5), a generalidade dos deveres fundamentais pressupõe uma *interpositio* legislativa necessária para a criação de esquemas organizatórios, procedimentais e processuais definidores e reguladores do cumprimento de deveres[12]. As normas consagradoras de deveres fundamentais reconduzem-se, pois, à categoria de normas desprovidas de determinabilidade jurídico-constitucional, e, por isso, carecem de mediação legislativa. Não se trata, propriamente, de "normas programáticas de deveres fundamentais" no

---

[10] Assim, por ex., BARILE, *I soggetto privato nella costituzione italiana*, Padova, 1953.

[11] Cfr. JORGE MIRANDA, *Manual*, Vol. IV, p. 162; D. LUCHTERHAND, *Grundpflichten als Verfassungsproblem*, 1988, pp. 543 e ss.

[12] Cfr. H. HOFMANN, "Grundpflichten und Grundrechte", in ISENSEE/KIRCHHOF, *Staatsrecht*, vol. V, p. 114.

velho sentido oitocentista ("declarações", "programas")[13] como pretende certa doutrina, mas tão-só e apenas de normas constitucionais carecidas de concretização legislativa.

Dito isto, não fica totalmente afastada a ideia de *Drittwirkung* no plano intersubjectivo. As ideias de "solidariedade" e de "fraternidade" apontam para deveres fundamentais entre cidadãos. Vejam-se, hoje, os exemplos de deveres fundamentais de defesa de protecção do ambiente (art. 66.º/2), de respeito e solidariedade para com os cidadãos portadores de deficiências (arts. 71.º/2), o dever de respeitar e cumprir as exigências da "qualidade de bens e serviços" do consumidor (art. 60.º/*i*). Acresce que alguns deveres fundamentais – o dever de obediência às leis, o dever de respeito dos direitos dos outros – parecem transportar uma tendencial ideia de aplicabilidade imediata.[14]

Referências bibliográficas

Andrade, V. – *Os direitos fundamentais*, cit., pp. 118 e ss.
Canotilho/Moreira – *Constituição da República*, cit., pp. 118 e ss.
Carbone, L. – *I doveri pubblici individuali nella costituzione*, Milano, 1968.
Cunha, P. F. – *Teoria da Constituição II – Os Direitos Fundamentais*, Lisboa, 2000, p. 233.
Dreier, H. – *Grundrechtsschutz durch Landesverfassungsgerichte*, Berlin, 2000.
Hofmann, H. – *Grundpflichten als Verfassungsrechtliche Dimension*, in VVDStRL, 41 (1983), pp. 42 e ss.
– "Grundpflichten und Grundrechte" in Isensee/Kirchhof, *Staatsrecht*, vol. 5, pp. 321 e ss.
Lombardi, G. – *Contributo allo studio dei doveri costituzionali*, Milano, 1967.
Luchterhandt, O. – *Grundpflichten als Verfassungsproblem in Deutschland*, 1988.
Miranda, J. – *Manual*, IV, pp. 163 e ss.
Nabais, J. C. – *O dever fundamental de pagar impostos*, Coimbra, 1998.
Peces Barba, – «Los deberes fundamentales», in *Estado e Direito*, 1/88.
Pizzorrusso, A. – *Manuale di Istituzioni di Diritto Pubblico*, Napoli, 1997, pp. 323 e ss.
Roig, R. A. – *Deberes y Obligaciones en la Constitucion*, Madrid, 1999.
Rubio Llorente, F. – "Los Deberes Constitucionales", in REDC, 62/2001, p. 11 ss.
Stern, K. – *Staatsrecht*, III/2, pp. 985 e ss.
Stober, R. – *Grundpflichten und Grundgesetz*, 1979.

---

[13] Cfr. MENEZES CORDEIRO, *Manual de Direito de Trabalho*, Coimbra, 1991, p. 148, e, segundo parece, JORGE MIRANDA, *Manual*, Vol. IV, p. 165.

[14] Cfr., porém, as considerações de J. CASALTA NABAIS, *O dever fundamental de pagar impostos*, pp. 148 e ss.

Título 3
Estruturas Organizatórias e Funcionais

Capítulo 1

Regras e princípios do direito constitucional organizatório

Sumário

A. Sentido da Compreensão Material das Normas Organizatórias

  I - Noção de direito constitucional organizatório

  II - Compreensão material das normas organizatórias

B. Os Conceitos Operatórios: competência, função, tarefa, responsabilidade, procedimento e controlo

  I - Caracterização sumária

  II - Competência

  1. Competências legislativa, executiva e judicial
  2. Competências constitucionais e competências legais
  3. Competências exclusivas, competências concorrentes e competências-quadro
  4. Competências implícitas e competências explícitas
  5. Competências estaduais e competências comunitárias

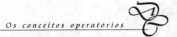

Os conceitos operatórios

III - Função

1. Critérios de ordenação de funções
2. Teoria constitucionalmente adequada das funções do Estado

IV - Responsabilidade

C. O Princípio da Separação e Interdependência dos Órgãos de Soberania

I - Dimensões materiais do princípio

1. O princípio como directiva fundamental
2. O princípio como princípio histórico
3. O princípio é orgânico-institucionalmente referenciado
4. O princípio é funcionalmente orientado
5. O princípio pressupõe uma relativa adequação entre órgãos e funções
6. O princípio exige separação no plano pessoal
7. Freio, balanço e controlo na ordenação de órgãos e funções
8. A teoria do núcleo essencial

II - Manifestações modernas do princípio

1. Repartição vertical de funções
2. Repartição social
3. Separação e estrutura partidária

III - Princípio da separação e forma de governo

1. Forma de governo
2. Órgãos constitucionais
3. Órgãos constitucionais e direcção política
4. Órgãos constitucionais e autoridades administrativas independentes

A. Sentido da compreensão material das normas organizatórias

I - Noção de direito constitucional organizatório

Entende-se por **direito constitucional organizatório** o conjunto de regras e princípios constitucionais que regulam a formação dos órgãos constitucionais, sobretudo dos órgãos constitucionais de soberania, e respectivas competências e funções, bem como a forma e procedimento da sua actividade. A estas regras e princípios organizatórios expressamente consagrados na constituição chama-se *direito organizatório formal e materialmente constitucional*. No entanto, como noutros domínios, existe fora da constituição um complexo normativo organizatoriamente relevante (exs.: leis eleitorais, regimento da Assembleia da República) a que se dá o nome de *direito organizatório materialmente constitucional*.[1]

II - Compreensão material das normas organizatórias

A aplicação das normas referentes às estruturas organizatório-funcionais deve obedecer ao parâmetro metodológico do presente trabalho: fornecer uma perspectiva do direito constitucional organizatório constitucionalmente adequada. No âmbito da organização do poder político esta perspectiva significa basicamente: (*i*) abandono de uma análise da ordenação de competências e funções dos órgãos de soberania ancorada no arsenal teórico do positivismo estadual e do correspondente modelo de Estado (o Estado de direito formalmente caracterizado); (*ii*) atribuição de um valor normativo específico ao conjunto dos preceitos constitucionais referentes à organização, competência e procedimento dos órgãos constitucionais (estaduais, regionais, locais); (*iii*) supera-

---

[1] Cfr., por último, Ph. SCHAUER, *Staatsorganizationsrecht und politische Willensbildung*, Frankfurt/M, 1990, p. 13.

ção da dicotomia entre «constituição de direitos fundamentais», materialmente legitimada, e «constituição organizatória» apenas formalmente justificada.

Em termos jurídico-positivos, a **compreensão material das estruturas organizatório-funcionais** implica: (1) articulação necessária das *competências* e *funções* dos órgãos constitucionais com o cumprimento das *tarefas* atribuídas aos mesmos; (2) consideração das normas organizatórias não com meros *preceitos de limites* materialmente vazios (típicos de um Estado liberal tendencialmente abstencionista), mas como verdadeiras *normas de acção* (típicas de um Estado intencionalmente constitutivo), definidoras das tarefas de conformação económica, social e cultural confiadas às várias constelações orgânico-constitucionais; (3) atribuição de um carácter de acção aos preceitos organizatórios o que implica, concomitantemente, a articulação das normas de competência com a ideia de *responsabilidade constitucional* dos órgãos constitucionais (sobretudo dos órgãos de soberania) aos quais é confiada a prossecução autónoma de tarefas; (4) apuramento de uma noção de *controlo constitucional* que não se limite a enfatizar unilateralmente o controlo jurídico das inconstitucionalidades e se preocupe também com as sanções políticas pelo não-cumprimento das tarefas constitucionais distribuídas pelos órgãos de soberania. Só mais uma observação: as normas do direito organizatório são, fundamentalmente, dentro da tipologia de regras e princípios, *regras* constitucionais.[2]

B. Os conceitos operatórios: poder, competência, função, tarefa, responsabilidade, procedimento e controlo

I - Caracterização sumária

Das considerações antecedentes intui-se já a necessidade de um novo afinamento do arsenal de conceitos jurídico-constitucionais mais directamente incidentes na análise das estruturas organizatórias.

a) *Poderes*

A Constituição Portuguesa de 1976 não utiliza a palavra *poderes* para designar os órgãos do Estado. Fala em **poder político** (cfr., por ex. art. 108.º), mas,

---

[2] Para uma compreensão material das normas organizatórias cfr. R. STETTNER, *Grundfragen einer Kompetenzlehre*, 1983, pp. 327 e ss; SELK, "Einschränkung von Grundrechten durch Kompetenzregelungen?", in JUS, 1990, pp. 895 e ss.

diversamente de outras constituições portuguesas (Const. 1822, Carta Constitucional de 1826, Consttuição de 1838, Constituição de 1911) não menciona os *poderes do Estado* (poder legislativo, poder executivo, poder judiciário). Alude, assim, a *órgãos de soberania*. Quando, apesar da rejeição do conceito no texto constitucional, se utiliza a fórmula **poderes do Estado** pretende-se significar os complexos orgânicos do sistema do poder político dotados de funções ditas "supremas", mas separados e interdependentes entre si[3]. Bem andou, porém, a Constituição ao transitar dos poderes de Estado para órgãos de soberania. Na verdade, os poderes são sistemas ou *complexos de órgãos* aos quais a Constituição atribui certas competências para o exercício de certas funções.

b) *Competência*

Por **competência** entender-se-á o poder de acção e de actuação atribuído aos vários órgãos e agentes constitucionais com o fim de prosseguirem as tarefas de que são constitucional ou legalmente incumbidos.

A competência envolve, por conseguinte, a atribuição de determinadas *tarefas* bem como os *meios* de acção («poderes») necessários para a sua prossecução. Além disso, a competência delimita o quadro jurídico de actuação de uma unidade organizatória relativamente a outra[4].

c) *Função*

O enunciado linguístico «função» é polissémico. Os sentidos mais frequentes de **função** podem condensar-se em fórmulas sintéticas.

Função no sentido de «actividade» (função judicial, função do Tribunal Constitucional); função como «tarefa» (função da imprensa num Estado democrático, função constitucional das Forças Armadas); função como equivalente a «dimensões» ou «aspectos» de uma norma jurídica (função objectiva e função subjectiva das normas consagradoras de direitos fundamentais); função identificada com eficácia jurídica (mudança de função das normas programático-constitucionais de simples «apelos ao legislador» para normas impositivas de tarefas); função como sinónimo de «poder» (função de Estado); função equiparada a «competência» (poderes de regulamentação ou conformação jurídica atribuídos a um órgão); função técnico-formalmente entendida como «relação de referência» entre fim e efeito de uma norma (uma das funções das normas de competência é a função de protecção dos cidadãos através da delimitação e distribuição do exercício do poder por vários órgãos).

---

[3] Aproximámo-nos da fórmula de MAZZIOTTI, *I Conflitti di attribuzione tra i poteri dello stato*, I, Milano, 1972, pp. 151 e ss. Entre nós, cf. JORGE MIRANDA, *Manual*, V, pp. 18 e ss.

[4] Entre nós, cfr. JORGE MIRANDA, *Funções, órgãos e actos do Estado*, 1990, pp. 62 e ss; *Manual*, V, pp. 7 e ss; M. REBELO DE SOUSA, *O valor jurídico do acto inconstitucional*, pp. 115 e ss.

Na literatura juspublicística, os sentidos mais correntes são os de função como «actividade» ou como «poder do Estado». Estes sentidos estarão presentes na exposição seguinte, devendo, porém, observar-se que a *ordenação material das funções de Estado* desenvolvida na mais recente literatura apela para o conceito de função como *relação referencial*. A função é sempre uma relação de referência entre uma norma de competência e os fins dessa mesma norma[5].

d) *Responsabilidade*

Para se poder falar em **responsabilidade constitucional** como categoria conceitual autónoma do direito constitucional é necessário tomar em consideração três dimensões: (*i*) a responsabilidade pressupõe o reconhecimento ao sujeito dessa responsabilidade («responsável» na linguagem comum) de uma certa margem de «discricionariedade de actuação» ou de «liberdade de decisão»; (*ii*) a responsabilidade implica, como correlato da liberdade de actuação, uma *vinculação funcional* traduzida na obrigatoriedade da observância de certos deveres jurídico-constitucionais e da prossecução de certas tarefas; (*iii*) a responsabilidade articula-se com a existência de *sanções jurídicas* (penais, disciplinares, civis) ou *político-jurídicas* (censura, destituição, exoneração) no caso de não-cumprimento ou de cumprimento julgado defeituoso dos deveres ou das tarefas de que estão incumbidos os órgãos ou agentes constitucionais. A responsabilidade constitucional configura-se, assim, como um conceito englobante, pois inclui a chamada **responsabilidade penal** dos titulares dos poderes políticos e a chamada **responsabilidade política** dos governantes. A *responsabilidade penal* tem como pressuposto essencial o comportamento delitual dos governantes – *criminalidade dos governantes* – aferido segundo os princípios do direito e processo penal, mas tendo em conta a incidência deste comportamento no exercício dos poderes públicos. *A responsabilidade política* é um mecanismo jurídico-constitucional que incide sobre o desvalor jurídico e político-constitucional dos actos dos titulares do poder político.

Estreitamente relacionada com o princípio estruturante da separação de poderes surge o **princípio da imputação da responsabilidade**. Num Estado de direito democrático constitucional tem de se saber, de forma inequívoca, a quem podem ser imputados os actos dos titulares de órgãos, pois só assim se pode determinar a responsabilidade pela prática de tais actos. O «dever de prestação de contas», o «dever de unidade» dos órgãos do Estado e demais entidades públicas só existe quando se puder identificar o responsável pelas decisões.

---

[5] Entre nós, cfr. JORGE MIRANDA, *Funções, órgãos e actos do Estado*, Lisboa, 1990, pp. 3 e ss; *Manual*, Tomo V, pp. 7 e ss.

e) *Procedimento*

Para converterem os seus «poderes» (competência) em actos, os órgãos ou agentes constitucionais devem obedecer a um **procedimento** juridicamente regulado. O exercício das funções públicas está sujeito a um *iter* procedimental juridicamente adequado à garantia dos direitos fundamentais e à defesa dos princípios básicos do Estado de direito democrático (exs.: procedimento legislativo → modo de exercício da função legislativa, procedimento administrativo → modo de exercício da função administrativa, processo jurisdicional → modo de exercício da função jurisdicional).

f) *Tarefa*

A atribuição de *poderes* ou de competências é feita para que os órgãos constitucionais de soberania cumpram certas missões – **tarefas** – constitucionalmente definidas. A competência está, pois, funcionalmente vinculada ao desempenho de tarefas da mais variada natureza (políticas, económicas, culturais).

g) *Controlo*

O **controlo** constitui a última categoria conceitual necessária para uma correcta compreensão da organização do poder político. Partindo-se da ideia de competência e dos mecanismos de responsabilidade e de sanção, é lógico que se pergunte: (1) pelas entidades competentes para o desencadeamento desses mecanismos; (2) pela forma adoptada para o *controlo* dos órgãos «responsáveis». O controlo é, pois, um correlato da responsabilidade, quer quando reveste as características de um *controlo primário ou subjectivo*, isto é, sobre os próprios "sujeitos orgânicos", quer quando constitui um controlo *secundário ou objectivo* ou seja, sobre os actos dos órgãos.

h) *Representação*

Atrás, ao falar-se do princípio democrático, referiu-se o conceito de representação política formal e material. A **representação política**, sob o ponto de vista organizatório-funcional, traduz-se num esquema de selecção fundamentalmente ancorado na eleição dos governantes através do qual: (1) se institui o exercício do poder político; (2) se institui o controlo exercido pelos representados. A representação política não se identifica com *representatividade* (cfr., por ex., art. 147.º "A Assembleia da República é a *assembleia representativa* de todos

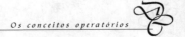

os cidadãos portugueses). Entende-se por **representatividade** a correspondência real ou efectiva entre a composição de um colégio (órgão) representativo e os indivíduos ou grupos sociais dos quais ele é expressão. Um órgão pode alicerçar-se num esquema de *representação + representatividade*. Mas pode haver também dissociação: uma assembleia baseada na representação pode ter perdido representatividade; um órgão com representatividade (ex.: Conselho Económico e Social, representativo, nos termos do art. 92.º/2, dos trabalhadores, das actividades económicas, das famílias, das regiões autónomas e autarquias locais), pode não ser um órgão de representação.

II - Competência

O estudo das estruturas organizatório-funcionais exige uma análise perfunctória das formas de revelação de competências. A isso se destinam, sem quaisquer propósitos de exaustividade, as considerações subsequentes.

1. Competências legislativa, executiva e judicial

Trata-se de uma classificação tradicional, estritamente associada ao clássico princípio da separação dos poderes. Sob o ângulo das regras de competência, o princípio da separação de **competências legislativa**, **executiva** e **judicial** pressupõe apenas a existência de órgãos do poder político aos quais são atribuídas competências destinadas à prossecução das tarefas de legislar, governar/administrar e julgar.

2. Competências constitucionais e competências legais

As competências podem ter um fundamento constitucional – **competências constitucionais** – ou ser atribuídas por via da lei – **competências legais** (também existem competências administrativas, fixadas por regulamentos, mas dessas não curamos aqui). Como exemplos de competências constitucionais citam-se as competências do PR (arts. 133.º e ss.), as competências do Conselho de Estado (art. 145.º), as competências da AR (arts. 161.º e ss.), as competências do Governo (arts. 197.º e ss.), as competências dos tribunais e, em especial, do TC (arts. 223.º e ss.), as competências das Regiões Autónomas (arts. 227.º e ss.).

Um dos mais importantes princípios constitucionais a assinalar nesta matéria é o **princípio da indisponibilidade de competências** ao qual está associado o **princípio da tipicidade de competências**. Daí que: (1) de acordo

com este último, as competências dos órgãos constitucionais sejam, em regra, apenas as expressamente enumeradas na Constituição; (2) de acordo com o primeiro, as competências constitucionalmente fixadas não possam ser transferidas para órgãos diferentes daqueles a quem a Constituição as atribuiu[6]. Estes princípios justificam a proibição da alteração das regras constitucionais de competência dos órgãos de soberania (e do governo próprio das regiões autónomas), mesmo no caso de «excepção constitucional» (cfr. art. 19.º/7).

Dada a convergência destes dois princípios, compreende-se que, pelo menos em relação aos órgãos de soberania, as competências legais, ou seja, as competências atribuídas por via de lei, devam ter fundamento constitucional expresso. É o que se passa, por ex., com as competências legais da AR (art. 161.º/*o*), as competências legais do Governo (art. 197.º/*j*), as competências dos conselhos de ministros especializados (art. 200.º/2), as competências do Primeiro-Ministro (art. 201.º/1-*d*) e as competências do Tribunal Constitucional (art. 223.º). É discutível se esta *competência legal* dos órgãos de soberania está sujeita ao princípio de indisponibilidade como acontece no caso de competências constitucionais.

3. Competências exclusivas, competências concorrentes e competências-quadro

No âmbito das competências constitucionais (não de competências legais) distingue-se entre: **competência exclusiva** – atribuída a um só órgão –, **competência concorrente** – atribuída, a título igual, a vários órgãos –, **competência-quadro** –, atribuída quanto à definição de bases ou princípios a um órgão e quanto à densificação particularizante a outro. A determinação destas competências tem de obter-se recorrendo exclusivamente à interpretação das normas constitucionais.

A regra é a da atribuição de competências exclusivas e, no caso de haver competências concorrentes ou competências-quadro, é a própria Constituição que o especifica (cfr., por ex., art. 165.º, relativo à competência legislativa da AR; art. 167.º/1, referente à iniciativa legislativa; art. 198.º, respeitante à competência legislativa do governo; art. 227.º/a, b, c e d, relativa à competência legislativa e regulamentar das Regiões Autónomas).

4. Competências implícitas e competências explícitas

É aqui particularmente relevante o **princípio da conformidade funcional**. De acordo com este princípio, quando a Constituição regula de deter-

---

[6] Cfr., desenvolvidamente, PAULO OTERO, *O Poder de Substituição em Direito Administrativo*, I, pp. 256 e ss; JORGE MIRANDA, *Manual*, V, pp. 55 e ss.

minada forma a competência e função dos órgãos de soberania, estes órgãos devem manter-se no quadro de competências constitucionalmente definido, não devendo modificar, por via interpretativa (através do modo e resultado da interpretação), a repartição, coordenação e equilíbrio de poderes, funções e tarefas inerentes ao referido quadro de competências.

Costuma, porém, a doutrina debater a este propósito a admissibilidade de **competências não escritas**, sendo óbvio que a aceitação indiscriminada deste tipo de competências acabará por violar não só o princípio da conformidade funcional mas também os princípios da tipicidade e indisponibilidade de competências.

4.1. *Distinções fundamentais*

Para a compreensão desta problemática vai partir-se das seguintes distinções: (1) **competências constitucionais escritas expressas**: competências dos órgãos de soberania expressamente mencionadas nos enunciados linguísticos das normas constitucionais; (2) **competências constitucionais (escritas) implícitas**: competências não individualizadas ou mencionadas no texto constitucional, mas que se podem ainda considerar como implicitamente derivadas das normas constitucionais escritas; (3) **competências não escritas**: aquelas que não têm qualquer suporte, mesmo implícito, no texto constitucional.

4.2. *Origem da doutrina das competências implícitas*

Os problemas mais delicados das **competências implícitas** conexionam-se com os tipos de competências referidos em (2) e (3). A origem deste tipo de problemas reconduz-se ao direito constitucional americano, onde se desenvolveu a seguinte tipologia de poderes: (1) «poderes decorrentes» ou «emergentes» *(resulting powers)*: os poderes que derivam de uma leitura conjunta de todos ou alguns dos poderes conferidos especificamente pela constituição; (2) «poderes implícitos» *(implied powers):* poderes não expressamente mencionados na constituição, mas adequados à prossecução dos fins e tarefas constitucionalmente atribuídos aos órgãos de soberania; (3) «poderes inerentes ou essenciais» *(inherent or essential powers)*, poderes pertinentes e indispensáveis ao exercício de funções políticas soberanas.[7]

---

[7] Sobre estes poderes, em geral reconduzidos apenas aos poderes implícitos, cfr. GOMES CANOTILHO/VITAL MOREIRA, *Constituição da República,* cit., nota prévia à Parte III; *Fundamentos da Constituição,* cit., pp. 178 e ss.

A partir desta tipologia, pretendeu-se uma abertura do quadro de competências para além das formalmente individualizadas no texto constitucional.

4.3. *Admissibilidade constitucional de competências implícitas*

A força normativa da constituição é incompatível com a existência de competências não escritas salvo nos casos de a própria constituição autorizar o legislador a alargar o leque de competências normativo-constitucionalmente especificado. No plano metódico, deve também afastar-se a invocação de «poderes implícitos», de «poderes resultantes» ou de «poderes inerentes» como formas autónomas de competência. É admissível, porém, uma complementação de competências constitucionais através do manejo de instrumentos metódicos de interpretação (sobretudo de interpretação sistemática ou teleológica). Por esta via, chegar-se-á a duas hipóteses de competências complementares implícitas: (1) *competências implícitas complementares,* enquadráveis no programa normativo-constitucional de uma competência explícita e justificáveis porque não se trata tanto de alargar competências mas de aprofundar competências (ex.: quem tem competência para tomar uma decisão deve, em princípio, ter competência para a preparação e formação de decisão); (2) *competências implícitas complementares,* necessárias para preencher lacunas constitucionais patentes através da leitura sistemática e analógica dos preceitos constitucionais [8].

5. Competências estaduais e competências comunitárias

A teoria constitucional das competências deve hoje desenvolver-se tendo em conta a **delimitação de competências entre a União Europeia e os Estados-Membros.**

A delimitação destas competências oferece sérias dificuldades. A solução do problema deve ter em conta vários princípios. Este princípio postula, por sua vez, começando pelo **princípio da atribuição** o *princípio dos poderes nominados*, pois as competências atribuídas às instituições europeias são as que lhes são conferidas pelos respectivos tratados institutivos (TUE, artigo 5.º). Este mesmo princípio é reforçado pelos *princípios da especialidade,* da *proporcionalidade* e da *subsidiariedade:* (1) segundo o *princípio da especialidade,* a Comuni-

---

[8] Cfr., também, JORGE MIRANDA, *Funções, órgãos e actos do Estado,* cit., p. 68. No plano jurisprudencial cfr. Ac. TC 81/86, *DR,* I, 22/4/86.

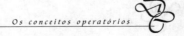

549   *Os conceitos operatórios*

dade actuará nos limites das atribuições que lhe são conferidas e dos objectivos que lhe são cometidos pelo Tratado (artigo 5.º/1); (2) de acordo com o *princípio da proporcionalidade*, a acção da Comunidade não deve exceder o necessário para atingir os objectivos do Tratado (artigo 5.º); (3) segundo o *princípio da subsidiariedade*, a Comunidade observará o princípio da subsidiariedade nos domínios que não sejam das suas atribuições exclusivas, se e na medida em que os objectivos da acção encarada não possam ser suficientemente realizados pelos Estados-membros e possam, devido à dimensão ou aos efeitos da acção prevista, ser melhor alcançados a nível comunitário. Deve ainda observar-se que, relativamente ao "segundo pilar" da União Europeia (PESC – política externa e de segurança comum) e ao "terceiro pilar" (CJAI – cooperação em matéria de polícia e judiciária penal, ou cooperação judiciária e em matéria de assuntos internos), valem os *princípios da cooperação* e da *coordenação interestatal*, característicos do direito internacional. Um outro importante princípio (a que se fez já alusão atrás), em sede de repartição de competências, é o *princípio da integração*. Este princípio é considerado como princípio estruturante do "primeiro pilar" formado pelas três comunidades originárias (Comunidade Europeia do Carvão e do Aço – CECA, Comunidade Económica Europeia – CEE, Comunidade Europeia de Energia Atómica – CEEA). Em virtude da sua própria função de integração, acaba por atrair para o domínio das *competências comunitárias* importantes sectores de actividade (referentes à união económica e monetária, políticas agrícolas, industriais, de energia, transportes, ambiente, saúde). Ao princípio da integração deve associar-se o *princípio dos poderes implícitos* ("competências implícitas") consagrado no artigo 308.º do TUE e que permite ao Conselho da Comunidade (hoje, Conselho da União Europeia) a adopção de medidas necessárias para atingir os objectivos da Comunidade nos casos em que o Tratado não tenha previsto os poderes de acção necessários para o efeito. A doutrina das competências implícitas foi aprofundada pelo Tribunal de Justiça Europeu, em termos muitas vezes dificilmente enquadráveis na disposição normativa do Tratado.[9] É o que se passa, por exemplo, no domínio do audiovisual e do ensino.

---

[9] Cfr., entre nós, MARIA LUISA DUARTE, *A Teoria dos Poderes Implícitos e a delimitação das competências entre a União Europeia e os Estados-Membros*, Lisboa, 1997; *Direito da União Europeia e das Comunidades Europeias*, I, Lisboa, 2001, p. 83 ss.; A. GOUCHA SOARES, *Repartição de Competências e Preensão no Direito Comunitário*, Lisboa, 1996.

III - Função

1. Critérios de ordenação de funções

O artigo 11.º do CRP estabelece, como já se referiu, o **princípio da separação e interdependência dos órgãos de soberania**. Este princípio implica a articulação de órgãos e funções do Estado, sendo lícito falar-se de um *princípio organicamente referenciado* e *funcionalmente orientado*. Daqui se deduz também que o Estado português pode conceber-se como *ordenação* de várias funções constitucionalmente atribuídas aos vários órgãos constitucionais. Precisamente por isso, quando se fala de «repartição» ou «separação» de poderes o que, em rigor, se recorta em termos de «repartição» ou «separação» é a *actividade* do Estado e não o *poder* do Estado. O resultado desta divisão não é a existência de vários «poderes», mas a existência de *funções* diferenciadas. Antes de analisarmos as *dimensões constitucionais concretas* deste princípio importa saber quais são os *critérios* que, de forma heurística, nos permitem a aproximação a uma teoria constitucionalmente adequada das funções do Estado.[10]

a) *O modelo do balanceamento (cheks and balances)*

A ideia central do **modelo do balanceamento de poderes** é esta: através de freios e contrapesos recíprocos, os vários «poderes» encarregados de várias e distintas funções operam um controlo do poder («o poder pára o poder») garantindo a liberdade dos indivíduos e evitando o aparecimento de um «poder superpesado» perigosamente totalizador do poder do Estado. A separação e interdependência consagrado no art. 111.º da CRP pressupõe, obviamente, este modelo.

b) *O modelo do núcleo essencial*

O **modelo do núcleo essencial** não neutraliza o modelo do balanceamento entre poderes. Mas acrescenta uma nota importante: aos órgãos de soberania, separados e interdependentes, são confiadas funções materialmente diferenciadas.

A interdependência torna aceitável a interpenetração de funções, mas com um limite básico e incontornável: o **núcleo essencial** de cada uma destas funções remete para um campo de tarefas **típico** de cada um dos órgãos de soberania, tarefas essas que não poderão deslocar-se para outros órgãos sob pena de a violação do núcleo essencial ser sintoma da violação do princípio da separação.

---

[10] Cfr., KARL PETER SOMMERMANN, "Gewaltenfeilung", anotação ao art. 20.º no *Bonner Kommentar*, organizado por MANGOLDT/KEIN/STARCK, vol. I, p. 96 ss.

c) *O modelo da justiça funcional*

O **modelo de justiça funcional** (talvez melhor: *justeza funcional*) parte deste pensamento: as separação e interdependência exige uma estrutura *orgânica funcionalmente adequada*. Uma estrutura orgânica funcionalmente adequada significa que a cada órgão de soberania, dotado de determinadas características, é atribuída a função que ele pode desempenhar de uma forma mais adequada (ou da única forma adequada) da que seria se ela fosse atribuída a outros órgãos. A estrutura dos órgãos adequada à função e a função adequada à estrutura dos órgãos é, assim, a ideia força subjacente ao próprio princípio da separação dos órgãos de soberania.

Iremos ver que estes três modelos estão muitas vezes misturados na discussão do significado e alcance constitucional do princípio da separação e interdependência dos órgãos de soberania. A acentuação de um ou outro modelo avulta na discussão de problemas jurídico-constitucionais concretos. Assim, por exemplo, quando se discute o problema da «reserva de lei», da «reserva de governo», da «reserva de juiz», parece indiscutível que o acento tónico é colocado na ideia de núcleo essencial; quando se questiona o princípio da auto-contenção dos tribunais em matérias políticas o que está em causa é, sobretudo, a separação do poder legislativo do poder judicial. A discussão em torno das «leis-medida», além de colocar questões referentes ao modelo do balanceamento e do modelo do núcleo essencial, aponta também para ideias de justeza funcional. Assim, por exemplo, a fixação de portagens em auto-estradas ou de vagas universitárias não é apenas um problema de separação legislador-governo ou de determinação do núcleo do essencial da função legislativa e da função administrativa, mas também um problema de justeza funcional: qual dos órgãos – parlamento ou governo – está, pela sua estrutura, funcionalmente mais apetrechado a cumprir determinadas tarefas?

2. Teoria constitucionalmente adequada das funções do Estado

2.1 *Ordenação de funções*

A articulação dos vários modelos heurísticos não liberta a doutrina de captar o sentido da ordenação das funções do Estado mediante o apelo a uma *teoria material das funções do Estado*.

---

[11] Na moderna literatura, cfr. E. W. BÖCKENFÖRDE, «Organ, Organisation, Juristische Person», in *Fest. für H. J. WOLFF*, München, 1973, p. 269; STETTNER, *Grundfragen einer Kompetenzlehre,* Berlin, 1983; H. SEILER, *Gewaltenteilung*, Bern, 1994.

Esta teoria continua a influenciar muitas discussões actuais (reserva de lei, reserva de governo, reserva de juiz). A teoria formal-substancial (Giannini) de Estado reconduzia um poder a uma função e uma função a um poder. Reconhece-se, hoje, porém, que a ordenação de funções não é um esquema abstractamente teorético. Deve ter-se em conta o condicionamento jurídico-constitucional de qualquer teoria de funções do Estado: são os princípios positivos de organização constitucional e a concreta delimitação de competências na Constituição que se devem tomar como pontos de partida de uma ordenação das funções do Estado.

2.3. *Ordenação de funções e teoria material das funções de Estado*

A Constituição continua a referir-se a «função legislativa», a «função jurisdicional» e a «função administrativa», distribuídas por várias estruturas orgânicas. A função deixou de estar exclusivamente associada a um órgão, mas a falta de um suporte orgânico único torna mais premente a exigência de uma *caracterização material* que forneça transparência à escolha de competências e à distribuição de funções positivamente plasmadas na Constituição.

A delimitação material de funções não tem o mesmo grau de importância nas várias estruturas funcionais clássicas (legislação, administração e jurisdição). Relativamente à função legislativa, tende hoje a admitir-se que o significado teórico-constitucional de lei se compadece com um **conceito de lei** tendencialmente vazio no plano material e apenas caracterizável pela *forma, procedimento e força jurídica*. Nesta perspectiva, a lei não é consequência de um «conteúdo» nem de qualquer intenção jurídica específica. É sim, em primeiro lugar, uma forma e um procedimento indispensáveis ao agir de entidades a quem é constitucionalmente reconhecida competência legislativa. As relações entre forma e conteúdo da lei surgem, deste modo, invertidas: o conteúdo não procura a forma; é uma certa competência exercida mediante certa forma e de acordo com determinado procedimento que procura um conteúdo constitucionalmente ajustado. Por outras palavras: a lei é uma regulamentação intrinsecamente aberta estabelecida segundo os critérios jurídico-constitucionalmente prescritos (N. Achterberg). Quando muito, os actos legislativos caracterizam-se pelo facto de transportarem a regulamentação fundamental dos assuntos mais importantes e essenciais («teoria da essencialidade») para uma comunidade historicamente concreta (Ossenbühl, Starck, Hesse).

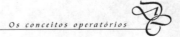

A ideia de *essencialidade* transporta duas dimensões fundamentais: (1) relevância dos bens jurídicos a regular; (2) grau ou intensidade com que uma determinada regulação atinge os titulares desses bens jurídicos.

Da leitura de vários preceitos constitucionais (exs.: arts. 112.º, 164.º, 165.º e 197.º) deduz-se seguramente a existência de uma função legislativa. Não existe, porém, qualquer critério constitucional-material caracterizador dessa função. A lei é, no direito constitucional português, um acto normativo intrinsecamente aberto que pode ser editado pelas várias entidades (AR, Governo, Assembleias Regionais) às quais a Constituição atribuiu competência legiferante.

A abertura material da lei não significa, porém, uma completa insensibilidade da Constituição ao conteúdo intrínseco dos actos legislativos a ponto de se afirmar que a lei pode transportar qualquer conteúdo. Por um lado, há leis com uma densificação material, determinada, em grande medida, de forma heterónoma, pelos preceitos constitucionais (ex.: actos legislativos concretizadores de direitos, liberdades e garantias); por outro lado, do elenco das matérias sujeitas a reserva de lei do Parlamento (cfr. arts. 161.º, 164.º e 165.º) deduz-se que, subjacente à forma de lei da AR, está a ideia de lei como prescrição normativa, política e jurídico-materialmente caracterizada (Castanheira Neves [13]).

IV - Responsabilidade

A categoria publicística de **responsabilidade**, considerada como categoria jurídica autónoma de um Estado constitucional democrático, tem vindo a ser afirmada, no plano doutrinal, desde os meados da década de 60.[14] A partir de meados da década de 70, o conceito de responsabilidade passa a ser considerado como um exemplo típico da emancipação do *instrumentarium* conceitual do direito público relativamente aos conceitos de direito privado.[15]

---

[13] Cfr. CASTANHEIRA NEVES, O *Instituto dos «Assentos»*, pp. 573 ss.; JORGE MIRANDA, *Funções, órgãos e actos do Estado*, pp. 171 ss; «Sentido e conteúdo da lei como acto da função legislativa», in JORGE MIRANDA (org.), *Nos dez anos da Constituição*, cit., p. 177; "Lei", in *Dicionário da Administração Pública*, vol. V.

[14] Cfr., sobretudo, K. VOGEL, «Zur Verantwortlichkeit leitender Organwalter – über einen ungeschrieben Rechtsgedanken des «öffentlichen Rechts», in *Fest. für Schack,* Hamburg, 1966, p. 183; KÖLBE, «Die Ministerialverantwortlichkeit im parlamentarisch-demokratischen Regierungssystems des Grundgesetzes», in *DÖV,* 1969, p. 25; U. SCHEUNER, «Verantwortung und Kontrolle in der demokratischen Verfassungsordnung», in *Staatstheorie und Staatsrecht*, p. 293.

[15] Contribuições significativas foram as de R. SCHOLZ e de SCHMIDT-ASSMANN, na sessão de 1975, efectuada em Augsburg, pelos professores de Direito Público de língua alemã, e subordinada ao tema «Verwaltungsverantwortung und Verwaltungsgerichtsbarkeit», in *VVDSTRL,* 34 (1976). Mais recentemente, cfr.

O conceito, tal como o definimos atrás, encontra também acolhimento no texto constitucional português. Num sumário percurso por este texto, verifica-se que o termo responsabilidade surge em vários contextos e com vários sentidos: (1) responsabilidade no sentido de responsabilidade civil das entidades públicas (cfr. arts. 22.°, 165.°/1-s e 271.°/1); (2) responsabilidade no sentido de responsabilidade político-criminal dos titulares dos cargos políticos (arts. 117.°, 130.°, 157.°,196.° e 216.°); (3) responsabilidade no sentido de responsabilidade política (cfr. arts. 193.°, 194.° e 233.°).

Quaisquer que sejam os domínios concretos e os sentidos específicos, o conceito de **responsabilidade constitucional** tem potencialidades para abranger todos os sentidos acabados de referir, embora no presente capítulo se tenha sobretudo em conta o sentido referido em (3). A responsabilidade político-constitucional não tem nada a ver com os conceitos de culpa pessoal, dolo ou negligência. Um Ministro que possui poderes de direcção, superintendência e tutela, pode não ser disciplinar ou criminalmente responsável por decisões erradas, falhas nos serviços ou comportamentos ilegais dos órgãos, funcionários ou agentes do seu ministério, mas isso não impedirá eventualmente a sua responsabilidade política pelas disfunções verificadas nesses mesmos serviços.

C. O Princípio da Separação e Interdependência dos Órgãos de Soberania

I - Dimensões materiais do princípio

Tem sido dito e escrito que o **princípio da separação de poderes** é, como princípio organizatório estrutural, uma das «grandes constantes» (Kägi) do Estado Constitucional. Como também já se salientou, o princípio transformou-se mesmo em *ratio essendi* da Constituição: «*Toute société, dans laquelle la garantie des droits n'est pas assurée ni la séparation des pouvoirs déterminée, n'a point de constitution*» (Art. 16.° da *Déclaration des droits de l'homme et du citoyen du 26 Août 1789).*

Neste momento trata-se de determinar o sentido do princípio em análise na Lei Fundamental portuguesa. Quando se fala de separação e interdependência dos órgãos de soberania (cfr. art. 111.°/1) como princípio estrutural

---

as teses de ZIMMER, *Funktion-Kompetenz-Legitimation,* Berlin, 1979, de R. STETTNER, *Grundfragen einer Kompetenzlehre,* Berlin, 1983, e de G. BERTI, *La responsabilità pubblica (costituzione e amministrazione),* Padova, 1994.

da organização do poder político tem-se geralmente em vista a *separação horizontal* de poderes (de órgãos e funções). Enquanto a **repartição vertical** visa a delimitação das competências e as relações de controlo segundo critérios fundamentalmente territoriais (competência do Estado central, competência das regiões, competência dos órgãos locais), a **repartição horizontal** refere-se à diferenciação funcional (legislação, execução, jurisdição), à delimitação institucional de competências e às relações de controlo e interdependência recíproca entre os vários órgãos de soberania. Na Constituição portuguesa de 1976 os dois critérios de separação – horizontal e vertical – andam associados, embora com prevalência do primeiro dada a estrutura unitária (cfr. art. 6.º/1) do Estado português.

O princípio da separação e interdependência é um *princípio estrutural-conformador do domínio político,* sendo importante descortinar os vários «níveis» em que a separação e interdependência se pode situar: (1) no *plano funcional,* interessa identificar as funções político-constitucionais básicas como a legiferação, a jurisdição e a execução: (2) no *plano institucional,* a separação de «poderes» incide especialmente sobre os órgãos constitucionais, como, por ex., o Parlamento, o Governo e os tribunais; (3) a nível *sociocultural,* interessa articular o «poder» ou poderes do Estado com as estruturas sociais (grupos, classes, partidos).

1. O princípio da separação e interdependência como directiva fundamental

Independentemente da discussão em torno da fundamentação «empírica» e «categorial» (apriorística) da «divisão de poderes», impõe-se a individualização dos momentos essenciais da *directiva fundamental* da organização do poder político: (1) a *separação das funções* estaduais e a atribuição das mesmas a diferentes titulares (separação funcional, institucional e pessoal); (2) a *interdependência de funções* através de interdependências e dependências recíprocas (de natureza funcional, orgânica ou pessoal); (3) o *balanço* ou *controlo* das funções, a fim de impedir um «superpoder», com a consequente possibilidade de abusos e desvios. Pode afirmar-se que também entre nós este *«principe d'art politique»* tem subjacente a ideia de «constituição mista», a máxima política do *«divide e impera»* e a exigência de freios e contrapesos *(«checks and balances», «le pouvoir arrête le pouvoir»).*

2. O princípio como princípio histórico

A separação e interdependência não é um esquema constitucional rígido mas apenas um princípio organizatório fundamental. Como tal,

não há que perguntar pela sua realização estrita nem há que considerá-lo como um dogma de valor intemporal. Devemos perspectivá-lo como *princípio histórico* (K. Hesse) «em contacto» com uma ordem constitucional concreta. Como princípio constitucional concreto, o princípio da separação articula-se e combina-se com outros princípios constitucionais positivos (princípio de governo semipresidencialista ou de regime misto parlamentar-presidencial, princípio da conformidade dos actos estaduais com a Constituição, princípio da participação).

3. O princípio é orgânico-institucionalmente referenciado

O princípio da separação e interdependência é *institucional-organicamente referenciado*. A CRP (art. 111.º/1) refere-se, neste sentido, à separação e interdependência dos *órgãos* da soberania.

4. O princípio é funcionalmente orientado

Institucionalmente concebido, o princípio da separação e interdependência é também um *princípio de ordenação de competências funcionalmente orientado*. Embora no plano doutrinário a distinção material de funções continue a deparar com grandes dificuldades e impasses, não há dúvida que a CRP alude a «funções políticas» (cfr., por ex., art. 197.º/1), a «funções legislativas» (art. 198.º), a «funções administrativas» (art. 199.º) e a «funções jurisdicionais» (art. 203.º). Estas funções surgem como *funções fundamentais,* sem qualquer «carácter de exclusividade» (K. Hesse), pois aos órgãos de soberania vêm a caber outras funções constitucionais (funções de governo, funções militares, funções de planificação). Estas outras funções a que se acabou de aludir são muitas vezes remetidas para enigmáticos e a-constitucionais poderes («quarto poder», «quinto poder», «instituições autónomas») mas estes poderes, «ao lado» ou «fora» de um enquadramento normativo-constitucional, são hoje reconhecidamente incompatíveis com o Estado democrático-constitucional.

5. O princípio pressupõe uma relativa adequação entre órgãos e funções

As várias funções devem ser *separadas* e atribuídas a um órgão ou *grupo de órgãos* também separados entre si. Isto significa não uma equivalência

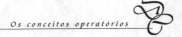

total entre actividade orgânica e função, mas sim que a um órgão deve ser atribuída *principal ou prevalentemente* uma determinada função. Dir-se-á que a CRP adoptou um *esquema organizatório funcionalmente adequado*.

A **adequação funcional** pressupõe que o órgão ou órgãos de soberania são, do ponto de vista estrutural, constitucionalmente idóneos e adequados para o exercício de funções que, a título específico ou primários, lhes são atribuídas (exs.: a Assembleia da República é um órgão adequado para legiferar; o Governo é um órgão apto para executar e administrar; os tribunais estruturam-se de forma a exercer com «racionalidade» a função jurisdicional). Os autores falam mesmo a este propósito de «estrutura orgânica funcionalmente justa»[16].

6. O princípio exige separação no plano pessoal

A imposição constitucional de uma estrutura orgânica funcionalmente adequada vai até ao ponto de, no *plano pessoal,* conformar um *estatuto jurídico-constitucional* específico, tendente a evitar quaisquer «uniões pessoais» dos órgãos de soberania. É um princípio que se exprime sobretudo pelas regras de *incompatibilidade* (exs.: incompatibilidade entre o cargo de deputado e a qualidade de membro do governo, nos termos do art. 154.º/1; incompatibilidade do cargo de Presidente da República com o exercício de quaisquer outros cargos, nos termos implícitos do art. 120.º; incompatibilidade do cargo de juiz com o exercício de quaisquer outras funções, como se deduz do art. 216.º/3/4).

7. Freio, balanço e controlo na ordenação de órgãos e funções

Através da atribuição a um órgão ou grupo de órgãos de uma função específica fundamental, visa-se obter o velho desiderato do equilíbrio de poderes e de um governo moderado, tal como Montesquieu o definiu impressivamente: «*Pour qu'on ne puisse pas abuser du pouvoir il faut que, par la disposition des choses, le pouvoir arrêt le pouvoir*» *(De l'Esprit des Lois,* 1748, Livro XI, Cap. IV).

Esta ideia de governo moderado centrada no balanço e controlo recíproco de poderes configura-se e concretiza-se de forma diversa nos vários ordenamentos constitucionais, mas fundamentalmente os esquemas são os

---

[16] Cfr., por ex., K. HESSE, *Grundzüge,* p. 198; L. TRIBE, *American Constitutional Law,* pp. 1137 e ss.

seguintes: (1) complexo **sistema de corresponsabilidades e interdependências** dado que, por ex., entre nós, na função legislativa não participa apenas a AR, pois, por um lado, os actos legislativos carecem de promulgação e assinatura do PR (arts. 134.º/*b* e 136.º) e de referenda do Governo (art. 140.º), e, por outro lado, a AR não tem o monopólio da legiferação, cabendo ao governo fazer actos com valor legislativo como são os decretos-leis (art. 198.º); (2) um *sistema de balanço* em que a escolha, nomeação ou manutenção no cargo de um ou vários titulares de órgãos depende da manifestação de vontade de outros órgãos (por ex., a nomeação e manutenção do Governo depende da AR e PR, a AR pode ser dissolvida pelo PR); (3) divisão de poderes dentro do mesmo poder (ex.: Governo, Conselho de Ministros, Primeiro-Ministro). O sistema de freios e de balanços constitucionalmente estabelecido aponta para a ilegitimidade de qualquer «deslocação» de peso funcional conducente a um «cesarismo presidencial», a «absolutismo parlamentar» ou a uma «autocracia do governo».

8. A teoria do núcleo essencial

Do facto de a CRP consagrar uma estrutura orgânica funcionalmente adequada é legítimo deduzir que os órgãos especialmente qualificados para o exercício de certas funções não podem praticar actos que materialmente se aproximam ou são mesmo característicos de outras funções e da competência de outros órgãos (exs.: a AR executa, o Governo legisla, os tribunais administram).

Embora se defenda a inexistência de uma separação absoluta de funções, dizendo-se simplesmente que a *uma função corresponde um titular principal,* sempre se coloca o problema de saber se haverá um **núcleo essencial** caracterizador do princípio da separação e absolutamente protegido pela Constituição. Em geral, afirma-se que a nenhum órgão podem ser atribuídas funções das quais resulte o esvaziamento das funções materiais especialmente atribuídas a outro. Quer dizer: o princípio da separação exige, a título principal, a correspondência entre órgão e função e só admite excepções quando não for sacrificado o seu núcleo essencial[17]. O alcance do princípio é visível quando com ele se quer traduzir a proibição do «monismo de poder», como o que resultaria, por ex., da concentração de «plenos poderes» no Presidente da República, da concentração de poderes legislativos no executivo ou da transformação do legislativo em órgão

---

[17] Cfr. HESSE, *Grundzüge,* p. 195; MAUNZ/DÜRIG/HERZOG/SCHOLZ, *Kommentar,* art. 20, nota 81. Em sentido crítico, cfr. G. ZIMMER, *Funktion-Kompetenz-Legitimation,* 1979, pp. 23 e ss.

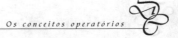

soberano executivo e legiferante. Todavia, permanece em aberto o problema de saber onde começa e onde acaba o núcleo essencial de uma determinada função.

Além do papel que a teoria pode desempenhar no âmbito das relações entre Parlamento e Governo, ela tem sido também invocada na delimitação da função judicial, considerando a doutrina ser este um dos domínios em que se deve aplicar mais rigorosamente uma teoria material de funções. Uma função judicial deve ser confiada a órgãos cujos titulares são juízes independentes, irresponsáveis e inamovíveis (cfr. art. 216.º).

A jurisprudência constitucional portuguesa teve já a oportunidade de se defrontar com a questão do alcance do *núcleo essencial* do princípio da separação, concluindo pela violação do referido princípio «sempre que um órgão de soberania se atribua, fora dos casos em que a Constituição expressamente o permite ou impõe, competência para o exercício de funções gue essencialmente são conferidas a outro e diferente órgão». Cfr. Parecer n.º 16/79, da CC, in *Pareceres*, Vol. VIII, pp. 212 e ss (relator Figueiredo Dias). Não é líquido, porém, que este princípio leve a uma tal exigência de diferenciação funcional e material que impeça, por ex., os actos legislativos de terem conteúdo concreto (é o caso das «leis medida», desde que elas não violem os princípios constitucionais relativos a leis restritivas do art. 18.º e não usurpem competências constitucionalmente reservadas a outros órgãos). No plano jurisprudencial cfr., sobretudo, Acs. TC 317/86, *DR*, I, 14/1/87; 461/87, *DR*, I, 13/11/88, 195/94, *DR*, II, 12/5/94, 1/97, *DR*, I, 5/3/97.

Esta ideia justificou a inconstitucionalidade da composição dos tribunais militares (cfr. art. 233.º/ 2, 246.º/ 2, 275.º/ 1 e 279.º do Código de Justiça Militar). Também merecia sérias reticências a doutrina do art. 72.º/l, da L n.º 77/77, de 29 de Setembro (Lei da Reforma Agrária), pois ao criar-se uma comissão eleita pela AR para apreciar o mérito, conveniência e oportunidade dos actos administrativos de execução do Ministério da Agricultura e Pescas, poderia vir a confiar--se a órgãos não-judiciais o julgamento da legalidade (e mérito) de actos que rigorosamente pertenciam aos tribunais. Em vez de se introduzir um controlo (não judicial) quanto ao mérito, o que acontecia, de facto, era furtarem-se ao controlo de legalidade (a não ser em via de recurso) muitos actos ilegais de execução. Cfr. Parecer n.º 24/77 da Comissão Constitucional, *Pareceres*, Vol. III, p. 111, com argumentação inconcludente. Cfr. *infra*, "reserva de tribunais".

II - Manifestações modernas do princípio

Se nos limitássemos à caracterização constitucional do princípio da separação nos termos tendencialmente clássicos como são os que se acabam de salientar, dir-se-ia que se tinha «passado ao lado» dos verdadeiros problemas com ele relacionados nas modernas estruturas político-constitucionais. Há, pois, necessidade de aludir a mais algumas questões relacionadas com a separação e interdependência dos órgãos de soberania.

1. Repartição vertical de funções

Uma das formas de manifestação da separação de «poderes» e funções designa-se por **repartição vertical de funções** e conexiona-se com os problemas do federalismo, da autonomia regional e da autonomia local. Estando, entre nós, fora de causa a instituição de uma estrutura federal, assumem decisiva relevância as estruturas *autónomas regionais* e as estruturas *autónomas locais* (cfr. art. 6.º/2) que, deixando de ser, por um lado, simples «instituições de auxílio técnico do Estado», e, por outro, meras instituições anti-estaduais, societariamente fundadas, passaram a desfrutar de uma legitimidade pública e democrática para exercerem funções normativas e administrativas (e até legislativas, como no caso das regiões) separadas e autónomas dos órgãos centrais de soberania. A autonomia local e regional é, pois, hoje, uma expressão importante do princípio de separação de poderes. Cfr. *supra*, Princípio do Estado Unitário.

2. Repartição social

Ao lado da repartição (separação, divisão) horizontal e vertical de funções fala-se, por vezes, em **repartição ou divisão social de funções**, querendo com isto aludir-se à «distribuição de poder» entre o Estado e outros titulares de «poderes públicos não-estaduais», como são, por ex., as associações profissionais. A ideia de «repartição social» é particularmente importante na CRP, onde se reconhece, por ex., às associações sindicais e às comissões de trabalhadores o direito de participar na legislação de trabalho (arts. 54.º/5-*d*, e 56.º/2-*a*), o direito à contratação colectiva (art. 56.º/3 e 4), o direito de controlo da gestão (art. 54.º/5-*b*), o direito de participação nas instituições de segurança social (art. 56.º/2-*b*), o direito de participação nos planos económico-sociais (art. 56.º/2-*c*), o direito de participação na definição da política agrícola (art. 98.º).

3. Separação e estrutura partidária

Uma das observações mais correntes sobre o «envelhecimento» do princípio da separação de «poderes» e de «órgãos de soberania» relaciona-se com o facto de a repartição horizontal clássica desconhecer o fenómeno partidário e o dualismo moderno «maioria-oposição». Os problemas postos à organização política liberal eram essencialmente problemas de natureza institucional, referentes aos diferentes órgãos ou poderes, às suas competências e às suas relações recíprocas. Hoje, a «verdade» político-constitucional não é o dualismo governo-

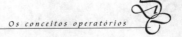

-parlamento mas a relação de maioria-oposição, aquela «suportada» pelos partidos e coligações maioritários e esta dinamizada pelos partidos ou coligações minoritários. A separação entre parlamento e governo e entre executivo e legislativo não perdeu sentido, mas a «nova fronteira» estabelece-se, hoje, em termos de «fracções de governo» e «fracções de oposição». Deste modo, a categoria **oposição** adquire um *estatuto jurídico-constitucional* de grande significado para o problema da separação de funções e, sobretudo, para o problema de controlo e equilíbrio de poderes, desde sempre inerentes à teoria de divisão de poderes. Sob o ponto de vista político-constitucional, este confronto governo-oposição desdobra-se numa diferenciação tendencial entre *decisão política,* a cargo do governo e fracção ou fracções parlamentares de suporte, e *responsabilidade e controlo* políticos, fundamentalmente dinamizados pela oposição [18]. Sob o ponto de vista do direito constitucional positivo, podemos ver esta ideia consagrada, por ex., no direito de oposição democrática (art. 114.º/1), no direito de informação dos partidos (art. 114.º/2), no direito à determinação da ordem do dia (art. 176.º/3), no direito de antena na rádio e televisão, no direito de espaço nas publicações jornalísticas, no direito de resposta às declarações políticas de Governo (art. 40.º/1/2) e, em geral, nos mecanismos tendentes a efectivar a responsabilidade política do Governo (arts. 194.º e 195.º).

III - Princípio da separação e forma de governo

1. Forma de governo

Intimamente associado ao princípio da separação e interdependência de órgãos de soberania está o problema da **forma de governo**, ou seja, a recíproca posição jurídico-constitucional dos diversos órgãos constitucionais de soberania (Biscaretti di Ruffia). Interessa aqui salientar a conexão institucional estabelecida entre órgãos e funções de forma a tornarmos transparente a articulação interna e o modo de organização constitucional adoptado para a realização

---

[18] Sobre o princípio da separação de poderes cfr., entre a mais recente literatura, M. TROPER, *La séparation des pouvoirs et l'histoire constitutionnel française,* Paris, 1973; BASSI, «Il prinzipio della separazione dei poteri (evoluzione e problematica)», in *RTDP,* 1965, pp. 17 e ss; J. M. VILE, *Constitutionalism and the Separation of Power,* 1967; D. TSATSOS, *Zur Geschichte und Kritik der Lehre von der Gewaltenteilung,* 1960. Entre nós, cfr. W. BRITO, *Sobre a Separação de Poderes* (policopiado), Coimbra, 1981; NUNO PIÇARRA, "A separação dos poderes na Constituição de 1976. Alguns aspectos", in J. MIRANDA (org.), *Nos dez anos de Constituição,* Lisboa, 1987, pp. 145 e ss; idem, *A Separação dos Poderes como Doutrina e Princípio Constitucional,* Coimbra, 1989; F. SUORDEM, *O Princípio de Separação de Poderes e os Novos Movimentos Sociais,* Coimbra, 1995.

dos fins do Estado e da sociedade constitucionalmente normados. Não se trata, pois, de discutir **formas de Estado**, relativas à caracterização político-ideológica e às relações de interacção entre o Estado e as estruturas económicas, sociais e políticas da comunidade.

O tema *formas de governo e formas de Estado* é um daqueles em que se torna indispensável o auxílio da Ciência Política. A *teoria comparativa de governo (Comparative politics, Vergleichende Regierungslehre)* afigura-se-nos apta a fornecer aqui alguma clarificação teorética.

Fazendo uma análise dos «sistemas políticos» em que se dá o devido relevo a todos os *elementos constitutivos* de um sistema – elementos empíricos, elementos normativos e elementos ideológicos – como sejam os grupos, as instituições (Exército, Igreja), as classes (elementos empíricos), a Constituição (elementos normativos), os valores, os interesses, a cultura e a ideologia políticas (elementos ideológicos), a teoria comparativa de governo procura superar o «provincianismo ocidental» (comparação institucional apenas dos sistemas ocidentais). Alarga a perspectiva de análise da teoria de partidos, das teorias de grupos, das teorias de desenvolvimento político, e aspira a uma captação da especificidade dos vários sistemas políticos na sua «funcionalidade», nos seus «elementos estruturais», na sua «dinâmica política».

Tendo em conta os elementos constitutivos referidos de uma forma esquemática, deixam-se aqui os pontos de vista fundamentais (históricos ou não) que têm sido utilizados para a classificação tipológica: extensão territorial (cidade, Estado, império); codificação constitucional (Estado constitucional, autocracia); domínio de uma determinada classe (burguesia, proletariado); legitimidade do sistema (tradicional, carismático, racional); fundamento transcendental ou temporal do poder (monarquia, república); morfologia da forma de governo (sistema presidencialista, sistema de gabinete); divisão horizontal de poderes (legislativo, executivo, judicial) ou divisão vertical (Estado unitário, Estado federal, confederação); estruturas dominantes condicionadoras dos *«inputs»* e *«outputs»* (partidos, burocracia, militares); direcção ideológica do sistema (capitalista, socialista, de «mobilização» ou de «igualitarização»); função de mudança no processo social (sistemas «evolutivos», «educativos», «tutelares»).

Os critérios acabados de mencionar prestam-se à formação de teorias que podem ir desde as *teorias unidimensionais* às *teorias complexas e pluridimensionais*. As primeiras escolhem apenas um critério para elaborar uma tipologia de governo (ex.: uma teoria assente exclusivamente no número dos titulares do poder); as *teorias complexas* tentam uma combinação de vários critérios distintivos (ex.: uma teoria que faça a combinação das formas de organização constitucional com as estruturas económicas e sociais, partindo daqui para uma exposição de regimes); as *teorias pluridimensionais* ordenam sistematicamente os tipos de governo de acordo com as várias dimensões escolhidas para a classificação (ex.: classificação de um governo nas suas várias dimensões – formal, organizatória, estrutural-social, extensão do poder estadual). Sobre estes pontos, cfr. R. Mac Jver, *The Web of Government*, New York, 1974; S. E. Finer, *Comparative Government*, Harmondsworth, 1970; G. Brunner, *Vergleichende Regierungslehre*, München, 1979; J. A. Oliveira Baracho, *Regimes Políticos*, São Paulo, 1977; Luís de Sá, *O Lugar da Assembleia da República no Sistema Político*, 1994, pp. 41 e ss.

Há também que considerar se as teorias insistem em modelos *estruturais-funcionais*, aptos para captar uma *estática política*, ou em modelos *evolutivos*, incidindo essencialmente na dinâmica política. Situam-se nesta última perspectiva as tipologias elaboradas com base nos *modos de produção* (Marx) e as ancoradas no conceito de *modernização* (G. Almond/J. S. Coleman). Uma perspectiva também dinâmica e que tende hoje a ganhar relevo é a das teorias que buscam no conceito de *decisão* o nódulo operatório para a tipologia de governos (quem toma as decisões de confrontação política, qual o âmbito destas decisões, quais os fins e quais os meios para eles serem realizados). Cfr., por ex., G. Brunner, *Vergleichende Regierungslehre*, p. 61. Para uma visão global dos "Sistemas e Famílias Constitucionais", cfr. Jorge Miranda, *Manual*, I, 4.ª ed., pp. 100 e ss.

O discurso do texto é, ainda, largamente tributário da clássica doutrina italiana sobre formas de governo. Cfr. Crosa, «Sulla classificazione delle forme di governo», in *Scritti Romano;* Mortati, *Forme di governo*, Padova, 1973; Dogliani, «Spunti metodologici per un indagine sulle forme di governo», in *Giur. Cost.*, 1973, pp. 243 e ss; G. Ferrari, *Corso*, pp. 84 e ss.

2. Órgãos constitucionais

A morfologia da organização constitucional tem sobretudo em conta os *órgãos constitucionais*. A CRP utiliza o conceito de **órgãos constitucionais** num sentido amplo (cfr. arts. 163.º/*g* e 164.º/*l*): são praticamente todos aqueles mencionados na constituição. Mas a doutrina trabalha também com o conceito de **órgãos constitucionais de soberania** e que é muito mais restrito do que o anterior. Órgãos constitucionais de soberania são aqueles: (1) cujo *status* e competências são imediata e fundamentalmente «constituídos» pela constituição; (2) que dispõem de um poder de auto-organização interna; (3) que não estão subordinados a quaisquer outros; (4) que estabelecem relações de interdependência e de controlo em relação a outros órgãos igualmente ordenados na e pela constituição. O facto de o seu *status* e competência derivar directamente da constituição leva os autores a considerá-los como *órgãos imediatos*[19]. Não basta, pois, que eles sejam «mencionados» na constituição; as suas competências e funções devem resultar, no essencial, da lei fundamental.

Alguns órgãos constitucionais são *órgãos do Estado* e *órgãos de soberania*. A ideia de órgãos constitucionais de soberania significa que a eles pertence o exercício do poder *(autoritas, majestas)* superior do Estado, quer na sua dimensão externa (relativamente a outros Estados e poderes soberanos) quer na sua dimensão interna (frente a outros «centros de poder» internos).

Daqui se deduz também que os órgãos constitucionais de soberania além de *derivarem imediatamente* da constituição são *coessenciais* à caracterização da forma de governo constitucionalmente instituída. Ao contrário de outros

---

[19] É uma distinção clássica que se pode ver em G. JELLINEK, *Allgemeine Staatslehre*, p. 544, e SANTI ROMANO, «Nozione e natura degli organi costituzionale dello Stato», in *Scritti minori*, I 1 e ss; A. PIZZORUSSO, *Sistema Istituzionale di Diritto Pubblico Italiano*, p. 153 ss. Ainda hoje, cfr., por ex., WOLFF/BACHOF, *Verwaltungsrecht*, II, 75, I, a. Cfr. JORGE MIRANDA, *Funções, órgãos e actos do Estado*, cit., pp. 78, 88 e ss; *Manual de Direito Constitucional*, III, pp. 219 e ss.; vol. V, pp. 74 e ss.

órgãos constitucionais, previstos na lei fundamental mas que não concorrem para a configuração da forma de governo, a alteração ou supressão dos órgãos constitucionais da soberania implica a própria transformação da forma de governo. Por isso se afirma que "são órgãos definidores da forma política em concreto: forma de Estado, regime político, sistema de governo (J. Miranda).

Todos os órgãos constitucionais de soberania são «poderes constituídos» igualmente ordenados pela Constituição. Não se quer dizer com isto que a lei fundamental não estabeleça relações de controlo e interdependência. Assim, por ex., os órgãos do «poder judicial» estão submetidos às leis da AR e decretos-leis do Governo (art. 203.º); o Governo depende da AR no que respeita ao exercício da função legislativa relativamente a certas matérias (cfr. arts. 164.º e 165.º); os órgãos com competência legislativa (AR, Governo, Assembleias Regionais) estão sujeitos à declaração de inconstitucionalidade das leis pelo Tribunal Constitucional (arts. 223.º, 277.º ss).

Todavia, a posição dos órgãos constitucionais de soberania é sempre uma *posição equiordenada*. A Constituição considera-os a todos como órgãos constitucionais de soberania e, por isso, as relações intercorrentes entre órgãos que exercem funções de soberania são *relações de paridade* e não relações de «infraordenação» ou de «subordinação».

As relações entre órgãos ou entre titulares de órgãos – relações organizativas – podem reconduzir-se a vários esquemas: (1) de *supletividade* (*suplência*), quando a lei indica um sujeito autorizado a agir em vez de outro, impedido ou ausente (cfr. CRP, art. 132.º); (2) de *interinidade*, quando ao próprio titular impedido se consente ou se prescreve a indicação do sujeito que, a título precário, o substitui durante o período de impedimento (cfr. CRP, art. 185.º); (3) de *delegação* quando uma lei autoriza o titular da função a «transferir» o seu exercício para um órgão diverso, mesmo na ausência de qualquer impedimento; (4) de *substituição* quando a um órgão, em geral de hierarquia superior, é permitido, por via de lei, agir em vez de outro órgão (órgão substituído) legitimando-o a praticar actos correspondentes; (5) de *prorrogação* (*prorrogatio*) quando o titular das funções se mantém em exercício enquanto não seja investido o seu sucessor (cfr. CRP, art. 186.º/4).

As *relações de subordinação* encontram-se sobretudo na figura da *hierarquia*, em que há vários órgãos competentes para o exercício das mesmas funções, mas legalmente ordenados segundo critérios de *supra* ou *infra*-ordenação. Cfr., por ex., Mortati, *Istituzioni*, Vol. 1, pp. 189 e ss; V. Cerulli Irelli, *Corso di Diritto Amministrativo*, Torino, 1991, p. 139. Para uma clarificação dogmática e conceitual destas figuras cfr., por último, desenvolvidamente, Paulo Otero, *O Poder de Substituição em Direito Constitucional*, Lisboa, 1995, vol. II, pp. 377 e ss.

3. Órgãos constitucionais e direcção política

A conexão institucional entre os vários órgãos constitucionais de soberania (e respectivas funções) permite-nos identificar a *forma de governo cons-*

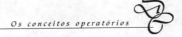

titucional, ou seja, o modo de organização adoptado para realizar os objectivos ou fins constitucionalmente normativizados. A articulação de órgãos e funções com a **tarefa de direcção política** assume, neste contexto, um papel decisivamente caracterizador. Por **função de direcção política** *(indirizzo politico)* entender-se-á aqui a conformação dos objectivos político-constitucionais mais importantes e a escolha dos meios ou instrumentos idóneos e oportunos para os prosseguir. A «individualização de fins» e a «individualização de meios» (T. Martines), próprias da função de «decisão» ou direcção política, são, num sistema constitucional democrático, *funções tendencialmente normativas.* Num regime constitucional como o português, em que as funções e competências dos órgãos constitucionais de soberania estão determinadas normativo-constitucionalmente, não é exacto identificar-se o *indirizzo governativo* com o *indirizzo costituzionale* e considerar o primeiro como a «pré-determinação dos fins últimos e gerais da acção estadual». A «direcção» ou «decisão» política assume-se, pois, com uma *natureza normativa* (não existencial) e traduz-se, fundamentalmente, na selecção e especificação dos fins constitucionais pelos órgãos dotados de «autonomia política».

Mas a exigência de um Estado democrático-constitucional não exige apenas a *configuração normativa* da função de *indirizzo político.* Baseando--se as distinções das várias formas de governo no grau de separação entre os *poderes activos* do Estado (sobretudo legislativo e executivo), interessa acentuar que o *policentrismo institucional* desenhado na CRP implica o alargamento dos titulares da função de direcção política. Um problema ainda não inteiramente esclarecido é o de saber como se enquadram nos esquemas organizatórios da direcção política os chamados **actos negociais.** Designam-se por **actos políticos negociais** os acordos de incidência político-social celebrados entre o Estado com entidades individuais ou colectivas, públicas ou privadas, no âmbito de uma ou várias políticas públicas (acordos de concertação social, contratos de investimentos, acordos de recuperação de empresas). Estes actos políticos negociais estarão vinculados, como os outros actos políticos do governo, aos princípios da constitucionalidade e da legalidade bem como aos princípios materiais da necessidade, adequação, proporcionalidade e razoabilidade.

É, precisamente, o modo de distribuição e coordenação da titularidade dos poderes de direcção política que vai permitir a caracterização da forma de governo constitucional portuguesa.

Não é possível aqui desenvolver a complexa problemática da função de *indirizzo.* Seguro nos parece que a teorização da função de *indirizzo* num sistema constitucional democrático é diferente da de um sistema autoritário. Aqui a função de direcção do governo identifica-se com direcção do Estado, tende a concentrar-se num órgão e não obedece a normas-fim constitucionalmente fixadas. Cfr. Cuomo, *Unità* e *omogeneità nel governo parlamentare,* Napoli, 1957, pp. 164 e ss;

Cheli, *Atto politico e funzione d'indirizzo politico*, Milano, 1961, pp. 56 e ss; «Funzione di Governo», in Amato/Barbera *Manuale*, cit., p. 335; Dogliani, *Indirizzo Politico. Riflessione su regola e regolaritá nel diritto costituzionale*, Napoli, 1985; Martines, "Indirizzo Politico", in *Enc. Dir.*, p. 153. Cristina Queirós, *Os actos políticos no Estado de Direito. O problema do controlo jurídico do poder*, Coimbra, 1990; A. Porras Nadales, "Actos Politicos y Función de Direccion Politica", in *Anuario de Der. Const. e Parl.*, 3/1991, pp. 156 e ss.

4. Órgãos constitucionais e autoridades administrativas independentes

A Lei Constitucional n.º 1/97 (4.ª Revisão) consagrou *expressis verbis* a possibilidade de o legislador criar **entidades administrativas independentes** (CRP, art. 267.º/3). Entende-se por **administração independente** a administração infra-estrutural prosseguida por instâncias administrativas não integradas na administração directa do Estado e livres da orientação e da tutela estrutural mas sem se reconduzirem aos esquemas da administração autónoma[20]. De uma forma geral, as entidades administrativas independentes situam-se fora da órbita do governo e de qualquer departamento ministerial, desfrutando de *independência orgânica*, de *independência funcional* e de *independência social*. Os seus titulares beneficiam: (1) de um estatuto próprio de designação, mandato, incompatibilidade e inamoribilidade (independência orgânica); (2) de um estatuto funcional caracterizado pela ausência de ordens, instruções ou directivas, controlo de mérito e obrigação de prestação de contas quando foi orientação escolhida; (3) de um estatuto de distanciação perante os interesses envolvidos na sua actividade[21]. Algumas destas autoridades administrativas independentes são *órgãos constitucionais*, pois são criadas imediatamente pela Constituição (ex.: Alta Autoridade para a Comunicação Social, prevista no art. 39.º da CRP).

A positivação constitucional da admissibilidade de autoridades administrativas independentes não resolvem todas as questões, designadamente as que se prendem com o princípio democrático. As autoridades independentes, não estando vinculadas a quaisquer ordens ou directivas, subtraem-se também ao controlo político parlamentar. A necessidade de assegurar a garantia de independência e imparcialidade relativamente a determinado assunto, muitas vezes estreitamente relacionado com o exercício de direitos fundamentais (ex.: Comissão Nacional de Eleições, Comissão Nacional de Objecção de Consciência, Comissão

---

[20] Cfr. VITAL MOREIRA, *Administração Autónoma e Associações Públicas*, p. 127; J. MIRANDA, "Sobre a Comissão Nacional de Eleições", in *O Direito*, 1992, pp. 329 e ss.; JOSÉ LUCAS CARDOSO, *Autoridades Administrativas Independentes e Constituição*, Coimbra, 2002.

[21] Cfr., por todos, entre nós, VITAL MOREIRA, *Administração Autónoma*, p. 127, que seguimos no texto; FREITAS DO AMARAL, *Curso de Direito Administrativo*, vol. I, pp. 301 e ss; JORGE MIRANDA, *Manual*, V, p. 38.

Nacional de Protecção de Dados Pessoais Informatizados), não legítima a existência de *poderes neutros*[22] esvaziadores do modelo de competências, funções, responsabilidade e controlo reconhecido no texto constitucional. O esvaziamento não se coloca apenas em relação ao governo e administração, pois, contrariamente ao que a fórmula "entidades administrativas" pode sugerir, o princípio da separação e interdependência é susceptível de ficar em crise com a captação, pelas entidades administrativas independentes, de funções próximas ou idênticas de funções jurisdicionais (ex.: competência da Comissão Nacional de Eleições para controlar as decisões do governador civil e do Ministro da República quanto à utilização das salas de espectáculos e dos recintos públicos para fim da campanha eleitoral, interpostos pelos mandatários das listas e dos partidos concorrentes, competência da Alta Autoridade para a Comunicação Social para deliberar sobre as recursos interpostos em caso de recusa do exercício do direito de resposta, e das condições de acesso ao direito de antena). A intervenção destas entidades administrativas independentes não posterga o direito de recurso para os tribunais, nos termos gerais, pois só assim se não descaracteriza o esquema jurisdicional de controlo constitucionalmente plasmado[23].

Referências bibliográficas

Angiolini, V. – "Le bràci del diritto costituzionale ed i confini della responsabilità politica", in *RdiDC*, 1998, pp. 57 e ss.

Baena del Alcázar, M. – "Competencias, funciones y potestades en el ordenamiento jurídico español", in *Estudios sobre la Constitución española*, vol. III, 1991, pp. 2453 e ss.

Beaud, O./Blanquer, J. M. (org.) – *La responsabilité des gouvernants*, Paris, 1999.

Berti, G. – *La responsabilità pubblica, (costituzione e amministrazione)*, Padova, 1994.

Bidegaray, C./Emeri, C. – *La responsabilité publique*, Paris, 1998.

Correia, J. M. S. – *Direito Administrativo*, Lisboa, 1982, pp. 63 e ss.

Delpérée, F./Verdussen, *La responsabilité pénale des ministres fédéraux, communautaires et régionaux*, Bruxelles, 1997.

Garcia Mahamut, Rosaria – *La Responsabilidad Penal de los Miembros del Gobierno en la Constitucion*, Madrid, 2000.

Gomes Canotilho/Vital Moreira – *Constituição da República Portuguesa*, 1993, pp. 474 e ss.

---

[22] Cfr., MICHAELA MANETTI, *Poteri neutrali e Costituzione*, Milano, 1994.

[23] Vide VITAL MOREIRA, *O direito de resposta na Comunicação Social*, p. 147; PAULO OTERO, *O Poder de Substituição*, II, pp. 591 e ss.

– *Fundamentos da Constituição*, pp. 177 e ss.

Giannini, M. S. – «Organi», (teoria generale), *Enc. del Diritto*, XXXI, pp. 37 e ss; «Controllo, nozioni e problemi», in *Riv. Tri. Dir Pub.*, 1974, pp. 1263 e ss.

Hesse, K. – *Grundzüge*, pp. 187 e ss.

Löwenstein, K. – *Verfassungslehre*, 3.ª ed., Tübingen, 1975 (ex. trad. cast.).

Luatti, L. – *L'Equilíbrio tra i Poteri nei Moderni Ordinamenti Costituzionali*, Torino, 1994.

Manetti, M. – *Poteri neutrali e Costituzione*, Milano, 1994.

Miranda, J. – *Órgãos, funções e actos do Estado*, 1989, pp. 11 e ss., 77 e ss.

– *Manual de Direito Constitucional*, vol. III, p. 219 ss., vol. V, p. 13 ss.

– "Órgãos de soberania", in *Estudos sobre a Constituição*, vol. I.

– "Órgãos do Estado", in DJAP, VI, Lisboa, 1994, p. 260.

Moreira, V. – *Administração Autónoma e Regulação Profissional*, Coimbra, 1997.

Otero, P. – *O Poder de Substituição em direito administrativo português*, Lisboa, 1995, vol. II, pp. 377 e ss.

Pegoraro, L. – "Forme di governo, definizione, classificazioni", in Pegoraro, A/Rinella, A. – *Semipresidenzialismi*, Padova, 1997.

Piçarra, N. – *A separação de poderes como doutrina e princípio constitucional. Um contributo para o estudo das suas origens e evolução*, Coimbra, 1989.

Pisaneschi, A. – *I conflitti di attribuzione tra poteri dello stato*, Milano, 1992.

Queiró, A. – *Lições de Direito Administrativo* (pol.), Coimbra, 1976.

Seiler, H. – *Gewaltenteilung*, Verlag Stämpflie, Bern, 1994.

Segur, Ph. – "Qu'est-ce que la responsabilité politique?", in RDP, 6-1999, pp. 1559 e ss.

– *La responsabilité politique*, Paris.

Silvestri, G. – *La separazione dei poteri*, 2 vols., Milano, 1979/1984.

Stettner, R. – *Grundfragen einer Kompetenzlehre*, Berlin, 1983.

Suordem, F. – *O Princípio da Separação de Poderes e os Novos Movimentos Sociais*, Coimbra, 1995.

Troper, M. – *La séparation des pouvoirs et l'histoire constitutionnelle française*, Paris, 1973.

Vasconcelos, P. B. – *Teoria Geral do Controlo Jurídico do Poder*, Lisboa, 1997.

Zippelius, R. – *Teoria Geral do Estado*, 3.ª ed., Lisboa, 1997.

Capítulo 2

Organização do Poder Político e Formas de Governo

Sumário

A. Forma de Governo

   I - Conceito

   II - Tipologia das formas de Governo

   III - Conceitos operatórios

   1. Quanto à relação fiduciária entre órgãos
   2. Quanto às variáveis de influência sistémica

B. O Padrão Básico: A Separação de Poderes Nos Esquemas Teóricos de John Locke e de Montesquieu

   I - Sentido do padrão básico

   II - Painéis ilustrativos

C. As Formas de Governo

   I - Estrutura da forma de governo dualista monárquico-representativa

1. Caracterização sumária
2. Painel ilustrativo

II - Estrutura da forma de governo parlamentar
1. Breve caracterização
2. Paineis ilustrativos

III - Estrutura da forma de governo presidencial
1. Breve caracterização
2. Presidencialismo e Presidencialismos
3. Paineis ilustrativos

IV - Estrutura da forma de governo directorial
1. Breve caracterização
2. Painel ilustrativo

V - Estrutura da forma de governo mista parlamentar-
-presidencial
1. Caracterização
2. Painel ilustrativo

A. Forma de Governo

I - Conceito

Definiu-se já a **forma de governo** como a posição jurídico-constitucional recíproca dos vários órgãos de soberania e respectivas conexões e interdependências políticas, institucionais e funcionais. Se quisessemos aproximar esta definição de uma outra, corrente na literatura politológica e juspublicista francesa, diríamos que a *forma de governo* se aproxima da ideia de **regime político** entendido como o conjunto de regras constitucionais atribuidoras de funções ou "poderes" políticos[1]. Deve observar-se, porém, que num domínio como estes têm muitas vezes relevante influência político-constitucional as modalidades de exercício do poder resultantes de práticas institucionais dominantes. As modalidades do exercício do poder a partir de práticas institucionais reconduzem-se ao conceito de **sistema político**[2] e andam hoje associadas, no plano teórico-metodológico, ao movimento do **neo-institucionalismo** (*new institutionalism*)[3]. Este movimento procura captar as práticas políticas, os dados institucionais, a história e a cultura política como dados relevantes a ter em conta no *desenho* das formas de governo ou regimes políticos. As considerações subsequentes darão centralidade aos traços constitucionais da forma de governo, (perspectiva jurídico-constitucional), embora, hoje, certas dimensões da forma de governo só passam compreender-se com base em práticas institucionais (ex.: a ideia de "candidatura a primeiro ministro" do chefe do partido, quando na ver-

---

[1] Cfr., por último, OLIVIER DUHAMEL, *Droit Constitutionnel et Politique*, Paris, 1994, p. 653; MAURO VOLPI, "Le Forme di Governo", in G. MORBIDELLI/L. PEGORARO/A. REPOSO/M. VOLPI, *Diritto Costituzionale Comparato*, Bologna, 1995; p. 317 ss.; G. DE VERGOTTINI, *Diritto Costituzionale Comparato*, 5.ª ed., Padova, 1999, p. 81 ss.; C. AGUILERA DE PRAT/R. MARTINEZ, *Sistemas de Gobierno, Partidos y Territorio*, Madrid, 2000, p. 15 e ss., 73 e ss.

[2] Cfr., OLIVIER DUHAMEL, *Droit Constitutionnel*, cit., p. 653.

[3] Cfr., MATTHEW SHUGART/JOHN CAREY, *Presidents and Assemblies – Constitutinal Designs and Electoral Dynamics*, Cambridge,1992; M. VOLPI, "Le Forme di governo contemporanee tra modelli teorici ed esperienze reali" in J. MIRANDA, *Perspectivas Constitucionais*, III, p. 501 ss. No plano teórico, cfr. MACCORMICK/WEINBERGER, *An Institutional Theory of Law: New Approaches to Legal Positivism*, Dordrecht, 1986, J. MARCH/J. OLSEN, *Rediscovering Institutions. The Organizational Basis of Politics*, New York, 1989.

dade, em termos normativo-constitucionais, o Primeiro Ministro é nomeado pelo Presidente da República tendo em conta os resultados eleitorais).

Embora as regras constitucionais referentes à forma de governo ou regime político não possam reduzir-se, como sugerem alguns, a "expedientes ou estratégias de coordenação"[4], também as formas de governo entendidas como estruturas normativas estáticas não conseguem explicar o efectivo funcionamento do "governo" ou do "regime". Dizer-se, por exemplo, que as formas de governo da Inglaterra e da Itália são parlamentares, isso não quer dizer que funcionem do mesmo modo. Afirmou-se que Portugal e França têm "regimes semi-presidencialistas" de modo algum significa similitude de práticas dinâmicas de funcionamento. Os autores poêm justamente em relevo a influência decisiva de outros factores como o partido e sistema de partidos, os sistemas eleitorais, as relações entre a maioria e a oposição e a cultura política. Nesta perspectiva, não bastará afirmar que existem três tipos de regime três formas de governo – *parlamentar, presidencial* e *semipresidencial,* antes devemos prestar atenção aos sistemas de governo correspondentes, ou seja, os *sistemas parlamentaristas, presidencialistas e semipresidencialistas*[5]. Isto leva-nos à problemática da *tipologia das formas de governo* e dos *sistemas políticos.* Uma nota essencial deverá ficar registada; a forma de governo constitucional "forma" o sistema, não é o sistema que faz a forma de governo ou o regime[6]. No entanto, a forma de governo tem de articular-se com variáveis de influência sistémica (sistema eleitoral, partidos políticos) o que implica a existência de uma forma de governo jurídico--constitucional concretamente modelada pelo sistema político[7]. Noutras palavras, mais neo-institucionalistas: o regime ou forma de governo é uma *entidade legal* definida pela constituição; o sistema é uma *entidade legal-constitucional,* porque nele certas instituições reais (partidos, comunicação, práticas políticas, carismas pessoais) adquirem relevância politicamente constitutiva. Através da categoria **sistema político** recolhem-se sugestões do *neoinstitucionalismo histórico* (processos, protocolos, normas, convenções oficiais e oficiosas inerentes à estrutura organizativa da comunidade política), do *neoinstitucionalismo das escolhas racionais* (comportamento, escolhas, preferências dos actores políticos) e do *neoinstitucionalismo sociológico* (sistemas de símbolos, esquemas cognitivos, modelos morais inspiradores da acção política).

---

[4] Vide Russel Hardin, "Why Constitution", in Bernard Grofman/Donald Wittmann (org.), *The Federalist Papers and The New Institutionalism*, New York, 1989, p. 100 ss.

[5] Cfr., Duhamel, *Droit Constitutionnel*, p. 653; M. Volpi, *Diritto Costituzionale Italiano e Comparato*, p. 358.

[6] Cfr., Duhamel, *Droit Constitutionnel*, p. 654; M. Volpi, cit., p. 504 ss.

[7] Cfr., Gomes Canotilho/Vital Moreira, *Os Poderes do Presidente da República*, pp. 20 e ss. Por último, ver as perplexidades de Vitalino Canas, "Sistema Semi-Presidencial", in Suplemento I do *Dicionário Jurídico da Administração Pública*, p. 468 ss.

II - Tipologia de formas de governo

Para elaborarmos uma tipologia precisamos de critérios[8]. Alguns dos critérios tradicionais estão hoje em crise. É o caso do critério da *divisão de poderes* (ou de separação de poderes) com base no qual se distingue entre formas de governo como *separação rígida de poderes* (forma monárquico, constitucional e forma presidencial) e forma de governo com *separação flexível*, dominada pela colaboração – confusa de poderes (forma parlamentar). É um critério abandonado por três razões principais: (1) permanece vinculado à concepção clássica de divisão de poderes, interpretada (de forma "mítica") como um esquema de correspondência perfeito entre órgão, função exercida e forma dos actos; (2) não tem potencialidades diferenciadores suficientes, pois "mete no mesmo saco" uma monarquia constitucional e uma republica presidencial; (3) não corresponde ao esquema dinâmico de separação e interdependência dos órgãos de soberania nos estados democráticos da actualidade.

Outro critério – o da *forma monística* ou *dualística de governo* – procura captar a existência de um esquema de *supremacia* ou de um esquema de *equilíbrio* entre os órgãos constitucionais de soberania, designadamente entre o executivo e o legislativo. A supremacia existiria no governo parlamentar (quer se trate de uma supremacia do gabinete, quer da assembleia); o equilíbrio seria o timbre da forma de governo presidencial. A ideia de dualismo aparece, na verdade, em alguns modelos modernos (ex.: semipresidencialismo), mas o critério da supremacia/equilíbrio rigidifica um código binário incapaz de responder à diversidade de formas de governo contemporâneo.

O critério mais frequentemente utilizado procura estruturar as formas de governo segundo o **vinculo de controlo e de responsabilidade** intercorrentes entre os órgãos de soberania. Mais concretamente, dá-se centralidade jurídica e político-constitucional à **relação de confiança** entre o parlamento e o governo, o que conduz à repartição tradicional entre *forma de governo parlamentar*, onde existe uma relação de confiança, e a *forma de governo presidencial* onde falta esta mesma relação. É um critério insuficiente: (1) a relação de confiança pode ter várias formatações que vai desde a exigência de uma investidura formal do governo perante o parlamento até à confiança do "parlamentarismo negativo" (Países Nórdicos, Portugal) em que o governo entra em funções sem voto de confiança inicial; (2) a dicotomia existência/ não existência de confiança

---

[8] Cfr. M. VOLPI, *Diritto Costituzionale Italiano*, p. 323.

entre parlamento/governo, esquece o esquema tridimensional mais completo de uma outra forma de poverno – "semi-presidencial", "mista parlamentar-presidencial" – que hoje está longe de ser um regime político excepcional, antes abrange vários países, muitos deles saídos de regimes autoritários (Portugal, alguns países ex-socialistas, estados africanos de língua portuguesa).

De uma forma mais ou menos difusa, um outro critério vem despontando em várias análises jurídicas e políticas: o **critério "presidencial"** ou do *papel do presidente da república* no funcionamento das instituições. Se o anterior critério de confiança intercorrente entre *Parlamento e governo* permanece uma "variável invariável" da classificação, numa outra variável se vem agora juntar: a do *modo de eleição* e o *papel político* do Presidente da República. Nas considerações subsequentes tomar-se-á em conta o cruzamento do critério da confiança com o **critério da posição jurídica e política do presidente no funcionamento das instituições**. No entanto, se, como se defendeu atrás, a forma de governo ou de regime faz o sistema, também a dinâmica do sistema pode introduzir modelações nas estruturas constitucionais da forma do governo. Esta a razão justificativa da simpatia que nos merece a gralha de classificação articulada de regimes e sistemas proposta por Olivier Duhamel [9].

FORMA DE GOVERNO + SISTEMA POLÍTICO			
		Regime	
		Parlamentar	*Semi-presidencial*	*Presidencial*
S I S T E M A S	*Governamentalista*	Espanha, Grécia, Luxemburgo, Noruega, Alemanha, Inglaterra, Suíça	Austria, Irlanda, Islândia, PORTUGAL	
	Presidencialista		França	Estados Unidos
	Parlamentarista	Bélgica, Dinamarca, Itália Países-Baixos	Polónia	

Como se vê um regime ou reforma de governo pode ser parlamentar, mas o sistema *governamentalista*; ou seja, há uma maioria estável que governa

---

[9] Cfr., OLIVIER DUHAMEL, *Droit Constitutionnel*, p. 654.

sob a direcção do seu chefe, o Primeiro Ministro (daí que se fale aqui, por vezes, de sistema "primo-ministerialista". No sistema *presidencialista* que pode assentar numa forma de governo presidencial ou numa forma de governo mista presidencial-parlamentar, o governo é assegurado pelo Presidente da República directamente eleito. No *sistema parlamentarista*, um governo de minoria ou de coligação instável articula-se com uma forma de governo parlamentar ou presidencial em que há um decisivo esquema fiduciário no parlamento.

III - Conceitos operatórios

1. Quanto à relação fiduciária entre os órgãos de soberania

a) *Controlo*

Os poderes constitucionais de *controlo* ou se exercem em relação aos titulares dos órgãos ou dizem respeito aos actos desses órgãos. No primeiro caso fala-se de **controlo primário**; no segundo alude-se a **controlo secundário**. Os controlos primários têm a sua expressão mais significativa na nomeação ou na revogação (demissão, exoneração) dos titulares dos órgãos. É neste sentido, por ex., que se alude ao controlo da AR sobre o Governo (cfr. art. 163.º/e) e se considera existir um controlo primário do PR sobre o PM (cfr. art. 133.º/f e g). Como se vê, o **controlo primário ou subjectivo** consiste no poder constitucionalmente reconhecido a certos órgãos constitucionais de soberania de provocar, em certos casos e em determinadas condições, a «novação estrutural de outros órgãos» (Lavagna). O **controlo secundário ou objectivo**, incidente sobre os actos, visa eliminar o acto viciado (ex.: o controlo da constitucionalidade das leis pelo Tribunal Constitucional) ou sanar o vício ou vícios constantes do acto (ex.: confirmação, revogação ou anulação de actos administrativos viciados).

Aqui interessa-nos sobretudo o controlo primário ou subjectivo porque é através do poder de nomeação e de exoneração que o órgão controlante escolhe o titular do órgão e põe termo à sua acção quando ela se revela «disfuncional» sob o ponto de vista político-constitucional.

b) *Responsabilidade*

A **responsabilidade política** conexiona-se com o controlo, podendo dizer-se, de certa forma, que ela é, em geral, o reverso da medalha: exprime a

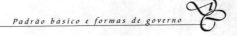

situação do controlado face ao controlante.[10] Esta situação implica que o titular do órgão controlado goza de uma *relação de confiança* do controlante e que perante este responde pelos efeitos e pelas orientações políticas da sua actividade.

2. Quanto às variáveis de influência sistémica

Designamos por **variáveis de influência sistémica** os elementos constitutivos do regime ou forma de governo que podem assumir relevância política diferenciada na dinâmica do sistema político. Referimo-nos ao *sistema de partidos*, ao *direito de dissolução* e ao *sistema eleitoral*. No seu conjunto e através de articulações várias podem gerar fenómenos de bipartidarismo, perfeito ou imperfeito, bipolarização política, personalização da liderança política, homogeneização da maioria. Nestas variáveis de influência sistémica se pode encontrar também algumas lógicas para as estratégias políticas.

B. Padrão Básico: a separação de poderes nos esquemas teóricos de John Locke e de Montesquieu

I - Sentido de um padrão básico

As propostas de leitura das formas de governo que a seguir se expõem partem de algumas ideias nucleares: (1) as *instituições políticas* constitucionalmente plasmadas conferem ordem à política, mas têm de articular várias dimensões ou níveis – o *nível funcional, o nível institucional, o nível sócio-estrutural* e o *nível organizatório-territorial* –, se aspirarem a garantir elas próprias a sua *institucionalização*, expressa na adaptabilidade, complexidade, autonomia e coerência do modelo político-organizatório; (2) a *acção política*, em qualquer forma de governo, é pautada por um conjunto de *regras* basicamente concentradas na constituição organizatória dos estados ("*core of Constitution*"); (3) os *esquemas* organizatório-funcionais recortados nas leis constitucionais nunca

---

[10] Ver, porém, GALLEOTI, *Introduzione alla teoria dei controlli costituzionali*, Milano, 1963; LUCAS VERDU, *Curso*, Vol. I. p. 141; PIZZORUSSO, *Sistema Istituzionale*, p. 46 ss.

foram nem são esquemas *neutros*, antes procuram ter em conta o parelolograma das forças politicamente actuantes e a necessidade de equilíbrio entre os vários poderes do Estado.

O **padrão básico** subjacente às articulações organizatórias dos estados constitucionais democráticos é o padrão da divisão e separação de poderes. Quando se fala de divisão ou separação de poderes não se coloca em crise, como já se acentuou, a *unidade do Estado*, pois, mesmo numa democracia pluralista integrada em comunidades políticas mais amplas, não está em causa a *indivisibilidade da estadualidade ou estatalidade*. «Dividir» ou «separar» poderes é uma questão atinente ao exercício de competências dos órgãos de soberania e não um problema de divisão do poder unitário do Estado. Neste contexto se deve comprcender também as ideias de *freios e contrapesos, checks and balances, separação e interdependência*, tradicionalmente associadas ao princípio da separação de poderes. Quer John Locke quer Montesquieu conheciam bem o solo político-social das suas propostas construtivas. Descortinavam com argúcia e clarividência que o «espírito» das formas de governo não pairava no vácuo sócio-político, antes se revelava nos vários níveis de articulação de poderes e funções: (1) *nível funcional* com a distinção das funções fundamentais do poder político: legislação, aplicação/execução de normas, jurisdição; (2) nível institucional centrado nos órgãos do poder: parlamento, governo, administração, tribunais; (3) nível *sócio-estrutural*, onde o poder surge associado a grupos sociais, confissões religiosas, corporações, cidades.[11]

Em regra, a discussão da forma de governo unilateralmente centrada na diferenciação funcional de legislativo, executivo e judiciário, pouco adiantava quanto aos suportes orgânicos e sociais e era quase omissa quanto à dinâmica relacional de *checks and balances*. Hoje, a articulação dos planos funcional e institucional é corrente no neoinstitucionalismo, mas, em geral, o nível sócio-estrutural é reduzido a **povo eleitor** ou **povo legitimador**. Ora, tal como já se referiu nos capítulos introdutórios sobre constituição e constitucionalismo, o povo é uma *grandeza pluralística*. Disto tinham perfeita noção Locke e Montesquieu ao recortarem esquemas de governo tendo como pano de fundo a sociedade feudal estamental e as estruturas sociais do absolutismo.

Finalmente, nas formas de governo propostas por estes teóricos perpassa a *filosofa emancipatória do constitucionalismo*. Escrevendo em épocas diversas e em contextos sociais diferentes, os dois autores pretenderam, no fundo, sugerir um enquadramento teórico para uma *organização constitucional concreta das liberdades*. Esclareçamos estas teorias com base em dois painéis.

---

[11] Cf., agora, Paulo Rangel, "A separação de Poderes segundo Montesquieu", in *Repensar o Poder Judicial*, p. 105 ss.

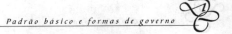

II - Painéis ilustrativos

PAINEL I – Os "quatro poderes" de John Locke (*)

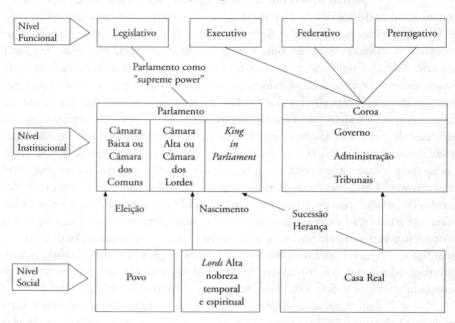

(*) Teoria da divisão de poderes na formulação de John Locke, segundo o esquema de Winfried Steffani. Pluralistische Demokratie, Opladen, 1980, pág. 121.

John Locke (1632-1704), nos seus célebres *Two Treatises of Government* (1690), pode ser apontado como um dos autores que, de forma sistemática, traçou algumas das premissas do padrão básico referente à organização do poder político segundo o princípio da separação de poderes. A *nível funcional* aponta quadro *poderes*, por ele designados "legislativo", "executivo", "federativo" e "prerrogativo", cujas funções se reconduziam à criação de regras jurídicas (legislativo), à aplicação/execução destas regras no espaço nacional (executivo), ao desenvolvimento de relações externas e de direito internacional (federativo), e à tomada de decisões em casos de excepção constitucional como guerra e estados de emergência (prerrogativo). Não bastava, porém, um olhar funcional. Era necessário captar o suporte *institucional*, ou seja, os "poderes" ou "órgãos" primariamente responsáveis por tais funções. O Parlamento – ele próprio "dividido" em ou "composto" por duas câmaras – constituia o "supreme power" fundamentalmente baseado na sua função legislativa (mas não só), enquanto a Coroa soberana pontificava no "governo", "administração" e "tribunais" funcionalmente competentes para o desempenho das funções executiva, federativa e prerrogativa. Como pode ver-se no painel, o escrito de John Locke tinha ainda como envolvência social – plano sócio-estrutural – a sociedade os seus estamentos. Todos os poderes sociais constituiam o Parlamento, mas a sociedade feudal era, ainda, o conjunto de estamentos: os "Comuns" (*"Commons"*), a nobreza temporal e espiritual (*Lords*) e a família real (*King in Parliament*).

PAINEL II – Os "três poderes" de Montesquieu (*)

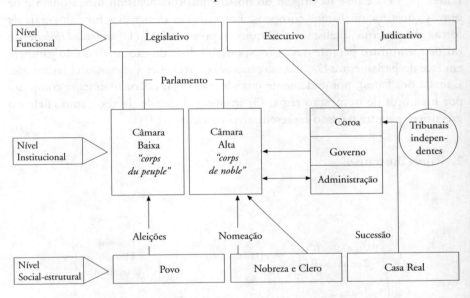

(*) Esquema de Winfried Steffani, *Pluralistische Demokratie*, cit., p. 122

Tal como Locke, a doutrina da divisão de poderes de Montesquieu (1689-1755) distingue, a nível funcional, vários poderes, mas opta por uma divisão tripartida: legislativo, executivo e judicial. A nível institucional distingue entre Parlamento, Governo e Tribunais. No plano socio-estrutural, Montesquieu refere a Coroa, o clero e nobreza e o povo ("le peuple"). As principais diferenças em relação ao modelo de John Locke residem no seguinte: (1) autonomização do poder judiciário; (2) inclusão dos poderes federativo e prerrogativo no âmbito do executivo.

581 *Padrão básico e formas de governo*

C. As formas de governo

I - Estrutura da forma de governo dualista monárquico-representativa

1. Caracterização sumária

Esta estrutura – **forma de governo dualista monárquica-representativa** – tem hoje valor histórico. Vale a pena, porém, referir os seus traços estruturantes, pois ela esteve na origem do nosso constitucionalismo monárquico e de outros constitucionalismos europeus. Eram três as dimensões fundamentais da forma de governo dualista monárquico-representativa: (1) *responsabilidade* do primeiro-ministro perante o rei e irresponsabilidade do executivo ou do gabinete em face do parlamento; (2) *controlo primário* do rei sobre a câmara alta (entre nós: Câmara dos Pares), nomeadamente quando esta era fundamentalmente composta por membros de nomeação régia; (3) irresponsabilidade do rei, como chefe do executivo, perante o órgão representativo-parlamentar.[12]

2. Painel ilustrativo

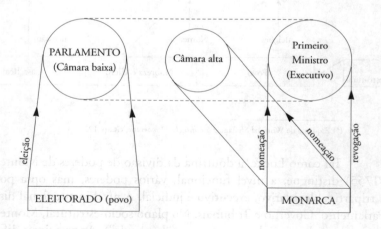

---

[12] A compreensão da estrutura dualista pressupõe o estudo do constitucionalismo monárquico, cfr., *supra*, Parte II, Caps. 2 e 3, e JORGE MIRANDA, *Manual*, I, p. 271 ss.

II - Estrutura da forma de governo parlamentar

1. Breve caracterização

A **forma de governo parlamentar** assume também várias expressões concretas, mas existem traços estruturantes que se podem sintetizar em três ideias: (1) *responsabilidade* do gabinete perante o parlamento: o gabinete ou o primeiro--ministro é nomeado pelo chefe de estado (rei ou presidente da república), mas deve, antes, obter a confiança do parlamento, havendo a obrigação de demitir-se no caso de aprovação de moções de censura ou de rejeição de votos de confiança; (2) *dissolução* do parlamento pelo chefe de estado, sob proposta do gabinete (do primeiro-ministro), ou seja, a dissolução é feita por decreto presidencial ou real (consoante se trate de república ou de monarquia), mas trata-se de um acto de iniciativa do gabinete que assume a responsabilidade política do mesmo através da referenda (dissolução ministerial ou governamental); (3) eleição (no caso de se tratar de um regime republicano) do presidente da república pelo parlamento, sem relevantes funções de direcção política mas com um estatuto constitucional de *irresponsabilidade* política perante o mesmo.

O esquema é aplicável aos regimes parlamentares monárquicos e republicanos, com a diferença de nos primeiros não haver um chefe do estado eleito pelo parlamento (vide o modelo inglês). Um exemplo típico de estrutura parlamentar republicana era o consagrado na Constituição republicana portuguesa de 1911. Modernamente, o regime parlamentar passou a articular-se com a *lógica maioritária* – **regime parlamentar maioritário** –, falando-se de **governo de legislatura** quando um partido (ou coligação de partidos) consegue uma maioria absoluta (ou uma maioria relativa próxima da maioria absoluta) de mandatos no Parlamento, o que lhe permite, em regra, assegurar a duração do governo pelo prazo da legislatura parlamentar. Neste sentido se afirma que o *regime parlamentar maioritário* "realiza uma confusão de poderes em proveito de um partido, sob o controlo da oposição e a arbitragem dos eleitores".[13]

Uma forma específica de regime parlamentar é a existente na Alemanha e designada por **democracia de Chanceler** (*Kanzler-Demokratie*). O primeiro ministro – Chanceler – é eleito directamente pela Câmara dos Deputados (*Bundestag*) que só pode votar moções de censura ao chefe do governo se, no mesmo contexto, eleger por maioria absoluta um novo Chanceler (*voto de censura construtivo*).

---

[13] Vide "Régime Parlamentaire" in, O. DUHAMEL/Y. MÉNY, *Dictionnaire Constitutionnel*, Paris, 1992, p. 886.

2. Paineis ilustrativos

PAINEL I – Estrutura da forma de governo monárquico-parlamentar

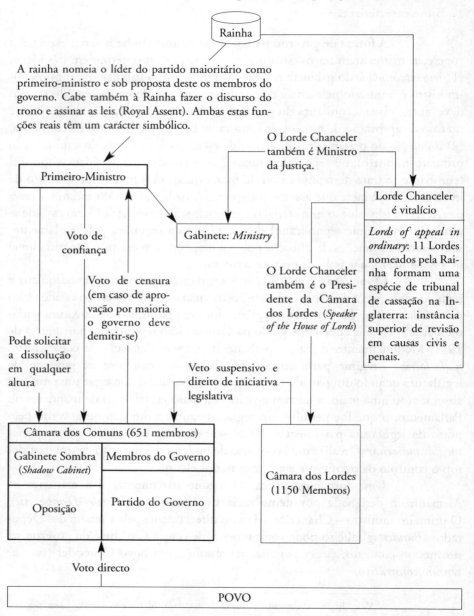

Esquema de WALTER HALLER/ALFRED KÖLZ, *Allgemeines Staatsrecht*, Basel, 1986, p. 158

PAINEL II – A forma de governo republicano-parlamentar

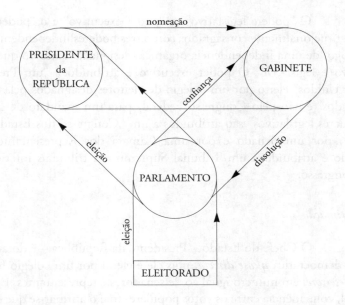

III - Estrutura da forma de governo presidencial

1. Breve caracterização

Há vários países com um regime ou **forma de governo presidencial**. No texto escolheremos como arquétipo a forma de governo presidencial norte--americana porque é ela que, directa ou indirectamente, tem servido de paradigma político-organizatório às várias engenharias presidenciais. Parece ter sido Walter Bagehot que, no seu célebre livro *The English Constitution* (1867), se referia pela primeira vez à forma de governo dos Estados Unidos como "governo presidencial" (*Presidential government*) para a contrapor à forma de governo inglesa por ele designado de "governo de gabinete"[14].

Os traços fundamentais constitucionalmente estruturantes da *forma de governo presidencial* dos Estados Unidos podem sintetizar-se nos termos subsequentes.

---

[14] Cfr. WALTER BAGEHOT, *The English Constitution* 1867. Utilizámos a edição de Fontana Press, London, 1993, pp. 22 e ss. Cfr. também K. LOEWENSTEIN, *Verfassungsrecht und Verfassungspraxis in den Vereinigten Staaten*, Berlin, 1959.

a) *Separação de poderes*

O "podere legislativo", o "poder executivo" e o "poder judiciário" são constitucionalmente consagrados como três poderes independentes. Trata-se, desde logo, de uma independência orgânica, designadamente no que respeita ao executivo e legislativo. O poder executivo é atribuído a "um Presidente dos Estados Unidos" eleito por um colégio de eleitores designados pelas legislaturas dos estados (e não pelo Congresso Federal) para um mandato de quatro anos. Os "poderes legislativos" são atribuídos a um "Congresso dos Estados Unidos", formado por um Senado e por uma Câmara dos Representantes. O poder judiciário é atribuído a um Tribunal Supremo e a tribunais inferiores criados pelo Congresso.

b) *Legitimação*

O Chefe do Estado – Presidente da República – é dotado de legitimidade democrática *quase directa*, pois ele é eleito por um colégio formado por *grandes eleitores* em número igual ao de senadores e representantes. Embora haja, em geral, coincidência entre os votos populares (daí o afirmar-se que o Presidente tem legitimidade democrática directa) e os votos dos "grandes eleitores", existe a possibilidade de ser eleito presidente um candidato que tem a maioria de *mandatos eleitorais* mas sem maioria de *votos populares* (caso de Hayes, em 1876, e de Harrison, em 1888, que ganharam tendencialmente nos Estados dotados de população mais numerosa e garantidores de um maior número de grandes eleitores, e perderam claramente em Estados menos populosos e, por isso, com menor número de grandes eleitores).

c) *Governo*

O Presidente da República é, simultaneamente, *chefe do estado* e *chefe do governo*, e daí a ausência de um gabinete ministerial no verdadeiro sentido e a existência de simples secretários de Estado, subordinados ao presidente. Além do *monopolismo do executivo* – o poder executivo é conferido ao Presidente dos Estados Unidos – verifica-se a ausência de um governo colegial, pertencendo a definição de programas e a preparação das políticas públicas a esquemas organizativos da presidência ou até a assistentes pessoais da mesma (*Executive Office*).

586

d) *Poder judiciário*

Assume grande relevância a existência de um *poder judiciário* activo que se transformou através do *Supreme Court* e do instituto da *judicial review* (fiscalização da constitucionalidade das leis) num importante contra-poder em momentos históricos importantes como nos casos do *New Deal* (1936-1953), igualdade racial (1954), direitos das mulheres (1965) e recusa de «privilégio» do executivo (1974).[15]

e) *Controlos*

Não existem *controlos primários* entre o Presidente da República e o Congresso: o Presidente não tem poderes de dissolução das câmaras e nenhuma destas ou ambas tem a possibilidade de aprovar moções de censura contra o presidente. O governo é «irresponsável» e o parlamento «indissolúvel». Daí o afirmar-se que os poderes são *poderes separados*. De todo o modo, existem alguns elementos de «contrapeso»: o Presidente pode ser destituido através do processo de *impeachment* e o Senado tem de dar o seu assentimento à nomeação dos secretários de estado e altos funcionários do executivo. Por sua vez, o Presidente dispõe do direito de *veto* relativamente aos actos legislativos mas com possibilidade de superação do veto político por cada uma das câmaras através de deliberação aprovada por mais de 2/3 (*two thirds rule*). Além destes esquemas relacionais entre os órgãos políticos do Estado, deve ter-se em conta a *separação vertical* efectivada por uma estrutura territorial federal, em que cada um dos estados dispõe de um governo eleito, de um órgão político-legislativo e de uma constituição estadual. O **federalismo** é considerado um elemento central do esquema constitucional de separação de poderes. Na discussão entre os "federalistas" e os "antifederalistas", no momento da Convenção de Filadélfia, ou seja, da feitura da Constituição americana de 1787, a existência de "Estados" dotados de poderes auto-organizatórios e competências próprias ("momento anti-federalista") revelou-se como a condição ineliminável para a aceitação de um "executivo forte" ("momento federalista") indispensável a "an extended commercial republic".

---

[15] Uma visão histórica da formação do sistema presidencial nos Estados Unidos ver-se-á em MARCELLO CAETANO, *Ciência Política e Direito Constitucional*, vol. I, p. 91 ss.; JORGE MIRANDA, *Manual*, vol. I, 6.ª ed., p. 139 ss.; P. BACELAR DE VASCONCELOS, *A Separação de Poderes na Constituição Norte-Americana*, Coimbra, 1994, p. 23 ss. Mais desenvolvimento em P. G. LUCIFREDI, *Appunti di diritto costituzionale comparato*, vol. 3 – *Il sistema statunitense*, Milano, 1993; MÁRIO BARATA, *O Antifederalismo Americano como Linguagem Político-Constitucional Alternativa*, Coimbra, 2002.

2. Presidencialismo e presidencialismos

Alguns autores consideram redutora a alusão acrítica ao sistema presidencialista. Não há um regime ou sistema presidencialista. A matriz originária (a matriz presidencialista americana) sofre tantos desvios que o melhor será falar de «presidencialismos». O **presidencialismo latino-americano** é o exemplo mais significativo.

Embora com especificidades nos vários estados latino-americanos, o sistema presidencialista destes estados acentua disfunções político-organizativas: (1) os amplos poderes do Presidente, ordinários e extraordinários, derivados do facto de o Presidente ser, ao mesmo tempo, Chefe de Estado e Chefe do Governo, alicerçam uma confusão e concentração de poderes executivos e legislativos (ex.: as medidas provisórias no sistema presidencialista brasileiro); (2) esta confusão e concentração perturba o sistema de *cheks and balances*, o que conduz à insuficiência notória de controlos institucionais (por parte, por ex., do parlamento ou do poder judiciário sobre os actos presidenciais). Daí a designação deste presidencialismo como «cesarismo representativo» ou «centralismo presidencialista».[16]

---

[16] Cf. D. NOHLEN/M. FERNANDEZ, *Presidencialismo versus Parlamentarismo*, America Latina, Caracas, 1991. S. MAIN WARING/A. VALENZUELA, *Presidentialism and Democracy: Latine America*, 1997; S. E. ABRANCHES, «Presidencialismo de coalição: O dilema institucional transitório», in *Dado*, 1/31 (1998), p. 9 e ss.; L. MEZETTI, *Le Democrazie Incerte*, Torino, 2000.

3. Painel ilustrativo

Forma de Govreno Presidencial dos Estados Unidos da América

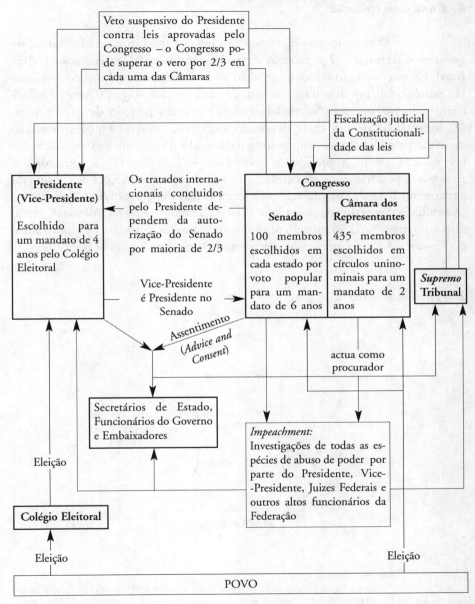

(Fonte de inspiração W. HALLER/ALFRED KÖTZ, *Allgemeines Staatsrecht*, Basel/Frankfurt/M., 1996, p. 160.)

IV - Estrutura da forma de governo directorial

1. Breve caracterização

O modelo paradigmático de uma estrutura directorial – **forma de governo directorial** – é o modelo da Federação Suíça («Confederação Helvética»). Os traços estruturais deste modelo podem sintetizar-se da forma seguinte: (1) existência de um directório, ou seja, de um *executivo colegial* (*Conseil Fédéral*) eleito pelo parlamento (Assembleia Federal) por um período de quatro anos; (2) inexistência de um chefe de estado autónomo, pois as funções deste são exercidas pelo Directório, limitando-se o chamado «Presidente da Confederação» (de rotação anual) a presidir às sessões daquele órgão; (3) o Directório é *irrevogável*, pois não pode ser demitido através de votos ou moções de censura do parlamento federal. Por sua vez, o Directório não pode dissolver o Parlamento (Assembleia Federal, composta por duas Câmaras – *Conseil National*, eleito directamente segundo o método proporcional e por um mandato de quatro anos, e o *Conseil des États*, constituído por representantes dos cantões (2 por cantão).[17]

2. Painel ilustrativo

---

[17] Sobre o regime político suíço, cfr. JEAN-FRANÇOIS AUBERT, *Traité de Droit Constitutionnel Suisse*, Neuchâtel, 1967; HÄFELIN/HALLER, *Schweizerisches Bundesstaatsrecht*, 3.ª ed., Zürich, 1993; K. HANSPETER, *Le systéme politique suisse*, Paris, 1995.

V - Estrutura mista parlamentar-presidencial

1. Breve caracterização

Iremos analisar desenvolvidamente o modelo português. Aqui basta a menção dos traços estruturais das **formas de governo semipresidencialistas**. São as seguintes: (1) dois órgãos (presidente da república e o parlamento) eleitos por sufrágio directo; (2) dupla responsabilidade do governo (gabinete) perante o presidente da república e perante o parlamento; (3) dissolução do parlamento por decisão e iniciativa autónomas do presidente da república (diferentemente do que existe quer no regime presidencial quer no regime parlamentar); (4) configuração do gabinete como órgão constitucional autónomo (diversamente do regime presidencial e analogamente ao regime parlamentar); (5) presidente da república com poderes de direcção política próprios (à semelhança do regime presidencial, mas diversamente do regime parlamentar).

O critério da posição jurídica e política do presidente da república no funcionamento das instituições assume aqui particular relevo. Em certas engenharias constitucionais (exs.: sistemas francês e finlandês) o complexo de poderes do Presidente da República sugere uma base presidencial temperada pelas exigências da confiança parlamentar, falando-se de sistema presidencial com «correcção parlamentar». Noutras formatações jurídico-constitucionais, a matriz do sistema é parlamentar, significando a atribuição de poderes políticos relevantes ao Presidente da República uma correcção da forma de governo parlamentar. Daí a fórmula caracterizadora "governo parlamentar com correctivo presidencial". A fórmula mais abrangente será, então, a de *sistema presidencial-parlamentar* ou *parlamentar-presidencial* consoante a matriz dominante.[18]

Qualquer que seja a matriz, a forma de governo semi-presidencialista ou forma de governo mista parlamentar-presidencial adquiriu contornos autónomos, não circunstanciais, justificadores da sua qualificação como uma *forma de governo contemporâneo* em que as dimensões funcionais e institucionais do sistema político desempenham um papel dinamicamente conformador. Por isso, um autor (Volpi) alude aqui a uma forma de governo como categoria *a se stante* em que se tem de atender não apenas aos elementos estruturais constitucionais mas também aos elementos funcionais.[19]

---

[18] Vide, por último, M. SHUGART/J. CAREY, *President and Assemblies*, p. 24.
[19] Ver a análise recente de AGUILERA DE PRAT/R. MARTINEZ, *Sistemas de Gobierno*, pp. 103 e ss., dos regimes da Finlândia, França, Polónia, Portugal e Arménia.

2. Painel ilustrativo

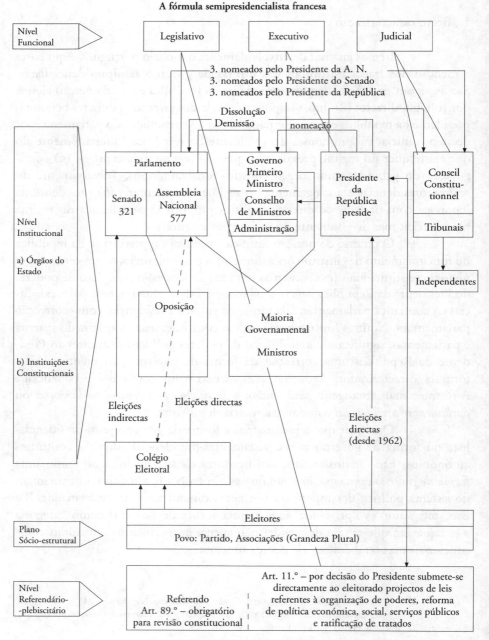

(Fonte: W. Steffani, *Pluralistische Demokratie*, p. 133)

Referências bibliográficas

Aguilera de Prat/Martinez, R. – *Sistemas de Gobierno, Partidos y Territorio*, Madrid, 2000.

Alcalá, H. N. – "Los presidencialismos puros y atenuados. Los casos de Chile y da Argentina", *Boletin Informativo*, XIV 144 (1998), Buenos Aires, pp. 5 e ss.

Carpizo, J. – "Mexico. Sistema Presidencial o Parlamentario?", in *CUC*, 1(1999), pp. 150 e ss.

– *El Presidencialismo mexicano*, Mexico, 1978.

Conac, G. – "Présidentialisme", in O. Duhamel/Y. Mény, *Dictionnaire Constitutionnel*, Paris, 1992.

Dallari, D. – *Elementos de Teoria Geral do Estado*, 20.ª ed., São Paulo, 1998.

Duhamel, O. – *Droit Constitutionnel et Politique*, Paris, Seuil, 1992.

Duverger, M. – *Échec au Roi*, Paris, 1978.

– *Les régimes semiprésidentiels*, Paris, 1986.

Elgie, R. – *Semi-Presidentialism in European Politics*, Oxford, 1999.

Elgie, K. (org.) – *Semi-Presidentialism in Europe*, Oxford, 1989.

Elster, J./Hylland, A. (org.) – *Foundations of Social Choice Theory*, Cambridge, Cambridge University Press, 1988.

Ferreira, L. P. – *Teoria Geral do Estado*, São Paulo, 1975.

Gambino, S. (org.) – *Democrazia e forme di governo. Modelli stranieri e riforma costituzionali*, Rimini, 1997.

Garnier, R. – "Inspirons Nous du Modèle Portugais?", in Jorge Miranda, (org.), *Perspectivas Constitucionais*, vol. III, Coimbra, 1998.

Linz, J./A. Valenzuela (org.) – *La crise del presidencialismo. I – Perspectivas comparativas*, Madrid, 1997.

Lotito, P. F. – *Forme di Governo e Processo di Balancio. Analisi dell'Ordinamento Francese e Riflessioni sull'Ordinamento Italiano*, Torino, 1997.

Lucena M. – "Semipresidencialismo: teoria geral e práticas portuguesas", in *Análise Social*, vol. XXXI (138), 1996.

Mezzetti, L./Piergigli, V. (org.) – *Presidenzialismi, Semipresidenzialismi, Parlamentarismi. Modelli comparati e riforma istituzionali in Italia*, Torino, 1997.

Miranda, J. – *Manual de Direito Constitucional*, vol. I, 5.ª ed., Coimbra, 1996.

Moulins, R. – *Le présidentialisme et la classification des régimes politiques*, Paris, 1978.

Pegoraro, L./Rinella, A. (org.) – *Semipresidenzialismi*, Padova, 1997.

Pitruzzella, G. – *Forme di governo e transformazioni della politica*, Bari, 1997.

Powell, W. W./Dimaggio, P. – *The New Institutionalism in Organizational Analyses*, Chicago, Chicago University Press, 1991.

Rinella, A. – *La forma di governo semi-presidenziale: Profili metodologici e circolazione del modello francese in Europa Centro-Orientale*, Torino, 1997.

Sartori, G. – *Ingegneria Costituzionale Comparata*, Bologna, 1995.

Shugart, M./Carey, J. – *Presidents and Assemblies. Constitutional Designs and Electoral Dynamics*, Cambridge, 1992.

Steinmo, S. – *Structuring Politics. Historical Institutionalism in Comparative Analysis*, New York, Cambridge University, 1992.

Steffani, W. – *Pluralistische Demokratie*, Leske, Opladen, 1980.

Von Mettenheim, B. (org.) – *Presidential Institutions and Democratic Politics*, Baltimore/London, 1997.

Fiuza, R. – *Direito Constitucional Comparado*, 3.ª ed., Belo Horizonte, 1997.

Capítulo 3

A Variável Portuguesa do Padrão Básico - Regime Misto Parlamentar-Presidencial

Sumário

A. Origem do Sistema

 I - Traços de memória interna

 II - Traços de memória externa

 III - Racionalização da forma de governo

B. Os Elementos Caracterizadores

 I - Justificação da fórmula "regime misto parlamentar-presidencial"

 II - Os elementos caracterizadores

  1. Traços do regime parlamentar
  2. Traços do regime presidencial
  3. Traços de rescionalização parlamentar-presidencialista

595 — *Padrão básico e formas de governo*

III - Interdependência institucional

1. Presidente da República e Primeiro Ministro
2. Presidente da República e Assembleia da República
3. Assembleia da República e Governo
4. Painéis

*IV - A interpretação "estratégica"
do regime misto parlamentar-presidencial*

C. A Recepção do Regime Misto nos Países de Língua Oficial Portuguesa (CPLP)

D. A forma de governo nas Regiões Autónomas

A. Origem do Sistema

I - Traços de memória interna

A forma de governo **misto parlamentar presidencial** consagrada na Constituição Portuguesa de 1976 só é intelegível se tivermos resente alguns traços de *memória interna* e certos *traços de memória externa*. Os traços de memória interna recortam algumas experiências jurídico-constitucionais portuguesas positivamente valoradas pelo poder constituinte de 1976. Dentre esses traços devemos salientar a dimensão partidário-parlamentar da Constituição de 1911 e a dimensão presidencial da Constituição de 1933. Mais concretamente, a forma de governo plasmada no texto constitucional de 1976 procurou: (1) recuperar a centralidade do parlamento e a responsabilidade do governo perante o mesmo; (2) restabelecer a eleição directa do Presidente da República consagrada inicialmente na Constituição de 1933 e eliminada na revisão de 1959. A recuperação da centralidade do parlamento e da responsabilidade política do governo perante o mesmo efectivada através de moções, interpelações e perguntas, que constituía o *"cuore" republicano e democrático*, retomava, no seus aspectos positivos, a experiência republicana de 1911. O restabelecimento da eleição directa do Presidente da República marcava, por um lado, a decisão de afastar o Chefe do Estado das escolhas partidário-parlamentares, e, por outro, redimensionar o valor legitimatório de um Presidente da República directamente eleito pelo povo.

II - Traços de memória externa

Os traços de memória externa juntam dimensões de algumas experiências jurídico-constitucionais estrangeiras cuja bondade política se afigurou merecedora de acolhimento na estrutura político-organizatória definida pela Constituição de 1976. Referimo-nos principalmente a duas experiências: (1) a *do parlamentarismo racionalizado* segundo o esquema alemão da Constituição de Weimar de 1919; (2) a do *semipresidencialismo* segundo o figurino francês da constituição "gaullista" de 1959.

III - Racionalização da forma de governo

De uma forma ou doutra, parece legítimo afirmar-se que os traços da memória – da memória interna e da memória externa – estiveram presentes, desde a primeira hora, na arquitectura do poder político na Constituição de Abril. Os traços da memória converteram-se em **parâmetros de racionalização** do sistema de governo. Como iremos ver melhor nos desenvolvimentos subsequentes, as dimensões básicas e estruturantes da forma de governo portuguesa relacionam-se com a *posição do Governo face à Assembleia* e com a *autonomização do Presidente da República perante o Parlamento*. A posição do Governo em face da Assembleia da República determina-se: (a) pelo regime de formação do Governo; (b) pelo seu processo de nomeação e de investidura; (c) pela disciplina do voto de desconfiança. Por sua vez, a autonomização do Presidente da República perante o Parlamento assenta na eleição directa do Presidente e no recorte constitucional de importantes poderes próprios (dissolução da Assembleia da República, nomeação do Primeiro Ministro, exoneração do Governo).

B. Os elementos caracterizadores

I - Justificação da fórmula "regime misto parlamentar-presidencial"

As dimensões racionalizadoras acabadas de assinalar bem como as relações entre os vários órgãos de soberania estabelecidas na CRP apontam para um **regime misto parlamentar-presidencial**, onde são visíveis elementos caracterizadores do regime parlamentar e dimensões próprias da forma de governo presidencialista. A escolha da expressão *regime misto* parlamentar-presidencial não é arbitrária. Parece seguro que a Constituição Portuguesa de 1976 não acolheu uma forma de governo "quimicamente pura" (presidencialismo, parlamentarismo) antes procurou articular dimensões próprias de várias formas de governo. Acresce que a fórmula *parlamentar presidencial* corresponde melhor àquilo que, na realidade, a Constituição elegeu como elementos estruturantes da forma de governo. Em primeiro lugar, e em tempos de estabilidade constitucional com um governo de maioria absoluta ou de maioria relativa, é o eixo *parlamento governo* que adquire centralidade política, ao contrário do que parece.sugerir a fórmula de semipresidencialismo (maioritariamente usada na doutrina portuguesa). Em segundo lugar, até hoje não se recortou com segurança o arquétipo semipresi-

dencial, sobretudo quando, como se acentua em doutrina recente, o figurino francês do semipresidencialismo é pouco operatório para explicar as profundas diferenças de regime e de práticas das formas de governo relegadas para a nebulosa semipresidencialista. Finalmente, a centralidade presidencialista subjacente à fórmula semipresidencialista parece assentar mais na excepção do que na regra. Elege os poderes do Presidente da República em tempos de crise para, a partir daí, construir o esquema semipresidencialista, esquecendo-se que, mesmo em tempos de instabilidade geradora de um eventual intervencionismo presidencial, continuam a faltar no sistema de governo português dimensões típicas do sistema presidencial como é a chefia do executivo ou, pelo menos, a reserva exclusiva ou dominante de competências governamentais importantes no plano externo e interno (política externa e política de defesa). Por isso, mais importante do que uma discussão nominalista, é definir os traços mistos da forma de governo constitucionalmente plasmados.

II - Os elementos caracterizadores

1. Traços de regime parlamentar

a) *Autonomia do Governo*

Tal como no regime parlamentar, onde existe um conselho de ministros, presidido por um chefe de governo, com autonomia institucional e competência própria, e ao contrário do regime presidencialista puro, em que os «secretários de Estado» não formam um corpo autónomo sendo meros executantes da política do Presidente da República, a CRP estabelece a existência de um **Governo** dirigido por um Primeiro-Ministro como órgão de soberania institucionalmente autónomo (cfr. arts. 110.º, 182.º).

b) *Responsabilidade ministerial*

A **responsabilidade política** do governo perante o parlamento é outro dos elementos caracterizadores do regime parlamentar. Também ela está constitucionalmente consagrada na CRP como pode ver-se nos arts. 190.º e 191.º

O desenvolvimento da responsabilidade política do Governo perante o Parlamento não se afasta, no nosso sistema, do clássico modelo parlamentar: (i) ou se trata de uma iniciativa da AR através de uma **moção de censura**

(art. 195.º/f); (ii) ou se verifica uma iniciativa do próprio Governo através de uma **moção de confiança** (arts. 193.º e 195.º/e).

c) *Referenda ministerial*

Não obstante a evolução verificada quanto à natureza do instituto da **referenda**, ela significa que o Presidente da República e o Governo partilham certas tarefas, cabendo a este último, através dela, comprometer-se politicamente quanto a certos actos (cfr. art. 140.º).

Ao contrário, porém, do regime puro de gabinete, o Governo não possui, entre nós, o direito de iniciativa de dissolução do parlamento. Isso deriva da componente presidencial do regime que se vai analisar em seguida.

2. Traços do regime presidencial

a) *A instituição de um Presidente da República eleito através de sufrágio directo*

Tal como acontece nos sistemas presidenciais, o PR é eleito através de sufrágio universal, directo e secreto dos cidadãos portugueses (art. 121.º). Não se estabelece, pois, uma *legitimidade indirecta* do PR derivada da sua eleição pelas câmaras representativas como acontece nos regimes parlamentares republicanos.

b) O *direito de veto político e legislativo*

Embora o PR não disponha de iniciativa legislativa, pode opor-se através do **veto político**, como acontece nos regimes presidenciais, às leis votadas pela AR (cfr. art. 136.º).

c) *A existência de poderes de direcção política*

Um regime presidencial caracteriza-se pela existência de poderes de direcção política por parte do presidente da república, diferentemente do que acontece com um presidente da república em regime parlamentar. O que rigorosamente imprime uma dimensão presidencialista ao regime é: (i) o conjunto de poderes institucionais conferidos ao PR e inexistente nos regimes parlamentares; (ii) a existência de poderes próprios de um **indirizzo político** activo; (iii) a desnecessidade, como corolário da natureza activa dos poderes próprios, da refe-

600

renda ministerial em grande número de actos presidenciais (nos regimes parlamentares a regra é, pelo contrário, a necessidade de referenda ministerial).

3. Traços de racionalização parlamentar-presidencialista

O modelo de separação e interdependência consagrado na CRP caracteriza-se também pela existência de alguns elementos gerados ainda no *regime parlamentar dualista monárquico* e, posteriormente, retomados nos esquemas do parlamentarismo racionalizado.

a) A *dupla responsabilidade do Governo*

Nos regimes dualistas monárquicos (regime «orleanista») o chefe do Estado (rei) era considerado como chefe do executivo, mas as relações com o parlamento estabeleciam-se através do gabinete que partilhava com o rei o exercício do governo. Daí a existência de uma **dupla responsabilidade** para o executivo: diante do parlamento e perante o chefe do Estado.

A dupla responsabilidade caracteriza também o nosso regime misto parlamentar-presidencial: o Governo é politicamente responsável perante o PR e perante a AR (cfr. arts. 190.° e 191.°).

b) *O direito de dissolução da AR*

Outra das características do regime parlamentar dualista reside **direito de dissolução** (inexistente no regime presidencial e de iniciativa do Governo no regime de gabinete puro) pertencente ao Presidente da República (cfr. art. 133.°/e). Trata-se, pois, de um poder na linha da chamada *«dissolution royale»* (das monarquias dualistas) e não na tradição da *«dissolution ministérielle»* (dos regimes parlamentares). Este direito de dissolução era considerado como *«exercite normal du pouvoir royal»* (Deslandres). Daí o entender-se que o Chefe de Estado o pudesse exercer discricionariamente, sem necessidade do acordo do governo e do parlamento e fora de qualquer crise ministerial. Diferentemente do que acontecia com a chamada *dissolution royale,* o poder de dissolução presidencial consagrado na CRP não é totalmente discricionário e comporta limites temporais importantes (cfr. art. 172.°).

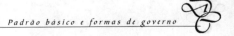

III - Interdependência institucional

O regime acabado de caracterizar é do mesmo tipo institucional do que vigora noutros países (Áustria, Finlândia, Irlanda, Islândia, Sri Lanka e França). Recentemente foi adoptado por alguns dos países do «ex-bloco socialista», como a Polónia, Roménia, Bulgária, Lituânia e Eslovénia. Fala-se, neste contexto, do significado e alcance da fórmula semipresidencialista nos *processos de transição para a democracia*. Não obstante a semelhança que, do ponto de vista institucional, possa haver, os regimes mistos não apresentam uma homogeneidade suficiente para os classificarmos segundo uma única categoria (ex.: «semipresidencialismo»). Os poderes dos presidentes são diferentes, a prática política é muito diversa e as características estruturais dos regimes são substancialmente diversificadas.

A análise comparativa dos chamados «sistemas políticos semipresidenciais» foi feita sugestivamente por M. Duverger no livro *Xeque-Mate,* Lisboa, 1978. Aqui continua a falar-se preferentemente de *regime parlamentar-presidencial*. Depois da Lei de Revisão (LC n.º 1/82) parece-nos até que a diminuição dos poderes do PR se adapta melhor a uma categoria mais elástica como é a de regime misto parlamentar-presidencial de que a uma categoria que, apesar de tudo, põe ênfase nos poderes presidenciais (semipresidencialismo). No sentido do texto, cfr. G. Brunner, *Vergleichende Regierungslehre,* Paderborn/München/Zürich, 1979, que se refere *a parlamentarisch-präsidentielles Mischsystem;* J. C. Colliard, *Les Régimes Parlamentaires Contemporains,* Paris, 1978, que considera (p. 280) estes regimes como «regimes parlamentares com correctivo presidencial»; *idem*, «Sur trois nouveaux regimes parlamentaires», in *Études Leo Hamon,* Paris, 1982, p. 131 ss; Mortati, *Le Forme di Governo,* Padova, 1973, que alude aos regimes de Weimar e da 5.ª República Francesa como regimes de «tipo dualístico» (cfr. pp. 199 ss). Cfr., entre nós, Veiga Domingos, *Portugal Político;* Marcelo Rebelo de Sousa, *Direito Constitucional,* Vol. 1, pp. 195 ss, e «Sistema de Govemo Português», in *Estudos sobre a Constituição,* Vol. III, p. 577, Lisboa, 1980; Gomes Canotilho/Vital Moreira, *Os Poderes do Presidente da República,* Coimbra, 1991. Sobre os problemas que no plano lógico-metodológico pode suscitar a classificação dos «regimes mistos», cfr., por último, R. Moulin, *Le Présidentialisme et la Classification des Régimes Politiques,* Paris, 1978, pp. 9 ss. e, mais recentemente, M. Duverger (org.) *Les Régimes semi-présidentiels,* 1986; C. Debbasch, *Droit Constitutionnel et Institutions Politiques,* Paris, 1983, p. 482 ss.; P. Pactet, *Institutions Politiques, Droit Constitutionnel,* 1985, p. 152; Burdeau, *Manuel de Droit Constitutionnel,* 21.ª ed., 1989, p. 580 ss.; Duhamel, «Remarques sur la notion de régime semi-présidentiel», in *Mélanges Duverger,* 1987, p. 581 ss.

Em face da natureza mista parlamentar-presidencial, compreende-se que a interdependência institucional a que se aludiu seja mais complexa nestes regimes do que naqueles em que há um elemento caracterizador dominante. Cfr., também, «Il Governo semi-presidenziale in Europa», *Quaderni Costituzionali,* 2/1983; Ph. Lavaux, *Parlamentarisme rationalisé et stabilité du pouvoir éxécutif,* Bruxelles, 1988; G. Sartori, *Comparative Constitutional Engineering,* Londres, 1994.

1. Presidente da República e Primeiro-Ministro

De acordo com o art. 120.º, o PR «garante a independência nacional, a unidade do Estado e o regular funcionamento das instituições». Esta fórmula aponta para a necessidade de *poderes institucionais* que lhe permitam cumprir as tarefas indicadas no referido artigo. Estes poderes vão, como se viu já, desde a demissão do Governo e de dissolução da AR até à declaração do estado-de-sítio ou de emergência.

Quanto aos *poderes executivos,* o PR detém um *poder inicial,* pois é a ele que compete nomear o PM, e um *poder final,* dado lhe ser reconhecida a faculdade de demitir o Governo, embora apenas no caso de isso ser necessário para o «regular funcionamento das instituições democráticas» (cfr. art. 195.º/2). Isto implica a existência de uma responsabilidade política do Governo e do PM perante o PR (cfr. art. 190.º e 191.º/1). Não se pode, porém, dizer que o PR governa, devendo o PM actuar de acordo com as orientações políticas presidenciais. O chefe do Governo (órgão institucionalmente autónomo) é o PM e não o PR. Se o PM «derivasse» do PR e fosse executor de uma política presidencial falar-se-ia de **interdependência institucional** *do PR e do PM com supremacia presidencial.* Se o PM, embora responsável politicamente perante o PR, é definidor de uma política governamental autónoma, pode dizer-se que há uma *interdependência institucional entre PR e PM com autonomia governamental.* É esta segunda forma de interdependência que caracteriza as relações entre o Presidente da República e o Primeiro-Ministro (e através dele o Governo).

Não deve confundir-se *interdependência institucional* com *responsabilidade política.* Esta confusão está claramente patente na eliminação, pela LC n.º 1/82 (Lei de Revisão), da expressão «politicamente» contida na redacção originária do art. 193.º Como já se acentuou no texto, o «poder inicial» e «final» do PR em relação ao Governo implica logicamente a existência da responsabilidade política deste. Esta responsabilidade política pode ser acompanhada de uma *solidariedade institucional* mais ou menos intensa consoante se acentue uma interdependência institucional com «supremacia presidencial» ou uma interdependência institucional com autonomia governamental. Foi esta autonomia que a Lei da 1.ª Revisão acentuou, embora não tivesse excluído a subsistência da responsabilidade política do PM perante o PR. Reforçou-se a *independência funcional com diminuição da solidariedade institucional.* Acentuando mais claramente a independência funcional e atenuando a ideia de "solidariedade institucional", cfr. Gomes Canotilho/Vital Moreira, *Os Poderes do Presidente,* cit., p. 50; *Fundamentos da Constituição,* cit., p. 10 ss. A interdependência constitucional entre o PR e o PM tem sofrido nos últimos desenvolvimentos constitucionais sucessíveis deslocações. As eleições para a AR transformaram-se a nível da constituição real e contra a constituição formal num esquema plebiscitário de escolha do Primeiro-Ministro. O PR pouco pode em casos de governos com suporte maioritário (de maioria absoluta ou de maioria relativa significativa), chegando-se mesmo à completa erosão do sistema constitucional através da *prática* de o Primeiro Ministro nem sequer colocar o lugar à disposição quando é

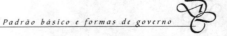

eleito (ou reeleito) um novo PR. Salientando as novas configurações plebiscitárias da escolha do Primeiro-Ministro, cfr. F. Lucas Pires, *A Teoria da Constituição*, p. 218, e, por último, Paulo Otero, *O Poder de Substituição*, II, p. 633. Para uma análise empírica, cfr. Maritheresa Frain "Relações entre o Presidente da República e o Primeiro-Ministro em Portugal – 1985-1995", in *Análise Social* 125/126(1994), p. 653 ss.

2. Presidente da República e Assembleia da República

A interdependência institucional com autonomia governamental, entre o PR e o PM, atenua relativamente a interdependência entre o PR e a AR. Se a interdependência institucional entre o PR e o PM fosse acompanhada pela dependência funcional deste último em relação ao primeiro, seria a política presidencial executada pelo PM que acabaria por ficar sujeita, em último termo, ao controlo da assembleia parlamentar. Daí os conhecidos e discutidos problemas sobre a necessidade de uma «maioria-suporte» quer do presidente quer da assembleia e, naturalmente, do governo (caso francês).

A independência funcional do executivo perante o PR, se desloca o centro de gravidade da responsabilidade política para as relações Governo-Assembleia, nem por isso elimina a interdependência *institucional* entre o PR e a AR.

A **dupla responsabilidade governamental** implica que, embora pertença ao PR escolher o PM, ele tem de ter em conta os «resultados eleitorais» (art. 187.°), fórmula indicadora da necessidade de o Primeiro-Ministro dever ser escolhido de acordo com o partido ou partidos capazes de obter confiança, de forma positiva ou negativa, na AR.

O PR não detém qualquer poder de iniciativa legislativa, e o Governo, para levar a cabo a sua política, necessita apenas de exercer o seu poder legislativo e aproveitar da competência legislativa da AR. Contudo, o PR dispõe de **direito de veto** (art. 136.°) que, em relação a algumas matérias – alargadas na 4.ª revisão –, só pode ser superado pela maioria de 2/3 dos deputados presentes (art. 136.°/3).

A interdependência institucional entre PR e AR resulta ainda do **direito de dissolução** como poder próprio e efectivo do Presidente da República (cfr. art. 133.°). Trata-se, como já se disse, de uma dissolução do tipo *«royale»* e não do tipo governamental. Ela serve para evitar impasses ou bloqueamentos no funcionamento das instituições, como são os eventualmente resultantes da dupla responsabilidade do governo e, num plano mais global, da confrontação directa entre o PR e a AR.

3. Assembleia da República e Governo

A interdependência institucional entre os órgãos de soberania é claramente visível nas relações entre o Governo e a Assembleia da República. A responsabilidade política do governo perante a AR repousa sobre o poder de a Assembleia retirar ao Governo a confiança política da qual ele necessita para governar. O desencadeamento da responsabilidade política do Governo pode ter como base: (i) uma **questão de confiança**, traduzida na iniciativa do Governo em sujeitar a sua permanência em funções a um voto da AR, geralmente relacionado com a aprovação do programa (art. 192.º/1) ou com uma declaração de política geral deliberada em Conselho de Ministros (arts. 193.º e 200.º/b); (ii) uma iniciativa dos deputados (1/4 dos deputados em efectividade de funções) ou dos grupos parlamentares (cfr. art. 194.º/1) através de **moções de censura**.

A interdependência institucional entre o Governo e a AR revela-se na colaboração legislativa entre o Governo e o Parlamento, não obstante a manutenção da função legislativa como uma função privilegiada do parlamento para certos assuntos (arts. 164.º e 165.º) e a intencionalidade política própria do instituto do controlo dos decretos-leis (art. 165.º).

O âmbito da responsabilidade política do Governo perante a AR tem como área de actividade principal a actividade da administração central do Estado. Compreende-se que o controlo exercido pela AR relativamente à administração autónoma só possa dizer respeito ao modo de exercício dos poderes de tutela do Governo. O mesmo se diga quanto à administração autónoma que se traduza no exercício de funções públicas por associações públicas (art. 267.º/4) não integrantes da administração do Estado (ex.: ordens profissionais).

As relações entre o Governo e a Assembleia da República têm hoje refracções importantes no âmbito da **construção europeia**. Nos termos do art. 163.º/f, compete à Assembleia da República "acompanhar e apreciar, nos termos da lei, a participação de Portugal no processo de construção da união europeia". *Acompanhar* o processo de construção significa não apenas fiscalizar – *ex ante* ou *ex post* – a assunção de compromissos governamentais, mas também a apreciação e análise das políticas e estratégias comunitárias. Daí a competência da AR (art. 161.º/n) para se pronunciar sobre matérias pendentes de decisão em órgãos no âmbito da União Europeia.

4. Paineis

PAINEL I – A forma de governo mista parlamentar-presidencial portuguesa

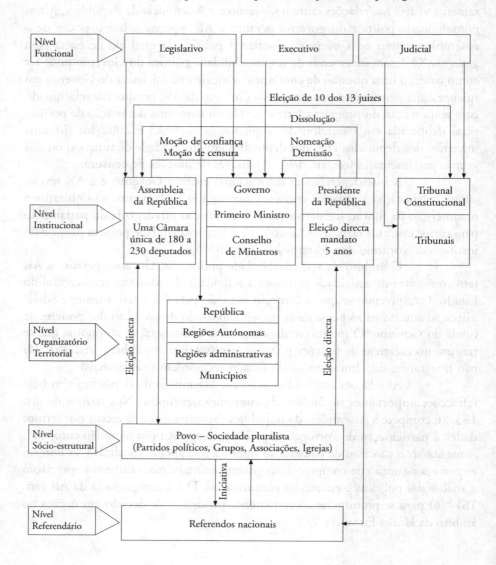

Painel II – A forma de governo mista parlamentar-presidencial portuguesa

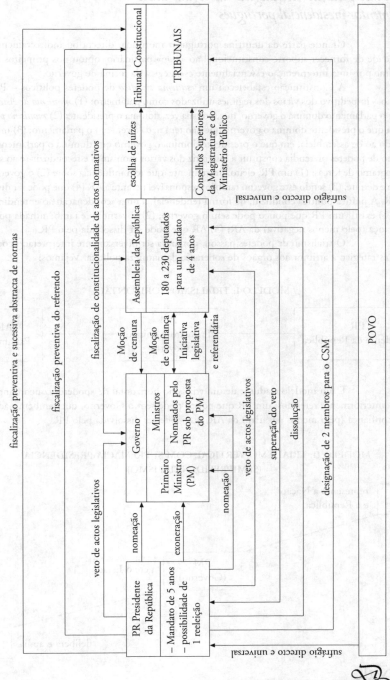

IV - A interpretação «estratégica» do regime misto parlamentar-presidencial português

Grande parte da doutrina portuguesa motivada, directa ou indirectamente, pela necessidade de fornecer suporte constitucional ao «jogo» partidário, optou nos primeiros tempos do regime por uma interpretação essencialmente estratégica da forma de governo.

A Constituição estabeleceu um *esquema triádico* de poderes políticos – PR, AR, Governo – impeditivo dos vícios dos regimes utilizados como parâmetro: (1) *monismo de Assembleia*, em que o parlamento domina o governo, que, por sua vez, domina o presidente; (2) *monismo presidencial*, em que o presidente domina o governo que não tem nada a ver com o parlamento; (3) monismo invertido ao de assembleia, em que o presidente domina o governo que domina o parlamento. Este trialismo de poderes pretendia constituir a bissectriz dos vários monismos e reconduzir-se ao seguinte paralelogramo de forças: (1) um PR, eleito directamente, que tem influência sobre (2) o governo, que nomeia e demite, (3) sendo este governo também responsável perante a AR (4) que pode ser dissolvida pelo PR. A prática política conduziu, de forma tendencial, a uma «condenação ao entendimento», dado: (1) existir um PR que pouco pode sem o governo; (2) governo que também nada pode sem a confiança (pelo menos negativa) da AR; (3) AR que pode ser dissolvida pelo PR.

O trialismo de poderes passou, porém, a ser diversamente interpretado consoante o peso estratégico a atribuir aos órgãos de soberania da natureza política. Vejamos:

MODELO I: TRIALISMO HORIZONTAL

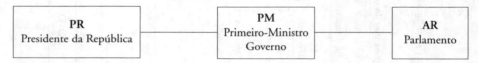

É um modelo tradutor de um trialismo horizontal de «poderes concordantes» nos termos anteriormente referidos: um PR que pouco pode sem o Governo, que também nada pode sem a confiança (pelo menos negativa) da AR, que pode ser dissolvida pelo PR.

MODELO II: TRIALISMO VERTICAL COM SUPREMACIA PRESIDENCIAL (SEMIPRESIDENCIALISMO)

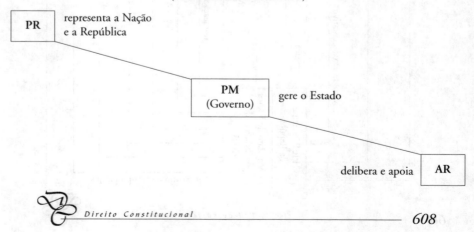

Partindo do trialismo, em breve um significativo sector da doutrina pretendeu reforçar o estatuto presidencial de forma a estabelecer uma hierarquia vertical: um PR, eleito directamente, de quem depende o Governo que dirige os negócios políticos gerais do Estado, limitando-se a AR a uma função deliberante e de suporte, e sempre sujeita à dissolução presidencial.

MODELO III: TRIALISMO GOVERNAMENTAL

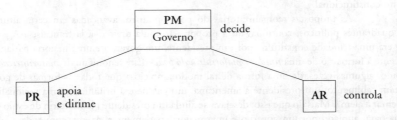

Embora não fosse política e constitucionalmente defendido (pelo menos de modo expresso), não era impossível conceber o esquema triádico da seguinte forma: o PM e o Governo têm a função política principal, decidindo sobre os negócios políticos, apoiado na confiança do PR e controlado pela AR.

MODELO IV: TRIALISMO PARLAMENTAR

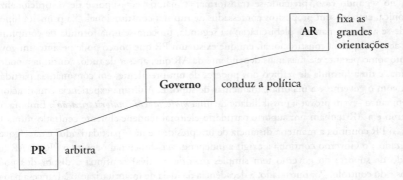

Dado que o PR não dirige o Governo e o Governo não pode subsistir sem o apoio da AR, o trialismo poderia deslocar-se num sentido parlamentar: a AR domina politicamente, a ela cabendo fixar as grandes orientações; o Governo dirige a política geral; o PR, sem grandes poderes políticos directos, limitar se-ia ao papel de árbitro ou moderador do jogo político.

MODELO V: O MONISMO PRESIDENCIAL MAIORITÁRIO

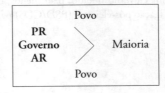

O esquema trialista, apelidado por uns de semipresidencialista, e, por outros, de regime misto parlamentar-presidencial, não era o mais flexível para as estratégias partidárias sobretudo pela falta de «constrangimento» relativamente a um presidente não-partidário. O problema não se circunscrevia, como é óbvio, às dificuldades de relacionamento dos partidos com um PR «não-partidarizado», «não governamentalizado» e «não parlamentarizado». Relacionava-se também com a falta de disponibilidade do PR para «democraticamente» subverter o regime através do plebiscito constitucional.

As propostas reorganizatórias do poder político, avançadas em certa altura por alguns quadrantes políticos, continuavam a propor a fórmula divina «a la française». A solução mágica era uma trindade constituída por um presidente, um governo e uma maioria parlamentar conducente à formação de uma *unidade maioritária do poder*. Este fenómeno de *maioritarização* foi concebido, algumas vezes, de uma forma de tal modo ambiciosa que todas as formas de governo ali tinham cabimento: um presidente à americana, um gabinete à britânica e uma racionalização parlamentar à alemã. Mais do que isso: desejava-se ainda um presidente plebiscitário de estilo «decisionista» para, apoiado por um governo e uma maioria parlamentar, operar, com toda a «democracia», uma ruptura constitucional. A fórmula da maioritarização ganhou defensores não apenas entre os adeptos plebiscitários da subversão constitucional (que, semanticamente, passaram a falar de «presidente com propostas de reforma do regime»), mas também entre os apoiantes de um presidente da maioria, situado entre o «presidente gaullista» e o «leadership partidário» à Mitterrand. A diferença, no plano constitucional, é relevante: no primeiro caso, o presidente configura-se como um presidente «anti-sistema», um presidente contra a Constituição e o Estado de direito; no segundo caso, pretende-se transformar a maioria em suporte de institucionalização hegemónica, embora sem propósitos confessados de ruptura constitucional. Na primeira hipótese, pretende-se a «longa marcha» plebiscitária; na segunda, procura-se uma fórmula de compromisso entre o actual esquema constitucional, em que existe um PR que pouco pode perante um governo mais autónomo perante ele mas mais dependente da AR que, apesar de tudo, continua a poder ser dissolvida, e uma fórmula de reforço dos poderes de um presidente, em consonância partidária e política com o governo e a maioria parlamentar de suporte. A última experiência constitucional – ainda em curso – vem provar a possibilidade de uma *maioria sem "maioritarização"*. Embora o PR, o Governo e a AR tenham um suporte partidário-eleitoral tendencialmente centrado numa força política, o PR continua a manter a distância de um presidente não "partidarizado" e não "governamentalizado"; o Governo continua a exigir a independência funcional perante o PR e a AR (onde o partido de suporte do governo tem simples maioria relativa) continua a dispor dos poderes políticos e do controlo. Por outro lado, a decadência da ideia de maioritarização à francesa não deve alhear-se das revisões constitucionais gradualmente executoras da função de "reforma do regime" que nas décadas de setenta e oitenta alguns sectores políticos pretendiam confiar (sem apoio constitucional) a um presidente. A crise aberta pela demissão do Primeiro Ministro depois da clara derrota do partido de suporte do Governo nas eleições autárquicas de Dezembro de 2001) reafirmar é expressão desta dinâmica parlamentarista, assumindo o Presidente da República o papel republicano de reequilíbrio institucional, recorrendo à dissolução do Parlamento para assegurar um suporte partidário-eleitoral a um Governo dotado, pelo menos, de revivamento legitimatório. O 15.º Governo assente numa coligação pós-eleitoral (PSD/CDS) parece corroborar a linha dinâmica a que se fez referência.

610

C. A recepção do regime misto nos Países de Língua Oficial Portuguesa (CPLP)

Com excepção do Brasil, onde se radicou há muito tempo um sistema presidencial (embora com duas épocas de parlamentarismo),[1] o modelo misto parlamentar-presidencial consagrado na Constituição Portuguesa de 1976 tem influenciado em medida variável os esquemas constitucionais organizatórios da CPLP (Comunidade dos Países de Língua Portuguesa).

Na República de Angola, a Constituição de 1992, na redacção que lhe foi dada pela Lei 23/92, de 16 de Setembro – e que consagrou, no fundo, uma transição constitucional formal –, estabelece um sistema misto com fortes acentuações presidencialistas.[2]

Em Cabo Verde, a Lei Constitucional 01/92, de 25 de Setembro, operou uma ruptura constitucional do sistema político cabo-verdiano recortando um sistema de governo misto parlamentar-presidencial com inequívoca predominância da dimensão parlamentarista. Em rigor, o padrão básico evoluiu para um trialismo governamental, dado que às reduzidas funções do Presidente da República se associa o funcionamento intermitente da Assembleia (duas sessões anuais de 10 dias).[3]

A Constituição de S. Tomé e Príncipe, de 20-04-90, adopta um sistema misto parlamentar-presidencial em que as dimensões presidencialistas ganharam prevalência, recortando-se um regime *mais* "semipresidencialista" do que o português e *menos* do que o francês.[4]

De igual modo, a Constituição da Guiné, de 26 de Fevereiro de 1993, (com alterações introduzidas pelas leis constitucionais 1/95, de 25-12,

---

[1] O presidencialismo está associado à forma republicana de governo instaurado com a queda do Império. A forma de governo presidencial não é, porém, um dogma e tem sido objecto de controvérsia. Cfr., por ex., AFONSO ARINOS DE MELO FRANCO/RAUL PILA, *Presidencialismo ou Parlamentarismo*, Rio de Janeiro, 1958; A. MACHADO PAUPÉRIO, *Presidencialismo, Parlamentarismo e Governo Colegial*, Rio de Janeiro, 1956; J. LOUREIRO, *Parlamentarismo e Presidencialismo*, S. Paulo, 1962.

[2] Cfr., por todos, RAUL ARAUJO, *Os sistemas de Governo de Transição Democrática nos PALOP*, Coimbra (pol.), 1995.

[3] Cfr., LUÍS MENDONÇA, "O regime político de Cabo Verde", in *Revista de Direito Público*, 3, 1988; ARISTIDES LIMA, *A Reforma Política de Cabo Verde. Do paternalismo à modernização do Estado*, Cabo Verde, 1992; PAULO RANGEL, "Sistemas de Governos mistos – O Caso Cabo-Verdiano", Porto, 1998.

[4] Cfr., VITAL MOREIRA, "Notas sobre o Sistema de Governo e os poderes do Presidente da República segundo a Constituição da República de S. Tomé e Príncipe" (texto polic., 1992). Cfr., também, JOSÉ DE MATOS CORREIA, "Eleições e sistemas eleitorais – os casos de S. Tomé e Príncipe e de Cabo Verde", in *Revista Internacional*, I, 4, Lisboa, 1991.

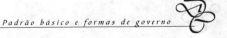

Padrão básico e formas de governo

e 1/96, de 23-11-96) consagra um sistema misto com acentuação presidencialista, embora aqui encontremos uma solução intermédia entre os esquemas organizatório-constitucionais de S. Tomé e Príncipe e de Cabo Verde: mais "presidencialista" do que a de Cabo Verde e menos do que a de S. Tomé e Príncipe.

Finalmente, a Constituição de Moçambique, de 30 de Novembro de 1990 (alterada pelas leis n.º 18/82, de 1-10, e 12/92, de 4-10, e 8/96, de 22-11) consagra um sistema misto fortemente ancorado na dimensão presidencialista. Aqui o Presidente da República é o chefe do executivo, tendo a coadjuvá-lo com "funções delegadas" um Primeiro-Ministro.[5]

D. A forma de governo nas Regiões Autónomas

As Regiões Autónomas dos Açores e da Madeira dispõem de *regime político-administrativo* próprio (cfr. art. 225.º/1) com *órgãos de governo próprio* de cada região (art. 231.º). No entanto, a figura constitucional da **forma de governo autonómica** é pouco clara. É seguro que não se trata de uma forma de governo mista parlamentar-presidencial ou semipresidencial como acontece com o governo da República. Todos os elementos constitucionalmente relevantes apontam para uma *forma de governo parlamentar*. Na verdade, o governo regional depende apenas do parlamento regional, não sendo politicamente responsável nem dependendo da confiança política de qualquer outro órgão, ou seja, do Presidente da República ou do Ministro da República. O Ministro da República limita-se a nomear o presidente do Governo Regional, tendo em conta os resultados eleitorais para o Parlamento Regional. Não se trata, apesar de tudo, de um *parlamentarismo de assembleia*. A Constituição prevê a dissolução dos órgãos de governo regionais pelo Presidente da República, por prática de actos graves contrários à Constituição (art. 234.º). Mas não é esta "dissolução sanção" que afasta a caracterização do parlamentarismo de assembleia. É antes o esquema sistémico de estabilidade previsto nos estatutos, (*Estatuto Político-Administrativo dos Açores*, art. 54.º) onde se contempla uma espécie de "auto-dissolução" ou "dissolução automática" no caso de ocorrerem duas demissões do governo na mesma legislatura provocadas pela rejeição do Programa do Governo, não aprovação de uma moção de confiança ou aprovação de uma moção de censura.

---

[5] Cfr., VITALINO CANAS, *O Sistema de Governo Moçambicano na Constituição de 1990*, Lisboa, 1997; JORGE MIRANDA, *Constituição de Moçambique, Guiné-Bissau, S. Tomé e Príncipe e Cabo Verde*, Lisboa, 1990.

Duvidoso é o de saber se, além da dissolução automática, não poderão os estatutos confiar ao Ministro da República a competência da dissolução. A Constituição não o proíbe e parece considerar a dissolução como um problema de regime a definir pelos estatutos regionais. Depois da última revisão, em que o Ministro da República ficou com um estatuto Constitucional menos político, há objecções de vulto quanto à possibilidade de "dissolução ministerial", isto é, pelo Ministro da República. De qualquer modo, essa competência teria de ser tendencialmente formal sem o momento de mérito político semelhante ao que caracteriza o poder de dissolução da Assembleia da República pelo Presidente da República (art. 172.º).

Referências bibliográficas

1. **Inserção contextual**

Sobre a interpretação da forma de governo portuguesa cfr.: Joaquim Aguiar, *A ilusão do Poder; Análise do sistema partidário português*, 1976-182, Lisboa, 1983 (dos poucos livros, feito por um analista político, com *background* teórico sério na análise das instituições portuguesas); Veiga Domingos, *Portugal Político*, Lisboa, 1980 (demasiado influenciado pelas premissas duvergianas); Durão Barroso/Santana Lopes, *Sistema de Governo e Sistema Partidário*, Lisboa, 1980; André Gonçalves Pereira, *O Semipresidencialismo em Portugal*, Lisboa, 1984, que reconhece a alteração do regime semipresidencial para um sistema parlamentar racionalizado, depois da Revisão de 1982; L. Salgado de Matos, «Significado e consequências da eleição do Presidente por sufrágio universal – o caso português», in *Análise Social*, Vol. XIX, 1983, 2, p. 241 (que refere, sem argumentos convincentes, o aumento, ou, pelo menos, a conservação dos poderes presidenciais depois da Revisão); J. Morais/J. M. Ferreira de Almeida/R. Leite Pinto, *O Sistema de Governo Semipresidencial – O Caso Português*, Lisboa, 1984 (que procuram, a nosso ver sem êxito, justificar a sobrevivência da fórmula semipresidencialista); M. Rebelo de Sousa, *O Sistema de Governo Português (antes e depois da revisão constitucional)*, Lisboa, 1984 (que continua a defender a caracterização do regime como semipresidencial, embora reconheça algumas diminuições no estatuto presidencial depois da Revisão); Jorge Miranda, *A Posição Constitucional do Primeiro-Ministro*, Lisboa, 1984 (cuja tese sobre a posição constitucional do PM apoiamos na generalidade); Paulo Otero, «Sistema Eleitoral e Modelo Político-Constitucional», in RJ n.os 16-17 (1992), p. 115, s.; Cristina Queiroz, *O Sistema Político e Constitucional Português*, AAFDL, Lisboa, 1992. A «grelha» de análise desenvolvida no texto quanto à interpretação estratégica do regime português inspirou-se no impressivo artigo de

Olivier Duhamel, «Les logiques cachées de la Constitution de la Cinquième République», in *Revue Française de Science Politique*, N.° 34 (1984), N.° 4-5, pp. 617 ss. A recente evolução política – governo com apoio maioritário – confirma a caracterização da forma de governo como parlamentar-presidencial com acentuação de um «trialismo governamental» cfr. Gomes Canotilho/Vital Moreira, *Os poderes do Presidente da República*, Coimbra 1991; *Fundamentos da Constituição*, Coimbra, 2.ª ed., 1993, p. 201 ss. A nível teórico, e não obstante a tendencial estabilização do sistema e prática de "governo", não têm faltado vozes no sentido de definitivamente crismar o regime português como "sistema semipresidencial". Vide, por último, o estudo de Manuel Lucena "Semipresidencialismo: teoria geral e práticas portuguesas", in *Análise Social* 384/1996, p. 831 ss.; Jorge Miranda, "L'esperienze portoghese di sistema semipresidenziale", in S. Gambino (org.), *Democrazia e Forme di Gouerno*, Rimini, 1997, p. 161; Vitalino Canas, *Sistema Semi-Presidencial*, Suplemento I do *Dicionário Jurídico de Administração Pública*; Marina Costa Lobo, "Governos Partidários numa democracia recente: Portugal", *Análise Social*, n.° 154/155.° (2000), p. 147 ss. Na doutrina estrangeira, cfr. Sartori, *Engineering*, p. 143, onde se defende que o regime semipresidencialista em Portugal terminou no fim de 1982.

2. Bibliografia

Aguiar, Joaquim – «A fluidez oculta num sistema partidário ultra-estável», in *Revista de Ciência Política*, 1/1985;

Amaral, Freitas do – *Governo de Gestão*, 1985, p. 18.

Bonella, Carmela – «Svilluppi della forma di Governo in Portogallo dell 1974 ai 1982», in *Quaderni Costituzionali*, 312, 1983, p. 337 ss.

Bottari, C. – «L'Organizazione dell'executivo nella forma di Governo dei Portogallo», in Spagna Musso, (org) *Costituzione e Struttura del Governo*, Padova, 1982, p. 328.

Braga da Cruz, M. – «*O Presidente da República na génese e evolução do sistema de Governo Português*», Análise Social, 125-126 (1994), p. 237 ss.

Canotilho, J. J. G./Moreira, V. – *Constituição da República*, p. 483 ss.

– *Os Poderes do Presidente da República*, Coimbra, 1991.

– *Fundamentos da Constituição*, Coimbra, 2.ª ed., 1993, p. 199 ss.

Ceccanti, S./Massari, Q./Pasquino, G. – *Semipresidenzialismo. Analisi delle esperienze europee*, Bologna, 1996.

Horta, R. M. – "A Constituição da República Portuguesa de 1976 e o regime semipresidencial", in Jorge Miranda (org.), *Perspectivas Constitucionais*, I, p. 515 ss.

Luciani, M./Volpi, M. – *Il Presidente della Republica*, Bologna, 1999.

Luchterhand, (org.) *Neue Regierungssystem in Osteuropa und der GUS. Probleme der Ausbildung stabiler Machtinstitutionen*, Berlin, 1998.

Matos, Salgado de – «L'experience portugaise des Régimes Semi-Présidentiels», in M. Duverger (coor). *Les Régimes Semi-Présidentiels,* Paris, 1986, p. 72 ss.

Miranda, J. – *A Constituição de 1976,* p. 418.

– *A Posição Constitucional do Primeiro-Ministro,* Lisboa, 1984.

– «Le régime semi-présidentiel portugais entre 1976 et 1979», in Duverger, *Régimes Semi-Présidentiels,* cit., p. 134;

Miranda, João – *O papel da Assembleia da República na Construção Europeia,* Coimbra, 2000.

Mezzetti, L./Piergili, V. – *Presidenzialismi, Semipresidenzialism, Parlamentarismo: Modelli Comparati e Reforma Istituzionale in Italia,* G. Giappichelli, Torino, 1997.

Morais, I./Ferreira de Almeida, J. M./Pinto, R L. – *O Sistema de Governo semipresidencial,* Lisboa 1984.

Moreira, Adriano – «O Regime: Presidencialismo do Primeiro-Ministro», in Baptista Coelho, *Portugal: O sistema político e constitucional 1974/1987,* p. 31 ss.

Otero, Paulo – «Sistema Eleitoral e Modelo Político-Constitucional», in RJ, in 16-17 (1992), p. 115.

Pegoraro, L./Baldin, S. – "Costituzioni e Qualificazione degli Ordinamento: Profili Comparatistice", in L. Mezzetti/V. Piergili, *Presidenzialism,* p. 3 ss.

Pereira, A. Gonçalves – *O semipresidencialismo em Portugal,* Lisboa, 1984.

Pires, Lucas – «O sistema de Governo: sua dinâmica», in Baptista Coelho (org.) – *Portugal,* cit., p. 291.

Sartori, G. – *Ingegneria costituzionale Comparata,* Bologna, 1995.

Sá, L. de – *O lugar da Assembleia da República no Sistema Político,* p. 214 ss.

Schäffer, H. – "Il Modello di Governo Austriaco-Fondamenti Costituzionali e esperienze politiche", in J. Miranda, *Perspectivas Constitucionais,* vol. III, p. 539 ss.

Sousa, M. R. – *Direito Constitucional,* Vol. I, pp. 195 ss.

– «O Sistema de governo português», in *Estudos sobre a Constituição,* Vol. III, pp. 579 ss.

– *O sistema de governo português antes e depois da revisão constitucional,* Lisboa, 1984.

– «A Partidarização do Sistema de Governo», in Jorge Miranda (coord.), *Nos dez anos de Constituição,* 1986, p. 205 ss.

Vergottini, G. – *Diritto Costituzionale Comparato,* 5.ª ed. Padova, 1999.

Volpi, M. – "Le Forme di Governo Contemporanee tra Modelli Teorici e Esperienze Reali", in Jorge Miranda, *Perspectivas Constitucionais,* vol. III, p. 499.

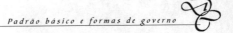

Capítulo 4

Estrutura e Função dos Órgãos de Soberania Portugueses Politicamente Conformadores

Sumário

A. O Presidente da República (PR)

I - Posição jurídico-constitucional

II - Os poderes do Presidente da República

1. Poderes próprios e poderes partilhados
2. Direcção política
3. Poderes de controlo

B. A Assembleia da República (AR)

I - Posição jurídico-constitucional

II - Competências e funções

III - Funções

1. Função electiva e de criação
2. Função legislativa

3. Função de controlo
4. Função de fiscalização
5. Função autorizante
6. Função de representação
7. Função "europeia"

C. O Governo

I - Conceito orgânico-institucional de governo e posição jurídico-constitucional

1. O Governo
2. O Primeiro-Ministro
3. Princípios estruturantes

II - A responsabilidade política do governo

1. Responsabilidade política perante a AR
2. Responsabilidade política perante o PR

III - As funções do Governo

1. Função política ou de governo
2. Função legislativa
3. Funções administrativas

D. O Conselho de Estado

A. O Presidente da República (PR)[1]

I - Posição jurídico-constitucional

1.1. O Presidente da República é um dos órgãos considerados pelo art. 110.º como *órgão de soberania*. Como a posição ou estatuto jurídico-constitucional do Presidente da República decorre, nos seus aspectos fundamentais, da Constituição, ele é igualmente um *órgão constitucional de soberania*.

1.2. O Presidente da República é o **Chefe do Estado**. Embora na Constituição de 1976 não haja qualquer referência a Chefe de Estado, a designação significa que o Presidente da República representa juridicamente o Estado (cfr. art. 7.º da Convenção de Viena sobre direito dos tratados) no plano internacional (sobretudo nas dimensões de permanência, continuidade e direcção do Estado). A designação **Presidente da República** testemunha sobretudo o papel por ele desempenhado de *representante da comunidade nacional.*

As Constituições republicanas parecem evitar o termo Chefe de Estado. A designação de Chefe de Estado remonta às Constituições monárquicas outorgadas nas quais o rei era qualificado como órgão supremo ou chefe do Estado. Cfr. *Carta Constitucional de 1826*, art. 71.º, onde se considera o rei «Chefe Supremo da Nação». O termo «Chefe de Estado» é recolhido e acentuado pela Constituição de 1933, que se refere (art. 72.º) ao Chefe de Estado como sendo o Presidente da República eleito pela Nação. O documento constitucional de 1976 evitou deliberadamente a expressão Chefe de Estado, não só para marcar uma decidida ruptura em relação ao texto constitucional corporativo, mas também para significar que o Presidente da República beneficia de uma *legitimidade republicana,* ou seja, de uma legitimidade baseada na vontade popular através de eleições periódicas. Além disso, o Presidente não «encarna» o Estado como nas monarquias constitucionais: é, sim, um representante da *respublica* (cfr. art. 120.º).

1.3. O Presidente da República tem uma **legitimidade democrática directa**. Significa isto que ele é eleito por sufrágio directo e universal (cfr. art. 121.º/1). A exigência de uma legitimidade directa radica não na adesão à ideia de «legitimidade plebiscitária», mas na necessidade de «racionalizar» a componente parlamentar do regime.

---
[1] Cfr., ALFREDO BARROSO/J. VICENTE DE BRAGANÇA, «O Presidente da República: função e poderes», in BAPTISTA COELHO (org.), *Portugal,* cit. pp. 321 e ss.

1.4. Em virtude da sua legitimidade democrática directa e em face das competências específicas e autónomas politicamente conformadoras atribuídas pela Constituição ao Presidente da República, fala-se em **órgão presidencial autónomo** (Herzog).

A distinção entre órgão presidencial «autónomo» e órgão presidencial «não autónomo» (cfr. Herzog, *Allgemeine Staatslehre*, pp. 280 ss) pretende apontar para a diferente posição do presidente da república nos regimes em que ele é escolhido pelo parlamento (ou em que o parlamento tem o papel decisivo) e nos regimes que sem serem presidencialistas conferem ao presidente da república directamente eleito importantes funções político-institucionais («regimes semipresidencialistas» «regimes mistos parlamentar-presidenciais», «regimes parlamentares com correctivo presidencial»).

1.5. O facto de se tratar de um órgão presidencial autónomo directamente legitimado justifica que o Presidente da República disponha de *poderes próprios* ao lado de *poderes partilhados*. Por **poderes próprios** entendem-se, juridicamente, os actos e as decisões que a Constituição autoriza o Presidente da República a praticar ou a tomar, só e pessoalmente, mesmo que lhe seja exigida a obtenção do parecer prévio de outros órgãos.

A expressão que se utiliza – poderes próprios – não coincide com a distinção feita pela Lei constitucional entre «competência quanto a outros órgãos» (cfr. art. 133.º) e «competência para a prática de actos próprios» (cfr. art. 134.º). É que na categoria de poderes próprios vêm a subsumir-se muitos dos actos constitucionalmente aglutinados na competência quanto a outros órgãos: nomeação do Primeiro-Ministro (art. 133.º/*f*), dissolução da Assembleia da República (art. 133.º/*e*), dissolução dos órgãos de governo próprio das regiões autónomas (art. 133.º/*j*), nomeação de membros para o Conselho de Estado e para o Conselho Superior da Magistratura (art. 133.º/*n*), marcação do dia de eleições (art. 133.º/*b*).

1.6. As três ideias já adiantadas quanto ao estudo jurídico-constitucional do Presidente da República – legitimidade directa, órgão presidencial autónomo, poderes próprios – permitem também responder à questão de saber se o Presidente da República é um *«pouvoir neutre»* (B. Constant) ou *«guardião da Constituição» (Hüter der Verfassung),* na terminologia de Carl Schmitt.

Embora o Presidente da República seja o representante da *«res publica»,* e, por conseguinte, a ele pertencerem importantes funções *de integração* (tendo em conta o paralelogramo de forças sociais, económicas e políticas), ele não se caracteriza como um «poder neutro». O órgão presidencial não se configura como um *«pouvoir suprême»* ao qual é inerente a *«somme totale de l'autorité»* (Constant).

Por outro lado, o Presidente da República também não se concebe como um simples «guardião da constituição», no sentido schmittiano. A noção

de "guardião da Constituição" pressupõe ainda a ideia de «poder neutro» incompatível com a concepção presidencial republicana. No entanto, como o Presidente da República está vinculado a «defender e a fazer cumprir a Constituição da República Portuguesa» (cfr. art. 127.°/3), e como por «defensores da Constituição» só podem hoje entender-se os órgãos que solucionam questões ou «tomam decisões político-constitucionais» com vinculação jurídica definitiva, o Presidente da República pode e deve considerar-se como um *guardião de Constituição*. Melhor dizendo: ele é um dos «co-defensores» da Constituição, sendo idêntica tarefa constitucionalmente atribuída a outros órgãos constitucionais.

1.7. A dimensão representativa do órgão presidencial no plano interno e internacional (cfr. art. 120.°) aponta para *a função de integração e unidade,* classicamente atribuída a um Chefe de Estado. Não se trata, rigorosamente, de uma «integração pessoal» (Smend) típica de um monarca, mas de uma **integração funcional**, própria de um Chefe de Estado republicano. Esta função de integração funcional manifesta-se essencialmente: (1) na solidariedade institucional que ele procura efectivar com os vários órgãos do Estado; (2) no direito de contacto e consulta com os vários órgãos constitucionais e com as forças politicamente actuantes da sociedade (partidos, organizações, grupos sociais e cidadãos); (3) nos actos de indulto e comutação de penas e de atribuição de ordens honoríficas (cfr. art. 134.°/*f*/*i*); (4) na informação dos cidadãos através do acesso directo aos órgãos de comunicação ou através dos serviços de relações públicas da presidência da República, designadamente quando existam emergências graves para a vida da República (art. 134.°/*e*); (5) no exercício das funções de Comandante Supremo das Forças Armadas (art. 134.°/*a*).

1.8. Ao Presidente da República cabe desempenhar as funções de *reserva da República*. Apela-se para a ideia de **reserva da República** quando se considera necessário a tomada de decisões políticas derivadas da falta de resposta dos órgãos constitucionalmente competentes, abrindo-se uma crise notória no funcionamento das instituições democráticas (CRP, 134.°/e).

II - Os poderes do Presidente da República

1. Poderes próprios e poderes partilhados

1.1. Em formas de governo como a consagrada na actual Constituição portuguesa, ao Presidente da República são atribuídos **poderes próprios**

(numa linha mista de regimes presidencialistas e de governos dualistas) e **poderes partilhados** (numa orientação próxima de regimes parlamentares republicanos).

Como já se frisou, os *poderes próprios* (por vezes chamados «institucionais») são aqueles que o Presidente da República é autorizado pela Constituição a praticar, só e pessoalmente, mesmo quando condicionados a observância de outras formalidades constitucionais (pareceres, consultas): dissolução da Assembleia da República (arts. 133.º/*e*, 145.º/*a* e 172.º), nomeação do Primeiro-Ministro (art. 133.º/*f* e *g*) e demissão do Governo (arts. 133.º/*g* e 195.º/2), nomeação de cinco membros do Conselho de Estado (art. 133.º/*n*).

1.2. Uma das formas de revelação de poderes partilhados é o instituto da **referenda** [2] (cfr. L 6/83, de 29/7, art. 10.º).

O facto de a *referenda* ser uma expressão formal dos poderes partilhados, isso não implica que o significado da referenda na actual estrutura constitucional portuguesa seja só o de estabelecer a co-responsabilidade do Presidente e do Governo na prática de certos actos (poderes partilhados).

Na estrutura dualista parlamentar-presidencial detecta-se uma tripla dimensão da referenda – *dimensão presidencial, dimensão parlamentar* e *dimensão governamental*. Através dos actos enumerados pela Constituição como carecidos de referenda deve averiguar-se se a exigência da «contra-assinatura» do Governo tem algum efeito no «triângulo de forças» (de *Kräftdreieck*, fala R. Herzog) representado pelo Presidente, o Governo e a Assembleia da República.

Em primeiro lugar, nos casos de referenda justificada pela necessidade de associar a *responsabilidade política* do Governo a actos presidenciais (cfr. arts. 134.º/*b, d* e *f*, 138.º/*a/c* e 133.º/*j*) verifica-se poderem ser atribuídas à referenda conjuntamente várias funções: (1) evitar que o sistema misto parlamentar-presidencial acabe em presidencialismo puro, pois a referenda vincula o Presidente da República à «vontade política do Governo» que, por sua vez, está submetido a controlo parlamentar; (2) marcar as distâncias entre a referenda com «acentuação parlamentar» e a referenda de «componente presidencial» dado que, se na estrutura parlamentar à referenda é atribuída a função de operar a transferência, para um governo parlamentarmente responsável, de certas competências nominalmente exercidas pelo Presidente, num regime misto parlamentar-presidencial a referenda associa o Governo a «actos presidenciais» praticados no exercício de um poder efectivamente atribuído ao Presidente; (3) permitir uma fun-

---

[2] Cfr., por último, JORGE MIRANDA, *Manual*, V, pp. 295 e ss; J. P. VIEIRA DUQUE, «A referenda ministerial», in *Revista Jurídica,* n.ºs 11/12 (1989) pp. 137 e ss; D. FREITAS DO AMARAL/PAULO OTERO, "O Valor Jurídico-Político da Referenda Ministerial", in ROA, 1996, I, pp. 109 e ss.

ção mediadora do Governo, responsável, por um lado, perante o Presidente da República, legitimado democraticamente, e, por outro, sujeito à responsabilidade política parlamentar.

Nos casos de referenda relacionada com actos presidenciais que pressupõem proposta do *Governo* (cfr. art. 133.º/*j/l/m/p*), a referenda tende a ganhar uma «dimensão governamental», significando que os actos presidenciais estão dependentes de actos do Governo.

Noutros casos – os de promulgação das leis[3], decretos-leis e decretos regulamentares, e da assinatura de decretos do Governo (art. 134.º/*b*) – a referenda tem apenas *a função certificatória* da assinatura do Presidente da República e uma função notarial-formal do processo legislativo adoptado.

> A construção do instituto da referenda em «termos complexos» parece-nos ser a melhor maneira de captar a sua multifuncionalidade no actual direito constitucional português. Estas várias dimensões são também assinaladas no Parecer n.º 5/80 da Comissão Constitucional, in *Pareceres,* Vol. 11.º, pp. 140 ss. Contra a opinião maioritária deste Parecer, a referenda não depende, porém, do significado do instituto da promulgação, mas do sentido específico de cada acto que a CRP considere como carecido de referenda; contra o voto de vencido de Figueiredo Dias parece-nos que se há actos em que a referenda possui um carácter «essencialmente jurídico-formal», já noutros «ela assume funções de claro significado político-material». No plano jurisprudencial, cfr., por último, Ac. TC 309/94, *DR,* II, 29/8/94.

2. Direcção política

2.1 Os poderes (próprios ou partilhados) constitucionalmente reconhecidos ao Presidente da República não devem confundir-se com **direcção política presidencial**. O Presidente da República não é, na estrutura constitucional, um *Presidente que governa,* mas é, seguramente, um *Presidente com funções politicamente conformadoras* (dissolução da AR, nomeação e demissão do Primeiro-Ministro, dissolução dos órgãos das regiões autónomas, exercício de poderes de crise, decisão quanto a propostas referendárias, ratificação de tratados internacionais). Mais do que os textos, será a *prática* a dizer em que medida e com que intensidade elas são exercidas. Deve distinguir-se também entre actos de direcção política inscritos na «fisiologia dinâmica» do sistema de governo, e actos justificados pela «patologia» do sistema, isto é, em períodos de crise. Nesta última hipótese reforça-se a posição político-constitucional do Presidente, a ele

---

[3] Concorda-se com JORGE MIRANDA, *Funções, Órgãos e Actos do Estado,* cit., p. 447, que a referenda, neste caso, perturba o princípio da separação dos órgãos de soberania.

pertencendo importantes funções de direcção política (ex.: dissolução da AR, demissão do PM, declaração do estado-de-sítio)[4].

O problema conexiona-se com a discussão acerca da natureza da **promulgação** e **assinatura** dos diplomas pelo Presidente da República. Contrariamente à ideia de que o Presidente da República desempenharia aqui as funções de um «notário do Estado», parece-nos que a promulgação e assinatura vêm a assumir na nossa ordem constitucional carácter constitutivo[5].

A **promulgação** é um acto do Presidente da República mediante o qual este atesta ou declara que um determinado diploma foi elaborado por um determinado órgão constitucional para valer formalmente como lei, decreto-lei ou decreto regulamentar[6]. Discutida é, porém, qual a verdadeira natureza da promulgação. As principais teorias são quatro. De acordo com a *teoria declarativa*, o Presidente da República, com a promulgação, limitar-se-ia a atestar a existência da lei e o regular processo da sua formação. Seria, por isso, uma espécie de notário da lei, atestando a regularidade formal e orgânica do diploma. Para a *teoria legislativa*, o Presidente da República participaria, com a promulgação, no exercício da função legislativa. Deste modo, a promulgação constituiria um elemento necessário para a perfeição da lei e não apenas um requisito de eficácia e segundo uma terceira teoria – a *teoria da administração* – a promulgação é concebida aqui como uma espécie de *cláusula executiva*. Seria ela que conferiria à lei o «crisma da autoridade» e o vigor da «executoriedade». Finalmente, para a *teoria do controlo constitucional* a promulgação seria um acto a *se stante,* do Presidente da República, mediante o qual este exercita um controlo constitucional sobre a regularidade do acto normativo e sobre a sua legitimidade constitucional. Problema é o de saber se o *direito de controlo* presidencial se limita à constitucionalidade formal ou se se deverá alargar ao controlo da conformidade intrínseca do acto com a Constituição. Esta última tese, que considera a promulgação como manifestação de um típico poder presidencial, parece ganhar mais sufrágios ultimamente. Encontraria apoio no *direito de veto* suspensivo atribuído ao Presidente da República (cfr. arts. 136.º e 279.º/1/3).

Finalmente, a direcção política do Presidente depende da forma como se concebe a «diarquia» Presidente-Governo e das relações Governo-Parlamento, o que pode conduzir a práticas políticas bastante diferenciadas.

---

[4] Cfr. MARCELO REBELO DE SOUSA, *Os Partidos Políticos* cit., p. 656.

[5] Cfr., por ex., NIERHAUS, *Entscheidung, Präsidialakt und Gegenzeichnung* München, 1973, pp. 91 ss; K. STERN, *Staatsrecht*, Vol. III, pp. 228 ss; BISCARETTI DI RUFFIA, «Sanzione, assenzo e veto del capo dello stato nella formazione delle legge negli ordinamenti costituzionali moderni», in *RTDP*, 1958; J. H. HERZOG/G. VLACHOS, *La promulgation, la signature et la publication des textes legislatifs en droit comparé*, Paris, 1961.

[6] Cfr. JORGE MIRANDA, *Manual*, V, p. 295, onde se podem ver as diferentes «formas de intervenção do Chefe do Estado em relação ao processo legislativo» e as diferenças entre *promulgação, sanção e veto*.

3. Poderes de controlo

3.1 Importantes na estrutura constitucional portuguesa são ainda os **poderes de controlo** do Presidente da República.

Os autores salientam que nalguns sistemas (sobretudo os de regime parlamentar) a maior parte dos actos presidenciais carece de referenda ministerial e noutros existe a assumpção de uma responsabilidade política por parte de outros órgãos (ex.: leis e decretos-leis enviados para *promulgação*). Ao Presidente da República não pertenceria, por isso, qualquer liberdade de conformação política, tendo a promulgação ou assinatura de diplomas legislativos um simples significado formal.

Nos termos da CRP, os poderes de controlo jurídico, formal e material (a doutrina alemã fala aqui de *rechtliche Prüfungsbefugnis*), do Presidente da República são indiscutíveis. Por um lado, o Presidente pode e deve, quando os actos legislativos lhe são enviados para promulgação, controlar a regularidade formal do processo legislativo adoptado *(direito de controlo formal)* e, por outro lado, pode e deve averiguar se esses actos são materialmente conformes com a Constituição *(direito de controlo material)*. Este direito de controlo jurídico justifica-se porque o Presidente da República está obrigado a cumprir e defender a lei constitucional editada por um poder constituinte. Além disso, nos termos do juramento, o Presidente da República compromete-se a ser um dos «guardiões» da Constituição. Neste contexto se situa o **direito de veto por inconstitucionalidade**, na sequência do julgamento preventivo da inconstitucionalidade pelo Tribunal Constitucional (cfr. arts. 134.º/*g*, 278.º/1 e 279.º), e o direito de requerer a declaração *a posteriori* da inconstitucionalidade de normas jurídicas (arts. 134.º/*h* e 281.º/2/*a*).

Em virtude dos poderes de conformação política reconhecidos ao Presidente da República, a CRP atribui a este o **direito de veto político**. Quer dizer: o controlo (melhor: o *controlo prévio*) do Presidente da República estende-se ao próprio mérito e oportunidade política das medidas legislativas (cfr. art. 136.º). A doutrina alude aqui a um *direito político-material de controlo (sachliches Prüfungsrecht)*.

Neste caso trata-se de um verdadeiro *direito*. No veto por inconstitucionalidade pode discutir-se se não estaremos perante um *poder-dever*, pois, como se verá adiante, a Constituição impõe ao Presidente a *obrigação* de veto (cfr. art. 279.º/1) quando o Tribunal Constitucional se pronunciar pela inconstitucionalidade. Já na hipótese de *veto político* o Presidente tem o direito de vetar sem estar dependente da pronúncia de qualquer outro órgão. É questionável se o exercício do direito de veto político preclude ou não a fiscalização preventiva posterior com o consequente exercício vinculado do veto por inconstituciona-

Estrutura e função dos órgãos de soberania portugueses

625

lidade. No caso de o Presidente da República ter "certeza" quanto à maldade política de um decreto parlamentar e ter dúvidas quanto à sua bondade constitucional, a Constituição não impede o exercício de veto político e, se for caso disso, o exercício posterior do veto por inconstitucionalidade (cf. Ac TC 15/95).[7]

A consagração expressa do direito de veto, sobretudo do de veto político, revela, pois, que, entre nós, o controlo prévio do Presidente da República pode não ser apenas um controlo jurídico (*rechtliches Prüfungsrecht, rechtswahrende Kontrollfunktion*) mas também um controlo político (*sachliches Prüfungsrecht*). A conformação constitucional do veto político aponta para a ideia de que o Presidente, ao exercer esse direito, desenvolve um poder de direcção política não inteiramente reconduzível a uma mera actividade de controlo[8].

O controlo político prévio através do veto pelo Presidente da República não radica na concepção da antiga *sanção* régia nem no *pocket veto* americano. A sanção régia exprimia a contitularidade da função legislativa pelo Chefe do Estado, enquanto que o veto presidencial pressupõe a titularidade exclusiva da AR e do Governo; o *pocket veto* americano é uma táctica de bloqueio à actividade legislativa do Congresso sem limites de tempo, ao passo que no direito português há prazos constitucionalmente fixados para o exercício do direito de veto e emissão da mensagem de reenvio (cfr. art. 136.º). Relativamente à recusa de referendo parece, porém, já ser admissível a prática da «recusa de bolso» traduzida na actividade omissiva ou silente do PR. Cfr., porém, ainda hoje, no direito brasileiro, o sentido do veto e da sanção em termos clássicos na obra de J. Afonso da Silva, *Princípios do Processo de Formação das Leis no Direito Constitucional*, p. 217.

3.2. Diferente do veto, mas igualmente revelador de um poder autónomo do PR, é o **direito de recusa de referendo** relativamente a propostas que nesse sentido lhe tenham sido apresentadas pela Assembleia da República ou o Governo (CRP, art. 115.º/10). Este poder de recusa é definitivo (não pode ser superado). No caso de eventuais «motorizações referendárias», o PR desempenha aqui um papel importante na harmonização dos princípios republicanos («supremacia parlamentar») com as exigências da democracia directa («optimização democrática»).

---

[7] Cf., PAULO RANGEL, "O Tribunal Constitucional e o Legislador", in *Repensar o Poder Judicial*, Porto, 2001, p. 149, com o argumento pertinente de que o jogo dos vetos acabará por neutralizar a superação parlamentar do veto por inconstitucionalidade; P. COUTINHO DE MAGALHÃES, "As armas dos fracos: o veto político e a litigância constitucional do Presidente da República", in *A Reforma do Estado*, Lisboa, 2000, p. 489 ss.

[8] Sobre o direito de veto cfr., entre nós, M. SALEMA, *O Direito de veto na Constituição de 1976*, Braga, 1980, pp. 21 e ss; JORGE MIRANDA, *Funções, Órgãos e Actos do Estado*, cit., pp. 434 e ss. *Manual*, V, p. 286. Para uma visão recente: cfr. BIDEGARAY/C. EMERI, «Du Pouvoir d'Empêcher: veto ou contre-pouvoir», in RDP, 2-1994, pp. 325 e ss.

4. Poderes de exteriorização política

A doutrina recorta, hoje, um conjunto de actos praticados pelo Presidente da República sob o nome de **poder de exteriorização política** (de *potere di esternazione* fala a doutrina italiana). Os actos presidenciais reconduzíveis a este poder são muito heterogéneos (mensagens, entrevistas, discursos, alocuções, "presidencias abertas", "audição do país"). Assume particular relevo o *poder de mensagem* (CRP, art. 133.º/d), exercido através da mensagens dirigidas à Assembleia da República e lidas pelo Presidente (ou por quem o substituir) ou lidas pelo próprio Presidente da República em sessão solene mediante convite e assentimento da Assembleia. Estas mensagens, que pela sua própria natureza, são actos próprios não sujeitos a qualquer controlo jurídico ou político (ex.: através de referenda do governo) podem assumir relevo político próximo da "direcção política" quando contêm críticas ou censuras a actos ou comportamentos de outros órgãos constitucionais ou quando sugerem directivas políticas referentes a agendas destes mesmos órgãos. Assumem também dimensão política relevante as mensagens que acompanham o *reenvio* de projecto de lei ao parlamento ou de propostas de lei ao governo, bem como as *motivações* dos pedidos de controlo da constitucionalidade endereçados ao Tribunal Constitucional.[9]

B. A Assembleia da República (AR)

I - Posição jurídico-constitucional

1. A AR é uma «assembleia representativa de todos os cidadãos portugueses» (art. 147.º). É o **parlamento** da República Portuguesa. Trata-se, pois, de um *órgão constitucional de soberania* que representa «todos os cidadãos portugueses». A este enunciado linguístico subjaz a ideia de a AR representar não apenas os cidadãos que, através do voto geral, directo, livre e secreto participaram na eleição, mas também aqueles que não votaram ou não puderam votar (por incapacidade, impossibilidade ou opção expressa pela abstenção).

O facto de o órgão parlamentar representar todos os portugueses explica, de algum modo, que o deputado continue a ser considerado como «repre-

---

[9] Cf. A. PACE, "Esternazione presidenziali e forma di governo", in *Giur. Cost.*, 1992, p. 191 ss.; G. DE VERGOTTINI, *Diritto Costituzionale*, 2.ª ed., 2000, p. 529.

sentante» do povo e não apenas do partido que o propôs ou do círculo eleitoral pelo qual foi eleito (cfr. art. 152.°/2). Não sendo «deputados locais» ou regionais, mas deputados de «todo o país» (art. 152.°/2), compreende-se a consagração do princípio do **mandato livre** e não do mandato imperativo.

2. A compreensão jurídico-constitucional da **representação parlamentar** não se reconduz ao modelo representativo liberal. A relação deputado-eleitores é hoje substituída por uma «referência triangular», onde converge relação entre os eleitores e os partidos e a relação entre os partidos e os deputados, além da referida relação eleitores-representantes. Daí a afirmada prevalência do mandato do partido sobre o do eleitorado (Duverger) e a consideração da dependência de deputado em relação ao partido como o «sucedâneo funcional do mandato imperativo» (Bobbio)[10].

Esta relevância constitucional da relação deputados-partidos está expressa, por ex., no facto de as eleições parlamentares implicarem necessariamente a mediação partidária (art. 151.°), na existência de grupos parlamentares com base partidária (art. 180.°), no regime de constituição das comissões parlamentares (art. 178.°) e na forma como o Estatuto de Deputados (Lei n.º 7/93, de 1-3, com alterações posteriores que regula as vagas e substituições de deputados).

3. As considerações anteriores justificam que se pergunte, logicamente, pelo valor e pelo sentido dos preceitos constitucionais insinuadores, de forma expressa ou implícita, do **mandato imperativo**. A interrogação tem relevo prático nos seguintes problemas: (1) titularidade dos mandatos; (2) sanções dos partidos aos deputados; (3) abandono do partido; (4) cisão de um partido durante a legislatura; (5) rotatividade dos deputados.

Relativamente ao primeiro problema ainda se poderá dizer que se os partidos são elementos funcionais da democracia parlamentar, dinamizando o processo eleitoral e o funcionamento da assembleia representativa, já a titularidade dos mandatos é individual, sendo o parlamento composto por deputados e não por grupos.

No que respeita ao segundo problema, a *proibição do mandato imperativo* poderá ter efeito útil de duas formas. Em primeiro lugar, a disciplina

---

[10] Bom resumo do estudo da questão pode ver-se em TORRES DEL MORAL «Crisis del mandato representativo en el Estado de Partidos», *Revista de Derecho Político,* 9, p. 34; ELOY GARCIA, *Inmunidad Parlamentaria y Estado de Partidos,* 1989, pp. 112 e ss; VIRGA, *Diritto Costituzionale,* 9.ª ed., 1979, pp. 150 e ss; F. CAAMAÑO DOMINGUEZ, "Mandato Parlamentario y Derechos Fundamentales". Notas para uma teoria de la representación "constitucionalmente adequada", in REDC, 12 (1992), p. 132; LUÍS DE SÁ, *O lugar da Assembleia da República,* pp. 324 e ss.

partidária de voto e a existência de instruções partidárias conduz à possibilidade de sanções internas dos partidos contra os deputados, mas não pode obrigar o legislador ordinário a estabelecer sanções que pressuponham a existência de um mandato imperativo. Além deste efeito – limite constitucional para o legislador –, a proibição do mandato imperativo elimina a «multa» do deputado enquanto deputado, independentemente das eventuais consequências no plano das relações partido-deputado. A irrenunciável dimensão de liberdade no exercício do mandato livre está agora claramente expressa no art. 155.º/1 da CRP (versão da revisão de 1997) ao dispor-se que "Os deputados exercem livremente o seu mandato).

No caso de abandono do partido pelo deputado, este não está obrigado constitucionalmente a demitir-se como deputado (cfr., porém, art. 160.º/1/c), podendo continuar a ter assento no parlamento como «deputado independente» se e enquanto não se inscrever noutro partido.

Problemas complexos não deixam de suscitar algumas práticas destinadas a assegurar as relações entre o deputado e o partido, designadamente: (1) demissão em branco *(Blankoverzicht)*, assinada antes da assunção do mandato; (2) contrato inominado e disposição antecipada do mandato *(Pledge)*, em que o deputado se obriga a pedir a demissão quando o partido o solicita; (3) demissão em caso de abandono do partido como norma consuetudinária ou de «cortesia».

A doutrina espanhola tem estado particularmente atenta aos novos questionamentos da teoria da representação no "Estado de partidos". Cfr., Gonzalez Encinar (coord.) – *Derecho de Partidos*, Madrid, 1992; R. Blanco Valdez – *Los Derechos Políticos*, Madrid, 1990, pp. 141 e ss; Chueca Rodriguez, "Sobre la irreductible dificuldad de la representacion politica", REDC, 21 (1987), pp. 17 e ss; Caamaño Dominguez, "Mandato Parlamentario y Derecho Fundamentales", REDC, 12 (1992), pp. 132 e ss.

Na hipótese de cisão, permanece a titularidade individual do mandato, sendo uma questão a regular pela lei de partidos ou pela prática política o problema de saber qual dos grupos deve ser considerado como o continuador do partido originário [11].

A prática de *rotação* de deputados coloca sobretudo problemas nas hipóteses de uma "renúncia em branco" dos deputados por deliberação do partido ou grupo parlamentar. Invocam-se aqui três princípios: liberdade do mandato, imediaticidade do voto e funcionalidade do Parlamento.

4. A configuração do deputado em termos individuais não oculta que as normas constitucionais e regulamentares apontam para uma supremacia

---

[11] Cfr. MORTATI, *Istituzioni*, Vol. I, p. 489; KREMER, *Der Abgeordnete zwischen Entscheidungsfreiheit und Parteidisziplin*, 1953, p 87; HESSE, *Grundzüge*, 601; STERN, *Staatsrecht*, I, 24. Entre nós, cfr. M. REBELO DE SOUSA, *Os Partidos Políticos*, pp. 110 e ss; LUÍS DE SÁ, *O lugar da Assembleia da República*, pp. 324 e 346.

(pelo menos processual) dos **grupos parlamentares** sobre os deputados e, tendencialmente, dos partidos sobre os próprios grupos. Estes são constituídos pelos «deputados eleitos por cada partido ou coligação de partidos» (art. 183.º/1); o preenchimento das vagas (vagatura do mandato) e a substituição temporária dos deputados (suspensão do mandato) cabe a um candidato a substituir (da lista apresentada pelo partido ou coligação); a Comissão Permanente da AR é composta pelo Presidente da AR e pelos vice-presidentes e por «deputados indicados por todos os partidos» (art. 179.º/2); a mesa da AR é composta, além de outros, por quatro vice-presidentes «eleitos sob proposta dos quatro maiores grupos parlamentares» (art. 175.º/*b*). Daí o afirmar-se que a «AR funciona muito mais como um conjunto de grupos parlamentares do que como um conjunto de deputados» (Gomes Canotilho/Vital Moreira). O grupo parlamentar é, tendencialmente, o partido no parlamento.

5. A Assembleia da República é um *órgão de soberania autónomo* – **princípio da autonomia do parlamento**. O princípio da autonomia da AR revela-se, por ex., na sua competência regimental, na eleição do Presidente e de membros da mesa (art. 175.º/*a*/*b*), no direito de auto-reunião (art. 173.º e 174.º/*a*), na fixação da ordem-do-dia pelo Presidente da AR (art. 176.º), nos poderes administrativos e policiais deste (cfr. art. 181.º) e na sua autonomia administrativa e financeira. Autonomia significa ainda que a AR não está sujeita a quaisquer ordens ou instruções de outros órgãos.

6. A Assembleia da República é um **órgão permanente**, embora com algumas aflorações do antigo *princípio da descontinuidade do parlamento*.

O princípio da descontinuidade do parlamento que vem desde Eduardo I e se confirmou como princípio consuetudinário, significava que a assembleia representativa era um órgão irregular, de funcionamento intermitente e por curto espaço de tempo. No plano de teoria política foi aplaudido quer por Locke quer por Montesquieu.

O primeiro considerou precisamente que «*Constant frequent meetings of the legislative, and continuations of their assemblies, without necessary occasion, could not but be burthensome to the people, and must necessarily in time produce more dangerous inconveniencies*» (cfr. J. LOCKE, *Two Treaties*, XIII, p. 156). O segundo escreve em *De l'Esprit des Lois*, Livro XI, cap. 6: «*Il serait inutile que le corps législatif fût toujours assemblé. Cela serait incommode pour les représentants, et d'ailleurs occuperait trop la puissance exécutrice, qui ne penserait point a exécuter, mais a défendre ses prérrogatives, et le droit qu'elle a d'éxécuter*».

O mesmo princípio continuou nas monarquias constitucionais dualistas em que se limitava o período das sessões e se considerava o parlamento como órgão do Estado apenas comparticipante em alguns assuntos políticos. Isto significava que o princípio da descontinuidade dizia respeito não apenas ao período da legislatura mas também ao período de sessões. Sobre o princípio

em análise *vide* Jekewitz, *Der Grundsatz der Diskontinuität der Parlamentsarbeit im Staatsrecht der Neuzeit und seine Bedeutung für die Parlamentsdemokratie des Grundgesetzes*, 1977.

O princípio democrático exige que o órgão representativo seja um *órgão permanente*. Todavia, o princípio da descontinuidade continua a encontrar algumas aflorações: (1) *descontinuidade de legislatura* sob o ponto de vista material *(descontinuidade material)* que implica, por ex., a necessidade de renovação da iniciativa dos projectos e propostas de lei e de referendo não votados na anterior legislatura (cfr. art. 167.º/5, da CRP, e art. 132.º/2/*a* do Reg. AR) e a caducidade das autorizações legislativas (cfr. art. 165.º/4); (2) descontinuidade da legislatura sob o ponto de vista pessoal *(descontinuidade pessoal)*, pois a continuidade institucional do órgão pressupõe a renovação pessoal, mesmo quando se verifica a reeleição de deputados; (3) consagração da existência de *sessões legislativas* (art. 174.º) – tempo em que a AR reúne – embora o *sistema das sessões* surja na CRP muito atenuado e quase substituído pelo *sistema da permanência*.

O sistema de permanência não significa que os órgãos parlamentares reúnam permanentemente, mas sim que a assembleia representativa pode reunir quando desejar e pelo tempo que quiser. O *sistema das sessões* caracteriza-se pelo facto de se fixar um período de tempo durante o qual eles estão habilitados a reunir. Nos termos da CRP existe um período normal de funcionamento da AR – de 15 de Setembro a 15 de Junho – (art. 174.º/2). Todavia, a sessão legislativa tem a duração de 1 ano (art. 174.º/1), podendo a AR deliberar suspensões ou prorrogar o período normal de funcionamento (art. 174.º/3). Cfr. Gomes Canotilho/Vital Moreira, *Constituição da República*, anotação ao art. 174.º

Consagrando a CRP o *princípio da descontinuidade material e pessoal*, ao lado do *princípio da continuidade institucional* (continuidade como órgão), compreende-se que, rigorosamente, não devam ser abrangidas pelo primeiro princípio as matérias não carecedoras de deliberação, como, por ex., os resultados das comissões de inquérito, as informações do Governo, as petições dos cidadãos. Ficarão, porém, sem objecto, e são, portanto, abrangidos pelo princípio da descontinuidade, os pedidos de suspensão de deputados para efeitos de procedimento criminal (art. 157.º/4), pois a garantia de imunidade termina no fim da legislatura.

7. O parlamento português – AR – é um **órgão unicameral**, na tradição do monocameralismo consagrado na Constituição de 1822, mas não acolhido nas outras Constituições (1826, 1838, 1911 e 1933), que, de uma forma ou de outra, optaram pela existência de uma segunda câmara (Câmara dos Pares, Senado, Câmara Corporativa). Esta segunda câmara considerou-se injustificada num Estado unitário e democrático. Estando fora de causa a continuação

ou introdução de uma 2.ª câmara «aristocrática», «corporativa» ou «federal», só teria sentido uma «câmara alta» democrática, com os mesmos poderes e a mesma base da legitimação de uma «câmara baixa».

8. A AR é um **órgão colegial**. O seu órgão principal – *o Plenário* – é composto por deputados directamente eleitos (cfr. art. 148.º). O número mínimo de deputados é hoje (na redacção introduzida pela LC 1/97) de 180 e o número máximo de 230, eleitos segundo o método proporcional de *Hondt*.

A AR necessita, para a sua organização e funcionamento, de *órgãos auxiliares* que dispõem de uma certa autonomia e de direitos específicos dentro do âmbito global do órgão parlamentar.

Os órgãos auxiliares mais importantes são o *Presidente da AR* (art. 175.º/*b*), a *mesa da AR* (art. 175.º/*b*), as *comissões* (art. 178.º) e, em certos termos, os *grupos parlamentares* (art. 180.º).

As **comissões** são constituídas para desempenharem a tarefa de preparação, classificação e aprofundamento dos trabalhos parlamentares. Há que distinguir entre *comissões permanentes facultativas* (comissões especializadas), constituídas de acordo com o Regimento da AR (cfr. art. 178.º/1 da Const. e arts. 30.º a 40.º do Regimento da AR) e *Comissão Permanente,* de constituição obrigatória, nos termos do art. 179.º da CRP. Esta Comissão funciona fora do funcionamento efectivo da AR e durante os períodos em que se encontrar dissolvida (art. 179.º/1), desempenhando, em alguns casos, funções substantivas do Plenário (cfr. art. 179.º/3/*a*, *b*, *e* e *f*). Distintas das comissões especializadas permanentes são as *comissões parlamentares de inquérito* (art. 178.º/1) e as comissões *ad hoc* (art. 178.º/1) [13].

Os **grupos parlamentares**, embora não sejam órgãos do parlamento (não são expressão do parlamento mas dos partidos nele representados) constituem associações dotadas de poderes parlamentares autónomos e de uma relativa capacidade jurídica (cfr. arts. 176.º/3, 180.º/2, 192.º/3, 194.º/1). Agrupam os membros da Assembleia da República segundo a filiação político-partidária (art. 180.º) e dispõem de poder de organização interna (art. 180.º/3). Pelas funções e tarefas que lhes são constitucionalmente atribuídas (cfr. art. 180.º/2) são «*entida-*

---

[12] Estes órgãos auxiliares são, por vezes, designados por *subórgãos (Unter-Organe)* ou como «partes do órgão» *(Organteile)* com capacidade jurídica interna *(innen rechtsfähige Organteile).* Cfr., WOLFF/ /BACHOF, *Verwaltungsrecht,* Vol. I, pp. 74 e ss; STEIGER, *Organisatorische Grundlagen des parlamentarischen Regierungsystems,* 1973, p p. 146 ss.

[13] Cfr. ROGÉRIO SOARES, «As Comissões parlamentares permanentes. Países não socialistas», in *BFDC,* LVI, 1980, p. 156; J. MIRANDA, "Inquéritos parlamentares e Separação de poderes", *O Direito* III--IV, 1995.

des estruturais do parlamento» e «garantias institucionais» do funcionamento democrático da assembleia representativa dos cidadãos. Deve notar-se que a constituição não estabelece a obrigatoriedade de formação de grupos parlamentares (art. 180.º/1: "podem constituir-se…). Precisamente por isso, a Revisão de 1997 veio dar guarida constitucional formal aos deputados não "agrupados" impondo a consagração, no Regimento da AR, de direitos e garantias mínimas para os deputados não integrados em grupos parlamentares (art. 180.º/4).

      A natureza jurídica dos grupos parlamentares tem sido objecto de largas discussões: «órgãos do parlamento», «parte do órgão parlamentar», «associações de direito público», «corporações de direito público», «associações desprovidas de capacidade jurídica, mas com capacidade interna», «órgãos de partidos». Entre nós, cfr. Gomes Canotilho/Vital Moreira, *Constituição da República,* anotações ao art. 183.º. Relativamente às comissões cfr. Rogério Soares, «As Comissões Parlamentares Permanentes», in *BFDC,* Vol. LVI (1980). Sobre as caracterizações mais vulgares dos grupos parlamentares cfr. Steiger, *Organisatorische Grundlagen,* p. 114. Se os grupos parlamentares são entidades distintas dos deputados, também não são simplesmente um «partido no parlamento», podendo até haver divergências entre partidos e grupos na prática política quotidiana e, em menor medida, na definição programático-partidária. Além disso, a sua existência justifica-se não apenas por interesse dos partidos políticos, mas também no interesse da operatividade e capacidade funcional do Parlamento. Cfr., sobre isto, W. Hauenschild, *Wesen und Rechtsnatur der parlamentarische Fraktion,* 1968; T. von Seysenegg, *Die Fraktion im Deutschen Bundestag und ihre Verfassungsrechtliche Stellung,* dis. Freiburg, 1971; Pizzorusso, *I gruppi parlamentari come soggetti di diritto*, Pisa, 1969; Savignano, *I Gruppi parlamentari,* Napoli, 1965; M. Waline, «Les groupes parlamentaires en France», in *RDPSP,* 1961; Torres del Moral, «Los grupos parlamentarios», in *RDP,* 9, p. 34; M. Alba Navarro, «La creación de grupos parlamentarios», in *RDP,* 14, pp. 79 e ss; M. Rebelo de Sousa, *Os Partidos Políticos,* p. 106; Luís de Sá, *O lugar da Assembleia da República,* p. 324.

9. A AR é um *órgão arbitral* no sentido de que, desenvolvendo-se no seu seio o confronto de forças politicamente plurais e conflituantes, ela deve assegurar uma *estrutura processual* tendencialmente harmonizante dos vários interesses em jogo (informação dos partidos, instituição da conferência dos presidentes dos grupos parlamentares, fixação da ordem-do-dia, recurso das decisões do Presidente para o Plenário). As exigências do princípio democrático traduzem-se aqui no facto de o parlamento desenvolver a sua actividade de acordo com certas regras públicas e transparentes. A «legislação segundo o processo» ganha relevância contra a deformação da função parlamentar (obstrucionismo, imobilismo, prepotências da maioria, «política de corredor», «acordos de família»).

II - Competências e funções

Não é possível desenvolver aqui uma análise aprofundada dos vários modos de sistematização das funções da AR. A competência e as funções de um órgão dependem da forma de governo constitucionalmente adoptado. Por isso, uma tentativa de síntese deve ter em conta, em primeiro lugar, a caracterização concreta, a definição de competências e a coordenação de órgãos de soberania estabelecidas na lei constitucional positiva. Além disso, a perspectiva a adoptar pode ser: (1) *funcionalmente* dirigida (o que interessa é determinar as funções de um órgão); (2) *formalmente* orientada (importa sobretudo apurar a forma de desenvolvimento e expressão da actividade do parlamento). De acordo com o critério funcional, distinguir-se-ão as seguintes funções principais: (1) função electiva e função de criação de determinados órgãos; (2) função de controlo e de fiscalização; (3) função legislativa; (4) função autorizante; (5) função de representação. De acordo com o critério formal, ter-se-ão em conta sobretudo os decretos, as resoluções, as moções e as interpelações (cfr. Regimento da AR, arts. 125 ss).

III - Funções

1. Função electiva e de criação

A AR tem importantes **funções efectivas de membros de órgãos e de criação de órgãos**. Com efeito, a CRP atribui à AR competência para a eleição de determinados órgãos constitucionais ou de alguns membros destes (cfr. art. 163.°/*h* e *i*): de 10 juízes do Tribunal Constitucional, do Provedor de Justiça, do Presidente do Conselho Económico e Social, de 7 vogais do Conselho Superior da Magistratura, de 5 membros para a Alta Autoridade para a Comunicação Social (cfr. art. 39.°/3), de 5 membros do Conselho de Estado (art. 166.°/*h*), do Provedor de Justiça (art. 163.°/*i*) e do Presidente do Conselho Económico e Social (art. 163.°/*i*). A competência electiva ou criadora de órgãos pode resultar também da lei ordinária.

2. Função legislativa

A AR é o órgão legislativo por excelência, a ela cabendo a *função de fazer as leis*. A função legiferante não é hoje um monopólio da AR, dado que o

Governo e as assembleias regionais têm também competência legislativa (decretos-leis e decretos legislativos regionais), mas o órgão legiferante primário é ainda o parlamento ao qual se atribui uma reserva de **competência legislativa** *absoluta* para certas matérias (cfr. art. 164.º), ao lado de uma reserva *relativa* de competência para outros domínios materiais (cfr. art. 165.º). Este «privilégio» legislativo da AR tem uma importância nem sempre correctamente assinalada pela doutrina. Não obstante a ausência de um monopólio legislativo do Parlamento, a supremacia legislativa da AR revela-se ainda: (1) na inexistência de mecanismos de iniciativa legislativa popular directa (mas hoje, depois da 4.ª revisão, constitucionalizou-se a iniciativa de lei de grupos de cidadãos eleitores junto da AR, nos termos do art. 167.º/1/2/3); (2) na inexistência de referendos em matérias de competência político-legislativa absoluta da AR (salvo as excepções constitucionalmente previstas no art. 115.º/4/*d*); (3) na inexistência de quaisquer poderes legislativos excepcionais ou constitucionais em tempo de crise; (4) na limitação da faculdade de delegação ou de autorização legislativa da AR (art. 165.º/2/3/4/5); (5) no estabelecimento de uma reserva de competência legislativa (cfr. arts. 164.º e 165.º).

3. Função de controlo [14]

Uma das mais importantes funções da AR é a **função política de controlo** («função de inspecção», «função de fiscalização»).

As funções de controlo (cfr. art. 162.º), ao contrário do que por vezes se afirma, não se identificam com os mecanismos destinados a dar operacionalidade à *relação de confiança* parlamento-governo. As funções de controlo existem mesmo em regimes não parlamentares (ex.: no sistema presidencial americano) e têm por objecto não apenas as actividades do governo, mas também outras esferas de actividade (ex.: administração pública, magistratura). Os actos geralmente considerados como «actos típicos» de controlo são os seguintes.

a) *Perguntas e interpelações*

As **perguntas** consistem no pedido que qualquer deputado pode fazer por escrito ou oralmente ao governo, no sentido de apurar a veracidade de um facto, averiguar da tomada ou não tomada de resoluções. De uma forma

---

[14] Cfr. ANTÓNIO VITORINO, «O controlo parlamentar dos actos do governo», in BAPTISTA COELHO (org.), *Portugal Político*, cit., pp. 369 e ss.

global, trata-se de possibilitar ao deputado fazer perguntas e obter resposta em prazo razoável (cfr. arts. 156.º/*c*, 162/*a* e 177.º/2) sobre «quaisquer actos do Governo ou da Administração pública». O **direito de interpelação** é reconhecido constitucionalmente aos grupos parlamentares (art. 180.º/2/*d*). As interpelações incidem não sobre actos ou factos isolados do governo e da administração, como as perguntas, mas sobre «assunto de política geral» (cfr. art. 178.º/2-*c*), que, como é evidente, pode ter como pretexto problemas surgidos em domínios sectoriais da actividade governamental [15]. A revisão de 1997 (art. 180.º/2/*c*) deu expressa consagração à figura de **debates** sobre questões de interesse público actual e urgente com a presença obrigatória do governo.

b) *Inquéritos*

O direito de proceder a inquéritos é uma das formas de a AR, independentemente de outros órgãos do Estado, proceder à obtenção de informações necessárias ao exercício da sua actividade de controlo (cfr. art. 178.º/7). Para este efeito, a AR pode constituir, através de resolução, **comissões de inquérito**, que «gozam de poderes de investigação próprios das autoridades judiciais» (art. 178.º/5). Para evitar a obstrução da maioria à constituição de comissões de inquérito, a CRP, na redacção da LC n.º 1/82, estabeleceu a obrigatoriedade da sua constituição sempre que tal seja requerido por 1/5 dos deputados em efectividade de funções (art. 178.º/4) [16].

A letra do art. 178.º/4 deixa em aberto o fim ou fins das comissões parlamentares de inquérito. Daí que eles possam abranger: (1) os *inquéritos legislativos* destinados a colher informações com vista à preparação de projectos legislativos; (2) os inquéritos adequados a assegurar e manter a reputação e prestígio do parlamento; (3) os inquéritos tendentes a controlar abusos e irregularidades do Governo e da administração.

Não obstante as comissões de inquérito gozarem de poderes de investigação próprios das autoridades judiciárias (art. 178.º/5) e ser admissível o paralelismo entre inquérito parlamentar e procedimento criminal (cfr. Lei n.º 126/97, de 15.10, art. 5.º), "o valor jurídico das *conclusões* do inquérito não é o mesmo da sentença judicial". Os resultados práticos traduzir-se-ão nos juízos de ordem política e nas recomendações directivas que as comissões possam formular (cfr. Lei n.º 5/93, de 1-3 – Regime Jurídico dos Inquéritos parlamentares, alterada pela Lei n.º 126/97, de 15/10). A diferença de fins e juízos permite sustentar a

---

[15] Cfr. S. MORSCHER, «Die parlamentarische Interpellation in der Bundesrepublik Deutschland, in Frankreich, Grossbritanien, Österreich und der Schweiz», in *JÖR*, 1976, pp. 53 e ss.

[16] ANTÓNIO VITORINO, «O controlo parlamentar dos actos do Governo», cit., p. 381, alude aqui a comissões «constituídas em termos de direito potestativo».

admissibilidade de investigações paralelas – investigação judicial e inquérito-parlamentar – embora com as restrições atrás referidas.

Não é fácil delimitar o âmbito das comissões de inquérito. A regra é a de que o direito de inquérito existe em relação a assuntos para os quais o parlamento é competente, mas não para questões que são de exclusiva competência de outro órgão de soberania. Mas esta teoria – *Korollar-Theorie* lhe chama a doutrina alemã – que limita as comissões de inquérito ao âmbito da competência do Parlamento, não é fácil de precisar, porque se ela pretende manter válido, também neste campo, o princípio da separação e interdependência dos órgãos de soberania, há casos em que o princípio sofre entorses na própria Constituição. A lei (Lei n.º 126/97) admite, hoje, a possibilidade de inquéritos parlamentares a factos objecto de processo criminal (art. 5.º/2), competindo à AR deliberar através de resolução sobre a suspensão deste inquérito (cfr. Ac TC n.º 195/94, *DR*, II, 12-5 – Caso de Camarate –, e Carlos Lopes do Rego, "Inquéritos parlamentares e processo penal", in RMP, 56 (1993), p. 193 e ss. Dúvidas existem quanto a comissões de inquérito relativas a assuntos incluídos no âmbito da administração autónoma [17].

Parece também que as comissões de inquérito não podem incidir sobre a esfera privada do cidadão: a protecção dos direitos fundamentais constitucionalmente consagrada vale perante os inquéritos parlamentares não devendo estes inquéritos transformar-se em "processos penais" apócrifos sem a observância dos princípios constitucionais e legais vinculativos destes. Os limites entre esfera privada e interesse público é difícil de estabelecer, designadamente quando, por vezes, os inquéritos se referem a deputados e o comportamento destes ameaça o prestígio e reputação do parlamento (cfr. Par. CC n.º 14/77).

Exigência ineliminável do requerimento de inquérito é a da determinação do objecto – a doutrina alemã alude a este respeito à *exigência da determinabilidade (Bestimmtheitsgebot)* –, pois um requerimento ou proposta que não indique os fundamentos e delimite o seu âmbito deve ser liminarmente rejeitado pelo Presidente da AR (cfr. art. 251.º do Reg. da AR). No Direito português, cfr., por último, Jorge Miranda, "Sobre as Comissões Parlamentares de Inquérito", in *Direito e Justiça*, XIV, 1/2000, pp. 33 e ss. Além disso, o objectivo das comissões de inquérito parlamentares tem de pautar-se pela existência de *interesse público*, não podendo incidir sobre interesses ou assuntos privados a não ser que estes tenham uma ligação inextrincável com os interesses públicos. É o caso das chamadas "comissões de inquérito de escândalos públicos" (ex.: *Caso R. Dumas* e companhia petrolífera Elf, em que assuntos privados se revelavam estritamente associados a dimensões jurídico-públicas). Nestes casos desempenhará importante relevo a vinculação das entidades públicas pelas normas garantidoras de direitos, liberdades e garantias.

c) *Petições*

Através do exame de **petições** (cfr. arts. 52.º a 178.º/3 da CRP e arts. 244.º ss do Reg. da AR) a AR pode controlar abusos da administração que lhe são levados ao conhecimento através de petições, representações, reclamações

---

[17] Cfr. sobre isto: D. BODENHEIM, *Kollision parlamentarischer Kontrollrechte*, 1979, pp. 84 e ss; FENUCCI, *Limiti dei parlamentari,* Napoli, 1968; PACE, *Il potere di inchiesta delle assemblee legislative*, Milano, 1973. Entre nós, cfr. GOMES CANOTILHO/VITAL MOREIRA, *Constituição da República*, anotação ao art. 183.º No direito brasileiro, cfr., por todos, OLIVEIRA BARACHO, *Teoria Geral das Comissões Parlamentares*, Rio de Janeiro, 1988.

ou queixas. Precisamente por isso, as petições que reúnam certas condições (assinadas por mais de mil cidadãos ou que o Presidente ou comissões assim o deliberem) devem ser publicadas na íntegra (art. 249.º do Reg. da AR) e o autor ou primeiro peticionário têm o direito de ser informados do relatório da comissão competente e das diligências subsequentes que tenham sido adoptadas (cfr. art. 250.º do Reg. da AR). A LC 1/89 estabeleceu uma imposição legislativa no sentido de fixar as «condições em que as petições apresentadas colectivamente à Assembleia da República são apreciadas pelo Plenário» (CRP, 52/2.º). Por sua vez, o art. 178.º/3 (artigo 181.º/3) prevê a possibilidade de serem constituídas especialmente comissões parlamentares para apreciarem as petições dos cidadãos.

d) *Moções de censura*

Faz parte da «essência» do «princípio parlamentar» a sujeição do governo ao controlo político do parlamento, cujo instrumento mais radical é a **moção de censura**. Através da moção de censura, de iniciativa parlamentar (ao contrário da *moção de confiança* que é de iniciativa governamental), a AR põe em jogo a *responsabilidade política do Governo* (cfr. arts. 194.º e 195.º/1-*f*), implicando a aprovação da moção de censura a demissão do Governo. Este controlo parlamentar é um *controlo material,* pois pode dirigir-se: (1) à fiscalização dos resultados da actividade legislativa (de *Leistungskontrolle* fala a doutrina alemã); (2) à fiscalização das vias e fins da política governamental *(Richtungskontrolle).* É também um *controlo pessoal* na medida em que pode pôr em causa a capacidade política do Primeiro-Ministro e, indirectamente, dos seus ministros, para levarem a cabo determinada política.

4. **Função de fiscalização**

A função controlante ou **função de fiscalização** da AR é mais extensa do que a função de controlo político do Governo. A AR exerce uma vasta *função fiscalizadora* (cfr. art. 162.º) que vai desde o controlo do cumprimento da Constituição e apreciação dos actos de Governo (de que já se falou) até à fiscalização dos *estados de necessidade constitucional* (cfr. arts. 19.º e 161.º/*l* e *m*). Até 1997, a Constituição era omissa relativamente à utilização de forças militares em casos não reconduzíveis aos clássicos estados de necessidade constitucional. O envolvimento de contingentes militares no estrangeiro (Bósnia, Kosovo, Timor) ao abrigo de interpretações mais do que discutíveis, sobre o "Tratado Nato" justificaram uma nova função de fiscalização da AR – acompanhar o envolvimento de contingentes militares portugueses no estrangeiro (art. 163.º/*j*). De registar ainda o controlo financeiro das contas do Estado (art. 162.º/*d*) e a apreciação dos relatórios de execução dos planos nacionais (art. 162.º/*e*).

5. Função autorizante

Através da **função autorizante** a AR exerce não apenas uma função de controlo mas também uma função de *indirizzo político*. Compete, na realidade, à AR, autorizar certos actos de inequívoco significado político, o que leva alguns autores a falar aqui em «competência de *co-decisão*». É o caso da autorização ao Governo para contrair ou conceder empréstimos (cfr. art. 161.º/*h*), da autorização ou confirmação da declaração do estado-de-sítio e estado de emergência, da autorização da declaração de guerra ou da feitura da paz (art. 161.º/*l* e *m*), das autorizações legislativas (art. 161.º/*d*).

6. Função de representação

Como já se assinalou, a AR representa «todos os cidadãos portugueses». Esta **função de representação** explica a "parlamentarização" de alguns domínios tradicionalmente pertencentes aos presidentes da república e aos monarcas. É o que se passa com as relações internacionais, onde a função de representação se conexiona com a corresponsabilidade e participação do órgão representativo na definição «convencional» da política portuguesa: aprovação de tratados de participação de Portugal em organizações internacionais, aprovação de tratados de amizade de paz, de defesa, de rectificação de fronteiras e os respeitantes a assuntos militares (cfr. art. 161.º/*i*). No mesmo sentido apontam a necessidade de autorização (cfr. função autorizante) para a prática de outros actos como os actos de declaração de guerra e da feitura da paz (cfr. art. 161.º/*m*).

7. Função "europeia"

Designa-se, à falta de melhor termo, por **função europeia**, o conjunto de competências constitucionalmente atribuídas à Assembleia da República com a finalidade de acompanhar e participar na construção da união europeia (cfr., CRP, arts. 7.º/6, 161.º/*n* e 163.º/*f*). É o caso da pronúncia sobre matérias pendentes de decisão em órgãos no âmbito da União Europeia e que incidam na esfera da sua competência legislativa reservada – "discussão e pronúncia parlamentar prévia de legislação comunitária" (cfr. também, art. 112.º/9).[18] Em virtude desta imposição

---

[18] Cfr. R. MOURA RAMOS, "O parlamento português no processo de criação da União Europeia", in *Leg*, 13/4, pp. 185 e ss; JOÃO MIRANDA, *O Papel da Assembleia da República na Constituição da Europa*, Coimbra, 2000.

constitucional, o Governo é obrigado a informar a AR sobre actos comunitários com valor legislativo (cfr. art. 197.º/1/*i*) Registe-se, ainda, a inclusão na reserva absoluta de competência legislativa da AR a definição do regime de designação dos membros dos órgãos da União Europeia (cfr. art. 164.º/*p*).

C. O Governo

I - Conceito orgânico-institucional de governo e posição jurídico-constitucional

1. O Governo

A palavra '**governo**' é plurissignificativa: (1) é o complexo organizatório do Estado (conjunto de órgãos) ao qual é reconhecida competência de direcção política (ex.: forma de governo); (2) conjunto de todos os órgãos que desempenham tarefas e funções não enquadráveis no «poder legislativo» e no «poder jurisdicional» (ex.: «poder executivo»); (3) órgão constitucional de soberania com competência para a condução da política geral do país e superintendente na administração pública (cfr. art. 182.º da CRP). Neste último sentido ele irá ser estudado no presente número.

1.1. O Governo é constituído e garantido como *órgão constitucional de soberania* (art. 182.º) ao qual é confiada, a título principal, a «função de governar» (conduzir a política geral do país e superintender na administração pública).

1.2. O Governo é institucionalmente constituído por três *órgãos necessários,* distintos mas estreitamente conexionados (cfr. art. 183.º): *o Primeiro-Ministro, o Conselho de Ministros* e os *ministros,* individualmente considerados. Quando se fala em *Governo* no sentido rigoroso deve entender-se o Governo como *órgão colegial* (formado por várias pessoas) e como *órgão complexo* (constituído por vários órgãos) e não o Primeiro-Ministro e ministros. Neste sentido, a CRP atribui determinadas competências ao Governo que só ele, como órgão colegial e órgão complexo, pertence exercer (cfr. arts. 197.º, 198.º e 199.º).

1.3. Embora o Governo seja responsável perante o Presidente da República (cfr. art. 190.º) e perante a Assembleia da República, ele não é nem uma «comissão do parlamento» nem um «executivo» submetido ao Presidente da República. É um *órgão constitucional autónomo* com competência (política, legislativa e administrativa) específica.

640

1.4. O Governo forma um *órgão colegial e solidário*. Sendo o Governo dotado de existência própria, distinta da dos seus membros, compreende-se que ele seja um órgão colegial e solidário: através do **princípio da colegialidade** impõe-se a definição das linhas gerais da política pelo Conselho de Ministros, a este pertencendo definir a execução dessa política (cfr. art. 189.º). Através do **princípio da solidariedade** pretende-se significar que se um ministro é individualmente responsável pelos seus actos, também o é, enquanto membro do Governo, pela política geral deste, ainda que executada pelos diferentes colegas do «gabinete». Daí a vinculação de todos os ministros ao programa do governo e às deliberações tomadas em Conselho de Ministros (cfr. art. 189.º).

1.5. O Governo é um *órgão colegial hierarquicamente estruturado*. Os membros do Governo não têm todos a mesma hierarquia.

O Primeiro-Ministro dispõe de preeminência – **princípio da preeminência do Primeiro-Ministro** – pois ele desenvolve não apenas «funções presidenciais» como chefe do executivo, mas também competências constitucionais próprias (cfr. art. 201.º) que lhe são atribuídas a título de *Premier* (direcção da política geral do Governo, coordenação e orientação da política dos ministros). Os outros membros do Governo também não têm o mesmo «peso»: o Vice ou os Vice-Primeiro-Ministros, quando os houver, são considerados hierarquicamente superiores (cfr. art. 191.º/2). Os decretos de nomeação estabelecem também uma certa categorização, sendo de sublinhar a posição hierárquica cimeira atribuída aos *ministros de Estado* (personalidades encarregadas de garantir, a nível governamental, a solidariedade das coligações partidárias, ou personalidades consideradas de decisivo «peso» político).

Problemática se afigura já a invocação do princípio da *hierarquia* para justificar, por ex., a avocação de assuntos pelo Primeiro-Ministro, ou o voto de qualidade do Primeiro-Ministro no seio do Conselho de Ministros.

1.6. O Governo dispõe do **poder de auto-organização**. Por poder de organização entende-se aqui o complexo de competências atribuídas ao Governo (Conselho de Ministros, Primeiro-Ministro, ministros) para tomar medidas destinadas à formação do Governo, à sua organização interna (número de ministros e secretários de Estado e respectivo âmbito de competência) e ao seu funcionamento. Esta auto-organização é constitucionalmente considerada da *competência legislativa reservada do Governo* (cfr. art. 198.º/2). É no exercício do poder de organização interna que o Governo pode criar *órgãos não necessários*, como, por ex., Vice-Primeiros-Ministros e Conselhos de Ministros especializados em razão de matéria (cfr. arts. 183.º/2 e 184.º/2). Em geral, o número, a

Estrutura e função dos órgãos de soberania portugueses

designação e as atribuições dos ministérios e secretarias de Estado, bem como as formas de coordenação entre eles, são determinadas pelos decretos de nomeação dos respectivos titulares ou por decreto-lei (cfr. art. 183.º/3).

2. O Primeiro-Ministro

O **Primeiro-Ministro** é, na estrutura constitucional portuguesa, um *primus inter pares* e, em certa medida, um *primus super pares*. A sua posição dirigente e preeminente resulta de vários factores. Entre eles salientam-se: (1) só o Primeiro-Ministro é responsável perante o Presidente da República (art. 191.º/1); (2) os Vice-Primeiro-Ministros e os restantes ministros são nomeados pelo PR sob proposta do PM e perante este responsáveis (arts. 187.º/2 e 191.º/2); (3) ao Primeiro-Ministro compete dirigir a política geral do Governo e o seu funcionamento (art. 201.º/1/*a* e *b*); (4) ao Primeiro-Ministro compete submeter a apreciação do programa do Governo à AR (art. 192.º); (5) a sua demissão implica a demissão de todo o Governo (art. 195.º/*b*).

3. Princípios estruturantes

Não obstante a posição hierarquicamente superior do Primeiro-Ministro, é incorrecto classificar a estrutura do governo de acordo com as formas classicamente adoptadas («regime de chanceler», «presidencialismo de Primeiro-Ministro»). Para uma visão correcta da estrutura do Governo na Constituição Portuguesa é necessário combinar vários princípios [19].

a) *O princípio de gabinete ou da colegialidade*

De acordo com o **princípio de gabinete** (cfr. atrás o princípio da colegialidade) ao Governo (e não ao Primeiro-Ministro ou ministros) competem as funções políticas mais importantes. É ao Conselho de Ministros (cfr. art. 200.º) que compete definir as linhas gerais da política governamental e da sua execução, a aprovação de propostas de lei e de resolução, a aprovação de decretos-leis de execução do programa de governo e a aprovação de actos originadores do aumento ou diminuição de receitas das despesas públicas.

---

[19] Sobre a inserção jurídico-constitucional do PM no ordenamento português, cfr., por último, JORGE MIRANDA, *A Posição Constitucional do Primeiro-Ministro*, Lisboa, 1984.

b) *O princípio da preeminência do PM*

O **princípio da preeminência do PM** aponta para a posição de primazia do Primeiro-Ministro na direcção da política geral do Governo, na coordenação e orientação do ministério e no estabelecimento de relações de carácter geral com outros órgãos de soberania (cfr. art. 200.º). A competência para a definição de *linhas de direcção política* confere ao Primeiro-Ministro, e só a ele, uma posição dirigente, quer na determinação do *indirizzo* político geral, quer na concretização da política do Governo em assuntos específicos (política de energia, política da comunicação social, política externa). De relevo político é ainda o papel do Primeiro-Ministro na formação do Governo (escolha do gabinete) e na direcção do Conselho de Ministros (cfr. arts. 187.º/2 e 201.º/1).

c) *O princípio de repartição de competências*

Embora os ministros não possuam autonomia na definição da política do respectivo ministério (art. 201.º/2/*a*: a execução da política definida para os ministérios), eles executam essa política autonomamente (com observância das linhas de direcção política), daí resultando que, na prática, cada ministro possui um domínio material incluído no âmbito da actividade geral do Governo. Chama-se a isto **princípio da repartição de competências**. Dirigem a organização administrativa do seu departamento, são politicamente responsáveis pelo seu ministério perante o Primeiro-Ministro, e, no âmbito da responsabilidade política do Governo, perante a Assembleia da República (cfr. art. 191.º/2).

Dos três princípios de conformação – o princípio colegial ou de gabinete, o princípio da preeminência do PM e o princípio de repartição de competências – parece ser dominante o primeiro (cfr. art. 189.º), embora a estrutura do Governo (no seu aspecto organizatório e de suporte partidário) possa fazer ressaltar ou esbater os outros dois princípios (governos simples ou de coligação, existência ou não de «superministérios»). O sistema tem flexibilidade suficiente para oscilar entre um governo caracterizadamente colegial e um governo moderadamente de chanceler.

Os princípios da colegialidade, de preeminência do PM e de repartição de competências dizem respeito à estrutura interna do Governo. Interessa agora referir dois princípios relativos a dois outros órgãos de soberania: um, referente ao Presidente da República e ao Parlamento, que é o **princípio da responsabilidade**, e outro, respeitante apenas ao Presidente da República, que é o **princípio da referenda ministerial**. Ambos são princípios fundamentais para a

Estrutura e função dos órgãos de soberania portugueses

conexão da actividade do Governo com os outros dois órgãos de soberania politicamente activos.

II - A responsabilidade política do Governo

1. Responsabilidade política perante a AR [20]

De acordo com a componente parlamentar do *regime misto* institucionalizado pela Constituição de 1976 (e que a LC n.º 1/82 acentuou), o Governo é «responsável» perante a Assembleia da República (cfr. art. 190.º). Trata-se de uma *responsabilidade política* (cfr. art. 191.º/1).

Uma situação de responsabilidade verifica-se quando um órgão ou o seu titular responde perante determinadas entidades pelos efeitos derivados do exercício de uma certa actividade. Se os efeitos do agente público se repercutem na *relação de confiança* política que existe ou deve existir entre o titular do órgão em causa e o órgão que o propôs ou aceitou fala-se em *responsabilidade política;* quando a situação de responsabilidade deriva da lesão de um direito ou interesse legítimo por violação de determinada obrigação para com outro sujeito ou por comportamento ilícito, fala-se em *responsabilidade civil;* quando a situação se refere ao não cumprimento, por certos agentes, dos preceitos relativos a bens patrimoniais ou a fundos dos entes em nome dos quais agem, diz-se que há *responsabilidade financeira;* se a situação deriva da violação de normas directivas de carácter administrativo por agentes subordinados existe *responsabilidade administrativa* (cumulável ou não com responsabilidade civil ou penal); quando a situação deriva de comportamento delituoso estamos perante *responsabilidade penal*.

Além de se tratar de uma responsabilidade política, trata-se também de uma **responsabilidade parlamentar do Governo** (gabinete). Isto implica a *responsabilidade solidária* de todo o Governo perante a AR e não de uma responsabilidade individual dos ministros perante a mesma. O próprio Primeiro-Ministro, não sendo escolhido pela AR nem investido perante ela, só está sujeito à responsabilidade política parlamentar no «âmbito da responsabilidade política do Governo» (cfr. art. 191.º/1). O mesmo acontece com os restantes ministros (cfr. art. 191.º/2). De *responsabilidade política ministerial* do Primeiro-Ministro ou ministros perante a AR só pode falar-se para exprimir a ideia de que, diferentemente da situação dos simples secretários de Estado, eles podem e devem prestar contas ao Parlamento pelos seus actos (cfr. art. 191.º/3). Não há, porém,

---

[20] Cfr. ANTÓNIO VITORINO, «O controlo parlamentar dos actos do Governo», in M. BAPTISTA COELHO, *Portugal – O Sistema Político e Constitucional 1974/78*, Lisboa, 1989, pp. 364 e ss.

moções de censura individuais nem moções de confiança respeitantes apenas a um ministro do gabinete (cfr. art. 194.º).

A responsabilidade política do Governo perante a AR diz fundamentalmente respeito à responsabilidade do Governo e da administração dele hierarquicamente dependente, ficando fora desta responsabilidade a actividade dos órgãos das regiões autónomas e do poder local.[21]

2. Responsabilidade política perante o PR

De acordo com o art. 190.º existe uma *responsabilidade do Governo* perante o PR, e, nos termos do art. 191.º/1, existe também uma *responsabilidade do Primeiro-Ministro* perante o mesmo. Ao contrário do que acontecia na redacção primitiva dos artigos referidos, a CRP, na versão da LC n.º 1/82, não caracteriza o tipo de responsabilidade do Governo e do Primeiro-Ministro perante o Presidente da República. Mas não pode deixar de ser uma *responsabilidade política*. Em primeiro lugar, a *escolha* do Primeiro-Ministro pertence ao Presidente da República (art. 187.º/1). Trata-se de uma competência própria (art. 133.º/*f*), exercida com liberdade política, cujos limites mais relevantes consistem no facto de a escolha ter de incidir sobre uma pessoa que possa beneficiar da confiança da maioria parlamentar ou, pelo menos, não ter contra ela esta maioria (cfr. art. 187.º/1). Esta competência do PR relativamente à nomeação do Primeiro-Ministro sofreu, porém, uma clara deslocação a nível da «constituição real»: as eleições para a AR transformaram-se num esquema de eleição do «Primeiro-Ministro» ficando a AR com reduzida capacidade de manobra sobretudo quando exista maioria parlamentar absoluta ou maioria parlamentar relativa a tender para a maioria absoluta.

Há, porém, que estabelecer a *concordância prática* entre o art. 190.º, consagrador da responsabilidade política do Governo perante o PR, e o art. 195.º, nos termos do qual, depois da LC n.º 1/82, o PR não pode demitir o Governo a não ser para «assegurar o regular funcionamento das instituições democráticas» (art. 195.º/2). A isto acresce que, enquanto o início de nova legislatura implica, em termos jurídico-constitucionais, a demissão do Governo (art. 195.º/1/*a*), já o mesmo não se verifica quando houver eleição de novo Presidente, embora isso devesse ter sido consagrado como dever jurídico-constitucional e possa ser invocado como refracção do **princípio da lealdade constitucional** entre órgãos de

---

[21] Cfr. PAULO OTERO, *O Poder de Substituição*, vol. II, cit., p. 794.

Estrutura e função dos órgãos de soberania portugueses

soberania (*Verfassungstreueprinzip*). Uma das mais exuberantes manifestações da responsabilidade política fica, assim, sensivelmente diminuída: o PR só pode demitir o Governo em situações de crise, e, no caso de o demitir sem observância da vinculação teleológica heterónoma das normas constitucionais («assegurar o regular funcionamento das instituições democráticas»), o acto de demissão está viciado por desvio do poder. Se a demissão por cortesia (demissão após eleição presidencial) ou a demissão imposta (início de nova legislatura, rejeição do programa de Governo, não aprovação de uma moção de confiança, aprovação de uma moção de censura) não colocam, rigorosamente, problemas de confiança entre o PM e o PR, já a *demissão voluntária* do PM por desacordo com o PR parece traduzir o exemplo da quebra da relação fiduciária entre o PM e o PR com a consequente efectivação de uma responsabilidade política (art. 191.°). Manifestações desta responsabilidade política do PM perante o PR são ainda a faculdade de este último «pedir contas» ao PM sobre a política geral do Governo e de o poder convocar para analisarem problemas politicamente relevantes no contexto interno e internacional (cfr. art. 201.°/ 1-*c*).

Durante os debates sobre a revisão constitucional de 1982 falou-se na substituição de uma responsabilidade política do Governo e do PM perante o PR por uma *responsabilidade institucional*. Não há política e juridicamente a noção de *responsabilidade institucional* concebida como figura diferente da responsabilidade política. O recurso a tal conceito só pode contribuir para uma maior «enigmaticidade» do regime, sem qualquer vantagem para a aplicação da lei constitucional e para a prática política.

Com o recurso à noção de responsabilidade institucional pretende-se significar o reforço da *autonomia governamental* no esquema misto parlamentar presidencial, com o corolário lógico de que o Governo (sobretudo na distribuição de poderes operada pela LC n.° 1/82, de 30 de Setembro) executa uma política própria e não uma política do Presidente da República. Com isto suprime-se praticamente a ideia de *solidariedade institucional* (confundida com responsabilidade política) que, segundo alguns, caracterizaria as relações político-constitucionais do PR e PM na configuração originária da Constituição.

De resto, quando a doutrina constitucional alude a *responsabilidade institucional* fá-lo, precisamente, no sentido de *responsabilidade política institucional*. Assim, por ex., Rescigno, *La responsabilità politica*, Milano, 1967, p. 121, distingue entre *responsabilità politica diffusa* e *responsabilità istituzionale*, para exprimir a ideia de que no primeiro tipo a responsabilidade significa apenas a sujeição, intencionalmente aceite, dos sujeitos que lutam pelo poder político, aos factores que condicionam, favorável ou desfavoravelmente, o equilíbrio político e os fins da luta política, ao passo que na hipótese de *responsabilidade institucional* se trata de assinalar, de forma objectiva, os mecanismos por força dos quais um sujeito ou agente político pode impor a outro, de forma permanente, consequências politicamente negativas (ex.: demissão, exoneração do cargo).

Em obra mais recente, o autor em referência (cfr. Rescigno, «La Responsabilità Politica del Presidente della Republica, La prassi recente», in *Studi parlamentari e di politica costituzionale*, Milano, 1980, pp. 49 ss), distingue três tipos de responsabilidade – *responsabilità istituzionale in senso stretto* (ou *istituzionale-formale*), *responsabilità istituzionale in senso lato* e *responsabilità difusa*. Esta última desenvolve-se ao «nível molecular» das massas e do corpo eleitoral

através dos resultados em eleições e das sondagens de opinião. A *responsabilidade institucional em sentido restrito* é caracterizada pela presença, no sujeito activo, de poderes jurídicos no confronto do sujeito passivo, ao passo que a *responsabilidade institucional em sentido lato* traduz, fundamentalmente, a possibilidade de crítica do órgão activo em relação ao sujeito passivo. Entre nós, cfr., I. Morais/J. M. Ferreira de Almeida/R. Leite Pinto, O *Sistema de Governo Semipresidencial*, Lisboa, 1984, p. 42, e G. Canotilho/V. Moreira, *Constituição da República Portuguesa, Anotada*, Coimbra, 1993, anotação ao art. 193.º, onde a responsabilidade política do PM perante o PR é configurada em termos de responsabilidade política tendencialmente difusa.

A *responsabilidade institucional é sempre, como se vê, uma responsabilidade política*. Saber em que medida a responsabilidade institucional em sentido restrito do Governo perante o PR se degradou em responsabilidade institucional em sentido lato é já um problema diferente. De qualquer modo, parece inequívoco que o PR continua a dispor de instrumentos institucionais, constitucionalmente consagrados (demissão de Governo, veto a diplomas legislativos, direito de obter prestação de contas do PM sobre a actividade do Governo), para se poder dizer que o regime se caracteriza ainda pela existência de uma responsabilidade política institucional do Governo em relação ao PR.

Relativamente ao princípio da **referenda ministerial** pouco mais há a acrescentar ao já assinalado a propósito dos poderes do Presidente da República (cfr. 1.2.2). Realçar-se-á apenas que a «tridimensionalidade» da referenda demonstra dever hoje este instituto ser entendido como implicando a necessidade de colaboração do Presidente da República e do Governo e, indirectamente, a exigência da função mediadora de um Governo sujeito a uma dupla responsabilidade política.

A referenda, nos termos constitucionais, pertence ao Governo em funções ao tempo da promulgação (arts. 140.º e 197.º/1/*a*). Em regra, a referenda é feita pelo Primeiro-Ministro e, para os actos que pressuponham ministro ou ministros proponentes, a lógica exigirá também a assinatura destes. Como a referenda é uma assinatura, pode confundir-se a assinatura ministerial (elemento constitutivo de um acto deliberativo) e a assinatura ministerial como *referenda* do acto de promulgação do Presidente da República. E, rigorosamente, depois da promulgação pelo Presidente da República, o acto normativo deve voltar ao Governo. Acrescenta-se, porém, que a vontade positiva deste já se manifestou com a primeira assinatura, e por isso se entende (mal!) ser aceitável a *convolação* desta em referenda (cfr., agora, o art. 10.º do DL n.º 3/83 e art. 11.º/3 da Lei 74/98, de 11-11)[22].

---

[22] Cfr. JORGE MIRANDA, *Decreto*, cit., p. 37; *Funções, Órgãos e Actos do Estado*, cit., p. 444.

III - As funções do Governo [23]

O Governo, como órgão constitucional autónomo de soberania, exerce um complexo de funções desdobrado em funções políticas, legislativas e funções administrativas. Uma pontualização destas funções poderá ser feita da forma seguinte.

1. Função política ou de governo

a) *Delimitação negativa*

Não há uma caracterização constitucional-material da **função política ou de governo**. É possível, porém, fazer-se uma delimitação «negativa»: (1) nem todas as actividades exercidas pelo órgão de soberania designado Governo são actividades políticas ou de governo; (2) o Governo não tem o monopólio das funções políticas ou de governo, pois a CRP atribui funções de direcção política a outros órgãos de soberania; (3) algumas actividades são expressamente consideradas como actividades políticas e reservadas ao Governo em sentido orgânico-institucional; (4) o governo não é constitucionalmente concebido como um poder autónomo mas como um domínio ou âmbito funcional que, em parte, pertence ao Governo em sentido orgânico-institucional e, noutra parte, aos outros órgãos de soberania, como o PR e a AR.

b) *Sentido material*

A CRP (art. 197.º) fala expressamente em «competência política» do Governo e em «exercício de funções políticas». Todavia, as actividades aí incluídas no âmbito de funções políticas pouco dizem sobre a «função política» ou de «governo». A **função política ou de governo** é *um complexo de funções legislativas, regulamentares, planificadoras, administrativas e militares, de natureza económica, social, financeira e cultural, dirigidas à individualização e graduação dos fins constitucionalmente estabelecidos.* Em geral, esta função caracteriza-se por uma grande margem de *liberdade de conformação*, salvo os limites ou as imposições estabelecidas pela CRP. Nesta medida o «governar» ou o «fazer política» implica direcção, iniciativa, coordenação, combinação, planificação e liberdade de conformação.

---

[23] Cfr., por último, JORGE MIRANDA, *Funções, Órgãos e Actos do Estado*, p. 25; *Manual*, V, p. 297.

c) *Forma*

A caracterização material indica já que *a forma* do exercício das funções políticas ou de governo é muito variada. Ao atribuirem-se estas funções a vários órgãos constitucionais legitimam-se também várias *formas de revelação:* a função política é susceptível de traduzir-se em actos legislativos ou regulamentares, em linhas de direcção política ou em instruções, em planos globais ou sectoriais, em actos de comando militar, em informações e propostas em actos de nomeação de funcionários ou presidentes de órgãos.

Todas estas formas de exercício de funções políticas são jurídico-constitucionalmente vinculadas. Consequentemente, não há *actos de governo* concebidos como actos fora do direito ou da Constituição: a política e a Constituição não são categorias antinómicas, exigindo mesmo a ideia de Estado Constitucional a vinculação jurídica de todos os actos de governo. A *medida de vinculação jurídica* é, porém, susceptível de gradações: (a) vinculação do exercício de uma função à competência de determinado órgão *(competência constitucionalmente vinculada);* (b) vinculação jurídico-material através de simples limites, deixando aos órgãos competentes larga *liberdade de conformação política;* (c) vinculação jurídico-material, positiva e determinante, estando os órgãos com competência para o exercício de funções políticas obrigados a «executar» os programas ou imposições constitucionais (exercício de funções políticas com *simples discricionariedade*).

2. Função legislativa

O Governo dispõe, entre nós, de uma ampla competência legislativa (cfr. art. 198.º). Ao estudar-se adiante a estrutura normativa haverá oportunidade para desenvolver os vários aspectos da competência do Governo no exercício de funções legislativas.

3. Funções administrativas

No art. 199.º alude-se à competência do Governo no «exercício de **funções administrativas**».

Não é fácil distinguir «funções de governo» e «funções administrativas». Muito vulgares são dois critérios de distinção: (1) **funções de governo** no sentido de funções exercidas pelos órgãos superiores do executivo e **funções administrativas** identificadas com as funções desempenhadas pelos órgãos infe-

649   *Estrutura e função dos órgãos de soberania portugueses*

riores; (2) **funções de governo** entendidas como funções políticas livres e iniciais e **funções administrativas** reconduzidas a funções derivadas, executivas e heteronomamente determinadas. Estes critérios são susceptíveis de críticas. Um acto administrativo pode transformar-se funcionalmente em acto de governo, assim como um acto de governo pode ser funcionalmente valorado como tendo simples significado administrativo.

Problema complexo (aqui não desenvolvido, pois isso será estudado com o desenvolvimento necessário na cadeira de Direito Administrativo) é o do **conceito constitucional de administração pública**. Uma divisão material das funções do Estado e demais poderes públicos tendente a uma definição material de administração encontra numerosos obstáculos, levando os autores a contentar-se com um simples *conceito negativo de administração*. Não deve abdicar-se de uma tentativa de *definição positiva*. Só uma caracterização positiva permitirá, no plano constitucional, uma articulação minimamente satisfatória de um *conceito organizatório de administração pública* com um *conceito tendencialmente material*. Neste sentido, uma caracterização aproximada de administração pública será a seguinte: (1) prossecução permanente e autónoma de tarefas da comunidade; (2) efectuada por órgãos do Estado, das regiões autónomas, do poder local e das demais formas de administração indirecta do Estado e da administração autónoma de carácter associativo ou institucional; (3) através de medidas concretas; (4) juridicamente vinculadas a fins (de interesse público), constitucional e, ou legalmente pré-determinados.

A noção acabada de propor serve para tornar operativo um **conceito constitucional organizatório de administração pública**. Ele aplica-se a várias realidades institucionais, constitucionalmente normativizadas, podendo dizer-se que não há *uma* administração pública mas *várias* administrações públicas:[24] (1) administração do Estado, nos seus vários escalões, compreendendo principalmente a *administração directa* (arts. 199.º/d e 266.º); (2) *administração indirecta* do Estado (ou de outras administrações territoriais) exercida por entes públicos especialmente criados para prosseguirem interesses públicos sob a *orientação* do Estado (art. 199.º/d); (3) *administração territorial autónoma* regional e local (arts. 227.º/h/l, m e 235.º); (4) *administração associativa autónoma* (ex.: ordens profissionais) e *administração institucional autónoma* (ex.: Câmaras de Comércio) (cfr. art. 267.º/4); (5) *administração «delegada» ou «concessionada»* ou seja, a administração a cargo de entidades particulares, à qual foi confiada por acto legal ou

---

[24] Cfr., entre nós, por último, V. PEREIRA DA SILVA, *Em Busca do Acto Administrativo Perdido*, Coimbra, 1995, p. 91; PAULO OTERO, *O Poder de Substituição*, II, pp. 614 e 748 e ss; VITAL MOREIRA, *Administração Autónoma e Associações Públicas*, Coimbra, 1997, pp. 66 e ss.

por acto administrativo fundado na lei a capacidade para exercer tarefas administrativas, incluindo poderes de autoridade (ex.: federações desportivas).

De qualquer modo, o conceito anterior aponta para algumas características materiais da administração pública. A função administrativa consiste na *concretização* e *realização* dos interesses públicos da comunidade, quer dando *execução* a decisões ou deliberações, constantes de actos legislativos, actos de governo e actos de planificação, quer *intervindo,* conformadora ou ordenadoramente, na prossecução de fins (de interesse público) individualizados na Constituição e nas leis. Em segundo lugar, e em termos gerais, as *formas* de actuação reconduzem-se a *medidas concretas* adequadas e necessárias à prossecução dos fins de interesse público e que vão desde os actos administrativos individuais aos contratos, passando pelos actos planificadores e directivos. Tal como as formas de actuação são variadas, também as *tarefas* administrativas se distribuem por vários domínios, desde o clássico domínio da administração de *polícia* (garantia da ordem e segurança, nos termos do art. 272.°) à actividade planificadora e directiva da economia (cfr. art. 199.°/*a*), passando pela actividade financeira e fiscal e pela actividade social e prestacional (art. 199.°/*b* e *g*). Todas as administrações (directa do Estado, autónoma, indirecta e concessionada) estão sujeitas ao *controlo contencioso,* independentemente da *forma* do acto, seja ou não a entidade que cometeu a ilegalidade uma *pessoa* colectiva pública, e qualquer que seja a *tarefa* prosseguida pelos órgãos ou agentes das várias administrações (cfr. art. 268.°/4). Nesta perspectiva, cabem na função administrativa os actos chamados de **alta administração**.

A definição positiva e o alargamento do conceito de administração pública pretendem responder, por um lado, ao esforço de alguns autores no sentido de um «enriquecimento» material ou intrínseco da actividade administrativa (H. J. Wolff, I. V. Münch, O. Bachof, G. Püttner) e, por outro, à necessidade de desenvolver um conceito organizatório adequado aos imperativos da desconcentração, autonomia e desburocratização constantes da Constituição de 1976. Cfr., entre nós, a caracterização da função administrativa em Afonso Queiró, *Lições de Direito Administrativo* (policopiadas), pp. 13 e ss; Mário Esteves de Oliveira, *Direito Administrativo,* pp. 28 e ss; Diogo Freitas do Amaral, *Curso de Direito Administrativo,* I, 1986, pp. 41 e 219. Uma clara acentuação material da «competência administrativa do Governo» colhe-se no Parecer da Comissão Constitucional n.° 16/79, in *Pareceres,* Vol. 8, pp. 205 ss. Por último, cfr. Sérvulo Correia, *Legalidade e Autonomia Contratual,* cit., pp. 49 e ss; Nuno Piçarra, "Reserva de Administração", in *O Direito,* 122 (1990), pp. 1 e ss. Sobre a justificação do pluralismo organizativo da administração – «administrações» – ver, por último, Maria da Glória Ferreira Pinto, *Da Justiça Administrativa em Portugal. Sua origem e evolução,* Lisboa, 1993, p. 567, que articula a «pluralidade de administrações» com a diversidade de interesses, e Paulo Otero, *O Poder de Substituição em Direito Administrativo,* p. 544, que discute o «pluralismo organizativo da administração» no âmbito político-constitucional do Estado de Direito Democrático. Não é, porém, indiferente saber de que *administração pública* se trata. Para além dos problemas de caracterização material destas administrações – *directa, indirecta* e *autónoma* –, a Constituição estabelece modos diferentes de relacionamento do Governo como *órgão superior da administração* com as várias administrações. Quanto à administração directa o Governo goza de um *poder de direcção*, traduzido na faculdade de proferir ordens e enviar instruções relativamente aos órgãos inferiores dessa administração. No que toca à *administração indirecta*, o Governo dispõe do *poder de superintendência* (CRP, art. 199/*d*). Relativamente à *administração autónoma* o Governo dispõe do *poder de tutela* que lhe permite controlar segundo critérios de legalidade a actividade dos entes autónomos.

A problemática da administração autónoma está hoje analisada exaustivamente por Vital Moreira, *Administração Autónoma e Associações Públicas*, Coimbra, 1997, pp. 160 e ss. Ver, também, Jorge Miranda, «As Associações Públicas no Direito Português», in RFDL, XXVII, pp. 57 e ss; Casalta Nabais, *A Autonomia Local*, Coimbra, 1990.

D. O Conselho de Estado

Como órgão consultivo do PR instituiu-se (LC n.° 1/82) o **Conselho de Estado** (cfr. arts. 144.° ss.).

Este órgão é herdeiro dos clássicos «conselhos de Estado» e, num plano menos remoto, do Conselho de Estado, da Constituição de 1993 (cfr. arts. 83.° e 84.°), e do Conselho da Revolução previsto no texto constitucional primitivo de 1976 (quanto a este último apenas no que respeita às funções consultivas).[25] O Conselho de Estado é um *órgão constitucional auxiliar*, pois ele é configurado constitucionalmente como «órgão político de consulta do Presidente da República» (art. 141.°). A sua composição é, pelo menos, de 16 membros, excluído o PR, que todavia a ele preside: *a)* uns por inerência de funções (Presidente da AR, PM, Presidente do Tribunal Constitucional, Provedor de Justiça, presidentes dos governos regionais) ou a título honorífico por funções já desempenhadas (antigos Presidentes da República); *b)* outros são cidadãos designados pelo Presidente da República ou eleitos pela Assembleia da República (cfr. art. 142.°/*g* e *h*).[26] O Conselho de Estado limita-se a dar pareceres (cfr. art. 142.°) sobre alguns actos praticados pelo PR no uso de poderes próprios (dissolução da AR e dos órgãos das regiões autónomas, demissão do Governo, nomeação e exoneração dos Ministros da República para as Regiões Autónomas).

---

[25] Sobre a história dos Conselhos de Estado cfr. JORGE MIRANDA, *Conselho de Estado*, Coimbra, 1970; MARCELLO CAETANO, *Manual*, Vol. II, pp. 580 e ss.

[26] Cfr. L. n.° 31/84, in *DR*, I, de 6-9-84 (Estatuto dos membros do Conselho de Estado).

Referências bibliográficas

A) PRESIDENTE DA REPÚBLICA

Araújo, A. A./Tsimaras, C. – "Os Poderes Presidenciais nas Constituições Grega e Portuguesa", in *O Direito*, 2000, p. 147 ss.

Barroso, A./Vicente de Bragança – «O Presidente da República: função e poderes», in Baptista Coelho (org.), *Portugal Político*, cit., pp. 32 e ss.

Canotilho, J. J./Moreira, V. – *Fundamentos da Constituição*, pp. 201 e ss.

– *Os Poderes do Presidente da República*, 1991.

Cruz, M. B. – "O Presidente da República na génese e evolução do sistema de governo português", *Análise Social*, 125-126 (1994) p. 237 ss.

Lucifredi, P. – "Il Presidente della Republica in Portogallo", in *Il Politico*, XLVII, 1983, p. 685.

Martins, Afonso d'Oliveira – «Promulgação», in DJAP, VI, Lisboa, 1994, p. 568.

Mayer, D. V. – "O Presidente da República em Portugal e no Brasil: interfaces numa perspectiva política e numa visão comparada", in Jorge Miranda (org.), *Perspectivas Constitucionais*, I, pp. 533 e ss.

Miranda, J. – «Actos e funções do Presidente da República», in *Estudos sobre a Constituição*, I, 1977.

Moreira, V. – *Administração Autónoma e Associações Públicas*, Coimbra, 1997.

Pereira, A. G. – *Direito Público Comparado. O sistema de governo semipresidencial*, Lisboa, 1984.

Otero, P. – *O Poder de Substituição*, vol. II, pp. 63 e s.

B) ASSEMBLEIA DA REPÚBLICA

A. Barreto – "Assembleia da República: uma Instituição Subalternizada", in *RISCO*, 13/1990, p. 101.

Canotilho J. J./Moreira, V. – *Fundamentos da Constituição*, p. 207.

Sá, Luís de – *O lugar da Assembleia da República no Sistema Político*, Lisboa, 1994.

– "Assembleia da República", in *Dicionário Jurídico da Administração Pública*, 1.º Suplemento

Gomes, Carla A. – *As imunidades parlamentares no direito português*, Coimbra, 1998.

C) GOVERNO

Canepa, A. – "Controfirma Ministeriale e Posizione del Capo dello Stato nella Forma di Governo Parlamentari Spuntti Comparatistici", in J. Miranda, *Perspectivas Constitucionais*, vol. III, pp. 771 e ss.

– "Referenda", *Dicionário Jurídico da Administração Pública*, vol. 7, 1996.

Duque, V. A. – "A referenda ministerial" in *Revista Jurídica da AAFDL*, (1989), 13-14 (1990).

Freitas do Amaral, D./Otero, P. – "O Valor Jurídico-Político da Referenda Ministerial – Estudo de Direito Constitucional e de Ciência Política", in *Revista da Ordem dos Advogados*, 1996, I, pp. 109 e ss.

Gomes Canotilho, J. J – «Governo», in *Dicionário Jurídico da Administração Pública*, VI, Lisboa, 1993, p. 22.

Miranda, J. – *A Posição Constitucional do Primeiro-Ministro*, Lisboa, 1984.

Otero, P. – *Conceito e Fundamento da Hierarquia Administrativa*, Coimbra, 1992.

– "Sistema Eleitoral e Modelo Político-Constitucional", in *Revista Jurídica*, 16/17, 1992, p. 115.

Pinheiro, A. S. – "O Governo: Organização e Funcionamento, Reserva Legislativa e Procedimento Legislativo", *Revista Jurídica*, 23 (1999), pp. 191 e ss.

Vitorino, A. – «O controlo parlamentar dos actos do Governo», in M. Baptista Coelho (org.), *Portugal – O Sistema Político e Constitucional, 1974-1987*, Lisboa, 1989, pp. 369 e ss.

Capítulo 5
Estrutura e Função dos Tribunais

Sumário

A. Os Tribunais na Constituição

   I - Os Tribunais como órgãos de soberania

   II - Os Tribunais e o Estado de direito

   III - O poder judicial e o ordenamento judiciário

B. Os Princípios Estruturantes do Poder Judiciário

   I - Princípio da unidade e princípio da pluralidade de jurisdições

   II - Princípio da polaridade individual do poder judiciário

   III - Princípios jurídico-estatutários

      1. O princípio da independência
      2. O princípio da exclusividade da função de julgar
      3. O princípio da imparcialidade dos juízes
      4. O princípio da irresponsabilidade

IV - Princípios jurídico-organizatórios e funcionais
1. O princípio da auto-administração
2. O princípio da pluralidade de graus de jurisdição
3. O princípio da fundamentação de decisões judiciais

V - A reserva da função de julgar
1. O princípio da reserva de juiz e da reserva de tribunais
2. O "sentido jurisprudencial" da reserva de jurisdição
3. Reserva de juiz e legislador
4. Reserva de juiz e administração
5. Reserva de jurisdição e reservas especiais de jurisdição

C. Estrutura Orgânica

D. Tribunal Constitucional

I - Posição jurídico-constitucional

II - Tribunal

III - Competência e funções

1. A diversidade de funções
2. "Guardião da Constituição"
3. Composição

E. O Ministério Público

I - Órgão do poder judicial

II - Funções

F. Conselhos Superiores

A. Os Tribunais na Constituição

I - Os Tribunais como órgãos de soberania

Já várias vezes, ao longo deste curso, tivemos oportunidade de referir a importância dos **tribunais** na ordem constitucional portuguesa. Impõe-se agora dedicar alguns desenvolvimentos aos "órgãos de soberania" que, nos termos da Constituição (artigo 202.º), "administram a justiça em nome do povo" (cfr. também L 3/99, de 13-1, Lei de Organização e Funcionamento dos Tribunais Judiciais).

A lei fundamental portuguesa não fala em poderes mas em *órgãos de soberania* nos quais se incluem os tribunais (artigo 110.º/1). A qualificação dos tribunais como órgãos de soberania remonta à Constituição de 1911 que, no seu artigo 6.º, considerava como "órgão da soberania nacional" o "poder judicial". Diferentemente desta, porém, a Constituição de 1976 fala em " órgão de soberania" mas não em "poder judicial". Trata-se de optar, logo a nível constituinte, por uma ordenação dos órgãos de estado segundo as suas competências e funções.[1]

a) O poder judicial é um "poder separado"

Os tribunais são *órgãos constitucionais* aos quais é especialmente confiada a função jurisdicional exercida por *juízes*. Organizatória e funcionalmente, o poder judicial é, portanto, "separado" dos outros poderes: *só* pode ser exercido por tribunais, não podendo ser atribuídas funções jurisdicionais a outros órgãos (cfr. o Título V da CRP). A "separação" do poder judicial ou, nos termos constitucionais, do órgão de soberania "Tribunais", desempenha, como irá ver-

---

[1] A opção por uma *ordenação "funcional"* e *"competencial"* não significa que a Constituição tenha desprezado as dimensões fundamentais da clássica "divisão de poderes". Por isso, parece não ser de transferir para os actuais esquemas constitucionais a sugestão de PEREZ ROYO, *Curso de Derecho Constitucional*, p. 553, que distingue – em termos históricos – constituições "progressistas" ou "moderadas" consoante o título dedicado ao poder judicial tivesse como epígrafe "Do poder judicial" ("progressistas") ou "Da administração da justiça" ("moderada").

-se, duas funções: (1) garantir a *liberdade*, pois não há liberdade quando existir a concentração ou confusão entre quem faz as leis, quem as aplica e quem julga; (2) garantir a *independência da magistratura*, pois só magistrados independentes podem assegurar a justiça em liberdade.

b) *Os tribunais têm uma posição equi-ordenada em relação aos outros órgãos de soberania*

Sob o ponto de vista jurídico-constitucional, os tribunais têm uma *posição jurídica* idêntica à dos outros órgãos constitucionais de soberania. Dizer isto não significa que a posição jurídico-constitucional dos tribunais não apresente especificidades relativamente aos outros órgãos de soberania, sobretudo quanto ao estatuto jurídico-constitucional dos seus membros e quanto à caracterização do *poder de julgar*.

Em primeiro lugar, os tribunais estão «sujeitos à lei», de onde deriva não propriamente uma relação de hierarquia órgãos legislativos-órgãos judiciais mas a especificidade da própria função judicial: garantia, concretização e desenvolvimento do direito, revelado, em via inicial, por actos legislativos ou por actos de valor idêntico ou superior (convenções internacionais, normas comunitárias).

Em segundo lugar, a posição constitucional do juiz não é pautada pela relação de representação ou pelo *carácter de representatividade*, exigidos, em geral, para os restantes órgãos de soberania. Embora administrem formalmente a justiça «em nome do povo» (e, nesta medida, realizem os interesses de todo o povo), os juízes não desenvolvem, como os órgãos político-representativos, actividades de direcção política. Exige-se, porém, que os tribunais, ao terem *acesso directo à constituição* (cfr. art. 204.º), contribuam para a actuação e concretização das normas constitucionais.

Isso não significa que a posição jurídico-constitucional dos tribunais não tenha subjacente o património jurídico-cultural do estado de direito expresso nas teorias da "divisão" e/ou separação de poderes.

Nos últimos tempos parece voltar a reaparecer o interesse doutrinal em torno do poder judicial. O seu estudo foi descurado pela dogmática constitucional e o interesse que sempre despertou na doutrina jusprocessualista não compensava o défice teórico das abordagens jusconstitucionalistas. Ao "renascimento" do poder judicial como poder que suscita delicadas questões jurídico-constitucionais estão ligadas várias causas que podemos sintetizar do seguinte modo: (1) o problema da *legitimação* do poder judicial; (2) o problema do *autogoverno* das magistraturas; (3) o problema da *responsabilidade dos juízes*; (4) o problema da *automovimentação mediática* dos agentes do poder judicial. Cfr., entre nós, Jorge de Figueiredo Dias, «Nótulas sobre temas de Direito

Judiciário», in *RLJ*, n.º 127 (1995), pp. 354 e ss; J. Cunha Rodrigues, «Modelos de governo do poder judicial: alternativas», in *RMP*, 15 (1985), Paulo Rangel, *Repensar o Direito*, Porto, 2001.

    Note-se que a modéstia dos desenvolvimentos doutrinais em sede jurídico-constitucional não obstou a que os cultores da filosofia do direito e da metodologia jurídica dedicassem estudos aprofundados à caracterização da actividade e função da *jurisdictio*. Entre nós, cfr., por todos, A. Castanheira Neves, *O Instituto dos "Assentos" e a Função Jurídica dos Supremos Tribunais*, Coimbra, 1983.

    A problemática do poder judicial é objecto, em tempos recentes, de várias preocupações científicas. O *direito constitucional judiciário* tende a ganhar autonomia científica em alguns quadrantes doutrinais. Assim, por exemplo, na doutrina alemã, onde se abordam, de forma sistemática, algumas questões centrais do poder judicial no chamado *Gerichtsverfassungsrecht* (cfr., por exemplo, E. Schilken, *Gerichtsverfassungsrecht*, 2.ª ed., Köln/Berlin/Bonn/München, 1994). Este direito constitucional judiciário corresponde, em larga medida, ao chamado *direito judiciário*, pois ele abrange o estudo da globalidade das normas jurídicas disciplinadoras da organização, funções e actividade dos tribunais.

    O "papel político" dos juízes ou, se se preferir, a dimensão política da actividade judiciária, tem merecido especial atenção à doutrina italiana. Cfr., por exemplo, A Pizzorusso, *L'ordinamento giudiziario*, Bologna, 1974; M. Cappelletti, *Giudici Legislatori?*, Milano, 1974; S. Senese, *La magistratura italiana nel sistema politico e nell'ordinamento costituzionale*, Milano, 1978; G. Rebuffa, *La Funzione giudiziaria*, Torino, 1992; C. Guarnieri, *Magistratura e Politica in Italia*, Bologna, 1992; Stella Righettini "La Politicizazione di un potere neutrale", in *Rivista Italiana di Scienza Politica*, 2/1995, pp. 227 e ss. Não deve esquecer-se também o interesse do judiciário nos estudos de cariz sociológico ou da teoria sociológica. Ver, por exemplo, N. Luhmann, *Soziale System. Grundriss einer allgemeiner Theorie*, 1984. Entre nós, cfr. os trabalhos de Boaventura Sousa Santos, salientando-se o último trabalho deste autor em colaboração com Maria Manuel Leitão Marques e Pedro Ferreira, "Os Tribunais na Sociedade Portuguesa". Ver, também, Pedro Coutinho de Magalhães, "Democratização e independência judicial em Portugal", in *Análise Social* 130 (1/1995), pp. 51 e ss. Por último, merece especial referência a recepção, entre nós, de estudos sobre o *comportamento judicial*. É o caso do importante livro de António de Araújo, *O Tribunal Constitucional* (1989-1996). *Um Estudo de Comportamento Judicial*, Coimbra, 1997. Uma análise brilhante dos tipos de juiz "juiz independente", "juiz dependente", "juiz histórico", "juiz não vinculado", "juiz político", ver-se-á em Dieter Simon, *Die Unabhängikeit des Richters*, Darmstad, 1975 (Trad. espanhola – *La Independência del Juiz*, 2.ª ed., Madrid, 1985). Entre nós, cfr., Paulo Rangel, "O Arquétipo do juíz", in *Repensar o Poder Judicial*, Porto, 2001, p. 159 ss.; Cunha Rodrigues, «Modelos de Governo do Poder Judicial – Alternativas» in *Lugares do Direito*, Coimbra, 1999.

II - Os tribunais e o estado de direito

    A independência dos tribunais é um daqueles *Kampfbegriffe* ("conceitos de luta") de que está povoado o estado de direito. Através da proclamação da independência dos tribunais pretendeu-se reagir contra a função de julgar do

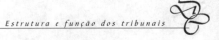

monarca. Neste sentido, a independência era também um princípio antimonárquico porque, através dela, se combatiam as *sentenças de direito* e as *sentenças de império* proferidas pelo soberano. Mais contra estas do que contra aquelas, diga-se. As *sentenças de direito* apoiavam-se em normas; as *sentenças por império* eram consideradas como corolário do exercício do poder soberano. As propostas "revolucionárias" do constitucionalismo liberal contra este poder (por vezes arbitrário) reconduziam-se fundamentalmente à afirmação de dois postulados básicos: (1) a medida jurídica (ou o parâmetro normativo) para resolver controvérsias jurídicas deve estar plasmada em normas gerais, abstractas e objectivas (leis); (2) a resolução dos litígios deverá ser confiada a juízes dotados de uma posição jurídica independente perante os outros poderes.

Estes postulados sintetizam o sentido de **independência dos tribunais** como dimensão do estado de direito: reserva aos juízes e aos tribunais da função de julgar (cfr., Ac. TC 287/98). Daí um primeiro e importante momento do chamado "poder judicial". A independência dos tribunais significa necessariamente a separação da função de julgar (função jurisdicional) num sentido positivo e num sentido negativo. Em sentido *positivo,* a função jurisdicional é atribuída exclusivamente a juízes; em sentido *negativo,* proíbe-se o exercício da função jurisdicional por outros órgãos ou poderes que não sejam jurisdicionais.

III - O poder judicial e o ordenamento judiciário

Existe uma grande oscilação conceitual e categorial relativamente às fontes, estrutura, função e organização do chamado "poder judicial". Aqui serão arrumados alguns conceitos frequentemente dissolvidos em "multiusos" perturbadores da compreensão organizatório-funcional dos tribunais. Sugere-se que se tenham em conta os seguintes conceitos operatórios.

a) *Ordenamento judiciário*

Designa-se por **ordenamento judiciário** o conjunto de regras – constitucionais e legais – que disciplinam o complexo de órgãos aos quais é atribuído o exercício da função judiciária. Neste sentido se afirma que as normas constitucionais sobre os tribunais, as leis de organização judiciária e o estatuto dos magistrados constituem as traves mestras do *ordenamento judiciário.*

b) *Poder jurisdicional*

Este conceito – **poder jurisdicional** – é vulgarmente identificado com "poder judicial" ou com "poder judiciário". Convém dar-lhe um conteúdo autó-

nomo e útil: *poder jurisdicional* é o conjunto de magistrados (ordinários, administrativos, fiscais, constitucionais) a quem é confiada a função jurisdicional.

c) *Poder judiciário*

É um conceito mais restrito do que o anterior. Através do conceito de **poder judiciário** pretende-se recortar o complexo organizativo da chamada *magistratura ordinária* tradicionalmente considerada como "magistratura comum" por ser dotada da *competência geral* para o julgamento dos feitos submetidos às decisões dos tribunais. Os outros tribunais com competências expressamente restringidas a determinadas matérias (exemplo: os tribunais administrativos, aos quais é confiada a função jurisdicional em "questões jurídico-administrativas" nos termos do art. 212.º/3; o Tribunal Constitucional, com competência, segundo o art. 221.º, para dizer o direito em "questões jurídico-constitucionais"), incluir-se-iam no *poder jurisdicional* mas não no *poder judiciário*.

d) *Magistratura*

A expressão **magistratura** é utilizada quer na linguagem corrente quer na literatura jurídica nas mais diversas acepções. Umas vezes significa ou é equivalente a "poder judiciário". Outras vezes, designa os *órgãos com a função de juiz*, distinguindo-os dos órgãos do Ministério Público. O sentido mais corrente é o que identifica magistratura com *magistratura ordinária*, isto é, os juízes dos tribunais ordinários. Jurídico-constitucionalmente, a Constituição aponta claramente para um sentido amplo quer no sentido de abranger *todos* os juízes quer ainda no sentido de compreender os titulares do Ministério Público ("magistrados do Ministério Público").

e) *Jurisdição*

A **jurisdição** (*jurisdictio, jus dicere*) pode, em termos aproximativos, ser qualificada como a actividade exercida por juízes e destinada à revelação, extrinsecação e aplicação do *direito* num caso concreto. Esta actividade não pode caracterizar-se tendo em conta apenas critérios materiais ou substantivos. Está organizatoriamente associada ao **poder jurisdicional**, e é subjectivo-organicamente atribuída a titulares dotados de determinadas características (juízes). Está ainda jurídico-objectivamente regulada quanto ao modo de exercício por regras e princípios processuais (processo).

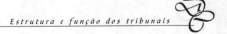

B. Os Princípios Estruturantes do Poder Judiciário

I - Princípio da unidade e princípio da pluralidade de jurisdições

O poder jurisdicional pode estruturar-se com base em dois princípios opostos: o *princípio da unidade de jurisdição* e o *princípio da pluralidade*. Existe **princípio da unidade** quando se verifica uma concentração da função de julgar numa única organização judiciária. Consagra-se o **princípio da pluralidade de jurisdições** quando as funções judiciais são atribuídas a vários órgãos enquadrados em jurisdições diferenciadas e independentes entre si.

A Constituição, embora consagre um tendencial pólo de atracção em torno de magistratura ordinária, não adoptou o figurino do princípio da unidade de jurisdição. Depois da revisão de 1989, ficou claro que ao lado da magistratura ordinária existe uma magistratura administrativa e fiscal e uma magistratura constitucional com órgãos e funções independentes da magistratura ordinária. Desta forma, não existe, entre nós, um "tribunal supremo", mas vários tribunais supremos (Supremo Tribunal de Justiça, Supremo Tribunal Administrativo, Tribunal Constitucional, Tribunal de Contas). O Tribunal Constitucional, como se verá adiante, está mesmo situado fora do sistema formal dos tribunais, ocupando um lugar autónomo e à parte dentro do poder judiciário (Título VI da Parte III). De qualquer modo, o Supremo Tribunal de Justiça é ainda visto como o "Supremo" dada a "generalidade" da sua competência, a especificidade do respectivo procedimento de acesso e a importância da sua jurisprudência. Neste sentido é considerado o órgão "mais representativo" dos juízes.

II - Princípio da polaridade individual do poder judiciário

Outro princípio que informa o nosso ordenamento judiciário é o da *difusão* do poder jurisdicional pelos vários juízes concretamente considerados. Embora exista uma hierarquia de tribunais, não existe um órgão (um macropoder) susceptível de concentrar nele a "vontade" do poder judiciário. Todos os juízes e cada um dos juízes dispõem directamente do poder de *jurisdictio*, confirmando-se, assim, o poder judiciário como um complexo articulado de micropoderes. Como se diz numa sentença do Tribunal Constitucional Espanhol, a jurisdição é uma função de "titularidade múltipla e difusa". "Os Tribunais são um

complexo de órgãos de soberania", nas palavras do Tribunal Constitucional Português (Ac TC 81/86). Neste sentido se fala em **princípio da polaridade do poder judiciário**. Por outras palavras: "a função judicial compete constitucionalmente aos tribunais formados na sua pluralidade e, portanto, com a sua independência correlativa, e não a um todo institucionalmente integrado através do qual os diversos tribunais fossem entendidos como meros participantes independentes numa ordem ou cargo unitário e integralmente organizado" (no plano jurisprudencial cfr. Ac. TC 81/86, de 22-04).[3]

1. O princípio da independência

O **princípio da independência** dos tribunais está claramente consagrado no artigo 203.º da CRP. Para além das considerações feitas atrás, registam-se ainda alguns corolários deste importantíssimo princípio.

a) *Independência pessoal*

A **independência pessoal** dos juízes articula-se desde logo com as *garantias e incompatibilidades dos juízes* (CRP, artigo 216.º). Em primeiro lugar, com a garantia da *inamovibilidade*. A proibição de transferências, suspensões, aposentações ou demissões, bem como de nomeações interinas, surgem, neste contexto, como dimensões insubstituíveis da independência pessoal dos juízes.

Uma outra manifestação do princípio da independência relaciona-se com a *autonomia no exercício da jurisdição*.[4] Qualquer relação hierárquica no plano da organização judicial não poderá ter incidência sobre o exercício da função jurisdicional. A existência de tribunais de hierarquia diferente e a consagração de órgãos de disciplina (Conselhos Superiores) também não perturba o princípio da independência do juiz no exercício da *jurisdictio* (cfr. Ac. TC 257/98).

b) *Independência colectiva*

A **independência colectiva** procura conferir autonomia à judicatura entendida como ordem ou corporação, diferentemente da independência pessoal que tem em vista a figura do juiz individual.

---

[3] Assim, textualmente, CASTANHEIRA NEVES, *O Instituto dos Assentos*, pp. 18 e ss.

[4] Cfr. A. CASTANHEIRA NEVES, *O Instituto dos "Assentos" e a Função Jurídica dos Supremos Tribunais*, pp. 101 e ss.

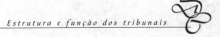

c) *Independência funcional*

A **independência funcional** é uma das dimensões tradicionalmente apontadas como constituindo o núcleo duro do princípio da independência. Significa ela que o juiz está apenas submetido à *lei* – ou melhor, às *fontes de direito jurídico-constitucionalmente reconhecidas* – no exercício da sua função jurisdicional.

d) *Independência interna e externa*

A independência dos juízes tem uma dimensão externa e uma dimensão interna. A **independência externa** aponta para a independência dos juízes em relação aos órgãos ou entidades estranhas ao poder judicial. A **independência interna** (que alguns autores identificam com independência funcional) significa a independência perante os órgãos ou entidades pertencentes ao poder jurisdicional. A independência externa, ao exigir a independência do poder jurisdicional em relação aos outros poderes, pressupõe que a organização deste esteja garantida pela reserva de lei (CRP, artigo 165.º).

2. O princípio da exclusividade da função de julgar

A independência aponta também, e de uma forma decisiva, para a exigência da *separação e exclusividade da função* de julgar por parte dos juízes.[5] Não basta, porém, ao contrário do que muitas vezes se julga, um poder judicial separado de outros poderes. A independência judicial postula o reconhecimento de uma **reserva de jurisdição** entendida como reserva de um conteúdo material funcional típico da função jurisdicional. Esta reserva de jurisdição actua simultaneamente como *limite* de actos legislativos e de decisões administrativas, tornando-os inconstitucionais quando tenham um conteúdo materialmente jurisdicional.

A ideia de *reserva de jurisdição* implica a **reserva de juiz** (*Richtervorbehalt*) relativamente a determinados assuntos. Em sentido rigoroso, *reserva de juiz* significa que em determinadas matérias cabe ao juiz não apenas a última mas também a primeira palavra. É o que se passa, desde logo, no domínio tradicional das penas restritivas da liberdade e das penas de natureza criminal na sua

---

[5] Salientando com clareza a articulação entre reserva de jurisdição e estatuto dos órgãos jurisdicionais, cfr. PAULO RANGEL, *Reserva de jurisdição. Sentido dogmático e sentido jurisdicional*, Porto, 1997, p. 35.

globalidade. Os tribunais são os "guardiões da liberdade" e daí a consagração do princípio de *nulla poena sine judicio* (CRP, artigo 32.º/2).

Da reserva de juiz em sentido restrito, deve distinguir-se a **reserva de tribunal** ou **reserva da via judiciária** (*Gerichtvorbehalt*). Pretende-se aqui exprimir a ideia de que relativamente a algumas situações é legítima a intervenção de outros poderes (designadamente administrativos) desde que seja assegurado depois o direito de acesso aos tribunais. Na reserva de juiz, o tribunal intervém logo no início; na reserva de tribunal o apelo aos juízes ocorre, a maior parte das vezes, sob a forma de recurso. Dito por outras palavras: na reserva de juiz verifica-se uma *reserva total* da função jurisdicional quanto à decisão de certas questões; na *reserva de tribunal*, a reserva é parcial, as mais das vezes porque não existe uma intervenção inicial do juiz.

3. O princípio da imparcialidade dos juízes

A independência dos tribunais pressupõe, igualmente, a exigência de os juízes "não serem parte" nas questões submetidas à sua apreciação. Esta exigência de **imparcialidade** ou *terciariedade* justifica a obrigação de o juiz se considerar impedido no caso de existir uma qualquer ligação a uma das partes litigantes. Aqui se situa também a legitimidade do *incidente de suspeição* accionado pelas partes (cfr. Acs. TC 135/88 e 68/90).

4. O princípio da irresponsabilidade [6]

A independência é também assegurada pelo **princípio da irresponsabilidade**, pois "os juízes não podem ser responsabilizados pelas suas decisões, salvas as excepções consignadas na lei" (CRP, art. 216.º/2). Não existe, no nosso sistema jurídico-constitucional, qualquer *responsabilidade política* dos magistrados efectivada perante órgãos político-representativos e eventualmente conducente à demissão de funções. De igual modo, e em termos de princípio, exclui-se a *responsabilidade civil* (pessoal) dos magistrados pelos danos ocasionados no exercício da função jurisdicional (cfr. *supra*). Dizemos "em princípio", porque a Constituição remete para a lei a individualização dos casos excepcionais em que os juízes podem ser sujeitos, em razão das suas funções, a responsabilidade civil

---

[6] Cfr., por último, ANTUNES VARELA, "A responsabilidade pessoal dos juízes", in RLJ., 130 (1996), pp. 11 e ss; LUIS CATARINO, *A responsabilidade do Estado pela Administração da Justiça*, Coimbra, 1999. Sobre os esquemas de responsabilização, cfr. PAULO RANGEL, "O Arquétipo do juíz", in *Repensar o Direito*, p. 174 ss.

(cfr. L 285/87, art. 5.º). Os particulares que se considerem lesados por actos ou comportamentos dos magistrados no exercício da função jurisdicional poderão recorrer ao instituto da responsabilidade do Estado (cfr. CRP, artigo 22.º). Restam a *responsabilidade penal* que ocorre nos termos previstos na Lei Penal e a *responsabilidade disciplinar* que só poderá ser exercida pelo conselho (ou conselhos) encarregado da administração da justiça (cf. CRP, art. 217.º). O princípio da irresponsabilidade transporta, assim, a ideia de que o juiz não pode ser condicionado na sua função pelo medo de uma punição ou pela esperança de um prémio (*sine spe nec metu*).

IV - Princípios jurídico-organizatórios e funcionais

1. O princípio da auto-administração

A independência dos juízes perante os poderes legislativo e executivo (independência externa) justifica a criação de órgãos de administração das magistraturas, vulgarmente chamados "órgãos de autogoverno da magistratura" (CRP, arts. 217.º, 218.º, 220.º/2).[7] Não se trata, em rigor, de órgãos de autogoverno, pois os tribunais auto-administram-se – **princípio da auto-administração** – mas não se autogovernam. O autogoverno pressuporia a ideia de *responsabilidade política* perante órgãos de controlo político (parlamento). A auto-administração (que. entre nós, tem o precedente do Conselho Disciplinar da Magistratura de 1892) assenta na criação de órgãos colegiais, compostos, em medida considerável, por juízes de carreira, e na administração da magistratura por estes conselhos quanto aos aspectos de nomeação, promoção, transferência e exercício do poder disciplinar. Na Constituição portuguesa prevêem-se três órgãos constitucionais autónomos encarregados da administração das magistraturas: Conselho Superior da Magistratura (artigo 218.º), Conselho Superior dos Tribunais Administrativos e Fiscais (artigo 217.º) e Conselho Superior do Ministério Público (artigo 220.º/2).

Sob o ponto de vista da sua composição e legitimação, são *órgãos de legitimação complexa*, pois incluem membros eleitos pelos magistrados, membros eleitos pela Assembleia da República e membros designados pelo Presidente da República (no caso do Conselho Superior da Magistratura, nos termos do artigo 218.º/1/*a*).

---

[7] Cfr., por último, J. N. CUNHA RODRIGUES, "Modelos de Governo do Poder Judicial", in *Revista do Ministério Público*, 58 (1994), pp. 11 e ss; J. J. GOMES CANOTILHO, "O Autogoverno das Magistraturas como questão politicamente incorrecta", in *Setenta e Cinco Anos da Coimbra Editora*, Coimbra, 1997; JORGE DE FIGUEIREDO DIAS, "Nótulas sobre Temas de Direito Judiciário", in *RLJ*, 127 (1995), pp. 354 e ss.

O princípio da auto-administração não elimina alguns problemas referentes ao papel dos Conselhos Superiores, designadamente quanto à natureza dos seus actos e controlo jurisdicional dos mesmos e quanto à legitimidade de um eventual poder normativo (regulamentos, circulares).

2. O princípio da pluralidade de graus de jurisdição

A constituição prevê vários graus de jurisdição. Isso não significa a existência necessária e obrigatória, em todos os feitos submetidos a decisão jurisdicional, de um **duplo grau de jurisdição**. Por *duplo grau de jurisdição* (cfr. *supra*) entende-se, no seu sentido mais restrito, a possibilidade de obter o reexame de uma decisão jurisdicional, em sede de mérito, por um outro juiz pertencente a um grau de jurisdição superior ("instância de segundo grau"). No entanto, a existência de um duplo grau impõe-se em matéria penal (CRP, artigo 32.º/1) como exigência constitucional ineliminável da garantia dos cidadãos. Discutível é a sua generalização em sede civil e administrativa. O duplo grau de jurisdição terá razão de ser em processos em que estejam em causa esquemas sancionatórios particularmente agressivos para os cidadãos (exs.: processos de falência, processos disciplinares com penas particularmente graves).

3. O princípio da fundamentação de decisões judiciais

A exigência de **fundamentação das decisões judiciais** (CRP, art. 205.º/1) ou da "motivação de sentenças" radica em três razões fundamentais: (1) controlo da administração da justiça; (2) exclusão do carácter voluntarístico e subjectivo do exercício da actividade jurisdicional e abertura do conhecimento da racionalidade e coerência argumentativa dos juízes; (3) melhor estruturação dos eventuais recursos, permitindo às partes em juízo um recorte mais preciso e rigoroso dos vícios das decisões judiciais recorridas (cfr., Ac. TC 283/99).

V - *A reserva da função de julgar*

1. O princípio da reserva de juiz e da reserva de tribunais

A questão da **reserva de juiz** está estreitamente associada ao problema das relações dos cidadãos com os tribunais, é inseparável da ordem consti-

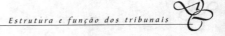

tucional referente à organização dos tribunais e pressupõe um estatuto subjectivo dos magistrados dotado de particulares garantias.

Seria, porém, menos correcto, localizar o problema da "reserva do juiz" e da "reserva de tribunais" no campo fechado do direito constitucional judiciário. Como iremos ver, este problema traz também à colação princípios estruturantes de toda a ordem constitucional, como é o caso do *princípio do Estado de direito* e o *princípio da divisão de poderes*. Os tópicos principais desta conexão podem sistematizar-se do seguinte modo: (1) a expressa rejeição constitucional de "autodefesa", de "justiça privada" ou "justiça pelas próprias mãos" (excepcionando apenas alguns casos de direito de resistência) implica necessariamente a atribuição da realização concreta do direito, com o fim de solucionar litígios, a órgãos imparciais particularmente qualificados; (2) os órgãos/poder especialmente qualificados para estas funções de *jurisdictio* devem ter o *monopólio* da jurisdição, pois isso é uma dimensão inelimínavel do princípio do Estado de direito e um corolário material do princípio da divisão de poderes; o *monopólio jurisdicional* é hoje, seguramente, um princípio constitucional material concretizador ou densificador destes princípios.

A doutrina procura esclarecer melhor o sentido de "monopólio jurisdicional" distinguindo entre "monopólio do juiz" ou "reserva de juiz" quanto à "última palavra" e "monopólio" ou "reserva de juiz" quanto à "primeira palavra" (*Monopol des letzten Wortes* e *Monopol des ersten Wortes*). Vejamos os termos tendenciais da distinção ou, se se preferir, do "critério das duas palavras" (P. Rangel).

a) *"Monopólio da última palavra"*

O **"monopólio da última palavra"** ou "monopólio dos tribunais" significa, em termos gerais, o direito de qualquer indivíduo a uma *garantia de justiça*, igual, efectiva e assegurada através de "processo justo" para defesa das suas posições jurídico-subjectivas. Esta garantia de justiça tanto pode ser reclamada em casos de lesão ou violação de direitos e interesses dos particulares por medidas e decisões de outros poderes e autoridades públicas (*monopólio da última palavra contra actos do Estado*) como em casos de litígios entre particulares e, por isso, carecidos de uma decisão definitiva e imparcial juridicamente vinculativa (*monopólio da última palavra em litígios jurídico-privados*). Alguns autores aludem aqui a **reserva relativa de jurisdição**.[8]

---

[8] Cfr., por último, a proposta de classificação de PAULO RANGEL, *Reserva de jurisdição*, cit., p. 62.

b) *"Monopólio da primeira palavra"*

Diz-se que há um "**monopólio da primeira palavra**", **monopólio do juiz** ou **reserva absoluta de jurisdição**[9] quando, em certos litígios, compete ao juiz não só a última e decisiva palavra mas também a primeira palavra referente à definição do direito aplicável a certas relações jurídicas.

A "reserva de primeira palavra" está constitucionalmente prevista nos artigos 27.°/2 e 28.°/1 referente à privação da liberdade e nos artigos 33.°/4 e 34.°/2, 36.°/6, 46.°/2, 113.°/7. Fora os casos individualizados na Constituição, o reconhecimento do monopólio da primeira palavra tende a afirmar-se quando não existe qualquer razão ou fundamento material para a opção por um procedimento não judicial de decisão de litígios. É este o caso quando estão em causa direitos de particular importância jurídico-constitucional a cuja lesão deve corresponder uma efectiva protecção jurídica. Assim, por exemplo, se em questão do foro criminal é sempre inadmissível qualquer procedimento administrativo prévio, já é discutível se esta exigência do "monopólio da primeira palavra" se aplica aos procedimentos disciplinares ou aos procedimentos sancionatórios em geral (CR, art. 32.°/10).[10]

2. O "sentido jurisprudencial" da reserva de jurisdição

Este último exemplo – o do procedimento disciplinar – aponta, precisamente, para um dos núcleos mais problemáticos do nosso tema: o de saber quando e em que condições outras autoridades públicas que não os tribunais podem dizer uma "palavra de direito", embora aos tribunais esteja sempre reservada a última e decisiva palavra. O problema tem manifesto interesse prático nos casos em que a primeira definição jurídica do litígio pertence a órgãos da administração e só em *via de recurso* pertence aos tribunais pronunciar-se sobre a questão. Vários casos foram já submetidos à apreciação do Tribunal Constitucional. Vale a pena fazer um pequeno rastreio para melhor captarmos o significado e alcance da reserva de jurisdição.

---

[9] Cfr., PAULO RANGEL, cit., p. 63, que sugere a classificação de "reserva absoluta especificada de jurisdição". Talvez fosse preferível falar de "reserva total especificada de jurisdição". Cfr., agora, PAULO RANGEL, "Direito ao Poder", in *Repensar o Poder Judicial*, p. 304 ss. Veja-se, também, J. DE OLIVEIRA ASCENSÃO, "Reserva Constitucional de Jurisdição", in *O Direito*, 1991, p. 470.

[10] Cfr., JOAQUIM PEDRO CARDOSO DA COSTA, *Reserva de Jurisdição* (pol.) Coimbra, 1996; "A fixação das Indemnizações por Nacionalização e o Princípio da Reserva de Juiz", in *Est. em Homenagem à Dr.ª Maria de Lurdes Órfão de Matos Garcia Vale*, cad. *Ciência e Técnica Fiscal*, n.° 171; PAULO RANGEL, *Reserva de Jurisdição*, pp. 37 e ss.; "O Direito ao Poder", in *Repensar o Poder Judicial*, cit., p. 313 ss.

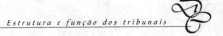

CASO 1 – "O caso da Comissão parlamentar de inquérito ao acidente de Camarate" – Acórdão TC 195/94, DR, II Série, n.º 110, 12-5-94.

As dimensões mais importantes – no plano que nos interessa – deste caso tocam com os limites da "actividade parlamentar de inquérito" relativamente ao "monopólio dos tribunais". Na verdade, um juiz do foro criminal rejeitou a solicitação da Comissão parlamentar de inquérito ao caso de Camarate no sentido de serem enviados a esta elementos constantes do processo crime respeitante ao mesmo caso. Argumentou o juiz que a lei reguladora das comissões parlamentares de inquérito era inconstitucional porque, no fundo, autorizava a usurpação de funções dos tribunais por órgãos não jurisdicionais.

CASO 2 – "Leis individuais e reserva da função jurisdicional – a privatização da PETROGAL" – Acórdão TC 365/91, DR, II Série, 27-8-91.

Neste caso, submetido à apreciação do Tribunal Constitucional em processo de controlo preventivo da constitucionalidade, suscitou-se o problema da constitucionalidade do art. 209.º do Decreto-Lei n.º 329/91, regulador do "regime de privatização da Petrogal, S. A.". Neste preceito declaravam-se nulos "todos os negócios jurídicos que o actual Conselho de Administração da Petrogal, S. A., celebre, ou tenha prometido celebrar, pelos quais a sociedade deixe de exercer directamente e só por si, ou a tal se comprometa, qualquer actividade abrangida pelo seu objecto social, mesmo que a actividade passe a ser exercida por sociedade em cujo capital a Petrogal, S. A., participe".

CASO 3 – A liquidação coactiva administrativa de estabelecimentos bancários regulada no Decreto-Lei n.º 30 689, de 27-9-1940.

Este caso provocou abundante jurisprudência (cfr. Acs 443/91, 179/92, 449/93, 450/97) considerando-se inconstitucionais os preceitos deste diploma, por violação do princípio da reserva de juiz, que conferiam à comissão liquidatária competência para "verificar, classificar e graduar os créditos sobre a massa falida" e, por violação do princípio de acesso aos tribunais, os preceitos que limitam o acesso à via judiciária dos "credores do estabelecimento bancário que detenham créditos anteriores à suspensão de pagamentos".[11]

CASO 4 – Retenção de verbas autárquicas pelo Governo

Nesta hipótese estava em causa a questão de saber da bondade constitucional das normas legais que permitiam ao Governo reter na fonte parcelas da receita da Sisa e do Fundo de Equilíbrio Financeiro (FEF) para efeito da regularização das dívidas à EDP dos municípios não cumpridores. Convergiam aqui dois problemas jurídicos: (1) saber se a retenção na fonte não se reconduzia uma espécie de tutela substitutiva da legalidade, o que violaria o art. 242.º da CRP; (2) saber se a retenção na fonte não equivaleria a uma solução unilateral, administrativa e autoritária de um litígio entre duas partes – os municípios inadimplentes e a EDP – que deveria ser resolvido pelo juiz (reserva de jurisdição). Cfr., Ac. TC 260/98, DR, I, A, de 31-3-98.

---

[11] Merecem ainda referência os Acórdãos do TC incidentes sobre o problema das indemnizações por nacionalização. Por último, cfr. o *leading case* que é o Ac. 452/95, DR, II, 21-11-95.

d) *"Reserva constitucional de juiz" e "reserva legal de juiz"*

Uma distinção, nem sempre clarificada pela doutrina, é esta: a **reserva constitucional de juiz**, expressamente estabelecida pela Constituição, (*verfassungsrechtliche Richtervorbehalt*) como acontece, por exemplo, entre nós, com os arts. 27.° e 28.° da CRP, diferencia-se da reserva de juiz expressamente consagrada na lei com base no art. 202.° da CRP que reserva para os tribunais o exercício da função jurisdicional. Neste último caso, estamos perante uma **reserva legal de juiz**. Se defendêssemos apenas a "reserva de juiz constitucional" a bem pouco se reconduziria, afinal, o "monopólio da primeira palavra". Precisamente por isso, é que alguns autores avançam para uma ideia de reserva de juiz que se baseia mais na *concepção material de "jurisdictio"* subjacente aos preceitos constitucionais (designadamente o art. 202.°) do que na eventual individualização desta reserva feita por normas constitucionais formais.

d) *"Reserva de juiz estadual" e "reserva de juiz arbitral"*

O "monopólio do juiz" é geralmente entendido como monopólio da *jurisdictio* exercida pelos juízes do Estado, ou seja como **reserva de juiz estadual**. A Constituição dá cobertura à criação de tribunais arbitrais (art. 209.°/2), entendendo-se que esta norma abrange os tribunais arbitrais voluntários (Lei n.° 31/86), discutindo-se apenas a legitimidade constitucional de tribunais arbitrais necessários (Cod. Proc. Civil, art. 1252.° e Acs. TC 32/87, 33/88 e 52/92). Para efeitos da exposição subsequente, basta aqui salientar que a Constituição (CRP, art. 209.°), ao admitir tribunais arbitrais, parece não afastar a ideia de reserva de juiz nas vestes de *juiz arbitral* (cfr. Ac. TC 52/92, de 14-3, e 506/96, DR, II, 5-7) [12], desde que sejam observadas as normas constitucionais relativas às competências, procedimento e forma de criação destes tribunais, (cfr., Ac. TC 250/96). O Código de Processo dos Tribunais Administrativos, de 2002, confirma a tendência para alargar o espaço de reserva de juiz arbitral à resolução de litígios jurídico-administrativos.

e) *"Reserva de juiz" e "reserva da função de juiz"*

A Constituição confia a função jurisdicional aos juízes. Não existe, porém, na lei fundamental, qualquer indicação explícita sobre o sentido de "juiz" e **reserva da função de juiz**. Por outras palavras: o que é que se deve entender

---

[12] Cfr. JORGE MIRANDA, *Manual*, IV, p. 263; PAULO RANGEL, "O Direito ao Poder", p. 297 ss.

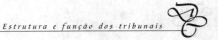

constitucionalmente por **juiz**? No art. 215.º/2 remete-se para a lei a determinação dos requisitos e das regras de recrutamento dos juízes dos tribunais judiciais de primeira instância. No n.º 4 do mesmo preceito estabelece-se que o acesso ao Supremo Tribunal de Justiça se faz por concurso curricular aberto aos magistrados judiciais e do Ministério Público e a outros juristas de mérito, nos termos da lei. Daqui se deduz que a Constituição não define os pressupostos do recrutamento e selecção do *juiz*. Existem insinuações no sentido da existência de um *corpo profissional* dotado de *habilitações jurídicas* (cfr., no art. 215.º/4 a referência a "juristas"). Não diz, porém, que *só* os juristas podem ser juízes (cfr. Lei 98/97, de 26-8, sobre a composição do Tribunal de Contas) nem que a função de juiz deva ser exercida por juristas pertencentes a um único corpo profissional (cfr., porém, art. 215.º/1, onde se estabelece que os "juízes dos tribunais judiciais" formam um "corpo único"). Não existem preceitos constitucionais proibitivos do recrutamento de juízes sem formação especificamente jurídica para alguns tribunais superiores (cfr. art. 214.º sobre o Tribunal de Contas e o art. 212.º/2, referente ao Tribunal Constitucional).

Além de não existirem normas constitucionais a dizer "quem é juiz", também a lei constitucional é omissa quanto aos esquemas de *formação profissional* dos juízes (através de escola de magistratura, através de concursos). A inexistência de normas e princípios constitucionais sobre a formação profissional não perturba a exigência óbvia do domínio das *leges artis* da profissão e um certo grau de "cientificidade" que possibilite aos juízes aplicar o direito de forma correcta e justa e desenvolver a aplicação do direito segundo esquemas metódicos rigorosos.[13]

f) *Jurisdição e solução de litígios*

Relacionada com a problemática anterior surge a questão de saber se a *jurisdição*, a *função jurisdicional* e a *reserva de juiz*, recortados na Constituição, constituem um sistema fechado ou se os esquemas de organização do poder judiciário estão abertos a novas formas de **composição dos conflitos**. A forma tradicional de solução dos litígios através dos tribunais e mediante decisão de um juiz imparcial é considerada, hoje, como incapaz de assegurar, só por si, a paz jurídica e de garantir em tempo razoável alguns direitos e interesses das pessoas. A isto acresce a objecção de a forma estatal autoritária de fazer justiça constituir um obstáculo à tendência generalizada de *autoregulação dos litígios*. Por fim, avança-se ainda com a tese de muitos litígios actuais "consumirem" a justiça e os

---

[13] Cfr. PAULO RANGEL, "O Arquétipo do juiz", cit., p. 175 ss.

tribunais sem, materialmente, se configurarem como verdadeiros conflitos carecedores de um processo judicial formal e de uma sentença ou decisão judicial (cfr. Ac. TC 16/96 sobre cargo dos *juízes avindores*).

A formatação constitucional da jurisdição assenta, em grande medida, no modelo clássico de juizes, tribunais e jurisprudência. Não há, porém, obstáculos incontornáveis à institucionalização de formas alternativas (ou complementares) de justa composição dos conflitos por acordo das partes e/ou com auxílio de um *mediador* (cf. Lei n.º 78/2001, de 13-7, que criou os julgados de paz). Tratar-se-ia de uma forma de prestação de justiça própria de um *estado cooperativo*.[14]

Além disso, é possível distinguir no *processo* dimensões processuais materialmente jurisdicionais e dimensões processuais que não exigem intervenção do juiz, podendo estar ser dinamizadas por outros agentes ou operadores jurídicos (cf., por ex., o Decreto-Lei 38/2003, de 8/3, que confia ao "agente de execução" importantes funções no âmbito da acção executiva).

3. Reserva de juiz e legislador

Alguns autores recortam dogmaticamente a "reserva de juiz" confrontando-a com a "reserva de lei" e a "reserva de administração".[15]

Vamos ocupar-nos, em primeiro lugar, dos casos em que a "reserva de juiz", ou melhor, a "reserva da função jurisdicional" apresenta momentos de tensão com a actividade do legislador. O sentido clássico da *proibição de ingerência do legislador na reserva de jurisdição* é basicamente este: considera-se vedado ao legislador invadir a função jurisdicional praticando actos constitucionalmente reservados aos órgãos jurisdicionais.

a) *A memória dos "bills of attainder"*

A "reserva de tribunais", a "reserva de jurisdição", "o monopólio de jurisprudência" desenvolveu-se primeiro, como é sabido, como reacção contra a usurpação da função de julgar pelo legislador. O rasto da memória conduz-nos,

---

[14] Cfr. W. HOFFMANN-RIEM, "Justizdienstleistungen im Kooperativen Staat", JZ, 1999, p. 421 ss. As considerações do texto devem ter em conta as novas relações entre o "judicial" e o "não judicial na administração da justiça". Cf., sobre isto, JOÃO PEDROSO, "Percurso(s) da(s) reforma da administração da justiça – uma nova relação entre o judicial e o não judicial", in *Sub Judice* 19 (2000), pp. 127 ss.

[15] Cfr., por último, PAULO RANGEL, *Reserva de jurisdição*, cit., pp. 12 e ss.; "O Direito ao Poder", in *Repensar o Poder Judicial*, p. 302 ss.

desde logo, ao parlamentarismo britânico com os seus *bills of attainder*. Consistiam estes em actos legislativos autoritariamente impositivos de uma pena de morte sem observância do *due process* necessário para a aplicação de penas criminais.

A jurisprudência norte-americana, através do Tribunal Supremo, tem revelado cuidado particular na aplicação da cláusula proibitiva dos *bills of attainder*. Vejamos alguns casos célebres: (1) *Nixon v/ Administration of General Services* de 1977, em que se considerou que a *Presidencial Recording and Materials Preservation Act*, constituia, na prática, um *bill of attainder* ao estabelecer um destino para os documentos do presidente praticamente equivalente a uma ordem de custódia jurisdicional de documentos; (2) *Caso United States v/ Brown* – o Tribunal Supremo considerou nula e inválida uma lei que "anulou" o emprego de um membro do partido comunista.

b) *As leis-medida ("Massnahmegesetze")*

Não iremos discutir aqui a problemática teórica das **leis-medida** (cfr. *infra*, Título 5, Cap. 2). A convocação desta categoria dogmática de actos legislativos obedece à necessidade de saber se o recurso à técnica de leis-medida não contende, em certos casos, com o princípio da "reserva judicial". Os problemas concretos que mais discussão têm levantado a este propósito referem-se a *leis individuais expropriatórias*. Outras leis que têm sido criticadas pela "suspeita" de invasão do judiciário são as leis de amnistia. A sua admissibilidade tem de pautar-se pelos critérios de excepcionalidade estrita sob pena de elas violarem princípios constitucionais inderrogáveis como os da igualdade e da reserva de jurisdição.

c) *As leis interpretativas*

As **leis interpretativas** são as leis editadas com a função de precisar o sentido e alcance de normas contidas em leis anteriores (cfr. *infra*, Metódica Constitucional). A "interpretação autêntica" não é em si uma tarefa legislativa inconstitucional mas impõem-se cuidados particulares. Também aqui a memória é um bom aviso. Através da técnica do *référé legislatif* (consulta interpretativa), o legislador invadiu na França a função jurisdicional (daí a sua supressão logo em 1837). O problema levantado por estas leis é precisamente esse: o de saber se, a coberto da interpretação, o legislador não pretende fundamentalmente orientar a justiça no sentido por ele desejado. Quando as leis se aplicam directamente a casos com processos em curso e "forçam a mão dos juízes" então o que a lei pretende é "julgar através de outros meios" (ex.: o caso francês dos "assalariados advogados" de 1977).

d) *As "convalidações legislativas"*

O termo **convalidação legislativa** está próximo de *validation législatif* que é utilizado na doutrina francesa para designar os actos legislativos intencionalmente dirigidos a tornar válidos actos originariamente viciados de nulidade. A maior parte das vezes eles chocam com "casos contenciosos submetidos aos tribunais administrativos". Nuns casos eliminam o "objecto" do litígio intervindo durante o decurso do processo; noutros casos, são promulgados depois do julgamento que declarou um acto nulo, eximindo a administração da obrigação de executar sentenças administrativas.

e) *Leis retroactivas*

Muitas vezes, as **leis retroactivas** pretendem também "mudar o curso" de processos jurisdicionais, manipulando, por ex., a classificação de crimes ("crimes públicos", "crimes particulares"), jogando com prazos processuais (prazos de prescrição e de caducidade), e editando leis processuais de aplicação imediata. O legislador, através destes expedientes, pode querer alterar "retroactivamente" a própria dinâmica da reserva de jurisdição. Devem mencionar-se ainda as "leis-contrato", neutralizando, através de protocolos compromissórios, a competência dos tribunais (ex.: "caso Champalimaud").

4. Reserva de juiz e administração

A consagração revolucionária da proibição de o poder judicial ser exercido quer pelo "corpo legislativo" quer pelo "rei" não eliminou a existência de "zonas de confusão" entre a jurisdição e a administração. A administração continuou a dispor de "privilégios" (ex.: o privilégio de execução prévia) e permanece vinculada à prossecução dos interesses públicos definidos na Constituição e na lei. Deve verificar-se se, na verdade é prossecução deste interesse pela administração que está em causa ou se ela procura resolver uma questão de direito presente em litígios entre particulares. Nesta última hipótese, poderá estar a invadir a reserva de jurisdição.

Se consultarmos a jurisprudência constitucional portuguesa verificaremos que o problema das fronteiras entre "reserva de jurisdição" e "reserva de administração" foi discutido a propósito das seguintes questões: (1) competência para a fixação de indemnizações; (2) competência para a liquidação de estabelecimentos bancários; (3) competência para a deliberação de perda de mandato do autarca; (4) competência para a concessão do estatuto de objector de consciência; (5) competência para a adopção de medidas de segurança a menores; (6) competência para a

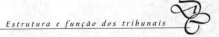

aplicação de "sanções administrativas". A agitação jurisprudencial da reserva de juiz não se limitou a estes núcleos problemáticos. A jurisprudência constitucional começou logo por enfrentar problemas como: os da competência do administrador de bairro para decretar o "despejo de indivíduos de certas casas" (Acs. n.º 41, de 20-10-77, n.º 43, de 27-10-77, n.º 56, de 13-12-76, n.º 60, de 15-12-77) consagrada no art. 109.º/4, parágrafo único do Código Administrativo; da competência das Comissões de Conciliação e Julgamento para julgar questões laborais (CC, Ac. n.º 155, de 29-5-79); da competência do Ministro do Trabalho para a declaração da inexistência jurídica ou confirmação da justa causa de despedimento (CC, Parecer n.º 241/80); da competência do "capitão de porto" quanto a determinados litígios (Acs. TC n.os 71/84, 72/84, 56/85 104/85); competência dos secretários judiciais para condenar em custas (Acs. TC n.os 182/90, 247190 e 358/91); da competência do Presidente da Câmara para decretar despejos administrativos no caso de edificações sem licença (Ac TC 569/98, DR, II, 25-11)

5. Reserva de jurisdição e reservas especiais de jurisdição

A Constituição portuguesa sugere a existência de **reservas especiais de jurisdição** no sentido de reservar a *certos* tribunais o julgamento de certos litígios. Assim, por exemplo, estabelece o art. 212.º/3 a competência dos tribunais administrativos e fiscais" para o julgamento de "questões de natureza administrativa e fiscal". No art. 214.º, referente ao Tribunal de Contas, consagra-se a reserva deste tribunal para a "fiscalização da legalidade de despesas públicas e do julgamento das contas que a lei mande submeter-lhe". Ao Tribunal Constitucional é reconhecida a competência específica para administrar a "justiça em matérias de natureza jurídico-constitucional" (CRP, art. 221.º). Em relação a tribunais não permanentes, como são (depois da Revisão de 1997) os tribunais militares é-lhes constitucionalmente reservada a competência para "julgamento de crimes de natureza estritamente militar" (CRP, art. 213.º). Um critério orgânico (tribunais administrativos, tribunal de contas, tribunal constitucional, tribunais militares) articulado com um critério material ("relações jurídico-administrativas", "despesas públicas e contas", "matérias de natureza estritamente militar"), servem de suporte à configuração constitucional de **reservas especiais de jurisdição**. Estas *reservas especiais de jurisdição* estão relacionadas com a organização plural do poder judicial desenhada na Constituição.[16] A demarcação das "reservas especiais" perante a reserva geral nem sempre é fácil. Desde logo, suscita dificuldades a densificação material de "relações administrativos e fiscais",[17] de "questões jurídico-constitucionais", de "questões de despesas e contas públicas" e, até, de

---

[16] Cfr. PAULO RANGEL, "O Direito ao Poder", cit., p. 259.
[17] Vide, por todos J. CARLOS VIEIRA DE ANDRADE, *Justiça Administrativa*, 3.ª ed., Coimbra, 2000, p. 75 ss.

"crimes estritamente militares". Por outro lado, as "reservas especiais não têm de ser "reservas absolutas", podendo a lei deferir, por motivos razoáveis, a competência do julgamento de certas questões a instâncias jurisdicionais diferentes[18].

C. Estrutura orgânica

O sistema constitucional de distribuição da função jurisdicional[19] pode sintetizar-se do seguinte modo.

Numa posição especial, revelada desde logo na sua autonomização num Título VI (inovação da LC 1/89), situa-se o *Tribunal Constitucional,* ao qual compete, como função principal, «administrar a justiça em matérias de natureza jurídico-constitucional» (CRP, art. 221.º). Há, em seguida, uma «jurisdição ordinária» (complexo de órgãos jurisdicionais enquadrados na organização da Magistratura), com uma *hierarquia* de tribunais: o *Supremo Tribunal de Justiça* (cfr. arts. 209.º/1/*a* e 210.º/1), *os tribunais judiciais da 2.ª instância* e os *tribunais judiciais da 1.ª instância* (cfr. arts. 209.º/1-*a* e 210.º). Com dignidade constitucional formal, depois das alterações operadas pela LC 1/89, devem referir-se os *tribunais administrativos* e *fiscais* bem como a institucionalização do *Supremo Tribunal Administrativo* como órgão superior da hierarquia dos referidos tribunais (CRP, arts. 209.º/1/*b* e 212.º). A estes tribunais pertence o julgamento das acções e recursos contenciosos que tenham por objecto dirimir "litígios emergentes de relações jurídicas administrativas e fiscais" (art. 212.º/3, aditado pela LC 1/89). Com igual dignidade constitucional formal existe o *Tribunal de Contas* (art. 214.º/1), ao qual compete dar parecer sobre a Conta Geral do Estado, fiscalizar a legalidade das despesas públicas e julgar as contas que a lei mandar submeter-lhe (cfr. arts. 209.º/1/*c* e 214.º/1). Finalmente, admite-se a existência de tribunais marítimos, tribunais arbitrais e julgados de paz (art. 209.º/2) e prevê-se a possibilidade de «especialização» dentro da jurisdição ordinária, quer atribuindo aos tribunais uma *competência específica,* quer «especializando-os» em razão da matéria (cfr. art. 211.º).

---

[18] Cfr., PAULO OTERO, *Legalidade e Administração Pública,* Coimbra, 2003, p. 1049.
[19] Cfr., para uma análise comparada, A. PIZZORUSSO, «Recenti modelli europei di Ordinamento Giudiziario», in *Anuario de Derecho Publico e Estudios Políticos,* Granada 1/1988, pp. 160 e ss.

D. Tribunal Constitucional

Dada a sua importantíssima posição no esquema organizatório--constitucional, impõem-se considerações mais pormenorizadas sobre este órgão constitucional do Estado criado pela LC n.° 1/82[20].

I - Posição jurídico-constitucional

A CRP não especifica concretamente a posição jurídico-constitucional do **Tribunal Constitucional** (TC). É indiscutível tratar-se de um «tribunal» (cfr. arts. 209.°/1 e 221.°), com as características de um *órgão constitucional*, institucional e funcionalmente autónomo (cfr. art. 221.°).

O TC é «constituído» pela Lei Fundamental, quer quanto à sua competência (art. 223.°), quer quanto à sua composição (art. 222.°). Discutível é, porém, se ao TC se pode ou deve atribuir-se uma posição de órgão constitucional semelhante à dos outros órgãos de soberania (PR, AR, Governo). Apesar de a sua existência, *status* e competências serem definidos pela constituição de uma forma independente em relação aos outros tribunais, o Tribunal Constitucional só é, apesar disso, um órgão de soberania enquanto integrado nos «tribunais» considerados no seu conjunto (cfr. art. 110.°/1), a não ser quando se considere cada um dos tribunais como órgão de soberania (neste sentido aponta o enunciado linguístico do art. 202.°).[21]

---

[20] Sobre a origem histórica do Tribunal Constitucional, cfr. CARDOSO DA COSTA, «O Tribunal Constitucional Português: a sua origem histórica», in BAPTISTA COELHO (org.), *Portugal*, cit., pp. 913 e ss; idem, «A Jurisdição Constitucional em Portugal», in *Estudos em homenagem ao Prof. Afonso Queiró*, Coimbra, 1986. Vide também PIERRE LE BON, introdução à obra colectiva *La Justice Constitutionnelle au Portugal*, 1989, pp. 41 e ss. Por último, cfr. o importante e inovador estudo de ANTÓNIO ARAÚJO, "A Construção da Justiça Constitucional Portuguesa: o nascimento do Tribunal Constitucional", in *Análise Social*, 134 (5/1995), pp. 881 e ss.

[21] Contra, cfr. VITALINO CANAS, *Introdução às Decisões de Provimento do Tribunal Constitucional*, Lisboa, 1984, p. 107, que considera, sem qualquer base constitucional, poder o Tribunal Constitucional vir «a agir frequentemente como um órgão legislativo». Cfr. o desenvolvimento da posição insinuada no texto no nosso trabalho: «No sexénio do Tribunal Constitucional. Para uma teoria pluralista da jurisdição constitucional», *Revista do Ministério Público*, 9, 1988, n.° 33/34, pp. 9 e ss. Uma reflexão colectiva, constituída por importantes trabalhos de vários juristas portugueses e estrangeiros, ver-se-á no livro *Tribunal Constitucional – Legitimidade e Legitimação da Justiça Constitucional*, Coimbra, 1995. Por último, vide PAULO RANGEL, "O Tribunal Constitucional e o Legislador. Risco da Redução Metodológica do Problema Político", in *Repensar o Poder Judicial*, p. 129 ss.

Não obstante a ausência de um *poder organizatório interno* constitucionalmente reconhecido (que lhe pode, contudo, vir a ser atribuído por lei ordinária), o Tribunal Constitucional não pertence ao âmbito de competência de qualquer ministério, nem está sujeito a quaisquer directivas, ordens ou instruções dos outros órgãos de soberania.

II - Tribunal

O TC é expressamente considerado pela Constituição como um tribunal (art. 209.º/1). A sua natureza de *órgão jurisdicional do Estado* não merece o acordo unânime da doutrina. Salienta-se, por um lado, a sua competência extrajurisdicional (art. 223.º/2/*a, b, d, g* e *h*), o «acento político» da sua *«jurisdictio»* e a *escolha política* dos seus membros (art. 222.º). Alguns autores vão mais longe, negando carácter jurisdicional às funções de controlo da constitucionalidade e da legalidade exercidas por um tribunal desta natureza. As suas decisões seriam, fundamentalmente, «decisões políticas em forma de justiça», podendo, quando muito, classificar-se a jurisdição constitucional como uma *função autónoma,* com carácter tendencialmente jurídico--constitucional.

Contra esta concepção, que acentua o carácter político e a função *sui generis* dos tribunais constitucionais, sustenta outra corrente doutrinal ser o Tribunal Constitucional um **órgão jurisdicional**, porque, tal como nos outros tribunais, as decisões obtêm-se de acordo com um «processo» judicial através do qual se «diz» vinculativamente o «que é o direito» segundo a «medida» jurídico--material do direito constitucional. Além disso, o facto de o direito constitucional ser um «direito político» não perturba a natureza jurídica da actividade do TC. Decisivo é, sim, que o fundamento e racionalidade das decisões do TC se determinem por «um direito» – o direito constitucional. A jurisdição constitucional reconduzir-se-ia, pois, a uma «jurisdição autónoma» sobre «questões constitucionais» (Friesenhan), ou, dito de outro modo, a uma jurisdição directamente incidente sobre questões constitucionais (Eichenberg).

Os problemas constitucionais, num Estado de direito democrático, são irredutíveis a «questões jurídicas» puras ou a «questões políticas juridicamente disfarçadas». A dimensão política e a dimensão jurídica são as duas dimensões necessárias e incindíveis das questões constitucionais (Ridder), sendo tão unilateral classificar as funções exercidas por um tribunal constitucional como «funções políticas em forma jurisdicional», como qualificá-las de «funções

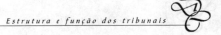

Estrutura e função dos tribunais

679

jurisdicionais sobre matérias políticas»[22]. O que caracteriza decisivamente a função de um tribunal constitucional é a sua «jurisdicionalidade» *(Gerichtsformigkeit)* e a sua vinculação a uma medida constitucional material de controlo (Schlaich).

III - *Competência e funções*[23]

1. A diversidade de funções

A questão da natureza jurídica do Tribunal Constitucional conexiona-se também com a **competência e funções** atribuídas a este órgão. Nem toda a actividade desenvolvida por um tribunal constitucional se pode conceber como actividade jurisdicional, havendo que distinguir, segundo alguns autores, entre *decisões materialmente jurisdicionais* e *decisões formalmente jurisdicionais*. Com efeito, as *funções de controlo* de normas, abstracto ou concreto, preventivo ou sucessivo (cfr. arts. 278.º e ss), seriam substancialmente diferentes das funções de *controlo eleitoral* ou de *controlo referendário* (art. 223.º/2/*c* e *f*), *das funções certificatórias* (art. 223.º/2/*a*, *b* e *d*), das funções de "controlo eleitoral interno" (223.º/*g* e *h*) e das funções de controlo partidário (223.º/*e* e *h*). As funções certificatórias não são seguramente jurisdicionais e as funções de controlo eleitoral e partidário também oferecem dúvidas quanto à sua jurisdicionalidade, embora nestes últimos casos se trate já de verificar a constitucionalidade de certos actos segundo os parâmetros jurídico-materiais da Constituição. É o caso, precisamente, do controlo da constitucionalidade e da ilegalidade das decisões parla-

---

[22] O problema da natureza da jurisdição constitucional tem originado intermináveis discussões. Cfr. DOLZER, *Die staatstheoretische und staatsrechtliche Stellung des Bundesverfassungsgerichts*, 1972; SATTLER, *Die Rechtsstellung des Bundesverfassungsgerichts als Verfassungsorgan und Gericht*, Dis., Göttingen, 1955; MAUNZ-DÜRIG-HERZOG-SCHOLZ, *Kommentar*, nota 2 ao art. 94.º; W. BÜLLING, *Das Problem der Richterwahl zum Bundesverfassungsgericht*, 1979, pp. 38 e ss; SANDULLI, «Sulla posizione della Corte Cost. nel sistema degli organi supremi dello stato», in *Studi Zanobini*, Milano, 1965; BISCARETTI DI RUFFIA, «La Corte Cost. nel quadro del sistema di governo parlamentare della Reppublica italiana», in *Il Politico*, 1961; CAPPELLETTI, «La giustizia costituzionale in Italia», in *Giurisprudenza costituzionale*, 1960. Um tratamento mais actual do tema ver-se-á em K. SCHLAICH, *Das Bundesverfassungsgericht*, München, 1985; GUSY, *Parlamentarischer Gesetzgeber und Bundesverfassungsgericht*, Berlin, 1985; CHELLI, E. – *Il giudice delle llegge. La Corte Costituzionale nella dinamica del potere*, Bologna, 1996. RUI MEDEIROS, *A Decisão de Inconstitucionalidade*, Lisboa, 1999, pp. 27 e ss; LUÍS NUNES DE ALMEIDA, "Da Politização à Independência. Algumas reflexões sobre a composição do Tribunal Constitucional", in *Legitimidade e Legitimação*, pp. 241 e ss. Veja-se ainda O. BACHOF, «Estado de Direito e Poder Político: os tribunais constitucionais entre o direito e a política», in *BFDC*, Vol. LVI (1980).

[23] Sobre esta matéria, cfr. a sistematização de C. BLANCO DE MORAIS, *Justiça Constitucional*, I, p. 351 ss.

mentares relativas à perda de mandato dos deputados e das eleições realizadas no parlamento (art. 223.°/g, aditado pela LC 1/97).

O controlo da constitucionalidade das normas não teria também todo a mesma natureza: o controlo abstracto seria, essencialmente, uma *tarefa de legislação negativa* (cfr., porém, *infra*); *o controlo concreto* esse seria, na verdade, uma função jurisdicional, justificando-se que só neste caso se pudesse falar de decisões materialmente jurisdicionais.

Uma *concepção unitária* do controlo de normas poderá assentar na ideia de que qualquer controlo – abstracto ou concreto – significa *decidir vinculativamente* «questões político-jurídicas» incidentes sobre a conformidade com a constituição de actos normativos ou de actos políticos jurídico-constitucionalmente relevantes e aferir essa conformidade, em cada caso submetido à fiscalização do Tribunal Constitucional, pelos *parâmetros normativo-constitucionais*, ou seja, segundo a *medida* do direito constitucional.

2. «Guardião da Constituição»

À jurisdição constitucional atribui-se também um papel *político-jurídico,* conformador da vida constitucional, chegando alguns sectores da doutrina a assinalar-lhe uma função de *conformação política* em tudo semelhante à desenvolvida pelos órgãos de direcção política.

As decisões do Tribunal Constitucional acabam efectivamente por ter força política, não só porque a ele cabe resolver, em última instância, problemas constitucionais de especial sensibilidade política, mas também porque a sua jurisprudência produz, de facto ou de direito, uma influência *determinante* junto dos outros tribunais e exerce um papel condicionante do comportamento dos órgãos de direcção política [24].

O Tribunal Constitucional, mesmo primariamente limitado ao controlo jurídico-constitucional das normas jurídicas, excluindo dos seus juízos valorações políticas ou apreciações de mérito político (a doutrina fala aqui do *princípio da autolimitação judicial ou judicial self restraint)*, não se pode furtar à tarefa de **guardião da Constituição**, *apreciando a constitucionalidade da política normativamente incorporada em actos dos órgãos de soberania.* Por outras palavras: o Tribunal Constitucional assume, ele próprio, uma dimensão normativo-constitutiva do compromisso pluralístico plasmado na Constituição [25]. Com a garantia

---

[24] Cfr. CARDOSO DA COSTA, *A Jurisdição Constitucional em Portugal,* cit., p. 52.
[25] Cfr. GOMES CANOTILHO, «No Sexénio....», cit., p. 18; J. EBSEN, *Das Bundesverfassungsgericht als Element gesellschaftlicher Selbstregulierung,* Berlin, 1985; M. CAPPELLETTI, «Nécessité et legitimité de

da observância das normas constitucionais conexionam-se relevantíssimas questões político-constitucionais como: (1) defesa das minorias perante a omnipotência da maioria parlamento-governo; (2) primazia hierárquico-normativo da Constituição e do legislador constituinte perante a omnipotência da maioria parlamento-governo; (3) primazia do dogma tradicional da presunção de constitucionalidade dos actos legislativos; (4) legitimidade do desenvolvimento do próprio direito constitucional através da interpretação dada às normas da Constituição pelos juízes constitucionais. Perante este cruzamento de questões político-constitucionais, o Tribunal Constitucional poderá desempenhar o papel de *«regulador»* e *determinador* da própria identidade cultural da República (Ebsen) e de controlador do «legislador mastodonte e da administração leviathan» (Cappelletti).

3. Composição

A **composição** de um tribunal constitucional, dadas as funções jurídico-políticas a ele atribuídas, é sempre um problema central da organização do Estado, independentemente das dimensões acentuadas na escolha concreta dos juízes (preparação técnica, capacidade funcional do órgão, função de integração da jurisprudência constitucional, representação das várias «sensibilidades políticas», distanciação perante os poderes político-partidários, exigência de legitimação democrática).

De um modo geral, em todos os tribunais constitucionais criados no após guerra teve-se em conta a necessidade de *legitimação democrática dos juízes* através da participação dos órgãos de soberania, directa ou indirectamente legitimados, na eleição ou escolha dos seus membros. "A jurisdição constitucional passou a ser crescentemente considerada como elemento necessário da própria definição do Estado de direito democrático" (Vital Moreira)[26]. A favor desta «transparência política» argumenta-se com o facto de ser preferível emanarem os juízes constitucionais de órgãos democraticamente legitimados, embora com

---

la Justice Constitutionnelle», in FAVOREU (org.), *Cours Constitutionnelles,* cit., p. 467; GUGGENBERGER/TH. WÜRTENBERGER (org.), *Hüter der Verfassung oder Lenker der Politik? Das Bundesverfassungsgericht im Widerstreit,* Baden-Baden, 1998.

[26] Cfr. o quadro comparativo das regras de composição das jurisdições constitucionais europeias em L. FAVOREU (org.), *Cours constitutionnelles européennes et droits fondamentaux,* Paris, 1982, p. 50; idem, "La Legitimité de la Justice Constitutionnelle et la Composition des Juridictions Constitutionnelles", in *Legitimidade e Legitimação,* pp. 229 e ss; MARCELO REBELO DE SOUSA, "Legitimação da Justiça Constitucional e Composição dos Tribunais Constitucionais", in *Legitimidade e legitimação da Justiça Constitucional,* Coimbra, 1995, pp. 211 e ss. Veja-se, também, VITAL MOREIRA, "Princípio da maioria e princípio da constitucionalidade: legitimidade e limites da justiça constitucional", in *Legitimidade e legitimação,* pp. 177 e ss.

indiscutível cunho político, do que de outros órgãos com uma mundividência política também irrecusável mas disfarçada num aparente «apartidarismo institucional». «Não existe, pois, o juiz puro e asséptico» (Luís Nunes de Almeida). Assente a necessidade de uma legitimação democrática, o problema desloca-se para este outro campo: o *modus* de escolha dos juízes constitucionais. Este deve corresponder ao padrão político-organizatório constitucionalmente consagrado. O equilíbrio e interdependência dos órgãos de soberania terá de encontrar expressão adequada na composição do órgão considerado como o «arco de volta» da estrutura organizatória da constituição.

O Tribunal Constitucional previsto na CRP não corresponde certamente ao padrão escolhido como padrão básico da estrutura organizatória: na sua composição apenas intervém a AR, excluindo-se os outros órgãos de soberania (PR e tribunais). Além disso, como dos 13 juízes que compõem o Tribunal (cfr. art. 222.º/1) apenas 10 são directamente escolhidos pelo Plenário de Assembleia, sendo os outros três cooptados por estes, uma parte dos juízes acaba por assentar em simples legitimidade indirecta.

O modelo de tribunal é o do «puro tribunal de juristas» *(reines Juristengericht):* como sete dos juízes são obrigatoriamente juristas (art. CRP, 222.º/2, e L 28/82, de 15-10, alterada pela Lei Orgânica 85/89, de 7-9, art. 12.º e 13-17/98, de 26-2) e os outros seis são escolhidos entre os juízes dos tribunais, há uma tendencial coincidência da qualidade de juiz do tribunal com a qualidade de jurista (o carácter tendencial resulta do facto de poder haver juízes de tribunais que não são juristas).

A duração do cargo dos juízes do Tribunal Constitucional é outra questão com dimensões políticas, designadamente quando a sua composição provém de um só órgão com legitimidade limitada no tempo e sujeito a renovações. Nos termos da LC 1/97 (4.ª Revisão), os juízes são eleitos por nove anos não renováveis (art. 222.º/3).[27]

A eleição dos membros do Tribunal Constitucional exige maioria qualificada de dois terços dos deputados presentes, desde que superior à maioria absoluta dos deputados em efectividade de funções (art. 163.º/i). A AR escolhe os juízes constitucionais funcionando como Pleno e através de voto em Listas bloqueadas pressupostas à eleição (cf. Lei 13-A/98, de 26-2, arts. 12 ss.), estando

---

[27] Vide, por último, ANTÓNIO DE ARAÚJO, *O Tribunal Constitucional – Um Estudo de Comportamento Judicial*, Coimbra, 1997, p. 53 ss. onde se analisa a questão da reelegibilidade dos juízes, anteriormente consagrada no texto constitucional. Na doutrina brasileira cfr., EDUARDO RITT, *O Ministério Público como instrumento de democracia e garantia constitucional*, Porto Alegre, 2002.

excluída a designação através de comissões, mesmo que expressamente constituídas para o efeito (cfr. arts. 12.º e ss da LTC).

E. O Ministério Público

I - Órgão do poder judicial

Originariamente concebido como «órgão de ligação» entre o poder judicial e o poder político, o **Ministério Público** é, nos termos constitucionais, um *órgão do poder judicial.*

Embora hierarquicamente subordinados, os agentes do Ministério Público são *magistrados* com garantias de autonomia e independência constitucionais (CRP, art. 219.º/2 e 3) que os coloca numa posição de «sujeição à lei» tendencialmente equiparável à dos juízes (CRP, art. 203.º).

A magistratura do Ministério Público não tem, como se deduz já das considerações antecedentes, uma «natureza administrativa». Integra-se no poder judicial. A função do magistrado do Ministério Público é, porém, diferente da do juiz: este aplica e concretiza, através da extrinsecação de normas de decisão, o direito objectivo a um caso concreto *(jurisdictio)*; aquele colabora no exercício do poder jurisdicional, sobretudo através do exercício da acção penal e da iniciativa de defesa da legalidade democrática. A autonomia da sua "magistratura" radica na sua vinculação a critérios de legalidade e objectividade e pela exclusiva sujeição dos magistrados do Ministério Público às directivas, ordens e instruções previstas na lei do Ministério Público (cfr. L 60/98, de 27-8, art. 2.º/2). Por outras palavras: o Ministério Público é um *poder autónomo do Estado*, dotado de independência institucional em relação a qualquer outro poder incluindo os juízes.

II - Funções

O arquétipo de magistrado do **Ministério Público** prefigurado na Constituição está longe da caricatura usual de «funcionário promotor do crime». A sua relevantíssima acção, num contexto constitucional democrático, vai desde o exercício da acção penal até à defesa e representação de pessoas carecidas de protecção (órfãos, menores trabalhadores), passando pela defesa de interesses difusos (ambiente, património) e pela defesa da constitucionalidade e legalidade

(cfr. L 60/98, art. 3.º)²⁸. A quarta revisão da constituição (LC 1/97) acrescentou uma outra competência de relevante significado político e jurídico-constitucional – a da participação do Ministério Público na *execução da política criminal* definida pelos órgãos de soberania (art. 219.º/1). Às funções assinaladas deve ainda acrescentar-se a importante função consultiva, traduzida na emissão de pareceres por parte da Procuradoria-Geral da República²⁹. Globalmente consideradas, as funções do Ministério Público têm, em geral, como denominador comum, o serem exercidas no interesse do "Estado-comunidade" e não do "Estado-pessoa" (Pizzorusso). Isto, em termos tendenciais, porque em Portugal o Ministério Público continua a ser "advogado do Estado", tarefa que noutros países é desempenhada por operadores jurídicos diferentes ("advogados do Estado" ou "advogados contratados"). De salientar que a já referida participação do Ministério Público (cfr. L 60/98, de 27-8, Estatuto do Ministério Público, art. 1.º) na execução da política criminal definida pelos órgãos de soberania, embora se possa considerar um "corolário lógico" das competências constitucionais do Ministério Público, não deixa de criar algumas zonas de incerteza nas relações entre o executivo e o judiciário.

F. Conselhos Superiores

Cumpre mencionar três *órgãos constitucionais* de particular relevo na *administração da justiça*: (1) *Conselho Superior da Magistratura* (CRP, arts. 217.º e 218.º); (2) *Conselho Superior dos Tribunais Administrativos e Fiscais* (CRP, art. 217.º/2); (3) *Conselho Superior do Ministério Público* (art. 220.º/2).

A constituição só densifica a composição do primeiro dos referidos conselhos, deixando para a lei a composição dos outros dois. Todavia, no que respeita ao Conselho Superior do Ministério Público, a constituição limita a liberdade de conformação legislativa, estabelecendo que deve ser constituído por

---

[28] Cfr., no direito brasileiro, EDUARDO RITT, *O Ministério Público*: "suas atribuições são de defender o regime democrático, a ordem jurídica, os direitos sociais e individuais indisponíveis, o que traduz o perfil de um verdadeiro órgão de defesa do Estado de Direito Democrático de Direito, vale dizer, da democracia, da Constituição e dos direitos fundamentais".

[29] Cfr. GUILHERME FREDERICO DA FONSECA, «O Ministério Público e a Constituição», in *Revista do Ministério Público*, 31/1987, pp. 67 e ss; DIMAS DE LACERDA, *O Estatuto do Magistrado e as perspectivas do futuro*, 1978, pp. 137 e ss; J. N. CUNHA RODRIGUES, «Ministério Público», in *Dicionário Jurídico da Administração*, vol. V, 1993, pp. 502 e 597; RUI DO CARMO, "A Opção pela Magistratura do Ministério Público", in *sub judice*, 14 (1999), p. 53 ss.

membros eleitos pela Assembleia da República e membros eleitos entre si por magistrados do Ministério Público (cfr. Ac TC 254/92).

Os **conselhos superiores de administração e gestão das magistraturas** apresentam-se, no figurino constitucional, como órgãos de defesa da *independência externa* dos magistrados relativamente a outros poderes estranhos à organização judiciária. No entanto, a sua composição indicia que não se trata de *órgãos de autogoverno* da magistratura ou do Ministério Público. A composição mista – membros democraticamente eleitos pela AR e membros eleitos pelas magistraturas – aponta no sentido de órgãos independentes de administração da justiça mas sem as características dos esquemas organizatórios da «automovimentação corporativa», livres de qualquer ligação à representação democrática. Neste sentido se diz que eles «legitimam» a independência da magistratura furtando-a à «opacidade corporativo-institucional» [30]. Por outro lado, a presença de um número significativo de magistrados impede qualquer tentativa de politicização de órgãos que pela sua própria razão de ser se destinam a assegurar a independência externa das magistraturas. As funções dos conselhos superiores não podem perturbar a *independência interna* dos magistrados, isto é, o livre exercício da sua actividade sem quaisquer vínculos perante os órgãos dirigentes da magistratura ou dos tribunais superiores (a não ser os prescritos nas leis).

Referências bibliográficas

Afonso, O. – "A independência do poder judicial. Garantia do Estado de Direito", in *sub judice* (14), 1999, p. 45 ss.

Ascensão, J. O. – "A reserva constitucional de jurisdição", in *O Direito*, 123 (1991), p. 465.

Almeida, L. N. – "A Justiça Constitucional no quadro das funções do Estado", in *Justiça Constitucional e Espécies, Conteúdo e Efeitos das Decisões sobre a Constitucionalidade das Normas*, Lisboa, 1987.

---

[30] O problema tem sido muito discutido em alguns países, como, por ex., na Itália. Cfr. M. DEVOTO «Il ruolo del Consiglio Superiori della Magistratura», in *L'Ordinamento Giudiziario*, p. 299; BARTOLE «Materiali per un riesame della posizione del Consiglio Superiori della Magistratura», in *Scritti in onore di C. Mortati*, IV, pp. 1 e ss; DEVOTO, «Costituzione del giudice e Consiglio Superiore della Magistratura», *Scritti Mortati*, p. 149. Entre nós, cfr. LABORINHO LÚCIO, «O Poder Judicial na Transição», in BAPTISTA COELHO (org.) *Portugal. O Sistema Político e Constitucional*, cit., p. 752; CUNHA RODRIGUES, "Modelos de Governo do Poder Judicial – Alternativo", in *Lugares do Direito*.

– "Da Politização à Independência (Algumas reflexões sobre a composição do Tribunal Constitucional)", in *Legitimação e Legitimidade*, pp. 243 e ss.

Araujo, A. – *O Tribunal Constitucional (1987-1996) Um estudo de comportamento judicial*, Coimbra, 1997.

Canas, C. – "Tribunal Constitucional. Orgãos de estratégia legislativa?", in RFDL, vol. XXXVII, 1996, p. 399.

Cardoso da Costa, J. M. – «O Tribunal Constitucional Português. Sua origem histórica», in Baptista Coelho (org.), *Portugal*, cit., pp. 913 e ss.

– *Jurisdição Constitucional em Portugal*, 2.ª ed., Coimbra, 1992.

Canotilho, J. J. G. – «No sexénio do Tribunal Constitucional Português – Para uma teoria pluralista da jurisdição constitucional», *Revista do Ministério Público*, 9/1988, 33/34, pp. 9 e ss.

Catarino, L. – *A Responsabilidade do Estado pela Administração da Justiça – o erro judiciário e o anormal funcionamento*, Coimbra, 1999.

Cluny, A. – "O Ministério Público e o Poder Judicial", in *Rev. Min. Pub.*, 1994, pp. 43.

Correia, F. A. – "Relatório Geral da I Conferência de Justiça Constitucional da Ibero-América, Portugal, Espanha", in *I Conferência da Justiça Constitucional da Ibero América, Portugal e Espanha*, Lisboa, Tribunal Constitucional, 1997.

Dallari, D. – *O Poder dos Juizes*, Saraiva, São Paulo, 1996.

Dias, J. F. – "Nótulas sobre Temas de Direito Judiciário (Penal)", in *Revista de Legislação e Jurisprudência*, 1995, p. 3849.

– "A 'pretensão' a um juiz independente", in *sub judice*, 14 (2000), p. 50 ss.

Fraga, C. – *Subsídios para a independência dos juizes. O Caso Português*, Lisboa, 2000.

Laborinho Lúcio, A. – «O poder judicial na transição», in Baptista Coelho (org.), *Portugal. Sistema Político e Constitucional*, cit., pp. 737 e ss.

Neves, A. C. – "Da Jurisdição", in AAVV, *Ab uno ad omnes, Nos 75 anos da Coimbra Editora*, 1998, pp. 177 e ss.

– "Entre o 'legislador', a 'sociedade' e o 'juiz' ou entre 'sistema', 'função' e 'problema' – os modelos actualmente 'alternativos da realização jurisdicional do Direito", in RLJ, n.º 3883-3886 (1998-1999).

Pereira, R. – "Ministério Público: hierarquia e autonomia", in *Rev. Min. Pub.*, 1994, pp. 74 e ss.

Rangel, P. – *Reserva de jurisdição. Sentido dogmático e sentido jurisdicional*, Porto, 1997.

– "O Legislador e o Tribunal Constitucional: o Risco da Redução Metodológica do Problema Político", in *Direito e Justiça*, XI, 2/1997, pp. 195 e ss.

– *Repensar o Poder Judicial – Fundamentos e Fragmentos*, Porto, 2001.

Rodrigues, J. N. C. – "Ministério Público", in *Dicionário Jurídico da Administração Pública*, vol. V., e "Sobre o Ministério Público", in BMJ, 337 (1989), reproduzido em *Lugares do Direito*, Coimbra, 1999, pp. 236 e ss.

Rubio Llorente, F. – «Seis Tesis sobre la jurisdiccion constitucional en la Europa», REDC, 35 (1992), p. 12.

Silvestri, C. – *Giustizia e giudici nel sistema costituzionale italiano*, Torino, 1997.

Sousa, M. R. – *Orgânica judicial, Responsabilidade dos juízes e Tribunal Constitucional*, Lisboa, 1992.

Piazolo, M. (org.) *Das Bundesverfassungsgericht – Ein Gericht im Schnittpunkt von Recht und Politik*, 1995.

Título 5

As Fontes de Direito e as Estruturas Normativas

Capítulo 1
A Constituição e o Sistema das Fontes de Direito

Sumário

A. Fontes de Direito e Constituição

I - Relevo da constituição no âmbito das fontes de direito

II - A constituição e o "cosmos" normativo

1. Pluralismo de ordenamentos superiores
2. Pluralismo legislativo e plurimodalidade de actos legislativos
3. Força de lei, valor de lei
4. Blocos de legalidade e de competências

III - Os princípios estruturantes dos esquemas relacionais entre as fontes de direito

1. Princípio da hierarquia
2. Princípio da competência
3. Princípio básico sobre a produção jurídica

B. A regulação jurídica no Estado constitucional pluralista

1. O desafio da regulática
2. Desconcentração e descentralização

3. Internacionalização e supranacionalização
4. Direito judicial
5. Normação privada

C. Painéis ilustrativos do pluricentrismo e da plurimodalidade legislativos

I - Plurimodalidade legislativa

II - Pluricentrismo legislativo externo

III - Pluricentrismo legislativo interno

A. Fontes de Direito e Constituição

I - Relevo da Constituição no âmbito das fontes de direito

Uma das mais relevantes consequências da consideração da Constituição de 1976 como *norma jurídica sobre a produção jurídica* foi a de recolocar no plano constitucional o **problema das fontes de direito**. Isso não originou, porém, a renovação constitucional do problema das fontes de direito. O problema das fontes é reconduzido a um discurso teórico e metodológico sobre as fontes, continuando a chave para a compreensão das fontes de direito positivo a ser desesperadamente procurada no art. 2.º do Código Civil. O ponto de partida que aqui será adoptado é este: o estudo das fontes de direito no ordenamento jurídico português passa necessariamente pela centralidade da constituição como *fonte de conhecimento,* isto é, como fonte sobre as formas de revelação, definição e valor das normas de direito positivo [1]. A relevância da constituição como fonte de conhecimento das normas de direito positivo estende-se às próprias normas de direito internacional e de direito comunitário. A existência de vários *ordenamentos superiores* – constitucional, internacional e comunitário – obriga, hoje, a uma articulação mais complexa do que a requerida por uma estrutura da ordem jurídica centrada no direito interno do Estado. De qualquer modo, mesmo aqui, a definição do cosmos normativo terá de ser feita a partir da própria Constituição.

Na qualidade de **norma primária sobre a produção jurídica** a Constituição tem três importantes funções: (1) identifica as *fontes de direito* do ordenamento jurídico português; (2) estabelece os critérios de *validade* e *eficácia* de cada uma das fontes; (3) determina a *competência* das entidades que revelam normas de direito positivo.

A primeira função – *identificação das fontes* – encontra refracção no texto constitucional em vários momentos: art. 8.º (direito internacional e direito

---

[1] Cfr, agora, A. CASTANHEIRA NEVES, "Entre o «Legislador», A «Sociedade» e o «Juiz»", in BFDC, 74 (1998), p. 11 ss.; D. FREITAS DO AMARAL, "Revisão dos Artigos 1 a 13 do Código Civil", in *Thémis*, I/1 (2000), pp. 9 e ss.; PAULO OTERO, *Lições de Introdução no Estado de Direito*, 1/2, 1999, p. 13 ss.; *Legalidade e Administração Pública*, 2003, p. 21 ss. Na doutrina estrangeira, cfr., por ex., L. PALADIN, *Le Fonti del Diritto Italiano*, pp. 27 e ss.

comunitário), art. 56.º (convenções colectivas de trabalho), art. 112.º (actos normativos), art. 115.º (referendo), arts. 161.º, 164.º e 165.º (leis da Assembleia da República), art. 198.º (decretos-leis do Governo), art. 226.º (estatutos das regiões autónomas), art. 227.º (actos normativos das regiões autónomas), art. 241.º (regulamentos das autarquias locais).

A segunda função – *determinação dos critérios de validade, eficácia e hierarquia das normas produzidas pelas várias fontes de direito* – encontra também suporte normativo em várias disposições constitucionais. É a Constituição que determina o igual valor entre leis e decretos-leis (art. 112.º/2), mas é também a própria Constituição a estabelecer excepções a esta regra considerando certas leis dotadas de *valor reforçado* (art. 112.º/3). Pertence ainda à Constituição determinar as relações entre o *direito geral da República* e o *direito autonómico*, ou seja, entre normas "postas" pelos órgãos de soberania e normas "postas" pelos órgãos das Regiões Autónomas (arts. 112.º/4 e 5, 227.º). Na lei constitucional encontram-se os parâmetros básicos relativos aos esquemas referenciais entre *actos normativos legislativos* e *actos normativos da administração* (cfr., sobretudo, arts. 112.º/7 e 8 e 241.º). Finalmente, a Constituição revela a forma e valor das *directivas comunitárias* transpostas para a ordem jurídica interna (art. 112.º/9).

A terceira função – *individualização das competências normativas* – está associada ao importante princípio da *tipicidade de competências normativas*. A ideia pode ver-se contextualizada nos arts. 161.º, 164.º, 165.º (competência legislativa da Assembleia da República), art. 198.º (competência legislativa do governo), art. 227.º (competência normativa das Regiões Autónomas), art. 241.º (competência regulamentar das autarquias locais).

Finalmente, o sistema das fontes de direito constitucionalmente consagrado ganha um *relevo jurisprudencial* muito importante em face do regime de fiscalização da constitucionalidade e da legalidade de actos normativos recortado na Constituição. Como já se salientou, o "regime das fontes condiciona a jurisprudência constitucional e é, por sua vez, condicionado por esta".[2]

II - A Constituição e o "cosmos" normativo

1. Pluralismo de ordenamentos superiores

A Constituição não dá resposta a todos os problemas relacionados com as fontes de direito. Como em qualquer sistema dotado de *complexidade*,

---

[2] Cfr. L. PALADIN, *Le Fonti del Diritto Italiano*, Bologna, 1996, p. 8.

existem problemas relacionados com a **unidade do sistema jurídico** e com a articulação das várias fontes de direito. Em geral, dizia-se e ensinava-se que a Constituição representava o vértice de um sistema de normas construído sob a forma de *pirâmide jurídica* que, na sua globalidade, formava a *ordem jurídica*. Este modelo não tem hoje virtualidades suficientes para captar o relevo jurídico do direito internacional e do direito comunitário. Não há um vértice com uma norma superior; no estalão superior situam-se vários *ordenamentos superiores* — ordenamento constitucional, ordenamento internacional e ordenamento comunitário — cuja articulação oferece inequívocas dificuldades, sobretudo quando qualquer desses ordenamentos disputa a *supremacia normativa* ou, pelo menos, a *aplicação preferente* das suas normas e princípios. É o que se pode ver no gráfico seguinte, em que *C* significa constituição, *DI* direito internacional e *DC* direito comunitário.

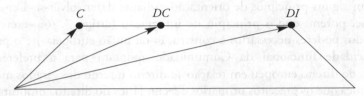

Gráfico I – Pluralismo de ordenamentos superiores

Faremos mais adiante referências desenvolvidas ao problema das relações entre direito internacional e direito interno. Por agora, basta referir a não existência de um critério seguro e indiscutível para se aquilatar do valor e hierarquia das normas do direito internacional no ordenamento jurídico português. As controvérsias doutrinais e jurisprudenciais não possibilitaram ainda uma visão segura do leque de problemas relacionados com o valor e natureza das normas internacionais. Aqui deixar-se-á apenas uma aproximação tópica.

Relativamente às relações entre as *normas de direito internacional* e *normas constitucionais*, deve considerar-se (na falta de disposição constitucional expressa em sentido contrário) existir uma superioridade hierárquico-normativa das normas constitucionais sobre as normas internacionais (princípio da natureza *infraconstitucional* dos preceitos de direito internacional). Esta conclusão deverá ser, hoje, temperada pela radicação de um *jus cogens* internacional cuja observância se impõe como dever imperativo dos Estados (ver *infra*).

Em relação ao esquema referencial entre as normas de direito interno de valor legislativo e as normas de direito internacional, a generalidade da doutrina tem-se inclinado no sentido de interpretar o artigo 8.º da lei fundamental a favor da *prevalência do direito internacional*, tanto sobre o direito interno anterior como sobre o direito interno posterior, embora seja discutido o fundamento e o preciso alcance dessa prevalência (cfr. *infra*).

A hierarquia e o **valor do direito comunitário** perante o direito interno dos estados membros da União Europeia continua um problema em aberto. Continua em aberto porque faltam regras expressas sobre *conflitos de normas* e porque é problemática a resposta à questão de saber se e em que medida a *ordem jurídica interna* e a *ordem jurídica comunitária* são ordens jurídicas autónomas e equi-ordenadas. A partir de várias normas constitucionais como as referentes à *cláusula europeia* (art. 7.º/5), à *cláusula de integração europeia* (art. 7.º/6), à vigência directa na ordem jurídica interna de normas emanadas de órgãos competentes de organizações internacionais (art. 8.º/3), à *forma de transposição* de directivas comunitárias (arts. 112.º/9), a doutrina e jurisprudência destilaram alguns princípios de orientação. Adiante desenvolver-se-á este ponto. Registe-se, porém, que o **princípio de integração** (artigo 7.º/6: «exercício em comum dos poderes necessários à construção da união europeia») e o **princípio da capacidade funcional** da Comunidade apontam para a preferência de aplicação do direito europeu em relação ao direito interno dos estados membros. Isso significa que os preceitos primários e secundários do direito comunitário tem aplicação *imediata* e *preferente ("preemption")* relativamente às normas contrárias do direito interno. Os limites desta *aplicação preferente* resultarão de normas constitucionais relacionadas com os direitos fundamentais dos cidadãos portugueses e com dimensões ineliminaveis da estatalidade republicana portuguesa (cfr. *infra*, Cap. 6).

2. Pluralismo legislativo e plurimodalidade de actos legislativos

Um outro momento de *complexidade* no sistema das fontes de direito radica ainda no *pluricentrismo legislativo* e na *plurimodalidade dos actos legislativos*. O **pluricentrismo legislativo** resulta fundamentalmente de duas ordens de considerações: (1) existe pluricentrismo legislativo a nível dos órgãos de soberania da República com competência legislativa, pois, como vimos, a competência legislativa pertence à Assembleia da República e ao Governo (arts. 112.º/1, 161.º, 164.º, 165.º, 198.º); (2) existe pluricentrismo legislativo porque existe um *centro estatal e republicano* de produção de actos legislativos e dois *centros regionais* de produção de actos legislativos (arts. 227.º e 228.º).

O segundo ponto – o da **plurimodalidade** de actos legislativos – relaciona-se com as várias modalidades de leis no ordenamento jurídico portu-

guês. Distingue-se, desde logo, entre *leis ordinárias* e *leis ordinárias reforçadas* (art. 112.º/3); diferencia-se entre *leis da República* e *leis gerais da República* (art. 112.º/5); recortam-se com autonomia certas modalidades de actos legislativos como *leis constitucionais* (arts. 161.º e 166.º), *leis orgânicas* (arts. 112.º/3 e 166.º/2), *leis estatutárias* (arts. 161.º/*b* e 226.º), *leis de bases* (arts. 112.º/2, 198.º/1/*c*, 227.º/1/*c*), *leis de autorização* (arts. 112.º/2, 165.º, 198.º/1/*b* e 227.º/1/*b*) e *leis de enquadramento* ou *leis-quadro* (arts. 106.º/1, 296.º).

Os exemplos anteriores revelam uma das características fundamentais do actual sistema das fontes de direito: substituição dos velhos paradigmas da unidade de instâncias legiferantes e da unimodalidade dos actos legislativos pelo paradigma do *pluralismo legislativo e plurimodalidade de actos legislativos*.

3. Força de lei, valor de lei

A Constituição utiliza algumas vezes a expressão *valor de lei* (art. 112.º/2). Noutros casos, encontra-se a fórmula linguística *valor reforçado* (arts. 112.º/3, 280.º/2/*a*, 281.º/1/*a*). Não é, porém, claro o que significa **valor de lei**. A referência a **valor de lei** justifica-se, hoje, tendo em conta a existência de pluralismo legislativo. Ao consagrar-se constitucionalmente uma pluralidade de *actos legislativos* (art. 112.º/1), altera-se a concepção tradicional de lei (do Parlamento) como o único acto normativo com valor legislativo. Precisamente por isso, é necessário esclarecer se todos os actos de natureza legislativa têm o mesmo *valor*. É o problema que a Constituição pretende resolver ao afirmar que as leis e os decretos-leis têm o mesmo *valor* (art. 112.º/2). Mas a ideia de *valor* surge também articulada com a problemática da *plurimodalidade legislativa*[3]. A positivação constitucional de vários tipos de leis (leis orgânicas, leis-quadro, leis estatutárias, leis de bases, leis de autorização) colocava o problema de saber se algumas destas leis não "valeriam" mais do que outras, ou, pelo menos, não deveriam ter valor paramétrico em relação às leis em geral ou a determinados grupos de leis em especial. Daí a categoria constitucional de leis com *valor reforçado*. A Constituição não diz "força de lei redobrada" mas sim "valor reforçado". A categoria dogmática **força de lei** faz apelo a três ideias fundamentais: (1) posição primária e primeira da lei, no sentido de dispor de um estalão normativo imediatamente inferior ao da Constituição; (2) poder de inovação jurídica dentro do ordenamento jurídico (*força activa*); (3) resistência à

---

[3] Cfr ASSIS ROIG, "La ley como Fuente de Derecho...", p. 167 ss; JORGE MIRANDA, *Manual*, V, p. 344.

revogação ou derrogação por outras normas hierarquicamente inferiores (*força passiva*). Dizer-se, assim, que certas leis têm valor reforçado só pode significar que, embora todas tenham *valor legislativo e força de lei* – estalão hierárquico normativo imediatamente inferior à Constituição, força inovadora, resistência à revogação –, se reconhece existirem entre elas certas regras de *primariedade, parametricidade* e *exclusividade*.

A **regra da exclusividade** revela-se sobretudo na categoria de *leis orgânicas* (arts. 112.º/3 e 166.º/2). Esta regra pressupõe a articulação funcional de *exclusividade de competência* com a *exclusividade da forma e procedimento* para a regulação de determinadas matérias (arts. 164.º/*a* a *f, r, j, l, q* e *t* e 255.º). A emanação de uma lei orgânica sobre estas matérias impede que sobre elas incida uma lei simples da Assembleia da República (e, obviamente, de qualquer outro acto legislativo). A **regra da parametricidade** avulta sobretudo nos casos de *esquemas relacionais específicos* em que uma lei é pressuposto normativo necessário de outras leis (art. 112.º/3). É o que acontece com as leis de autorização (leis-parâmetro de decretos-leis ou de decretos legislativos autorizados) e as leis de bases (parâmetro do decreto-lei ou do decreto legislativo de desenvolvimento). O parâmetro pressupõe, nestes casos, um *esquema referencial concreto:* é *uma* lei de autorização (arts. 112.º/2, 165.º/2/3/4) que autoriza *um* determinado decreto-lei (art. 198.º/1/*b*) ou *um* determinado decreto legislativo autorizado (art. 227.º/1/*b*). É *uma* lei de bases (art. 112.º/2) que carece de um decreto-lei de desenvolvimento (art. 198.º/1/*c*) ou de um decreto legislativo regional de desenvolvimento (art. 227.º/1/*c*). O *desvalor paramétrico* traduzir-se-á numa inconstitucionalidade (violação do art. 112.º/2) e numa ilegalidade (violação da lei com valor paramétrico).

O **princípio da primariedade** está presente com um conteúdo semelhante ao da força de lei em sentido clássico nos casos de leis que por outras devam ser respeitadas (art. 112.º/2, *in fine*). A Constituição engloba nesta categoria (que poderia consumir alguns dos casos anteriores de parametricidade) certas leis definidoras de regras e princípios heteronomamente vinculativos de outros actos legislativos. É o caso das *leis de enquadramento* (art. 106.º/1, relativo à lei de enquadramento do orçamento) ou *leis-quadro* (art. 296.º) e, em certa medida, da "lei-quadro" das regiões administrativas (arts. 255.º e 256.º). Pode dizer-se que o princípio da primariedade anda associado também ao **princípio das maiorias qualificadas**, considerado pela Constituição como um outro critério caracterizador das leis reforçadas (art. 112.º/2). Aqui a maioria qualificada é o instrumento funcional para assegurar a certas leis força de inovatividade e resistência à revogação. É o caso das leis eleitorais para os órgãos de soberania (arts. 121.º/2, 148.º, 149.º), das leis respeitantes às restrições de direitos de militares e agentes militarizados

(arts. 164.º/o e 168.º/6 e 270.º) e das leis respeitantes ao sistema e método de eleição dos órgãos das autarquias locais (arts. 168.º/6 e 239.º/3).

4. Blocos de legalidade e de competências

a) *Bloco de legalidade reforçada*

Existe no ordenamento constitucional um **bloco de legalidade reforçada**. Integram este bloco heterógeneo de *leis reforçadas* (artigo 112.º/3): (1) as leis orgânicas; (2) as leis aprovadas por maioria qualificada; (3) as leis que, por força da Constituição, sejam pressuposto necessário de outras leis; (4) as leis que, por força da Constituição, devam ser respeitadas pelas outras leis (cfr. *infra*, Cap. 3, F). No Cap. 5 far-se-á referência ao *bloco de legalidade autonómica*.

b) *Bloco de competências reservadas*

Fala-se de **competência reservada** quando a disciplina jurídica de determinadas matérias é exclusivamente confiada a uma certa fonte normativa. É neste sentido que a Constituição insinua a existência de várias reservas normativas. Relativamente à Assembleia da República, é-lhe reconhecida: (1) a *reserva de lei constitucional*, ou seja, aprovar (art. 161.º/a) através de lei com a forma de lei constitucional (art. 166.º/1) as alterações à Constituição (arts. 284.º a 289.º); (2) a *reserva absoluta de competência* para legislar sobre as matérias individualizadas nos arts. 161.º e 164.º; (3) *reserva relativa de competência* para legislar (embora neste caso possa haver autorização legislativa ao Governo) sobre as matérias identificadas no art. 165.º; (4) *reserva de regimento*, ou seja, competência exclusiva para elaborar e aprovar o seu regimento (art. 175.º).

Em relação ao Governo, a constituição estabelece uma *reserva absoluta de decreto-lei* que se traduz na competência legislativa exclusiva do Governo para estabelecer a disciplina jurídica da sua própria organização e funcionamento (art. 198.º/2). As Regiões Autónomas dos Açores e da Madeira têm competência reservada quanto à elaboração e aprovação do *regimento das assembleias legislativas regionais* (art. 233.º/3) e quanto à organização e funcionamento dos governos regionais (art. 231.º/5). Ver, ainda, a sugestão de *reserva de convenção internacional* nos arts. 4.º e 8.º/3.

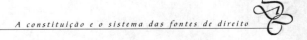

II – Os princípios estruturantes dos esquemas relacionais entre as fontes de direito

1. Princípio da hierarquia

A ideia básica do **princípio da hierarquia** é esta: os actos normativos (leis, decretos-leis, tratados, decretos legislativos regionais, regulamentos) não têm todos a mesma hierarquia, isto é, não se situam num plano de horizontalidade uns em relação aos outros, mas sim num plano de verticalidade, à semelhança de uma *pirâmide jurídica*[4].

Em virtude da *pluralidade* das normas e da indeclinável *função ordenadora* do direito, compreende-se que sejam as normas superiormente colocadas no sistema normativo (constituição e leis constitucionais) os actos normativos idóneos para estabelecer a relação hierárquica entre os actos normativos infraconstitucionais. A CRP ordena hierarquicamente os actos normativos infraconstitucionais de acordo com os seguintes princípios básicos: (1) *princípio da preeminência* ou *superioridade dos actos legislativos* (leis, decretos-leis e decretos legislativos regionais) relativamente aos actos normativos regulamentares ou estatutários (cfr. art. 112.º/7 e 8); (2) *princípio da tendencial paridade* ou *igualdade entre as leis e os decretos-leis* (art. 112.º/2), o que significa poderem as leis e os decretos-leis, em princípio, interpretar-se, suspender-se ou revogar-se reciprocamente; (3) *princípio da prevalência dos princípios fundamentais das leis gerais da República sobre os actos legislativos regionais* (art. 112.º/4), nos termos a precisar adiante ao tratar-se do direito regional; (4) *princípio da superioridade* ou *preeminência das normas de enquadramento* e *das leis de bases* (art. 112.º/2) *sobre as normas complementares* («*Lex completa derogat legi complenti*»); (5) *princípio da aplicação preferente das normas comunitárias* relativamente às normas internas nacionais.[5] (6) *princípio da inderrogabilidade de norma de grau superior por norma hierarquicamente inferior*.

Em termos práticos, os princípios acabados de individualizar justificarão, em geral, a *inaplicabilidade* das normas de hierarquia inferior contrárias

---

[4] Sobre o sentido da hierarquia normativa cfr., A. Ruiz Miguel, «El principio de Jerarquia Normativa», in *REDC*, 24 (1988), pp. 135 e ss. Diferente da hierarquia normativa é a *hierarquia administrativa*, referente aos poderes de direcção e superintendência dos órgãos administrativos superiores em relação a órgãos subalternos. Cfr. Freitas do Amaral, *Conceito e Natureza do Recurso Hierárquico*, Coimbra, 1984, pp. 43 e ss, Paulo Otero, *Conceito e Fundamento da Hierarquia Administrativa*, Coimbra, 1992, p. 381; Jorge Miranda, *Manual*, V, pp. 121 e ss.

[5] Cfr. a profunda análise teorética de Theodor Schilling *Rang und Geltung von Normen in gestuften Rechtsordnungen*, Berlin, 1994, p. 548.

a normas de hierarquia superior. Aflorações positivas deste princípio podem ver-se no art. 204.º da Constituição e no art. 4.º/3 do ETAF (Estatuto dos Tribunais Administrativos e Fiscais). A norma de hierarquia superior reúne, em via de princípio, duas modalidades de preferência: (1) **preferência de validade**, tornando nulas as normas anteriores contrárias ("efeito de revogação", "efeito de anulação") e servindo de limite jurídico às normas posteriores também em contradição com elas; (2) **preferência de aplicação**, porque mesmo não aniquilando a validade da norma contrária, ela deverá ser aplicada no caso concreto com a consequente desaplicação da norma inferior.

2. Princípio da competência

A função ordenadora dos actos normativos não assenta apenas numa hierarquização dos mesmos através de relações de *supra-infra-ordenação*, mas também numa *divisão espacial* de competências. O princípio hierárquico acentua o carácter de *limite negativo* dos actos normativos superiores em relação aos actos normativos inferiores; o **princípio da competência** pressupõe antes uma *delimitação positiva*, incluindo-se na competência de certas entidades a regulamentação material de certas matérias (ex.: pertence às regiões autónomas legislar sobre as matérias de interesse específico para a região).

O princípio da competência aponta para uma visão plural do ordenamento jurídico. Este não se reduz ao ordenamento estadual, pois em articulação com ele existem os ordenamentos regionais, os ordenamentos locais e os ordenamentos institucionais. De todo o modo, ele não perturba o princípio da hierarquia e a configuração hierárquica da ordem jurídico-constitucional. Põe, todavia, em relevo um aspecto importante dos ordenamentos plurais: a existência de *espaços normativos autónomos*. Isto justifica a competência legislativa e regulamentar, por exemplo, das Regiões Autónomas em matérias de interesse específico para as Regiões (cfr. art. 229.º/*a, b* e *c*) e o poder regulamentador das autarquias locais (art. 242.º). Por sua vez, a ideia do ordenamento estadual como *ordenamento geral* justificará ainda a *supletividade* do direito do Estado relativamente aos poderes normativos dos ordenamentos regionais ou dos ordenamentos locais.

Finalmente, é ainda o princípio da competência a justificar a regulação de certas matérias por determinados órgãos, formando-se, assim, blocos de competências reservadas de determinadas matérias.

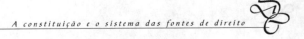

3. Princípio básico sobre a produção jurídica

A Constituição estabelece *expressis verbis* o **princípio básico sobre a produção de normas jurídicas** (112.°/6). Esse princípio pode formular-se da seguinte forma: nenhuma fonte pode criar outras fontes com eficácia igual ou superior à dela própria. Apenas pode criar fontes de eficácia inferior. Este princípio básico desdobra-se em várias proposições: (1) nenhuma fonte pode atribuir a outra um valor de que ela própria não dispõe; (2) nenhuma fonte pode atribuir a outra um valor idêntico ao seu; (3) nenhuma fonte pode dispor do seu próprio valor jurídico acrescentando-o ou diminuindo-o; (4) nenhuma fonte pode transferir para actos de outra natureza o seu próprio valor jurídico.

Em termos práticos, este princípio justificou a inconstitucionalidade dos *assentos* (cfr. *infra*, Título 6) que outra coisa não eram senão a transmutação, autorizada por lei, de um acto de jurisdição em acto de legislação praticado por autoridades sem competência legislativa. Da mesma forma, serão inconstitucionais: (1) os *regulamentos interpretativos* das leis se eles se arrogarem a interpretação autêntica da lei mesmo se a lei tal expressamente autorizar, pois a interpretação autêntica da lei, só pode ser feita por acto legislativo de igual valor; (2) os *regulamentos derrogatórios das leis*, pois isso violará o princípio de hierarquia e o princípio da prevalência da lei, mesmo que a lei autorize a sua revogação por fontes regulamentares.

B. *A Regulação Jurídica no Estado Constitucional Pluralista*

1. O desafio da regulática

O estudo das fontes de direito no âmbito do direito constitucional está tradicionalmente vinculado a uma visão estatocêntrica da criação do direito. O monopólio de normação jurídica pertenceria ao Estado ou, pelo menos, a entidades públicas dotadas de prerrogativas normativizadoras. No entanto, de vários quadrantes – desde algumas correntes de filosofia do direito e metodologia jurídicas até às teorias ordenamentais do pluralismo jurídico, passando pelas correntes da sociologia crítica e da antropologia jurídica – se insiste na inadequação e até irrealismo de uma tal visão. Nos tempos recentes, tem-se acentuado uma nova perspectiva designada por **regulática**. O ponto de partida da regulática é, tendencialmente, este: as mudanças estruturais da sociedade tornam clara a

necessidade de o direito não ser considerado como *regulador heterónomo de relações sociais* mas como *instrumento de trabalho para auto-regulação das relações sociais*. Consequentemente, o problema das fontes de direito deve ter em consideração não apenas as questões tradicionalmente ligadas às regulações legais, mas também *normações jurídicas de qualquer género*, como, por exemplo, contratos, sentenças, convenções colectivas de trabalho, normas privadas das empresas e de associações (ex.: federações desportivas) e até o "direito achado na rua". Numa palavra: tem de tomar em conta o complexo processo juris-sociológico de **produção do direito**.[6] Além disso, uma compreensão moderna (*rectius*: pós-moderna) das fontes de direito deve também responder às mudanças das estruturas sociais num sentido individualizante, e, por isso, causadoras de modelos de regulação flexíveis. Se olharmos para os modelos de regulações opcionais – no mercado de trabalho, no sistema de segurança social, no sistema de subcontratação, nos mercados de habitação – verificar-se-á que as perspectivas estáticas-estatocêntricas não respondem aos desafios do direito «individualizante» e «flexível».

Independentemente dos postulados teóricos e políticos da regulática, é inegável que não existe *um monopólio estatal de normação* constitucionalmente consagrado. Pelo contrário: vários preceitos constitucionais apontam para a necessidade de *desconcentração* e *descentralização da regulação jurídica* e para a indispensabilidade de articular, em moldes inovadores, o direito interno com os fenómenos da *internacionalização* e *supranacionalização*.

2. Desconcentração e descentralização

Como se estudará melhor adiante a propósito dos regulamentos, a atribuição de poderes normativos ao Governo administrador, embora não perturbe a centralidade estatal de regulação jurídica, serve para descongestionar os órgãos legislativos, transferindo para os órgãos executivos e administrativos uma competência mais ou menos ampla de normação jurídica (cfr. *infra*). É o que se chama **desconcentração normativa**.

A consagração de estruturas autónomas de natureza territorial – desde as regiões autónomas até aos municípios – é também acompanhada pelo

---

[6] Para uma abordagem deste tópico, cfr. PIERRE GUIBENTIFF, "A Produção do Direito", in *Legislação* (1993), pp. 31 e ss; B. SOUSA SANTOS, "On Modes of Production of Law and Social Power", in *International Journal of the Sociology of Law*, XIII (1985), pp. 299 e ss; J. EDUARDO DE FARIA, *O Direito na Economia Globalizada*, pp. 174 e ss. Cf., também LUIS CABRAL MONCADA, *Contributo para uma Teoria da Legislação*, Lisboa, 1998.

fenómeno da **descentralização regulativa**. Nesta perspectiva se compreende a atribuição de poderes legislativos e regulamentares às regiões autónomas e de poderes regulamentares aos municípios (cfr. CRP, arts. 227.º/1/*a*/*b*/*c*/*d*, e 241.º)[7].

A Constituição deu também guarida a unidades jurídicas autónomas, radicadas em determinadas realidades sociológicas, fazendo acompanhar esse reconhecimento da autonomia por poderes de regulação autónomos. Assim, por exemplo, as universidades gozam de poder estatutário (CRP, art. 76.º/2); as ordens profissionais, na sua qualidade de associações públicas autónomas, beneficiam de poderes de regulação disciplinar, deontológica e profissional (CRP, art. 267.º/4); as federações desportivas elaboram regulamentos e estatutos autónomos.[8] Estamos perante a **regulação autónoma estatutária**.

3. Internacionalização e supranacionalização

Elemento caracterizador da actual ordem jurídico-constitucional quanto às fontes de direito é a sua *abertura* à normação internacional (CRP, art. 8.º). Como se referiu e se irá ver ainda (cfr. *infra*), o direito internacional geral e o direito internacional convencional fazem parte integrante do direito português, observados que sejam os requisitos constitucionalmente exigidos.

O direito comunitário, depois da integração de Portugal na Comunidade Económica Europeia, tem relevância crescente no ordenamento jurídico interno. Como adiante se verá (cfr. *infra*), a Comunidade Europeia constitui uma associação específica, à qual foi atribuído um poder originário supranacional, sendo uma das manifestações mais exuberantes deste poder a competência normativa. Daí a importância desta nota: o ordenamento estadual abre-se a fontes de direito supranacionais, alterando-se radicalmente o monopólio estadual de criação do direito.

4. Direito judicial

A legitimidade e imprescindibilidade do *Richterrecht* – **direito dos juízes, direito judicial** – parece ser hoje indiscutida. Problemática e objecto de

---

[7] Cfr. VIEIRA DE ANDRADE, *Autonomia regulamentar e reserva de lei*, pp. 32 e ss, e, agora, com amplos desenvolvimentos, VITAL MOREIRA, *Administração Autónoma e Associações Públicas*, Coimbra, 1997, pp. 180 e ss.

[8] Por último, desenvolvidamente, cfr. VITAL MOREIRA, *Administração Autónoma e Associações Públicas*, Coimbra, 1997, pp. 177 e ss.

controvérsia é já a extensão deste direito de criação judicial. Por agora ficará apenas esta nota: (cfr. *infra*): a investigação e obtenção do direito criadoramente feita pelos juízes ao construirem normas de decisão para a solução de casos concretos constitui um dos momentos mais significativos da pluralização das fontes de direito. No plano jurídico-constitucional, merece especial referência o *direito judicial com força de lei* ou com *força de acto normativo*, como é o caso das sentenças de declaração abstracta da inconstitucionalidade ou da ilegalidade pelo Tribunal Constitucional (CRP, arts. 279.º e ss) e das sentenças dos tribunais administrativos que declaram a ilegalidade dos regulamentos. Isso resulta, desde logo, da sua natureza de "legislação negativa" ou de *actus contrarius* de uma norma jurídica. É esta «natureza normativa» que justifica a publicação no *Diário da República, I Série*, das decisões do Tribunal Constitucional e de outros tribunais a que a lei confira força obrigatória geral (CRP, art. 119.º/g).

5. Normação privada

A regulática salienta com vigor a importância da **regulação privada** na paleta multiforme das fontes do direito. Desde os conhecidos contratos colectivos de trabalho até às cláusulas gerais de contratos (ex.: cláusulas de seguros), passando pelos modelos das regras técnicas, vão surgindo manifestações normativas de agentes de produção privados com progressiva importância como instâncias regulativas de interesses e litígios dos particulares[9].

De grande relevância prática são as chamadas **normas técnicas**, ou seja: (1) especificações técnicas contidas em normas jurídicas (portarias, regulamentos) ou noutros documentos públicos; (2) e que, em geral, são elaborados mediante mecanismos de colaboração e consenso entre as partes interessadas, com base nos resultados conjugados da ciência, da tecnologia e da experiência; (3) aprovados por organismos qualificados a nível nacional, regional ou internacional; (4) com o objectivo de proporcionarem uma optimização de benefícios para a comunidade no seu conjunto.[10]

---

[9] Cfr., por todos, P. KIRCHHOF, *Private Rechtsetzung*, Berlim, 1987.

[10] Cfr., entre nós, J. MATOS PEREIRA, *Direito e Normas Técnicas na Sociedade da Informação*, Lisboa, 2001, p. 40 ss.

C. Painéis ilustrativos do pluricentrismo e da plurimodalidade legislativos

I – PLURIMODALIDADE LEGISLATIVA

LEIS DA ASSEMBLEIA DA REPÚBLICA
Leis constitucionais Leis de revisão constitucional (arts. 119.º/1/*a*, 161.º, 166.º/1/*a*, 284.º a 288.º). **Leis (reforçadas) orgânicas** Leis que regulam algumas matérias reservadas no art. 164.º e as leis de criação das regiões administrativas (arts. 112.º/2, 166.º/2). **Leis (reforçadas) estatutárias** As leis que aprovam e incorporam os estatutos das Regiões Autónomas dos Açores e da Madeira (arts. 161.º, 226.º). **Leis (reforçadas) de autorização** Leis que autorizam o governo a legislar sobre matérias da competência de reserva relativa da AR, definindo o objecto, o sentido e a extensão da autorização (arts. 112.º/2, 165.º/1/2/3, e ss). **Leis (reforçadas) de bases** Leis que estabelecem as bases gerais dos regimes jurídicos (arts. 112.º/2, 164.º/*i*, 165.º/*f*/*g*/*t*, *u*, *z*). **Leis (reforçadas) de enquadramento** Leis que disciplinam ou contêm as regras e princípios estruturantes de determinados sectores jurídicos como é o caso do art. 106.º/1, referente à lei de enquadramento do orçamento, e do art. 296.º/1, referente à lei-quadro da reprivatização de bens nacionalizados. **Leis reforçadas** As leis que, além das anteriormente referidas, carecem da aprovação da maioria de dois terços, bem como aquelas que, por força da Constituição, sejam o pressuposto normativo necessário de outras leis ou que por outras devam ser respeitadas (arts. 112.º/3, 121.º/2, 148.º, 149.º, 164.º/*o*, 168.º/6, 239.º/3), art. 106.º (lei anual do orçamento) e art. 255.º (lei da criação das regiões administrativas). **Leis de reserva absoluta** As leis que a AR edita em matérias de reserva absoluta de competência (art. 164.º) (que podem já estar consumidas em algumas das categorias anteriores). **Leis de reserva relativa** Leis editadas em matérias de reserva relativa (art. 165.º). **Leis de conversão ou de transposição** Leis de transposição das directivas comunitárias para a ordem jurídica interna (art. 112.º/9). **Leis da AR** Categoria genérica para todas as leis da Assembleia da República.

DECRETOS-LEIS DO GOVERNO
Decretos-leis primários Os actos legislativos do Governo editados em matérias não reservadas à AR (arts. 112.°/1 e 2, 198/1/*a*). **Decretos-leis autorizados** Os actos legislativos do governo incidente sobre matérias de reserva relativa da AR mediante autorização desta (arts. 112.°/2 e 198.°/1/*b*). **Decretos-leis de desenvolvimento** Actos legislativos do governo de desenvolvimento dos princípios ou das bases gerais que a eles se circunscrevem (arts. 112.°/2 e 198.°/1/*c*). **Decretos-leis reservados** Os actos legislativos de exclusiva competência do governo e respeitantes à sua organização e funcionamento (art. 198.°/2). **Decretos-leis de transposição** Decretos-leis de transposição das directivas para a ordem jurídica-interna (art. 112.°/9).

DECRETOS LEGISLATIVOS REGIONAIS
Decretos legislativos regionais da concretização de princípios Os actos legislativos das assembleias regionais dos Açores e da Madeira concretizadores de princípios fundamentais de leis gerais da República (art. 227.°/1/*a*). **Decretos legislativos regionais de desenvolvimento** Os actos legislativos das assembleias regionais de desenvolvimento de leis de bases da AR (art. 227.°/1/*b*). **Decretos legislativos regionais autorizados** Os actos legislativos das assembleias regionais sob autorização da Assembleia da República (art. 227.°/1/*c*).

II – PLURICENTRISMO LEGISLATIVO EXTERNO

FONTES INTERNACIONAIS	FONTES COMUNITÁRIAS	FONTES INTERNAS
Convenções (tratados e acordos)	Tratados Regulamentos Directivas	Leis, Decretos-leis, decretos legislativos regionais

III – PLURICENTRISMO LEGISLATIVO INTERNO

ÓRGÃOS LEGISLATIVOS DA REPÚBLICA		ÓRGÃOS LEGISLATIVOS REGIONAIS
Assembleia da República	Governo	Assembleias Regionais
Leis	Decretos-Leis	Decretos Legislativos Regionais

Referências bibliográficas

AAVV – "A Revisão Constitucional de 1997. Sistema de actos legislativos", in *Legislação*, 1997.

Ballaguer Callejón F., – *Fuentes del Derecho*, Madrid, 1992.

Baptista Machado, J. – *Introdução ao Direito*, pp. 153 e ss.

Béchillon, D. – *Hiérarchie des Normes et Hiérarchie des Fonctions Normatives de l'État*, Paris, 1996.

Crisafulli, V. – *Lezioni di diritto costituzionale*, II, *L'Ordinamento costituzionale italiano (Le fonti normative. La Corte Costituzionale)*, 4.ª ed., Padova, 1978.

De Otto, I. – *Derecho Constitucional. Sistema de Fuentes*, Barcelona, 1987.

Giuliani, A. (org.) – *Modelli di legislatore e scienza della legislazione*, Napoli, 1987.

Kirchhof, P. – «Rechtsquellen und Grundgesetz», in *Festgabe Bundesverfassungsgericht*, II, p. 50.

Miranda, J. – *Manual*, V, p. 344.

Morais, C. B. – *As leis reforçadas. As leis reforçadas pelo procedimento no âmbito dos critérios estruturantes das relações entre actos legislativos*, Coimbra, 1998.

Neves, A. C. – «Fontes de Direito», in *Polis I*, pp. 1613 e ss.

Oliveira Ascensão, J. – *Introdução ao Direito*, p. 215.

Ost, F./Kerchove, M. van de _ "De la pyramide au réseau? vers un nouveau mode de production du droit"? in RIEJ, 2000, n. 44, p 1 ss.

Paladin, L. – *Le Fonti del Diritto Italiano*, Bologna, 1996.

Pastor, J. A. Santamaria – *Fundamentos de Derecho Administrativo*, I, Madrid, 1988, pp. 509 e ss.

Pegoraro, L./Rinella, A. – "Legislazione e Procedimento Formativo della Legge nella Proposta di Revisione Costituzionale", in *Rassegna Parlamentare*, XL, 1/98, pp. 17 e ss.

Pegoraro, L./Reposo, A. – *Le Fonti dell diritto negli ordinamento contemporanei*, Bologna, 1993.

Perez Royo, J., – *Las Fuentes del Derecho*, 4.ª ed., Madrid, 1990.

Pizzorusso, A. – «Delle fonti del diritto», in Scialoja/Branca, *Commentario del Codice Civile*, Bologna-Roma, 1987.

Predieri, A. – «El sistema de las fuentes del Derecho», in Predieri/Garcia de Enterria, *La Constitución Española de 1978 (Estudio Sistematico)*, 2.ª ed., Madrid, 1981, pp. 161 e ss.

Requejo Pagés, J. L. – *Sistemas normativos. Constitucion y ordenamento*, Madrid, 1995.

Rubio Llorente – «Il sistema delle fonti in Spagna» in *Quaderni Costituzionali*, 1986, p. 310.

Ruggeri, A. – *Fatti e norme nei giudizio sulle leggi e le "metamorfosi" dei criteri ordinatori delle fonti*, Torino, 1994.

– *Fonti e norma nell'ordinamento e nell'esperienze costituzionale I – L'ordinazione in Sistema*, Torino, 1993.

«Metodi e dottrine dei costituzionalisti el orientamenti della giurisprudenze costituzionale in tema di fonti e della loro compodizione, in sistema», in *Diritto e Societá* 1/2000, p. 141 ss.

Schilling, Th. – *Rang und Geltung von Normen in gestuften Rechtsordnungen*, Berlin, 1994.

Sorrentino, F. – *Le fonti del diritto*, Genova, 1987.

Sousa, M. R. – "A lei no Estado Contemporâneo", in *Legislação*, 11 (1994), pp. 3 e ss.

Zagrebelsky, G. – *Il Sistema Costituzionale delle fonti del diritto*, Torino, 1984.

Ossenbühl, F. «Gesetz und Recht. Die Rechtsquellen im demokratischen Staat», in J. Isensee/Kirchhof, *Handbuch des Staatsrechts*, vol. III.

Capítulo 2

A Lei

Sumário

A. História, Memória e Teorias

I - A lei na teoria do Estado

1. A memória da lei na teoria do Estado e do Direito
2. A caracterização material da lei

II - A estrutura da lei

1. Lei e medida
2. As leis-medida – *Massnahmegesetze*

B. O Sentido da Lei na Constituição Portuguesa de 1976

C. Os Princípios da Prevalência e da Reserva de Lei

I - Princípio da prevalência da lei

1. Ideia básica e tradicional
2. Eficácia formal e força de lei

3. Conteúdo actual
4. Relativização do princípio de prevalência da lei

II - Princípio da reserva de lei
1. Reserva de lei e estrutura constitucional
2. O sentido da reserva de lei de parlamento na Constituição de 1976
3. Dimensão positiva e dimensão negativa
4. Reserva de lei/reservas de lei

D. Problemas actuais da reserva de lei

I - Reserva de lei e garantia de direitos fundamentais

II - Extensão da reserva de lei: lei e administração
1. Reserva de lei e administração de prestações
2. Reserva de lei e organização da administração
3. Reserva de lei e administração por objectivos
4. Vinculação à lei e poder discricionário da administração
5. Reserva de lei e reenvios legais
6. Reserva de lei e competência regulamentar
7. Reserva de lei e competência regulamentar autónoma

III - Reserva de lei e relações especiais

E. Limites da reserva da lei
1. Reserva de administração
2. A "reserva de Governo"
3. Reservas constitucionais de administração

A. História, Memória e Teorias

I - A lei na teoria do Estado

1. A memória da lei na teoria do Estado e do Direito [1]

A análise da estrutura normativa é um tema central do direito constitucional que deve ser teoricamente escalpelizada a partir da constituição concreta de um determinado país. E é lógico que a análise comece pelo estudo da *lei*, o elemento mais importante no âmbito da estrutura normativa. Antes, porém, de iniciarmos o estudo da lei em face da constituição, impõem-se algumas considerações preliminares sobre o **conceito e memória de lei** na *teoria do Estado e do Direito*.

Desde o período pré-socrático até Aristóteles, passando por Sócrates, os estóicos e Platão, que o conceito de lei é praticamente inseparável da sua dimensão material; leis verdadeiras são as leis boas e justas dadas no sentido do bem comum. A lei só pode ser determinada em relação ao justo (igual), dirá Aristóteles na *Ética a Nicómaco*; a «soberania da lei equivale à soberania de deus e da razão», «é a inteligência sem paixões», escreverá ainda o mesmo autor em *A Política*. A lei é a «suprema *ratio*, ínsita na natureza», opinará Cícero. A «lei é uma ordenação racional, dirigida no sentido do bem comum e tornada pública por aquele que está encarregado de zelar pela comunidade», escreverá S. Tomás.

---

[1] Sobre a evolução do conceito de lei cfr., em geral, C. FRIEDERICH, *Perspectiva Histórica da Filosofia do Direito*, Rio de Janeiro, 1965; E. W. BÖCKENFÖRDE, *Gesetz und gesetzgebende Gewalt*, Berlin, 2.ª ed., 1981; C. STARCK, *Der Gesetzesbegriff des Grundgesetzes*, Baden-Baden, pp. 109 e ss; R. GRAWERT, «Gesetz», in BRUNNER/LONZE/KOSELLECK (org.), *Geschichtliche Grundbegriffe*, Vol. 2, 1975, pp. 863 e ss; FASSO, Legge (teoria generali), in *Enc. Dir.*, Vol. XXIII, 1073, pp. 783 e ss; L. M. DIEZ-PICAZO, «Concepto de Ley y Tipos de Leyes», in *REDC*, 24 (1988), pp. 47 e ss; A. GALLEGO ANABITARTE, *Ley y reglamento en el derecho publico occidental*, 1971, pp. 251 e ss; I. DE OTTO, *Derecho Constitucional*, pp. 168 e ss. Entre nós, cfr. CASTANHEIRA NEVES, *O Instituto dos «Assentos»*, cit., pp. 475 e ss; M. AFONSO VAZ, *Lei e Reserva de Lei*, pp. 91 e ss; J. MIRANDA, *Manual*, V, pp. 124 e ss; M. LÚCIA AMARAL, *Responsabilidade do Estado*, pp. 221 e ss; C. BLANCO DE MORAIS, *As Leis Reforçadas*, p. 69 ss.; M. REIS MARQUES, *Codificação e Paradigmas da Modernidade*, Coimbra, 2000, p. 458 ss.

Retenhamos, pois, as duas características da lei, mais ou menos explicitamente acentuadas pela filosofia antiga e intermédia: a *dimensão material*, na medida em que lei era expressão do justo e do racional; *dimensão de universalidade*, porque a lei se dirigia ao bem comum da comunidade. «A lei ao dispor só de uma maneira geral, não pode prever todos os casos acidentais» (Aristóteles, *Política*, III, X). A natureza geral da lei ressaltava também da forma clara como a jurisprudência romana distinguia entre as leis (*leges*) e os *privilegia*: através das primeiras, o povo estabelecia uma determinação geral; os segundos eram determinações individuais a favor ou contra particulares. A fórmula de Ulpiano ficou na História: *«Jura non in singulas personas, sed generaliter constituuntur»* [2].

Com Hobbes surge o conceito voluntarista e positivo de lei: «a lei, propriamente dita, é a palavra daquele que, por direito, tem comando sobre os demais». Deste modo, a lei é *vontade e ordem* e vale como *comando* e não como expressão do justo e racional. Daí a fórmula: *«autorictas, non veritas facit legem»* [3].

É a partir de Locke que surgem os contornos da lei, típica do liberalismo. A lei é o instrumento que assegura a liberdade. A lei, afirma Locke nos célebres *Two Treatises of Government*, II, VI, 57, no seu verdadeiro conceito, «não é tanto a limitação, mas sim o guia de um agente livre e inteligente, no seu próprio interesse». A lei geral e abstracta é entendida já como a protecção da liberdade e propriedade dos cidadãos ante o arbítrio do soberano. Montesquieu, que definirá as leis como as «relações necessárias que derivam da natureza das coisas», articulará a teoria da lei com a doutrina da separação dos poderes, ligando as leis gerais ao poder legislativo e as ordens e decisões individuais ao poder executivo [4].

A Rousseau competirá o mérito de considerar a lei como instrumento de actuação da igualdade política e daí a consideração da lei como um produto de vontade geral. A lei era geral num duplo sentido: geral, porque é a vontade comum do povo inteiro, e geral porque estatui não apenas para um caso ou homem mas para o corpo de cidadãos. A lei é, pois, geral quanto à sua origem e quanto ao seu objecto: é o produto da vontade geral e estatui abstractamente para os assuntos da comunidade [5].

---

[2] Cfr. D. VOLKMAR, *Allgemeiner Rechtssatz und Einzelakt*, Berlin, 1963.
[3] Cfr. FRIEDERICH, *Perspectiva*, cit., pp. 58 e ss.
[4] A teoria da lei como teoria da liberdade burguesa, perfeitamente delineada em Locke, é posta em relevo por MACPHERSON, *La Teoria Politica del Individualismo Posesivo, De Hobbes a Locke*, cit., pp. 169 e ss.
[5] Cfr. ROUSSEAU, *Do Contrato Social*, Livro II, Cap. IV, Portugália Editora, Lisboa, 1958: «A vontade geral, para o ser verdadeiramente, deve sê-lo no objecto, assim como na sua essência; que ela deve partir de todos para se aplicar a todos»; Cap. VI: «Já disse que não havia vontade geral relativamente a um objecto particular: quando todo o povo estatui para todo o povo é a si mesmo que se considera e se, então, se

A distinção entre *lei* (*Gesetz*) e *máxima* é um ponto de partida para a concepção kantiana da lei: é um princípio prático e uma proposição contendo uma determinação torna-a válida para qualquer ser racional e por isso é lei; se for válida só pela vontade do sujeito é uma simples máxima[6].

Hegel, ao conceber o poder legislativo como o poder de organizar o universal, considera a lei como expressão do *geral* e os actos do executivo como expressão do particular. «Quando se tem de distinguir entre aquilo que é objecto de legislação geral e aquilo que pertence ao domínio das autoridades administrativas e da regulamentação governamental, pode essa distinção geral assentar em que na primeira se encontra o que, pelo seu conteúdo, é inteiramente universal. No segundo encontram-se, ao contrário, o particular e as modalidades de execução» (Hegel, *Filosofia do Direito*, § 229)[7].

2. A caracterização material da lei

2.1. *A lei material como regra ou norma geral e abstracta*[8]

Para esta doutrina a generalidade era uma condição essencial da norma jurídica *(Rechtssatz)*. Por **regra geral** entendia-se: (1) uma deliberação tomada, não em *concreto*, em vista de um caso particular e actual, mas em *abstracto* para regular todos os casos da mesma natureza que no presente ou no futuro possam ser abrangidos pela disposição legal; (2) uma disposição que não é tomada em face de um ou vários indivíduos determinados, mas que se destina a ser aplicada a todos os indivíduos nas condições previstas pelo texto.

---

forma uma relação, é entre todo o objecto, sob um ponto de vista, e todo o objecto, sob outro ponto de vista sem qualquer divisão do todo. Então a matéria sobre a qual se estatui é geral como a vontade que estatui. É esse acto que eu chamo lei.»

[6] Também para Kant é a soberania popular que determina o âmbito da lei. A sabedoria popular «é a vontade pública da qual deriva todo o direito e que, por conseguinte, não deve fazer dano a ninguém; deve, sim, corresponder à vontade do povo inteiro – em que todos deliberam sobre todos e, portanto, cada um sobre si mesmo». Todavia, como acentua CERRONI, *La libertad de los modernos*, cit., p. 187, na doutrina kantiana não se trata de derivar a lei da vontade de todos os cidadãos, mas de construir a lei «como se» (*als ob*) devesse derivar da vontade de todos. O Estado kantiano é um Estado de direito e não uma democracia. A vontade do povo é uma «vontade universal *a priori*» de que é portador, exclusivamente, um legislador ilustrado.

[7] Cfr. HEGEL, *Princípios da Filosofia do Direito*, Lisboa, 1959, p. 309.

[8] Foi este o critério defendido por G. MEYER na Alemanha e por uma grande maioria da doutrina francesa. Cfr. BÖCKENFÖRDE, *Gesetz*, cit., pp. 259 e ss. Entre nós, próximo desta concepção da lei material, cfr. JORGE MIRANDA, *Manual*, V, pp. 130 e ss.

2.2. A lei material como regra de direito delimitadora da esfera livre de actividade das pessoas nas suas relações recíprocas[9]

Estre critério, defendido por um sector significativo da juspublicística germânica clássica (Laband, G. Jellinek), parte do *princípio que lei é toda a regra que cria direito*. Só que agora não se põe a ênfase na generalidade da lei, mas sim no facto de a lei modificar ou não a situação jurídica dos cidadãos. Todo o acto que produz efeitos na esfera da capacidade jurídica dos indivíduos, alterando o seu estatuto pessoal, os direitos patrimoniais, as suas liberdades individuais, os poderes de que disfrutam perante os órgãos ou agentes do Estado, são regras de direito, são **leis jurídicas**, são leis que criam direito (*Rechtsgesetze*). As regras que não afectam a esfera jurídica dos cidadãos, limitando-se o Estado a fixar a si mesmo (aos seus agentes) uma certa linha de conduta, não são regras de direito. Assim, por exemplo, as leis que regulam o regime dos funcionários públicos, das finanças públicas, dos serviços públicos, são meras *leis administrativas* (*Verwaltungsgesetze*).

2.3. A lei material no sentido de acto que intervém na propriedade e liberdade dos cidadãos[10]

Embora possa ser considerada como uma variante da anterior, esta concepção precisa melhor a relação da *regra de direito* com os dois direitos fundamentais de matriz liberal: a liberdade e a propriedade. Diferentemente da *regra de direito*, as chamadas «normas não-jurídicas» (*Nicht-Rechsnormen*) consistiriam em prescrições mediante as quais o Estado, sem intervir na liberdade e propriedade dos cidadãos, ordena a conduta dos seus próprios órgãos.

O conceito de lei material desenvolve-se aqui em torno da **cláusula da liberdade e da propriedade** (*Freiheits-und Eigentumsklausel*). Como corolário lógico desta doutrina, entendia-se que para interferir na esfera jurídico-patrimonial dos cidadãos era necessária uma lei ou autorização de lei.

---

[9] Neste sentido se orientaram os nomes mais representativos da juspublicística germânica clássica (LABAND, G. JELLINEK, na sua fase jovem). Cfr. BÖCKENFÖRDE, *Gesetz*, cit., pp. 259 e ss; CARRÉ DE MALBERG, *La loi, expression de la volonté générale*, 1931, pp. 103 e ss.

[10] A favor desta posição indicam-se os nomes de SEYDEL e ANSCHÜTZ. Cfr. BÖCKENFÖRDE, *Gesetz*, cit., pp. 271 e ss. Cfr., por último, as indicações de SÉRVULO CORREIA, *Legalidade*, cit., p. 79 ss.; AFONSO VAZ, *Lei e Reserva de Lei*, p. 17; M. LÚCIA AMARAL, *Responsabilidade do Estado*, pp. 238 e ss.

II - A estrutura da lei

À análise substancialista subjacente ao conceito de lei material junta-se a **análise estrutural de lei**. Esta procura distinguir as leis dos outros actos normativos mediante a acentuação dos elementos estruturais que, independentemente do conteúdo, estariam sempre presentes nos actos legislativos. A questão veio ganhar acuidade nos tempos mais recentes em face da assinalada evolução das leis no sentido da *concretação* e *individualização*. Eis alguns dos pontos essenciais da controvérsia doutrinal.

1. Lei e medida [11]

A distinção entre *lei e medida* surge com C. Schmitt quando este autor, ao analisar o poder do presidente do *Reich* para decretar ordenanças com valor de lei, nos termos do artigo 48.º, n.º 2, da Constituição de Weimar, enunciou a tese de que as disposições do *legislador extraordinário* (Presidente do Reich) *ratione necessitatis* eram medidas substancialmente diferentes das leis do Estado legislativo parlamentar. Ao permitir-se a um órgão executivo a emanação de medidas com forma e valor de lei, operantes inclusivamente no campo dos direitos fundamentais (liberdade e propriedade), então teríamos actos simultaneamente legislativos e executivos, simultaneamente *leis* e *execução de leis*. Estes actos foram designados por Schmitt com o nome de **medidas**.

2. As leis-medida – Massnahmegesetze [12]

A distinção de Schmitt é posteriormente aproveitada por Forsthoff que, partindo da constatação das indesmentíveis transformações sociais e políticas ocorridas depois da 1.ª Guerra Mundial, considera inevitável a adopção, por parte do legislador, de medidas legais destinadas a resolver problemas concretos, económicos e sociais. Não se trata já do legislador extraordinário de Schmitt, mas do legislador ordinário forçado a emanar leis, cujo escopo não é o

---

[11] Sobre esta distinção cfr. C. SCHMITT, *Legalidad y legitimidad*, Madrid, 1971, pp. 196 e ss, e desenvolvidamente, K. ZEIDLER, *Massnahmegesetz und Klassisches Gesetz*, Karlsruhe, 1961, pp. 32 e ss. Entre nós, cfr. A. VAZ, *Lei e Reserva de Lei*, p. 38.

[12] Cfr. FORSTHOFF, «Über Massnahmegesetz», in *Forschungen und Berichte aus dem öffentlichen Recht, Gedächtnisschrift für W. Jellinek*, 1955, pp. 221 e ss.

de criarem uma ordem geral, justa e racional, mas o de realizarem elas mesmas uma utilidade concreta [13]. Estas leis, nascidas de situações de necessidade, estão numa relação lógica com essas necessidades; há uma conexão evidente entre escopo e meio de realizar desse escopo.

A postura de Forsthoff abriu uma discussão ainda não terminada sobre a distinção entre **leis-norma** ou *leis clássicas* e **leis de medida**. Aqui forneceremos alguns tópicos [14].

A primeira posição é logo a de Forsthoff, acompanhado por Menger e Ballerstedt, para quem a característica essencial das leis de medida era serem *leis de escopo* (*Zweckgesetze*), orientadas para uma finalidade concreta. As leis de medida são *disciplinas de acção*, havendo correspondência objectiva entre o escopo e os meios de acção, contidos na própria lei. Sob o ponto de vista da garantia dos cidadãos e da estrutura do poder político, as leis-medida representariam uma invasão de autonomia do poder executivo, violando o princípio da separação dos poderes. Daqui derivaria o perigo de uma maior desprotecção dos particulares, dada a maior dificuldade do controlo das leis do que dos actos administrativos.

Menger, completando a tese de Forsthoff, distingue entre *normas*, orientadas por uma ideia de justiça, e *medidas*, orientadas para determinados fins concretos. As normas poderiam revestir um carácter especial, concreto, desde que vinculadas por uma dimensão de justiça. Isto valeria sobretudo para o domínio dos direitos fundamentais, onde seriam admissíveis normas individuais e concretas que não violassem os direitos fundamentais, mas nunca leis de medida, dada a sua *indiferença à justiça*. As leis-medida apenas nos domínios de conformação do governo ou da administração podiam ser admissíveis.

Outra posição prefere recorrer a *elementos formais* para caracterizar as leis-medida. Estas leis deveriam caracterizar-se não através de elementos materiais – leis de acção-reacção-situação (*Aktion-Reaktion-Situationsgesetz*) –, mas pela sua natureza de leis individuais ou concretas. Detectam-se aqui três orientações.

a) *As leis-medida como leis individuais (Einzelpersongesetze)*

As leis-norma e as leis-medida distinguir-se-iam segundo o número dos destinatários a quem eram dirigidas: as leis-norma seriam leis gerais, dirigidas

---

[13] Entre nós cfr., por último, DAVID DUARTE, "Lei Medida e Democracia Social" in *Scientia Juridica*, 238/40 (1992), pp. 301 e ss.

[14] Seguimos nesta resenha fundamentalmente MAUNZ-DÜRIG-HERZOG-SCHOLZ, *Grundgesetz, Kommentar*, cit., 2.ª ed., Berlim, 1976, Vol. II, pp. 37 e ss, e ZEIDLER, *Massnahmegesetz*, cit., pp. 32 e ss. Cfr., entre nós, M. AFONSO VAZ, *Lei e Reserva de Lei*, pp. 38 e ss.; M. LÚCIA AMARAL, *Responsabilidade do Estado*, pp. 253 e ss.; ; PAULO RANGEL, «A Concretização Legislativa da Lei Quadro das Reprivatizações», in *Legislação* 23 (1998), p. 13 ss.

a uma pluralidade indefinida de pessoas; as leis-medida seriam **leis individuais**,[15] visando uma só pessoa ou um determinado grupo de pessoas. Esta distinção, que nos faz remontar à doutrina clássica da generalidade da lei, pretende ter também eficácia prática no campo dos direitos fundamentais. As leis restritivas dos direitos fundamentais só poderiam ser leis gerais e nunca leis individuais (cf. Acs. TC 365/91, DR, II, 27-8). As leis individuais, reguladoras dos direitos fundamentais, trariam sempre subjacente o perigo da inconstitucionalidade pela possibilidade de restringirem, para além do razoável, os direitos fundamentais, e de violarem o princípio da igualdade (cfr. art. 18.º/2 e 3 da CRP e, no plano jurisprudencial, o Ac. n.º ?? sobre as vagas comunitárias).

b) *As leis-medida como leis concretas (Einzelfallgesetze)*

A base da distinção nas **leis concretas** não é a contraposição entre *geral-individual* mas entre *abstracto-concreto*.[16] O interesse estará em saber se uma lei pretende regular em *abstracto* determinados factos ou se se destina especialmente a certos factos ou situações concretos. Também aqui a consideração fundamental radicaria no facto de uma lei poder ser geral, mas pensada em face de determinado pressuposto de facto que acabaria por lhe conferir uma dimensão individual, porventura inconstitucional. Segundo alguma doutrina, caberiam nesta categoria as leis dirigidas a um grupo determinado de pessoas, que, como acabamos de ver, localizamos na categoria de leis pessoais.

c) *As leis-medida como leis temporárias*

A identificação das leis-medida com **leis temporárias** faz-nos igualmente lembrar uma das características clássicas assinaladas à lei (*o carácter duradoiro*), pois assenta num *critério temporal* para operar a distinção entre leis clássicas e leis-medida. Estas seriam *leis temporárias (Zeitgesetze)*, pois quer se preveja de antemão o termo da sua vigência, quer se anteveja um limite temporal resultante da satisfação dos fins a que a lei se dirige, as leis-medida estariam sempre condicionadas pelos limites de validade temporal.

---

[15] Cf. na literatura mais moderna K. STERN, *Staatsrecht*, III/2, p. 735; I. VON MÜNCH, *Staatsrecht*, I, 6.ª ed., p. 141 ss.
[16] Cf. K. STERN, *Staatsrecht*, III/2, p. 737.

B. O Sentido da Lei na Constituição Portuguesa de 1976

O esquema evolutivo da lei na teoria do Estado e do direito permitiu-nos compreender muitos dos debates sobre as características e natureza das leis, tais como a discussão sobre o duplo conceito de lei (lei formal e lei material), a controvérsia sobre o elemento distintivo da lei em relação a outros actos normativos (generalidade, abstracção, novidade) e o debate sobre a actual estrutura da lei (lei normativa, lei-medida). Torna-se, no entanto, necessário indagar o possível significado *técnico-jurídico de lei*, para além do seu enquadramento filosófico e político. Este significado *técnico-jurídico* deverá resultar da Constituição, o que não é tarefa fácil dada a polissemia do termo *lei* no quadro da nossa lei constitucional. Assim.

a) *Lei no sentido de ordenamento jurídico*

Quando no artigo 13.º/1 se afirma que «todos os cidadãos têm a mesma dignidade social e são iguais perante a lei», o termo lei está utilizado no sentido de *ordenamento jurídico*, na sua globalidade. **Ordenamento jurídico** significará, neste contexto, o conjunto de normas jurídicas vigentes no ordenamento estadual português.

b) *Lei no sentido de norma jurídica, independentemente da fonte normativa*

Quando no artigo 203.º se estabelece «que os tribunais são independentes e apenas estão sujeitos à lei», a *lei* significa **norma jurídica**, qualquer que seja a sua forma de produção. O mesmo sentido transparece no art. 13.º/1 quando se afirma que todos os cidadãos "têm a mesma dignidade social e são iguais perante a lei". *Leis*, neste sentido, são, desde logo, as normas constitucionais, as normas constantes de decretos-leis, de decretos legislativos regionais, de convenções internacionais, de decretos regulamentares, além, evidentemente, das normas constantes de leis (*stricto sensu*).

c) *Lei no sentido de actos normativos com valor legislativo*

Noutras disposições constitucionais o termo *lei* aparece no sentido de actos normativos que implicam o exercício de poderes legislativos (cfr. art. 112.º/1). Ao prescrever-se, por exemplo, que a «*lei* disciplinará a actividade económica e os investimentos por parte de pessoas singulares ou colectivas estrangeiras ...» (artigo 87.º), a Constituição está a exigir que a disciplina das actividades econó-

micas e investimentos seja feita por **acto legislativo** (lei da Assembleia da República, decreto-lei, decreto-lei autorizado), não necessariamente reconduzível à lei formal do Parlamento.

d) *Lei no sentido de leis gerais da República*

Existem referências constitucionais à lei em que esta assume o sentido de **lei geral da República**, extensiva apenas às leis da AR e aos decretos-leis do Governo (cfr. art. 112.°/4).

e) *Lei no sentido de lei da Assembleia da República*

Noutros casos, a referência constitucional à lei só pode ser entendida no significado técnico-jurídico rigoroso e tradicional: *acto normativo editado pelo Parlamento de acordo com o procedimento constitucionalmente prescrito*. Fala-se aqui em **lei do parlamento**. Incluem-se aqui todas as hipóteses em que a Constituição se refere à *lei* regulamentadora de matérias de exclusiva competência da Assembleia da República (cfr. arts. 112.°/1, 134.°/*b*, 161.°, 164.° e 165.°, 166.°/2 e 3)[17].

C. Os Princípios da Prevalência e da Reserva de Lei

O princípio da hierarquia das fontes internas concretiza-se fundamentalmente através da articulação de dois princípios: o *princípio da constitucionalidade* e o *princípio da prevalência ou da preferência da lei*. Como resultou já do estudo do princípio do Estado de direito, o princípio da prevalência ou da preferência da lei é hoje "relativizado" pelo princípio da prevalência da constituição (*Vorrang der Verfassung*). Nem por isso os princípios da preferência da lei e da reserva de lei deixaram de ter conteúdo útil como se demonstrará mais adiante.

I - Princípio da prevalência da lei

1. Ideia básica e tradicional

Historicamente, o **princípio da primazia ou prevalência da lei** (*Vorrang des Gesetzes*) foi entendido com uma tripla dimensão: (1) a lei é o acto

---

[17] Entre nós, cfr., por último, JORGE MIRANDA, *Funções, Órgãos e Actos do Estado*, cit., pp. 161 e ss; "Lei", in *Dicionário jurídico da Administração Pública*, Vol. V, pp. 355 e ss.; *Manual*, tomo V, pp. 121 e ss.

da vontade estadual juridicamente mais forte; (2) prevalece ou tem preferência sobre todos os outros actos do Estado, em especial sobre os actos do poder executivo (regulamentos, actos administrativos); (3) detém a posição de «topo da tabela» da hierarquia das normas, ou seja, desfruta de superioridade sobre todas as outras normas de ordem jurídica (salvo, como é óbvio, as constitucionais) [18].

Estas dimensões – expressão «primeira» da vontade estadual, vinculação do executivo, primariedade na hierarquia das fontes – influenciaram a teoria da prevalência da lei até à actualidade.

2. Eficácia formal e força de lei

Com base nas ideias acabadas de expor, à lei era atribuída uma **força de lei** ou *eficácia formal* (*Gesetzeskraft, force de la loi*), pretendendo-se designar com isso: (1) a força de inovatividade em relação a outras fontes (*eficácia formal activa*) através da possibilidade da revogação, derrogação ou modificação destas últimas; (2) a capacidade de resistência à força de inovação de outras fontes (*eficácia formal passiva*).

3. Conteúdo actual

O **princípio da preferência da lei** comporta ainda hoje uma *dimensão positiva* e uma *dimensão negativa*. A *dimensão positiva* traduz-se na exigência de observância ou de aplicação da lei; a *dimensão negativa* implica a proibição de desrespeito ou de violação da lei.

Em termos práticos, a articulação das duas dimensões aponta para: (*i*) a exigência da aplicação da lei pela administração e pelos tribunais (cfr. CRP, arts. 203.°, 266.°/2), pois o cumprimento concretizador das normas legais não fica à disposição do juiz (a não ser que as «julgue» inconstitucionais) ou dos órgãos e agentes da administração (mesmo na hipótese de serem inconstitucionais) [19]; (*ii*) a proibição de a administração e os tribunais actuarem ou decidirem contra a lei, dado que esta constitui um limite («função de limite», «princípio da

---

[18] Cfr. as exposições magistrais e agora clássicas de AFONSO QUEIRÓ, *O poder discricionário da administração*, Coimbra, 1946; ROGÉRIO SOARES, *Interesse Público, Legalidade e Mérito*, Coimbra, 1955; A. GONÇALVES PEREIRA, *Erro e ilegalidade no acto administrativo*, Lisboa, 1962. Na doutrina mais recente, cfr. SÉRVULO CORREIA, *Legalidade* cit., p. 36; M. AFONSO VAZ, *Lei e Reserva de Lei*, cit., pp. 387 e ss; PAULO OTERO, *O Poder de Substituição*, II, pp. 742 e ss.

[19] Cfr., CH. GUSY, «Der Vorrang des Gesetzes», in *JUS*, 1983, pp. 191 e ss. Vide *infra*, p. ????

legalidade negativa»)[20] que impede não só as violações ostensivas das normas legais, mas também os «desvios» ou «fraudes» à lei através da via interpretativa; (*iii*) nulidade ou anulabilidade dos actos da administração e dever de reposição da legalidade por parte da administração – «revogação anulatória» de actos ilegais –, entendendo-se que através de autocontrolo ou heterocontrolo a administração deve controlar a legalidade do agir administrativo[21]. Neste sentido pôde um autor afirmar recentemente que o princípio da legalidade constituiu (e constitui) um «verdadeiro polícia da ordem jurídica» (J. Chevallier).

4. Relativização do princípio da prevalência da lei

O princípio da prevalência ou preferência da lei sofreu um processo de «erosão» e de «relativização» que importa ter em conta para se compreenderem muitas das questões a tratar em sede de parâmetro da constitucionalidade e da legalidade (cfr. *infra*, Título 6, Cap. 2).

Quanto à «escala de dureza das normas» (Calamandrei), a **força normativa da Constituição** concretizada sobretudo pelo princípio da constitucionalidade e cuja observância é fiscalizada pelos tribunais obriga a considerar o princípio da constitucionalidade como a marca da indiscutível superioridade hierárquica das normas constitucionais. O princípio da legalidade, que pressupunha um conceito unitário de forma e força de lei, acaba por ser objecto de uma tendencial relativização porque, por um lado, surgiram *outros actos com força de lei*[22] (ex.: decretos-leis do Governo e decretos legislativos regionais) e, por outro lado, configuraram-se *actos legislativos com valor reforçado* (ex.: leis reforçadas). Além disso, o princípio da legalidade é substituído pelo princípio da constitucionalidade nos casos em que a constituição serve como «habilitação» imediata do agir da administração. Finalmente, o princípio da legalidade significa hoje **princípio da legalidade comunitária** com a consequente observância das *normas do direito comunitário*, directamente aplicáveis, e correlativa desaplicação de normas internas contrárias às mesmas.

---

[20] Nisto se traduzia o clássico princípio da legalidade negativa da administração. Cfr. SÉRVULO CORREIA, *Legalidade*, pp. 36 e ss.

[21] Cfr., MARIA DA GLÓRIA FERREIRA PINTO, *Considerações sobre a Reclamação Prévia ao Recurso Contencioso*, Lisboa, 1993, p. 14; PAULO OTERO, *O Poder de Substituição em Direito Administrativo*, cit., p. 580; JOSÉ CARLOS VIEIRA DE ANDRADE, *O Dever de Fundamentação*, p. 63.

[22] O que leva alguns autores a afirmarem que a preferência da lei é também preferência de decreto-lei. Cfr. PAULO OTERO, *O Poder de Substituição*, II, p. 627.

II - Princípio da reserva de lei

1. Reserva de lei e estrutura constitucional

Através do conceito de **reserva de lei** (*Vorbehalt des Gesetzes*) pretende-se delimitar um conjunto de matérias ou de âmbitos materiais que devem ser regulados por lei («reservados à lei»). Esta «reserva de matérias» significa, logicamente, que elas não devem ser reguladas por normas jurídicas provenientes de outras fontes diferentes da lei (exemplo: regulamentos). Ainda por outras palavras: existe reserva de lei quando a constituição prescreve que o regime jurídico de determinada matéria seja regulado por lei e só por lei, com exclusão de outras fontes normativas.

A reserva de lei não deve divorciar-se das estruturas constitucionais concretas de cada país, pois ela coloca problemas de *delimitação de competências* que só em face dos ordenamentos constitucionais positivos podem ser esclarecidos. Assim, por exemplo, é diferente a problemática da reserva de lei num esquema constitucional de competências, como o português, em que o Governo também possui poderes legislativos originários, e a problemática da reserva de lei numa ordem constitucional de competências onde o executivo só dispõe de «poderes legislativos» quando autorizado pelo Parlamento. Não deve também esquecer-se que a reserva de lei depende da própria compreensão da ordenação de competências dentro dos arranjos organizatórios do poder político. Na realidade, a reserva de lei assume contornos diversos num sistema influenciado pela ideia de *checks and balances*, como o norte-americano, ou num esquema de divisão de poderes (legislativo, executivo e judicial), como o sistema alemão.

2. O sentido da reserva de lei de parlamento na Constituição de 1976

A lei entendida no sentido formal e restrito já assinalado – *acto normativo emanado da Assembleia da República e elaborado de acordo com a forma e procedimento constitucionalmente prescritos* – nada nos diz sobre a especificidade do conteúdo de uma lei. E, em verdade, pouco poderá ser dito sobre a substância da lei; ela assume conteúdos variados sem que se possa falar de uma *substância* ou conteúdo típicos dos actos legislativos. Mas não haverá razões para a Constituição ter atribuído, a título exclusivo, à AR, a disciplina legislativa de certas matérias? (cfr. arts. 161.º, 164.º e 165.º). Por outras palavras: se a lei é uma forma à procura de qualquer conteúdo qual o motivo justificativo da existência de uma **reserva de lei do parlamento**? (cfr. *supra*).

No momento actual de progressiva ampliação da competência legislativa do executivo, o problema da *reserva da lei* ganha sentido se quisermos acentuar não tanto a *divisão dos poderes* (hoje substancialmente atenuada face à institucionalização da prática dos decretos-leis) ou a função dos parlamentos como simples órgãos de *controlo político* da legislação governamental, ou ainda a redução das leis parlamentares à *fixação racionalizadora e estabilizadora* de uma ordem estadual (reserva de lei informada pela ideia de Estado de direito), mas sim a *legitimidade democrática* das assembleias representativas, expressa na consagração constitucional da *preferência e reserva de lei formal* para a regulamentação de certas matérias (cfr. *supra*).

A publicidade que rodeia a sua discussão, o acompanhamento dos debates pela opinião pública e a sua difusão pelas *mass media*, a possibilidade de intervenção de todos os partidos representados (não apenas dos que directa ou indirectamente constituem também o governo), justificarão que a constituição (a reserva de lei deve ter um fundamento evidente num preceito constitucional) *reserve à lei formal da assembleia* a disciplina de certas matérias[23]. Não é claro, porém, o critério material subjacente à reserva de lei do parlamento na CRP. Podem, todavia, sugerir-se algumas razões: (1) em primeiro lugar, existem os casos das impropriamente chamadas *leis meramente formais* que exprimem o exercício de uma competência própria e irrenunciável do Parlamento (é o que acontece, como veremos melhor adiante, com as leis de aprovação dos estatutos regionais e as leis de autorização legislativa); (2) noutros casos, a Constituição, dado o relevo político-constitucional da matéria, confere exclusiva e irrenunciavelmente à assembleia representativa a competência política para a disciplinar (é o caso das matérias do art. 164.º, essencialmente referentes à «constituição política»); (3) quanto a certas matérias, a Constituição preferiu a lei como meio de *actuação* das disposições constitucionais, mas não proibiu a intervenção de outros actos legislativos, desde que a *lei formal* isso mesmo autorize, e estabeleça, previamente, os princípios e o objecto de regulamentação das matérias (*reserva relativa* consagrada nos artigos 165.º e 227.º/2/3 e 4).

De qualquer modo, a reserva de parlamento é não apenas uma reserva democrática ou *reserva de plenário*, mas uma reserva simultaneamente

---

[23] Cfr. GOMES CANOTILHO/VITAL MOREIRA, *Constituição da República*, anotação ao artigo 167.º; JORGE MIRANDA, "Lei", in *Dicionário Jurídico*, p. 377; M. AFONSO VAZ, *Lei e Reserva de Lei*, pp. 31 e ss; M. LÚCIA AMARAL, *Responsabilidade do Estado*, pp. 227 e ss. Em sentido diferente, tendo sobretudo em conta os casos de governos maioritários monopartidários, cfr. PAULO OTERO, *O Poder de Substituição*, II, p. 624. Sobre os vários momentos da reserva de parlamento – relevância quanto a direitos fundamentais, critério democrático, significado social e federal – cfr. EBERLE, «Gesetzesvorbehalt und Parlamentsvorbehalt», in *DÖV*, 1984, pp. 485 e ss, e H. SHULZE-FIELITZ, *Theorie und Praxis parlamentarischer Gesetzgebung*, Berlin, 1988, p. 164.

material e *formal*. Reserva formal porque a Assembleia da República não regula os assuntos incluídos na reserva de parlamento por outra forma que não seja a forma lei (e não, por exemplo, através de moção ou resolução). Por outro lado, a reserva de parlamento refere-se a *matérias*, é uma *reserva material*.

3. Dimensão positiva e negativa da reserva de lei

A **reserva de lei** comporta duas dimensões: uma *negativa* e outra *positiva*. A dimensão negativa significa que nas matérias reservadas à lei está proibida a intervenção de outra fonte de direito diferente da lei (a não ser que se trate de normas meramente executivas da administração). Em termos positivos, a reserva de lei significa que, nessas mesmas matérias, a lei deve estabelecer ela mesmo o respectivo regime jurídico, não podendo declinar a sua competência normativa a favor de outras fontes (proibição da «incompetência negativa do legislador»). Mais adiante verificaremos algumas relativizações deste princípio (leis de bases, leis de autorização).

4. Reserva de lei/reservas de lei

Existe hoje uma grande oscilação doutrinal na caracterização e delimitação do âmbito da reserva de lei. Ao facto não é alheia a polissemia de sentidos detectada nos recentes desenvolvimentos sobre esta matéria, nem as diversas configurações organizatório-constitucionais existentes em diferentes ordenamentos jurídicos. Impõe-se, por isso, alguma clarificação conceitual[24].

a) *Reserva de lei/reserva de parlamento*

Designa-se **reserva de parlamento** o conjunto de matérias ou de âmbitos materiais que devem ser objecto de regulação através de um acto legislativo editado pelo parlamento. Esta reserva legislativa de parlamento designa-se, por vezes, **reserva de lei formal**.[25] É relativamente a esta reserva de parlamento que convergem, com mais intensidade, as dimensões inerentes ao princípio do

---

[24] Para outros sentidos de «reserva», cfr. JORGE MIRANDA, *Funções, Órgãos e Actos do Estado*, pp. 273 e ss.; M. AFONSO VAZ, *Lei e Reserva de Lei*, pp. 388 e ss.

[25] A doutrina alemã fala também em reserva de parlamento para designar os actos «reservados» ao parlamento mas que não exigem a forma de acto legislativo.

Estado de direito e ao princípio democrático atrás assinaladas. Trata-se, por um lado, de assegurar, através da lei, a observância dos princípios concretizadores do princípio do Estado de direito (princípio da confiança e segurança jurídicas, princípio da proporcionalidade, princípio da igualdade, princípio da imparcialidade). Visa-se, por outro lado, «guardar para um órgão com uma legitimação política especial o estabelecimento das bases de todos os regimes jurídicos cujos preceitos possam afectar interesses da generalidade dos cidadãos e a fixação desses regimes na integralidade quando respeitem a assuntos que mais sensibilizem uma comunidade» (Sérvulo Correia)[26].

b) *Reserva de lei/reserva de acto legislativo*

Na estrutura constitucional portuguesa nem sempre a reserva de lei significa que o parlamento deva, ele próprio, disciplinar densificadamente determinadas matérias. Nuns casos, embora se preveja na constituição a competência do parlamento para legislar sobre certas matérias, pode o Governo (art. 165.°) ser autorizado a emanar decretos-leis incidentes sobre essas mesmas matérias. O mesmo acontece com as leis de autorização de decretos legislativos regionais (art. 227.°). Fala-se aqui de **reserva relativa**.

Noutros casos, a Constituição exige a intervenção da lei para definir ou fixar o regime jurídico de certas matérias mas não estabelece a obrigatoriedade de reserva de lei parlamento. Nestes casos impõe-se uma **reserva de acto legislativo**, sendo indiferente que se trate de lei formal da AR ou de decreto-lei do Governo.[27]

c) *Reserva de lei/reserva de decreto-lei*

No ordenamento constitucional português existe **reserva de decreto-lei** quando a disciplina jurídica de determinados assuntos deve pertencer a um decreto-lei do Governo, com exclusão da intervenção de outros actos legislativos (CRP, artigo 199.°).

---

[26] Cfr. SÉRVULO CORREIA, *Legalidade*, pp. 36 e ss; ZIPPELIUS, *Allgemeine Staatslehre*, p. 289. H. H. KLEIN, «Aufgaben des Bundestages», in ISENSEE/KIRCHHOF, *Staatsrecht*, vol. 2, 1988, p. 352; OSSENBÜHL, «Warnung und Vartefialt des Gesetzes», in ISENSEE/KIRCHHOF, *Staatsrecht*, vol. 3, 1988, f. 332; K. VOGEL, «Gesetzesvorbehalt, Parlamentsvorbehalt und Völkerrechtlichvorbehalt», *in Fest. für P. Lerche*, München, 1993, pp. 95 e ss.

[27] Cfr., por último, desenvolvidamente, M. AFONSO VAZ, *Lei e Reserva de Lei*, pp. 388 e ss.

d) *Reserva de lei/reserva de norma jurídica*

Em certas hipóteses, a «reserva de lei» significa apenas exigência de uma disciplina normativa geral que pode ser alcançada através de actos normativos inferiores à lei. Neste sentido se alude a **reserva de lei material** ou **reserva de norma jurídica**: necessária é uma norma mas não uma norma em forma de lei. O problema está em saber se no caso de a administração agir com base em normas regulamentares estas não devem ter sido emanadas com base numa lei. Por outro lado, a reserva de norma jurídica encontra também dificuldades se ela se estender às chamadas "normas técnicas".

e) *Reserva de lei/reserva de lei reforçada*

Fala-se em **reserva de lei reforçada** quando o regime jurídico de certas matérias está contido em leis com algumas das dimensões individualizadas no art. 112.º/3 da Constituição (cfr. *infra*, leis reforçadas) e a que corresponde uma forma jurídica específica – *a forma de lei reforçada* (CRP, art. 112.º/3 e 68.º).

5. Reserva de densificação total e reserva de densificação parcial

Atrás distinguiu-se entre reserva absoluta e reserva relativa para separar os casos de necessária e inderrogável regulação de certas matérias por lei formal do parlamento (CRP, art. 164.º) e os casos em que certas matérias, de competência reservada da Assembleia da República, podem ser reguladas por decreto-lei (autorizado) do governo (CRP, art. 165.º) ou por decreto legislativo regional (autorizado) das assembleias legislativas regionais (art. 227.º).

Deve, porém, referir-se um outro sentido atribuído à distinção entre *reserva absoluta* e *reserva relativa*. Existirá uma **reserva absoluta** ou **reserva de densificação total** quando a Constituição exige que determinadas matérias sejam disciplinadas na sua totalidade pela lei; haverá **reserva relativa** ou **reserva de densificação parcial** quando a lei se limita a definir as "bases" ou o «**regime jurídico geral**» (cfr. art. 165.º/*d, e, h*), consentindo o seu desenvolvimento quer através de decreto-lei, quer através de actos regulamentares. Rigorosamente, todas as reservas são «relativas» porque deixam aos órgãos concretizadores (administrativos ou jurisdicionais) uma margem maior ou menor de intervenção. Todavia, há uma grande diferença entre uma reserva de lei limitada a uma «*reserva de bases*» (cfr., arts. 164.º/*i*, 165.º/*f, g, n, t, u* e *z*) ou até uma reserva de lei reconduzível a uma *reserva de regime geral* (CRP, art. 165.º/*d, e, h*) e uma reserva de lei definidora de um *regime jurídico global,* como é o caso, por exemplo, da disciplina jurídica das eleições para os titulares de órgãos de soberania. Nesta última hipótese, a reserva será «absoluta» no sentido de a extensão da competência materialmente reservada à lei implicar a restrição radical da intervenção normativa de outras entidades (ex.: do «legislador-governo», do «governo-regulamentador»)[28].

D. Problemas actuais da reserva de lei

As indicações sobre o sentido e significado da reserva de lei acabados de referir no número anterior não esgotam a problemática actual do princípio da reserva de lei. Três núcleos de questões ocupam a discussão juspublicística contemporânea: (1) a relação da reserva de lei com a garantia de direitos fundamentais; (2) o sentido da reserva de lei relativamente à administração; (3) densidade da reserva de lei no âmbito das relações jurídicas especiais.

I - Reserva de lei e garantia de direitos fundamentais

Uma notável mutação de sentido da reserva de lei verifica-se no esquema relacional **lei-direitos fundamentais**. Inicialmente, a reserva de lei compreendia-se como «reserva da liberdade e da propriedade dos cidadãos». A reserva geral de lei tinha como intenção primária defender os dois direitos básicos do indivíduo – a liberdade e a propriedade.

No actual contexto constitucional este esquema deixou de ser uma construção aceitável. Em primeiro lugar, a reserva de lei no âmbito dos direitos fundamentais (maxime no âmbito dos direitos, liberdades e garantias) dirige-se contra o próprio legislador: *só* a lei pode restringir direitos, liberdades e garantias, mas a lei *só* pode estabelecer restrições se observar os requisitos constitucionalmente estabelecidos (cfr. *supra*). Daí a relevância dos direitos fundamentais como elemento determinador do âmbito da reserva de lei.

II - Reserva total de lei

Segundo alguns autores, exigir-se-á sempre uma lei prévia (princípio da precedência da lei) determinadora da actividade da administração, quer se trate

---

[28] Cfr., por ex., BALDUZZI/SORRENTINO, «Riserva di legge», *Enc. Dir.*, XL, pp. 1207 e ss. Cfr. *infra*, reserva de lei orgânica e de leis de bases.

de **administração coactiva e ingerente** (*Eingriffsverwaltung*) quer de **administração de prestações** (*Leistungsverwaltung*). Esta exigência assenta num argumento democrático e num argumento de Estado de direito. Argumento democrático: o parlamento adquiriu centralidade política nos estados constitucionais democráticos, devendo dirigir (e não apenas limitar) a actividade do executivo. Argumento de Estado de direito: a dependência dos cidadãos perante o Estado verifica-se não apenas nas intervenções ingerentes mas também nas actividades prestacionais[29]. No entanto, se a limitação da reserva de lei à administração coactiva está hoje reconhecidamente ultrapassada, alargando-se a exigência de uma lei prévia habilitante a outras actividades, já é questionável saber em que medida e em que termos a administração observa o princípio da legalidade em domínios carecedores de alguma «folga» dos agentes administrativos.

1. Reserva de lei e administração de prestações

A administração concede, muitas vezes, subsídios, subvenções, comparticipações, bonificações a certas pessoas, individuais ou colectivas. Quando as prestações representam, simultaneamente, uma *vantagem* para uns cidadãos e um *encargo* para outros elas devem ter fundamento na lei sobretudo quando se trata de *decisões estruturais sobre fundos públicos*. Quando estão em causa verbas destinadas a acudir a situações de catástrofe ou calamidade (inundações, cheias, incêndios), o problema é conjuntural e temporário e não suscita grandes objecções. Já o mesmo não se passa quando estamos, como se disse, face a decisões estruturais relativas a subvenções do Estado. A este respeito devem salientar-se dois pontos fundamentais. Um refere-se à *garantia da igualdade material*. Sendo o princípio da igualdade um princípio constitucional imediatamente vinculante, ele constituirá sempre um limite da discricionariedade da administração. No domínio da **administração de prestações**, onde as discriminações ideológicas, políticas e sociais ainda não encontraram formas e procedimentos de controlo sólidos (ex.: quais os critérios de subvenção para promoção da arte cinematográfica, auxílio a jardins-de-infância, grupos teatrais, cantinas) os critérios objectivos legitimadores

---

[29] Cfr., sobretudo, SCHAUMANN, «Gleichheit und Gezetzmässigkeitsprinzip», in *JZ*, 21, 1966, pp. 731 e ss; F. OSSENBÜHL, «Der Vorbehalt des Gesetzes und seine Grenzen», in GÖTZ/KLEIN/STARCK, *Die öffentliche Verwaltung zwischen Gesetzgebung und richterlicher Kontrolle*, München, 1985, pp. 9 e ss e 36 e ss. H. MAURER, *Allgemeines Verwaltungsrecht*, 10.ª ed., München, 1995, pp. 104 e ss. Entre nós, cfr., por ex., COUTINHO DE ABREU, *Sobre os regulamentos administrativos e o princípio da legalidade*, Coimbra, 1987, pp. 158 e ss; ROGÉRIO SOARES, «Princípio da legalidade e administração constitutiva», in *BFDC*, vol. LVII, 1981, pp. 173 e ss; PAULO OTERO, *O Poder de Substituição* II, pp. 821 e ss.

de prestações devem ser fixados por lei. Parece, pois, justificada a defesa de uma reserva de lei na administração de prestações sempre que esteja em causa o princípio da igualdade. Ela é uma exigência do princípio democrático e do princípio do Estado de direito[30].

Outro ponto relevante (de resto conexionado já com o anterior) é o de que no domínio da *realização e efectivação dos direitos fundamentais* não se justifica hoje a reserva de lei limitada às ingerências na liberdade e propriedade dos cidadãos (*Freiheit und Eigentumsklausel*). Qualquer realização, efectivação e concretização dos direitos fundamentais tem uma dimensão legal; à lei compete definir o sentido e o fim das medidas relevantes sob o ponto de vista dos direitos fundamentais (*princípio da reserva de lei para concretização dos direitos fundamentais*)[31]. E isto quer se trate de direitos, liberdades e garantias quer de direitos económicos, sociais e culturais. Daqui resulta a inadmissibilidade da radicalização entre administração coactiva ou ingerente e administração de prestações.

O conceito de **administração de prestações** terá talvez um valor heurístico, mas não um significado jurídico decisivo[32]. O problema fundamental que a reserva de lei suscitará na administração de prestações é o de saber qual o *instrumento legal apropriado* para assegurar a reserva. A doutrina, em geral, satisfaz-se (1) com a previsão dos meios prestacionais no orçamento; (2) que a aplicação destes meios tenha nele um suficiente esboço; (3) que a destinação desses meios caiba dentro das competências constitucionais atribuídas à administração. Esta **reserva orçamental** suscita, porém, dois problemas: *a)* saber se o orçamento (que, recorde-se, é, no ordenamento português actual, aprovado por lei da Assembleia da República) é um fundamento legal apropriado no sentido da reserva de lei; *b)* se os fins traçados no orçamento não constituirão para a actividade administrativa uma tão «mínima orientação» que, praticamente,

---

[30] Cfr. o tom cauteloso das considerações de SÉRVULO CORREIA, *Os princípios constitucionais*, cit., p. 675; *Noções de Direito Administrativo*, p. 28, e, por último, em *Legalidade*, cit., pp. 49 e ss, 36 e ss, 84 e ss; JARASS, «Der Vorbehalt des Gesetzes in Subventionen», in *NVWZ*, 1984, pp. 473 e ss; M. KLOEPFER, «Der Vorbehalt des Gesetzes im Wandel», in *JZ*, 1984, pp. 685 e ss. Num sentido mais próximo do defendido no texto, cfr. FREITAS DO AMARAL, *Direito Administrativo*, pp. 989 e ss; PEREIRA COUTINHO, "Regulamentos Independentes do Governo", pp. 1051 e ss.

[31] Cfr., sobretudo, KREBS, *Vorbehalt des Gesetzes und Grundrechte*, Berlin, 1975, pp. 47, 69 e ss, 72 e ss, 110 e ss; CLEMENT, *Der Vorbehalt des Gesetzes, insbesondere bei öffentlichen Leistungen und öffentlichen Einrichtungen*, Tübingen, 1987, p. 118 ss. Entre nós, RUI MACHETE, *O Contencioso Administrativo*, p. 28, PAULO OTERO, *O Poder de Substituição*, II, pp. 591 e ss.

[32] Isto quer dizer que, contra a tese da diferença natural entre as duas administrações (FORSTHOFF), nos parece cada vez mais acertada a posição de BACHOF, «Die Dogmatik des Verwaltungsrechts vor den Gegenwartsaufgaben der Verwaltung», in *VVDSTRL*, 30 (1970) = BACHOF, *Wege zum Rechtsstaat*, 1980, pp. 255 e ss, nota 317, que salienta precisamente o valor heurístico referido no texto. Cfr., KISKER, «Neue Aspekte im Streit um den Vorbehalt des Gesetzes», in *NJW*, 1977, pp. 1313 e ss.

equivale à inexistência de directiva legal[33]. Qualquer que seja a orientação (limitação da reserva de lei à administração coactiva ou sua extensão à administração de prestações), afigura-se-nos correcto exigir, pelo menos, um *praticável alargamento da reserva de lei às subvenções importantes*, pela sua duração, pelo número de destinatários, pelas somas despendidas e pela relevância dos fins para a economia ou política cultural e social[34]. As subvenções e o problema da reserva de lei não podem, assim, ser consideradas apenas a partir do ponto de vista dos cidadãos, mas também do ponto de vista do estado democrático, responsável por uma *equitativa administração dos recursos escassos*. Note-se que a reserva de lei no domínio dos direitos a prestações pode configurar-se como reserva de lei restritiva quando se tratar de diminuir prestações já normativamente adquiridas. A problemática das prestações ganhou contornos importantíssimos a propósito dos chamados **fundos comunitários**.

2. Reserva de lei e organização da administração

A reserva de lei é discutida a propósito do **poder de organização**. Entende-se por poder de organização a competência para a criação, alteração e extinção de entes administrativos e de órgãos administrativos. Na doutrina tradicional, entendia-se ser o *poder de organização* matéria reservada do executivo (cfr. art. 193.º/2), não se justificando qualquer autorização legal. Hoje, há também quem continue a defender a mesma posição, até porque o executivo assenta, nas modernas estruturas constitucionais, na legitimidade democrática[35]. Todavia, na medida em que os actos de organização influam sobre a posição jurídica de terceiros, isto é, deixem de ter apenas um âmbito interno e repercutam os seus efeitos externamente, eles carecem de fundamento legal. Nesta perspectiva se entende o reforço das garantias no *procedimento administrativo*, destinado não a substituir a protecção jurídica geral, mas a dar mais transparência à vinculação jurídica da administração através das leis reguladoras do procedimento administrativo e dos princípios jurídicos fundamentais do processo (cfr.

---

[33] Cfr. Gotz, *Recht der Wirtschaftssubvention*, 1966, p. 299. Entre nós, cfr. Teixeira Ribeiro, *Evolução do direito financeiro em Portugal* (1974-1984), Coimbra, 1985, p. 5; Coutinho de Abreu, *Sobre os regulamentos administrativos*, cit., p. 165.

[34] Cfr., por exemplo, Starck, *Gesetzesbegriff des Grundgesetzes*, Baden-Baden, 1970, p. 286, Zippelius, *Teoria Geral do Estado*, pp. 394 e ss. Entre nós, cfr. Coutinho de Abreu, *Sobre os regulamentos administrativos*, cit., p. 163.

[35] Böckenförde, *Die Organisationsgewalt im Bereich der Regierung*, Berlin, 1974, pp. 90 e 92; Rupp, *Grundfragen*, cit., pp. 75 e 93 e ss.

art. 267.º/5)[36]. De qualquer modo, a criação de entidades e órgãos administrativos deve pertencer à lei ou, pelo menos, ser feita com base na lei. Alguns autores referem-se aqui a uma **reserva institucional de lei**. Já no que respeita às medidas de organização interna elas cabem no âmbito do governo.

3. Reserva de lei e administração por objectivos

A problemática da **administração por objectivos** constitui um tema de primacial importância nas relações da lei com a administração. A doutrina refere-se aqui à **lei como tarefa de administração**[37]. A lei deixa de ter, em primeira linha, uma função de ordem ou delimitação, para determinar principalmente medidas de conformação social e de direcção económica. A lei configura-se não tanto como acto jurídico estabelecedor de autorizações e limites relativamente à administração, mas sim como um instrumento que impõe à administração a transformação em acto de directivas jurídicas e políticas. Através desta «táctica de imposição» ou de direcção por objectivos (*Auftragstaktik, management by objectives*) a lei, ao mesmo tempo que impõe a realização de uma tarefa, deixa à administração a combinação dos meios e fins (administração como «regulador») necessária ao cumprimento das directivas que lhe são traçadas. Ao reconhecer-se, nestes casos, à administração, um papel criativo de modo a adaptar-se a evoluções inesperadas, impõe-se, como corolário do Estado de direito, o reforço, relativamente a esta administração, do controlo político e jurídico. Trata-se, portanto, de conciliar o princípio da legalidade da administração com o **princípio da oportunidade** ou *optimidade*, de forma a administração poder assegurar com **eficiência** a realização do bem comum sem comprometer as garantias do Estado de direito[38]. O **princípio da eficiência da administração** ergue-se a princípio constitutivo do princípio da legalidade desde que isso não signifique preterição das dimensões garantísticas básicas de um Estado de direitos. Estas garantias ficariam, por exemplo, comprometidas se as tarefas atribuídas à administração se transformassem em «cheque em branco» a uma burocracia ou tecnocracia sem transparência democrática (cfr. art. 267.º/1/2) e isentas de quaisquer mecanismos de controlo de natureza política ou jurisdicional.

---

[36] Cfr. OSSENBÜHL, *Verwaltungsvorschriften und Grundgesetz*, Bad Hamburg, Berlin, Zürich, 1968, pp. 34 e 102 e ss; MAURER, *Allgemeines Verwaltungsrecht*, 10.ª ed., pp. 119 e ss.; 119 e ss. ; J. HELD, *Der Grundrechtsbezug des Verwaltungsverfahren*, Berlin, 1984, p. 69 ss.

[37] Cfr. SCHEUNER, «Das Gesetz als Auftrag der Verwaltung», *DÖV*, 22, 1969, p. 585.

[38] Entre nós, cfr., ROGÉRIO SOARES, «A propósito de um projecto legislativo: o chamado Código de Processo Administrativo Gracioso», in *RLJ*, n.º 116 (1983/84), pp. 41 e ss.

4. Vinculação à lei e poder discricionário da administração

O reconhecimento de um certo poder discricionário da administração não é incompatível com o Estado de direito[39]. Com ele pretende o legislador que a administração disponha de um espaço de actuação possibilitador de escolhas e decisões responsáveis. Tudo está em saber de que poder discricionário se trata.

Recolhendo uma terminologia agora corrente na doutrina[40], às autoridades administrativas reconhece-se um **poder discricionário de decisão** (*Entscheidungsermessen*) e um **poder discricionário de escolha** (*Auswahlermessen*). Significa isto que a administração pode, numa questão, atribuir certos efeitos jurídicos, legalmente previstos mas não prescritos (ex.: saber ou decidir, nos termos da lei, se uma manifestação perturba o trânsito), ou escolher, dentro de várias medidas legítimas, qual a que lhe parece mais adequada, isto é, a "melhor solução jurídica e administrativa para um caso concreto". É um poder discricionário que diz respeito aos *resultados jurídicos* de uma norma. Todavia, já quanto à fixação dos pressupostos de facto (*Tatbestandsseite*) e não quanto à atribuição de efeitos jurídicos (*Rechtsfolgeseite*) é inadmissível um poder discricionário da administração. Mesmo assim, à administração caberá uma *complementação* dos pressupostos de facto dentro da previsão legal e observados os princípios constitucionais e legais vinculativos da actividade administrativa (igualdade, imparcialidade, proporcionalidade).

A prática de um acto administrativo, a recusa de um acto, o silêncio das entidades públicas, podem ultrapassar os limites legais do exercício do poder discricionário. Por outro lado, o exercício do poder pode não se destinar aos fins visados pela lei (*desvio do poder discricionário* ou *utilização viciada*). Num caso e noutro, o Estado de direito impõe a sua proibição e a possibilidade de controlo de exercício da discricionariedade. Caso contrário, o exercício deste poder transformar-se-ia com facilidade no «cavalo de Tróia do direito administrativo do Estado de direito»[41].

---

[39] Cfr. SCHEUNER, *Die neue Entwicklung*, cit., p. 290. Vejam-se, porém, as objecções de M. IMBODEN, *Das Gesetz als Garantie rechsstaatlicher Verwaltung*, 1954, p. 14; SÉRVULO CORREIA, *Legalidade*, cit., pp. 36 e ss e pp. 479 e ss; JORGE MIRANDA, *Funções, Órgãos e Actos do Estado*, cit., p. 283. Por último, em termos informados e incisivos, M. FRANCISCA PORTOCARRERO, "Variações em Matéria de Discricionariedade", in *Juris et de Jure*, pp. 643 e ss; DAVID DUARTE, *Procedimentalização, Participação e Fundamentação*, Coimbra, 1996, pp. 307 e ss.

[40] Cfr., por todos, WOLFF-BACHOF, *Verwaltungsrecht*, I, § 31, II, 1.

[41] Cfr. HUBER, Fest. für GIACOMETTI, 1953, p. 66, e, entre nós, de forma exaustiva, SÉRVULO CORREIA, *Legalidade*, cit., pp. 479 e ss.

Ainda no plano constitucional, existem vinculações quanto ao exercício do poder discricionário com base no **princípio da proibição do excesso**. *O princípio da exigibilidade* (na configuração que lhe demos ao abordarmos o princípio do Estado de direito) terá aqui especial relevo quando se estiver perante o poder discricionário de escolha; o *princípio da proporcionalidade* revelar-se-á importante no caso de poder discricionário referente a atribuição de efeitos jurídicos a pressupostos de facto legalmente determinados (ex.: fechar uma universidade por motivos de distúrbios ocasionais) [42].

O princípio do Estado de direito não tolera a autorização legal de ingerências administrativas sobre os cidadãos, sem delimitação do conteúdo, objecto, fim e medida do acto administrativo. Esta **proibição de autorização em branco** resultará também dos preceitos constitucionais quanto à limitação dos direitos fundamentais. Os limites são particularmente relevantes em relação ao *princípio da igualdade*.

A tendência habitual da administração para, a coberto do poder discricionário, violar, mais ou menos subtilmente, a exigência material da igualdade, conduz a que se considere o princípio de igualdade como «irredutível inimigo da discricionariedade». Isto é por vezes esquecido quando se considera o princípio da igualdade como igualdade perante a lei e se esquece, afinal, a sua força vinculativa perante a administração. A igualdade imposta pelo princípio do Estado de direito, constitucionalmente consagrada, é a *igualdade perante todos os actos do poder público*. É neste contexto que se fala hoje do **princípio da autovinculação da administração**. Mesmo nos espaços de exercício discricionário (*Ermessensrichtlinie*), o princípio da igualdade constitucional impõe que, se a administração tem repetidamente ligado certos efeitos jurídicos a certas situações de facto, o mesmo comportamento deverá adoptar em casos futuros semelhantes. O «comportamento interno» transforma-se, por força do princípio da igualdade, numa relação externa, geradora de direitos subjectivos dos cidadãos. A «praxe» administrativa ou o «uso administrativo» serão aqui elementos importantes para a demonstração de violação ou não do princípio da igualdade. Com razão se caracterizou o princípio da igualdade, nestes casos, como «norma de comutação» (*Umschaltnorm*), isto é, uma norma que opera a comutação de linhas de orientação interna discricionária em preceitos jurídicos externos, juridicamente vinculados [43].

---

[42] Cfr., por último, SÉRVULO CORREIA, *Legalidade*, cit., p. 116; M. F. PORTOCARRERO, *Variações*, p. 702.

[43] Sobre o princípio da igualdade como elemento constitutivo do Estado de direito, cfr. SCHEUNER, *Die neue Entwicklung*, cit., p. 212; HESSE, *Grundzüge*, cit., p. 83. O processo de transformação de relações internas em relações externas pode ver-se sobretudo em N. ACHTERBERG, «Zur Transformation als

5. Reserva de lei e reenvios legais

Acontece não raras vezes, que a lei "reenvia ou remete" para decretos-lei, decretos, resoluções, portarias, a sua concretização ou especificação dos pormenores da sua concretização e aplicação ("O governo através de decretos-lei", "através de regulamentos regulará a presente lei".

As **remissões** da lei para outros instrumentos legais, regulamentares ou até meramente administrativos, suscita problemas de conformidade constitucional com os princípios democrático e de Estado de direito. Quando o acto da remissão tem a mesma hierarquia e emana da mesma entidade, a *remissão dinâmica* não levanta problemas de maior. Ela já levanta problemas constitucionais quando, por exemplo, uma lei remete para regulamentos ou actos pararegulamentares. Neste caso, a administração pode arrogar-se um *poder paraconstitucional e apócrifo*, convertendo-se o destinatário da remissão em sujeito da remissão. Perante o perigo desta inversão de competências, com violação do princípio democrático e do princípio do Estado de direito, há que salientar: (1) uma remissão não pode ser feita em condições mais benévolas do que aquelas que vigoram para as próprias autorizações legislativas (cfr. art. 165.º/2); (2) a remissão não pode permitir a definição das relações entre o Estado e os cidadãos através de regulamentos e, muito menos, através de actos "pararegulamentares (comandos administrativos, instruções, circulares, despachos interpretativos) administrativos transformando estes em fontes de normação primária (cfr. art. 165.º/2); (3) a remissão para actos pararegulamentares ou comandos administrativos só pode ter efeitos meramente internos[44]. É questionável o alargamento da doutrina referente a remissões de lei «para outras remissões normativas» (ex.: de decreto regulamentar para regulamento simples). Deve averiguar-se sempre o sentido e alcance da remissão, pois a exigência da forma de decreto regulamentar pode ter subjacente exigências constitucionais semelhantes às da reserva de lei (cf. Ac. TC 194/99, *Acórdãos*, n.º 43 (1999), p. 173 ss.).

Voraussetzung für die Beziehungsgeltung von Rechsnormen», in *Rth*, 1978, p. 407. Sobre o princípio da autovinculação da administração cfr., por exemplo, WALLERATH, *Die Selbstbindung der Verwaltung*, 1968; OSSENBÜHL, *Verwaltungsvorschriften*, cit., p. 54. P. MARIA VIPIANA, *L'autolimite della pubblica amministrazione*, Milano, 1990, p. 293. É claro, porém, que o cidadão não pode exigir da administração a continuação de uma praxe manifestamente ilegal. Cfr., entre nós, MÁRIO ESTEVES DE OLIVEIRA, *Direito administrativo*, pp. 262 e 323 e ss., e por último, ALVES CORREIA, *O plano urbanístico e o princípio da igualdade*, Coimbra, 1990, p. 438; COUTINHO DE ABREU, *Sobre os regulamentos administrativos*, cit., pp. 179 e ss; VIEIRA DE ANDRADE, *O dever de Fundamentação*, cit., pp. 119 e ss.

[44] Sobre a remissão, cfr. KARPEN, *Die Verweisung als Mittel der Gesetzgebungstechnik*, p. 70; W. R. SCHENKE, «Die verfassungsrechtliche Problematik dynamischer Verweisungen», in *NJW*, 1980, p. 743.

6. Reserva de lei e competência regulamentar

Os regulamentos exprimem o exercício de uma competência normativa da administração. Uma pura transferência da competência normativa genérica (mesmo *infra legem*) para o executivo contrasta com o princípio democrático e com o princípio de Estado de direito. É isso que explica o facto de, na actualidade, não se conceberem **regulamentos independentes** que, pelo menos, não tenham fundamento legal no que respeita à matéria a regular (art. 112.°/8)[45]. A doutrina oscila, porém, quanto à conformidade constitucional com o princípio democrático dos chamados *regulamentos de substituição de leis (gesetzvertretende Rechtsverordnungen)* e dos chamados *regulamentos de alteração das leis (gesetzändernde Rechtsverordnungen)*. Não obstante as dificuldades práticas que muitas vezes se suscitam na distinção entre este tipo de regulamentos e os de simples execução das leis, deve entender-se que, em face da Constituição Portuguesa (art. 199.°/c), são inconstitucionais quer os regulamentos de alteração quer os de substituição de leis (cfr. art. 112.°/6). Em relação a ambos, julgamos líquida a questão (cfr. *infra*)[46].

Os cuidados a ter na delimitação da competência regulamentar não dizem respeito apenas aos regulamentos propriamente ditos; eles estendem-se aos chamados preceitos ou «comandos administrativos» (*Verwaltungsvorschriften*), ou seja, a toda a série de preceitos emanados das autoridades administrativas superiores destinados a definir, com mais precisão, os actos e a organização da administração ("ordens", "instruções", "circulares", "despachos interpretativos"). Quer sejam preceitos organizatórios ou preceitos interpretativos, quer linhas de direcção ou instruções, eles não vinculam os cidadãos nem os tribunais. Se tiverem efeitos externos (e a oposição entre efeitos internos e externos é hoje cada vez mais ténue) podem ser controlados juridicamente e servir para fundamentação de recursos. Neste ponto, muitas das chamadas prescrições administrativas (regulamentação de conselhos escolares ou departamentos, definição de critérios de selecção, normas de abertura de concursos) não têm apenas um conteúdo interno instrumental; são verdadeiros actos administrativos genéricos ou até regulamentos especiais, devendo sujeitar-se ao controlo jurídico normal (cfr. art. 268.°).

---

[45] É inaceitável que a expressão «leis» utilizada no art. 115.°/7 da CRP possa ser entendida num sentido amplo de modo a compreender as leis constitucionais. Neste sentido, porém, cfr., SÉRVULO CORREIA, *Legalidade*, cit., pp. 210 e ss.

[46] Cfr. MÁRIO ESTEVES, *Direito Administrativo*, pp. 112 e ss; AFONSO QUEIRÓ, *Lições*, p. 421; JORGE MIRANDA, *Manual*, V, pp. 205 e ss..

7. Delimitação da competência regulamentar autónoma

O problema da autonomia e, consequentemente, da competência regulamentar autónoma, é um problema com relevância política e com dimensão constitucional[47]. Os **regulamentos autónomos**, ou seja, os regulamentos que pessoas jurídicas de direito público (municípios, universidades, ordens profissionais) emitem no âmbito da autonomia, constitucional e legalmente reconhecida (cfr., por ex., art. 76.º/2 e 241.º), levantam também problemas relacionados com o princípio da legalidade. Em primeiro lugar, a autonomia regulamentar não existe fora da ordem constitucional, considerando-se incorrecta a ideia de que entre poder de normação estadual e poder de normação autónoma há uma relação de concorrência. Todavia, na medida em que os regulamentos autónomos são justificados pela ideia de *autonomia*, que outra coisa não é senão uma expressão do *princípio de auto-administração*, eles podem abarcar todos os assuntos específicos da sua competência. Exceptuam-se, porém, dois casos especialmente importantes: (1) os regulamentos autónomos não podem, sem especial autorização legal, interferir nos direitos fundamentais dos cidadãos ou regular relações jurídicas que ultrapassem a simples dimensão territorial ou grupal (assim uma ordem profissional não pode substituir-se à lei na definição dos pressupostos de licenciatura, anos de formação, processo de reconhecimento de especialidades); (2) os regulamentos autónomos (e isto é importante para os regulamentos municipais) estão sujeitos a *reserva de lei* quando agirem como instâncias de execução do âmbito estadual (há, assim, que delimitar, rigorosamente, o *dualismo de tarefas* traduzido na prossecução de "interesses próprios" e na cooperação para a concretização de tarefas estaduais).

Relativamente aos *interesses próprios* vale, em geral, a reserva de lei definidora de competências e atribuições; em relação às *tarefas de cooperação*, impõe-se uma lei individualizadora de modos e procedimentos de cooperação.

II - Reserva de lei e relações jurídicas especiais

Deverá exigir-se um inequívoco fundamento constitucional-legal sempre que se trate de limitação dos direitos fundamentais (ex.: restrição do segredo de correspondência dos presos, limitação do direito de reunião de

---

[47] Cfr., designadamente, A. HAMANN, *Autonome Satzungen und Verfassungsrecht*, 1958, pp. 65 e ss. Entre nós, cfr. SÉRVULO CORREIA, *Legalidade*, cit., p. 260; JORGE MIRANDA, *Funções, Órgãos e Actos do Estado*, cit., pp. 280 e ss.

militares). Mas, para além disso, nas instituições em que se imponha uma vinculação mais profunda dos cidadãos, esta vinculação deve ser definida por lei nos seus aspectos essenciais (*Wesentlichkeitstheorie*). Assim, por exemplo, os regimes sancionatórios nas escolas (primárias, secundárias ou superiores), os processos disciplinares respectivos e individualização de sanções, são pontos que, nos aspectos essenciais, devem ser definidos por lei[48].

E. Limites da reserva de lei

A mais recente literatura juspublicística aponta para a necessidade de se definirem com rigor os limites constitucionais da *reserva de lei*[49]. Os problemas levantados são fundamentalmente dois: (1) saber se à reserva de lei se contrapõe uma *reserva de administração (Verwaltungsvorbehalt)*, constitucionalmente garantida; (2) saber se existe uma *reserva de governo* contraposta à reserva de lei. Como ponto de partida avançar-se-á o seguinte: as únicas reservas constitucionalmente individualizadas são a favor do legislador parlamentar (reserva de lei do parlamento), do legislador-governo (reserva de decreto-lei) ou do legislador regional (reserva de decreto legislativo regional). Isto significa que não há qualquer norma constitucional que vede à lei poder disciplinar determinadas *matérias* (reserva dita *material*) ou regular qualquer matéria de determinado *modo* (*reserva estrutural*).

1. Reserva de administração

Por **reserva de administração** entende-se um núcleo funcional da administração «resistente» à lei, ou seja, um domínio reservado à administração contra as ingerências do parlamento[50]. Todavia, perante a multiforme e hetero-

---

[48] Cfr. os Acórdãos do Tribunal Constitucional n.ᵒˢ 74/84, *DR*, I, 11-9-84, 248/86, *DR*, 15--9-89, e, no plano doutrinal, VIEIRA DE ANDRADE, *Autonomia Regulamentar e Reserva de Lei*, pp. 32 e ss; ROGÉRIO SOARES, «Princípio da legalidade e administração constitutiva», cit., p. 185; COUTINHO DE ABREU, *Sobre os regulamentos*, cit., pp. 111 e ss.

[49] Entre nós, cfr. M. REBELO DE SOUSA, "10 questões sobre a Constituição, o Orçamento e o Plano", in J. MIRANDA, *Nos dez anos da Constituição*, pp. 113 e ss; NUNO PIÇARRA, "Reserva de Administração", in *O Direito*, 122 (1991), pp. 1 e ss. No direito comparado, cf. M. DOGLIANI, «Reserva di amministrazione», *Dir. Pub.*, 7/2000, p. 673 ss.

[50] Cf. NIGRO, *Studi sulla Funzione Organizzativa della Pubblica Amministrazione*, Milano, 1986, pp. 75 e ss. Entre nós, cfr. NUNO PIÇARRA, "A reserva de administração", in *O Direito*, 1990, pp. 325 e ss;

739   A lei

génea actividade da administração ainda não foi possível, até hoje, caracterizar com precisão o conteúdo específico da reserva de administração. Os autores preferem falar em «reservas de administração» caracterizadas como reservas residuais (Ossenbühl), o que exclui, desde logo, a existência de um núcleo material firme, semelhante e contraposto à reserva de lei. Neste sentido, e só neste sentido, se poderá pôr o problema de saber até onde o legislador pode e deve regular e onde começam as «reservas da administração». As principais «reservas de administração» podem sintetizar-se assim: (1) reserva de administração autónoma; (2) reserva de execução; (3) reserva de poder de organização; (4) reserva de normação do poder executivo.

a) *Reserva de administração autónoma*

A constituição recorta certas «**reservas**» **de administração autónoma** («nichos constitucionais de reservas especiais de administração», nas palavras de Paulo Rangel) que não podem ser aniquiladas pela reserva de lei. Assim, por exemplo, a garantia do direito à contratação colectiva (CRP, art. 56.º) implica necessariamente que a lei não pode densificar o espaço normativo essencial das convenções colectivas. Do mesmo modo, a «reserva de autonomia local» (CRP, art. 241.º) torna indispensável a subtracção à lei de alguns aspectos relacionados com os interesses próprios das populações respectivas e que devem assim converter-se em «reserva de regulamentos locais» (cfr. Acs. TC 452/87 e 307/88). No mesmo sentido, a «reserva de autonomia estatutária» das Universidades (CRP, art. 76.º/2) significa que a lei não pode arrogar-se a invadir o campo próprio e indeclinável da autonomia normativa das universidades. Sendo estas «reservas» garantidas pela Constituição, compreende-se que elas devam obediência ao princípio da legalidade (preferência da lei), mas à lei está vedado aniquilar os espaços normativos específicos das unidades autónomas. Note-se, porém, que a reserva de autonomia estatutária não significa uma reserva sem controlo, cabendo à lei definir os esquemas de tutela e de controlo dos vários entes autónomos.

b) *Reserva de execução das leis*

Um ponto que suscita graves dificuldades é o de saber se o executivo dispõe ou não do poder autónomo de execução das leis. A **reserva de**

BERNARDO AYALA, *O (défice de) controlo judicial da margem de livre decisão administrativa*, Lisboa, 1995, pp. 23 e ss.; PAULO RANGEL, «Direito ao Poder», in *Repensar o Poder Judicial*, Porto, 2001, p. 210.

execução das leis é sempre uma reserva segundo a *medida das leis* e segundo a *medida da densidade de regulação* das mesmas leis. O executivo não poderá impor ao legislador uma contenção quanto ao desenvolvimento e densidade de regulação das leis. Os limites constitucionais ao legislador resultarão aqui mais de princípios materiais (exs.: proibição de leis individuais, defesa de direitos fundamentais, proibição do abuso de forma jurídica) do que de uma pretensa reserva de administração (cfr., por último, Ac. TC 1/97, *DR*, I, 5-3-97). De qualquer forma, sempre lhe fica uma «competência residual» dotada de consideráveis espaços nas tarefas de interpretação e conformação dos preceitos legais (CRP, art. 199.º/*c*). Nesta tarefa conformadora a administração reservará para si os *actos concretos* de execução dos regimes fixados por lei (cfr. Acs. TC 461/87 e 275/84).

c) *Reserva do poder de organização*

A Constituição individualiza *expressis verbis* uma **reserva de poder de organização** – a chamada «reserva de decreto-lei» (CRP, art. 198.º/2) – relativa à organização e funcionamento do Governo. Para além desta reserva, que no direito português se reconduz a uma «reserva de lei», ou melhor, a uma "reserva de decreto-lei", a administração não dispõe de um poder originário de organização (cfr. Acs. TC 461/87 e 189/89). Significa esta indisponibilidade que o poder de organização administrativa – competência para a criação, modificação e extinção das estruturas subjectivas e orgânicas da administração, bem como os seus poderes e reforços funcionais"[51] – deve ter título habilitante num acto normativo legislativo.

d) *Reserva de regulamentos autónomos*

Mais adiante – ao tratarmos dos regulamentos – completar-se-á a ideia do problema dos **regulamentos autónomos**. Na sua dimensão fundamental, este problema reconduz-se à questão de saber se o executivo tem constitucionalmente garantido um *poder originário de regulamentação* que lhe permite emanar normas jurídicas com efeitos externos – regulamentos jurídicos – sem necessidade da autorização de qualquer lei formal prévia ou anterior. A existência de um poder de regulamentação originário directamente fundado na constituição – mesmo a admitir-se – não significa a existência de um domínio material

---

[51] Cf. Paulo Otero, *O Poder de Substituição*, I, p. 92.

reservado aos regulamentos. Trata-se ainda de uma competência residual dependente da própria intervenção legal[52].

2. A «reserva de Governo»

A **reserva de Governo** ou de «executivo» caracterizar-se-ia pela existência de um núcleo essencial de matérias de exclusiva responsabilidade do Governo, imune às intervenções da lei. Independentemente da caracterização material de governo (cfr. *supra*) e da existência de «actos de governo» directamente executivos da Constituição (cfr. CRP, art. 197.º), é questionável que se possa falar de uma «reserva de governo» contraposta à «reserva de lei». O que existe é, sim, um complexo de «actos funcionalmente políticos» cuja competência é atribuída directamente pela constituição ao Governo (cfr., por ex., art. 105.º, consagrador de uma reserva política do Governo em relação às propostas do Orçamento e de alteração do Orçamento). Nesta medida, as "reservas de actos de governo» garantidas pela Constituição constituem limites à «reserva de lei».

3. Reservas constitucionais de administração

As anteriores considerações devem articular-se com o regime constitucional positivo. Neste plano, existem alguns preceitos da constituição consagradores de "reservas especiais de administração", como, por exemplo, os arts. 199.º/*a*, *b*, *d* e, *e* 227.º/*d*. Por **reservas especiais de administração** entendem-se as competências específicas directamente atribuídas ao governo pela própria constituição. Nesta perspectiva, além da *reserva geral de administração*, haveria um conjunto de reservas funcionais específicas do Governo insusceptíveis de "expropriação" por parte da lei do parlamento. Estariam neste caso, além das reservas referidas no ponto 1, a competência para elaboração e execução dos planos, a execução do orçamento do Estado, o poder de direcção sobre os serviços e administração directa do Estado, o poder de superintendência sobre a administração indirecta do Estado e o poder de tutela sobre a administração autónoma. A isto acrescentar-se-ia ainda a prática de actos e a tomada de providências

---

[52] Sobre os problemas da reserva da administração, cfr. OSSENBÜHL, «Der Vorbehalt des Gesetzes und seine Grenzen», in VOLKMAR/GÖTZ/KLEIN/STARCK, *Die öffentliche Verwaltung zwischen Gesetzgebung und richterlicher Kontrolle*, 1985, pp. 36 e ss; CRISAFULLI, *Lezioni di diritto costituzionale*, vol. II, 5.ª ed., Padova, 1984, pp. 19 e ss. Entre nós, NUNO PIÇARRA, "Reserva de Administração", cit., pp. 1 e ss.

necessárias à promoção do desenvolvimento económico e à satisfação das necessidades colectivas (CRP, art. 199.°/g). Mesmo a existir esta reserva de concretização constitucional do governo, deve ter-se em conta que a tarefa de concretização das necessidades colectivas pertence também ao legislador que, assim, em termos preferentes e de princípios, pode reduzir a margem de administração do governo (cfr. Ac. TC 1/97, de 5-3-97).[53] De qualquer modo, não deve confundir-se esta possibilidade de o legislador conformar normativamente certas matérias com a abusiva adopção da forma da lei *em lugar* de actos administrativos ou jurisdicionais (cf. Ac. TC 24/98, *DR*, II, 19.02.98. «*Caso das Portagens do Oeste*»).

Referências bibliográficas

Amaral, Maria Lúcia – "Reserva de Lei", in *Polis*, V, pp. 428 e ss.
– *Responsabilidade do Estado e Dever de Indemnizar do Legislador*, Coimbra, 1998, pp. 221 e ss.
Amato, G. – *Rapporti tra norme primarie e norma secondarie*, Milano, 1982.
Anabitarte, A. G. – *Ley e reglamento en el derecho publico occidental*, Madrid, 1971.
Ariño Ortiz, V. – "Leys singulares, leyes de caso unico", in *RAP*, 1989, pp. 83 e ss.
Barbera, A. – *Leggi di piano e sistema delle fonti*, Milano, 1968.
Barile, P. – *La Costituzione come norme giuridica*, Firenze, 1951.
Böckenförde, E. W. – *Gesetz und gesetzgebende Gewalt*, Berlin, 2.ª ed., 1981.
Cervati, M. – *La delega legislativa*, Milano, 1972.
Coutinho de Abreu, J. M. – *Sobre os regulamentos administrativos e o princípio da legalidade*, Coimbra, 1985.
Coutinho, L. P. P. – "Regulamentos Independentes do Governo", in *Perspectivas Constitucionais*, vol. III, pp. 979 e ss.
Crisafulli, V. – «Gerarchia e competenze nel sistema costituzionale delle fonti»,in *RTDP*, 1960, p. 755.
Cuoccolo, F. – *Le leggi cornice nei rapporti fra Stato e Regioni*, Milano, 1967.
De Otto, I – *Derecho Constitucional. Sistema de Fuentes*, Barcelona, 1987.
Diez-Picazo, L. – «Concepto de Ley y Tipos de Leyes», in *REDC*, 24 (1988).
Dickmann, R. – «La legge in luogo di provedimento», in RTDP, 4/1999, p. 917 ss.

---

[53] Sobre isto, cfr. PAULO OTERO, *O Poder de Substituição*, II, pp. 612 e ss.; PAULO RANGEL, in «O Direito ao Poder», in *Repensar o Poder Judicial*, p. 322 ss. JORGE MIRANDA, *Manual*, V, p. 134 seg.

Enterria, E. G. – *La Constitución como Norma y el Tribunal Constitucional*, 2.ª ed., Madrid, 1982.

Fasso, G. – «Legge. Teoria Generale», in *Enc. Dir.*, vol. XXIII.

Fois, S. – *La riserva di legge. Lineamenti storici e problemi attuali*, Milano, 1963.

Franco, A. – "Leggi provvedimento, principi generali dell'ordinamento, principio del giusto procedimento", in *Giur. Cost* 1989, II, pp. 1046 e ss.

Garcia, Maria da Glória – *Da Justiça Administrativa em Portugal*, p. 233.

Gasparri, P. – *Legge costituzionale*, Padova, 1982.

Hart, N. – *O conceito de direito*, Lisboa, 1986.

Italia, V. – *La fabbrica delle legge. Leggi speciali e leggi di principio*, Milano, 1990.

Jesch, D. – *Gesetz und Verwaltung*, Tübingen, 1958. Existe trad. cast., Madrid, 1978.

Kelsen, H. – *Teoria Pura do Direito*, Coimbra, Vol. II, 1963, p. 65.

– *Allgemeine Theorie der Normen*, Trad. it., 1985.

Kirchhof, P. – «Rechtsquellen und Grundgesetz», in *Fest. aus Anlass des 25 jährigen Bestehen des Bundesverfassungsgerichts*, Vol. II, 1976, p. 51.

Kloepfer, M. – «Der Vorbehalt des Gesetzes im Wandel», in *JZ*, 1984, pp. 687 e ss.

Krebs, W. – *Vorbehalt des Gesetzes und Grundrechte*, 1985.

Miranda, J. – *Funções, Órgãos e Actos do Estado*, pp. 161 e ss.

– "Lei", in *Dicionário Jurídico da Administração Pública*, vol. V, 1993.

– "O actual sistema português de actos legislativos", in *Legislação*, 2 (1991-92), p. 22.

– *Manual*, Tomo V, pp. 121 e ss.

Modugno, F. – *L'Invalidità della Legge*, I, Milano, 1970.

Moncada, L. S. – *A Reserva de Lei no actual Direito Público Alemão*, Lisboa, 1992.

Montilla Martos, J. A. – *Las leyes singulares en el ordenamiento constitucional español*, Madrid, 1994.

Morales, A. G. – *El lugar de la ley en la Constitución española*, Madrid, 1980.

Neves, A. C. – *Fontes de Direito*, Coimbra, 1985.

Ossenbühl, F. – «Der Vorbehalt des Gesetzes und seine Grenzen», in Götz/Klein/Starck, *Die öffentliche Verwaltung zwischen Gesetzgebung und richterlicher Kontrolle*, München, 1985.

Otero, P. – *O Poder de Substituição*, II, pp. 612 e ss.

Piçarra, N. – "A Reserva de Administração", in *O Direito*, 122 (1990), p. 1 ss.

Pizorrusso, A. – «Fonti del Diritto», in *Comentario del Codice Civile*, Bologna, 1977.

Portocarrero, M. F. – "Variações em Matéria de Discricionaridade", in *Juris et de Jure*, Nos 20 anos da Faculdade de Direito da Universidade Católica Portuguesa, Porto, 1998.

R. Gomez-Ferrer Morant – «Relaciones entre leyes: competência, jerarquia y funcion constitucional», in *RAP*, 113, pp. 7 e ss.

Roig, Assis A. – "La Ley como Fuente del Derecho en la Constitución de 1978", in *Estudios sobre la Constitucion Española. Homenaje al Professor Eduardo Garcia de Enterria*, I, Madrid, 1992, pp. 169 e ss.

Ross, A. – *Diritto e giustizia*, 1975.

Royo, J. P. – *Las fuentes del Derecho*, Madrid, 1984.

Rubio Llorente – «Rango de ley, fuerza de ley, valor de ley», in *RAP*, 100-102, pp. 417 e ss.

Sérvulo Correia, J. M. – *Legalidade e autonomia contratual*, Coimbra, 1988.

Sala, G. – *Potere amministrativo e principi dell'ordinamento*, Milano, Giuffrè, 1993.

Soares, Rogério – «Sentido e Limites da Função Legislativa no Estado Contemporâneo», in Jorge Miranda (org.), *A Feitura das leis,* vol. I, p. 429.

Sorrentino/Balduzzi – «Riserva di legge», in *Enc. Dir.*, XL, pp. 1207 e ss.

Starck, P. – *Der Gesetzbegriff des Grundgesetzes*, Baden-Baden, 1970.

Vaiano, M. – *La riserva di funzione amministrative*, Milano, Giuffrè, 1996.

Vaz, M. A. – "O conceito de lei na Constituição Portuguesa", in *Direito e Justiça*, 1987-88, pp. 179 e ss.

– *Lei e Reserva de Lei – A causa da lei na Constituição Portuguesa*, Porto, 1992.

Vieira de Andrade, J. C. – *Autonomia Regulamentar e Reserva de Lei*, Coimbra, 1987.

Capítulo 3

Individualização e Análise de Algumas Categorias de Leis

Sumário

A. Leis Constitucionais

B. Leis Orgânicas

  I - Sentido jurídico e político-constitucional

  II - Características jurídico-constitucionais

C. Leis de Bases

  I - As leis de bases na tipologia das leis

  II - As leis de bases na Constituição de 1976

  1. O sentido das «bases gerais» do regime jurídico
  2. O sentido da primariedade material das leis de bases relativamente aos decretos-leis de desenvolvimento
  3. Vício resultante da violação dos parâmetros normativos das leis de bases
  4. Sentido da primariedade das leis de bases relativamente aos decretos legislativos regionais de desenvolvimento

D. Leis de Autorização Legislativa

I - Regime geral

1. Considerações de natureza dogmática
2. Leis de autorização e leis de bases
3. Natureza jurídico-constitucional das leis de autorização
4. O objecto das leis de autorização
5. Os destinatários das autorizações legislativas
6. Limites das autorizações legislativas
7. Leis de autorização e decretos-leis autorizados

II - Regime das autorizações legislativas orçamentais

E. As Leis Estatutárias

I - O momento estatutário: relevância jurídico-constitucional

1. Elaboração e alteração dos Estatutos
2. Rigidez estatutária: garantia da autonomia?
3. Reserva de estatuto: conteúdo necessário
4. Conteúdo estatutário e limites da revisão constitucional

II - Os estatutos como leis formais da AR

1. Reserva de iniciativa estatutária e reserva de competência estatutária
2. A hierarquia normativa das leis estatutárias

F. Leis Reforçadas

1. Os dados normativo-constitucionais
2. Caracterização das leis reforçadas

G. Leis de Enquadramento

A. Leis Constitucionais

A Constituição portuguesa faz expressa alusão a **leis constitucionais**. No art. 119.º/1-*a* determina-se a sua publicação no *Diário da República*; no art. 166.º/1 prescreve-se a forma de lei constitucional para os actos previstos no art. 161.º/*a*, ou seja, para as alterações à Constituição nos termos dos arts. 284.º a 289.º Da conjugação destes preceitos conclui-se que, no sistema constitucional português, diferentemente de outros ordenamentos jurídicos, as *leis constitucionais se identificam com as leis de revisão*. Só se podem considerar leis constitucionais aquelas que se dirigem à modificação da Constituição, de acordo com o *procedimento* estabelecido nos arts. 284.º e ss (cfr., ainda, os arts. 292.º e 294.º, relativos a leis constitucionais anteriores à Constituição mas recebidas nesta; podem, porém, ser alteradas por lei ordinária).

A Constituição não indica quaisquer outros actos normativos que exijam forma de lei constitucional e furta ao critério do legislador ordinário a eleição da forma constitucional para a regulamentação de matérias que, na sua óptica, têm dignidade constitucional. A *reserva de lei constitucional pertence ao poder constituinte ou ao poder de revisão* que encontra fundamento naquele. Ao tratar-se da revisão constitucional far-se-ão mais algumas considerações a este respeito.

B. Leis Orgânicas

I - Sentido jurídico e político-constitucional

A categoria de **leis orgânicas** foi introduzida na Constituição de 1976 através da Lei de Revisão n.º 1/89 (cfr. CRP, arts. 112.º/3 e 166.º/2). Não é claro, porém, o sentido jurídico e político-constitucional desta nova figura. Seria incorrecto dizer-se que elas correspondem ao modelo francês de «*lois organiques*»[1]. Por outro lado, também não se identificam com a categoria de «*leyes orgânicas*»

---

[1] Cfr. G. BURDEAU, *Manuel de Droit Constitutionnel*, 21.ª ed., 1988, p. 64, que caracteriza as leis orgânicas como sendo «des lois ordinaires qui traitent de questions relatives aux institutions constitu-

previstas na Constituição espanhola de 1978 (arts. 8.º/2, 54.º, 57.º/5, 92.º/3, 93.º, 104.º/2, 107.º, 116.º, 122.º/1, 136.º/4, 141.º/1, 150.º/2 e 157.º/3), pois o direito constitucional espanhol, tal como o francês, reserva para a lei orgânica um leque de matérias bastante mais extenso (desde logo, as relativas ao desenvolvimento dos direitos fundamentais e liberdades públicas) do que o da Constituição portuguesa (CRP, art. 164.º/*a* a *f*, *h*, *j*, primeira parte da alínea *l*, *q* e *t*, e leis reguladoras dos órgãos deliberativos e executivos das autarquias locais (arts. 239.º e 268.º/6)[2].

Na Constituição Portuguesa (CRP, arts. 164.º e 166.º/2) reserva--se para as leis orgânicas o regime eleitoral dos órgãos de soberania, o regime dos referendos, a organização do Tribunal Constitucional e defesa, a disciplina de situações de «necessidade constitucional» (estado de sítio e estado de emergência), aquisição, perda e reaquisição da cidadania portuguesa, disciplina das associações e partidos políticos, o regime das eleições dos deputados às assembleias legislativas das Regiões Autónomas dos Açores e da Madeira, as eleições dos titulares dos órgãos do poder local, o regime do sistema de informações da República e do segredo de Estado, o regime de finanças das regiões autónomas e a criação das regiões administrativas (arts. 166.º/2 e 253.º).

O significado político-constitucional desta «reserva de competência» sob a forma de lei orgânica não é transparente.[3] Tendo em atenção a sua génese no contexto da L 1/89, o alargamento do leque das leis orgânicas feito pela LC 1/97, as matérias sobre que incidem e ainda o seu procedimento legislativo específico, as leis orgânicas, no ordenamento constitucional português, têm as seguintes funções políticas: (a) subtrair as «regras do jogo eleitoral» às maiorias parlamentares de cada momento, protegendo, simultaneamente, o direito das minorias (CRP, art. 164.º/*a*, *b*) e *j*); (b) exigir um consenso alargado para a disciplina do *direito processual constitucional*, dada a sua importante função de «desenvolvimento da Constituição (CRP, art. 164.º/*c*); (c) impor uma maioria qualificada na definição e organização da defesa nacional e disciplina das Forças Armadas (164.º/*d*); (d) proteger a «constituição» e os «direitos fundamentais» nos casos de estado de sítio e de emergência, evitando «rupturas constitucionais» a pretexto da existência de situações de anormalidade constitucional (164.º/*e*); (e) controlar o regime do sistema de informa-

---

tionnelles»; J. P. BERARDO, «Les lois organiques dans l'ordonnement constitutionnel français», in *Scritti Crisafulli*, II, 1985, pp. 71 e ss; J. P. CAMBY, «La loi organique dans la Constitution de 1958», in *RDP*, 1989, pp. 1401 e ss.

[2] Cfr., por exemplo, PREDIERI/GARCIA DE ENTERRIA, *La Constitución española de 1978*, p. 211; A. GARRORENA MORALES, «Acerca de las leys orgánicas y de su espuria naturaleza jurídica», in *REP*, 13 (1980), pp. 169 e ss; F. BASTIDA, «La naturaleza jurídica de las leys orgánicas», *REDC*, 2 (1981), pp. 285 e ss; RAMON FERNANDEZ, *Las leys orgánicas y el bloque de la constitucionalidad*, Madrid, 1981.

[3] Cfr. a versão deste «pacto» constitucional de 1989 em JOSÉ MAGALHÃES, *Dicionário da Revisão Constitucional*, cit., pp. 165 e ss.

ções da República e do segredo de Estado; (f) assegurar o estatuto constitucional dos partidos e associações políticas; (g) dar transparência e reforçar a legalidade orçamental ao regime de finanças regionais e locais; (h) garantir apoio parlamentar qualificado à criação de regiões administrativas.

II - Características jurídico-constitucionais

Vários são os traços jurídico-constitucionais caracterizadores das leis orgânicas. Em primeiro lugar, não se trata de uma lei diferente das outras leis da Assembleia da República[4]. Elas são leis ordinárias da Assembleia da República (CRP, arts. 166.º/2 e 164.º). Fica arredada, assim, a ideia de leis com um escalão normativo superior situado entre as leis constitucionais e as leis ordinárias. Não obstante a sua natureza de leis ordinárias, a Constituição confere-lhe a natureza de *leis reforçadas* (CRP, arts. 112.º/3, 280.º/2, 281.º/1/*b*). As consequências jurídicas deste valor reforçado serão apreciadas noutro capítulo. As leis orgânicas estão vinculadas ao *princípio da tipicidade*. Só são leis orgânicas aquelas que a «constituição considera como tais»[5], pois só a lei constitucional pode atribuir forma especial, valor reforçado e reserva material a certos tipos de actos legislativos (CRP, art. 166.º/2). Sempre que a Constituição reservou para «lei orgânica» a disciplina jurídica de certas matérias, então o legislador orgânico é competente em termos exclusivos. Observa-se aqui o *princípio de exclusividade ratione materiae*. Consequentemente, serão inconstitucionais leis orgânicas de autorização (o que resultaria já da ideia de reserva absoluta do art. 164.º), leis orgânicas de bases e leis orgânicas limitadas ao regime geral de certas matérias. Observa-se claramente o *princípio da competência* (para além do princípio hierárquico) e da *«reserva total»*[6] ou «absoluta». A lei orgânica pode incluir normas sobre matérias de lei ordinária mas não pode reenviar para uma "lei não orgânica" algumas regulações normativas sobre matérias constitucionalmente incluídas no âmbito das leis orgânicas. A única excepção de "reserva total" de lei orgânica está prevista no art. 164.º/*d* (lei orgânica sobre as "bases gerais" da organização, do funcionamento, do reequipamento e da disciplina das Forças Armadas). As leis orgânicas apresentam *dimensões orgânico--procedimentais específicas*. Além dos requisitos formais e procedimentais de qualquer lei da Assembleia da República, a maior parte das leis orgânicas «são obrigatoriamente votadas na especialidade no Plenário» (e não em comissões).

---

[4] Vide, neste sentido, JORGE MIRANDA, *Manual*, V, p. 173. Em sentido diferente, autonomizando a categoria das leis orgânicas, cf. PAULO OTERO, *Legalidade e Administração Pública*, p. 451.

[5] Cfr., no direito francês, J. GICQUEL, *Droit Constitutionnel*, 1987, p. 813.

[6] O termo «reserva total» utiliza-se aqui em sentido diferente do da «reserva total de lei».

Neste sentido, pode afirmar-se que elas são não apenas *reserva de parlamento* mas, mais do que isso, **reserva de plenário** (CRP, art. 168.º/4). Embora não sejam as únicas (cfr. CRP, art. 136.º/3), as leis orgânicas exigem uma maioria qualificada (2/3 dos deputados presentes) e, por conseguinte, um largo consenso parlamentar para a superação do veto político do Presidente da República (CRP, art. 136.º/3). A estas especificidades orgânico-procedimentais acresce a particularidade da forma. Sendo leis ordinárias, as leis orgânicas revestem uma forma especial – a **forma de lei orgânica** – como dispõe o art. 166.º/2 [7].

Como se estudará mais adiante (cfr. *infra*), as leis orgânicas têm um regime especial de fiscalização preventiva, sobretudo quanto ao pressuposto de *legitimidade processual activa* (CRP, art. 278.º/4).

C. Leis de Bases [8]

I - As leis de bases na tipologia das leis

O tema das chamadas *leis de bases* ou *de princípios* aproxima-nos, de uma forma aparentemente contraditória, de algumas ideias já discutidas a propósito do conceito de lei.

As **leis de bases** são leis consagradoras dos princípios vectores ou das bases gerais de um regime jurídico, deixando a cargo do executivo o desenvolvimento desses princípios ou bases. Por outro lado, as leis de bases reconduzem-nos ao conceito clássico de lei, pois, como assinala Cotteret, «se revaloriza a lei que se tornou de novo geral e impessoal» [9]. Todavia, a ideia subjacente ao aparecimento das leis de bases ou de princípios não foi já a de um parlamento divorciado das tarefas de governo, ao qual correspondia uma sociedade estática, conservadoramente imóvel, mas a de um parlamento legislativamente operante numa sociedade *constituenda*, e colaborante como um governo responsável por tarefas de conformação social.

---

[7] É questionável se, em virtude desta forma especial, as leis orgânicas não deveriam ter uma enumeração especial no *Diário da República*. Exigindo apenas a «menção de lei orgânica, mas não numeração especial» cfr. JOSÉ MAGALHÃES, *Dicionário da Revisão*, cit., pp. 73 e ss. De qualquer modo, elas passaram agora a beneficiar de uma numeração própria.

[8] Sobre a problemática das leis de bases em geral, vide o já clássico estudo de J. CHARPENTIER, *Les lois-cadres el la Fonction Gouvernamentale*; S. VILLARI, *Problematica della Legge Quadro nel Diritto Francese*, Milano, 1969; TAPIA-VALDES, «Leyes de Bases y Nuevas Categorias», in *Perspectivas del Derecho Publico*, Homenage a H. Sayagués-Laso, Madrid, 1969, Vol. III, pp. 631 e ss.

[9] Cfr. J. COTTERET, *Le pouvoir législatif en France*, Paris, 1962, p. 67.

A sociedade da época de Leon Blum (o célebre ministro francês que pela primeira vez recorreu ao expediente das *lois-cadre*[10]), é a sociedade da Frente Popular (1936), com importantes clivagens ideológicas, expressão de conflitos de classes (políticos, económicos e sociais), que os órgãos político-constitucionais (governos e parlamento) teriam de enfrentar. A finalidade e estrutura da lei--quadro de 20 de Junho de 1936 do gabinete de Leon Blum ressaltam com nitidez destes simples pormenores: é uma lei que institui férias pagas (dimensão político-social) e é constituída apenas por três artigos. O parlamento mantém-se soberano ao traçar a moldura, dentro da qual se deve exercitar a actividade do governo; este assegura a sua eficácia ao editar com rapidez os *decretos de desenvolvimento* das leis-quadro aprovadas pelo órgão representativo[11].

Ao estabelecerem as grandes linhas ou princípios de uma actividade governamental socialmente conformadora, as leis-quadro indiciavam já o *propósito impulsionador* das leis de plano de época mais recente. No entanto, nem sempre as leis de bases se conseguiram manter com os seus contornos ortodoxos, isto é, disposições votadas pelo parlamento, limitadas ao estabelecimento das bases ou princípios, a que o governo deverá dar operatividade prática através dos decretos de desenvolvimento. Umas vezes, começam a entrar em pormenores fornecendo não apenas a moldura, mas ocupando o espaço do próprio quadro; outras vezes, nem sequer se estabelecem os princípios ou bases gerais. Sugerem--se apenas os fins, deixando inteira liberdade ao governo para escolher os meios. No primeiro caso, as leis-quadro em nada se distinguem das leis ordinárias; no segundo, aproximam-se de um outro tipo de leis – *leis de autorização legislativa (leis de delegação, leis de habilitação)* –, de que falaremos no número subsequente. Nesta última hipótese, as leis-quadro acabam afinal por tolerar aquilo que, de certo modo, tinha justificado o seu aparecimento: a má fama dos poderes legislativos do governo, ou seja, a delegação de plenos poderes ao governo para emanar decretos com força de lei (*decretos-leis*).

---

[10] Segundo informa CHARPENTIER, o primeiro exemplo de leis-quadro remonta ao Ministério Doumergue (6 de Julho de 1934). Cfr. CHARPENTIER, *Les Lois-Cadres*, cit., p. 224.

[11] Eis como o relator do Projecto de Lei referido na nota anterior focava impressivamente a questão das *leis de bases*: «este método, não significa plenos poderes para o Governo... Não é um cheque em branco. O Parlamento não abandona o poder de legiferar que lhe pertence. Não se pode mesmo dizer que ele o delega; ele partilha-o. O projecto de lei organiza uma espécie de divisão de trabalho entre o Parlamento e o Governo. O Parlamento estabelece os princípios de reforma e fixa os limites dentro dos quais o Governo aplicará, por decretos, os princípios fixados, decretos esses que serão em seguida submetidos à nossa ratificação.» Cfr. CHARPENTIER, cit., p. 224.

II - As leis de bases na Constituição de 1976

O tipo das **leis de bases** esteve presente na elaboração de certas normas da Constituição: (1) no art. 112.º/2 alude-se a decretos-leis que «desenvolvem bases gerais dos regimes jurídicos»; (2) no art. 198.º/1/c, dispõe-se que compete ao Governo, no exercício de funções legislativas, «Fazer decretos-leis de desenvolvimento dos princípios ou das bases gerais dos regimes jurídicos contidos em leis que a eles se circunscrevem»; (3) na enumeração das matérias de exclusiva competência da Assembleia da República sugere-se que às leis cabe a definição das bases gerais dos regimes jurídicos (art. 164.º/d e i, e art. 165.º/f, g, n, t, u, x e z); (4) finalmente (depois da 2.ª Revisão), na definição dos poderes das regiões autónomas estabelece-se no art. 227.º/1/c que estas podem «Desenvolver, em função do interesse específico das regiões, as leis de bases em matérias não reservadas à Assembleia da República, bem como as previstas nas alíneas f), g), h), n), t) e u) do n.º 1 do art. 165.º».

Se a admissibilidade da categoria de leis de bases não merece grandes reticências, já outros problemas jurídico-constitucionais com elas relacionados parecem não ter sido resolvidos com muita clareza no texto constitucional.

1. O sentido das «bases gerais» do regime jurídico [12]

a) *Os vários níveis de densificação legislativa*

A existência das leis de bases só se torna inteligível quando se recortam com clareza os vários níveis da competência legislativa da AR: (1) nível de *densificação legislativa* total, ou seja, *reserva de densificação total* (cfr. supra), nos casos de a disciplina legislativa de uma matéria ser reservada de uma forma completa à AR (é o caso da generalidade das matérias dos artigos 164.º e 165.º); (2) nível de densificação intermédio, nos casos em que a disciplina legislativa da AR incide sobre o *regime comum* ou *normal* (cfr. art. 165.º/1, d, e e h; (3) nível de densificação limitado às *bases gerais* dos regimes jurídicos (cfr. art. 165.º/1, f, g, n, t e u).[13]

Repare-se que definir um regime comum (nível 2.º) e traçar bases gerais (nível 3.º) não é a mesma coisa: definir um **regime comum ou normal**

---

[12] No plano jurisprudencial, cfr. Acs. TC 326/86, de 25-11, e 39/84, de 11-4.
[13] Cfr. Ac. TC 3/89, de 11-1, in *Acórdãos*, vol. 13/II, p. 625. No plano doutrinal cf. J. MIRANDA, *Manual*, V, p. 232.

significa estabelecer uma disciplina legislativa completa desse regime, sem prejuízo de regimes especiais a estabelecer pelo Governo, ou, se for caso disso, pelas assembleias legislativas regionais; estabelecer as **bases gerais** equivale à consagração das opções político-legislativas fundamentais, deixando-se (ou podendo deixar-se) ao Governo e às assembleias legislativas regionais a definição concreta dos regimes jurídicos gerais.

b) *Sentido da reserva das bases gerais dos regimes jurídicos*

Colocar-se-á também o problema de determinar a utilidade da fórmula constitucional que se refere expressamente à fixação das bases gerais dos regimes jurídicos (cfr. arts. 164.°/*d* e *i* e 165.°/*f, g,* e *u* e art. 198.°/1/*c*). Dito por outras palavras: qual o sentido que se deverá atribuir à limitação da reserva de competência da AR à fixação de bases gerais? As respostas possíveis são as seguintes: (1) *heterolimitação* da AR por força da lei constitucional, querendo com isto dizer-se que a AR se deve limitar, nessas matérias, a estabelecer as bases gerais e reenviar obrigatoriamente para o Governo (e assembleias legislativas regionais) o seu desenvolvimento;[14] (2) *autolimitação* da AR,[15] significando isto que o legislador constituinte se bastou com uma reserva de lei formal no que respeita às bases gerais dos regimes jurídicos, deixando a possibilidade à AR de ela mesmo desenvolver, querendo, essas bases, ou, para, autolimitando-se, confiar o seu desenvolvimento ao Governo (e às assembleias legislativas regionais); (3) *limitação do Governo e assembleias legislativas regionais*, entendendo-se que o sentido principal da fórmula constitucional não é o de estabelecer uma heterolimitação ou autolimitação da AR, mas o de, em certos assuntos, que carecem necessariamente de desenvolvimento, limitar a competência legislativa do Governo (e das assembleias legislativas regionais) ao desenvolvimento de um parâmetro normativo fixado, básica e primariamente, por lei da AR.

Com o **princípio da reserva legislativa de bases gerais** desejou-se, pois, e por um lado, assegurar a intervenção legislativa primária da AR, e, por outro lado, permitir ao Governo (e assembleias legislativas regionais), *mesmo sem autorização legislativa*, legislar sobre a mesma matéria, uma vez fixadas as bases gerais através de lei do parlamento. Sob um ponto de vista material, as leis de bases constituem *directivas* e *limites* dos decretos-leis e dos decretos legislativos de

---

[14] Cfr. a ideia de autolimitação mas com consequências diversas das do texto em AFONSO VAZ, *Lei e Reserva de Lei*, p. 447. Cfr. agora, JORGE MIRANDA, *Manual*, V, pp. 372 e ss.

[15] Vide a defesa desta tese em PAULO OTERO, *O desenvolvimento das leis de bases pelo Governo*, pp. 37 e ss, 87 e ss.

desenvolvimento: directivas, porque definem os parâmetros materiais, isto é, os princípios e critérios a que o Governo e as assembleias legislativas regionais devem *sujeitar-se* no desenvolvimento das referidas leis; *limites*, porque o desenvolvimento pelo Governo (art. 198.º/1/c) e pelas assembleias legislativas regionais (art. 227.º/1/c) das leis de bases deve manter-se dentro das normas fixadas nas bases da AR, nos termos a seguir especificados.

    Algumas constituições contemporâneas *impõem* ao legislador ordinário a circunscrição da lei à definição das bases ou dos princípios em determinadas matérias. Assim, o art. 34.º da Constituição francesa de 1958 enumera as matérias atribuídas ao legislador, mas apenas quanto à definição dos princípios fundamentais. Este preceito tem sido entendido como atributivo de um *domínio reservado* ao Executivo[16]: o legislador não pode ir além da definição dos princípios, exercendo-se o poder regulamentar no quadro dos princípios estabelecidos pelo legislador. De igual modo, o art. 75.º da *Grundgesetz* de Bona, ao prescrever que a federação tem o direito de editar *normas básicas* ou *preceitos-quadro (Rahmenvorschriften)* sobre determinadas matérias, tem sido interpretado como portador de *limites intrínsecos* ao legislador federal que o impedem de estabelecer normas regulamentares da competência dos *Länder*[17]. Também a Constituição de 1933, art. 92.º, estatuía expressamente «As leis votadas pela Assembleia Nacional devem restringir-se à aprovação das bases dos regimes jurídicos», sendo certo, porém, que este preceito, pela latitude dos seus termos, mais parecia uma norma liberal de um regime constitucional dualista que pretendia uma ampla esfera da acção para o Governo do que propriamente um dispositivo contemplador da categoria específica das leis de bases.

2. O sentido da primariedade material das leis de bases relativamente aos decretos-leis de desenvolvimento

    Embora as leis e os decretos-leis sejam actos legislativos de igual dignidade hierárquica, as leis adquirem, na forma de *lei de bases*, uma *primariedade material e hierárquica* com a correspondente subordinação dos decretos-leis de desenvolvimento (cfr. arts. 112.º/2 e 198.º/1/c). As *bases* fixadas por lei da AR adquirem, deste modo, um carácter reforçado traduzido na *primariedade material e hierárquica* com a correspondente subordinação dos decretos-leis de desenvolvimento (cfr. art. 112.º/2) e cujo alcance será aclarado no capítulo referente às estruturas de garantia e de controlo (cfr. *infra*). São dois os principais problemas referentes às relações entre as leis de bases e os decretos-leis de desenvolvimento: (1) o primeiro é o de saber se as leis de bases constituem sempre um parâmetro material superior vinculativo para os decretos-leis de desen-

---

  [16] Cfr., por exemplo, G. VEDEL, *Droit Administratif*, 3.ª ed., Paris, 1964, p. 34. Entre nós, cfr., PAULO OTERO, *O Desenvolvimento das leis de Bases*, p. 37; C. BLANCO DE MORAIS, *As Leis Reforçadas*, p. 303 ss.
  [17] Cfr. LEIBHOLZ-RINCK, *Grundgesetz, Kommentar*, 4.ª ed., Colónia, 1971, p. 611.

volvimento, ou se a *parametricidade* das leis de bases se impõe apenas nos casos de reserva de competência legislativa (absoluta ou relativa da AR); (2) o segundo é o de qualificar o vício resultante da desconformidade dos decretos-leis de desenvolvimento com o parâmetro superior das leis de bases. Relativamente ao primeiro problema, foram avançadas duas propostas interpretativas.

a) *Limitação do valor paramétrico e superioridade hierárquica das leis de bases às matérias de reserva absoluta ou relativa da AR.*

A retórica argumentativa desta posição[18] pode sintetizar-se da seguinte forma: (*i*) o princípio da tipicidade das competências constitucionais aponta no sentido da limitação da competência reservada aos casos previstos na Constituição; (*ii*) consequentemente, proíbe-se, do mesmo passo, a alteração das competências constitucionais, resultado a que se chegaria se a AR, mediante o recurso sistemático à lei de bases, fosse reduzindo o espaço de actuação do governo.

b) *Superioridade geral das lei de bases perante os decretos-leis*

O teor de argumentação desta posição reconduz-se fundamentalmente a quatro tópicos[19]. Pela redacção do n.º 2 do art. 112.º da CRP, introduzido pela LC n.º 1/82 (1.ª Revisão da Constituição), verifica-se que se pretendeu fixar constitucionalmente o valor reforçado das leis da AR e consequente dependência normativa dos decretos-leis» nos dois casos aí individualizados: *a*) decretos-leis no uso de autorização legislativa; *b*) decretos-leis de desenvolvimento das leis de bases gerais dos regimes jurídicos. Em relação a estas últimas (as únicas que agora nos interessam) não se estabeleceu na lei constitucional qualquer distinção entre: (*i*) lei de bases em matérias abertas à intervenção legislativa do Governo e leis de bases reservadas à AR; (*ii*) lei de bases tipificadamente indicadas na Constituição (cfr. arts. 164.º/*i* e 165.º/*f, g* e *u*) e leis de bases fora da enumeração expressa da CRP. A estar correcta esta interpretação do art. 112.º/2, deduz-se que a LC n.º 1/82 restringiu os poderes legislativos do Governo, cuja latitude, nos termos da redacção primitiva do texto de 1976, foi reconhecida como pouco compatível com um Estado de direito democrático e como demasiado influenciada pelo regime constitucional de 1933. A admitir-se a tese de limitação da superioridade paramétrica das leis de bases às matérias reservadas, isso significaria esvaziar de sentido o próprio princípio da superioridade das leis de bases, pois a superioridade da lei em matérias reservadas resultaria já do princípio da reserva de competência, não sendo então

---

[18] Cfr. GOMES CANOTILHO/VITAL MOREIRA, *Constituição da República*, anotação XI ao art. 115.º
[19] Cfr. GOMES CANOTILHO/VITAL MOREIRA, *Constituição da República*, anotação XI ao art. 115.º

necessário acrescentar um princípio de hierarquia[20]. Dir-se-ia, de acordo com a nova tipologia de leis reforçadas, que as leis de bases da AR *seriam sempre leis reforçadas* em relação aos decretos-leis de desenvolvimento.

c) *Desenvolvimentos recentes*

Esta posição tem merecido séria contestação na doutrina. Por um lado, ela violaria o princípio da tipicidade de competências, pois "expropriaria" ao Governo uma competência concorrencial e acrescentaria uma reserva geral a favor da AR. Por outro lado, a interpretação contrária acaba numa articulação não razoável das normas dos arts. 198.º/1/*a* e 198.º/1/*c*: esta última seria uma norma restritiva da competência concorrencial fixada na primeira.[21] Consequentemente, a alínea *c*) do art. 198.º/1 não implica qualquer restrição à competência legislativa do Governo, podendo as leis de bases em matéria concorrencial ser modificadas ou revogadas por decretos-leis[22] (desde que não sejam eles próprios decretos-leis de desenvolvimento). De qualquer modo, existirá sempre uma *reserva de acto legislativo* de desenvolvimento das leis de bases, pois o governo só pode desenvolver as bases através de decretos-leis, o que permitirá sempre a posterior apreciação legislativa parlamentar.[23]

3. Vício resultante da violação dos parâmetros normativos das leis de bases

O segundo problema relaciona-se com a qualificação jurídico-constitucional do **vício** resultante da desconformidade dos decretos-leis de desenvolvimento com o parâmetro das leis de bases. O tema conexiona-se com a problemática do parâmetro de controlo e questões conexas da inconstitucionalidade e ilegalidade a debater em capítulo subsequente. Adiantar-se-á apenas que, mesmo a considerarem-se sempre as bases gerais fixadas por lei como um

---

[20] Cfr., por exemplo, A. NADAIS/A. VITORINO/V. CANAS, *Constituição da República Portuguesa*, anotação ao art. 115.º A favor desta interpretação, cfr., por último, JORGE MIRANDA, *Funções, Órgãos e Actos do Estado*, cit., p. 293, que retira ainda argumentos da nova redacção do art. 227.º/1/*c*, «ao prever o desenvolvimento das leis de bases tanto sobre matérias reservadas como sobre matérias não reservadas à competência da Assembleia da República». Ver, ainda, JORGE MIRANDA, *Manual*, V, p. 371; A. SOUSA PINHEIRO/MÁRIO J. BRITO FERNANDES, *Comentário à IV Revisão Constitucional*, Lisboa, 1999, p. 278.

[21] Cfr., M. AFONSO VAZ, *Lei e Reserva de Lei*, p. 444; PAULO OTERO, *O Desenvolvimento das leis de bases pelo Governo*, pp. 25 e ss; BLANCO DE MORAIS, *As Leis Reforçadas*, pp. 302 e ss..

[22] Cfr., PAULO OTERO, *O Desenvolvimento das Leis de Bases*, pp. 22 e ss.

[23] Cfr., por último, L. PEREIRA COUTINHO, *Regime Orgânico dos Direitos, Liberdades e garantias e Determinação normativa*, pp. 41 e ss.

parâmetro normativo superior, é legítimo perguntar se não haverá diferença de regime constitucional entre decretos-leis de desenvolvimento de leis de bases incidentes sobre matérias reservadas à AR e decretos-leis de desenvolvimento das leis de bases fora da reserva de lei formal, ou seja, em matéria concorrencial entre Assembleia da República e Governo (art. 198.º/1/*a*). Subsiste o problema de saber se a *violação do parâmetro normativo* fixado por leis de bases em matéria de competência reservada da AR não justificará um controlo mais rigoroso do que aquele que é provocado pela *não subordinação* dos decretos-leis de desenvolvimento às bases gerais fixadas por lei em matéria concorrente da AR e do Governo. A resposta afirmativa no sentido de uma maior vinculação do Governo na emanação de decretos-leis de desenvolvimento nos casos de reserva de competência da AR resulta de várias considerações. Em primeiro lugar, diz-se que o Governo, em matéria de competência reservada da Assembleia, tem de se abster de intervir legislativamente nessas matérias, só lhe competindo editar decretos--leis de desenvolvimento *se* e *quando* a AR tiver fixado as bases gerais. A eventual inércia da AR poderá ser impedida pelo Governo através da iniciativa legislativa (*proposta de lei de bases*) ou através do pedido de *autorização legislativa* (mas aqui só em matérias de competência relativamente reservada). Se não adoptar qualquer destes instrumentos – o da iniciativa legislativa, apresentando uma proposta de lei de bases (art. 167.º), e o do pedido de autorização legislativa em matéria reservada (art. 165.º/1, 2, 3 e 4) – o Governo terá de aguardar a iniciativa legislativa dos deputados ou dos grupos parlamentares através de *projectos de leis de bases* e a consequente tramitação do processo legislativo até à obtenção de um acto legislativo definitivo da AR. O Governo invadirá os domínios de competência da AR caso venha a editar decretos-leis sobre as matérias reservadas, sofrendo o diploma legislativo do Governo de *vício de incompetência* (expresso, entre outras coisas, na inconstitucionalidade orgânica e formal do decreto-lei). A heteronomia determinante das leis de bases em matérias reservadas à AR resulta logo das próprias normas constitucionais de competência, podendo dizer-se que, nestes casos, para além de eventual *ilegalidade* (desconformidade dos decretos-leis de desenvolvimento com o parâmetro material fixado na lei de bases), existem sempre os *limites* constitucionais de *competência* a impor um controlo mais acentuado relativamente aos decretos-leis de desenvolvimento em matérias reservadas à AR. As leis de bases são uma *directiva material* e um *limite de competência* em matérias reservadas.

Estas duas dimensões – parâmetro e limite – estão hoje a ser corroídas por uma censurável posição jurisprudencial aflorada em vários acórdãos do Tribunal Constitucional. Esta posição concentra-se em dois postulados: (1) só será exigível lei de bases, mesmo em matérias reservadas, quando se tratar de regime inovatório; (2) basta existirem princípios gerais sobre uma matéria para ser dispensável a exigência de lei de bases. Com fundamento em postulados aprioristicos, o TC restringe, sem qualquer arrimo normativo-constitucional, as competências constitucionais da AR e despreza dois princípios básicos da interpretação de normas constitucionais organizatórias: (1) o *princípio da conformidade funcional*, pois, através da interpretação sufragada pelo Tribunal, alarga-se a competência do governo através de decretos-leis e, mesmo, através de regulamentos de execução; (2) o *princípio da interpretação das leis em conformidade com a constituição*, pois a invocação de princípios gerais mais não é do que uma encapuçada leitura da Constituição a partir de leis ordinárias. Exemplo flagrante é o dos Acs do TC 334/91 e 174/93 [24] sobre o ensino de religião nas escolas superiores de educação, onde a legislação préconstitucional corporativista informada pelo privilégio da religião católica foi erigida a base de regime jurídico e a suporte principial de nova legislação. Longe de constituir uma abertura principial, a corrente jurisprudencial em referência significa tão-só o ressurgimento do dogma positivista da plenitude do ordenamento jurídico e o recurso a um questionável princípio de interpretação segundo a "situação sociológica e histórica". [25]

4. Sentido da primariedade das leis de bases relativamente aos decretos legislativos regionais de desenvolvimento

Embora fossem discutíveis em face do texto originário e do texto revisto em 1982 [26], os **decretos legislativos regionais de desenvolvimento** estão agora (depois da 2.ª revisão constitucional) consagrados *expressis verbis* na Constituição (CRP, art. 227.º/1/c). Com efeito, as assembleias legislativas regionais têm competência para (CRP, art. 232.º): (1) desenvolver, em função do interesse específico das regiões, as leis de bases em matérias não reservadas à Assembleia da República (CRP, art. 227.º/1/c, segmento 1); (2) desenvolver certas leis de bases de competência legislativa relativa da Assembleia da República (CRP, art. 227.º/1/c, segmento 2, e art. 165.º/1/f, g, h, n, t e u).

Através desta possibilidade de desenvolvimento de leis de bases confere-se às assembleias legislativas regionais um poder de actuação e concretização justificado pela necessidade de adaptar as bases gerais dos regimes jurídicos

---

[24] In *Acórdãos*, vol. 19 (1991), p. 485, e vol. 25 (1993).
[25] Cfr. a nossa crítica ao Ac. 174/93, in *RLJ* (1994), pp. 201 e ss, e a de JÓNATAS MACHADO, "Tomemos a sério a separação das igrejas do Estado", in *Revista do Ministério Público*, 58 (1994), pp. 45 e ss.
[26] Cfr. Ac. TC n.º 326/86, de 25-11, *DR*, II, 18-11-86.

ao *interesse específico* da região. Note-se, porém, que não existindo aqui qualquer delimitação material de competências constitucionalmente estabelecida, as normas regionais de desenvolvimento dependem da iniciativa do legislador nacional e do maior ou menor grau de concretização por este conferido às leis de bases. Daí que os decretos legislativos de desenvolvimento estejam subordinados às bases, podendo apenas actuar, desenvolver, integrar, *secundum* ou *praeter legem*, mas nunca *contra legem* (cfr. *infra*).

O poder de desenvolvimento legislativo regional das leis de bases é, no entanto, um poder constitucionalmente garantido, não estando facultado ao legislador nacional excluí-lo ou admiti-lo.

D. Leis de Autorização Legislativa

I - Regime geral

1. Considerações de natureza dogmática

Um outro tipo de leis em relação ao qual a doutrina costumava questionar a sua natureza jurídica é constituído pelas chamadas **leis de delegação** ou **autorização**[27]. Mediante estas leis, o órgão legislativo (poder legislativo) habilita ou autoriza o órgão executivo a emanar actos normativos com força de lei.

Antes de nos debruçarmos sobre alguns problemas pontuais do direito constitucional positivo, começaremos por aludir a algumas questões de natureza jurídica-dogmática relativas às leis de delegação.

a) *Natureza formal ou material*

Relativamente ao problema da *natureza meramente formal ou formal-material* das leis de autorização ou de delegação, julga-se superada a velha doutrina germânica segundo a qual estas leis deveriam ser qualificadas como meramente formais. Elas não continham verdadeiras normas jurídicas, isto é, normas gerais e abstractas, válidas no confronto de todos os sujeitos. Permaneciam com um conteúdo meramente interno, insusceptível de ser invocado perante os juízes e praticamente submetido ao jogo das forças políticas.

---

[27] Sobre o tema da delegação legislativa cfr. GARCIA DE ENTERRIA, *Legislación Delegada, Potestad Reglamentaria y Control Judicial*, Madrid, 1970, pp. 53 e ss; LIGNOLA, *La delega legislativa*, Milão, 1956; CERVATI, *La delega legislativa*, Milão, 1972; M. PATRONO, *Le leggi delegata in parlamento. Analisi comparata*, Padova, 1981. Entre nós, cfr., por último, JORGE MIRANDA, *Funções, órgãos e actos do Estado*, pp. 455 e ss; *Manual*, V, pp. 310 e ss.

Hoje, quando os autores propendem para esta qualificação, invocam não já os efeitos meramente internos, mas o facto de os efeitos se verificarem só depois da entrada em vigor da lei delegada. As *leis de delegação* começariam por ser *leis formais sobre a produção jurídica* para se transformarem em *leis substanciais de produção* depois da emanação da lei delegada[28]. Parece-nos de rejeitar esta tese das leis meramente formais, mesmo na formulação matizada que acabamos de expor, porque a caracterização das leis de delegação não deve estar dependente da sua actuação pela lei delegada. A lei de delegação não tem uma natureza diversa das outras leis, acontecendo apenas que as suas normas são formuladas pelo órgão parlamentar para serem aplicadas juntamente com a emanação de leis delegadas.

b) *Natureza jurídica da autorização*

A querela mais importante suscitada pelas leis de autorização reside na questão de se saber qual a verdadeira **natureza jurídica da autorização**. Trata-se de *transferência* de poderes de um órgão para outro? Haverá verdadeira transferência de competências ou apenas uma delegação de matérias? Em vez de se falar de delegação não será mais apropriado falar de *autorização* ou de *substituição*? Nestas interrogações vão pressupostas algumas posições doutrinais[29].

A doutrina menos recente considerava a delegação legislativa como uma *transferência* temporária do poder legislativo, ou, pelo menos, do seu exercício, para o poder executivo. Contra esta posição foram movidas pertinentes críticas. Em primeiro lugar, não se distingue, no campo do direito constitucional, entre *titularidade* e *exercício* de um poder: o poder é atribuído em função da concreta possibilidade de exercício[30]. E também não se pode confundir a delegação legislativa com outros institutos típicos do direito privado: a *representação* e o *mandato*[31]. De representação não se pode falar porque falta, desde logo, a transferência dos efeitos jurídicos da esfera do representante para o representado. Tão-pouco se trata do *mandato,* porque não se pode dizer que o Governo seja chamado a exercitar uma actividade por conta e no interesse do parlamento, até

---

[28] Assim, precisamente, LAVAGNA, *Istituzioni,* cit., p. 315.
[29] Cfr. CRISAFULLI, *Lezioni,* cit., Vol. II, p. 80; CERVATI, *La delega,* cit., pp. 109 e ss. Entre nós, cfr. PAULO OTERO, *O Poder de Substituição,* cit., II, p. 419; JORGE MIRANDA, *Manual,* p. 310.
[30] Cfr. LAVAGNA, *Istituzioni,* cit., p. 310; JORGE MIRANDA, «*Decreto*», separata do *Dicionário Jurídico da Administração Pública,* p. 21. Sobre as várias figuras referidas no texto – substituição, delegação, mandato, representação – cfr., desenvolvidamente, PAULO OTERO, *O Poder de Substituição,* I, p. 419.
[31] Uma análise pormenorizada da comparação do instituto da delegação legislativa com outros institutos de direito público e privado é feita por GARCIA DE ENTERRIA, *Legislación Delegada,* cit., pp. 98 e ss.

porque o interesse público que está na base da delegação é um interesse superior ao dos órgãos em questão. Inapropriada é também a analogia com o instituto privatístico da sub-rogação (*delegatio solvendi* e *delegatio promitendi*) que implica a substituição do devedor por outra pessoa que assume em nome próprio as obrigações frente a terceiro ou efectua a favor deste uma determinada prestação. Rejeita-se, igualmente, a similitude com a *delegação de atribuições* de direito administrativo (delegação de funções ou atribuições de órgãos superiores a favor dos inferiores). A delegação de funções é uma questão organizatória que se efectiva no interesse da própria administração, enquanto a delegação legislativa pressupõe, desde logo, dois centros de poder totalmente distintos – parlamento e governo.

Em face das objecções precedentes, tentou caracterizar-se a delegação como uma *condição de substituição* no exercício de determinado poder, não implicando, por isso, qualquer transferência ou autorização. Independentemente de quaisquer outras considerações, parece não ser aceitável que se considere o Governo como *substituto institucional* do Parlamento com a consequente possibilidade de desempenhar funções tipicamente parlamentares.

Uma outra teoria a que se não deixam de assinalar também bases privatistas, mas que se aproximaria mais da realidade do fenómeno da delegação, é a *teoria da autorização (Ermächtigung)*. No direito civil entende-se por autorização a manifestação de vontade pela qual uma pessoa (autorizante) permite a outra a realização, em nome próprio, mas sobre a esfera jurídica do autorizante, de um acto material ou de um negócio, que, sem a referida autorização, seria ilícito por significar uma ilegítima invasão da esfera jurídica alheia. A autorização remove um obstáculo ao exercício do poder que o autorizado eventualmente já possui. Importante é anotar que na figura autorização avulta não a relação pessoal autorizante-autorizado mas a incidência dos efeitos do negócio autorizativo na esfera patrimonial do autorizante. Ora, também na delegação legislativa encontraríamos as notas distintivas da autorização. Aqui se notará também o carácter objectivo da autorização, porque, como intuiu certeiramente M. Hauriou, a delegação é uma *delegação de matérias*, abandonando o parlamento matérias que fazem parte da sua competência reservada à regulamentação do Executivo. O Executivo ao legislar sobre matérias reservadas do parlamento age em nome próprio.

Julgamos ser esta última construção a que se coaduna com a nossa actual arquitectura constitucional. O art. 165.º/1, ao estabelecer a reserva de competência legislativa, mostra já que se trata de uma *reserva de matérias* («É da exclusiva competência da Assembleia da República legislar sobre as seguintes *matérias*»); o art. 165.º/2 fala expressamente de *autorizações legislativas*. O Governo, ao fazer uso das autorizações legislativas, não recebe poderes legislativos da Assembleia da República, até porque, no nosso sistema constitucional, o Governo é dotado de competência legislativa ordinária; ao emanar decretos-leis sobre matérias reservadas à competência da Assembleia da República, o Governo age em nome próprio e não em nome da Assembleia da República [32].

2. Leis de autorização e leis de bases

As leis de autorização devem distinguir-se das leis de bases estudadas no número anterior, não obstante existirem algumas semelhanças entre elas. Refiram-se, em primeiro lugar, as afinidades entre os dois tipos de leis: (1) nenhuma delas esgota a regulamentação legislativa da matéria sobre que versam, carecendo de ulterior intervenção legislativa do Governo; (2) ambas delimitam e condicionam a área de intervenção legislativa do Governo e a sua liberdade de conformação.

As diferenças entre as **leis de bases** e as **leis de autorização** reconduzem-se, por sua vez, aos seguintes aspectos: (a) enquanto a lei de bases altera ela mesma a ordem jurídica, estabelecendo as bases de determinado domínio jurídico, a lei de autorização, embora contenha já verdadeiras normas jurídicas com efeitos externos, intervém atenuadamente no ordenamento jurídico, visando, sobretudo, autorizar tal intervenção (cfr., porém, *infra*, n.º 3); (b) enquanto a lei de bases fica apenas suspensa do desenvolvimento legislativo por parte do Governo, a lei de autorização caduca se não for utilizada ou esgota-se nessa utilização; (c) a lei de autorização habilita o Governo a legislar apenas uma vez sobre o assunto, ficando-lhe vedado renovar a intervenção legislativa na matéria (salvo nova autorização), enquanto que no caso da lei de bases o Governo pode livremente modificar o desenvolvimento legislativo que deu à lei; (d) enquanto só pode haver leis de autorização em matérias pertencentes ao domínio relativamente reservado da AR, as leis de bases podem surgir em qualquer domínio legislativo, salvo, naturalmente, nas matérias cuja competência legislativa é reservada à AR em toda a sua extensão (e não apenas quanto às bases do respectivo regime jurídico); (e) a lei de autorização é um requisito da intervenção legislativa do Governo na área da competência reservada da AR, enquanto que a lei de bases só é pressuposto da actividade legislativa do Governo quando versar matéria pertencente àquela área [33].

---

[32] Cfr. JORGE MIRANDA, *Funções, órgãos e actos do Estado*, cit., p. 468; *Manual*, V, p. 310.
[33] Precisamente nestes termos, cfr. GOMES CANOTILHO/VITAL MOREIRA, *Constituição da República*, anotação ao art. 115.º

3. Natureza jurídico-constitucional das leis de autorização

As leis de autorização têm um carácter *normativo-material*. Não se trata, pois, de simples «normas sobre a produção jurídica» ou de normas «organizatório-competenciais». Embora possuam uma força activa atenuada, pois a sua dinâmica densificadora depende da emanação de decreto-lei ou decreto legislativo regional autorizados, elas contêm ou podem conter disposições de carácter material – inovador ou simplesmente revogatório –, alterando o ordenamento pré-existente[34]. Por outro lado, o carácter de materialidade das leis de autorização conexiona-se com os seus *efeitos externos*, pois a autorização legislativa deve tornar previsível e transparente para o cidadão as hipóteses em que o Governo ou a assembleia legislativa regional farão uso da autorização e ainda o conteúdo (objecto, sentido, extensão, alcance) que, com fundamento na autorização, virão a ter as normas autorizadas.

4. O objecto das leis de autorização

A concessão de autorizações legislativas integra-se na competência legislativa da AR (CRP, art. 165.º). Por isso, também as autorizações legislativas devem, em princípio, coincidir com o **objecto** *próprio da função legislativa do Parlamento*. Além de estarem excluídas desta função as funções de fiscalização ou de controlo, que são indelegáveis (cfr. arts. 162.º e 163.º), subtraem-se também ao poder de autorização as matérias de competência *política* (art. 161.º), mesmo quando a forma de exercício desta competência é a forma de lei (cf. Ac. TC 472/95).

Dada a configuração do instituto da autorização, deve afastar-se a hipótese de leis de autorização versando sobre matérias não reservadas.

Discute-se também se não deverá ser excluída do objecto das leis de autorização a emanação de *leis de medida,* já que, neste caso, haveria apenas a manifestação de uma *função legislativa aparente.* As leis de medida, incidindo directa e concretamente na esfera jurídica do

---

[34] Cfr. F. MODUGNO, *Legge – Ordinamento Giuridico – Pluralità degli Ordinamenti*, Milano, 1985. Entre nós, cfr. GOMES CANOTILHO/JORGE LEITE, *A Inconstitucionalidade da lei dos despedimentos*, Coimbra, 1988, p. 69; JORGE MIRANDA, *Funções, órgãos e actos do Estado*, cit., p. 472; *Manual*, V, pp. 303 e ss. No plano jurisdicional, cfr. Ac. TC 107/88, *DR*, I, 21-6-88 («*Caso do pacote laboral*»), e Ac. TC 64/91 («*Caso do novo pacote laboral*»), em que se adere à natureza material das leis de autorização e se extraem consequências jurídico-constitucionais que se nos afiguram correctas. Cfr., porém, em sentido divergente os votos de vencido dos referidos acórdãos que, encapuçadamente, restauram a velha teoria de leis meramente formais. No sentido criticado no texto, cfr. BARBOSA DE MELO, "Discussão pública pelas organizações de trabalhadores das leis de autorização legislativa", RDES, Ano XXXI (1989), pp. 533 e ss.

particular, seriam, no fundo, actos administrativos, razão pela qual seria absurdo que fosse objecto de autorização a prática de actos que competiam institucionalmente ao Governo. O problema foi discutido na Itália quando foram aprovadas as primeiras leis referentes à reforma agrária («*legge Sila*» e «*legge Stralcio*»), em 1950, nos termos das quais o parlamento delegava ao governo a faculdade de, através de leis delegadas, determinar a ocupação, transferência e expropriação de terrenos[35].

A função legislativa é, entre nós, objecto de uma qualificação formal, não havendo quaisquer limites quanto ao seu conteúdo normativo. As leis com um conteúdo concreto e individual são admissíveis e, consequentemente, nada impede a delegabilidade ou autorização de leis deste tipo ao Governo.

5. Os destinatários das autorizações legislativas

O destinatário[36] das autorizações legislativas é o *Governo* (em plenitude de funções e não mero governo de gestão) e não quaisquer outras pessoas ou órgãos (CRP, arts. 172.º e 195.º). Neste sentido, será inconstitucional qualquer autorização legislativa a favor do Primeiro-Ministro, do Conselho de Ministros ou de qualquer Ministro considerado isoladamente (cfr. arts. 165.º/4 e 198.º/1/*b*).

Destinatários de autorizações legislativas podem ser ainda (depois da revisão de 1989) as assembleias legislativas regionais (CRP, art. 232.º/1, conjugado com o art. 227.º/1/*b*). Todavia, aqui trata-se de autorizações incidentes não sobre matérias da reserva relativa (como no caso das autorizações ao Governo), mas sobre «matérias de interesse específico para as regiões que não estejam reservadas à competência própria dos órgãos de soberania» (CRP, art. 227.º/1/*b*). Em rigor, as chamadas "autorizações legislativas" às assembleias regionais visam apenas permitir a estas a não observância de certos limites decorrentes de leis gerais da República.

Embora não haja qualquer norma constitucional expressa, são de considerar constitucionalmente ilegítimas *subdelegações legislativas,* pois estas não só contrariam o clássico princípio da indelegabilidade de poderes delegados (*delegatus non potest delegare*), como violam o princípio fundamental das cons-

---

[35] Sobre o problema de delegação legislativa através de leis de medida cfr. CHELI, *Potere Regolamentare e Strutura Costituzionale,* Milão, 1967, p. 290; CERVATI, *La delega,* cit., p. 180; LAVAGNA, *Istituzioni,* cit., p. 319.

[36] E não só destinatário, pois é ao Governo e não à AR que compete a iniciativa legislativa da autorização. A AR não pode de *motu proprio* conceder autorização. Por isso, afigura-se-nos constitucionalmente claudicante a posição do Tribunal Constitucional no sentido de *autorizações legislativas implícitas* (através de fórmulas como «O Governo estabelecerá», «deverá o Governo»). Estas fórmulas não são autorizações são «votos políticos» que o Governo poderá ou não aceitar. Só nesse sentido – juridicamente irrelevante, mas politicamente significativo – serão aceitáveis as referidas «autorizações legislativas implícitas». Cfr. Ac. TC 48/84, in *Acórdãos do Tribunal Constitucional,* vol. 3, pp. 7 e ss, e 461/87, in *DR,* I, 15-1-88.

tituições rígidas segundo o qual a delegação do poder legislativo deve ser expressamente consentida pela Constituição (cfr. arts. 111.º/2 e 112.º/6, e Ac. TC 82/86, *DR*, I, 2-4-86).

6. Limites das autorizações legislativas

6.1. *Limites materiais*

As constituições costumam estabelecer limites materiais ao exercício das autorizações legislativas, impondo, desde logo, um *conteúdo mínimo* às próprias leis de autorização. Um destes limites materiais consiste na exigência de as leis de autorização *definirem* o **objecto** da autorização (cfr. art. 165.º/2). Resta saber em que é que consiste a definição do objecto. Segundo alguns autores, «objecto definido» significaria tão-somente a proibição da concessão de plenos poderes ou de uma autorização geral a favor do Governo para legislar sobre todas as matérias reservadas à competência do órgão parlamentar[37]. Todavia, se as autorizações legislativas não querem limitar-se a cheques em branco, necessário se torna especificar o objecto da autorização, e não indicar apenas, de um modo vago, genérico ou flutuante (cf. Ac. TC 414/96), as matérias que irão ser objecto de decretos-leis delegados (*princípio da especialidade das autorizações legislativas*). Como se diz no direito norte-americano, a lei de autorização deve conter os princípios básicos da política (*basic policy standards*) e não apenas *standards* vagos (*great standards*)[38].

A CRP, ao contrário de outros ordenamentos[39], não exigia expressamente, na redacção originária, a determinação do **sentido**, isto é, dos princípios orientadores do Governo na emanação de decretos-leis autorizados. Isto não impedia a Assembleia da República de enunciar nas leis de autorização *um mínimo* de directivas ou princípios. Estes princípios ou regras paramétricas teriam

---

[37] Cfr. LAVAGNA, *Istituzioni*, cit., p. 319; MORTATI, *Istituzioni*, cit., p. 582; VIRGA, *Diritto Costituzionale*, cit., p. 371.

[38] Cfr. M. PATRONO, *Le leggi delegata in Parlamento*, Padova, 1981, pp. 30 e ss. Entre nós, cfr. SÉRVULO CORREIA, *Legalidade*, cit., pp. 54 e ss.

[39] Exs.: Constituição italiana, art. 76.º: «O exercício da função legislativa não pode ser delegado ao Governo a não ser com *determinação dos princípios* e *critérios directivos* e apenas por tempo limitado e objecto definido»; Constituição da República Federal Alemã, art. 80.º: «O Governo federal, um ministro federal ou os Governos dos *Länder* podem ser autorizados por uma lei para editarem regulamentos jurídicos. A lei deverá *determinar o conteúdo, o fim e a extensão das referidas autorizações»;* Constituição Francesa de 1958, art. 38.º: «O Governo pode, para a *execução do seu programa,* pedir ao Parlamento autorização para adoptar, mediante «ordonnances», durante um prazo limitado, medidas que são normalmente do domínio da lei».

a finalidade de precisar ainda melhor as exigências do legislador quanto à definição do objecto da autorização legislativa (cf. Ac. TC 414/96). As limitações materiais são compreensíveis, pois trata-se de matérias cuja disciplina pertence exclusivamente à Assembleia da República, não devendo esta, a solicitação do Governo, demitir-se pura e simplesmente das suas responsabilidades, e confiar--lhe uma discricionariedade total na emanação de decretos-leis autorizados.

Uma outra espécie de limites substanciais foi já anotada: a de a autorização não poder incidir sobre matérias necessariamente reguladas por *lei formal,* isto é, matérias enquadradas na *reserva de lei de Assembleia.* Trata-se de matérias de especial sensibilidade política, cuja regulamentação deve ser atribuída exclusiva e indelegavelmente ao Parlamento (cfr. arts. 161.° e 164.°). Também não será objecto de autorização a emanação de actos que a Assembleia pratica em forma diversa da lei (moções ou resoluções) e que são da sua exclusiva competência: nomeação de comissões parlamentares, eleição do Provedor de Justiça (cfr. arts. 23.°/3 e 163.°); eleição dos membros do Tribunal Constitucional e de outros órgãos constitucionais (cfr. art. 163.°/*i*); pronunciação sobre a dissolução dos órgãos das Regiões Autónomas (cfr. arts. 163.°/*g* e 234.°).

6.2. Os critérios de definição do sentido e extensão da autorização

A exigência de uma *determinabilidade* autorizativa através da definição do sentido e extensão da autorização pode apreciar-se manejando vários critérios: (1) o critério da *autodecisão* que obriga a colocar-nos sob o ponto de vista do legislador autorizante, pois este deve perguntar-se se ao definir o conteúdo e ao identificar as questões materiais está ou não a antecipar a disciplina jurídica básica a classificar pelo decreto-lei autorizado; (2) o critério do *programa* legislativo, que desloca a questão para a perspectiva do cidadão, pois, para este, a lei de autorização deve constituir o programa normativo de que se deduza qual o sentido e quais os casos que, com base na autorização, o governo incluirá no decreto-lei autorizado; (3) o *critério de previsibilidade,* que se situa ainda na perspectiva do cidadão, pois este deverá reconhecer no conteúdo de lei de autorização o complexo de direitos e deveres e a orientação básica da disciplina jurídica a contemplar no diploma legislativo autorizado. Qualquer destes critérios poderia reforçar as considerações dos Acs. TC 273/99 e 70/99 (*Acórdãos,* vols. 43 e 44) em que o Tribunal decidiu (a nosso ver, bem) que uma norma autorizada não respeitava o *sentido* da autorização (*Caso do Regime de Arrendamento Urbano*).

6.3. Limites temporais

Fixa-se a data final (*dies ad quem*), decorrida a qual decai o poder do Governo em legislar sobre as matérias, objecto da autorização legislativa. É questionável, porém, se os **limites temporais**, indicados na lei de autorização, implicam a própria publicação do decreto legislativo no *Diário da República,* ou se basta a promulgação pelo Presidente ou até a simples aprovação pelo Conselho de Ministros[40]. As três posições têm merecido aprovações e críticas, parecendo, porém, prevalecente, a tese da não exigência da publicação dentro dos limites temporais fixados pela lei de autorização. Argumenta-se neste sentido com o facto de a publicação ser um acto sucessivo estranho ao exercício da autorização legislativa, além de a publicação ser hoje (depois da LC n.º 1/82) uma mera condição da eficácia da lei e não um requisito de existência. Militaria a favor da última posição, ou seja, a suficiência da simples aprovação dos decretos-leis pelo Governo, fazendo uso das autorizações legislativas, o facto de que tal como uma lei se considera aprovada depois da sua aprovação pelo órgão parlamentar, também o decreto-lei do Governo, no exercício de autorizações legislativas, se consideraria perfeito com a simples aprovação pelo Governo[41]. Todavia, a simples aprovação não é condição suficiente de existência de um acto legislativo. A favor da exigência da publicação no *DR* pode invocar-se que sem ela não é susceptível de controlo público a data do diploma. Pelo menos, seria então de exigir que, para o Governo não cometer a fraude de «antedatar» diplomas, se tivesse em conta o momento de recepção pelo Presidente da República para efeitos de promulgação (cfr. Ac. TC 400/89, *DR*, II, 14-9-89). O Tribunal Constitucional tem vindo, porém, a considerar que, para que "se considere respeitado o prazo de autorização legislativa basta que ocorra dentro desse prazo a aprovação pelo Conselho de Ministros do decreto-lei emitido no uso dessa autorização" (cf. Acs. TC 156/92, *DR*, II, 28-7, 386/93, *DR*, II, 2-10, 672/95, *DR*, II, de 20-3, 268/97, *DR*, II, 22-5-97, 461/99, *DR*, II, de 14-3-2000). Líquido parece, porém, ser já a inadmissibilidade de decretos-leis anteriores à publicação da lei de autorização ou posteriores à cessação da sua vigência: (1) no primeiro caso, são inconstitucionais porque não podem reclamar-se de uma lei de autorização com eficácia externa, não sendo admissível qualquer convalidação *a posteriori*; (2) no segundo caso (cf. Ac. TC 268/97), existe claramente falta de autorização, sendo este vício insusceptível de sanação (inclusive por lei posterior).

---

[40] Uma breve resenha destas posições encontrar-se-á em MORTATI, *Istituzioni*, cit., Vol. II, p. 581.

[41] Para uma ilustração prática dos problemas que se podem suscitar a este respeito cfr. Parecer n.º 5/80 da Comissão Constitucional, in *Pareceres*, Vol. II, pp. 130 e ss. Cfr., também, JORGE MIRANDA, *Manual*, V, p. 316.

6.3. *Cessação da autorização*

A lei de autorização, para além dos limites temporais assinalados no número anterior, pode esgotar a sua relevância jurídica por três motivos: (1) utilização dela pelo Governo; (2) revogação pela AR; (3) caducidade pelas razões enunciadas no art. 165.º/4.

Relativamente à *utilização,* vigora no direito constitucional português o **princípio da irrepetibilidade**: o Governo não pode utilizar a autorização mais do que uma vez, estando-lhe igualmente vedada a revogação, alteração ou substituição[42]. O princípio da irrepetibilidade pressupõe a eficácia jurídica do decreto-lei autorizado e daí a possibilidade de o Governo poder editar outro decreto-lei, observados que sejam os limites da autorização, quando o primeiro não chegar a entrar em vigor no ordenamento jurídico (ex.: por motivo de veto)[43].

O princípio da irrepetibilidade também não significa proibição de *utilização parcelar* da autorização. Consiste esta em o Governo editar vários decretos-leis, simultâneos ou sucessivos (mas não sobreponíveis), que utilizem parcialmente a autorização.

Relativamente à *revogação* da autorização, considera-se, em geral, que o órgão parlamentar pode *revogar* a autorização legislativa, com base na qual o Governo estava legitimado a emanar decretos-leis sobre matérias de exclusiva competência daquele órgão[44]. Esta revogação deverá ser feita de forma expressa e mediante um acto igual ao da autorização (lei). Se a AR editar leis durante o período de autorização, regulando directamente as matérias, objecto de autorização, isso significará que cessou a causa de autorização, ficando o Governo impedido de continuar a fazer uso das autorizações legislativas (revogação implícita ou tácita)[45].

Finalmente, a *caducidade* da autorização deriva da verificação de qualquer dos eventos enunciados no art. 165.º/4. A lei de autorização pode ser configurada como uma lei que vale independentemente da estrutura pessoal ou das transformações dos órgãos delegante e delegado. A autorização poderia, por hipótese, ser dada ao Governo como órgão, institucional e objectivamente entendido, e não a um Governo compreendido em termos subjectivos. Mas também

---

[42] A afirmação é válida mesmo para a hipótese de os limites *ad quem* não terem sido atingidos.
[43] Cfr., também, JORGE MIRANDA, *Manual,* V, p. 313.
[44] Cfr. LAVAGNA, *Istituzioni* cit., p. 314; MORTATI, *Istituzioni* cit., p. 583. Entre nós, cfr. GOMES CANOTILHO/VITAL MOREIRA, *Constituição da República,* cit., anotação ao art. 168.º Note-se, porém, que a CRP não fala em revogação de autorização. Entende, porém, a doutrina que quem pode conceder também pode retirar.
[45] Cfr., também, JORGE MIRANDA, *Funções, Órgãos e Actos do Estado,* cit., p. 478; *Manual,* V, p. 320. Na doutrina espanhola cfr. DE OTTO, *Derecho Constitucional,* cit., p. 188.

se pode considerar que a lei de autorização comporta uma *relação fiduciária* entre o órgão parlamentar e o Governo, motivo pelo qual a autorização caduca com a alteração de qualquer destes dois órgãos. O regime constitucional português aproxima-se desta última perspectiva. O art. 165.º/4 é explícito ao estabelecer a *caducidade* das autorizações legislativas sempre que se verifique a demissão do Governo, o termo da legislatura ou a dissolução da Assembleia da República.

   Antes da revisão constitucional de 1989 era discutível se o regime geral das autorizações legislativas do art. 168.º/4 se aplicava às autorizações inseridas na lei orçamental. A favor de uma diferenciação de regimes conducente, em último termo, a furtar ao princípio da caducidade as autorizações orçamentais, cfr. Cardoso da Costa, *Sobre as Autorizações Legislativas da Lei do Orçamento,* cit., pp. 23 e ss. Cfr., também, *Parecer* n.º 5/80 da Comissão Constitucional, in *Pareceres,* Vol. 10.º, pp. 129 e ss. A doutrina que se julgava mais coerente com o regime constitucional era, porém, a da inadmissibilidade de autorizações legislativas especiais. Cfr., neste sentido, Gomes Canotilho/Vital Moreira, *Constituição da República,* anotação ao art 168.º, mas, em sentido diverso, Jorge Miranda, «Autorizações legislativas», in *RDP* 2/1986, p. 20. Todavia, depois da revisão constitucional de 1989, as autorizações legislativas orçamentais mereceram consagração expressa no texto da constituição (CRP, art. 168.º/5). Sobre o seu regime, cfr. Jorge Miranda, *Funções, órgãos e actos do Estado,* cit., pp. 487 e ss; *Manual,* V, pp. 320 e ss.

7. Leis de autorização e decretos-leis autorizados

7.1. *O decreto-lei regulador de matérias reservadas como acto legislativo dependente*

   Embora o decreto-lei regulador de matérias reservadas seja considerado como um acto legislativo, alguns autores consideram estes decretos como sendo *actos legislativos subprimários* para expressar o vínculo da subordinação da legislação delegada em relação aos princípios estabelecidos pelo legislador delegante[46]. Este carácter subordinado dos decretos-leis no uso de autorização legislativa é, hoje, constitucionalmente indiscutível (art. 112.º/2, aditado pela LC n.º 1/82). É, porém, excessivo e constitucionalmente desconforme reduzi-los a actos legislativos subprimários, dada a competência legislativa normal do Governo no ordenamento português.

   Além da subordinação hierárquica ao parâmetro das leis de autorização, os decretos-leis autorizados são actos legislativos condicionados ainda num outro sentido: estão subtraídos à disposição do poder legislativo do Governo que não os pode revogar ou alterar sem nova autorização legislativa.

---

[46] Cfr. MORTATI, *Istituzioni,* cit., Vol. 11, p. 583.

7.2. Excesso ou defeito de autorização

Dada a relação de conformidade que deve existir entre o parâmetro superior representado pela «lei autorizante» de natureza reforçada (cfr. CRP, art. 112.º/2) e o decreto-lei que faz uso das autorizações legislativas, a doutrina tem identificado os *vícios* dos decretos-leis emanados em violação da lei de autorização: (1) ou se trata de *excesso de autorização* pela não observância dos limites materiais da lei de autorização (Cfr. Ac TC 426/98, 172/98, *DR*, II, de 18-5, *DR*, II, 9-12, com o voto de vencido, mas a nosso ver, sem razão, de alguns conselheiros do TC); (2) ou de *defeito de autorização*, considerando-se que o decreto-lei do Governo foi emitido para lá do termo fixado pela lei de autorização ou incidiu sobre uma matéria de competência reservada sem que tenha havido qualquer autorização legislativa; (3) ou de *defeito de autorização* resultante da falta de menção expressa[47], pelo decreto-lei, da respectiva lei de autorização (cfr. art. 198.º/3). A qualificação jurídica destes vícios reconduz-se à *ilegalidade* na hipótese (1) e à inconstitucionalidade nas hipóteses (2) e (3). Cfr. *infra*.

7.3. Invalidade consequencial ou sucessiva

Outro problema suscitado pela consideração da lei de autorização como *limite constitucional da legislação autorizada* está em saber se a invalidade da lei autorizante implicará invalidade do decreto-lei autorizado (fala-se aqui de **invalidade consequencial ou sucessiva**)[48]. O decreto-lei autorizado fundado sobre uma lei de autorização inconstitucional é também um acto legislativo inconstitucional, embora seja discutível se a declaração de inconstitucionalidade da lei de autorização opera automaticamente a invalidade do decreto-lei autorizado ou, *vice-versa*, se a declaração da inconstitucionalidade do decreto-lei autorizado se repercute sobre a lei de autorização inconstitucional (cfr. Ac. TC 285/92). Assim, se a lei de autorização é aprovada pela AR em reunião de comissão ou comissões parlamentares e não em plenário, ou se a lei de autorização não fixa qualquer prazo para o exercício de autorização legislativa, o decreto-lei é afectado pelos vícios da inconstitucionalidade da lei autorizante. Todavia, como se trata, apesar de tudo, de um acto legislativo autónomo, é neces-

---

[47] Só podem considerar-se como decretos-leis autorizados aqueles que se reclamem como tais, mencionando expressamente a lei de autorização em que se baseiem. Cfr. GOMES CANOTILHO/VITAL MOREIRA, *Constituição da República*, cit., anotação XXXVII ao art. 168.º e anotação V ao art. 201.º

[48] Cfr. CERVATI, *La delega*, cit., p. 215, nota 34.

sária a declaração expressa da inconstitucionalidade do próprio decreto-lei autorizado[49].

O TC, no Ac. 76/85 «*caso da propriedade das farmácias*» (in *DR*, II, de 11-2-85, e *Acórdãos do Tribunal Constitucional*, vol. 5, pp. 207 e ss), embora não tendo em vista, concretamente, os decretos-leis autorizados, considerou já que «no domínio das chamadas inconstitucionalidades consequentes» o Tribunal «delas deverá conhecer quando a sua enunciação, embora não expressamente explicitada, resulta de todo indissociável de uma apreciação global do pedido».

II - *Autorizações legislativas orçamentais*

O art. 165.º/5 da Constituição (aditado pela lei de Revisão n.º 1/89)[50] dá guarida às chamadas **autorizações legislativas orçamentais**. Trata-se das autorizações concedidas ao Governo na lei do orçamento. Dentre estas autorizações salientam-se as autorizações em matéria fiscal, pois, através delas, a Assembleia autoriza o Governo não só a cobrar as contribuições e impostos constantes dos códigos e demais legislação tributária como a alterar estes códigos e legislação nos termos dos preceitos autorizativos incorporados na lei do orçamento. Só duas características fundamentais destas leis autorizativas é que justificam um regime especial: (1) não são leis de autorização autónomas antes são enxertadas na lei do orçamento; (2) têm um regime temporal próprio, pois a sua caducidade reporta-se ao termo do ano económico a que respeitam, ou seja, têm uma duração equivalente à da vigência do orçamento. Dada a sua imbricação com a lei do orçamento, as leis de autorização legislativa não pressupõem a relação fiduciária das outras autorizações (a autorização pode ser utilizada mais de uma vez durante o ano económico a que respeita, não pode ser modificada, interpretada, suspensa ou revogada pela Assembleia da República)[51].

---

[49] Cfr. Garcia de Enterria/Ramon Fernandez, *Curso de Derecho Administrativo*, Vol. 1, pp. 120 e ss; Angelo Rodriguez, «El Control de Constitucionalidad y Legislación Delegada», in *El Tribunal Constitucional*, Madrid, 1981, Vol. 1, pp. 509 e ss.

[50] Sobre a história destas autorizações cfr. J. Miranda, *Manual*, V, pp. 318 e ss.

[51] Cfr.s sobre isto, J. M. Cardoso da Costa, *Sobre as autorizações legislativas da lei do Orçamento*, Coimbra, 1982; I. Morais Cardoso, "Autorizações legislativas na lei do Orçamento", in *XX Aniversário do Provedor de Justiça*, Lisboa, 1995, pp. 127 e ss; Jorge Miranda, *Manual*, V, p. 324.

E. As Leis Estatutárias

I - O momento estatutário: relevância jurídico-constitucional

Pode dizer-se que a "teoria dos estatutos regionais" e a teoria do **poder estatutário** têm sido marginalizadas na reflexão teórica pelos problemas levantados em torno da articulação das "leis regionais" (decretos legislativos regionais) com as "leis gerais da república". No entanto, *os* **estatutos** *são a dimensão normativa de um processo dinâmico ancorado num princípio aberto: o princípio da autonomia regional.*

A criação das regiões autónomas dos Açores e da Madeira foi uma "decisão" do poder constituinte de 1976. Diferentemente do que acontece em relação às chamadas "regiões administrativas" (CRP, art. 255.º), não se abandonou a criação das regiões autónomas quer ao *princípio da liberdade* de conformação legal quer ao *princípio dispositivo ou* da *voluntariedade de criação* por parte das "populações da área regional". Mas se as regiões autónomas foram criadas em 1976 pela Constituição, os quadros normativos da autonomia político-administrativa não foram condensados na lei fundamental, deixando-se uma ampla margem aos estatutos para a concretização do regime político-administrativo próprio dos arquipélagos dos Açores e da Madeira. Já por aqui se pode intuir a importância político-constitucional da chamada **função estatutária**, pois é aos estatutos que vai competir a definição dos esquemas organizatórios fundamentais das regiões autónomas bem como a regulação jurídica do exercício dos poderes regionais. Um juspublicista espanhol (Javier Ruipérez) salientou recentemente esta ideia afirmando (com Mortati) que a "função estatutária é, sem dúvida, a actividade regional mais importante, já que é dela que se deriva a vida das próprias entidades político-territoriais". Não se trata, certamente, de um verdadeiro "poder constituinte" nem de uma "fase estatutário-constituinte" como, por vezes, se refere em alguma doutrina jusregionalista, pois as Regiões são "entes constituídos" que "encontram o fundamento da sua existência e dos seus poderes não num acto de vontade autónomo e originário, mas numa atribuição conferida pelo poder constituinte" (E. Gizzi). Se as regiões autónomas não têm, assim, um "poder constituinte" ou "autoconstituinte", dispõem, apesar de tudo, de relevantes poderes na conformação da matéria estatutária. Quais são esses poderes? Começaremos por analisar os "poderes" das regiões logo no *iter* formativo da lei estatutária.

1. Elaboração e alteração dos Estatutos

A doutrina que se tem debruçado sobre o **procedimento estatutário** salienta reiteradamente dois aspectos: *a) o momento impulsivo* do procedimento estatutário pertence, *de jure constitutione*, às assembleias legislativas regionais, pois são estas que nos termos do art. 226.º/1 devem elaborar os "projectos de estatutos político-administrativos das regiões autónomas"; *b) o momento deliberativo* cabe à Assembleia da República, dado que, nos termos constitucionais, pertence a este órgão de soberania discutir e aprovar o projecto de estatutos elaborado pelas assembleias legislativas regionais (art. 226.º/1/2/3 e art. 161.º).

A parcimónia constitucional relativa à elaboração dos estatutos coloca, porém, o problema de determinar os limites da intervenção da Assembleia da República no momento de aprovação ou alteração dos estatutos (cfr. arts. 226.º/1 e 226.º/4). Em termos teóricos, duas teses tendencialmente radicalizadas podem ser trazidas para a discussão do problema. A primeira aponta para a completa *liberdade de conformação* dos estatutos (no momento de elaboração ou no momento de alteração) por parte da Assembleia da República. A segunda aponta para um *poder estatutário autonómico* pertencente às assembleias legislativas regionais, o que conduziria a uma drástica limitação do poder da Assembleia da República.[52]

Esta última posição – a da deslocação do poder estatutário para as assembleias legislativas regionais, remetendo a intervenção da Assembleia da República ao papel de órgão "ratificador" – tem, desde logo, contra si, a letra da Constituição. Esta consagra, sem restrições, a competência da Assembleia da República para "discutir" e "aprovar" os estatutos, para "rejeitar o projecto" ou para lhe "introduzir" emendas (cfr. art. 226.º).

Se é indiscutível a competência da Assembleia da República para "rejeitar" e "introduzir" alterações aos projectos apresentados pelas assembleias legislativas regionais, também não deixa de ser certo que devem existir alguns **limites ao poder estatutário da Assembleia da República**. Quais são esses limites? A Constituição não o diz, mas a ideia de autonomia regional parece pressupor que, pelo menos nas suas dimensões essenciais, a Assembleia da República não pode introduzir alterações ao projecto de um estatuto manifestamente rejeitadas por uma determinada região autónoma. A competência legislativa da Assembleia da República estende-se à conformação intrínseca do estatuto, pois o estatuto é uma lei da República e não da Região Autónoma, além de produzir efeitos irradiantes para toda a comunidade nacional. De novo se

---

[52] Cfr. ARAGON REYES/AGUADO RENEDO, *Los Estatutos*, cit., pp. 728 e ss.

reafirma o que atrás se disse – *o poder estatutário é um poder da República e não um poder da Região*. O problema atrás enunciado continua, porém, em aberto: existirão limites ao poder de conformação do conteúdo dos estatutos por parte da Assembleia da República? Poderá a Assembleia da República rejeitar um projecto de estatuto ou projecto de alteração de estatuto com base em razões de simples oportunidade política? Uma via aproximativa para a abordagem do problema podia ser esta: *o direito à elaboração dos estatutos e o direito à alteração dos estatutos são uma dimensão nuclear da autonomia regional*. Esta autonomia regional compreende um poder estatutário, isto é, o poder de as regiões autónomas "fazerem" os seus próprios estatutos. Utilizaremos aqui as expressivas de T. Martines/A. Ruggeri dizendo que os **estatutos** são o "primeiro produto da situação jurídica activa" constitucionalmente reconhecida às regiões. E isto sob uma dupla perspectiva: *a)* sob uma *perspectiva jurídico-formal,* algumas matérias devem ser reguladas por estatutos regionais, sendo a respectiva disciplina subtraída a outras fontes normativas; *b)* sob uma *perspectiva axiológico-política,* os próprios órgãos legislativos regionais devem ter uma participação relevante na conformação intrínseca dos estatutos.

De acordo com as premissas antecedentes, parece razoável concluir que a *actividade legislativa estatutária*, ao perfilar-se como uma função normativa fornecedora do contexto material básico às entidades político-territoriais, não pode traduzir-se na imposição unilateral da vontade da Assembleia da República sobre os órgãos legislativos regionais constitucionalmente competentes para a elaboração do projecto de estatutos. Nesta perspectiva, dir-se-ia que embora os estatutos das Regiões Autónomas sejam leis da Assembleia da República de valor reforçado, nem por isso se poderá afirmar a ilimitada liberdade do legislador da República que, no limite, poderia rejeitar pura e simplesmente os projectos de estatutos invocando razões de mera oportunidade política. O direito de iniciativa de alteração dos estatutos reconduzir-se-ia a um "direito fraco" se a Assembleia da República pudesse limitar-se a rejeitar *in limine* o projecto de estatuto ou de alteração de estatuto elaborado pela Assembleia Legislativa Regional. Como salientou recentemente um autor espanhol (S. Muñoz Machado), tendo em vista a situação espanhola, o poder que se atribui ao Parlamento da República para "compartilhar" as tarefas da reforma estatutária não pode conceber-se em termos que lhe permita neutralizar a própria iniciativa estatutária das regiões autónomas.

Resta agora ver o segundo aspecto do problema: o da *inércia* legislativa das assembleias regionais quanto ao momento impulsivo de revisão dos estatutos. A Constituição estabelece apenas no art. 226.º/4 que "O regime previsto nos números anteriores é aplicável às alterações dos estatutos". Daqui é legítimo inferir que as alterações aos estatutos pressupõem a "vontade regional"

de iniciativa de alteração. E se não existir essa vontade? O problema não é meramente teórico. Os estatutos provisórios dos Açores e da Madeira vigoraram durante largos anos após a entrada em vigor da Constituição, tendo a situação sido resolvida apenas em 1991 no que diz respeito à Região Autónoma da Madeira (Lei n.º 13/91, de 5 de Junho). Este facto justificará uma breve digressão em torno do problema da *rigidez estatutária*. A isso se destinarão os esclarecimentos subsequentes.

2. Rigidez estatutária: garantia da autonomia?

Uma matéria a que a doutrina não tem dedicado grande atenção diz respeito ao problema da **rigidez estatutária**. Bem vistas as coisas, o regime constitucional português pressupõe o concurso da "*vontade da República*" (decisiva quanto à aprovação) e da "*vontade regional*" (decisiva quanto à elaboração ou iniciativa de alteração do projecto de estatutos). Consequentemente, o estatuto beneficia de uma *rigidez* próxima (mas não idêntica ou semelhante) à das normas constitucionais. Esta rigidez estatutária suscita problemas delicados. Se, para a alteração dos estatutos, se exige um projecto da competência das assembleias legislativas regionais, pergunta-se: como superar a "inércia regional"? A revisão estatutária exigirá, neste caso, uma revisão da própria constituição de forma a operar uma inconstitucionalidade superveniente relativamente às normas estatutárias em desconformidade com as novas normas (ou o novo conteúdo de normas) operado pela revisão constitucional? E no caso contrário, ou seja, no caso de inércia legislativa da Assembleia da República? Se a alteração dos estatutos exige a aprovação, por lei da Assembleia da República, dessas alterações, pergunta-se: como superar a "inércia parlamentar"? Note-se que a revisão dos estatutos pode ser imposta, como foi entre nós o caso, pela necessidade de adaptar estatutos provisórios pré-constitucionais às normas de uma constituição subsequente ou pela necessidade de compatibilizar normas estatutárias com revisões constitucionais posteriores. Os estatutos podem conter, assim, esquemas normativos em desconformidade com a lei fundamental, impondo-se a sua remoção ou compatibilização através da via de alteração estatutária. Perante a inactividade das assembleias regionais, terá de recorrer-se à revisão da própria lei fundamental para, de forma indirecta, obter uma revisão dos estatutos? E o que fazer no caso de a Assembleia da República não dar sequência ao procedimento de alteração iniciado pelas assembleias legislativas regionais? Como se vê, a rigidez estatutária que, ao fim e ao cabo, poderia funcionar como garantia da autonomia, coloca, nesta hipótese, o *amending process* dos estatutos na disponibilidade das assembleias legislativas regionais. A *proibição de modificabilidade unilateral* vale também perante as regiões. Estas não podem protelar excessivamente a iniciativa de revisão dos estatutos quando ela se revela constitucionalmente necessária. Isto sob pena de ao Parlamento da República só restar uma via para modificar o *status quo* estatutário: a via da revisão constitucional com a eventual consagração do poder de a Assembleia da República se substituir aos "parlamentos regionais" quanto à própria iniciativa de alterações aos estatutos. Por outro lado, a Assembleia da República pode introduzir alterações aos projectos de alteração apresentados pelas Assembleias legislativas regionais, mas não pode bloquear o procedimento estatutário através de um apócrifo "pocket veto" legislativo. Os problemas acabados de considerar justificam a interrogação seguinte: o procedimento de alteração estatutária não terá de ser um dos *conteúdos necessários* do próprio estatuto? Por outras palavras: caberá na reserva de estatuto a regulamentação do *iter* procedimental da iniciativa de reforma?

3. Reserva de estatuto: conteúdo necessário

Os arts. 227.º e 228.º da Constituição contêm um extenso leque de competências ("poderes") cuja definição pertence aos estatutos das regiões autónomas. As matérias sobre que incidem esses poderes aproximam-nos, de forma tendencial, daquilo que poderemos designar por conteúdo necessário do estatuto regional, ou, utilizando outras palavras, **reserva de estatuto regional** (cfr. Ac. TC 162/99, de 10-3-99, in *Acórdãos* 43 (1999), p. 37 ss.).

A ideia de conteúdo necessário aponta, pelo menos, para duas dimensões: *a)* certas matérias devem exclusivamente ser disciplinadas por lei estatutária (*reserva de estatuto*); *b)* essas matérias não podem deixar de estar reguladas no estatuto sob pena de se verificar aquilo que a doutrina designa por "*défice de estatuto*".

A **matéria estatutária**, na sua dimensão nuclear, será aquela que directa ou indirectamente está relacionada com os "poderes das regiões" individualizados nos arts. 227.º e 228.º da Constituição. Já suscita, porém, muitos problemas o acrescentamento de outros conteúdos para além dos permitidos por uma interpretação não restritiva do art. 227.º A dilatação do conteúdo estatutário a matérias não estatutárias (ex.: leis eleitorais) pode suscitar a controversa questão de vício por *excesso de estatuto*. O problema tem sido colocado sobretudo na literatura italiana em relação a normas programáticas e a normas eleitorais.

O problema da *definição material de estatuto regional* não coloca apenas problemas quando nos defrontamos com o "pecado por defeito de

778

estatuto" ou com o "pecado por excesso". Será talvez legítimo perguntar se o conteúdo necessário do estatuto poderá ser definido *a priori,* a partir de uma hermenêutica mais ou menos rigorosa dos preceitos constitucionais. Alguma doutrina recente parece apontar para uma espécie de existencialidade estatutária assente no conteúdo de *norma aberta* do princípio autonómico e nas exigências de adaptação dos estatutos às dimensões reais e dinâmicas da "vida regional", salvaguardando, como é óbvio, os limites da *constitucionalidade* e as exigências da *congruência* e da *racionalidade*. Nestes termos, não temos hoje a mesma segurança quanto à censurabilidade da inserção no estatuto de "disposições programáticas" (que nos pareceram, até agora, feridas de inconstitucionalidade). Continuamos a considerar que elas entram em rota de colisão com as normas constitucionais se as normas programáticas estatutárias estiverem em clara dessintonia com as normas e princípios constitucionais ou se elas implicarem uma modificação dos "poderes regionais" constitucionalmente especificados. Estas considerações justificarão algumas notas necessariamente breves sobre a inserção normativa dos estatutos no sistema das fontes de direito. A ideia básica é a de que a competência material do *estatuto é definida pelos "poderes"* enumerados no art. 227.º da CRP.

A densificação material do estatuto goza de um espaço de discricionariedade limitado pelas seguintes dimensões materiais: *a)* "*favor" regionalis:* o estatuto não deve comprimir ou rigidificar as "escolhas políticas sucessivas do legislador regional", pois, como nota justamente Zagrebelsky, o facto de o "estatuto ser um vínculo para o legislador regional significa que quanto mais ele se estende tanto mais se intensifica esse vínculo e tanto mais as maiorias legislativas – do Estado e da Região – que elaboraram inicialmente o estatuto influem sobre as futuras maiorias políticas"; *b) "favor" republicano:* a atracção de uma matéria para o âmbito estatutário (Zagrebelsky) restringe a possibilidade de intervenção do legislador republicano através de leis gerais. Com efeito, perante a rigidez estatutária atrás referida, e não obstante os estatutos serem leis da Assembleia da República, é indiscutível, como se viu, que a simples "vontade estatal" não basta para flexibilizar as normas estatutárias.

4. Conteúdo estatutário e limites da revisão constitucional

O problema da reserva de estatuto e de um conteúdo necessário articula-se também com os **limites de revisão constitucional**. Nos termos do art. 288.º/*o*, as leis de revisão terão de respeitar a "autonomia político-administrativa dos arquipélagos dos Açores e da Madeira". A questão reconduz-se aqui à intangibilidade do "regime autonómico insular" (art. 6.º) no qual se inclui a autonomia político-administrativa (arts. 225.° e 288.°/*o*) da forma de Estado descentralizado. Mais concretamente: por via da revisão constitucional é possível diminuir o leque de "poderes regionais" individualizados no art. 227.° da Constituição, mas já violará o núcleo intangível a conversão das regiões autónomas, dotadas de poderes político-administrativos, em "meros entes públicos territoriais de carácter administrativo" (Ruipérez).

II - Os estatutos como leis formais da AR

1. Reserva de iniciativa estatutária e reserva de competência estatutária

Leis estatutárias são as leis da Assembleia da República que aprovam os estatutos político-administrativos das regiões autónomas (e, até 19 de Dezembro de 1999, o estatuto do território de Macau). Os *estatutos* das Regiões Autónomas (cfr., Lei 9/78, de 26-3, alterada pela Lei 61/98, de 27-8, que incorporam o Estatuto da Região Autónoma dos Açores, e Lei 13/91, de 5 de Junho, embora constituam a primeira das funções regionais, não se podem considerar, em face da CRP (arts. 161.°/*b* e *c*, 226.° e 227.°/1/*e*), como uma *lei regional*. Não obstante pertencer às assembleias legislativas regionais a elaboração dos projectos, podendo dizer-se que há uma *reserva de iniciativa legislativa* a favor das Regiões Autónomas, é a Assembleia da República que discute (cfr. art. 226.°/3) e aprova os estatutos através de uma lei. Daí que não se possa falar de *autonomia estatutária* das Regiões Autónomas. A lei de aprovação dos estatutos não é uma lei meramente formal de aprovação, pois a Assembleia da República pode rejeitar o projecto e introduzir-lhe emendas, exercendo assim uma actividade substancialmente legislativa (cfr. art. 226.°/2)[53]. É, pois, incorrecta, quer a caracterização dos estatutos regionais como leis regionais, atribuindo à lei de aprovação a natureza de uma *função integrativa de eficácia*, quer a sua caracterização como *actos complexos*, onde confluem um acto estadual e um acto regio-

---

[53] Na doutrina italiana, considera-se, umas vezes, a lei de aprovação de estatutos como uma lei meramente formal porque, segundo a Constituição italiana, a aprovação parlamentar não implica quaisquer poderes de reforma ou de emenda directamente exercidos pelas Câmaras (assim, LIVIO PALADIN, *Diritto Regionale*, 2.ª ed., Pádua, 1976, p. 48); outras vezes, considera-se como uma lei substancial, porque é a lei de aprovação que dá eficácia legislativa ao estatuto (neste sentido, cfr. VIRGA, *Diritto Costituzionale*, cit., p. 421).

nal, com prevalência da vontade estadual ou regional conforme as perspectivas dos autores[54].

2. A hierarquia normativa das leis estatutárias

Os estatutos ocupam uma posição hierárquica privilegiada no plano da hierarquia das fontes. Embora não tenham valor constitucional, eles devem considerar-se como *leis reforçadas* com valor paramétrico relativamente aos diplomas legislativos regionais (decretos legislativos regionais e decretos regulamentares regionais) e às restantes leis da República (cfr. arts. 280.º/2/*b* e 281.º/1/*c* da CRP). Neste sentido, já se chamou aos estatutos "a mais reforçada das leis ordinárias reforçadas" (Paulo Otero).[55]

F. Leis Reforçadas

1. Os dados normativo-constitucionais[56]

Independentemente do que se disser adiante sobre esta categoria de leis em sede do parâmetro do controlo da constitucionalidade e da ilegalidade, convém esclarecer desde já o seu sentido no âmbito da análise das estruturas normativas. Algumas categorias de leis acabadas de analisar – leis orgânicas, leis de autorização, leis de bases, leis estatutárias – incluem-se neste conceito de leis reforçadas. Resta saber qual é a sua verdadeira natureza jurídico-constitucional e quais os «candidatos positivos» que entram no âmbito extensional do conceito.

---

[54] A favor da caracterização do estatuto como autêntica lei regional veja-se na doutrina italiana e para as regiões italianas, nos termos constitucionalmente prescritos, BISCARETTI DI RUFFIA, *Diritto Costituzionale*, cit, p. 663; LAVAGNA, *Istituzioni*, cit., p. 270; VIRGA, *Diritto Costituzionale*, cit., p. 421. A favor da consideração dos estatutos como actos que fazem corpo com as leis de aprovação, sendo portanto imputáveis ao Estado, cfr. PALADIN, *Diritto Regionale*, cit., p. 54; DE SIERVO, *Gli statuti delle regioni*, Milano, 1974. É claro que a autonomia regional implica, além de poderes legislativos próprios, uma certa autonomia política. Cfr., por exemplo, SALVIA, *Leggi provedimento e autonomia regionale*, Pádua, 1977. Entre nós, cfr. GOMES CANOTILHO/VITAL MOREIRA, *Constituição da República*, anotação ao artigo 228.º; JORGE MIRANDA, *Manual*, III, p. 192. Por último, cfr. M. ARAGON REYES/C. AGUADO RENEDO, "Los Estatutos de Autonomia Regional en el ordenamiento português", in *Perspectivas Constitucionais*, I, pp. 704 e 723 e ss.

[55] Cf. PAULO OTERO, *O Poder de Substituição*, II, p. 705.

[56] Ver, para uma visão de conjunto, J. MIRANDA, *Manual*, V, pp. 344 e ss; BLANCO DE MORAIS, *As Leis Reforçadas*, pp. 22 e ss.

O primeiro dado normativo a ter em conta é individualização das leis com valor reforçado feita pelo art. 112.º/3, na redacção que lhe foi dada pela LC 1/97 (quarta revisão). Neste preceito faz-se alusão a quatro categorias de **leis reforçadas**: (1) as leis orgânicas; (2) as leis que carecem de aprovação por maioria de dois terços; (3) as leis que por força da constituição sejam pressuposto normativo necessário de outras leis; (4) as leis que por outras devam ser respeitadas. Num primeiro relance de olhos vê-se que o legislador de revisão articulou critérios de identificação bastante heterogéneos: (1) o *critério da forma* e do *procedimento* (leis orgânicas)[57]; (2) o critério da "mais-valia legitimatória", ou seja, o critério da *maioria reforçada* exigido para a sua aprovação (as leis que carecem de aprovação por maioria de dois terços); (3) o *critério da parametricidade específica* (leis que são pressupostos normativos necessários de outras leis); (4) o critério da *parametricidade geral* (leis que devam ser respeitadas por outras leis). Os dois primeiros critérios são estritamente funcionais: a forma e a maioria de aprovação *marcam* o carácter reforçado. Os outros dois critérios pretendem captar a fenomenologia normativo-constitucional no que respeita à plurimodalidade legislativa e aos esquemas referenciais entre actos legislativos.

2. Caracterização das leis reforçadas

O carácter heterogéneo das leis reforçadas no sistema constitucional português revela, como se acaba de ver, a inexistência de um critério único e seguro de caracterização das leis ordinárias reforçadas relativamente às leis ordinárias simples. São vários os critérios que se entrecruzam na delimitação material deste tipo de leis.

a) *O critério da parametricidade aferido por um processo judicial de fiscalização*

É um critério extensivo a todas as leis reforçadas, pois todas elas beneficiam, no ordenamento constitucional português, de um processo de fiscalização judicial tendente a assegurar o valor paramétrico ou competencial das leis reforçadas e a possibilitar a desaplicação ou eliminação de outras leis em desconformidade com elas (CRP, arts. 280.º/2/*a* e 281.º/1/*b*).

Este critério, porém, só demonstra que as leis reforçadas podem gerar relações de *desvalor jurídico-constitucional*, judicialmente controláveis, entre

---

[57] Para uma recondução das "leis reforçadas em sentido próprio" a "leis reforçadas pelo procedimento", cfr. BLANCO DE MORAIS, *As Leis Reforçadas*, pp. 865 e ss.

actos legislativos; não nos permite determinar a individualização dessas leis nem adianta elementos materiais para a sua caracterização.

b) *O critério da parametricidade específica*

Uma lei é reforçada relativamente a outra ou outras quando apresenta um conteúdo de natureza paramétrica que deve servir de pressuposto material à disciplina normativa estabelecida por estes outros actos legislativos. Assim: (1) as *leis de bases* estabelecem parâmetros materiais vinculativos dos decretos-leis ou decretos legislativos regionais de desenvolvimento (arts. 112.º/2, 198.º/1/*c* e 227.º/1/*c*); (2) as *leis de autorização* prescrevem critérios materiais obrigatoriamente observados pelos decretos-leis ou decretos legislativos regionais autorizados (arts. 112.º/2, 165.º/2 e 198.º/1/*b*, 227.º/1/*b*); (3) a *lei de enquadramento* do orçamento estabelece princípios inderrogáveis pela lei anual dos orçamentos do Estado e das Regiões Autónomas (arts. 106.º/1, 164.º/*r*, 227.º/1/*r* e 232.º/1).

Repare-se que não se trata apenas de uma superioridade ou primazia de leis da Assembleia da República relativamente a outros actos legislativos, pois na hipótese (3) temos um caso de «leis da AR contra leis da AR». No entanto, em qualquer deles, a lei reforçada serve de parâmetro material ou porque é hierarquicamente superior ou porque é dotada de *capacidade derrogatória* (pode revogar mas não pode ser revogada). Vejamos, mais de perto, este último critério. Uma lei é reforçada relativamente a outra quando pode derrogar esta sem por ela ser susceptível de ser derrogada. Assim, por exemplo, a lei de enquadramento do orçamento, embora seja uma lei ordinária da AR tal como a lei de aprovação do orçamento, não pode ser derrogada por esta; a lei de criação geral das regiões (art. 255.º) não pode ser derrogada pela lei de instituição em concreto de cada região (art. 256.º). Neste sentido, as leis reforçadas impõem ou pressupõem a sua não derrogabilidade por leis posteriores (a não ser por leis da mesma natureza das leis reforçadas: leis de alteração da lei de enquadramento do orçamento; lei de alteração da lei de criação geral das regiões). Poderá talvez objectar-se que este critério não tem autonomia funcional. A capacidade derrogatória é uma consequência do valor paramétrico. Por outro lado, nem sempre a capacidade derrogatória é um critério seguro porque pode valer em termos inversos. Assim, os deputados não poderão aprovar no ano económico em curso uma lei de enquadramento do orçamento violadora da lei do orçamento anual (art. 167.º/3).

c) *O critério da forma e especificidade procedimentais*

O *critério da forma e especificidade procedimentais* traduz a ideia de que uma lei tem o carácter de lei reforçada porque, nos termos constitucionais, como tal é considerada, beneficiando de forma e procedimentos especiais também constitucionalmente estabelecidos. Para uma certa corrente doutrinal, só estas leis reforçadas pelo procedimento seriam leis reforçadas em sentido próprio[58]. É o caso das leis orgânicas (art. 112.º/3). Este tipo de actos legislativos não tem qualquer relação do tipo *lex completa/lex complenti*, porque, como se acentuou (cfr. *supra*), as leis orgânicas são leis de reserva absoluta num duplo sentido: constituem reserva absoluta de lei formal da AR e devem regular toda a disciplina ou matéria sobre que incidem, excluindo-se a intervenção de outros actos legislativos concretizadores a não ser quando a Constituição limite essa incidência às bases do regime jurídico (cfr. art. 164.º/*d*, 2.ª parte). Consequentemente, as leis orgânicas são reforçadas não porque constituam parâmetros materiais para outras leis (não existe, por exemplo, qualquer relação de parametricidade entre uma lei orgânica reguladora da organização e processo do Tribunal Constitucional e uma lei da AR definidora do estatuto dos titulares dos órgãos de soberania), mas porque o seu carácter reforçado serve para salientar a «reserva total» de competência da AR e a forma e o procedimento específicos do exercício desta competência. Uma ideia fulcral parece estar subjacente à enumeração de leis orgânicas expressamente feita pelo art. 166.º/2: o relevo político do regime jurídico dessas leis (alíneas *a* a *f, h j*, primeira parte da alínea *l*, q e *t* do art. 164.º e no art. 255.º) (enumeração alargada pela LC 1/97).

d) *O critério da «maioria reforçada»*

Algumas leis são reforçadas porque *reforçada* é a maioria requerida para a sua aprovação (maioria de dois terços). Em certo sentido, são também leis reforçadas pelo procedimento, pois a "maioria" é uma dimensão procedimental. No entanto, maioria reforçada constitucionalmente exigida revela o relevo político-constitucional destas leis tal como acontece em relação às leis orgânicas. Aqui, a exigência de maioria reforçada assume substantividade específica porque se trata de algumas das leis densificadoras do próprio regime político-constitucional *desconstitucionalizado* pela LC 1/97. A desconstitucionalização é compensada pela cumplicidade maioritária reforçada da representação parlamentar. É o caso: da lei eleitoral, à qual cabe agora fixar em concreto o número de deputados (art.

---

[58] Assim, precisamente, C. BLANCO DE MORAIS, *As Leis Reforçadas*, pp. 865 e ss.

148.º articulado com o art. 168.º/6); da lei definidora dos círculos eleitorais (art. 149.º/1 e 2 e art. 168.º/6); da lei referente às restrições do exercício de direitos por militares e agentes militarizados (art. 164.º/o); das leis relativas ao sistema e método da eleição dos órgãos deliberativos das autarquias locais (art. 239.º/3); da lei referente ao voto dos emigrantes nas eleições presidenciais (art. 121.º/2).

e) *O critério da parametricidade geral*

Na parte final do art. 112.º/3 são consideradas reforçadas as leis que *devem ser respeitadas por outras leis*. É o critério mais vago e sibilino de todos os individualizados neste preceito constitucional. Possivelmente, a lei constitucional de revisão procurou um "conceito residual" para salientar a exigência de *conformidade* ou de *compatibilidade* apontada por outras leis (e insinuada pela constituição) relativamente a um conjunto indeterminado de outros actos legislativos como a lei das grandes opções dos planos de desenvolvimento económico e social (art. 106.º/2), a lei-quadro das privatizações (art. 296.º), os estatutos das regiões autónomas (art. 226.º), a lei de finanças regionais (arts. 229.º/3 e 164.º/*t*). A algumas destas leis nos referiremos nas páginas subsequentes (cfr. Ac. TC 365/96, *DR*, II, 9-5).

G. Leis de Enquadramento

A Constituição recorta uma outra categoria de leis cujo sentido só ultimamente tem sido aprofundado. Referimo-nos às **leis-quadro** ou **leis de enquadramento**.[59] Em primeiro lugar, um esclarecimento semântico. Preferimos a designação de lei de enquadramento (art. 106.º/1) à expressão lei-quadro (art. 296.º). Ela é a expressão tradicional utilizada quanto à mais conhecida lei inserida na categoria agora em análise – a lei de enquadramento do orçamento.

---

[59] Vide, e com bons desenvolvimentos, LINO TORGAL "Da lei-quadro na Constituição Portuguesa de 1976", in JORGE MIRANDA (org.), *Perspectivas Constitucionais, Nos 20 anos da Constituição de 1976*, vol. II, Coimbra, 1997, p. 907. Pondo em dúvida a utilidade dogmática desta nova tipologia, cfr., PAULO RANGEL, "A Concretização Legislativa da Lei-Quadro das Reprivatizações", in *Legislação*, 23 (1998), p. 32 ss. Cfr., também, JORGE MIRANDA, *Manual*, V, p. 375; GOMES CANOTILHO/VITAL MOREIRA, *Constituição da República*, p. 911 ss.

As leis de enquadramento não se confundem com as leis de bases. Como demonstra a história do velho "Regulamento da Contabilidade Pública", pretende-se com estas leis estabelecer os parâmetros jurídico-materiais estruturantes de um determinado sector da vida económica, social e cultural. Não se trata, pois, de estabelecer apenas as *bases* e remeter o seu desenvolvimento para ulteriores actos legislativos. Elas fixam mais ou menos pormenorizadamente um regime jurídico estruturante que deverá ser respeitado por actos legislativos concretizadores desse regime. Assim, a lei de enquadramento do orçamento estabelece *as regras e princípios* (não as bases!) vinculativos de elaboração, organização, votação e execução da lei anual do orçamento (art. 106.º/1). O mesmo para a lei-quadro de criação, modificação e extinção das autarquias locais (CRP, arts. 164.º/n e 249.º). A lei-quadro das reprivatizações (art. 296.º) estabelece a disciplina jurídica estruturante da reprivatização da titularidade ou do direito de exploração de meios de produção e outros bens nacionalizados depois de 25 de Abril. Estabelece, pois, os princípios, regras e procedimentos que devem ser respeitados pelos actos legislativos concretamente reprivatizadores. Por vezes, existem certas leis consideradas (mesmo na constituição) como leis de bases, mas em relação às quais é discutível se não serão, em rigor, leis de enquadramento (ex.: "lei de bases do sistema de ensino", "lei de bases do desporto", "lei de bases do ambiente", "lei de bases da função pública"). Estas leis estabelecem um regime jurídico global de regras e princípios para grandes espaços jurídico-materiais carecidos de ulteriores concretizações, mas sem que essas concretizações se identifiquem com o esquema de actos legislativos de desenvolvimento.

Referências bibliográficas

Toda a bibliografia do capítulo anterior e ainda

Amaral, M. Lúcia – "Autorizações Legislativas", in *Verbo*, XXI, p. 143.
Aragón, Manuel – «La reforma de los Estatutos de Autonomia», in *Documentación Administrativa*, n.º 232/233, 1991-1993, pp. 197 e ss.
Aragon Reyes, M./Aguado Renedo C. – «Los Estatutos de Autonomia Regional en el ordenamiento português», in Jorge Miranda, *Perspectivas Constitucionais*, I, pp. 703 e ss.
Bastida, F. – «La naturaleza juridica de las leys orgânicas», in *REDC*, 2/1981, pp. 169 e ss.
Camby, J. P. – «La loi organique dans la Constitution de 1958», in *RDP*, 1989, pp. 1401 e ss.
Chofresirvent, J. F. – *Significado y Funcion de las leyes orgânicas*, Madrid, 1994.

D'Atena, Antonio – *Costituzione e Regioni*, *Studi*, Milano, 1991.

Ferrari, G. – "Le leggi rinforzate nell'ordinamento italiano", in *Studio sulla Costituzione*, 1959, II, pp. 477 e ss.

Gizzi, Elio – *Manuale di Diritto Regionale*, 6.ª ed., Milano, 1991, p. 81.

Luppo, N. – *Deleghe e decreti legislativi correttivi: esperienze, problemi, prospettive*, Milano, 1996.

Medeiros, R./Silva, P. L. – *Estatuto de Região Autónoma dos Açores, Comentado*.

Miranda, J. – *Manual*, II, 4.ª ed., pp. 326 e ss; *Manual*, V, 1997, pp. 345 e ss.

– "Lei", in *Dicionário Jurídico da Administração*, Vol. V, Lisboa, 1993.

Morais, C. B. – *As leis reforçadas. As leis reforçadas pelo procedimento no âmbito dos critérios estruturantes das relações entre actos legislativos*, Coimbra, 1998.

– "Le finalità politiche degli leggi rinforzate", in *Quaderni Costituzionali*, XVIII/1 (1998), pp. 27 e ss.

Muñoz Machado, S. – «Los Pactos Autonomicos de 1992: la aplicación de competencias y la reforma de los Estatutos», in *Revista de Administración Publica*, n.º 138.

Otero, P. – *O desenvolvimento das Leis de Bases pelo Governo*, Lisboa, 1997.

– "Autorizações Legislativas e Orçamento", in *O Direito*, 1992, p. 275.

Pegoraro, L. – *Le leggi organiche. Profili comparatistici*, Padova, 1990.

Perez Royo, J. – *Las Fuentes del Derecho*, Madrid, 4.ª ed., 1990.

Pires, F. L./Rangel, P. C. – "Autonomia e Soberania", in *Juris et de Jure*, Porto, 1998, pp. 411 e ss.

Rangel, P. – "A Concretização Legislativa da Lei-Quadro das Reprivatizações (a propósito da inconstitucionalidade do Decreto-Lei n.º 380/93, de 15 de Novembro"), in *Legislação*, 23 (1998), p. 5 ss.

Ruipérez, Javier – *La Protección Constitucional de la Autonomia*, Madrid, 1994, pp. 184 e ss.

Silva, L. M. – *Da Lei Orgânica na Constituição Portuguesa*, 1991.

Sillari, M. – *Le "Norme interposte" nel giudizio di costituzionalità*, Padova, 1992.

Vaz, M. A. – "O conceito de lei na Constituição Portuguesa", in *Direito e Justiça*, 1987-88, pp. 179 e ss.

Villacorta Mancebo, L. – *Centralidad parlamentaria, delegación legislativa y posibilidades de control*, Madrid, 1999.

Vingala, E./*La delegación legislativa en la Constitución y los Derechos Legislativos como normas en rango incondicionado de ley*, Madrid, 1998.

Zagrebelsky, G. – *Manuale di Diritto Costituzionale*, I, Torino, 1983.

Capítulo 4

O Decreto-Lei

Sumário

A. Os Decretos-Leis na Experiência Constitucional Portuguesa

I - Constitucionalismo monárquico

II - Constitucionalismo republicano

1. Constituição de 1911
2. Constituição de 1933

B. Os Decretos-Leis na Constituição de 1976

I - Competência legislativa do Governo e tipos de decretos-leis

1. Competência legislativa originária ou independente – decretos--leis originários
2. Competência legislativa dependente – os decretos-leis autorizados e os decretos-leis de desenvolvimento
3. Competência exclusiva – reserva de decreto-lei

O decreto-lei

II - O Governo como titular de competência legislativa

    1. Titularidade
    2. Âmbito material
    3. Estrutura dos actos legislativos do Governo

III - A apreciação parlamentar dos actos legislativos

    1. Eliminação do instituto de ratificação
    2. A ambiguidade da ratificação na revisão de 1989
    3. Objecto da apreciação parlamentar
    4. Suspensão dos decretos-leis submetidos a apreciação parlamentar
    5. Aprovação da cessão de vigência
    6. Aprovação parlamentar de alterações aos decretos-leis
    7. Efeitos

A. Os Decretos-Leis na Experiência Constitucional Portuguesa

I - Constitucionalismo monárquico

Nenhuma das constituições políticas que vigoraram durante o período do constitucionalismo monárquico admitiu a emanação, pelo executivo, de actos normativos com forma de lei. Nem a Constituição de 1822, nem a Carta Constitucional de 1826, nem a Constituição de 1838 consagravam a categoria de *decretos-leis, decretos legislativos ou decretos com força de lei* (mesmo com autorização do Parlamento). A única sugestão no sentido da deslocação de "poderes legislativos" para o executivo (Governo ou Governador Geral da Província Ultramarina) encontrava-se no art. 137.º da Constituição de 1838, mas com um âmbito circunscrito: (1) tratava-se de "legislação-medida", pois limitava-a à adopção de medidas urgentes e indispensáveis; (2) para a satisfação das necessidades das províncias ultramarinas. No entanto, já nessa altura a «verdade real» não correspondia à «verdade constitucional». Dadas as frequentes crises do parlamentarismo monárquico, conducentes a períodos mais ou menos dilatados de *ditadura*[1] (concentração no Executivo do poder legislativo e até do poder de revisão constitucional), o Governo legislava através

---

[1] A primeira ditadura (1832-1834) foi a ditadura de D. Pedro, durante a qual foram elaborados por Mouzinho da Silveira os decretos que constituiriam as traves-mestras do ordenamento jurídico-liberal. A segunda ditadura foi a de Passos Manuel (mais concretamente do triunvirato de Passos Manuel, Sá da Bandeira e Vieira de Castro): iniciada com a Revolução de Setembro (9 de Setembro de 1836). A prática dos *decretos ditatoriais* foi justificada por Passos Manuel em dois discursos célebres (21 de Janeiro de 1837 e 8 de Abril do mesmo ano); «Sr. Presidente exercemos a ditadura; e eu confesso francamente que violamos um sem número de artigos da Constituição de 22...»; «Nós fizemos aquilo que só as Cortes podem fazer, pois fizemos leis, impusemos tributos»; «nós declaramos que fizemos não só essa, mas muitas violações: nós entendemos que era este o único meio que havia de salvar a nação e de podermos reunir o Congresso...» Invocando o carácter liberal e revolucionário dos actos legislativos PASSOS MANUEL afirma sugestivamente: «Cerquei o trono de instituições republicanas. Atreva-se alguém a mostrar-me que os meus actos não têm sido extremamente liberais»; «Não fomos mandados pela Providência! Somos filhos da revolução e a revolução pode destruir, trono, altar, leis e Constituição. O povo, fazendo uma revolução e encarregando-nos a sua defesa, deu-nos o direito de nos armarmos de um poder discricionário e de quantos meios lícitos houvesse para fazermos triunfar e brilhar a causa do povo e um poder legislativo». Cfr. *Discursos de Manuel da Silva Passos*, selecção de Prado d'Azevedo, Porto, 1879, pp. 180 e ss. Posteriormente, quando coube a vez de Costa Cabral pedir *o bill de indemnidade* (4 de Janeiro de 1843), JOSÉ ESTÊVÃO, da ala esquerda do Setembrismo, e irredutível adversário da extrema direita cabralista, afirmará: «Apesar disto, nós reconhecemos a necessidade das ditaduras, mas não as desejamos. Reconhecemos a sua necessidade, porque reconhecemos que a Carta Constitucional, que devia resolver todos os problemas sociais, é para isso ineficaz». Cfr. JOSÉ ESTÊVÃO, *Obra Política*, Vol. 11, Lisboa, 1963, p. 157, prefácio, recolha e notas de JOSÉ TENGARRINHA.

de *decretos ditatoriais*[2] que as Cortes, após as eleições, ratificavam ou convalidavam através do *bill de indemnidade*. Como única excepção, no plano legal, relativamente à proibição constitucional dos decretos com força de lei, assinala-se o *Decreto Ditatorial* de 25 de Setembro de 1895, cujo art. 6.º atribuía ao Rei, no exercício do *poder moderador,* a faculdade de «promulgar *decretos com força legislativa»,* nos casos de divergências entre as duas Câmaras (Câmaras dos Pares e Câmara dos Deputados), não ultrapassadas pela Comissão nomeada para resolver o impasse (caso de empate e falta de acordo).

A prática dos decretos com força de lei *contra constitutio scripta* era justificada de várias maneiras: desde a invocação da lei de necessidade e da reserva de competência legislativa do rei para situações excepcionais até à configuração dos actos legislativos do Governo como antecipações de actos legislativos completos, sujeitos à condição resolutiva da falta de ratificação parlamentar, passando pela teoria da *gestão de negócios,* configurando-se o Executivo como curador voluntário dos interesses do parlamento na ausência deste (*absentia domini*), tudo servia para legitimar a «força normativa dos factos», em clara contradição com as disposições constitucionais. Por fim, em virtude das sistemáticas ratificações parlamentares, chegou a defender-se a existência de um *costume constitucional,* legitimador da prática dos decretos-leis[3]. Os tribunais acatavam também esses decretos em nome do princípio da separação dos poderes até que eles fossem alterados ou revogados pelas cortes.

II - *Constitucionalismo republicano*

1. Constituição de 1911

Embora a categoria dos decretos-leis não seja muito transparente na arquitectura constitucional de 1911, o que não há dúvida é que a Constituição de 1911 consagrou expressamente a possibilidade de criação legislativa do Governo, desde que obtivesse autorização do legislativo. Quer dizer: na primeira Constituição republicana admitiu-se a figura dos «decretos-leis emanados no uso de *autorização legislativa*. Isto mesmo se dispunha no art. 27.º

---

[2] O conceito de *ditadura* era caracterizado por MARNOCO E SOUSA, *Direito Político,* Coimbra, 1910, p. 745, da seguinte forma: «O poder executivo ou governamental, invocando, porém, circunstâncias de urgência ou de necessidade que não permitem as delongas do processo parlamentar, usurpa algumas vezes as funções do poder legislativo. Faz então entre nós o que se chama *ditadura».* Os decretos que o poder executivo publicava em virtude do exercício da ditadura chamavam-se, precisamente, *decretos ditatoriais* (decretos-leis, ordenanças de necessidade). Por vezes, a ditadura levava à suspensão das próprias garantias constitucionais. Era o que se chamava *ditadura extrema* por contraposição à *ditadura comum.* Esta traduzia-se na emanação, pelo executivo, de decretos com força de lei, a *ditadura extrema* verificava-se, como estabelecia, por ex., o art. 145.º, § 34 da Carta Constitucional, «nos casos de rebelião, ou invasão de inimigos pedindo a segurança do Estado», cfr. ainda PINTO OSÓRIO, «As Ditaduras e o Poder Judicial», in *No Campo da Justiça,* Porto, 1914.

[3] Todos os argumentos podem ver-se discutidos e rebatidos em MARNOCO E SOUSA, *Direito Político,* cit., pp. 754 e ss; ALBERTO DOS REIS, *Organização Judicial,* Coimbra, 1909, pp. 36 e ss. A favor de um direito político consuetudinário que «constitucionalizaria» a ditadura cfr., por ex., JOSÉ TAVARES, *O Poder Governamental no Direito Constitucional Português,* Coimbra, 1909, pp. 188 e ss. Sobre este costume, cfr., por último, PAULO OTERO, *O Poder de Substituição,* cit., vol. I, pp. 335 e ss.

As autorizações concedidas pelo Poder Legislativo ao Poder Executivo não poderão ser aproveitadas mais de uma vez. Todavia, ao mesmo tempo que se admitiam os actos legislativos do Executivo, mediante autorização do Legislativo, tomaram-se precauções contra a prática dos decretos ditatoriais. Assim, o art. 26.°, n.° 25, da Constituição impunha ao Congresso a continuação no exercício das suas funções legislativas, depois de terminada a legislatura, se por algum motivo as eleições não tivessem sido feitas nos prazos constitucionais[4]. De um modo bastante explícito, também a lei constitucional n.° 891, de 22 de Setembro de 1919, que incluiu na esfera da competência do Presidente da República o direito da dissolução das Câmaras, não deixou de consagrar (art. 10.°, § 8.°) que «no período que decorre entre o acto da dissolução e da reunião das Câmaras eleitas, o Poder Executivo restringir-se-á rigorosamente ao exercício das suas atribuições próprias, caducando por esse acto todas as autorizações concedidas pelo Poder Legislativo, sendo nulos de pleno direito, não podendo ter execução, nem ninguém lhes devendo obediência todos os actos do Poder Executivo contrários aos preceitos constitucionais». Também a Lei n.° 266, de 27 de Julho de 1914, editada no cumprimento da imposição constitucional contida no art. 85.° da Constituição (neste preceito encarregava-se o primeiro Congresso da República de elaborar, entre outras, as leis sobre os crimes de responsabilidade), considerava crime de responsabilidade a publicação de diplomas de natureza legislativa pelo Poder Executivo. A tudo isto havia a acrescentar o facto importantíssimo de na Constituição de 1911 se consagrar o controlo da constitucionalidade das leis pelo Poder Judicial e, consequentemente, poder ser invocada a inconstitucionalidade *formal ou orgânica* dos diplomas legislativos eventualmente emanados do Executivo, sem autorização do Poder Legislativo[5].

2. Constituição de 1933

A Constituição de 1933, na sua versão primitiva, continuou a prática dos *decretos--leis no uso de autorização legislativa,* iniciada, como vimos, em 1911, mas apresenta também uma inovação importante: a possibilidade de o Governo emanar *decretos-leis* sem qualquer autorização legislativa, nos *casos de urgência e necessidade* (cfr. art. 108.°/2). A lei da urgência e da necessidade tinha sido já invocada durante o constitucionalismo monárquico para justificar a prática dos *decretos ditatoriais.* Agora, o legislador constituinte habilita expressamente o Poder Executivo a

---

[4] No fundo, a Assembleia Constituinte de 1910 acolheu as soluções que a doutrina mais liberal defendia para se combaterem as ditaduras. Assim, MARNOCO E SOUSA, *Direito Político,* cit., p. 746, apresentava os seguintes «remédios»: (*a*) quanto ao poder legislativo; reunião das câmaras por direito próprio e eliminação do art. 7.° do 3.° Acto Adicional (votação das leis do orçamento); (*b*) quanto ao poder executivo: a promulgação de uma boa lei de responsabilidade ministerial, em que os actos ditatoriais sejam considerados crimes compreendidos no abuso do poder e a não punibilidade da inobservância dos decretos ditatoriais; (c) quanto ao poder moderador: no caso de dissolução das Cortes, estas seriam convocadas e reunidas dentro de três meses, não podendo haver outra dissolução sem que tenha passado uma sessão de igual período de tempo.

[5] Na doutrina discutiu-se longamente sobre o sentido do art. 63.° da Constituição de 1911, ao estabelecer que «O Poder Judicial, desde que nos feitos submetidos a julgamento, qualquer das partes impugnar a *validade* da lei ou dos diplomas emanados do Poder Executivo... apreciará a sua legitimidade constitucional ou conformidade com a Constituição e princípios nela consagrados». Qual o género de inconstitucionalidade que os tribunais poderiam apreciar: a inconstitucionalidade material? a inconstitucionalidade orgânica? a inconstitucionalidade formal? Sobre este assunto, cfr. FEZAS VITAL, «Autorizações legislativas», in *BFDC,* 1920-21, pp. 584 e ss; CARLOS MOREIRA, «Fiscalização Judicial da Constituição», in *BFDC,* 1943, pp. 3 e ss.

emanar decretos com força de lei (decretos-leis), independentemente de qualquer autorização do órgão legislativo. É certo que os decretos-leis só podiam ser emanados nos casos de urgência ou necessidade, mas com a subsistência destes requisitos era subtraída a qualquer controlo político da Assembleia Nacional através do instituto da ratificação (cfr. art. 108.º/2 e § 3.º), o Governo passava a dispor de uma ampla margem de actuação no exercício da sua competência legislativa. O espírito do artigo poderia ter sido o de assegurar a separação dos poderes, limitando o exercício da competência legislativa autónoma do Governo aos casos de urgência e necessidade[6]. Esta ideia ancorar-se-á na influência que os dogmas liberais ainda exerceram na elaboração primitiva da Constituição Corporativa, não deixando de ser significativa a rejeição de um projecto de revisão em 1935 que previa a atribuição de uma competência legislativa normal ao Governo, fora dos casos de competência reservada à Assembleia Nacional.

Como quer que seja, o Governo aproveitou o expediente dos decretos-leis de urgência para se transformar em legislador normal e não apenas excepcional. A inflação dos decretos-leis, motivados ou não por casos de urgência ou necessidade, o controlo meramente teórico da Assembleia Nacional, a cobardia e timidez dos tribunais quanto à arguição da inconstitucionalidade, tudo se conjugou para, na revisão de 1945, o legislador constituinte confessar francamente ser necessário pôr de acordo a «verdade formal» com a «verdade real»[7]. Assim se compreende que a *lei de revisão* n.º 2009 (de 17 de Setembro de 1945), venha consagrar a competência legislativa normal do Governo. Os *decretos-leis* passam agora a ser as leis emanadas pelo Governo no exercício da sua competência legislativa (cfr. art. 109.º). Os decretos-leis têm a mesma hierarquia das leis formais votadas na Assembleia Nacional, podendo esta alterá-los e revogá-los. Exigia-se a *ratificação*, mas apenas nos casos de os decretos-leis terem sido publicados durante o funcionamento efectivo da Assembleia, continuando-se, assim, o regime da ratificação introduzido na 1.ª revisão constitucional (Lei n.º 1885, de 23 de Março de 1935). Se na redacção primitiva da Constituição se exigia que o Governo apresentasse, para efeitos de ratificação, num dos cinco primeiros dias de sessão da Assembleia Nacional, os decretos-leis emanados por motivos de urgência ou necessidade, agora não só se restringia a exigência de ratificação aos casos de decretos-leis publicados durante o funcionamento da Assembleia, como se dispensava a aprovação expressa do órgão político. Bastava que um número mínimo de deputados (primeiro 5, depois 10, a partir da revisão de 1951) não requeresse que tais decretos fossem sujeitos a ratificação. Este o motivo pelo qual alguns autores passaram a considerar a ratificação a partir de 1945, como um direito de *veto resolutivo* da Assembleia relativamente aos decretos-leis publicados durante o seu funcionamento. Depois da revisão de 1971, pressionado já pela crescente oposição interna e externa das forças democráticas, o Governo continua com uma competência legislativa normal para editar decretos-leis, mas, como se alargou a competência reservada da Assembleia, concomitantemente passou a exigir-se, em mais casos, *autorização legislativa* para o Governo legislar sobre matérias reservadas.

---

[6] Este espírito aparentemente liberal também foi assinalado à lei fascista italiana que concedeu ao Governo poderes legislativos. Cfr. VIESTI, in *Decreto-Legge,* Nápoles, 1967, p. 27.

[7] Cfr. JORGE MIRANDA, *Decreto,* p. 14. A timidez dos tribunais a que se alude no texto dizia respeito à inconstitucionalidade material, pois quanto à inconstitucionalidade orgânica e à inconstitucionalidade formal o § 1.º do art. 122.º atribuía o seu controlo à Assembleia Nacional.

B. Os Decretos-Leis na Constituição de 1976

O legislador constituinte de 1976, não obstante a prática abusiva dos decretos-leis verificada durante o regime da Constituição de 1933, parece ter considerado os decretos-leis como um instrumento ineliminável do Estado democrático. Com efeito, conhecidas as críticas dirigidas à categoria dos decretos-leis – instrumento nas mãos do Governo que os pode utilizar para fins de manifesto oportunismo político, colocando as assembleias representativas perante factos consumados –, a Constituição de 1976 entendeu consagrar a categoria dos decretos-leis com uma grande autonomia e amplitude. Neste aspecto, a Constituição Portuguesa afasta-se decididamente da maioria das constituições democráticas do após-guerra que, em geral, condicionam o exercício da competência legislativa à existência de circunstâncias excepcionais, situações de urgência e necessidade, e a um apertado controlo do órgão parlamentar[8].

A actividade legislativa do Governo reconduz-se, nos quadros da Constituição de 1976, aos seguintes tipos fundamentais.

I - Competência legislativa do Governo e tipos de decretos-leis

1. Competência legislativa originária ou independente – decretos-leis originários

No caso de se tratar de matérias não reservadas à Assembleia da República o Governo pode, através de *decretos-leis,* e em concorrência com a Assembleia da República, editar actos legislativos primários reguladores dessas matérias (cfr. art. 198.º/1-*a*). Fala-se aqui de **competência originária**.

2. Competência legislativa dependente – os decretos-leis autorizados e os decretos-leis de desenvolvimento

Existe **competência legislativa dependente**: (1) relativamente às matérias enumeradas no art. 165.º, pois o Governo só pode legislar depois de obter a competente **autorização legislativa** da Assembleia da República (cfr. arts. 165.º/2, 3 e 4, e 198.º/ 1-*b*); (2) em relação às matérias de reserva da AR (absoluta ou

---

[8] Em virtude da amplitude de poderes legislativos do Governo, compreende-se que este não tenha, entre nós, «poderes legislativos de excepção».

relativa) em que esta procedeu à fixação dos princípios ou das bases gerais dos regimes jurídicos, o Governo pode, (e segundo alguma doutrina, como se viu atrás, *só* ele pode e deve) editar **decretos-leis de desenvolvimento** sobre as mesmas matérias, embora dentro dos quadros traçados pela AR (art. 198.º/1/c).

Discutível é a natureza da competência legislativa do governo, quando este emana *decretos-leis de desenvolvimento* de leis que se circunscrevem à definição dos princípios e bases gerais dos regimes jurídicos mas fora da competência reservada da AR (cfr. *supra*). O Governo pode exercer aqui (para quem aceite esta possibilidade, note-se) a sua competência legislativa originária revogando as bases e estabelecendo novo regime jurídico. No caso de deixar intocadas as bases estabelecidas pela AR, os decretos-leis têm a natureza de decretos-leis de desenvolvimento e, consequentemente, natureza dependente.

3. Competência exclusiva – reserva de decreto-lei

O Governo tem competência legislativa exclusiva em relação a matérias respeitantes à sua própria organização e funcionamento (trata-se de uma autêntica **reserva de decreto-lei** – cfr. art. 198.º/2). Esta reserva de decreto-lei, que um autor considerou como a "reserva mais reservada de competência legislativa" (Paulo Otero), abrange a tradicional "lei orgânica do Governo", mas é duvidoso que nela caibam as chamadas "leis orgânicas dos Ministérios".[9]

II - O Governo como titular de competência legislativa

1. Titularidade

Pertence ao Governo a competência para a emanação de decretos-leis. Não são, pois, admissíveis decretos-leis emanados de um Primeiro-Ministro ou de um ministro. Exige-se, por isso, que todos os decretos-leis sejam aprovados em Conselho de Ministros (cfr. art. 200.º/*d*). A Lei Constitucional n.º 1/82 alterou, neste ponto, a disciplina normativo-constitucional originária de 1976, onde se admitia que certos decretos-leis não fossem aprovados em Conselho de Ministros (cfr. arts. 201.º/3 e 203.º/1/*d,* na versão de 1976). Não era isento de críticas este regime. Além de diminuir, como foi justamente assinalado logo em

---

[9] Em sentido afirmativo, cf. PAULO OTERO, *O Poder de Substituição*, II, p. 643.

face da redacção do art. 82.º da Constituição de 1933 (depois da revisão de 1971), «a responsabilidade política individual e a responsabilidade política solidária dos membros do Governo» (Jorge Miranda)[10], a solução consagrada podia dar origem a verdadeiros *decretos-leis ministeriais*, correndo-se o risco de um poder legislativo governamental exercido pelo Primeiro-Ministro e um ou dois ministros (cfr. L 6/83, de 29/7, art. 10.º/7).

2. Âmbito material

Os decretos-leis podem disciplinar qualquer matéria. *A priori* (salvo em matérias de reserva da AR) não é subtraída à disciplina dos decretos-leis matéria de qualquer espécie. A delimitação extensional da competência legislativa do Governo deve fazer-se a partir das normas constitucionais que, de forma heterónoma, estabelecem: (1) reserva político-legislativa de Parlamento (art. 161.º); (2) reserva absoluta de competência legislativa da AR (art. 164.º); (3) reserva relativa da AR (art. 164.º). Nas restantes matérias existe uma concorrência legislativa do Governo e da AR, podendo os decretos-leis revogar, alterar, suspender e interpretar leis da AR (exceptuando-se as leis de bases e outras leis da AR de valor reforçado) e vice-versa. Este regime deve, hoje, ter em conta o bloco de legalidade autonómica (cfr. *infra*).

3. Estrutura dos actos legislativos do Governo

A questão de decretos-leis com um *conteúdo concreto* merece aqui a mesma resposta que demos ao tratarmos das leis. Neste caso, acrescem às cautelas exigidas para as *leis de medida* restritivas (ex.: proibição de decretos-leis individuais restritivos em matérias dos direitos fundamentais), os cuidados impostos pela possibilidade de o Governo editar com facilidade *decretos-leis individuais camuflados,* dado ser, ao mesmo tempo, órgão com competência legislativa e órgão com competência executiva.

III - A apreciação parlamentar dos actos legislativos

Aludiu-se atrás (cfr. *supra*, A, II, 2) à história do instituto da **ratificação** dos decretos-leis no regime constitucional de 1933. Alguns traços desse instituto passaram para a Constituição de 1976 que, na sua versão primitiva, estabeleceu uma disciplina pouco exigente relativamente a certos aspectos do procedimento ratificativo (ex.: ratificação tácita). As leis constitucionais n.ºs 1/82, 1/89 e 1/97 vieram aqui introduzir relevantíssimas alterações. Assinalaremos as principais.

1. Eliminação do instituto de ratificação

Comparando a redacção originária do art. 169.º com a versão da LC n.º 1/82, verifica-se que o instituto da *ratificação tácita* dos decretos-leis (que havia passado com algumas alterações da Constituição de 1933 para a Constituição de 1976) deixou de ter relevância jurídico-constitucional. O facto de os deputados não requererem a sujeição a ratificação dos diplomas legislativos do Governo não implicava qualquer «convalidação pelo silêncio» dos actos legislativos governamentais. Tratava-se de uma solução mais correcta e ajustada a um Estado constitucional democrático: se o Governo podia editar decretos-leis, mesmo fora dos casos de urgência e necessidade e do uso de autorizações legislativas (as únicas hipóteses em que noutros ordenamentos se reconhece a possibilidade de decretos do executivo com força de lei), não se compreendia a latitude da ratificação tácita. Esta era compatível com um regime autoritário assente na primazia do executivo, como acontecia na Constituição de 1933, mas mostrava-se pouco adequada a um sistema dotado de inequívoca dimensão parlamentar como o de 1976. Além disso, a ratificação tácita era, no fundo, «uma ficção jurídica construída sobre o silêncio da AR» (Gomes Canotilho/Vital Moreira) e cujas consequências jurídico-políticas se revelaram relativamente disfuncionais ao regime. De qualquer modo, a Constituição continuou a utilizar a fórmula de ratificação com um sentido ambíguo que a LC 1/97 procurou eliminar.

2. A ambiguidade da ratificação na revisão de 1989

Se era inequívoco ter desaparecido, na revisão de 1989, o instituto da ratificação tácita, já resultava problemático o sentido global do próprio instituto da ratificação (cfr. art. 172.º, epígrafe, e agora o art. 169.º). Em rigor, o texto constitucional, antes da 4.ª revisão, de 1997, referia-se apenas à possibilidade de *não ratificação* ou de *alteração*.

Consequentemente, só de uma forma indirecta e num sentido impróprio se poderia falar de ratificação no direito constitucional português. Não

---

[10] Cfr. JORGE MIRANDA, *Decreto*, cit., p. 34.

havia qualquer acto positivo de ratificação, sobrevivendo o decreto-lei, na sua versão originária, apenas nos casos de recusa de propostas de alteração ou de cessação de vigência. Mesmo aqui, a AR permanecia alheia relativamente à bondade política e legislativa do decreto-lei do Governo[11], pois a rejeição da proposta de não-ratificação ou das propostas de alteração não equivalia a ratificação. Precisamente por isso, a partir da LC 1/97 deixou de falar-se em ratificação. A epígrafe do art. 172.º (agora art. 169.º), na sua nova redacção, torna claro que o objectivo do instituto em análise é a **apreciação parlamentar de actos legislativos**.

3. Objecto da apreciação parlamentar

Todos os decretos-leis (salvo, como é óbvio, os aprovados no exercício da competência legislativa exclusiva do Governo) podem agora ser submetidos à apreciação da AR (cfr. art. 169.º/1), para efeitos de *cessação de vigência* ou de *alteração*. A **apreciação parlamentar** é, assim, um mecanismo constitucional de controlo através do qual a Assembleia da República pode fiscalizar o mérito político dos diplomas legislativos do Governo.

A iniciativa de apreciação dos decretos-leis pertence a um número mínimo de 10 deputados (cfr. art. 169.º/1) devendo o requerimento ser feito nos 30 dias subsequentes à publicação.

4. Suspensão dos decretos-leis submetidos a apreciação parlamentar

Consagra-se expressamente a possibilidade de **suspensão do decreto-lei** submetido a apreciação parlamentar (art. 169.º/2). É admissível a *suspensão total ou parcial* do decreto-lei submetido a apreciação até à publicação da lei que o vier alterar ou até à rejeição das propostas de alteração (art. 169.º/2). A revisão de 1989 introduziu alterações num sentido claramente restritivo quanto à possibilidade de suspensão. Em primeiro lugar, só os *decretos-leis publicados no uso de autorização legislativa* podem ser objecto de suspensão (CRP, art. 169.º/2). Em segundo lugar, consagrou-se o instituto da *caducidade* da suspensão, pois esta caduca se decorridas 10 reuniões plenárias a Assembleia não se tiver pronunciado sobre as propostas de alteração apresentadas (CRP, art. 169.º/3).

---

[11] Todos os comentaristas da Constituição da República salientam a nova configuração do instituto. Cfr. NADAIS/VITORINO/V. CANAS, *Constituição da República*, pp. 202-203; T. MORAIS/FERREIRA DE ALMEIDA/LEITE PINTO, *Constituição da República Portuguesa*, p. 341; GOMES CANOTILHO/VITAL MOREIRA, *Constituição da República*, anotações II e VIII ao art. 172.º Cfr., também, SÉRVULO CORREIA, *Legalidade*, p. 217.

Não é isento de dúvidas saber se a suspensão só pode ser requerida quando são apresentadas propostas de alteração ou também nos casos de não-apresentação de qualquer emenda. O instrumento para a suspensão parece ser o da resolução da AR (cfr. art. 169.º/4).

  O problema da admissibilidade de suspensão dos decretos-leis submetidos a ratificação foi discutido em parecer da Comissão Constitucional (cfr. Parecer n.º 1/80, in *Pareceres* Vol. 11.º, pp. 22 e ss). Neste Parecer (relator Jorge Miranda) se pode ver a história da «suspensão» dos decretos-leis e a defesa da tese, agora acolhida pelo texto constitucional, da possibilidade da suspensão da vigência de decreto-lei submetido a ratificação. A revisão de 1989, como se viu, atenuou sensivelmente esta possibilidade. Não se resolveu claramente o problema da forma de acto de suspensão do decreto-lei – lei ou resolução, problema este também discutido no já aludido parecer. Mas tendo em vista que a resolução é a forma dos actos da AR desde que outra não esteja constitucionalmente consagrada (cfr. art. 169.º/5), e dado que não se exige expressamente a forma de lei para os actos praticados no uso da competência atribuída pelo art. 165.º/*c*, conclui-se que a suspensão é feita por *resolução* não sujeita a promulgação do PR (cfr. art. 169.º/5). A bondade do legislador de revisão continua a merecer algumas dúvidas, expostas precisamente no voto de vencido de Figueiredo Dias no Parecer em referência (cfr. Parecer n.º 1/80, pp. 55 e ss).

5. Aprovação da cessação de vigência

  Expressão da superioridade legislativa da AR e da função de controlo político-legislativo do Parlamento, a apreciação parlamentar de actos legislativos pode, afinal, traduzir-se numa aprovação de cessação de vigência do diploma legislativo do Governo (art. 169.º/4). Caso isto se verifique, o decreto-lei deixa de vigorar desde o dia em que a *resolução de aprovação da cessação de vigência* for publicada no *Diário da República* (art. 169.º/4). Deduz-se, assim, que a aprovação de cessação de vigência tem efeitos *ex nunc*. A solução constitucional portuguesa – efeitos *ex nunc* e não efeitos *ex tunc* – pode confortar-se com a necessidade de evitar situações de incerteza e o sacrifício de direitos, embora nos casos de cessação de vigência por razões de inconstitucionalidade os efeitos *ex nunc* se possam afigurar remédios pouco eficazes contra os abusos legislativos do Governo. Precisamente por isso, a Assembleia pode, através de lei autónoma, depois de publicada a resolução de cessação de vigência, neutralizar retroactivamente os efeitos de um decreto-lei recusado (cfr. Ac. TC 461/87, *DR*, I, 16-12-87). Ressalvam-se, como é óbvio, os limites inerentes às leis retroactivas[12]. Discutível é saber se a resolução de cessação de vigência tem *efeitos repristinatórios* (reposição em vigor das leis revogadas pelo decreto-lei cuja cessação de vigência foi aprovada pela AR). A solução afirmativa

---

[12] Cfr. Ac. TC 461/81, *DR*, I, 15-1-88.

pode defender-se com base na ideia de não primariedade normativa do Governo e de provisoriedade dos decretos-leis até à verificação da condição resolutiva de aprovação da cessação de vigência (cfr. Regimento da AR, art. 207.º).[13]

6. Aprovação parlamentar de alterações aos decretos-leis

No n.º 1 do art. 169.º alude-se a sujeição dos decretos-leis à apreciação da AR *«para efeitos de alteração»*, e, no n.º 2 do mesmo artigo, alude-se a *«propostas de alteração»* e a *«publicação da lei que o* [decreto-lei] *vier alterar»*. A sujeição de um decreto-lei à AR para efeitos de alteração pressupõe um procedimento legislativo específico, iniciado não com um projecto de lei mas sim com as propostas de alteração ao decreto-lei[14].

7. Efeitos

Dada a actual configuração do instituto – o controlo parlamentar não equivale, em qualquer caso, a confirmação parlamentar –, perderam relevância muitas das controvérsias travadas em torno da interpretação do texto primitivo sobre os efeitos convalidantes da ratificação.

O problema da ratificação dos decretos-leis organicamente inconstitucionais foi um daqueles que mais debate doutrinal suscitou durante os anos de vigência da actual Constituição. Cfr. Rui Machete, «Ratificação de decretos-leis organicamente inconstitucionais» in *Estudos sobre Constituição,* Vol. I, p. 281; Jorge Miranda «A Ratificação no Direito Constitucional Português», in *Estudos sobre a Constituição,* Vol. III, pp. 597 e ss; L. Nunes de Almeida, «O Problema da ratificação parlamentar de decretos-leis organicamente inconstitucionais», in *Estudos sobre a Constituição,* Vol. III, pp. 619 e ss; Gomes Canotilho/Vital Moreira, *Constituição da República,* anotação ao art. 172.º Cfr., ainda, Parecer da Comissão de Assuntos Constitucionais da AR, in *Diário da Assembleia da República,* 1.ª sessão legislativa, suplemento ao n.º 59, e Parecer n.º 1/80 da Comissão Constitucional, in *Pareceres,* Vol. II, pp. 30 e ss; e Ac. TC 386/96. Por último, cfr. T. Morais, *Elementos sobre a Ratificação Legislativa no Direito Constitucional Português,* Lisboa, 1984. De realçar, porém, a

---

[13] Em sentido negativo, com argumentos pertinentes, cfr. A. Nadais/A. Vitorino/ /V. Canas, *Constituição da República,* anotações ao art. 172.º; Jorge Miranda, *Funções, Órgãos e Actos do Estado,* p. 522; *Manual,* V, p. 343. Em sentido positivo, cfr. Gomes Canotilho/Vital Moreira, *Constituição da República,* anotação VII ao art. 172.º A Assembleia poderá, se assim o entender, determinar a repristinação para futuro de normas do decreto-lei a que foi recusada a ratificação.

[14] Não se descortina, perante o actual texto constitucional, a necessidade de dois actos distintos: (1) requerimento de submissão a apreciação parlamentar; (2) propostas de alteração. Cfr. Gomes Canotilho/Vital Moreira, *Constituição da República,* cit., anotação V ao art. 172.º

introdução, pela LC 1/97, de um novo n.º 6 (art. 172.º/6) destinado a exprimir, logo a nível constitucional, a função de *controlo* da Assembleia da República relativamente aos actos legislativos do Governo bem como a relevância política deste controlo traduzida na imposição de *prioridade*, nos termos do regimento, dos procedimentos de apreciação parlamentar dos decretos-leis.

Referências bibliográficas

Carmona, A. M. – *La configuración constitucional de los decretos-leys*, Madrid, 1997.
Clève, C. M. – *Atividade Legislativa do Poder Executivo no Estado Contemporâneo e na Constituição de 1988*, São Paulo, 1993.
Gomes Canotilho/Vital Moreira – *Constituição da República Portuguesa*, sobretudo anotações aos arts. 168.º e 201.º
Simões, Jorge – *Da Ratificação de Decretos-Leis*, Lisboa, 1984.
Machetti, P. – *El regimen constitucional de los decretos-leys*, Madrid, 1988.
Miranda, J. – «Decreto», in *Dicionário Jurídico da Administração Pública*, vol. 3, p. 312-416.
– "A ratificação no direito Constitucional português", in *Estudos sobre a Constituição*, vol. III, pp. 609 e ss.
– *Manual de Direito Constitucional*, Tomo V, 2.ª ed., Coimbra, 2000, pp. 325 e ss.
Morais, C. B. – *As leis reforçadas. As leis reforçadas pelo procedimento no âmbito dos critérios estruturantes das relações entre actos legislativos*, Coimbra, 1998.
Morais, I. – *A ratificação legislativa no direito constitucional português*, Lisboa, 1985.
Pitruzzella, G. – *La legge di conversione del decreto legge*, Padova, 1989.
Sousa, Marcelo Rebelo – "A Decisão de Legislar", in *Feitura das Leis*, II, Oeiras, 1986, pp. 19 e ss.
– "A Decisão de Legislar", in *Legislação*, 1, (1991), pp. 15 e ss.
Suni, E. P. – *La funzione normativa tra governo e parlamento. Porfili di diritto comparato*, Padova, 1998.
– *La regola e l'eccezione. Istituzioni parlamentari e potestá normativa dell'esecutivo*, Milano, 1988.
Viesti, G. – *Il Decreto-Legge*, Napoli, 1967.

Capítulo 5

Os Decretos Legislativos Regionais

Sumário

A. Configuração do Poder Legislativo Regional

   I - Os poderes legislativos como manifestação típica da autonomia regional

   II - Os tipos de poderes legislativos regionais

      1. Poder legislativo primário
      2. Poder legislativo de desenvolvimento
      3. Poder legislativo autorizado

B. Visão global do sistema normativo-regional

      1. Reserva de lei regional
      2. Limites territoriais e materiais
      3. Carácter dependente

A. Configuração do Poder Legislativo Regional

I - Os poderes legislativos como manifestação típica da autonomia regional

A Constituição de 1976 reafirmou a tradição unitária do Estado português, mas, ao mesmo tempo, reconheceu como princípios da organização e do funcionamento do Estado o **regime autonómico insular** (cfr. art. 6.º/1 na redacção da L 1/97) (cfr. art. 6.º) e o princípio da *autonomia político-administrativa* dos arquipélagos dos Açores e da Madeira (art. 6.º/2). Relativamente a estes últimos, conferiu-se-lhes um estatuto de *Regiões Autónomas*, com fundamento nos seus condicionalismos geográficos, económicos e sociais (cfr. art. 6.º/2 e art. 225.º/1). Uma das manifestações típicas do regime de autonomia político-administrativa reconhecida a essas Regiões consiste nos *poderes legislativos* atribuídos às assembleias legislativas regionais (cfr. art. 227.º/*a, b, c* e *d*). As Regiões Autónomas dispõem, assim, mais do que de uma simples *autonomia regulamentar e administrativa* típica das autarquias locais. Gozam de verdadeiros poderes legislativos, embora não possuam poderes constituintes como se verifica nos *estados-membros* de um *estado federal*.

II - Os tipos de poderes legislativos regionais

Podem sintetizar-se da seguinte forma, tendo já em conta as importantes inovações da LC 1/97 (4.ª revisão).

1. Poder legislativo primário

Trata-se da competência constitucionalmente reconhecida às assembleias regionais no sentido de editarem **decretos legislativos regionais**, com respeito da constituição e dos princípios fundamentais das leis gerais da República, em matérias de **interesse específico para as regiões** e que não estejam reser-

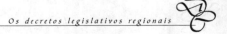

vadas à competência própria dos órgãos de soberania (art. 227.º/1/*a*). O interesse específico das regiões justifica a competência legislativa, mas, como se deduz do art. 227.º/1/*a*, o exercício desta competência está limitado: (1) *negativamente*, pelo *princípio da hierarquia* expresso na prevalência da constituição (princípio da constitucionalidade) e na prevalência dos princípios fundamentais das leis gerais da República; (2) *positivamente*, pelo *princípio da competência*, determinado pela existência de um interesse específico; (3) *negativamente*, pelo *princípio da competência*, traduzido na reserva de matérias à competência própria dos órgãos de soberania; (4) *negativamente*, pelo congelamento de hierarquia, não podendo os princípios fundamentais constantes de leis gerais da República ser consumidos por decretos legislativos regionais através da reprodução das suas normas em diplomas legislativos regionais. Da mesma forma, e até por maioria de razão, não se pode transformar *normas estatutárias* em simples *normas regionais* através da sua reprodução em diplomas legislativos regionais (cfr. Ac. TC 92/92, *DR*, I, 74).

1.1 Os princípios das leis gerais da República

a) *Os princípios fundamentais das leis gerais da República*

A LC 1/97 (4.ª Revisão) introduziu importantes alterações nesta matéria. Por um lado, para se estar perante uma lei geral da República não basta (embora isso seja sempre necessário) que a sua razão de ser envolva a sua aplicação a todo o território nacional. Impõe-se ainda que as leis gerais da República *decretem* expressamente ("assim o decretem") a sua aplicação a todo o território nacional (art. 112.º/5). Se nada disserem, entende-se que as leis e decretos-leis aprovados após a entrada em vigor da LC 1/97 não se presumem leis gerais da República (cfr. CRP, art. 194.º), a não ser que se trate de leis que, pela sua própria natureza (ex.: leis de reserva da AR), se tenham de considerar extensivas a todo o território nacional. Aplica-se, de certo modo, a lógica de extensão territorial que vigorava para as antigas colónias e que vigorava também para Macau (território sob administração portuguesa). Por outro lado, mesmo que estejamos perante leis gerais da República por *assim* elas o *decretarem*, o princípio da prevalência hierárquica das leis gerais da República vale apenas quanto aos **princípios fundamentais** (arts. 112.º/4 e 227.º/1/*b*).[1] Não são, pois, as leis gerais da República *in toto* que constituem um parâmetro material, mas sim e apenas os

---

[1] A LC 1/97 parece ter acolhido aqui algumas sugestões doutrinais (JORGE MIRANDA) e o preceito do art. 117.º da Constituição Italiana.

princípios fundamentais nelas contidos. Isto levanta o problema de saber o que são e como se densificam os princípios fundamentais das leis gerais da República.[2] Não estão aqui em causa os **princípios estruturantes da República** (ex.: princípio do Estado de direito democrático, princípio da indivisibilidade da República, princípio da igualdade, princípio do processo equitativo), pois esses são princípios constitucionais de observância obrigatória por quaisquer leis ou actos normativos, quer dos Órgãos de Soberania quer das Regiões Autónomas. Neste sentido, pode compreender-se a eliminação, pela LC 1/97, do primitivo art. 230.º, porque ele não acrescentava nada que já não se considerasse um corolário lógico do valor paramétrico dos *princípios gerais do ordenamento republicano* tal como se encontram plasmados na Constituição de 1976. Os princípios fundamentais aqui relevantes são os princípios referentes às *matérias em concreto* juridicamente disciplinadas pelas leis gerais da República. O carácter de fundamentalidade dos princípios resulta logo do *juízo político* e *constitucional* que os legisladores da República (Assembleia da República e Governo) assumiram quanto ao valor principial de determinadas leis. Assim, por ex., a "lei de descriminalização do consumo de drogas" introduz um princípio fundamental no ordenamento republicano – o "princípio da descriminalização" – que, nas vestes de princípio fundamental, é extensivo às Regiões Autónomas. Mas, sob pena de se neutralizar o âmbito do preceito constitucional, existem *limites objectivos* para a caracterização como princípios fundamentais de normas contidas em leis gerais da República (cfr. Acs. TC 133/90, 215/90 e 254/90). A minimização destes limites terá conduzido a uma equiparação desrazoável entre leis gerais da República e princípios fundamentais de leis gerais da República com a consequente deslocação para o Tribunal Constitucional da tarefa de densificação de leis gerais da República. Vejamos, então, como fazer a leitura do poder legislativo primário concorrente das Regiões Autónomas tal como ela decorre da LC 1/97.

b) *Densificação das normas constitucionais*

A partir da entrada em vigor da LC 1/97 (4.ª Revisão), as leis gerais da República têm valor paramétrico em relação às leis regionais na parte em que são *leis de princípios*. O conceito de **princípios fundamentais das leis gerais da República** não é susceptível de uma captação material apriorística. Precisamente por isso, o legislador da República deve começar a adoptar a técnica da *legislação de princípios fundamentais* onde se individualizem, para cada matéria disciplinada

---

[2] Cf. C. BLANCO DE MORAIS, "As Competências Legislativas das Regiões Autónomas no Contexto da Revisão Constitucional de 1997", *RDA*, 57 (1997), p. 32 ss.; JORGE MIRANDA, *Manual*, V, p. 403 ss.

por leis gerais da República, os princípios considerados paramétricos relativamente à legislação regional. A fórmula «princípio» não exprime de modo necessário a ideia subjacente à distinção entre regras e princípios (vide *infra*, metódica constitucional). Os princípios fundamentais de leis gerais da República podem ser *regras* precisas e densas mas que assumem num determinado contexto material a dimensão de fundamentalidade.

Os **princípios fundamentais das leis gerais da República** podem estar enunciados em legislação de princípios, mas haverá casos em que eles serão derivados do conjunto de leis existentes incidentes sobre determinada matéria. Isto porque, muitas vezes, as leis gerais da República não cobrem a matéria na totalidade, podendo então os princípios ser metodicamente derivados do complexo de leis positivamente vigentes (ex.: do Código de Procedimento Administrativo, do Código Civil). Importante, neste caso, será a eventual qualificação da lei, mas deve-se, sobretudo, atender à *relevância funcional e material* dos princípios no contexto repartido da legislação da República e da legislação regional.

Os princípios fundamentais considerados como limite ao poder legislativo primário regional devem ser princípios *estabelecidos* nas leis gerais da República. São, assim, aqueles princípios *positivamente* incorporados, de forma directa ou indirecta, nas leis e decretos-leis, que se devem considerar princípios fundamentais de leis gerais da República. Problemática é a questão de saber se, perante a inexistência de leis gerais da República contendo princípios fundamentais, pode haver uma intervenção legislativa regional com carácter primário. A resposta positiva não afasta a possibilidade de intervenção posterior de leis gerais da República transportadoras de princípios fundamentais que tornarão inválidos (invalidade sucessiva) os decretos legislativos regionais com eles contrastantes.

Resta, por último, precisar o e*squema referencial e funcional* entre os princípios fundamentais contidos em leis gerais da República e as leis regionais. Uma das orientações podia ser esta: os princípios fundamentais desempenham uma função de *limite*, típica do princípio da preeminência das leis. Tudo se passaria em jeito de "legalidade negativa": as leis regionais não podem contrariar os princípios fundamentais. Uma outra forma de colocar as coisas é considerarem-se os princípios fundamentais como *directivas materiais*, transformando a legislação regional em legislação sujeita a uma espécie de *reserva de princípios fundamentais* fixados em leis gerais da República. Aqui estaríamos mais perante uma legalidade *positiva* ao jeito do princípio da reserva de lei. Em termos práticos, as consequências jurídico-políticas são bastante diferentes. Se adoptarmos a posição referida em segundo lugar, compete aos órgãos da República definir as linhas básicas de uma estrutura normativa, cabendo às Regiões Autónomas a competência subordinada de complementação de acordo com os

respectivos interesses específicos. Nesta perspectiva, a questão atrás levantada – a de saber se pode haver legislação regional sem leis gerais da República definidoras de princípios fundamentais – mereceria resposta negativa. Não faz sentido a emanação de decretos legislativos adaptativos de uma disciplina jurídica enunciadora de princípios sem a existência prévia desta disciplina (reserva de princípios fundamentais a favor de leis gerais da República). A opção pela teoria dos limites permitiria às leis regionais intervir regulativamente em tudo o que leis gerais da República previamente definidoras de princípios não proibissem. Os "princípios fundamentais" contidos em leis gerais da República são *limites externos*, pelo que, no seu silêncio, nada impede a conformação jurídica primária operada por leis regionais. A "mensagem" contida na LC 1/97 quanto aos poderes legislativos autonómicos dificilmente se compagina com a ideia de um poder legislativo regional "executor" de princípios definidos pelas leis gerais da República. Por outro lado, porém, não se vê como é que a superioridade legislativo-principial da República pode ser compatível com leis regionais que não obedeçam aos princípios fundamentais incorporados em leis da República como premissas materiais da própria legislação regional.

c) *O interesse específico das Regiões Autónomas*

O exercício em concreto do poder legislativo regional deve ter em conta a existência de um **interesse específico para as Regiões**. Também neste ponto a Revisão de 1997 introduziu significativas alterações. O apuramento da existência de um interesse específico fez-se, até agora, de forma tópica, cabendo ao Tribunal Constitucional uma importante função de controlo da "constitucionalidade" da legislação regional no que dizia respeito à verificação deste limite positivo. Os critérios utilizados – *o critério da exclusividade* e o *critério da especificidade* – conduziram a uma interpretação judicial restritiva do interesse específico. Uma das formas de "reagir" contra a jurisprudência constitucional foi a de individualizar, logo a nível constitucional (reserva de Constituição), algumas matérias como matérias de interesse específico das regiões autónomas. O novo art. 230.º enumera, assim, sem carácter exaustivo, várias matérias de interesse específico. Mas, além de, mediante reserva da constituição, se fixar *um conceito material de interesse específico* e, através disso, a consequente presunção de interesse específico (e mesmo assim, sem carácter exaustivo, pois o art. 230.º utiliza o advérbio "designadamente"), recuperam-se os anteriores critérios da exclusividade e da especificidade para alargar o âmbito do interesse específico das regiões autónomas. Quer dizer: estes critérios que, antes da Revisão de 1997, serviram de instrumentos hermenêuticos freadores da expansividade do interesse específico regional, transmutam-se em critérios ampliadores da reserva constitucional de interesse específico. Perante os eventuais "excessos" legislativos regionais praticados em nome do interesse específico, ao legislador da República compete agora assegurar a unidade legislativa através de leis gerais definidoras de princípios fundamentais nos termos atrás referidos.

   A jurisprudência do Tribunal Constitucional viu-se já várias vezes confrontada com o problema da densificação de *interesse específico* e com o problema da determinação da competência própria dos órgãos de soberania.
   De uma forma tendencial, tem-se apontado para a existência de um interesse específico das regiões quando existam matérias que lhes respeitem exclusivamente (*critério da exclusividade*) ou quando se imponha uma especial disciplina jurídica de certas matérias em virtude dos condicionalismos regionais (*critério da especificidade*). Assim, a conjugação dos dois critérios ou a invocação de um deles levou já a considerar a existência de interesse específico no caso de: definição de carências dos municípios insulares para efeitos de repartição de verbas (Ac. TC 82/86), determinação do imposto de turismo (Ac. TC 267/87), fixação de um complemento regional de salário mínimo (Ac. TC 268/88) e fixação de limites de velocidade (Ac. TC 308/89). Todavia, noutros acórdãos o TC pronunciou-se pela inexistência de interesse específico (exs.: Ac. 42/85, imposição de localização da sede de pessoas colectivas; Acs. 57/85 e 130/85, concessão de licenças de trabalho a bordo; Acs. 124/86, 160/86, 91/88, relativos ao direito estradal; Ac. 333/86, serviços do Estado na região; Acs. TC 154/88 e 257/88, contrato de arrendamento de garagens e, por último, 220/92, *DR*, I-A, de 28-7, e 408/98, *DR*, II, de 20-12 (este já depois da 4.ª revisão).
   O interesse específico não se sobrepõe ao princípio da competência própria dos órgãos de soberania, isto é, não há um interesse específico das regiões onde existir uma matéria reservada à competência própria dos órgãos de soberania (cfr. Ac. TC 92/92, *DR*, I, 7-4). Assim, por ex., não se pode invocar o interesse específico para perturbar a definição dos critérios da repartição da verba global deduzida ao Fundo de Equilíbrio Financeiro (Ac. TC 82/86), para disciplinar autonomamente os actos de comércio externo (Ac. TC 164/86), para regular matéria criminal (Ac. TC 313/86), para legislar sobre tarefas e funções dos órgãos da República (Acs. TC 333/86 e 348/86), sobre Forças Armadas e militarizadas (Ac. TC 333/86, Ac. TC 160/86, *DR*, II, 14-5), sobre a definição dos bens do domínio público (Ac. TC 280/90, *DR*, I, 2-1-91) ou para alterar o Estatuto dos deputados regionais (cfr. Ac. 92/92). Mais complexa é a questão de saber se a invocação do interesse nacional pode bastar como limite ao interesse específico regional. Alguns autores consideram que a necessidade de concordância prática entre o interesse nacional, e o interesse específico regional acaba por transformar o primeiro em limite do segundo (cfr. Gomes Canotilho/Vital Moreira, *Constituição da República*, p. 583). Outros vêem nesta prevalência uma forma encapuçada ou mesmo deliberada e aberta de relativização das competências regionais (cfr. Jorge Miranda, *Funções*, p. 314; M. Afonso Vaz, *Lei e Reserva de Lei*, p. 460; J. L. Pereira Coutinho, *Lei Regional*, in *DJAP*, V, 1993, p. 408; M. Lúcia Amaral, «Die Autonomen...» p. 124). Vide também a análise da jurisprudência em Álvaro Monjardino, *As Autonomias Regionais em 10 anos de jurisprudência* – 1976-1986, I, Horta, 1987, pp. 13 e ss, e a análise politológica de José Enes, *Autonomia Regional dos Açores numa Perspectiva de Teoria do Estado*, in *A Autonomia como Fenómeno Cultural e Político*, Angra do Heroísmo, 1987, p. 32.

2. Poder legislativo de desenvolvimento

A Constituição recorta (art. 227.º/1/*c*) o **poder legislativo regional de desenvolvimento de leis de bases**: (1) em matérias não reservadas à competência da Assembleia da República; (2) em certas matérias de reserva relativa da Assembleia da República.

a) *Matérias não reservadas à competência da Assembleia da República*

O expresso reconhecimento constitucional de um poder legislativo de desenvolvimento de leis de bases remonta à segunda revisão do texto constitucional (1989). Os pressupostos constitucionais legitimadores do exercício de um **poder legislativo regional de desenvolvimento** são dois: (1) emanação de uma "lei de bases" pela Assembleia da República ou pelo Governo (embora esta última hipótese não resulte claramente do texto do art. 227.º/1/*c*); (2) formatação do diploma regional de desenvolvimento em *função do interesse específico* das regiões. A exigência *cumulativa* de publicação de "leis de bases" e do desenvolvimento *moldado* segundo o interesse específico determina positivamente o exercício em concreto do poder legislativo regional de desenvolvimento.

Uma vez fixadas as bases pela AR ou pelo Governo, elas abrem espaço para a intervenção legislativa dos poderes regionais. Esta intervenção de desenvolvimento visa adaptar, integrar e actuar as bases das leis da República em *função do interesse específico* (art. 227.º/1/*c*). Não se exige que as matérias a regulamentar sejam *matérias* de interesse específico, como acontece nas alíneas *a* e *b* do art. 227.º Qualquer matéria objecto de leis de bases dos órgãos legislativos da República pode ser desenvolvida pelos órgãos legislativos regionais *se* para tanto houver um interesse específico e apenas *na* medida desse mesmo interesse.

Não é fácil, na prática, distinguir entre *poder legislativo de desenvolvimento de leis de bases* e *poder legislativo densificador das leis gerais da República em matérias de interesse específico*, tanto mais que o procedimento legislativo parece não ser estruturalmente diferente num e noutro caso. No entanto, o poder legislativo de desenvolvimento está mais condicionado: (1) só pode haver desenvolvimento de "lei de bases", impondo-se pois a primariedade legislativa da Assembleia da República e do Governo; (2) os decretos legislativos regionais devem respeitar as bases, na sua integralidade, e não apenas os princípios fundamentais (o que as reduziria a bem pouco); (3) o poder legislativo de desenvolvimento é um poder legislativo *concorrente* que não impede a emanação de leis da AR ou decretos-leis do Governo dirigidos ao desenvolvimento das leis de bases. Esta última característica – a natureza concorrente – suscita algumas dificuldades. Em primeiro lugar, não é líquido que a Assembleia da República ou o Governo possam desenvolver as bases por elas fixadas em razão do interesse específico, pois é às assembleias legislativas regionais que compete avaliar este interesse. Em segundo lugar, se o poder legislativo regional de desenvolvimento "chegar primeiro" e desenvolver, em função do interesse específico, as bases de leis da República, suscita-se o problema de saber se não haverá um "congelamento do desenvolvimento" no que respeita às Regiões Autónomas com a consequente limitação territorial e material dos actos legislativos de desenvolvimento emanados pelos órgãos da República.

b) *Matérias reservadas à competência da Assembleia da República*

Na 2.ª parte do art. 227.º/1/*c* prevê-se a possibilidade de **decretos legislativos regionais de desenvolvimento em algumas matérias reservadas à competência da Assembleia da República**. Mais concretamente: as assembleias legislativas regionais têm competência para emanar decretos legislativos regionais de desenvolvimento de leis de bases referentes às bases do sistema de segurança social e do serviço nacional de saúde, bases do sistema de protecção da natureza, regime geral do arrendamento geral e urbano, bases da política agrícola, participação das organizações de moradores no exercício do poder local, associações públicas, garantias dos administradores e responsabilidade civil da administração (cfr. art. 165.º/*f, g, h, n, t* e *u*). Este elenco resulta da nova redacção dada ao art. 227.º/1/*c* pela LC 1/97 que alargou as matérias susceptíveis de desenvolvimento. É bem de ver, porém, que se perdeu lógica e razoabilidade neste alargamento. A intervenção de decretos legislativos regionais de desenvolvimento em matérias das alíneas *f, g, n, v* e *x* do art. 165.º/1, como constava do texto de 1989 (2.ª revisão), era lógica porque a própria Constituição facultava à Assembleia da República a autolimitação à fixação das bases dos respectivos regimes jurídicos. No que respeita à alínea *h*, o regime geral do arrendamento rural e urbano heterovincula o legislador a fixar um regime jurídico geral, pelo que não se vê bem o que são decretos legislativos de desenvolvimento de leis que *não são de bases* e cuja competência é reservada à AR.

3. **Poder legislativo autorizado**

Através da LC 1/89 foi consagrada, *expressis verbis*, a possibilidade de **decretos legislativos regionais autorizados** (art. 227.º/1/*b*). Os decretos legis-

812

lativos regionais autorizados estão sujeitos não só ao regime dos decretos-leis autorizados (art. 227.º/3/4) mas ainda a *limites específicos*: (1) negativamente, a autorização não pode ser pedida relativamente a matérias que estejam reservadas à competência dos órgãos de soberania; (2) positivamente, a autorização só pode ser concedida para a emissão de decretos legislativos regionais em matérias de interesse específico para as regiões; (3) diferentemente do que acontece com os decretos-leis autorizados, exige-se aqui a «cláusula da junção» (*Junktim-Klausel*), pois as propostas de leis de autorização têm de ser acompanhados do anteprojecto do decreto legislativo regional autorizado.

Em matérias não reservadas (ou seja, em matérias da competência concorrente da AR/Governo), a Assembleia da República pode autorizar as assembleias regionais a emanarem decretos legislativos regionais com um regime jurídico divergente do das leis da República. Nisto reside a especificidade constitutiva das autorizações legislativas em relação às Regiões Autónomas. Não existe qualquer "autorização" ou "delegação" no sentido de as assembleias legislativas regionais alargarem os seus poderes legislativos a matérias reservadas à AR ou ao Governo. A autorização serve para afastar limites estabelecidos por leis da República, embora, através da autorização, a Assembleia da República exerça uma espécie de controlo político legislativo preventivo. Além deste controlo, a Assembleia da República pode recorrer ainda ao instituto da **apreciação dos decretos legislativos regionais** para efeitos de cessação de vigência ou de alteração (arts. 162.º/*c* e 227.º/1/*b* e 2, 3 e 4) o que lhe permite fiscalizar a bondade do exercício legislativo autorizado.[3]

A técnica da autorização a favor de decretos legislativos regionais representa uma *ampliação* das competências legislativas das assembleias legislativas regionais. A Assembleia da República permite às assembleias legislativas a emissão de decretos legislativos regionais contra leis da República (mas não contra a lei de autorização e contra os princípios fundamentais das leis gerais da República). Note-se, porém, que esta ampliação não pode perturbar o sistema constitucional de organização, competência e funções dos órgãos de soberania nem a configuração constitucional dos poderes das regiões autónomas.[4]

---

[3] Noutros países coloca-se também o problema da amplitude das *leis regionais delegadas*. Cfr., por ex., MORTATI, *Istituzioni di Diritto Pubblico*, II, 9.ª ed., 1976; RUDOLF, «Die Ermächtigung der Länder zur Gesetzgebung des Bundes», in *AÖR*, 88 (1963); SANTIAGO MUÑOZ MACHADO, *Derecho Público de las Comunidades Autónomas*, I, pp. 462 e ss.

[4] Como assinala JOSÉ MAGALHÃES, *Dicionário da Revisão Constitucional*, p. 28, o «novo instituto implicará, sobretudo, que passe a ser a Assembleia da República a autorizar o não acatamento regional de diplomas do Governo da República que constituam lei geral derrogável». Salientando que este novo regime permite um «juízo político por parte do Estado sobre o mérito de actividade regional», cfr. PAULO OTERO, *O Poder da Substituição*, II, p. 694.

B. Visão global do sistema normativo-regional

Depois do estudo dos poderes legislativos regionais, cabe fazer uma caracterização sumária do grupo normativo-regional.

1. Reserva de lei regional

De **reserva de lei regional**, em sentido rigoroso, só se pode falar na hipótese prevista no art. 233.º/5 (introduzido pela LC 1/97). Num sentido paralelo à *reserva de decreto-lei* (art. 201.º/2) consagra-se a **reserva de decreto regional** em matérias respeitantes à organização e funcionamento do governo regional. Para além disto, não existe uma reserva de lei regional. A Constituição portuguesa não adoptou o critério da *enumeração taxativa* de matérias em relação às quais os órgãos de governo regional teriam uma competência legislativa *exclusiva, primária* e *plena*. Não há qualquer reserva de leis regionais mesmo para as matérias de interesse específico das regiões. A inserção de um **catálogo de matérias de interesse específico** pela LC 1/97 (art. 230.º) destina-se a estabelecer uma presunção a favor da *autonomia legislativa* das Regiões Autónomas nos casos de leis de *princípios* da República, de leis de autorização e de leis de desenvolvimento. Não se visa estabelecer uma reserva de competência a favor dos órgãos legislativos das Regiões Autónomas. No entanto, o novo recorte do regime de competências autonómicas no âmbito legislativo permite respostas tendencialmente diferentes das sugeridas pelo anterior texto. Assim, a Assembleia da República e o Governo não podem proibir a intervenção legislativa regional em matéria de interesse específico reguladas já por leis gerais da República. Desde que se observem os *princípios fundamentais* dessas leis (art. 227.º/1/*a*) e respeitados que sejam os outros requisitos constitucionais (existência de matérias de interesse específico e inexistência de reserva de competência dos órgãos de soberania), as leis gerais da República têm de abrir espaço à intervenção autonómico-normativa não podendo invocar (a não ser quanto aos princípios) o carácter necessariamente geral de um determinado regime jurídico.

2. Limites territoriais e materiais

As leis regionais são sempre leis de *competência especial* (espacial e material). Diferentemente, os actos legislativos dos órgãos de soberania da República são fontes de competência potencialmente geral. Isto porque as leis da República são expressão da *soberania* e *indivisibilidade legislativa* da República ao passo que as leis regionais são dimensões normativas da *autonomia* regional (cfr. epígrafe do novo art. 230.º). As leis regionais só podem incidir ou versar sobre *matérias de interesse específico* ou desenvolver leis da República em *função* do interesse específico. Compreendem-se estes limites territoriais e materiais. A Região Autónoma é um ente territorial, a sua autonomia é territorial, a sua competência é especialmente circunscrita (Zagrebelsky). A *territorialidade,* ao mesmo tempo que garante a autonomia legislativa, delimita-a material e espacialmente. É, de resto, este o sentido do princípio político-constitucional do *autogoverno autonómico* que, como *autogoverno,* tem de circunscrever a intervenção legislativa aos interesses próprios e específicos das populações respectivas.

3. Carácter dependente

As leis regionais são sempre leis materialmente condicionadas: (1) pelos *princípios fundamentais* de leis gerais da República (art. 227.º/1/*a*); (2) pelas *leis de autorização* da Assembleia da República; (3) pelas *leis de bases* editadas pelos órgãos de soberania da República; (4) pelas *competências próprias* dos órgãos de soberania.

O carácter dependente não significa proibição de regimes autonómico-normativos *inovadores.* Se algum sentido tem a vinculação apenas a *princípios, autorizações* e *bases,* esse só pode ser o de permitir o sopro de *autonomia* legiferante aos órgãos legislativos das Regiões Autónomas. Precisamente por isso, se não há, em rigor, uma *repartição horizontal de competências*, pois não existem campos de legiferação distintos – um onde actuariam as leis estaduais e outro onde se editariam leis regionais –, assiste-se à tendência da criação de um **bloco autonómico de legalidade** constituído por decretos legislativos enquadrados por princípios fundamentais de leis gerais da República, decretos legislativos autorizados e decretos legislativos de desenvolvimento. De resto, as leis da República podem limitar o seu campo de aplicação ao território continental, bastando hoje (nos termos do art. 112.º/5, na redacção da LC 1/97) que as leis gerais da República *não decretam* a sua aplicação a todo o território nacional.

Referências bibliográficas

Amaral, Maria Lúcia – "Die autonomen Regionen – Azoren und Madeira – nach der portugiesischen Verfassungsrechtsprechung", in Erik Jayme, *Deustsch-Lusitanische Rechtstage*, Baden-Baden, 1993, pp. 105 e ss.

Brito, M. – "Competência legislativa das Regiões Autónomas", in *SJ*, 1994, pp. 15 e ss.

De Otto y Pardo, I. – "La prevalencia del derecho estatal sobre el derecho regional", in *REDC*, n.º 2, 1981.

Enterria, E. G. – "El ordenamiento estatal y los ordenamientos autonomicos: sistema de relaciones", in *RAP*, n.º 100-102, pp. 213 e ss.

Ferreira, A. – *As Regiões Autónomas na Constituição Portuguesa*, Coimbra, 1980.

Pereira Coutinho, J. L. – "Lei Regional", in *Dicionário Jurídico da Administração Pública*, V, Lisboa, 1993, p. 408.

Machete, P. – "Elementos para o estudo das relações entre os actos legislativos do Estado e das Regiões Autónomas no quadro da Constituição vigente", in *RDES*, XXXIII, (1991), pp. 169 e ss.

Medeiros, R./Pereira da Silva, J. – *Estatuto Político-Administrativo da Região Autónoma dos Açores, Anotado*, Lisboa, 1997.

Miranda, J. – «A autonomia legislativa regional», in *Estudos sobre a Constituição*, Vol. 1, p. 419.

– "Lei", in *Dicionário Jurídico da Administração Pública*, vol. 5, 1993, pp. 385 e ss.

Miranda J./Silva, J. P. (org.) – *Estudos de Direito Regional*, Lisboa, 1997.

Morais, C. B. – *A Autonomia Legislativa Regional. Fundamentos das relações de prevalência entre actos legislativos estaduais e regionais*, AAFDL, Lisboa, 1993.

– "Existe uma proibição de retrocesso na Regionalização Efectuada?" in *Direito e Justiça*, X (1/1996), p. 109.

– "As Competências Legislativas das Regiões Autónomas no Contexto da Revisão Constitucional de 1997", in ROA, 1997, p. 16.

Muñoz Machado, S. – *Derecho Público de las Comunidades Autonomas*, I, p. 462.

Otero, P. – "A Competência Legislativa das Regiões Autónomas", Rev. Jur., 8, 1986, p. 149.

– *O desenvolvimento das leis de bases pelo Governo*, Lisboa, 1997.

Salema, Margarida – "Autonomia Regional", in J. Miranda, *Nos dez anos da Constituição*, Lisboa, 1985.

Vaz, M. A. – *Lei e Reserva de Lei*, pp. 460 e ss.

Vitorino, A. – "Os poderes legislativos das Regiões Autónomas na segunda Revisão Constitucional", in *Legislação*, 3 (1992).

Capítulo 6

O Direito Internacional e o Direito Supranacional

Sumário

A. **Normas de Direito Internacional**

   I - *Direito internacional geral ou comum*

   II - *Direito internacional particular*

   III - *Direito internacional privado*

B. **Direito Supranacional Comunitário**

   I - *Breve enquadramento Jurídico-constitucional*

   II - *Relações entre o ordenamento jurídico português e o ordenamento da União Europeia*

   III - *O direito comunitário no plano da hierarquia das fontes do direito*

   VI - *O problema do controlo*

A. Normas de Direito Internacional

Uma outra fonte de direito, constitucionalmente reconhecida, é constituída pelas normas de direito internacional. O tema será aprofundado na cadeira de Direito Internacional Público. Aqui registar-se-ão umas breves notas explicativas.

I - Direito internacional geral ou comum

Relativamente ao **direito internacional geral ou comum**, isto é, o direito formado pelas normas de direito consuetudinário e princípios gerais de direito comuns «às nações civilizadas», a Constituição estabeleceu o princípio de que as «normas e os princípios de direito internacional geral ou comum fazem parte integrante do direito português» (cfr. art. 8.º/1). Trata-se de uma fórmula oriunda do projecto da Constituição de Weimar[1] e de um modo geral interpretada como pretendendo significar que o direito internacional faz parte do direito interno. Ela corresponde, no fundo, à velha fórmula de Blackstone, frequentemente citada – *international law is part of the law of the land*. Independentemente dos problemas que a fórmula adoptada pode levantar no domínio das relações entre o direito internacional e o direito interno, designadamente a questão do *monismo ou dualismo* e o problema do *primado* do direito interno ou do direito internacional[2], parece poder afirmar-se ter a Constituição consagrado

---

[1] A fórmula constante do projecto de PREUSS era esta: *«das Reich annerkennt das geltende Völkerrecht als Bestandteil seines eigenen Rechtes an»* («*O Império alemão reconhece o direito internacional em vigor como fazendo parte do seu direito interno*»). Cfr., A. VERDROSS, «Diritto internazionale e diritto interno secondo le costituzioni tedesche e austriache», in *Rivista di Diritto Internazionale*, Vol. LIX, 1976, pp. 5 e ss.

[2] O debate doutrinal travado pela juspublicística portuguesa em face do art. 4.º da Constituição de 1933, ver-se-á em GONÇALVES PEREIRA, *Curso de Direito Internacional Público*, Lisboa, 2.ª ed., 1970, pp. 87 e ss., e agora, com significativas mudanças de opinião, GONÇALVES PEREIRA/FAUSTO DE QUADROS, *Direito Internacional Público*, 3.ª ed., 1993. Depois da revisão de 1971, é importante o estudo de AFONSO QUEIRÓ, *Relações entre o Direito Internacional e o Direito Interno ante a Última Revisão Constitucional Portuguesa*, Coimbra, 1972. Em face da actual Constituição, cfr. ANDRÉ GONÇALVES PEREIRA, «O Direito Internacional na Constituição», in *Estudos sobre a Constituição*, Vol. 1, pp. 37 e ss; ALBINO DE AZEVEDO SOARES, *Relações entre*

a doutrina da **recepção automática** das normas do direito internacional geral ou comum. Isto implica que estas normas são directamente aplicáveis pelos tribunais e outras autoridades encarregadas de aplicar o direito. Não necessitando de qualquer *transformação* em lei ou outro acto de direito interno para poderem ser consideradas incorporadas no ordenamento interno, as normas do direito internacional comum entram em vigor no direito interno ao mesmo tempo que adquirem vigência na ordem internacional.

Resta saber, porém, qual o **valor jurídico das normas do direito internacional** geral em face do direito interno. Reconhecer a *recepção automática* do direito internacional comum não significa, concomitantemente, proclamar a *superioridade* das normas de direito internacional perante as normas de direito interno. Falta, no texto constitucional, uma norma como a da *Grundgesetz* alemã (art. 25.°), onde, depois de se afirmar, como no art. 8.° da Constituição portuguesa, que as normas do direito internacional geral são parte integrante do Direito federal, se acrescenta que «essas normas (do direito internacional geral) prevalecem sobre as leis, criando, de forma directa, direitos e obrigações para os habitantes do território federal».

Dada a não atribuição expressa, pela Constituição, de um valor específico às normas de direito internacional geral, várias soluções poderão ser apontadas quanto ao valor destas normas[3]: (1) *valor constitucional* – as normas de direito internacional geral fariam parte integrante do direito constitucional português e a sua violação desencadearia o fenómeno da inconstitucionalidade; (2) valor *infraconstitucional mas supralegislativo* – as normas de direito internacional geral não podem valer contra a Constituição, mas têm primazia hierárquica sobre o direito interno anterior e posterior, devendo os tribunais ou quaisquer outros órgãos aplicadores do direito recusar-se a aplicar o direito interno contrário ao direito internacional geral; (3) *valor equivalente ao das leis,* podendo revogar actos legislativos anteriores e ser revogados por leis posteriores; (4) *valor supraconstitucional*, como expressamente estatui a Constituição holandesa, em que as normas de direito internacional têm primazia sobre as normas constitucionais.

Como veremos no capítulo dedicado ao problema da parametricidade da Constituição e dos vícios de ilegitimidade constitucional, a contradição das leis internas com o direito internacional é uma das hipóteses em que se poderá defender a existência de uma *ilegalidade*.

---

o Direito Internacional e o Direito Interno, Coimbra, 1979, e, mais amplamente, o estudo de N. A. A. BESSA LOPES, *A Constituição e o Direito Internacional,* 1979. Cfr., ainda, GOMES CANOTILHO/VITAL MOREIRA, *Constituição,* anotação ao art. 8.°, e a bibliografia geral indicada.

[3] Cfr. MIGUEL GALVÃO TELES, *Eficácia dos tratados na Ordem Interna Portuguesa (condições, termo, limites),* Lisboa, 1976, pp. 42 e ss.

II - Direito internacional particular

Relativamente ao **direito internacional particular**, ou seja, o direito convencional constante de tratados ou acordos em que participe o Estado português (cfr. art. 8.º/2), a Constituição parece ter aderido também à tese da *recepção automática, condicionada* apenas ao facto de a eficácia interna depender da sua *publicação oficial*. Poderão suscitar-se dúvidas, motivadas pelo facto de a Constituição falar em «normas constantes de convenções internacionais *regularmente ratificadas ou aprovadas*», se considerarmos a ratificação e aprovação como os actos internos inseridos no processo da criação do direito internacional transformadores da norma de direito internacional em norma do direito interno (*sistemas da transformação implícita*). No entanto, como os requisitos constitucionais de ratificação e/ou aprovação são requisitos de *validade* do tratado, pode dizer-se que a ideia do legislador constituinte foi a de aceitar a vigência das *normas* internacionais como tais e não como *normas internas*.

Problemática é também a posição hierárquica do direito internacional convencional no sistema português das fontes de direito, dividindo-se a doutrina entre duas posições fundamentais: (1) valor *infraconstitucional* mas *supralegislativo* do direito internacional convencional; (2) *paridade hierárquico-normativa* entre as normas convencionais internacionais e os actos legislativos internos[4]. A paridade hierárquico-normativa, ou seja, o valor legislativo ordinário das convenções internacionais deve rejeitar-se pelo menos nos casos de convenções de conteúdo materialmente constitucional (exs.: Convenção Europeia dos Direitos do Homem, Pacto Internacional sobre direitos civis e políticos e Pacto Internacional sobre direitos económicos, sociais e culturais).

III - Direito Internacional Privado

Quer as normas do direito internacional geral quer as normas do direito internacional particular fazem parte do direito português. Além das normas que foram recebidas no direito português, poderá acontecer que venham a ser aplicadas no direito português *normas de direito estrangeiro*, em virtude da aplicação das regras e princípios do **direito internacional privado**. A este direito

---

[4] Cfr. Bibliografia da nota 2 e ainda R. MOURA RAMOS, A *Convenção Europeia dos Direitos do Homem: sua função face ao ordenamento jurídico português*, Coimbra, 1982; J. POLAKIEWICZ, "Völkervertrag und Landesrecht in Portugal. Der Streit um Art. 4.º do Decreto-Lei 262/83", in *ZAöVR*, 2/1987, pp. 277 e ss.

pertence regular os conflitos de competência entre ordens jurídicas diversas (Código Civil, artigos 25.° e segs.). É, por exemplo, o caso de regulação do regime do casamento entre cônjuges de nacionalidades diversas, o regime da sucessão testamentária, etc.

A Constituição não enfrentou a problemática da aplicação de normas de direito estrangeiro nem lhes faz referência no esquema das fontes de direito. As leis estrangeiras para que remetam as normas de conflitos (cfr. Código Civil, artigo 22.° e segs.)não são assimiláveis a normas de direito interno integradas no sistema constitucional das fontes de direito. Além disso, as leis estrangeiras aplicáveis no território português em resultado das regras de conflitos podem ser afastadas pelos tribunais quando a aplicação envolver a ofensa de *princípios fundamentais da ordem pública* (do próprio Estado em cujo sistema normativo se inserem as leis a aplicar, e, obviamente, a ordem pública portuguesa). Note-se que a *ordem pública internacional* é um conceito que tem de ser densificado e concretizado de acordo com os princípios básicos do ordenamento constitucional português [5], e, se o direito aplicável for o direito comunitário, a *ordem pública comunitária europeia*.

B - Direito Comunitário Supranacional

I - Breve enquadramento jurídico-constitucional

Como se sabe, a **União Europeia** é o resultado da unificação de três organizações internacionais distintas – a *Comunidade Europeia do Carvão e do Aço* (CECA), a *Comunidade Económica Europeia* (CEE e agora CE) e a *Comunidade Europeia de Energia Atómica* (Euratom). A primeira foi instituída pelo Tratado de Paris (18/4/1951) e as outras duas pelo Tratado de Roma (25/3/1957) firmado entre seis países fundadores (França, República Federal da Alemanha, Itália, Bélgica, Holanda, Luxemburgo), a que, posteriormente, aderiram a Dinamarca, Irlanda e Grã-Bretanha (1/1/1973), a Grécia (1/1/1981), a Espanha e Portugal (1/1/1986) e a Áustria, Finlândia e Suécia (1/1/1995). As três comunidades foram progressivamente unificadas e transformadas através do "Acto Único Europeu" (17/2/1986) e pelo Tratado de Maastricht (7/2/1992).

---

[5] Cfr. BARLIE, "Ordine pubblico" (Diritto Internazionale Privato)", *Enc. Diritto*, XXX; A. MARQUES DOS SANTOS, "Constituição e Direito Internacional Privado", in JORGE MIRANDA (org.), *Perspectivas Constitucionais*, vol. III, pp. 367 e ss; A. FERRER CORREIA, *Lições de Direito Internacional Privado*, Coimbra, 1973, p. 560; J. BAPTISTA MACHADO, *Lições de Direito Internacional Privado*, 2.ª ed., Coimbra, 1982.

Deve distinguir-se entre **direito comunitário** e **direito da união**. A estrutura do ordenamento jurídico-comunitário não é uma estrutura homogénea, pois devem ser tomados em conta os chamados *três pilares da Comunidade*. O *primeiro pilar* é formado pelo **direito comunitário em sentido restrito**, estruturado em normas dotadas de especificidade e eficácia próprias. Os *segundo* e *terceiro pilares* (política externa e segurança comum no que respeita ao segundo e cooperação judicial e nos assuntos internos no que respeita ao terceiro) assentam em *normas de cooperação interestatal* fundamentalmente reconduzíveis a normas de direito internacional convencional.[6]

Fontes de direito comunitário são os **tratados** institutivos da União (bem como as suas modificações adoptadas segundo o procedimento e modalidades do artigo N do Tratado de Maastricht) e os chamados *actos normativos* (TUE, artigo 249.º) criados e editados pelos órgãos comunitários – *regulamentos* e *directivas*.

Os **regulamentos comunitários** têm natureza normativa e são a fonte primária do direito comunitário, logo a seguir aos tratados institutivos (ou de modificação de tratados anteriores). Não existem actos normativos comunitários formalmente designados por leis, sendo, em geral, conferido valor legislativo aos regulamentos. Dentre as características mais relevantes dos regulamentos comunitários sob o ponto de vista jurídico, devem assinalar-se: (1) natureza e alcance geral; (2) obrigatoriedade em todos os seus elementos; (3) aplicabilidade directa em cada um dos Estados-membros (cfr. TUE, artigo 249.º). Os regulamentos comunitários são, pois, actos normativos auto-aplicativos (*self executing*), pois operam directamente no ordenamento português sem necessidade de qualquer acto externo de execução.

As **directivas comunitárias** são actos normativos que: (1) vinculam os Estados-membros a uma *obrigação de resultado*, deixando discricionariedade de valoração aos Estados quanto á forma e meio de alcançar os resultados; (2) por isso, fornecem aberturas para regimes particulares nacionais, assegurados que sejam princípios uniformes que devem informar os resultados.

Tal como aconteceu em relação às leis, com o aparecimento de leis-medida, as directivas surgem, por vezes, cheias de pormenores regulativos (*directivas-medida*), defendendo uma parte da doutrina que, quando forem dotadas de conteúdos normativos concretos, são imediatamente aplicáveis a entidades individuais ou colectivas no âmbito dos Estados-membros (cf. Tribunal de Justiça das Comunidades, com *Van Duyn*, de 4/12/74, *Delkvist*, 29/11/78, *Ratti*, 5/4/79,

---

[6] Cfr., por ex., Th. OPPERMANN, *Europarecht*, 2.ª ed., 1999, p. 473 ss.

Becker, 29/1/82). As directivas, dada a sua natureza normativa, devem ser actuadas através de **actos estaduais de transposição de directivas**, ou seja, através de leis da Assembleia da República ou de decretos-leis do Governo, segundo as matérias a regular. Neste sentido, o artigo 112.º/9 da CRP estabelece que "a transposição de directivas comunitárias para a ordem jurídica interna assume a forma de lei ou de decreto-lei, conforme os casos".[7]

II - Relações entre o ordenamento jurídico português e o ordenamento da União Europeia

A tese, hoje dominante, sobre as relações entre os ordenamentos jurídicos dos Estados-membros e o ordenamento comunitário, é a **tese dos ordenamentos separados**. O ordenamento comunitário e os ordenamentos nacionais concebem-se como **ordenamentos** (ou sistemas jurídicos) **autónomos** e distintos. No plano das fontes de direito, isto significa que as normas comunitárias emanam de uma fonte de produção autónoma, diversa das fontes de produção do direito dos Estados-membros (cf. sentenças do Tribunal de Justiça das Comunidades, *Costa – ENEL*, 15/7/69, e *Cilfit*, de 6/10/82). No entanto, o facto de serem ordenamentos separados e autónomos não significa que não haja relações entre eles. A determinação destas relações entre o direito comunitário e o direito dos Estados membros resulta da articulação das normas constitucionais e das normas do direito comunitário, pois, de outro modo, correr-se-ia o risco de cada ordem jurídica nacional definir, diferentemente, as dimensões relacionais entre direito comunitário e direito interno dos Estados.

III - O direito comunitário no plano da hierarquia das fontes do direito

Muitas das normas do direito comunitário – sobretudo os chamados *regulamentos* previstos no art. 249.º (numeração segundo o Tratado de Amesterdão, e que corresponde ao antigo art. 189.º) – constituem o **direito directamente aplicável** em todos os Estados membros, sem necessidade de

---

[7] Cfr. MARCELO REBELO DE SOUSA, *Constituição da República Portuguesa, Comentada*, anotação ao art. 112.º/9; "A transposição das directivas comunitárias para a ordem jurídica nacional", in *Legislação*, 4/5 (1992), p. 69 ss.; MOURA RAMOS, "O Parlamento Português…", p. 179 ss.

qualquer acto interno (lei, decreto) de transformação. Têm, pois, *validade* e *eficácia* imediata nos ordenamentos internos. Perante estes actos normativos, pergunta-se se eles derrogarão as leis portuguesas internas com disciplina contrária e se, por sua vez, as leis internas poderão posteriormente adoptar disposições contrárias aos actos normativos primários das comunidades. Actualmente, é dominante a tese da **primazia do direito comunitário**.

a) *A primazia do direito comunitário*

Os tratados institutivos das comunidades europeias e as disposições comunitárias dotadas de aplicabilidade directa constituem, com a adesão de Portugal à ordem jurídica comunitária, uma nova *fonte normativa* da ordem jurídico-constitucional portuguesa, em posição separada relativamente aos actos legislativos internos, podendo "desbancar" ou afastar estes com base nos *princípios da especialidade* e da *competência prevalente*. Por outras palavras: a normativa comunitária tem preferência ou *prioridade aplicativa* relativamente à legislação estatal[8]. Quando o princípio da especialidade não é suficiente, a doutrina mais recente afirma a superioridade do direito comunitário, traduzida na *força activa* dos regulamentos comunitários (podem revogar e modificar leis) e na *resistência passiva* dos mesmos relativamente a leis posteriores internas (não podem ser revogados nem modificados por estas). Note-se que o princípio da aplicação preferente significa tão somente prioridade de aplicação do direito comunitário, deixando imperturbada a validade da norma interna relativamente aos outros aspectos que não têm nada a ver com o direito comunitário.[9]

b) *Supremacia da Constituição*

A posição das normas comunitárias na hierarquia das fontes é, como se viu atrás, uma posição cimeira. O *princípio da prevalência do direito comunitário* começou por levantar fortes dúvidas em relação ao direito cons-

---

[8] Cf. M. ZULEEG, «Deutsches und europäisches Verwaltungsrecht -Wechselseitige Einwirkungen», in VVDSTRL, 53 (1994), p. 154 ss.

[9] A prevalência das normas comunitárias sobre as normas conflituantes de carácter interno sem que a prevalência implique ab-rogação das normas precedentes ou invalidade das normas sucessivas designa-se por técnica da prevalência de aplicação (*Anwendungsvorrang*). Cfr. GEIGER, *Grundgesetz und Völkerrecht*, pp. 245 e ss. Entre nós, cfr., J. MOTA CAMPOS, *A Ordem Constitucional Portuguesa e o Direito Comunitário*, Braga, 1981, p. 215; FAUSTO DE QUADROS, *Direito das Comunidades*, 1984, pp. 410 e ss; MARIA LUÍSA DUARTE, *A Liberdade de Circulação de Pessoas e a Ordem Pública Comunitária*, Coimbra, 1992, p. 8; PEDRO MACHETE, «Os Princípios da Articulação Interna de Ordenamentos Complexos no Direito Comparado», OD, 1992, pp. 154 e ss.

titucional. Os argumentos principais contra tal supremacia do direito comunitário eram os seguintes: (a) a supremacia do direito comunitário perante a Constituição tornaria supérfluas as próprias constituições; (b) a eficácia derrogatória, modificativa ou revogatória das normas da UE sobre as normas da CRP equivalia ao reconhecimento de um processo apócrifo de revisão contra as próprias normas constitucionais; (c) a supremacia do direito comunitário sobre o direito constitucional justificaria, em último caso, a possibilidade de superação dos limites materiais de revisão, violando abertamente o art. 288.º da CRP[10]. A necessidade de uma revisão extraordinária (L 1/92) para possibilitar a ratificação do tratado de Maastricht teria demonstrado que as normas comunitárias devem estar em conformidade com as normas constitucionais.

Hoje, é duvidoso se estes argumentos serão suficientes para neutralizar o «efeito constituinte»» dos Tratados da União Europeia. Parece claro que as massiças alterações dos tratados, aprofundando a associação constitucional de estados, constituem elas próprias um processo constituinte que, inevitavelmente, transporta dimensões constituintes no plano interno dos Estados-membros. No actual contexto da convenção de uma «constituição para a Europa», assiste-se a uma espécie de *procedimento constituinte evolutivo* que: (1) obriga a alterações formais das constituições dos Estados-membros; (2) produz «revisões não convencionais» no direito constitucional nacional (ex.: alteração da constituição económica em virtude da aplicação da «constituição económica europeia»). Se o processo constituinte colectivo europeu é, simultaneamente, um processo constituinte dos Estados-Membros, o direito primário dos Tratados acaba, de facto e de direito, por se impor ao direito constitucional interno. Isto não significa que não haja limites a uma eventual *supremacia* e preferência de aplicação de normas comunitárias em relação a normas constitucionais. Desde logo, tratar-se-á sempre de aplicação preferente mas não de *preeminência* quanto à validade (cfr., porém, o art. 10.º do Projecto de Constituição Europeia). Os preceitos constitucionais internos incompatíveis com normas comunitárias não são nulos ou anuláveis, mas apenas *inaplicáveis* no caso concreto. Em segundo lugar, as normas europeias não poderão

---

[10] Relativamente a este último ponto, os autores aludem a um *núcleo essencial da Constituição garantido contra o direito comunitário.* Cfr. RUPP, «Die Grundrechte und das Europäische Gemeinschaftsrecht», in *NJW*, 70, pp. 353 e ss. Sobre o tema em geral cfr. BEUTLER/BIEBER/PIPKORN/STREIL, *Die Europäische Gemeinschaft – Rechtsordnung und Politik,* 1977, pp. 75 e ss; SPERDUTI, *L'ordinamento italiano e il diritto comunitário,* Padova, 1981; EVERLING, "Zum Vorrang des Europäischen Gemeinschaftsrecht vor nationalem Recht", in *DVBB*, 1985, pp. 1203 e ss; K. FRIAUF/R. SCHOLZ, *Europarecht und Grundgesetz,* 1990; R. STREIN, *Bundesverfassungsgerichtlicher Grundrechtsschutz und Europäisches Gemeinschaftsrecht,* 1989. Por último, R. MOURA RAMOS, "The Adaptation…", p. 8 ss.; A. M. GUERRA MARTINS, *A Natureza Jurídica da Revisão do Tratado da União Europeia,* Lisboa, 2000, p. 303 ss.

transportar «revoluções internas» a ponto de subverter os *princípios constitucionais materialmente irrevisíveis*. Estes condensam a identidade da ordem constitucional portuguesa e nem sempre «estão à disposição do legislador de revisão» (cf. CRP, art. 278.º). A **constituição constituinte** impõe-se aqui ao processo constituinte europeu. É razoável sustentar-se que as normas europeias contrárias aos princípios materialmente constituintes da ordem constitucional portuguesa estão sujeitas ao princípio da preeminência das normas da «constituição constituinte».

Finalmente, o direito europeu com primazia de aplicação relativamente a normas constitucionais só pode ser o direito convencional dos tratados. O alargamento da tese da primazia de aplicação de todas as normas comunitárias (desde os tratados ao mais anódino regulamento ou directiva) acabaria por minar a medula óssea de qualquer estado de direito democrático e constitucional.[12] No actual estádio de evolução, as normas comunitárias convencionais têm uma *posição primária* mas não possuem um *grau constitucional*.

IV - O problema do controlo

Existe um **Tribunal de Justiça das Comunidades** para apreciar as questões suscitadas pelo direito comunitário. Em 1988, no cumprimento do Acto Único Europeu, foi também criado um **Tribunal de Primeira Instância**. Põe-se, porém, o problema de saber se os juízes e as partes num processo a decorrer em Portugal poderão suscitar o incidente da inconstitucionalidade de normas comunitárias em face do direito português. As normas comunitárias – dir-se-á – são «normas» para efeitos do art. 280.º, não estando previsto na Constituição qualquer regime privilegiado quanto ao seu controlo (ao contrário do que, de resto, acontece quanto ao direito internacional convencional nos termos do art. 277.º/2). Em sentido contrário, é possível argumentar com a ideia de as normas comunitárias (o problema coloca-se sobretudo quanto aos *regulamentos*) não serem fontes de direito interno mas fontes de um sistema jurídico autónomo. Por conseguinte, não existiria qualquer controlo – incidental ou principal – de constitucionalidade incidente sobre regulamentos comunitários.

Um eventual controlo não significa necessariamente a aniquilação das normas comunitárias: os juízes portugueses conhecem e julgam inaplicáveis

---

[11] Cf. M. NOGUEIRA DE BRITO, *A Constituição Constituinte*, p. 200 ss.
[12] Cf. I. VON MÜNCH, *Staatsrecht*, I, 6.ª ed., p. 409 ss.; H. MAURER, *Allgemeines Verwaltungsrecht*, 13.ª ed., p. 54 ss.; G. DE VERGOTTINI, *Diritto Costituzionale*, 2.ª ed., p. 60 seg.

as normas comunitárias eventualmente desconformes com as normas e princípios constitucionais[13]. No entanto, os juízes devem também valorar a compatibilidade entre as leis comunitárias e as leis portuguesas, fazendo prevalecer as primeiras sobre as segundas, independentemente da relação de sucessão de leis no tempo. Aqui, os juízes portugueses julgarão inaplicáveis as normas internas conflituantes com as normas comunitárias (cfr. LTC, arts. 70.º/1/c e 71.º/2). Neste sentido, o Tribunal de Justiça da Comunidade tem sistematicamente repetido que o juiz nacional encarregado de aplicar, no âmbito da sua competência, as disposições de direito comunitário, deve garantir a plena eficácia dessas normas, desaplicando qualquer disposição contrastante da legislação nacional mesmo posterior. O **princípio da aplicação preferente** (*Anwendungsvorrang*) exigirá, pois, a não aplicação da norma jurídica nacional e a aplicação da norma comunitária com ela colidente na solução de um caso pelo juiz ou pela administração.

Referências bibliográficas

Araújo, A – "Relações entre o Direito Internacional e o Direito Interno. Limitação dos efeitos do juízo de constitucionalidade (a norma do art. 277.º/2, da CRP)" in *Estudos sobre a Jurisprudência*, pp. 9 e ss.

Botelho Moniz, C./Moura Pinheiro, P. – "As relações da ordem jurídica portuguesa com a ordem jurídica comunitária. Algumas reflexões", in *Legislação* 4/5 (1992), p. 121 ss.

Campos, A. M., – *A Ordem Constitucional Portuguesa e o Direito Comunitário*, Braga, 1981.

---

[13] Cfr. A. M. DEL VECHIO, *I problemi posti nell'ordinamento italiano dalla attuazione delle normativa comunitaria e segnatamente delle direttive*, Milão, 1979. Veja-se, entre nós, M. ISABEL JALES, *Implications juridique-constitutionnelles*, cit., pp. 138 e ss. A insindicabilidade dos regulamentos comunitários é, por vezes, defendida, não com base no seu carácter hierárquico superior à Constituição (tese de afastar como se esclarece no texto), mas com fundamento no facto de eles serem oriundos de entidades legiferantes não pertencentes aos ordenamentos nacionais. Cfr., A. VITORINO, *A Adesão de Portugal à CEE*, Lisboa, 1984; J. MOTA CAMPOS, A *ordem constitucional portuguesa e o direito comunitário*, Braga, 1981. Cfr. STEIN, «Der Beschluss vom 22 Oktober 1986 zur verfassungsgerichtlichen Überprüfung des abgeleiteten europäischen Gemeinschaftsrechts am Masstab des Grundgesetzes», in *Zf-Öff. Recht und Völkerrecht*, 1987, pp. 279 e ss; BALAGUER CALLEJON "La constitucionalización de la Unión Europea y la articulación de los ordenamientos europeo y estatal", *Univ. Pais Vasco*, 1997, pp. 544 e ss. Entre nós, cfr. NUNO PIÇARRA, *O Tribunal de Justiça das Comunidades Europeias como juiz legal e o processo do art. 177.º do Tratado da CEE*, Lisboa, 1991; J. CARDOSO DA COSTA, "O Tribunal Constitucional Português e o Tribunal de Justiça das Comunidades Europeias", in *Ab uno ad omnes. 75 Anos da Coimbra Editora*, Coimbra, 1998, p. 1363 ss.

Costa, J. M. C. – "O Tribunal Constitucional Português e o Tribunal de Justiça das Comunidades Europeias", in *Ab uno ad omnes. 75 Anos da Coimbra Editora*, Coimbra, 1998.

Cruz Vilaça J./Pais Antunes L./Nuno Piçarra – "Droit Constitutionnel et droit communautaire. Le cas portugais", in *Rivista di Diritto Europeo*, 1991, p. 301-310.

Duarte, Maria L. – *A Liberdade de Circulação de Pessoas e a Ordem Pública no Direito Comunitário*, Coimbra, 1992.

Geiger, – *Grundgesetz und Völkerrecht*, München, 1984.

Jalles, M. I. – «Implicações jurídico-constitucioniais da Adesão de Portugal às Comunidades Europeias – alguns aspectos», in *Cadernos de Ciência e Técnica Fiscal*, n.º 116 (1980).

Lopes, N. A. A. B. – *A Constituição e o Direito Internacional,* Lisboa, 1979.

Machete, P. – «Os Princípios da Articulação Interna de Ordenamentos Complexos no Direito Comparado», OD, 1992, pp. 111 e ss.

Martinez, P. R. – "Relações entre o direito internacional e o direito interno", in *Direito e Justiça*, IV (1989/91), pp. 163 e ss.

Martins, Ana M. G. – *A Natureza Jurídica da Revisão do Tratado da União Europeia*, Lisboa, 2000.

Medeiros, R. – "Relações entre as normas constantes de convenções internacionais e normas legislativas na Constituição de 76", in *O Direito*, 122, 1990, II pp. 355 e ss.

Melo, A. B. – "A preferência da lei posterior em conflito com normas convencionais recebidas na ordem interna ao abrigo do n.º 2 do art. 8.º da Constituição da República", in *Colectânea de Jurisprudência*, IX, T. 4, 1989, pp. 11 e ss.

Miranda, J. – *Manual de Direito Constitucional*, II, pp. 105 e ss.

– *Manual*, I, 6.ª ed., p. 334 ss.

Pereira, A. G. – "O direito internacional na Constituição", in J. Miranda, *Estudos sobre a Constituição*, Lisboa, 1971.

Pires, F. L. – *Introdução ao Direito Constitucional Europeu*, Coimbra, 1977.

Ramos, R. M. G. – *A Convenção Europeia dos Direitos do Homem: sua função face ao ordenamento jurídico português,* Coimbra, 1982.

– "*The Adaptation* of the portuguese constitutional order to community law", in BFDC LXXVI (2000), p. 1 ss.

Rubio Llorente, F. – "Constitución Europea y reforma constitucional", in J. Miranda (org.), *Perspectivas Constitucionais*, II, Coimbra, 1997, pp. 695 e ss.

Schilling. Th. – "The Autonomy of the Community Legal Order-An Analysis of Possible Foundations", in *Harvard International Law Journal*, 37 (1996), pp. 389 e ss.

Soares, A. A. – *Relações entre o Direito Internacional e o Direito Interno,* Coimbra, 1979.

Sperdutti – *L'ordinamento italiano e il diritto comunitario*, Padova, 1981.

Vagli, G. – "Relazioni tra ordinamento portoghese e trattato sull' Unione Europea: problematiche e soluzioni della revisione costituzionale dell 1992", in *Quaderni Costituzionali*.

Vecchio, A. M. del – *I problemi posti nell'ordinamento italiano della attuazione delle normative comunitarie e segnatamente delle direttive*, Milano, 1979.

Vitorino, A. – *A Adesão de Portugal às Comunidades Europeias – A problemática da aplicabilidade directa e o primado do Direito Comunitário face ao nosso ordenamento jurídico*, Lisboa, 1984.

Weiler, J. H. H. – "The Autonomy of the Community Legal Order: Through the Looking Glass", in J. Weiler, *The Constitution of Europe*, Cambridge, 1999, pp. 286 e ss.

Zagrebelsky, A. – *Il sistema costituzionale delle fonti del diritto,* cit., pp. 119 e ss.

Capítulo 7

Os Regulamentos

Sumário

A. Fundamento Constitucional do Poder Regulamentar

  I - Poder regulamentar e princípio da legalidade da administração

  II - Fundamento jurídico do poder regulamentar

B. Regime Constitucional dos Regulamentos

  I - Relações entre as leis e os regulamentos

  1. Princípio da preferência ou da preeminência da lei
  2. Princípio da precedência da lei
  3. Princípio da complementaridade ou acessoriedade dos regulamentos
  4. O problema dos regulamentos autónomos
  5. Princípio do congelamento do grau hierárquico
  6. Princípio da separação entre o «direito da lei» e o «direito dos regulamentos»

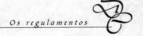

II - Os regulamentos dos entes autónomos

1. Núcleo essencial da reserva autónoma regulamentar
2. Os regulamentos dos entes autónomos como regulamentos independentes

III - Regulamentos das autoridades administrativas independentes

A. Fundamento Constitucional do Poder Regulamentar

I - Poder regulamentar e princípio de legalidade da administração

O **regulamento** é uma norma emanada pela administração no exercício da função administrativa e, regra geral, com carácter executivo e/ou complementar da lei[1]. É um *acto normativo* e não um acto administrativo singular; é um acto normativo mas não um acto normativo com valor legislativo. Como se disse, os regulamentos não constituem uma manifestação da função legislativa, antes se revelam como expressões normativas da função administrativa (cfr. art. 199.º/c e g). Devido ao facto de se tratar de uma norma jurídica secundária, condicionada por lei, o regulamento está, por um lado, submetido ao **princípio da legalidade da administração**; por outro lado, o poder regulamentar, ou seja, o poder de a administração criar normas jurídicas, deve ter um **fundamento jurídico-constitucional**.

O princípio da legalidade, atrás referido, será aqui entendido no sentido que actualmente dá a doutrina a tal princípio. Isto significa que a administração está vinculada à *lei* não apenas num *sentido negativo* (a administração pode fazer não apenas aquilo que a lei expressamente autorize, mas tudo aquilo que a lei não proíbe), mas num *sentido positivo*, pois a administração só pode actuar com base na lei, não havendo qualquer espaço livre da lei onde a administração possa actuar como um poder jurídico livre. É este o entendimento que transparece no art. 266.º/2: «Os órgãos e agentes administrativos estão subordinados à Constituição e à lei» (cfr. *supra*).

---

[1] Cfr. na doutrina portuguesa: AFONSO QUEIRÓ, *Teoria dos regulamentos*, 1.ª parte, in *RDES*, ano XXVII, p. 1, 2.ª parte, *RDES*, I (2.ª série), n.º 1, p. 5; SÉRVULO CORREIA, *Noções de direito administrativo*, I, 1982, p. 85; M. ESTEVES DE OLIVEIRA, *Direito Administrativo*, cit., pp. 103 e ss; COUTINHO DE ABREU, *Sobre os regulamentos administrativos*, cit., p. 1987; VIEIRA DE ANDRADE, *Autonomia regulamentar e reserva de lei*, pp. 12 e ss; E. GARCIA DE ENTERRIA/T. RAMÓN FERNANDEZ, *Curso de Derecho Administrativo*, I, p. 175.

II - Fundamento jurídico do poder regulamentar

O fundamento do poder regulamentar a ter em conta é o *fundamento jurídico* do poder regulamentar e não a justificação *política, material ou prática* da atribuição de poderes normativos à administração. Quanto ao **fundamento jurídico do poder regulamentar**, foram abandonadas as primitivas justificações (poder próprio e inerente a qualquer administração, expressão do poder discricionário de administração), considerando-se que o poder regulamentar encontra o seu fundamento na própria Constituição (Zanobini)[2]. O poder regulamentar configura-se, pois, como um poder *constitucionalmente fundado* e não como poder *criado por lei*. No art. 199.º, alínea *c*), atribui-se ao Governo competência para, no exercício de funções administrativas, «fazer os regulamentos necessários à boa execução das leis». A administração do Estado tem, assim, um poder regulamentar directa e imediatamente fundado na Constituição. De poderes regulamentares directamente baseados na Constituição dispõem também os órgãos das regiões autónomas para regulamentar a legislação regional e as leis gerais emanadas dos órgãos de soberania (art. 227.º/*d*). É ainda a Constituição que fundamenta o poder regulamentar das assembleias das autarquias locais, embora vincando o princípio da ordem hierárquica das normas (cfr. art. 241.º)[3].

O fundamento constitucional dos regulamentos não deve, porém, ser compreendido em termos análogos ao fundamento jurídico-constitucional dos actos legislativos (actos primários). O sistema jurídico-constitucional dos actos legislativos assenta no princípio da tipicidade (é, pois, um "sistema fechado"), ao passo que o regime jurídico do poder regulamentar é compatível com um *sistema aberto* em que o legislador, nos quadros da constituição, tem a possibilidade de atribuir e modelar poderes regulamentares (é o que acontece, hoje, por exemplo, em relação aos poderes regulamentares das entidades administrativas independentes).

---

[2] Cfr. o clássico artigo de ZANOBINI, «La potestà regolamentare e le norme della costituzione», in *Scritti vari di diritto pubblico*, 1985, pp. 145 e ss.
[3] Cfr., AFONSO QUEIRÓ, *Lições*, cit., pp. 431 e ss. No plano jurisdicional cfr. Ac TC 184/84, *DR*, I, 9-3-89; GARCIA DE ENTERRIA/RAMON FERNANDEZ, *Curso*, I, p. 178.

B. Regime Constitucional dos Regulamentos

Dada a sua enorme relevância no âmbito do actuar normativo da administração[4] o estudo dos regulamentos como fonte de direito costuma ser feito com profundidade na cadeira de Direito Administrativo. No plano teorético-constitucional, já anteriormente foram fornecidas indicações sobre a problemática do poder regulamentar e suas atinências com o princípio do Estado de direito democrático e com o problema da reserva de lei (cfr. *supra*). As considerações subsequentes pontualizam apenas alguns dos mais importantes problemas do regime constitucional dos regulamentos.

I - Relações entre as leis e os regulamentos

1. Princípio da preferência ou preeminência da lei

O regulamento não pode contrariar um acto legislativo ou equiparado. A lei tem absoluta prioridade sobre os regulamentos, proibindo-se expressamente os regulamentos *modificativos, suspensivos ou revogatórios* das leis (cfr. art. 112.º/6). **O princípio da preeminência da lei** significa a inadmissibilidade, no direito constitucional português vigente, de «regulamentos delegados» ou «autónomos» em qualquer das suas manifestações típicas: (*i*) os *regulamentos derrogatórios* – regulamentos que, sem revogarem a lei, a substituam em certos casos determinados –, implicam o estabelecimento de uma disciplina excepcional com força de lei através de fontes secundárias, contrariando abertamente os princípios da preeminência da lei e do congelamento do grau hierárquico (cfr. Ac. TC 869/96); (*ii*) os *regulamentos modificativos* – regulamentos que alteram a disciplina legislativa – implicam a revogação de preceitos legislativos, com a consequente violação dos princípios constitucionais da preeminência da lei e de congelamento de grau hierárquico; (*iii*) os *regulamentos suspensivos* – regulamentos que

---

[4] Cfr., amplamente, AFONSO QUEIRÓ, *Lições de Direito Administrativo, cit.*, p. 409, e «Teoria dos Regulamentos», in *Revista de Direito e de Estudos Sociais*, ano XXVII; ESTEVES DE OLIVEIRA, *Direito Administrativo*, Coimbra, 1980, p. 102; SÉRVULO CORREIA, *Noções de Direito Administrativo*, Lisboa, 1982, pp. 99 e ss. Na doutrina estrangeira, cfr. CHELI, *Potere regolamentare e struttura costituzionale*, Milano, 1967; M. LEPA, «Verfassungsrechtliche Probleme der Rechtssetzung durch Rechtsverordnungen», in *AÖR*, 105 (1980), pp. 338 e ss.

se limitam a tornar ineficaz uma norma legal preexistente, mas desprovidos de qualquer efeito inovador, implicam também a neutralização de uma fonte primária (a lei) através de uma fonte secundária (o regulamento) com a consequente violação dos princípios da hierarquia normativa e da preeminência da lei; (*iiii*) os *regulamentos revogatórios* – actos regulamentares que eliminam as leis do ordenamento jurídico – significam a completa inversão dos princípios da hierarquia normativa e da primazia da lei[5].

Pode questionar-se se o princípio da preferência da lei significa necessariamente preferência da lei do parlamento (lei da Assembleia da República) ou se abrange, também, *preferência de decreto-lei* (e, nos casos de direito regional, *preferência de decreto legislativo regional*). No sistema jurídico-constitucional português, o princípio de preferência da lei no sentido original – preferência da lei do parlamento – continua a ter sentido quando a constituição estabelece a reserva de lei da Assembleia da República para a regulação de determinadas matérias. Fora estes casos, o princípio da preferência é salvaguardado também quando existir um decreto-lei que, em virtude da sua dignidade legislativa formal, não pode deixar de se impor aos actos da administração. Fica em aberto a questão de saber se, desta forma, a ideia tradicional do princípio – centralidade da lei parlamentar e heterovinculação do executivo/administração – não se degrada numa simples *autovinculação através da forma de acto legislativo*, com a consequente "quebra" do princípio da separação de poderes. A preferência de decreto--lei – governo legislador – é a antecâmara do governo administrador.

2. Princípio da precedência da lei

A preferência ou primazia da lei sobre o regulamento tornar-se-ia um princípio puramente formal se, em matérias importantes ainda não reguladas por lei, o regulamento pudesse adiantar-se na respectiva disciplina jurídica. Era isso que permitia na prática a doutrina da vinculação negativa da administração.

---

[5] Cfr., precisamente, nestes termos, GOMES CANOTILHO/VITAL MOREIRA, *Constituição da República*, anotação XV ao art. 115.º Uma excelente análise da disciplina constitucional dos regulamentos pode ver-se no Parecer 34/84, de 2-5-84, da Procuradoria-Geral da República, *BMJ*, n.º 341, onde se defende doutrina coincidente em largos aspectos com a defendida no texto. Merecem-nos apenas reticências algumas conclusões finais do referido Parecer. Cfr., também, AFONSO QUEIRÓ, *Teoria dos Regulamentos*, cit., 1.ª parte, p. 11; COUTINHO DE ABREU, *Sobre os regulamentos*, pp. 88 e ss; JORGE MIRANDA, *Funções, Órgãos e Actos do Estado*, p. 248. No sentido de que a lei ordinária não pode validamente instituir, sem autorização constitucional expressa, fontes concorrenciais de si mesma, cfr. CRISAFULLI, *Lezioni*, p. II/1, pp. 110 e ss; SINN, *Die Änderung gesetzlicher Regelungen durch einfache Rechtsverordnung*, 1971, pp. 20 e ss; A. PIZZORUSSO, *Fonti del Diritto*, 1977, pp. 298 e ss. Por último, cfr. SCHILLING, *Rang und Geltung von Normen in gestuften Rechtsordnungen*, Berlin, 1994.

Para restringir o amplo grau de liberdade de conformação normativa da administração, pouco compatível com um Estado de direito democrático, a CRP utilizou três instrumentos: (1) a **reserva de lei** (= reserva constitucional de lei = reserva horizontal de lei = reserva formal de lei) através da qual a Constituição reserva à lei a regulamentação de certas matérias; (2) **congelamento do grau hierárquico**, dado que, de acordo com este princípio, regulada por lei uma determinada matéria, o grau hierárquico da mesma fica *congelado* e só uma outra lei poderá incidir sobre o mesmo objecto (cfr. art. 112.º/6); (3) **precedência da lei** ou *primariedade da lei* (= *reserva vertical de lei*), pois não existe exercício de poder regulamentar sem fundamento numa lei prévia anterior (art. 112.º/8).

O último princípio (o que agora particularmente nos interessa), encontra-se consagrado no art. 112.º/8 da CRP, onde se estabelece: (1) a precedência da lei relativamente a toda a actividade regulamentar; (2) o *dever de citação da lei* habilitante por parte de todos os regulamentos. Esta disciplina é, em princípio[6], extensiva a todas as espécies de regulamentos, incluindo os chamados *regulamentos independentes* (cfr. art. 112.º/7 e 8), ou seja, aqueles cuja lei se limita a definir a competência subjectiva e objectiva para a sua emissão. Um problema complexo que necessitará de investigação específica será o de saber se a precedência da lei pode ser substituída por *precedência de normas de direito internacional ou comunitário* (cfr. Ac TC 184/89, *DR*, I, 9-3-89). Além disso, a precedência da lei não tem apenas o sentido de reserva vertical quanto a actos regulamentares de administração. Aplica-se a quaisquer medidas da administração restritivas de direitos ou outras medidas relativamente às quais a Constituição exija reserva vertical (cfr., por ex., arts. 62.º/2, 83.º, 88.º, 94.º, 292.º/2, 103.º/2).[7]

3. Princípio da complementaridade ou acessoriedade dos regulamentos

O regulamento é sempre um acto normativo da administração *sujeito à lei* e *complementar da lei*. O sentido da complementaridade dos regulamentos não é o de a CRP (cfr. art. 199.º/c) legitimar apenas os *regulamentos de execução* (regulamentos necessários para as leis serem convenientemente executadas e que a administração deve editar por iniciativa própria). Abrangem-se também os *regula-*

---

[6] Diremos em princípio, porque a doutrina admite a possibilidade de regulamentos de *organização* e *regulamentos* de direcção de serviços que não carecem de acto legislativo prévio. Cfr. AFONSO QUEIRÓ, *Lições*, p. 57; COUTINHO DE ABREU, *Sobre os regulamentos*, p. 99; GARCIA DE ENTERRIA/R. FERNANDEZ, *Curso de Derecho Administrativo*, pp. 213 e ss; ZAGREBELSKY, *Il sistema*, cit., p. 209.

[7] Sobre esta «reserva vertical», cfr., por último, PAULO OTERO, *O Poder de Substituição*, II, p. 570.

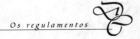

mentos complementares, referidos genericamente a uma lei cujos fins e sistema normativo vão desenvolver[8]. A lei constitucional autoriza ainda, como se assinalou já, a emanação de **regulamentos independentes** (cfr., precisamente, art. 112.º/7), ou seja, aqueles em que a lei (existe sempre a vinculação positiva da administração) se limita a indicar a autoridade que poderá ou deverá emanar o regulamento e a matéria sobre que versa. Quer dizer: basta uma autorização específica da lei, embora esta se abstenha de explicitar o conteúdo do acto regulamentar. Por isso, a doutrina italiana refere-se, hoje, a este tipo de regulamentos como regulamentos disciplinadores de matérias em que não existe disciplina legal. Questão diferente desta é a de saber se o art. 199.º/*c* substitui para todos os efeitos a lei, ou seja, se existem «regulamentos independentes» directamente fundados na Constituição. É o que se vai analisar em seguida.

4. O problema dos regulamentos autónomos

A defesa, por alguns autores, de **regulamentos autónomos**[9], isto é, regulamentos à margem de qualquer norma habilitadora do legislador, não radica, hoje, na reivindicação de um campo livre da administração, no sentido de administração desvinculada do «direito». A pretensão de regulamentos autónomos caracterizados como (1) regulamentos não carecidos de lei prévia para intervir (2) não complementares ou executivos de qualquer lei, parte de uma dupla ordem de considerações. Em primeiro lugar, os regulamentos autónomos não são regulamentos livres, dado estarem sujeitos a uma dupla série de limitações: (*i*) o *bloco da constitucionalidade,* porque a constituição é sempre uma lei superior heteronomamente impositiva da conformidade material e da compatibilidade formal dos regulamentos com as normas constitucionais (o princípio da legalidade é substituído aqui pelo princípio da constitucionalidade, funcionando a constituição como lei); (*ii*) os *princípios gerais do direito* (princípio da igualdade, princípio da não retroactividade, princípio do contraditório, princípio da fundamentação, princípio da publicidade, princípio do duplo grau de jurisdição, princípio da boa fé) conformam sempre, da forma positiva, qualquer disciplina

---

[8] Cfr. GOMES CANOTILHO/VITAL MOREIRA, *Constituição,* p. 65; ROGÉRIO SOARES, *Direito Administrativo,* I, p. 91.

[9] Cfr., por ex., SÉRVULO CORREIA, *Legalidade,* cit., pp. 188 e ss; FREITAS DO AMARAL, «Princípio da Legalidade», in *Polis,* III, pp. 976 e ss; VIEIRA DE ANDRADE, «O Ordenamento Jurídico Administrativo Português», in *Contencioso Administrativo,* Braga, 1986, pp. 33 e ss; PAULO OTERO, *O Poder de Substituição,* II, Lisboa, 1995, pp. 564 e ss. Criticando a falta de rigor na definição e caracterização de regulamentos autónomos, cfr. VITAL MOREIRA, *Administração Autónoma e Associações Públicas,* p. 182.

regulamentar. Em segundo lugar, existem domínios da administração – a administração económica e de prestações – onde uma exigência da precedência da lei não é compatível com a necessidade de prossecução eficiente e justa dos interesses públicos.

Temos considerado insuficientes estes argumentos para justificar, na ordem constitucional portuguesa, a existência de regulamentos autónomos em manifesta contradição com o art. 112.º/8 da CRP. Se o Governo tiver necessidade de criar disciplina normativa autónoma e originária dispõe sempre do instrumento dos decretos-leis[10]. Não existe, pois, um **poder regulamentar originário e autónomo**, constitucionalmente fundado, como existe na constituição francesa. Esta nota carece, porém, de três observações. A primeira é a de que, a existirem regulamentos autónomos, isso significará ser a Constituição fonte imediata, pois não existe lei prévia. Neste caso, pergunta-se: quando, como e de que forma é recognoscível na constituição a autorização para a emanação de regulamentos autónomos? Bastará o apelo ao art. 266.º/2 da Constituição? A rejeição de regulamentos autónomos – é esta a segunda observação – não significa negar relevância ao fenómeno, atrás observado, da *administração por objectivos*. Por isso, as leis, em vez de serem actos legislativos fixadores de competências, são actos definidores de funções e objectivos que, implicitamente, transportam uma autorização para o Governo no sentido de emanar regulamentos necessários à prossecução desses fins ou objectivos. Se a prossecução dos fins e objectivos da lei implica o exercício do poder regulamentar, isso pressupõe a ideia de «habilitação legal implícita» da emanação de regulamentos[11]. Finalmente, os «regulamentos autónomos» não se devem confundir com os regulamentos dos entes autónomos como em seguida se demonstrará.

Uma significativa parte da doutrina portuguesa – tal como acontece na doutrina estrangeira – defende hoje uma posição de maior abertura quanto à

---

[10] Cfr., porém, AFONSO QUEIRÓ, «Teoria dos Regulamentos», in *Revista de Direito e de Estudos Sociais*, ano XXVI, 1980, pp. 8 e ss; SÉRVULO CORREIA, *Noções de Direito Administrativo*, pp. 107 e ss; idem, *Legalidade e autonomia contratual*, cit., pp. 214 e ss. No sentido do texto, cfr. GOMES CANOTILHO/VITAL MOREIRA, *Constituição da República*, anotação IV ao art. 202.º; COUTINHO DE ABREU, *Sobre os regulamentos*, pp. 74 e ss; NUNO PIÇARRA, "A reserva da Administração", cit., pp. 51 e ss. PAULO OTERO, *O Poder de Substituição*, II, p. 616, invoca quatro razões eventualmente justificadoras da emanação de regulamentos – decretos regulamentares – em vez de actos legislativos: não sujeição ao mecanismo da ratificação, ausência da fiscalização preventiva da constitucionalidade, inaplicabilidade da proibição de retrocesso social, reforço da racionalização do procedimento governamental de decisão.

[11] Os regulamentos assim emanados assumirão de facto, por vezes, a dimensão de regulamentos *praeter legem*. Para nós, eles serão ainda regulamentos *secundum legem* – de acordo com os objectivos e fins – aproximando-se dos regulamentos independentes. Só neste sentido serão explicáveis as posições de AFONSO QUEIRÓ, *Teoria dos Regulamentos*, cit., p. 12, e de SÉRVULO CORREIA, *Noções*, pp. 107 e ss.

exigência constitucional de precedência da lei. Em rigor, a **precedência da lei** só seria exigida, pela constituição, no caso de *reserva de lei* (arts. 164.° e 165.°) ou do *decreto-lei* (art. 199.°), e nos casos de *reservas de lei* dispersas pela Constituição (exs.: arts. 83.°, 88.°, 95.°, 103.°/2, 204.°/2, 60.°/3, 85.°/2, 254.°). Quando o texto constitucional nada disser, poder-se-á interpretar o seu silêncio no sentido da admissibilidade de uma actividade administrativa – a começar pela actividade regulamentar – fundada directamente na constituição. Quer dizer: a *precedência e a prevalência da Constituição substituem a precedência e a reserva vertical da lei*. Por outras palavras: a reserva vertical de constituição substitui a reserva vertical de lei.[12] Ainda por outras palavras: a constituição substitui-se à lei como fundamento do agir da administração; é, ela mesmo, lei habilitante do agir administrativo.[13] Está, assim, aberto o caminho da *legalidade sem lei*.

O **princípio da reserva de lei** como dimensão ineliminável do princípio de legalidade significa, como se viu, duas coisas: (1) reservar para a lei a regulamentação primária e essencial de determinadas matérias (reserva de lei em sentido restrito); (2) fazer preceder de uma lei habilitante (*precedência da lei*) qualquer actividade administrativa regulamentar. Quanto a este último ponto, considerava-se ser necessária a existência de uma lei habilitante no momento da emissão do regulamento, sendo inconstitucional um regulamento que só *a posteriori* fosse retroactivamente legalizado por um acto legislativo.[14] Hoje, parece voltar a defender-se o princípio da legalidade típico do *Estado administrativo*: ele exige apenas a observância do princípio de preferência da lei e do princípio da reserva de lei nos casos em que esta é constitucionalmente imposta. Para além disso, seria a própria constituição a legitimar o governo como pólo normativo autónomo ao caracterizá-lo, simultaneamente, como órgão com poderes normativos e com poderes de direcção política (CRP, arts. 197.° e 198.°).

Segundo alguma literatura estrangeira, o pluralismo ordenamental seria até mais consentâneo com uma *reconstrução em cascata* dos poderes normativos do que com uma *reconstrução estelar*. Nesta, a lei continua como fonte insubstituível de qualquer poder normativo derivado; na primeira, existiriam diversos níveis normativos, devendo cada uma das fontes observar a prevalência das fontes superiores, ao mesmo tempo que lhes é conferida força normativa autónoma para ocupar os espaços deixados em aberto por estas mesmas fontes.[15]

---

[12] Cfr., expressamente, Afonso Vaz, *Lei e Reserva de Lei*, pp. 473 e ss.; Paulo Otero, *O Poder de Substituição*, II, p. 613 ss.

[13] Cfr. Paulo Otero, *O Poder de Substituição*, II, pp. 570 e ss.

[14] Cfr., por ex., H. Maurer, *Allgemeines Verwaltungsrecht*, 10.ª ed., 1995, pp. 104 e ss.

[15] Cfr., por todos, A. Pizzorusso, «La disciplina dell'attività normativa del Governo», in *Le Regioni*, 1987, pp. 330 e ss.

De resto, esta disciplina normativa *praeter legem* poderia ser até mais bondosa sob o ponto de vista garantístico, pois, tal como as autoridades podem agir caso a caso, poderiam também autolimitar-se, definindo através de regulamentos as regras da sua própria actividade.

Tudo ponderado, existem alguns pontos que nos parecem ainda incontornáveis. Em primeiro lugar, a edição de regulamentos normativos primariamente fundados na constituição pode representar a acentuação da governamentalização da forma de governo, subtraindo ao parlamento a fiscalização de «actos com valor paralegislativo». Em segundo lugar, mesmo que não se exijam autorizações legislativas caso a caso, impor-se-á a existência de uma lei a conferir competência regulamentar para a prossecução dos objectivos fixados na Constituição (ou na própria lei).[16]

5. Princípio do congelamento do grau hierárquico

Quando uma matéria tiver sido regulada por acto legislativo, o grau hierárquico desta regulamentação fica congelado e só um outro acto legislativo poderá incidir sobre a mesma matéria, interpretando, alterando, revogando ou integrando a lei anterior. Os princípios da tipicidade e da preeminência da lei justificam logicamente o **princípio do congelamento do grau hierárquico**: uma norma legislativa nova, substitutiva, modificativa ou revogatória de outra, deve ter uma hierarquia normativa pelo menos igual à da norma que se pretende alterar, revogar, modificar ou substituir.

Este princípio não impede, rigorosamente, a possibilidade de **deslegalização** ou de *degradação do grau hierárquico*. Neste caso, uma lei, sem entrar na regulamentação da matéria, rebaixa formalmente o seu grau normativo, permitindo que essa matéria possa vir a ser modificada por *regulamentos* (cfr. Acs TC 203/86, *DR*, II, 26-8-86, e 458/93, de 12-8, in *DR*, I, 17-9-93).

A *deslegalização* encontra limites constitucionais nas matérias constitucionalmente reservadas à lei. Sempre que exista uma *reserva material-constitucional de lei*, a lei ou o decreto-lei (e, eventualmente, também, decreto legislativo regional) não poderão limitar-se a entregar aos regulamentos a disciplina jurídica da matéria constitucionalmente reservada à lei (Ac TC 641/95, *DR*, I, 26-10-95).

---

[16] Em sentido próximo, cfr. ZAGREBELSKY, *Manuale di Diritto Costituzionale*, I, 1993, p. 303. Na doutrina portuguesa, cfr. ESTEVES DE OLIVEIRA, *Direito Administrativo*, p. 112; ESTEVES DE OLIVEIRA/COSTA GONÇALVES/PACHECO DE AMORIM, *Código de Procedimento*, p. 13; A. VAZ, *Lei e reserva de lei*, p. 489. Por último, cfr. VITAL MOREIRA, *Administração Autónoma*, p. 186 e nota 265; JORGE MIRANDA, "Sobre a reserva constitucional da função legislativa", in *Perspectivas Constitucionais*, II, p. 897.

A doutrina francesa alude aqui, nos trabalhos mais recentes, à categoria de *incompetência negativa do legislador* que se verifica quando o legislador reenvia irregularmente a fixação de regras jurídicas, cuja competência lhe pertence, para outra autoridade.[17] A função da lei deslegalizadora é clara: (*i*) função de *abaixamento de grau*, pois sem a existência da lei deslegalizadora tornam-se inconstitucionais os actos regulamentares com disciplina inovadora ou contrária a uma norma legal; (*ii*) *função autorizante,* dado a lei deslegalizante ser simultaneamente uma lei autorizante de disciplina material através de regulamentos[18].

6. Princípio da separação entre o «direito da lei» e o «direito dos regulamentos»

É um princípio de grande relevância no caso de *reenvios normativos* da lei para a administração no sentido de esta executar ou complementar os seus preceitos. Sempre que a lei autoriza ou habilita a administração a complementar ou executar os seus preceitos, isso não significa a elevação dos regulamentos ao estalão legislativo, pois tal é expressamente proibido pelo princípio da tipicidade das leis (cfr. art. 112.°/6). Daí que: (*a*) a norma regulamentar executora ou complementar continue a ser uma norma separada e qualitativamente diferente da norma legal, pois a norma legal reenviante não incorpora o conteúdo regulamentar nem lhe pode atribuir força legal; (b) ambas as normas mantenham a natureza e hierarquia respectivas, não se verificando qualquer fenómeno de integração[19] (cfr. Ac. TC 869/96).

II - *Os regulamentos dos entes autónomos*

1. Núcleo essencial da reserva autónoma regulamentar

O discurso sobre os regulamentos teve até aqui como objecto principal e quase exclusivo os regulamentos do poder executivo (administração cen-

---

[17] Cfr., por último, F. PRIET, «L'incompetence négative du législateur», in RFDC, 17 (1994), pp. 60 e ss.

[18] Cfr., por último, JORGE MIRANDA, *Funções, Órgãos e Actos*, cit., pp. 249 e ss.

[19] É uma prática incorrecta e inconstitucional do legislador quando certas leis consideram os regulamentos executivos ou complementares como «parte integrante da lei». Cfr., precisamente, CERVATI, in *Giur Cost*, 1981, I, pp. 1614 e ss; MERZ, «Osservazioni sul principio di legalità», in *RTDP*, 1976, pp. 1389 e ss.

tral). Mas já atrás, ao discutir-se o princípio da reserva de lei, se deu a entender (cfr. *supra*) que os **regulamentos dos entes autónomos**, sobretudo os das autarquias locais, colocavam problemas especiais. As relações entre a lei e os regulamentos dos entes autónomos não é inteiramente semelhante à dos regulamentos da administração central. Os regulamentos das autarquias locais não são meros «prolongamentos das leis» mas a manifestação de um poder normativo descentralizado (cfr. *supra*). Se a lei pode regular os confins entre as duas fontes, ela não pode eliminar o próprio **núcleo essencial de reserva autónoma regulamentar**.[20] Neste sentido, os regulamentos dos entes autónomos são, nos próprios termos constitucionais (cfr. art. 241.°), subordinados à lei, mas esta encontra limites inderrogáveis na *natureza ordenamental autónoma* (reserva do núcleo essencial da regulação autonómica como limite da preferência, precedência e reserva de lei).

2. Os regulamentos dos entes autónomos como regulamentos independentes

Além disso, o facto de as leis referentes às autarquias locais serem, frequentemente, leis atribuidoras de funções, reconduz, muitas vezes, os regulamentos dos entes autónomos a «regulamentos independentes», ou seja, a regulamentos com amplos espaços de intervenção nos quadros da lei (art. 121.°/8). Finalmente, tendo em conta as especificidades locais, a lei, em matérias não reservadas mas que exijam um *regime legal* substancial, pode «autorizar» complementações regulamentares a cargo de regulamentos autónomos das autarquias locais[21], *secundum legem*, isto é, dentro da lógica do sistema normativo-legal[22]. Neste sentido poderá admitir-se uma "reserva de administração vertical" mas sempre com um limite: os regulamentos autónomos nunca poderão substituir a lei e, muito menos, ocupar espaços constitucionalmente reservados à lei. Mais complexa é a questão de saber se o poder regulamentar autónomo concebido como limite ao poder legislativo estadual (e, no futuro, ao poder normativo regional) impedirá este de editar normas incidentes sobre o poder regulamentar

---

[20] Cfr. W. SCHOCH, in Verw. Arch. 81 (1990), p. 28; CLEMENS, in *NVWZ*, 1990, p. 834. Entre nós, cfr. VITAL MOREIRA, *Administração Autónoma*, p. 182.

[21] Explorando este filão para defender regulamentos autónomos mesmo em matérias reservadas à lei cfr., entre nós, VIEIRA DE ANDRADE, «Autonomia regulamentar e reserva de lei», in *Estudos em homenagem ao Prof. Afonso Queiró*, 1987; ALVES CORREIA, *O plano urbanístico e o princípio da igualdade*, Coimbra, 1990, pp. 217 e ss. Cfr., também, Parecer PGR 1/89, BMJ, n.° 386 (1989), pp. 43 e ss. No plano jurisprudencial, cfr. Ac TC 452/87, *DR*, I, 2-1-88. Defendendo energicamente a inadmissibilidade de regulamentos autónomos em matérias de reserva de lei, cfr. VITAL MOREIRA, *Administração Autónoma*, p. 190.

[22] Cfr., NUNO PIÇARRA, «A Reserva», p. 57.

dos municípios sempre que a disciplina por eles estabelecida não seja objectivamente justificada por interesses nacionais, ou, pelo menos, supramunicipais.[23]

III - Regulamentos das entidades administrativas independentes

É problemático o fundamento constitucional, a natureza e a hierarquia, nas fontes de direito, dos **regulamentos editados pelas entidades administrativas independentes** (CRP, artigo 267.º/3)[24]. As leis criadoras ou reguladoras destas entidades (exemplo: Alta Autoridade para a Comunicação Social, Comissão do Mercado de Valores Mobiliários) devem definir os respectivos poderes. Em alguns casos, as entidades praticam actos, emitem pareceres, solucionam dúvidas, mas não têm poderes normativos. Noutros casos, além de lhes ser atribuído o poder regulamentar de organização interna, é-lhes também reconhecida a *competência de regulação*[25] que pode ir desde a emanação de actos administrativos gerais (circulares, instruções) até à criação de uma disciplina normativa regulamentar, incidente, sobretudo, nos sujeitos operadores no campo da competência dessas entidades.

A função de regulação (e de controle) de um determinado sector (mercado de valores mobiliários, comunicação social, energia, água e resíduos) atribuída por lei a certas entidades independentes fará delas essencialmente *autoridades reguladoras* que estabelecem as regras e controlam a aplicação das normas. Fixar as "regras reguladoras" corresponde, tendencialmente, a regulamentar matérias no figurino clássico da administração pública. Resta saber qual a hierarquia destas "regras de regulação" ou destes regulamentos de entidades independentes. É óbvio que eles estão sujeitos aos princípios da constitucionalidade, da legalidade estatal e da legalidade comunitária europeia. Mais problemática é a

---

[23] M. HERDEGEN, «Gestaltungsspielraume für administrativer Normgebung», in *AöR*, 114 (1989), p. 607; H. MAURER, «Rechtsfragen Kommumaler Satzungsgebung», in *DöV*, 1993 p. 148. Cfr., por último, ZAGREBELSKY, *Diritto Costituzionale*, pp. 301 e ss; PUBUSA, «Sulle fonti, le funzioni e le forme di governo», in *Amministrare*, 1989, p. 100; VIRGA, *Diritto Amministrativo*, III, 1988, p. 12; H. BETHGE, «Parlamentsvorbehalt und Rechtsatzvorbehalt für die Kommunalverwaltung», in *NVWZ*, 1983, p. 517, pp. 1 e ss; K. U. MEYN, *Gesetzesvorbehalt und Rechtsbefügnis der Gemeinden*, 1977.

[24] Cfr. F. POLITI, "Regolamenti delle autorità amministrative indipendenti", *Enc. Giur. Treccani*, Roma, 1995

[25] Esta competência de regulação, traduzida na emanação de medidas ou actos assimiláveis aos actos de natureza regulamentar retoma as funções de *rulemaking* do modelo americano de agências reguladoras.

sua relação com os regulamentos do governo, devendo entender-se que, no caso de se tratar de verdadeiras entidades reguladoras, os seus "regulamentos" não podem ser revogados ou "anulados" por regulamentos do governo, mas estão seguramente sujeitos ao controlo contencioso administrativo.[26] Por outro lado, as autoridades administrativas não podem exercer competências regulamentares em matérias de reserva da lei. O que é proibido no Governo é também proibido à administração independente. Além disto, é questionável se estas entidades podem exercer uma competência regulamentar de execução directa da lei que se traduza numa intervenção substitutiva da competência constitucional do Governo ou das assembleias legislativas regionais.[27]

Referências bibliográficas

Almeida, J. M. F. – "Regulamento Administrativo", in *Dicionário Jurídico de Administração Pública*, VI, Coimbra, 1996, pp. 194 e ss.

Amaral, D. F. – "Princípio da Legalidade", in *Polis*, vol. 3, pp. 976 e ss.

Andrade, J. C. – *Autonomia regulamentar e reserva de lei*, Coimbra, 1987.

Bano Léon, J. M. – *Los Limites Constitucionales de la Potestad Reglamentaria*, Madrid, 1991.

Bartoles – «Una prospettiva di rivalutazione dei poteri normativi del Governo», in *Giur. Cost.*, 1988, I, pp. 1469 e ss.

Caamano, F. – *El control de constitucionalidad de disposiciones reglamentarias*, Madrid, 1994.

Cardoso, J. L. – *Autoridades Administrativas Independentes e Constituição*, Coimbra, 2003.

Carlassare, L. – «Il ruolo del Parlamento e la nuova disciplina del potere regolamentare», in *Quaderni Costituzionali*, 1990, pp. 7 e ss.

Carmona Contreras, A. M. – *La configuración constitucional del Decreto-Ley*, Madrid, 1997.

Cerrone, F. – *La potestà regolamentare*, Torino, 1999.

---

[26] Cfr. Cassese/Franchini (org.), *I garanti delle regola*, Bologna, 1996.

[27] Precisamente nestes termos, Paulo Otero, *Legalidade e Administração Pública*, p. 454. Para um enquadramento global destes problemas, cfr., José Lucas Cardoso, *Autoridades Administrativas Independentes e Constituição*, Coimbra, 2002.

Coutinho, L. P. – "Regulamentos Independentes do Governo", in *Perspectivas Constitucionais*, III, pp. 979 e ss.

Cheli, E. – *Potere regolamentare e struttura costituzionale*, Milano, 1967.

Cheli, E. – «Ruollo dell'esecutivo e svilluppi recenti del potere regolamentare», in *Quaderni Costituzionali*, 1990, pp. 7 e ss.

Correia, J. M. – *Noções de Direito Administrativo*, Lisboa, 1982, pp. 266 e ss.

– *Legalidade e Autonomia Contratual*, pp. 18 e ss, 58 e ss.

Coutinho de Abreu, J. – *Sobre os regulamentos administrativos*, Coimbra, 1987.

Garcia Macho, R. – *Reserva de ley y potestad reglamentaria*, Barcelona, 1988.

Duffau, J. M. – *Pouvoir réglementaire autonome et pouvoir réglementaire dérivé* (pol.), Paris, 1975.

Garcia de Enterria, E./Ramon Fernandez, T. – *Curso de Derecho Administrativo*, vol. I, 9.ª ed., Madrid, 1999, pp. 172 e ss.

Lucarelli, A. – *Potere Regolamentare: il regolamento independente tra modelli istituzionali e sistema delle fonti nell'evoluzione delle dottrina pubblicistica*, Padova, 1995.

Miranda, Jorge – «Regulamento», in *Polis*, V, p. 275.

– «Decreto», in *Dicionário Jurídico de Administração Pública*, vol. 3.

– *Funções, Órgãos e Actos do Estado* (polic.), p. 267.

Moreira, V. – *Administração Autónoma e Associações Públicas*, Coimbra, 1997, pp. 181 e ss.

Mössle, W. – *Inhalt, Zweck und Ausmass. Zur Verfassungsgeschichte der Verordnungsermächtigung*, 1990.

Oliveira, M. E. – *Direito Administrativo*, Coimbra, 1980, pp. 102 e ss.

Ossenbühl, F. – "Rechtsverordnung", in Isensee/Kirchhof, *Staatsrecht*, III, pp. 387 e ss.

Piçarra, M. – "A Reserva da Administração", in *O Direito*, 122 (1990), p. 56.

Queiró, A. R. – *Lições de Direito Administrativo*, pp. 409 e ss.

– «Teoria dos Regulamentos», in *RDES*, ano XXVII.

Sommermam, K. P. – "Verordnungsermächtigung und Demokratieprinzip", in JZ, 1997, pp. 434 e ss.

Capítulo 8

Os Decretos

Sumário

A. O Sentido do Termo Decreto. Antecedentes Históricos

B. Os Decretos na Actual Constituição

1. Decretos do Presidente da República
2. Decretos do Governo
3. Decretos das regiões autónomas

A. O Sentido do Termo Decreto. Antecedentes Históricos

Circunscrevendo-nos apenas à época do início do constitucionalismo português, pode dizer-se que o termo **decreto**[1] assume um triplo significado: (1) *actos solenes e definitivos do órgão representativo*, sendo neste sentido que Cortes Gerais Extraordinárias e Constituintes começaram por emanar, sob a forma de decreto, algumas das suas mais importantes deliberações (exs.: Decreto de 26 de Janeiro de 1821, ordenando a continuação no Governo da Junta Provisional; Decreto de 9 de Março de 1821, estabelecendo as bases da Constituição); (2) *actos solenes e definitivos do poder executivo*, pertencendo ao rei, na qualidade de titular do poder executivo, o direito de expedir *decretos* (cfr. arts. 122.º e 161.º/c da Constituição de 1822); (3) *actos do poder legislativo ainda não definitivos*, sendo com este sentido que, a partir da Carta Constitucional (art. 55.º), passaram a designar-se por *decretos* os diplomas já aprovados pelo órgão legislativo (cortes, câmaras, parlamento), mas ainda não promulgados ou sancionados pelo rei ou chefe do Estado. Nesta tradição se inserem hoje os decretos da Assembleia da República (arts. 136.º/1/3 e 278.º/1).

B. Os Decretos na actual Constituição

O art. 119.º da Constituição alude a várias categorias de decretos.

1. Decretos do Presidente da República

A forma de importantes actos do Presidente da República tem o nome de **decretos do Presidente da República**. A Constituição, além da menção do art. 119.º/1-*d*, só faz referência aos *decretos de dissolução* da Assembleia da República (art. 172.º/2) e a *decretos de nomeação* dos membros do Governo (art. 183.º/3). Mas muitos outros actos políticos do Presidente da República revestem a forma de decreto, podendo dizer-se que, na falta de especificação, revestem a forma

---

[1] Sobre toda esta matéria cf., JORGE MIRANDA, "Decreto", in DJAP, vol. 3, p. 339 ss.

de decreto todos os actos do Presidente da República[2]: nomeação e exoneração do Primeiro-Ministro e restantes membros do Governo (art. 187.º); dissolução da AR (art. 133.º/*e*); nomeação e exoneração do Ministro da República para as regiões autónomas (arts. 133.º/*l* e 232.º); nomeação e exoneração do Presidente do Tribunal de Contas e do Procurador-Geral da República (art. 133.º/*m*); marcação do dia de eleição para deputados (art. 133.º/*b*); convocação extraordinária da AR (art. 133.º/*c*); dissolução dos órgãos das regiões autónomas (arts. 133.º/*f* e 234.º/1); indulto e comutação de penas (art. 134.º/*f*)[3].

     Todos estes decretos (e a indicação não é exaustiva) são **decretos políticos**, representando uma das formas de exercício da competência do Presidente relativamente ao funcionamento de outros órgãos e para a prática de actos próprios. Uma indicação especial merecerá o **decreto de declaração do estado-de-sítio ou de emergência** (art. 134.º/*d* e art. 179.º/3/*f*), geralmente qualificado, na teoria da Constituição, como decreto de execução dos *parágrafos de ditadura* (art. 16.º da Constituição de Weimar) ou das *cláusulas de plenos poderes* (art. 16.º da Constituição francesa de 1958). Entre as medidas abrangidas pelo decreto de declaração de estado-de-sítio podem incluir-se medidas de *carácter normativo,* modificando, suspendendo ou revogando outros actos normativos, restringindo ou suspendendo alguns direitos fundamentais. Neste sentido, o decreto de declaração do estado-de-sítio ou de emergência, além de um carácter marcadamente político, revestirá também uma dimensão normativa, de particular interesse para a questão do eventual controlo (judicial ou não) destes actos. Sob pena de inexistência (art. 134.º/*d*), deve este decreto ser assinado pelo Presidente da República (art. 137.º), referendado pelo Governo (art. 140.º) e autorizado ou confirmado pela Assembleia da República (arts. 138.º/1/2 e 161.º/*l*). Note-se que o decreto presidencial do estado-de-sítio, embora de carácter normativo, está legalmente vinculado às normas reguladoras das situações de excepção constitucional (cfr. CRP, art. 19.º, e L 49/86, de 30-9). A "lei do estado-de-sítio" (cfr. CRP, art. 164.º/*e*) é aqui uma lei orgânica reforçada.

     A eficácia jurídica dos decretos do Presidente da República – normativos e não-normativos – depende da sua publicação no Diário da República (cfr. art. 119.º/1/d), pois só a publicidade através da publicação no Diário da República é constitucionalmente idónea para assegurar eficácia jurídica aos actos previstos no art. 119.º da Constituição. (contra: Ac TC 36/2002, DR, I, 22/2).

---

[2] Cfr. GOMES CANOTILHO/VITAL MOREIRA, *Constituição da República*, art. 122.º, e Ac. TC 36/2002, DR, I, 22/2.

[3] Cfr. JORGE MIRANDA, «Actos e funções do PR», in *Estudos sobre a Constituição*, Vol. 1, 1977, pp. 261 e ss.

2. Decretos do Governo

Foi já referida a categoria mais importante dos **decretos do Governo**: os *decretos-leis*. O art. 119.°/1-*h* fala dos decretos do Governo, mas apenas em relação aos decretos-leis há uma referência mais precisa no texto constitucional (art. 198.°). Em relação aos outros actos do Governo, estabelece o art. 112.°/7 que os regulamentos do Governo revestem a forma de decreto regulamentar quando tal seja determinado pela lei que regulamentam, bem como no caso de regulamentos independentes. Assim, devemos continuar a distinguir (cfr. art. 134.°/*b*) entre **decretos regulamentares**, que carecem de promulgação do Presidente da República, e **decretos simples** que apenas exigem a simples assinatura do PR. Os primeiros contêm ou aprovam um regulamento do Governo; são, pois, *decretos normativos* emanados do Governo. Os segundos, que não carecem de promulgação, mas devem ser assinados pelo Presidente da República (art. 134.°/*b*), ou são forma de expressão de certos actos políticos do Governo ou contêm actos administrativos do mesmo. A estas duas categorias há a acrescentar o *decreto de aprovação de tratados* e *acordos* internacionais (cfr. arts. 197.°/2 e 278.°/1).

Quando a Constituição não imponha a regulação de uma matéria através de acto legislativo, coloca-se o problema de saber se o Governo goza de *liberdade de escolha da forma do acto*. Em termos práticos, esta liberdade permitiria ao Governo editar decretos regulamentares em vez de decretos-leis, o que lhe traria algumas vantagens como a não sujeição ao mecanismo de apreciação parlamentar (art. 169.°) e a ausência de fiscalização preventiva da constitucionalidade.[4] A utilização da forma de decreto regulamentar como "fraude útil" neutralizadora da intervenção do acto legislativo foi defendida em tempos recentes.[5] Esquece-se que a escolha de formas – legislativas ou regulamentares – é, no plano jurídico-constitucional, uma escolha juridicamente vinculada à ordenação funcional e material de competências constitucionalmente estabelecidas. Há formas para as funções e funções para as formas, mesmo quando seja difícil mostrar uma distinção material de funções reveladora de "abuso da forma".[6]

---

[4] Cfr. PAULO OTERO, *O Poder de Substituição*, vol. II, p. 616.
[5] Por PAULO OTERO, *O Poder de Substituição*, II, pp. 616 e ss.
[6] Cfr. HELMUT GOERLICH, *Formenmissbrauch und Kompetenzverständnis*, Tübingen, 1987, pp. 95 e ss.

3. Decretos das Regiões Autónomas[7]

Referidos no art. 119.º/c e h, os **decretos das regiões autónomas** reconduzem-se a quatro categorias, de acordo com o valor jurídico e o sujeito que pratica o acto: (1) *decretos legislativos regionais:* são os actos legislativos que as assembleias regionais podem elaborar nos termos do art. 227.º, alíneas a), b), c) e d) da Constituição (cfr. arts. 112.º/1 e 4 e 119.º/1-c); (2) *decretos regulamentares regionais:* são os decretos das assembleias legislativas regionais elaborados para regulamentação das leis gerais emanadas dos órgãos de soberania nos termos do art. 227.º, alínea d), da Constituição (arts. 119.º/1/h, 232.º e 278.º/2); (3) *regulamentos dos governos regionais:* visam a regulamentação das leis regionais (art. 227.º/d), mas a CRP só se refere a decretos regulamentares regionais; (4) *decretos do Ministro da República,* expedidos com o fim de efectivar as competências de superintendência nos serviços do Estado na região (art. 230.º/3).

Dado o carácter híbrido da figura do Ministro da República, simultaneamente representante do Estado da República e, nessa medida, desempenhando funções sucedâneas do Presidente da República, e delegado do Governo com competência de superintendência nos serviços do Estado, os decretos do Ministro da República aproximar-se-ão, umas vezes, dos decretos políticos do Presidente da República (art. 231.º/4: decreto de nomeação do presidente do governo regional, decreto de exoneração), e, outras vezes, dos decretos e demais actos de natureza idêntica à dos ministros (portarias, despachos). A forma dos actos do Ministro da República está agora prevista na Constituição, no art. 119.º/1-h, na redacção que lhe foi dada pela LC 1/82.

Referências bibliográficas

Gomes Canotilho/Vital Moreira, *Constituição da República Portuguesa*, anotações ao art. 122.º

Miranda, J. — «Decreto», in *Dicionário Jurídico da Administração Pública*, vol. 3, 2.ª ed., pp. 312-416.

Otero, P. – *O Poder de Substituição*, II, pp. 614 e ss.

---

[7] Cfr. JORGE PEREIRA DA SILVA, «Algumas questões sobre o Poder Regulamentar Regional", in JORGE MIRANDA (org.), *Perspectivas Constitucionais,* I, pp. 813 e ss.

Capítulo 9

Actos Normativos Atípicos

Sumário

A. Regimentos de Assembleias

I - Natureza jurídica

1. Reserva de regimento
2. Publicação
3. Actos «interna corporis»

II - Controlo da constitucionalidade e da ilegalidade

1. Ilegalidade de leis
2. Apreciação de inconstitucionalidade

B. Resoluções

I - As resoluções na Constituição de 1976

II - O problema do controlo das resoluções

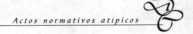

C. Normas Constitucionais Consuetudinárias

I - A perspectiva político-constitucional do costume como fonte de direito

II - A relevância constitucional do costume

III - Costume, convenções constitucionais, praxes constitucionais e precedentes judiciais

1. Convenções constitucionais ('conventions of the Constitution')
2. Praxes constitucionais
3. Precedentes judiciários em matéria constitucional

D. Referendo

1. O referendo como fonte de direito
2. O referendo como decisão-regra

A. Regimentos de Assembleias

I - Natureza jurídica

1. Reserva de regimento

O art. 175.º/*a* refere-se à competência interna da Assembleia, dispondo que à Assembleia da República compete elaborar e aprovar o seu regimento interno. Da mesma forma, o art. 232.º/3 atribui à assembleia legislativa regional «competência para elaborar e aprovar o regimento». Por sua vez, o art. 119.º/1/*f*, exige a publicação no *Diário da República* não só do regimento da AR mas também dos regimentos do Conselho de Estado e das Assembleias Legislativas Regionais dos Açores e da Madeira. Deixando de lado os actos tipicamente regulamentares de natureza interna (relativos ao serviço da presidência, a grupos parlamentares), o acto normativo – **regimento** – que estabelece as normas necessárias à organização e funcionamento da Assembleia da República não é um regulamento mas um estatuto; é uma *lei estatutária*. Só o peso de uma tradição que relegava os chamados regulamentos administrativos *(Verwaltungsanordnungen)*[1] para o campo meramente interno e que não reconhecia às normas organizatórias um carácter jurídico pode justificar que, ainda hoje, o estatuto de um órgão de soberania seja qualificado de regulamento interno. E isto é tanto mais de relevar quanto é certo ter a nossa Constituição, em relação a outro órgão de soberania (Governo), considerado *matéria reservada,* a regular por acto legislativo (cfr. art. 198.º/2), a respectiva organização e funcionamento. Na quarta revisão (1997) aditou-se um novo número (n.º 5) ao art. 231.º (anteriormente art. 233.º) consagrando-se como "exclusiva competência do governo regional a matéria respeitante à sua própria organização e funcionamento". Em relação ao órgão representativo não se exige que o acto regulamentador da sua

---

[1] A opinião que hoje parece ser prevalecente quanto à caracterização jurídica dos regulamentos parlamentares (*Geschäftsordnung*) é a que os considera como *normas autónomas (autonome Satzungen).* Cfr. MAUNZ/DÜRIG/HERZOG, *Kommentar*, Vol. 1, art. 40.º Observações semelhantes às do texto ver-se-ão em CRISAFULLI, *Lezioni*, cit., Vol. II, p. 117. Entre nós, cfr., JORGE MIRANDA, *Manual*, V, pp. 121 e ss; e 341 e ss.

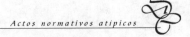

organização e funcionamento revista a forma de *acto legislativo*[2] (cfr. art. 166.º), embora se considere existir uma verdadeira *reserva de regimento*, tradutora da autonomia normativa interna da AR (cf. Resolução da AR 4/93, de 2/3, que aprova o Regimento da Assembleia da República, posteriormente alterado pelas Resoluções da AR n.ᵒˢ 15/96, de 2/4, 3/99, de 20/1, 75/99, de 25/11, e 2/2003 de 17/1). O mesmo se aplica aos regimentos das assembleias legislativas regionais (art. 232.º/3). O princípio básico subjacente às reservas regimentais é sempre o mesmo: o **princípio de auto-organização** das assembleias político-legislativas.

2. Publicação

Na redacção originária da CRP não se previa qualquer forma de **publicação** para o regimento da AR. Tal regimento não pode deixar de ser público, pois a própria Constituição lhe reconhece *efeitos externos* de particular relevo (os membros do Governo têm o direito de comparecer às reuniões da Assembleia, podendo usar da palavra nos *termos do regimento* – arts. 82.º e ss.; os cidadãos podem dirigir *petições* à Assembleia – art. 247.º).

Deste modo, o regimento não pode furtar-se à publicação. Este o motivo pelo qual a LC n.º 1/82 veio determinar a publicação, no *Diário da República*, dos regimentos, quer da Assembleia da República (cf. Regimento AR, art. 290.º/6) e das assembleias legislativas regionais, quer do Conselho de Estado (art. 119.º/1/*f*)[3].

3. Actos 'interna corporis'

O regimento é um verdadeiro estatuto, com normas directamente executivas da Constituição (*Ergänzungsnormen, Ausführungsnormen zur Verfassung*), como são, por ex., as normas referentes aos direitos dos deputados e grupos parlamentares (arts. 156.º e 180.º) e ao processo de formação das leis[4]. O regimento é, assim, um acto normativo específico não reconduzível a acto legislativo.

---

[2] Observe-se, contudo, que a exigência de promulgação e de referenda quanto aos actos legislativos pode justificar esta atitude, na medida em que aqueles actos poderiam representar uma invasão da reserva do Parlamento pelo Presidente da República e pelo Governo.

[3] Cfr., também, L n.º 6/83, de 29-5-83, *DR*, I, 29-7-85 (Publicação, Identificação e Formulário de Diplomas), art. 3.º-1.

[4] Cfr., por último, R. CHAZELLE/M. LAFLANDRE, «Le rappel au Réglement», in *RDP*, 3/1990, pp. 676 e ss.

II - Controlo da constitucionalidade e da ilegalidade

1. Ilegalidade de leis

Pode suscitar-se o problema de saber se existirá *ilegalidade da lei* quando se viole as disposições regimentais (por ex., uma lei aprovada na generalidade por uma comissão sem ser submetida a deliberação do plenário). A doutrina tem entendido não haver possibilidade do controlo destes **vícios interna corporis**[5]. Levada ao extremo, esta tese excluiria a possibilidade do controlo dos vícios relativos à formação da própria vontade legiferante e determinantes da própria existência da lei. Esta a razão justificativa do facto de hoje se tender a admitir que, invocada a inconstitucionalidade de uma lei por violação do regimento, o órgão competente para o controlo possa verificar a regularidade do processo de formação de acordo com o regimento, a fim de, concomitantemente, poder certificar-se da violação ou não da própria Constituição[6]. Resta saber se a violação de normas regimentais directamente executoras da Constituição não configurará um caso de *ilegalidade* sujeito a controlo jurisdicional e se para este efeito não será de atribuir ao regimento o estatuto de "lei reforçada".

2. Apreciação de inconstitucionalidade

As próprias normas regimentais podem vir a ser objecto de um juízo de constitucionalidade, pois o regimento é um acto normativo vinculado à Constituição (cfr. Ac. TC 63/91). Imagine-se que o regimento admitia, contra a Constituição, a votação das leis sem debate (art. 168.º/1), que retirava os

---

[5] É uma tradição que remonta ao direito parlamentar inglês em que se reconhece ao parlamento a competência *to exclusive cognizance of internal proceedings*. Assim, logo na célebre Declaração de Direitos (*Bill of Rights*) de 1689, o art. 9.º dispunha que «a liberdade de palavra, e os debates ou processos parlamentares não devem ser submetidos à acusação ou apreciação em nenhum tribunal ou em qualquer lugar que não seja o próprio Parlamento». Cfr., sobre isto, G. BERTOLINI, «Appunti sull'origine e sul significato originário della dottrina degli interna corporis», in *Studi per il Ventesimo Anniversario dell'Assemblea Costituente*, Firenze, 1969, Vol. V, pp. 25 e ss; SCHMELTER, *Rechsschutz gegen nicht zur Rechtsetzung gehörende Akte der Legislative*, Berlim, 1977. Cfr., entre nós, JORGE MIRANDA, «Competência interna da Assembleia da República», in *Estudos sobre a Constituição*, Vol. I, cit., pp. 291 e ss; *Manual*, Vol. V, p. 239.

[6] Mas a lei deve considerar-se válida a não ser que contenha normas violadoras da própria Constituição. Cfr. MAUNZ/DÜRIG/HERZOG, *Kommentar*, Vol. 1, art. 40.º; LAVAGNA, *Diritto Costituzionale*, cit., p. 240. A violação autónoma do regimento pode conduzir apenas a uma questão de ilegalidade, de contornos muito inseguros. Cfr. GOMES CANOTILHO/VITAL MOREIRA, *Constituição da República*, anotação IV ao art. 178.º

direitos constitucionais aos grupos parlamentares ou que excluía o direito de recurso contencioso aos funcionários da AR[7].

Sendo os preceitos regimentais verdadeiras normas jurídicas com efeito externo, obrigatoriamente publicados no *Diário da República* (art. 119.º/1-*f*), eles estão sujeitos à fiscalização concreta da constitucionalidade, nos termos do art. 280.º, e à fiscalização abstracta sucessiva nos termos do art. 281.º/1/*a*.

A Comissão Constitucional abordou o problema da inconstitucionalidade do Regimento no Parecer n.º 1/80, in *Pareceres,* Vol. II, pp. 23 e ss, considerando que seja qual for a forma que devam revestir os preceitos regimentais eles estão «sujeitos a um regime jurídico que claramente os coloca à luz do direito positivo português, no âmbito do art. 281.º/1, até porque o art. 178.º, assim como o art. 115.º, determinam a sua subordinação à Constituição. E efectivamente, nenhuma razão existe para não entender aplicável às disposições regimentais o controlo *a posteriori* previsto naquela norma constitucional de garantia». Cfr., também, Ac. TC 63/91.

B. Resoluções

I - As resoluções na Constituição de 1976

O termo **resolução** é utilizado frequentemente para caracterizar certas deliberações dos órgãos colegiais[8]. Na Constituição fala-se em *resoluções* a propósito de vários órgãos de soberania: *a)* resoluções da Assembleia da República (cfr. CRP, arts. 119.º/1/*e,* e 166.º/4 e 5, e L n.º 6/83, art. 3.º/*e*); *b)* resoluções das Assembleias Regionais (cfr. art. 119.º/1/*e* e L n.º 6/83, art. 3.º/1/*g*); *c)* resoluções do Conselho de Ministros[9] (L n.º 6/ 83, arts. 31.º/1 e 8.º/*c*).

---

[7] Sobre isto, cfr. CRISAFULLI, *Lezioni,* cit., p. 120; «Giustizia costituzionale e potere legislativo», in *Stato, Popolo, Governo,* Milano, 1985, p. 235; TH. RENOUX, *Le Conseil Constitutionnel et l'autorité judiciaire,* Paris, 1984, p. 74; PH. TERNEYRE, «La Procédure legislative ordinaire dans la jurisprudence du Conseil Constitutionnel», in *RDP,* 3/1985, pp. 691 e ss; BALAGUER CALLEJON, "El Control de los Actos Parlamentarios", in *Instituciones de Derecho Parlamentario,* Vitoria, 1999.

[8] Cfr. F. BOUDET, «La force juridique des résolutions parlementaires», in *RDPSP,* 1958, pp. 271 e ss; AFONSO QUEIRÓ, *Lições de Direito Administrativo,* cit., p. 361; JORGE MIRANDA, *Funções, Órgãos e Actos de Estado,* cit., pp. 339 e ss. No plano jurisprudencial, cfr. Ac TC 184/89, *DR,* I, 9-3-89.

[9] Note-se que nos arts. 197.º/1-*d* e 200.º/1 se fala somente de propostas de resolução a apresentar à AR, mas a resolução é também uma forma que podem assumir os actos do Governo. Cfr. DL n.º 6/83, de 29 de Julho (Publicação, Identificação e Formulário dos Diplomas), art. 3.º/1-*l,* e art. 8.º/*i,* que se refere expressamente a «resoluções do Conselho de Ministros».

O texto constitucional refere-se, como vemos, às resoluções, mas não fornece em nenhum lado elementos seguros para o recorte desta categoria jurídico-constitucional. Neste aspecto, apenas se limita a seguir a prática constitucional que considera as resoluções como uma forma de República, e, eventualmente, outros órgãos de soberania, manifestarem as suas intenções e tomarem decisões, sem que seja necessário adoptar um acto normativo (lei, decreto-lei, decreto regulamentar). Como a resolução pode ser um instrumento formal, utilizado não apenas pelas assembleias parlamentares mas ainda por outros órgãos de soberania (Governo), afigura-se-nos de pouco préstimo a ideia corrente no direito francês segundo a qual as resoluções são as decisões que resultam do voto de uma só Câmara (Duguit) e não promulgadas (Prelot)[10]. Embora seja inaproveitável esta noção, quer porque restringe as resoluções a actos de assembleias parlamentares, quer porque tem em vista um sistema bicameral, acentua, no entanto, um elemento formal que no nosso regime constitucional caracteriza as resoluções: *a desnecessidade de promulgação* pelo Presidente da República (cfr. art. 166.º/6, quanto às resoluções da Assembleia da República).

II - O problema do controlo das resoluções

Uma outra característica das resoluções – e que levanta problemas graves – reside no facto de elas serem tradicionalmente consideradas como insusceptíveis de *controlo jurisdicional*. Esta característica fundamenta-se, geralmente, no princípio da separação dos poderes e na ideia de as resoluções constituirem um acto puramente interno do órgão de soberania que as adopta. Dessa forma, embora se não negue a *necessária conformação das resoluções com a constituição e com a lei,* evita-se submetê-las ao controlo de constitucionalidade e de legalidade. É o que acontece, como já vimos, relativamente à resolução da Assembleia da República que aprovou o regimento. O mesmo poderá acontecer com outras resoluções da AR (ex.: resolução constitutiva de uma comissão de inquérito) e das assembleias regionais. Nestes casos, é discutível se não se deverá ultrapassar a tese clássica da não justiciabilidade (cf. Ac TC 195/94) das resoluções e submetê-las ao controlo exigido quer pelo princípio da constitucionalidade quer pelo princípio da legalidade da administração. A exigência de publicação, no *Diário da República,* das resoluções (cfr. art. 119.º/1/e, na redacção que

---

[10] Cfr. BOUDET, *cit.*, pp. 273 e 274.

lhe foi dada pela LC n.º 1/82), vem facilitar este entendimento. O controlo da inconstitucionalidade impor-se-á, pelo menos, nas *resoluções de conteúdo normativo*[11].

Um outro ponto que poderá merecer uma nova reapreciação é o da recondução das resoluções a *actos não-normativos,* de objecto particular e concreto. No sistema constitucional vigente poderemos apontar, pelo menos, três casos em que as resoluções têm um sentido normativo evidente: (1) resoluções da Assembleia da República referentes a cessação de vigência ou de alteração de decretos-leis e de decretos legislativos regionais (cfr. arts. 162.º/c 169.º/4 e 227.º/4); (2) resoluções da Assembleia da República respeitantes à suspensão de vigência dos decretos-leis e de decretos legislativos regionais (arts. 169.º/2 e 227.º/4); (3) resolução da comissão permanente da Assembleia da República de autorização da declaração do estado de sítio ou de emergência e da declaração da guerra e feitura de paz pelo Presidente da República (arts. 166.º/5 179.º/3/*f*).

Além destes casos, devem ter-se em conta as resoluções de *aprovação* de tratados (cfr. art. 166.º/5 e 6) para efeitos de controlo preventivo da inconstitucionalidade (cfr. art. 278.º/1).

<small>O problema da natureza jurídica das resoluções continua a suscitar discussões, devendo confessar-se que, até ao momento, não há uma clara dilucidação do conceito. Importantes considerações sobre o tema podem ver-se no Parecer n.º 1/80 da Comissão Constitucional, in *Pareceres,* Vol. 11.º, pp. 44 e ss.; e Ac. TC 195/94, *Acórdãos*, vol. No Parecer discute-se fundamentalmente a possibilidade de suspensão de execução de decretos-leis para efeitos de ratificação (assunto omisso na redacção originária do art. 172.º da CRP) e a *forma* dessa suspensão (lei ou resolução?). O problema tinha inequívocas consequências políticas e jurídico-constitucionais, pois enquanto as resoluções são publicadas independentemente da promulgação pelo PR (art. 169.º/6), as leis não dispensam esse acto presidencial (art. 137.º/*b)*. No Acórdão do TC 195/94 caracteriza-se, de forma questionável, a resolução como "forma dominante dos actos políticos da AR", considerando tais actos como volições primárias de natureza individual e concreta traduzindo o exercício de faculdades directamente conferidas pela Constituição e, por conseguinte, situada no nível dos actos legislativos". A favor da justicialidade das resoluções cfr., Sérvulo Correia, *Noções,* pp. 100 e ss; Vitalino Canas, *Introdução às Decisões de Procedimento do Tribunal Constitucional,* Lisboa, 1984, pp. 61 e ss. No direito espanhol, esta problemática tem também merecido a atenção da doutrina nos últimos tempos: L. Martin Retortillo Baquer, «El Control por el Tribunal Constitucional de la Actividad no Legislativa del Parlamento», in *RAP*, 107 (1985); Soriano Garcia, «El enjuiciamento contencioso de la actividade parlamentaria no legislativa», in *RAP*, 106 (1985).</small>

---

[11] Cfr. GOMES CANOTILHO/VITAL MOREIRA, *Constituição da República*, p. 984.

C. Normas Constitucionais Consuetudinárias

1 - A perspectiva político-constitucional do costume como fonte de direito

A Constituição portuguesa, tal como as constituições em geral, não faz qualquer referência ao **costume** como modo de produção jurídica. A omissão do legislador constituinte poderá ser interpretada como uma opção do órgão constituinte a favor da chamada *perspectiva político-constitucional*[12] no problema das fontes de direito, que insiste na consideração das fontes de direito como uma questão político-constitucional. Colocar o problema das fontes equivale a determinar, dentre os poderes do Estado, quais os que têm poder de criar direito e, como corolário lógico, reconduzir o problema das fontes ao problema do titular do poder legislativo. Esta perspectiva confortar-se-ia com o próprio sentido do fenómeno do *constitucionalismo:* o primado da constituição e do direito escrito que, por sua vez, são expressão de outros postulados eminentemente políticos do Estado de Direito. São eles o *princípio da soberania representativa* e o *princípio* da *separação dos poderes*[13]. A democracia representativa faz da vontade do povo a justificação de todas as regras obrigatórias, e das assembleias que representam o povo as únicas qualificadas para emanar ou editar essas regras. Consequentemente, só ao órgão representativo, titular do poder legislativo, pode ser reconhecido o direito de produzir normas jurídicas obrigatórias, e não a quaisquer outros poderes do Estado, como, por ex., os tribunais, ou a quaisquer outras vontades como seja a vontade do «povo» da escola histórica.

A perspectiva *político-constitucional* não responde concretamente ao problema fundamental das fontes de direito – constituição da juridicidade histórico-positiva – e, especificamente, ao problema do direito consuetudinário (cfr. *supra*). No entanto, o costume deve ser considerado não como instrumento da criação de uma regra, mas como um meio de prova da existência dessa regra. No plano constitucional, o problema do valor do costume deverá ter em conta as considerações subsequentes.

---

[12] Cfr., especialmente, CASTANHEIRA NEVES, *Lições de Introdução ao Estudo de Direito*. cit., p. 419-*i* e, agora, «Fontes de Direito», in *BFDC*, Vols. LI e LII, Coimbra, 1975 e 1976. Por último, do mesmo autor, cfr. «Fontes de Direito», *Polis,* Vol. 2; *Fontes de Direito,* Coimbra, 1985; FERNANDO BRONZE, *Lições de Introdução ao Direito*, Coimbra, 2001, p. 631.

[13] Cfr., DENIS, «Le rôle de la coutume et de la jurisprudence dans l'élaboration du droit constitutionnel», in *Mélanges a M. Waline,* Paris, 1974, Vol. 1, pp. 38 e ss; C. TOMUSCHAT, *Verfassungsgewonheitsrecht,* Heidelberg, 1972; P. J. GONZALEZ TREVIJANO, *La Costumbre en Derecho Constitucional,* Madrid, 1989.

II - A relevância constitucional do costume

Tivemos já oportunidade de referir que um exemplo de costume constitucional *contra constitutionem* foi o dos chamados *bill de indemnidade,* mediante os quais o poder executivo legitimava os poderes legislativos durante os períodos de ditadura (cfr. *supra*). Todavia, a não ser para quem reconheça a legitimidade de um costume *contra constitutionem* e lhe confira eficácia e valor correspondentes aos da própria constituição, o costume *contra constitutionem* não deixa de ser um **costume inconstitucional**[14]. A constitucionalização desse costume só poderá efectuar-se através da revisão constitucional, e desde que não viole os limites materiais do art. 288.º

O costume *contra constitutionem* foi invocado por alguns autores[15] para arredar a aplicação do «princípio socialista-marxista da constituição». Não se tratava, porém, de um *costume,* mas de uma política ou programa político--governamental em desconformidade com a constituição. Na parte em que se tratava de actos políticos não normativos estes ficavam, na realidade, sem sanção, gerando a ideia de uma «outra constituição» ao lado da constituição formal[16]. A admitir-se um *direito constitucional não escrito,* no qual se integre o direito consuetudinário, este apenas poderá ser um costume *secundum constitutionem.* Ponto discutível é o de saber se o costume *secundum constitutionem* tem valor *supralegislativo,* de forma a poder considerar-se como parâmetro constitucional para o juízo da constitucionalidade. Ao costume deve ser atribuída uma função de *integração ou complementação* do direito constitucional. Neste sentido, o costume deve ainda inserir-se no *programa* da norma constitucional, de forma a poder considerar-se que, através da articulação do direito formal constitucional com regras materiais consuetudinárias, se contribui para o *desenvolvimento* da constituição. Precisamente por isso, o costume extraconstitucional ou constitui a expressão de uma *alteração constitucional* à qual ainda se pode estender o *pro-*

---

[14] Cfr. HESSE, *Grundzüge*, cit., pp. 15 e 19; ZAGREBELSKY, *Il sistema*, cit., p. 282. Cfr., entre nós, JORGE MIRANDA, *Manual,* II, pp. 124 e ss, que adopta em relação ao costume constitucional uma posição mais favorável do que a que se defende no texto. Por último, numa posição próxima das teses defendidas no texto, cfr. BIN, *L'Ultima Fortezza*, Milano, 1996, pp. 37 e ss.; H. DREIER (org.), *Grundgesetz- Kommentar*, vol. II, Tübingen, 1998, anotações 16 e ss. ao art. 79.º I GG.

[15] Como MARCELO REBELO DE SOUSA (*Direito Constitucional*, I, p. 340), e RUI MACHETE «Os princípios estruturais da Constituição de 1976», in *Estudos de Direito Constitucional*, 1991, pp. 443 e ss. Cfr., também, LUCAS PIRES, *A Teoria da Constituição de 1970*, pp. 30 e ss.

[16] No direito constitucional mais recente, cfr. G. DE VERGOTTINI, *Diritto Costituzionale*, Padova, 1997, p. 258; L. PALADIN, *Diritto Costituzionale*, 2, Padova, 1996, p. 240.

grama normativo ou extravaza do âmbito do programa da norma constitucional e, nesse caso, estaremos perante um puro facto que não pode reivindicar qualquer força normativa (cfr. *infra*,)[17].

III - Costume, convenções constitucionais, praxes constitucionais e precedentes judiciais

O costume constitucional deve distinguir-se de outros fenómenos que, embora relevantes no plano da praxis constitucional, não são considerados fonte de direito.

1. Convenções constitucionais ('conventions of the Constitution')

As chamadas **convenções constitucionais**, oriundas dos ordenamentos anglo-saxónicos, consistem em acordos, implícitos ou explícitos, entre as várias forças políticas, sobre o comportamento a adoptar para se dar execução ou actuação a determinadas normas constitucionais, legislativas ou regimentais. Na sua expressão mais conhecida (Dicey) as "constitutional conventions" designam o conjunto de regras não escritas que permitiram a passagem do sistema monárquico constitucional ao sistema monárquico parlamentar. Discute-se, porém, se estes acordos não se reconduzirão, tal como o costume, à fenomenologia dos factos normativos originários ou factos normativos *extra ordinem*[18]. Exemplos significativos destes factos seriam os factos instauradores de uma nova ordem constitucional (golpe-de-estado, revolução). Mas, num plano mais secundário, podiam considerar-se fontes *extra ordinem* a auto-assumpção de poderes formalmente não previstos (ex.: a teoria dos poderes implícitos do Presidente da República) e os acordos entre forças políticas para regular situações especifica-

---

[17] Neste sentido, parece-nos ficar prejudicada a tentativa de A. MENEZES CORDEIRO ao procurar salvar os assentos – que considera leis materiais! – com base num costume constitucional. Cfr. A. MENEZES CORDEIRO «Da inconstitucionalidade de revogação dos assentos», in JORGE MIRANDA (org.), *Perspectivas Constitucionais*, I, p. 801.

[18] Cfr. CRISAFULLI, *Lezioni,* cit., Vol. II, p. 145; BARTOLE, «Le convenzioni della costituzione tra storia e scienza politica», in *Il Politico*, 1983, pp. 251 e ss. Sobre a natureza das *Conventions*, cfr. HARVEY-L. A. BATHER, *The British Constitution*, 3.ª ed., London, 1972, p. 519; G. MARSHALL, *Constitutional Theory,* Oxford, 1971, pp. 7 e ss; WADE-PHILIPS, *Constitutional and Administrative Law*, IX ed. 1977, pp. 16 e ss; P. AVRIL, «Les Conventions de la Constitution», in *RFSP*, 14/1993, pp. 332 e ss; *Les Conventions de la Constitution*, Paris, 1995.

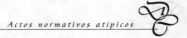

mente não previstas no ordenamento constitucional. Tais acordos, quando exprimem uma decisão ou processo susceptível de generalizar-se para além da situação concreta em que ocorreram, dariam origem a normas de comportamento a que se encontrariam vinculados os operadores políticos. As *convenções constitucionais* transformar-se-iam, assim, em regras não escritas, disciplinadoras de aplicação de normas constitucionais ou legislativas lacunosas ou insuficientes. Daí não se segue, porém, a sua transformação em normas jurídicas, a não ser que a convenção constitucional acabe por se transformar em norma constitucional consuetudinária. De um modo geral, as convenções constitucionais, embora sejam observadas por força de *expectativas recíprocas,* por dever de lealdade ou por necessidade prática e conveniência política, não criam originariamente normas jurídicas.

2. Praxes constitucionais

As **praxes constitucionais** são meros usos constitucionais, meras normas *práticas* ou de *correcção* constitucional, observadas geralmente nas relações entre os órgãos políticos ou entre os elementos que compõem esses órgãos.

3. Precedentes judiciários em matéria constitucional

Os «casos» constitucionais, julgados em tribunais ordinários ou constitucionais, conduzir-nos-iam ao problema do papel da jurisprudência como fonte de direito, tarefa a que não poderemos proceder aqui. Observar-se-á apenas que a questão de saber se o uso duradouro, pelos tribunais, de certos precedentes judiciários, constitui um **direito de juiz** *(Richterrecht),* reconduzível a um direito constitucional consuetudinário de base jurisprudencial, deve merecer resposta negativa. Os próprios tribunais não estão vinculados a uma «communis opinio» por eles desenvolvida em jurisprudência anterior, tanto mais que desapareceram da ordem jurídica portuguesa os assentos dotados de força obrigatória geral (DL 329-A/95, de 12-10). A aceitar-se a tese de transformação de uma jurisprudência reiterada e uniforme em direito constitucional consuetudinário, então ter-se-ia de admitir que a mudança de corrente jurisprudencial já não seria possível e que os tribunais estariam vinculados aos precedentes judiciários em matéria constitucional. Estes precedentes só virão a ter importância decisiva quanto à declaração da inconstitucionalidade com força obrigatória geral (art. 281.º/2), pois serão os precedentes jurisprudenciais do Tribunal Constitucional que o deverão levar a declarar a inconstitucionalidade de uma norma (cfr. art. 281.º/3 da CRP e art. 82.º da LCT). Cfr., também, art. 280.º/5 da CRP.

D. Referendo

1. O referendo como fonte de direito

Inclui-se aqui o **referendo** na categoria de actos normativos atípicos.

O problema que se coloca é o de saber se com a introdução do referendo se criou também uma nova fonte de direito. Com efeito, o referendo não tem por objecto actos normativos (como, por ex., o referendo ab-rogativo do direito italiano) ou projectos de actos normativos (como é o caso do projecto de lei referendária no direito francês). Ele é um *acto político* do Presidente da República, embora precedido de propostas da Assembleia da República e do Governo. O facto de ter por objecto questões de relevante interesse nacional que devam ser decididas pela Assembleia da República ou pelo Governo através de aprovação de *convenção internacional* ou de *acto legislativo* não transforma o acto político-referendo em acto normativo. A isto acresce o facto de o art. 115.º/4 parecer indicar que o conteúdo do referendo não é um acto normativo articulado mas sim um complexo de questões formuladas em termos tendencialmente dilemáticos.

2. O referendo como decisão-regra

Todavia, o *carácter vinculativo* do referendo (art. 115.º/1) sugere que, com a eventual realização do referendo, se introduz no ordenamento jurídico-constitucional português uma espécie de **decisão-regra** que, posteriormente, será objecto de uma lei ou convenção internacional. As respostas populares referendárias traduzem o sentido da «vontade do povo» quanto à criação de uma nova situação normativa, mas não produzem, automaticamente, um acto normativo [19]. O primordial sentido útil inerente à aprovação do referendo será o de o legislador não poder dispor discricionariamente dos resultados do referendo, emanando leis ou tratados em sentido contrário ou abstendo-se de editar actos legislativos ou convencionais normativizadores das «decisões-regra» nele aprovadas. Particularmente delicada é a questão de saber se a "inércia legislativa" (inexistência de "lei executiva" do referendo) e o "desvio legislativo" (lei com conteúdo divergente e até contrário ao do referendo) são susceptíveis de controlo.

---

[19] Não seria, porém, impossível atribuir ao referendo um "carácter directamente normativo", pois, como informa PIERRE BON, o referendo é noutros países «uma técnica de produção normativa». Cfr. PIERRE BON, «Le référendum dans les Droits Ibériques», in JORGE MIRANDA, *Perspectivas constitucionais*, II, p. 549.

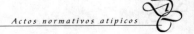

A eventual inexistência de fiscalização da constitucionalidade abstracta (preventiva e sucessiva) de leis desconformes com o referendo, parece não obstar à fiscalização de ilegalidade por contrariedade com a decisão expressa no referendo. Por outro lado, o "não cumprimento do referendo" pode justificar a existência de responsabilidade penal e política (cfr. art. 120.°)[20]. Em relação ao Presidente da República, a vinculatividade traduzir-se-á na inexistência de veto ou de recusa de ratificação.

Referências bibliográficas

Avril, P. – *Les Conventions de la Constitution*, Paris, 1997.

Baufumé, B. – «La réhabilitation des résolutions: une nécessité constitutionnelle», in *RDP*, 5-1994, pp. 1400 e ss.

Beaud, O, – "Les Conventions de la Constitution", in *Droits*, 1986, p. 127.

Bertolini, G. – «Appunti sull'origine della dottrina degli interna corporis», in *Studi per il Ventesimo Anniversario dell'Assemblea Costituente*, Firenze, 1969, pp. 25 e ss.

Boudet, F. – «La force juridique des résolutions parlamentaires», in *RDPSP*, 1958, pp. 271 e ss.

Capitantir – «La coutume constitutionnelle», in *RDPSP*, 1979.

Harvey-Bather – *The British Constitution*, 4.ª ed., London, 1972, p. 519.

Levy, D. – «De l'idée de coutume constitutionnelle à l'esquisse d'une théorie des sources en droit constitutionnelle et leur sanction», in *Mélanges Eisenmann*, Paris, 1975.

Marshall, G. – *Constitutional Conventions. The Rules and Forms of Political Accountability*, Oxford, 1986.

Meny, Y. – "Les conventions de la constitution", *Pouvoirs*, 50.

Miranda, J. – «Competência interna da Assembleia da República», in *Estudos sobre a Constituição*, Vol. I, p. 291.

Miranda, J. – *Manual*, 1/2, pp. 339 e ss.

– *Manual*, Vol. V, pp. 377 e ss.

Queiró, A. R. – *Lições de Direito Administrativo*, p. 361.

Rädler, P. – «Verfassungsgestaltende durch Staatspraxis- Ein Vergleich des deutschen und britischen Rechts», in ZAÖRV, 58 (1998), p. 611 ss.

Rescigno, G. U. – *Le convenzione costituzionale*, Padova, 1972.

Rodrigues, B. – *O referendo*, pp. 241 e ss.

---

[20] Cfr. GOMES CANOTILHO/VITAL MOREIRA, *Constituição da República*, anotação XIX ao art. 118.°; JORGE MIRANDA, «Lei», *in Dicionário Jurídico de Administração*, pp. 391 e ss; *Manual*, V, pp. 377 e ss.

Schmelter – *Rechtschutz gegen nicht zur Rechtsetzung gehörende Akte der Legislative,* Berlin, 1977.

Stammati, A. – "Punti di riflessione sulla consuetudine e le regola convenzionali", in *Scritti Crisafulli,* II, pp. 807 e ss.

Tomuschat, C. – *Verfassungsgewohnheitsrecht,* Heidelberg, 1972.

Trevijano, P. G. – *La costumbre en Derecho Constitucional,* Madrid, 1989.

Zagrebelsky, G. – *Sulla consuetudine costituzionale nella teoria della fonti di diritto,* Torino, 1970.

Capítulo 10

O Procedimento Legislativo

Sumário

A. Conceito

B. Fases e Actos do Procedimento Legislativo

   I - Fase de iniciativa

   II - Fase instrutória

   III - Fase constitutiva

   IV - Fase de controlo

   V - Fase de integração de eficácia

      1. Princípio da publicidade
      2. Publicidade e publicação
      3. Caracterização da publicação
      4. Falta de publicação e ineficácia jurídica
      5. Rectificação

C. Procedimento de Transposição das Directivas Comunitárias

A. Conceito

A formação dos actos normativos obedece a um *iter* juridicamente regulado que se costuma designar por *procedimento*. A actual relevância do estudo da *forma* jurídica de desenvolvimento das actividades públicas (e, dentre elas, as normativas) justifica o tratamento autónomo das questões de procedimento. Aqui interessa salientar que nem todos os procedimentos normativos gozam de dignidade constitucional formal (a CRP apenas regula com algum pormenor o procedimento dos actos legislativos da AR). Por outro lado, alguns dos actos integrativos do *complexo de actos* em que se traduz o procedimento legislativo já foram focados a propósito de outros problemas (cfr. *supra,* as questões respeitantes à *promulgação, referenda* e *assinatura* de actos normativos).

Designa-se por **procedimento legislativo** a sucessão de série de actos (ou de fases, consoante a posição doutrinal respeitante à natureza de procedimento) necessários para produzir um acto legislativo. A lei é o acto final do *procedimento*. As várias fases procedimentais, disciplinadas com maior ou menor particularização nos vários ordenamentos, estão pré-ordenadas à produção de um acto final, a que chamaremos *lei formal* de Assembleia. Deste modo, o **procedimento legislativo** é um *complexo de actos, qualitativa e funcionalmente heterogéneos e autónomos, praticados por sujeitos diversos e dirigidos à produção de uma lei do Parlamento.* Noutros termos: procedimento legislativo é a forma da função legislativa, isto é, o modo ou *iter* segundo o qual se opera a exteriorização do poder legislativo[1].

O procedimento em análise refere-se ao procedimento legislativo do Parlamento, pois, no que respeita ao Governo, para além de algumas referências constitucionais, não há normas constitucionais especificamente regula-

---

[1] A noção que se acolhe no texto é largamente tributária da doutrina administrativista. Cfr., sobretudo, e por todos, A. M. SANDULLI, *Il procedimento amministrativo* (1940), reimp., Milano, 1965. Para uma aplicação desta noção ao procedimento legislativo, cfr., ainda, SANDULLI, «Legge (diritto costituzionale)», in *NDI,* IX, Torino, 1963; GALEOTTI, *Contributo alla teoria del procedimento legislativo,* Milano, 1957; GUELI, «Il procedimento legislativo» (1955), agora em *Scritti Vari,* II, Milano, 1976; LUCIFREDI, *L'iniziativa legislativa parlamentare,* Milano, 1968; PIZZORUSSO (org.), *Law in the Making,* Berlin, 1988; «Procedimento Legislativo», in *REDC,* 14 (1985). Entre nós, cfr., por último, JORGE MIRANDA, *Manual,* V, pp. 236 e ss.; DAVID DUARTE/A. SOUSA PINHEIRO/M. LOPES ROMÃO/TIAGO DUARTE, *Legística,* p. 284 ss. No plano jurisprudencial, cfr. Ac TC 289/92.

doras de procedimento de decretos-leis (o mesmo se diga quanto aos decretos legislativos regionais)[2].

B. Fases e Actos do Procedimento Legislativo

Os actos instrumentais constitutivos do procedimento legislativo sucedem-se através de uma série de *fases* procedimentais que, em geral, se reconduzem a três: (1) fase de iniciativa; (2) fase constitutiva; (3) fase de activação ou integração de eficácia[3]. Na explanação subsequente adoptaremos uma sistematização um pouco diferente, distinguindo cinco fases: (1) *fase de iniciativa;* (2) *fase introdutória;* (3) *fase constitutiva;* (4) *fase de controlo;* (5) *fase de integração de eficácia.*

Alguns autores referem a cinco fases que ordenam da forma seguinte: a) *fase de iniciativa;* b) *fase instrutória,* na qual incluem fundamentalmente os actos de consulta; c) *fase constitutiva* na qual incluem os actos de formação de vontade (discussão e votação); d) *fase de controlo* destinada a avaliar do mérito e de conformidade do acto legislativo; e) *fase de comunicação,* cuja finalidade principal é dar publicidade e tornar obrigatório o acto legislativo.

I - Fase de iniciativa

Na **fase de iniciativa** englobam-se os actos propulsivos do procedimento legiferante. A função específica desta fase é, pois, «colocar em andamento» o poder legislativo, fornecendo-lhe o impulso jurídico necessário para a sequência procedimental (Galeotti).

O direito de iniciativa legislativa (cfr. CRP, art. 167.º; Reg. AR, arts. 130.º e 131.º) manifesta-se através da apresentação à AR de um texto articulado de preceitos normativos denominados, conforme os casos, por **projectos de lei** (iniciativa parlamentar pertencente, nos termos do art. 167.º/1, aos deputados e aos grupos parlamentares) e por **proposta de lei** (iniciativa legislativa governamental, pertencente ao Governo nos termos dos arts. 167.º/2, 4, 5 e 6 e 200.º/*c*).

---

[2] Cfr., J. MIRANDA (org.), *A Feitura das leis,* vol. 2, 1986; *Funções, Órgãos e Actos do Estado,* cit., pp. 100 e ss e 371 e ss; M. REBELO DE SOUSA, «A Elaboração dos Decretos-Leis Avulsos», in *A Feitura das Leis,* I, 1986, p. 160.
[3] Por último, cfr. JORGE MIRANDA, *Manual,* V, pp. 239 e ss.

Depois da revisão de 1989, os Deputados, os grupos parlamentares e o Governo podem também ter iniciativa referendária através de *projectos* (Deputados e grupos parlamentares) e de *propostas* (Governo) de *referendo* (art. 167.°/1/3/4). Embora de âmbito limitado, têm também direito de iniciativa legislativa as assembleias regionais que podem apresentar à *AR propostas de lei* sobre questões relativas às regiões autónomas (arts. 167.°/1 e 2 e 227.°/*c*). A revisão de 1997 acrescentou a iniciativa de *grupos de cidadãos eleitores* nos termos a definir por lei (art. 167.°/1/2/3).

O sistema de iniciativa legislativa português configura-se como um sistema de *iniciativa pluralística,* dado que o poder de iniciativa é constitucionalmente atribuído: (1) a vários órgãos (sujeitos constitucionais); (2) a grupos de cidadãos eleitores. Esta iniciativa legislativa concebe-se juridicamente como um poder (*rectius: direito-poder*), pois o poder dos deputados, do governo, dos grupos parlamentares, das assembleias legislativas regionais, é-lhes atribuído directamente pela Constituição para a realização do interesse público (exercício da função legislativa), tendo em conta a sua posição jurídica no ordenamento constitucional. Quanto à iniciativa legislativa de cidadãos eleitores (CRP, art. 167.°/1) trata-se de um direito de participação política de exercício colectivo (nos termos da Lei 17/2003, de 4/6 – Lei da Iniciativa Legislativa dos Cidadãos –, os projectos de lei devem ser subscritos por um mínimo de 35.000 eleitores).

O fundamento para o exercício do direito de iniciativa legislativa é, muitas vezes, o dever concretamente imposto pela constituição no sentido de as entidades legiferantes adoptarem determinadas medidas legislativas concretizadoras das normas constitucionais.

A iniciativa legislativa não se restringe à iniciativa legislativa *primária ou originária*. Existe também a *iniciativa legislativa secundária, derivada* ou *superveniente* (cfr., Reg. AR, art. 131.°/2) que consiste na apresentação de **propostas de alteração** a projectos ou propostas de lei ou em textos de substituição (cfr. CRP, art. 167.°/2 e Reg. AR, art. 136.°).

A iniciativa é o *impulso* do procedimento legiferante, mas o procedimento legislativo não se limita a uma simples aprovação ou rejeição, antes pressupõe uma fase de *discussão* e *elaboração.*

Inscrito um projecto ou uma proposta de lei na *ordem do dia,* depois de previamente ter sido entregue na Mesa da AR e sido aceite (cfr. arts. 138.° e ss do Reg. da AR), haverá uma *apresentação* perante o Plenário, podendo ser apresentadas pelos deputados *propostas de alteração* (emenda, substituição, aditamento ou eliminação). (Cfr. arts. 144.° e ss do Reg. da AR).

Não obstante o sistema português ser um sistema de iniciativa pluralística, existem certos domínios onde a iniciativa legislativa é *reservada*, quer por imposição expressa da Constituição quer porque isso decorre da especificidade constitucional de certas leis (exs.: as leis das grandes opções do plano e do orçamento, que são de iniciativa legislativa reservada do Governo; as leis de autorização legislativa e de autorização de empréstimos, cuja iniciativa é igualmente reservada ao Governo; as leis de aprovação dos estatutos regionais e de outras leis respeitantes às regiões autónomas, cuja iniciativa é das assembleias legislativas regionais; as leis de revisão constitucional, de iniciativa reservada dos deputados). Cfr., sobre isto, Gomes Canotilho/Vital Moreira, *Constituição da República*, Anotação I ao art. 170.°; Jorge Miranda, *Funções, Órgãos e Actos do Estado*, pp. 394 e ss; *Manual*, V, pp. 236 e ss. No direito brasileiro, cfr. M. G. Ferreira Filho, *Do Processo Legislativo*, 2.ª ed., São Paulo, 1984; Nélson de Sousa Sampaio, *O Processo Legislativo*, São Paulo, 1968.

II - Fase instrutória

A **fase instrutória**, que se segue à fase de iniciativa, tem por finalidade recolher e elaborar os dados e elementos que permitam analisar a oportunidade do procedimento legislativo bem como o respectivo conteúdo. A aquisição de dados efectua-se quer aproveitando os materiais fornecidos pelas entidades que tiveram a iniciativa da lei, quer através de recolha autónoma efectuada pela comissão da AR competente para apreciação do texto apresentado.

O trabalho fundamental cabe, entre nós, às *comissões* permanentes especializadas. A estas serão enviados os projectos ou propostas de lei, uma vez admitidos (cfr. Reg. AR, arts. 142.° ss.), e a elas competirá dar parecer devidamente fundamentado, podendo, *inclusive*, sugerir ao plenário a substituição, por outro, do texto do projecto ou proposta, tanto na generalidade como na especialidade (cfr. art. 167.°/8 da CRP e art. 148.° do Reg. AR. O poder das comissões chega ao ponto de a elas competir a *votação na especialidade* dos projectos ou propostas, se assim o Plenário o decidir e salvo as restrições impostas pela CRP (cfr. art. 168.°/3 da CRP e art. 158.° do Reg. AR). Acresce que, na prática, o debate na generalidade do plenário incide sobre o texto de substituição apresentado pelas comissões e não sobre o texto originário.

O processo de discussão e votação constitucional e regimentalmente consagrado entre nós distingue-se do processo inglês das «três leituras» (*«processo das três leituras»*) na qual a 1.ª leitura dá lugar a uma discussão geral do projecto, a 2.ª se destina ao exame dos artigos, e na 3.ª se procede à revisão ou aprovação final do projecto ou proposta.

O «processo das comissões» distingue-se também do antigo *processo de «bureaux»*, pois aqui só na altura da apresentação dos projectos se formavam *comités ou* grupos *ad hoc* (eleitos à sorte ou por ordem alfabética) que procediam ao exame do projecto. Os comissários eleitos por cada grupo podiam formar uma «comissão central» que redigia o relatório sobre o projecto, e nomear um ou vários relatores para informar a assembleia dos pontos de vista dos *«bureaux»*. Cfr. Rews, «Les comissions parlamentaires en droit comparé», in *RIDC,* 1961, pp. 309 e ss. Cfr.,

também, Rogério Soares, «As comissões parlamentares permanentes», in *BFDC,* Vol. LVI (1980). Sobre o processo legislativo em geral, cfr., na doutrina brasileira, D. Liberato Cantilano, *Processo Legislativo nas Constituições Brasileiras* e *no Direito Comparado,* Rio de Janeiro, 1984.

Às comissões pertencerá enviar obrigatoriamente o texto às entidades que, nos termos constitucionais, têm *direito de participação ou direito de audição* em certos procedimentos legislativos. É o que acontece com a legislação do trabalho (cfr. CRP, arts. 54.º/5/d e 56.º/2/a, e Reg. AR, art. 140.º) e legislação respeitante às Regiões Autónomas (cfr. CRP, arts. 229.º/2 e 292.º/3 e 4 e Reg. AR, art. 144.º).

III - Fase constitutiva

Designa-se por **fase constitutiva** (=«fase de decisão», «fase dispositiva», «fase conclusiva», «fase decisiva», «fase decisória», «fase deliberativa») aquela em que se produz o acto principal e ao qual se reportam os efeitos jurídicos essenciais. Esta fase constitui também uma espécie de «centro de atracção» dos actos enquadrados noutras fases de procedimento.

A fase constitutiva não é cronologicamente a última (a seguir à aprovação da lei segue-se a *promulgação* do PR, a *referenda* do Governo e a *publicação* no *Diário da República),* mas é aquela em que se determina o conteúdo do acto. Inclui vários *subprocedimentos* (de resto, típicos de todos os procedimentos), cujo acto final consiste numa deliberação de órgão colegial: (1) *discussão* ou *debate;* (2) *votação;* (3) *redacção.*

A *discussão* e a *votação* no Plenário (cfr. arts. 168.º da CRP e 157.º e ss da AR) compreendem uma *discussão* e *votação na generalidade* (a discussão incide sobre os princípios e o sistema de cada projecto ou proposta de lei e a votação na generalidade incide sobre cada projecto ou proposta de lei) e uma *discussão* e *votação na especialidade* (a discussão versa sobre cada artigo e a votação sobre cada artigo, número ou alínea)[4]. A LC n.º 1/82 previu expressamente a *votação final global* (art. 168.º/2). Ela também já se deduzia da antiga redacção do art. 168.º/2 (*in fine*). Esta votação deve existir sempre, e não apenas quando o texto é aprovado em comissão na especialidade. Em seguida, o texto é enviado para o Plenário para uma votação final global (cfr. art. 164.º do Reg. da AR). Quando a CRP ou o Regimento da AR se referem à aprovação das propostas ou projectos de lei, sem qualquer outra especificação, deve entender-se que a referência diz respeito à votação final global. Mas isso não significa que a referência, nos termos cons-

---

[4] Na prática, a votação na especialidade é quase sempre efectuada em comissão e não no Plenário, só não podendo ser votadas em comissão as leis referentes às matérias do art. 168.º/4 e as relativas aos estatutos regionais (cfr. Reg. AR, art. 165.º). Depois da revisão constitucional de 1989, carecem de votação final global pelo Plenário as leis orgânicas e, depois da revisão de 1997, as disposições relativas à delimitação territorial das regiões previstas no art. 255.º (art. 168.º/5).

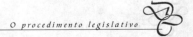

titucionais, não deva conexionar-se com outras votações que não apenas a votação final global. Assim, por ex., nos termos do art. 168.º/6, certas leis estão sujeitas à aprovação por maioria qualificada em qualquer das votações (votação na generalidade, votação na especialidade e votação final global). Um caso particular é mesmo o da lei de revisão constitucional em que cada alteração tem de ser votada por 2/3 (art. 286.º/1) e em que não existe votação final global (cfr. art. 286.º/2). A inexistência de qualquer das votações, nos termos constitucionalmente exigidos, implicará um *vício de procedimento* conducente à nulidade da lei. O princípio da constitucionalidade dos actos do Estado exigirá a *presença do número de deputados* requerido em geral para a deliberação de órgãos colegiais (CRP, art. 116.º/2/3), salvo quando a própria Constituição prevê maiorias especiais ou qualificadas (cfr., por ex., arts. 168.º/ 5 e 6 e 286.º/1). Note-se que o número é pressuposto de validade das *deliberações* e não das *sessões*, pois estas podem desenrolar-se com um número de deputados inferior ao constitucionalmente exigido (cfr., Reg. AR, art. 54.º). O problema reside, muitas vezes, na *recognoscibilidade* do vício procedimental. É o caso de a lei ser enviada ao Presidente da República antes de serem publicadas as actas da Assembleia (cfr. Ac. TC 868/96). É também o caso de os actos não revelarem qualquer vício procedimental (ex.: quanto à presença do número de deputados constitucionalmente exigido para as votações e respectivas maiorias deliberativas), mas esse vício ser externalizado por outros meios (ex.: cassettes video). O Presidente da República não dispõe de poderes instrutórios para conhecer de vícios procedimentais não recognoscíveis através dos documentos autênticos (Actas e Diário das Sessões).

Além do processo legislativo normal, há ainda o *processo de urgência* (art. 170.º), no qual se pode dispensar o exame em comissão ou reduzir-se o respectivo prazo, limitar-se o número de intervenções e a duração do uso da palavra dos deputados e do Governo, e dispensar-se o envio à comissão para redacção final (cfr. art. 283.º do Reg. da AR).

As três votações – votação na generalidade, votação na especialidade e votação final global – obedecem a lógicas distintas: (1) a *votação na generalidade* incide sobre a oportunidade e sentido global do projecto ou proposta de lei; (2) a *votação na especialidade* incide sobre as soluções concretas a aprovar no texto da norma, (3) a *votação final global* concentra-se no texto apurado na especialidade, fazendo-se um juízo definitivo e final sobre o projecto ou proposta de lei submetidos a discussão e votação [5].

---

[5] Nestes termos, cfr. GOMES CANOTILHO/VITAL MOREIRA, *Constituição da República*, anotação IV ao art. 171.º. Por último, sobre o valor da referenda: FREITAS DO AMARAL/PAULO OTERO, *O Valor jurídico constitucional da referenda ministerial*, Lisboa, 1997; JORGE MIRANDA, *Manual*, V, pp. 295 e ss.

A manifestação de vontade do órgão colegial AR expressa através da votação final global deve ficar documentada mediante a *redacção* dos projectos e propostas pela comissão competente e posterior publicação no *Diário da Assembleia da República* (cfr. Reg. AR, art. 165.º/4).

A garantia da *regularidade das deliberações* (declarações de voto, votação e proclamação de resultados) pertence ao Presidente da Assembleia da República (cfr. Regimento, art. 8.º). É questionável se esta garantia de regularidade das deliberações pode ser impugnada perante outros órgãos constitucionais (ex.: Tribunal Constitucional), invocando-se vício de falsidade dos documentos autênticos comprovado pela utilização de meios externos (ex.: videos da sessão).

IV - Fase de controlo

A edição do acto conclusivo ou decisório do procedimento legislativo não encerra o *iter* necessário para a perfeição do acto legislativo. Existe ainda uma **fase de controlo** destinada a permitir a avaliação do mérito e da conformidade constitucional do acto legislativo. Os actos de controlo condicionam a existência jurídica dos próprios actos legislativos dado que são constitucionalmente recortados como indispensáveis à sua perfeição (CRP, arts. 137.º e 140.º).

Os projectos ou propostas de lei, uma vez aprovados, são enviados com o nome de *decretos* da AR ao Presidente da República para efeitos de *promulgação* (cfr. art. 136.º). A **promulgação** está associada ao *direito de veto* do PR através do qual ele controla materialmente o mérito político (veto político) e a conformidade constitucional (art. 279.º) dos decretos da AR (cfr. *supra*). Por sua vez, o Governo exerce também, através da *referenda,* um controlo certificatório, embora de natureza diferente do controlo do PR. Deve mencionar-se ainda a *assinatura* dos diplomas pelo PR (CRP., arts. 137.º e 140.º).

V - Fase de integração de eficácia

A **fase de integração de eficácia** abrange os actos destinados a tornarem *eficaz* o acto legislativo (requisitos de *eficácia),* designadamente através da sua publicidade. Os actos de integração de eficácia (= actos de comunicação) não são requisitos de *perfeição* ou validade do acto legislativo; visam, sim, tornar os actos

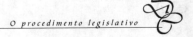

O procedimento legislativo

perfeitos em actos obrigatórios e oponíveis, levando-os ao conhecimento – através da publicação no *Diário da República* – dos cidadãos (requisito de eficácia).

1. Princípio da publicidade

A justificação do **princípio da publicidade** é simples: o princípio do Estado de direito democrático exige o conhecimento, por parte dos cidadãos, dos actos normativos, e proíbe os *actos normativos secretos* contra os quais não se podem defender. O conhecimento dos actos, por parte dos cidadãos, faz-se, precisamente, através da *publicidade* (cfr. art. 119.º da CRP).

2. Publicidade e publicação

Deve distinguir-se entre *publicidade* e *publicação:* a **publicação** é a forma de publicidade de actos normativos (os mais importantes, individualizados no art. 119.º/1 da CRP) feita através do «jornal oficial», *Diário da República;* **publicidade**, em sentido amplo, é qualquer forma de comunicação dos actos dos poderes públicos dotados de eficácia externa (através de ordens de serviço, editais, avisos, Internet, etc.). Cfr. art. 119.º/2 da CRP.

3. Caracterização da publicação

A **publicação** é o acto mediante o qual os actos normativos são levados ao conhecimento dos seus destinatários.[6] Costuma considerar-se a publicação, sob o ponto de vista jurídico, como um *acto de comunicação* e, portanto, como um requisito de eficácia do acto (acto de integração necessária) e não como um elemento de validade do mesmo. A publicação, diferentemente da notificação, não exige efectivo conhecimento do acto por parte dos destinatários e daí que, uma vez publicados os actos no diário oficial (*Diário da República* e *Jornal Oficial* das Regiões Autónomas), eles sejam vinculativos, não aproveitando a ninguém a sua ignorância (*ignorantia legis non excusat*). Os diplomas que contêm actos normativos entram em vigor no dia neles fixados e, na falta de fixação, no Continente, no quinto dia após a sua publicação, nos Açores e na Madeira no décimo quinto dia, e no Estrangeiro no trigésimo dia (cfr. Lei n.º 74/98, de 11-11). Ao período que decorre entre a publicação e a data da entrada em vigor chama-se *vacatio legis*. De acordo com o art. 119.º/2, a falta *de publicidade* implica a ineficácia jurídica do acto. A publicidade a que se refere a Cons-

---

[6] Desenvolvidamente, D. DUARTE/A. PINHEIRO/M. ROMÃO/T. DUARTE, *Legística*, p. 377 ss.

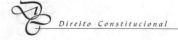

tituição é aquela que resulta da publicação do diploma no *Diário da República* e não através de outros meios como a rádio, a imprensa, e a televisão. O dia da publicação é o da efectiva distribuição do *Diário da República* onde a publicação teve lugar (cfr. Acs TC 142/85, *DR*, II, 7-9-85, 287/90, in *Acórdão*, vol. 17, 303/90, in *Acórdãos*, vol. 17).

A publicação do acto normativo tem um *efeito certificatório:* o texto publicado no *Diário da República* é o texto legal, presumindo-se conforme o original, ressalvando-se, porém, a possibilidade de provar o contrário. Quando o texto publicado não corresponde ao texto oficial, deve fazer-se uma *nova publicação* ou uma *rectificação*. Em relação ao texto ou parte do texto publicado mas não conforme o original, tem-se entendido que não tem *eficácia,* pois falta a publicidade do acto realmente aprovado.

Acontece, algumas vezes, que a publicação da lei é efectuada com grande atraso. Embora a demora na publicação não implique a invalidade do acto publicado, pode discutir-se se não haverá um excesso de poder quando, com o atraso da publicação, se vise destruir ou modificar os resultados práticos e jurídicos da lei.

O atraso na publicação pode suscitar ainda o problema (cfr. Parecer da CC n.º 23/80) de saber como se faz *a pontualização* cronológica das leis, ou seja, no caso de concorrência de leis no tempo, como se determina a prioridade temporal: pela data da publicação? pela data da promulgação? pela data da entrada em vigor? A Lei n.º 74/98 estabelece como data do diploma a da sua publicação. Este regime pode dar origem a graves problemas, por ex., quando a data da entrada em vigor não coincide com a data da publicação ou quando uma lei posterior contrastante com uma outra vem a ser publicada em primeiro lugar. O fenómeno da tardia publicação da lei pode derivar da manipulação da promulgação pelo próprio Presidente da República (ex.: *veto de bolso,* aliás, inconstitucional)[7]. A Lei 74/98, de 11-11, veio resolver este problema (cfr. art. 2.º/4) ao dar expressamente relevo à data da efectiva distribuição (colocação à disposição do público) se posterior à data da publicação (cfr., Ac. TC 36/2002, Acórdão, 52/2002, p. 23 ss.).[8]

---

[7] Sobre os problemas e natureza jurídica da publicação cfr. GALEOTTI, *Contributo,* cit., pp. 183 e ss e 269 e ss; A. D'ATENA, *La Pubblicazione delle Fonti Normativa,* Vol. I, Padua, 1974; PALOMA BIGLINO CAMPOS, *La Publicación de la ley,* Madrid, 1993. Entre nós, cfr., por último, RUI MEDEIROS, *Valores jurídicos negativos da lei inconstitucional,* cit., p. 542; MARCELO REBELO DE SOUSA, *Valor jurídico,* cit., p. 150; MARIA DOS PRAZERES PIZARRO BELEZA, "Publicação, identificação e formulários dos diplomas: breve comentário à Lei 74/98, de 11 de Novembro, in *Legislação,* n.º 22. No plano jurisprudencial cfr., por último, Acs. TC 206/94, 530/94, 113/95, 28/99.

[8] Note-se que está aqui apenas em causa a publicação de actos com conteúdo normativo. Quanto a actos de outra natureza (ex.: decreto de aceitação do pedido de demissão do Primeiro Ministro), o problema pode eventualmente colocar-se em termos diferentes (cf. Ac. TC 36/2002).

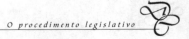

4. Falta de publicação e ineficácia jurídica

Como já se disse no texto, a falta de publicidade determina a *ineficácia* jurídica do acto (art. 119.º/2 da CRP e art. 1.º da L n.º 6/83). Na versão originária (art. 119.º/4) determinava-se a *inexistência* como consequência da falta de publicidade. A razão da nova redacção, introduzida pela LC n.º 74/98, de 11-11, radica certamente no facto de se considerar a publicação como mero requisito de eficácia [9], como demonstra o facto de as leis começarem a produzir efeitos desde a sua aprovação (necessidade de promulgação, assinatura, referenda, etc.). Deve, contudo, salientar-se que esta tese não é pacífica. Diz-se, a favor da tese da inexistência, que só a partir da publicação a lei adquire efeitos externos, vinculando todas as entidades, públicas e privadas, e que só com a sanção da inexistência se evita a possibilidade de *leis secretas* (prática nacional-socialista que assentava na concepção voluntarista de lei – a lei como vontade do *Führer* –, compatível com vários modos de comunicação, *inclusive* a comunicação secreta). A alteração introduzida pela LC n.º 1/82 deve-se claramente aos problemas suscitados pela não publicação de decretos-leis já aprovados e promulgados dentro do período de exercício de funções de um determinado governo. Seja ou não um requisito de existência ou de eficácia, a publicidade, a que se refere o art. 119.º da CRP, implica a proibição do carácter secreto das normas. Por outro lado, o termo utilizado – *publicidade* – é mais amplo do que o *de publicação,* geralmente utilizado em relação a actos legislativos e convenções internacionais. Muitos outros actos, individualmente mencionados no art. 119.º, carecem de ser publicados no *Diário da República* (avisos, decretos, resoluções, regimentos, regulamentos e decisões dos tribunais com força obrigatória geral). Como regra pode dizer-se que *todos os actos de conteúdo genérico* dos órgãos de soberania, das regiões autónomas e do poder local carecem de publicidade (art. 119.º/2). Quanto aos outros *actos com efeitos externos* a lei deve determinar um qualquer modo de comunicação aos interessados (art. 119.º/3) [10] (cf. Ac. TC 37/84, in *BMJ* n.º 345; Ac. 59/84, *DR*, II, 14-11; Ac. 60/84, *DR*, II, 15-11; Ac. 109/85, *DR*, II, 10--28/99). Por último, cfr. Vieira de Andrade, *O dever de fundamentação*, p. 48.

5. Rectificação [11]

Designa-se por **rectificação** o acto jurídico-público materialmente administrativo destinado a corrigir erros de execução material ocorridos no procedimento de publicação de uma norma jurídica (L 74/98, art. 5.º). A rectificação dos actos legislativos deve ser publicada na 1.ª série do *Diário da República* (L 74/98, art. 5.º). Incluem-se nos erros carecidos de posterior rectificação as faltas ou lapsos na impressão gráfica do diploma legislativo (erros materiais),

---

[9] Sobre a noção de eficácia como produtividade actual do acto, cfr. ROGÉRIO SOARES, «Acto Administrativo», in *Polis*, Vol. 1, p. 104; SÉRVULO CORREIA, *Direito Administrativo*, pp. 318 e ss.

[10] Cfr. precisamente Acs. STA de 7-5-1980 e de 16-7-1980, in *RLJ*, n.º 144, com anotações de AFONSO QUEIRÓ; Acs. TC n.º 60/84, *DR*, II, de 15-11-84, n.º 59/84, *DR*, II, de 14-11-84, e 37/84, *DR*, II, de 6-7-84.

[11] Cfr. CARLOS BLANCO DE MORAIS, "Problemas relativos à rectificação de actos legislativos dos órgãos de soberania", in *Legislação* 11 (1994), pp. 35 e ss.

mas não os erros atinentes ao procedimento de formação do próprio acto. Estes últimos só podem ser sanados através de outros actos com idêntica dignidade normativa e segundo o *iter* procedimental prescrito pela constituição ou pela lei. A forma do acto de reparação, embora não recortada legalmente, reconduz-se a uma "declaração de rectificação" no que respeita a actos de governo e a uma "rectificação" para os actos emanados da Assembleia da República.[12] A autoria do acto de rectificação pertence ao órgão que aprovou o texto originário, que deve proceder à publicação da rectificação até 60 dias após a publicação do texto rectificando (Lei 74/98, art. 5.º/2). Não isento de dificuldades é o *fundamento* constitucional do instituto de rectificação, apontando alguma doutrina para a existência de um *costume* constitucional e outra para um simples título da legalidade, ou seja, a rectificação é um acto administrativo de carácter declarativo com fundamento na lei.[13] O carácter declarativo afasta a possibilidade de quaisquer alterações relativas ao conteúdo e sentido do diploma encobertas sob a forma de rectificação.

Referências bibliográficas

Almeida, V. D. – "Aspectos do procedimento legislativo na primeira metade da VII legislativa", in *Legislação*, 19/20 (1997), pp. 151 e ss.

Beleza, Maria dos Prazeres: "Publicação identificação e formulário dos diplomas: breve comentário à Lei 48/92, de 11 de Novembro", in *Legislação*, n.º 22 (1998).

Biglino Campos, Paloma – *Los vicios en el Procedimiento Legislativo,* Madrid, 1991
– *La Publicacion de la Ley,* Madrid, 1993.

Canotilho, J. J. G. – *Teoria da legislação geral e teoria da legislação penal. Contributo para uma teoria da legislação*, Coimbra, 1988.

Carvalho Netto, M. – *A Sanção no Procedimento Legislativo*, Belo Horizonte, 1992.

Cattoni de Oliveira, M. – *Devido Processo Legislativo*, Belo Horizonte, 2000.

Cicconetti, S. – «Promulgazione e pubblicazione delle leggi», in *Enc. Dir.*, XXXVI, 1988, pp. 122 e ss.

Claro, João M. – «A Parte Final das Leis», in *Legislação*, 3 (1992), pp. 53 e ss.

D'Atena – *La pubblicazione della fonti normative*, I, Padova, 1974.

Duarte D. Pinheiro, A./Romão, M./Duarte, T. *Legística. Perspectiva sobre a Concepção e Relação de Actos Normativos*, Coimbra, 2002.

---

[12] Cfr. CARLOS BLANCO DE MORAIS, "Problemas relativos à rectificação", cit., p. 38.
[13] Cfr. as referências de BLANCO DE MORAIS, cit., p. 42.

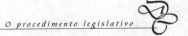

Ferreira Filho, M. G. – *Do Processo Legislativo*, 2.ª ed., São Paulo, 1984.

M. Ainis – «Dalla promulgazione alla difusione della regola: la conoscenza delle fonti normative tra vecchi equivoci e nuovi modelli», in *Foro ital.*, 1987, V, pp. 403 e ss.

Medeiros, R. – "Valores Jurídicos Negativos da Lei Inconstitucional", in *O Direito*, 121 (1984), p. 493.

Meirim, J. A. – "A Legislação a que (não) temos direito", in *Revista do Ministério Público*, 26 (1976), pp. 119 e ss.

Michele, A. – *L'entrata in vigore della legge. Erosione e crisi d'una garanzia costituzionale: la vacatio legis*, Padova, 1986.

Miranda, J. – «O Governo e o Processo Legislativo Parlamentar», in *A Feitura das Leis*, II, 1986, pp. 299 e ss.

Miranda, J. – *Funções, Órgãos e Actos do Estado*, pp. 371 e ss.

– *A feitura das leis*, 2 vols., Lisboa, 1986.

– "A forma legislativa», in *A Feitura das Leis*, vol. 2, 1988, pp. 97 e ss.

– *Manual*, Tomo V, Coimbra, 1997.

Morais, C. B. – "Problemas relativos à rectificação de actos legislativos dos órgãos de soberania", in *Legislação*, n.º 11 (1994), pp. 35 e ss.

Moraes, G. O. – *O Controlo Jurisdicional da Constitucionalidade do Processo Legislativo*, São Paulo, 1998.

Pizzorusso A. – *Le pubblicazione degli atti normativi*, Milano, 1963.

– *Law in the Making*, Berlin, 1988.

Puget/Seché, H. – «La promulgation et la publication des actes législatifs en droit français», in *RA*, 1989, p. 239.

Sampaio, N. S. – *O processo legislativo*, 2.ª ed., Belo Horizonte, 1996.

Sousa, Marcelo R. – «A Elaboração de Decretos-Leis avulsos», in *A Feitura das Leis*, I, 1986, p. 160.

– *Valor Jurídico do Acto Inconstitucional*, Lisboa, 1988, p. 153.

Zapata, J. R. – *Sancion, promulgacion y publicacion de las leys*, Madrid, 1987.

Título 6
Garantia e Controlo da Constituição

Capítulo 1
Sentido da Garantia e Controlo da Constituição

Sumário

A. A Compreensão Constitucional das Estruturas de Garantia e de Controlo

I - Garantia e controlo

1. «Defesa do Estado» e «defesa da constituição»
2. «Garantias constitucionais» e «garantias da constituição»

II - Meios e institutos de defesa da Constituição

1. A vinculação constitucional dos poderes públicos
2. Os limites da revisão constitucional
3. A fiscalização judicial da constituição
4. A separação e interdependência dos órgãos de soberania

B. A Fiscalização Judicial como Instituto de Garantia e de Controlo da Constituição

I - Pressupostos do controlo judicial da constituição

1. Força e supremacia normativa da constituição
2. Controlo e concretização
3. Controlo e «justiça constitucional»

C. Os Modelos de «Justiça Constitucional»

I - Quem controla: os sujeitos do controlo

1. Controlo político
2. Controlo jurisdicional

II - Como se controla: o modo do controlo

1. Controlo por via incidental
2. Controlo por via principal
3. Controlo abstracto e controlo concreto

III - Quando se controla: o tempo do controlo

1. Controlo preventivo
2. Controlo sucessivo

IV - Quem pede o controlo: a legitimidade activa

1. Legitimidade «quisque de populo» e legitimidade restrita
2. Legitimidade «ex officio», legitimidade das partes, legitimidade de órgãos públicos

V - Os efeitos do controlo

1. Efeitos gerais e efeitos particulares
2. Efeitos retroactivos e efeitos prospectivos
3. Efeitos declarativos e efeitos constitutivos

A. A Compreensão Constitucional das Estruturas de Garantia e de Controlo

I - Garantia e controlo

1. «Defesa do Estado» e «defesa da constituição»

O Estado constitucional democrático ficaria incompleto e enfraquecido se não assegurasse um mínimo de *garantias* e de *sanções:* garantias da observância, estabilidade e preservação das normas constitucionais; sanções contra actos dos órgãos de soberania e dos outros poderes públicos não conformes com a constituição. A ideia de *protecção, defesa, tutela ou garantia* da ordem constitucional tem como antecedente a ideia de **defesa do Estado**, que, num sentido amplo e global, se pode definir como o complexo de institutos, garantias e medidas destinadas a defender e proteger, interna e externamente, a existência jurídica e fáctica do Estado (defesa do território, defesa da independência, defesa das instituições).

A partir do *Estado constitucional* (cfr. *supra*) passou a falar-se de **defesa ou garantia da constituição** e não de defesa do Estado. Compreende-se a mudança de enunciado linguístico. No Estado constitucional o objecto de protecção ou defesa não é, pura e simplesmente, a defesa do Estado, mas da forma de Estado tal como ela é normativo-constitucionalmente conformada [1] – o Estado constitucional democrático.

2. «Garantias constitucionais» e «garantias da constituição»

A defesa da constituição pressupõe a existência de **garantias da constituição**, isto é, meios e institutos destinados a assegurar a observância, apli-

---

[1] Cfr. U. SCHEUNER, «Der Verfassungsschutz im Bonner Grundgesetz», in *Fest. E. Kaufmann,* 1950, pp. 313 e ss; D. RAUSCHNING, *Die Sicherung der Beachtung von Verfassungsrecht,* Bad Homburg, 1969; E. W. BÖCKENFÖRDE, «Verfassungsgerichtsbarkeit: Strukturfragen, Organisation, Legitimation», in *Staat, Nation, Europa,* Frankfurt/M, 1999, p. 157 ss. Entre nós, cfr. JORGE MIRANDA, *Manual,* VI, pp. 45 ss. Por último, em língua portuguesa, M. CATTONI DE OLIVEIRA, *Devido Processo Legislativo,* p. 105 ss.; LENIO STRECK, *Jurisdição Constitucional e Hermenêutica,* Porto Alegre, 2002, p. 17 ss.

cação, estabilidade e conservação da lei fundamental. Como se trata de *garantias de existência* da própria constituição (cfr. a fórmula alemã: *Verfassungsbestandsgarantien*), costuma dizer-se que elas são a «constituição da própria constituição»[2].

As garantias da constituição não devem confundir-se com as *garantias constitucionais*. Estas, como já foi assinalado (cfr. *supra*), têm um alcance substancialmente subjectivo, pois reconduzem-se ao direito de os cidadãos exigirem dos poderes públicos a protecção dos seus direitos e o reconhecimento e consagração dos meios processuais adequados a essa finalidade.

II - Meios e institutos de defesa da Constituição

Globalmente consideradas, as garantias de existência da constituição consistem: (1) na vinculação de todos os poderes públicos (designadamente do legislativo, executivo e judicial) à constituição; (2) na existência de competências de *controlo*, políticas e jurisdicionais, do cumprimento da constituição[3].

1. A vinculação constitucional dos poderes públicos

A constituição é a norma das normas, a lei fundamental do Estado, o estalão normativo superior de um ordenamento jurídico. Daí resulta uma pretensão de validade e de observância como norma superior directamente vinculante em relação a todos os poderes públicos. Isto mesmo se consagra com clareza nos arts. 3.º/2 e 3.º da CRP, onde se enfatiza *o princípio da constitucionalidade da acção do Estado* e das entidades públicas em geral (cfr. *supra*).

2. Os limites da revisão constitucional

A constituição garante a sua estabilidade e conservação contra alterações aniquiladoras do seu núcleo essencial através de cláusulas de irrevisibili-

---

[2] Cfr GOMES CANOTILHO/VITAL MOREIRA, *Constituição da República*, cit., Nota prévia à Parte IV, I, e *Fundamentos da Constituição*, Cap. VI. Cfr., também, D. RAUSCHNING, *Die Sicherung der Beachtung von Verfassungsrecht*, p. 14; GALEOTTI, «Garanzie costituzionali», in *Enc. de Dir.*, XVIII, 1969.

[3] GALEOTTI, *Introduzione alla teoria dei controlli costituzionali*, Milano, 1963. Para uma redefinição do controlo no quadro conceitual de competências, responsabilidades, tarefas e controlos, cfr. STETTNER, *Grundfragen einer Kompetenzlehre*, Berlin, 1981, pp. 274 e ss; MANUEL ARAGON, «La interpretación de la Constitución y el caracter objetivado del control jurisdiccional», in *REDC*, 17 (1986), pp. 85 e ss.

dade e de um processo «agravado» das leis de revisão. Não se trata de defender, através destes mecanismos, o sentido e características fundamentais da constituição contra adaptações e mudanças necessárias, mas contra a aniquilação, ruptura e eliminação do próprio ordenamento constitucional, substancialmente caracterizado. A ideia de garantia da constituição contra os próprios órgãos do Estado justifica a constitucionalização quer do *procedimento* e *limites de revisão* quer das situações de *necessidade constitucional*.

3. A fiscalização judicial da constituição

A instituição da **fiscalização judicial da constitucionalidade das leis** e demais actos normativos do Estado constitui, nos modernos Estados constitucionais democráticos, um dos mais relevantes instrumentos de controlo do cumprimento e observância das normas constitucionais. Ver-se-á, mais adiante, que a fiscalização da constitucionalidade tanto é uma *garantia de observância* da constituição, ao assegurar, de forma positiva, a dinamização da sua força normativa, e, de forma negativa, ao reagir através de sanções contra a sua violação, como uma *garantia preventiva,* ao evitar a existência de actos normativos, formal e substancialmente violadores das normas e princípios constitucionais. Além disso, como iremos ver na Parte dedicada à Metódica Constitucional, a fiscalização judicial operou paulatinamente um desenvolvimento da própria constituição a ponto de se poder afirmar que ela foi "reinventada pela jurisdição constitucional".[4]

4. A separação e interdependência dos órgãos de soberania

Embora não sejam tradicionalmente incluídos nos mecanismos de defesa da constituição, têm também carácter garantístico a *ordenação constitucional de funções* e o esquema de *controlos interorgânicos* e *intra-orgânicos* dos órgãos de soberania. O princípio da separação e interdependência dos órgãos de soberania tem, assim, uma função de garantia da constituição, pois os esquemas de *responsabilidade* e *controlo* entre os vários órgãos transformam-se em relevantes factores de observância da constituição[5].

---

[4] Cfr., precisamente, o título da excelente obra de JOSÉ ADÉRCIO LEITE SAMPAIO, *A Constituição reinventada pela Jurisdição Constitucional,* Belo Horizonte, 2001.
[5] Assinalando, com vigor, o carácter garantístico do sistema de controlos, cfr. K. LOEWENSTEIN, *Teoria de la Constitución,* cit., pp. 180 e ss; ACOSTA SANCHEZ, *Formación de la Constitución y jurisdición*

B. A Fiscalização Judicial como Instituto de Garantia e de Controlo da Constituição

I - Pressupostos do controlo judicial da constituição

1. Força e supremacia normativa da constituição[6]

Ao falar-se do valor normativo da constituição aludiu-se à constituição como *lex superior*, quer porque ela é fonte da produção normativa *(norma normarum)* quer porque lhe é reconhecido um valor normativo hierarquicamente superior *(superlegalidade material)* que faz dela um parâmetro obrigatório de todos os actos estaduais. A ideia de *superlegalidade formal* (a constituição como norma primária da produção jurídica) justifica a tendencial *rigidez* das leis fundamentais, traduzida na consagração, para as leis de revisão, de exigências processuais, formais e materiais, «agravadas» ou «reforçadas» relativamente às leis ordinárias. Por sua vez, a parametricidade material das normas constitucionais conduz à exigência da *conformidade* substancial de todos os actos do Estado e dos poderes públicos com as normas e princípios hierarquicamente superiores da constituição. Da conjugação destas duas dimensões – superlegalidade material e superlegalidade formal da constituição – deriva o **princípio fundamental da constitucionalidade dos actos normativos**: os actos normativos só estarão conformes com a constituição quando não violem o sistema formal, constitucionalmente estabelecido, da produção desses actos, e quando não contrariem, positiva ou negativamente, os parâmetros materiais plasmados nas regras ou princípios constitucionais.

Ao aludir-se no texto à «tendencial rigidez» das leis constitucionais conexionada com a superlegalidade formal da constituição e com a existência de controlo, isso não significa que haja uma correlação necessária entre rigidez e fiscalização jurisdicional. Por um lado, pode haver rigidez sem controlo jurisdicional: é o caso da Constituição francesa de 1875, que, sendo rígida,

---

Constitucional, pp. 73 e ss. Entre nós, cfr. PEDRO BACELAR DE VASCONCELOS, *Teoria Geral do Controlo Jurídico do Poder*, p. 181.

[6] Sobre as relações entre controlo da constitucionalidade e supremacia normativa da constituição cfr. SCHEUNER, «Verfassungsgerichtsbarkeit und Gesetzgebung», in *DÖV*, 1980, p. 473; R. WAHL, «Der Vorrang der Verfassung», in *Der Staat*, 20 (1981), pp. 485 e ss; F. J. PEINE, «Normenkontrolle und Konstitutionales System», *Der Staat*, 22 (1983), p. 536; CH. GUSY, *Parlamentarischer Gesetzgeber und Bundesverfassungsgericht*, Berlin, 1985, pp. 25 e ss; GARCIA DE ENTERRIA, *La Constitución como norma y el Tribunal Constitucional*, 1981, p. 157; L. FAVOREU, in FAVOREU/JOLOWICZ, *Le contrôle juridictionnel des lois*, Paris, 1986, pp. 42 e ss; IVO DANTAS, *O Valor da Constituição. Do controle de constitucionalidade como garantia da supralegalidade constitucional*, Rio de Janeiro, 1996; M. CATTONI DE OLIVEIRA, *Devido Processo Legislativo*, Belo Horizonte, 2000, p. 111 ss.

excluía qualquer controlo judicial. Além disso, é óbvio que qualquer constituição (mesmo as flexíveis) tem inerente uma certa *rigidez substancial* baseada na proibição implícita de modificações ou alterações dos princípios fundamentais nela consagrada (cfr. *infra,* limites materiais implícitos de revisão)[7]. Cfr., precisamente, Marcelo Neves, *Teoria da Inconstitucionalidade das leis,* São Paulo, 1988, p. 88.

2. Controlo e concretização

À ideia de **controlo** anda geralmente associado um «pensamento negativo»: o juiz ordinário controla a constitucionalidade dos actos normativos, *desaplicando* as normas eventualmente não conformes com a constituição; o Tribunal Constitucional «controla» a legitimidade constitucional, *anulando* os actos legislativos contrários à lei fundamental. Se não se pode contestar que o princípio da *judicial review* reconhece apenas aos tribunais o poder de constatar a nulidade de uma norma legal contrária à constituição e desaplicá-la no caso concreto, e que o controlo concentrado abstracto é fundamentalmente (Kelsen) uma «legislação negativa» (mas não só: cfr. *infra,* efeitos da declaração de inconstitucionalidade) eliminadora das normas não compatíveis com a constituição, nem por isso se pode deixar de reconhecer constituir a tarefa de controlo também uma tarefa de **concretização e desenvolvimento do direito constitucional**.

As tarefas de concretização podem e devem pertencer, a título principal, a outras entidades que não às entidades de controlo; todavia, a força normativa das regras e princípios constitucionais vincula todos os poderes públicos (mesmo os de controlo), obrigando-os a uma tarefa positiva de concretização e desenvolvimento do direito constitucional. Quando se fala, por ex., do valor preceptivo das normas consagradoras de fins e tarefas (normas programáticas) como normas vinculativas de todos os poderes públicos pretende-se salientar, entre outras coisas, que os tribunais estão obrigados a aplicar e a concretizar essas normas, não obstante a sua eventual «abertura» ou «indeterminabilidade». O mesmo se passa, e aqui por directa imposição da constituição, relativamente aos preceitos consagradores de direitos, liberdades e garantias (art. 18.°/1).

No texto tende-se para uma caracterização do *controlo constitucional* que ultrapasse a ideia lógico-formal de que o controlo não é uma actividade constitutiva e de que ao controlante não se devem reconhecer poderes de modificação do acto, próprios de um poder activo e principal. Cfr. a caracterização tradicional de controlo em S. Galeotti, *Introduzione alla teoria dei controli costituzionale,* Milano, 1963, pp. 11 e ss.

---

[7] Sobre as relações entre constituições rígidas, constituições flexíveis e controlo de constitucionalidade, cfr. CRISAFULLI, *Lezioni,* Vol. II, pp. 233 e ss; ZAGREBELSKY, *La giustizia costituzionale,* pp. 17 e ss. Entre nós, cfr. JORGE MIRANDA, *Manual,* II, pp. 143 e ss.

3. Controlo e «justiça constitucional»

No constitucionalismo recente parece defender-se, em geral, a conexão necessária entre *constituição* e *jurisdição constitucional*. W. Kägi[8] escreveu impressivamente: «diz-me a tua posição quanto à jurisdição constitucional e eu digo-te que conceito de constituição tens». *O carácter de norma jurídica directa e imediatamente vinculativa*[9] atribuído à constituição e a necessidade de considerar a *garantia* e *segurança imediata* da lei fundamental como uma das tarefas centrais do Estado democrático constitucional colocam, logicamente, o problema do *controlo principal* da conformidade dos actos dos poderes públicos com a constituição como uma das questões-chave da moderna «constitucionalidade». Mas qual o verdadeiro alcance da «justiça constitucional»?

3.1. *«Justiça constitucional» ('Verfassungsgerichtsbarkeit') e «justiça do Estado» ('Staatsgerichtsbarkeit')*

A título de noção tendencial e aproximativa, pode definir-se **justiça constitucional** como o complexo de actividades jurídicas desenvolvidas por um ou vários órgãos jurisdicionais, destinadas à fiscalização da observância e cumprimento das normas e princípios constitucionais vigentes. Trata-se de uma noção ampla, cujo entendimento pressupõe a sumária pontualização dos momentos histórico-comparatísticos jurídico-constitucionalmente mais relevantes.[10]

a) *A garantia contenciosa contra actos da administração*

A garantia do recurso contencioso dos cidadãos para os tribunais (*justiça administrativa*) a fim de defenderem os seus direitos e interesses contra os actos lesivos da administração foi atrás considerada (cfr. *supra*) como um dos elementos constitutivos do Estado de direito democrático e um dos instrumentos de garantia da legalidade democrática. A *justiça constitucional* é, de certo modo, uma extensão da ideia subjacente à *justiça administrativa:* submeter ao controlo dos tribunais os actos dos órgãos políticos e legislativos (e não apenas

---

[8] Cfr. KÄGI, *Die Verfassung als rechtliche Grundordnung des Staates*, p. 147. Em língua portuguesa, critica e desenvolvidamente cfr., LENIO STRECK, *Jurisdição Constitucional e Hermenêutica*, p. 27 ss.

[9] Cfr. GARCIA DE ENTERRIA, *La Constitución como Norma y el Tribunal Constitucional*, Madrid, 2.ª ed., 1982, pp. 63 e ss; GONZALEZ NAVARRO, «La norma fundamental que confiere validez a la Constitución española y al resto del ordenamiento español», in *RAP*, 100-102 (1983), p. 293.

[10] Cfr. M. CAPPELLETTI, "Alcuni precedenti storici del controlo giudiziario di costituzionalità delle leggi", in *Riv. Dir. Pro.*, 1986; E. SMITH, *Constitutional Justice and old Constitutions*, The Haque, 1995.

os actos da administração) e aferir a sua conformidade material e formal segundo o parâmetro superior da constituição.

b) *Expansão da «judicial review of legislation» do direito americano*

O reconhecimento do acesso directo dos juízes à constituição a fim de controlarem a constitucionalidade das leis é um outro momento relevantíssimo para a génese da justiça constitucional. Considerando-se que a interpretação das leis era uma tarefa específica dos juízes e que dentre essas leis se incluia a lei constitucional como «lei superior» (Corwin), estava aberto o caminho para a ideia de *judicial review*. Em caso de conflito entre duas leis a aplicar a um caso concreto, o juiz deve preferir a lei superior (= lei constitucional) e rejeitar, desaplicando-a, a lei inferior.

c) *Justiça do Estado*

Desenvolvida pela doutrina alemã, a justiça constitucional abrange hoje a «justiça do Estado» (*Staatsgerichtsbarkeit*) dirigida à solução jurisdicional de conflitos entre os poderes do Estado (ex.: entre o Estado e as regiões, entre os vários entes territoriais autónomos).

d) *A tradição de «justiça política» ou de «delitos do Estado»*

A atribuição, a um órgão jurisdicional, do conhecimento e julgamento de «atentados à constituição», radica na velha ideia anglo-saxónica do *impeachment*, isto é, na ideia de *crimes de responsabilidade* cometidos pelos órgãos supremos do Estado («alta traição», «atentados à constituição», «delitos ministeriais»).

e) *A ideia de regularidade de formação dos órgãos constitucionais*

Mais recentemente, a ideia de justiça constitucional enriqueceu-se com a atribuição, aos tribunais, do controlo da regularidade do *procedimento* de formação dos órgãos constitucionais eleitos por sufrágio directo e universal e do procedimento de certas formas importantes de expressão política (ex.: constitucionalidade e legalidade dos actos eleitorais, constitucionalidade e regularidade de referendos e de iniciativas legislativas populares).

f) *A ideia de «amparo»*

A justiça constitucional é hoje também um **amparo** para a defesa de direitos fundamentais, possibilitando-se aos cidadãos, em certos termos e

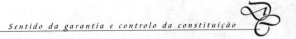

dentro de certos limites, o direito de recurso aos tribunais constitucionais, a fim de defenderem, de forma autónoma, os direitos fundamentais violados ou ameaçados (a justiça constitucional no sentido de «jurisdição da liberdade»). [11] É aqui que vêm entroncar institutos como os da *Verfassungsbeschwerde* alemã, o *recurso de amparo* hispano-americano e os *mandados de segurança e injunção* brasileiros.

g) A «justiça constitucional» ('Verfassungsgerichtsbarkeit')

Saliente-se, por último, a importantíssima influência no desenvolvimento da justiça constitucional moderna da ideia austríaca da **justiça constitucional autónoma** *(Verfassungsgerichtsbarkeit)*. Tratou-se de criar um tribunal especial com a função de controlar, de forma abstracta e concentrada, a constitucionalidade das leis, independentemente da existência de casos concretos submetidos aos tribunais, onde se suscitasse a aplicação prática da lei impugnada como inconstitucional.

As premissas teórico-jurídicas da «justiça constitucional» no figurino austríaco são conhecidas: configurava-se o ordenamento jurídico como uma pirâmide hierárquica de normas, garantindo-se a hierarquia normativa através do controlo da conformidade de normas de grau inferior com as determinantes normativas de grau superior. O controlo da conformidade das leis com o parâmetro normativo superior justificaria, nesta perspectiva, a existência de um Tribunal Constitucional[12]. «Uma constituição – afirmou em termos clássicos H. Kelsen – na qual não exista a garantia de anulabilidade dos actos inconstitucionais não é plenamente obrigatória em sentido técnico». A convergência de todas estas ideias explica, em grande medida, o leque de competências dos actuais tribunais constitucionais e permite recortar os grandes «campos problemáticos» da justiça constitucional.

---

[11] Trata-se de um instituto particularmente importante na cultura constitucional hispano--americana. Cfr., por ex., CASCAJO CASTRO/GIMENO SENDRA, *El Recurso de Amparo*, Madrid, 1985. Em geral, com especial incidência nos quadrantes latino-americanos: FIX ZAMUDIO, *La Protección Procesal de los derechos humanos ante las juridicciones nacionales*, Madrid, 1982; BREWER-CARIAS, *Estado de Derecho y Control Judicial*, Madrid, 1987.

[12] Cfr., por todos, KELSEN, «La garantie juridictionnelle de la Constitution», in *RDPSP,* 1928, pp. 197 e ss; KELSEN/TRIEPEL, *Wesen und Entwicklung der Staatsgerichtsbarkeit*, VVDSTRL (1929). Para uma visão de conjunto recente da justiça constitucional, cfr. A. PIZZORUSSO, «La Corte Costituzionale», in G. BRANCA (org.), *Commentario della Costituzione, Garanzie Costituzionali*, Roma, 1981; CAPPELLETTI/ COHEN, *Comparative Constitutional Law*, pp. 12 e ss; P. CRUZ VILLALON, *La Formación del Sistema Europeo de Control de Constitucionalidad (1918-1939)*, Madrid, 1987; GILMAR FERREIRA MENDES, *Controle de Constitucionalidade*, São Paulo, 1990.

3.2. Os «campos problemáticos» da justiça constitucional[13]

São muito heterogéneas as **funções da justiça constitucional**. A pontualização dos momentos relevantes na génese da justiça constitucional permite agora, em forma de síntese, individualizar os seus domínios típicos, ressalvando-se sempre, como é natural, as particularidades concretas de cada ordenamento jurídico-constitucional: (1) *litígios constitucionais ('Verfassungstreitigkeiten'),* isto é, litígios entre os órgãos supremos do Estado (ou outros entes com direitos e deveres constitucionais); (2) *litígios* emergentes da separação vertical (territorial) de órgãos constitucionais (ex.: federação e estados federados, estados e regiões); (3) *controlo da constitucionalidade* das leis e, eventualmente, de outros actos normativos *(Normenkontrolle);* (4) *protecção autónoma de direitos fundamentais ('Verfassungsbeschwerde', 'recurso de amparo');* (5) *controlo da regularidade de formação dos órgãos constitucionais* (contencioso eleitoral) e de outras formas importantes de expressão política (referendos, consultas populares, formação de partidos); (6) intervenção nos processos de averiguação e apuramento da *responsabilidade constitucional* e, de um modo geral, a «defesa da constituição» contra crimes de responsabilidade (*Verfassungsschutzverfahren*) [14].

C. Os Modelos de «Justiça Constitucional» [15]

I - Os modelos fundamentais

São vários os critérios que se podem adoptar para obter uma visão global dos diferentes tipos de controlo dos actos normativos.

---

[13] Cfr., por último, M. CAPPELLETTI, «Nécessité et Legitimité de la Justice Constitutionnelle», in L. FAVOREU (org.), *Cours constitutionnelles européennes et droits fondamentaux,* Paris, 1982, pp. 460 e ss; G. VOLPE, *L'ingiustizia delle leggi. Studi sui modelli di giustizia costituzionale,* Milano, 1977. Boa resenha problemática da posição do Tribunal Constitucional em: GARCIA DE ENTERRIA, «La Posición Juridica del Tribunal Constitucional Español: Posibilidades y Perspectivas», in El *Tribunal Constitucional,* Vol. II, pp. 23 e ss; P. LUCAS VERDU, «Política y Justicia Constitucionales. Consideraciones sobre la natureza y funciones del Tribunal Constitucional», in *El Tribunal Constitucional,* Vol. II, p. 1487; RUBIO LLORENTE, La *Forma del Poder,* 2.ª ed., 1997, pp. 373 e ss.

[14] Cfr. E. FRIESENHAHN, «Aufgabe und Funktion des Bundesverfassungsgerichts», in *Aus Politik und Zeitgeschichte,* 1969, pp. 3 e ss; *Verfassungsgerichtsbarkeit in der Gegenwart,* 1962, p. 111; K. STERN, *Das Staatsrecht,* Vol. II, pp. 978 e ss.

[15] Sobre toda esta matéria, cfr. JORGE MIRANDA, *Manual,* VI, pp. 21 ss.; OLIVEIRA BARACHO, *Processo Constitucional,* Rio de Janeiro, 1984, pp. 190 e ss.; F. FERNANDEZ SEGADO, *La Giustizia Costituzionale nel XXI secolo. Il Progressivo avvicinamento dei sistemi americano el europeo-kelseniano,* Bologna, 2003; C. BLANCO DE MORAIS, *Justiça Constitucional,* p. 281 ss.

Sob o ponto de vista organizatório, os modelos de justiça constitucional reconduzem-se a dois grandes tipos: (1) o **modelo unitário**; (2) o **modelo de separação**. Segundo o **modelo unitário**, a justiça constitucional não tem autonomia organizativo-institucional, considerando-se que todos os tribunais têm o direito e o dever de, no âmbito das acções e recursos submetidos a decisão do juiz, aferir da conformidade constitucional do acto normativo aplicável ao feito submetido a decisão judicial. Subjacente a esta concepção está a ideia de que a *jurisdição constitucional* não se distingue substancialmente das outras formas de jurisdição. Precisamente por isso, também não se justifica a existência de uma jurisdição especificamente competente para apreciar as questões da constitucionalidade. Este modelo unitário anda associado ao chamado controlo judicial difuso e é, ainda hoje, o modelo adoptado por um significativo número de países (Estados Unidos, Canadá, Austrália, Índia, Japão, Brasil, Suíça, Estados Escandinavos).[16]

No chamado **modelo de separação** a justiça constitucional é, sob o ponto de vista organizativo, confiada a um Tribunal especificamente competente para as «questões constitucionais» e institucionalmente separado dos outros tribunais. A ideia básica subjacente a este modelo é a de que a decisão de questões jurídico-constitucionais representa uma função jurisdicional em sentido material (não se trata, portanto, apenas de um problema político-constitucional). Existem, contudo, certas especificidades que justificam a autonomização institucional de um Tribunal Constitucional. Este modelo é, hoje, acolhido num apreciável número de Estados (Alemanha, Itália, Áustria, Portugal, Espanha, Bélgica, na maior parte dos países ex-socialistas e um número relevante de Estados sul-americanos como o Chile, Peru, Guatemala).

Deve salientar-se que se assiste hoje a uma "progressiva convergência"[17] dos modelos dentro do sistema binário básico a que nos acabamos de referir. O exemplo português é significativo quanto ao processo de "circulação, recepção e hibridação" do modelo unitário e do modelo de separação.

---

[16] Cf., M. Fromont, *La Justice Constitutionnelle dans le monde*, Paris, 1996; L. Pegoraro, *Lineamenti di giustizia costituzionale – Comparata*, Torino, 1998, p. 148 ss.

[17] Cf., por todos, F. Fernández Segado, *La Giustizia*, p. 75; Pegoraro/Reposo/Rinella, Scargiolia/Volpi, *Diritto Costituzionale e Pubblico*, Torino, 2003, p. 403 ss.

II - Quem controla: os sujeitos do controlo

1. Controlo político

O controlo da constitucionalidade dos actos normativos (sobretudo leis e diplomas equiparáveis) é feito pelos órgãos políticos (ex.: assembleias representativas).

Este sistema é também designado por «sistema francês». Não obstante Sieyès ter logo sugerido na Constituição do ano VIII a criação de um «Jury constitutionnaire», a concepção rousseauniano-jacobina da lei como instrumento da «vontade geral» manteve-se sempre aliada ao dogma da soberania da lei que só as próprias assembleias legislativas poderiam politicamente controlar (Senado, na Constituição do ano VIII, Senado na Constituição de 1852 e, de certo modo, o Comité Constitucional da Constituição de 1946). Ainda recentemente, R. de Lacharriére (cfr. *Pouvoirs*, 13, 1980, p. 134) escrevia interrogativamente «Comment la volonté nationale peut être liée par une de ses manifestations antérieurs, au prétexte que celle-ci à été inscrit dans un document spécial denommé constitution?».

Mas a inexistência de um controlo jurisdicional e a acentuação do controlo político não é apenas, como por vezes se defende, uma consequência das concepções rousseauniano-jacobinas. Ela é também típica da doutrina da soberania do Parlamento inglês. A posição paradigmática de Blackstone merece ser referida: *«The Power of Parliament is absolute and without control».* O restante constitucionalismo europeu, dominado pelo chamado princípio monárquico (*monarchisches Prinzip*), também acabou por reduzir a constituição a um simples esquema formal de competências e poderes do Estado no qual sobressaía, como titular pessoal da burocracia e do exército, o monarca. O poder monárquico surgia como um poder pré-constitucional, em relação ao qual a constituição não passava de um limite *a posteriori,* sem qualquer vinculatividade jurídica originária.

Em Portugal, o controlo político das leis domina durante o constitucionalismo monárquico. Só com a constituição republicana de 1911 (art. 63.º) é que se introduziu entre nós o sistema de controlo difuso, incidental e concreto. Todavia, na Constituição de 1933, o sistema do controlo político ressurgiu para as inconstitucionalidades orgânicas ou formais de diplomas promulgados pelo Presidente da República (art. 123.º)[18] (cfr. *supra*). Deve notar-se que a ideia de controlo dos actos do poder não surge *ex abrupto* com a fiscalização da constitucionalidade. *Vide*, precisamente, os institutos de protecção referidos por Maria da Glória Garcia, *Da Justiça Administrativa em Portugal*, p. 354, que se refere aos *embargos de nulidade* previstos nas Ordenações como um "antepassado não muito longínquo".

---

[18] Para o estudo da evolução do controlo da constitucionalidade em França, cfr. CL. FRANCK, *Les fonctions juridictionnelles du Conseil Constitutionnel et du Conseil d'État dans l'Ordre Constitutionnel*, Paris, 1974, pp. 43 e ss. Sobre a doutrina britânica da soberania do Parlamento, cfr. J. JENNINGS, *The Law and the Constitution*, 4.ª ed., 1955, pp. 136 e ss. Em Portugal, a evolução do controlo da constitucionalidade das leis pode ver-se em J. M. MAGALHÃES COLAÇO, *Ensaio sobre a inconstitucionalidade das leis no direito português*, Coimbra, 1915; JORGE MIRANDA, *Contributo para uma teoria da inconstitucionalidade*, Lisboa, 1968.

2. Controlo jurisdicional

a) *Sistema difuso ou americano*

No **sistema difuso** a competência para fiscalizar a constitucionalidade das leis é reconhecida a qualquer juiz chamado a fazer a aplicação de uma determinada lei a um caso concreto submetido a apreciação judicial.

A associação do sistema difuso ao constitucionalismo americano é justificada. Foi aí que, divergentemente da doutrina britânica da soberania do Parlamento, se desenvolveu a ideia de *higher law* como *background* do direito constitucional americano. Cfr., precisamente, Corwin, *The «Higher Law» background of American Constitutional Law*, 1928 (4.ª reimp., 1961). A noção jusnaturalista de *higher law* transfere-se para a constituição e daí que a soberania do órgão legislativo ordinário *(absolute and without control,* afirmava Blackstone) tivesse de desaparecer. «Não pode ser soberano – escreve Corwin – um corpo criador de direito que está subordinado a outro corpo criador de direito». Não bastava, porém, afirmar a superioridade da constituição perante a lei: era necessário reconhecer a *judicial review,* ou seja, a faculdade judicial de controlo da inconstitucionalidade das leis. É a evolução que se concretiza, finalmente, com a sentença do juiz Marshall no caso *Marbury v. Madison:* «*the constitution is superior to any ordinary act of the legislature*»; «*an act of the legislature repugnant to the constitution is void*». Cfr. Tribe, *American Constitutional Law,* pp. 21 e ss; Cappelletti/Cohen, *Comparative Constitutional Law,* pp. 5 e ss.

O sistema difuso de controlo é o sistema tradicional português. Foi introduzido na Constituição de 1911 (art. 63.º) por influência da Constituição Brasileira de 1891 (arts. 207.º e 280.º)[19].

b) *Sistema concentrado ou austríaco*

Chama-se **sistema concentrado** porque a competência para julgar definitivamente acerca da constitucionalidade das leis é reservada a um único órgão, com exclusão de quaisquer outros. Este tipo comporta uma grande variedade de subtipos: o órgão competente para a fiscalização tanto pode ser um órgão da jurisdição ordinária (ex.: Tribunal Supremo) ou um órgão especialmente criado para o efeito (ex.: um Tribunal Constitucional).

À ideia de um controlo concentrado está ligado o nome de Hans Kelsen, que o concebeu para ser consagrado na constituição austríaca de 1920 (posteriormente aperfeiçoado na reforma de 1929). A concepção kelseniana diverge substancialmente da *judicial review* americana: o controlo constitucional não é propriamente uma *fiscalização judicial, mas uma função*

---

[19] Para indicações sobre o controlo da constitucionalidade no período que medeia entre 1974 e a entrada em vigor da Constituição de 1976, cfr. JORGE MIRANDA, *Manual,* VI, pp. 129 e ss.; e, agora, *Manual,* VI, p. 100 e ss.; A. RIBEIRO MENDES, "O Conselho da Revolução e a Comissão Constitucional na fiscalização da Constitucionalidade das leis", in B. COELHO (org.) – *Portugal sistema político e constitucional,* 1974, 1987, pp. 925 e ss.

constitucional autónoma que tendencialmente se pode caracterizar como função de legislação negativa. No juízo acerca da compatibilidade ou incompatibilidade *(Vereinbarkeit)* de uma lei ou norma com a constituição não se discutiria qualquer caso concreto (reservado à apreciação do tribunal *a quo*) nem se desenvolveria uma actividade judicial.

Qualquer que seja a sua caracterização jurídico-constitucional, este sistema encontrou grande recepção no após-Guerra, estando consagrado na Itália, Alemanha, Turquia, Jugoslávia, Chipre, Grécia, Espanha e Portugal. Cfr. M. Hirch, *Verfassungsgerichtbarkeits und Politik*, 1979, p. 193; M. Cappelletti, *Il controlo giudiziario di costituzionalità delle leggi nel diritto comparato*, Milano, 1968, pp. 48 e ss; Jorge Miranda, *Manual*, VI, pp. 45 e ss.; Favoreu/Jolowicz, *Le contrôle juridictionnel*, 1986, pp. 17 e ss. De relevar, por último, a criação de tribunais constitucionais nos países ex-socialistas. Cf., M. Verdussen, *La justice constitutionnelle en Europe Centrale*, Bruxelles, 1997.

III - Como se controla: o modo do controlo

1. Controlo por via incidental

No **controlo por via de incidente** a inconstitucionalidade do acto normativo só pode ser invocada no decurso de uma acção submetida à apreciação dos tribunais. A questão da inconstitucionalidade é levantada, por *via de incidente*, por ocasião e no decurso de um processo comum (civil, penal, administrativo ou outro), e é discutida na medida em que seja *relevante* para a solução do caso concreto. Este controlo chama-se também controlo por *via de excepção*, porque «a inconstitucionalidade não se deduz como alvo da acção, mas apenas como subsídio da justificação do direito, cuja reivindicação se discute»[20].

Este controlo anda geralmente associado ao controlo difuso. O incidente da inconstitucionalidade pode suscitar-se em qualquer tribunal para efeitos de *desaplicação* da norma inconstitucional ao caso concreto. Mas é incorrecto dizer-se hoje que o controlo por via incidental se identifica com o controlo difuso. Como irá ver-se, em Portugal, o controlo difuso pode conduzir a um controlo concentrado através do Tribunal Constitucional. Noutros sistemas, o controlo concentrado pressupõe também o incidente da inconstitucionalidade, embora aqui o juiz (ao contrário do controlo difuso) se limite, como tribunal *a quo*, a suspender a acção fazendo subir a questão da inconstitucionalidade para o Tribunal Constitucional (ex.: sistema alemão, sistema italiano).

---

[20] Cfr. precisamente, RUI BARBOSA, *Os actos inconstitucionais do Congresso e do Executivo*, p. 82.

Sentido da garantia e controlo da constituição

2. Controlo por via principal

Chama-se **controlo por via principal** porque as questões de inconstitucionalidade podem ser levantadas, a *título principal*, mediante processo constitucional autónomo, junto de um Tribunal (Tribunal Constitucional, Tribunal Supremo) com competência para julgar da desconformidade dos actos – sobretudo normativos – de autoridades públicas. Neste tipo é consentido a certas e determinadas entidades a impugnação de uma norma inconstitucional, independentemente da existência de qualquer controvérsia.

O controlo por via principal tanto pode reconduzir-se a um *controlo abstracto de leis* ou actos normativos (cfr. art. 281.º da CRP) como a *uma garantia concreta de direitos fundamentais*. Este último caso é que se observa na *Verfassungsbeschwerde* alemã (acção constitucional de defesa) e no *recurso de amparo* mexicano e espanhol.

3. Controlo abstracto e controlo concreto

a) *Controlo abstracto*

Relacionado com o controlo concentrado e principal, o **controlo abstracto** significa que a impugnação da constitucionalidade de uma norma é feita independentemente de qualquer litígio concreto. O controlo abstracto de normas não é um processo contraditório de partes; é, sim, um processo que visa sobretudo a «defesa da constituição» e do princípio da constitucionalidade através da eliminação de actos normativos contrários à constituição. Dado que se trata de um *processo objectivo*, a legitimidade para solicitar este controlo é geralmente reservada a um número restrito de entidades (cfr. *infra*).

O controlo abstracto de normas pressupõe a separação entre *Prüfungsrecht* («direito de fiscalização») e *Verwerfungskompetenz* («competência de rejeição»). O direito de fiscalização judicial é, no fundo, um poder-dever de todos os tribunais e que consiste em os juízes controlarem a validade das leis na sua aplicação ao caso concreto que lhes compete decidir (cfr. CRP, art. 203.º). A competência para rejeição de normas pressupõe a fixação, com efeitos gerais, da inconstitucionalidade de uma norma, o que, naturalmente, implica um controlo concentrado num Tribunal. Cfr., Kelsen, "A garantia jurisdicional da Constituição", in *Sub Judice*, 20/21 (2001), p. 9 ss.

b) *Controlo concreto*

Associado ao controlo jurisdicional difuso e incidental, o **controlo concreto** é também chamado «acção judicial» (*Richterklage*). Trata-se aqui de dar

operatividade prática à ideia da *judicial review* americana: qualquer tribunal que tem de decidir um caso concreto está obrigado, em virtude da sua vinculação pela constituição, a fiscalizar se as normas jurídicas aplicáveis ao caso são ou não válidas.

O juiz Marshall, no caso *Madison v. Marbury*, explicou este pensamento da forma que se tornou clássica e que aqui transcrevemos na tradução de Rui Barbosa: «É, sem dúvida, da competência e dever do Poder judiciário interpretar a lei. Aqueles que a aplicam aos casos particulares devem, necessariamente, explaná-la, interpretá-la. Se duas leis se contrariam, os tribunais devem decidir sobre o seu âmbito de aplicação. Assim, se uma lei estiver em contradição com a constituição, e se tanto uma como outra forem aplicáveis ao caso, de modo a que o tribunal tenha de decidir de acordo com a lei desatendendo à constituição, ou de acordo com a constituição rejeitando a lei, ele terá, inevitavelmente, de escolher dentre os dois preceitos opostos aquele que regulará a matéria. Isto é da essência do dever judicial. Se, portanto, os tribunais devem observar a constituição, e se esta é superior a qualquer lei ordinária do poder legislativo, é a constituição e não a lei ordinária que há-de regular o caso a que ambos dizem respeito.»

IV - Quando se controla: o tempo do controlo

1. Controlo preventivo

Como critério de classificação elege-se aqui o momento da entrada em vigor do acto normativo. Se ele é feito quando a lei ou acto equivalente sujeito a controlo é ainda um «acto imperfeito», carecido de eficácia jurídica, diz-se que o controlo é **preventivo**.

O controlo preventivo, consagrado pela Constituição francesa de 1958 (art. 61.°), como o controlo mais importante exercido pelo *Conseil Constitutionnel*, é um controlo que se aproxima de um controlo político. Não se trata, por um lado, de um controlo sobre normas válidas, mas sobre projectos de normas. Por outro lado, o tribunal ou órgão encarregado deste controlo não declara a nulidade de uma lei; propõe a reabertura do processo legislativo para eliminar eventuais inconstitucionalidades. Um sentido aproximado se detecta, como se verá, no controlo preventivo consagrado na CRP (arts. 278.° e 279.°), mas, no nosso caso, trata-se de uma verdadeira decisão jurisdicional sobre a constitucionalidade de projectos de actos normativos (cfr. *infra*).

2. Controlo sucessivo

Na hipótese de o acto normativo ser um acto perfeito, pleno de eficácia jurídica, o controlo sobre ele exercido é um **controlo sucessivo** ou *a posteriori*. O exame de fiscalização de constitucionalidade fez-se, assim, num momento sucessivo ao "aperfeiçoamento" do acto normativo, isto é, à sua promulgação, referendo, publicação e entrada em vigor.

V - Quem pede o controlo: a legitimidade activa

1. Legitimidade «quisque de populo» e legitimidade restrita

Se a legitimidade para a impugnação da constitucionalidade for reconhecida a qualquer pessoa (*quisque de populo*) na forma de «acção popular» diz-se que há uma **legitimidade universal**.

Quando a legitimidade para a impugnação da constitucionalidade é reconhecida só a certas e determinadas entidades ou a certos e determinados cidadãos que se encontram em determinada relação com o processo, fala-se de **legitimidade restrita** (cfr. arts. 280.°/4, 281.°/2 e 283.°).

Pela inflação dos processos de controlo que a acção popular universal poderia originar, a regra é a da restrição da legitimidade, qualquer que seja o tipo de controlo. No controlo abstracto de normas, os titulares de legitimidade impugnatória são certas e determinadas entidades (Presidente da República, Provedor de Justiça, governos federais, uma fracção de deputados); no controlo difuso incidental a legitimidade está naturalmente circunscrita ao juiz, Ministério Público e partes na causa submetida a juízo. Sobre o problema da «participação dos cidadãos» no controlo da constitucionalidade, cfr., por último, J. Viguier, «La Participation des citoyen au processus de contrôle de la constitutionalité de la loi dans les projects français de 1990 et de 1993», in *RDP*, 4-1994, pp. 970 e ss.

2. Legitimidade «ex officio», legitimidade das partes, legitimidade de órgãos públicos

O princípio fundamental do processo do constitucional é o de que a questão da inconstitucionalidade só pode ser iniciada por determinadas pessoas – as pessoas com **legitimidade processual** – ou por determinados órgãos públicos (ou um número mínimo de titulares dos mesmos), mas nunca pelos próprios órgãos de controlo (cfr. *infra*). A impugnação da inconstitucionalidade não é iniciada *ex officio* pelos órgãos de controlo; estes aguardam a impugnação directa feita pelos órgãos constitucionalmente legitimados (controlo abstracto) ou pelas pessoas que num caso concreto são partes, ou, de qualquer modo, têm legitimidade processual activa (controlo incidental concreto, acção constitu-

cional de defesa). Esta regra, como vai ver-se em seguida, deve tomar em conta o dever de fiscalização dos juízes no controlo concreto, o que conduz, na prática, a consagrar uma legitimidade *ex officio* dos mesmos para examinar a censurabilidade constitucional da norma ou normas aplicáveis num feito submetido a decisão judicial.

Deve ter-se em atenção que o facto de os órgãos de controlo não poderem *ex officio* iniciar um processo de controlo de inconstitucionalidade, isso não significa necessariamente que o órgão de controlo, num processo perante si já levantado, não possa *ex officio* tomar conhecimento e suscitar o incidente da inconstitucionalidade, mesmo quando as partes o não tenham feito.

Na história do direito constitucional português podemos observar claramente estas duas hipóteses: (1) a legitimidade impugnatória reconhecida apenas às partes de um «feito submetido a julgamento» (art. 63.º da Constituição de 1911); (2) legitimidade activa de impugnação reconhecida também *ex officio* aos tribunais, mesmo que as partes não hajam suscitado o incidente de inconstitucionalidade (arts. 123.º da Constituição de 1933, e arts. 207.º e 280.º/1 da Constituição de 1976).

VI - Os efeitos do controlo

1. Efeitos gerais e efeitos particulares

Distingue-se entre um sistema em que o órgão competente para fiscalização da constitucionalidade anula o acto com eficácia *erga omnes (Allgemeinwirkung)* e um *sistema de desaplicação* com eficácia *inter partes*. No primeiro caso, diz-se que há **efeitos gerais**, pois o acto normativo, uma vez declarada a inconstitucionalidade, é eliminado do ordenamento jurídico; no segundo tipo, existem **efeitos particulares**, pois o acto normativo reconhecido como inconstitucional é desaplicado no caso concreto submetido à cognição do juiz, mas continuará em vigor até ser anulado, revogado ou suspenso pelos órgãos competentes.

O controlo com efeitos *inter partes* corresponde à clássica *judicial review*: os juízes exercem o seu *Prüfungsrecht* («direito de prova», direito de «fiscalização», direito de «exame») e controlam a validade da norma ou normas incidentes na solução do caso concreto. O controlo com eficácia *erga omnes* é próprio do controlo concentrado e corresponde ao exercício de uma *Verwerfungskompetenz* («competência de rejeição»). O Tribunal Constitucional ou órgão correspondente afirma-se como «defensor da Constituição», «legislando» negativamente, ou seja, eliminando do ordenamento jurídico a norma inconstitucional.

2. Efeitos retroactivos e efeitos prospectivos

Existem **efeitos prospectivos** quando se atribui à decisão de anulação uma eficácia *ex nunc,* no sentido de que o efeito da invalidade só começa a partir do momento em que seja declarada a inconstitucionalidade; fala-se de **efeitos retroactivos** ou de eficácia *ex tunc,* com efeitos retroactivos, próprios da nulidade em sentido técnico, quando a eficácia invalidante abrange todos os actos, mesmo os praticados antes da declaração da inconstitucionalidade (cfr. art. 282.º).

Em rigor lógico, a eficácia *ex nunc* seria própria do sistema concentrado. Como sustentou Kelsen, enquanto um Tribunal Constitucional não tiver declarado inconstitucional uma lei, este acto é válido e vinculante para os juízes e os outros aplicadores do direito. A declaração com efeitos *erga omnes* (típicos do acto legislativo) valeria apenas *pro futuro.* Já no caso de *judicial review* o efeito típico é o da nulidade e não da simples anulabilidade: a lei *desaplicada* por inconstitucional é nula porque desde a sua entrada em vigor é contrária à constituição, motivo pelo qual a eficácia invalidante se deveria tornar extensiva a todos os actos praticados à sombra da lei constitucional – daí o seu efeito *ex tunc.* Iremos ver que este rigor lógico nem sempre se mantém. Na Constituição portuguesa os efeitos do controlo concentrado são, por ex., efeitos *ex tunc* (cfr. art. 282.º/1 e 2). Sobre a necessidade de conciliar a regra da retroactividade e a regra da prospectividade, evitando efeitos nocivos e soluções radicais cfr. Cappelletti/Cohen, *Comparative Constitutional Law,* cit., pp. 98 e ss. Por último, entre nós, cfr. M. Rebelo de Sousa, *Valor Jurídico,* cit., pp. 39 e ss.

3. Efeitos declarativos e efeitos constitutivos

a) *Efeito declarativo*

Fala-se em **efeito declarativo** quando a entidade controlante se limita a declarar a nulidade pré-existente do acto normativo. O acto normativo é *absolutamente* nulo (*null and void*) e, por isso, o juiz ou qualquer outro órgão de controlo «limitam-se» a reconhecer declarativamente a sua nulidade. É o regime típico do controlo difuso.

b) *Efeito constitutivo*

Nos sistemas de controlo concentrado a regra geral consiste em atribuir à decisão de inconstitucionalidade um **efeito constitutivo**. O órgão que decide sobre a inconstitucionalidade *anula* um acto normativo que até ao momento da decisão é considerado como válido e eficaz. É o regime geral do controlo concentrado.

Como se acaba de explicar, o controlo concentrado, de acordo com as premissas teorético-jurídicas de Kelsen e de Merkl, parte da ideia de as "leis inconstitucionais" deverem ser consideradas como "leis constitucionais" até serem eliminadas do ordenamento jurídico por um órgão jurisdicional especial através de um "processo de cassação de normas" também específico. Esta doutrina é hoje recolhida pelos autores que opõem à tese clássica da "nulidade da lei inconstitucional" a tese da "declaração de invalidade". Cfr., por último, P. Hein, *Die Unvereinbarkeitserklärung verfassungswidriger Gesetze durch das Bundesverfassungsgericht*, 1988.

Referências bibliográficas

A) A COMPREENSÃO CONSTITUCIONAL DAS ESTRUTURAS DE GARANTIA E DE CONTROLO

Brewer-Carias, A. – *Estado de Derecho y Control Judicial*, Madrid, 1987.
D'Orazio, G. – *Soggetto privato e processo costituzionale italiano*, Torino, 1988.
Galeotti, S. – *Introduzione alla teoria dei controlli costituzionali*, Milano, 1963.
Kelsen, M. – «La garantie juridictionnelle de la Constitution», *RDPSP*, 1928, p. 197.
Medeiros, R. – *A Decisão de Inconstitucionalidade*, Lisboa, 1999.
Mezzanote, C. – *Corte Costituzionale e legitimazione política*, Roma, 1984.
Pizzorusso, A./G. Volpe/F. Sorrentino/R. Moretti – *Garanzie Costituzionali*, Bologna//Roma, 1981.
Rauschning, D. – *Die Sicherung der Beachtung von Verfassungsrecht*, Bad Hamburg, 1969.
Scheuner, U. – «Der Verfassungsschutz im Bonner Grundgesetz», in *Fest. für E. Kaufmann*, Stuttgart – Köln, 1950.
Venturi, L. – *Le Sanzioni Costituzionali*, Milano 1981.

B e C) A FISCALIZAÇÃO JUDICIAL COMO INSTITUTO DE GARANTIA E DE CONTROLO DA CONSTITUIÇÃO

Amaral, M. Lucia – *Responsabilidade do Estado e Dever de Indemnizar do Legislador*, Coimbra, 1998, pp. 314 e ss.
Betencourt, L. – *O Controle da Constitucionalidade das Leis*, 2.ª ed., Rio de Janeiro, 1968.
Belaunde, D. G./Segado, F. F. (org.) – *Jurisdición Constitucional en Iberoamérica*, Madrid, 1997.

Brünneck, A. V. – *Verfassungsgerichtsbarkeit in den Westlichen Demokratien*, Baden-Baden, 1992.

Cappelletti, M. – *Il controllo giudiziario delle costituzionalità delle leggi nel diritto comparato*, Milano, 1968.

Cattoni de Oliveira, M. – *Devido Processo Legislativo*, Belo Horizonte, 2000.

Cavalcanti, B. T. – *Do Controle de Constitucionalidade*, São Paulo, 1966.

Cléve, Clémerson – *A Fiscalização Abstracta de Constitucionalidade no direito brasileiro*, São Paulo, 1995.

Coelho, Sacha Calmon – *O controle da constitucionalidade das leis e do poder de tributar na Constituição de 1988*, Belo Horizonte, 1992.

Correia, F. A. – «A Justiça Constitucional em Portugal e em Espanha. Encontros e Divergências», in RLJ, 131, 235 segs.

Cruz Villalon P. – *La Formación del Sistema Europeu de Control de Constitucionalidad* (1918-1939), Madrid, 1987.

Dantas, Ivo – *O valor da Constituição. Do controle da constitucionalidade como garantia da supralegalidade constitucional*, Rio de Janeiro – São Paulo, 1996.

Enterria, E. G. – *La Constitución y el Tribunal Constitucional*, 2.ª ed., Madrid, 1981.

Favoreu/Jolowicz (org.) – *Le contrôle juridictionnel des lois*, Paris, 1986.

Ferreres, V. – *Justicia Constitucional y Democracia*, Madrid, 1997.

Fromont, M. – *La Justice Constitutionnelle dans le monde*, Paris, 1996.

Frota, Régis – *Derecho Constitucional y Control de Constitucionalidad en Latino América*, Fortaleza, 2000.

Hesse, K. – "Stufen der Verfassungsgerichtsbarkeit in Deutschland", in *JöR*, 46 (1998), pp. 1 e ss.

Korinek/Müller/Schlaich – «Die Verfassungsgerichtsbarkeit im Gefüge der Staatsfunktionen», in VVDSTRL, 1981.

– *Justiça Constitucional*, Revista *sub judice* 20/21 (2001).

Landa, C. – *Tribunal Constitucional y Estado Democrático*, Peru, 1999.

Landfried, Ch. (ed.) – *Constitutional review and legislation: an international comparaison*, Baden-Baden, 1988.

Lombardi, G. (dir.) – *Costituzione e giustizia costituzionale nel diritto comparato*, Rimini, 1985.

Luciani, M. – *Le decisioni processuali e la logica del giudizio costituzionale incidentale*, Padova, 1984.

Luther, J. – *Idee e storie della giustizia costituzionale nell' ottocento*, Torino, 1998.

Mendes, Gilmar F. – *Controle de Constitucionalidade*, São Paulo, 1990.

– *Jurisdição Constitucional*, São Paulo, 1996.

Miranda, J. – *Manual de Direito Constitucional*, VI, pp. 7 e ss.

Morais, C. B. – *Justiça Constitucional*, I, Coimbra, 2002.

Neves, M. – *Teoria da inconstitucionalidade das leis*, São Paulo, 1988.

Pegoraro, L. – *Lineamenti di giustizia costituzionale comparata*, Torino, 1998.

Pizzorusso, A. – "I sistemi di giustizia costituzionale: dei modelli alla prassi", in *Quad. Cost.*, 1982.

Ramos, Elival – *A inconstitucionalidade das leis*, São Paulo, 1994.

Rodrigues, J. J. Fernández, *La giusticia constitucional europea ante el siglo XXI*, Madrid, 2002.

Rousseau, D. – *La Justice Constitutionnelle en Europe*, 3.ª ed., Paris, 1982.

Rubio Llorente, F. – "La jurisdiccion constitucional como forma de creacion de derecho", *REDC*, 1988, pp. 25 e ss.

Ruggeri, A./Spadaro, L. – *Lineamenti di giustizia costituzionale*, Torino, 1998.

Sampaio, J. A. L. – *A Constituição Reinventada pela Jurisdição Constitucional*, Belo Horizonte, 2002.

Sánchez, J. A. – *Formación de la Constitución y Jurisdición Constitucional*, Madrid, 1998.

Segado, F. F. – *La giustizia costituzionale nel XXI secolo. Il progressivo avvicinamento dei sistema americano ed europeo-kelseniano*, Bologna, 2003

Veloso, Z. – *Controlo Jurisdicional de Constitucionalidade*, 3.ª ed., Belo Horizonte, 2003.

Capítulo 2

O Sistema de Controlo da Constitucionalidade na Constituição de 1976

Sumário

A. Memória e História

I - Constitucionalismo monárquico

II - Constituição de 1911

III - Constituição de 1933

IV - Regime pré-constitucional

V - Sistema originário da Constituição de 1976

VI - O sistema de fiscalização depois das revisões de 1982 e 1989

1. Revisão de 1982
2. Revisão de 1989

B. Caracterização Global do Sistema Português Vigente

I - Sistema misto complexo

1. O controlo difuso, concreto e incidental
2. O controlo abstracto de normas
3. O controlo de constitucionalidade por acção e por omissão

C. O Parâmetro de Controlo ou Determinação do «Bloco da Constitucionalidade»

1. A determinação do parâmetro constitucional
2. A parametricidade do direito suprapositivo
3. A parametricidade dos direitos fundamentais
4. A parametricidade das normas interpostas e pressupostas
5. «Direito da constituição» e «direito da lei»

D. O Parâmetro europeu de controlo ou determinação do bloco europeu de "juridicidade e de legalidade"

I - O parâmetro do direito comunitário

II - O parâmetro da Convenção Europeia dos Direitos do Homem

E. Objecto de Controlo: Actos normativos

1. Os actos normativos como objecto de controlo
2. Conceito funcional de norma
3. Catálogo dos actos normativos sujeitos a controlo
4. Catálogo dos actos jurídicos não sujeitos a controlo
5. Inconstitucionalidade e actos privados
6. Inconstitucionalidade das políticas públicas
7. Normas revogadas

F. As Sanções do Controlo

I - A construção clássica da inconstitucionalidade

1. A inconstitucionalidade como figura unitária
2. A teoria clássica das nulidades

II - A inconstitucionalidade no direito constitucional vigente

1. Inconstitucionalidade e nulidade
2. O problema em face da Constituição

III - O problema das «situações constitucionais imperfeitas»

1. Declaração de inconstitucionalidade sem as consequências da nulidade
2. Situação ainda constitucional mas a tender para a inconstitucionalidade
3. Interpretação em conformidade com a Constituição
4. Nulidade parcial

IV - Os vícios geradores de inconstitucionalidade

A. Memória e História

I - Constitucionalismo monárquico

O **direito de acesso directo dos juízes à Constituição** com o fim de averiguarem se um acto normativo infraconstitucional está em conformidade com as normas superiores da constituição só mereceu direito de cidade na Constituição republicana de 1911 (art. 63.°). Este facto não significou, porém, completa indiferença da doutrina e legislação portuguesas relativamente à «bondade» da submissão da lei ao controlo judicial, na senda da conhecidíssima tradição da *judicial review* do direito norte-americano, iniciada com o caso *Marbury v. Madison*. Não obstante a vincada influência do constitucionalismo francês no constitucionalismo português e do dogma, associado àquele, da preponderância do parlamento, o problema da fiscalização, pelos tribunais, dos «abusos legislativos» expressos em leis inconstitucionais, não deixou de colocar-se. O dogma de que só ao parlamento ou ao órgão por ele dominado competia avaliar da constitucionalidade ou inconstitucionalidade das leis – «o criador» e só ele pode ajuizar dos pecados das «criaturas» por ele geradas (leis) – tinha, mais tarde ou mais cedo, de se confrontar com o conhecido dilema que se colocava aos órgãos aplicadores das mesmas: ou afastar as normas desconformes com a constituição em nome da constituição considerada como lei superior, ou afastar a constituição por amor às leis e à soberania do parlamento [1].

Eis os termos plásticos e incisivos utilizados por um magistrado, em 1852, para colocar o problema: «os juízes prestaram juramento de observar, e fazer observar, a carta constitucional da Monarquia, e as leis do reino, e não podem abstrahir estas d'aquélla, no cumprimento dos seus deveres, estando obrigados a isso, a considerar, não só, se as partes, se os processos, se as acções, tem a qualidade de legítimas, mas, outrossim, se os diplomas, ou determinações, cujas theses devem aplicar as hypotheses dos autos, têm ou não, o cunho de lei» [2].

---

[1] Cfr., ARMANDO MARQUES GUEDES, Prefácio à obra colectiva dirigida por PIERRE LE BON, *La Justice Constitutionelle au Portugal*, Paris, 1989, p. 16; MARCELO REBELO DE SOUSA, *O valor jurídico do acto inconstitucional*, 1988, pp. 39 e ss; JORGE MIRANDA, *Manual*, II, pp. 391 e ss. Por último, MARIA DA GLÓRIA GARCIA, *Da Justiça Administrativa em Portugal*, pp. 354 e ss; RUI MEDEIROS, *A Decisão de Inconstitucionalidade*, pp. 47 e ss.; C. BLANCO DE MORAIS, *Justiça Constitucional*, I, p. 325 ss.

[2] Assim precisamente, SILVA FERRÃO, *Tratado sobre os direitos e encargos da sereníssima Casa de Bragança*, Coimbra, 1852, p. 253, cit. por MARQUES GUEDES, cit., p. 10.

Nos finais do século XIX, as coisas começavam a estar maduras para experiências legiferantes. Assim, uma proposta de Reforma Constitucional de 1900 (fracassada) atribuía aos juízes o poder de conhecerem da constitucionalidade das leis, dos decretos, dos regulamentos, das instruções e de quaisquer deliberações de corpos e corporações administrativas que fossem chamados a aplicar. No mesmo sentido – mas também sem êxito – o legislador ordinário tentou impor o dever do poder judiciário recusar a aplicação de leis não constitucionais (Decreto de 11 de Junho de 1907)[3].

II - Constituição de 1911

O art. 63.º da Constituição de 1911 representa a consagração formal do princípio da *judicial review* dos actos legislativos desconformes com a constituição. Costuma ver-se no texto da primeira constituição republicana o rasto da constituição brasileira de 1881 (que legitimou também, no Brasil, a implantação da República).

Cfr., por último, Cardoso da Costa, «*O Tribunal Constitucional Português: a sua origem histórica*», in Baptista Coelho (org.), *Portugal. O Sistema Político e Constitucional, 1974--1987*, 1988, p. 914. Em abono da verdade, deve dizer-se que a fiscalização judicial da constitucionalidade das leis foi consagrada logo na constituição provisória de 1890 do Brasil (art. 58.º, 1/a e b), e no Decreto 848, de 11 de Outubro de 1890). Os constituintes portugueses de 1911 não desconheciam também, certamente, a lei brasileira n.º 221, de 20 de Novembro de 1894, art. 13.º/10, onde se explicava: «Os juízes e os tribunais apreciarão a validade das leis e regulamentos e deixarão de aplicar aos casos ocorrentes as leis manifestamente inconstitucionais e os regulamentos manifestamente incompatíveis com as leis e a constituição». A doutrina reconhece que na consagração da *judicial review* no direito brasileiro teve especial influência o eminente jurista Rui Barbosa, *Os actos inconstitucionais do Congresso e do Executivo*, 1880, agora reproduzido em Rui Barbosa, *Trabalhos Jurídicos*, Rio de Janeiro, 1962, p. 54. Cfr. informações em Gilmar Ferreira Mendes, *Controle de Constitucionalidade*, São Paulo, 1990, pp. 170 e ss., e em Zeno Veloso, *Controlo Jurisdicional de Constitucionalidade*, p. 29 ss.

III - Constituição de 1933

O sistema de fiscalização difuso transitou para a Constituição de 1933 (art. 123.º). O controlo judicial era, porém, excluído, quando se tratasse de inconstitucionalidades orgânicas ou formais de diplomas carecidos de pro-

---

[3] O estudo destas tentativas e os desenvolvimentos doutrinais da época ver-se-á em J. M. T. de MAGALHÃES COLLAÇO, *Ensaio sobre a inconstitucionalidade das leis no direito português*, Coimbra, 1915, pp. 54 e ss; MARNOCO E SOUSA, *Direito Político*, Coimbra, 1910, p. 783.

mulgação do Chefe de Estado (leis da Assembleia Nacional e decretos do Governo). A revisão de 1971 abriu a possibilidade da fiscalização abstracta concentrada, confiando-a à Assembleia Nacional[4].

IV - Regime pré-constitucional

O sistema delineado na Constituição de 1933 depois da revisão de 1971 – sistema misto de controlo judicial difuso e controlo concentrado – influenciou as primeiras leis constitucionais do regime democrático emergente do 25 de Abril. A L 3/74, de 14-5, além de manter o sistema difuso, atribuiu ao Conselho de Estado competências para declarar com força obrigatória geral a inconstitucionalidade de quaisquer normas (art. 13.º/3). Quando se institucionalizou o Conselho da Revolução (L 5/75, de 14-3) passaram para este as competências até então atribuídas ao Conselho de Estado, dentre as quais se incluíam as de órgão de controlo concentrado da constitucionalidade (art. 6.º).

V - Sistema originário da Constituição de 1976

No texto originário da Constituição mantiveram-se as dimensões fundamentais consagradas nas leis constitucionais pós-25 de Abril – sistema misto de fiscalização judicial difusa e de fiscalização concentrada abstracta. Alguns traços originais são, porém, de salientar no modelo do texto constitucional primitivo de 1976: (1) criação de dois novos tipos de fiscalização: a fiscalização preventiva abstracta de actos legislativos ou equiparados e a fiscalização da inconstitucionalidade por omissão; (2) a criação da Comissão Constitucional como órgão de controlo, de composição e funções híbridas (órgão consultivo do Conselho da Revolução e instância de recurso para apreciação das questões de inconstitucionalidade suscitadas perante os tribunais).

---

[4] A experiência de fiscalização concreta quer na 1.ª República (Constituição de 1911), quer no Estado autoritário de 1933, é desconsoladora. Raras vezes os tribunais exerceram o seu direito de acesso à constituição. Ao caso não são alheias a instabilidade política e falta de enraizamento do instituto na Constituição de 1911 e o carácter autoritário do regime de 1933. Sobre o sistema na revisão de 1971, cfr. MIGUEL GALVÃO TELES, "A concentração de competência para o conhecimento judicial da constitucionalidade da lei", in *O Direito*, 103 (1971). Por último, cfr. ANTÓNIO ARAÚJO, *A Construção*, pp. 889 e ss.

VI - O sistema de fiscalização depois das revisões de 1982 e de 1989 [5]

O sistema de fiscalização da constitucionalidade dos actos normativos ganhou os contornos actuais com as revisões da constituição de 1982 e de 1989. A terceira (1992) e a quarta (1997) revisões deixaram imperturbados os esquemas jurídico-constitucionais de controlo da constitucionalidade.

1. Revisão de 1982

Com a revisão de 1982 ficou praticamente definido o actual sistema de fiscalização de constitucionalidade. O sistema complexo misto de controlo consolida-se como elemento estruturante mas, em substituição da Comissão Constitucional, criou-se um **Tribunal Constitucional**, configurado como verdadeiro órgão jurisdicional. As suas competências principais, como órgão de fiscalização, ficaram então definidas: (1) *órgão de controlo*, a *título principal*, das questões de constitucionalidade (e de alguns casos de ilegalidade), que lhe sejam apresentadas por certas entidades individualizadas na Constituição (art. 281.°); (2) *órgão jurisdicional* para, em *via de recurso*, apreciar as questões de inconstitucionalidade decididas, a título incidental, pelos tribunais nos feitos submetidos a julgamento.

2. Revisão de 1989

Não se verificaram modificações substanciais quanto ao sistema de fiscalização. Todavia, precisaram-se melhor as funções dos tribunais e do Tribunal Constitucional como «guardiões» do «bloco de legalidade reforçada» (arts. 280.°/2/*a* e 281.°/1/*a*) e definiu-se o esquema de fiscalização da nova categoria das leis orgânicas (art. 278.°) e dos referendos nacionais, regionais e locais (arts. 115.° e 223.°/2/*f*). Aproveitou-se ainda para definir e localizar com mais rigor o estatuto jurídico-constitucional do Tribunal Constitucional (arts. 221.° e ss).

3. Revisão de 1997

O sistema de fiscalização da constitucionalidade e da legalidade manteve a sua estrutura básica, não havendo alterações directamente incidentes

---

[5] Para maiores desenvolvimentos, cfr. JORGE MIRANDA, *Manual*, VI, pp. 123 e ss.

sobre os motivos constantes do Título I da Parte IV (Fiscalização da constitucionalidade). Note-se, porém, que outras alterações (ex.: individualização das leis reforçadas no art. 112.º/3 e alargamento do catálogo das leis orgânicas) acabam por ter refracções a nível do controlo da constitucionalidade e da ilegalidade.

B. Caracterização Global do Sistema Português Vigente

I - Sistema misto complexo

O modelo de controlo da constitucionalidade actualmente consagrado no direito português[6] reconduz-se a um esquema compósito. Caracterizamo-lo como **sistema misto complexo**, tendo em conta as dimensões subsequentes.

1. O controlo difuso, concreto e incidental

Consagra-se o controlo difuso, concreto e incidental dos actos normativos, na senda da tradição republicana portuguesa. A competência para fiscalizar a constitucionalidade das normas continua a ser reconhecida a todos os tribunais – judiciais, administrativos, fiscais – (cfr. arts. 204.º e 277.º) que, quer por impugnação das partes, quer *ex officio* pelo juiz ou pelo ministério público, julgam e decidem a questão da inconstitucionalidade das normas aplicáveis ao caso concreto submetido a decisão judicial. Sublinhe-se, porém, a **originalidade do sistema português**: (1) não se consagra o modelo puro de *judicial review* porque, como se salientará em seguida, existe também entre nós um sistema concentrado; (2) não se consagra um sistema de mero incidente de inconstitucionalidade, porque os tribunais têm acesso directo à constituição, com competência plena para decidir, e não apenas para apreciar e admitir o incidente, remetendo, como acontece em alguns sistemas – alemão, italiano –, a decisão para o TC. Neste sentido se afirma que, no actual sistema jurídico português, todos os tribunais, sem excepção, são *órgãos da justiça constitucional*[7].

---

[6] É conveniente ter presente a origem e formação do sistema de fiscalização, isto é, o sistema pré-constitucional. Sobre isso cfr. JORGE MIRANDA, *Manual*, VI, pp. 124 e ss; GOMES CANOTILHO/ VITAL MOREIRA, *Fundamentos da Constituição*, Cap. VI.

[7] Cfr., por ex., L. NUNES DE ALMEIDA, «A justiça constitucional...», p. 111. Sobre os vários modelos de fiscalização incidental, cfr. JORGE MIRANDA, *Manual*, VI, 105 e ss.; L. PEGORARO, *Lineamenti*, p. 39, caracteriza o sistema português como "quantum genus" (que engloba também a Grécia, a Rússia, a Estónia, e alguns países da América Latina, como o Perú, Equador, Paraguai, Guatemala, Colômbia).

2. O controlo abstracto de normas

Ao lado do controlo difuso e concreto – o controlo tradicional português de fiscalização da constitucionalidade – a Constituição de 1976 consagrou um *controlo concentrado e abstracto de normas*. Por **controlo de normas** entende-se o processo constitucional dirigido à fiscalização e decisão, com força obrigatória geral (com força de lei), do desvalor formal ou material de uma norma jurídica.

O controlo abstracto pode fazer-se antes (arts. 278.º e 279.º) de os diplomas entrarem em vigor – *controlo preventivo* – ou depois (arts. 280.º e 281.º) de as normas serem plenamente válidas e eficazes – *controlo sucessivo*.

<small>Na terminologia antiga falava-se também aqui de fiscalização jurisdicional ou judicial (*richterliches Prüfungsrecht*). Mas convém, como já se frisou, distinguir entre *Prüfungsrecht* ou *judicial review*, dos tribunais, e *Verwerfungskompetenz*, ou seja, competência para declaração geral e obrigatória da inconstitucionalidade de uma norma, concentrada num único órgão (Tribunal Constitucional).</small>

a) *Controlo preventivo*

Seguindo a tradição francesa, a Constituição de 1976 consagrou a possibilidade de um controlo abstracto preventivo de alguns diplomas legislativos (arts. 278.º e 279.º). Como já se assinalou, o sentido de um controlo que incida sobre *normas imperfeitas* não tem natureza idêntica à de um controlo jurisdicional incidente sobre normas já entradas em vigor. A decisão do Tribunal não consiste na *anulação* de normas mas sim na *proposta de veto* ou *reabertura do processo legislativo*.

b) *Controlo sucessivo*

O *controlo abstracto sucessivo*, também chamado controlo em «via principal», em «via de acção» ou em «via directa» (cfr. art. 281.º), existe quando, independentemente de um caso concreto, se averigua da conformidade de quaisquer normas com o parâmetro normativo-constitucional. O Tribunal Constitucional actua como «defensor da constituição» relativamente ao legislador e como órgão de garantia da hierarquia normativa da ordem constitucional.

3. O controlo da constitucionalidade por acção e por omissão

O controlo dos actos normativos violadores das normas e princípios constitucionais reconduz-se à fiscalização da *inconstitucionalidade por acção*,

918

que é a fiscalização típica exercida pelos tribunais (cfr. arts. 277.° e 282.°). Ao lado desta, existe a *inconstitucionalidade por omissão,* não muito frequente no plano comparativo-constitucional.

A Constituição portuguesa de 1976 é um dos raros textos constitucionais (cfr., também, Constituição Brasileira de 1988) a consagrar, *expressis verbis,* a possibilidade de uma inconstitucionalidade por omissão (art. 283.°), chegando ao ponto de considerar a fiscalização da constitucionalidade por omissão de normas jurídicas como um dos limites materiais de revisão (art. 288.°/*l*).

O reconhecimento da possibilidade de não cumprimento da constituição em virtude de um silêncio inconstitucional dos órgãos legislativos assenta no pressuposto da *superioridade formal e material da constituição relativamente à lei ordinária.* A lei constitucional impõe-se como determinante heterónoma superior e como parâmetro da constitucionalidade não só quando o legislador actua em desconformidade com as normas e princípios da constituição como quando permanece inerte, não cumprindo as normas constitucionalmente impositivas de medidas legislativas necessárias para a *concretização* da lei fundamental (cfr. *infra*).

C. O Parâmetro de Controlo ou Determinação do «Bloco da Constitucionalidade»

1. A determinação do parâmetro constitucional

Todos os actos normativos devem estar em conformidade com a Constituição (art. 3.°/3). Significa isto que os actos legislativos e restantes actos normativos devem estar subordinados, formal, procedimental e substancialmente, ao **parâmetro constitucional**. Mas qual é o estalão normativo de acordo com o qual se deve controlar a conformidade dos actos normativos? As respostas a este problema oscilam fundamentalmente entre duas posições: (1) o parâmetro constitucional equivale à constituição escrita ou leis com valor constitucional formal, e daí que a conformidade dos actos normativos só possa ser aferida, sob o ponto de vista da sua constitucionalidade ou inconstitucionalidade, segundo as normas e princípios escritos da constituição (ou de outras leis formalmente constitucionais); (2) o parâmetro constitucional é a *ordem constitucional global,* e, por isso, o juízo de legitimidade constitucional dos actos normativos deve fazer-se não apenas segundo as normas e princípios escritos das leis constitucionais, mas também tendo em conta princípios não escritos integrantes da ordem constitucional global.

Na perspectiva (1) o parâmetro da constitucionalidade (= normas de referência, bloco de constitucionalidade) reduz-se às normas e princípios da constituição e das leis com valor constitucional; para a posição (2), o parâmetro constitucional é mais vasto do que as normas e princípios constantes das leis constitucionais escritas, devendo alargar-se, pelo menos, aos princípios reclamados pelo «espírito» ou pelos «valores» que informam a ordem constitucional global.

A melhor forma de se discutir o problema das *normas de referência* ou do *parâmetro do controlo* é analisar alguns dos «elementos normativos» com que se pretende alargar o «bloco da constitucionalidade».

2. A parametricidade do direito suprapositivo

A ordem constitucional global seria mais vasta do que a constituição escrita, pois abrangeria não apenas os princípios jurídicos fundamentais informadores de qualquer Estado de direito, mas também os princípios implícitos nas leis constitucionais escritas.

Não estando aqui em causa o problema da validade material da ordem jurídica (= legitimidade material), mas apenas o de saber quais as normas e princípios a que os órgãos de controlo podem apelar para aquilatar da constitucionalidade ou inconstitucionalidade dos actos normativos, a resposta, em tese geral, é dada pela própria Constituição: só são inconstitucionais as normas que infrinjam as *normas e princípios consignados na Constituição* (cfr. arts. 3.º/3 e 277.º/1).

Mas o que deve entender-se por **princípios consignados na constituição**? Apenas os princípios constitucionais escritos ou também os princípios constitucionais não escritos? A resposta mais aceitável, dentro da perspectiva principialista subjacente ao presente curso, é a de que a consideração de princípios constitucionais não escritos como elementos integrantes do bloco da constitucionalidade só merece aplauso relativamente a princípios reconduzíveis a uma *densificação ou revelação específica* de princípios constitucionais positivamente plasmados (cfr. *infra*, Parte IV, Metódica Constitucional). O parâmetro da constitucionalidade não se reduz positivisticamente às regras e princípios escritos nas leis constitucionais; alarga-se, também, a outros princípios não expressamente consignados na constituição, desde que tais princípios ainda se possam incluir no âmbito normativo-constitucional. Vejamos alguns exemplos. *O princípio da proporcionalidade* ou do «uso moderado do poder» embora esteja explicitamente consignado na constituição apenas como princípio director da administração (cfr. art. 266.º/2 na redacção da LC 1/89), é também um subprincípio densificador do princípio constitucional do Estado de direito

Direito Constitucional

920

democrático (cfr. *supra*) e está claramente implícito em várias normas constitucionais (ex.: arts. 18.º/2, 19.º e 273.º/2). *O princípio da não retroactividade* só está expressamente consagrado como princípio constitucional em certas matérias (cfr. art. 18.º/3, 19.º/6, 29.º/1 e 2, 103.º/3), mas pode ter potencialidades normativas mais amplas quando considerado como princípio densificador do Estado de direito (cfr. *supra*). *O princípio da protecção da confiança* não tem relevo autónomo como princípio constitucional, mas pode e deve ser incluído no parâmetro constitucional como princípio concretizante do Estado de direito (cfr. *infra*, Parte IV, Cap. 1). *O princípio do não retrocesso social* ou princípio da «proibição da evolução reaccionária» não é um princípio constitucional expresso, mas contribui para a densificação das normas e princípios constitucionais referentes aos direitos económicos, sociais e culturais (cfr. *supra*).

Como se vê, só a constituição pode ser considerada como a *norma de referência ou parâmetro normativo* do controlo da constitucionalidade dos actos normativos. Saliente-se ainda: «é a constituição no seu todo, tanto, pois, no que toca às suas regras de competência e de procedimento legislativo, como aos seus princípios materiais e valores nela incorporados – que é tomada como padrão do julgamento da inconstitucionalidade»[8]. Todavia, e mais uma vez, o programa normativo-constitucional não se pode reduzir, de forma positivística, ao «texto» da constituição. Há que densificar, em profundidade, as normas e princípios da constituição, alargando o «bloco da constitucionalidade» a princípios não escritos desde que reconduzíveis ao programa normativo-constitucional como formas de densificação ou revelação específicas de princípios ou regras constitucionais positivamente plasmadas.

3. A parametricidade dos direitos fundamentais

O problema dos direitos fundamentais como parâmetro ou norma de referência a ter em conta no juízo de legitimidade constitucional não oferece grandes dificuldades numa constituição, como a portuguesa, consagradora de um amplo *catálogo* de direitos, abrangendo direitos, liberdades e garantias de direitos económicos, sociais e culturais. Todos eles são, sem qualquer dúvida, normas de referência obrigatórias em qualquer controlo da constitucionalidade dos actos normativos.

---

[8] Assim, precisamente, J. M. CARDOSO DA COSTA, «A Justiça Constitucional no quadro das funções do Estado, vista à luz das espécies, conteúdo e efeitos, das decisões sobre a constitucionalidade das normas jurídicas», in *VII Conferência dos Tribunais Constitucionais Europeus*, 1987, p. 51.

Os únicos problemas que se podem suscitar dizem respeito aos *direitos fundamentais não formalmente constitucionais,* isto é, os direitos constantes de leis ordinárias ou de convenções internacionais (cfr. art. 16.°). Todavia, ou estes direitos são ainda densificações possíveis e legítimas do âmbito normativo-constitucional de outras normas e, consequentemente, direitos positivo--constitucionalmente plasmados, e nesta hipótese, formam parte do *bloco de constitucionalidade,* ou são direitos autónomos não-reentrantes nos esquemas normativo-constitucionais, e, nessa medida, entrarão no *bloco da legalidade,* mas não no da constitucionalidade.

Deve salientar-se que este problema da parametricidade dos direitos fundamentais nem sempre se apresenta com a relativa facilidade do direito constitucional português. Muitas constituições datam do século passado, consagrando formalmente apenas direitos de um certo tipo, ou são particularmente parcimoniosas no elenco dos direitos fundamentais. Outras ainda, como a constituição francesa de 1958, reenviam para textos e preâmbulos de constituições anteriores, obrigando os aplicadores a uma delicada tarefa metódica para desvendar o exacto alcance do bloco da constitucionalidade no que se refere aos direitos fundamentais. Cfr. uma boa resenha do direito francês em F. Goguel, «Object et portée de la protection des droits fondamentaux. Conseil Constitutionnel Français», in L. Favoreu (org.), *Cours Constitutionnelles Européennes et Droits Fondamentaux,* Paris, 1982, pp. 225 e ss. Rubio Llorente, «El Bloque de Constitucinalidad, in *La Forma del Poder,* p. 63. Cfr., também, Cardoso da Costa, «A justiça constitucional...», cit., pp. 52 e ss. Por último, vide Marie-Claire Ponthoreau, *La Reconnaissance des Droits Non-Écrits par les cours constitutionnelles Italienne et Française. Essai sur le Pouvoir créateur du Juge Constitutionnel,* Paris, 1994.

4. A parametricidade das normas interpostas e pressupostas [9]

4.1. *Exemplos*

Existem casos de normas que, carecendo de forma constitucional, são *reclamadas ou pressupostas* pela constituição como específicas condições de validade de outros actos normativos, *inclusive* de actos normativos com valor legislativo. Para designar estas normas, a doutrina crismou-as, por sugestão da publicística italiana, de **normas interpostas**. Como exemplos típicos, mas sem carácter exaustivo, podem apontar-se os seguintes: (1) as leis de autorização (cfr. arts.

---

[9] Cfr. MODUGNO, *L'Invalidità delle Legge,* cit., Vol. II, pp. 79 e ss; CRISAFULLI, *Lezioni,* cit., Vol. II, 2, p. 119; ZAGREBELSKY, *La Giustizia Costituzionale,* Bologna, (1977), pp. 39 e ss; LAVAGNA, «Problemi di giustizia costituzionale sotto il profilo delle manifesta infondatezza», in *RISG,* 1955-56, p. 230, a quem se deve a fórmula de «normas interpostas». Cfr. G. NACCI, «Norme interposta e giudizio di costituzionalità», in *Giur. Cost.,* 1982, p. 1875; ZAGREBELSKY, *Il sistema delle fonti del diritto,* p. 141; MASSIMO SICLARI, *Le «Norme Interposte» nel giudizio di costituzionalità,* Padova, 1992.

112.º, 165.º/2 e 198.º/1/*b*), consideradas como parâmetro normativo--material de decretos-leis autorizados ou de decretos legislativos regionais autorizados (art. 227.º/1/*b*); (2) as leis de bases (art. 112.º/2) consideradas como normas de referência dos decretos-leis de desenvolvimento (art. 198.º/1/*c*) ou decretos legislativos regionais de desenvolvimento (art. 227.º/1/*c*); (3) as leis estatutárias regionais (art. 226.º) que servem de parâmetro material às leis da República e aos decretos legislativos regionais; (4) as normas de direito internacional, se e na medida em que se considerem como tendo valor paramétrico relativamente ao direito legal ordinário (cfr. art. 8.º/2); (5) os princípios fundamentais das leis gerais da República, consideradas como parâmetro material dos decretos legislativos regionais (arts. 112.º/4, 227.º/1/*a*); (6) as normas regimentais (regimentos), reclamadas como parâmetro material de validade do procedimento de formação das leis; (7) as leis especiais, materialmente determinantes de outras leis (art. 106.º/1, lei de enquadramento do orçamento).

Alguns destes casos mereceram expressa solução constitucional. A Constituição considera as leis estatutárias (3) e os princípios fundamentais das leis gerais da República (6) como parâmetros materiais a ter em conta no juízo de legitimidade de certos actos normativos e considera a relação de eventual desconformidade entre o parâmetro legal e os actos normativos a ele sujeitos como *ilegalidade* (cfr. arts. 280.º/2 e 281.º/1/*b*, *c* e *d*), susceptível de controlo pelo Tribunal Constitucional[10].

Noutros casos a constituição não deixa dúvidas sobre a existência de uma relação de conformidade necessária entre dois actos legislativos, como é o caso de (1) e (2), mas absteve-se de configurar ou qualificar juridicamente a relação de desvalor paramétrico entre decretos-leis autorizados violadores das respectivas leis de autorização, ou entre decretos-leis de desenvolvimento e as correspondentes leis de bases[11]. De acordo com o que se disse atrás, estas leis devem hoje (depois da 2.ª e 4.ª revisões da constituição) configurar-se como *leis de valor reforçado*, dando origem à ilegalidade dos actos legislativos com elas contrastantes (cfr. Ac. TC 371/91, *DR*, II, 10-12).

A hipótese prevista em (4) oferece mais dificuldades, dado que a constituição em parte alguma afirma a superioridade do direito internacional sobre o direito legal ordinário (cfr. *supra*). A elevação das normas de direito

---

[10] Ressalvam-se, como é óbvio, as hipóteses de violação directa da Constituição, caso em que haverá inconstitucionalidade ou não ilegalidade. Cfr. CICONETTI, «I limite 'ulteriori' delle delegazione legislativa», in *RTDP*, 1966, p. 568; PATRONO, «Decreti legislativi e controlo di costituzionalità», in *RDPC*, 1968, pp. 1012 e ss.

[11] Para simplificar as coisas estamos a pensar apenas nas hipóteses de as leis de bases incidirem em matérias de exclusiva competência da AR. Cfr., porém, *supra*, a referência mais global do problema.

internacional a parâmetro normativo do direito interno é, sobretudo, uma posição doutrinária, embora metodicamente fundada em preceitos constitucionais (cfr., sobretudo, art. 8.º). Aqui, por conseguinte, são dois os problemas: (*i*) demonstrar, em primeiro lugar, o valor paramétrico superior do direito internacional relativamente ao direito legal interno; (*ii*) em caso afirmativo, qualificar juridicamente a relação de desvalor paramétrico entre o direito internacional e o direito interno.[12]

O caso (6) constitui um exemplo tradicionalmente não considerado como hipótese merecedora de análise, em sede de determinação do parâmetro da constitucionalidade, dada a insindicabilidade dos actos *interna corporis*. Perante a atribuição de carácter normativo aos regimentos (cfr. *supra*) suscita-se, porém, a questão de saber se as normas regimentais não serão um padrão ou parâmetro normativo das leis (da AR) e dos actos legislativos regionais (das Assembleias Regionais), pelo menos para a delimitação dos contornos conceituais dos vícios *in procedendo* (vícios de procedimento) dos actos legislativos emanados de assembleias com competência legiferante.

Finalmente, no caso (7) podemos deparar com dois tipos de *leis reforçadas:* (*i*) leis reguladoras da produção de outras leis (ex.: art. 106.º – *lei de enquadramento* do orçamento); (*ii*) leis constitutivas de limites de outras leis (ex.: art. 167.º/3 – lei anual do Orçamento do Estado).

4.2. *Os modelos*

Como se vê, a fórmula **normas interpostas** serve para designar esquemas relacionais diversos ou, pelo menos, diversamente configurados pela constituição. Os esquemas seguintes tornam mais transparentes os *conjuntos normativos de referência.*[13]

4.2.1. *Parametricidade directa da Constituição*

MODELO I

Constituição = parâmetro de controlo

Acto normativo = objecto de controlo

---

[12] Tem sido um problema muito discutido na doutrina e jurisprudência portuguesas. Cfr., por último, ANTÓNIO DE ARAÚJO, "Relações entre o Direito Internacional e o Direito Interno", in *Estudos sobre a Jurisprudência do Tribunal Constitucional*, pp. 10 e ss.

[13] Cfr., os esquemas de controlo sistematizados por D. DUARTE/A. SOUSA PINHEIRO/M. LOPES ROMÃO/F. DUARTE, *Legística*, p. 101 ss.

Neste modelo, a constituição constitui o parâmetro directo de controlo, havendo uma *relação de desvalor directa* sempre que entre as normas constitucionais e os actos normativos hierarquicamente inferiores existam antinomias – **inconstitucionalidade directa**.

4.2.2. *Parametricidade interposta* – 1

MODELO II

- Constituição = parâmetro indirecto
- Norma interposta = parâmetro directo
- Acto normativo = objecto de controlo

O modelo II contempla as hipóteses de desconformidade entre um acto normativo e um outro de valor formal superior (mas de valor formal não constitucional) reclamado pela constituição como condição de validade (formal, procedimental ou substancial) do primeiro.

4.2.3. *Parametricidade interposta* – 2

MODELO III

- Constituição = parâmetro indirecto
  - Norma interposta – parâmetro directo
  - Acto normativo – objecto de controlo

O modelo III configura a hipótese de parametricidade existente entre dois actos normativos de igual valor, mas em que um deles é expressa ou implicitamente considerado pela Constituição como dotado de carácter determinante em relação ao outro (exs.: leis de bases, leis de autorização, leis estatutárias). Alguns autores (Jorge Miranda) configuram estas hipóteses como *relações de vinculação de carácter especial* entre actos legislativos.[14]

---

[14] Cfr. JORGE MIRANDA, *Manual de Direito Constitucional*, Tomo VI, p. 23.

4.2.4. *Parametricidade pressuposta*

MODELO IV

Constituição = parâmetro indirecto

Norma pressuposta (norma reforçada) → acto normativo objecto de controlo

O modelo IV pretende contemplar os casos de **pressuposição de normas** que se verificam quando a concretização do programa normativo pressupõe uma disciplina legislativa prévia condicionante das concretizações legislativas posteriores. É o caso de certas *leis reforçadas* (exs.: lei de enquadramento do orçamento em relação à lei anual do orçamento, lei anual do orçamento em relação às outras leis financeiras e fiscais, lei de modificação de autarquias em relação às leis concretamente criadoras, extintivas ou modificativas de autarquias locais) que, não obstante a paridade hierárquica com as leis concretizadoras e apesar de a constituição nada estabelecer relativamente ao seu valor paramétrico, são *pressupostas* como parâmetro.

A diferença entre os casos previstos no modelo III e os casos previstos no modelo IV radica no facto de, no primeiro, a constituição considerar *expressis verbis* dois actos legislativos com igual valor formal, mas de diferente hierarquia material; no segundo, a Constituição *pressupõe* que um acto legislativo tem de servir de parâmetro a outros actos de igual valor a fim de se executar ou concretizar o programa normativo-constitucional.

4.3. *As soluções do direito constitucional português*

A constituição portuguesa acolheu, depois da 2.ª revisão (LC 1/89), o sistema de referência normativo do modelo III, ao prever leis de valor reforçado e o desvalor da *ilegalidade* dos actos legislativos com elas desconformes (cfr. arts. 112.º/2, 166.º/2, 280.º/2/*a*, 281.º/1/*b*). O modelo IV de parametricidade *pressuposta* está inequivocamente subjacente à disciplina dos arts. 106.º, 255.º, 256.º e 296.º O modelo I não oferece quaisquer dificuldades, pois ele contempla as hipóteses normais de parametricidade directa da Constituição. O modelo II não encontrou expressão no ordenamento constitucional português. Ressalvava-se o Estatuto de Macau, pois a lei que o aprovou (L n.º 21/76) foi recebida como *lei constitucional,* mas a Constituição previa a sua alteração por lei ordinária (cfr. art. 292.°). Hoje, esta hipótese tem apenas interesse histórico.

5. «Direito da constituição» e «direito da lei»

5.1. *A construção clássica*

A teoria da fiscalização da constitucionalidade dos actos normativos (designadamente das leis) foi elaborada tendo em consideração duas premissas fundamentais: (1) quanto ao parâmetro: *inconstitucional* é toda a norma legal que viole os preceitos constitucionais; *ilegal* é todo o acto normativo que contrarie o direito plasmado em leis; (2) quanto aos efeitos: uma norma inconstitucional é *nula,* isto é, está ferida de nulidade absoluta. Interessa-nos, neste momento, a premissa (1), pois a premissa (2) será objecto da problemática do número seguinte.

A dicotomia *direito da constituição/direito da lei* continua a ser a pedra angular dos parâmetros de controlo de constitucionalidade e da legalidade. Nestes termos: (1) os actos normativos directamente violadores das normas e princípios da constituição estão feridos de *inconstitucionalidade* porque infringem o direito da constituição; (2) os actos normativos não directamente contrastantes com a constituição mas sim com outros parâmetros de natureza legislativa ordinária padecem de *ilegalidade,* dado violarem o direito da lei.

5.2. *O «direito da lei» como conjunto normativo complexo*

As normas interpostas e pressupostas impõem, hoje, uma configuração do «direito da lei» em termos mais complexos do que os delineados pela doutrina clássica.

MODELO I
Direito da lei na teoria clássica

- **Direito da lei** = direito constante de normas com valor de lei
- **Execução da lei** = através de actos regulamentares e complementares da lei
- Actos de conteúdo concreto e individual

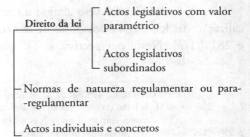

MODELO II
Direito da lei no esquema constitucional

Direito da lei
- Actos legislativos com valor paramétrico
- Actos legislativos subordinados

- Normas de natureza regulamentar ou para-regulamentar
- Actos individuais e concretos

No modelo clássico, o *controlo da legalidade* reduzia-se fundamentalmente ao controlo da conformidade ou desconformidade: (1) dos actos administrativos com os regulamentos e com as leis; (2) dos actos regulamentares com os actos legislativos.

No esquema constitucional vigente o «direito da lei» é mais complexo, pois abrange: (1) relações entre *direito legal/direito infralegal;* (2) relações entre *direito legal/direito legal.* A ilegalidade reconduz-se não apenas à violação da lei por actos inferiores à lei, mas também à violação da lei por outros actos de valor legislativo (*leis ilegais*).

5.3. As instâncias de controlo

O problema da qualificação do desvalor paramétrico não se confunde (ou não se deve confundir) com o problema da competência para o controlo da ilegalidade e da inconstitucionalidade. O **controlo da constitucionalidade** – aferição da conformidade ou desconformidade dos actos normativos com o parâmetro constituído pelas normas e princípios da constituição – é feito por todos os tribunais (controlo difuso) e pelo Tribunal Constitucional, nos termos estabelecidos pela CRP. O **controlo da legalidade** – aferição da conformidade ou desconformidade de actos normativos com o direito da lei – é feito: (*i*) pelos tribunais e pelo TC quando a ilegalidade resulta das relações de desvalor jurídico entre leis com valor reforçado e actos legislativos com elas desconformes (cfr. CRP, arts. 280.º/2/*a* e 281.º/1/*b*); (*ii*) pelos tribunais administrativos sempre que a ilegalidade resulte da violação da lei por actos normativos inferiores à lei ou por actos administrativos individuais e concretos[15].

Os problemas relacionam-se, hoje, com a extensão das *leis com valor reforçado*. Leis com valor reforçado são, desde logo, as leis orgânicas (art. 112.º/3). Todavia, a categoria de *leis reforçadas* é mais ampla como a doutrina já defendia perante o texto de 1989 e hoje resulta inequivocamente da redacção dada ao art. 112.º/3 pela LC 1/97[16].

A LC 1/89 veio alargar a competência do TC atribuindo-lhe a fiscalização das leis ilegais violadoras de leis com valor reforçado (cfr. arts. 280.º/2/*a* e 281.º/1/*b*). Nesta perspectiva, o TC passou a ser não apenas o defensor da

---

[15] Cfr. DL n.º 129/84, de 27 de Abril (Estatuto dos Tribunais Administrativos e Fiscais); DL n.º 268/85, de 16 de Julho (Lei de Processo nos Tribunais Administrativos e Fiscais).

[16] Cfr., em sentido idêntico, JORGE MIRANDA, *Funções, Órgãos e Actos do Estado*, 1990, cit., p. 289; "Lei" in *Dicionário Jurídico da Administração*, p. 386.

constituição perante actos do legislador, mas também o «guardião» de certas leis no confronto: (1) do Parlamento com o Governo (leis de bases/decretos-leis de desenvolvimento, leis de autorização/decretos-leis autorizados); (2) do parlamento e governo com as regiões autónomas (leis gerais da República, decretos legislativos); (3) das regiões autónomas em relação ao parlamento e governo (leis estatutárias); (4) da autovinculação do parlamento (lei de enquadramento do orçamento/lei anual).

O problema do *parâmetro* do controlo da inconstitucionalidade indirecta e da ilegalidade fora amplamente discutido pelo Tribunal Constitucional, constituindo a sua jurisprudência o mais importante repertório para o seu estudo. Embora os arestos jurisprudenciais incidam quase todos sobre questões relacionadas com o problema de primazia do direito internacional perante o direito interno, os desenvolvimentos doutrinais neles contidos relacionam-se com a problemática geral das leis ilegais. Cfr. Ac. 24/85, *DR*, II, 20-5-85; Ac. 41/85, *DR*, II, 114-85; Ac. 67/85, *DR*, II, 15-6-85; Ac. 66/85, *DR*, II, 1-6-85. Cfr., também, Parecer CC 12/82, *Pareceres*, Vol. 19.º e Ac. TC 27/84, *DR*, II, 4-7-84. Ac TC 156.º/85, *DR*, II, 7-1-86, Ac. 159.º/85, *DR*, II, 7-1-86.

D. O Parâmetro Europeu de Controlo ou Determinação do "Bloco Europeu de Juridicidade e de Legalidade"

I - O parâmetro do direito comunitário

O parâmetro de controlo não se reduz, hoje, ao *parâmetro da constitucionalidade e da legalidade reforçada*. É necessário ainda introduzir o **bloco europeu de juridicidade e de legalidade**. Por **bloco europeu de juridicidade e de legalidade** entende-se o complexo de regras e princípios (cf. TUE, art. 6) positivado nos tratados e noutras normas comunitárias. Estas regras e princípios comunitários constituem basicamente o **direito** comunitário cujo respeito e garantia é assegurado pelo Tribunal de Justiça da Comunidade (TUE, art. 220). Releve-se, de novo, que ele é dotado de aplicabilidade imediata na ordem jurídica dos Estados-membros e beneficia de primazia de aplicação. Estas duas notas – aplicabilidade imediata e primazia de aplicação – sugerem que no espaço jurídico interno figura agora um novo *parâmetro de controlo:* o parâmetro constituído pelo **bloco de juridicidade e legalidade comunitária**. Existe assim uma nova *medida*, um novo *parâmetro* de controlo, para os actos normativos interna e comunitariamente relevantes. A execução/concretização da primazia de aplicação do direito comunitário obriga as autoridades e tribunais nacionais a, no caso de conflito entre o direito interno e o direito comunitário, darem prevalência a este último. O *dever de interpretação* do direito nacional em conformidade com o direito comunitário e o *dever oficioso de não aplicação* do direito interno desconforme com o direito comunitário constituem os dois instrumentos metódicos básicos para assegurarem o primado de aplicação do direito comunitário e defender o bloco de juridicidade e legalidade comunitária.

Se quisermos ilustrar este novo parâmtro de controlo, poderíamos construir o modelo de parametricidade da seguinte forma.

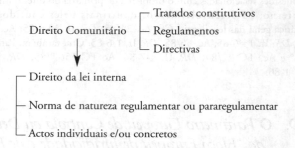

Deixamos aqui de fora o problema de saber (cfr. *supra*) se o próprio direito constitucional está submetido, em alguma medida, ao bloco de juridicidade e legalidade comunitária. Além disso, como já se disse atrás, afigura-se-nos necessária uma *selectividade normativa* das normas comunitárias, pois é inaceitável que *todos* os regulamentos e *todas* as directivas se transformem, sem mais, em parâmetro superior.

II - A Convenção Europeia dos Direitos do Homem

A **Convenção Europeia dos Direitos do Homem** é, formalmente, um tratado internacional. Tal como outros tratados de «relevância constituinte» (Pacto Internacional de Direitos Civis e Políticos, Pacto Internacional de Direitos Económicos Sociais e Culturais), as normas deste tratado levantam os problemas da inconstitucionalidade interposta (cfr. supra, B). A questão que se vem colocando na moderna literatura juspublicística é a de saber se a Convenção Europeia dos Direitos do Homem não se está a transformar numa *ordem jurídica* *específica e autónoma* que, à semelhança do que acontece com o direito comunitário europeu, tem validade imediata e prevalência de aplicação nas ordens jurídicas internas dos Estados membros. Esta evolução teria sido reforçada com a criação (1.11.1998) de um *Tribunal Europeu para os Direitos do Homem* (em substituição da Comissão Europeia e Tribunal Europeu dos Direitos do Homem), nos termos do Protocolo n. 11 Adicional à Convenção, de 11.5.1994. A vinculação dos estados às decisões deste Tribunal revelaria a tendência para a transformação do sistema europeu de protecção dos direitos do homem, através de um tribunal permanente, em jurisdição constitucional europeia [17].

Algumas destas sugestões pressupõem, de forma mais ou menos explícita, a elevação da *Convenção Europeia dos Direitos do Homem* ao escalão de direito constitucional.[18] Independentemente desta «recepção» do direito da Convenção no plano constitucional, não há dúvida de que, indirectamente (nas sentenças dos Tribunais e do Tribunal Constitucional), a Convenção Europeia e a respectiva jurisprudência do Tribunal Europeu para Direitos do Homem assumem as vestes de um «bloco de juridicidade» que alguns consideram expressão de uma «cultura constitucional europeia comum». Assim, por exemplo, o art. 6.º da Convenção referente ao direito a um processo equitativo e a jurisprudência do Tribunal Europeu sobre as dimensões do *due process* converteram-se num parâmetro de juridicidade incontornável na aplicação do direito interno.[19]

O problema que esta «leitura paramétrica» suscita é o de saber se *toda* a Convenção Europeia é parâmetro de controlo ou se é necessária uma *constitucionalização selectiva* de algumas das regras e princípios deste tratado internacional. Por enquanto, não há cobertura constitucional para a *constitucionalização do direito internacional pactício*. Isto explica a posição de alguma doutrina que prefere considerar alguns princípios da Convenção como revelação material mais perfeita e mais densa dos princípios constitutivos do ordenamento jurídico português em vez de elevar toda a convenção a parâmetro de controlo de grau constitucional.[20]

---

[17] Cfr. J. POLIZAKIEWICZ, *Die Verpflichtung der Staaten aus den Urteilen des Europäischen Gerichtshofs fur Menschenrechte*, Wien-New York, 1993. p. 217. Por último, cfr., por ex., VOLKE SCHLETTE, «Les Interactions entre la jurisprudences de la Cour Européenne des Droits de l'Homme et de la Cour Constitutionnelle Fédérale Allemande», in RFDC, 1996, p. 747 ss.

[18] Cf. entre nós, JORGE MIRANDA, *Manual*, II, p. 110, e *Manual*, VI, p. 164.

[19] Cf. DIMITRIS TSATOS, «Die Europäische Unionsgrundordnung», in EUGRZ, 1995, p. 387.

[20] Vejam-se as agudas considerações de TRIBE, *Taking Text and Structure Seriously*, p. 1225 ss.

E. Objecto de Controlo: Actos Normativos

1. Os actos normativos como objecto de controlo

Depois do estudo do *parâmetro* de controlo, impõe-se a análise do **objecto do controlo**. A primeira ideia a reter é a de que, no direito constitucional português vigente, objecto de fiscalização judicial são apenas as **normas**, mas todas as *normas,* independentemente da sua natureza, da sua forma, da sua fonte e da sua hierarquia. Diversamente de outros sistemas jurídicos, onde a fiscalização da constitucionalidade tem apenas por objecto as leis ou actos equiparáveis (*actos normativos primários*), o controlo de normas é, entre nós, extensivo a todos os actos jurídico-normativos vigentes na ordem jurídica portuguesa. Abrange, portanto, os chamados actos *normativos secundários* e *terciários,* como regulamentos e despachos normativos.

Um problema prévio e fundamental é o de saber em que consiste uma **norma ou acto normativo** para efeitos de controlo da constitucionalidade. Como *tópoi* orientadores desta complexa questão mencionar-se-ão os seguintes: (1) a qualificação como norma não depende, no direito constitucional português, de qualquer *forma* (lei, regulamento) específica, mas da sua *qualidade jurídica,* ou seja, da sua natureza material; (2) este requisito ou qualidade jurídico-material reconduz-se fundamentalmente à ideia de norma como: (*i*) *padrão* de comportamentos; (*ii*) *acto* criador de *regras* jurídicas para a decisão de conflitos. Em virtude da caracterização material das normas como *padrões* e *regras,* excluem-se do conceito de actos normativos os actos concretos de aplicação dos mesmos (actos administrativos, sentenças judiciais). A norma, para valer como norma juridicamente vinculante, deve ser criada por um *poder normativo* legitimado para criar padrões de comportamento e regras de decisão de conflitos[21].

2. Conceito funcional de norma

Os elementos caracterizadores de norma jurídica acabados de referir apresentam operacionalidade suficiente para, em geral, se decidir pela presença ou não de um *conteúdo e intencionalidade normativos* do acto subme-

---

[21] Esta caracterização de norma debate-se com problemas no caso de leis concretas que são, simultaneamente, regra e execução. A jurisprudência constitucional tem optado aqui por um critério formal. Cfr., por ex., Ac. TC 26/85, *DR*, II, 26-4-85; Ac TC 80/86, *DR*, I, 9-6-86, Ac. 168/88, *DR*, I, 11-06-88.

tido a controlo de inconstitucionalidade (ou de ilegalidade nos casos previstos na Constituição). No entanto, existem actos de contornos jurídicos incertos cujo controlo pelos tribunais para efeitos de eventual desaplicação ou anulação por motivos de inconstitucionalidade suscita justificadas perplexidades. Refiram-se, por exemplo, os tratados-contrato internacionais, os regulamentos de tribunais arbitrais, os regulamentos de disciplina de associações desportivas, as convenções colectivas de trabalho.

Perante as dificuldades suscitadas por casos como estes, a doutrina [22] e jurisprudência [23] constitucionais têm recorrido a uma *aproximação tópica* no sentido de captar um **conceito de norma funcionalmente adequado** *para efeitos de controlo judicial da constitucionalidade* (cfr. Acs. TC 26/85, 172/93, 659/95). Mas o que é um conceito de norma funcionalmente adequado? A resposta parece ser esta: o conceito de norma presente nos arts. 277.º, 280.º, 281.º e 208.º da CRP – especificamente respeitantes à fiscalização da constitucionalidade – é fundamentalmente um *conceito de controlo* ao qual está subjacente uma componente de protecção jurídica típica do Estado de direito democrático-constitucional. Esta componente de protecção-controlo há muito que foi sugerida por Kelsen quando defendeu a necessidade de, na interpretação de preceitos relativos à garantia jurisdicional da Constituição, dever ter-se em conta o interesse decisivo da lei fundamental na desaplicação ou eliminação de actos jurídicos contrários às normas constitucionais. Para este efeito – o controlo de constitucionalidade – a Constituição seleccionou, dentre a imensidade dos actos jurídicos, os *actos com conteúdo normativo*.

Em termos tendenciais, dir-se-á que a Constituição partiu de um conceito de norma reconduzível "a todo e qualquer preceito normativo, independentemente do seu carácter geral e abstracto ou individual e concreto, e, bem assim, de possuir, neste último caso, eficácia consuntiva, isto é, de dispensar em acto de aplicação". [24] Pela jurisprudência do Tribunal Constitucional verifica-se, porém, a adopção de uma perspectiva pragmática, traduzida no recurso a elementos ou dimensões possibilitadores da decisão sobre a existência ou não de um acto normativo susceptível de controlo no caso submetido à apreciação do tribunal. Quais as dimensões ou elementos que poderão servir de arrimo para reconhecer num acto jurídico um conteúdo e intencionalidade normativos?

---

[22] Cfr., GOMES CANOTILHO/VITAL MOREIRA, *Fundamentos da Constituição*, Cap. VI; *Constituição da República*, pp. 984 e ss; JORGE MIRANDA, *Manual*, VI, pp. 152 e ss.
[23] Cfr., por último, Ac. TC 16/97, *DR*, II, 28-2-97.
[24] Assim, precisamente, CARDOSO DA COSTA, *A jurisdição constitucional em Portugal*, 2.ª ed., 1992, p. 24, nota 25. Cfr., também, LOBO ANTUNES, «Fiscalização abstracta da Constitucionalidade», p. 409.

Como "critérios" de descoberta [25] de um *conceito de norma constitucionalmente adequado* para efeitos de controlo poderão inventariar-se a *normatividade*, a *imediação constitucional*, a *heteronomia normativa* e o *reconhecimento normativo jurídico-público*.

A primeira dimensão – a *normatividade* – leva-nos a recortar como actos normativos os actos de "criação normativa" (mesmo que sejam apenas actos modificativos ou revogatórios de normas) por oposição aos actos de "aplicação normativa".

A segunda dimensão – *imediação* das normas e princípios constitucionais como parâmetro de controlo – actua, de modo positivo, fazendo reentrar no conceito de norma os actos normativos que violem directamente a constituição, e, de modo negativo, excluindo do âmbito de controlo os actos normativos que só de forma indirecta ofendem as normas constitucionais.

Uma outra dimensão – *a heteronomia normativa* – serve para "testar" se, no caso concreto, existe um padrão de comportamento heteronomamente determinado, isto é, dotado de vinculatividade não dependente da vontade dos destinatários.

O apelo ao *reconhecimento normativo* jurídico-político justifica-se nos casos em que existe uma norma baseada na autonomia privada – actos normativos privados – mas reconhecida pelos poderes públicos como heteronomamente vinculante, impondo-se mesmo a terceiros ou a sujeitos não intervenientes na produção do acto normativo. É o caso das convenções colectivas de trabalho [26]. Noutros casos, o reconhecimento jurídico-público impõe-se não porque se trate de actos de normação privada mas porque se trata de actos emanados de outras ordens públicas (ex.: ordens estrangeiras, ordens eclesiásticas).

É a intencionalidade normativa que justifica o alargamento do controlo de constitucionalidade a leis-medida e a leis-individuais (exs.: Acs. TC 80/86, 157/88, 152/93), a tratados-contrato internacionais (ex.: Ac. 168/88), a resoluções da AR suspensivas de decretos-leis (Ac. 405/87).

---

[25] Critério de descoberta "normativa" e não critério de "justificação" da própria retórica argumentativa. Seguimos aqui o importante esforço teórico do Cons. José de Sousa Brito, no voto de vencido do Ac. 172/93. Cfr., agora, o rastreio teórico de Lícinio Martins "O conceito de norma na jurisprudência do Tribunal Constitucional", p. 599 ss.

[26] Por isso nos parece incorrecta a doutrina dos Acs. TC 172/93, de 18-6-93, 637/98, 697/98, 492/2000, e nos merece aplauso a opinião vencida do Conselheiro José de Sousa Brito, junta ao mesmo Acórdão e depois acolhida nos Acórdãos 214/94, 368/97, 224/98. Cfr., porém, Ac. TC 294/94, 19-7-94. Por último, aprofundando o sentido do texto e salientando o carácter decisivo da heteronomia normativa no apuramento do conceito de norma, cfr., Lícinio Martins, "O Conceito de norma...", p. 616; J. C. Vieira de Andrade, "A Fiscalização da constitucionalidade de normas privadas...", in RLJ, n.º 133 (2001), p. 357 ss.

O Ac. 26/85 considerou um regulamento de arbitragem como norma susceptível de controlo devido ao facto de ter como parâmetro imediato a constituição. Já os Acs. 185/92, 351/92, 162/93, relativos a normas contrastantes com convenções internacionais, negaram a existência de normas sujeitas a controlo, dado elas só de forma indirecta infringirem normas da Constituição no caso concreto.

A inexistência de heteronomia normativa serviu para afastar do controlo de constitucionalidade normas criadas pela autonomia privada (exs.: Acs. TC 156/88, relativo a um regulamento da CP – Caminhos de Ferro Portugueses, EP, destinado à prevenção e combate do alcoolismo, e 472/89, incidente sobre o regulamento da Federação Portuguesa de Futebol).

3. Catálogo dos actos normativos sujeitos a controlo

Perante o conceito de norma jurídica acabado de explicitar – de resto, o único compatível com a abertura constitucional portuguesa relativamente à possibilidade de controlo de quaisquer normas –, não admira a heterogeneidade dos actos normativos constitutivos do *catálogo* de actos susceptíveis de controlo de constitucionalidade.

a) *As leis de revisão constitucional*

As **leis constitucionais** (=leis de revisão constitucional) podem ser inconstitucionais por violarem as normas reguladoras do processo de revisão bem como as normas fixadoras dos limites materiais e temporais da revisão. Consequentemente, podem constituir *objecto* de controlo da constitucionalidade segundo os princípios gerais da fiscalização das normas primárias [27].

b) *Direito internacional e direito supranacional*

As **normas do direito internacional** e do **direito supranacional** podem constituir objecto de controlo nos termos já referidos. Recorde-se que as normas de convenção internacionais podem ser sujeitas a todas as formas de fiscalização, incluindo a fiscalização preventiva (art. 278.°), mas o mesmo não acontece com as normas de organizações internacionais dado elas não dependerem de ratificação.

---

[27] Neste sentido, cfr. GOMES CANOTILHO/VITAL MOREIRA, *Fundamentos da Constituição*, p. 296; JORGE MIRANDA, *Manual*, II, p. 189. Por último, cfr. MARCELO R. DE SOUSA, *Valor Jurídico*, cit., pp. 288 e ss. No direito italiano, cfr. A. PIZZORUSSO, «Revisione della Costituzione», in BRANCA (org.), *Commentario della Costituzione, Garanzie Costituzionali*, Roma, 1981, pp. 726 e ss.

c) *Actos legislativos*

Os **actos legislativos** – as leis, os decretos-leis e os decretos legislativos regionais (= actos legislativos = actos normativos primários –, constituem os actos normativos sujeitos a todos os tipos de controlo e formam o grupo normativo justificativo da tradicional designação do controlo – *controlo da constitucionalidade das leis*. Hoje deve dizer-se *controlo de normas*.

d) *Regimentos das assembleias*

Os **regimentos das assembleias**, embora constituam actos normativos atípicos, são, contudo, *normas* para efeitos do controlo da constitucionalidade (cfr. Ac. TC 63/91, *DR*, II, 3-7), mas deve ter-se em conta a existência de alguns problemas e especificidades.

e) *Actos normativos da administração*

Os **actos normativos editados pela administração** no exercício de funções administrativas podem constituir o objecto de controlo da constitucionalidade. Incluem-se aqui todos os *actos regulamentares típicos,* qualquer que seja a entidade de que emanem (Estado, Regiões Autónomas, Autarquias Locais) [28], bem como os actos *para-regulamentares* (resoluções, instruções, directivas, despachos) desde que preencham as características de norma jurídica nos termos atrás referidos.

f) *Resoluções normativas da AR e das assembleias regionais*

As **resoluções da AR e das assembleias regionais** quando revistam carácter normativo (cfr. *supra*), como é o caso de resoluções de aprovação de tratados, de recusa ou suspensão de ratificação de decretos-leis (cfr. art. 172.º), obedecem aos princípios gerais de controlo dos actos normativos. Cfr. Acs. TC 405/87, 184/89, 63/91, 64/91.

---

[28] São ainda de incluir os regulamentos das administrações autónomas (associações públicas) e dos demais órgãos do Estado com poderes regulamentares ou estatutários.

g) *Actos normativos do PR*

Salientou-se atrás (cfr. *supra*) a existência de **decretos do PR** aos quais é atribuído um verdadeiro sentido normativo (ex.: decreto de declaração do estado-de-sítio ou de emergência). Revestindo a natureza material de normas, ficam sob a alçada do controlo de constitucionalidade.

h) *Normas referendárias*

Os **referendos locais e regionais** (arts. 232.º/2 e 240.º/1) podem incidir sobre a aprovação de normas (dentro dos limites constitucionalmente estabelecidos para os poderes regulamentares locais).

Quando os referendos locais e regionais consistirem na aprovação de normas, eles assumem o carácter de acto normativo sujeito a fiscalização de constitucionalidade. Quanto ao referendo nacional, cfr. *supra*.

i) *Convenções colectivas de trabalho*

Os **contratos e acordos colectivos de trabalho** têm um valor normativo pelo menos equivalente ao das portarias regulamentares (cfr. art. 57.º/4 da CRP). Como actos normativos, e na parte em que têm valor normativo, estão sujeitos ao controlo de constitucionalidade.

Embora contenham actos normativos, alguma doutrina tende a negar a possibilidade de fiscalização de inconstitucionalidade dado que a reserva de autonomia sindical e o direito à contratação colectiva não são suficientes para substituírem a lei nas questões fundamentais das relações de trabalho. Todavia, se, entre nós, a lei pode estabelecer regras quanto à eficácia das normas constantes dos contratos colectivos de trabalho e se essa eficácia pode ir ao ponto de conferir *valor normativo* aos actos em questão, parece que estaria preenchido um dos requisitos objectivos para se suscitar a questão de inconstitucionalidade: existência de um *acto normativo*. Os problemas surgem sobretudo em relação à legitimidade passiva, em virtude da inexistência de representação unitária. Cfr. Mortati, *Istituzioni*, Vol. II, p. 1404; Crisafulli, *Lezioni*, 11/2, p. 305. O processo de declaração da inconstitucionalidade de normas não é um processo contraditório, deixando de ser argumento decisivo, contra a admissibilidade de fiscalização de inconstitucionalidade, a não definição da legitimidade processual passiva. O que se diz dos contratos deve aplicar-se às *portarias de regulamentação de trabalho*. Estas contêm também normas cuja constitucionalidade pode ser discutida perante os tribunais e o Tribunal Constitucional. Jorge Miranda, *Manual*, I, p. 347, restringe a possibilidade de controlo a estes últimos actos normativos (portarias de regulamentação do trabalho) e exclui os contratos colectivos de trabalho. Com esta restrição afasta, porém, o controlo da própria parte normativa das convenções colectivas – e só essa está aqui em causa – o que parece em desacordo com a «abertura» da fiscalização da constitucionalidade a quaisquer normas, independentemente do diploma em que estiverem contidos. Isto não é invalidado pelo facto de se tratar de normas criadas pela autonomia privada, pois as convenções colectivas transportam normas jurídico-heteronomamente vinculativas sendo esta vinculatividade reconhecida pelos poderes públicos (cfr., por último, Acs. TC 172/93 e 209/93). Neste sentido, cfr. Vitalino Canas, *Introdução às decisões de provimento do Tribunal Constitucional*, Lisboa, 1984, p. 60, nota 54; Gomes Canotilho/Vital Moreira, *Fundamentos da Constituição*, Cap. VI; *Constituição da República*, p. 985; Barros Moura, *A Convenção Colectiva entre as Fontes de Direito de Trabalho*, 1984, pp. 125 e ss. No plano jurisprudencial, favorável ao sentido do texto, cfr. Ac. TC 214/94, 19-7-94. Recentemente, o TC voltou a recusar tomar conhecimento de um recurso pelo facto de as normas das convenções colectivas de trabalho não estarem sujeitas a fiscalização concreta da constitucionalidade da competência do Tribunal Constitucional (cfr. Ac 284/99, de 5.5., in *Acórdãos*, 43 (1999), p. 475). No sentido do texto, cfr., por último, J. C. Vieira de Andrade, "A Fiscalização da Constitucionalidade de Normas Privadas pelo Tribunal Constitucional", in RLJ, p. 133 (2001), p. 363.

j) *Assentos*

Os *assentos* eram normas materiais "recompostas" através de uma decisão jurisdicional ditada pelo Supremo Tribunal de Justiça sempre que houvesse contradição de julgados sobre as mesmas questões de direito no domínio da mesma legislação. Hoje, o problema deixou de ter interesse, pois o DL 329-A/95, de 12-12 (Reforma do Processo Civil), revogou os arts. 763.º a 770.º do Código de Processo Civil reguladores do recurso para o Tribunal Pleno eventualmente conducente ao assento, e o art. 4.º/2 do mesmo diploma revogou o art. 2.º do Código Civil onde se considerava o assento como "fonte de direito". O TC também já se havia pronunciado pela inconstitucionalidade dos assentos (cf. Ac. TC 743/96, 18-9-96).

Alguns dos desejáveis efeitos dos assentos – uniformização da jurisprudência, certeza e segurança no direito – são obtidos pelos recursos da «revista ampliada» (Cód. Processo Civil, art. 732.º-A, na redacção do Dec.-Lei n.º 329-A/95, de 12-12, Cód. Proc. Penal, arts. 437.º e ss). Estas sentenças de uniformização de jurisprudência não possuem já a força vinculativa genérica dos antigos assentos e estão sujeitos ao princípio da revisibilidade. Assim, nos termos do DL 329-A/95 (art. 17.º-2), os «assentos já proferidos» passaram a ter o valor dos acórdãos proferidos nos termos dos arts. 732.º-A e 732.º-B do Código de Processo Civil revisto.[29] Uma problemática semelhante à do assento suscita-se hoje no Brasil a propósito do chamado *efeito vinculante das decisões judiciais* ou *súmulas vinculantes*. Trata-se de uma proposta feita em sede de revisão constitucional e que se destina a descongestionar os processos junto da STF e a assegurar alguma uniformização da jurisprudência. De novo se coloca a questão central destas decisões: se aspirarem a constituir uma forma de *legislatio* com efeito vinculante geral e obrigatório, é difícil compatibilizá-las (salvo credencial constitucional expressa) com o princípio da separação de poderes. Se elas forem apenas

---

[29] Há quem ponha em dúvida a constitucionalidade desta norma. Cfr. MENEZES CORDEIRO, "A inconstitucionalidade da revogação dos assentos", in J. MIRANDA, *Perspectivas Constitucionais*, I, pp. 797 e ss.

vinculantes para os tribunais integrantes da mesma ordem e susceptíveis de revisão (nos termos fixados por lei) a sua configuração ainda é a de um acto de *jurisdição* destinado a dizer-se o direito e a assegurar uma tendencial uniformização.

l) *Estatutos das associações públicas*

Com guarida constitucional inequívoca no actual texto da constituição (art. 267.°/1 e 3), as associações públicas têm poder normativo autónomo (desde logo o de elaborar os próprios estatutos), estando os actos por elas produzidos no âmbito da sua autonomia e que revistam o carácter de normas sujeitos ao controlo da constitucionalidade [30]. Embora não sejam normas de associações públicas, devem incluir-se aqui os *estatutos e regulamentos de partidos políticos*. Os partidos políticos são associações privadas com relevantes funções constitucionais, justificando-se que as suas normas estatutárias e regulamentares sejam objecto de fiscalização da constitucionalidade porque: (1) são jurídico--heteronomamente vinculantes para os seus membros e para terceiros (funcionários); (2) têm imediaticidade constitucional (cfr., CRP, arts. 51.°/5/6 e 223.°/2/*h*/*g* e LTC, arts. 103.°-A, 103.°-B, 103.°-C, 103.°-D e 103.°-E) a ponto de a constituição prever o controlo de alguns actos ou acções que, indirectamente, radicam em normas estatutárias ou regulamentares dos partidos (cfr., CRP, arts. 223.°/2/*e* e *h*), elas mesmo inconstitucionais.

4. Catálogo de actos jurídicos não sujeitos a controlo de constitucionalidade

4.1. *Actos administrativos*

Das considerações antecedentes verifica-se a exclusão do controlo constitucional, ou melhor, de fiscalização judicial da constitucionalidade, de actos jurídico-públicos não reentrantes no conceito de acto normativo. Referimo-nos, sobretudo, à categoria dos *actos administrativos* e à categoria das *decisões jurisdicionais*. A não inclusão destes actos no leque dos candidatos positivos enquadráveis na categoria jurídico-constitucional de *norma* ou *acto normativo* não significa a impossibilidade de tais actos violarem directamente a constitui-

---

[30] Excluem-se do controlo da constitucionalidade as normas de natureza privada (regulamentos de associações, regulamentos de empresa). Se infringirem a Constituição são actos ilícitos, susceptíveis, como tais, de impugnação judicial, mas não de controlo da constitucionalidade. Cfr. GOMES CANOTILHO/VITAL MOREIRA, *Fundamentos da Constituição*, p. 252. Por último, VITAL MOREIRA, *Administração autónoma*, p. 552. Cfr., porém, as observações de VIEIRA DE ANDRADE, "A fiscalização da constitucionalidade de normas privadas", cit., p. 362.

ção. Pelo contrário, são frequentes os casos de inconstitucionalidade provocados por actos individuais e concretos da administração e, embora menos vulgares, podem também ocorrer infracções de normas constitucionais produzidas directamente por actos jurisdicionais. No entanto, a teoria clássica da garantia da constituição preocupava-se apenas com os "atentados à Constituição emergentes de actos legislativos criadores de direito", mas parecia deixar em relativa tranquilidade, sob o ponto de vista de fiscalização da constitucionalidade, quer os "actos de aplicação" do direito praticados pelo "executivo" quer os actos de realização do direito praticados pelo "judiciário". As eventuais agressões à Constituição produzidas pelos actos administrativos – **actos administrativos inconstitucionais** – ou eram remediadas através de instrumentos de controlo não jurisdicionais (tutela administrativa, controlo parlamentar, responsabilidade da administração) ou eram atacadas perante as jurisdições ordinárias ou administrativas de acordo com as regras processuais e a *doutrina dos vícios dos actos administrativos*. Esta relativa "tolerância" em relação a actos administrativos inconstitucionais radicava na ideia de os actos aplicativos do direito deixarem imperturbada a unidade da ordem jurídica em virtude de não transportarem qualquer conteúdo normativo. O acto administrativo afirmava-se como um "acto auto-referente"[31] sujeito a um controlo judicial autónomo, diverso do controlo da constitucionalidade dos actos normativos. Esta doutrina permanece válida nas suas dimensões principais e encontra, como vimos, amplo apoio no critério da normatividade presente em muitas decisões do Tribunal Constitucional. Todavia, o radical divórcio entre "acto administrativo" e inconstitucionalidade não deixava nem deixa de suscitar algumas questões. Em primeiro lugar, eram pouco claras as relações entre uma lei inconstitucional e um acto administrativo aplicador da mesma, e, por conseguinte, ilegal. A lei inconstitucional, como iremos ver, é uma lei ferida de nulidade ou invalidade absoluta enquanto o acto administrativo ilegal aplicativo dessa lei pode ser meramente anulável (anulabilidade). Daí as relações de tensão entre a declaração de inconstitucionalidade de uma lei com efeitos *ex tunc* (regime de nulidade) e o regime jurídico de actos administrativos feridos de mera invalidade relativa (anulabilidade), susceptíveis, inclusive, de se transformarem em actos contenciosamente inimpugnáveis. Em segundo lugar, e como já se assinalou a propósito dos direitos, liberdades e garantias, a aplicabilidade directa destes direitos fundamentais confere-lhes

---

[31] Otto Mayer, *Deutsches Verwaltungsrecht*, 1896, p. 100, nota 7, falava de *"Selbstbezeugung des Verwaltungsakts"*. Entre nós, cfr. Jorge Miranda, *Manual*, VI, p. 456; *Manual*, IV, pp. 281 e ss; Marcelo Rebelo de Sousa, *O Valor Jurídico*, p. 251; Gomes Canotilho/Vital Moreira, *Constituição Anotada*, p. 146; Rui Medeiros, *Ensaio*, p. 152; Jorge Miranda, *Manual*, VI, p. 156. Por último, cfr., G. Lauricella, *L'inconstitutionalità dell'atto amministrativo*, Milano, 1999.

operatividade prática perante os órgãos da administração. A administração, através de actos administrativos, pode agredir os direitos fundamentais e restringir até o núcleo essencial dos direitos, liberdades e garantias. Nestes casos justificar-se-ia a criação de uma *acção constitucional de defesa (Verfassungsbeschwerde, recurso de amparo, mandado de injunção, mandado de segurança)* para, de uma forma segura e célere, o particular reagir contra actos administrativos inconstitucionais lesivos do núcleo essencial de direitos, liberdades e garantia e direitos de natureza análoga. Entre nós, a lei (Cod. Proc. Adm., art. 133.º/2/*d*) limita-se a estatuir a nulidade para os actos administrativos que ofendam o conteúdo essencial de um direito fundamental.

Em terceiro lugar, a não imediação entre "acto administrativo" e "constituição" criava (e cria) sérias dificuldades no caso de ordens ilegais conducentes à prática de actos administrativos gravemente lesivos de direitos fundamentais e conducentes, inclusivamente, à prática de um crime. A tensão entre o princípio da constitucionalidade e o princípio da legalidade (cfr. *supra*) levou--nos a afirmar a tendencial prevalência da legalidade, com excepção das hipóteses de a obediência a ordens ilegais conduzir à prática de um crime (cfr. CRP, art. 271.º/2 e 3). No entanto, é legítimo perguntar se não se deverá dar mais um passo e reconhecer aos agentes administrativos o direito de acesso à Constituição e consequente rejeição da lei inconstitucional — ou de outras normas — quando a inconstitucionalidade de uma norma a concretizar por um acto administrativo for rotunda ("teoria da competência de rejeição limitada")[32] e conhecida (por ex., o Tribunal Constitucional já se pronunciou, sem reticências, num controlo concreto, sobre a sua inconstitucionalidade). A pressão da força normativa superior das normas constitucionais conduzirá a uma revisão da dogmática dos vícios dos actos administrativos e respectivo regime no caso de actos administrativos inconstitucionais (ex.: possibilidade de anulação de actos administrativos inconstitucionais tornados inimpugnáveis, possibilidade de invocação de vícios

---

[32] No fundo, era esta a conhecida posição de BACHOF, "Die Prüfungs-und Verwerfungskompetenz der Verwaltung gegenüber dem Verfassungswidrigen und dem bundesrechtswidrigen Gesetz", AöR, 87 (1962), p. 1. Sobre ela, vide VIEIRA DE ANDRADE, *Os direitos fundamentais*, p. 261. Cfr., entre nós, PAULO OTERO, *O Poder de Substituição em Direito Administrativo*, vol. II, cit., pp. 534 e 562; TERESA MELO RIBEIRO, *O princípio da imparcialidade da administração pública*, Coimbra, 1996, pp. 128 e ss; RUI MEDEIROS, *A decisão de inconstitucionalidade*, pp. 149 e ss, que alarga excessivamente o poder de rejeição de leis inconstitucionais pelas autoridades administrativas; JORGE MIRANDA, *Manual*, VI, p. 181, que adopta uma posição prudente substancialmente concordante com o que se defende no texto; C. BLANCO DE MORAIS, *Justiça Constitucional*, I, p. 356 ss. Fazendo uma cuidadosa análise tópico-problemática do poder de rejeição de leis inconstitucionais pelas autoridades administrativas nos sistemas jurídicos de Portugal e do Brasil, cfr., ANA CLÁUDIA NASCIMENTO GOMES, *O Poder de Rejeição de Leis Inconstitucionais pela Autoridade Administrativa no Direito Português e no Direito Brasileiro*, Porto Alegre, 2002, p. 131 ss. No direito comparado ver, por ex., G. ZAGREBELSKY, *La Giustizia Costituzionale*, Bologna, 1988, p. 273.

de procedimento com base em violação de direitos fundamentais como, por ex., no caso de o vício de procedimento conduzir directamente à agressão de direitos fundamentais, possibilidade de intervenção substitutiva de outras autoridades hierarquicamente superiores ou com poderes de tutela). Também deve merecer atenção a proposta recentemente apresentada no sentido da procedência de uma competência de *mero exame* da constitucionalidade dos actos legislativos pela Administração. O *mero exame* implica apenas a apreciação da conformidade da ordem legal com a constituição e a eventual representação e um superior hierárquico.

Finalmente, há que ter hoje em conta, na discussão deste problema, a aplicação do *direito comunitário*. As administrações dos estados-membros não podem aplicar normas internas contrárias ao direito comunitário. Quer dizer: elas são obrigadas a uma interpretação conforme o direito comunitário e a um dever de desaplicação de normas violadoras desse mesmo direito[33].

4.2. *Decisões jurisdicionais*

As decisões dos tribunais, na qualidade de actos públicos concretamente aplicativos do direito, podem também violar normas e princípios constitucionais – **decisões jurisdicionais inconstitucionais**. À semelhança, porém, do que acontecia com os actos administrativos, as sentenças e demais actos de carácter jurisdicional ofensivos da Constituição eram analisados sob o ponto de vista de "nulidades processuais", sendo praticamente irrelevante a sua inconstitucionalidade. Os juízes tinham acesso directo à constituição para desaplicarem as leis inconstitucionais, mas, paradoxalmente, as inconstitucionalidades cometidas por eles próprios não tinham autonomia. Contra esta "insensibilidade constitucional" delinearam-se as **acções constitucionais de defesa** possibilitadoras da reacção dos particulares contra a violação autónoma dos seus direitos fundamentais através de decisões dos tribunais.[34] Problemática é a questão de saber se não será justificado o alargamento desta acção constitucional quando os tribunais não aplicam uma *norma constitucional específica* ou a aplicam de uma forma rotundamente inexacta (ex.: interpretação do princípio constitucional da publicidade das audiências dos tribunais – art. 206.º – no sentido da transmissão radiofónica e televisa sem quaisquer restrições, violando a dignidade da pessoa humana).

---

[33] Cfr., R. CARANTA, "Sull'obbligo dell' amministrazione di disapplicare gli atti di diritto interno in contrasto con disposizioni comunitarie", in *Foro Amministrativo*, 1990, p. 1378.

[34] Sobre o problema da necessidade de uma acção constitucional de defesa no direito português, cfr., por último, RUI MEDEIROS, *A decisão de inconstitucionalidade*, pp. 352 e ss.

Entre nós, o problema do controlo da constitucionalidade de decisões jurisdicionais tem de enfrentar, desde logo, o problema da inexistência de acções constitucionais de defesa. Mas, além disso, deve ter-se em conta que uma coisa é *controlar normas* e outra coisa é *controlar sentenças dos tribunais*.[35] Por outras palavras: fiscalizar a constitucionalidade de normas jurídicas aplicadas pelos tribunais não se confunde com a fiscalização da constitucionalidade das próprias decisões jurisdicionais. O controlo da constitucionalidade é um *controlo normativo* incidente sobre normas e não sobre decisões judiciais aplicadoras de normas (cfr. Ac. TC 178/95, *DR*, II, 21-6-95 e Ac. 674/98, *DR*, II, 25-2-2000). Deve reconhecer-se, no entanto, que, por vezes, é muito difícil distinguir problemas de inconstitucionalidade relativos à interpretação da norma a aplicar ao caso concreto, e problemas de má aplicação de direito pelos tribunais (cfr. Ac. 674/98, *Caso Costa Freire e José Beleza*). Num plano prático, está vedado, por exemplo, o recurso ao Tribunal Constitucional com fundamento em erros de julgamento ou errada qualificação da matéria de facto (cfr. Acs. TC 440/94, *DR*, II, 1994, e 18/96, *DR*, II, 15-5-96). Só assim não será, eventualmente, quando houver *sentenças inconstitucionais* violadoras de *caso julgado* do Tribunal Constitucional. É o que acontece quando os tribunais: (1) profiram decisões de constitucionalidade em desconformidade com sentença do Tribunal Constitucional declaratória da inconstitucionalidade com força obrigatória geral; (2) não acatem as decisões do Tribunal Constitucional proferidas em recurso de decisões dos tribunais[36]. No primeiro há mais do que caso julgado: há violação da "lei negativa" do Tribunal. No segundo caso há *caso julgado* do Tribunal Constitucional violado pelas sentenças dos tribunais *a quo*. Este *défice de execução de sentenças* do Tribunal Constitucional implica, naturalmente, responsabilidade pelo não cumprimento de sentenças de tribunais superiores (o Tribunal Constitucional é "Tribunal Superior" em matéria de questões de constitucionalidade), mas não é líquido que haja *recurso* (não regulado nem previsto na Constituição) para o Tribunal Constitucional nas hipóteses em apreço. Cfr., *infra*, cap. 4, B, III, 3.

---

[35] Vide, agora, em termos claros, esta distinção em RUI MEDEIROS, *A Decisão da Inconstitucionalidade*, pp. 336 e ss.

[36] Cfr., M. GALVÃO TELES "A Competência da Competência do Tribunal Constitucional", in *Legitimidade e Legitimação da Justiça Constitucional*, p. 115; A. ROCHA MARQUES, "O Tribunal Constitucional e os outros tribunais: a execução das decisões do Tribunal Constitucional", in *Estudos sobre a jurisprudência do Tribunal Constitucional*, p. 465; RUI MEDEIROS, *A Decisão da Inconstitucionalidade*, pp. 359, 376 e ss.

5. Inconstitucionalidade e actos privados

O objecto de controlo da constitucionalidade são *normas jurídico--públicas*. Excluem-se, assim, da fiscalização judicial da Constituição os **actos normativos privados**. Esta solução inscreve-se na perspectiva tradicional baseada na autonomia da ordem jurídico-privada perante o ordenamento constitucional. Dito por outras palavras: as consequências jurídicas dos actos ou comportamentos inconstitucionais dos particulares não se reconduzem a problemas de inconstitucionalidade.

A Constituição, para além de definir o estatuto fundamental dos cidadãos através da consagração de direitos fundamentais, não deixa, porém, de estabelecer ligações com o direito privado. É o que acontece, desde logo, com a *vinculação de entidades privadas pelos direitos, liberdades e garantias*. Nalguns casos, as normas constitucionais estabelecem elas mesmo padrões de comportamento juridicamente vinculativos dos particulares. Assim, por ex., se houver criação de associações de natureza "militar", "paramilitar" ou "fascista" (cfr. art. 46.º/4) os particulares praticam actos directamente inconstitucionais. Do mesmo modo, uma reunião com armas é um comportamento imediatamente violador da norma constitucional proibitiva de reuniões armadas (art. 45.º). O despedimento de um trabalhador sem justa causa ou por motivos ideológicos e políticos é um acto privado (no caso de empresas privadas) em colisão directa com a norma constitucional do art. 53.º Um contrato entre um particular e uma empresa no qual se contém uma cláusula de celibato por parte do primeiro é um acto em contradição com o art. 36º/1 da lei fundamental. Estes exemplos, e muitos mais poderiam indicar-se, mostram já a imediação das normas constitucionais em relação a actos privados. O problema complica-se quando os actos privados se reconduzem a verdadeiras *normas* entendidas como padrões de conduta juridicamente vinculativos. É o que acontece com os regulamentos das associações, os regulamentos de locais abertos ao público, os regulamentos de empresa e os estatutos de sociedades e fundações. Estes actos normativos privados poderão ser inválidos por violação das normas constitucionais. Os meios de defesa e protecção não são, porém, os instrumentos de controlo da constitucionalidade de normas jurídico-públicas mas os meios judiciais comuns de impugnação de actos ilícitos (cfr. Acs. TC 730/95, *DR*, II, 6-2-96, e 451/95, *DR*, II, 7-2-97). Note-se, no entanto, que o parâmetro normativo imediato segundo o qual se deve aferir a licitude ou ilicitude é constituído, neste caso, pelas normas e princípios constitucionais e não por princípios vagos como os da ordem pública, bons costumes, boa-fé, muitas vezes invocados na jusprivatística como fundamento da nulidade ou anulabilidade de actos ilícitos privados.

Se a exclusão de normas privadas do sistema de fiscalização de constitucionalidade não merece objecções, já se levantam problemas em alguns casos de relevante interesse prático. Assim, o TC negou o controlo da constitucionalidade em relação a normas constantes do regulamento da Federação Portuguesa de Futebol, mas não é líquido se nesta hipótese as normas eram criadas por uma entidade pública ou por uma entidade privada (cfr. Acs. 472/89 e 730/95, sobre o problema da natureza jurídica das federações desportivas). As federações desportivas oficialmente reconhecidas como pessoas colectivas de utilidade pública desportiva (L 1/90, de 13-1, Lei de Bases do Desporto) são hoje inequivocamente instâncias de auto-regulação pública do desporto (Vital Moreira). Diferentemente, o regulamento de uma comissão arbitral foi julgado como norma jurídico-pública porque os tribunais arbitrais exercem poderes públicos ou em delegação de poderes públicos (cfr. Ac. 150/86). Problemas surgem também quanto a regulamentos privados sujeitos a *aprovação ou homologação pública* (cfr. Ac. TC 156/88 relativo a um regulamento da CP – Caminhos de Ferro Portugueses). Finalmente, os desafios da regulática mencionados atrás (cfr. *supra*) têm aqui incidências não despiciendas. Existem hoje numerosas *normas e regulamentos técnicos* (normas de segurança de reactores nucleares, normas de segurança e controlo de qualidade de medicamentos) editadas por entidades públicas e privadas, sendo difícil decidir se estamos ou não perante normas de carácter jurídico-público. Nestes como noutros casos, constata-se a "quebra do monopólio de criação normativa", mas continua a ser obscura a articulação da criação de normas com efeitos jurídico-públicos com a atribuição de poderes ou funções públicas a entidades privadas. Cfr. Vital Moreira, *Administração Autónoma*, p. 556; J. C. Vieira de Andrade, "A fiscalização da constitucionalidade de 'normas privadas', in RLJ 153 (2001), p. 357 ss.; Jorge Miranda, *Manual*, VI, p. 162.

6. Inconstitucionalidade das políticas públicas

Se tivermos em conta as articulações atrás feitas entre competência, funções, tarefas e responsabilidade dos órgãos políticos, poderíamos recortar como objecto do controlo da inconstitucionalidade (por acção ou por omissão) uma *política* sectorial (de saúde, do ensino, da habitação). Neste sentido a *policy* seria também um padrão de conduta (*standard*) constitucional definidor de um fim a alcançar através de realizações de tarefas económicas, sociais e culturais. Assim, por ex., poder-se-ia afirmar que a nossa política de educação foi, durante muito tempo, inconstitucional porque passados mais de vinte anos ainda não fora criado um sistema público de educação pré-escolar (CRP, art. 74.º/2/c). Esta problemática – **a inconstitucionalidade de políticas públicas** – não é desconhecida na nossa jurisprudência constitucional e não é desconhecida na doutrina. O Tribunal Constitucional enfrenta a questão nos acórdãos n.º 92/85 e n.º 330/89 referentes à política da saúde (taxas moderadoras), embora o objecto de controlo fosse aí reconduzido a normas e não a políticas. Voltou a abordar o assunto no Ac. 148/94 (Lei das Propinas). No plano doutrinal, salienta-se que a efectiva vinculação jurídica pretendida através de normas-tarefa implica, designadamente, que o objectivo ou programa, como tal, é retirado à livre escolha do objectivo ou do fim pelos órgãos políticos, considerada, em geral, característica das escolhas políticas (Böckenförde).

O relevo modesto da inconstitucionalidade por omissão prova as dificuldades do controlo de políticas públicas. Estas reconduzem-se fundamentalmente a um conjunto de decisões e acções adoptadas pelo Governo para influir sobre um determinado problema [37]. Os juízes não se podem transformar em conformadores sociais, nem é possível, em termos democráticos processuais, obrigar jurisdicionalmente os órgãos políticos a cumprir um determinado programa de acção. Pode censurar-se, através do controlo da constitucionalidade, actos normativos densificadores de uma política de sinal contrário à fixada nas normas-tarefa da Constituição. Mas a *política deliberativa* sobre as *políticas* da República pertence à política e não à justiça.[38]

7. Normas revogadas

O controlo da constitucionalidade visa, em princípio, apreciar a conformidade ou desconformidade com a Constituição de *normas existentes* no ordenamento jurídico. Consequentemente, ficam, *prima facie*, fora do objecto de controlo as normas já revogadas. Não se trata, porém, de uma regra absoluta, pois pode haver um *interesse jurídico relevante* na apreciação de **inconstitucionalidade de normas já revogadas**. Basta pensar nos diferentes efeitos de revogação de normas e da declaração de inconstitucionalidade. Aquela opera *pro futuro*, isto é, tem efeito *ex nunc*; esta tem efeitos retroactivos, ou seja, produz efeitos *ex tunc*. Isto justificará, algumas vezes, a admissibilidade dos pedidos de declaração de inconstitucionalidade de normas já revogadas, justamente para se destruirem os efeitos por elas produzidos até ao momento da revogação (cf. Ac. TC 497/97). Dada a excepcionalidade desta situação, compreende-se a exigência dos princípios da adequação, necessidade e proporcionalidade. Não deve recorrer-se à declaração de inconstitucionalidade sempre que os efeitos já produzidos

---

[37] Cfr., JOÃO CAUPERS, *Introdução à Ciência da Administração Pública*, Lisboa, 2002, p. 164.
[38] Isto mesmo reconhece FÁBIO KONDER COMPARATO, «Ensaio sobre o juízo de constitucionalidade de políticas públicas», 1997 (original amavelmente cedido pelo A.). Ver, no entanto, as pertinentes observações da doutrina brasileira sobre a compossibilidade teórica e jurídica do controlo de constitucionalidade das políticas públicas. Assim, por ex., H. BERCOVICI, "Constituição e Superação das desigualdades regionais", in *Livro de Homenagem a Paulo Bonavides*, p. 96; LENIO STRECK, *Jurisdição Constitucional e Hermenêutica*, p. 116 e nota 23.

sejam pouco relevantes ou possam ser eliminados recorrendo a outros meios ou remédios para a defesa de direitos.[39]

E. As Sanções do Controlo

Se o controlo da constitucionalidade dos actos normativos é um dos meios de defesa e garantia da força normativa da constituição, justifica-se que, para ele ser efectivo e eficaz, as violações das normas e princípios constitucionais captadas em sede de fiscalização judicial sejam acompanhadas de *sanções* adequadas. Trata-se, pois, de saber qual a reacção da constituição perante actos normativos comprovadamente desconformes com as suas normas e princípios. O princípio da prevalência da constituição não deixa margem para dúvidas relativamente à *sanção geral* aplicável a um acto normativo colidente com o parâmetro normativo-constitucional – *inconstitucionalidade*. Mas como se configura a inconstitucionalidade? Quais os vícios dos actos normativos susceptíveis de serem «denunciados» em sede de controlo jurisdicional e cuja verificação conduz à sanção da inconstitucionalidade?

I - A construção clássica da inconstitucionalidade

A **teoria clássica da inconstitucionalidade** foi elaborada, como se referiu já atrás, tendo em conta duas premissas fundamentais: (1) *quanto ao parâmetro: inconstitucional* é toda a lei que viola os preceitos constitucionais; *ilegal* é todo o acto que contraria o «direito da lei» (isto é, o direito contido ou plasmado em actos legislativos); (2) *quanto aos efeitos do controlo:* uma norma *inconstitucional* é *ipso jure* nula, ou seja, está ferida de *nulidade absoluta*.

A premissa (1) constituiu o objecto da discussão em torno do problema do parâmetro do controlo; a premissa (2), referente aos efeitos do controlo, será objecto das considerações subsequentes.

---

[39] Neste sentido, cfr. GOMES CANOTILHO/VITAL MOREIRA, *Constituição da República*, pp. 987 e ss. No plano jurisprudencial cfr. Ac. TC 238/88, de 21-12-88; 397/93, *DR*, II, 14-9-93; 188/94, *DR*, II, 19-5-94; 453/95, *DR*, II, 13-4-95; 580/95, *DR*, II, 30-12-95; 639/95, *DR*, II, 19-3-96; 116/97, *DR*, II, 23-3-97, 786/96, 592/99, 14/1000, 270/2000, 30/2002.

1. A inconstitucionalidade como figura unitária

A figura da **inconstitucionalidade** era considerada pela doutrina clássica como uma figura unitária, pois toda e qualquer lei denunciada como enfermando de *vícios* materiais, formais, orgânicos ou procedimentais, deveria considerar-se como *inconstitucional* e, consequentemente, nula *ipso jure*[40]. Daí o silogismo tendencialmente tautológico desta doutrina: (1) uma lei inconstitucional é nula; (2) uma lei é nula porque é inconstitucional; (3) a inconstitucionalidade reconduz-se à nulidade e a nulidade à inconstitucionalidade. Os pressupostos de uma tal doutrina carecem de uma explicação mais desenvolvida.

a) *A ordem hierárquica das fontes de direito como meio de defesa e segurança da constituição*

Remontando aos postulados positivistas da *unidade da ordem jurídica* e da *ausência de contradições do ordenamento jurídico,* e pressupondo, mais ou menos explicitamente, uma *teoria gradualista das fontes de direito,* a regra da nulidade *ipso jure* é uma dedução perfeitamente lógica: as leis inconstitucionais são nulas de pleno direito porque, desde o início, violam a norma ou normas hierarquicamente superiores da constituição. Nesta perspectiva, a nulidade *ipso jure* das leis é, no fundo, uma concretização do princípio da hierarquia das normas (*lex superior derogat legi inferiori*).

b) *O fim político-constitucional*

A dedução da nulidade absoluta a partir apenas dos princípios teoréticos da unidade e da não contradição do ordenamento jurídico, bem como do princípio da hierarquia das fontes de direito, implicaria a focalização do problema em termos de mera *jurisprudência de conceitos* sem nos revelar o *fim político-constitucional* concreto que estava por detrás desta doutrina. Este fim podemos vislumbrá-lo na necessidade de *protecção da constituição* ante a ultrapassagem, pelo legislador, dos limites formais e substanciais das normas cons-

---

[40] Cfr., por último, C. MOENCH, *Verfassungswidriges Gesetz und Normenkontrolle,* Baden-Baden, 1977, pp. 11 e ss; IPSEN, *Rechtsfolgen der Verfassungswidrigkeit von Norm und Einzelakt,* Baden-Baden, 1980, pp. 97 e ss; BETTERMANN, «Richterliche Gesetzesbindung und Normenkontrolle», in *Festschrift für Eichenberger,* 1982, p. 598; HEIN, *Die Unvereinbarkeiterklärung Verfassungswidriger Gesetz durch das Bundesverfassungsgerichts,* pp. 14 e ss; ELIVAL RAMOS, *A Jurisconstitucionalidade das Leis. Vício e Sanção,* São Paulo, 1994, pp. 61 e ss.

titucionais. Verdade seja dita, esta necessidade não era intensamente sentida no séc. XIX. As leis gerais e abstractas, emanadas do Parlamento, limitavam-se à definição de bases gerais dos regimes jurídicos e eram consideradas mais como um meio de defesa da Constituição do que como um instrumento potencialmente perigoso, propenso à violação dos preceitos constitucionais[41]. Aqui radica o facto de as inconstitucionalidades serem abordadas mais sob o ponto de vista da eventual perturbação que causavam nas relações entre os poderes (daí a acentuação doutrinal das inconstitucionalidades orgânicas e formais), do que sob o ponto de vista da conformidade intrínseca das leis com a constituição. Razões da mesma índole estão subjacentes à importância que assumiu o controlo dos regulamentos do monarca ou do executivo perante o domínio da *reserva de lei*[42].

Hoje, a crença da garantia da constituição *através* da legislação alterou-se. E alterou-se pela já assinalada convergência das leis *medida* com o fenómeno do progressivo reconhecimento de faculdades legislativas ao executivo. Politicamente considerada, a constituição pode vir a estar sujeita a uma relativa *insegurança* ante as oscilações das maiorias parlamentares e correspondentes governos, e até perante violações provocadas por actos legislativos de governos minoritários por não lhes corresponder uma efectiva maioria parlamentar. No seu conjunto, estas considerações justificariam a sanção drástica da nulidade *ipso jure*: leis inconstitucionais são leis intrinsecamente ineficazes e, portanto, nulas de pleno direito. A questão terá de analisar-se tendo em conta não apenas as deduções lógicas, mas também o sistema concreto do controlo de inconstitucionalidade. A isso dedicaremos os desenvolvimentos seguintes.

2. A teoria clássica das nulidades

2.1. *Na teoria civilística*

A figura unitária da inconstitucionalidade não constitui um ponto de partida satisfatório para uma abordagem da *teoria das nulidades* em direito constitucional. Uma lei inconstitucional é nula em que sentido: no sentido de *inexistência* ou de *nulidade*? No sentido da nulidade *absoluta, radical* ou de *pleno*

---

[41] Cfr. BÖCKENFÖRDE, cit., p. 34.
[42] Salientando expressamente esta ideia, cfr. GUSY, *Parlamentarischer Gesetzgeber und Bundesverfassungsgericht*, Berlin, 1985, p. 22. Cfr., também, MARCELO REBELO DE SOUSA, *Valor jurídico*, cit., pp. 116 e ss; JORGE MIRANDA, *Manual*, II pp. 365 e ss; RUI MEDEIROS, *A decisão de inconstitucionalidade*, pp. 49 e ss.

direito ou no sentido de *anulabilidade* ou *nulidade relativa*? Estas interrogações obrigam-nos a umas sumárias considerações sobre o problema das nulidades em direito constitucional. Mas como a teoria das nulidades de direito privado influenciou neste, como noutros domínios, e a elaboração doutrinal juspublicística, talvez não seja despiciendo indicar previamente os tipos de vícios assinalados pela doutrina de direito privado e as respectivas características[43].

a) *Ineficácia*

A figura da ineficácia (cfr. art. 122.º/2) abarca dois tipos fundamentais: a *nulidade* e a *anulabilidade*. A primeira costuma designar-se também por **nulidade absoluta**, *radical* ou de *pleno direito* (*ipso jure*), e a segunda é também chamada **nulidade relativa**. Resumidamente, considera-se um acto nulo, com nulidade absoluta, quando o acto é intrinsecamente inválido, faltando-lhe elementos essenciais para a sua perfeição. Daí as seguintes consequências: carência, *ab initio*, de efeitos jurídicos, sem necessidade de impugnação prévia; *invalidade imediata, ipso jure*, do acto; *carácter geral* da *invalidade* e impossibilidade da sua sanação ou confirmação. A nulidade absoluta implica, portanto, ineficácia do acto por si mesmo, sem necessidade de intervenção do juiz. Isto não significa que não seja de aceitar um pedido de *declaração de nulidade*, com a única finalidade de destruir a aparência do acto, aparência esta susceptível de originar resistência por parte de terceiros. Além disso, a nulidade absoluta tem, como dissemos, *carácter geral*, podendo qualquer pessoa invocá-la a seu favor e contra quem quer que seja (*erga omnes*). Finalmente, o juiz pode e deve, *ex officio*, por sua iniciativa, e em qualquer momento, apreciar a nulidade. Dizemos em qualquer momento, porque a nulidade absoluta não está sujeita a prazos de prescrição ou de caducidade, não sendo também passível de confirmação.

Por seu turno, a *anulabilidade* não toca nos elementos intrínsecos do acto, tendo efeitos menos rigorosos e mais limitados: tem de ser invocada pelos interessados dentro de um certo prazo, não operando *ipso jure* nem tendo eficácia geral.

---

[43] Limitamo-nos a recordar os ensinamentos da civilística. Cfr. RUI DE ALARCÃO, *A Confirmação dos Negócios Anuláveis*, Coimbra, 1971, pp. 33 e ss; MANUEL DE ANDRADE, *Teoria Geral da Relação Jurídica*, Vol. II, pp. 411 e ss. Por último, vide CARLOS MOTA PINTO, *Teoria Geral do Direito Civil*, Coimbra, 1993, pp. 211 e ss, LUÍS CARVALHO FERNANDES, *A Conversão dos Negócios Jurídicos Civis*, Lisboa, 1993, pp. 135 e ss. Retomando e desenvolvendo o esquema proposto no texto, cfr. RUI MEDEIROS, «Valores jurídicos negativos da lei inconstitucional», in *O Direito*, III, 1989, pp. 485 e ss. Cfr. MARCELO REBELO DE SOUSA, *O valor jurídico do acto inconstitucional*, pp. 144 e ss, 203 e ss; ELIVAL DA SILVA RAMOS, *A Inconstitucionalidade das Leis. Vício e Sanção*, São Paulo, 1994.

b) *Inexistência*

Não obstante a questionabilidade desta figura em sede de direito privado, um certo sector da doutrina admite a categoria da **inexistência** para reforçar a ideia de *impensabilidade, irrecognoscibilidade* e, portanto, da própria *ocorrência* do acto. A justificação do recurso a esta figura radica, algumas vezes, no facto de ser necessário considerar um acto a que faltam os elementos essenciais como um acto nulo, mas como não pode haver nulidade que não esteja pré-fixada na lei (*pas de nullité sans texte*), a figura da inexistência conduzirá às mesmas consequências sem ser exigível a sua previsão legal.

2.2. *Na teoria administrativa*

Salientou-se atrás (cfr. *supra*) que a fiscalização judicial da conformidade dos actos legislativos segundo a medida-parâmetro da constituição significava estender o princípio da legalidade aos órgãos legislativos no exercício da função legislativa[44]. Justifica-se, por isso, saber como concebia a doutrina administrativa a figura da ilicitude (= ilegalidade, ilegitimidade) dos actos administrativos que violassem normas jurídicas. Ora, neste aspecto, sempre se considerou existirem várias «modalidades de ilegalidade» dos actos administrativos[45] conducentes aos seguintes tipos de *sanções* (isto é, reacções da ordem jurídica).

a) *Nulidade*

Significa a invalidade de um acto administrativo a que faltam elementos essenciais quanto à competência, quanto à forma e quanto ao conteúdo. Embora com certas especificidades relativamente à nulidade do direito privado, o acto ferido de **nulidade** absoluta apresenta características semelhantes às deste ramo de direito: (*i*) a nulidade opera *ipso jure,* tendo as decisões jurisdicionais ou administrativas reconhecedoras da nulidade valor meramente declarativo; (*ii*) a nulidade pode ser invocada a todo o tempo e pode ser impugnada por qualquer sujeito, mesmo que não esteja directamente interessado na eliminação do acto; (*iii*) a nulidade é insusceptível de sanação ou convalidação.

---

[44] Cfr., por ex., V. CRISAFULLI, *Lezioni di Diritto Costituzionale,* Vol. II, p. 34.

[45] Cfr., por último, KIRCHHOF, *Unterschiedliche Rechtswidrigkeiten in einer einheitlichen Rechtsordnung,* 1978. Entre nós, cfr. ROGÉRIO SOARES, *Interesse Público, Legalidade e Mérito,* pp. 270 e ss; SÉRVULO CORREIA, *Noções de Direito Administrativo,* I, pp. 318 e ss; ESTEVES DE OLIVEIRA, *Direito Administrativo,* pp. 510 e ss.

b) *Anulabilidade*

Existe **anulabilidade** quando o acto, reunindo os elementos indispensáveis para a sua existência jurídica, apresenta alguns vícios ou desvios relativos aos requisitos de legalidade (desvio de interesse público, falta de fundamentação). As consequências da anulabilidade são as seguintes: (*i*) não produz efeitos *ipso jure*, mas apenas quando seja feita valer por iniciativa dos sujeitos interessados; (*ii*) só pode ser invocada e impugnada pelos interessados dentro de certos limites temporais; (*iii*) carece de ser verificada por uma autoridade pública que declare ou pronuncie a anulação; (*iiii*) é susceptível de sanação, convalidação ou rectificação.

c) *Inexistência*

Objecto de intermináveis discussões, à semelhança do que acontece no direito privado, a **inexistência** de actos administrativos é aceite por parte da doutrina para salientar a existência de vícios que tornam o acto totalmente improdutivo ou inoperante (ex.: usurpação de funções).

A doutrina salienta, todavia, que a nulidade absoluta corresponde à inexistência do acto e que os actos considerados inexistentes (aqueles que nem sequer podem ser cognoscíveis como actos) não são actos inexistentes, são «não actos» (*Nichtakt*)[46].

d) *Ineficácia*

A **ineficácia** de um acto liga-se não aos requisitos de validade, mas aos requisitos necessários à idoneidade do acto para produzir efeitos jurídicos (ex.: falta de publicidade).

II - A inconstitucionalidade no direito constitucional vigente

1. Inconstitucionalidade e nulidade

Os ensinamentos da doutrina civilística e da doutrina administrativa podem ser transferidos para o direito constitucional e "testar-se" a *teoria*

---

[46] Cfr., por ex., ERICHSEN/MARTENS, *Allgemeines Verwaltungsrecht,* Vol. I, p. 185. Entre nós, cfr., ROGÉRIO SOARES, «Acto Administrativo», in *Polis,* Vol, I, p. 105. MARCELO REBELO DE SOUSA, *O Valor,* p. 183. Sobre a reabilitação da figura da inexistência no recente direito francês cfr., por último, LE MIRE, «Inexistance et voie de fait», in *RDPSP,* 1978, p. 1219.

da pluralidade de consequências ou resultados jurídicos derivados da inconstitucionalidade de actos normativos. Os tópicos orientadores resumem-se da seguinte forma: (1) inconstitucionalidade e nulidade não são conceitos idênticos; (2) a **nulidade** é um resultado da inconstitucionalidade, isto é, corresponde a uma reacção de ordem jurídica contra a violação das normas constitucionais; (3) a nulidade não é uma consequência lógica e necessária da inconstitucionalidade, pois, tal como na doutrina civilística a *ilicitude* de um acto pode conduzir à nulidade ou anulabilidade, e na doutrina administrativa a *ilegalidade* é susceptível de ter como reacção desfavorável a nulidade ou anulabilidade, também a **inconstitucionalidade** é susceptível de várias sanções, diversamente configuradas pelo ordenamento jurídico.

2. O problema em face da Constituição

O problema dos efeitos jurídicos da inconstitucionalidade não se reconduz a criações doutrinais ou jurisprudenciais. Os tribunais não têm competência constitucional (e legal) para recortar livremente os efeitos do vício jurídico dos actos normativos inconstitucionais. O regime jurídico dos efeitos de inconstitucionalidade tem de ser, pois, um regime jurídico constitucionalmente fundado.

A CRP parece, à primeira vista, ter partido de um *esquema dual* no que respeita aos **graus de invalidade** dos actos legislativos: (*a*) nulidade-inexistência; (b) nulidade.

Com efeito, estabelece expressamente quais os requisitos de actos normativos cuja ausência origina o vício de **inexistência:** *promulgação, assinatura* (art. 137.º) e *referenda* (art. 140.º/2) (cfr. ainda arts. 172.º/2 e art. 19.º). Nada mais se diz quanto ao regime das nulidades dos actos normativos resultantes da inconstitucionalidade. A seguirmos a orientação tradicional diríamos que as restantes nulidades se reconduzem aos esquemas da *nulidade ipso jure.* A inconstitucionalidade de um acto normativo teria, como consequência necessária, a *nulidade absoluta,* porque o princípio fundamental da *não contradição da ordem jurídica* postula a validade exclusiva das normas hierarquicamente superiores, ou seja, das normas constitucionais. É esta a fundamentação clássica, enunciada, logo em 1803, pelo juiz Marshall, no célebre caso *Marbury v. Madison:* «*an act of the legislature repugnant to the Constitution is void*».

Teríamos, por conseguinte, numa primeira tentativa de aproximação, o seguinte regime constitucional: (1) *inexistência* para os actos a que faltam certos requisitos, considerados essenciais pela Constituição; (2) *nulidade* quando a contradição não resultar da falta de um requisito da própria existência do acto.

O facto de os actos normativos se considerarem inexistentes não elimina a possibilidade de fiscalização nem torna sequer supérflua esta fiscalização quer em sede de controlo abstracto quer em sede de fiscalização concreta. As razões de certeza e segurança podem apontar a favor de uma declaração de inexistência (ex.: de uma lei a que falte promulgação)[47].

2.1. O sentido da inexistência

Este esquema dual coloca-nos, porém, perante algumas dificuldades. Em primeiro lugar, qual o sentido do termo **inexistência**? Quereria o legislador constituinte considerar a falta de promulgação, referenda e assinatura de tal modo grave que nem sequer é admissível pensar o acto legislativo como acto existente? Ou o termo inexistência estará aqui utilizado no sentido da nulidade absoluta? A razão da utilização do termo inexistência prende-se, segundo cremos, com a doutrina historicamente dominante, segundo a qual alguns vícios da lei seriam de considerar decisivamente aniquiladores de tal acto como lei. O termo utilizado nestes casos é, precisamente, o de *nulidade-inexistência*. As leis seriam "pseudo-leis".

Qual o sentido útil da sanção da **inexistência**? A resposta concilia duas ideias afloradas atrás quanto ao sentido da inexistência: (1) realçar a improdutividade total de certos actos normativos a que faltam certos requisitos; (2) considerar a inexistência como consequência jurídica da nulidade (o acto inexistente é ainda um acto e não um «não acto»). A constituição pretendeu equiparar *certas aparências de actos* (ex.: uma lei promulgada mas não aprovada sempre tem a aparência de lei; uma lei publicada no *Diário da República,* mas não promulgada, pode também ter a aparência de lei; uma lei promulgada e publicada mas não referendada apresenta-se, igualmente, com aparência de acto legislativo) a actos que nem sequer tenham *ocorrido ou existido*. Daí a designação de inexistência. Por outro lado, as consequências jurídicas ligadas a tal vício não se diferenciam sensivelmente das consequências que a doutrina associa ao regime das nulidades absolutas (ex.: para efeito de fiscalização concentrada da inconstitucionalidade) e daí a proclamação de tais actos como *nulos-inexistentes*. Os problemas que se poderão aqui suscitar dizem respeito à "declaração abstracta de existência" pelo Tribunal Constitu-

---

[47] Cfr. GOMES CANOTILHO/VITAL MOREIRA, *Fundamentos da Constituição,* Cap. VI. MARCELO REBELO DE SOUSA, *O Valor,* p. 183. JORGE MIRANDA, *Manual,* II, p. 464. Em sentido diferente cfr. PAULO OTERO, *Ensaio sobre o caso julgado inconstitucional,* p. 113. No plano jurisprudencial, cfr. Ac. TC 309/94, *DR,* II, 29-8-94.

cional de uma norma que é, em rigor, inexistente (ex.: falta de promulgação) (cfr., Ac. TC 868/96)[48].

Todavia, também se poderá autonomizar a categoria de inexistência relativamente à nulidade, considerando-se como suas principais características a improdutibilidade total de efeitos jurídicos, a insanabilidade, a totalidade, a inconvertibilidade, a inexecutoriedade pelo poder político, o reconhecimento do direito de resistência por parte dos cidadãos, a não necessidade de declaração jurisdicional, a não vinculação ao princípio do respeito dos casos julgados. Cfr., por todos, neste sentido, Marcelo Rebelo de Sousa, *Valor jurídico do Acto Inconstitucional*, cit., p. 179; "Inexistência Jurídica", in DJAP, V, 1993, pp. 238 e ss.

Um outro ponto que merece atenção é o de saber se, além dos actos expressamente considerados como inexistentes, não haverá outros casos em que é legítimo falar de inexistência. Já vimos que a figura da inexistência tem possibilidades expansivas não reconhecidas à figura da nulidade, que deve ser pré-fixada por lei. Ora, parece não ser forçado admitirem-se, como *actos inexistentes*, os actos viciados de *incompetência absoluta ou* de *carência* de *competência legislativa* (ex.: um acto legislativo emanado de um tribunal, um decreto-lei de revisão da Constituição, uma lei votada por uma câmara já dissolvida).

Os exemplos que acabamos de apontar são exemplos clássicos, e, como facilmente se deduz, referem-se a vícios *formais* ou a vícios de *pressupostos*. Mas a questão deve ser transposta para o campo dos *direitos fundamentais,* não se limitando à parte organizatória da constituição. Assim, por ex., uma lei que elimine o direito à vida ou à integridade pessoal com justificação na declaração de estado-de-sítio, deverá considerar-se nula-existente (cfr. art. 19.°, n.° 6); uma lei que suprima o direito de constituir família é uma lei nula-inexistente. Também nestes casos o contraste com a constituição é de tal modo grave que a melhor sanção, em face da constituição, é considerá-los como actos impensáveis, irrecognoscíveis, inexistentes.

Marcelo Rebelo de Sousa, *Direito Constitucional,* cit., p. 395, discordava da aplicação da figura da inexistência jurídica no campo dos direitos fundamentais. Justificámos a nossa posição quando tratámos do problema do eventual poder de rejeição ou de controlo (*Verwerfung*) das autoridades administrativas no campo dos direitos fundamentais. Cfr., agora, Marcelo Rebelo de Sousa, *Valor jurídico do acto inconstitucional*, cit., pp. 156 e ss, que faz uma revisão da sua anterior doutrina e entende existir «inexistência por vício de conteúdo» quando se verificar a «inidentificabilidade material de certo acto do poder político do Estado, ou seja, a sua total desconformidade em relação à constituição material». Note-se que M. Rebelo de Sousa alarga a figura da inexistência a outros actos diferentes dos legislativos. Parece correcta esta posição, mesmo na sede em que nos situamos – a de controlo –, porque este controlo incide sobre actos normativos de várias espécies e não apenas sobre actos legislativos. Isso não significa, porém, a nossa concordância com algumas teses fundamentais do autor, desde logo o seu ponto de partida – o de constituição material. Por outro lado, não está demonstrado que a figura da inexistência se aplique com a mesma propriedade a todos os «actos constitucionais». Cfr., também, Jorge Miranda, *Manual*, VI, pp. 87 e ss., e *Manual*, IV, p. 328, que rejeita as hipóteses de inexistência jurídica por vício de conteúdo por considerar que a "inexistência desenha-se em face do acto jurídico público como

---

[48] Há quem entenda existir aqui fundamento de desobediência por parte dos tribunais ordinários à sentença do Tribunal Constitucional, cfr. PAULO OTERO, *Ensaio,* p. 114. Vide a crítica desta posição em RUI MEDEIROS, *A Decisão de Inconstitucionalidade*, p. 142.

expressão da vontade imputável ao Estado; não tem a ver com o seu conteúdo ou sentido". Cfr. agora, Paulo Otero, *Ensaio sobre o caso julgado inconstitucional*, p. 113.

2.2. *Invalidade*

A reacção ou sanção típica da ordem constitucional portuguesa contra a inconstitucionalidade dos actos normativos é a sanção da **nulidade**. Um acto normativo que não preenche os requisitos materiais, formais, orgânicos e procedimentais estabelecidos pela Constituição é um acto *inválido,* totalmente improdutivo (*nulidade absoluta*). Neste sentido aponta claramente o art. 282.º/1 e 2 [49].

2.3. *Ineficácia*

A Constituição liga a certas irregularidades dos actos normativos uma sanção menos severa – a da **ineficácia**. Quando os actos normativos reúnem todos os requisitos exigidos para a sua perfeição (= validade), faltando-lhes, porém, elementos necessários à eficácia (ex.: publicação), a sanção é a da ineficácia (cfr. *supra*).

2.4. *Irregularidade*

Embora excepcionalmente, a CRP prevê casos de inconstitucionalidade que não afecta nem a validade nem a eficácia do acto normativo inconstitucional; existe apenas **irregularidade**. É o que se passa com a inconstitucionalidade orgânica ou formal de tratados internacionais regularmente ratificados, desde que a inconstitucionalidade não resulte da violação de disposição fundamental (cfr. art. 277.º/2). [50]

---

[49] Cfr. Marcelo Rebelo de Sousa, *Valor jurídico,* cit., p. 233.

[50] Esta norma suscita, porém, graves dificuldades interpretativas. Cfr., por último, J. B. Gouveia, *O valor positivo do acto inconstitucional*, Lisboa, 1992; A. de Araújo, «Relações entre o direito internacional e o direito interno. Limitações dos efeitos do juízo de constitucionalidade. A norma do art. 277.º/2 da CRP, in *Estudos sobre a jurisprudência,* cit., pp. 9 e ss. Já antes, sobre o problema da irregularidade, cfr. M. Rebelo de Sousa, *O Valor,* p. 273. Por último, Jorge Miranda, *Manual,* VI, p. 91.

III - O problema das «situações constitucionais imperfeitas» e das sentenças intermédias

A sanção da nulidade com as características atrás assinaladas (no direito civil e no direito administrativo) pode revelar-se uma sanção pouco adequada para certas situações que, embora imperfeitas sob o ponto de vista constitucional – **situações constitucionais imperfeitas** – exigem um tratamento diferenciado, não necessariamente reconduzível ao regime da nulidade absoluta. Isto conduziu a doutrina e a jurisprudência a construções mais complexas e matizadas relativamente às sanções aplicáveis a actos normativos desconformes com a Constituição. A pouco e pouco, desenvolveu-se a técnica das **sentenças intermédias** que não se reconduzem ao modelo binário inconstitucionalidade/constitucionalidade.[51]

1. Declaração de inconstitucionalidade sem as consequências da nulidade

À inequívoca inconstitucionalidade de uma norma podem não se associar, de modo automático, todos os efeitos da nulidade absoluta. É possível, por exemplo, fixar a inconstitucionalidade mas com efeitos prospectivos ou *pro futuro* e não com efeitos retroactivos (como na nulidade absoluta). É o que a doutrina designa por **simples fixação de inconstitucionalidade**. Nos tempos mais recentes, a **declaração de incompatibilidade** tem evoluído no sentido de sentença de bloqueio da aplicação da lei inconstitucional. Isto significa que a declaração de incompatibilidade fundamenta a não aplicação da lei até à emanação de um novo acto legislativo[52].

A legitimação para uma declaração de incompatibilidade é discutível, mas os efeitos que se pretendem obter com esta declaração podem alcançar-se com a **fixação de efeitos mais restritos** expressamente prevista no art. 283.º/4 do CRP. As hipóteses mais correntes de declaração de incompatibilidade reconduzem-se aos casos seguintes: (1) *violação do princípio da igualdade*, em que o Tribunal verifica a violação deste princípio, constitucional, mas, devido à insuficiente densidade deste princípio aplicado como norma-parâmetro de

---

[51] Em geral, sobre o problema da "pluralidade de consequências, resultados ou efeitos jurídicos da inconstitucionalidade", cfr. K. SCHLAICH, *Das Bundesverfassungsgericht*, 2.ª ed., 1991, p. 236.

[52] Cfr. HEIN, *Die Unvereinbarkeiterklärung Verfassungswidriger Gesetze durch das Bundesverfassungsgericht. Grundlagen, Anwendungsbereich, Rechtsfolgen*, Baden-Baden, 1988, pp. 123 e ss.

controlo, não é possível substituir o legislador (este pode, por exemplo, eliminar a desvantagem ou favorecimento de um grupo em relação ao outro, pode revogar toda a legislação a esse respeito ou criar uma nova disciplina jurídica); (2) a declaração da inconstitucionalidade de uma determinada norma com os efeitos da nulidade originaria uma *situação de «vacuo» ou de «caos» jurídico* manifestamente incompatível com a ordem constitucional (só o legislador estará, assim, em condições de resolver o problema gerado pela inconstitucionalidade da norma); (3) *inexistência de regras ou disciplina jurídica transitória* que ofereçam alternativa credível à solução consagrada na norma inconstitucional; (4) existência de *omissão legislativa inconstitucional*, pois, nestes casos, (ou, pelo menos em alguns deles) não é possível, com a fixação de nulidade, criar uma situação constitucional.

Não são claros os *efeitos jurídicos* de uma tal declaração de incompatibilidade ou de simples fixação de inconstitucionalidade. Por um lado, a norma continua a vigorar; por outro lado, a declaração de incompatibilidade pretende constituir uma «barreira» ou «proibição» de aplicação dirigida aos tribunais e entidades administrativas. Relativamente ao legislador, a «sobrevivência da norma» significa apenas que ele deve criar uma disciplina jurídica constitucional num prazo adequado («dever de aperfeiçoamento da lei»).

2. Situação ainda constitucional mas a tender para a inconstitucionalidade

Nestas hipóteses – **situação ainda constitucional mas a tender para a inconstitucionalidade** – trata-se de situações consideradas ainda como constitucionais, mas que, na falta de medidas apropriadas, podem resvalar para situações manifestamente inconstitucionais. Nestes casos, o Tribunal proferiria uma decisão que consistiria ou num *apelo* ao legislador no sentido de este emanar nova legislação em virtude de a legislação existente em breve se tornar inconstitucional, ou num *sinal* de perigo em virtude de ser previsível que a evolução fáctica e jurídica venha a pôr em causa o regime jurídico em vigor. É uma figura de duvidosa aceitação no direito constitucional português, mas com algum sentido útil sobretudo nos casos de omissão legislativa.

3. Interpretação em conformidade com a Constituição

No caso de polissemia de sentidos de um acto normativo, a norma não deve considerar-se inconstitucional enquanto puder ser interpretada de acordo com a constituição. **A interpretação das leis em conformidade com a Constituição** é um meio de o TC (e os outros tribunais) neutralizarem viola-

ções constitucionais, escolhendo a alternativa interpretativa conducente a um juízo de compatibilidade do acto normativo com a Constituição.

4. Nulidade parcial

Quando a desconformidade de um acto normativo com a constituição não for total, mas meramente parcial, a inconstitucionalidade e consequente sanção da nulidade deve também ser parcial **nulidade parcial**, evitando-se a completa destruição do acto sujeito a fiscalização.

Todos estes exemplos do tipo de desconformidade constitucional não reconduzíveis à bipartição radical entre actos normativos constitucionais válidos e actos normativos nulos (entre constitucionalidade e inconstitucionalidade não há meio termo) demonstram que as exigências da vida obrigam a soluções conciliadoras das dimensões de constitucionalidade com as necessidades da segurança do direito. Resta saber se elas podem ser transferidas em toda a sua extensão para o direito português.

IV - Os vícios geradores de inconstitucionalidade

A desconformidade dos actos normativos com o parâmetro constitucional dá origem ao vício de inconstitucionalidade. A doutrina costuma distinguir entre *vícios formais, vícios materiais* e *vícios procedimentais*[53]: (1) **vícios formais:** incidem sobre o *acto normativo enquanto tal,* independentemente do seu conteúdo e tendo em conta apenas a forma da sua exteriorização; na hipótese de *inconstitucionalidade formal,* viciado é o *acto,* nos seus pressupostos, no seu procedimento de formação, na sua forma final[54]; (2) **vícios materiais:** respeitam ao conteúdo do acto, derivando do contraste existente entre os princípios incorporados no acto e as normas ou princípios da constituição; no caso de *inconstitucionalidade material, substancial ou doutrinária*[55] (como também se lhe

---

[53] Por vezes alude-se também a *inconstitucionalidades orgânicas* para exprimir a ideia de algumas inconstitucionalidades traduzirem um desvio de competências exteriorizado por um desvio de formar. Antes do vício de forma havia já um vício quanto ao órgão competente.

[54] Cfr. MODUGNO, *L'invalidità della Legge,* cit., Vol. II, p. 267; CRISAFULLI, *Lezioni,* Vol. II, 2, p. 122.

[55] Cfr. CARLOS MOREIRA, «Fiscalização Judicial da Constituição», in *BFDC,* 1943, pp. 3 e ss e 355 e ss.

chamou entre nós), viciadas são as disposições ou normas singularmente consideradas; (3) **vícios de procedimento:** autonomizados pela doutrina mais recente (mas englobados nos vícios formais pela doutrina clássica), são os que dizem respeito ao procedimento de formação, juridicamente regulado, dos actos normativos.

Os vícios formais são, consequentemente, *vícios do acto;* os vícios materiais são *vícios das disposições* ou das normas constantes do acto; os *vícios de procedimento* são vícios relativos ao complexo de actos necessários para a produção final do acto normativo. Daqui se conclui que, havendo um vício formal, em regra fica afectado o texto na sua integralidade, pois o acto é considerado formalmente como uma unidade; nas hipóteses de vícios materiais, só se consideram viciadas as normas, podendo continuar válidas as restantes normas constantes do acto que não se considerem afectadas de irregularidade constitucional.

Isto em via de princípio. Ao tratarmos da *nulidade parcial* da lei, verificar-se-á que a irregularidade substancial de uma ou várias disposições pode implicar a anulação da lei *in toto*. São ainda hipotizáveis casos de vícios formais que eventualmente não acarretem a eliminação integral do acto legislativo. Imagine-se, por ex., um decreto-lei, regulador de várias matérias, algumas das quais constituindo reserva de lei da Assembleia da República. Um tal vício é um vício de incompetência e a invalidade do acto derivará da sua inidoneidade para regulamentar certas matérias. Neste caso, poderá discutir-se, independentemente da questão de se saber se a incompetência é um vício material ou formal, se a nulidade não deverá incidir apenas sobre a parte do texto que contempla matérias da competência da assembleia representativa. Só a parte que reveste a forma de decreto-lei em vez de lei formal, mas que deveria necessariamente revestir esta última forma, se deverá considerar viciada. Ressalva-se, é claro, a hipótese de a supressão de uma parte da lei poder acarretar a invalidade de todo o dispositivo legal.

Referências bibliográficas

Andrade, J. C. V. – "A fiscalização da constitucionalidade de 'normas privadas' pelo Tribunal Constitucional", in RLJ, n.° 133 (2001), p. 357 ss.

Araújo, A. – "A construção da justiça constitucional portuguesa: o nascimento do Tribunal Constitucional", in *Análise Social*, 1995.

Biglino Campos, P. – *Los vicios del procedimiento legislativo*, Madrid, 1991.

Canotilho, J. G./Moreira, V. – *Fundamentos da Constituição*, Cap. VI.

Correia, J. M. – *A fiscalização da constitucionalidade e da ilegalidade*, Oeiras, 1999.

Costa, J. M. C. – «O Tribunal Constitucional Português. Sua origem histórica», in Baptista Coelho (org.), *Portugal Político*, cit., pp. 919 e ss.

Crisafulli, V. – *Lezioni di Diritto Costituzionale*, Vol. II, 2, Padova, 1970, p. 119.

Ipsen, J. – *Rechtsfolgen der Verfassungswidrigkeit von Norm und Einzelakt*, Baden-Baden, 1980.

Le Bon, P. (org.) – *La justice constitutionnelle au Portugal*, Paris, 1989.

Llorente, R. – «La jurisdiccion Constitucional como forma de creacion de Derecho», in *La Forma del Poder*, 2.ª ed. 1997, pp. 463 e ss.

– "El bloque de la constitucionalidad", in *REDC*, 29 (1990).

Martins, L. – "O conceito de norma na jurisprudência do Tribunal Constitucional", in BFDC, LXXV (1999), p. 599 ss.

Medeiros, R. – «Valores jurídicos negativos de lei inconstitucional», in *O Direito*, III, 1989, pp. 485 e ss.

– *A Decisão de Inconstitucionalidade*, Lisboa, 1998.

Miranda, J. – *Manual de Direito Constitucional*, Vol. VI, Coimbra, 2001.

Modugno, F. – *L'Invalidità della Legge*, Vol. II, Milano, 1970, pp. 79 e ss.

Moench, Ch. – *Verfassungswidriges Gesetz und Normenkontrolle*, Baden-Baden, 1979.

Montoro Puerto, M. – *Jurisdición constitucional y procesos constitucionales*, Madrid, 1991.

Neves, M. – *Teoria da inconstitucionalidade das leis*, São Paulo, 1988.

Pegoraro, L. – *Lineamenti di giustizia costituzionale comparata*, Torino, 1998.

– *La Corte e il Parlamento. Sentenza – indirizzo e attivitá legislativa*, Padova, 1987.

Sousa, Marcelo R. – *O Valor jurídico do acto inconstitucional*, 1988, pp. 39 e ss.

Torres Muro, I. – "El control jurisdicional de los *interna corporis* en la experiencia italiana", in *REDC*, 17(1986).

Veloso, Z. – *O Controlo jurisdicional da constitucionalidade*, 3.ª ed., Belo Horizonte, 2003.

Zagrebelsky – *La Giustizia Costituzionale*, Bologna, 1977, pp. 39 e ss.

Capítulo 3
Direito Processual Constitucional

Sumário

A. Direito Processual Constitucional

  I - Direito Constitucional Processual e Direito Processual Constitucional

   1. Conceito de direito processual Constitucional
   2. Direito Constitucional processual
   3. Direito Constitucional judicial

  II - Direito Processual Constitucional: fontes e funções

   1. Fontes
   2. Funções
   3. Extensão

B. Princípios Gerais do Direito Processual Constitucional

  I - Processo e processos

  II - Os princípios gerais do direito processual constitucional

   1. O princípio do pedido
   2. O princípio da instrução

Sentido do processo no âmbito constitucional

3. O princípio da congruência ou da adequação
4. O princípio da individualização
5. O princípio do controlo material

A. Direito Processual Constitucional

I - Direito Constitucional Processual e Direito Processual Constitucional

1. Conceito de direito processual constitucional

A temática que será abordada neste e nos capítulos seguintes dirá respeito ao *direito processsual constitucional*. Por **direito processual constitucional** entende-se o conjunto de regras e princípios positivados na Constituição e noutras fontes de direito (leis, tratados) que regulam os procedimentos juridicamente ordenados à solução de questões de natureza jurídico-constitucional pelo Tribunal Constitucional (cfr. CRP, artigo 221º). Trata-se de um conceito de direito processual constitucional em *sentido amplo*, pois abrange os vários processos correspondentes às várias funções do Tribunal Constitucional: processo de controlo da constitucionalidade e da legalidade, processo de julgamento da regularidade e validade dos actos de procedimentos eleitorais, processo de verificação da legalidade de constituição de partidos políticos e processo de extinção dos mesmos, processo de verificação prévia da constitucionalidade e legalidade dos referendos, processos relativos aos recursos respeitantes à perda de mandato e às eleições realizadas na Assembleia da República e nas assembleias legislativas regionais, processo referente ao julgamento das acções de impugnação de eleição e deliberação dos actos de partidos políticos susceptíveis de recurso, processo de verificação e declaração da incapacidade de qualquer candidato a Presidente da República, processo de verificação da perda do cargo de Presidente da República (cfr. CRP, artigo 223.º).

O direito processual constitucional em *sentido estrito* tem como objecto o *processo constitucional*. O **processo constitucional** reconduz-se a um complexo de actos e formalidades tendentes à prolacção de uma decisão judicial relativa à conformidade ou desconformidade constitucional de actos normativos públicos. Neste sentido, o processo constitucional é o *processo de fiscalização da inconstitucionalidade* de normas jurídicas (cfr. CRP, artigo 223.º/1). Como iremos ver, no ordenamento português, o processo constitucional abrange

Sentido do processo no âmbito constitucional

965

também a *fiscalização da ilegalidade* de certos actos normativos desconformes com leis reforçadas. Num caso e noutro visa-se instituir um processo regulador da *garantia jurisdicional* da Constituição.

2. Direito constitucional processual

O direito processual constitucional, seja em sentido amplo seja em sentido estrito, não deve confundir-se com **direito constitucional processual**. Este tem como objecto o estudo dos princípios e regras de natureza processual positivados na Constituição e materialmente constitutivos do *status activus processualis* no ordenamento constitucional português. Neste sentido, o direito constitucional processual abrange, desde logo, as normas constitucionais atinentes ao processo penal. Alude-se aqui ao *direito constitucional processual penal* ou *constituição processual penal* (cfr., sobretudo, artigo 32.º da CRP). A doutrina refere também o *direito constitucional processual administrativo* ou *constituição processual administrativa* para dar ordenação ao conjunto de regras e princípios constitucionais processualmente relevantes para o julgamento de litígios respeitantes a relações jurídico-administrativas e fiscais (cfr., sobretudo, artigo 268.º da CRP). Na mesma perspectiva, passou também a ganhar foros de cidade o *direito constitucional processual civil* ou *constituição processual civil* para exprimir o conjunto de normas constitucionais processualmente relevantes para o julgamento das chamadas causas cíveis ou civis. Embora não haja na Constituição um recorte tão preciso como o que existe relativamente ao processo constitucional penal e, em certa medida, ao direito processual administrativo, nem por isso se pode falar de indiferença constitucional relativamente ao processo civil. Por um lado, algumas dimensões processuais constitucionais relativas à justiça penal e à justiça administrativa são aplicáveis também à justiça civil. É o caso, por exemplo, do direito às garantias de defesa, do direito ao recurso (CRP, artigo 32.º/1), do direito à escolha e assistência de advogado (artigo 32.º/3), do direito à intervenção no processo (artigo 32.º/7), do direito à prova (CRP, artigo 32.º/8), do direito ao juiz legal (CRP, artigo 32.º/9). Por outro lado, existem dispersos pela Constituição determinados princípios que, além de serem *direitos fundamentais processuais* (cfr. *supra*, Estado de Direito), constituem também princípios constitutivos de toda a ordem processual. É o que se passa, por exemplo, com o princípio da imparcialidade (cfr., CRP, artigos 32.º/1, 208.º, 216.º, 266.º/2), o princípio da tutela jurisdicional efectiva (CRP, artigo 20.º), o princípios da equitatividade do processo (CRP, artigo 20.º/4), o princípio da igualdade das partes como projecção processual do princípio da igualdade formal (artigo

13.º/1), o princípio da tempestividade da decisão da causa (CRP, artigo 20.º/4), o princípio da fundamentação das decisões (CRP, artigo 205.º), o princípio da publicidade das audiências (CRP, artigo 206.º), o princípio da executoriedade das decisões (CRP, artigo 205.º/3), o princípio da notificação efectiva das decisões judiciais, (como refracção do princípio da tutela judicial efectiva), o princípio da boa fé processual (como dimensão do processo equitativo) (cfr., Acs. TC 62/91, 249/97, 358/98, 259/2000.

O direito constitucional processual conforma também o direito processual constitucional. A pluralidade de processos jurisdicionais (penais, civis, administrativos, fiscais) não perturba a existência de um paradigma constitucional processual informado pelos princípios que se acabam de referir. A existência de um *paradigma processual* na Constituição portuguesa obriga a estudar e a analisar os diferentes processos não apenas na sua configuração concreta dada pela lei ordinária (os códigos processuais ordinários), mas também sob o ângulo da sua conformidade com as normas constitucionais respeitantes às dimensões processuais das várias jurisdições[1]. O direito processual constitucional estará também, nesta medida, vinculado ao paradigma constitucional do processo.

3. Direito constitucional judicial

Não se deve confundir direito processual constitucional com *direito constitucional judicial*. Embora haja muitos pontos de contacto, os dois direitos têm objectos diferentes. O direito constitucional judicial é constituído pelo conjunto de regras e princípios que regulam a posição jurídico-constitucional, as tarefas, o *status* dos magistrados, as competências e a organização dos tribunais. Os principais problemas do direito constitucional judicial foram já atrás abordados quando se estudou o "poder judicial" e os tribunais no âmbito da organização do poder político.

---

[1] Cfr., por exemplo, COMOGLIO, "Giurisdizione e processo nel quadro delle garanzie Costituzionale", in *Riv. Trim. Dir. Proc. Civ.*, 1994, pág. 1063; "I modelli di garanzie costituzionale del processo", in *Riv. Trim. Dir. Proc. Civ.*, 1991, pág. 673. Entre nós, cfr., A. RIBEIRO MENDES, "A Jurisdição Constitucional…", p. 81 ss. No direito brasileiro cf. IVO DANTAS, *Constituição e Processo*, I, Curitiba, 2003, p. 107 ss.

II - Direito processual constitucional: fontes e funções

1. Fontes

A fonte mais importante, no plano dos princípios e da hierarquia das fontes, é a própria *Constituição da República de 1976*. Esta regula vários aspectos do processo constitucional, designadamente os tipos de processos (cfr. CRP, artigos 287.º e segs.), a legitimação activa e passiva, o objecto de controlo, os efeitos das decisões, o sistema de recursos. As normas da Constituição referentes ao processo constitucional integram o chamado *direito processual formalmente constitucional*.

Ao lado da Constituição, a fonte mais importantes do direito processual constitucional é a *Lei de Organização, Funcionamento e Processo do Tribunal Constitucional*, abreviadamente designada por LTC (Lei n.º 28/82, de 15 de Novembro, alterada pelas Leis n.º 143/85, de 26-11, 85/89, de 7-9, 88/95, de 1-9, 13-A/98, de 26-2). É nesta lei que: (1) se densifica a disciplina jurídica referente à competência, organização e funcionamento do Tribunal Constitucional; (2) se individualizam e regulam os vários processos constitucionais, designadamente os processos de fiscalização da constitucionalidade e legalidade (LTC, artigos 51.º e segs.).

Devem ainda considerar-se fontes do processo constitucional as normas de outras leis ou códigos processuais, sobretudo quando é a própria LTC a reenviar para outras fontes a disciplina jurídica do processo constitucional (cfr., por exemplo, os artigos 48.º e 79.º/b da LTC).

Alguns autores referem como fonte de direito processual constitucional a própria *jurisprudência do Tribunal Constitucional*. Ao "criar" normas sobre dimensões processuais constitucionais (exemplo: regras jurisprudenciais sobre a modelação das sentenças e respectivos efeitos[2]), o Tribunal Constitucional desenvolve criativamente o regime jurídico do processo constitucional. Deve acentuar-se, porém, que o Tribunal Constitucional não é "dono do processo constitucional". A extrinsecação metódica dos preceitos constitucionais conduz, no entanto, à estabilização de "precedentes", "a uniformizações" jurisprudenciais ou "reiterações" de doutrina que acabam por se transformar, de facto, em regras processuais. Assim, por exemplo, o Tribunal Constitucional considerou recentemente (Ac. TC n.º 217/2001, DR, I-A, de 21 de Junho) que as

---

[2] Cfr. BENDA/KLEIN, *Verfassungsprozessrecht*, pág. 14.

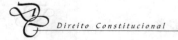

decisões que servem de pressuposto à declaração de inconstitucionalidade de uma norma no processo de generalização de inconstitucionalidade (CRP, artigo 281.º/3) tanto podem estar corporizadas em *acórdãos* como em *decisões* sumárias, transitadas em julgado, proferidas pelo juiz relator (LTC, artigo 78.º/a/ n.º 1). A Constituição refere-se ao julgamento da inconstitucionalidade em três casos concretos, não sendo líquido se a decisão sumária proferida pelo relator – e que pode consistir em simples remissão para anterior jurisprudência – (LTC, artigo 78º/a) é um verdadeiro *julgamento* sobre a inconstitucionalidade de uma norma.

2. Funções

Tal como acontece com o direito processual em geral, o direito processual constitucional não é um fim em si mesmo. Serve para a realização do direito constitucional material. Através dos processos constitucionais *garante-se*, desde logo, a Constituição. **Garantir a Constituição** contra normas inconstitucionais significa proteger a *ordem constitucional objectiva*. Daí a inserção dos processos de fiscalização da constitucionalidade (e da legalidade reforçada) na Parte IV referente à *garantia* (e revisão) da Constituição. A garantia da Constituição como ordem constitucional objectiva não exclui a incidência de dimensões subjectivas relacionadas com a protecção dos *direitos subjectivos* das pessoas físicas e colectivas. Estas dimensões são particularmente relevantes no processo de fiscalização concreta.

Uma outra função importante do direito processual constitucional é a da demarcação de *competências* constitucionalmente consagradas. Muitas das questões de constitucionalidade (e da legalidade) tocam problemas como os da reserva de lei, da reserva da administração, da reserva do juiz, da reserva de tribunais, da reserva de lei regional, da reserva de convenção colectiva. Estes problemas reconduzem-se, em grande medida, a problemas de competência do legislador, do governo, da administração, dos tribunais, dos órgãos das Regiões Autónomas, das associações sindicais e patronais. O direito processual constitucional permite uma aproximação tópica ao difícil problema da extensão das competências das entidades referidas. Mas não só. Os processos constitucionais servem para o Tribunal Constitucional recortar as suas *competências* em face de outros órgãos constitucionais (o legislador, os outros tribunais, a administração). Esta função será adiante analisada ao discutir-se o problema de extensão do controlo da consttucionalidade e dos efeitos das decisões do Tribunal Constitucional.

Sentido do processo no âmbito constitucional

O direito constitucional processual cumpre a *função de garantia da funcionalidade* do próprio sistema de controlo da constitucionalidade. Através dele, clarificam-se as "regras do jogo" da jurisdição constitucional, seleccionam-se os princípios processuais estruturantes, e fornece-se a abertura para, através do processo, se legitimar o Estado constitucional e se dinamizar a juridicidade do Estado de direito.

3. Extensão

O direito processual constitucional caracteriza-se, como se acaba de ver, pela *multifuncionalidade*[3]. O núcleo forte das suas funções diz respeito à *tarefa jurisdicional* do Tribunal Constitucional (direito processual constitucional em sentido restrito). É habitual, também, o direito processual constitucional regular a *magistratura constitucional*, desde o *status* dos juízes até à estrutura orgânica e à individualização das competências constitucionais e legais do Tribunal Constitucional.

É duvidoso se no processo constitucional se devem integrar *tarefas metódicas* de revelação do direito constitucional material. Como em qualquer *jurisdictio*, dizer o direito através do processo significa sempre realização do direito constitucional. Coisa diferente é a transmutação do processo constitucional em "tratado" de interpretação e concretização da Constituição (cfr., porém, LTC, artigo 79º/c). Se quiséssemos registar, em termos sintéticos, o objecto do direito processual constitucional, diríamos que nele cabem três núcleos centrais: a *jurisdição constitucional*, os *processos constitucionais* e a *magistratura constitucional*[4].

C. *Princípios gerais do direito processual constitucional*

I - *Processo e processos*

A enumeração subsequente de alguns dos princípios gerais do direito processual constitucional [5] vai revelar a posição anteriormente sugerida sobre a

---

[3] Cfr., MAUNZ/SCHMIDT-BLEIBTREU/KLEIN/ULSAMER, *Bundesverfassungsgerichtsgesetz*, pág. 61 e segs.

[4] Cfr., precisamente, D. GARCIA BELAUNDE "De la Jurisdicción Constitucional al Derecho Procesal Constitucional", e M. FIX-ZAMUDIO, "Sobre el concepto y el contenido del Derecho Procesal Constitucional", in *Anuario IberoAmericano de Justicia Constitucional*, 3/1999, pág. 89 e segs. e 121 e segs.

[5] Sobre a validade metodológica da adaptação dos conceitos processuais gerais no direito processual constitucional, cfr. BOCANEGRA SIERRA, *El Valor de las Sentencias del Tribunal Constitucional*,

autonomia e especificidade deste ramo processual. Embora todos os princípios a mencionar sejam considerados como princípios básicos de outras ordens processuais (designadamente a ordem processual civil), verifica-se a necessidade de grandes cautelas relativamente à a sua transferência de plano para o direito constitucional. Deve salientar-se que estes princípios podem valer em diferente medida segundo os diferentes processos de fiscalização. *Não há, rigorosamente, um processo constitucional; existem, sim,* **vários processos constitucionais**. Como princípios gerais do processo constitucional devem referir-se os seguintes.

II - Os princípios gerais do direito processual constitucional

1. O princípio do pedido

O processo só se inicia sob o impulso das entidades às quais é constitucionalmente reconhecida legitimidade processual activa. O pedido consiste na solicitação para que se declare, se verifique ou se reconheça a inconstitucionalidade de uma ou várias normas (cfr. Ac. 31/84). O Tribunal Constitucional actua a pedido das pessoas e entidades com legitimidade processual activa e não mediante iniciativa dos juízes que o compõem. A isto se chama em teoria processual o **princípio do pedido** (cfr. LTC, arts. 51.º e 57.º). Todavia, este princípio do pedido, que na ordem processual civil anda associado ao **princípio dispositivo**, não significa a recondução do processo constitucional a um simples «processo de partes». Algumas das consequências deste princípio são expressamente rejeitadas, como, por ex., a possibilidade de desistência (admitida apenas na fiscalização concreta e nos processos de fiscalização preventiva nos termos da LTC, art. 53.º)[6].

2. O princípio da instrução

Embora o processo esteja dependente do pedido, e, nesta perspectiva, não se trate de um *processo inquisitivo*, não se reconduz também a um processo dispositivo relativamente à averiguação da verdade. No processo

---

Madrid, 1982, pp. 161 e ss; T. CARNACINI, «Tutela giurisdizionale e tecnica del processo», in *Studi Redenti*, 1951, 11, pp. 698 e ss.

[6] Cfr. Ac. TC n.º 25/83, de 19-4-84; Ac. n.º 31/84, *DR*, I, de 17-4-84. Por último, cfr. Ac. TC 531/2000.

dispositivo às partes pertence a adução do material que possibilita ao juiz a decisão; no processo constitucional os juízes podem, *ex officio,* proceder a averiguações tendentes à indagação material da verdade – **princípio da instrução** –, independentemente do contributo das pessoas ou entidades que suscitarem a questão de inconstitucionalidade ou introduzirem uma acção principal de controlo [7].

3. O princípio da congruência ou da adequação

O sentido do **princípio da congruência** é bem conhecido da doutrina processual civil: entre a sentença proferida pelo tribunal e as pretensões deduzidas pelas partes existe uma *relação de congruência* que consiste fundamentalmente em o tribunal apreciar *apenas o pedido,* mas sem deixar de apreciar e resolver *todo o pedido* (correlação entre a pretensão e a decisão).

Este princípio, intimamente ligado ao princípio dispositivo, sofre algumas e importantes correcções em direito processual constitucional. Em todo o seu rigor, ele postularia a inadmissibilidade de apreciação jurisdicional relativamente a questões não debatidas e consequente exclusão de declaração de inconstitucionalidade de normas que não tivessem sido impugnadas no processo. Se isto é assim em processos de fiscalização concreta (e mesmo aqui há problemas), já o mesmo não acontece nos processos de fiscalização abstracta onde podem existir *inconstitucionalidades consequenciais ou por arrastamento,* justificadas pela conexão ou interdependência de certos preceitos com os preceitos especificamente impugnados (cfr. *supra,* as considerações sobre inconstitucionalidade parcial). Isto não implica a admissão generalizada deste tipo de inconstitucionalidades, sobretudo se se tiver em conta um limite material inequívoco: só podem admitir-se relativamente a preceitos contidos no acto normativo impugnado, não devendo alargar-se a preceitos situados fora do acto normativo sujeito a fiscalização jurisdicional [8].

4. O princípio da individualização

Associada ao princípio dispositivo e ao princípio da congruência e como consequência deles, a doutrina processual civil desenvolveu a regra (hoje

---

[7] A revogação, pela L 85/89, do antigo n.º 2 do art. 63.º da LTC, parece indicar que se pretendeu agora acentuar a dimensão dispositiva.

[8] Cfr. K. SCHLAICH, «Corte Costituzionale e controllo sulle norme nella Republica Federale di Germania», in *Quaderni Costituzionali,* 1982, p. 597. Mesmo com as restrições do texto, as inconstitucionalidades consequenciais são rejeitadas, em nome do princípio do pedido, por CARDOSO DA COSTA, *A Jurisdição Constitucional,* p. 47.

relativamente ultrapassada) da *correspondência entre o pedido e o pronunciado* de acordo com o **princípio da substanciação**: o juiz conforma-se com a delimitação do tema a decidir feita pelas partes, não lhe competindo averiguar se a pretensão poderia obter-se através de outra providência ou com outros fundamentos jurídicos.

Em todo o seu rigor, o princípio da *substanciação* conduziria à impossibilidade prática de, por ex., o TC averiguar se, em vez de uma inconstitucionalidade formal, existe uma inconstitucionalidade material ou uma e outra conjuntamente. Nas *acções de inconstitucionalidade,* é óbvio que embora a petição enuncie os fundamentos jurídicos tendentes a demonstrar a existência do vício de inconstitucionalidade, o TC aprecia com larga elasticidade (princípio da individualização) a relação de conformidade ou desconformidade das normas impugnadas com o parâmetro normativo-constitucional (cfr. LTC, art. 51.º/5).

Já no que respeita ao controlo concreto da inconstitucionalidade através de um recurso para o Tribunal Constitucional pode dizer-se que o princípio *ne eat judex ultra petite partium,* tal como é desenvolvido pela processualística civil, encontra relativo acolhimento no processo constitucional. O TC aprecia a questão da inconstitucionalidade apenas quanto às normas impugnadas e exclusivamente nos termos em que a questão é posta no caso concreto submetido a julgamento (pelo recorrente, pelo juiz *a quo,* pelo Ministério Público).

A posição adoptada quanto aos princípios da congruência e da individualização pode conformar-se já com algumas decisões jurisprudenciais. Relativamente ao princípio da individualização refira-se, a título de exemplo, o Acórdão do TC n.º 39/84 (in *DR,* 1.ª série, de 5-5-84), onde claramente se sustenta que «o Tribunal não está, pois, impedido de conhecer outros eventuais vícios de inconstitucionalidade de que padeça a norma cuja apreciação lhe é requerida»; Acórdão n.º 31/84, *DR,* 1.ª série, de 17-4-84, onde se afirma estarem os poderes de cognição do juiz limitados e condicionados pelo pedido mas não pela causa de pedir. Cfr., também, Ac. TC n.º 71/84, *DR,* I, 17-4-84.

Também as hipóteses de *inconstitucionalidade consequencial* não são desconhecidas da *praxis* jurisprudencial portuguesa (cfr. Parecer CC n.ᵒˢ 11/82 e 23/82, *Pareceres,* Vol. 20), considerando-se admissível a declaração da inconstitucionalidade por arrastamento quando a nulidade do preceito principal conduz à inconstitucionalidade do preceito instrumental. Ver Ac. TC 91/88, *DR,* I, 12-5-88.

5. O princípio do controlo material

O **princípio do controlo material** anda associado ao princípio da instrução e com ele pretende-se significar que o controlo da constitucionalidade – a questão da inconstitucionalidade – deve abranger os *fundamentos de facto e de*

direito (as questões de facto e de direito) relevantes para o processo. Diversamente do que se passa em processo civil e administrativo, a distinção entre *questões de facto* e *questões de direito* não tem aqui a mesma relevância, pois: (1) por um lado, nos processos de fiscalização abstracta, o pedido deve apenas especificar, além das normas cuja apreciação se requer, as normas ou princípios constitucionais violados (art. 51.º/1 da LTC); (2) por outro lado, nos processos de fiscalização concreta, o Tribunal Constitucional deve limitar a sua competência ao controlo da «questão de inconstitucionalidade», não lhe cabendo averiguar da justeza dos factos fixados pelos tribunais a *quo*.

Referências bibliográficas

Abbamonte, N. – *Processo Costituzionale Italiano*, I, Napoli, 1957.
Almagro Nosete, J. – *Justicia Constitucional*, Madrid, 1980.
Angiolini, V. – "Processo giurisdizionale e processo costituzionale", *Foro It.*, 1995, pp. 1085 e ss.
Benda/Klein – *Handbuch des Verfassungsprozessrecht*, Heidelberg, 1991.
Belaunde, D. G. – "De la jurisdicción constitucional al Derecho procesal constitucional", in *Anib Just. Const.*, 8 (1999), pp. 121 e ss.
– *Derecho Procesal Constitucional*, Lima, 1998.
Baracho, J. A. – *Processo Constitucional*, São Paulo, 1984.
Canas, V. – *Introdução às Decisões de Provimento do Tribunal Constitucional*, Lisboa, 1984.
– *Os processos de fiscalização da constitucionalidade e da legalidade pelo Tribunal Constitucional*, Lisboa, 1986.
Cantor, E. R. – *Introdución al derecho procesal constitucional*, Cali, Colombia, 1994.
Caravita, B. – *Corte Costituzionale, giudici a quo e introduzione del giudizio sulle leggi*, Padova, 1985.
Cerri, A. – "Note in tema di giustizia costituzionale", in *Foro It.* I, 1995, pp. 1082 e ss.
Cruz Villalón P./Lopez Guerra, L./Jiménez Campo, P./Perez Royo, J. – *Los Processos Constitucionales*, Madrid, 1992.
Dantas, I. – *Constituição e Processo*, Curitiba, 2003.
D'Amico, M. – "Dalla giustizia costituzionale al diritto processuale costituzionale: spunti introduttivi", in *Giur. It*, 1990, IV, pp. 480 e ss.
D'Orazio, G. – *Soggetto privato e processo costituzionale italiano*, Torino, 1988.
– *Parti e processo nella giustizia costituzionale*, Torino, 1991, pp. 11 e ss.
Dominguez, E. A. R. – *Derecho Procesal Constitucional*, Lima, 1997.

Favoreu – «La décision de constitutionnalité» in *RIDC*, 2/1986, pp. 611 e ss.

González Pérez, J. – *Derecho Procesal Constitucional*, Madrid, 1980.

Gozaíni, G. A. – *El derecho procesal constitucional y los derechos humanos (vinculos y autonomias)*, Mexico, 1995.

Hernández Valle, R. – *Derecho procesal constitucional*, São José, 1995.

Landa, C. – *Teoria del Derecho Procesal Constitucional*, Lima, 2003.

Lerche/Schmitt Glaeser/Schmidt Assmann – *Verfahren als Staats-und Verwaltungsrechtliche Kategorie*, Heidelberg, 1984.

Mendes, A. R. – "A Jurisdição Constitucional, o Processo Constitucional e o Processo Civil", *in Estudos em memória do Prof. Doutor João de Castro Mendes*, Lisboa, 1992, p. 81 ss.

Nery Júnior, N. – *Princípios de processo civil na Constituição Federal*, São Paulo, 1991.

Pestalozza, Ch. – *Verfassungsprozessrecht*, 3.ª ed., München, 1991.

Pizorrusso, A. – «Garanzie costituzionali», in *Commentario alla Costituzione a cura di G. Branca*, Bologna, 1981.

– "Uso e abuso del Diritto Processuale Costituzionale", in Jorge Miranda (org.), *Perspectivas Constitucionais*, I, Coimbra, 1996, pp. 901 e ss.

Romboli, R. – "La Corte Costituzionale e il sue processo", in *Foro It.*, 1995, p. 1890.

Rousseau, D. – *Droit du Contentieux Constitutionnel*, Paris, 5.ª ed., 1999.

Ruggeri. A/Spadaro, D. – *Lineamenti di giustizia costituzionale*, Torino, 1998.

Sandulli, A. – *Il giudizio sulle leggi*, Milano, 1967.

– *Il procedimento amministrativo* (reimpressão), Milano, 1964.

Schlaich, K. – *Das Bundesverfassungsgericht*, München, 1985.

Scholler/Bross – *Verfassungs-und Verwaltungsprozessrecht*, 1980.

Segado, F. F. – *La jurisdicción constitucional en España*, Madrid, 1984.

Sendra, Gimeno V. – *Constitución y Processo*, Madrid, 1988.

Sousa, M. R. – "Inexistência Jurídica", in *Dicionário Jurídico da Administração Pública*, V, 1993, p. 238 ss.

Zagrebelsky, G. – *Processo Costituzionale*, Enc. Dir., XXXVI, Milano, 1987.

– *La Giustizia Costituzionale*, 2.ª ed., Bologna, 1988.

Zamudio, H. F. – "Aproximación al Derecho procesal constitucional", *in Anib. Jus. Const.*, 3 (1999), pp. 89 e ss.

– *Justicia Constitucional, Ombudsman y derechos humanos*, Mexico, 1997.

Gonçalves, M. O. – *Direito processual constitucional*, São Paulo, 1998.

Saqués, N./Mercedes Serra, M. – *Derecho procesal constitucional de la provincia de Santa Fé*, Buenos Aires, 1998.

Capítulo 4

Os Processos de Fiscalização da Inconstitucionalidade e da Ilegalidade

Sumário

A. Individualização

B. Processo de Fiscalização Difuso, Concreto e Incidental

   I - Sentido geral da fiscalização judicial concreta

   II - Requisitos processuais

      1. Requisitos subjectivos
      2. Requisitos objectivos

   III - Recurso para o Tribunal Constitucional

      1. Tipos de recurso
      2. Análise dos recursos
      3. Efeitos das decisões do TC
      4. O recurso para o plenário
      5. A "filtragem" dos recursos

C. Processo de Fiscalização Abstracta

I - Requisitos processuais

1. Requisitos objectivos
2. Requisitos subjectivos

II - Princípios de processo
III - Processo de decisão
IV - Efeitos das decisões do TC

1. Sentenças declarativas de inconstitucionalidade
2. Sentenças de rejeição de inconstitucionalidade

D. Processo de Declaração da Inconstitucionalidade com Base em Controlo Concreto

E. Processo de Fiscalização Abstracta Preventiva (= Controlo Prévio da Inconstitucionalidade)

I - Controlo preventivo e controlo sucessivo
II - Requisitos processuais

1. Requisitos subjectivos
2. Requisitos objectivos
3. Requisitos temporais

III - Efeitos

1. Veto e reenvio
2. Expurgação ou confirmação
3. Reformulação

4. Falta de promulgação e assinatura
5. Efeitos em relação ao TC

IV - O processo de fiscalização preventiva abstracta de leis orgânicas

1. Requisitos processuais
2. Promulgação temporalmente condicionada

F. Processo de Fiscalização da Inconstitucionalidade por Omissão

I - Conceito de omissão

1. Espécies de omissões inconstitucionais
2. As omissões legislativas parciais
3. Dever de legislação e direito à legislação

II - Requisitos processuais

1. Requisitos subjectivos
2. Requisitos objectivos

III - Efeitos

G. Processos de Fiscalização da Ilegalidade

I - Fiscalização abstracta da legalidade

1. Requisitos objectivos
2. Requisitos subjectivos
3. O processo de controlo incidental ou de fiscalização concreta de ilegalidade junto do Tribunal Constitucional

H. Processo de Verificação da Contrariedade de uma Norma Legislativa com uma Convenção Internacional

1. Os arts. 70.º/1/i e 71.º/2 da LTC
2. Inconstitucionalidade dos arts. 70.º/1/i e 71.º/2 da LTC?
3. Natureza e finalidade do processo
4. Questões jurídico-constitucionais e questões jurídico-internacionais
5. Pressupostos de admissibilidade
6. Efeitos da decisão
7. Insusceptibilidade de generalização das decisões do TC

I. Processo de Verificação da Constitucionalidade e da Legalidade dos Referendos

1. Regime jurídico
2. Objecto da fiscalização
3. Tipos de sentenças

J. A Execução das Decisões do Tribunal Constitucional

A. Individualização

Os **tipos processuais de fiscalização da inconstitucionalidade** de normas jurídicas são os seguintes.

a) *Controlo abstracto por via de acção*

O processo principal de inconstitucionalidade ou processo por via de acção tem por objecto uma pretensão dirigida à declaração, com força obrigatória geral, da inconstitucionalidade de normas jurídicas (arts. 223.º, 281.º/1 e 282.º, da CRP, e arts. 51.º e ss da LTC). É um processo de controlo de normas, destinado a, de *forma abstracta,* verificar a conformidade formal, procedimental ou material, de normas jurídicas com a constituição.

b) *Controlo abstracto prévio ou de fiscalização preventiva da inconstitucionalidade*

Tem por objecto uma pretensão destinada a evitar que certos projectos de actos normativos se transformem em actos perfeitos e definitivos mas inconstitucionais (art. 278.º da CRP e arts. 57.º e ss da LTC).

c) *Controlo concreto por via de acção*

O *processo incidental de inconstitucionalidade* ou *processo de fiscalização concreta* tem por objecto a apreciação de uma questão de inconstitucionalidade, levantada a título de incidente, nos feitos submetidos a julgamento perante qualquer tribunal. Trata-se de uma *fiscalização concreta,* pois ela efectua-se quando, num processo a decorrer em tribunal, se coloca a questão da inconstitucionalidade de uma norma com pertinência na causa (cfr. arts. 204.º e 280.º da CRP, e 69.º e ss da LTC).

d) *Controlo misto*

Trata-se do *processo de declaração de inconstitucionalidade com base no controlo concreto de normas.* Este processo conjuga duas dimensões: (1) uma dimensão abstracta, dado que se trata da declaração da inconstitucionalidade com força obrigatória geral, tal como sucede nos processos principais de inconstitucionalidade; (2) uma dimensão concreta, porque a declaração de inconstitucionalidade tem como base a fiscalização concreta da constitucionalidade de normas jurídicas (cfr. art. 281.º/3 da CRP e arts. 82.º e ss da LTC).

e) *Controlo abstracto por omissão*

O processo de inconstitucionalidade por omissão destina-se a verificar a inexistência de medidas legislativas necessárias para tornar exequíveis certos preceitos constitucionais. Trata-se, pois, de uma pretensão que assenta não na existência de normas jurídicas inconstitucionais, mas na violação da lei constitucional pelo *silêncio legislativo* (violação por omissão). Cfr. art. 283.º da CRP e arts. 67.º e ss da LTC.

f) *Processo de verificação da contrariedade de uma norma legislativa com uma convenção internacional*

Aos processos precedentes deve acrescentar-se, hoje, nos termos da LTC, art. 70.º/1/*i*, o processo de verificação de contrariedade de uma norma legislativa com uma convenção internacional.

B. *Processo de Fiscalização Difuso, Concreto e Incidental*

O **controlo difuso** pode considerar-se uma tradição republicana do direito constitucional português, embora mais teórica do que prática, no domínio das Constituições de 1911 e de 1933 (cfr. *supra*). No domínio da Constituição de 1976, este controlo tem sido uma forma privilegiada de *dinamização* do direito constitucional.[1]

A competência para fiscalizar a constitucionalidade das normas é reconhecida a todos os tribunais que, quer por impugnação das partes, quer *ex officio* pelo juiz, apreciam a inconstitucionalidade das normas aplicáveis ao caso concreto submetido a decisão judicial (cfr. arts. 204.º e 280.º). O regime desta **excepção de inconstitucionalidade** condensa-se da forma referida a seguir [1a].

---

[1] Cf. A. MONTEIRO DINIZ, "A Fiscalização Concreta de Inconstitucionalidade", p. 203.

[1a] No texto deixa-se em aberto a questão de saber se o particular pode provocar o incidente de inconstitucionalidade, intentando perante o Tribunal *acções declaratórias* ou *procedimentos cautelares*.

982

I - Sentido geral da fiscalização judicial concreta

O processo de fiscalização concreta de normas jurídicas, designado também por **processo incidental ou acção judicial de inconstitucionalidade** (*Richterklage*), traduz a consagração do direito (e dever) de fiscalização dos juízes (*judicial review*) relativamente a normas a aplicar a um caso concreto.

Uma norma em desconformidade material, formal ou procedimental com a constituição é nula, devendo o juiz, antes de decidir qualquer caso concreto de acordo com esta norma, examinar («direito de exame», «direito de fiscalização») se ela viola as normas e princípios da constituição. Desta forma, os juízes têm «acesso directo à constituição», aplicando ou desaplicando normas cuja inconstitucionalidade foi impugnada.

A competência dos tribunais para exercerem a fiscalização judicial consta do art. 204.º, e o seu regime básico está fundamentalmente consagrado no art. 280.º da CRP e nos arts. 69.º e ss. da LTC. É este o regime geral de acesso ao Tribunal Constitucional, exigindo-se, portanto, que o problema da constitucionalidade de uma norma surja no decurso de um processo (penal, civil, administrativo). Das decisões do juiz *a quo* (quer de acolhimento quer de rejeição da inconstitucionalidade) cabe *recurso, por via incidental,* para o Tribunal Constitucional (cfr. art. 280.º/1).

Como das decisões dos juízes poder haver *recursos de inconstitucionalidade* para o TC, diz-se também que a fiscalização concreta, incidental e difusa, é uma «introdução necessária» dos recursos para o TC. Este poderá vir a revogar a decisão do juiz *a quo* incidente sobre questões de inconstitucionalidade.

II - Requisitos processuais

1. Requisitos subjectivos

Para que se possa suscitar um incidente de inconstitucionalidade é necessária a verificação de certos requisitos e circunstâncias que na doutrina processual geral se designam por **requisitos ou pressupostos processuais**[2-3].

---

[2] Cfr., por ex., MANUEL DE ANDRADE, *Noções Elementares de Processo Civil* (act. de Herculano Esteves), Coimbra, 1979, p. 74; ANTUNES VARELA/MIGUEL BEZERRA/SAMPAIO NORA, *Manual de Processo Civil,* Coimbra, 1984, pp. 36 e ss; GUILHERME DA FONSECA/INÊS DOMINGOS, *Breviário de Direito Processual Constitucional,* Coimbra, 1997.

[3] Sobre este tema, cfr., entre nós, GUILHERME FONSECA, «Fiscalização concreta da inconstitucionalidade», in *Scientia Juridica,* Tomo XXXIII, 1984; RIBEIRO MENDES, «Recurso para o Tribunal Constitu-

a) *Tribunais*

A questão da inconstitucionalidade deve ser levantada num «feito submetido a julgamento» perante um tribunal (cfr. CRP, art. 204.º).

Tribunais no sentido dos arts. 204.º e 280.º/1 devem considerar-se todos os órgãos jurisdicionais aos quais é atribuída, como função principal, a actividade jurisdicional, exercida por um juiz, unicamente submetido à constituição e à lei. Por esta definição se verifica que há dois problemas prévios quanto à qualificação das autoridades judiciais: (*i*) natureza judicial do órgão; (*ii*) natureza jurisdicional da actividade que ele desenvolve (cfr. Ac. TC 230/86, DR, I, 12-9-86).

Relativamente ao segundo problema – *natureza jurisdicional da actividade do tribunal* – tende a considerar-se que para haver um «feito submetido a julgamento» não é necessária a existência de um litígio ou controvérsia jurídica entre partes (*processos de jurisdição contenciosa*), bastando a existência de um caso ou interesse juridicamente tutelado a resolver pelo juiz (*processos de jurisdição voluntária,* como, por ex., providências de alimentos, providências em relação aos cônjuges). Por outro lado, o enunciado – «feito submetido a julgamento» – abrange os *processos declaratórios* e os *processos cautelares* (em que a parte interessada «chora antes de doer» na expressão sugestiva do juiz americano Benjamin Cardoso), suscita também a excepção de inconstitucionalidade. Problema complexo é o de saber se, desta forma, não será possível criar um sucedâneo de uma acção directa de inconstitucionalidade.

No que se refere à primeira questão – *natureza judicial do órgão* – tem-se entendido dever tratar-se de um *verdadeiro tribunal* e não de um simples órgão de composição de conflitos (ex.: órgãos disciplinares das ordens profissionais, jurisdição desportiva, Conselho Superior da Magistratura), como pode ver-se nos Acs. TC 230/86, *DR*, I, 12-9-86, e 211/86, *DR*, II, 7-11-86, e 289/86. Outro problema reside no facto de saber se de qualquer decisão de um tribunal – pelo facto precisamente de o ser – pode haver recurso para o TC. Por outras palavras: serão susceptíveis de recurso todas as decisões dos tribunais? Se a decisão do tribunal for não jurisdicional ou se estiver em causa um acto judicial não autónomo (ex.: voto de vencido de um juiz, membro de tribunal colectivo) (cfr. Acs. 211/86, 238/86, 266/86, relativos ao Tribunal de Contas) deverá afastar-se a possibilidade de recurso.

---

cional: pressupostos», in *Revista Jurídica*, 3/1984; VITALINO CANAS, *Os processos de fiscalização da Constitucionalidade e da Legalidade pelo Tribunal Constitucional*, Coimbra, 1986; INÊS DOMINGOS/MARGARIDA PIMENTEL, «O Recurso de Constitucionalidade», in *Estudos sobre a Jurisprudência do Tribunal Constitucional*, p. 427.

b) *Sujeitos*

A questão da inconstitucionalidade pode ser levantada nos feitos submetidos a julgamento: (1) a *instâncias de parte*; (2) *ex officio* pelo juiz; (3) pelo Ministério Público quando este seja parte no processo. O reconhecimento às partes de legitimidade processual activa para suscitarem o incidente de inconstitucionalidade justifica-se pelo facto de o incidente ou excepção ser um meio idóneo de elas defenderem interesses subjectivos. A legitimidade processual activa do juiz *a quo* ou do Ministério Público quando seja parte no processo explica-se pela vinculação dos órgãos jurisdicionais aos princípios da constitucionalidade e da unidade da ordem jurídica.

2. Requisitos objectivos

a) *Questão de inconstitucionalidade*

A questão suscitada perante o juiz da causa (juiz *a quo*) tem de ser uma **questão de inconstitucionalidade**, isto é, tem de colocar-se o problema da conformidade ou desconformidade de uma norma com a Constituição. Esta questão de inconstitucionalidade deve configurar-se da seguinte forma: (1) é uma *questão concreta* de inconstitucionalidade, ou seja, deve tratar-se da questão da desconformidade constitucional de um acto normativo a aplicar num caso submetido a decisão perante o juiz *a quo*; (2) é uma *questão objectiva*, pois a questão de inconstitucionalidade pode ser suscitada *ex officio* e julgada, independentemente de o seu acolhimento ou rejeição trazer benefícios a qualquer das partes processuais (mas a dimensão objectiva não aniquila a existência de uma dimensão subjectiva, traduzida, desde logo, na possibilidade de o incidente de inconstitucionalidade poder ser levantado pelas partes); (3) é uma *questão de inconstitucionalidade*, isto é, pressupõe um juízo de conformidade ou desconformidade de um acto normativo com normas ou princípios dotados de estalão constitucional (= forma e valor constitucional) ou, no caso de ilegalidade, de valor legal reforçado (legalidade qualificada), excluindo-se as questões de natureza contencioso-administrativa (legalidade ou ilegalidade de regulamentos, de actos administrativos[4]), as questões de mérito da causa e as questões sobre a eventual constitucionalidade ou inconstitucionalidade da decisão judicial; (4) é uma *questão suscitada durante o processo* (CRP, art. 280.°/1/*b* e 2/*d*), pois

---

[4] O Tribunal Constitucional teve já oportunidade de se pronunciar sobre o problema da ilegalidade de regulamentos. Cfr. Acs. 113/88, 169/88, 219/88.

só uma questão suscitada durante o processo pode ser apreciada pelo juiz e tida em conta na decisão da causa. A descodificação da fórmula **questão suscitada durante o processo** tem dado origem a vasta jurisprudência. Considera-se, por exemplo, não atempada a invocação da inconstitucionalidade feita em reclamação da decisão final, a não ser quando o interessado não tiver tido intervenção processual possibilitadora do levantamento da questão antes da decisão final (cfr., por ex., Acs. TC 61/92 e, por último, 122/98, 132/98, 182/98). O Tribunal Constitucional tem recortado este requisito sob uma perspectiva marcadamente *funcional*. Suscitar-se a questão da inconstitucionalidade durante o processo não significa que a inconstitucionalidade possa ser suscitada até à extinção da instância, mas sim que essa invocação pode e deve ser feita em momento em que o Tribunal *a quo* ainda possa conhecer da questão. Em geral, a questão da constitucionalidade deve ser suscitada antes da prolação da sentença de que se recorre. Em termos práticos, isso significa que a inconstitucionalidade terá de suscitar-se antes de esgotado o poder jurisdicional do juiz sobre a matéria a que a inconstitucionalidade respeita (cfr., por ex., Ac. TC 94/88, *DR*, II, 22-9-88). Há que resolver, porém, os casos excepcionais em que os interessados não tenham tido *oportunidade processual* para suscitar a questão de inconstitucionalidade antes de ser proferida a decisão (cfr., por ex., Ac. TC 61/92, *DR*, II, 18-9-92). É o caso, por ex., da questão ser suscitada no momento em que se dita para a acta, ou o caso em que a questão é suscitada na resposta a motivação de recurso interposto pelo Ministério Público ou nas alegações orais, acrescentadas no Supremo (cfr. Ac. 54/95, 31-1-95) ou, ainda, quando a norma cuja constitucionalidade se contestou foi publicada depois da última intervenção processual do recorrente e antes de proferida a decisão (Ac. TC 14/88, *Acórdãos*, vol. 11).

b) *Relevância da questão da inconstitucionalidade*

Exige-se que a **questão da inconstitucionalidade** seja *relevante* para a decisão da causa. A «causa» («o feito submetido a decisão judicial», «o caso apresentado no Tribunal») diz respeito a um outro assunto (questão de fundo, questão de mérito), mas depende também da validade ou invalidade de uma norma a aplicar ao caso. A questão da constitucionalidade não representa a *questão principal;* é antes uma *questão incidental* relevante para a solução da questão principal. Além de ser muito discutido este carácter incidental da questão da inconstitucionalidade[5], tam-

---

[5] Cfr., também, JORGE MIRANDA, *Manual*, VI, «a questão de inconstitucionalidade só pode ser relevante, só pode ser objecto de decisão quer do tribunal *a quo* quer do tribunal constitucional

bém a própria noção **questão relevante** oscila entre duas posições principais: (*i*) *questão relevante* é aquela que é *decisiva* para a decisão do tribunal, não podendo esta ser proferida sem a resolução do problema prévio da constitucionalidade; (*ii*) questão relevante existe quando a aplicação da norma cuja constitucionalidade é posta em causa parece *necessária* ao juiz *a quo,* ou quando este admite como *possível* vir essa norma ser aplicável ao feito submetido a julgamento[6], mas afasta a sua aplicação por motivo de inconstitucionalidade (cf. Ac. TC 169/92).

De qualquer modo, não é suficiente afirmar, na decisão do tribunal *a quo,* que determinada norma é inconstitucional; ela deve ser efectivamente *desaplicada* por motivos de inconstitucionalidade (ou aplicada não obstante a invocação de inconstitucionalidade) no feito submetido a apreciação judicial. Por isso se diz que no juízo sobre a aplicação ou desaplicação de uma norma esta foi aplicada como *ratio decidendi* e não como um simples *obiter dictum* da decisão recorrida. No entanto, a aplicação da norma ou a desaplicação por inconstitucionalidade não tem que ser expressa, podendo ser *implícita* (cfr. Acs. TC 406/87, 429/89, 119/90, 354/91). Já se considera, porém, um *recurso manifestamente infundado* quando não tenha havido qualquer invocação de inconstitucionalidade.

Costuma acentuar-se em alguns sistemas jurídicos consagradores do controlo jurídico incidental da constitucionalidade das leis que os poderes conferidos ao juiz *a quo* na determinação da relevância da inconstitucionalidade não devem exagerar-se. Tratar-se-á tão-somente de um juízo delibatório e não de um juízo de mérito, bastando que o juiz, com base em exame sumário, considere ser a norma efectivamente inelimináve1 do feito submetido a julgamento.

Consequentemente, se a decisão do juiz sobre a prejudicialidade da questão é um juízo *in limine litis*, meramente delibatório, a relevância da questão reconduz-se a uma simples possibilidade abstracta de, da aplicação ou não aplicação da norma impugnada perante o juiz *a quo,* depender a solução da controvérsia. Afastar-se-ia, pois, a ideia de uma prejudicialidade rigorosamente necessária, sendo suficiente que se considere a questão da inconstitucionalidade como relevante quando, de forma previsível, não puder haver uma decisão do tribunal, independentemente do julgamento do incidente de inconstitucionalidade.

Não é esta a concepção constitucionalmente consagrada. Os tribunais continuam com o direito de «judicial review» (cfr. art. 204.º), ou seja, têm acesso directo à Constituição, aplicando ou desaplicando normas cuja constitucionalidade foi impugnada no feito submetido a decisão judicial. Sendo assim, o juiz *a quo* não se limita a conhecer do incidente da inconstitucionalidade e a reenviá-lo para o Tribunal Constitucional; decide o caso, interpretando a norma a aplicar como constitucional ou inconstitucional, independentemente do recurso posterior, restrito à questão da

---

enquanto incidível da causa naquele pendente, enquanto questão prejudicial em face da questão principal a decidir no processo.» Note-se, porém, que o carácter de «prejudicialidade» da questão de inconstitucionalidade relativamente à causa, é discutido na doutrina. Cfr., G. MONTELEONE, *Giudizio incidentale sulle leggi e giurisdizione,* Milano, 1984; A. PÉREZ GORDO, *Prejudicialidad Penal y Constitucional en el Proceso Civil,* Barcelona, 1982.

[6] Cfr. GOMES CANOTILHO/VITAL MOREIRA, *Constituição da República,* anotação ao art. 280.º

inconstitucionalidade, para o Tribunal Constitucional. A solução contrária conduziria, em todo o seu rigor, a eliminar a fiscalização concreta do ordenamento constitucional português[7].

c) *Inconstitucionalidade de normas*

A questão da inconstitucionalidade deve ter por objecto normas que tenham de ser aplicadas na causa (trata-se de uma fiscalização concreta). Não há, porém, qualquer restrição quanto à natureza das **normas impugnadas**: podem ser normas materiais ou processuais, podem incidir sobre o mérito da causa ou apenas sobre meios probatórios ou pressupostos processuais, podem lesar ou não direitos fundamentais ou interesses legítimos das partes. Isto não significa que os problemas de inconstitucionalidade digam apenas respeito a actos normativos, pois não são impensáveis hipóteses de actos privados (contratos, testamentos) directamente violadores da constituição (ex.: testamentos com cláusulas discriminatórias violadoras do art. 13.º/2 da CRP). Nestes casos (cfr., *supra*), o juiz considerará estes actos como ilícitos, contrários à ordem pública constitucional, e desaplicá-los-á, mas não configura o problema como questão autónoma de inconstitucionalidade[8].

d) *Procedência da questão*

Além da relevância da questão de inconstitucionalidade, expressa nas regras tradicionais da prejudicialidade e da indispensabilidade, ao juiz da causa cabe pronunciar-se sobre a **procedência da questão**. E como se trata de um verdadeiro controlo concreto feito pelo tribunal, compreende-se que exista aqui não só um juízo sobre a manifesta ou evidente improcedência mas também sobre o fundamento ou a justeza do incidente. De acordo com os princípios do controlo concreto, isto significa pertencer ao juiz da causa decidir se é fundada ou não a pretensão da parte quanto à inconstitucionalidade. O tribunal profere, portanto, uma sentença, e não um simples despacho interlocutório sobre o incidente da inconstitucionalidade, não obstante poder a sentença vir a ser revogada, no que respeita a este incidente, por decisão do Tribunal Constitucional. Uma decisão sobre o incidente da inconstitucionalidade não impede o juiz da causa, de acordo com os

---

[7] Cfr. JORGE MIRANDA, *Manual*, Vol. II, p. 372, onde se especificam as várias hipóteses de fiscalização incidental. Cfr., também, GUILHERME DA FONSECA, «Fiscalização Concreta da Constitucionalidade e da Legalidade», in *Scientia Juridica*, Vol. XXXIII (1984), n.º 191-192, e CARDOSO DA COSTA, *A Jurisdição*, p. 49.

[8] Segundo informam C. EISENMANN/F. HAMON/C. WIENER/M. CEORA/M. GJIDARA, *Le Contrôle de la constitutionalité des lois en France et l'Étranger*, Paris, 1978, p. 3, em França foi anulada, por ofensa dos princípios constitucionais, uma cláusula testamentária que deserdava um legatário no caso de este desposar uma pessoa de origem judaica.

princípios gerais do processo, apreciar se se trata ou não de uma questão inexistente ou manifestamente improcedente (com fins dilatórios, por litigância de má-fé, etc).

Em último termo, é ao TC que vai pertencer, a título definitivo, a qualificação do vício conducente à desaplicação da norma, mas observando sempre os termos em que a questão foi estruturalmente posta no tribunal *a quo* (cfr. Ac. TC n.º 27/84, *DR*, de 4-7-84).

III - Recurso para o Tribunal Constitucional[9]

Das decisões dos tribunais relativas à questão da inconstitucionalidade cabe **recurso para o Tribunal Constitucional**. É o chamado **recurso de constitucionalidade**. O objecto do recurso não é a decisão do tribunal *a quo* sobre o mérito da «questão» ou do «feito submetido a julgamento», mas apenas o «segmento» da decisão judicial relativo à questão da inconstitucionalidade. Por outras palavras: **objecto do recurso** não é a decisão judicial em si mesma, mas apenas a parte dessa decisão em que o juiz *a quo* recusou a aplicação de uma norma por motivo de inconstitucionalidade ou aplicou uma norma cuja constitucionalidade foi impugnada. O objecto do recurso em sentido substantivo (e não meramente processual), é, pois, uma *norma* à qual se reporta a questão da inconstitucionalidade e não a *decisão judicial do tribunal a quo*. Todavia, trata-se sempre de uma *norma* interpretativamente mediatizada pela decisão recorrida, porque a norma deve ser apreciada no recurso segundo a interpretação que lhe foi dada nessa decisão (cfr. Acs. 69/87, 75/87, 388/87, 127/88, 235/91, 136/92, 141/92).

A regulamentação processual destes recursos está contida no art. 280.º, da CRP, e arts. 69.º e ss da LTC (Lei de Organização, Funcionamento e Processo do Tribunal Constitucional). Deve notar-se que este recurso para o Tribunal Constitucional, no âmbito da fiscalização concreta, é um recurso sem *carácter extraordinário*, o que pode ter consequências relevantes no controlo do sistema processual geral (ex.: impedimento do trânsito em julgado das sentenças dos tribunais *a quo*).

1. Tipos de recurso

O recurso de inconstitucionalidade apresenta diversos tipos, consoante o objecto e a qualidade dos recorrentes.

---

[9] Cfr. A. RIBEIRO MENDES, «Recurso para o Tribunal Constitucional: seus pressupostos», in *Revista Jurídica*, 3/1984.

1.1 Quanto ao objecto

a) Recursos de decisões positivas de inconstitucionalidade (= decisões de acolhimento, na terminologia italiana).

São os recursos de decisões que não *tenham aplicado* (= que tenham *recusado* a aplicação) uma norma por motivo de *inconstitucionalidade* (art. 280.º/1) ou de ilegalidade (CRP, 280.º/2).

b) Recursos de decisões negativas de inconstitucionalidade (= decisões de rejeição).

Trata-se de recursos de decisões que aplicaram uma norma (= rejeitaram a inconstitucionalidade) não obstante a sua inconstitucionalidade ter sido arguida no processo (art. 280.º/1-*b*).

c) Recursos de decisões aplicadoras de normas já anteriormente julgadas inconstitucionais pelo TC.

São recursos obrigatórios para o MP e dizem respeito a decisões dos tribunais aplicadoras de normas já anteriormente julgadas inconstitucionais pelo TC (art. 280.º/5).

d) Recursos de decisões judiciais, restritos a questões de natureza *jurídico-constitucional e jurídico-internacional*, que apliquem normas constantes de acto legislativo com fundamento na sua contrariedade com uma convenção internacional ou a apliquem em desconformidade com o anteriormente decidido sobre a questão pelo TC (LTC, arts. 70.º/*i* e 71.º/2). Note-se, porém, que não é líquido tratar-se de recurso por inconstitucionalidade. Cfr. *infra*, D.

1.2 Quanto à qualidade dos recorrentes

a) *Recursos de parte*

Designam-se **recursos de parte** os recursos interpostos pelas partes de acordo com as regras gerais do processo. Devem ter-se designadamente em conta as disposições do Cód. Processo Civil referentes às *partes principais* (art. 680.º/1) ou a *partes acessórias* ou a *terceiros directa* e efectivamente prejudicados (art. 680.º/2), além das normas especificamente incidentes sobre esta matéria e constantes da LTC (arts. 70.º e ss.).

b) *Recursos oficiosos*

Recursos oficiosos são os recursos interpostos pelo Ministério Público quando seja *parte no processo*. Não é fácil determinar com rigor a *legitimi-*

dade do Ministério Público quanto aos recursos para o Tribunal Constitucional. Há que atender ao estatuto e poderes processuais tal como eles resultam da Constituição (art. 28.º) e de lei (Lei de Organização, Funcionamento e Processo do Tribunal Constitucional, art. 72.º/1, e Lei Orgânica do Ministério Público, arts. 3.º/1/*a*, *b*, *m* e 5.º/1).

O **Ministério Público** é, inquestionavelmente, parte no processo quando intervêm a *título principal* (intervenção principal) no exercício de uma função de *representação* do Estado ou de entidades a quem o Estado deve protecção. O Ministério Público tem ainda legitimidade processual quando intervém acessoriamente (intervenção acessória) no desempenho de uma *função de assistência* em processos que envolvam interesses públicos porque nele são partes pessoas colectivas públicas, pessoas colectivas de utilidade pública ou sujeitos jurídicos a que o Estado deve especial protecção (incapazes, ausentes, incertos, trabalhadores e suas famílias no caso de a acção dizer respeito a direitos de natureza social). Esta intervenção tem carácter subsidiário e só é admissível quando não exista uma situação que reclame a intervenção do Ministério Público a título principal. Finalmente, o Ministério Público é parte quando intervém em *função de fiscalização*, isto é, na defesa objectiva da legalidade (ex., recurso de decisão proferida contra violação da lei expressa, recurso para o Tribunal Constitucional da aplicação de normas constitucionais ou ilegais). Neste último caso, porém, o Ministério Público só tem legitimidade se for parte nos termos gerais (a título principal ou acessório) e tiver arguido a inconstitucionalidade (cfr., por ex., Acs. TC 636/94, *DR*, II, de 31-1-95, e 171/95, *DR*, II, de 9-7-95).

1.3 *Quanto ao carácter obrigatório ou facultativo*

a) *Recursos facultativos*

Os **recursos facultativos** são os recursos de parte e os recursos do Ministério Público, sempre que este seja parte no processo e não esteja obrigado a recorrer por dever de ofício.

b) *Recursos obrigatórios*

Os **recursos obrigatórios** são os recursos interpostos pelo MP em cumprimento de expressa imposição constitucional: (*i*) recursos de decisões positivas de inconstitucionalidade, em que se recusou a aplicação de normas constantes de actos legislativos ou equiparados (art. 280.º/3); (*ii*) recursos de decisões negativas de inconstitucionalidade, aplicadoras de normas já anteriormente julgadas inconstitucionais pelo TC (art. 280.º/5).

O TC tem entendido, porém, que cessará a obrigatoriedade do recurso do MP, nos termos do art. 280.º/5, quando houver alteração da jurisprudência no sentido da não constitucionalidade (cfr. Acs. TC 230/87, 239/87, 248/87, 291/87, 306/87, 389/87, 390/87). Nestes casos, poderia mesmo admitir-se a desistência dos recursos interpostos com base na jurisprudência anterior no sentido da inconstitucionalidade.

1.4 Quanto aos actos normativos sujeitos a controlo

O recurso para o TC não se circunscreve a decisões que aplicam actos normativos de valor legislativo (ou de valor equiparável); ele pode ter como objecto quaisquer **normas** (cfr. *supra*) desde que elas tenham sido consideradas, pelo juiz *a quo*, relevantes para a causa, e *desaplicadas* por inconstitucionalidade (decisão positiva), ou *aplicadas,* não obstante a invocação de inconstitucionalidade (decisão negativa).

No seu texto primitivo, a Constituição de 1976 estabelecia uma radical separação, para efeitos de recurso, entre normas constantes de lei, decreto-lei, decreto regional ou diploma equiparável (art. 282.º/1, a antiga redacção) e normas constantes de outros diplomas (art. 282.º/3): (1) no primeiro caso, poderia haver recurso e esse recurso era mesmo obrigatório quanto ao Ministério Público; (2) na segunda hipótese, os tribunais julgavam definitivamente. De acordo com a LC n.º 1/82, a distinção continua a ter algum relevo, mas apenas para efeitos de recurso obrigatório do Ministério Público (art. 281.º/1-*c*).

A prática dos nossos tribunais tinha já demonstrado como era claudicante, quanto à defesa dos cidadãos, o regime de irrecorribilidade de certos actos normativos. Os juízes tinham aplicado numerosas posturas e regulamentos inequivocamente inconstitucionais, mas o cidadão viu-se sem defesa pelo facto de: (1) não se poder recorrer da decisão de constitucionalidade; (2) a norma constar de diploma insusceptível de recurso. O primeiro problema foi resolvido pela admissibilidade de recurso contra a decisão de constitucionalidade; o segundo foi solucionado com a possibilidade de recurso, embora só pela parte que suscitou a inconstitucionalidade ou ilegalidade (cfr. art. 281.º/4), contra decisões de inconstitucionalidade, qualquer que seja o diploma de onde conste o acto normativo impugnado.

2. Análise dos recursos

2.1 Recurso por inconstitucionalidade (= recurso de decisões positivas) e recurso por constitucionalidade (= recurso de decisões negativas)

Consagram-se dois tipos de recursos das decisões dos tribunais: (1) que *recusem* a aplicação de qualquer norma por inconstitucionalidade

(art. 280.º/1-*a*)[10]; (2) que *apliquem* norma cuja inconstitucionalidade haja sido suscitada durante o julgamento (art. 280.º/ 1-*b*). Na hipótese (1), os recursos designam-se **recursos por inconstitucionalidade** ou **recursos de decisões positivas de inconstitucionalidade;** na hipótese (2) temos os **recursos por constitucionalidade** ou **recurso de decisões negativas de inconstitucionalidade.**

Recurso por constitucionalidade (= decisão negativa de inconstitucionalidade), mas com características específicas, é o recurso de decisões de rejeição de *inconstitucionalidade de normas já anteriormente julgadas inconstitucionais pelo TC* (art. 280.º/5). Contemplam-se seguramente dois casos: (*i*) a norma foi julgada inconstitucional em decisão de recurso de inconstitucionalidade; (*ii*) foi julgada inconstitucional e desaplicada pelo próprio TC (ex.: em recursos eleitorais)[11].

O primitivo sistema da Constituição de 1976 só admitia recurso para a Comissão Constitucional quando os tribunais se recusassem a aplicar uma norma constante de lei, decreto--lei, decreto regulamentar, decreto regional ou diploma equiparável, com fundamento em inconstitucionalidade (art. 282.º/1, na redacção originária).

Afastava-se, assim, a hipótese de recurso nos casos em que, não obstante o incidente de inconstitucionalidade, os tribunais decidissem pela *constitucionalidade* da norma ou normas em discussão. Isto constituía uma grave restrição das possibilidades de defesa dos cidadãos e um notável esvaziamento do *princípio da constitucionalidade das leis.* Por um lado, muitos tribunais mostravam-se mais inclinados para a conservação das normas legais (e até infralegais) do que para a observância da força normativa superior das normas constitucionais. Por outro lado, não existindo, entre nós, uma *acção constitucional de defesa* ou um *recurso de amparo,* o recurso contra a «decisão de constitucionalidade» podia ser o único meio de os cidadãos reagirem contra um *favor legislatoris* exagerado (sobretudo em relação a leis pré-constitucionais) e defenderem os seus direitos lesados por leis inconstitucionais mas interpretadas conformes à constituição pelo juiz.

2.2 *Recursos facultativos e recursos obrigatórios*

Os **recursos facultativos de parte** e os **recursos obrigatórios do MP** têm lógicas diferentes. Os primeiros destinam-se, em geral, a defender interesses subjectivos (mas não só) e daí o seu carácter facultativo. Os segundos destinam-se a salvaguardar princípios objectivos da ordem jurídico-constitucional, assim se justificando o seu carácter obrigatório.

---

[10] Esta recusa de aplicação não tem de ser expressa, bastando uma simples *recusa implícita* de aplicação com fundamento em inconstitucionalidade para se poder desencadear o recurso para o TC. Cfr. Ac. TC n.º 14/83, de 26-10, e Ac. n.º 27/84, *DR,* II, de 4-3-84; 150/92, *DR,* II, de 8-1.

[11] Já não é tão líquido o caso de norma considerada inconstitucional pelo TC em sede de fiscalização preventiva, mas posteriormente confirmada e editada. Cfr. GOMES CANOTILHO/VITAL MOREIRA, *Constituição da República,* anotação ao art. 280.º

a) *Decisões judiciais de acolhimento da inconstitucionalidade* (art. 280.º/1-*a*)

Nestes casos, o recurso é facultativo quanto às partes e obrigatório quanto ao Ministério Público (art. 280.º/3) se a norma desaplicada por inconstitucionalidade constar de convenção internacional, de acto legislativo ou de decreto regulamentar. A obrigatoriedade destes recursos é justificada pelo princípio da *presunção da constitucionalidade das leis* (e actos com valor equivalente).

> Este princípio levaria, rigorosamente, a excluir a obrigatoriedade de recurso dos decretos regulamentares. A equiparação do decreto regulamentar a leis e decretos confirma, no fundo, a doutrina da Constituição de 1933, que tornava extensivo o regime da inconstitucionalidade aos decretos regulamentares pelo facto de também estes exigirem promulgação do Presidente da República. Cfr. Marcello Caetano, *Manual,* Vol. II, p. 686. Mas é uma doutrina que nada justifica no actual ordenamento: actos legislativos são as leis, os decretos-leis e os decretos legislativos regionais (cfr. art. 112.º/1).
> Os decretos regulamentares, não obstante a necessidade de promulgação pelo PR (cfr. art. 134.º/*b*), são inequivocamente regulamentos do Governo (art. 112.º/7), editados no exercício da função administrativa e não no exercício da função legislativa. Porquê então a presunção de constitucionalidade se eles não são actos legislativos? A resposta só poderá ser a de que intervêm aqui a articulação da presunção de inconstitucionalidade com o testemunho do acto de promulgação (presunção de actos já promulgados). Não é líquido se nos decretos regulamentares se incluem os decretos regulamentares regionais.

b) *Decisões judiciais de rejeição da inconstitucionalidade* (art. 280.º/1/*b*)

Nas **decisões judiciais de rejeição de inconstitucionalidade** a legitimidade processual para recorrer é apenas reconhecida à parte que suscitou a questão da inconstitucionalidade (art. 280.º/4 da CRP e art. 72.º/2 da LTC). Esta solução é justificada pelo facto de não estar em causa o princípio do *favor legis*.

c) *Decisões de rejeição de inconstitucionalidade de normas já anteriormente julgadas inconstitucionais pelo TC* (art. 280.º/5)

Nos casos de recurso por **decisões de rejeição de inconstitucionalidade de normas já anteriormente julgadas inconstitucionais pelo TC**, a legitimidade processual activa é reconhecida às partes e ao Ministério Público (cfr. art. 72.º/3 da LTC). A obrigatoriedade deste recurso por parte do MP justifica-se em nome da prevalência do Tribunal Constitucional em questões de inconstitucionalidade, além de não ser alheia aqui também uma qualquer ideia de uniformização da jurisprudência: nenhuma norma já considerada inconstitucional

pelo TC[12] que, eventualmente, volta a ser aplicada pelos tribunais, estará isenta de um novo juízo de reapreciação por parte deste tribunal. A possibilidade de a norma já anteriormente julgada inconstitucional pelo TC vir a ser de novo aplicada num caso concreto radica no facto de os tribunais não estarem vinculados às decisões do Tribunal em controlo concreto (com excepção do tribunal da causa no feito submetido a decisão judicial).

2.3 *Recurso directo para o TC e recurso com exaustão dos recursos ordinários*

a) *Recurso de decisões positivas de inconstitucionalidade* (decisões de acolhimento)

O regime das **decisões de inconstitucionalidade** é este: (1) o tribunal onde se suscita o incidente da inconstitucionalidade de uma norma desaplica (como no sistema difuso puro) a norma impugnada; (2) da decisão do tribunal pode haver recurso, restrito à questão da constitucionalidade, directamente para o Tribunal Constitucional, tal como acontece nos sistemas de controlo concentrado; (3) as partes podem, porém, esgotar os recursos ordinários que no caso caibam (exaustão de recursos) antes de interporem recurso, restrito à questão da inconstitucionalidade, para o TC[13]. É questionável se, uma vez suscitada a questão da inconstitucionalidade no processo, ela deve ser mantida perante instâncias superiores de recurso. O Tribunal Constitucional tem entendido que sim, embora esta posição não seja pacífica (Acs. TC 36/91, *DR*, II, 22-10-91; 368/94, 182/95, *DR*, II, 21-6-95; 747/96, *DR*, II, 4-9-96; 237/97, *DR*, II, 14-5-97).

No texto originário da CRP impunha-se o esgotamento dos recursos ordinários e só uma vez esgotados estes se poderia interpor recurso para a Comissão Constitucional (art. 282.º/1, na redacção originária). A possibilidade de recurso directo no caso de decisões positivas e a exaustão de recursos no caso de decisões negativas tem a sua justificação, embora possam ser invocados argumentos contra a inovação do recurso directo introduzido pela LC n.º 1/82.

Não era muito lógico que tendo o recurso como objecto exclusivo a questão da inconstitucionalidade, esta devesse ser obrigatoriamente apreciada por outros tribunais (embora superiores) não competentes para decidir, a título principal, problemas de inconstitucionalidade. O regime actual é mais consentâneo com a natureza incidental da questão de inconstitucionalidade e com a própria razão de ser do controlo concentrado com a base num controlo difuso (cfr. arts. 70.º e ss da LTC).

---

[12] É questionável se a exigência de recurso obrigatório se estende às hipóteses de uma norma ter sido considerada inconstitucional em sede de fiscalização preventiva. Cfr. JORGE MIRANDA, *Manual*, VI, p. 198; GOMES CANOTILHO/VITAL MOREIRA, *Constituição*, p. 1025.

[13] O mesmo não acontece quanto aos recursos obrigatórios do MP: estes devem ser feitos imediatamente para o TC, mesmo que a causa ainda admita outros recursos ordinários.

b) *Recurso de decisões negativas de inconstitucionalidade* (decisões de rejeição)

O recurso referente às *decisões negativas de inconstitucionalidade* apresenta um regime específico fundamentalmente definido na lei de organização, funcionamento e processo do Tribunal Constitucional (LTC). A Constituição remeteu, com efeito, (art. 280º/4) para o legislador ordinário a concretização do processo recursório das decisões de rejeição. Os traços mais importantes do regime jurídico deste tipo de recursos[14] são os seguintes:

(1) princípio da exaustão de recursos (LTC, art. 70.º 2);

(2) princípio da legitimidade restrita à parte que suscitou o incidente – legitimidade do recorrente (CRP, art. 280.º/4);

(3) princípio da tempestividade processual (LTC, art. 70.º/1/b);

(4) princípio da viabilidade do recurso (LTC, art. 76.º/2);

(5) princípio da individualização das normas constitucionais infringidas e das normas infraconstitucionais infringentes (LTC, art. 75.º-A/2).

Expliquemos o sentido destes requisitos. O *princípio da exaustão dos recursos ordinários* (1) visa delimitar o acesso ao TC depois de a questão da constitucionalidade ter sido analisada dentro da hierarquia judicial. Recorde-se que no sistema português todos os juízes são "juízes constitucionais" com competência para o exame e decisão de questões de inconstitucionalidade.

O *princípio da legitimidade do recorrente* (2), ou seja, da legitimidade restrita à parte que suscitou o incidente de inconstitucionalidade, é imposto pelo próprio texto constitucional (CRP, art. 280.º/4). Trata-se, no fundo, de uma refracção de princípios gerais de processo no sentido de que os recursos só podem ser interpostos por quem, sendo parte principal, tenha ficado vencido (Cod. Processo Civil, art. 680.º/1).

O *princípio da tempestividade processual* (3) implica a exigência do levantamento da questão da inconstitucionalidade (= dever de suscitar o incidente de inconstitucionalidade) *durante o processo*. Compreende-se a razão deste princípio: se o juiz *a quo* (o juiz da causa) já aplicou a norma proferindo a decisão, não se pode depois pretender que venha a desaplicar a norma, arguindo a sua inconstitucionalidade já depois de proferida a decisão recorrida. Isto justifica também a inadmissibilidade de arguição da inconstitucionalidade feita no requerimento de recurso se a parte não a tiver invocado durante o processo no tribunal *a quo*.

---

[14] VITAL MOREIRA, "O Tribunal Constitucional Português: fiscalização concreta", in *Sub Judice*, 20/21 (2001), p. 103, designou recentemente este tipo de recursos como recursos de tipo II, distinguindo-os dos recursos de tipo I (de sentenças e acolhimento da inconstitucionalidade, nos termos do art. 280º/1/a) e dos recursos de tipo III (de aplicação de norma anteriormente julgada inconstitucional pelo TC, nos termos do art. 280º/5).

O *princípio da viabilidade do recurso (4)* pretende impedir a interposição de recursos junto do TC manifestamente infundados (LTC, art. 76.º/2, in fine). O recurso é fundado quando tiver utilidade para a decisão de fundo ou "causa suporte". A fiscalização concreta pressupõe necessariamente uma causa submetida a decisão jurisdicional, cuja decisão implica a solução do incidente de inconstitucionalidade. Consequentemente, o Tribunal Constitucional só conhece do recurso quando a questão respeitante à inconstitucionalidade de uma norma tiver relevância e for útil para o julgamento da questão principal (cfr. Acs TC 90/84 e 339/87). Isto explica que o recurso de inconstitucionalidade deixe de subsistir quando a causa-suporte seja objecto de qualquer causa legítima de extinção (exs.: deserção, desistência, transacção, impossibilidade superveniente em processos cíveis, extinção em processo penal por aplicação de uma lei de amnistia).

O *princípio da individualização das normas* (regras e princípios) constitucionais infringidos e das normas infraconstitucionais que as infringem (LTC, art. 75º-A/l) é também uma refracção de princípios gerais do processo (cfr. Cod. Proc. Civil, art. 690.º/2). Ele traduz-se no *ónus de alegar, em questões de direito*, as normas jurídicas violadas e as normas que no entender do recorrente violam as normas constitucionais.

O Tribunal Constitucional teve já oportunidade de, em vários acórdãos, precisar o sentido do enunciado **durante o processo** (Acs. 2/83, 151/86, 152/86, 94/88 e, por último, 122/98, 132/98, 182/98). A questão da inconstitucionalidade poderá ser levantada após a decisão final e até ao trânsito em julgado nos casos de incompetência absoluta. O TC julgou temporalmente intempestivo suscitar a questão, pela primeira vez, em requerimento de aclaração ou arguição de nulidades da decisão recorrida, no requerimento de interposição de recurso para o TC (Acs. 69/85 e 339/86) ou nas alegações deste recurso (Ac. 122/84). Admite-se, porém, a invocação de questões da inconstitucionalidade feita em reclamação da decisão final quando o interessado não tiver tido intervenção processual possibilitadora do levantamento da questão da inconstitucionalidade antes da decisão final (cfr., por último, Ac. TC 61/92, *DR*, II, 11-2 e 1053/96). O ónus de suscitação da questão da inconstitucionalidade perante o Tribunal *a quo* não impede que, no recurso para o Tribunal Constitucional, possam ser invocados, pela parte recorrente, *fundamentos* diversos dos alegados em sede do Tribunal da causa. Isso é permitido ao juiz *a quo* (CRP, art. 204.º) e ao Tribunal Constitucional (LTC, art. 79.º-C), não havendo razões processuais ou materiais para impedir o recorrente que, de forma processualmente adequada, suscitou a questão de inconstitucionalidade, proceda a um recorte mais rigoroso da questão de direito imbricada na questão de inconstitucionalidade.

Não é também líquido o âmbito da fórmula "**esgotamento de recursos**", discutindo-se se basta (cfr. Acs. TC 8/88, *Acórdãos*, vol. 11, p. 1065; 282/95; *DR*, II, 24-5-96; 377/96, *DR*, II, 12-7-96; 13/97, *DR*, II, 29-2-97, 21/97, *DR*, II, 29-4-97) a preclusão de utilização do recurso (decurso do prazo, renúncia). Por sua vez, a noção de *recurso ordinário* não está aqui utilizada em sentido processual rigoroso, abrangendo inclusivamente reclamações para o presidente do tribunal *ad quem* dos despachos de não recebimento dos recursos interpostos no tribunal *a quo* (cfr. Ac. 156/90). A Lei 13-A/98, de 26-2 (Lei de alteração da LTC), pretendeu resolver a questão editando um novo n.º 4 ao art. 70.º em que se dispõe considerarem-se "esgotados todos os recursos ordinários quando tenha havido renúncia, haja decorrido o respectivo prazo sem sua interposição ou os recursos interpostos não possam ter seguimento por razões de ordem processual". Por outro lado, o art. 70.º/6 acrescenta que "se a decisão admitir recurso ordinário, mesmo que para uniformização da jurisprudência, a não interposição de recurso para o Tribunal Constitucional não faz precludir o direito de interpô-lo de ulterior decisão que confirme a primeira".

2.4 *Incidente de ilegalidade e recurso por ilegalidade*

A fiscalização difusa e concreta pode relacionar-se com um **incidente de ilegalidade**. Daí que se tenha consagrado o **recurso** para o Tribunal Constitucional de decisões dos tribunais: (1) que recusem a aplicação de norma constante de acto legislativo com fundamento na *sua ilegalidade por violação de lei com valor reforçado* (art. 280.º/2/*a*); (2) que recusem a aplicação de normas de diplomas regionais com *fundamento* em *ilegalidade* por violação do estatuto da região autónoma ou de lei geral da República (art. 280.º/2-*b*); (3) que recusem a aplicação de normas constantes de diplomas dos órgãos de soberania com fundamento em ilegalidade por violação da lei estatutária (art. 280.º/2-*c*); (4) que *apliquem* norma cuja ilegalidade haja sido suscitada com qualquer dos fundamentos referidos em (1), (2) e (3).

No regime primitivo da Constituição de 1976 admitia-se uma espécie de controlo abstracto da legalidade dos diplomas regionais (cfr. art. 236.º/1 e 3, na redacção primitiva), mas era completamente obscuro o regime do controlo judicial difuso de *leis ilegais* (caso de decretos regionais contrários às leis estatutárias e de leis da República não conformes com as leis estatutárias regionais).

O paralelismo com os recursos de inconstitucionalidade é agora claro: pode reagir-se, através de recurso para o Tribunal Constitucional, contra

decisões judiciais que recusem a aplicação de *normas legais ilegais* ou apliquem normas cuja ilegalidade foi incidentalmente excepcionada[15].

Repare-se, porém, que o **recurso por ilegalidade** diz apenas respeito à ilegalidade de normas violadoras da legalidade reforçada ou com incidência regional e não a toda e qualquer ilegalidade. Por outras palavras: o controlo da legalidade a cargo do TC é apenas aquele que tem a ver com as leis reforçadas e com a *autonomia regional e dos limites desta,* não podendo o TC conhecer de *outros fundamentos de ilegalidade* das normas em causa se não por violação de leis reforçadas, do estatuto regional ou das leis gerais da República, conforme os casos[16]. Não se exige, porém que se trate apenas de violação da legalidade reforçada através de outras leis ("leis ilegais"). A Constituição é clara ao referir-se a norma constante de diploma regional (art. 280.º/2/*b*) e norma constante de diploma emanado de órgão de soberania, podendo, assim, existir decretos regulamentares e regulamentos regionais directamente violadores da legalidade qualificada e, portanto, sujeitos ao controlo de legalidade pelo TC.

A competência do Tribunal Constitucional para apreciar a *ilegalidade das leis* consagrada pela LC n.º 1/82 e pela LC n.º 1/89 é também uma solução mais coerente do que a do texto constitucional originário. Aqui remetera-se o controlo das questões da ilegalidade para um Tribunal Supremo dentro de ordem judiciária (o STA, segundo L n.º 62/77, de 25 de Agosto), mas a solução não era lógica: (1) os problemas de legalidade das leis regionais são, em grande parte, *litígios de competência* constitucional que devem ser atribuídos ao órgão idóneo para resolver estes litígios (órgão constitucional); (2) alguns problemas de ilegalidade das leis podiam eventualmente reconduzir-se a uma violação do bloco de legalidade reforçada, pelo que, rigorosamente, deviam ficar sujeitos ao mesmo regime de inconstitucionalidade.

3. Efeitos das decisões do TC

Diversamente do que acontece em relação aos efeitos das decisões do TC em sede de fiscalização abstracta (cfr. art. 282.º), a CRP não esclarece os efeitos das decisões do TC em sede de fiscalização concreta. Do regime dos recursos consagrado na CRP (art. 280.º) e na LTC (arts. 70.º e ss) deduzem-se, como efeitos principais das decisões do TC incidentes sobre recursos de controlo concreto da inconstitucionalidade, os seguintes.

---

[15] Não há, porém, um paralelismo total quanto ao regime dos dois recursos, pois a CRP não prevê o recurso obrigatório por ilegalidade a cargo do MP, quando a norma desaplicada constar de convenção internacional, acto legislativo ou decreto regulamentar. A favor da igualdade de regimes cfr. GOMES CANOTILHO/VITAL MOREIRA, *Constituição da República,* anotação ao art. 280.º

[16] Cfr. GOMES CANOTILHO/VITAL MOREIRA, *Constituição da República,* anotação ao art. 280.º Cfr., também, Acs. TC 113/88, 169/88, 219/88.

3.1 Decisões com juizo de inconstitucionalidade

Designam-se **decisões com juizo de inconstitucionalidade** as decisões do TC que julgam inconstitucional a norma incidentalmente impugnada. O Tribunal julga a norma inconstitucional confirmando a decisão do Tribunal *a quo* (decisão de «não provimento do recurso») ou revogando-o (decisão de «provimento do recurso»).

a) *Eficácia limitada ao caso concreto* (*inter partes*)

A decisão do TC, julgando inconstitucional (ou ilegal) uma norma em recurso do controlo incidental feito pelos tribunais, só tem efeitos na decisão recorrida proferida pelo tribunal *a quo*. Não há, assim, eficácia *erga omnes* da decisão sobre a validade da norma considerada inconstitucional.

b) *Efeitos de caso julgado no processo*

A decisão do TC faz **caso julgado** no processo. A norma julgada inconstitucional pelo TC não pode ser aplicada nem no processo recorrido nem por qualquer outro tribunal que venha a conhecer dele em fase de recurso (cfr. LTC, art. 80.º/1). Neste sentido, a decisão do TC (1) faz *caso julgado formal*, impedindo que a questão volte a ser retomada no processo; (2) faz *caso julgado material* no processo no que respeita à questão de inconstitucionalidade suscitada. Discutível é a questão da extensão do caso julgado à interpretação em conformidade com a Constituição feita pelo TC (LTC, art. 80.º/3).

c) *Efeitos restritos à questão da inconstitucionalidade*

A decisão do recurso, pelo TC, faz caso julgado no processo (caso julgado material), mas apenas no que respeita à questão da inconstitucionalidade ou da ilegalidade. Se o **recurso** é **restrito à questão incidental da inconstitucionalidade** ou da **ilegalidade**, a decisão do TC tem de incidir apenas sobre esta mesma questão (e não sobre a questão principal da causa). Consequentemente, o TC não é uma superinstância de recurso com possibilidade de se substituir ao tribunal recorrido para proferir uma decisão de mérito sobre a causa principal. Nem sempre é fácil estabelecer a separação entre um *problema*

1000

de inconstitucionalidade da norma e *inconstitucionalidade da própria decisão recorrida ou do acto de julgamento*, (cfr., Acs. TC 106/92, 151/94, 507/94, 612/94, 243/95, 342/95, 828/96, 2055/99, 655/99, 383/200) como acontece nos casos de interpretação feita pelo tribunal em contradição com as próprias normas constitucionais (exs.: interpretação violando o princípio de legalidade penal ou da legalidade fiscal, por recurso ao instrumento hermenêutico da analogia que, como se sabe, não vale em sede jurídico-penal). Em último termo, nalguns destes casos estaremos perante interpretações de normas aplicáveis ao caso legitimadoras da intervenção do Tribunal Constitucional (vide Ac. TC 674/99, *DR*, II, 23-2, *Caso Costa Freire* e outros) aproximando-se do recurso de amparo[17]. Ele é um órgão de recurso para conhecer da violação do «bloco da constitucionalidade» e do «bloco da legalidade reforçada», e, nestas vestes, pode revogar total ou parcialmente a decisão recorrida, ordenando que o tribunal *a quo* proceda à reforma da sentença por ele proferida a fim de se conformar com a decisão do TC quanto à questão da inconstitucionalidade ou da ilegalidade (cfr. LTC, art. 80.°/2)[18].

3.2 *Decisões com juizo de constitucionalidade*

Nestas decisões, o Tribunal Constitucional faz apelo a um enunciado linguístico de negação: «não julgamento de inconstitucionalidade». A decisão do TC que proferir uma **decisão negativa da inconstitucionalidade** da norma é *vinculante* em relação ao processo *a quibus*. O juiz da causa resolve a questão aplicando a norma impugnada. Por outras palavras: a decisão do TC, rejeitando a inconstitucionalidade ou ilegalidade de uma norma impugnada, vincula o tribunal recorrido (e quaisquer outros tribunais que eventualmente venham a conhecer do processo), não podendo a norma vir a ser desaplicada por motivo de inconstitucionalidade ou de ilegalidade.

---

[17] Aludindo aqui a "quase-reurso de amparo", cfr., VITAL MOREIRA, *O Tribunal Constitucional Português*, p. 109.

[18] A solução legal portuguesa quanto ao valor, restrito ao processo, das decisões, não é a solução acolhida noutros ordenamentos em que as decisões dos tribunais constitucionais não têm apenas valor de caso julgado *inter partes (Rechtskraft)*, mas também *eficácia obrigatória ou vinculante 'inter omnes'*, isto é, eficácia em relação a todos os tribunais e autoridades públicas. Mesmo no sistema português as decisões em fiscalização concreta podem vir a ter indirectamente efeitos mais vastos: (1) obrigam a recursos oficiosos do MP, se algum tribunal vier a aplicar as normas já julgadas inconstitucionais (art. 280.°/5); (2) conduzem à declaração com força obrigatória geral quando o TC julgar inconstitucional uma norma em três casos concretos (art. 281.°/2). Cfr. OLIVEIRA ASCENSÃO, «Os acórdãos com força obrigatória geral do Tribunal Constitucional como fontes de direito», in JORGE MIRANDA (org.), *Nos Dez anos da Constituição*, cit. Por último, cfr. F. ALVES CORREIA, *Relatório Geral da I Conferência de Justiça Constitucional da Ibero-Americana, Portugal e Espanha*, p. 37 ss.

Qualquer que seja o tipo de *decisão de não provimento* o sentido desta decisão não é o de «declarar» positivamente a regularidade constitucional da norma ou normas impugnadas, mas tão-somente o de julgar insubsistente um determinado vício em determinadas normas a aplicar a um caso concreto e que foram objecto de recurso de inconstitucionalidade. As normas podem ser inconstitucionais sob outros pontos de vista não considerados pelo Tribunal, porque sobre eles não incidiu qualquer dedução em juízo (perante o juiz *a quo* ou no próprio recurso). Consequentemente, a norma é susceptível de vir a ser considerada inconstitucional por outros motivos e pode até acontecer que, sobre idêntica questão, o Tribunal proceda, noutros casos, a reexame dos argumentos, concluindo pela irregularidade dos preceitos constitucionais, julgados, num primeiro momento, conformes com a Constituição. O efeito da decisão de não provimento é, pois, o da simples *preclusão*, limitada ao processo no qual se sustentou o incidente de inconstitucionalidade[19].

3.3 *O problema das decisões interpretativas do TC*

As decisões do TC proferidas em recurso podem não se limitar aos dois tipos puros ("tipos simples" ou "extremos", na terminologia de Cardoso da Costa) acabados de assinalar: sentenças ou decisões positivas ou sentenças de acolhimento da inconstitucionalidade e sentenças ou decisões negativas ou decisões de rejeição da inconstitucionalidade. Nestes tipos de sentença o TC procede da seguinte forma: (1) julga pura e simplesmente inconstitucional uma determinada norma (**decisão positiva de inconstitucionalidade** ou decisão de acolhimento integral da inconstitucionalidade); (2) rejeita pura e simplesmente a inconstitucionalidade de uma norma (**decisão negativa de inconstitucionalidade** ou decisão de rejeição integral da inconstitucionalidade).

O TC pode, porém, proferir **decisões interpretativas**, *quer de acolhimento quer de rejeição* que se reconduzem a "tipos intermédios": (1) *decisão interpretativa de acolhimento:* quando uma norma considerada constitucional pelo tribunal recorrido (decisão negativa) é julgada inconstitucional pelo TC: (i) por este considerar manifestamente insustentável a interpretação da norma no sentido da constitucionalidade feita por esse tribunal; (ii) entender que os sentidos possíveis e razoáveis da norma conduzem à sua inconstitucionalidade; (2) *decisão interpretativa de rejeição:* quando uma norma julgada inconstitucional pelo tribunal *a quo* (decisão positiva) é considerada como constitucional pelo TC, desde que ela seja interpretada num sentido conforme a Constituição

---

[19] Discutível, em termos teóricos, é o problema de saber se a preclusão se limita a impedir a reproposição da questão da inconstitucionalidade na fase do processo *a quo* ou se se estende a todos os trâmites subsequentes, designadamente recursos para tribunais superiores (cfr., porém, art. 80.º da LTC). Cfr. a discussão teórica em G. ZAGREBELSKY, *Giustizia Costituzionale* p. 185; G. MONTELEONE, *Giudizio Incidentale sulle Leggi e Giurisdizione*, Padova, 1984, p. 105.

Direito Constitucional

1002

(interpretação adequadora), diferente do atribuído pelo tribunal recorrido (cfr. por último, Acs. TC 329/99, 517/99).

A LTC (art. 80.º/3) admite a possibilidade de *decisões ou sentenças interpretativas* do TC, devendo a norma ser aplicada no processo em causa com a interpretação por ele dada. Resta saber se o «abuso» de sentenças interpretativas não colidirá com o princípio da conformidade funcional e com a própria natureza da função jurisdicional[20] (vide *infra*).

3.4 *Natureza do recurso para o TC*

Esta questão foi discutida a propósito da Lei de Organização e Funcionamento do Tribunal Constitucional. Alguns autores (cfr. Barbosa de Melo/Cardoso da Costa/Vieira de Andrade, *Estudo e Projecto de Revisão da Constituição*, p. 259) entendiam que este recurso para o Tribunal Constitucional só devia ser admitido quando a inconstitucionalidade derivasse da violação de direitos, liberdades e garantias dos cidadãos. Tratar-se-ia, pois, de uma espécie de «recurso de amparo» ou de «acção constitucional de defesa», só admitidos quando haja lesão de direitos fundamentais dos cidadãos. Esta posição parece-nos insustentável: (1) em primeiro lugar, se se queria consagrar uma *acção constitucional de defesa* por violação de direitos fundamentais, ela devia configurar-se como verdadeira *acção directa* (mesmo com exigência de esgotamento de recursos ordinários), abrangendo *inclusive* actos lesivos dos direitos fundamentais que não são actos normativos (ex.: lesão por actos judiciais); (2) o recurso tem como base um controlo concreto, no seu sentido clássico, nunca se tendo entendido que na fiscalização concreta as partes só pudessem suscitar a inconstitucionalidade de normas que lesassem os seus direitos. Exigia-se, sim, e apenas, que as normas fossem relevantes para a causa.

A natureza do recurso continuou posteriormente a ser discutida pela doutrina portuguesa. Mantendo a posição acabada de criticar, isto é, a posição que defende estar subjacente ao recurso constitucional a ideia de «recurso de amparo» ou de «queixa constitucional», *vide* Vieira de Andrade, *Os Direitos Fundamentais*, cit., pp. 65 e 341. No sentido do texto, sustentando que o «recurso de amparo só muito vagamente terá semelhanças com a hipótese de recurso directo para o TC», cfr. Vitalino Canas, *Introdução às Decisões de Provimento do Tribunal Constitucional*, Lisboa, 1984, p. 21, nota 4. Jorge Miranda, *Manual*, VI, p. 196 e ss., refere o «carácter misto» deste recurso para o TC: «não tem somente uma finalidade subjectiva de defesa dos direitos e interesses das pessoas, tem também uma finalidade objectiva de defesa de integridade da ordem jurídica». No plano jurisprudencial, cfr., por ex., Ac. TC n.º 2/83, *DR*, II, 19-7-83, que se refere à introdução do «direito de queixa constitucional» através da LC n.º 1/82, mas, a nosso ver, esta caracterização não é rigorosa, ou, pelo menos, é unilateral. Por último, cfr., VITAL MOREIRA, *O Tribunal Constitucional*, p. 109.

---

[20] Cfr. os vários tipos ou modelos de sentenças interpretativas em GOMES CANOTILHO//VITAL MOREIRA, *Constituição da República*, anotação ao art. 280.º, e VITALINO CANAS, *Introdução às decisões de Provimento*, cit., p. 74; NUNES DE ALMEIDA, «O Tribunal Constitucional e as suas decisões», in BAPTISTA COELHO (org.), *Portugal, Sistema Político e Constitucional*, pp. 941 e ss. No plano jurisdicional, cfr. Acs. TC 128/86, *DR*, II, 12-3, e 39/86, *DR*, II, 14-5. Por último, de forma exaustiva, RUI MEDEIROS, *A decisão de inconstitucionalidade;* ALVES CORREIA, "Relatório Geral", in *I Conferência da Justiça Constitucional*, Lisboa, 1997, p. 90 ss.; VITAL MOREIRA, *O Tribunal Constitucional Português*, cit., p. 109 ss.

4. O recurso para o Plenário

A CRP consagrou, através da LC 1/89, a possibilidade de "recurso para o pleno do Tribunal Constitucional das decisões contraditórias das secções no domínio de aplicação da mesma norma" e cometeu à lei o encargo de regulamentação deste recurso (cfr. CRP, art. 224.º/3). No espírito do legislador da revisão estavam certamente presentes decisões marcadas pela radical divergência entre as duas secções (de que foi exemplo paradigmático a divergência quanto à hierarquia das normas convencionais internacionais).

A fim de garantir alguma segurança através da uniformização de decisões jurisprudenciais, a LTC estabeleceu dois mecanismos: (1) *intervenção do Plenário*, nos termos do art. 79.º-A da LTC; (2) *recurso para o Plenário*, de acordo com o preceituado no art. 79.º-D da LTC. Através do primeiro instrumento processual evita-se a divergência de decisões entre as secções do TC; mediante a utilização do mecanismo processual do **recurso para o Plenário** procura-se, também, obter a mesma uniformização (cfr., por exemplo, Ac TC 70/02, in *Acórdãos*, n.º 52 (2002), p. 363 ss.). O fundamento do recurso radica na existência de duas decisões contraditórias relativamente à questão material da constitucionalidade ou da legalidade de uma norma (cfr. Acs. TC 458/94, 792/95, 987/86, 509/2000). Este recurso para o Plenário é *obrigatório* para o Ministério Público quando intervir no processo como recorrente ou como recorrido (LTC, art. 79.º-D/1).

5. A "filtragem" dos recursos

A abertura da fiscalização judicial depressa deu origem a que, na prática, o TC fosse convertido em instância última ("4.ª instância", acima dos Tribunais da 2.ª Instância e dos Tribunais Supremos). Esta prática "subverte" a posição específica do TC no ordenamento jurídico e dá origem a uma acentuada sobrecarga de processos. Daí os instrumentos hoje consagrados na LTC: possibilidade de decisão sucinta do relator (LTC, art. 38.º-A-1), alargamento dos poderes do relator (LTC, art. 78.º-B), vista do processo a cada um dos juízes da secção acompanhados de projecto de acórdão ou de memorando do relator (LTC, art. 78.º-A-1).

C. *Processo de Fiscalização Abstracta*

Ao lado do controlo difuso e concreto – o controlo tradicional português de fiscalização da constitucionalidade – a Constituição de 1976 consagrou

um *controlo concentrado e abstracto de normas*. Por **controlo de normas** entende-se o processo constitucional dirigido à fiscalização e decisão com força obrigatória geral (com força de lei) da validade formal ou material de uma norma jurídica.

O controlo abstracto pode fazer-se antes de os diplomas entrarem em vigor – *controlo preventivo* –, ou depois de as normas serem plenamente válidas e eficazes – *controlo sucessivo*.

O controlo abstracto sucessivo, também chamado controlo em «via principal», em «via de acção» ou em «via directa» (cfr. art. 281.°), existe quando, independentemente de um caso concreto, se averigua da conformidade de quaisquer normas com o parâmetro normativo-constitucional. O Tribunal Constitucional actua como «defensor da constituição» relativamente ao legislador e como órgão de garantia da «legalidade reforçada».

Na terminologia antiga falava-se também aqui de fiscalização jurisdicional ou judicial (*richterliches Prüfungsrecht*). Mas convém, como já se frisou, distinguir entre *Prüfungsrecht* ou *judicial review* dos tribunais e *Verwerfungskompetenz*, ou seja, competência para declaração geral e obrigatória da inconstitucionalidade de uma norma, concentrada num único órgão (Tribunal Constitucional).

I - Requisitos processuais

1. Requisitos objectivos

A CRP, no texto fixado pela LC n.° 1/82, não contém (ao contrário do que acontecia com a versão original) a individualização dos actos sujeitos a controlo principal de inconstitucionalidade. No art. 281.°/1 diz-se apenas que o TC aprecia e declara com força obrigatória geral a inconstitucionalidade de **quaisquer normas**. Esta cláusula geral torna inequívoco: (1) que a fiscalização abstracta de inconstitucionalidade se estende a todos os actos normativos; (2) que ficam fora do controlo os actos que não revestirem o carácter ou não contiverem normas jurídicas (ex.: actos administrativos).

A Comissão Constitucional entendeu que o conceito de normas deveria ser tomado num duplo sentido: (1) estatuições correspondentes a actos com força de lei, quer se trate de actos legislativos gerais e abstractos, quer de actos concretos e particulares; (2) estatuições gerais e abstractas contidas em actos sem força de lei. No primeiro caso, adere-se a um *conceito formal de acto normativo*: normas são «estatuições» constantes de actos legislativos, quer estes se configurem como «leis clássicas» ou como leis-medida (leis particulares e concretas). Este conceito seria temperado por um *conceito*

Os processos de fiscalização da inconstitucionalidade

material: seriam ainda normas as «estatuições» que, não obstante a ausência da forma da lei, tivessem natureza geral e abstracta. Cfr., por ex., Parecer n.º 3/78, in *Pareceres,* Vol. 4.º, pp. 227 e ss; Parecer n.º 6/78, in *Pareceres,* Vol. 4.º, p. 306; Parecer n.º 39/79, in *Pareceres,* Vol. 10.º, p. 6. Numa linha semelhante, cfr. a jurisprudência do TC expressa, por ex., no Ac. 26/85, *DR,* II, 26-4-85.

Embora a distinção possa e deva merecer objecções, já que ela pressupõe um conceito material de acto normativo, cujos caracteres distintivos seriam a generalidade e abstracção, não há dúvida que a LC n.º 1/82 tornou claro que serão objecto de controlo quaisquer normas (constantes ou não de actos legislativos), sendo apenas de registar algumas notas específicas no que respeita aos actos com valor de lei (designadamente para efeitos de recurso obrigatório).

Exemplos frisantes do que se acaba de afirmar são o Ac. TC n.º 92/84, *DR,* I, 7-11-84, que declarou inconstitucionais normas constantes de simples *despacho* ministerial que violavam os arts. 13.º/1 e 41.º/4 e ss. da CRP (equiparação do ensino ministrado em seminários ao ensino oficial), o Ac. TC n.º 74/84, *DR,* I, 11-9-84, que declarou a inconstitucionalidade de uma *postura* municipal que submetia a autorização prévia a propaganda político-partidária, os Acs. 40/84, 202/86 e 265/86, in *DR,* II, de 7-7-84, 26-8-86, 29-11-86, onde se consideraram como susceptíveis de fiscalização os assentos, o Ac. 150/86, em que se consideraram susceptíveis de controlo as regras processuais fixadas por um tribunal arbitral.

Esta cláusula geral pode suscitar dificuldades quanto à extensão e limites da jurisdição constitucional em face da jurisdição contenciosa administrativa, pois, em geral, a primeira aprecia os actos com valor de lei e a segunda os actos normativos não legislativos. Todavia, a fórmula constitucional abrange todas as normas, constem elas de actos legislativos ou de actos regulamentares, desde que esteja em causa, de forma autónoma e principal, uma **questão de inconstitucionalidade**.

Além do requisito objectivo da inconstitucionalidade de norma jurídica, não exige a Constituição nem a motivação do requerimento de declaração de inconstitucionalidade, nem a especificação das normas que se consideram viciadas de inconstitucionalidade – o que não quer dizer que a lei não estabeleça alguns requisitos deste género (cfr. LTC art. 75.º-A/2) e que outras exigências processuais não derivem do princípio do pedido – nem que as entidades com legitimidade processual activa não procedam *motu proprio* à fundamentação do pedido e à citação das normas impugnadas (cfr. art. 51.º/1 da LTC).

2. Requisitos subjectivos

Através da fixação dos **requisitos processuais subjectivos** pretende-se determinar: (1) quem conhece, ou, dito de outro modo, quem tem competência para apreciar, por via de acção e de forma abstracta, a inconstitucionalidade de normas jurídicas; (2) quem tem legitimidade para requerer a apreciação e declaração de inconstitucionalidade (legitimidade processual activa); (3) con-

tra quem se deve dirigir o pedido de apreciação da inconstitucionalidade (legitimidade processual passiva).

A competência para conhecer das acções principais de controlo abstracto de normas é constitucionalmente atribuída, e de forma exclusiva, ao Tribunal Constitucional (controlo concentrado de inconstitucionalidade). Esta competência está fixada nos arts. 223.º/1 e 281.º/1-*a* da CRP, e o seu processo de fiscalização vem regulado nos arts. 51.º e 62.º e ss da LTC.

Têm **legitimidade processual activa** para solicitarem, a título principal, a fiscalização abstracta de normas jurídicas, as seguintes entidades (art. 281.º/2): o Presidente da República, Presidente da Assembleia da República, Primeiro-Ministro, Provedor de Justiça, Procurador-Geral da República e um décimo (1/10) dos deputados à Assembleia da República, Ministros da República, assembleias legislativas regionais, presidentes das assembleias legislativas regionais, presidentes dos governos regionais, 1/10 dos deputados à respectiva assembleia regional[21].

A **legitimidade processual passiva** (termo que se deve utilizar com cautela dado o carácter não-contraditório do processo) é atribuída ao órgão que editou ou aprovou o acto de onde constam as normas sujeitas a controlo: (1) Assembleia da República (através do seu Presidente) no caso de controlo de normas constantes de leis, de tratados internacionais e do regimento; (2) Governo, na hipótese de a fiscalização incidir sobre decretos-leis, decretos regulamentares ou outros regulamentos; (3) assembleias regionais, no caso de decretos legislativos regionais e decretos regulamentares regionais; (4) governos regionais, quando está em causa a inconstitucionalidade de regulamentos regionais; (5) autarquias locais, sempre que for impugnada a inconstitucionalidade de posturas ou regulamentos locais. São estas as entidades que, por princípio, deverão ser ouvidas e que têm legitimidade para sustentar a regularidade do acto normativo por elas editado e cuja inconstitucionalidade foi objecto de pedido de apreciação perante o TC (cfr. art. 54.º da LTC).

II - *Princípios de processo*

Não obstante se ter falado de legitimidade processual activa e de legitimidade processual passiva, o processo abstracto de controlo de normas não é

---

[21] Nada obsta a que as entidades com legitimidade processual possam requerer a apreciação da inconstitucionalidade não só por iniciativa própria, mas também precedendo de *petição* de cidadãos ou grupos de cidadãos. Para efeitos processuais junto do TC devem, porém, apresentar requerimento autónomo de solicitação, apreciação e declaração de inconstitucionalidade.

um *processo contraditório*, no qual as partes «litigam» pela defesa de direitos subjectivos ou pela aplicação de direito subjectivamente relevante. Trata-se, fundamentalmente, de um *processo objectivo* sem contraditores, embora os autores do acto normativo submetido a impugnação possam ser ouvidos (daí a utilidade de se falar em legitimidade processual passiva). Mas se o processo principal de fiscalização abstracta não é um processo contraditório (embora, nos termos do art. 54.º da LTC esteja assegurado o princípio *audiatur et altera pars*, ou seja, o princípio do contraditório), tão-pouco é um *processo inquisitivo*, a iniciar, *ex officio*, pelo Tribunal Constitucional. O Tribunal só actua a *pedido* de certas entidades (cfr. art. 281.º/2) e só pode pronunciar-se sobre as normas cuja apreciação tiver sido requerida (delimitação do objecto do pedido). Cfr., LTC, arts. 51.º/1 e ss.

A Comissão Constitucional realçou este princípio do controlo da constitucionalidade por via geral e abstracta no Parecer n.º 22/78, in *Pareceres,* Vol. 6.º, pp. 183 e ss: «Não pode o Conselho da Revolução pronunciar-se *oficiosamente* sobre questões de constitucionalidade ou inconstitucionalidade de normas jurídicas com força obrigatória geral», dado valer aqui o clássico princípio de *nemo judex sine actore ou ne judex procedat ex officio*. Todavia, pedida a declaração de um tipo de inconstitucionalidade, o TC pode declarar a inconstitucionalidade com base em vício diferente (ex.: inconstitucionalidade material em vez de inconstitucionalidade orgânica ou formal). O Tribunal Constitucional está condicionado, nos seus poderes de cognição, pelo pedido mas não pela causa de pedir (cfr. Ac. TC n.º 31/84, *DR,* I, 17-4-84). Já mais duvidosa é a substituição da declaração de ilegalidade por uma declaração de inconstitucionalidade e vice-versa. Contra a admissibilidade desta «conversão» poderá argumentar-se que a substituição da declaração da inconstitucionalidade pela da ilegalidade significa um claro entorse ao princípio do pedido. A favor desta possibilidade é legítimo argumentar-se com *o princípio do acesso directo dos juízes à Constituição:* os tribunais não podem aplicar normas inconstitucionais (art. 207.º) e como o TC é um tribunal está constitucionalmente obrigado a ponderar todos os aspectos relevantes para as questões de constitucionalidade de normas que lhe tenham sido submetidas à apreciação.

III - Processo de decisão

O processo de decisão está regulado na LTC (arts. 62 e ss.). Compete ao Presidente do TC preparar o *memorando* onde são formuladas as questões prévias e de fundo a que o Tribunal deve responder (LTC, art. 63.º/1), sendo este memorando submetido a debate em sessão plenária dos juízes (LTC, 63º/2). Uma vez fixada pelo colégio de juízes a orientação do Tribunal, o processo é distribuído a um relator para elaboração do projecto de Acórdão e posterior formação da decisão (LTC, art. 65.º). O relator é, em rigor, um redactor, pois a decisão já foi tomada antes, em sessão plenária, no momento do debate do memorando do Presidente.

IV - Efeitos das decisões do TC

1. Sentenças declarativas de inconstitucionalidade

A sentença ou decisão do Tribunal Constitucional em processo de fiscalização abstracta produz *efeitos jurídico-materiais* e *efeitos jurídico-processuais*.

1.1 *Vinculatividade das decisões*

1.1.1 *Força de caso julgado*

À semelhança do que acontece com as outras decisões dos tribunais, também as sentenças do Tribunal Constitucional têm a **força de caso julgado formal e material** (cfr., *supra*). *Rei judicata* em sentido formal são decisões finais, insusceptíveis de recurso, preclusivas de reproposítura da questão por elas resolvida no mesmo processo. A *força de caso julgado material* (na medida em que se não distinga o efeito de caso julgado da eficácia *erga omnes*) significa que a sentença do Tribunal Constitucional vale para todos.

1.1.2 *Força obrigatória geral*

As decisões do TC que declarem, de forma abstracta, a inconstitucionalidade ou a ilegalidade, têm **força obrigatória geral** (cfr. art. 282.°/1 da CRP e art. 66.° da LTC). Costuma sintetizar-se o sentido desta fórmula recorrendo às ideias de **vinculação geral** (*Bindungswirkung*, na terminologia germânica) e de **força de lei** (*Gesetzeskraft*): (*i*) vinculação geral, porque as sentenças do TC declarativas da inconstitucionalidade ou da ilegalidade vinculam – mas apenas quanto à parte dispositiva das decisões e não quanto aos seus fundamentos determinantes, ou seja, a *ratio decidendi* – todos os órgãos constitucionais, todos os tribunais e todas as autoridades administrativas; (*ii*) força de lei, porque as sentenças *têm valor normativo* (como as leis) para todas as pessoas físicas e colectivas (e não apenas para os poderes públicos) juridicamente afectadas nos seus direitos e obrigações pela norma declarada inconstitucional.

Note-se que a força de lei neste sentido não significa que as sentenças declarativas da inconstitucionalidade ou da ilegalidade tenham exactamente a mesma natureza das leis; elas são «semelhantes às leis» quanto a alguns efeitos, mas não são formalmente actos legislativos nem criam normas jurídicas. Precisamente por isso, não há possibilidade de requerer a declaração de inconstitucionalidade das próprias sentenças nem o próprio TC pode eliminá-las como pode o legislador fazer em relação às leis que edita. Cfr., sobre isto, Wischermann, *Rechtskraft und Bindungswirkung verfassungsgerichtlicher Entscheidungen*, Berlin, 1979; Vogel, «Rechtskraft und Gesetzeskraft der Entscheidungen des Bundesverfassungsgerichts», in *Bundesverfassungsgericht und Grundgesetz*, Tübingen, Vol. I, 1976, pp. 575 e ss. Cfr., também, V. Canas, *Introdução às decisões de provimento*, cit., pp. 57 e ss; Bocanegra Sierra, *El Valor de las Sentencias*, cit., p. 43; Gomes Canotilho/Vital Moreira, *Constituição da República*, anotação ao art. 281.°; Cardoso da Costa, *A jurisdição Constitucional em Portugal*, op. cit. Por último, Rui Medeiros, *A Decisão de Inconstitucionalidade*, Lisboa, 1999, p. 767 ss.; Paulo Rangel, "O Tribunal Constitucional e o Legislador" cit., p. 155.

Força de lei e *vinculação geral* de uma decisão do TC declarativa da inconstitucionalidade de uma norma significa, pois, que essa decisão tem uma «força semelhante» à da lei (devendo, como tal, ser publicada no *DR*, art. 119.°/1-*g*). Mas força de lei com o estalão das normas ou parâmetro de referência, isto é, com valor de normas constitucionais, ou força de lei com o estalão das normas controladas, isto é, com valor idêntico ao dos actos normativos sujeitos a fiscalização? O sentido da «justiça constitucional» (cfr. *supra*) apontaria no primeiro sentido, o que significaria, em todo o seu rigor, deverem considerar-se as sentenças positivas de declaração de inconstitucionalidade como interpretação autêntica da Constituição (e, consequentemente, com o valor de lei constitucional). Esta conclusão não tem, porém, cabimento entre nós, pois a interpretação autêntica da Constituição só pode ser feita por lei com valor constitucional (= lei de revisão)[22]. Em termos práticos, a força de lei de decisões positivas de declaração de inconstitucionalidade pelo TC tem várias refracções. Vejamos algumas delas.

a) *Vinculação do legislador*

A declaração da inconstitucionalidade com força obrigatória geral significa a **vinculação do próprio legislador à decisão do TC**: ele não pode reeditar normas julgadas inconstitucionais pelo TC[23]. Também lhe está vedado vir neutralizar ou contrariar a declaração de inconstitucionalidade (ou de ilegalidade)

---

[22] Sobre o sentido de *«Gesetzeskraft»* das decisões dos tribunais constitucionais cfr. as clássicas páginas de C. SCHMITT, «Das Reichsgericht als Hüter der Verfassung» (1929), in *Verfassungsrechtliche Aufsätze*, 1958, pp. 81 e ss; SCHEUNER, «Verfassungsgerichtsbarkeit und Gesetzgebung», in *DÖV*, 1980, p. 477.

[23] A não ser que a inconstitucionalidade tenha sido motivada por vícios orgânicos ou de forma e desde que a norma reeditada observe os preceitos constitucionais anteriormente violados. Vide a crítica desta ideia em RUI MEDEIROS, *A Decisão de Inconstitucionalidade*, pp. 819 e ss., e agora, M. BRITO/J. P. CARDOSO DA COSTA/A. ARAÚJO, *A execução das decisões*, obs. e loc. cit. No sentido do texto, vide JORGE MIRANDA, *Manual*, VI, p. 64; "A Constituição e a Responsabilidade Civil do Estado", in *Estudos de Homenagem a Rogério Soares*, 2002, p. 935.

através da convalidação retroactiva, por acto legislativo, de actos administrativos praticados com base numa norma declarada inconstitucional sem restrição de efeitos. O legislador não pode constitucionalizar, através de lei, o que é inconstitucional e como tal foi declarado pelo TC [24]. Daí a existência de um limite negativo geral vinculativo do legislador: proibição da reprodução, através de lei, da norma declarada inconstitucional. Este limite negativo resulta do princípio da constitucionalidade e, como tal, é um limite jurídico-constitucional e não um limite político-constitucional assente no simples princípio da confiança entre órgãos constitucionais [25]. Neste sentido se diz que a relação bilateral Constituição-lei se transforma numa relação trilateral – Constituição-sentença-lei – em que o parâmetro positivo da Constituição é mediado pela declaração judicial da inconstitucionalidade [26]. A proibição abrange os casos de recuperação do conteúdo da lei declarada ilegal embora com nova formulação. Estes limites não devem considerar-se, porém, como «eternos», pois poderá acontecer que uma lei constitucional (= lei de revisão) venha «constitucionalizar» a disciplina ou regime jurídico anteriormente considerado inconstitucional (ex.: a eliminação da irreversibilidade das nacionalizações na 2.ª revisão da Constituição neutraliza as decisões do TC que declararam inconstitucionais as leis privatizadoras), ou, então, permite ao legislador a emanação de nova disciplina com conteúdo idêntico ao de leis declaradas inconstitucionais (ex.: a consideração do serviço nacional de saúde como tendencialmente gratuito, nos termos do art. 64.º/2/*a*, na redacção da L 1/89, possibilita ao legislador a adopção de taxas moderadoras). Além disso, as concepções e valores radicados na consciência jurídica da comunidade podem ter sofrido alterações substanciais cabendo ao legislador "actualizar" as normas de acordo com os novos princípios ou valores (é significativo, a este propósito, a diferença de argumentação dos Tribunais Constitucionais nas sentenças relativas às leis do aborto proferidas na década de sessenta a oitenta e as sentenças proferidas na década de noventa).[27]

---

[24] O TC teve oportunidade de se debruçar sobre o assunto em vários acórdãos incidentes sobre o DL n.º 413/78 que convalidou retroactivamente actos administrativos ilegais. Cfr., por ex., Ac. n.º 23/83, *DR*, II, de 1-2-84. Na doutrina, *vide* GOMES CANOTILHO/VITAL MOREIRA, *Constituição da República*, anotação ao art. 282.º Em sentido diferente, cfr. RUI MEDEIROS, *A Decisão de Inconstitucionalidade*, pp. 819 e ss.

[25] Em sentido diferente, cfr. M. BRITO/J. P. CARDOSO DA COSTA/A. ARAÚJO, *A Execução*, p. 122.

[26] Cfr., por último, A. RUGGERI, *Le attività «consequenziali» nei rapporti tra la Corte Costituzionali e il legislatore*, Milano, 1988, p. 23.

[27] Cf., por último, PAULO RANGEL, «O Tribunal Constitucional e o Legislador», cit., p. 157, que recorre ao conceito de mutação constitucional». O problema não está, a maior parte das vezes, na existência de mutações constitucionais mas, como o A. reconhece, na alteração da realidade jurídico-social que suporta a esfera normativa das normas constitucionais.

b) *Vinculação do próprio TC*

Vinculação geral e força de lei significa também a **vinculação do TC às suas próprias decisões**. Em termos práticos, isso implica, sobretudo, vinculação do próprio TC à decisão de declaração de normas, devendo decidir todos os recursos nele pendentes de acordo com essa declaração[28]. No caso de o legislador renovar o conteúdo da norma declarada inconstitucional, o TC deve manter-se autovinculado à sua própria declaração de inconstitucionalidade a não ser que se verifiquem alterações jurídico-politicamente relevantes justificativas de novas soluções juídico-legais nos termos acabados de referir no que respeita à vinculação do legislador.

c) *Vinculação de todos os tribunais*

Todos os tribunais estão vinculados pelas decisões de declaração de inconstitucionalidade do TC. A **vinculação de todos os tribunais** implica, por ex., a obrigatoriedade de resolverem os processos neles pendentes, «desaplicando» a norma considerada inconstitucional[29]. (Cfr., por último, Ac. TC 55/99, *DR*, I 19/2 – *Caso do regime do arrendamento urbano*).

1.2 Efeitos das decisões

1.2.1 *Regime geral*

O efeito principal da declaração da inconstitucionalidade em fiscalização abstracta sucessiva é o *efeito invalidatório*, ou seja, a eliminação retroactiva da norma declarada inconstitucional. Vejamos as dimensões básicas desta invalidação.

---

[28] Cfr. GOMES CANOTILHO/VITAL MOREIRA, *Constituição da República*, anotação ao art. 282.º A discussão teórica pode ver-se em SACHS, *Die Bindung des Bundesverfassungsgerichts an seine Entscheidungen*, 1977, pp. 25 e ss.

[29] No caso de um tribunal aplicar a norma declarada inconstitucional é possível o recurso para o TC para efeitos de revogação da decisão. Cfr. GOMES CANOTILHO/VITAL MOREIRA, *Constituição da República,* anotação ao art. 282.º Os problemas são mais complexos quando a declaração de inconstitucionalidade for acompanhada de limitação temporal de efeitos. Cfr. *ob.* e *loc.* cit., e, por último, RUI MEDEIROS, *A Decisão de Inconstitucionalidade,* p. 336 ss.

a) *Inconstitucionalidade originária*

A declaração com força obrigatória geral da inconstitucionalidade de uma norma implica a **nulidade 'ipso jure'** da mesma norma, produzindo efeitos *ex tunc*, ou seja, desde a entrada em vigor da norma declarada inconstitucional (cfr. art. 282.º/1). Por outras palavras: a declaração de inconstitucionalidade produz um *efeito de invalidação* da norma porque faz remontar os seus efeitos à data da sua entrada em vigor. Se os efeitos fossem apenas *ex nunc*, contados a partir da data da publicação da decisão do Tribunal, a declaração de inconstitucionalidade produziria somente um *efeito revogatório*[30]. Esta **eficácia retroactiva** da declaração de inconstitucionalidade significa fundamentalmente duas coisas: (*a*) *invalidade e cessação de vigência* da norma ou normas declaradas inconstitucionais a partir do momento da entrada em vigor destas normas e não apenas a partir do momento da declaração de inconstitucionalidade; (*b*) *proibição da aplicação* das normas inconstitucionais a situações ou relações desenvolvidas à sombra da sua eficácia e ainda pendentes.

b) *Inconstitucionalidade superveniente*

Repare-se, porém, que este não é o regime das **inconstitucionalidades supervenientes** previsto no art. 282.º/2. Existe **inconstitucionalidade superveniente** quando uma nova norma constitucional (de uma nova constituição ou de uma lei de revisão constitucional) estabelece uma disciplina normativa assente em regras ou princípios contrários a leis anteriores. Aqui estabelece-se um regime misto ou intermédio entre a eficácia *ex tunc* absoluta e a eficácia *ex nunc*: (*a*) não se trata de efeitos absolutos *ex tunc*, porque a declaração de inconstitucionalidade não retroage ao momento da entrada em vigor da norma declarada inconstitucional, mas sim ao do início da vigência do parâmetro normativo-constitucional posterior; (*b*) não se trata de efeitos *ex nunc*, porque a declaração não vale apenas *pro futuro*; retroage ao momento da entrada em vigor da norma constitucional superveniente.

c) *Limites*

A retroactividade da sentença declarativa de inconstitucionalidade ou de ilegalidade tem, porém, os seus limites. A própria Constituição menciona

---

[30] Cfr. CARDOSO DA COSTA, «A Justiça...», cit., p. 69; L. NUNES DE ALMEIDA, «A Justiça...», cit., parte III, p. 136. Desenvolvidamente, cfr. sobre o tema RUI MEDEIROS, *A Decisão de Inconstitucionalidade*, p. 533 ss.; ALVES CORREIA, «A Justiça Constitucional...», p. 90 ss.; «Relatório Geral...», p. 93 ss.; A. ARAÚJO/J. C. NABAIS/J. M. VILALONGA, «Relatório...», p. 384 ss.

o **caso julgado** (art. 282.º/3). Caso julgado em sentido restrito é toda a decisão jurisdicional que põe termo, de forma definitiva e irretratável, a relações ou situações a que foi concretamente aplicada a norma declarada inconstitucional[31]. Quando a Constituição (art. 282.º/3) estabelece a **ressalva dos casos julgados** isso significa a *imperturbabilidade* das sentenças proferidas com fundamento na lei inconstitucional. Deste modo, pode dizer-se que elas não são *nulas* nem *revisíveis* em consequência da declaração de inconstitucionalidade com força obrigatória geral. Mais: a declaração de inconstitucionalidade não impede sequer, por via de princípio, que as sentenças adquiram *força de caso julgado*. Daqui se pode concluir também que a declaração de inconstitucionalidade não tem um *efeito constitutivo* da intangibilidade do caso julgado. Como atrás (cf. *supra*) se pôs em relevo, em sede do Estado de direito, o princípio da intangibilidade do caso julgado é ele próprio um princípio densificador dos princípios da garantia da confiança e da segurança inerentes ao Estado de direito[32]. Estes princípios estão presentes em qualquer tipo (cfr. *supra*, Estado de direito) de caso julgado – seja ele *caso julgado material* seja ele *caso julgado formal* – pelo que, em regra, também o princípio da ressalva dos casos julgados valerá para ambos os tipos[33]. A intangibilidade do caso julgado vale relativamente a sentenças transitadas em julgado em *tribunais estrangeiros* que, de acordo com as regras próprias do direito de conflitos (cfr. Código Civil, art. 22.º), apliquem no caso uma lei inconstitucional portuguesa. Os limites para a ressalva de casos julgados em tribunais estrangeiros e depois sujeitos ao processo de reconhecimento de sentença estrangeira nos tribunais portugueses (cfr. Código de Processo Civil, art. 49.º) advirão da eventual ofensa dos princípios fundamentais da **ordem pública internacional** do Estado português. Aqui a excepção à ressalva de caso julgado radica não tanto na sua inconstitucionalidade mas no facto de ser contrário à ordem pública constitucionalmente informada[34].

Não é líquido que a Constituição tenha considerado como limite à retroactividade da declaração de inconstitucionalidade apenas o caso julgado, entendido no sentido restrito acabado de mencionar, ou se é extensivo a outras **situações juridicamente consolidadas**. Pode também entender-se que os limites à retroactividade se encontram na *definitiva consolidação* de situações, actos,

---

[31] Cfr. GOMES CANOTILHO/VITAL MOREIRA, *Constituição da República*, anotação ao art. 282.º; JORGE MIRANDA, *Manual*, VI, p. 258 e ss.
[32] Em sentido diferente, cfr. PAULO OTERO, *Ensaio sobre o Caso Julgado Inconstitucional*, 1993, p. 83. Mais próximo do texto, cfr. agora RUI MEDEIROS, *A Decisão de Inconstitucionalidade*, pp.546 e ss.
[33] Cfr. MIGUEL TEIXEIRA DE SOUSA, *Estudos sobre o Novo Processo Civil*, 1997, p. 570.
[34] Nestes termos, GOMES CANOTILHO/VITAL MOREIRA, *Fundamentos da Constituição*, p. 263. Em sentido diferente, vide JORGE MIRANDA, *Manual*, VI, p. 258 e ss.

relações, negócios, a que se referia a norma declarada inconstitucional. Se as questões de facto ou de direito regulados pela norma julgada inconstitucional se encontram definitivamente encerradas porque sobre elas incidiu caso julgado judicial, porque se perdeu um direito por prescrição ou caducidade, porque o acto se tornou inimpugnável, porque a relação se extinguiu com o cumprimento da obrigação, então a declaração de inconstitucionalidade, com a consequente nulidade *ipso jure,* não perturba, através da sua eficácia retroactiva, esta vasta gama de situações ou relações consolidadas. Pode dizer-se que a norma viciada de inconstitucionalidade não era já materialmente reguladora de tais situações, sendo irrelevante a sua subsequente declaração de inconstitucionalidade.

O mesmo já não se verifica relativamente a relações ou situações ainda abertas (por ex.: ainda a discutir em tribunal, ainda não consolidadas por qualquer decurso do prazo) e às quais se pode ainda aplicar, com efeitos úteis, a norma declarada inconstitucional. Nestas hipóteses, é claro o efeito da declaração de inconstitucionalidade: ela impede a sua aplicação e neutraliza os efeitos jurídicos que dela poderiam resultar. Perante este entendimento, os autores tendem a salientar os efeitos relativos da retroactividade e a questionar se, em rigor, se deverá falar aqui de retroactividade. Esta existiria se, com a declaração da inconstitucionalidade da norma, fosse possível recolocar em discussão as relações já consolidadas e não apenas as relações ou situações pendentes ou em aberto[35] (cfr. Ac. TC 869/96, *DR,* I, 3-9).

c) *Excepções ao princípio da intangibilidade de caso julgado*

O art. 282.º/3 da CRP estabelece uma **excepção ao princípio da intangibilidade do caso julgado.** Nas hipóteses de casos julgados em matérias de ilícito penal, ilícito disciplinar e ilícito de mera ordenação social, a excepção à ressalva do caso julgado pode justificar-se em nome do *tratamento mais favorável* aos indivíduos que foram sujeitos a *medidas sancionatórias* penais, disciplinares ou contra-ordenacionais[36]. A excepção à regra consistiria, portanto, no seguinte:

---

[35] Apontando para este sentido, cfr. VITALINO CANAS, *Introdução às decisões de Provimento,* cit., p. 74. Na doutrina estrangeira, cfr. a recente doutrina italiana que se refere aqui a *«rapporti esauriti»*: ORIANI, «Effeti della dichiarazione di incostituzionalità di norme processuali», in *Rivista di Diritto Processuale,* 1979, p. 445; GARBAGNATI, «Efficacia nel tempo della decisione di accoglimento della Corte Costituzionale», in *RDProc,* 1974, pp. 204 e ss; ZAGREBELSKY, *La Giustizia,* pp. 266 e ss; CERRI, *Corso,* pp. 100 e ss. Cfr., também, GOMES CANOTILHO/VITAL MOREIRA, *Constituição da República,* anotação ao art. 282.º; JORGE MIRANDA, *Manual,* VI, p. 259; V. CANAS, *Introdução,* pp. 153 e ss.

[36] Ver outras medidas sancionatórias que devem beneficiar por analogia do mesmo regime constitucional, cfr. GOMES CANOTILHO/VITAL MOREIRA, *Constituição Anotada,* p. 1041; RUI MEDEIROS, *A Decisão de Inconstitucionalidade,* pp. 588 e ss.; JORGE MIRANDA, *Manual,* VI, p. 260 e ss.

a declaração de inconstitucionalidade tem efeitos retroactivos mesmo em relação aos casos julgados se da revisão retroactiva das decisões transitadas em julgado resultar um regime mais favorável aos cidadãos condenados por ilícito criminal, ilícito disciplinar ou ilícito contra-ordenacional. Note-se que esta excepção ao princípio da intangibilidade do caso julgado não opera automaticamente como mero corolário lógico da declaração de inconstitucionalidade. A revisão de sentenças transitadas em julgado deve ser expressamente decidida pelo Tribunal em que se declare a inconstitucionalidade da norma. Embora não seja possível prever, em abstracto, todos os casos em que o Tribunal recorrerá, presumivelmente, ao expediente do art. 282.º/3 da CRP, as hipóteses mais frequentes de revisão de casos julgados serão estas: (1) repristinação de normas que não configurassem como ilícito criminal, ilícito disciplinar ou ilícito de mera ordenação social, actos ou comportamentos considerados como ilícitos (criminal, disciplinar ou contra-ordenacional) pela norma declarada inconstitucional; (2) aplicação de leis supervenientes à norma ou normas declaradas inconstitucionais nas quais se estabelece um regime mais favorável ao arguido (redução substancial da medida da pena, descriminalização, redução dos prazos de prescrição do procedimento criminal). O art. 282.º/3 parece incluir no seu âmbito normativo as hipóteses mais relevantes, sob o ponto de vista prático, em sede de sentenças penais.

1.2.2 *Efeitos repristinatórios*

Dados os efeitos *ex tunc* atribuídos à sentença de declaração de inconstitucionalidade, estabelece a Constituição (art. 282.º/1, *in fine*) a **repristinação**, ou seja, a «reentrada» em vigor da norma ou normas revogadas pela norma declarada inconstitucional. Trata-se de evitar o «vazio jurídico legal» resultante do desaparecimento, no ordenamento jurídico, de normas consideradas inconstitucionais. A repristinação decorre automaticamente da declaração de inconstitucionalidade, pelo que o TC não tem de decidir *expressis verbis* efeitos repristinatórios nem tem de especificar quais as normas repristinadas,[37] embora possa delimitar os efeitos no exercício da competência prevista no art. 282.º/4 (cfr. Ac. TC 76/88, *DR*, I, 21-4-88).

---

[37] Cfr. CAPOTOSTI, «Reviviscenza di norme abrogata e dichiarazione di illegitimità costituzionale», in *Giur. cost.*, 1974, pp. 1403 e ss. Cfr., entre nós, M. NOGUEIRA DE BRITO/J. P. CARDOSO DA COSTA/ANTÓNIO DE ARAÚJO, *A execução das decisões*, in *sub judice* 20/21, p. 117, que designam os efeitos repristinatórios como "efeitos aditivos".

Embora não se estabeleçam restrições aos efeitos repristinatórios, estes não devem aceitar-se incondicionalmente. Tendo em conta a sua razão de ser, é lógico que: (*i*) existam esses efeitos quando entre *nenhuma norma* e a *norma repristinada*, seja esta a solução mais razoável[38]; (*ii*) não existam quando a norma declarada inconstitucional não tiver revogado qualquer norma anterior. No caso de a norma repristinada ser inconstitucional, não está vedada ao TC a possibilidade de *conhecer* dessa inconstitucionalidade para fundamentar nela a recusa de efeitos repristinatórios (cfr. Ac. TC 56/84). Mais duvidoso (por violar o princípio do pedido) é a possibilidade de o TC *conhecer* e *declarar* a inconstitucionalidade das normas repristinadas[39] (Ac. 452/95, *DR*, II, 21-11).

1.3 Conteúdo das decisões

1.3.1 Limitação dos efeitos de declaração de inconstitucionalidade

O n.º 4 do art. 281.º estabelece a competência do Tribunal Constitucional para decidir sobre a **limitação dos efeitos da declaração de inconstitucionalidade**. Trata-se de uma norma de particular importância, pois, ao permitir-se ao TC a «manipulação» dos efeitos das sentenças de declaração de inconstitucionalidade, abre-se-lhe a possibilidade de exercer poderes tendencialmente *normativos*. O Tribunal Constitucional tem aproveitado (de forma excessiva) esta possibilidade expressamente conferida pela constituição, restringindo os efeitos normais da inconstitucionalidade (cf., por ex., Acs. n.ºs 231/94, *DR*, I-A, de 28-4-94; 13/95, *DR*, II, de 9-2; 896/96, *DR*, I-A, 3-9-96 – *Caso das licenças de táxis*). Esta competência do Tribunal Constitucional está expressamente prevista para a fiscalização abstracta sucessiva, sendo questionável que ela possa exercer-se nos processos de fiscalização concreta. Articulando os efeitos previstos nos n.ºs 1 e 2 com os «efeitos mais restritos» referidos no n.º 4, chegamos ao seguinte esquema aproximativo:

---

[38] A solução da repristinação revela-se geralmente «desrazoável» nos casos de inconstitucionalidade superveniente prevista no n.º 2. Cfr. já, JORGE MIRANDA, *Manual*, Vol. VI, pp. 254 e ss; VITALINO CANAS, *Introdução às Decisões de Provimento*, cit., pp. 78 e 96 e ss; GOMES CANOTILHO/VITAL MOREIRA, *Constituição da República*, anotação ao art. 282.º Por último, cfr. NUNES DE ALMEIDA, «A Justiça ...», cit., p. 137; MARCELO REBELO DE SOUSA, *Valor Jurídico*, cit., pp. 257 e ss; RUI MEDEIROS, *A Decisão de Inconstitucionalidade*, pp. 651 e ss.

[39] Cfr. GOMES CANOTILHO/VITAL MOREIRA, *Constituição da República*, anotação ao art. 282.º; NUNES DE ALMEIDA, «A Justiça...», cit., p. 137; RUI MEDEIROS, *A Decisão de Inconstitucionalidade*, pp. 704 e ss.; JORGE MIRANDA, *Manual*, VI, pp. 254 e ss.

I – EFEITOS NORMAIS DA DECLARAÇÃO DE INCONSTITUCIONALIDADE	II – EFEITOS DE ALCANCE MAIS RESTRITO, FIXADOS PELO TC
(1) efeitos retroactivos = efeitos *ex tunc* (n.ᵒˢ 1 e 2)	(1) efeitos *pro futuro* = efeitos *ex nunc*
(2) nulidade total	(2) nulidade parcial
(3) efeitos repristinatórios	(3) efeitos não repristinatórios

É discutível a admissibilidade, entre nós, de certos tipos de **sentenças «de conteúdo intermédio»**, desenvolvidas e afinadas por outros tribunais constitucionais. Vejamos algumas delas.

a) *«Simples declaração da incompatibilidade da norma com a constituição sem as consequências jurídicas da nulidade»*

Não há cobertura constitucional para as **sentenças de mera declaração de inconstitucionalidade**, se com este tipo de sentenças se quiser configurar a hipótese de efeitos ainda mais restritos do que os da anulabilidade com eficácia *ex nunc*. A não atribuição dos efeitos da nulidade *ipso jure* não pode implicar a sobrevivência e aplicação da norma considerada inconstitucional[40], nem os «perigos» de lacunas legislativas se podem sobrepor aos perigos da erosão do princípio da constitucionalidade dos actos normativos.

b) *Declaração de «norma ainda constitucional mas em trânsito para a inconstitucionalidade»*

Também falta suporte normativo constitucional para as **sentenças de apelo**, se com estas sentenças se pretender a continuação da validade de uma norma, já considerada inconstitucional, até à futura intervenção legislativa. Nas *decisões apelativas*, o Tribunal considera que uma lei ou uma situação jurídica ainda não é inconstitucional mas faz um apelo ao legislador no sentido de «melhorar ou alterar a lei no sentido de evitar o trânsito para a inconstitucionalidade» (cfr. Ac. 154/86). O *apelo judicial* não é, em rigor, obrigatório para o legislador, mas constitui um «aviso» ou «admoestação» dirigida a este, indicador de que o Tribunal, no futuro, poderá não tolerar a inconstitucionalidade.

---

[40] Isto significa que a publicação oficial da decisão do TC é um limite temporal absoluto: uma norma não pode continuar a produzir efeitos após a publicação da decisão que a declare inconstitucional com força obrigatória geral. Cfr. GOMES CANOTILHO/VITAL MOREIRA, *Constituição da República*, anotação ao art. 282.º; JORGE MIRANDA, *Manual*, VI, pp. 255 e ss. Cfr., também, Ac. TC 272/86, *DR*, I, 18-9-86. Em sentido diferente, cfr. RUI MEDEIROS, *A Decisão de Inconstitucionalidade*, pp. 673 e ss.

c) *Dissociação temporal entre a declaração de inconstitucionalidade e a sua publicação*

A **dissociação temporal entre a declaração de inconstitucionalidade e a sua publicação** destina-se a dar tempo ao legislador para a criação de nova disciplina jurídica. Falta igualmente arrimo jurídico-constitucional para esta solução até porque o problema da «sintonização» entre a invalidação da norma e a sua substituição pode resolver-se por meios mais transparentes como é, por ex., o da delimitação da eficácia temporal nos termos do art. 282.º/4.

d) *Declaração de inconstitucionalidade com efeito acumulativo (aditivo) ou substitutivo*

Através de sentenças deste tipo o Tribunal: (1) alarga o âmbito normativo de um preceito, declarando inconstitucional a disposição na «parte em que não prevê», contempla uma «excepção» ou impõe uma «condição» a certas situações que deveria prever (**sentenças aditivas**); (2) declara a inconstitucionalidade de uma norma na parte ou nos limites em que contém uma prescrição em vez de outra ou profere uma decisão que implica a «substituição» de disciplina jurídica contida no preceito julgado inconstitucional (**sentença substitutiva**).

Não obstante as categorias das sentenças *aditivas* e *substitutivas* serem originárias da doutrina e jurisprudência italianas, que, sugestivamente, utilizam o conceito geral de *sentenças manipulativas* (*decisioni manipolative*) para designar as técnicas de decisão transformadoras do significado da lei (cfr. Elia, «Le sentenze additive e la piu recente giurisprudenza della Corte Costituzionale (ottobre-1981 – juglio 85», in *Scritti onore Crisafulli*, p. 229), também já entre nós houve decisões do Tribunal Constitucional que produziram «efeitos normativos» semelhantes aos das sentenças manipulativas italianas. Referimo-nos ao Ac. 143/85 (*«caso do exercício da advocacia por docentes»*) na medida em que «alargou» a excepção à incompatibilidade com o exercício da advocacia a todos os docentes (e não apenas, como prescrevia o Estatuto da Ordem dos Advogados, aos docentes de disciplinas de direito) e ao Ac. 203/86 de 12/08 (*caso dos beneficiários de pensões*), pois ao julgar-se inconstitucional a norma que mandava aplicar a disposição menos favorável aos beneficiários de pensões fixadas antes de uma certa data, acabou por estender o âmbito de aplicação do regime mais favorável. Cfr., também, Ac. TC 103/97 (*caso das queixas ao Provedor de Justiça apresentada por agentes da Polícia de Segurança Pública*). Cfr. Nunes de Almeida, «A Justiça...», cit., p. 130; Rui Medeiros, *A Decisão de Inconstitucionalidade*, pp. 456 e ss.

e) *Decisão de suspensão da lei presumivelmente inconstitucional*

Falta cobertura constitucional para legitimar o Tribunal Constitucional a adoptar **providências cautelares de suspensão provisória da eficácia de**

actos legislativos[41]. Nos casos de leis imediatamente exequíveis ou em que a execução surja como possível, o Tribunal Constitucional poderia recorrer ao instituto das providências cautelares decretando a *suspensão provisória com eficácia erga omnes* dessas leis. Os requisitos fundamentais seriam dois: (1) tratar-se de execução de leis auto-aplicativas; (2) terem sido essas leis impugnadas por inconstitucionalidade.

A adopção de providências cautelares de suspensão provisória de normas legislativas por parte do Tribunal Constitucional não encontra arrimo jurídico-constitucional no direito português. Algumas das finalidades que se visam alcançar no direito administrativo com a suspensão jurisdicional de eficácia de regulamentos imediatamente exequíveis podem, em sede de actos legislativos, ser obtidas (de forma tendencial) através da fiscalização preventiva de normas presumivelmente inconstitucionais (CRP, art. 278.°) ou mediante a "aceleração" da decisão nos processos de fiscalização sucessiva recorrendo ao encurtamento dos prazos (LOTC, art. 65.°/4)[42].

Deve notar-se que, com base nos arts. 242.° e 243.° (na versão dada pelo Tratado de Amesterdão), o Tribunal de Justiça da Comunidade já recorreu à suspensão cautelar imediata de uma lei nacional de um Estado-membro da Comunidade.

1.3.2 *A inconstitucionalidade parcial*

Nem sempre a contradição entre o acto normativo e o parâmetro constitucional é uma contradição total. Poderá acontecer que só uma norma ou algumas normas constantes dos actos normativos estejam em desconformidade com as normas superiores da Constituição. Nestes casos, à semelhança do que acontece com a **nulidade parcial** dos negócios jurídicos em direito privado e

---

[41] Cfr., J. VECINA CIFUENTES, *Las medidas cautelares en los procesos ante el Tribunal Constitucional*, Madrid, 1993; M. A. AHUMADA RUIZ, "Efectos procesuales de la modificacion legislativa de las leyes sometidas a control de constitucionalidad. La suspension de leyes 'presuntamente' inconstitucionales", in *REDC*, 1991, pp. 183 e ss. Ver, porém, as sugestões da doutrina estrangeira: ALESSANDRO PACE, "Sulla sospensione cautelare dell' esecuzione delle leggi autoapplicativa impugnate per inconstituzionalità", in *Studi Memoria Carlo Esposito*, II, Padova, 1972, p. 1197; R. R. SCHENKE, *Rechtsschutz bei normativem Unrecht*, Berlin, 1972, pp. 352 e ss.

[42] Sobre estas hipóteses, num sentido mais favorável à sua admissibilidade, cfr. o nosso trabalho, *Constituição Dirigente e Vinculação do Legislador*, p. 206, e, por último, VITALINO CANAS, *Introdução às Sentenças de Provimento*, cit., p. 98. Desenvolvidamente, cfr., por último, GILMAR FERREIRA MENDES, *Jurisdição Constitucional*, E. Saraiva, São Paulo, 1986, pp. 188 e ss, e RUI MEDEIROS, *A Decisão de Inconstitucionalidade*, pp.433 e ss.

com a nulidade parcial dos actos administrativos, a inconstitucionalidade de uma norma não conduz automaticamente à declaração da nulidade das restantes normas (*incomunicação da nulidade*). Fala-se aqui de *nulidade parcial* dos actos normativos. Haverá casos, porém, em que a nulidade parcial implicará a nulidade total. A nulidade parcial implicará a nulidade total quando, em consequência da declaração da inconstitucionalidade de uma norma, se reconheça que as normas restantes, conformes com a Constituição, deixam de ter *qualquer significado autónomo* (*critério da dependência*). Além disso, haverá uma nulidade total quando o preceito inconstitucional fazia parte de uma *regulamentação global* à qual emprestava sentido e justificação (*critério da interdependência*) [43].

A Constituição portuguesa não dificulta a possibilidade de nulidades parciais, sendo apenas duvidoso que esta possibilidade se estenda à fiscalização preventiva da inconstitucionalidade. A declaração geral de inconstitucionalidade pelo Tribunal Constitucional (art. 282.º) incide sobre *normas* e não sobre o acto normativo *in toto*. De resto, pode a declaração de inconstitucionalidade incidir sobre um mero segmento *ideal* de um preceito (cfr. Ac. TC n.º 143/85, *DR*, I, 3-9-85, e Ac. n.º 58/87, *DR*, I, 17-3-87) questionado no pedido. A este propósito, a jurisprudência constitucional portuguesa tem desenvolvido os contornos conceituais da *inconstitucionalidade parcial horizontal ou quantitativa* e da *inconstitucionalidade parcial qualitativa* (*ideal* ou *vertical*). Na primeira, declara-se inconstitucional uma parte da disposição de um período ou frase do texto formulador da norma (cfr. Ac. 123/84); na segunda, declara-se inconstitucional um certo segmento ou secção ideal da norma questionada (cfr. Acs. 75/85, 143/85, 336/86) [44]. Não são de afastar hipóteses de inconstitucionalidade parcial *ratione temporis*, ou seja, a inconstitucionalidade limitada a um determinado lapso de tempo (cfr. Ac. TC 148/94, *Caso das propinas*).

Vide, por todos, W. Skouris, *Teilnichtigkeit von Gesetzen*, Berlin, 1973, pp. 30 ss. Ponto questionável será o de saber se a *nulidade parcial* não constituirá uma manifestação do *princípio da interpretação conforme a constituição*. Com efeito, se o princípio da interpretação conforme a constituição obriga o intérprete a escolher, no caso de equivocidade e pluralidade de sentidos contraditórios, o sentido da lei adequado ao parâmetro constitucional, e se a *nulidade parcial* implica restrição da incidência do vício de ilegitimidade constitucional apenas sobre a norma ou normas desconformes com a Constituição, parece que subjacente a ambos os processos está a ideia de salvar a parte constitucionalmente regular da lei. Há, porém, uma grande diferença entre a inconstitucionalidade parcial e a interpretação conforme com a Constituição: a decisão de incons-

---

[43] Cfr. Skouris, *Teilnichtigkeit*, cit., p. 31; Gilmar Mendes, *Jurisdição Constitucional*, p. 207. No plano jurisprudencial cfr., por ex., Ac. TC 76/85, *DR*, II, de 8-6.

[44] Cfr. Nunes de Almeida, «A Justiça...», cit., p. 126; F. Alves Correia, "Relatório Geral...", p. 91.

titucionalidade parcial tem a força vinculativa geral das decisões de inconstitucionalidade, o que não acontece com a interpretação conforme. Isto para além de a nulidade parcial não se sobrepor rigorosamente à interpretação conforme, pois há casos de interpretação em conformidade com a constituição em que nenhuma das possibilidades interpretativas é inconstitucional. Sobre isto, cfr. Skouris, *Teilnichtigkeit*, cit., p. 108, e, por último, H. P. Prümm, *Verfassung und Methodik*, cit., p. 112. No plano jurisprudencial, cfr. Ac. TC n.º 15/84, *DR*, II, de 11-5-84, e Parecer da CC n.º 23/82, in *Pareceres*, Vol. 20. Uma análise excelente da problemática teorética da inconstitucionalidade parcial ver-se-á em: Marcelo Neves, *Teoria da Inconstitucionalidade das Leis*, pp. 120 e ss; Gilmar Ferreira Mendes, *Controlo da Constitucionalidade*, pp. 281 e ss; Rui Medeiros, *A Decisão de Inconstitucionalidade*, pp. 433 e ss.

Em geral, o Tribunal Constitucional serve-se de expressões linguísticas típicas para revelar o recurso à técnica de inconstitucionalidade parcial: «enquanto, na parte em que», «na medida em que», no «momento em que».[45]

2. Sentenças de rejeição de inconstitucionalidade

A decisão do Tribunal Constitucional pode ser uma sentença de «rejeição» ou de «não acolhimento» do pedido de declaração de inconstitucionalidade. A Constituição regula expressamente os efeitos das sentenças de «acolhimento» mas não contém preceito algum sobre os efeitos das **sentenças de rejeição da inconstitucionalidade**. Do articulado constitucional não se deduzem elementos suficientes para a configuração, como *caso julgado,* da sentença de rejeição. Não há, pois, que equiparar as decisões do Tribunal Constitucional que declarem a inconstitucionalidade de uma norma com as decisões que a não declaram. Estas não têm, por conseguinte, *efeito preclusivo*, pois não impedem que o mesmo ou outro requerente venha de novo a solicitar ao TC a apreciação da constitucionalidade da norma anteriormente não declarada inconstitucional[46]. A solução é, de resto, a única defensável quando se coloca o problema em termos jurídico--constitucionais e jurídico-dogmáticos. Desde logo, enquanto a *declaração* de inconstitucionalidade determina a nulidade *ipso jure*, eliminando a possibilidade de recursos por via incidental, a *não declaração* carece de quaisquer efeitos purgativos, sendo admissível a *repropositura* de uma acção directa (fiscalização abstracta) por outras entidades, constitucionalmente legitimadas, e a interposição de recursos em via incidental. Por outro lado, a fiscalização abstracta de normas não tem qualquer carácter contraditório nem supõe um «feito concreto»

---

[45] Cf. ALVES CORREIA, «Relatório Geral...», p. 91.

[46] Cfr. L. NUNES DE ALMEIDA, «A Justiça Constitucional no Quadro das Funções do Estado», in *VII Conferência dos Tribunais Constitucionais Europeus*, cit., p. 133; JORGE MIRANDA, *Manual*, VI, pp. 71 e ss.; CARDOSO DA COSTA, *A Justiça Constitucional*, p. 59.

submetido a julgamento, motivo pelo qual não se pode falar, em rigor, de *força de caso julgado* da decisão de não declaração; mesmo no caso de declaração de inconstitucionalidade, a questão não pode ser novamente apreciada sobretudo pelo facto de as normas deixarem de vigorar (cfr. Ac. TC 85/85, in *Acórdãos*, vol. V). A decisão de não declaração constitui, deste modo, uma *interpretação da norma conforme a constituição,* o que não impede vir o tribunal, em momentos posteriores, por via de controlo abstracto ou através de recursos por incidente, defender outra interpretação da norma em debate. Se uma decisão de não declaração de inconstitucionalidade tivesse força de caso julgado, significaria isso que se estava a consagrar, entre nós, a regra do *stare decisis* ou da *vinculação a precedentes judiciais,* regra esta estranha ao nosso direito e só admissível quando estabelecida através de processos constitucionalmente reconhecidos (cfr. art. 281.º/2)[47].

Atendendo à natureza objectiva do controlo abstracto, poderá colocar-se a questão de saber se as sentenças de rejeição, enquanto subsistirem, não terão força obrigatória para todas as autoridades públicas não judiciais e para entidades privadas. É discutível este efeito e mais discutível é atribuir-se-lhes um valor de precedente em relação a futuras decisões judiciais.[48]

O Tribunal Constitucional tem reafirmado as conclusões do texto. Assim, logo no Ac. 66/84, in *Acórdãos do Tribunal Constitucional*, vol. IV, fixou a doutrina de que as «únicas decisões capazes de precludirem a possibilidade de nova apreciação judicial da constitucionalidade de uma norma são as que, sendo proferidas em sede de fiscalização abstracta sucessiva, declarem a sua inconstitucionalidade». Vejam-se, porém, as informações de Cardoso da Costa, «A Justiça constitucional...», cit., p. 64, quanto aos desvios a esta regra noutros ordenamentos jurídicos (Alemanha, Áustria, Polónia, Espanha). Assim, por ex., nos termos conjugados do parágrafo 31.º e do parágrafo 76.º a Lei do Tribunal Constitucional Alemão permite aos órgãos políticos com legitimidade de acesso ao Tribunal Constitucional solicitar a declaração de constitucionalidade de uma lei controversa, obrigando, deste modo, os tribunais a respeitar o acto legislativo. De interesse é também a recente evolução do direito brasileiro. Com efeito, a Emenda n.º 3, de 17-3-1993, regulada pela Lei n.º 9.868, de 10-11-99, consagrou expressamente "acção declaratória de lei ou acto normativo federal". Em termos teórico-constitucionais, afigura-se-nos menos correcto dizer que a "acção directa de constitucionalidade" nada mais é do que "uma acção directa de inconstitucionalidade com sinal trocado" (Gilmar F. Mendes). A estrutura da decisão em cada uma das acções é substancialmente diferente: a sentença positiva de inconstitucionalidade é uma decisão declarativa da inconstitucionalidade; a sentença negativa de inconstitucionalidade não declara nem *fixa* em termos *definitivos* e *irreversíveis* a constitucionalidade de qualquer norma. Para o conhecimento da questão na doutrina brasileira, cfr. Gilmar Ferreira Mendes, *A acção declaratória de constitucionalidade. A inovação da Emenda Constitucional* 3, de 1993,

---

[47] Cfr., CARDOSO DA COSTA, *A Jurisdição*, p. 62.

[48] Cfr., no mesmo sentido, V. CANAS, *Introdução*, cit., p. 88; LUÍS NUNES DE ALMEIDA, «A Justiça Constitucional no quadro das Funções do Estado», cit., p. 134; JORGE MIRANDA, *Manual*, VI, p. 71 ss. No direito espanhol, cfr. BOCANEGRA SIERRA, *El Valor de las Sentencias*, p. 254.

Brasília, 1993; Ives Gândara Martins/Gilmar Ferreira Mendes, *Da Eficácia das decisões do Supremo Tribunal Federal*, RT, 1993; Clemerson Merlin Clève, *A Fiscalização abstracta de Constitucionalidade no Direito Brasileiro*, 2.ª ed., S. Paulo, 2000. Discutível é ainda a natureza jurídica dos efeitos da "declaração de constitucionalidade". No caso de declaração da inconstitucionalidade estamos perante *sentenças judiciais com força de lei* (*Richterrecht mit Gesetzeskraft*). A sentença é um acto normativo negativo. Na acção de declaração da constitucionalidade diz-se que os efeitos são "imediatamente processuais" (cfr. Nagib Slaibi Filho, *Acção Declaratória de Constitucionalidade*, 1995, p. 119). Mas o que se pretende são efeitos "mediatamente legislativos" (cfr. Nagib, *Acção Declaratória*, p. cit.) acrescentando um *dito* firme de um Tribunal a um *feito* legislativo contestável. O Tribunal dá a sua "fiança" e preclude a contestação jurídica (e política)! Cfr. Tania Groppi, "La 'acção declaratória de constitucionalidade': una novità nel sistema brasiliano di giustizia costituzionale", in *Quad. Cost.*, 1994, pp. 109 e ss.; Alexandre Morais, *Jurisdição Constitucional*, p. 243, que salienta justamente um dos efeitos da acção declaratória – «transformar a presunção relativa de constitucionalidade em presunção absoluta, em virtude dos efeitos vinculativos».

D. Processo de Declaração da Inconstitucionalidade com base em Controlo Concreto

Permite-se o trânsito do controlo difuso para o controlo concentrado quando o Tribunal Constitucional tiver julgado e considerado inconstitucional ou ilegal uma norma em três casos concretos. Neste caso, ele poderá fixar, com força obrigatória geral, a inconstitucionalidade ou ilegalidade dessa norma (cfr. art. 281.º/2). Existe aqui um fenómeno de *generalização* e o processo a isso destinado designa-se vulgarmente **processo de generalização**. Os efeitos jurídicos não se limitam aos casos concretos já julgados, antes se generaliza o juízo de inconstitucionalidade.

Analisemos os tópicos fundamentais deste processo. Trata-se de um *processo oficioso*, cuja iniciativa pertence a qualquer dos juízes do TC ou ao Ministério Público (cfr. art. 82.º da LTC), que promovem a organização do processo com as cópias dos acórdãos de onde constam as decisões de inconstitucionalidade (cfr. art. 82.º da LTC), remetendo-o em seguida ao Presidente do Tribunal Constitucional. Em segundo lugar, a declaração tem força *obrigatória geral* com a mesma eficácia e os mesmos efeitos das decisões proferidas em processo de fiscalização abstracta sucessiva (cfr. art. 282.º da CRP). A generalização dos juízos de inconstitucionalidade e consequente declaração com força obrigatória geral deve limitar-se às *normas* que foram julgadas inconstitucionais, e nos termos em que o foram, nos três casos concretos (cfr. Acs. TC 30/88, 64/88, 306/88). Nesta lógica, não pode haver declaração com força obrigatória geral de uma norma diversa da que foi jul-

1024

gada inconstitucional em três casos concretos. Por último, a declaração de inconstitucionalidade com força obrigatória geral é *publicada*, nos termos do art. 119.º/ 1-*f*, no *Diário da República* (cfr., também, o art. 3.º/1-*a* da LTC).

A LC n.º 1/82 eliminou, justamente, a distinção de regimes entre inconstitucionalidades orgânicas ou formais e inconstitucionalidades materiais que, sem motivos ponderosos, se estabelecia para este efeito no primitivo n.º 2 do art. 281.º

O regime português apresenta aqui alguma originalidade. Como o juiz da causa *aplica ou desaplica* as leis, de acordo com os princípios do sistema difuso, e como em Portugal não há a regra do *stare decisis* do sistema americano (vinculação aos precedentes dos tribunais superiores), haveria uma grande diversidade de juízos se não se estabelecesse um modo de uniformização através do sistema concentrado.

Note-se, porém, que este processo de declaração da inconstitucionalidade com base em controlo incidental *não é automático* (Cf. Ac. TC 457/94, *DR*, I, 11-1-95). Em termos processuais, trata-se de um novo processo de fiscalização abstracta sucessiva, o que aponta para uma nova apreciação da questão pelo TC (cfr. art. 82.º da LTC). A apreciação da questão da constitucionalidade não é, porém, deixada à total discricionaridade do TC. Só deixará de fazer-se se não houver *interesse jurídico* relevante na apreciação do pedido. Compreende-se que se não houver um interesse jurídico com "conteúdo prático apreciável" seja injustificado o processo de generalização de eficácia. Se a generalização da eficácia das decisões proferidas em controlo concreto não é obrigatória nem automática, já o mesmo não se pode dizer relativamente à obrigatoriedade ou não da declaração, uma vez que o TC tenha chegado à conclusão da inconstitucionalidade[49]. Aqui a solução mais congruente é a de considerar como dever a declaração com força *obrigatória geral*. Cfr. Ac. 64/88, *DR*, I, 18-4-88. Sobre a jurisprudência do Tribunal Constitucional, cfr. M. Lobo Antunes, "Fiscalização abstracta de inconstitucionalidade", in *Estudos sobre a Jurisprudência*, cit., p. 414. É discutível se o processo de generalização de inconstitucionalidade pode basear-se em julgamento de normas com idêntico conteúdo mas constante de diplomas diversos (cfr., Ac. Tc. n.º 83/2001, DR, II, 6.4).

E. *Processo de Fiscalização Abstracta Preventiva (= Controlo Prévio da Inconstitucionalidade)*

I - Controlo preventivo e controlo sucessivo

A Constituição de 1976, seguindo outras constituições (particularmente a Constituição francesa de 1958[50]), e retomando uma solução já expe-

---

[49] Cfr., no mesmo sentido, JORGE MIRANDA, *Manual*, II, p. 383. No plano jurisprudencial, cfr. Ac. TC n.º 93/84, *DR*, I, de 16-11-84; Ac. 184/85, *DR*, II, 10-1-86; Ac. 81/86, *DR*, I, 22/4; Ac. 165/86, *DR*, I, 3-6-86; Ac. TC 204/86, *DR*, I, 27-6-86; Ac. 119/86, *DR*, I, 30-12-86. Por último, *vide* Acs. TC 869/96, DR, I, 3-9-96; 195/97, DR, I, 24-4-97, 1149/96, *DR*, II, 31-1-97.

[50] Mas este tipo de controlo é conhecido e consagrado noutros ordenamentos constitucionais (italiano, finlandês, brasileiro, etc.). Cfr. JORGE MIRANDA, *Manual*, Vol. VI, pp. 227 e ss.

rimentada no antigo direito ultramarino português[51], consagrou a possibilidade de um **controlo abstracto preventivo** de alguns actos normativos. O sentido de um controlo que incida sobre *normas imperfeitas* afasta-se, em alguns aspectos, do sentido de um controlo jurisdicional puro. A decisão do tribunal não pode consistir na *anulação* de normas, mas sim numa pronúncia sobre a inconstitucionalidade de *decretos* (normas imperfeitas) conducente, em termos mediatos, a uma *proposta de veto* ou de *reabertura do processo legislativo*. Os arts. 278.° e seguintes da CRP estabelecem o regime deste controlo prévio de certos actos normativos, ainda não perfeitos e definitivos. Salientar-se-ão os seus traços mais relevantes (cfr. arts. 57 e ss da LTC).

O processo de fiscalização preventiva apresenta *diferenças* importantes em relação aos processos de fiscalização sucessiva: (a) a fiscalização preventiva incide sobre uma parte dos actos normativos susceptíveis de controlo *a posteriori*, abrangendo apenas aqueles carecidos de promulgação ou assinatura do PR ou dos MRs para as RAs (e talvez nem todos); (b) a fiscalização preventiva é mais marcadamente política do que a fiscalização sucessiva, pois, dada a imediaticidade entre a aprovação dos diplomas e a sua fiscalização pelo TC, corre o risco de se transformar em meio ou de legitimar diplomas inconstitucionais de duvidosa constitucionalidade, ou, em sentido oposto, num instrumento de obstrução às iniciativas legislativas do governo e do parlamento. A aceitação deste processo e forma de fiscalização radica, assim, na ideia de «mal menor» (P. Villalon[52]), pois tenta-se evitar a entrada em vigor de normas constantes de diplomas dotados, em geral, da natureza de fontes primárias de direito.

II - Requisitos processuais

1. Requisitos subjectivos

a) *Competência*

A **competência** para a fiscalização preventiva da constitucionalidade pertence ao Tribunal Constitucional (cfr. arts. 278.° da CRP e 57.° e ss da LTC), funcionando em *plenário* (e não em secção).

---

[51] Cfr. L n.° 5/72, de 23 de Junho, Base XXXVIII.
[52] Cfr. A. CRUZ VILLALON, «El control previo de constitucionalidade», *RDP*, 82, 1981, pp. 5 e ss.

b) *Legitimidade*

Estão constitucionalmente legitimados a requerer ao TC a fiscalização preventiva de normas («projectos» de normas) dois órgãos: (*a*) o Presidente da República (art. 278.°/1); (*b*) os Ministros da República para as regiões autónomas (art. 278.°/2). Se compararmos a legitimidade processual activa para os processos de fiscalização preventiva com a legitimidade processual activa dos processos de fiscalização abstracta sucessiva verificar-se-á facilmente a maior extensão dos titulares desta última em relação à primeira (cfr. art. 281.°/2).

Regime especial quanto à legitimidade processual activa têm, hoje, depois da 2.ª revisão de 1989, os decretos destinados a ser promulgados como *lei orgânica*. Além do PR, podem requerer ao TC a apreciação preventiva o Primeiro-Ministro e 1/5 dos deputados da AR em efectividade de funções (CRP, art. 278.°/4). Não é líquido se a faculdade de o Presidente da República requerer a apreciação preventiva de constitucionalidade é de *exercício livre*[53]. A resposta, segundo a doutrina dominante, é a de reconhecer sempre o direito a um juízo de oportunidade política mesmo que o Presidente da República esteja "convencido" da inconstitucionalidade.

2. Requisitos objectivos

O objecto de pretensão é a apreciação pelo TC da inconstitucionalidade de certas **normas ainda imperfeitas**, cuja identificação compete ao PR (cfr. Ac. TC 274/86, *DR*, I, 29-10-86) ou ao MR (cfr. LTC, art. 51.°/1), a fim de se evitar que se introduzam no ordenamento jurídico normas inconstitucionais. Diferentemente do que se passa com a fiscalização sucessiva abstracta, as normas que podem ser submetidas ao controlo do Tribunal não são «quaisquer normas», mas apenas as constantes: (1) de tratados submetidos ao PR para ratificação (art. 278.°/1), decretos enviados ao PR para serem promulgados como lei ou decreto-lei (art. 278.°/1), decretos de aprovação de acordos internacionais enviados ao PR para assinatura (art. 278.°/1); (2) de decretos legislativos regionais ou decretos regulamentares de lei da República que tenham sido enviados aos Ministros da República para assinatura (art. 278.°/2)[54].

---

[53] Cfr. M. GALVÃO TELES, *Liberdade*, p. 36; JORGE MIRANDA, *Manual*, VI, p. 232; *Manual*, IV, p. 280; CARDOSO DA COSTA, *A Jurisdição*, p. 47.

[54] Não obstante a sua conexão com os requisitos de promulgação ou assinatura do PR ou dos MRs, a fiscalização preventiva não abrange todos os diplomas sujeitos a promulgação ou assinatura, excluindo-se os decretos regulamentares, os demais decretos do Governo da República (salvo os de aprovação de tratados) e os decretos regionais.

Em virtude da específica finalidade do controlo prévio – impedir a entrada em vigor de normas inconstitucionais – o objecto da fiscalização é apenas a inconstitucionalidade e não também a ilegalidade (como acontece na fiscalização sucessiva) (cfr. Ac. TC 190/87, *DR*, I, 12-7-87).

Verifica-se que houve a intenção de sujeitar a controlo preventivo as normas que comprometam internacionalmente o Estado (tratados e acordos), as normas de actos legislativos (leis, decretos-leis, decretos legislativos regionais) e de alguns actos regulamentares (ex.: decreto regulamentar de lei geral da República).

3. Requisitos temporais

A CRP estabelece *prazos* para: (a) requerimento da apreciação preventiva da constitucionalidade; (b) apreciação da questão da inconstitucionalidade. O PR e os Ministros da República devem solicitar a fiscalização preventiva no prazo de 8 dias (art. 278.º/3) a contar da data de recepção do diploma, e o TC deve pronunciar-se sobre este pedido no prazo de 25 dias, que pode ser encurtado pelo PR por motivo de urgência (art. 278.º/8). O encurtamento do prazo obedece ao princípio da proporcionalidade, pois o TC deve dispor de prazo razoável para estudar o pedido de fiscalização. Não são, todavia, líquidas as consequências da falta de decisão do TC dentro dos prazos constitucionalmente estabelecidos (obrigatoriedade de promulgação ou assinatura, possibilidade de veto político?)[55].

III - Efeitos

São os que estão previstos no art. 279.º da CRP (cfr., também, art. 61.º da LTC).

1. Veto e reenvio

No caso de o TC se pronunciar pela inconstitucionalidade, o PR e os Ministros da República devem vetar os diplomas que preventivamente foram

---

[55] Estes prazos fixados para a apreciação preventiva da constitucionalidade são *prazos constitucionais* e não *prazos legais processuais*, motivo pelo qual não podem ser encurtados ou alongados pelo legislador. Cfr. Ac. TC n.º 26/84, *DR*, II, de 12-4-84, e GOMES CANOTILHO/VITAL MOREIRA, *Constituição da República,* anotação ao art. 278.º; JORGE MIRANDA, *Manual,* VI, p. 234.

1028

considerados inconstitucionais – **veto por inconstitucionalidade** – e devolvê-los (*reenvio*) ao órgão que os tiver aprovado (Assembleia da República, Governo, Assembleias Regionais), nos termos do art. 279.º/1. O veto deve ser um *veto expresso*, não podendo consistir na simples não-promulgação ou não-assinatura (veto tácito). Consequentemente, a reapreciação do decreto (pela AR e ARs) terá de pressupor o veto e reenvio do PR (ou dos MRs), não podendo basear-se apenas na decisão do TC que se pronunciou pela inconstitucionalidade.

2. Expurgação ou confirmação

O veto do PR ou dos Ministros da República é um *veto suspensivo* que pode ser superado: (a) pela **expurgação** da norma considerada constitucional; (b) pela **confirmação** do decreto, por maioria de dois terços dos deputados presentes. A estas hipóteses poderá acrescentar-se, obviamente, a desistência de aprovação do decreto por parte dos órgãos legiferantes.

Estas duas possibilidades não se aplicam a todos os diplomas susceptíveis de ser submetidos ao controlo preventivo. Importa, pois, fazer uma individualização, tanto mais que o texto constitucional não é muito claro a este respeito.

a) *Leis da AR*

O **veto de inconstitucionalidade** de leis da AR pode ser superado por expurgação ou confirmação por maioria qualificada (art. 279.º/2). Se não houver confirmação por maioria qualificada, a AR não pode aprovar de novo a norma sem expurgar a norma (ou norma) julgadas inconstitucionais (cf. Ac TC 334/94).

b) *Tratados internacionais*

A **decisão de não-ratificação** de tratados pelo PR é superada, para efeitos de ratificação do tratado, se este for aprovado por maioria de 2/3 dos deputados presentes desde que superior à maioria absoluta dos deputados em efectividade de funções (cfr. arts. 161.º/*i* e 279.º/4). Aqui não existe, em rigor, veto por inconstitucionalidade, dado que a ratificação é um acto próprio do PR, limitando-se este a comunicar à AR a impossibilidade de ratificação por o tratado conter normas inconstitucionais. Depois da Revisão de 1997, deixou de ter sentido a distinção entre tratados da competência da AR e tratados de competência do Governo, pois agora *todos* os tratados são aprovados pela AR (cf. art. 161.º/c).

c) *Decretos-leis*

O **veto de inconstitucionalidade** de decreto-lei do Governo é *definitivo*, só podendo ser superado pela expurgação da norma ou normas consideradas inconstitucionais (art. 279.°/1). Se o Governo pretender superar o veto do PR sem expurgar o diploma terá de utilizar o seu direito de iniciativa legislativa junto da AR, transformando o decreto-lei em proposta de lei e, em caso de aprovação pela AR, em decreto a ser enviado ao PR para ser promulgado como lei (cfr. art. 167.°/1 e 2). O que o Governo não pode fazer é confirmar o decreto vetado.

d) *Acordo internacional*

A **decisão de não-assinatura** de acordo internacional por inconstitucionalidade pode ser superada; (1) por *expurgação*, no caso do acordo de competência do Governo; (2) por *confirmação* no caso de acordos internacionais da competência da AR ou que o Governo entenda submeter a sua apreciação (cf., art. 161.°/c e 279.°/2, segundo segmento).

e) *Decretos legislativos regionais e decretos regulamentares de leis gerais da República* (cfr. arts. 279.°/*a, b, c* e *d*, 232.° e 233.°/1)

O **veto por inconstitucionalidade dos Ministros da República** é superado por expurgação ou confirmação por maioria de 2/3 dos deputados das assembleias regionais, se se entender haver aqui um regime paralelo ao dos decretos da AR (cfr. a redacção do art. 279.°/2, aparentemente favorável à equiparação). No sentido contrário – isto é, no sentido da inadmissibilidade de confirmação pelas ARs de diplomas vetados – poderá invocar-se a inexistência de qualquer paralelismo entre a AR/TC e ARs/TC no paralelogramo organizatório constitucionalmente definido. A AR é um órgão de soberania, representativo de todos os portugueses, com poder originário de criação legislativa, sendo razoável a sua competência para reapreciar e superar o juízo de inconstitucionalidade do TC. As ARs não são órgãos de soberania, sendo ilógico conferir-se-lhe um poder de neutralização de decisões do órgão constitucional com tarefa específica de fiscalização da inconstitucionalidade dos actos normativos[56] (cfr., contudo, Ac. TC 151/93, *DR*, I-A, de 26-3-93).

---

[56] Cfr., neste último sentido, GOMES CANOTILHO/VITAL MOREIRA, *Constituição da República*, anotação ao art. 279.° No plano jurisprudencial, cfr. Ac. TC, 151/93. Cfr., também, MARCELO REBELO

3. Reformulação

Os órgãos que emanaram os actos submetidos a fiscalização preventiva podem optar pela **reformulação** do diploma (art. 279.º/3). Neste caso, o Presidente da República e os Ministros da República (conforme os casos) têm competência para requerer a apreciação preventiva não só da norma reformulada, como de «qualquer outra norma», mesmo que não tivesse sido impugnada por inconstitucionalidade (cfr. Ac. TC 334/96). Subjacentes a este regime estão quatro razões: (*a*) a norma reformulada pode continuar a ser inconstitucional; (*b*) a reformulação da norma pode conduzir à «contaminação de outras normas»; (*c*) o PR e os Ministros da República aproveitam o pedido da fiscalização preventiva da norma reformulada para suscitar a questão da inconstitucionalidade de outras normas que estão em relação com elas; (*d*) o decreto reformulado é um *novo* decreto, e, como tal, sujeito a todos os trâmites da fiscalização preventiva. Não é líquido se o regime da reformulação no caso de veto por inconstitucionalidade pode ser estendido por analogia aos casos de veto político (CRP, art. 136.º). A solução positiva (cfr. Acs. TC 320/89 e 13/95) não significa que esteja precludida a possibilidade de um novo veto político de fiscalização preventiva quando houver um *novo decreto* por a confirmação pela a AR não ter sido feita nos estritos termos em que foi vetado. A reformulação do decreto vetado não exige a sua prévia confirmação através de maiorias qualificadas constitucionalmente exigidas (art. 136.º/2 e 3 da CRP). Esta exigência perderia significado jurídico no caso de aprovação posterior de alterações (Acs TC 320/89 e 13/95).

4. Falta de promulgação e assinatura

Caso não haja expurgação ou confirmação, os diplomas não podem ser promulgados (leis e decretos-leis), assinados (decretos legislativos regionais, regulamentos regionais e acordos internacionais) ou ratificados (tratados internacionais). A existência de expurgação não significa obrigatoriedade de promulgação, designadamente quando a expurgação implica alterações substanciais, caso em que o PR pode requerer de novo a fiscalização preventiva.[57] A

DE SOUSA, *Constituição da República Portuguesa, Comentada*, Anotações ao art. 278.º, nota 294; CARDOSO DA COSTA, *A jurisdição Constitucional*, p. 56, nota 53; NUNES DE ALMEIDA, *VII Conferência dos Tribunais Constitucionais*, p.132. Em sentido diferente, JORGE MIRANDA, *Manual*, VI, pp. 235 e ss. Um resumo da questão pode ver-se agora em F. ALVES CORREIA, *O Direito Constitucional à Justiça Constitucional*, p. 120.

[57] Cf. J. J. GOMES CANOTILHO/VITAL MOREIRA, *Constituição da República*, p. 1009. O ponto é discutido. Vide, em sentido diferente, JORGE MIRANDA, «A intervenção do Presidente da República

falta de promulgação e assinatura determinam a *inexistência* jurídica do diploma (art. 137.º). A falta de ratificação de tratados (ou até a sua irregular ratificação) origina também, para todos os efeitos, a inexistência das normas constantes desses tratados na ordem jurídica interna (art. 8.º/2). Do mesmo modo, serão inexistentes as eventuais promulgações ou assinaturas do PR ou dos MR de diplomas considerados inconstitucionais e não-confirmados. A promulgação ou assinatura irregular equivalem à falta de promulgação ou de assinatura e, por conseguinte, viciadas inexistência.

5. Efeitos em relação ao TC

Não obstante a decisão do TC no sentido da inconstitucionalidade, o decreto, tratado ou acordo submetidos à sua apreciação podem vir a ser promulgados, ratificados ou assinados. Pergunta-se: quais os **efeitos da superação do veto** ou da decisão de ratificação ou assinatura relativamente ao próprio TC e qual a relevância jurídica de uma decisão de inconstitucionalidade posteriormente superada. Relativamente ao primeiro problema, o TC pode sempre vir a considerar de novo inconstitucionais, em controlo sucessivo [58], as normas já objecto de idêntica decisão em sede de controlo prévio. A relevância das decisões de inconstitucionalidade superada reconduz-se ao seguinte: (*a*) estabelece-se uma presunção de inconstitucionalidade (da máxima importância em sede de direitos, liberdades e garantias); (*b*) o juízo de inconstitucionalidade considera-se pressuposto de recurso obrigatório do MP para efeitos do art. 280.º/5 [59].

IV - O processo de fiscalização preventiva abstracta de leis orgânicas

A revisão de 1989, além de ter autonomizado a categoria de leis orgânicas, estabeleceu também algumas especificidades quanto ao controlo preventivo dos decretos enviados ao PR para serem promulgados como leis orgânicas.

---

e o Tribunal Constitucional», in *A Feitura das Leis*, Vol. II, 1996, p. 286. Por último, cfr., F. ALVES CORREIA, *O Direito Constitucional*, cit., p. 118, que propõe soluções diferenciadas consoante a intensidade e profundidade do expurgo.

[58] Ver, porém, PAULO RANGEL, *Repensar o Poder Judicial*, p. 148 ss., que fala aqui em "caso legislado", com efeito preclusivo relativamente à hipótese de fiscalização sucessiva.

[59] Cfr. GOMES CANOTILHO/VITAL MOREIRA, *Constituição da República*, anotação ao art. 279.º, e Ac. TC 85/85, *DR*, II, 25-6-85.

As particularidades do processo de **fiscalização preventiva das leis orgânicas** incidem sobre os pressupostos processuais e sobre a promulgação.

1. Requisitos processuais

A **legitimidade processual activa** estende-se ao Primeiro-Ministro e a 1/5 dos deputados à AR. Pretende-se, por um lado, dar possibilidade ao Governo de «controlar» previamente a emanação de leis tão relevantes, sob o ponto de vista político, como as leis orgânicas. Procura-se, em segundo lugar, assegurar o direito das minorias que foram vencidas mas não convencidas no Plenário da AR (art. 278.º/4).

2. Promulgação temporalmente condicionada

Em virtude da necessidade de dar conhecimento do decreto que deve ser promulgado como lei orgânica ao Primeiro-Ministro e aos grupos parlamentares, a **promulgação** do PR está temporalmente condicionada (art. 278.º/7), pois o PR não pode promulgar a "decretos de leis orgânicas" sem que decorram oito dias após a respectiva recepção ou antes de o Tribunal Constitucional sobre eles se ter pronunciado, se a sua intervenção tiver sido solicitada (cfr. Ac. TC 709/97, *DR*, I, 20-1-98).

F. *Processo de Fiscalização da Inconstitucionalidade por Omissão*

I - Conceito de omissão

1. Espécies de omissões inconstitucionais

Discute-se, na doutrina e jurisprudência constitucionais, o conceito, o sentido e a extensão do chamado **silêncio legislativo**. O conceito de omissão legislativa não é um conceito naturalístico, reconduzível a um simples «não fazer», a um simples «conceito de negação». Omissão, em sentido jurídico-constitucional, significa não fazer aquilo a que se estava constitucionalmente obrigado. A **omissão legislativa**, para ganhar significado autónomo e relevante, deve conexionar-se com uma *exigência constitucional de acção,* não bastando o simples *dever geral de legislar* para dar fundamento a uma omissão inconstitucional.

As omissões legislativas inconstitucionais derivam desde logo do não cumprimento de *imposições constitucionais legiferantes em sentido estrito,* ou seja, do não cumprimento de normas que, de forma permanente e concreta, vinculam o legislador à adopção de medidas legislativas concretizadoras da constituição. Consequentemente, devemos separar omissões legislativas resultantes da violação de preceitos constitucionais *concretamente* impositivos, do não cumprimento da constituição derivado da não actuação de *normas-fim ou normas-tarefa,* abstractamente impositivas. Há uma omissão legislativa inconstitucional quando o legislador não adopta as medidas legislativas necessárias para dar execução aos preceitos constitucionais que, de forma permanente e concreta impõem, por ex., o estabelecimento e actualização do salário mínimo nacional (art. 59.º/2-*a*), a organização, coordenação e financiamento de um «sistema de segurança social unificado e descentralizado» (art. 63.º/2), a criação de um "serviço nacional de saúde, universal, geral e tendencialmente gratuito» (art. 64.º/2/*a*), a criação e desenvolvimento de «reservas e parques naturais e de recreio» (art. 66.º/2/*c*), a promoção e criação de uma «rede nacional de assistência materno-infantil e de uma rede nacional de creches» (art. 67.º/2-*b*), a garantia de um «ensino básico universal, obrigatório e gratuito» (art. 74.º/2/*a*). Já tem contornos menos definidos o não cumprimento de normas-fim e normas-tarefa que, de forma permanente mas abstracta, impõem a prossecução de certos objectivos. É o caso, por ex., de preceitos como os dos arts. 9.º e 81.º O incumprimento dos fins e objectivos da constituição é também inconstitucional, mas a sua concretização depende essencialmente da luta política e dos instrumentos democráticos, ao passo que as omissões legislativas inconstitucionais, em sentido restrito, podem originar uma acção de inconstitucionalidade nos termos do art. 283.º da CRP.[60] "A disposição constitucional em que se funda a invocação da inconstitucionalidade por omissão tem de ser suficientemente precisa e concreta". (Cf., Acs. TC 278/89, *Acórdãos*, vol. 13/I, e 359/91, in *Acórdãos*, vol. 19, Ac. TC 474/2002, DR, I-A, 18/12). Existe ainda omissão legislativa quando a constituição consagra **normas sem suficiente densidade** para se tornarem normas exequíveis por si mesmas, reenviando implicitamente para o legislador a tarefa de lhe dar exequibilidade prática. Esta hipótese adquire autonomia quando as normas constitucionais não se configurem, juridicamente, como ordens concretas de legislar ou como imposições permanentes e concretas (exs.: lei que define os crimes de responsabilidade política para assegurar a exequibilidade do art. 117.º/3; lei que define o processamento da actividade administrativa para tornar exequível o art. 267.º/5).

---

[60] Cfr., na doutrina portuguesa, JORGE MIRANDA, *Manual*, VI, p. 284 ss.; VIEIRA DE ANDRADE, *Os direitos fundamentais na Constituição Portuguesa* de 1976, 2.ª ed., p. 380.

Verifica-se também uma omissão legislativa inconstitucional quando o legislador não cumpre as *ordens de legislar* constitucionalmente consagradas em certos preceitos constitucionais. As *ordens de legislar,* diferentemente das imposições constitucionais (que são determinações permanentes e concretas), traduzem-se, em geral, em imposições únicas (isto é: imposições concretas mas não permanentes) de emanação de uma ou várias leis necessárias à criação de uma nova instituição ou à adaptação das velhas leis a uma nova ordem constitucional. A LC n.° 1/82 continha, no art. 244.°, uma ordem de legislar, dado que esta imposição constitucional se esgotava logo que fosse publicada a lei sobre organização e funcionamento do Tribunal Constitucional. Em termos semelhantes, a LC 1/89 (art. 207.°) «ordena» a aprovação de legislação que permita adaptar a lei de organização, funcionamento e processo do Tribunal Constitucional às alterações introduzidas na segunda revisão constitucional. O mesmo se passa com o art. 196.° da LC 1/97 onde se pressupõe a alteração desta mesma lei da organização do Tribunal Constitucional.

Na doutrina mais recente salienta-se a possibilidade de omissão legislativa pelo não cumprimento da obrigação do legislador em *melhorar ou corrigir* as normas de prognose (= prognóstico, previsão) incorrectas ou desfasadas perante circunstâncias supervenientes **omissão por falta de actualização ou aperfeiçoamento de normas.** A omissão consiste agora não na ausência total ou parcial da lei, mas na falta de adaptação ou aperfeiçoamento das leis existentes. Esta carência ou défice de aperfeiçoamento das leis assumirá particular relevo jurídico-constitucional quando, da falta de «melhorias» ou «correcções», resultem consequências gravosas para a efectivação de direitos fundamentais[61].

2. As omissões legislativas parciais

A doutrina alude, por vezes, à distinção entre *omissão em sentido formal* e *omissão em sentido material* e à distinção entre *omissões absolutas* e *omissões relativas.* Independentemente dos vários problemas suscitados por estas distinções, o conceito jurídico-constitucional de omissão é compatível com **omissões legislativas parciais** ou **omissões relativas**, isto é, omissões derivadas de os actos legislativos concretizadores de normas constitucionais favorecerem certos

---

[61] Cfr. P. BADURA, «Die verfassungsrechtliche Pflicht des gesetzgebenden Parlaments zur Nachbesserung von Gesetzen», in *Staatsorganisation and Staatsfunktionen im Wandel, Festschrift für K. Eichenberger,* p. 483; R. STETTNER, «Die Verpflichtung des Gesetzgebers zu erneuntem Tätigwerden bei fehlerhaften Prognosen», in *DVBL*, 1982, p. 1123.

grupos ou situações, esquecendo outros grupos e outras situações que preenchem os mesmos pressupostos de facto. Esta concretização incompleta tanto pode resultar de uma intenção deliberada do legislador em conceder vantagens só a certos grupos ou contemplar certas situações (*exclusão expressa ou explícita*), violando o princípio da igualdade e cometendo uma «inconstitucionalidade por acção», como derivar apenas de uma incompleta apreciação das situações de facto, mas sem que haja o propósito de arbitrária e unilateralmente se favorecerem só certos grupos ou situações (*incompletude regulativa*). Nesta última hipótese, haverá uma inconstitucionalidade por omissão e não por acção. Precisamente por isso, a *omissão legislativa* existe quando o legislador não cumpre ou cumpre incompletamente o dever constitucional de emanar normas destinadas a actuar as imposições legiferantes estabelecidas na Constituição.

Não é procedente a crítica de V. Canas a esta distinção, in *Introdução às decisões de Provimento*, p. 44, nota 42, pois a configuração como inconstitucionalidade por omissão dos casos referidos em segundo lugar pretende, precisamente, atingir os desideratos por ele julgados desejáveis com as «decisões que declarem a inconstitucionalidade ou ilegalidade de uma norma sem que tal venha a implicar a sua anulação» (pp. 98 e 108). Só que a sua solução conduz a resultados inadmissíveis: continuação da aplicação de uma norma declarada inconstitucional, por ser desaconselhada a sua anulação total! A proposta do texto é clara: não se declara a inconstitucionalidade de uma solução legal intrinsecamente justa (ex.: concessão de pensões); fixa-se a inconstitucionalidade por omissão, dado que o legislador tem o dever de tornar exequível o direito social e o princípio da igualdade justificativos do alargamento da solução legal a outras categorias de cidadãos. Cfr., também, Jorge Miranda, *Manual*, IV, p. 220; Jónatas Machado, *Liberdade Religiosa*, p. 296; Alves Correia, «A Justiça Constitucional em Portugal e na Espanha...», p. 201.

No Ac. do TC n.º 423/87, *DR*, I, de 26-11 (*Caso da leccionação da disciplina da religião e moral católicas nas escolas públicas*), tocou-se este problema de omissões legislativas parciais ao escrever-se: «... dir-se-ia que o Estado não pode abster-se de, no tocante às demais confissões, lhes conceder um tratamento afim, tendo em conta, é certo, as circunstâncias próprias de cada uma delas (dimensão quantitativa, espaço geográfico ocupado, disseminação entre a população escolar, etc.), sob pena de não respeitar o princípio da igualdade e, por via omissiva, violar o texto constitucional». Cfr., ainda Ac. TC 174/93, *DR*, II, 1-6. Em sentido diferente, criticando a posição do texto com argumentos pertinentes, cfr., Rui Medeiros, *A Decisão de Inconstitucionalidade*, p. 512. Por último, chamando a atenção para os vários modelos de reparação da discriminação normativa, cfr. M. González Beilfuss, *Tribunal Constitucional y Reparación de la discriminación normativa*, p. 117 ss.

3. Dever de legislação e direito à legislação

A inconstitucionalidade por omissão é um instituto que reflecte as insuficiências resultantes da redução do Estado de direito democrático «aos processos» e instrumentos típicos dos ordenamentos liberais. Com efeito, a generalidade da doutrina não reconhece um *direito subjectivo dos cidadãos à activi-*

dade legislativa. Embora haja um *dever jurídico-constitucional* do legislador no sentido de este adoptar as medidas legislativas necessárias para tornar exequíveis as normas da Constituição, a esse dever não corresponde automaticamente um **direito fundamental à legislação**. Daí a insistência na necessidade de institucionalização de formas democráticas tendentes a um maior reforço da protecção jurídica contra omissões inconstitucionais (acções populares, direito de iniciativa legislativa popular, petições colectivas, e, em geral, formas de acentuação da democracia participativa). A Constituição afastou, porém, qualquer possibilidade de *acções populares universais,* de *acções individuais de defesa* e *de acções administrativas* contra comportamentos omissivos do legislador (cfr. art. 283.º/1). Já o mesmo não ocorre quanto a omissão de *normas regulamentadoras.* A Lei 15/2002 (Código de Processo nos Tribunais Administrativos) prevê mesmo a *declaração de ilegalidade por omissão* quando se verifique a existência de situações de ilegalidade por omissão de normas cuja adopção, ao abrigo de disposições de direito administrativo, seja necessária para dar exequibilidade a actos legislativos carentes de regulamentação (art. 77.º).

A inconstitucionalidade da omissão legislativa não se conexiona necessariamente com os *prazos ou tempos* dentro dos quais deveria ter havido a *interpositio* legiferante necessária para tornar exequíveis os preceitos constitucionais. De um modo geral, o legislador constituinte fixa prazos quando se trata de *ordens de legislar.* Na hipótese de omissões derivadas do não cumprimento de *imposições constitucionais,* os «momentos» decisivos para a verificação da existência da inconstitucionalidade são mais a *importância e indispensabilidade da mediação legislativa* para dar operatividade prática às normas constitucionais do que a fixação de eventuais limites *ad quem*[62].

II - Requisitos processuais

Pouco há a acrescentar ao que se acaba de escrever a propósito da inconstitucionalidade por omissão. Aludir-se-á apenas aos requisitos processuais.

---

[62] Sobre a inconstitucionalidade por omissão cfr., entre nós, JORGE MIRANDA, «Inconstitucionalidade por omissão», in *Estudos sobre a Constituição,* Vol. II, Lisboa, 1977, e *Manual,* Vol. VI, pp. 272 e ss. Cfr., também, o nosso estudo *Constituição Dirigente,* pp. 329 e ss.

1. Requisitos subjectivos

Só é reconhecida legitimidade activa ao Presidente da República e ao Provedor da Justiça e, com fundamento na violação dos direitos das regiões autónomas, aos presidentes das assembleias legislativas regionais (art. 283.º/1).

O *destinatário* das imposições constitucionais e das ordens de legislar, cujo não cumprimento conduz à inconstitucionalidade por omissão, é, nos termos constitucionais, o legislador (AR, Governo, assembleias regionais), dado que a constituição se refere expressamente a «medidas legislativas necessárias» (art. 283.º/2). É legítimo duvidar-se da bondade desta solução, pois, algumas vezes, as medidas necessárias para dar exequibilidade às normas constitucionais podem reconduzir-se a actos não legislativos. Isto é corroborado pelo facto de grande número de imposições constitucionais se dirigirem ao Estado e não apenas aos órgãos legiferantes.

A recente Constituição da República Federativa do Brasil[63] tentou tornear o sentido restritivo da nossa inconstitucionalidade por omissão de duas formas: (1) através (art. 5/LXXI) da consagração do *mandado de injunção* sempre que a «falta de norma regulamentadora torne inviável o exercício de direitos e liberdades constitucionais e das prerrogativas inerentes à nacionalidade, à soberania e à cidadania; (2) através da *acção de inconstitucionalidade por omissão* (art. 105.º/2), por omissão de medida para tornar efectiva norma constitucional.

2. Requisitos objectivos

O objecto do requerimento das entidades referidas na alínea anterior é a apreciação e verificação do não cumprimento da constituição em virtude de comportamentos omissivos dos órgãos legiferantes (*omissão legislativa*) que não editam as *medidas legislativas* necessárias para tornar *exequíveis* as normas constitucionais.

---

[63] Cfr., por ex., CELSO RIBEIRO BASTOS, *Curso de Direito Constitucional*, 11.ª ed., 1989, pp. 219 e ss; REGINA QUARESMA, *O Mandado de Injunção e a Acção de Inconstitucionalidade por Omissão*, Rio de Janeiro, 1995; IVO DANTAS, *O Valor da Constituição*, Rio de Janeiro, 1996, pp. 119 e ss; GILMAR FERREIRA MENDES, *Jurisdição Constitucional*, São Paulo, 1996, pp. 299 e ss.

III - Efeitos

A verificação do não cumprimento da Constituição derivado de omissões legislativas inconstitucionais obriga o Tribunal Constitucional a *dar conhecimento* da inconstitucionalidade por omissão ao órgão competente (art. 283.º/2 da CRP e art. 68.º da LTC).

A compreensão do controlo da constitucionalidade como «controlo negativo» – é este o sistema básico do constitucionalismo, qualquer que seja o modelo de controlo – havia merecido críticas do pensamento constitucional socialista. Aludia-se, designadamente, à insuficiência de um controlo que se limita a anular actos (controlo negativo) e não a impor positivamente actividades normativas em reacção contra eventuais omissões inconstitucionais. Cfr., sobre isto, H. Roussillon, «Le problème du contrôle des lois dans les pays socialistes», in *RDPSP,* 1977, pp. 97 e ss.

A «contenção» do controlo da constitucionalidade dentro dos limites do controlo negativo é justificada pelo princípio democrático e pelo princípio da separação e interdependência dos órgãos de soberania. Cfr. Jorge Miranda, *Manual,* VI, p. 280, e o nosso livro *Constituição Dirigente,* cit., p. 354.

Na redacção originária da CRP consagrava-se a possibilidade de o Conselho da Revolução fazer *recomendações* aos órgãos legislativos competentes no sentido de estes emitirem as medidas necessárias para dar exequibilidade às normas constitucionais (cfr. arts. 146.º/*b* e 279.º na redacção primitiva). Todavia, o exercício desta competência foi pouco utilizado pelo CR: apenas duas resoluções de recomendação, uma a propósito das organizações de ideologia fascista (Resolução n.º 105/77, de 16 de Maio) e outra a respeito dos trabalhadores de serviço doméstico (Resolução n.º 56/78, de 18 de Abril).

A fórmula do actual art. 283.º/2 – dar conhecimento ao órgão legislativo competente é menos directiva do que a que se traduzia na possibilidade de recomendações, mas pode interpretar-se como sendo um *apelo* do Tribunal Constitucional, com significado político e jurídico, aos órgãos legiferantes competentes no sentido de estes actuarem e emanarem actos legislativos necessários à exequibilidade das leis constitucionais. Num importante acórdão (Ac. 182/89, *DR,* I, 2-3-89 – *Defesa contra o tratamento informático de dados pessoais*) o TC deu «por verificado o não cumprimento da Constituição por omissão da medida legislativa prevista no n.º 4 do seu art. 35.º, necessário para tornar exequível a garantia constante do n.º 2 do mesmo artigo». Cfr., ainda, Ac. 276/89 (*Crimes de responsabilidade dos titulares de cargos políticos*), *DR,* II, 137, 12-6-89; Ac. 36/90 (*Consultas directas dos cidadãos a nível local*), *DR,* II, 152, 4-7-90; Ac. 359/91 (*Aplicabilidade das normas do Cód. Civil às uniões de facto*); Ac. 638/95 (*Direito de acção popular*), *DR,* II, 298, 28-12-95.

G. *Processos de Fiscalização da Ilegalidade*[64]

Os processos principais do controlo da legalidade estão tipificados na Constituição e reconduzem-se a: (1) processo de fiscalização concreta da ile-

---

[64] Cfr. em C. BLANCO DE MORAIS, *Justiça Constitucional,* I, p. 410 ss., a evolução conceptual, histórica e jurídico-positiva do instituto da fiscalização da legalidade das leis no ordenamento português.

galidade; (2) processo de fiscalização abstracta. Começaremos por este último processo.

Note-se que pode haver arguição cumulativa dos vícios de inconstitucionalidade e de ilegalidade. O TC tem entendido (cfr. Ac. TC 268/88, *DR*, I, 29-10) que, neste caso, se deve conhecer em primeiro lugar da inconstitucionalidade, ficando prejudicado o conhecimento da ilegalidade, pelo menos quando se julgar procedente a inconstitucionalidade. É duvidoso que assim seja. Com a clara autonomização da ilegalidade na LC 1/89, o TC deve apreciar todo o pedido e conhecer da arguição das ilegalidades.

I - Fiscalização abstracta da legalidade

A ilegalidade de normas susceptíveis de controlo pelo Tribunal Constitucional pode surgir em várias hipóteses. Os requisitos processuais da **fiscalização abstracta da ilegalidade** são os seguintes.

1. Requisitos objectivos

Em primeiro lugar, tem se suscitar-se uma **questão de ilegalidade**.
a) Questão da ilegalidade, resultante da violação: (*i*) de *lei com valor reforçado* por normas constantes de acto legislativo; (*ii*) do *estatuto* da região autónoma e de *lei geral da República,* por normas constantes de *diploma* regional (isto é: decreto legislativo regional, decreto regulamentar regional, regulamento regional), nos termos do art. 281.º
b) Questão de ilegalidade resultante da violação dos *direitos da região autónoma* consagrados no estatuto por normas constantes de diploma emanado dos órgãos de soberania (leis, decretos-leis, regulamentos), nos termos do art. 281.º/1-*d*.

2. Requisitos subjectivos

Trata-se de saber quem pode requerer a fiscalização da ilegalidade (**legitimidade processual**).
a) *Legitimidade processual activa* relativamente à ilegalidade referida em *a*): Presidente da República, Presidente da Assembleia da República, Primeiro-Ministro, Provedor de Justiça, Procurador-Geral da República, um décimo dos Deputados

1040

à Assembleia da República. Deduz-se que têm legitimidade processual activa para requerer a declaração, com força obrigatória geral, desta ilegalidade, todas as entidades competentes para requerer a fiscalização abstracta da inconstitucionalidade.

b) Legitimidade processual activa relativamente à ilegalidade referida atrás em *a*) e *b*)[65]: todas as entidades com legitimidade activa para requerer a fiscalização abstracta de inconstitucionalidade e ainda (cfr. art. 281.º/2/*g*) o Ministro da República, as assembleias legislativas regionais, os presidentes das assembleias legislativas regionais, os presidentes dos governos regionais e 1/10 dos deputados à assembleia legislativa regional da respectiva região autónoma.

3. O processo de controlo incidental ou de fiscalização concreta de ilegalidade junto do Tribunal Constitucional

Em comparação com o controlo concreto de inconstitucionalidade, este processo apresenta algumas especificidades quanto ao objecto de recurso para o TC.

O incidente é agora um **incidente de ilegalidade** e o recurso para o TC pode ter como fundamento: (1) a decisão do juiz *a quo* que recusa a aplicação de norma constante de acto legislativo com fundamento na sua ilegalidade por violação de lei com valor reforçado (CRP art. 280.º/2/*a*, e LTC art. 70.º/1/*c*); (2) a *decisão de rejeição* do juiz *a quo* de aplicação de uma norma constante de diploma regional com fundamento na sua ilegalidade por violação do estatuto da região autónoma ou de lei geral da República[66] – *recusa de aplicação de normas de diplomas regionais* (cfr. art. 280.º/2-*b* da CRP e art. 70.º/1-*d* da LTC); (3) a *decisão de rejeição* do juiz *a quo* de aplicação de norma de diploma emanado de órgão de soberania, com fundamento em ilegalidade por violação da lei estatutária de uma região autónoma – *recusa de aplicação de normas de diplomas de órgãos de soberania* (cfr. art. 280.º/2-*c* da CRP e art. 70.º/1-*e* da LTC); (4) a *decisão de acolhimento* pelo juiz *a quo* de norma impugnada no processo por ilegalidade com qualquer dos fundamentos referidos em (1), (2) e (3), tal como se prescreve no art. 280.º/2/*d* da CRP e no art. 70.º/*f* da LTC.

---

[65] O art. 281º/2/*g* parece restringir a legitimidade processual activa destas entidades quanto ao pedido de ilegalidade nos casos referidos em 1-*a*) (*ii*), isto é, aos casos de violação do estatuto da respectiva região ou de lei geral da República. Todavia, como resulta do art. 281.º/1/*d*, também pode haver ilegalidade resultante da violação dos direitos de uma região autónoma consagrados no seu estatuto, não se compreendendo que, neste caso, não seja atribuída legitimidade processual activa às entidades referidas no art. 281.º/2/*j*.

[66] Depois da Revisão de 97, impõe-se a leitura articulada do art. 281.º/1/*c* e 2/*g* com o art. 227.º/1/*a*. O parâmetro de legalidade concentra-se agora nos *princípios fundamentais* das leis gerais da República (cfr. Ac. TC 651/99, *Acórdãos*, n.º 45, p. 43).

Os efeitos e o processo de fiscalização concreta da ilegalidade pelo TC são idênticos aos da fiscalização concreta da inconstitucionalidade.

H. Processo de Verificação da Contrariedade de uma Norma Legislativa com uma Convenção Internacional

1. Os arts. 70.º/1/*i* e 71.º/2 da LTC

A L 85/89, editada como lei orgânica nos termos dos arts. 161.º/a, 164.º/c e 166.º/2 da Constituição (na redacção da LC 1/89), introduziu algumas alterações relevantes à L 28/82, reguladora da organização, funcionamento e processo do Tribunal Constitucional. Dentre as alterações mais importantes convém salientar os aditamentos da alínea 1/*i* do art. 70.º e do n.º 2 do art. 71.º

Segundo a primeira das disposições referidas, cabe recurso para o Tribunal Constitucional das decisões dos tribunais "que recusem a aplicação de norma constante de acto legislativo com fundamento na sua contrariedade com uma convenção internacional ou a apliquem em desconformidade com o anteriormente decidido sobre a questão pelo Tribunal Constitucional". De acordo com o art. 71.º/2, o recurso previsto no art. 70.º/1/*i*, acabado de transcrever, "é restrito às questões de natureza jurídico-constitucional e jurídico-internacional implicadas na decisão recorrida". Estas normas levantam vários e complexos problemas. Vamos referir alguns deles.

2. Inconstitucionalidade dos arts. 70.º/1/i e 71.º/2 da LTC?

O primeiro problema é este: será constitucionalmente correcta a criação legal de novos tipos de recurso para o Tribunal Constitucional? A questão não é líquida. Por um lado, poder-se-ia trazer à colação o art. 223.º/3 que permite o alargamento das funções do Tribunal Constitucional através da lei. Poder-se-á objectar, por outro lado, com o princípio da tipicidade constitucional dos processos de fiscalização da constitucionalidade e da legalidade reforçada. Isto é tanto mais significativo quando é certo que o legislador da 2.ª revisão introduziu os processos de fiscalização da violação do "bloco da legalidade qualificada" e se absteve de introduzir um **processo de verificação de normas de direito internacional** como faz a *Grundgesetz* da Alemanha (art. 100.º/II: *"Normverifikation"*, *"Normqualifikation"*). O legislador tem competência para regular os processos de

1042

fiscalização (art. 164.º da CRP), mas carece de título constitucional para criar novos processos de controlo de normas. Por outras palavras: o legislador não é "dono" dos processos de fiscalização e, por isso, é duvidoso se não haverá aqui uma inconstitucional invasão da "reserva de constituição". Provavelmente, o legislador entendeu tratar-se apenas de uma simples regulação de recursos já existentes e não de criação de novos processos de fiscalização.

3. Natureza e finalidade do processo

O sentido do processo recursório previsto nos arts. 70.º/1/i e 71.º/2 da LTC é este: estabelecer um meio processual para o Tribunal Constitucional poder pronunciar-se sobre os problemas resultantes da "abertura" do direito constitucional português ao direito internacional, comum e convencional (art. 8.º), e evitar, no interesse da segurança jurídica, oposições judiciais divergentes quanto à aplicação das regras do direito internacional. Esta última nota foi certamente um dos factores para o aditamento dos artigos em análise da LTC. Tenha-se presente a divergência de posições entre as duas secções do TC quanto às relações entre o direito internacional e o direito interno [67].

O legislador não ousou, porém, estabelecer um controlo do tipo de controlo abstracto de normas, pois muitas das questões respeitantes às relações entre o direito interno são questões jurídico-constitucionais ou jurídico-internacionais (art. 71.º/2) dificilmente reconduzíveis a declarações de "inconstitucionalidade" ou de "ilegalidade" com força obrigatória geral. Optou, assim, por um processo de fiscalização concreta que permite ao Tribunal Constitucional controlar a aplicação judicial das convenções internacionais e assegurar alguma uniformidade das decisões judiciais quanto a essa aplicação.

4. Questões jurídico-constitucionais e questões jurídico-internacionais

A LTC absteve-se de falar aqui em "inconstitucionalidade" ou "ilegalidade", limitando-se a aludir, em termos objectivos, a uma *contrariedade* entre uma convenção internacional e um acto legislativo. A relação de **contrariedade** não diz nem mais nem menos do que isto: um acto legislativo está em contradição com uma convenção internacional. Essa relação de contrariedade assume um desvalor jurídico-constitucional e é esse desvalor a causa justificativa

---

[67] Cfr., por último, Ac. TC 82/88, da 1.ª secção, e Ac. 413/87, da 2.ª secção.

da sua recusa de aplicação por parte do juiz *a quo*. Todavia, a LTC não *qualifica* essa contrariedade, possivelmente porque isso seria dar como demonstrado aquilo que era preciso demonstrar: se a relação de contrariedade se reconduz a uma inconstitucionalidade (o que pressuporia a atribuição de valor constitucional às normas internacionais), se prefigura uma inconstitucionalidade indirecta (o que assentaria também na hierarquia superior do direito internacional) ou se é reconduzível a uma *ilegalidade* (o que radicaria na ideia de as convenções internacionais beneficiarem de um "valor legislativo qualificado" – valor reforçado – em relação às normas legislativas internas).

Todas estas questões jurídicas se reconduzem, afinal, ou a *questões jurídico-constitucionais* ou a *questões jurídico-internacionais*. São **questões jurídico-constitucionais** as que se localizam em sede de direito constitucional (cfr. art. 8.º), devendo ser analisadas e resolvidas segundo as normas e princípios constitucionalmente consagrados e de acordo com os instrumentos hermenêuticos de interpretação e concretização específicos deste ramo de direito. Estão neste caso, por ex., as questões referentes ao sistema de "incorporação" das normas internacionais no direito interno (recepção plena, recepção condicionada), os problemas referentes à posição hierárquica das normas de direito internacional (valor supraconstitucional, valor constitucional, valor infraconstitucional mas supralegal, valor de lei) e os problemas relacionados com a qualificação de normas reguladoras de actos ou relações internacionais (ex.: exclusão do carácter jurídico-constitucional do direito diplomático).

Serão **questões jurídico-internacionais** as que se localizam no plano do direito internacional, geral, convencional e consuetudinário, cabendo discuti-las e analisá-las à face dos princípios e normas deste direito e segundo as suas regras de interpretação e concretização específicas. Estarão, porventura, neste caso, as questões relativas às relações entre o direito internacional e o direito interno (monismo, dualismo), ao campo de aplicação das normas internacionais (relações entre os estados, criação de direitos e deveres também para particulares), ao problema da vigência do direito internacional e aos conflitos entre as normas internacionais e as leis internas do estado (cumprimento de obrigações, responsabilidade internacional dos Estados).

Como se pode deduzir, nem sempre será fácil delimitar rigorosamente uma questão jurídico-constitucional de uma questão jurídico-internacional. A LTC não exige um recorte rigoroso entre as duas categorias, mas impõe a limitação do objecto do recurso para o Tribunal Constitucional às questões de natureza jurídico-constitucional e jurídico-internacional implicadas na decisão recorrida.

5. Pressupostos de admissibilidade

5.1. *Requisitos objectivos*

O meio processual escolhido pelo legislador a fim de o Tribunal Constitucional poder verificar, num caso concreto, se existe, por ex., uma norma de direito internacional e qual o seu valor no plano das fontes de direito interno foi o de estabelecer um **recurso** para este órgão de fiscalização em dois casos: (1) de decisão judicial que recuse a aplicação de norma constante de acto legislativo com fundamento na sua contrariedade com uma convenção internacional (LCT 70/1/i, 1.ª parte); (2) de decisão judicial que aplique uma norma de acto legislativo em desconformidade com o anteriormente decidido sobre a questão pelo Tribunal Constitucional. O fundamento do recurso será a existência de questões jurídico-constitucionais ou questões de natureza jurídico-internacional tal como as anteriormente indicadas.

Estes recursos são regulados pela LTC no capítulo referente à fiscalização concreta (arts. 70.º e ss). À semelhança dos processos concretos de fiscalização da constitucionalidade e da ilegalidade, este recurso tem como ponto de partida uma *decisão* de um tribunal. Diferentemente, porém, dos processos de fiscalização concreta de inconstitucionalidade ou de ilegalidade, não se trata de um verdadeiro processo de controlo de normas mas de um processo de *verificação* das questões jurídico-constitucionais ou jurídico-internacionais implicadas na decisão. Assim, por exemplo, num recurso motivado pela recusa de aplicação de uma norma legal contrária ao direito internacional convencional, o Tribunal Constitucional verifica se se trata de um tratado solene, caso em que admitirá porventura a superioridade hierárquica em relação a actos legislativos internos em contradição com ele, ou de um acordo em forma simplificada, hipótese em que poderá porventura julgar constitucionalmente mais correcto a decisão da questão partindo do princípio da igualdade hierárquica entre lei e acordo internacional ou até do princípio de supremacia do direito interno quando estejam em causa leis com valor reforçado. Da mesma forma, o recurso para o Tribunal Constitucional permitirá a verificação e qualificação das regras de direito internacional. Assim, por exemplo, o Tribunal averiguará se a questão de natureza jurídico-constitucional e jurídico-internacional relativa ao valor normativo de tratado-contrato deve, no caso concreto, ser decidida no sentido de o tratado-contrato ser um acto normativo, com possibilidade de fiscalização da constitucionalidade, ou se ele não reúne as características de uma norma, caso em que será arredado o "controlo de normas" (cfr., Ac 494/99 – *Caso do Acordo de Segurança Social com o Chile*).

O recurso para o Tribunal Constitucional permitirá ainda a este verificar, por exemplo, a vigência ou não de uma norma convencional ou se esta deixou de vincular o Estado português pela ocorrência da cláusula *rebus sic stantibus* (questão de natureza jurídico-internacional).

A LTC eleva, deste modo, o Tribunal Constitucional a *intérprete qualificado* (cfr. LTC, art. 70.º/1/*i*, 2.ª parte, e 72.º/4) das questões jurídico-constitucionais (cfr. CRP, art. 221.º) e jurídico-internacionais implicadas num processo concreto (cfr., sobretudo, LTC, art. 70.º/1/*i*, 2.ª parte) e a *"guardião do valor paramétrico do direito internacional convencional"* nos casos onde a parametricidade deste direito em relação ao direito interno se revelou justificada através da interpretação/concretização de normas constitucionais e normas internacionais. O processo de verificação consagrado nos arts. 70.º/1/*i* e 71.º/2 da LTC converte-se, assim, no instrumento processual de concretização das normas constitucionais, em especial do art. 8.º da CRP. Ao mesmo tempo, o processo de verificação de contrariedade de normas do direito interno com normas de direito internacional ou da desconformidade de decisões dos tribunais incidentes sobre o mesmo problema em relação a anteriores decisões do Tribunal Constitucional, abre o caminho para uma espécie de processo de *qualificação* de normas. Com efeito, se por **qualificação de normas** se entender [68] a determinação da hierarquia de normas de direito internacional, então o TC tem um meio processual de, caso a caso, proceder a essa qualificação. Em conclusão: o TC *verifica* se uma norma convencional internacional faz parte do direito interno, se ela cria direitos e deveres para os particulares e *qualifica* essa norma para efeitos de inserção no plano da hierarquia das fontes de direito (cfr. CRP, art. 119.º/1/*b*).

5.2. *Requisitos subjectivos*

Têm legitimidade para recorrer as partes nos termos consagrados para a fiscalização concreta. A LTC (art. 72.º/3) impõe aqui recurso obrigatório do Ministério Público, a não ser quando a recusa de aplicação de uma norma legislativa por contrariedade com o direito convencional estiver em conformidade com a jurisprudência do Tribunal Constitucional em relação à matéria em causa (LTC, art. 72.º/4).

---

[68] Cfr., por todos, RÜHMANN, *Verfassungsgerichtliche Normenqualifikation*, 1982, n.º 31.

6. Efeitos da decisão

O conteúdo da decisão do TC tem contornos incertos. O Tribunal não julga os actos legislativos como "inconstitucionais" ou como "ilegais". Profere uma sentença de natureza declaratória através da qual se reconhece a justeza ou não justeza da decisão do tribunal *a quo,* que recusou a aplicação de uma norma legislativa contrária a convenções internacionais ou aplicou a mesma norma em desarmonia com anteriores sentenças do Tribunal Constitucional. Na hipótese de uma **decisão de provimento da contrariedade**, a decisão do TC faz *caso julgado* no processo relativamente às questões de natureza jurídico-constitucional ou de natureza jurídico-internacional. No caso de uma decisão de não provimento, isto é, de uma *decisão negativa de contrariedade*, o tribunal recorrido fica vinculado à decisão do TC, não podendo a norma legislativa vir a ser desaplicada por motivo da sua contrariedade com normas convencionais internacionais. Esta decisão negativa de contrariedade não declara, positivamente, a regularidade do acto legislativo impugnado; limita-se a julgar insubsistente, num caso concreto, o vício de contrariedade de normas legislativas internas com normas internacionais (cfr. LTC, art. 80.º/5).

7. Insusceptibilidade de generalização das decisões do TC

As decisões do TC quanto à contrariedade de actos legislativos internos com normas convencionais internacionais não são susceptíveis de generalização em caso de repetição de julgados, nos termos do art. 282.º/2 da CRP e do art. 82.º da LTC. Dada a natureza das questões jurídico-constitucionais e jurídico-internacionais, o Tribunal não pode generalizar "juízos de contrariedade" e se quiser assegurar uma tendencial uniformização da jurisprudência quanto a estes juízos deverá socorrer-se dos instrumentos processuais de *intervenção* do *Plenário* do TC (LTC, art. 79.º-A) ou de *recurso para o Plenário* (LTC, art. 79-D, 1.º e 7.º).

I. Processo Relativo à Fiscalização de Referendos

1. Regime jurídico

A realização de referendos, nacionais, regionais e locais, está sujeita à *verificação* prévia da constitucionalidade e da legalidade pelo Tribunal Constitucional (cfr., CRP, arts. 115.º/8, 134.º/c, 164/b, 167.º, 240.º, 256.º e 223.º/f, e LTC, arts. 3.º/1/g, 11.º e 105.º). Trata-se de uma **fiscalização preventiva obrigatória da constitucionalidade e da legalidade dos referendos** (CRP, art. 115.º/8). São, porém, escassas as normas relativas ao **processo de verificação** desta constitucionalidade ou legalidade.[69] A própria Lei de Organização, Funcionamento e Processo do Tribunal Constitucional (LTC) remete para as *leis orgânicas* reguladoras dos regimes dos referendos (cfr. CRP, art. 164.º/b) a disciplina normativo-processual da verificação da constitucionalidade e de legalidade dos referendos (cfr. Lei n.º 15-A/98, de 3-4). As notas fundamentais a reter quanto à fiscalização preventiva dos referendos são estas: (1) *obrigatoriedade*, pois o art. 115.º/8 impõe ao Presidente da República o dever jurídico de submeter a fiscalização preventiva obrigatória as propostas de referendo; (2) o *parâmetro* de controlo é constituído pelos blocos de *constitucionalidade* e da *legalidade*, dado que a Constituição (art. 115.º/8) se refere *expressis verbis* a fiscalização de constitucionalidade e de legalidade; (3) *restrição da legitimidade processual activa* ao Presidente da República, não podendo aqui abrir-se as excepções previstas no art. 277.º/2 e 4 quanto à fiscalização preventiva de actos normativos; (4) *definitividade da decisão de inconstitucionalidade ou de ilegalidade* do Tribunal Constitucional, pois nem o Presidente da República pode convocar o referendo julgado inconstitucional ou ilegal pelo Tribunal Constitucional, nem a Assembleia da República pode superar a decisão do órgão de fiscalização a não ser que expurgue a inconstitucionalidade ou ilegalidade (art. 28.º/1). Note-se que, apesar de tudo, esta última nota não está expressamente prevista na Constituição mas sim na lei do referendo (Lei n.º 15-A/98, art. 28.º).

2. O objecto da fiscalização

A fiscalização da constitucionalidade e da legalidade dos referendos suscita importantes problemas relativamente aos quais o texto constitucional se mostra particularmente lacunoso. Um deles é o de saber se o Tribunal fiscaliza apenas a *proposta* de referendo ou também as normas futuras que a referida proposta implica. Em causa está, assim, o **objecto** de fiscalização. Como se frisou atrás, o referendo é uma fonte atípica de direito, uma *decisão-regra* que não cria directamente normas, embora fixe os parâmetros dessas normas. A fiscalização preventiva de referendos deve, em princípio, *limitar-se apenas ao objecto* de referendo, sob pena de se estar a fazer juízo de prognose constitucional sobre normas a criar ("normas futuras") ou normas ainda não perfeitas (normas aprovadas na AR

---

[68] Cfr., JORGE MIRANDA, *Manual*, VI, pp. 242 e ss.; VITALINO CANAS, *Referendo*, pp. 20 e ss.

ou pelo Governo mas "suspensas do referendo"), sendo certo que ao apreciar a constitucionalidade ou legalidade do referendo o Tribunal Constitucional tem, muitas vezes, de prefigurar a transmutação da decisão-regra do referendo em norma jurídica pelos órgãos competentes. Isto porque ele deve apreciar se a pergunta formulada coloca ou não os eleitores perante uma questão dilemática em que um dos respectivos termos aponta para uma solução jurídica inconstitucional (cfr. Ac. TC 288/98, *Caso do referendo sobre a interrupção da gravidez*). O perigo é o de os juízes do Tribunal Constitucional ultrapassarem os limites jurídicos de controlo da constitucionalidade ou da legalidade das perguntas referendárias avançando para advertências sobre legislação futura (cfr., de novo, o Ac. TC 288/98, onde o Tribunal avançou para "futurologia legislativa").

3. Tipos de sentenças

Outro problema é o de saber se, diferentemente do que acontece nos processos de fiscalização da constitucionalidade ou legalidade de normas, há aqui um novo tipo de sentenças: as sentenças que *verificam* e *declaram* a constitucionalidade e legalidade. Não há fundamento constitucional suficiente para este tipo de sentenças, bastando que o Tribunal, tal como acontece nos restantes processos de fiscalização preventiva, *não se pronuncie* pela inconstitucionalidade ou pela ilegalidade (cfr., porém, art. 34.º da lei do referendo).

J. A execução das decisões do Tribunal Constitucional

No direito processual em geral (cfr. Cod. Processo Civil, art. 801º e ss., Decreto-Lei nº 38/2003, de 8.3, regulador do regime jurídico da acção executiva, Código de Processo nos Tribunais Administrativos e Fiscais, arts. 157º e ss.) costuma falar-se em *execução de sentença* quando se procede ao cumprimento coactivo de uma decisão jurisdicional em virtude de o destinatário desta decisão não ter capacidade ou disponibilidade ("ser capaz ou estar em condições de") para conseguir esse cumprimento. Vamos limitar-nos aqui ao problema da execução das decisões do Tribunal Constitucional em sede de fiscalização de normas (deixamos de fora, entre outros, o contencioso eleitoral e o contencioso partidário). Se tivermos em conta os vários processos de fiscalização, verificaremos que os destinatários das decisões do TC são: (1) as autoridades normativas, designadamente o legislador; (2) os outros tribunais.

O princípio geral estruturalmente constitutivo do Estado de direito democrático constitucional é aqui, como no que respeita às sentenças de outros tribunais, o *princípio da obrigatoriedade das decisões judiciais* (CRP, art. 205.º/2, Cod. Proc. Civil, art. 2.º/2, Cod. Proc. Trib. Adm. e Fiscais, art. 158.º): as decisões dos tribunais são obrigatórias para todas as entidades públicas e privadas e prevalecem sobre as de quaisquer outras autoridades (CRP, art. 205.º/2). Consequentemente, a obrigatoriedade das decisões do Tribunal Constitucional é uma simples refracção do princípio geral de obrigatoriedade das decisões judiciais. As especificidades radicam aqui no facto de os destinatários das decisões serem as autoridades normativas, designadamente o legislador, e as autoridades judiciais. Convém, por isso, distinguir entre *execução de sentenças do TC pelo legislador* (e outras autoridades normativas) e *execução dessas mesmas sentenças pelos outros tribunais*. Além disso, e como resulta já dos tipos de fiscalização estudados, o problema da execução depende do tipo de processo. Assim, no caso de fiscalização preventiva, a execução de sentença do Tribunal Constitucional implicaria, em rigor, o *expurgo* da norma considerada inconstitucional com a consequente inadmissibilidade da superação do veto. No caso de fiscalização por omissão, a execução postularia a emissão obrigatória, por parte do legislador, das medidas legislativas necessárias para tornar exequíveis as normas constitucionais sempre que o Tribunal Constitucional verificasse a existência da inconstitucionalidade por omissão e dela tenha dado conhecimento ao órgão legislativo competente. Na hipótese de fiscalização abstracta sucessiva, a execução das decisões do TC reconduz-se, no que respeita ao legislador, à proibição de repetição da norma declarada inconstitucional em actos legislativos posteriores, a não ser que razões particularmente ponderosas relacionadas com a alteração das circunstâncias fácticas e jurídicas imponham novas soluções jurídico-legais (cfr. supra).

No processo de fiscalização concreta os destinatários da execução das sentenças do TC são os outros tribunais. Estes são obrigados a reformar as sentenças, no que respeita à questão de constitucionalidade (ou legalidade), no sentido decidido pelo TC. No caso de os tribunais não respeitarem a decisão do TC, e, portanto, não a executarem, coloca-se o problema de saber se não haverá *recurso autónomo* para este Tribunal por ofensa de caso julgado. A solução afirmativa, e para a qual nos inclinamos, não é uma solução completamente estranha ao sistema jurídico-processual português. O Código de Processo Civil contempla como *fundamento do recurso de revisão de sentença transitada em julgado* a contrariedade desta em relação a outra que constitua caso julgado para as partes,

formado anteriormente (Cod. Proc. Civil, art. 771.°/g)[69]. Assim o tem entendido também o Tribunal Constitucional (acs. TC 532/99, 340/2000, 150/2001, 184/2001).

Não nos parece adequado falar no sistema constitucional português da "liberdade de execução" do Tribunal Constitucional entendida no sentido de considerar este tribunal como "dono ou senhor" da execução das suas sentenças e competente (1) para estabelecer soluções legislativas provisórias; (2) ou estruturar manipulativamente as sentenças de forma a evitar lacunas jurídicas indesejáveis ou, até, verdadeiros vazios legislativos[70].

Referências bibliográficas

Almeida, L. Nunes – «O Tribunal Constitucional e as suas decisões», in Baptista Coelho, *Portugal: Sistema Político e Constitucional*, cit. pp. 941, e ss.

Antunes, M. L. – "Fiscalização abstracta da constitucionalidade. Questões processuais", in *Estudos sobre a Jurisprudência do Tribunal Constitucional*, pp. 397 e ss.

Beilfuss, M. G. – *Tribunal Constitucional y Reparación de la Discriminacion normativa*, Madrid, 2001.

Brito, M. N./Costa, J. P. C./ Araújo, A. – "A execução das decisões do Tribunal Constitucional pelo Legislador", in *sub judice*, 20/21 (2001), p. 111 ss.

Canas, V. – "O Ministério Público e a Defesa da Constituição", in RMP, 1984, pp. 64 e ss.

– *Referendo Nacional. Introdução e Regime*, Lisboa, 1998.

Canotilho, G./Moreira, V. – *Fundamentos da Constituição*, Cap. VI.

Costa, J. M. C. – *A jurisdição constitucional em Portugal*, 2.ª ed., Coimbra, 1992.

Correia, F. A. – «A Justiça Constitucional em Portugal e em Espanha. Encontros e Divergências», in RLJ, n.º 3891 a 3893.

– "Algumas reflexões em torno da justiça constitucional", in *Perspectiva do Direito no Início do século XXI*, Coimbra, 2000, p. 121.

– *Relatório Geral da I Conferência da Justiça Constitucional da Ibero-America, Portugal e Espanha*, in *Documentação e Direito Comparado*, BMJ, 71-72, (1998), Lisboa, p. 37 ss.

---

[69] Sobre estes problemas, com soluções por vezes diferentes das aqui sugeridas, cfr. M. BRITO/ /J.P. CARDOSO DA COSTA/A. ARAGÃO, "A execução das decisões do Tribunal Constitucional", in *Sub Judice*, 20/21 (2001), p. 111 ss.

[70] Cfr., por úlitmo, W. ROTH, "Grundlage und Grenzen von Übergangsanordnungen des Bundesverfassungsgericht zur Bewältigung möglicher Folgeproblem seiner Entscheidungen, in AöR, 124 (1999), p. 470 ss.

– *Direito Constitucional (Justiça Constitucional)*, Coimbra, 2001.

Diniz, A. M. – «A Fiscalização Concreta da Constitucionalidade como Forma de Dinamização do Direito Constitucional (O Sistema Vigente e o Ir e Vir Dialéctico entre o Tribunal Constitucional e os outros Tribunais», in *Legitimidade e Legitimação do Tribunal Constitucional*, p. 203.

Diaz Revorio, F. J. – «El Control de Constitucionalidad de las omisiones legislativas», in REDC 61 (2001), p. 81 ss.

Domingos, Inês/Pimentel, Margarida – «O recurso de constitucionalidade. Questões Processuais», in *Estudos sobre a Jurisprudência*, pp. 427 e ss.

Fernández Rodriguez, J. J. – "La inconstitucionalidad por omisión en Portugal", in REP, 101 (1998), pp. 335 e ss.

– *La Inconstitucionalidad por omission. Teoria General. Derecho comparado. El caso español*, Madrid, 1998.

Fonseca, G. – "O papel da jurisprudência Constitucional", in J. Miranda (org.) *Perspectivas Constitucionais nos 20 anos da Constituição de 1970*, vol. II, 1997, p. 1036.

Gouveia, J. B. – "Inconstitucionalidade por omissão. Consultas directas aos cidadãos a nível local", in *O Direito*, 1990, II, p. 424.

– *O Valor político do acto inconstitucional*, Lisboa, 1992.

Gomez Puente, M. – *La Inactividad del Legislador: una realidad susceptible de control*, McGraw Hill, Madrid, 1997.

J. Matos Correia/R. Leite Pinto/F. Reboredo Seara, *Direito Constitucional Português Vigente – A fiscalização da constitucionalidade e da legalidade*, Lisboa, 1997.

Le Bon, P. – *La justice constitutionnelle au Portugal*, Paris, 1989.

Maciel, A. F. – «Mandado de injunção e inconstitucionalidade por omissão», in *O Direito*, 126 (1994), pp. 83 e ss.

Medeiros, R. – "Relações entre normas constantes de convenções internacionais e normas legislativas na Constituição de 1976", in *O Direito*, 1990, pp. 375 e ss.

Miranda, J. – *Manual de Direito Constitucional*, Vol. 2, VI, Coimbra, 2001.

Modesto, P. – "Inconstitucionalidade por omissão: categoria jurídica e acção constitucional específica", in *Revista de Direito Público*, 99 (1991), pp. 115 e ss.

Moreira, Vital – "Le Tribunal Constitutionnel portugais: le contrôle concret dans le cadre d'un système mixte de justice constitutionnel", in *Les Cahiers du Conseil Constitutionnel*, 10 (2001), p. 21 ss. Traduzido em *Sub Judice* 20/21 (2001) "O Tribunal Constitucional Português: a fiscalização concreta no quadro de um sistema misto de justiça constitucional", p. 95 ss.

Teles, M. G. – "O Tribunal Constitucional Português: valor e alcance das suas decisões", in *Justiça Constitucional em Portugal*, 3/4, 1986.

– "Liberdade de iniciativa do Presidente da República quanto ao processo de fiscalização preventiva da constitucionalidade", in *O Direito*, 1988, p. 40.

Torres, M. A. – "Legitimidade para o Recurso de Constitucionalidade", in *Rev. Dir. Pub.*, VIII, n.º 13.

Orrù, R. – «La Giurisprudenza del Tribunal Constitucional Portoghese nel biennio 1993-94», in *Giurisprudenza Costituzionale*, 1995, pp. 3998 e ss.

– *La Inconstitucionalidad per omisión*, McGraw Hill, Madrid, 1997.

Pereira, R. – "A relevância da lei penal inconstitucional de conteúdo mais favorável ao arguido", in *Revista Portuguesa de Ciências Criminais*, 1991, pp. 61 e ss.

Vagli, G. – "Prime Rifflessioni sul controllo di costituzionalità per omissione in Portogallo", in *Perspectivas Constitucionais*, III, pp. 1087 e ss.

Villaverde Menéndez, I. – «La inconstitucionalidad por omissión en Brasil», in *RVAP*, 42/1995, p. 207.

Título 7

Revisão da Constituição

Capítulo 1

Garantia da Constituição e Revisão Constitucional

Sumário

A. Rigidez Constitucional e Garantia da Constituição

I - Rigidez constitucional e garantia da constituição

II - Poder constituinte e poder de revisão

B. Os Limites da Revisão da Constituição

I - Os limites formais

1. Limites quanto ao titular do poder de revisão
2. Limites relativos às maiorias deliberativas
3. Limites temporais
4. Limites quanto à legitimidade do órgão com poder de revisão
5. Limites circunstanciais

II - Os limites materiais

1. Limites superiores e limites inferiores
2. Limites expressos e limites tácitos
3. Limites absolutos e limites relativos

III - Revisão expressa e revisão tácita

1. A regra: nenhuma revisão sem alteração do texto constitucional
2. Excepções: o direito comunitário e a segunda via de revisão

IV - Revisão total e revisão parcial

V - Revisão e desenvolvimento constitucional

VI - Revisão e revisionismo

C. Revisão Constitucional e Inconstitucionalidade

I - Inexistência das leis de revisão

1. Leis de revisão e incompetência do órgão
2. Leis de revisão e ausência de causa ou intenção constituinte

II - Nulidade das leis de revisão

D. As Rupturas Constitucionais

A. Rigidez Constitucional e Garantia da Constituição

I - Rigidez constitucional e garantia da Constituição

Na Constituição portuguesa de 1976 todo o Título II da Parte IV é dedicado ao problema da revisão da Constituição. Da leitura dos arts. 284.º e seguintes conclui-se que a Constituição é de *tipo rígido*, pois exige para a sua modificação um *processo agravado* em relação ao processo de formação das leis ordinárias. Todavia, ao contrário do que muitas vezes se afirma, não é a existência de um processo de revisão estabelecedor de exigências específicas para a modificação da Constituição que caracteriza a **rigidez da Constituição**. Este carácter deve procurar-se em sede do *poder constituinte*. As normas de revisão não são *o fundamento* da rigidez da Constituição mas os meios de revelação da escolha feita pelo poder constituinte (cfr. *supra*). Esta escolha de um processo agravado de revisão, impedindo a livre modificação da lei fundamental pelo legislador ordinário (constituição flexível), considera-se uma **garantia da Constituição**. O processo agravado da revisão é, por sua vez, um instrumento dessa garantia – a rigidez constitucional é um *limite absoluto* ao poder de revisão, assegurando, desta forma, a relativa estabilidade da Constituição.[1] A superioridade da constituição e do poder constituinte não significa, como vai ver-se, uma proibição absoluta de inalterabilidade, mas tão somente a imposição de uma *rigidez relativa*. Os limites do poder de revisão e o procedimento especial de revisão pretendem assegurar precisamente esta rigidez relativa.

II - Poder constituinte e poder de revisão

Da posição anterior flui já outra ideia importante: a da superioridade da *função constituinte* em relação à *função de revisão*[2]. Não quer isto dizer que o

---

[1] Cf., por último, A. PACE, *Potere constituinte, rigidità costituzionale, autovincoli legislativi*, Padova, 1997, p. 155.

[2] Em sentido contrário, cfr. CICCONETTI, *La Revisione della Costituzione*, Milão, 1972, p. 227. Para outros desenvolvimentos, cfr. JORGE MIRANDA, II, pp. 131 e ss.

poder constituinte se conceba e se arrogue a si próprio, à maneira liberal, como criador de uma constituição imorredoira e universal. Por outras palavras: a ideia de superioridade do poder constituinte não pode terminar na ideia de *constituição ideal,* alheia ao seu «plebiscito quotidiano», à alteração dos mecanismos constitucionais derivados das mutações políticas e sociais e indiferente ao próprio «sismógrafo» das revoluções. O que o legislador constituinte pode, porém, exigir do poder de revisão, é a *solidariedade* entre os princípios fundamentais da constituição e as ideias constitucionais positivadas pelo poder de revisão. Como afirma sugestivamente Zagrebelsky[3], «o poder de revisão da constituição baseia-se na própria constituição; se ele a negasse como tal, para substituí-la por uma outra, transformar-se-ia em *inimigo da constituição* e não poderia invocá-la como base de validade». Por outras palavras, colhidas numa obra de Pedro de Vega: «ainda que se entenda como competência da competência, o poder de revisão nem por isso deixa de ter o seu fundamento na constituição, diferentemente do que ocorre com o poder constituinte que, como poder soberano, é prévio e independente do ordenamento»[4]. Mesmo quem defende não existirem limites lógico-jurídicos à revisão de normas constitucionais (incluindo aqui as normas de limites), admite, no entanto, limites de revisão político-materiais. A revisão não poderá violar os "limites definidores da identidade substancial imposta pelo tipo de democracia constitucional que caracteriza o ordenamento sem causa"[5]. Esta perspectiva revela-se importante, como adiante veremos, nas questões de *ruptura da constituição* e no problema da chamada *revisão do duplo grau.*

B. Os Limites da Revisão da Constituição[6]

I - Os limites formais

Os processos específicos de modificação da constituição baseiam-se essencialmente nas várias formas de participação popular, na escolha do

---

MARCELO REBELO DE SOUSA, *Valor jurídico do acto inconstitucional,* cit., pp. 286 e ss. Em sentido muito diferente, cfr. LUCAS PIRES, *A Teoria da Constituição de 1976,* cit., pp. 125 e ss, e RUI MACHETE, «Os princípios estruturais da Constituição de 1976 e a próxima revisão constitucional», in *RDES,* 1987.

[3] Cfr. ZAGREBELSKY, *Il sistema costituzionale,* cit., p. 101; A. PACE, *Potere Costituente,* p. 78.
[4] Cfr. PEDRO DE VEGA, *La reforma constitucional y la problematica del poder constituyente,* Madrid, 2.ª ed., 1988, p. 236.
[5] Assim, precisamente, M. NOGUEIRA DE BRITO, *A Constituição Constituinte,* pp. 418 e ss.
[6] Para uma visão global dos sistemas de revisão em direito comparado, cfr. JORGE MIRANDA, *Manual,* Vol. II, p. 134.

órgão a quem é atribuído o poder de revisão, na exigência de um *iter* processual mais complexo do que o processo legislativo normal, e no exercício temporal do poder de revisão.

1. Limites quanto ao titular do poder de revisão

a) *O órgão de revisão é o órgão legislativo ordinário*

Neste caso, a revisão ou modificação da constituição é feita pelo mesmo órgão que desempenha funções legislativas normais, mas segundo um *processo particularmente agravado*. O agravamento pode traduzir-se na exigência de um parecer ou participação de outros órgãos[7], na exigência de maiorias qualificadas para a deliberação[8], na exigência de deliberações intervaladas no tempo[9], na renovação dos componentes do órgão legislativo[10].

b) *O órgão de revisão é o órgão legislativo, mas a revisão exige a participação directa do povo*

Aqui a revisão constitucional continua a pertencer ao órgão legislativo, mas as modificações constitucionais carecem de aprovação popular através de *referendum,* preventivo ou sucessivo, facultativo ou obrigatório[11].

---

[7] Exige-se, por ex., o parecer de um órgão não legislativo. CICCONETTI cita o exemplo do Grande Conselho do Fascismo que dava pareceres não vinculantes sobre a revisão da Constituição. Discutido e discutível é, porém, o facto de se saber se um simples parecer não vinculante é elemento suficiente para a rigidificação da Constituição. Cfr. CICCONETTI, cit., p. 89.

[8] É a técnica que é acolhida em muitas constituições. Cfr., por ex., art. 79.°/2 da Constituição de Bona.

[9] Cfr., por ex., o art. 138.° da Constituição italiana em que se prescreve: «As leis de revisão constitucional e as outras leis constitucionais são aprovadas por ambas as Câmaras, através de duas deliberações seguidas com intervalo não inferior a três meses...»

[10] Cfr., por ex., o art. 204.° da Constituição holandesa e o art. 13.° da Constituição belga.

[11] A técnica do *referendum* foi aplicada logo em 1793 pela Convenção Nacional (cfr. art. 115.° da Constituição de 1793). A forma de votação popular sobre o projecto de revisão aprovado pelo Parlamento é a mais vulgar. É o que acontece hoje na Constituição francesa de 1958 (art. 89.°) e, em alguma medida, na italiana (art. 138.°). Como exemplo de participação do eleitorado através de iniciativa popular e consequente votação final, depois da apreciação pelas Câmaras Federais e Assembleia Federal, temos a Constituição Suíça (arts. 18.°-120.°). Cfr., por último, M. L. HONORATI, *Il Referendum nella procedura di Revisione Costituzionale,* Milano, 1982. Sobre a possibilidade de referendo de revisão no direito português, cfr., em sentido negativo e com bons argumentos, JORGE MIRANDA, *Manual,* II, pp. 149 e ss. Em termos inequívocos, no plano do direito positivo, cfr., agora, o art. 115.°/2 e 3 da CRP.

c) *O órgão de revisão é um órgão especial*

Neste esquema poderemos descortinar duas hipóteses consoante haja ou não ligação com o órgão legislativo normal. Assim, o órgão especial pode ter como base o órgão legislativo normal (ex.: o órgão de revisão é constituído pelas câmaras em reunião conjunta [12]) ou ser um órgão especialmente eleito para o efeito [13].

2. Limites relativos às maiorias deliberativas

Quando se reconhece ao órgão legislativo ordinário o poder de revisão, é normal a constituição sujeitar as deliberações deste órgão a *maiorias qualificadas,* demonstrativas de uma adesão ou consenso mais inequívoco dos representantes quanto às alterações da constituição. Isto mesmo se passa com a Constituição portuguesa [14]: maioria de 2/3 dos deputados em efectividade de funções no que respeita às **revisões ordinárias** (art. 286.º/1).

As **revisões extraordinárias** (como foram as revisões de 1992 e de 2001), efectuadas em qualquer momento, implicam naturalmente um processo mais agravado e daí: (1) exigência de uma maioria de 4/5 dos deputados em efectividade de funções para a Assembleia da República assumir poderes de revisão (cfr. art. 284.º/2); (2) exigência de uma maioria de 2/3 dos deputados (a mesma maioria deliberativa das revisões ordinárias) em efectividade de funções para aprovar as alterações deliberadas (art. 286.º/1).

3. Limites temporais

Os **limites temporais** costumam ser justificados pela necessidade de assegurar uma certa estabilidade às instituições constitucionais. A Constituição de 1976 oferece um exemplo típico da necessidade de conciliação da flexibilidade exigível a um texto constitucional com a *solidificação da legalidade democrática.* Assim: (1) estabeleceu-se, na versão originária, um período inicial de quatro anos durante o qual não seriam admissíveis quaisquer alterações

---

[12] Cfr. o art. 89.º/3 da Constituição francesa de 1958.

[13] Assim, por ex., a Constituição argentina (art. 30.º) em que se prescreve que «a revisão só pode ser efectuada por uma Convenção convocada para este efeito».

[14] Relativamente às anteriores constituições portuguesas, cfr. Constituição de 1822, art. 28.º; Constituição de 1826, art. 140.º; Constituição de 1838, art. 138.º; Constituição de 1911, arts. 82.º e ss; Constituição de 1933, art. 134.º Cfr., também, JORGE MIRANDA, *A Constituição de 1976,* cit., p. 225.

(art. 284.º/1, conjugado com o art. 294.º/1, na redacção primitiva); (2) fixou-se o espaço temporal de 5 anos como o lapso de tempo que deve mediar entre as revisões ordinárias da Constituição (cfr. art. 284.º/1); (3) aceitou-se a *revisão extraordinária em qualquer momento* (art. 284.º/2), desde que se satisfaçam os restantes requisitos exigidos (maioria qualificada de 4/5).

4. Limites quanto à legitimidade do órgão com poder de revisão

A fim de se evitar que o legislador ordinário tenha a constituição à sua completa disposição, estabelecem-se requisitos tendentes a impedir que as maiorias parlamentares no poder assumam poderes de revisão para moldar a constituição de acordo com os seus interesses[15]. Alguns desses requisitos são **limites materiais** de que trataremos adiante. Aqui interessa-nos salientar que, para evitar a consequência referida – reformas constitucionais ao sabor das maiorias parlamentares –, as constituições exigem, por vezes, a renovação dos componentes do órgão legislativo através de eleições. Nesta perspectiva se devem entender os prazos fixados na Constituição portuguesa. A estes prazos está associada a ideia de renovação do órgão legislativo. Desde logo, ao estabelecer que só na II Legislatura a Assembleia da República teria poderes de revisão, a Constituição quis evitar que, logo na I Legislatura, ao sabor da correlação transitória de forças políticas, se alterasse o compromisso *constitucional,* alcançado, por vezes, com grande dificuldade, na Constituinte (arts. 286.º/1 e 299.º/1, na redacção originária). Por outro lado, ao estatuir que a «Assembleia da República pode rever a Constituição decorridos cinco anos sobre a data de publicação de qualquer lei de revisão» (art. 284.º/1), o legislador constituinte pretendeu que fosse a nova Assembleia eleita a assumir poderes de revisão.

5. Limites circunstanciais

A história ensina que certas *circunstâncias excepcionais* (estado de guerra, estado-de-sítio, estado de emergência) podem constituir ocasiões favoráveis à imposição de alterações constitucionais, limitando a liberdade de deliberação do órgão representativo. Isso explica um preceito com o teor do art. 284.º impositivo de **limites circunstanciais**, que proíbem a revisão da Constituição em situações de anormalidade constitucional (estado-de-sítio ou estado de emergência).

---

[15] Cfr. K. LOEWENSTEIN, *Teoria de la Constitución,* cit., p. 176.

II - Os limites materiais [16]

1. Limites superiores e limites inferiores

A distinção entre **limites inferiores** e **limites superiores** posta em relevo por NEF [17] coloca-nos interrogativamente perante a questão de saber (1) se uma lei de revisão poderá inserir na constituição qualquer matéria (2) e se poderão ser objecto de revisão todas as normas da Constituição (cfr. *supra*).

Relativamente ao primeiro problema – **limites inferiores** –, a resposta será dada carreando alguns materiais dispersos ao longo deste curso. Assinalou-se, a inexistência de uma *reserva de matéria constitucional,* obrigatoriamente plasmada sob a forma constitucional pelo legislador constituinte. A inexistência de uma reserva de matéria constitucional valerá também em sede do poder de revisão.

Quanto ao segundo ponto – **limites superiores** –, existem, efectivamente, limites ao poder de revisão, pois algumas normas da constituição não podem ser objecto de revisão. A determinação das normas constitucionais que, por constituirem o *cerne da constituição,* não podem ser objecto de revisão, conduz-nos aos desenvolvimentos seguintes.

2. Limites expressos e limites tácitos

Limites expressos ou textuais são os limites previstos no próprio texto constitucional. As constituições seleccionam um leque de matérias, consideradas como o cerne material da ordem constitucional, e furtam essas matérias à disponibilidade do poder de revisão. Exemplo característico e muito significativo é o art. 288.° da Constituição portuguesa (cfr., também, art. 82.°/2 da Constituição de 1911) [18].

---

[16] Sobre estes limites, cfr. K. LOEWENSTEIN, *Teoria,* cit., p. 188; MORTATI, «Dottrine generali sulla costituzione», in *Scritti,* cit., Vol. II, p. 223; CICCONETTI, *La Revisione,* cit., pp. 214 e ss, P. SIEGENTHALER, *Die materiellen Schranken der Verfassungsrevision als Problem des positiven Rechts,* Bern, 1970, pp. 128 e ss; PEDRO DE VEGA, *La Reforma Constitucional,* cit., pp. 235 e ss; JORGE MIRANDA, *Manual,* II, pp. 177 e ss.

[17] Cfr. H. NEF, «Die materielle Schranken der Verfassungsrevision», in *ZSR,* 1942, pp. III ss.

[18] Breve resenha da história do problema da revisão nos textos constitucionais portugueses ver-se-á em GOMES CANOTILHO/VITAL MOREIRA, *Fundamentos da Constituição,* Cap. VII, e em JORGE MIRANDA, *Manual,* Vol. II, pp. 182 e ss.

Outras vezes, as constituições não contêm quaisquer preceitos limitativos do poder de revisão, mas entende-se que há *limites não articulados ou tácitos,* vinculativos do poder de revisão. Esses limites podem ainda desdobrar-se em **limites textuais implícitos**[19], deduzidos do próprio texto constitucional, e **limites tácitos** imanentes numa ordem de valores pré-positiva, vinculativa da ordem constitucional concreta.

O verdadeiro problema – a verdadeira aporia do Estado Constitucional – levantado pelos *limites materiais* do poder de revisão é este: será defensável vincular gerações futuras a ideias de legitimação e a projectos políticos que, provavelmente, já não serão os mesmos que pautaram o legislador constituinte?[20] Por outras palavras que se colheram nos *Writings* de Thomas Jefferson: "uma geração de homens tem o direito de vincular outra"? Ainda noutros termos que são os do art. 28 da Constituição Jacobina de 1793: «*Un peuple a toujours le droit de revoir, reformer et de changer la Constitution. Une génération ne peut assujettir a ses lois les générations futures*». A resposta tem de tomar em consideração a evidência de que nenhuma constituição pode conter a vida ou parar o vento com as mãos. Nenhuma lei constitucional evita o ruir dos muros dos processos históricos, e, consequentemente, as alterações constitucionais, se ela já perdeu a sua força normativa. Os limites são limites do poder de revisão como poder constituído não são «limites para sempre», vinculativos de toda e qualquer manifestação do próprio poder constituinte. Em sentido absoluto, nunca a «geração» fundadora pode vincular eternamente as gerações futuras. Esta é uma das razões justificativas de previsão, em algumas constituições, de uma *revisão total*. Caso contrário, a falta de alternativa evolutiva abriria o campo da *Revolução Jurídica*. Mas há também que assegurar a possibilidade de as constituições cumprirem a sua tarefa e esta não é compatível com a completa disponibilidade da constituição pelos órgãos de revisão, designadamente quando o órgão de revisão é o órgão legislativo ordinário. Não deve banalizar-se a sujeição da lei fundamental à disposição de maiorias parlamentares «de dois terços». Assegurar a continuidade da constituição num processo histórico em permanente fluxo implica, necessariamente, a proibição não só de uma *revisão total* (desde que isso não seja admitido pela própria constituição), mas também de *alterações constitucionais aniquilidoras da identidade de uma ordem constitucional histórico-con-*

---

[19] Cfr., por último, MARCELO REBELO DE SOUSA, *Valor Jurídico,* cit., p. 287; JORGE MIRANDA, *Manual,* II, p. 182.
[20] Cfr., expressamente, P. LASLETT/J. FISHKIN, *Justice between Age Groups and Generations. Philosophy, Politics and Society,* Yale University Press, New Haven/London, 1992. Entre nós, aprofundadamente, J. M. NOGUEIRA DE BRITO, *Constituição Constituinte,* pp. 418 e ss.

creta[21]. Se isso acontecer é provável que se esteja perante uma nova afirmação do poder constituinte mas não perante uma manifestação do poder de revisão. Mas se é de poder constituinte originário que se trata então este tem de tornar transparente as novas pretensões legitimatórias de desencadeamento de um novo poder constituinte e a consequente instauração de uma nova ordem constitucional.

A ideia de limitação do poder de revisão, no sentido apontado, não pode divorciar-se das *conexões de sentido* captadas no texto constitucional. Desta forma, os limites materiais devem encontrar um mínimo de recepção no texto constitucional, ou seja, devem ser *limites textuais implícitos*.

Deve dizer-se, porém, que a dedução de *limites implícitos,* mesmo com recepção no texto constitucional, nem sempre se apresenta isenta de dificuldades, havendo autores que, perante a insegurança e oscilação na enumeração e definição dos limites implícitos, defendem mesmo a inexistência de limites tácitos. Para esta doutrina, os limites materiais seriam apenas os expressamente previstos no texto constitucional; só os *limites textuais expressos* seriam *autênticos* limites de revisão. Embora se possa admitir que esta doutrina tem ainda a seu favor a presunção de modificabilidade de normas anteriores por normas posteriores do mesmo grau, não devem minimizar-se os resultados a que ela conduzirá quando levada até às últimas consequências. As constituições que não previssem limites textuais expressos transformar-se-iam em meras *leis provisórias,* em *constituições em branco* (*Blanko-Verfassung*), totalmente subordinadas à discricionariedade do poder de revisão. Mas, a aceitarem-se limites imanentes deduzidos a partir do «telos» constitucional, então terá de exigir-se que esses limites não sejam meros *postulados,* mas autênticas *imposições* da constituição, verdadeiros limites impostos por «vontade da constituição» (*Wille der Verfassung*)[22]. Assim, e não obstante o desenvolvido catálogo de *disposições de intangibilidade* constantes do art. 288.º da Constituição, ainda poderíamos acrescentar como imposições constitucionais de intangibilidade, não expressamente formuladas, a integridade do território (art. 5.º) e o próprio art. 288.º Este último exemplo leva-nos à discussão da modificabilidade ou não modificabilidade das próprias normas de revisão.

---

[21] Cfr. HESSE, *Grundzüge,* cit., pp. 272 e 273.
[22] Cfr. SIEGENTHALER, *Die materiellen Schranken,* cit., p. 168.

3. Limites absolutos e limites relativos

Consideram-se **limites absolutos** de revisão todos os limites da constituição que não podem ser superados pelo exercício de um poder de revisão; serão simples **limites relativos** aqueles limites que se destinam a condicionar o exercício do poder de revisão, mas não a impedir a modificabilidade das normas constitucionais, desde que cumpridas as condições agravadas estabelecidas por esses limites.

A existência de *limites absolutos* é, porém, contestada por alguns autores, com base na possibilidade de o legislador de revisão poder sempre ultrapassar esses limites mediante a técnica da *dupla revisão*[23]. Num primeiro momento, a revisão incidiria sobre as próprias normas de revisão, eliminando ou alterando esses limites; num segundo momento, a revisão far-se-ia de acordo com as leis constitucionais que alteraram as normas de revisão. Desta forma, as disposições consideradas intangíveis pela constituição adquiririam um carácter mutável, em virtude da eliminação da cláusula de intangibilidade operada pela revisão constitucional. Assim, os limites de revisão constantes dos arts. 286.º e ss da Constituição poderiam ser ultrapassados se o legislador de revisão ab-rogasse, em primeiro lugar, estas normas, e, posteriormente, estabelecesse as alterações julgadas necessárias, de acordo com a *lei de revisão sobre normas de revisão*.

A tese do **duplo processo de revisão**, conducente à *relatividade* dos limites de revisão, parece-nos de afastar. Já atrás, ao tratarmos da tipologia das normas constitucionais, tínhamos alertado para o facto de as normas de revisão serem qualificadas como *normas superconstitucionais*. Elas atestariam a superioridade do legislador constituinte e perfilam-se como o **parâmetro material** *de controlo especificamente referente às alterações da constituição*. E isto essencialmente porque o paradigma do nosso sistema jurídico é um *paradigma fundacional* (M.

---

[23] Cfr. MORTATI, *Dottrine generali*, cit., p. 226; CICCONETTI, *La Revisione*, cit., p. 255; BISCARETTI DI RUFFIA, «Sui Limiti della Revisione Costituzionale», in *Annali del Seminário Giurídico*, Universidade de Catania, Vol. III, 1949, p. 125; REPOSO, *La forma repubblicana secondo il art. 139 Cost.*, Padua, 1972. O problema tem suscitado larga discussão na doutrina portuguesa. Cfr. JORGE MIRANDA, *A Constituição de 1976*, pp. 234 e ss; *idem, Manual*, II, pp. 159 e ss. A nossa posição encontra-se desenvolvida em GOMES CANOTILHO, «O problema da dupla revisão na Constituição Portuguesa», in *Fronteira*, 1979. Hoje, algumas das considerações deste trabalho encontram-se ultrapassadas ou relativizadas. Cfr., ainda, MARCELO REBELO DE SOUSA, «Os partidos políticos na Constituição», in *Estudos sobre a Constituição*, org. de JORGE MIRANDA, II, 1983, p. 71; *Manual*, II, p. 203 ss.; AMÂNCIO FERREIRA, «Reflexões sobre o poder constituinte em Portugal, in *Fronteira*, n.º 3 (1978), pp. 87 e ss.; GOMES CANOTILHO/ VITAL MOREIRA, *Fundamentos da Constituição*, Cap. VI; MARCELO REBELO DE SOUSA, *Valor Jurídico*, cit., p. 284; VITAL MOREIRA, «Revisão e revisões: a Constituição ainda é a mesma?», in *20 Anos da Constituição* de 1976, p. 206 ss. Por último, veja-se a crítica teoricamente fundamentada de M. NOGUEIRA DE BRITO, *A Constituição Constituinte*, pp. 387 e ss, aos limites de materiais de revisão. Sobre o duplo processo de revisão, cf. JORGE MIRANDA, *Manual*, II, p. 207 ss.

Galvão Teles): a norma fundamental é constituída como norma individual referida a determinado ou a determinados actos constituintes. A sua violação, mesmo pelo legislador de revisão, deverá ser considerada como incidindo sobre a própria *garantia* da Constituição. A violação de normas constitucionais que estabelecem a imodificabilidade de outras normas constitucionais deixará de ser um acto constitucional para se situar nos limites de uma ruptura constitucional. Neste caso, sim, as disposições dos arts. 286.° e seguintes serão simples proibições ineficazes em face de alterações constitucionais directamente dirigidas à ruptura constitucional. Por outro lado, a supressão dos limites de *revisão através da revisão* pode ser um sério indício de **fraude à Constituição** (*fraude à la Constitution, Verfassungsbeseitigung*) de que falaremos a seguir. Finalmente, em termos jurídico-constitucionais, não se compreende bem a lógica da dupla revisão ou procedimento de revisão em duas fases. As regras de alteração de uma norma pertencem, logicamente, aos *pressupostos* da mesma norma, e daí que as regras fixadoras das condições de alteração de uma norma se coloquem num nível de validade (eficácia) superior ao da norma a modificar[24]. Acresce que o princípio básico, atrás referido, sobre as fontes de direito (cfr. *supra*) vale também aqui: nenhuma fonte pode dispor do seu próprio regime jurídico arrogando-se um valor que constitucionalmente não tem.

Contra estes argumentos, tem sido esgrimido: (1) as normas de revisão não são regras reguladoras da sua própria revisão, nunca podendo uma norma estatuir a sua própria imodificabilidade; (2) o único arrimo jurídico-normativo de imodificabilidade das normas de revisão só poderia partir de uma hierarquia de fontes de direito em que uma «norma superior» declarava a sua própria irrevisibilidade. No plano do direito constitucional, as normas dos arts. 287.° são elas próprias revisíveis.[25] A discussão no plano lógico-jurídico conduz, assim, a um relativo impasse. Talvez seja também de pôr o problema em sede de *competência*. Nesta sede, argumentam uns, a competência para o estabelecimento de limites pertence ao poder constituinte originário, e, por isso, não *pode* um *poder constituído* subtrair-se aos vínculos heteronomamente editados por um outro poder. Tão pouco, é permitido ao poder de revisão aumentar os seus poderes a

---

[24] Cfr. ALF ROSS, *Diritto e giustizia*, 1965, pp. 77 e ss; ZAGREBELSKY, *Il sistema*, cit., p. 102; ACOSTA SANCHEZ, *Teoria del Estado*, cit., pp. 608 e ss. Em sentido diferente, cfr. JORGE MIRANDA, «Os limites materiais da revisão», in *Revista Jurídica*, 13/14 (1990), pp. 13 e ss. A renovação do debate em torno da «revisão das normas e princípios da revisão» deve-se aos cultores da teoria do direito. Cf. PETER SUBER, *The Paradox of Self-Amendment. A study of logic, Omnipotence and change*, Peter Lang, New York – Bern – Fankfurt – Paris, 1990.
[25] Cf. JORGE MIRANDA, *Manual*, II, 4.° ed., p. 203 ss. Por último, MIGUEL GALVÃO TELES, "Revolution, Lex Posterior and Lex Nova", in ELSPETH ATWOOL (org.) *Shaping Revolution*, Aberdeen, 1991, p. 69 ss.; "Temporalidade e Constituição", p. 40 ss.

ponto de os equiparar aos poderes do poder constituinte. Os limites de revisão conceber-se-iam como vinculações heterónomas estabelecidas pelo poder constituinte que não estariam à disposição do «poder constituído» de revisão.

De qualquer modo, a inaceitabilidade da dupla revisão não é um elemento impeditivo de alterações substanciais, constitucionalmente legítimas. Os limites materiais devem considerar-se como **garantias de determinados princípios**, independentemente da sua concreta expressão constitucional, e não como garantias de cada princípio na formulação concreta que tem na Constituição[26].

Por outro lado, a positivação constitucional de limites de revisão não elimina a necessidade de selectividade dos princípios, pois bem pode acontecer que alguns destes sejam limites genuínos respeitantes a autoidentificação material da esfera jurídico-constitucional e outros sejam limites conjunturalmente justificados.[27] O problema está em saber como dar operacionalidade a esta distinção.

III - Revisão expressa e revisão tácita

1. A regra: nenhuma revisão sem alteração do texto

Aos limites formais acabados de referir deve acrescentar-se um outro requisito formal de relevante significado: a necessidade de a revisão da constituição ser feita de modo expresso. Quer se trate de *supressão* de normas, quer se trate de uma *substituição* do texto constitucional, quer de *aditamentos*, todas estas alterações são inseridas no lugar próprio da Constituição, publicando-se conjuntamente a Constituição, no seu novo texto, e a lei da revisão (art. 286)[28]. Excluem-se, pois, as chamadas **revisões não expressas** ou revisões materiais irrecognoscíveis, em que não se declara, de modo explícito, a vontade de alterar o texto num dado sentido e cujas desvantagens têm sido justamente assinaladas. Portanto, nenhuma modificação ou *revisão constitucional* sem alteração do texto da Constituição. A técnica dos *amendments* americanos, em que os artigos suplementares que constituem a emenda da constituição não se inse-

---

[26] Cfr. GOMES CANOTILHO/VITAL MOREIRA, *Constituição da República*, cit., anotação ao art. 288.º Neste sentido, cfr., expressamente, ZAGREBELSKY, *Il sistema costituzionali delle fonti*, cit., p. 103; Cf. JORGE MIRANDA, *Manual*, II, p. 201 ss.

[27] Cf. JORGE MIRANDA, *Manual*, II, p. 204; VITAL MOREIRA, «Revisão e revisões...», p. 206 ss.; MIGUEL GALVÃO TELES, "Temporalidade e Constituição", p. 40 ss.

[28] Cfr., precisamente, a LC n.º 1/82, de 30 de Setembro de 1982 (1.ª Revisão da Constituição).

rem no texto da constituição, antes se registam ao lado da constituição, já havia demonstrado os inconvenientes deste procedimento. Não se indicando qual a disposição constitucional emendada e não se precisando totalmente o sentido da emenda, fica-se sem se saber, em rigor, qual o texto constitucional vigente. A não inserção das alterações no próprio texto da constituição não conduz, como alguns pretendem, ao princípio geral da ab-rogação das leis (salvo disposição em contrário, as leis derrogam os actos legislativos anteriores com elas contrastantes). É que, por um lado, a nível constitucional, não pode reinar a incerteza com que topamos em muitos casos de revogações tácitas. Ter dúvidas sobre o direito constitucional em vigor é muito mais grave do que haver incerteza quanto ao direito infraconstitucional efectivamente vigente. Por outro lado, se às modificações tácitas aliarmos o efeito da **desconstitucionalização** mais uma razão haverá para as encararmos com reticências. Segundo a tese da *desconstitucionalização por via de modificações tácitas* as normas constitucionais que fossem objecto de revisão continuavam a constar do texto constitucional, mas não possuíam já valor constitucional. Sobre elas incidirá o fenómeno da *desconstitucionalização,* o que permitia a sua alteração futura por processos legislativos normais, sem as exigências do processo de revisão. Quer dizer: por dedução, extraída de leis constitucionais colocadas ao lado do texto constitucional, certas normas constitucionais, embora formalmente constitucionais, seriam desclassificadas e rebaixadas ao valor de leis ordinárias. Não se vê, na própria lógica da doutrina das modificações tácitas, como isto seja possível: as leis constitucionais de revisão revogam, alteram ou acrescentam o texto constitucional que, na parte modificada, deixa de subsistir. O texto constitucional ou permanece válido com valor constitucional ou deixa de existir.

Não é isenta de dúvidas a admissibilidade de revisão expressa através de **reenvios para normas jurídicas extraconstitucionais** (ex.: para normas de tratados internacionais). A admitir-se uma tal **revisão através de reenvio,** parece óbvio que ele nunca poderá ser um reenvio global para um complexo de normas na sua totalidade, que, entre outras coisas, não permite identificar a norma para a qual concretamente se reenvia (cfr., porém, o art. 33.º/5, introduzido pela LC 1/2001).[29]

Não se confunda a *desconstitucionalização,* operada por modificações tácitas, com a *desconstitucionalização* decretada *expressis verbis* pelo legislador constituinte. Aqui é o legislador constituinte que se pronuncia, de forma expressa, sobre o direito constitucional, nada impedindo que degrade certas leis, consideradas com valor constitucional formal, em leis ordinárias (cfr. art. 290.º).

---

[29] Cfr., DREIER, *Grundgesetz*, II, anotação ao art. 79.º/3 da *Grundgesetz*. É o caso entre nós, do art. 33.º/5, introduzido pela LC 1/2001 (5.ª Revisão) que "roça" a inconstitucionalidade.

Exemplo curioso de *desconstitucionalização* de normas constitucionais inseridas na própria Constituição é fornecido pelo art. 144.º da Carta Constitucional, no qual se dispunha que «só é constitucional o que diz respeito aos limites e atribuições respectivas dos poderes políticos, e aos direitos políticos e individuais dos cidadãos. Tudo o que não é constitucional pode ser alterado, sem as formalidades referidas, pelas legislaturas ordinárias[30]. Por sua vez, esta distinção reconduzia-se ao pensamento de B. Constant para a qual tudo o que não se referia aos limites e atribuições dos poderes, aos direitos políticos e aos direitos individuais não faz parte da constituição e pode ser modificado pelo concurso do Rei e das duas Câmaras. Cfr. Benjamin Constant, *Esquisse de Constitution*, Paris, 1814. Cfr., também, o art. 292.º da CRP relativo ao Estatuto de Macau.

2. Excepções – O direito comunitário e a segunda via de revisão

A exigência da incorporação das alterações efectuadas no texto da Constituição encontraria, hoje, relevantes excepções no contexto da União Europeia. A criação de um direito supranacional por via da integração europeia teria aberto, segundo alguma doutrina, uma *segunda via de revisão constitucional*.[31] A posição até agora adoptada neste trabalho foi a da inconstitucionalidade de revisões constitucionais operadas através do direito comunitário. Continuamos a ter dúvidas quanto à existência de excepções ao «modelo de revisão» positivado nas normas da Constituição.[32] Em primeiro lugar, mesmo a admitir-se a prioridade do direito comunitário, essa prevalência ou prioridade de aplicação do direito comunitário primário em relação ao direito constitucional traduz-se apenas na *desaplicação* de eventuais normas constitucionais mas não na revisão material destas. Colocar fora de aplicação uma norma não é a mesma coisa que modificar essa mesma norma. A revisão constitucional pressupõe a revogação das normas modificadas (Paulo Otero).[33] Em segundo lugar, verifica-se que o legislador constituinte de revisão não procedeu a qualquer alteração das normas reguladoras da própria revisão no sentido de admitir excepções impostas pelo direito comunitário. Finalmente, e como iremos ver em sede de *teoria da interconstitucionalidade*, a *autoreferência* descrita no texto constitucional dos estados-membros não se perde pelo facto de aparecer outra autoreferência descrita no(s) texto(s) da nova organização política (cf. *infra*, Parte V, Título 3, Capitulo 3). Deve, porém, reconhecer-

---

[30] Possivelmente, o art. 144.º pretendeu dar guarida à distinção que a doutrina francesa havia feito no domínio das cartas constitucionais de 1814 e 1836 entre *«articles réglementaires»* e *«articles fondamentaux»*. Cfr. STEINER, *Verfassungebung*, cit., p. 182. Sobre a desconstitucionalização, cfr. JORGE MIRANDA, *Decreto*, cit., p. 97; *A Constituição de 1976*, cit., p. 127.

[31] Cf. DREIER, *Grundgesetz Kommentar*, II, anotação 25 ao art. 79.º, I.

[32] Cf., agora HUFELD, *Die Verfassungsdurchbrechung*, p. 132.

[33] Cf., HUFELD, cit., p. 133. Entre nós, cf., PAULO OTERO, *Legalidade e Administração Pública*, p. 572.

-se que: (1) a «partilha» em comum de poderes soberanos, com (2) a consequente mudança da ordem de competências tem operado importantes «mudanças constitucionais». Por outras palavras que colhemos em obra recente: "o primado do Direito Comunitário poderá envolver uma informal desaplicação da Constituição assistida de convicção de obrigatoriedade (Paulo Otero). Assim, por exemplo, ao confrontar-se a «constituição económica» positivada na Constituição da República com a constituição económica «criada» pelos tratados da União Europeia verifica-se que esta impõe «alterações» não reflectidas no texto da Constituição, mas cuja efectividade jurídica-normativa quase tornam «obsoletas» algumas normas da constituição económica formalmente consagradas.[34]

IV - Revisão total e revisão parcial

Acabamos de ver que a revisão pode consistir na renovação de certas disposições através da *supressão, substituição ou aditamento* de normas. Trata-se sempre de *alterações parciais* da constituição.

Mas pode também conceber-se uma **revisão total** que consistirá na substituição do texto da constituição por um outro completamente novo. É o que se chama *revisão total* em sentido formal[35]. Outras vezes fala-se em *revisão total* em *sentido material* para exprimir a ideia de alteração de normas constitucionais caracterizadoras de um Estado. Neste caso, a revisão total é *camuflada*[36], dado que, rigorosamente, consiste numa revisão parcial incidente sobre o cerne político da constituição.

A possibilidade de uma revisão total está expressamente prevista em algumas constituições[37]. Todavia, nos ordenamentos constitucionais onde tal possibilidade não está consagrada, *expressis verbis,* costuma entender-se que a revisão total é um *limite* da revisão parcial[38]. Significa isto que uma alteração da constituição que surja como revisão total da constituição não pode ser efectuada pela via da revisão parcial. Em termos de poderes competentes, isso traduz-se na afirmação da exclusiva competência do poder constituinte para efectuar tal revisão e na subtracção ao poder de revisão da possibilidade de operar qualquer revisão total da constituição.

---

[34] Veja-se a síntese recente de PAULO OTERO, *Legalidade e Administração Pública*, p. 427 ss., 577 ss.

[35] Cfr. P. SIEGENTHALER, *Die materiellen Schranken,* cit., p. 140.
[36] Cfr. K. LOEWENSTEIN, *Teoria de la Constitución,* cit., p. 198.
[37] Assim, por ex., as constituições da Suíça e dos Estados Unidos.
[38] Cfr. SIEGENTHALER, *Die materiellen Schranken,* cit., p. 129.

Num plano político, a consagração da cláusula de revisão total pode encarar-se como uma «válvula de escape»[39] para situações em que o documento constitucional deixou de ter força normativa. Nestes casos, porém, é mais normal a *transição revolucionária* (Portugal em 1974, ex-países do Leste) ou a *transição por transacção* (Espanha, Brasil) do que a revisão total da constituição[40]. Daí o facto de os autores lhe assinalarem um valor prático relativamente diminuto.

V - Revisão e desenvolvimento constitucional

As considerações anteriores pressupõem a ideia de um sistema jurídico dotado de constituição na qual existe um *núcleo constitutivo de identidade*[41]. A identidade da constituição não significa a continuidade ou permanência do «sempre igual», pois num mundo sempre dinâmico a abertura à evolução é um elemento estabilizador da própria identidade. Neste sentido se compreende a sugestão do conceito de **desenvolvimento constitucional**[42] para significar o conjunto de formas de evolução da constituição (nova compreensão, por ex., dos direitos fundamentais, nova compreensão das normas de procedimento e de processo, novas dimensões dos meios de comunicação social, novas normações no seio da sociedade civil) e para exprimir aquilo que se poderá chamar a *garantia de identidade reflexiva*[43]. Garantir a **identidade reflexiva** de uma constituição significa dotar a constituição de *capacidade de prestação* em face da sociedade e dos cidadãos. Neste sentido, algumas das alterações à Constituição aprovadas na 2.ª revisão (de 1989) devem ser interpretadas (não obstante as eventuais reticências que elas pudessem merecer quanto à tangibilidade das cláusulas materiais limitativas da revisão) como um esforço no sentido de manter a *reflexividade* do

---

[39] Cfr. K. LOEWENSTEIN, *Teoria de la Constitución*, cit., p. 185.

[40] Cfr. JORGE MIRANDA, *Manual*, Vol. II, p. 439. No campo dos estudos politológicos fala-se precisamente em «transição via transacção». Cfr. G. DE PALMA, «Founding Coalitions in Southern Europe. Legitimacy and Hegemony», in *Government and Opposition*, 2/1980, p. 166; D. SHARE, *Transition Through Transaction. The Politics of Democratization in Spain*, 1975/77, Stanford, 1983; J. M. FINNIS, «Revolution and Continuity of Law», in A. W. B. SIMPSON, *Oxford Essays in Jurisprudence (Second Series)*, p. 60.

[41] Para as relações de «identidade» e de «reflexão sistémica», cfr. N. LUHMANN, *Rechtstheorie*, 10 (1979), pp. 159 e ss. No plano constitucional, cfr. P. KIRCHHOF, «Die Identität der Verfassung in ihren unabänderlichen Gehalten» ,in J. ISENSEE/P. KIRCHHOF (org.), *Handbuch des Staatsrechts der Bundesrepublik Deutschland*, Vol. I, 1987, pp. 775 e ss.

[42] B. O. BRYDE, *Verfassungsentwicklung*, pp. 20 e ss. Entre nós, cfr. LUCAS PIRES, *A Teoria da Constituição*, cit., pp. 125 e ss, que hipertrofia o conceito de desenvolvimento constitucional aproximando-se do «revisionismo».

[43] Cfr. LUHMANN, «Selbstreflexion des Rechtssystems», in *Rechtstheorie*, 1979, pp. 159 e ss.

Garantia da constituição e revisão constitucional

texto constitucional: reforçar a identidade mediante a actualização da capacidade de prestação perante os homens e a sociedade[44]. O mesmo se passa com certas normas introduzidas pelo LC 1/97 (4.ª revisão) embora aqui estejamos próximos de verdadeiras violações dos limites materiais de revisão (ex.: art. 112.º/5, onde se consente a quebra da unidade legislativa da República).

VI - Revisão e revisionismo

No campo da ciência política e do direito constitucional distingue--se, por vezes, entre *revisão* e *revisionismo* ou entre *revisão em sentido processual* e *revisão em sentido ideológico*. Na acepção processual a palavra revisão significa a modificação de um ou vários pontos específicos de uma constituição. No sentido ideológico a revisão identifica-se com **revisionismo** entendido como o movimento político-social que reivindica a revisão global da constituição para operar uma mudança de regime[45]. Neste caso, o programa de revisão não é uma simples proposta de *amendment* (emenda) mas um programa de oposição ao regime.

C. Revisão Constitucional e Inconstitucionalidade

Como acabámos de estudar, a revisão está constitucionalmente sujeita a limites formais, circunstanciais e materiais. A não observância, pela lei de revisão, dos limites estabelecidos na constituição, coloca-nos perante o problema da *desconformidade constitucional das leis de revisão*, problema esse que não é substancialmente diferente do problema da inconstitucionalidade das leis ordinárias, dado que o poder de revisão é um poder constituído e não uma novação do poder constituinte. De qualquer modo, do ponto de vista dogmático, os vícios de revisão não se reconduzem a uma figura unitária, com natureza e efeitos semelhantes em todos os casos. Daí a necessidade de uma aproximação tipológica.

---

[44] Cfr. os juízos sobre a 2.ª revisão da constituição de VITAL MOREIRA, «A segunda revisão constitucional», in *Revista do Ministério Público*, 7/1990, pp. 9 e ss; JORGE MIRANDA, *Manual*, I, 4.ª ed., 1990, p. 393; JOSÉ MAGALHÃES, *Dicionário da Revisão Constitucional*, cit., p. 101. Cfr., ainda, o «Painel» sobre a revisão publicado em *Revista Jurídica*, 13/14 (1990), pp. 249 e ss. Vide também GOMES CANOTILHO/VITAL MOREIRA, *Fundamentos da Constituição*, Cap. VII. Opinião crítica sobre a 4.ª revisão da Constituição pode ver-se já em JORGE MIRANDA, *Manual*, I, 6.ª ed. 1997, p. 401.

[45] Para esta caracterização, cfr. JEAN-LOUIS QUERMONNE, «Les politiques institutionnelles», in GRAWITZ/LECA, *Traité de Science Politique*, vol. IV, p. 75. Entre nós, articulando os dois sentidos de revisão referidos no texto, cfr. LUCAS PIRES, *A Teoria da Constituição de 1976*, cit., pp. 125 e ss e 174 e ss.

I - Inexistência das leis de revisão

1. Leis de revisão e incompetência do órgão

Nos casos de *falta de competência absoluta* dos órgãos de que emanou a lei de revisão (ex.: lei de revisão aprovada pelo Governo, por plebiscito ou referendo [46], sob proposta do Governo ou do Presidente da República) é evidente que a lei está viciada de *inexistência,* pois só a Assembleia da República é constitucionalmente competente para fazer leis de revisão. Dos casos de *carência absoluta* de poderes de revisão, devem aproximar-se duas outras hipóteses: (1) leis de revisão aprovadas pela Assembleia da República, mas fora dos casos em que esta, nos termos constitucionais, tem poderes de revisão (exs.: lei de revisão aprovada antes de decorridos cinco anos – a não ser que se trate de revisão extraordinária nos termos do art. 284.º/2 sobre a anterior lei de revisão; a lei de revisão aprovada durante o estado-de-sítio); (2) leis de revisão votadas pela Assembleia da República no uso de poderes de revisão, mas não aprovadas pela maioria qualificada constitucionalmente exigida (art. 286.º/1) [47].

---

[46] É evidente que se rejeita o recurso ao referendo plebiscitário ou ao plebiscito, sem consagração constitucional, como forma legítima de revisão constitucional. Isto é hoje indiscutível em face do art. 115.º que afasta o referendo constitucional. Cfr., porém, LUCAS PIRES, *A Teoria da Constituição,* cit., p. 174. MARCELO REBELO DE SOUSA, *Valor Jurídico,* cit., p. 292, considera também como inexistentes as «pretensas leis constitucionais aprovadas por referendo quaisquer que sejam a sua modalidade e o seu regime». Para uma discussão do problema vide a controvérsia na doutrina francesa a propósito da revisão plebiscitária de 1962. Cfr. G. BERLIA, «Le problème de la constitutionnalité du réferendum du 28 Octobre», in *RDPSP,* 1962; H. DUVAL/P. Y. LEBLANC/DECHOISAY/P. MINDU, *Referendum et plébiscite,* 1970; e, por último, PACTET, *Institutions Politiques,* cit., p. 262; J. M. DENQUIN, *Referendum et plébiscite,* Paris, 1976; G. BURDEAU, *Droit Constitutionnel et Institutions Politiques,* 18.ª ed., 1977, Paris, p. 649. O problema foi também discutido em Itália a propósito da L n.º 352, de 25 de Maio de 1970, que estabeleceu as condições de exercício do referendo popular ab-rogativo. Que o referendo não abrange as leis constitucionais e a Constituição parece ser opinião dominante da doutrina. Cfr. CICCONETTI, *La Revisione,* cit., pp. 73 e ss; CRISAFULLI, *Lezioni,* cit., Vol. II, p. 89; MORTATI, *Istituzioni,* Vol. II, cit., p. 846; T. MARTINES, *Diritto Costituzionale,* cit., p. 327. Para MORTATI «é óbvio» que o *referendum* ab-rogativo previsto na lei ordinária não pode «subverter» o regime constitucional de revisão do art. 138.º da Constituição italiana. Vide posição duvidosa em BARILE, *Istituzioni di Diritto Pubblico,* Padua, 1978, p. 410. Sobre o problema do referendo em geral no direito italiano cfr., por último, DE MARCO, *Contributo allo studio del referendum nel diritto italiano,* Padua, 1974. Entre nós, veja-se a *mise au point* de JORGE MIRANDA, *Manual,* II, pp. 137 e ss.

[47] Cfr. GROSSKREUTZ, *Normwidersprüche im Verfassungsrecht,* Koln/Berlin/Bonn/München, 1966, que fala aqui de «contradições normativas constitucionais»; LAVAGNA, *Istituzioni di Diritto Pubblico,* 3.ª ed., 1976, p. 217; MORTATI, *Istituzioni di Diritto Pubblico,* Vol. II, 9.ª ed., 1976, p. 1396. Por último, cfr. MARCELO REBELO DE SOUSA, *Valor Jurídico de Acto Inconstitucional,* p. 292, que, contudo, alarga a inexistência a casos altamente duvidosos (exs.: «pretensas leis constitucionais internamente incongruentes ou incoerentes», «pretensas leis constitucionais aprovadas sob coacção moral»). Já o alargamento da inexistência a «pretensas leis inconstitucionais que violam manifesta e evidentemente os direitos absolutos dos cidadãos» nos parece digna de consideração, em consonância com o que atrás foi dito sobre a inexistência de leis ordinárias.

2. Leis de revisão e ausência de causa ou intenção constituinte[48]

Às leis de revisão constitucional que não indiquem, taxativa e expressamente, as alterações a introduzir no texto constitucional (art. 287.º/1), não se pode atribuir intenção de revisão. Nas questões de alteração formal da Constituição não pode haver deduções implícitas ou tácitas da vontade do órgão de revisão: este tem de, *expressis verbis*, demonstrar que quis substituir, suprimir ou aditar a Constituição (art. 287.º/1).

II - Nulidade das leis de revisão

Dada a existência de limites formais e materiais, as leis de revisão que não respeitarem esses limites serão respectivamente inconstitucionais sob o ponto de vista formal e material. Assim acontecerá por exemplo nos casos de: (*a*) leis de revisão que violam o processo estabelecido no art. 285.º/1 (como seriam as leis aprovadas mediante proposta do governo ou de uma assembleia regional); (*b*) leis de revisão que violam os limites materiais do art. 288.º

Problema mais complexo será o da qualificação dos vícios das leis de revisão que violam *limites implícitos* da Constituição (ex.: lei de revisão que viole o princípio da integridade territorial do Estado estabelecido no art. 5.º). A resposta à questão da existência de limites implícitos será aqui uma *questão prévia* à caracterização jurídica do vício eventualmente existente[49].

Dificuldades surgirão ainda quando as leis de revisão, sem estabelecerem alterações formais, atribuem diferentes efeitos jurídicos aos preceitos constitucionais originários (por ex.: introdução de mais limites inerentes aos direitos fundamentais ou alargamento de leis restritivas dos direitos fundamentais). Não obstante se entender que os limites materiais de revisão se referem aos *princípios,* independentemente da sua expressão concreta na Constituição[50], parece que o núcleo essencial de direitos, liberdades e garantias, tal como o legislador consti-

---

[48] Cfr. JORGE MIRANDA, A *Constituição de 1976*, cit., p. 227; *Manual*, II, pp. 137 e ss. Por esta razão é que GROSSKREUTZ, *Normwidersprüche im Verfassungsrecht*, cit., p. 91, afirma que uma lei de revisão que não determine ou especifique as alterações é uma lei inconstitucional, mas nem sequer chega a existir uma *contradição normativo-constitucional*, porque o texto da revisão não foi formalmente incorporado na Constituição.

[49] Cfr. GOMES CANOTILHO/VITAL MOREIRA, *Constituição*, p. 1056; JORGE MIRANDA, *A Constituição de 1976*, cit., p. 227; MARCELO REBELO DE SOUSA, *Valor Jurídico*, cit. p. 294.

[50] Cfr. GOMES CANOTILHO/VITAL MOREIRA, *Constituição*, cit., anotação VI ao art. 288.º Cfr. GROSSI, *Introduzione ad uno studio sui diritti inviolabili nella costituzioni italiana*, Padua, 1972, pp. 77 e ss; GROSSKREUTZ, *Normwidersprüche*, cit., pp. 84 e 88.

tuinte o definiu, e o sistema geral de regulamentação do exercício, se devem inserir na garantia material prevista no art. 288.º/l para os direitos, liberdades e garantias (por ex.: substituição do regime repressivo ou de declaração judicial por um regime administrativo preventivo seria vedado ao legislador de revisão).

A inconstitucionalidade material e formal das leis de revisão pode e deve ser apreciada pelos tribunais (art. 204.º) e pelo Tribunal Constitucional nos termos dos arts. 280.º e 281.º da CRP, ou seja, segundo o processo de fiscalização sucessiva, havendo algumas dúvidas quanto à possibilidade de controlo preventivo[51].

D. As Rupturas Constitucionais[52]

As chamadas **rupturas constitucionais** traduzem-se na «quebra» de certas normas da constituição para os casos excepcionais, permanecendo o texto em vigor para os restantes casos. A *ruptura* constitucional abriria ao legislador de revisão a seguinte possibilidade: criar uma disciplina especial contrária à constituição para determinados casos concretos, mantendo-se, no entanto, a validade geral das normas constitucionais.

A favor da admissibilidade das rupturas constitucionais poderiam invocar-se vários argumentos. A própria constituição prevê *auto-rupturas* (*Selbstverfassungsdurchbrechung*). Era o que se verificava em algumas disposições finais e transitórias da Constituição de 1976, na redacção originária: «constitucionalizava» transitoriamente certas incapacidades eleitorais, estabelecendo uma disciplina excepcional em relação ao art. 13.º (princípio da igualdade) e ao art. 48.º (participação na vida pública). O art. 294.º ainda mantém em vigor a L n.º 8/75, incriminatória dos agentes e responsáveis da ex-PIDE/DGS, em excepção ao art.

---

[51] Cfr. JORGE MIRANDA, *Manual*, II, p. 218; GOMES CANOTILHO/VITAL MOREIRA, *Fundamentos da Constituição*, Cap. VII. Por último, cfr. MARCELO REBELO DE SOUSA, *Valor Jurídico*, cit., p. 295, que nega a possibilidade de fiscalização preventiva, mas aceita depois essa fiscalização quando se tratar de inexistência. No sentido do controlo judicial de normas constitucionais inconstitucionais introduzidas por via de revisão, cfr. BADURA, "Verfassungswänderung, Verfassungswandel, Verfassungsgewöhnheitsrecht", in ISENSEE/KIRCHHOF, *Staatsrecht*, Vol. VII, p. 70; SCHLAICH, *Das Bundesverfassungsgericht*, 4.ª ed., 1997, p. 133.

[52] Sobre as rupturas constitucionais cfr., especialmente, EHMKE, «Verfassungsanderung und Verfassungsdurchbrechung», in *AOR*, Vol. I (1935-54), pp. 385 e ss; MOTZO, «Disposizioni di revisione materiale e provvedimento di 'rottura' della Costituzioni», in *Ras.DP*, 1964, Vol. I, p. 323; MARCELO REBELO DE SOUSA, *Direito Constitucional*, cit., p. 110; JORGE MIRANDA, *Manual*, II, pp. 434 e ss.

29.º (aplicação da lei criminal). Tal como se admite em relação às leis que estas revistam a forma de leis-medida, também em relação às leis de revisão são concebíveis *leis de medida constitucionais* (*verfassungsrechtliches Massnahmegesetze*). Mas já é discutível a admissibilidade de uma *lei constitucional, individual* e *concreta,* consagradora de um regime excepcional em relação às normas da Constituição garantidoras de direitos, liberdades e garantias[52]. Rigorosamente, o que as constituições proíbem é não tanto a *ruptura da constituição* como a *ruptura sem alteração do texto* (*Verfassungstextdurchbrechung*). Um regime excepcional seria então perfeitamente admissível, cumpridos que fossem os requisitos formais e os limites materiais da revisão.

Referências bibliográficas

Alchourron, C. E./Bulygin, E. – *Analisis lógico y derecho*, Madrid, 1991.

Baptista, E. C. – "Os Limites materiais e a revisão de 1989. A relevância do direito costumeiro", in J. Miranda, *Perspectivas Constitucionais*, vol. III, pp. 67 e ss.

Brito, C. A. – " As Cláusulas pétreas e a sua função de revelar e garantir a identidade da Constituição", in Carmen Lúcia Antunes Rocha (org.), *Perspectivas de Direito Público: Estudos em Homenagem a Miguel Seabra Fagundes*, Belo Horizonte, 1995.

Brito, E. – *Limites da Revisão Constitucional*, Porto Alegre, Fabris Editor, 1993.

Brito, M. N. – *A Constituição Constituinte. Ensaio sobre o Poder de Revisão*, Coimbra, 2000.

Bryde, B. O. – *Verfassungsentwicklung. Stabilität und Dynamik im Verfassungsrecht der Bundesrepublik Deutschland*, 1982.

Bulygin, E. – *Norme, Validità, Sistemi normativi*, Torino, 1995.

Bulos, U. L. – *Mutação constitucional*, São Paulo, Saraiva, 1997.

Cassese, S. – «La Riforma costituzionale in Italia», in *RTDP*, 4/1992, pp. 889 e ss.

Cicconetti, S. – *La Revisione della Costituzione*, Milano, 1972.

– *Appunti di Diritto Costituzionale*, Giappichelli, Torino, 1992, pp. 72 e ss.

Dantas, I – *Direito adquirido, emendas constitucionais e controlo da constitucionalidade*, Rio de Janeiro, 1997.

De Vergottini, G. – *Le transizione costituzionale: sviluppi e crise del costituzionalismo alla fine del XX secolo*, Bologna, 1999.

Fiedler, W. – *Sozialer Wandel, Verfassungswandel, Rechtsprechung*, Freiburg/München, 1972.

---

[52] Cfr. JORGE MIRANDA, *Manual*, IV, p. 336.

Guastini, R. – *Distinguendo. Studi di teoria e metateoria del diritto*, Torino, 1996.

Haugh, H. – *Die Schranken der Verfassungsrevision*, Zürich, 1947.

Hesse, K – «Limites de la mutación constitucional», in *Escritos de Derecho Constitucional*, Madrid, 1983.

Honorati, M. L. M. – *Il referendum nella procedura di revisione costituzionali*, Milano, 1982.

Hufeld, V. – *Die Verfassungsdurchbrechung. Rechtsproblem der deutschen Einpeit und der europäischen Einigung. Ein Beitrag zur Dogmatik der Verfassungsänderung*, Berlin, 1992.

Lavagna, E. – *Le costituzioni rigide*, Roma, 1964.

Lopes, M. A. R. – *Poder Constituinte Reformador*, São Paulo, 1993.

Martins, A. O. – *La Revision Constitucional y el Ordenamiento Português*, Lisboa, Madrid, 1995.

Miranda, J. – *Manual de Direito Constitucional*, Tomo II, 4.ª ed., Coimbra, 2000, pp. 150 e ss.

– «Revisão Constitucional?, in DJAP, 2.º Suplemento, 2001, p. 502 ss.

Martins, I. G. – «Cláusulas Pétreas», in J. Miranda (org.), *Perspectivas Constitucionais* (org.), pág. 195 ss.

Modugno, F. – «Il Problema dei Limiti alla Revisione Costituzionale», in *Giur. Cost.* XXXVII, 1992, pp. 1658 e ss.

Morbideli, G. – "Le dinamiche della Costituzione", in G. Morbidelli/L. Pegoraro/A. Reposo/M. Volpi, *Diritto Costituzionale Italiano e Comparato*, Bologna, 1995.

Moreira, V. – "Revisão e Revisões: a Constituição ainda é a mesma?", in *20 Anos de Constituição de 1976*, Coimbra, 2000.

Negri, A. – *Le Pouvoir Constituant. Essai sur les Alternatives de la Modernité*, Paris, 1997.

Pace, A. – «La 'naturale' rigidità delle costituzioni scritte», in *Giur. Cost.*, 1993.

– *Potere costituente, rigidità costituzionale, autovincoli legislative*, Padova, 1997.

– *La causa della rigidità costituzionale*, Padova, 1996.

Pace, A./Varela, J. – *La Rigidez de las Constituciones Escritas*, Madrid, 1995.

Pires, F. L. – *A Teoria da Constituição de 1976*, cit., pp. 125 e ss.

Rigaux, F. – *La théorie des limites matérielles à l'exercice de la fonction constituane*, Bruxelles, 1985.

Rimoli, F. – «Costituzioni rigida, Potere di Revisione e Interpretazione per Valori», in *Giur. Cost.*, XXXVII, 1992, pp. 3736 e ss.

Ross, A. – *Diritto e Giustizia*, Torino, 1965.

Rossnagel, A. – *Die Änderungen des Grundgesetzes. Eine Untersuchung von Verfassungsänderungen*, Frankfurt/M, 1981.

Silva, G. J. C. – *Os limites da reforma constitucional*, Rio de Janeiro, São Paulo, 2000.

Suordem, F. – "A problemática da invalidade das leis de revisão constitucional", in RMP, 1998, p. 22 ss.

Sampaio, N. S. – *O Poder de Reforma Constitucional*, 2.ª ed., Belo Horizonte, 1996.

Silva, J. A. – *Poder Constituinte e Poder Popular*, São Paulo, 2000.

Silvestri, G. – «Spunti di Riflessione sulla Tipologia e sui Limiti della Revisione Costituzionale», in *Studi in onore di P. Biscaretti di Rufia*, II, pp. 1185 e ss.

Sousa, M. R. – *Valor Jurídico dos actos inconstitucionais*, pp. 286 e ss.

Suber, P. – «O Paradoxo da Auto-Revisão no Direito Constitucional», in *RFDL*, XXXI, 1990.

Teles, M. G. – «Revolution, *Lex Posterior* and *Lex Nova*», in E. Attwools (org.), *Shaping Revolution*, Aberdeen, 1991.

Tosi – *Modificazioni tacite della Costituzione attraverso il diritto parlamentare*, Milano, 1959.

Vagli, G. – "Nascita, evoluzione e significato dei limiti materiali espressi di revisione nella Costituzione portoghese", in *Quaderni Costituzionali*, XVIII, (1998), 1, pp. 101 e ss.

Varela Suanzez, J. – «Riflessioni sul concetto di rigidità costituzionale», in *Giur. Cost.*, 5/1994, p. 3113 e ss.

Vega, P. – *La Reforma Constitucional y la Problematica del Poder Constituyente*, Madrid, 4.ª ed., 1988.

Vieira, O. V. – *A Constituição e a sua Reserva de Justiça. Um ensaio sobre os limites materiais do poder de reforma*, São Paulo, 1999.

Vile, J. R. – *The Constitutional Amending Process in American Political Thought*, Praeger, New York, 1992.

Zagrebelsky, G. – «Adequamenti e cambiamenti della Costituzione», in *Scritti Crisafulli*, vol. II, 1985, pp. 915 e ss.

Título 8

Estados de Necessidade Constitucional e Suspensão do Exercício de Direitos Fundamentais

Capítulo 1

A Incorporação Constitucional do Direito de Necessidade

Sumário

A. A «Incorporação Constitucional» do Direito de Necessidade

I - A «incorporação constitucional» do direito de necessidade

II - O direito de necessidade na história constitucional

1. O processo de legitimação e legalização do direito de necessidade
2. O direito de necessidade estadual nas constituições portuguesas

B. As "técnicas" de juridicização constitucional do direito de necessidade do Estado

1. Poderes implícitos
2. Cláusula de plenos poderes
3. Constitucionalização do direito de necessidade
4. Bill de indemnidade

A. A «Incorporação Constitucional» do Direito de Necessidade

I - A «incorporação constitucional» do direito de necessidade

O presente título intitula-se estados de necessidade constitucional e suspensão do exercício de direitos fundamentais. A problemática a estudar é tradicionalmente conhecida sob o nome de *estado e/ou* **direito de necessidade estadual**. Várias outras expressões são utilizadas para aludir a este mesmo problema: «defesa da Constituição», «defesa da República», «suspensão de garantias individuais», «defesa de segurança e ordem públicas», «estado de excepção constitucional», «protecção extraordinária do Estado». Qualquer que seja o enunciado linguístico e qualquer que seja a pré-compreensão dos autores relativa ao «direito de excepção», o leque de questões subjacente à *constitucionalização* do regime de necessidade do Estado reconduz-se fundamentalmente ao seguinte: previsão e delimitação normativo-constitucional de instituições e medidas necessárias para a defesa da ordem constitucional em caso de situação de anormalidade que, não podendo ser eliminadas ou combatidas pelos meios normais previstos na Constituição, exigem o recurso a meios excepcionais. Trata-se, por conseguinte, de submeter as situações de crise e de emergência (guerra, tumultos, calamidades públicas) à própria Constituição, «constitucionalizando» o recurso a meios excepcionais, necessários, adequados e proporcionais, para se obter o «restabelecimento da normalidade constitucional».

Em termos rigorosos, a constitucionalização de «situações de necessidade» implica a consagração de um *direito de necessidade constitucional* e não de um simples *estado de necessidade desculpante*. Dito por outras palavras: a incorporação constitucional de uma disciplina extraordinária para situações de emergência significa que se pretende não apenas uma *causa de justificação* eventualmente excludente de culpa por factos ou medidas praticadas para defender a ordem constitucional (o que pressupõe a sua «ilicitude constitucional») mas uma causa justificativa que exclua a ideia de ilicitude dos mesmos factos ou medidas (o que implica, desde logo, o reconhecimento do direito e dever das autoridades constitucionalmente competentes para recorrer a meios excepcionais, necessários, adequados e proporcionados para afastar perigos graves ou situações de crise que ameaçam a ordem constitucional democrática).

A «constitucionalização» do direito de necessidade estadual considera-se a solução mais conforme com a «ideia constitucional», porque é preferível ser a Constituição a consagrar e a definir os pressupostos dos estados de excepção ("legalidade alternativa", na expressão de Paulo Otero), a ter de recorrer-se a *princípios de necessidade extra ou supraconstitucional,* susceptíveis de manipulação a favor de uma qualquer «razão de Estado» ou de «segurança e ordem pública», invocada por «chefes» ou «governos» (a ideia clássica de *dictator* anda precisamente associada a situações de necessidade) sem qualquer arrimo normativo-constitucional. A regulamentação constitucional é já uma limitação: *enumeratio ergo limitatio.* Neste sentido se pode acolher a afirmação de quanto mais um Estado se torna constitucional tanto mais se impõe a regulamentação constitucional do direito de necessidade (K. Stern). Concretizando melhor: se a «essência» do Estado constitucional é a vinculação dos poderes públicos à Constituição, então não existe qualquer outra fonte de legitimidade que não seja a «magna carta» do país, relativamente à fixação de competências e à definição dos pressupostos objectivos dos estados de necessidade (K. Hesse). O direito de necessidade constitucional não é um direito fora da Constituição, mas um direito normativo-constitucionalmente conformado. O regime das «situações de excepção» não significa «suspensão da Constituição» ou «exclusão da Constituição» (excepção de Constituição), mas sim um «regime extraordinário» incorporado na Constituição e válido para situações de anormalidade constitucional.

Como se poderá deduzir já do discurso do texto, as estruturas de excepção compreendem-se, sob um ponto de vista normativo-constitucional, a partir da própria Constituição, e não através do apelo a categorias extraconstitucionais como «necessidade de existência do Estado», «razão do Estado», «ordem e segurança» ou através do alargamento das competências constitucionalmente fixadas (ex.: género de «poderes implícitos imanentes aos «poderes em estado de guerra»). Cfr. K. Hesse, «Grundfragen einer verfassungsmässigen Normierung des Ausnahmezustandes», in JZ, 1960, pp. 105 ss; E. W. Böckenforde, «Der Verdrängte Ausnahmezustande–zum Handeln der Staatsgewalt in aussergewöhnlichen Lagen», in NJW, 1978, p. 1881; M. Krenzler, *An den Grenzen der Notstandsverfassung. Ausnahmezustande und Staatsnotsrecht im Verfassungsystem des Grundgesetzes,* 1974; LEROY, *L'organisation constitutionelle et les Crises* Paris, 1966; H.-E. Holz, *Staatsnotstand und Notstandsrecht* Koln, 1962. Uma larga panorâmica histórica sobre a evolução do direito de necessidade ver-se-á em: P. Crüz Villalon, *El Estado de Sitio y la Costitucionalización de la protección extraordinaria del Estado (1789-1878)* Madrid, 1980; H.-Boldt, *Rechsstaat und Ausnahmezustand des bürgerlichen Rechsstaates im 19. Jahrhundert,* Berlin, 1967; Zippelius, *Teoria Geral do Estado,* p. 397.

No sentido de que a «necessidade» é uma fonte autónoma de direito (fonte-facto) que não necessita de consagração em normas formais da Constituição, *vide,* sobretudo, a literatura italiana. Cfr., por todos, Mortati, *Istituzioni di Diritto Pubblico* Vol. II, pp. 702 e 703, que consi-

dera a necessidade como fonte de legitimação *extra ordinem*. Por último, entre nós, cfr., as recentes considerações de Paulo Otero, *Lições de Introdução ao Estado do Direito*, Lisboa, I/2, 1999, em torno do chamado "direito alternativo" e dos "pressupostos" deste mesmo direito (p. 355 ss.).

II - O direito de necessidade na história constitucional

A «constitucionalização» do direito de necessidade é um pedaço da história do constitucionalismo do séc. XIX. Todavia, a ideia do «direito de necessidade» não surgiu apenas com o constitucionalismo nem é exclusiva do direito constitucional. Por um lado, desde o antigo direito romano que se fala em *jus extremae necessitatis* e em *salus rei publica suprema lex esto* para expressar a existência de um direito de excepção nos casos de crise do Estado e das colectividades organizadas (*res publica*).[1] Por outro lado, o direito de necessidade constitucional encontra expressões paralelas no âmbito do direito internacional (ex.: estado de guerra), do direito penal (ex.: legítima defesa), do direito civil (ex.: legítima defesa e direito de resistência) e do direito administrativo (ex.: estado de necessidade administrativa). A delimitação dos contornos do direito de necessidade constitucional justifica uma breve incursão histórica, pois só deste modo se tornam inteligíveis certos institutos e se obtém uma perspectiva crítica da problemática das «situações de excepção». Focaremos apenas os «momentos» fundamentais da evolução do direito de necessidade.

1. O processo de legitimação e legalização do direito de necessidade

1.1 *'Martial law', 'Riots acts', motins, distúrbios e revoltas populares*

No séc. XVIII (mais precisamente em 1714) surge o primeiro «modelo» jurídico de regulamentação dos «motins» ou «perturbações»[2] da ordem – o *Riot Act*. Nele se qualifica como crime de felonia a participação em tumultos com desobediência às ordens de dissolução por parte das autoridades e se consideram isentos de qualquer responsabilidade (*indemnity*) por danos os agentes encarregados do restabelecimento da ordem.

---

[1] Cfr. as referências de BACELAR DE GOUVEIA, *O Estudo de Excepção*, vol. I, pp. 109 e ss.

[2] Os movimentos populares do género dos *food riots* (Inglaterra, séc. XVIII) e dos *Nu-pieds* (Normandia, séc. XVII) têm ultimamente merecido a atenção dos historiadores. Entre os estudos mais sugestivos destacam-se: B. PORCHNEV, *Les Soulèvements populaires en France de 1623 a 1648*, Paris, 1963; E. THOMPSON, «La economia 'moral' de la multitude en la Inglaterra del siglo XVIII», *Rev. de Occidente*, 1974; G. RUDE, *The Crowd in History*, 1964. Uma visão de conjunto sob uma perspectiva constitucionalista, ver-se-á em P. CRUZ VILLALON, *El Estado de sitio*, cit., pp. 21 e ss. Entre nós, cfr. L. FERRAND DE ALMEIDA, «Motins Populares. Tempo de D. João V», in *Revoltas e Revoluções, RHI*, Coimbra, 1984, pp. 321 e ss.

1.2 «Lei Marcial» e «perigo para a tranquilidade pública»

Com a *Loi Martiale,* de 21 de Outubro de 1789, da Assembleia Nacional francesa, surge um segundo modelo de regulamentação da «ordem pública interna» (embora inspirado na ideia de *martial law* e, mais concretamente, no *Riot Act*). Todavia, enquanto a *Martial law* inglesa significava fundamentalmente a sujeição a comissões militares *(comission of the martial law)* dos delitos cometidos por militares e, mais tarde, por outros sectores da população (e contra este alargamento vai reagir a *Petition of Right,* de 1618, ao pedir a abolição das comissões militares com o fundamento de elas subtraírem aos tribunais ordinários e ao processo correspondente, o julgamento de elementos da população civil), a *lei marcial,* em sentido francês, passa a ser uma lei de autorização da força armada no interior do país (isto é: utilização do exército contra os seus nacionais), a fim de se reprimirem tumultos geradores de intranquilidade pública. Cfr., agora, Bacelar de Gouveia, *O Estado de Excepção*, vol. 1, pp. 178 e ss.

1.3 Estado de paz, estado de guerra e estado de sítio

Esta Lei Marcial, de 21 de Outubro de 1789, representava um claro retrocesso quanto aos direitos dos cidadãos, se a compararmos com a legislação militar referente a «praças de guerra» (ex.: Decreto de 10 de Julho de 1791 da Revolução Francesa), em que se distinguia claramente entre *estado de paz, estado de guerra e estado de sítio*. Os contornos concretos destes três «estados» são os seguintes: (a) o *estado de paz* pressupõe a separação completa entre autoridades civis e militares, tendo cada uma a esfera de competências previamente definida; (b) o *estado de guerra* implicava a subordinação das autoridades civis às autoridades militares, sempre que, por decreto do parlamento, sob proposta do rei, ou pelo rei na ausência da deliberação do corpo legislativo, fosse declarado o estado de guerra; (c) *estado de sítio* implicava a transferência das competências das autoridades civis para as autoridades militares no caso de a praça de guerra ter sofrido ataque ou assédio.

O estado de sítio era, em certa medida, quanto às consequências jurídicas, uma situação mais grave do que o próprio estado de guerra. Naquele, o estado excepcional legitimava-se no «facto» do ataque ou assédio, não dependendo de qualquer decreto de declaração, legislativo ou real, e daí que a própria situação de urgência justificasse a transferência das competências policiais e de segurança para o comandante militar da praça.

1.4 «Estado de sítio militar» e «estado de sítio político»

Como se acaba de ver, o estado de sítio configurava-se como uma instituição militar existente nas «praças de guerra» sujeitas a ataque ou assédio. Em breve se iria tornar o ponto de partida para ou outro tipo de estado de sítio, conhecido sob o nome de *estado-de-sítio político ou fictício (l'état de siége politique')*. Os momentos da evolução são estes: (1) aplicação do estado de sítio a «cidades abertas» e não apenas a «praças de guerra»; (2) declaração de estado de sítio, o que apontava para uma ficção jurídica, pois a declaração transportava em si a ideia de legitimidade de um estado de sítio não baseado numa situação fáctica, numa necessidade real (os pressupostos fácticos são substituídos pelo acto formal de declaração do governo); (3) regulamentação jurídica, positiva e negativa, do estado de sítio, exigindo-se, por um lado, que a declaração enumerasse os direitos individuais considerados suspensos, e, por outro lado, que se fixassem positivamente as competências das autoridades militares nas situações de excepção. O estado de sítio transforma-se, deste modo, em *pressuposto de suspensão das liberdades,* que assim deixam de constituir obstáculos jurídico-constitucionais para as autoridades militares.

A configuração do estado de sítio político começou a ganhar contornos com a Restauração (a expressão «estado-de-sítio» aparece pela primeira vez na Carta Constitucional francesa de 1814), mas a distinção entre estado de sítio militar e civil é discutida sobretudo a partir de 1829, ganhando contornos mais ou menos definidos a partir de 1848. Cfr., Bacelar de Gouveia, *O Estado de Excepção*, vol. I, pp. 187 e ss.

1.5. *Suspensão da Constituição*

Trata-se de um momento importante na evolução das estruturas de excepção constitucional. Começando por ser uma medida considerada pelo «governo revolucionário francês» necessária à defesa da «República sitiada», em 1793, a ideia de *suspensão da Constituição* converte-se em instituto constitucional na Constituição de 22 Frimário (Constituição de 13-12-1799), onde expressamente se determina que «dans le cas de révolte à main armée, ou de troubles qui menacent la sureté de l'État, la loi peut suspendre, dans les lieux et pour le temps qu'elle détermine, l'empire de la Constitution». Através do recurso à «suspensão do império da Constituição» pretendia-se defender a «segurança do Estado» (*sureté de l'État*). Rigorosamente, considerar «fora da Constituição» (*hors la Constitution*) uma praça, um município ou uma província, significava articular a suspensão da Constituição com o estado de sítio, com as consequências inerentes a este último. Em termos jurídico-constitucionais, abre-se a possibilidade de, através da lei ordinária ou de outro acto, se suspender a *vigência* da Constituição em todo ou parte do território e por tempo indeterminado.

Como a «suspensão da Constituição» implicava, *ipso facto,* a suspensão dos direitos individuais que tem precedência na figura anglo-saxónica da "suspensão de *habeas corpus*" nela garantidos, a série de implicações das «excepções da Constituição» torna-se transparente: estado de excepção (necessidade) → suspensão da Constituição → suspensão das garantias individuais. Cfr., Bacelar de Gouveia, *O Estado de Excepção*, vol. I, p. 224.

1.6 *Constitucionalização do direito de necessidade estadual*

Em meados do séc. XIX, a questão do direito de necessidade estadual estava suficientemente amadurecida para se poderem fixar as premissas jurídico-constitucionais dos regimes de «excepção»: (*a*) em primeiro lugar, a defesa do Estado e da segurança pública só é compatível com o «Estado Constitucional» se e na medida em que ela esteja prevista na Constituição e não remetida para o domínio extraconstitucional; (*b*) a suspensão da Constituição é uma *contraditio in adjectu,* porque ela significa na prática um «regime sem Constituição» (mesmo limitado a parte do território); (*c*) a defesa do Estado não exige a suspensão da Constituição, mas sim a de algumas garantias individuais; (*d*) a constitucionalização do regime de excepção não pressupõe uma normativização constitucional pormenorizada desse regime, podendo a Constituição remeter para a lei os casos de situação excepcional e as formas e medidas a adoptar em tais circunstâncias.

1089

Constitucionalização do estado de excepção e *remissão* para a lei da sua regulamentação são as pedras basilares da compreensão jurídico-constitucional do direito de necessidade. O problema está em que a disciplina constitucional é, por vezes, demasiado «aberta», permitindo uma complementação legislativa sensivelmente subversora dos próprios princípios constitucionais.

2. O direito de necessidade estadual nas constituições portuguesas

Tal como acontece em muitos outros aspectos, a história do direito de necessidade em Portugal é largamente influenciada pelos «modelos» franceses e espanhóis.

2.1 *Constituição de 1822*

Na Constituição de 1822, o direito de necessidade surge regulado de uma forma dispersa, não se podendo dizer que haja um «modelo» de regulamentação das situações de necessidade estadual. A ideia de defesa do Estado conexiona-se, por um lado, com as *resrições* ao poder do rei e com as *detenções preventivas* (art. 124.º/IV, segundo o qual o rei não pode «mandar prender cidadão *algum*» excepto: (a) quando exigir a segurança do Estado (devendo então ser o preso entregue dentro de quarenta e oito horas ao juiz competente); (b) por outro lado, ao prever os «casos de rebelião declarada ou invasão de inimigos», o texto vintista refere-se apenas à «dispensa de formalidades relativas à prisão de delinquentes» e, mesmo assim, apenas mediante decreto especial das Cortes (art. 211.º).

2.2 *Carta Constitucional de 1826*

Na Carta Constitucional de 1826 prevê-se a *suspensão das garantias individuais* nos «casos de rebelião, ou invasão de inimigos» (arts. 145.º, 33.º e 34.º). Neste aspecto, a Carta Constitucional reflecte bem a perplexidade perante o fenómeno da *suspensão da Constituição*. Estabelece, *expressis verbis,* que «os poderes constitucionais não podem suspender a Constituição no que diz respeito aos direitos individuais». Mas o alcance do preceito é ainda mais restrito do que poderia parecer, como resulta da conjugação dos 33.º e 34.º do art. 145.º, dado que: (a) os poderes constitucionais não podiam também suspender a Constituição «em tudo o que não dizia respeito aos direitos individuais»; (b) quanto aos direitos individuais, o que se permite não é a suspensão da Constituição, mas a dispensa de algumas formalidades que garantem a liberdade individual. É esta interpretação liberal que a nossa doutrina constitucionalista mais representativa defende, orientada mais no sentido americano de «suspensão do *Habeas Corpus*» (em que a detenção preventiva é considerada como única excepção constitucional ao regime repressivo nos casos de rebelião ou invasão), e no sentido doutrinário de Constant (para quem «não existindo os poderes constitucionais senão pela Constituição é claro que não podem suspendê-la»), do que no sentido restauracionista de «suspension de l'empire de la Constitution».

2.3 Constituição de 1838

Na Constituição de 1838 alude-se também a *suspensão* das garantias individuais «por acto do poder legislativo, nos casos de rebelião ou invasão de inimigo, e por tempo indeterminado» (art. 32.º). Nas hipóteses de «situação de necessidade externa» com a «Pátria em perigo» (fórmula que aparece no art. 32.º, 1.º, e cuja inspiração deve talvez procurar-se no Decreto da Assembleia Nacional francesa de 5 de Julho de 1792 que previa as medidas a tomar nos casos de *patrie em danger»,* a suspensão das garantias poderia ser decretada provisoriamente pelo Governo, desde que as Cortes não estivessem reunidas. A fórmula «Pátria em perigo iminente» abre o caminho para um autêntico estado de necessidade constitucional, mas recortam-se já algumas exigências que, mais tarde, acompanharão sempre a constitucionalização das situações de anormalidade: (*a*) *parlamentarização* das situações de necessidade, pois o decreto de suspensão incluirá a convocação das Cortes e conhecimento a estas das medidas tomadas (art. 32.º, 2.º e 6.º); (*b*) observância do *princípio da proibição do excesso* (sobretudo na dimensão da necessidade), pois impõe-se ao Governo o levantamento da «suspensão das garantias por ele decretadas logo que cesse a necessidade urgente que a motivou» (art. 32.º, 3.º); (*c*) *individualização e enumeração expressa na lei ou decreto das garantias que ficam suspensas* (art. 32.º, 4.º); (*d*) *proibição de suspensão de garantias* em períodos eleitorais (art. 32.º ss) [3].

2.4 Constituição de 1911

Com a Constituição de 1911 surge pela primeira vez, na história constitucional portuguesa, o conceito de *estado de sítio* (art. 26.º/16, que teve como fonte o art. 34.º/21 da Constituição brasileira de 1890). Prevê-se agora a declaração de um «estado de sítio, com suspensão total ou parcial das garantias constitucionais, em um ou mais pontos do território nacional, no caso de agressão eminente ou efectiva por forças estrangeiras ou no de perturbação interna». Trata-se de recolher a experiência nacional e estrangeira quanto ao estado de sítio e consagrar uma fórmula de *constitucionalização* da protecção extraordinária do Estado. O estado de sítio passa a ser um regime anormal, mas definido e delimitado na Constituição, e não uma situação de excepção ou suspensão da Constituição. Os aspectos jurídico-constitucionais mais relevantes reconduzem-se ao seguinte: (1) previsão constitucional dos *casos* de estado de sítio de guerra e perturbação interna; (2) determinação constitucional dos *efeitos* da declaração do estado de sítio – *suspensão* total ou parcial das garantias constitucionais; (3) *delimitação espacial* a um ou mais pontos do território nacional; (4) fixação da *competência* de declaração: Congresso ou Poder Executivo no caso de aquele não estar reunido; (5) *controlo parlamentar* das medidas de excepção tomadas pelo Executivo; (6) *responsabilidade* das autoridades pelas medidas violadoras do princípio da proibição do excesso («abuso» de medidas de excepção); (7) *restrição* dos efeitos das medidas de excepção repressivas contra pessoas (cfr. art. 16.º/2).

---

[3] Cfr., por ex., LOPES PRAÇA, *Estudos sobre a Carta Constitucional de 1826,* Vol. I, 1878, p. 145; MARNOCO E SOUSA, *Direito Político,* 1910, p. 749, que, ao abordar o fenómeno da «ditadura extrema», critica nestes termos a posição de Afonso Costa quanto à suspensão das garantias individuais: «A ditadura extrema não vai até ao ponto de suspender a Constituição, no que diz respeito aos direitos individuais, como entende o Sr. Dr. Afonso Costa, pois o 34.º do art. 145.º refere-se unicamente à dispensa por um certo tempo das formalidades que garantem a liberdade individual.»

2.5 Constituição de 1933

A Constituição de 1933 recolheu os dois conceitos fundamentais da Constituição de 1911 no que se refere ao estado de necessidade: *estado de sítio e suspensão de garantias individuais* (cfr. art. 91.º/8). O estado de sítio abrangia o «estado de necessidade externo» («agressão efectiva ou iminente por forças estrangeiras») e o «estado de necessidade interno» («grave perturbação da ordem e segurança pública» e «grave ameaça de perturbação da ordem»). Uma novidade importante, no texto constitucional de 1933 (art. 109.º/6), foi a introdução do conceito de «subversão permanente» e a adesão à ideia de «inimigo interno». No caso de «actos subversivos graves em qualquer parte do território nacional» que não justificavam a declaração do estado de sítio, possibilitava-se ao governo a *restrição* de liberdades e garantias individuais, a fim de «reprimir» a subversão. Embora o texto constitucional de 1933 apontasse para a distinção entre *suspensão colectiva* (no caso de declaração de estado de sítio) e *restrição* (no caso de «actos subversivos graves») de garantias individuais, do que verdadeiramente se tratava, nesta última hipótese, era de *suspensão individual de garantias* a fim de se poder combater politicamente o «inimigo interno» [4].

B. As «técnicas» de juridicização constitucional do direito de necessidade do Estado

Em termos de direito comparado, verifica-se que a constitucionalização das situações de necessidade estadual pode orientar-se de acordo com os seguintes «padrões básicos».[5]

1. Poderes implícitos

Esta técnica aponta para uma leve referência constitucional às situações de necessidade através da simples indicação dos órgãos de soberania competentes para a adopção das medidas necessárias e apropriadas ao restabelecimento da normalidade constitucional. O exemplo típico é o da Constituição dos Estados Unidos em que a maior parte dos poderes exigidos por situações de emergência se baseiam nos chamados **poderes implícitos** («*implied and inherent powers*») ou na cláusula geral dos «poderes de guerra».

---

[4] No sentido de que a diferença entre declaração de estado de sítio e a adopção de medidas necessárias para «reprimir a subversão» se traduzia no facto de nesta última hipótese não haver supremacia militar nem suspensão de direitos, liberdades e garantias, cfr. MARCELLO CAETANO, *Manual de Ciência Política e Direito Constitucional*, Vol. II, 1972, p. 528.

[5] Cfr., desenvolvidamente, BACELAR DE GOUVEIA, *O Estado de Excepção*, vol. I, pp. 220 e ss

2. Cláusula de plenos poderes

A adopção de uma «**cláusula de plenos poderes**» ou «cláusula de ditadura» é outro dos instrumentos constitucionais utilizados. Os exemplos mais conhecidos são o do art. 48.º da Constituição de Weimar e o do art. 16.º da Constituição da V República Francesa de 1958 [6]. Fundamentalmente, a cláusula de plenos poderes assenta ou na "auto-habilitação" do Chefe do Estado, conducente ao exercício de competências acrescidas, indispensáveis à resolução das situações de crise, ou na concentração de poderes no órgão executivo atingindo, nesta segunda hipótese, a natureza de ditadura presidencial.

3. Constitucionalização do direito de necessidade

A **constitucionalidade do direito de necessidade** implica o estabelecimento da regulamentação jurídico-constitucional das situações de necessidade, dispondo-se no texto constitucional sobre a competência, pressupostos, formas, limites e efeitos dos regimes de anormalidade.

Os exemplos mais frisantes são, além da Constituição portuguesa de 1976 (art. 19.º), a Constituição de Bonn, segundo a *Grundgesetzänderung* de 1968 (arts. 115.º e ss), a Constituição sueca, parágrafo 50 da «forma de Governo de 1809», e parágrafo 13.º da «forma de Governo de 1975», a Constituição espanhola de 1978, art. 116.º, e a Constituição brasileira de 1988, arts. 136.º e 137.º

4. Bill de indemnidade

Outro expediente é o da fixação de «prerrogativas» a favor do Executivo, com posterior «'**bill' de indemnidade**» pelo Parlamento. O exemplo clássico é oferecido pelo direito constitucional inglês. Através do recurso ao *Act of Indemnity* ou *Indemnity Bill* o Parlamento legaliza as actuações do governo

---

[6] Neste último dispõe-se o seguinte: «Sempre que as instituições da República, a independência da Nação, a integridade do seu território ou a execução dos seus compromissos internacionais forem ameaçados por forma grave e imediata e o funcionamento regular dos poderes públicos constitucionais for interrompido, o Presidente da República adoptará as medidas exigidas pelas circunstâncias, após consulta oficial do Primeiro-Ministro, dos Presidentes de ambas as Câmaras e ainda do Conselho Constitucional»; o art. 48.º/2 da Constituição de Weimar estabelecia o seguinte: «Se no *Reich* alemão houver alteração ou perigo grave da segurança e ordem públicas, o presidente do *Reich* pode adoptar as medidas necessárias para o restabelecimento da segurança e ordem públicas, intervindo, em caso de necessidade, com o auxílio das forças armadas». Cfr., BACELAR DE GOUVEIA, *O Estado de Excepção*, I, pp. 238 e ss.

consideradas ilícitas no momento da sua prática. O Bill de Indemnidade serve, pois, para apagar a responsabilidade penal ou civil dos membros do Executivo e seus subordinados quando, em casos de emergência, violem as constituições ou as leis [7].

Referências bibliográficas

Alvarez Garcia, V. – *El concepto de necessidad en derecho publico*, Madrid, 1998.
Angiolini, V. – *Necessità ed emergenza nel diritto pubblico*, Padova, 1986.
Ballreich, H. – *Das Staatsnotsrecht in Belgen, Frankreich, Großbritanien, Italien, den Niederlanden, der Schweiz und der Vereinigten Staaten von Amerika*, 1955.
Boldt, H. – «Der Ausnahmezustand in historischer Perspektive», in *Der Staat*, 4/1967, p. 410.
Camus, G. – *L'État de nécessité en Democratie*, Paris, 1965.
Castberg, F. – «Le droit de nécessité en droit constitutionnel», in *Mélanges Gidel*, 1961, pp. 106 e ss.
Ferrari, G. – "Stato di Guerra, Diritto Costituzionale", *Enc.* Dir. XIX (1975).
Fernandez Segado, F. – *El Estado de Excepción en el Derecho Constitucional Español*, Madrid, 1977.
Frier, P. L. – *L'urgence en droit public français*, Paris, 1987.
Gouveia, J. B. – *O Estado de Excepção no Direito Constitucional. Entre a eficiência e a normalidade das estruturas de defesa extraordinária da Constituição*, 2 vols., Coimbra, 1999.
Hesse, K. – «Grundfragen einer verfassungsmässigen Normierung des Ausnahmezustandes», in *JZ*, 1960, pp. 105 e ss.
Stern, K. – *Staatsrecht*, Vol. II, München, 1980, pp. 1328 e ss.
Lamarque, A. – «La théorie de la nécessité et l'article 16 de la Constitution», in *RDPSP*, 1961, p. 558.
Leroy, M. – *L'organisation constitutionelle et les crises*, Paris, 1966.
Praça Lopes, J. J. – *Estudos sobre a Carta Constitucional*, Vol. I, Coimbra, 1878, p. 145.
Marnoco e Sousa – *Direito Político*, Coimbra, 1910, p. 749.

---

[7] Cfr., sobre isto, K. LOEWENSTEIN, *Staatsrecht und Staatspraxis von Grossbritanien*, Vol. 11, 1967, pp. 381 e ss.

Negretto, G. – *El problema de la emergência en el sistema constitucional*, Buenos Aires, 1992.

Pellegrino, C. A. – «Emergências constitucionais» in *BMJ*, 361 (1986), pp. 525 e ss.

Zippelius, R. – *Allgemeine Staatslehre*, 10.ª ed., 1987, pp. 298 e ss.

Schmitt, C. – *Die Diktatur*, 3.ª ed., 1964 (existe trad. esp., Madrid, 1968).

Terneyre, Ph. – «Principe de constitutionnalité et nécessité, in RDP, 1987, pp. 1490 e ss.

Vergottini, G. (org.), *Costituzione el emergenza in America Latina*, Torino, 1997.

Villalon, P. Cruz – «El nuevo derecho de excepción», in *REDC*, n.° 2, 1981.

– *El Estado de Sitio y la Constitución*, Madrid, 1980.

– *Estados Excepcionales y Suspension de Garantias*, Madrid, 1984.

Capítulo 2

O Direito de Necessidade Constitucional na Constituição Portuguesa de 1976

Sumário

A. A tipologia de «estados de necessidade» na Constituição de 1976

   I - Estado de necessidade externo
      1. Estado de guerra
      2. Estado de emergência (militar)

   II - Estado de necessidade interno

B. O problema da suspensão individual dos direitos, liberdades e garantias

C. A disciplina constitucional dos estados de necessidade constitucional

   I - A competência para a declaração do estado de sítio ou de emergência

II - As medidas do estado de sítio ou de estado de emergência

III - As restrições aos direitos fundamentais

IV - O controlo parlamentar da declaração do estado de necessidade

V - A intervenção governamental na declaração do estado de sítio ou de emergência

VI - O controlo jurisdicional da declaração do estado de sítio ou de emergência
   1. Subsistência do acesso à via judiciária
   2. O Tribunal Constitucional como «defensor da constituição de necessidade»

VII - Responsabilidade
   1. Responsabilidade política
   2. Responsabilidade civil

VIII - Vícios dos actos jurídicos de excepção

A. A Tipologia de «estados de necessidade» na Constituição de 1976

Como já se assinalou, as «situações de anormalidade constitucional» não são «estados» sem Constituição ou fora da Constituição, mas sim situações carecidas de uma disciplina jurídico-constitucional diferente daquela que está normativo-constitucionalmente consagrada para os «estados de normalidade» constitucional.[1] É certo que pela sua própria natureza, não é possível «constitucionalizar», de forma global e pormenorizada, estados imprevistos e imprevisíveis, cuja disciplina depende das situações histórico-concretas. Todavia, uma coisa é reconhecer as dificuldades de configurar juridicamente uma **constituição de necessidade**, aperfeiçoada e desenvolvida, e outra é a de tomar essas dificuldades como «pretexto» e lançar as situações de necessidade para os «espaços livres da Constituição». O direito de necessidade do Estado só é compatível com um Estado de direito democrático, constitucionalmente conformado, quando na própria lei fundamental se fixarem os *pressupostos,* as *competências, os instrumentos, os procedimentos* e as *consequências* jurídicas da «Constituição de excepção». Foi tendencialmente este o desiderato pretendido pelo texto constitucional de 1976 ao dedicar vários dos seus preceitos (arts. 19.º, 134.º/*d*, 136.º/3/*b*, 138.º/2, 161.º/*l*, 165.º/*b*, 164.º/*e*, 172.º/1, 179.º/*f*, 197.º/1-*f*, 275.º/6 e 289.º) ao direito de necessidade do Estado. Não obstante o manifesto propósito de se estabelecer um regime específico para situações de crise, compatível com os princípios estruturantes do Estado de direito democrático, não se pode afirmar ser esse regime claro e inequívoco em muitos aspectos essenciais.

O primeiro problema é, desde logo, o da exacta delimitação e caracterização dos dois «estados de anormalidade» constitucionalmente previstos: o *estado de sítio* e o *estado de emergência*. Do texto constitucional apenas se deduz a menor «intensidade da crise» do estado de emergência em relação ao estado de sítio, pois enquanto neste último é possível a suspensão total de direitos, liber-

---

[1] Sobre as diversas concepções de "estado de excepção" cfr. BACELAR DE GOUVEIA, *O Estado de Excepção*, vol. 2, pp. 1205 e ss.

dades e garantias, no primeiro apenas é permitida a suspensão parcial (CRP, 19.°/3 e L 44/86, art. 9.°, excluídos, como é óbvio, os direitos invioláveis).

O conceito de «estado de emergência» é alheio à história constitucional portuguesa pois a sua utilização retroage fundamentalmente a 1956 data em que foi promulgada a L n.° 2084, de 16 de Agosto, reguladora da «Organização Política da Nação em tempo de guerra». Aí se distinguia entre «estado de guerra» e «estado de emergência» e não entre estado de sítio e estado de emergência, declarando-se o *estado de sítio* «em caso de guerra ou de emergência» (L n.° 2084, Base XXXI). Quer dizer: o estado de sítio era o conceito constitucional e as situações fácticas que poderiam justificar a sua declaração (cfr. Bases V e XXXI) reconduziam-se: (1) «estado de guerra» (com declaração de guerra ou de agressão efectiva) e o «estado de emergência» (receio de agressão iminente ou de perturbação da paz) – ambas reconduzíveis àquilo que hoje se chama «estado de necessidade externo»; (2) ameaças ou perturbação grave da ordem e segurança públicas (o que hoje se conhece sob o nome de «estado de necessidade interno»).

Ao preocupar-se em assegurar fundamentalmente as competências para a declaração do estado de sítio ou do estado de emergência, a CRP absteve-se de qualquer fórmula densificadora dos respectivos conceitos. No esquema relacional entre ambos apenas se conclui, como se disse, a menor gravidade do estado de emergência em relação ao estado de sítio (CRP, art. 19.°/3). Impõe-se, contudo, um esforço de densificação destes conceitos, de forma a tornar mais transparentes os *pressupostos objectivos,* justificadores do apelo a mecanismos constitucionais excepcionais. Assim, ambos os conceitos abrangem: (*a*) os tradicionais *estados de excepção militar* (estado de guerra e estado de emergência); (*b*) os *estados de excepção de natureza civil* («grave ameaça de perturbação da ordem constitucional democrática ou calamidade pública»).

I - Estado de necessidade externo

A Constituição fornece alguns elementos densificadores de vários conceitos.

1. Estado de guerra

Existe um **estado de guerra** sempre que se verifique: (*a*) agressão efectiva por forças estrangeiras; (*b*) iminência de agressão por forças estrangeiras (cfr. art. 19.°/2). Não basta, porém, a existência destes dois *pressupostos materiais* para constitucionalmente se falar em estado de guerra. É necessário ainda um *acto*

de declaração formal [(acto da competência do PR – art. 135.º/*c*), mediante prévia autorização da AR (art. 161.º/*l*), e proposta do Governo (art. 198.º/l-*f*)]. Esta declaração não tem propriamente um efeito declaratório, como parece resultar do enunciado linguístico, mas um *efeito constitutivo*. Daí que os efeitos jurídicos – *maxime* a suspensão de garantias constitucionais – ligados ao estado de sítio declarado em virtude da existência de guerra, não resultem automaticamente da existência objectiva dos pressupostos; tornam-se necessários dois actos juridicamente formalizados: (1) declaração do estado de guerra; (2) declaração do estado de sítio. Materialmente considerados, estes dois actos de declaração são «decisões políticas». Constituem, para utilizarmos um termo clássico, «actos de governo», mas embora sejam caracterizados por um largo espaço de liberdade de conformação política, eles não são actos «livres» ou «desvinculados»; são actos jurídico-constitucionalmente vinculados aos pressupostos materiais (subjectivos e objectivos) enumerados na Constituição.

2. Estado de emergência (militar)

Em relação ao estado de guerra, o **estado de emergência** é uma espécie de pré-estádio, parcialmente coincidente com o estado de prevenção, e que não sendo susceptível de precisão normativa, aponta fundamentalmente para a ideia de uma situação de crise que sendo já uma *ameaça* não constitui ainda perigo iminente (o que justificaria a declaração do estado de guerra).

Em qualquer destas hipóteses, os órgãos constitucionais competentes podem «decidir», declarando o estado de sítio ou o estado de emergência, conforme se lhes afigure necessário à prossecução da defesa nacional (cfr. LDFA n.º 29/82, de 11 de Dezembro – Lei de Defesa Nacional e das Forças Armadas –, art. 5.º). É evidente que o princípio da proibição do excesso apontará para o recurso à declaração do estado de emergência se este for suficiente para restabelecer a normalidade constitucional (CRP, art. 19.º/4, e L 44/86, de 30/9, arts. 3.º, 8.º/1, 9.º/1). [2]

---

[2] A L 44/86, de 30-9, é a actual lei reguladora do estado de sítio e estado de emergência. Cfr. as colectâneas de ROBOREDO SEARA/LOUREIRO BASTOS/MATOS CORREIA/NUNO ROGEIRO/LEITE PINTO, *Legislação de Direito Constitucional*, Lisboa, 1990, e de J. BACELAR GOUVEIA, *Legislação de direitos fundamentais*, Coimbra, 1991.

II - Estado de necessidade interno

O estado de sítio e o estado de emergência podem também ser declarados nos casos de **estado de necessidade interno**, isto é, nas hipóteses de crise derivadas: (*a*) grave ameaça ou perturbação da ordem constitucional democrática; (*b*) calamidade pública.

O âmbito normativo de «calamidade pública» é muito mais fácil de precisar do que o de «grave ameaça ou perturbação da ordem constitucional democrática». Por calamidade pública entendem-se as catástrofes naturais (terramotos, vulcões, tempestades, inundações e epidemias), as «catástrofes tecnológicas» e os «acidentes graves» (acidentes ferroviários, náuticos, aéreos, incêndios, explosões, etc.).

A delimitação do âmbito normativo do conceito de «grave ameaça ou perturbação da ordem constitucional democrática» levanta mais dificuldades. Por um lado, suscitam-se a este respeito os mesmos problemas revelados pela história do regime de excepção constitucional, designadamente: (*a*) transformação do estado de sítio ou do estado de emergência em instrumentos políticos de combate a qualquer situação de conflitualidade social, económica e política; (*b*) utilização das forças armadas contra cidadãos. Por outro lado, é extremamente claudicante a caracterização dos pressupostos de «grave ameaça ou perturbação da ordem constitucional democrática». Interessa, por isso, fazer um esforço de densificação do conceito em referência. Os elementos a considerar são fundamentalmente dois. Em primeiro lugar, o objecto de protecção é a *ordem constitucional democrática* e não qualquer apriorística e monolítica «ordem pública» ou «segurança pública», definida a nível infraconstitucional. Não se trata, pois, de defender uma «ordem do Estado», mas sim uma ordem constitucional, isto é, a ordem jurídica normativamente conformada pela Constituição (cfr. art. 356.º do Cód. Penal). Em segundo, os *pressupostos* justificadores da adopção das medidas do estado de sítio ou de emergência são apenas a «perturbação da ordem constitucional» ou a sua «grave ameaça». Não basta um perigo abstracto, exigindo-se antes uma ameaça concreta[3].

---

[3] Cfr. GOMES CANOTILHO/VITAL MOREIRA, *Constituição da República Portuguesa, Anotada*, Vol. II, anotação IV ao art. 137.º A exigência de ameaça concreta explica que na mensagem do Presidente da República que acompanha o pedido de declaração do estado de sítio ou estado de emergência constem os factos justificativos da declaração e os elementos constitutivos do conteúdo da declaração (CRP, art. 19.º/5 e L 44/86, arts. 14.º e 24.º/2).

Além disso, também não é suficiente a ameaça ou lesão de bens constitucionais que possam ser defendidos através de medidas normais de política (cfr. art. 272.°); a ameaça ou perturbação deve pôr em causa a ordem constitucional democrática e os seus princípios estruturantes, e deve ser de tal modo «grave» que não é possível combatê-la a não ser através dos meios extraordinários do estado de sítio ou do estado de emergência.

B. O Problema da Suspensão Individual dos Direitos, Liberdades e Garantias

A Constituição portuguesa não prevê nem admite a figura da *suspensão individual dos direitos, liberdades e garantias*. Existe, sim, **suspensão colectiva de alguns direitos, liberdades e garantias** em casos de declaração do estado de sítio ou do estado de emergência. Diferentemente do que acontece com o estado de sítio e o estado de emergência, a suspensão individual não obedece aos princípios da generalidade e da publicidade; efectiva-se, como o nome indica, de forma *individual* em relação a *pessoas determinadas*.

A prossecução dos objectivos de defesa da ordem constitucional democrática contra certas formas de criminalidade organizada (droga, terrorismo) só pode ser feita, na ordem constitucional portuguesa, através da restrição de direitos – nunca suspensão – e nos casos e mediante os procedimentos constitucionalmente previstos. Consequentemente, dada a exigência de generalidade e abstracção das leis restritivas de direitos, liberdades e garantias (cfr. art. 18.°/3), terão de reputar-se inconstitucionais as leis que, de qualquer forma, institucionalizem a figura da suspensão individual de direitos, liberdades e garantias. O princípio da igualdade e não discriminação subsistirá sempre como parâmetro conformador da constitucionalidade ou da legalidade da declaração do estado de sítio e estado de emergência e das respectivas medidas de execução (L 44/86, art. 2.°/2).

A legitimidade da suspensão individual de direitos, liberdades e garantias também não pode procurar-se a nível supraconstitucional ou a nível de direito internacional. Por vezes, invoca-se o «estado de necessidade» como «princípio civilizacional» para justificar a introdução do *direito de necessidade simples* (*einfache Notstandsrecht,* na terminologia alemã), isto é, um conjunto de preceitos infraconstitucionais reguladores de situações de necessidade. Este direito de necessidade simples está, porém, sujeito a uma dupla exigência: (1) em primeiro lugar, não há qualquer fonte de legitimidade para regimes de excepção a não ser a própria lei fundamental (cfr. n.º 1), de onde resulta a inadmissibilidade do recurso a «princípios» ou «razões» extraconstitucionais para introduzir legalmente regimes de excepção; (2) o *direito de necessidade simples* tem de conformar-se formal e materialmente com as normas constitucionais, podendo, com base nestas, justificarem-se *restrições* (nunca suspensões) a direitos, liberdades e garantias para salvaguarda de outros bens constitucionalmente protegidos.

A nível de direito internacional, poderia pensar-se numa eventual autorização de suspensão com base no art. 29.º/2 da DUDH (cfr., também, art. 17.º da CEDH) em que se prevê uma cláusula geral de limitação dos direitos fundamentais com base em exigências de ordem pública. Mas o recurso à Declaração dos Direitos do Homem que alguns pretendem basear no art. 16.º da Constituição não tem base constitucional satisfatória: (*a*) o princípio da interpretação em conformidade com a Declaração vale para assegurar maior eficácia aos direitos fundamentais e não para os restringir; (*b*) o princípio de tipicidade das restrições aos direitos, liberdades e garantias (art. 18.º/2), deixaria de ter qualquer sentido se se «acrescentassem» outras restrições para além das «expressamente previstas na Constituição»; (*c*) a própria DUDH, para além de não especificar restrições aos direitos nela previstos, limita-se a prever a possibilidade de os ordenamentos nacionais estabelecerem restrições por motivos de ordem pública, restrições estas que não podem violar o princípio da constitucionalidade (isto é, só podem efectivar-se nos termos previstos na Constituição). Cfr. Gomes Canotilho/Vital Moreira, *Constituição da República*, p. 139.

C. A Disciplina Constitucional dos Estados de Necessidade Constitucional

I - A competência para a declaração do estado de sítio ou de emergência

A **declaração do estado de sítio ou do estado de emergência** é *feita através de decreto presidencial de declaração do estado de sítio ou de emergência e constitui* um *acto próprio* do PR (art. 134.º/*d*), mas condicionado à autorização prévia da AR (arts. 161.º/*l* e 179.º/3-*f*) e à audição do Governo (arts. 138.º/1 e 197.º/*f*), carecendo ainda de referenda governamental (art. 140.º/1). Pretendeu-se aqui um mecanismo complexo de interdependência, não afastando nenhum dos órgãos de soberania com tarefas políticas de intervenção e responsabilidade em situações de necessidade.

A participação conjunta de vários órgãos de soberania revela-se no complexo de actos constitutivos do *procedimento de declaração do estado de sítio:* (1) o PR, após audição do Governo, solicita à AR, em mensagem fundamentada, autorização para a declaração; (2) a AR, apreciando materialmente os pressupostos legitimadores da declaração e os termos propostos para o seu regime, decide da concessão de *autorização* ou da *confirmação* nos casos de a declaração do estado de sítio ou de emergência ter sido autorizado pela Comissão Permanente da Assembleia da República (art. 138.º/2, na redacção da LC 1/97); (3) o PR procede, através de decreto presidencial, mas com referenda do Governo, à declaração do estado de sítio ou de emergência.

A competência do PR para o acto de declaração é compreensível: (1) ele representa a República no plano das relações externas, competindo-lhe também assumir a vinculação internacional do Estado nos casos de declaração de guerra (art. 135.º/*c*); (2) ele é o Comandante Supremo das Forças Armadas (art. 134.º/*a*). Todavia, se o *acto próprio* do PR é um acto de natureza constitutiva, de relevância fundamental, ele insere-se num complexo de actos – *procedimento de declaração* – revelador da actual tendência dos Estados constitucionais para a *procedimentalização* da formação dos actos estaduais mais importantes (cfr. *supra* e L 44/86, arts. 24.º e ss.)[4].

II - As medidas do estado de sítio ou de estado de emergência

A CRP alude à adopção de **medidas** adequadas para o restabelecimento da normalidade constitucional (cfr. art. 19.º/8). O enunciado linguístico «medidas» (cfr. *supra*) abrange todos os meios – quer sejam de natureza fáctica quer de natureza jurídica – adequados, necessários e proporcionais a esse restabelecimento (princípio da proibição do excesso). Nestes meios incluem-se medidas de natureza concreta e actos normativos (regulamentos, decretos, etc.)[5].

III - As restrições aos direitos fundamentais

As situações de necessidade constitucional pressupõem a possibilidade de restrições mais intensas dos direitos fundamentais do que aquelas que constitucionalmente são admitidas em situações de normalidade. O instrumento

---

[4] Cfr., sobre isto, K. STERN, *Das Staatsrects*, Vol. I, p. 154.

[5] Cfr. a história da fórmula *medida* (= *mesure*) em K. HUBER, *Maßnahmegesetz und Rechtsgesetz*, Berlin, 1963, pp. 102 e ss. No plano legislativo, cfr. L 44/86, arts. 2.º/2 e 17.º

ou medida classicamente admitido é a **suspensão colectiva de direitos** (cfr. art. 19.º). Esta suspensão colectiva está rodeada de cautelas tendentes a evitar o aproveitamento das situações de excepção para se introduzirem medidas abusivas ou excessivas. Deste modo, estabelece-se um regime cauteloso.

(1) Proibição absoluta da suspensão de alguns direitos, liberdades e garantias e de alguns princípios constitucionais (CRP, art. 19.º/4, e L 44/86, art. 2.º). É o que se chama, na terminologia alemã, *diktaturfeste Grundrechte*, ou seja, «direitos fundamentais garantidos ou firmados contra a ditadura» ou, noutra terminologia, mais contraída, de *direitos invioláveis*.[6]

(2) Exigência de *especificação* dos direitos, liberdades e garantias afectados pela declaração do estado de emergência ou estado de sítio (CRP, art. 19.º/3 e L 44/86, art. 14.º/1/*d*). Subjacente a esta exigência está a conhecida máxima *enumeratio ergo limitatio*. Consequentemente, todos os direitos que não forem enumerados na declaração do estado de sítio, ficam fora das medidas restritivas de excepção.

(3) *Proibição* do *excesso*, devendo observar-se os princípios da adequação, necessidade e proporcionalidade relativamente às medidas restritivas (CRP, art. 19.º/4/6/7 e L 44/86, art. 3.º).

(4) *Limitação* temporal (art. 19.º/5 e L 44/86, art. 5.º), pois a suspensão dos direitos, liberdades e garantias não pode prolongar-se por mais de 15 dias, embora se admita a renovação por períodos com igual limite (cfr. art. 162.º/*b*).

IV - O controlo parlamentar da declaração do estado de necessidade

É particularmente significativa, no direito constitucional português, a **intervenção parlamentar** nas situações de necessidade estadual. Esta efectiva-se em vários momentos, pois à AR compete um importante papel de controlo. Em primeiro lugar, autoriza, através de *resolução* (CRP, art. 166.º/5 e L 44/86, art. 25.º), a declaração do estado de sítio ou estado de emergência (arts. 138.º/1 e 161.º/*l*), ou confirma, também através de resolução essa declaração no caso de a autorização ter sido concedida pela Comissão Permanente da AR por esta não estar reunida nem ser possível a sua reunião imediata (arts. 138.º/1 e 2, 164.º/*e*, 172.º/3 e 179.º/*f*). A autorização da AR não é exigida apenas para o se da declaração, mas

---

[6] Cfr., M. REBELO DE SOUSA, *O Valor Jurídico do acto inconstitucional*, pp. 169 e ss; BACELAR DE GOUVEIA, *O Estado de Excepção*, vol. 2, pp. 1568 e ss.

também para a sua *duração* e demais termos do estado de excepção [7] (cfr. L 44/86, art. 16.º). Em segundo lugar, controla a própria aplicação da declaração do estado de sítio ou do estado de emergência (art. 162.º/*b*), o que significa a possibilidade de fiscalização política das medidas concretamente adoptadas para restabelecer a normalidade constitucional.[8] Finalmente, define, através de lei *orgânica* enquadrada na sua reserva absoluta de competência legislativa (art. 164.º/*e*), aprovada por maioria qualificada (art. 168.º/5), o regime legal do estado de sítio e do estado de emergência.

Perante esta gama de poderes – de definição do regime legal, de autorização e de controlo – não é incorrecto falar-se em «parlamentarização» do estado de sítio ou estado de emergência. A responsabilidade da AR perante situações de necessidade estadual justifica a proibição da sua dissolução durante a vigência do estado de sítio ou do estado de emergência (art. 172.º/1) e a sanção severa da *inexistência jurídica* para qualquer decreto presidencial de dissolução violador das normas constitucionais (art. 172.º/2).

V - A intervenção governamental na declaração do estado de sítio ou de emergência

Diferentemente do que acontece em alguns países, retirou-se ao Governo (em virtude das «lições da história») o papel decisório primário na declaração do estado de sítio ou do estado de emergência. O PR declara e a AR autoriza e confirma. Todavia, implicando a declaração dos estados de necessidade estadual a adopção de medidas – executivas, administrativas, militares, orçamentais, diplomáticas – da competência do Governo, não se compreenderia que ele não fosse ouvido (direito de audição, art. 138.º/1), e não se pronunciasse, como órgão responsável pela direcção da política geral do País, sobre a mesma declaração (art. 197.º/1/*f* e *g*). Por outro lado, algumas das principais situações de necessidade estadual – casos de agressão efectiva ou iminente por forças estrangeiras –

---

[7] Tudo isto deve constar da lei de autorização. Cfr. GOMES CANOTILHO/VITAL MOREIRA, *Constituição da República,* cit., anotação XXIV ao art. 164.º

[8] A apreciação tanto pode verificar-se durante a vigência do estado de excepção como pode consistir numa apreciação global posterior. Cfr. GOMES CANOTILHO/VITAL MOREIRA, *Constituição da República,* anotação ao art. 165.º A apreciação da aplicação da declaração após a cessação do estado de sítio vem regulada na L 44/86, art. 29.º. Cfr., BACELAR DE GOUVEIA, *O Estado de Excepção,* vol. 2, p. 1582.

exigem mesmo a intervenção activa e primária do Governo – propor ao PR a declaração da guerra (art. 197.º/g).

Em face destes dados jurídico-constitucionais, a intervenção do Governo não se reconduz a uma simples função consultiva, de carácter neutro, interno e preparatório (com o objectivo exclusivo de dar parecer, esclarecer ou estudar a declaração do estado de excepção). O *acto de pronúncia* do Governo é um acto de juízo com relevância autónoma, em que o Governo exprime a sua opinião sobre os pressupostos legitimadores da declaração do estado de sítio ou do estado de emergência, avalia discricionariamente o mérito da eventual decisão e aprecia as possibilidades e limites das medidas que a ele pertencerá adoptar (como órgão encarregado da defesa nacional, da manutenção da ordem e segurança em tais situações)[9].

VI - O controlo jurisdicional da declaração do estado de sítio ou de emergência

1. Subsistência do acesso à via judiciária

No art. 19.º/6 estabelece-se, *expressis verbis,* a proibição da suspensão dos direitos de defesa do arguido, e, desde logo, do **direito de acesso à via judiciária**. Deduz-se, assim, que a garantia jurídico-constitucional traduzida na existência de tribunais adequados fica intocada pela declaração do estado de sítio ou do estado de emergência (cfr. L 44/86, art. 23.º). O princípio geral a seguir é, o da interpretação dos preceitos referentes ao direito de necessidade no sentido da observância e manutenção dos meios de defesa típicos do Estado de direito. Os cidadãos mantêm, pois, na sua plenitude, o direito de acesso aos tribunais para defesa dos seus direitos, liberdades e garantias lesados ou ameaçados de lesão por quaisquer providências inconstitucionais ou ilegais (L 44/86, art. 6.º)[10].

---

[9] Precisamente nestes termos, cfr. GOMES CANOTILHO/VITAL MOREIRA, *Constituição da República Portuguesa,* anotação ao art. 200.º Vide, também, L 44/86, arts. 17.º ss, sobre a competência do Governo quanto à execução da declaração do estado de sítio e de estado de emergência.

[10] Isto não exclui a possibilidade de algumas alterações de competência sujeitando, por ex., certos crimes ao foro militar. Cfr. L 44/86, art. 22.º.

2. O Tribunal Constitucional como «defensor da Constituição de necessidade»

Se a declaração do estado de sítio e do estado de emergência não perturba o esquema organizatório-funcional do Estado (CRP, art. 19.º/7), parece legítimo admitir-se o controlo da constitucionalidade e da ilegalidade das medidas de excepção (decreto presidencial, resolução da AR autorizativa ou confirmativa da declaração, actos executivos) pelos tribunais e pelo Tribunal Constitucional (neste último caso, como é óbvio, sempre que as medidas incorporem actos de natureza normativa) (cfr. L 44/86, art. 3.º/3). A enunciação taxativa dos actos sujeitos a fiscalização preventiva (CRP, art. 278.º) parece afastar a possibilidade de controlo prévio da declaração de actos de estado de sítio não obstante o carácter normativo desta.[11]

VII - Responsabilidade

1. Responsabilidade política

As exigências de constitucionalidade e de legalidade justificam a consagração de **crimes de responsabilidade** (L 34/87, de 16-7), relativamente aos autores que, na execução da declaração do estado de sítio ou estado de emergência, violem a lei geral do estado de sítio ou estado de emergência (L 44/86) ou as leis autorizativas ou confirmativas dos mesmos. Particularmente relevante é o art. 15.º da L 34/87 (Responsabilidade dos titulares a cargos políticos) onde se prevê e pune como crime a suspensão ou restrição ilícitas de direitos, liberdades e garantias efectivada por qualquer titular de cargo político: (1) com flagrante desvio das suas funções ou com grave violação dos inerentes deveres; (2) sem recurso legítimo aos estados de sítio ou de emergência ou com violação das regras de execução do estado declarado. Além desta hipótese, deve relevar-se ainda os casos de crimes de atentado contra a Constituição da República e contra o Estado de direito (Cod. Penal, art. 325.º e L 34/87, art. 9.º).

2. Responsabilidade Civil

A Lei do Regime do Estado de sítio e de Estado de emergência consagra (art. 2.º/3) a **responsabilidade civil** por violação dos direitos, liberdades

---

[11] Cfr., BACELAR DE GOUVEIA, *O Estado de Excepção*, vol. 2, pp. 120 e ss.

e garantias durante a vigência do estado de necessidade. Isto significa que o direito à indemnização – corolário lógico da efectivação da responsabilidade – não é susceptível de ser objecto de suspensão sob pena de esvaziamento do próprio direito fundamental à responsabilidade.[12]

VIII - Vícios dos actos jurídicos de excepção

Não há uma tipologia específica dos desvalores dos "actos de excepção" inconstitucionais. Valem aqui as categorias dogmáticas da *invalidade* nas várias modelações atrás referidas (nulidade, anulabilidade, irregularidade, inexistência). O regime regra será o da nulidade, mas há que ter aqui em conta a particular relevância do desvalor jurídico da inexistência quando se viola o núcleo essencial dos direitos insusceptíveis de suspensão (CRP, art. 19.º) e das regras básicas de competência (ex.: estado de sítio declarado pelo Chefe de Estado Maior das Forças Armadas).

Referências bibliográficas

Correia, P. Damasceno – *Estado de sítio e de Emergência em Democracia*, Lisboa (s.d. 1989).
Gomes Canotilho/Vital Moreira – *Constituição da República Portuguesa, Anotada*, anotações aos arts. 19.º, 137.º, 141.º, 164.º, 182.º, 200.º e.
Gouveia, J. B. – *O Estado de Excepção no Direito Constitucional. Entre a eficiência e a normatividade das estruturas de defesa extraordinária da Constituição*, 2 vols., Coimbra, 1999.
Miranda, J. – *Manual de Direito Constitucional*, Tomo IV, Coimbra, 1993, pp. 310 e ss.
– "Estado de sítio" e "estado de emergência" in DJAP, vol. IV, 1991, p. 259.
Morais, C. B. – *O Estado de Excepção*, Lisboa, 1984.
Pellegrino, G. R. – "Emergências Constitucionais", in BMJ, 361 (1986).
Suordem, F. P. – "Os estados de excepção constitucional – Problemática e regime jurídico", in SJ, XLIV (1999), pp. 245 e ss.

---

[12] Vide BACELAR DE GOUVEIA, *O Estado de Excepção*, vol. 2, p. 1243.

Parte IV
Metódica Constitucional

Título 1
Metódica Constitucional Geral

Capítulo 1
Sentido da Metódica Constitucional

Sumário

A. Considerações Gerais

    I - Base teórica – a metódica estruturante

    II - Dificuldades metódicas

  B. Veja-se Um Caso

    I - Topologia do caso

    II - Painel: os caminhos da razão pública

  C. Metódica Constitucional e Metodologias Regionais

  D. Objectos de Investigação e Procedimento Metódico (gráficos)

A. Considerações Gerais

I - Base teórica - a metódica estruturante

Nesta parte procura-se o apuramento dos *métodos de trabalho* dos aplicadores-concretizadores das normas constitucionais (regras e princípios). Através da **metódica constitucional** investigam-se os procedimentos de realização, concretização e cumprimento das normas constitucionais. Este desiderato metódico – realizar, concretizar, aplicar, cumprir as normas constitucionais – exige uma *metódica tridimensional*. Pretende-se: (1) saber como se estruturam as regras e princípios da constituição positivamente vigente – *teoria da norma constitucional*; (2) captar todo o ciclo de realização das normas constitucionais desde o estabelecimento do texto da norma (*teoria do poder constituinte*) até à sua concretização pelo legislador ordinário e pelos órgãos de aplicação do direito – administração e juízes, – o que pressupõe uma *teoria da legislação*, uma *teoria da decisão administrativa* e uma *teoria da decisão judicial*; (3) oferecer princípios hermenêuticos e de argumentação de forma a possibilitar um procedimento concretizador racional e objectivamente controlável (teoria da interpretação, teoria da argumentação, hermenêutica).

A metódica constitucional, diferentemente da metodologia tradicional, não se concentra apenas na realização judicial do direito. Assume-se como **metódica estruturante**. Esta metódica assenta, desde logo, na ideia de que o trabalho de aplicação das normas constitucionais implica, simultaneamente, o manejo de uma *teoria da norma*, de uma *teoria da constituição* e de uma *dogmática jurídica*.

A teoria da norma constitucional conduzir-nos-á à análise da *estrutura normativa* da constituição. A ideia fundamental resume-se assim: a constituição é um *sistema normativo aberto de regras e princípios*.

A teoria da constituição será aqui considerada (ver *infra*, Parte V) na medida em que a constituição é um *conjunto de textos de normas* estabelecido por um poder normativo-constituinte legítimo e ao qual se pode imputar a criação de normas jurídico-constitucionais. A preocupação metódica com os textos das normas justifica esta interrogação básica: a constituição reconduz-se apenas às normas enunciadas no texto constitucional? Por outras palavras: o que significa o texto (ou textos) da constituição para a extrinsecação de normas constitucionais? Este será o objecto do primeiro Capítulo: *o que é a Constituição*. A teoria das normas constitucionais revelar-nos-á uma grande *riqueza de formas* quanto à estrutura, conteúdo e função das normas constitucionalmente positivadas. Tentar-se-á, por isso, analisar a estrutura normativa da constituição distinguindo entre *normas-regras* e *normas-princípio* e individualizando uma *tipologia de normas*. A isso se destinará o segundo Capítulo: a *Constituição como sistema aberto de normas e princípios*.

A aplicação de normas constitucionais implica uma **dogmática jurídica**. A dogmática jurídica concebe-se como uma disciplina pluridimensional (Alexy) abrangendo três actividades básicas: (1) descrição do direito vigente; (2) análise sistemática e conceitual deste direito; (3) elaboração de propostas de solução de casos jurídicos problemáticos. Há, assim, sempre, na actividade interpretativa-aplicativa de normas constitucionais, uma *dimensão teórico-descritiva* e *prático-normativa*.

As normas constitucionais, como quaisquer normas jurídicas, procuram *regular* a vida e são por esta *constituídas*. Atribuir um sentido às normas a fim de se regularem juridicamente os casos da vida implica um complexo procedimento, vulgarmente chamado **interpretação da Constituição**. Interpretar *o quê?* Interpretar *como? Quem* interpreta? A metódica constitucional *leva a sério* os textos das normas constitucionais. Adiante ver-se-á que levar a sério os textos das normas constitucionais significa tomar estes textos como pontos de partida da construção de normas jurídicas. Significa ainda *ir para além dos textos*. E isto porque a interpretação do texto constitucional é uma *mediação-atribuição* de sentido. Confrontamo-nos com *códigos binários*: autor/leitor, texto/destinatário, passado da escrita/presente da leitura, intenção subjectiva do criador do texto/objectividade da mensagem, abstracção da norma/concreção do caso, letra da norma/espírito, fixação de sentido/reactivação, revitalização do sentido, dizer a norma/redizer, reactualizar a norma, a parte (a palavra, a frase, o artigo), o todo (a lei, o código, o sistema). O procedimento de interpretação, aplicação e concretização das normas constitucionais será estudado no Capítulo terceiro.

II - *Dificuldades metódicas*

Atribuir um sentido a um texto de uma norma constitucional a fim de se obter uma norma jurídico-constitucional para a decisão dos "casos constitucionais" implica aqui, em sede de interpretação da constituição, dificuldades acrescidas em relação à interpretação de outros tipos de normas jurídicas

(normas jurídico-civis, normas jurídico-penais). Interpretar a Constituição oferece em geral mais dificuldades do que interpretar as normas de um código civil ou de um código penal. Porquê?

Em primeiro lugar, as dificuldades interpretativas radicam na *textura aberta* das normas constitucionais. Daí o problema da *aplicabilidade directa* e os problemas de *densificação legislativa e judicial* (concretização pelo legislador e concretização pelo juiz) inerentes à metódica de concretização de normas.

Associada à textura aberta anda a questão da *dimensão política* da actividade interpretativa. O procedimento interpretativo e o seu resultado devem considerar-se *neutrais* ou pressupõem uma *leitura moral* (*moral reading*) sobre os bens e valores de uma comunidade (vida, igualdade, liberdade, integridade)?

A terceira dificuldade radica no *teoreticismo* dos métodos de trabalho. Existe mesmo, segundo alguns autores, uma radical contradição entre os objectivos da metódica – fornecer instrumentos de trabalho de natureza prática – e o respectivo discurso pejado de teorias. Se abrirmos os livros dedicados à metódica e metodologia, em vez de aprendermos a resolver os "casos constitucionais" deparamos com uma infinidade de teorias sobre a interpretação do texto constitucional. A doutrina constitucional americana fornece um sugestivo exemplo: "textualism" ("clause bound", "structuralist", "purposive"), "originalism", "developmental aproach", "doctrinalism", "philosophic aproach", "systemic and transcendent structuralism", "balancing", etc. A metodologia não pode deixar de tomar em consideração alguns lugares teóricos e compreensões da constituição. A teoria não deve nem pode, porém, tornar opacos e falhos de operacionalidade os princípios hermenêuticos.

A metódica constitucional debate-se ainda com aquilo que já se chamou *epigonismo positivista*. Por mais que se faça fé numa *metodologia pós-positivista* quer vá para além dos textos, os operadores jurídicos mostram-se relapsos em ultrapassar os postulados positivistas: (1) as soluções dos casos encontram-se nos textos das normas; (2) a interpretação/aplicação de normas é a aplicação da regra geral e condicional precisa e suficientemente definida nos "códigos". Quem assim proceder não sabe nada de direito constitucional.[1]

---

[1] Sobre este conjunto de problemas cfr., agora, a análise de Markus Schefer centrada no direito norte-americano: *Konkretisierung von Grundrechten durch den US-Supreme Court. Zur Sprachlichen, historischen und demokratischen Argumentation im Verfassungsrecht*, Berlin, 1997.

B. Veja-se Um Caso

I - Topologia do caso

Um bom método de trabalho para quem se aproxima dos problemas de interpretação das normas constitucionais é fazer um *briefring* de um caso concreto (*briefing a case*). Se possível escolha-se: (1) um "caso difícil" (*hard-case*); (2) um caso paradigmático (*standard-case*, *leading-case*). A sugestão que faremos é a do "caso da interrupção da gravidez". Duas vezes foi chamado o Tribunal Constitucional, ainda na década de oitenta, a pronunciar-se sobre o problema da ilicitude e causas de exclusão da ilicitude da interrupção da gravidez[2]. Foi de novo chamado a pronunciar-se sobre o tema a propósito do referendo sobre o aborto (Ac TC 288/98). Quase todos os tribunais constitucionais (Estados Unidos, Alemanha, França, Itália) tiveram semelhante responsabilidade perante o mesmo problema. A proposta aqui feita é, assim, uma proposta de um caso difícil e paradigmático solucionado por diferentes tribunais em diferentes países e com respostas diferentes em épocas diferentes. Os passos metódicos são fundamentalmente os seguintes.

1. *Contexto* – Em que é que consistiu o caso e quais os factos? O contexto recorta-se, em primeiro lugar, em termos sociológicos: os problemas políticos, sociais e humanos suscitados pela prática da interrupção da gravidez. Em segundo lugar, enfrenta-se o chamado "contexto legislativo", ou seja, a política do governo e do parlamento legislativamente formulada quanto a esta questão ("leis sobre a interrupção da gravidez"). Em termos metódicos, isso significa analisar a *densificação* pelo legislador das normas constitucionais. Quais as normas constitucionais envolvidas?

2. *O texto da norma* e o *significado da norma* – Este passo aproxima-nos de importantes momentos interpretativos. Uma só disposição (formulação, enunciado) pode revelar normas diferentes segundo os sentidos interpretativamente atribuídos ao texto da norma. O texto da norma relevante (ou mais relevante) para o caso é este (art. 24.º/1): "A vida humana é inviolável". A disposição em referência pode revelar uma de três normas consoante o significado que lhe é adscrito: (1) "a vida humana é inviolável desde o momento do nascimento até ao momento da morte"; (2) "a vida humana é inviolável desde o momento da concepção até ao momento da morte"; (3) "a vida humana é

---

[2] Ver Acórdão n.º 25/84, publicado no *DR*, II Série, n.º 80, de 4-4-84, e, agora, em *Acórdãos do Tribunal Constitucional*, Vol. 2 (1984), e Ac. n.º 85/85, de 29-5-85; in *Acórdão*, vol. 5 (1985); JORGE MIRANDA, *Jurisprudência Constitucional Escolhida*, Vol. 1, Lisboa, 1996, pp. 163 e ss; J. LOUREIRO/J. MACHADO/M. B. URBANO, *Casos Práticos Resolvidos*, Coimbra, 1995.

inviolável desde o momento em que, de acordo com os dados da ciência, começa a haver vida intra-uterina até ao momento da morte". Não é indiferente para efeitos da protecção da vida e para efeitos de controlo da densificação legislativa optar-se por uma ou outra interpretação.

3. *Controvérsias constitucionais* – Quais as principais controvérsias suscitadas pela regulação legislativa da interrupção da gravidez? Quais as respostas dadas pelo legislador e pelos tribunais a essas controvérsias? A protecção do "bem" da vida é tão extensa como a protecção da vida depois do nascimento? A protecção do bem da vida pelo Estado justifica o recurso às reacções mais enérgicas da ordem jurídica, ou seja, o recurso a sanções criminais (criminalização do aborto)? A criminalização será sempre justificada ou poderão existir, em certos casos, causas de exclusão da ilicitude ou da culpa (ex.: nos casos de aborto terapêutico, aborto criminógeno e aborto eugénico)? A interrupção da gravidez não será uma questão de liberdade de decisão dos procriadores e, sobretudo, da mulher?

4. *Argumentos, mais argumentos!* – Quais são os argumentos a favor e contra as posições sugeridas no ponto 3? Tenham-se em conta algumas teses: (1) uma mulher tem o direito constitucionalmente protegido de controlar o uso do seu próprio corpo (R. Dworkin); (2) o Estado – qualquer Estado – deve proteger e tem interesse em proteger a "vida fetal" desde logo porque o feto tem direitos; (3) a protecção da vida social não é dirigida à protecção de direitos ou interesses dos cidadãos mas a protecção da vida como bem objectivo e intrínseco, como um valor em si.

5. *A retórica argumentativa do Tribunal Constitucional*. É importante analisar as "razões constitucionais" da tese vencedora e as "razões constitucionais" dos votos dissidentes estudando os *obiter dicta* das sentenças e o recorte das questões jurídico-constitucionais feito pelos juízes. O feto é uma pessoa em sentido constitucional? O feto tem direitos e interesses? Qual o grau de responsabilidade constitucional do Estado na protecção da vida fetal? Existe um direito fundamental da mulher ao aborto? Existe um direito constitucional à autonomia procriativa?

6. *Decisão do caso* – Qual foi a norma de decisão elaborada pelo Tribunal Constitucional e qual a ideia(s) (*holding*) rectriz da sentença? A sentença gozará de *aceitabilidade racional*, ou seja, o resultado final do processo de *justificação* jurídica dos juízes tem força racional a ponto de beneficiar da aceitação dos membros da comunidade jurídica?

Teste-se a razoabilidade argumentativa e a bondade material da decisão tendo em conta o esquema seguinte, onde são visíveis os dois principais eixos de argumentação: um centrado nos "direitos" do feto e o outro privilegiando sobretudo os "direitos" da mulher grávida.

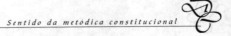

II - Painel: os caminhos da razão pública

A. Cada indivíduo tem igual valor como pessoa (*)
(princípio da dignidade humana)

B. Estado tem o dever de proteger o feto

C. O feto tem um direito à vida

D. O Estado tem o dever de prevenir abortos

E. Liberdade de aborto nas primeiras 12 semanas e o dever de recorrer a consulta médica pela mulher grávida é um meio de prevenir abortos

F. A mulher grávida tem uma liberdade de aborto nas primeiras 12 semanas (e deveres de consulta)

G. A mulher grávida tem o poder de escolher a vida que ela quer viver (direito à autonomia)

H. A mulher grávida tem a liberdade de usar o seu corpo e de ter as suas relações íntimas como quiser, na medida em que os direitos da outra pessoa não são violados (direito à intimidade)

F. A mulher grávida tem a liberdade de aborto nas primeiras 12 semanas (e deveres de consulta)

C. Metódica Constitucional e Metodologias Regionais

A metódica constitucional é uma metodologia específica dentro da metodologia jurídica em geral. Dentro da própria metódica constitucional divisam-se, nos tempos mais recentes, propostas no sentido de se recortarem **metodologias regionais**[3]. Estas metodologias justificar-se-iam em virtude dos problemas específicos – em sede da teoria da norma e da teoria da constituição – que levantam alguns núcleos ou complexos normativos da constituição. Assim, o conjunto das normas consagradoras de *direitos fundamentais* suscita problemas metodológicos diferentes dos agitados em sede *normativo-organizatória*. Os próprios métodos de trabalho dos juízes constitucionais reclamam técnicas específicas e o recurso a princípios hermenêuticos adequados à concretização judicial da constituição. Precisamente por isso, avançar-se-ão alguns desenvolvimentos metódicos atinentes à interpretação/aplicação: (1) de normas consa-

---

(*) Transcrito do artigo de José de Sousa e Brito "The Ways of Public Reason. Comparative Constitutional Law Pragmatics", in *International Journal for the Semiotics of Law*, Vol. IX/26 (1996), pp. 173 e ss.
[3] Cf. Isensee/Kirchof, *Staatsrecht*, Vol. VII, pp. 500 e ss.

gradoras de direitos fundamentais e de normas respeitantes à organização e funcionamento dos órgãos do poder político; (2) de normas incidentes sobre o trabalho de concretização feito em sede de controlo pelos órgãos judiciais.

D. *Objectos de Investigação e Procedimento Metódico (Gráficos)*

Como se poderá intuir das considerações precedentes, pretende-se recortar o procedimento metódico de interpretação-aplicação das normas constitucionais. Os esquemas que a seguir se apresentam servem para expor os objectos de investigação presentes em qualquer recorte metódico e os estádios principais do procedimento de concretização de uma norma jurídico-constitucional. O primeiro gráfico que retiramos de Aarnio [4] esclarece também o *plano*

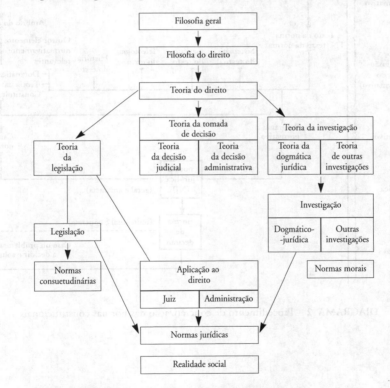

DIAGRAMA 1 – Elementos da Metódica Constitucional

---

[4] Cfr. AULUS AARNIO, *The Rational as Reasonable. A Treatise on Legal Justification*, 1987 (utilizou-se a trad. castelhana, Madrid, 1991).

em que nos situamos quando fazemos referência aos vários elementos da metódica constitucional. O segundo servirá como esquema iluminador do processo de concretização referido mais adiante. Neste diagrama chama-se a atenção para o seguinte: as nossas preocupações começam com a teoria da legislação, com a teoria da decisão jurídica e com a dogmática jurídica. Deixamos de fora a filosofia do direito e, naturalmente, a filosofia geral.[5]

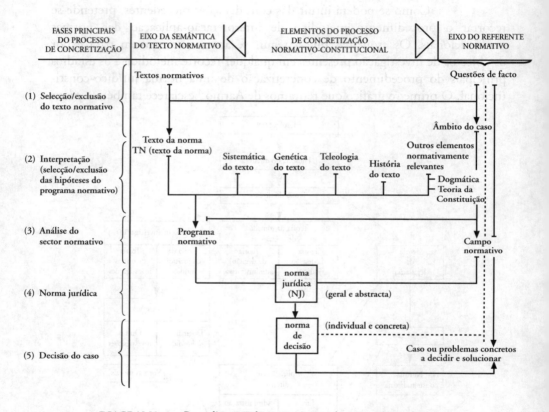

DIAGRAMA 2 – Procedimento de concretização das normas constitucionais

---

[5] Esquema do procedimento de concretização das normas constitucionais (fonte de inspiração: F. MÜLLER, *Strukturierende Rechtslehre*, München, 2.ª ed., 1994, p. 434, mas com alterações quanto aos eixos de procedimento concretizador).

Referências bibliográficas

Aarnio, A. – *The Rational as Reasonable. A Treatise on Legal Justification* (existe trad. cast., Madrid, 1991).

Alexy, R. – *Theorie der juristischen Argumentation. Die Theorie des rationalen Diskurses als Theorie der juristischen Begründung*, Frankfurt/M., 3.ª ed., 1996 (existe trad. cast., Madrid, 1989).

– *Theorie der Grundrechte*, Frankfurt/M., 1985.

Barroso, L. R. – *Interpretação e aplicação da constituição*, São Paulo, 1996.

Bastos, C./Brito, C. A. – *Interpretação e aplicabilidade das normas constitucionais*, São Paulo, 1982.

Belaúnde, G. – *La Interpretación Constitucional como Problema*, Madrid, 1994.

Berti, G. – *Manuale di interpretazione costituzionale*, 3.ª ed., Padova, 1994.

Bonavides, P. – *Direito Constitucional*, 7.ª ed., S. Paulo, 1997.

Bulos, U. L. – *Manual de Interpretação Constitucional*, São Paulo, 1997.

Bronze, F. J. P. – *A metodonomologia entre a semelhança e a diferença. (Reflexão problematizante dos pólos da radical matriz analógica do discurso jurídico)*, Coimbra, 1994.

Comanducci, P. – "Modelos e interpretación de la Constitución", in M. Carbonell (org.), *Teoria da la Constitución. Ensayos Escogidos*, Mexico, 2000, pp. 123 e ss.

Diniz, Maria H. – *Norma Constitucional e seus efeitos*, São Paulo, 2.ª ed., 1992.

Kriele, M. – *Theorie der Rechtsgewinnung*, 2.ª ed., Berlin, 1976.

Larenz, K./Canaris, C. W. – *Methodenlehre der Rechtswissenschaft*, 3.ª ed., Berlin/New York, London, 1995 (ex. trad. port.).

Linares Quintana, S. – *Tratado de Interpretacion Constitucional*, Buenos Aires, 1998.

Linhares, J. M. A. – *Entre a Reescrita Pós-Moderna da Modernidade e o Tratamento Narrativo da Diferença ou a Prova como um Exercício de "Passagem" nos Limites da Juridicidade*, Coimbra, 2001.

Müller, F. – *Juristische Methodik*, 7.ª ed., Berlin, 1997 (existe trad. francesa, Paris, Puf, 1996).

– *Strukturierende Rechtslehre*, 2.ª ed., München, 1994.

Murphy, W./Fleming J./Barber, S. – *American Constitutional Interpretation*, 2.ª ed., Foundation Press, Wesbury, New York, 1995.

Neves, A. C. – *Metodologia Jurídica*, Coimbra, 1992.

– *O Actual Problema Metodológico da Interpretação Jurídica*, Coimbra, 2003.

Sampaio Ferraz Jr., T. – *Interpretação e Estudo da Constituição de 1988*, São Paulo, 1990.

Schefer, M. – *Konkretisierung von Grundrechten durch der US. Supreme Court. Zur sprachlichen, historischen und demokratischen Argumentation im Verfassungsrecht*, Berlin, 1997.
Stern, K. – *Staatsrecht*, III/2, Berlin, 1994.
Zippelius, R. – *Recht und Gerechtigkeit in der offenen Gesellschaft*, Berlin, 1994.

Capítulo 2

Constituição e Ordenamento Jurídico

Sumário

A. Os Usos da Constituição, o "Corpus" Constitucional e os seus Candidatos

I - Compreender os usos da constituição

1. Todos os países têm uma constituição: o uso descritivo de constituição
2. A constituição como documento
3. A constituição em sentido normativo

II - A constituição normativa

B. O "Corpus" Constitucional e os seus Candidatos

1. O texto
2. Mais do que o texto – problemas de inclusão derivados de reenvios constitucionais
    a) O Hino Nacional e a Bandeira Nacional farão parte da Constituição?
    b) Os "princípios cooperativos" farão parte da Constituição?
3. Mais do que texto – o texto, as práticas e as interpretações
    3.1. Costume
    3.2. As interpretações do texto

4. Menos do que o texto – problemas de exclusão
5. Constituição: "Law in the books"? "Law in action"? Ambas as coisas?

C. O "Corpus" Constitucional e os seus Conteúdos

1. A ideia de reserva de constituição
2. Reserva de constituição e desenvolvimento constitucional

D. O Cosmos Normativo

I - Tópicos gerais

1. A ideia de cosmos normativo
2. Problemas fundamentais

II - Navegar no cosmos normativo

1. Norma e ordem
2. A teoria dos ordenamentos jurídicos
3. As instituições
4. Ordem e caos
   a) Pluralidade de fontes
   b) Diferenciação intrínseca

III - A constituição como norma superior do ordenamento jurídico

1. Posição hierárquico-normativa
   a) Autoprimazia normativa
   b) Fonte primária da produção jurídica
   c) Força heterodeterminante
   d) Natureza supra-ordenamental
   e) Força normativa
2. A Constituição no vértice da pirâmide normativa
3. Complexidade e heterogeneidade do ordenamento jurídico
   a) Pluralismo de "ordenamentos superiores"
   b) Ordem jurídica global e ordem jurídica parcial
   c) O "direito reflexivo"

A. Os Usos da Constituição, o "Corpus" Constitucional e os seus Candidatos

I - Compreender os usos da constituição

Comecemos pela seguinte proposição: (1) todos os países (quaisquer grupos sociais organizados) têm uma constituição; (2) mas nem todos possuem um *documento* escrito chamado constituição; (3) e nem todos os que têm um documento constitucional possuem uma constituição filtrada pela ideia de *constitucionalismo*.[1]

1. Todos os países têm uma Constituição: o uso descritivo de Constituição

A primeira afirmação – todos os países têm uma constituição – insinua que se pode fazer uso da constituição em sentido amplo e descritivo para designar a estruturação do poder ou "corpo político" de uma comunidade. Este uso corresponde tendencialmente à ideia aristotélica de *politeia*. No fundo, a constituição revela-se como uma espécie de realidade social e o conceito de constituição nada mais é do que o conceito *empírico-descritivo* dessa realidade.[2] Diz-se mesmo que qualquer grupo organizado *é* (não tem) uma Constituição.[3]

2. A Constituição como documento

A segunda afirmação – nem todos os países têm um documento chamado constituição – insinua um outro uso de constituição. Trata-se de usar a constituição no sentido de um *documento* normativo ao qual se dá o nome de constituição. Este uso pode ser um *uso descritivo* designando apenas um

---

[1] Vide W. MURPHY/J. FLEMING/S. BARBER, *American Constitutional Interpretation*, p. 1.
[2] Cfr. DIETER GRIMM, *Die Zukunft der Verfassung*, Suhrkamp, Frankfurt/M., 1992, pp. 34 e ss.
[3] Veja-se, por exemplo, GUSTAVO ZAGREBELSKY, *Manuale di Diritto Costituzionale*, Vol. 1.º, Utet, reimp., 1993, p. 23; MARIO DOGLIANI, *Introduzione al Diritto Costituzionale*, Il Mulino, Bologna, 1994, p. 13.

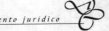

documento que contém uma série de normas. Por vezes, o uso de constituição como documento transporta já dimensões *valorativas*, ou porque se trata de um documento com determinadas características *formais* (exemplo: procedimento constituinte específico para a sua criação ou alteração) ou porque estamos em face de uma lei escrita com um *conteúdo* específico. Isso conduz-nos ao terceiro uso – o uso valorativo de constituição.

3. A constituição em sentido normativo

A terceira afirmação – nem todos os países que possuem um documento constitucional possuem uma constituição conforme com as ideias do constitucionalismo – coloca-nos perante o uso de **constituição em sentido normativo**. Para se tratar de uma verdadeira constituição não basta um documento. É necessário que o conteúdo desse documento obedeça aos princípios fundamentais progressivamente revelados pelo constitucionalismo. Por isso, a constituição *deve* ter um *conteúdo específico*: (1) *deve* formar um corpo de regras jurídicas vinculativas do "corpo político" e estabelecedoras de limites jurídicos ao poder, mesmo ao poder soberano (antidespotismo, antiabsolutismo); (2) esse *corpo de regras* vinculativas do *corpo político* deve ser informado por princípios materiais fundamentais, como o princípio da separação de poderes, a distinção entre poder constituinte e poderes constituídos, a garantia de direitos e liberdades, a exigência de um governo representativo, o controlo político e/ou judicial do poder.

Como se vê, a constituição normativa não é um mero conceito de ser; é um conceito de *dever ser* [4]. Pressupõe uma ideia de relação entre um *texto* e um *conteúdo normativo específico*. O texto vale como lei escrita superior porque consagra princípios considerados (em termos jusnaturalistas, em termos racionalistas, em termos fenomenológicos) fundamentais numa ordem jurídico-política materialmente legitimada.

II - *A constituição normativa*

A ideia de constituição em sentido normativo carece de mais alguns esclarecimentos. Embora alguns dos tópicos estejam já aflorados nas considerações anteriores, convém insistir em duas ideias básicas: (*a*) a constituição é um

---

[4] Cfr. GRIMM, *Die Zukunft der Verfassung*, cit., p. 36; DOGLIANI, *Introduzione al Diritto Costituzionale*, p. 14.

conjunto de regras jurídicas (normas e princípios) codificadas num *texto* (documento) ou cristalizadas em *costumes* e que são consideradas *proeminentes* (*paramount law*) relativamente às outras regras jurídicas; (*b*) a constituição é um conjunto de regras jurídicas de valor proeminente porque estas são portadoras de determinados conteúdos aos quais é atribuído numa comunidade um *valor específico superior*.

Como se vê, a **constituição normativa**, para se qualificar como um conceito de *dever ser*, ou, por outras palavras, para ser qualificada como conceito de valor, não se basta com um conjunto de regras jurídicas formalmente superiores; estas regras têm de transportar "momentos axiológicos" corporizados em normas e princípios dotados de bondade material (garantia de direitos e liberdades, separação de poderes, controlo do poder, governo representativo).

É através desta "mais-valia" ou desta "bondade" material que se distinguem as constituições verdadeiramente normativas das **constituições semânticas** ("constituição de fachada"). Não é pelo facto de existir um documento designado constituição que temos uma constituição. Esta existe, sim, quando o documento contém regras jurídicas materialmente consideradas como "boas", "valiosas" ou "intrinsecamente legítimas". É para salientar esta dimensão valorativa ou axiológica que certos autores recorrem a conceitos como os de "constituição ocidental" (Rogério Soares) ou "constituição da liberdade" (Matteuci). Em palavras porventura mais "pósmodernas", dir-se-ia que a "verdade", a "justiça", a "bondade" de uma estrutura simbólica [5] – a "lei fundamental", a "constituição" – só existem se e na medida em que os cidadãos, na qualidade de sujeitos falantes pertencentes a espaços comunicativos, lha atribuem em termos intersubjectivos. Veremos melhor este problema a propósito da legitimidade da constituição.

B. O "Corpus" Constitucional e os seus Candidatos

Os usos da constituição nada dizem sobre o seu conteúdo. Mesmo quando se explicou o conceito normativo apenas se disse que: (1) a constituição é um conjunto de regras jurídicas superiores em geral formalmente codificadas num documento escrito; (2) essas regras transportam um conteúdo a que é atribuído valor específico. Mas, em rigor, o que é que faz parte da constituição?

---

[5] Para outros sentidos de "constituição simbólica", cfr., aprofundadamente, MARCELO NEVES, *A Constitucionalização Simbólica*, Editora Académica, São Paulo, 1994.

Estarão todas as regras jurídicas dotadas de valor proeminente incluídas no texto da constituição? Só as regras que estão dentro do documento constitucional terão "valor constitucional"? E todas as regras inseridas num texto formalmente considerado constituição serão, só por si, regras verdadeiramente constitucionais? Estas interrogações bastam para realçar um primeiro e importantíssimo ponto: aquilo que vamos designar por **corpus da constituição** não é um dado mas um problema. [6] Consideramos *corpus constitucional* o conjunto limitado de materiais normativos que formam a constituição. Designamos (adaptando conceitos da filosofia da linguagem) por *candidatos positivos* os materiais normativos que inquestionavelmente fazem parte da constituição (do *corpus* constitucional) e por *candidatos negativos* os materiais indubitavelmente não reentrantes no *corpus* constitucional. No que respeita aos materiais normativos cuja inclusão no *corpus* constitucional suscita dúvidas esses considerá-los-emos *candidatos neutrais*. Quais então os candidatos que fazem parte da constituição?

Poderíamos, à semelhança do que propôs recentemente um autor americano [7], explicar esta problemática começando pela diferença entre uma aproximação "católica" e uma aproximação "protestante" ao *corpus* bíblico. Para os protestantes a Bíblia será a palavra de Deus tal como ela aparece revelada no conjunto de textos chamado Bíblia. Para os católicos, a Bíblia é a mais importante fonte de revelação da palavra de Deus. Mas, para além dela, a palavra de Deus está contida em tradições e em interpretações de autoridade (encíclicas, dogmas, catecismos). Dir-se-ia, assim, que para os protestantes o *corpus* bíblico é formado pelo texto da Bíblia e nada mais do que a Bíblia. Diferentemente, para os católicos o *corpus* bíblico incorpora outros materiais para além da Bíblia. Podemos fazer uma aproximação parecida quanto à determinação do *corpus* constitucional. Assim:

a) o *corpus* constitucional é constituído só pelo texto formalmente criado com o valor de constituição;

b) o *corpus* constitucional é constituído não só pelo texto constitucional mas ainda por outros materiais normativos não formalmente integrados no texto da constituição;

c) o *corpus* constitucional é constituído apenas por uma *parte* das regras incluídas no texto da Constituição.

---

[6] Cfr., precisamente, W. MURPHY/JAMES FLEMING/SOTIRIOS BARBER, *American Constitutional Interpretation*, cit., p. 2.

[7] Assim, precisamente, SANFORD LEVINSON, *Constitutional Faith*, Princeton University Press, Princeton, 1988, p. 108.

Em *a)* o *corpus* identifica-se com o *texto*; em *b)* o *corpus* vai para além do texto, colocando-nos perante problemas de *inclusão* de candidatos; em *c)* o *corpus* é mais restrito do que o texto, suscitando problemas de *exclusão* de candidatos.

1. O texto

Poder-se-ia dizer que o *corpus* constitucional é todo o **texto constitucional**, ou seja, todo o conjunto de regras inseridas no documento-constituição e nada mais do que isso. É neste sentido que alguns autores consideram existir uma identificação entre constituição e texto, entre constituição formal e constituição.

Tomando como referência a Constituição Portuguesa de 1976, o *corpus* constitucional será constituído pelo conjunto de regras aprovadas pela Assembleia Constituinte de 1976 e pelas regras introduzidas pelas sucessivas revisões constitucionais (em 1982, 1989, 1992 e 1997). Quando muito, entrariam no *corpus* constitucional como candidatos positivos as leis constitucionais posteriores a 25 de Abril de 1974 expressamente ressalvadas pela Constituição (cfr. Constituição, art. 290.º/1). Mas as coisas não são assim tão simples. Vejamos. Em alguns países (Bélgica, Itália) as regras constitucionais não estão contidas num documento único. Noutros países, como a Áustria, para além do texto constitucional de 1920 (na versão de 1929), têm o valor de lei ou disposição constitucional certos actos de direito interno e de direito internacional (lei de 1867, referente aos direitos fundamentais; o tratado de Saint-Germain-en--Laye; o tratado de paz de 1955, a Convenção Europeia dos Direitos do Homem). Na França, os preâmbulos das Constituições de 1946 e de 1958 lembram a sua fidelidade aos princípios da Declaração dos Direitos do Homem e do Cidadão de 1789. Vários textos fora do documento constitucional são, assim, incluídos no *corpus* constitucional.

2. Mais do que o texto – problemas de inclusão derivados de reenvios constitucionais

Mesmo uma ordem jurídico-constitucional, como a portuguesa, em que o texto da constituição condensa a quase totalidade das regras constitucionais, não deixam de colocar-se problemas de inclusão de outros possíveis *candidatos positivos*. Vejamos alguns exemplos.

1133

a) *O Hino Nacional e a Bandeira Nacional farão parte da Constituição?*

O artigo 11.º da Constituição da República refere-se aos símbolos nacionais – a Bandeira Portuguesa e o Hino Nacional. Abstém-se, porém, de os definir reenviando para a "lei republicana" que os instituiu (Decreto da Assembleia Constituinte de 19 de Junho de 1911). Esta "lei republicana" está *fora do texto*, mas é ela que define e caracteriza concretamente os símbolos (sobretudo a Bandeira Nacional) e, por isso, o seu conteúdo adquire *valor constitucional*. O Hino Nacional e a Bandeira Nacional suscitam, por isso, um *problema de inclusão*: embora *fora do texto constitucional*, são, por força deste, erguidos à dignidade de constituição formal. A Constituição procede, assim, à *recepção formal* [8] dos símbolos nacionais.

b) *Os "princípios cooperativos" farão parte da Constituição?*

Diz o artigo 61.º/2 da Constituição da República que "A todos é reconhecido o direito à livre constituição de cooperativas, desde que observados os princípios cooperativos." Não especifica, porém, a lei constitucional quais são esses princípios. A Constituição sugere, possivelmente, os princípios cooperativos tal como eles foram definidos e individualizados pela Aliança Cooperativa Internacional nos Congressos de Paris (1937) e de Viena (1966) ("princípio da porta aberta", "princípio de não discriminação", "princípio da gestão democrática", "princípio da limitação da taxa de juro ao capital", "princípio da repartição cooperativa de excedentes ou economias eventuais", "princípio do fomento cooperativo" e "princípio da colaboração cooperativa"). [9] O problema que se coloca é este: estes princípios (hoje explicitados fundamentalmente na Lei 51/96, de 7-9) farão parte da Constituição? A que título? A resposta é sim: verifica-se uma remissão da lei constitucional para "conjuntos normativos extrajurídicos" – os princípios cooperativos – sendo estes recebidos (recepção constitucional formal) com o preciso sentido e alcance que possuem na doutrina cooperativista.[10]

---

[8] Cfr., por todos, JOÃO BAPTISTA MACHADO, *Introdução ao Direito e ao Discurso Legitimador*, Coimbra, 1983, pp. 107 e ss.

[9] Cfr. J. J. GOMES CANOTILHO/VITAL MOREIRA, *Constituição da República Anotada*, anotação VI ao artigo 61.º

[10] Cfr. J. J. GOMES CANOTILHO/VITAL MOREIRA, *Fundamentos da Constituição*, Coimbra Editora, 1991, p. 57. Em sentido algo diferente, apontando para uma "normatividade de origem consuetudinária", cfr. JORGE MIRANDA, *Manual de Direito Constitucional*, Tomo II, 3.ª ed., Coimbra, 1991, p. 43.

Estes dois exemplos (e outros poderiam ainda ser mencionados) [11] são esclarecedores do problema em análise. A constituição *é mais do que o texto*: há que incluir nela princípios e regras não formalmente constitucionalizados.

3. Mais do que o texto – o texto, as práticas e as interpretações

3.1. *Costume*

O *corpus* constitucional pode ser formado por candidatos diferentes dos mencionados até este momento. Referimo-nos, desde logo, ao chamado **costume constitucional**. Independentemente dos problemas que suscita o costume como fonte de direito, basta registar agora o seu sentido geral. Existirá uma **norma constitucional consuetudinária** (não escrita) integradora do *corpus* constitucional quando no sistema jurídico constitucional se verifica a institucionalização social de um acto ou facto aos quais é reconhecida a significação de uma norma de carácter constitucional. Assim, por exemplo, poderá afirmar-se a existência, entre nós, de um costume constitucional reconduzível à regra de nomeação obrigatória, pelo Presidente da República, como Primeiro-Ministro, do "candidato a Primeiro-Ministro" indicado pelo partido que venceu as eleições? A Constituição escrita não fala em "candidatos a Primeiro-Ministro" e estabelece apenas que o Primeiro-Ministro será nomeado pelo Presidente da República "tendo em conta os resultados eleitorais" (CRP, art. 190.º/1). Poder-se-á considerar existir entre nós uma regra consuetudinária que dispensa o Primeiro-Ministro em exercício de pôr o cargo à disposição do Presidente da República quando haja tomado posse um novo Presidente da República? Lembremos que o Primeiro-Ministro depende politicamente do Presidente da República (CRP, art. 193.º). Ter-se-ia institucionalizado no sistema jurídico-constitucional português o *costume* da admissibilidade da acumulação de empregos ou cargos públicos em contradição com a norma escrita do art. 269.º/4 da CRP? Haverá uma regra consuetudinária de valor constitucional no sentido de transformar o Supremo Tribunal de Justiça num tribunal de carreira reservada a magistrados em clara oposição ao teor textual do art. 215.º/4 da Constituição?

Tradicionalmente, exigem-se duas condições cumulativas para se poder falar da institucionalização de uma regra consuetudinária: (1) *inveterata* ou *longaeva consuetudo* (uso durante largo tempo); (2) *opinio necessitatis* ou *opinio*

---

[11] Cfr. JORGE MIRANDA, *Manual*, Tomo II, cit, pp. 43 e ss. Mais à frente, no Capítulo dedicado aos direitos fundamentais, abordaremos os casos específicos do art. 16.º da CRP.

1135   *Constituição e ordenamento jurídico*

juris, ou seja, convicção da sua juridicidade. Os exemplos mencionados sugerem já que o *costume constitucional* (ou qualquer outro costume jurídico) suscita problemas complexos. Como é que se pode fixar com rigor a institucionalização como costume de um acto ou de um facto? Como é que este acto ou facto passou a ter significação de uma norma? E se o problema é difícil nos costumes *secundum constitutionem* (isto é, segundo ou em conformidade com a constituição) como poderá ser o caso dos dois primeiros exemplos, mais difícil ainda se torna se estiver em causa um costume *contra constitutionem scripta*, ou seja, uma regra consuetudinária em contradição com as normas constitucionais escritas, como poderá ser eventualmente o caso dos dois últimos exemplos.

A admitir-se a legitimidade de um costume constitucional, então isso é expressão inequívoca do alargamento do *corpus* constitucional a outras normas não produzidas pelo poder constitucional formal. Mais do que isso: é também sintoma da perda de exaustividade de regras constitucionais em que se baseia primariamente o sistema constitucional — a constituição escrita ou formal.[12] O alargamento do *corpus* constitucional a regras consuetudinárias poderá justificar-se em nome do *carácter aberto* do sistema constitucional no qual se poderão desenvolver *usos institucionais*, isto é, actos ou factos materiais compreendidos como comportamentos juridicamente vinculativos.[13]

3.2. *As interpretações do texto*

O *corpus* constitucional pode incluir candidatos resultantes da interpretação do texto constitucional. Vamos dar dois exemplos famosos do direito americano que se tornaram eles próprios em verdadeiras "instituições" do direito constitucional de um Estado de Direito.

a) *O inglês inteligente e a "judicial review"*

O conhecido juspublicista inglês James Bryce[14] relata-nos a seguinte história:

"... conta-se de um inglês inteligente a cujos ouvidos tendo soado que a suprema corte federal fora criada para proteger a Constituição e tinha de anular as más leis, gastou dois dias

---

[12] Cfr., por exemplo, ZAGREBELSKY, *Manuale de Diritto Costituzionale*, reimp., Torino, 1993, p. 260.

[13] Cfr., ZAGREBELSKY, *Manuale*, cit., pp. 260 e ss.

[14] Cfr. JAMES BRYCE, *The Americam Commonwealth*, I, p. 336. Utilizamos a tradução de RUY BARBOSA na sua obra clássica: *Os Actos Inconstitucionais do Congresso e do Executivo ante a Justiça Federal*, Companhia Impressora, Capital Federal, 1893, p. 52.

em revolvê-la à cata dos textos recomendados à sua admiração. Não admira que os não encontrasse; pois não há palavra, na Constituição, a tal respeito". Com efeito, a única sugestão textual da Constituição americana é esta: "O poder judiciário estender-se-á a todas as causas, de direito e equidade..." (Artigo III, Secção 2.ª). Foi a partir destes enunciados linguísticos que o Juiz Marshall descobriu interpretativamente a *judicial review of legislation* no célebre caso *Marbury* v. *Madison* (1803): "Estando uma lei em antagonismo com a Constituição e a lei, e aplicando-se à espécie a Constituição e a lei, de modo que o tribunal haja de resolver a lide em conformidade com a lei, desatendendo a Constituição, ou de acordo com a Constituição rejeitando a lei, inevitável será eleger, dentre os preceitos opostos, o que dominará o assunto. Isto é da essência do dever judicial" [15]. O Juiz Marshall terminou assim a sua retórica argumentativa: "*Thus, the particular phraseology of the Constitution of the United States confirms and strengthens the principle, supposed to be essential to all written constitutions, that a law repugnant to the constitution is void, and that courts, as well as other departments, are bound by that instrument*" [16].

A fiscalização judicial da constitucionalidade das leis pelos tribunais não estava expressamente consagrada na Constituição dos Estados Unidos. Através de interpretação, *a judicial review of legislation* entrou definitivamente como candidato positivo no *corpus* constitucional.

b) *O caso Brown v. Board of Education of Topeka, I (1954) – a protecção igual de brancos e negros*

A Constituição americana (Emenda XIV, Secção 1.ª) estabelece em termos peremptórios... "*nor deny to any person within its jurisdiction the equal protection of the laws*". O problema que se debateu largamente nos tribunais americanos foi o de saber se o princípio da igual protecção era compatível com a segregação racial nas escolas públicas. A resposta foi sim: é compatível com o princípio da igualdade a doutrina de "separate but equal". Até que... Até que no caso em epígrafe, o juiz Warren registou em termos paradigmáticos um novo candidato positivo do *corpus* constitucional – a integração racial nas escolas públicas como princípio constitucional: «*We conclude that in the field of public education the doctrine of 'separate but equal' has no place. Separate educational facilities are inherently unequal*».

Estes dois exemplos servem para demonstrar que certos candidatos – aqui, *the judicial review of legislation* e a não discriminação racial na educação pública – fazem parte do *corpus* constitucional, mas para os revelar é necessária uma complexa tarefa de interpretação constitucional. Aquilo que a constituição

---

[15] Continuamos a utilizar a tradução de Ruy Barbosa, cit., p. 52.
[16] Consulte, por exemplo, SUSAN M. LEESON-JAMES C. FOSTER, *Constitutional Law. Cases in Context*, St. Martin's Press, New York, 1992, p. 38.

inclui – o princípio da integração racial nas escolas – é apurado através da metódica interpretativa.

4. Menos do que o texto – problemas de exclusão

Pretende-se, por vezes, excluir da constituição certas normas que, embora inseridas no texto, não são *normas materialmente constitucionais*. O problema é agora um problema de exclusão: nem tudo o que está no texto constitucional merecerá, em rigor, a dignidade formal da constituição.

A tentativa de recortar um "conteúdo", "substância" ou "matéria" da constituição dentro do texto constitucional pretende reforçar o carácter "básico" e "fundamental" de uma constituição expulsando dela matérias de alcance constitucional discutível. Existem exemplos clássicos. É o caso das normas constitucionais que foram incorporadas no texto constitucional tendo em conta a importância transitória de certas matérias (ex.: caixa pública de amortização em França consagrada constitucionalmente em 1926 através da lei de revisão para garantir aos cidadãos o compromisso solene do Estado). Noutros casos, certas normas de escassa relevância constitucional obtêm dignidade formal e são inseridas na constituição através de iniciativas populares (ex.: a proibição de venda e consumo de absinto na Suíça foi elevada a proibição constitucional por iniciativa legislativa popular). O carácter compromissório de uma lei fundamental leva muitas vezes também a inserir no texto constitucional normas garantidoras de "posições constitucionais" (ex.: a consagração da "Aliança Povo-MFA" na primitiva redacção da Constituição Portuguesa de 1976). Em tempos mais recentes, verifica-se mesmo a inserção no texto de normas constitucionais técnicas marcadamente regulamentares (exs.: os artigos 87.º/E e 87.º/F da *Gundgesetz* da Alemanha referentes aos caminhos de ferro e aos correios e telecomunicações introduzidas pela revisão de 1994).

O problema suscitado pela "redução" do *corpus* constitucional é este: além de não haver critérios seguros para se distinguir entre o que é verdadeiramente constitucional e o que não é, não se pode reconhecer ao intérprete o direito de "desconstitucionalizar" (a não ser em termos teóricos ou dogmáticos) aquilo que o legislador constituinte democrático "constitucionalizou". Além disso, a admitir-se a existência de normas *só* formalmente constitucionais (isto é: têm a forma de norma constitucional mas não regulam matéria digna de uma lei superior) haveria o risco de quebrarmos a *unidade normativa* da constituição. Por isso, *todas as normas da Constituição têm o mesmo valor*; todas as normas inseridas no texto constitucional fazem parte do *corpus* constitucional.

5. Constituição: "Law in the books"? "Law in action"? Ambas as coisas?

A "abertura" do *corpus* constitucional a regras constitucionais não escritas – quer as derivadas de uma formação/institucionalização consuetudinária quer as derivadas da interpretação do texto constitucional – aponta para uma outra ideia importante. É esta: o direito constitucional é um "direito vivo", é um "direito em acção" e não apenas um "direito nos livros". Precisamente por isso, existe um *direito constitucional não escrito* que embora tenha na constituição escrita os fundamentos e limites [17], completa, desenvolve, vivifica o direito constitucional escrito. A fim de realçar a *imbricação* necessária entre a constituição escrita e a constituição viva, a doutrina constitucional recorta o conceito de *constituição material*. Entende-se por **constituição material**, seguindo as sugestões de uma cultura constitucional fortemente radicada – a italiana [18] – o conjunto de fins e valores constitutivos do princípio efectivo da unidade e permanência de um ordenamento jurídico (dimensão objectiva), e o conjunto de forças políticas e sociais (dimensão subjectiva) que exprimem esses fins ou valores, assegurando a estes a respectiva prossecução e concretização, algumas vezes para além da própria constituição escrita. Ao contrário do que muitas vezes se pensa e vê escrito, a constituição material não se reconduz a um simples "poder de facto" ("relações de poder e influência", "facto político puro"), pois a constituição material tem também uma *função ordenadora*. A chamada *força normativa de constituição* (K. Hesse) pressupõe, a maior parte das vezes, a *vontade de constituição* [19], ou seja, a explicitação na constituição escrita ou formal do complexo de fins e valores agitados pelas constelações políticas e sociais a nível da constituição material. Esta condicionalidade recíproca entre constituição escrita e constituição material explicará um conjunto de fenómenos conhecidos da teoria da constituição: transições constitucionais, obsolescência de normas constitucionais, mutações constitucionais, desenvolvimentos constitucionais, conflitos entre a *constitutio scripta* e a *constituição viva*.

Se quisermos, agora, descobrir a lógica escondida na inclusão ou não inclusão de certos candidatos no *corpus* constitucional, poderíamos fornecer os tópicos seguintes: (1) carácter "fundacional" desse candidato, ou, por outras

---

[17] Assinala bem esta dupla função da constituição como fundamento e limite do direito constitucional não escrito, PETER BADURA, "Verfassungsänderung, Verfassungswandel, Verfassungsgewohnheitsrecht", in J. ISENSEE/P. KIRCHHOF, *Handbuch des Staatsrechts*, Vol. VII, cit., p. 61.

[18] Cfr., por exemplo, GUSTAVO ZAGREBELSKY, *Lezioni di Diritto Costituzionale*, cit, p. 261; GIULIANO AMATO/AUGUSTO BARBERA, *Manuale di Diritto Pubblico*, p. 26; C. MORTATI, *La Constitución en sentido material*, Madrid, 2001.

[19] Cfr., por todos, KONRAD HESSE, *Die normative Kraft der Verfassung*, Mohr, Tübingen, 1959 (trad. castelhana: *Escritos de Derecho Constitucional*).

palavras, dimensão constitucionalmente conformadora (é neste sentido que os franceses apelam ao carácter fundacional da Declaração dos Direitos do Homem e do Cidadão de 1789 e, entre nós, se propõe a inclusão no *corpus* constitucional da Declaração Universal dos Direitos do Homem); (2) dimensão constitucionalmente integradora do candidato (é este o sentido da inclusão no *corpus* constitucional do Decreto da Assembleia Constituinte de 1911 e dos princípios cooperativos); (3) indispensabilidade do candidato para uma leitura lógica e coerente da Constituição (é esta ideia que está subjacente ao raciocínio do Juiz Marshall conducente à revelação da *judicial review* como candidato positivo do *corpus* constitucional americano).

C. O "Corpus" Constitucional e os seus Conteúdos

1. A ideia de reserva de constituição

Entende-se por **reserva de constituição** o conjunto de matérias que devem estar e não podem deixar de estar normativamente contempladas num texto constitucional. Mas quais as matérias que devem ser inseridas numa constituição? Quais os critérios orientadores para qualificar certos assuntos ou certas matérias como conteúdo necessário de uma constituição? Como saber se uma matéria é *digna* ou *não de ser constitucional*?

A resposta às interrogações antecedentes não pode deixar de tomar em consideração um conjunto de tópicos. O primeiro é este: as constituições não são "sistemas fechados", antes se apresentam como conjuntos estruturantes/estruturados abertos à *evolução ou desenvolvimento*. Por isso, se a realidade constitucional é avessa à petrificação de conteúdo e à rigidificação do "sempre igual", é lógico também que não existam "conteúdos imutáveis e inalteráveis da constituição". Em termos absolutos, não há uma reserva de constituição.

O segundo ponto relevante é este: em termos tendenciais, a ideia de reserva de constituição aponta para a existência de certos núcleos de matérias que, de acordo com o espírito do tempo e a consciência jurídica geral da comunidade, devem estar normativamente contemplados na lei proeminente dessa comunidade. As *experiências constitucionais* vêm revelando os núcleos duros dessas matérias. É o caso do catálogo dos direitos, liberdades e do estatuto constitucional dos órgãos do poder político, tal como já o assinalava incisivamente o art. 16.º da *Déclaration des Droits de L'Homme et du Citoyen de 1789*.

Nos tempos mais recentes a reserva de constituição é abordada em sede da teoria da justiça a partir da ideia de **dimensões constitucionais essenciais**

(*the Idea of Constitutional Essentials*).[20] Esta "essência constitucional" é constituída pelos princípios fundamentais que especificam a estrutura geral do governo e do processo político (poderes do legislativo, do executivo e do judiciário, princípio da regra maioritária) e pelos direitos de liberdade e igualdade básicos de um cidadão que as maiorias legislativas devem respeitar.

2. Reserva de constituição e desenvolvimento constitucional

A reserva de constituição não deve ser entendida em termos fixistas. Ela é compatível com a ideia de **desenvolvimento constitucional**. O chamado "núcleo duro" ou "essência constitucional" não deve ser compreendido (apenas!) a partir de paradigmas antigos. A constituição assume-se também como tarefa de renovação e por isso se disse recentemente que não é o passado mas o futuro o problema da constituição.[21] Não se compreenderia, por exemplo, que perante os problemas ecológicos decisivamente implicantes de responsabilidade intergeracional, a lei superior não tivesse nada a dizer quanto ao ambiente e qualidade de vida. Do mesmo modo, perante a digitalização e captura informática dos nossos mundos, impõe-se a consagração do direito à autodeterminação informativa (direito à segurança informática).

Mas não só isto: a "pluralização dos mundos"[22] que caracteriza a nossa sociedade (no domínio das religiões, das ideias, dos valores, da estética, da moral) torna crucial o problema de saber se a constituição deve condensar os "princípios superiores" objecto de consenso ou se deve também incluir os dissensos de minorias (religiosas, étnicas, sexuais).

Por último, não deve esquecer-se que a constituição não é apenas um "texto jurídico" mas também uma expressão do desenvolvimento cultural do povo. Precisamente por isso, a reserva de constituição deve estar aberta aos *temas do futuro* como o problema da *responsabilidade e solidariedade intergeracional* (ambiente, dívida pública, segurança social), o problema da sociedade de informação, o problema do emprego, o problema da ciência e técnica e das suas refracções na pessoa humana (biotecnologia, tecnologias genéticas), o problema das empresas multinacionais e do seu incontrolado poder político, o problema da

---

[20] Cfr. JOHN RAWLS, *Political Liberalism*, New York, Columbia University Press, 1993, pp. 227 e ss. Entre nós, cfr., M. BRITO, *A Constituição Constituinte*, pp. 431 e ss.

[21] Cfr. PAUL KIRCHHOF, "Die Identität der Verfassung in ihren unabänderlichen Inhalten", in Isensee/Kirchhof, *Handbuch des Staatsrechts*, Vol VII, cit., p. 788.

[22] Cfr. KARL HEINZ LADEUR, *Postmoderne Rechtstheorie*, 2.ª ed., Dunckler y Humblot, Berlin, 1994.

droga e do seu potencial existencialmente aniquilador, o problema da queda demográfica nuns casos e da explosão demográfica noutros.[23]

D. O Cosmos Normativo

I - Tópicos gerais

1. A ideia de cosmos normativo

No Capítulo dedicado às fontes de direito ficámos já a saber que o Estado constitucional de direito democrático é um Estado "povoado" por normas de origem muito diferentes: a constituição e as leis constitucionais criadas por poderes constituintes (originários ou derivados); as normas de direito internacional geradas pelo costume internacional (direito internacional consuetudinário) ou convencionadas pelos sujeitos de direito internacional, designadamente os Estados (convenções internacionais); as normas comunitárias produzidas pelos Estados-membros e instâncias comunitárias (tratados, regulamentos, directivas); as normas internas do Estado "fabricadas" pelos órgãos constitucionalmente competentes (leis, regulamentos, estatutos). Deixámos também entrever que, nos *sistemas jurídicos modernos*, muitas outras normas, para além das emanadas de entidades públicas, assumem importantes funções regulativas (normas oriundas de outros ordenamentos como, por exemplo, o "ordenamento desportivo", o "ordenamento profissional", o "ordenamento cultural").

2. Problemas fundamentais

Vários e complexos problemas – teóricos, políticos e jurídicos – andam associados a este *cosmos normativo*.[24] Desde logo, o problema de saber como se consegue e mantém a *consistência* e *coerência* de todo o sistema normativo. A doutrina tradicional fazia aqui apelo ao princípio da **unidade da ordem**

---

[23] Cfr., neste sentido, PETER HÄBERLE, "Das Grundgesetz und die Herausforderungen der Zukunft", in *Festschrift für Günther Dürig*, cit., pp. 9 e ss.

[24] Utiliza-se uma expressão do jurista e filósofo alemão HORST DREIER, "Einheit und Vielfalt der Verfassungsordnungen im Bundesstaat", in *Vielfalt des Rechts - Einheit der Rechtsordnung*, Duncker y Humblot, Berlin, 1994, p. 117.

jurídica[25]. Em segundo lugar, "tropeça-se" no conceito de *ordem jurídica*. Para se poderem compreender alguns dos desenvolvimentos seguintes retenha-se a noção provisória de *ordem jurídica*. Por **ordem jurídica** designa-se a globalidade de normas jurídicas vigentes num determinado Estado (neste sentido se fala também em *direito em sentido objectivo*). Em terceiro lugar, pressupõe-se um conceito de *norma jurídica* que, embora seja um conceito central da ciência do direito, poucas vezes é explicitado em termos inequívocos. Em termos também provisórios, adiantaremos que ***norma jurídica*** será aqui fundamentalmente entendida como regra jurídica definidora de um padrão de comportamento ou criadora de esquemas jurídicos para a solução de conflitos. Em quarto lugar, permanecem as dificuldades tradicionais suscitadas por um conceito de ordem jurídica quase exclusivamente centrado na ideia de norma jurídica em sentido objectivo. É que na ordem jurídica não existem apenas normas de direito objectivo (o sentido equivalente a *law* no direito inglês). Existem também *direitos* (*rights*). Quando a "alguém", nos termos da ordem jurídica vigente, é facultado fazer ou exigir algo diz-se que "esse alguém" tem um direito. Fala-se aqui em *direito subjectivo*. Estas noções serão aprofundadas e explicadas na disciplina de Introdução ao Estudo do Direito.

O objectivo central deste número é então este: localizar a *Constituição como norma*[26] no *ordenamento jurídico* e explicar quais as suas características fundamentais. No fundo, pretende-se alcançar a *localização* da constituição no cosmos normativo e verificar que *brilho* ela apresenta quando comparado com o das outras normas da ordem jurídica. Procura-se também insinuar já um tópico fundamental das ordens jurídicas contemporâneas: são ordens jurídicas *plurais*. Nelas existem vários ordenamentos jurídicos e uma indissociável pluralidade de direitos. Além de plurais, são *ordens incompletas*: não podem nem devem regular tudo devido aos processos contínuos de automodificação da sociedade. Recortam-se, ainda, como ordens *integradoras mas não integracionistas*: devem respeitar o discurso específico de outros mundos do sistema social (discurso económico, científico, ético). Finalmente, as ordens jurídicas configuram-se como **sistemas complexos**. São sistemas complexos precisamente porque os seus elementos e as suas partes constitutivas – as normas, as instituições, os direitos – interagem de uma forma imbricada e intrincada, não podendo os resultados da interacção ser previstos em termos totalmente rigorosos.

---

[25] Cfr. A. CASTANHEIRA NEVES, "A unidade do sistema jurídico: o seu problema e o seu sentido", in *Digesta*, 2, pp. 109 e ss.; PAULO OTERO, *Lições de Introdução ao Estudo do Direito*, I/2, Lisboa, 1999, p. 306 ss.

[26] Existe um livro de grande interesse cuja autoria pertence a um conhecido publicista espanhol: EDUARDO GARCIA DE ENTERRIA, *La Constitución como norma y el Tribunal Constitucional*, Editorial Civitas, Madrid, 1981.

II - Navegar no Cosmos Normativo

1. Norma e ordem

Pretende-se, como se disse, explicar o sentido de constituição entendida *como lei ou norma fundamental da ordem jurídica*.

Precisemos melhor o conceito de **ordem jurídica**: sistema de normas de natureza jurídica que determinam e disciplinam vinculativamente certos âmbitos primários da vida em sociedade dentro do *sistema social global*. A ordem jurídica (em alemão: *Rechtsordnung*) ou ordenamento jurídico (em italiano: *ordinamento giuridico*) é, pois, um conjunto de normas jurídicas. Mas não se trata de um conjunto qualquer. Ele transporta uma certa *unidade* e uma certa *coerência* intrínseca – **unidade da ordem jurídica**.[27] Não se compreenderia, com efeito, que uma simples soma de normas jurídicas, esparsas e desprovidas de conexão, fosse erguida a *ordem* e tivesse virtualidades suficientes para assegurar unidade e coerência àquilo que se apresenta de forma desarticulada e até contraditória.

Este sistema de normas a que se chama ordem jurídica tem sido tradicionalmente concebido (pelos juristas e cultores da teoria clássica do Estado) como um *sistema normativo estatal*. Concebe-se, nesta perspectiva, o Estado como o sujeito criador da ordem jurídica. O Estado *tem* um ordenamento jurídico por ele criado.

Uma concepção como a que acaba de ser insinuada – que o ordenamento jurídico é só constituído por normas e que as normas são todas "produzidas" pelo Estado – apresenta-se redutora e unilateral. Em primeiro lugar, não é verdade que o ordenamento seja apenas um conjunto sistematizado de normas jurídicas. Em segundo lugar, é inexacto dizer que o único produtor de normas é o Estado. Em terceiro lugar, não é correcto afirmar a existência apenas de um ordenamento – o ordenamento jurídico estatal.

2. A teoria dos ordenamentos jurídicos

Expliquemos. Como pôs agudamente em relevo a *teoria dos ordenamentos jurídicos* (Santi Romano)[28] os grupos organizados (pluralidade de

---

[27] Entre nós, cfr., por todos, A. CASTANHEIRA NEVES, *A unidade do sistema jurídico: o seu problema e o seu sentido*. Coimbra, 1979.

[28] Cfr. SANTI ROMANO, *L'Ordinamento Giuridico. Studi sul concetto, le fonti e i caratteri del diritto*, Spoerri, Pisa, 1918.

sujeitos) que se dotam de uma organização estável e esta, por sua vez, emana normas para regular as relações entre os membros do grupo segundo regras pré-estabelecidas, são **ordenamentos jurídicos**. Daí a doutrina referir as três componentes básicas de qualquer ordenamento: *pluri-subjectividade* (pluralidade de sujeitos), *organização* e *normação*. Os exemplos iluminam esta compreensão: as confissões religiosas e as ordens religiosas são ordenamentos jurídicos; as associações profissionais (ordens profissionais, sindicatos, associações empresariais) são ordenamentos jurídicos; as autarquias regionais e locais são ordenamentos jurídicos.

3. As instituições

Mas não só isto. Se olharmos a *realidade* da ordem jurídica, verificamos que existem certos "dados", certas "cristalizações sociais", certos "fenómenos jurídicos" – numa palavra: *instituições* – cuja existência e funcionamento estão ligados a normas mas que, ao mesmo tempo, transportam também já em si esquemas regulativos. Na linguagem vulgar, várias coisas são designadas por instituições. As universidades, as empresas, as igrejas, os clubes desportivos são *instituições*. A família e a propriedade são *instituições*. Em termos aproximados e sintéticos poderemos dizer que uma **instituição** é: (1) um *modelo* de acção ou padrão de comportamento; (2) um *espaço* de ligação do indivíduo com outras pessoas ou com a sociedade; (3) uma *estrutura* de socialização e estabilização dos padrões de conduta e formas de comportamento.[29] Se passarmos os olhos por algumas instituições previstas e garantidas na constituição, veremos que, de facto, elas apresentam as dimensões acabadas de referir. A constituição garante, por exemplo, a instituição família (art. 67.°), a instituição propriedade (art. 62.°), a instituição Universidade (art. 76.°). Estas instituições podem considerar-se, tendencialmente, como padrões de comportamento, espaços de ligação social e estruturas de estabilização. Isso não quer dizer que não estejam sujeitas a mudanças e que sejam imunes à regulação criada pelo Estado. A família já não é o que era; o casamento já não é o que era; a propriedade já não é o que era. As normas jurídicas – desde logo as normas constitucionais – precipitam, por vezes, a mudança. Bastou, por exemplo, a Constituição da República Portuguesa de 1976 proclamar a igualdade entre os filhos nascidos dentro e fora do casamento (art. 36.°/4) para a instituição sucessória (herança, testamento) sofrer

---

[29] Cfr., por ex., OTA WEINBERGER, *Norm und Institution*, Manz Verlag, Wien, 1988, pp. 30 e ss. Em língua portuguesa: MÁRIO ARANHA, *Interpretação Constitucional e as Garantias Institucionais dos Direitos Fundamentais*, São Paulo, 1999, pp. 131 e ss.

profundas modificações. Bastou que a Constituição proclamasse sem reservas a igualdade dos cônjuges (art. 36.°/3) para se alterarem radicalmente instituições como as do "chefe de família" e do "poder paternal". Isto significa que, independentemente das discussões teóricas em torno de normas e instituições, a *Constituição garante e regula as instituições*.

4. Ordem e caos

a) *Pluralidade de fontes*

Uma ordem jurídica desenvolvida, tal como a que hoje temos no nosso país, caracteriza-se por uma **pluralidade de fontes de direito**. Na Parte III dedicou-se um capítulo específico a esta problemática. Por agora basta referir que o cosmos global da ordem jurídica é constituído por várias fontes normativas que umas vezes dão origem a estrelas de primeira grandeza (as normas superiores do ordenamento) e, outras vezes, normas secundárias (regulamentos, estatutos). O poder constituinte – já o vimos – faz constituições ou leis constitucionais; as entidades legiferantes (Assembleia da República, Governo, assembleias legislativas regionais) editam actos com valor legislativo; as assembleias municipais fazem regulamentos (posturas) locais; as assembleias gerais das universidades fazem os "estatutos" das universidades. Estas normas emanadas de várias fontes de direito têm o mesmo valor? Qual a relação entre elas? Trata-se de uma relação de hierarquia?

b) *Diferenciação intrínseca*

A pluralidade de fontes de direito é hoje acompanhada por uma crescente **diferenciação intrínseca**. Desde os clássicos direito civil e direito penal até aos modernos direitos do urbanismo e do ambiente, passando pelo direito de trabalho e o direito comercial, há cada vez mais "disciplinas especiais". Por vezes, as disciplinas especiais como, por exemplo, o direito do ambiente, desdobram-se em "disciplinas especialíssimas" (o direito das águas, o direito dos resíduos, o direito da energia nuclear, o direito da poluição). Não admira, assim, que um conhecido sociólogo – Niklas Luhmann [30] – se tenha referido, há mais de vinte anos, à falta de conexão e articulação de uma quantidade imensa de normas. A proclamada *unidade da ordem jurídica* parece estar definitivamente ultrapassada. A tensão entre a *ordem e o caos* coloca-nos então perante este problema:

---

[30] Cfr. NIKLAS LUHMANN, *Rechtssoziologie*, Reinbeck bei Hamburg, Rowohlt, 1972, p. 331.

como *navegar* no *cosmos normativo*? O ponto de partida aqui acolhido pode resumir-se da seguinte forma – a *ordem* e a *hierarquia* das normas e os *conflitos* de normas não encontram fundamento só e fundamentalmente nas próprias normas mas sim na ordem das instituições politicamente legitimadas.[31]

III - A constituição como norma superior do Ordenamento Jurídico

Comecemos pela caracterização clássica, fornecendo um conceito síntese de *constituição como norma*. A **constituição como norma** designa o conjunto de normas jurídicas positivas (regras e princípios) geralmente plasmadas num documento escrito ("constituição escrita", "constituição formal") e que apresentam relativamente às outras normas do ordenamento jurídico *carácter fundacional* e *primazia normativa*.

1. Posição hierárquico-normativa

A constituição é uma lei dotada de características especiais. Tem um brilho autónomo expresso através da forma, do procedimento de criação e da posição hierárquica das suas normas. Estes elementos permitem distingui-la de outros actos com valor legislativo presentes na ordem jurídica. Em primeiro lugar, caracteriza-se pela sua *posição hierárquico-normativa superior* relativamente às outras normas do ordenamento jurídico. Ressalvando algumas particularidades do direito comunitário, a superioridade hierárquico-normativa apresenta três expressões: (1) as normas constitucionais constituem uma *lex superior* que recolhe o fundamento de validade em si própria (*autoprimazia normativa*); (2) as normas da constituição são *normas de normas* (*normae normarum*) afirmando-se como uma fonte de produção jurídica de outras normas (leis, regulamentos, estatutos); (3) a superioridade normativa das normas constitucionais implica o princípio da conformidade de todos os actos dos poderes públicos com a Constituição. Passemos ao desenvolvimento destes três tópicos.

a) *Autoprimazia normativa*

A **autoprimazia normativa** significa que as normas constitucionais não derivam a sua validade de outras normas com dignidade hierárquica superior.

---

[31] Cfr. BADURA, "Supranationalität und Bundesstaatlichkeit durch Rangordnung des Rechts" in Ch. Starck, *Rangordnung der Gesetze*, Göttingen, 1995, p. 109.

Pressupõe-se, assim, em termos pragmáticos, que a constituição formada por normas democraticamente feitas e aceites (legitimidade processual democrática) e informadas por "estruturas básicas de justiça" (legitimidade material) é portadora de um valor normativo formal e material superior.[32]

A superioridade normativa da constituição implica, como se disse, o *princípio da conformidade* de todos os actos do poder político com as normas e princípios constitucionais (Cfr. CRP, art. 3.º/3). Em termos aproximados e tendenciais, o referido princípio pode formular-se da seguinte maneira: nenhuma norma de hierarquia inferior pode estar em contradição com outra de dignidade superior – *princípio da hierarquia* – e nenhuma norma infraconstitucional pode estar em desconformidade com as normas e princípios constitucionais, sob pena de inexistência, nulidade, anulabilidade ou ineficácia – *princípio da constitucionalidade*.

b) *Fonte primária da produção jurídica*

O carácter das normas constitucionais como *normas de normas* ou **fonte primária da produção jurídica** implica a existência de um procedimento de criação de normas jurídicas no qual as normas superiores constituem as *determinantes positivas e negativas* das normas inferiores. No quadro deste processo de criação, concebido verticalmente como um "processo gradual", as normas superiores constituem fundamento de validade das normas inferiores e determinam, até certo ponto, o conteúdo material destas últimas. Daí a existência de uma *hierarquia das fontes do direito*, isto é, uma relação hierárquica, verticalmente ordenada, à semelhança de uma "pirâmide jurídica". Ilustrações concretas desta ideia de fonte de produção jurídica encontram-se no art. 112.º/1 da CRP: os actos legislativos – leis, decretos-leis e decretos legislativos regionais – encontram o fundamento de validade na constituição; por sua vez (cfr. art. 112.º/7), os actos normativos inferiores e complementares dos actos legislativos – os

---

[32] Chama-se a atenção para a complexidade dos dois principais problemas implícitos no discurso do texto. O primeiro relaciona-se com o carácter autovalidante das normas constitucionais. Qualquer que seja a teoria adoptada, o problema é sempre o mesmo: saber como é que as normas de direito constitucional, consideradas como normas primárias de produção jurídica, adquiriram elas próprias carácter de *juridicidade*. Trata-se do problema teorético-jurídico das *fontes de direito*. Sobre ele, cfr., entre nós, exaustivamente, CASTANHEIRA NEVES, "As fontes de direito e o problema da positividade jurídica", in *BFDC*, Vol. 11 (1975), pp. 115 e ss e para um estudo introdutório e global, BAPTISTA MACHADO, *Introdução ao Direito*, cit., pp. 193 e ss; CASTANHEIRA NEVES, "Fontes de Direito", in *Polis*, Vol. 2.º, Lisboa, 1984, pp. 1512 e ss. O segundo problema – o da legitimação ou da validade – é também um dos aspectos das fontes do direito, mas conexiona-se estritamente com a questão da legitimidade do poder constituinte a que se fez referência. Sobre conceito de supremacia constitucional cfr. MANUEL ARAGON, "Sobre las nociones de supremacia e supralegalidad constitucional", *Revista de Estudios Políticos* (REP), 50/1986; R. WAHL, "O Primado da Constituição", in *ROA*, (1987), pp. 61 e ss; BURDEAU, *Droit Constitutionnel*, 2.ª ed., 1988, p. 73.

regulamentos – carecem sempre de uma base legal (princípio da precedência da lei) para poderem ser editados pelas autoridades constitucionalmente dotadas de poder regulamentar.[33]

c) *Força heterodeterminante*

Uma das consequências mais relevantes da natureza das normas constitucionais concebidas como *heterodeterminações positivas e negativas* das normas hierarquicamente inferiores é a conversão do *direito ordinário* em *direito constitucional concretizado*. Como **determinantes negativas**, as normas constitucionais desempenham uma *função de limite* relativamente às normas de hierarquia inferior; como **determinantes positivas**, as normas constitucionais regulam parcialmente o próprio conteúdo das normas inferiores, de forma a poder obter-se não apenas uma compatibilidade formal entre o direito supra-ordenado (normas constitucionais) e infra-ordenado (normas ordinárias, legais, regulamentares), mas também uma verdadeira conformidade material. De acordo com esta perspectiva, não se pode falar, por exemplo, do direito civil como direito autónomo em relação ao direito constitucional: o direito civil não pode divorciar-se das normas e princípios constitucionais relevantes no direito privado (ex.: CRP, art. 36.°); de forma mais intensa, o direito constitucional é concebido como parâmetro material do direito administrativo, aludindo os autores ao direito administrativo como direito constitucional concretizado (CRP, art. 268.°); o direito processual (penal e civil) concebe-se hoje como direito materialmente vinculado às normas e princípios constitucionais e, nesse sentido, se fala da crescente "constitucionalização" da ordem processual civil e, sobretudo, penal (cfr. CRP, art. 32.°).

d) *Natureza supra-ordenamental*

A concepção de normas constitucionais no sentido de *normae normarum*, isto é, normas sobre a produção jurídica, significa ainda que o ordenamento constitucional é um **supra-ordenamento** relativamente aos outros

---

[33] Algumas afirmações do texto têm de ser confrontadas, de novo, com o problema teorético-jurídico das fontes de direito, sobretudo com as doutrinas que concebem a ordem jurídica como um *processo gradual de criação* de normas (*Normenstufentheorie* de Kelsen e Merkl). Não obstante se rejeitarem, ao longo deste curso, algumas das premissas teóricas e metodológicas destas doutrinas, a ideia de pirâmide normativa ilustra bem a estrutura hierárquica e a função ordenadora das fontes de direito. A última visão de conjunto sobre a teoria gradual do direito deve-se a Behrend, *Untersuchung zur Stufenbaulehre Adolf Merkls und Hans Kelsen*, Berlin, 1977. Na doutrina jurídica nacional é indispensável a leitura de dois estudos: J. BAPTISTA MACHADO, *Do formalismo kelseniano e da "cientificidade" do conhecimento jurídico*, Coimbra, 1963, e A. CASTANHEIRA NEVES, *A unidade do sistema jurídico: o seu problema e o seu sentido*, Coimbra, 1979. Cfr. também, deste último autor, "Fontes de Direito", in *Polis*, Vol. 2.°, p. 1512.

ordenamentos jurídico-territoriais do território português. Dentro do ordenamento estadual, em sentido amplo, destaca-se o *ordenamento estadual*, em sentido restrito, os *ordenamentos autonómicos*, constituído pelo conjunto de normas criadas pelas Regiões Autónomas, e *ordenamentos locais* constituídos por normas editadas pelas autarquias locais. O ordenamento constitucional constitui o ordenamento superior que: (1) unifica o ordenamento estadual e os ordenamentos autonómicos e locais; (2) estabelece a hierarquia entre as normas dos vários ordenamentos (cfr., por ex., arts. 112.º/3, 227.º/1/*a* e *b* e 241.º).

e) *Força normativa*

Falou-se atrás (vide *supra*) de constituição normativa. Nos livros de estudo encontram-se fórmulas como estas: *normatividade da constituição*, **força normativa da Constituição**. Através destas expressões pretende-se significar – é esse o sentido atribuído pela doutrina dominante – que a constituição é uma lei vinculativa dotada de *efectividade e aplicabilidade*. A *força normativa* da constituição visa exprimir, muito simplesmente, que a constituição sendo uma *lei como lei deve ser aplicada*. Afasta-se a tese generalizadamente aceite nos fins do século XIX e nas primeiras décadas do século XX que atribuia à constituição um "valor declaratório", "uma natureza de simples direcção política", um carácter programático despido da força jurídica actual caracterizadora das verdadeiras leis.[34] Voltaremos ao tema mais adiante. Repare-se, porém, no *paradoxo da programaticidade*: as constituições são leis mas não valem nem se aplicam como leis.

Se a constituição é uma lei como as outras, em alguma coisa, na verdade, se distingue delas. O carácter *aberto* e a estrutura de muitas normas da constituição obrigam à mediação *criativa e concretizadora* dos "intérpretes da constituição", começando pelo *legislador* (primado da competência concretizadora do legislador) e pelos juízes, sem esquecermos hoje o primordial papel concretizador desempenhado pelo governo quer na sua qualidade de órgão encarregado da "direcção política" quer na qualidade de órgão que dirige, superintende e/ou tutela a administração pública. A constituição é uma lei como as outras, mas é, também já o dissemos, uma *lei-quadro*. Isto explica a assinalável **liberdade de conformação dos órgãos político-legislativos** encarregados da concretização das normas constitucionais. Saber em que medida as normas constitucionais se aplicam *directamente* ou carecem de uma *interpositio regulativa* isso dependerá, em larga medida, da estrutura e natureza das normas constitucionais em causa. Demons-

---

[34] Cfr., na manualística constitucional mais recente, JAVIER PEREZ ROYO, *Curso de Derecho Constitucional*, Marcial Pons, Madrid, 1994, p. 79.

1150

trar-se-á no capítulo subsequente que existe um catálogo diferenciado de normas constitucionais (normas de direitos fundamentais, normas definidoras de princípios, normas de organização, normas-fins, etc.), que coloca problemas diversos em sede de aplicação consoante o tipo de norma a concretizar.

2. A Constituição no vértice da pirâmide normativa

As considerações anteriores pressupõem, em boa medida, uma *razão* e uma *lógica*. A *razão* continua a ser aquela que já sugerimos quando falámos da constituição como produto da modernidade política. Relembremos alguns tópicos: a ideia de lei fundamental é inseparável da *razão iluminista* que acreditava ser possível, através de um documento escrito (produto da razão), organizar o mundo e realizar um *projecto* de conformação política. A constituição é, nesta perspectiva, a alavanca de Arquimedes do sujeito projectante (homens, povo, nação).

A lógica é a lógica da *pirâmide geométrica*. A ordem jurídica estrutura-se em termos verticais, de forma escalonada, situando-se a constituição no vértice da pirâmide. Em virtude desta posição hierárquica ela actua como fonte de outras normas. No seu conjunto, a ordem jurídica é uma "derivação normativa" a partir da norma hierarquicamente superior, mesmo que se admita algum espaço criador às instâncias hierarquicamente inferiores quando concretizam as normas superiores.

3. Complexidade e heterogeneidade do ordenamento jurídico

Vimos atrás que esta construção – para além da perspectiva que lhe está subjacente (normativismo) – não tem virtualidades para compreender os sistemas jurídicos modernos. Se quisermos continuar a considerar a constituição como norma que confere *unidade* ao ordenamento jurídico temos de partir de pressupostos substancialmente diferentes. Como bem acentuou um prestigiado constitucionalista italiano,[35] a "mecânica unificação de alto para baixo através da força jurídica hierarquicamente superior da constituição", a partir da qual se extraem unilateral e dedutivamente todas as outras manifestações subordinadas do direito, colocar-nos-ia completamente "fora da estrada".

---

[35] Cfr. GUSTAVO ZAGREBELSKY, *Il Diritto Mite*, Einaudi, Torino, 1992, p. 49.

Bastam algumas perguntas para vermos a insuficiência deste esquema. Como é possível derivar da constituição o direito comunitário? Como é possível derivar da constituição o próprio direito internacional? Como é possível derivar da constituição normas de ordenamentos autónomos (ex.: ordenamentos desportivos)? A constituição mantém o seu papel de elemento unificador do sistema quando, através do *princípio da constitucionalidade* ou numa perspectiva mais ampla, através do *princípio da conformidade*, se exige a consonância de todos os actos dos poderes públicos com as regras e princípios da constituição (cfr. CRP, art. 6.°). Por outro lado, a constituição garante a tendencial unidade não como "norma do centro" ou "norma dirigente fundamental do Estado" mas como *estatuto de justiça do político*, ou seja, como *quadro moral e racional* do discurso político conformador da ordem normativo-constitucional através de um conjunto de princípios e regras incorporadores de "valores básicos" do ordenamento jurídico. Vejamos, mais concretamente, os termos do problema.

a) *Pluralismo de "ordenamentos superiores"*

A pirâmide jurídica deve ser superada impondo-se uma visão muito mais complexa e realista do direito da ordem jurídica. O direito ordenamental num Estado tem agora vários parceiros concorrentes: o direito constitucional que continua a reivindicar a primazia normativa; o direito comunitário que reclama o *status* de *lex superior*, inclusive em relação ao direito constitucional, os *princípios gerais de direito* e os *Bill of Rights*, nacionais ou transnacionais [36].

b) *Ordem jurídica global e ordem jurídica parcial*

A constituição desempenha ainda a função de ordem jurídica fundamental da comunidade. Contudo, a constituição e a ordem jurídica nacional transformaram-se em *ordem jurídica fundamental parcial* no âmbito da União Europeia. A constituição é agora a constituição de um Estado-membro da Comunidade Europeia que deve respeitar o "direito constitucional europeu".[37]

---

[36] Cfr., precisamente, Mauro Cappelletti, *Dimensioni della giustizia nella societá contemporanee*, Il Mulino, Bologna, 1994, p. 198.
[37] Cfr. Konrad Hesse, "Verfassung und Verfassungsrecht", in Benda/Maihofer/Vogel, *Handbuch des Verfassungsrechts*, p. 17

c) *O "direito reflexivo"*

Uma outra manifestação da complexidade actual em torno das fontes de direito é fornecida por aquilo que se chama na senda de um jurista da nossa contemporaneidade – Gunther Teubner – como *direito reflexivo*.[38] (Cfr. *infra*, Parte V).

O **"direito reflexivo"** seria fundamentalmente constituído pelo conjunto de regras definidoras dos esquemas relacionais dos grupos e organizações da época actual. Em rigor, haverá aqui uma "nova constituição" – *the constitution of organization* – em que se estabelecem as condições possibilitadoras da auto-regulação social efectivada pelos actores neo-corporativos. Exemplo típico seria, por exemplo, o da **concertação social** em que as normas servem apenas para estabelecer o processo de comunicação entre grupos e organizações (por ex., entre organizações sindicais, associações patronais e organização governamental). Os "acordos de concertação social" acolhem um esquema regulativo complexo de "critérios salariais", "critérios de produtividade", "tempos de trabalho" que dificilmente podem ser rigidificados em leis e, muito menos, derivados normativamente da constituição.

Estes três tópicos – pluralismo de ordenamentos superiores, ordens jurídicas fundamentais parciais e direito reflexivo – exemplificam as dificuldades da concepção tradicional da constituição como norma unitarizante e integradora do ordenamento jurídico. O que se pergunta é, então, isto: o que fica da constituição como **norma**? E o que fica da constituição como **ordem**? Ficam as duas coisas – **norma e ordem** – mas com um sentido diverso do tradicional. A constituição continua a ser uma *ordem-quadro moral e racional do discurso* político e uma *norma fundante e superior do ordenamento jurídico*, estruturada com base em regras e princípios identificadores da nossa comunidade jurídica. Com este sentido, ela continua a ser uma norma superior. Assim, por exemplo, perante normas do ordenamento internacional que toleram a pena de morte, ou normas do ordenamento comunitário que desprezam a proibição do "lock-out" como pressuposto do direito ao trabalho, a constituição pode e deve erguer-se como ordem e norma de uma **esfera de justiça** indiscutível dentro da comunidade jurídica portuguesa. Perante o pluralismo neocorporativo de criação do direito é ainda a constituição que diz os limites, por exemplo, da "justiça desportiva" ou da disciplina das "ordens profissionais". Em face da lógica racional de outros subsistemas (ex.: o económico), pode ser ainda a constituição a impor

---

[38] Cfr., por ex., GUNTHER TEUBNER, "The Two Faces of Janus: Rethinking Legal Pluralism", in *Cardoso Law Review*, 1992, pp. 1443 e ss.

esquemas de coesão e integração social, legitimando, por exemplo, o legislador a definir os quadros da concorrência entre o "pequeno comércio" e as "grandes superfícies comerciais" (cfr. *infra*, Teoria da Constituição, Parte V).

Referências bibliográficas

Amaral, M. L. – *Responsabilidade do Estado e Dever de Indemnizar do Legislador*, Coimbra, 1998, pp. 219 e ss.
Baldassare, A. – "Costituzione e teoria dei valori", *Politica del Diritto*, 1991, pp. 639 e ss.
Berti, G. – *Manuale di interpretazione costituzionale*, 3.ª ed., Cedam, Padova, 1994.
Bastos, C. R. – *Hermenêutica e Interpretação Constitucional*, 2.ª ed., São Paulo, 1999.
Canaris, C. W. – *Pensamento Sistemático e Conceito de Sistema na Ciência do Direito*, Fundação Gulbenkian, Lisboa, 1989.
Cicconetti, S. M. – *Appunti di Diritto Costituzionale*, G. Giappichelli Editore, Torino, 1992.
Commanducci, P. – "Ordine o norma? Su alcuni concetti di costituzione nel Settecento", in *Saggi storici, Studi in memoria di Giovanni Tarello*, Milano, 1990, vol. 1, pp. 173 e ss.
Crisafulli, Vezio – *Lezioni di Diritto Costituzionale*, I, 2.ª ed., Cedam, Padova, 1970.
Giannini, M. S. – *Introduzione al Diritto Costituzionale*, Bulzoni Editore, 1984.
Grau, E. – *La Doppia Destrutturazione del Diritto. Una teoria brasiliana sull'interpretazione*, Edizioni Unicolpi, Milano, 1996.
Grimm, D. – *Die Zukunft der Verfassung*, Suhrkamp, Frankfurt-M., 1992.
Grimm, D. – *Einführung in das öffentliche Recht*, UTB, C.F. Müller, Heidelberg, 1985.
Guastini, R. – "Sobre el concepto de Constitución", in CAC, 1 (1999), pp. 165 e ss.
Hart, H. L. A. – *O Conceito de Direito*, Fundação Gulbenkian, Lisboa, 1986.
Haverkate, G. – *Verfassungslehre*, Verlag C.H. Beck, München, 1992, pp. 6 e ss.
Hesse, K. – "Verfassung und Verfassungsrecht", in E. Benda/W. Maihofer/H. J. Vogel, *Handbuch des Verfassungsrechts der Bundesrepublik Deutschland*, 2.ª ed., Walter de Gruyter, Berlin-New York, 1994, pp. 3 e ss.
Kelsen, H. – *Teoria Pura do Direito*, Coimbra, 2 Vols., 1962.
Lamego, J. – *Hermenêutica e Jurisprudência*, Lisboa, 1990.
Modugno, F. – *Appunti per una teoria generale del Diritto*, Giappichelli, Torino, 1989.
– *Ordinamento Giuridico*, in Enc. Dir., XXX, Milano, 1980, p. 678.
Mortati, C. – *La Costituzione in senso materiale*, Milano, 1940 (existe trad. recente em castelhano com estudo preliminar de Almadena B. Gros e epílogo de G. Zagrebelsky, Madrid, 2000).

Neves, M. – *A Constitucionalização Simbólica*, Editora Académica, São Paulo, 1994.

Perez Royo, J. – *Curso de Derecho Constitucional*, Marcial Pons, Madrid, 1994.

Quintana, S. L. – *Tratado de Interpretación Constitucional*, Buenos Aires, 1998.

Rescigno, G. U. – *Corso di diritto pubblico*, Zanichelli, 4.ª ed., Bologna, 1994.

Requejo Pagés, J. – *Sistemas normativos, Constitución y Ordenamiento. La Constitución como norma sobre la aplicación de normas*, Madrid, 1995.

Spadaro, A. – *Contributo per una teoria della Costituzione*, Milano, 1994.

Stammati, S. – "La riflessione sulla Costituzione in senso materiale" *Giur. Cost.*, 1990, pp. 1947 e ss.

Tarello, G. – "Ordinamento Giuridico", in *Cultura Giuridica e Politica del Diritto*, Bologna, 1988.

Teubner, G. – *O Direito como Sistema Autopoiético*, Fundação Gulbenkian, Lisboa, 1993.

Weinberger, Ota – *Norm und Institution*, Manz Verlag, Wien, 1988.

Wilke, H. – *Die Ironie des Staates*, Suhrkamp, Frankfurt-M., 1992.

Zagrebelsky, G. – *Manuale di Diritto Costituzionale*, Vol. I, Utet, Torino, 1993, pp. 3 e ss.

Capítulo 3

A Constituição como sistema aberto de regras e princípios

Sumário

A. O Ponto de Partida: Sistema Aberto de Regras e Princípios

I - O "acesso" ao ponto de partida

II - Princípios e regras no direito constitucional

1. Normas, regras e princípios
2. Regras e princípios

III - Sistema de princípios e sistema de regras

B. Tipologia de Princípios e de Regras

I - Tipologia de princípios

1. Princípios jurídicos fundamentais (Rechtsgrundsätze)
2. Princípios políticos constitucionalmente conformadores
3. Os princípios constitucionais impositivos
4. Os princípios-garantia

II - Tipologia de regras

1. Normas constitucionais organizatórias e normas constitucionais materiais

2. Regras jurídico-organizatórias
3. Regras jurídico-materiais

C. O Sistema Interno de Regras e Princípios

D. Textura Aberta e Positividade Constitucional

I - O direito constitucional como direito positivo

II - O sentido das normas programáticas

III - Aplicabilidade directa

1. Rejeição da doutrina tradicional da regulamentação da liberdade
2. Aplicabilidade directa de normas de direitos, liberdades e garantias
3. Aplicabilidade directa de normas organizatórias
4. Aplicabilidade directa de normas-fim e normas-tarefa

IV - Densidade e abertura das normas constitucionais

V - Unidade da constituição e antinomias e tensões entre princípios constitucionais

1. Conflito de princípios
2. O princípio da unidade da constituição

VI - Sentido global dos princípios estruturantes

1. Dimensão constitutiva e dimensão declarativa
2. Padrões de legitimidade e princípios constitucionalmente conformados
3. Especificidade e concordância prática
4. Positividade constitucional

A. O Ponto de Partida: sistema aberto de regras e princípios

I - O «acesso» ao ponto de partida

No presente capítulo procurar-se-á lançar as bases da compreensão dogmática do direito constitucional. Convém, por isso, adiantar o ponto de partida fundamental para a compreensão dos desenvolvimentos seguintes: o *sistema jurídico do Estado de direito democrático português é um* **sistema normativo aberto de regras e princípios**. Este ponto de partida carece de «descodificação»: (1) é um *sistema jurídico* porque é um sistema dinâmico de normas; (2) é um *sistema aberto* porque tem uma *estrutura dialógica* (Caliess), traduzida na disponibilidade e «capacidade de aprendizagem» das normas constitucionais para captarem a mudança da realidade e estarem abertas às concepções cambiantes da «verdade» e da «justiça»; (3) é um *sistema normativo,* porque a estruturação das expectativas referentes a valores, programas, funções e pessoas, é feita através de *normas* [1]; (4) é um *sistema de regras e de princípios,* pois as normas do sistema tanto podem revelar-se sob a forma de *princípios* como sob a sua forma de *regras* [2].

II - Princípios e regras no direito constitucional

Salienta-se, na moderna constitucionalística, que à *riqueza de formas* da constituição corresponde a multifuncionalidade das normas constitucionais. Ao mesmo tempo, aponta-se para a necessidade dogmática de uma clarificação tipológica da estrutura normativa. É o que se vai fazer em seguida.

---

[1] Cfr. LUHMANN, *Rechtssoziologie*, p. 80; *Gesellschaftsstruktur und Semantik*, vol. II, pp. 42 e ss.
[2] Cfr. ALEXY, *Theorie der Grundrechte*, pp. 71 e ss. No direito brasileiro, cfr. EROS ROBERTO GRAU, «Os princípios e as regras jurídicas», in *A Ordem económica na constituição de 1988 (interpretação e crítica),* São Paulo, 1990, pp. 92 e ss; JOSÉ AFONSO DA SILVA, *Curso de Direito Constitucional Positivo*, 5.ª ed., São Paulo, 1984, pp. 82 e ss.; PAULO BONAVIDES, *Curso de Direito Constitucional*, 8.ª ed., São Paulo, 1999, p. 231 ss.; RUY ESPIÑOLA, *Conceito de Princípios Constitucionais*, São Paulo, 1999. A, RAMOS TAVARES, *Curso de Direito Constitucional*, 2003, p. 84 ss. Para o conceito de sistema cfr., por todos, CANARIS, *Pensamento sistemático e conceito de sistema na ciência do direito*, Lisboa, 1989, pp. 25 e ss.

1. Normas, regras e princípios

A teoria da metodologia jurídica tradicional distinguia entre *normas e princípios (Norm-Prinzip, Principles-rules, Norm und Grundsatz)*. Abandonar-se-á aqui essa distinção para, em sua substituição, se sugerir: (1) as regras e princípios são duas espécies de normas; (2) a distinção entre regras e princípios é uma distinção entre duas espécies de normas [3].

2. Regras e princípios

Saber como distinguir, no âmbito do superconceito **norma**, entre **regras** e **princípios**, é uma tarefa particularmente complexa. Vários são os critérios sugeridos.

a) Grau de abstracção: os *princípios* são normas com um grau de abstracção relativamente elevado; de modo diverso, as *regras* possuem uma abstracção relativamente reduzida [4].

b) Grau de determinabilidade na aplicação do caso concreto: os *princípios*, por serem vagos e indeterminados, carecem de mediações concretizadoras (do legislador, do juiz), enquanto as *regras* são susceptíveis de aplicação directa [5].

c) Carácter de fundamentalidade no sistema das fontes de direito: os *princípios* são normas de natureza estruturante ou com um papel fundamental no ordenamento jurídico devido à sua posição hierárquica no sistema das fontes (ex.: princípios constitucionais) ou à sua importância estruturante dentro do sistema jurídico (ex.: princípio do Estado de Direito) [6].

d) «Proximidade» da ideia de direito: os *princípios* são «standards» juridicamente vinculantes radicados nas exigências de «justiça» (Dworkin) ou na «ideia de direito» (Larenz); as *regras* podem ser normas vinculativas com um conteúdo meramente funcional [7].

---

[3] Cfr. DWORKIN, *Taking Rights Seriously*, p. 53; ALEXY, *Theorie der Grundrechte*, p. 72; BYDLINSKI, *Juristische Methodenlehre und Rechtsbegriff*, 1982, pp. 132 e ss; DREIER, *Rechtsbegriff und Rechtsidee*, 1986, p. 26; WIEDERIN, «Regel-Prinzip-Norm», in PAULSON/WALTER (org.), *Untersuchungen zur Reinen Rechtslehre*, 1986, pp. 137 e ss; SIELKMANN, *Regelmodelle und Primipienmodelle*, p. 69 ss. A. PIZZORUSSO, *Manuale di Istituzioni di Diritto Pubblico*, Napoli, 1998, pp. 205 e ss.; WILLIS GUERRA FILHOS, *Processo Constitucional e Direitos Fundamentais*, São Paulo, 1999, pp. 43 e ss.

[4] Cfr. ESSER, *Grundsatz und Norm*, p. 51; LARENZ, *Richtiges Recht*, p. 26, que, de resto, se revelam críticos quanto a este critério de abstracção. Por último, cfr., BOROWSKI, *Grundrechte*, p. 27 ss.

[5] Cfr. ESSER, *Grundsatz und Norm*, cit. p. 51; LARENZ, *Richtiges Recht*, p. 23.

[6] Cfr. GUASTINI, *Lezioni sul Linguaggio Giuridico*, p. 163; «Principi di diritto», in *Digesto disc. civ.*, Vol. XIV, Torino, 1996; BOROWSKI, «Prinzipien als Grundrechtsnormen», in ZÖR, 53 (1998), p. 307 ss.

[7] Cfr. LARENZ, *Methodenlehre der Rechtswissenschaft*, 5.ª ed., pp. 218 e 404; DWORKIN, *Taking Rights Seriously*, pp. 54 e ss. Por último, cf. BOROWSKI, *Grundrechte*, pp. 61 e ss.

f) Natureza normogenética: os *princípios* são fundamento de regras, isto é, são normas que estão na base ou constituem a *ratio* de regras jurídicas, desempenhando, por isso, uma função normogenética[8] fundamentante.

Como se pode ver, a distinção entre princípios e regras é particularmente complexa. Esta complexidade deriva, muitas vezes, do facto de não se esclarecerem duas questões fundamentais: (1) saber qual a função dos princípios, ou seja, se têm uma função retórica-argumentativa ou são normas de conduta; (2) saber se entre princípios e regras existe um denominador comum, pertencendo à mesma «família» e havendo apenas uma diferença do grau (quanto à generalidade, conteúdo informativo, hierarquia das fontes, explicitação do conteúdo, conteúdo valorativo), ou se, pelo contrário, os princípios e as regras são susceptíveis de uma diferenciação qualitativa.

Relativamente ao primeiro problema, convém distinguir entre **princípios hermenêuticos** e **princípios jurídicos**. Os princípios hermenêuticos desempenham uma função argumentativa, permitindo, por exemplo, denotar a *ratio legis* de uma disposição (cfr. *infra*, cap. 3.º, cânones de interpretação) ou revelar normas que não são expressas por qualquer enunciado legislativo, possibilitando aos juristas, sobretudo aos juízes, o desenvolvimento, integração e complementação do direito (*Richterrecht, analogia juris*). Não é destes princípios que tratamos aqui (*vide*, cap. 4.º).

Os **princípios** interessar-nos-ão, aqui, sobretudo na sua qualidade de verdadeiras *normas, qualitativamente distintas* das outras categorias de normas, ou seja, das **regras jurídicas**. As diferenças qualitativas traduzir-se-ão, fundamentalmente, nos seguintes aspectos. Os princípios são normas jurídicas impositivas de uma *optimização*, compatíveis com vários graus de concretização, consoante os condicionalismos fácticos e jurídicos; as *regras* são normas que prescrevem imperativamente uma exigência (impõem, permitem ou proíbem) que é ou não é cumprida (nos termos de Dworkin: *applicable in all-or-nothing fashion*); a convivência dos princípios é conflitual (Zagrebelsky), a convivência de regras é antinómica; os princípios coexistem, as regras antinómicas excluem-se. Consequentemente, os princípios, ao constituírem *exigências de optimização*, permitem o balanceamento de valores e interesses (não obedecem, como as regras, à «lógica do tudo ou nada»), consoante o seu *peso* e a ponderação de outros princípios eventualmente conflituantes; as regras não deixam espaço para qualquer outra solução, pois se uma regra *vale* (tem validade) deve cumprir-se na exacta medida das suas prescrições, nem mais nem menos. Como se verá mais adiante, em caso de *conflito entre princípios,* estes

---

[8] Cfr., por ex., ESSER, *Grundsatz,* p. 51; CANARIS, *Pensamento sistemático,* cit., pp. 76 e ss.; CASTANHEIRA NEVES, *Metodologia Jurídica,* p. 280 ss.

podem ser objecto de ponderação e de harmonização, pois eles contêm apenas «exigências» ou «standards» que, em «primeira linha» (*prima facie*), devem ser realizados; as regras contêm «fixações normativas» *definitivas,* sendo insustentável a *validade* simultânea de regras contraditórias. Realça-se também que os princípios suscitam problemas de *validade e peso* (importância, ponderação, valia); as regras colocam apenas questões de *validade* (se elas não são correctas devem ser alteradas) [9].

III - Sistema de princípios e sistema de regras [10]

A existência de regras e princípios, tal como se acaba de expor, permite a descodificação, em termos de um «constitucionalismo adequado» (Alexy: *gemässigte Konstitutionalismus*), da estrutura sistémica, isto é, possibilita a compreensão da constituição como **sistema aberto de regras e princípios.**

Um modelo ou sistema constituído exclusivamente por regras conduzir-nos-ia a um sistema jurídico de limitada racionalidade prática. Exigiria uma disciplina legislativa exaustiva e completa – *legalismo* – do mundo e da vida, fixando, em termos definitivos, as premissas e os resultados das regras jurídicas. Conseguir-se-ia um «sistema de segurança», mas não haveria qualquer espaço livre para a complementação e desenvolvimento de um sistema, como o constitucional, que é necessariamente um sistema aberto. Por outro lado, um legalismo estrito de regras não permitiria a introdução dos conflitos, das concordâncias, do balanceamento de valores e interesses, de uma sociedade pluralista e aberta. Corresponderia a uma organização política monodimensional (Zagrebelsky).

O modelo ou sistema baseado exclusivamente em princípios (Alexy: *Prinzipien-Modell des Rechtssystems*) levar-nos-ia a consequências também inaceitáveis. A indeterminação, a inexistência de regras precisas, a coexistência de princípios conflituantes, a dependência do «possível» fáctico e jurídico, só poderiam conduzir a um sistema falho de segurança jurídica e tendencialmente incapaz de reduzir a complexidade do próprio sistema. Daí a proposta aqui sugerida. Qualquer sistema jurídico carece de *regras* jurídicas: a constituição, por

---

[9] Seguimos de perto, ALEXY, *Theorie der Grundrechte,* cit., pp. 75 e ss; DWORKIN, *Taking Rights Seriously,* pp. 116 e ss; ZAGREBELSKY, *Il sistema costituzionale delle fontti del diritto,* p. 108. Cfr., também, EROS R. GRAU, *A ordem económica,* cit., pp. 107 e ss.; M. BOROWSKI, «Prinzipien...», cit., p. 309 ss.

[10] Cfr., sobretudo, ALEXY, *Rechtssystem und Praktische Vernunft,* Rth, 18 (1987), pp. 405 e ss. Pondo objecções a uma divisão dicotómica entre princípios e regras, cfr., por último, F. BYDLINSKI, *Fundamentale Rechtsgrundsätze,* 1988, pp. 123 e ss. Em geral, J. SIECKMANN, *Regelmodelle und Prinzipienmodelle des Rechtssystems,* pp. 61 e ss.

ex., deve fixar a maioridade para efeitos de determinação da capacidade eleitoral activa e passiva, sendo impensável fazer funcionar aqui apenas uma exigência de optimização: um cidadão é ou não é maior aos 18 anos para efeito de direito de sufrágio; um cidadão «só pode ter direito à vida». Contudo, o sistema jurídico necessita de *princípios* (ou os valores que eles exprimem) como os da liberdade, igualdade, dignidade, democracia, Estado de direito; são exigências de optimização abertas a várias concordâncias, ponderações, compromissos e conflitos. Em virtude da sua «referência» a valores ou da sua relevância ou proximidade axiológica (da «justiça», da «ideia de direito», dos «fins de uma comunidade»), os princípios têm uma *função normogenética* e uma *função sistémica*[11]: são o fundamento de regras jurídicas e têm uma *idoneidade irradiante* que lhes permite «ligar» ou cimentar objectivamente todo o sistema constitucional. Compreende-se, assim, que as «regras» e os «princípios», para serem activamente operantes, necessitem de *procedimentos* e *processos* que lhes dêem operacionalidade prática (Alexy: *Regel/Prinzipien/Prozedur-Modell des Rechtssystems*): o direito constitucional é um sistema aberto de normas e princípios que, através de processos judiciais, procedimentos legislativos e administrativos, iniciativas dos cidadãos, passa de uma *law in the books* para uma *law in action* para uma «*living constitution*».

Esta perspectiva teorético-jurídica do «sistema constitucional», tendencialmente «principialista», é de particular importância, não só porque fornece suportes rigorosos para solucionar certos problemas metódicos (cfr. *infra*, colisão de direitos fundamentais), mas também porque permite *respirar, legitimar, enraizar* e *caminhar* o próprio sistema. A respiração obtém-se através da «textura aberta» dos princípios; a legitimidade entrevê-se na ideia de os princípios consagrarem *valores* (liberdade, democracia, dignidade) fundamentadores da ordem jurídica e disporem de capacidade deontológica de justificação; o enraizamento prescruta-se na *referência sociológica* dos princípios a valores, programas, funções e pessoas; a capacidade de caminhar obtém-se através de instrumentos *processuais e procedimentais adequados,* possibilitadores da concretização, densificação e realização prática (política, administrativa, judicial) das mensagens normativas da constituição. Por último, pode dizer-se que a individualização de princípios-norma permite que a constituição possa ser realizada de forma gradativa, segundo circunstâncias factuais e legais (Bin). A compreensão principal da Constituição serve de arrimo à concretização metódica quer se trate de um texto constitucional garantístico (ex.: a leitura principial de R. Dworkin em face da constituição americana) quer se trate de um texto

---

[11] Assim, precisamente, BARTOLE, *Principi di diritto (dir. cost.),* in *Enciclopedia del Diritto,* XXXV, p. 531; MARCELO NEVES, *Teoria da inconstitucionalidade das leis,* São Paulo, 1988, pp. 16 e ss.

constitucional programático (ex.: Constituição Portuguesa de 1976, Constituição Brasileira de 1988).[12]

O discurso do texto tem um «segredo» escondido. Esse segredo deve, porém, revelar-se aos que pretendam ir ao fundo das coisas: pretende-se construir o direito constitucional com base numa perspectiva "principialista" (baseado em princípios), perspectiva esta inspirada em Dworkin e Alexy, mas com aberturas para as concepções sistémicas e estruturantes (sentido de Luhmann e de Müller). Desta forma, fazemos também sugestões para uma visão estruturante do direito constitucional com suficientes suportes em esquemas funcionais e institucionais (W. Krawietz). Cfr. Dworkin, *Taking Rights Seriously*, p. 45; Alexy, *Theorie der Grundrechte; Rechtssystem und Praktische Vernunft*, Rth, 18 (1987), p. 405; W. Krawietz, *Recht als Regelsystem*, Wiesbaden, 1984; «Jurisdisch-institutionelle Rationalität des Rechts versus Rationalität der Wissenschaft», in Rth 15 (1984), p. 423; Zagrebelsky, *Il sistema costituzionale*, cit., p. 108; *Il Diritto Mite*, Torino, 1992, pp. 147 e ss; Bin, *Diritti e Argomenti*, Milano, 1992, pp. 31 e ss.; S. Smith, *The Constitution and the Pride of Reason*, New York, 1998. A problemática dos princípios tem sido aprofundada numa perspectiva jurisprudencialista (*seriously taked*) pela moderna doutrina jusfilosófica portuguesa. Cfr. A. Castanheira Neves, *Metodologia Jurídica*, p. 78 ss., 152 ss., 188 ss.; A. Pinto Bronze, *A metodonomologia entre a semelhança e a diferença. (Reflexão problematizante dos polos da radical matriz analógica do discurso jurídico)*, Coimbra, 1994, p. 493 ss.; J. M. Aroso Linhares, *Entre a reescrita pós-moderna da modernidade e o tratamento narrativo da diferença ou a prova como um exercício de passagem nos limites da juridicidade*, Coimbra, 2001, p. 388 ss. Diferentemente destas posições, entendemos que a consideração dos princípios como um autêntico *jus* não implica necessariamente uma opção jurisprudencialista. No âmbito do direito constitucional e do direito internacional público, alguns princípios como o "princípio do Estado de direito", o "princípio democrático", o "princípio da autodeterminação dos povos" foram revelados e instituidos por formas que não são (ou não são primariamente) as jurisprudenciais.

B. Tipologia de Princípios e de Regras

I - Tipologia de princípios

Aflorados alguns tópicos relativos ao problema geral dos princípios jurídicos, impõe-se agora a delimitação do tema dentro dos quadros do direito constitucional. A tipologia que vai servir de base é a seguinte.

---

[12] Cfr., precisamente, na mais jovem literatura brasileira: SUZANA DE TOLEDO BARROS, *O princípio da constitucionalidade e o controlo da constitucionalidade das leis restritivas*, Brasília, 1996; RAQUEL DENIZE STUMM, *Princípio da constitucionalidade no direito constitucional brasileiro*, Porto Alegre, 1995; INOCÊNCIO M. COELHO, *Interpretação Constitucional*, p. 85; LUÍS BARROSO, *Interpretação e Aplicação da Constituição*, pp. 141 e ss.

1. Princípios jurídicos fundamentais (Rechtsgrundsätze)

Consideram-se **princípios jurídicos fundamentais** *os princípios historicamente objectivados e progressivamente introduzidos na consciência jurídica e que encontram uma recepção expressa ou implícita no texto constitucional*. Pertencem à ordem jurídica positiva e constituem um importante fundamento para a interpretação, integração, conhecimento e aplicação do direito positivo. Mais rigorosamente, dir-se-á, em primeiro lugar, que os princípios têm uma função negativa particularmente relevante nos «casos limites» («Estado de Direito e de Não Direito», «Estado Democrático e ditadura»). A função negativa dos princípios é ainda importante noutros casos onde não está em causa a negação do Estado de Direito e da legalidade democrática, mas emerge com perigo o "excesso de poder". Isso acontece, por ex., com o princípio da proibição do excesso (cfr. arts. 18.º/2, 19.º/2/3/4/8, 28.º/2, 272.º/2).

Os princípios jurídicos gerais têm também uma *função positiva*, «informando» materialmente os actos dos poderes públicos. Assim, por ex., o *princípio da publicidade dos actos jurídicos* (cfr. art. 119.º) exige que, no caso de ser reconhecida eficácia externa a esses actos, eles sejam notificados aos interessados nos termos da lei (cfr. art. 268.º/3). Atrás do princípio da publicidade, está a exigência de segurança do direito, a proibição da *arcana praxis* (política de segredo), a defesa dos cidadãos perante os actos do poder público.

A mesma eficácia material positiva se reconhece ao princípio, já citado, da *proibição do excesso*. Proibir o excesso não é só proibir o arbítrio; é impor, positivamente, a *exigibilidade, adequação* e *proporcionalidade* dos actos dos poderes públicos em relação aos fins que eles prosseguem. Trata-se, pois, de um princípio jurídico-material de «justa medida» (Larenz) [13].

O *princípio do acesso ao direito e aos tribunais* (cfr. art. 20.º) é outro princípio geral que postula não só o reconhecimento da possibilidade de uma defesa sem lacunas, mas também o exercício efectivo deste direito (ex.: direito ao patrocínio judiciário, direito à informação jurídica). Também o princípio da imparcialidade da administração (art. 266.º) é um princípio simultaneamente negativo e positivo: ao exigir-se imparcialidade proíbe-se o tratamento arbitrário e desigual dos cidadãos por parte dos agentes administrativos, mas, ao mesmo tempo, impõe-se a igualdade de tratamento dos direitos e interesses dos cidadãos através de um critério uniforme da ponderação dos interesses públicos.

---

[13] Cfr. CRISAFULLI, *La Costituzione*, pp. 17 e 53 e ss; S. BARTOLE, «Il Limite dei principi fondamentali», in *Studi in onore A. Amorth*, I, Milano, 1982, pp. 60 e ss.

Em virtude desta dimensão determinante (positiva e negativa) dos princípios, reconhece-se hoje que, mesmo não sendo possível fundamentar autonomamente, a partir deles, recursos de direito público (o que é discutível), eles fornecem sempre directivas materiais de interpretação das normas constitucionais. Mais do que isso: vinculam o legislador no momento legiferante, de modo a poder dizer-se ser a liberdade de conformação legislativa positiva e negativamente vinculada pelos princípios jurídicos gerais.

2. Princípios políticos constitucionalmente conformadores

Designam-se por **princípios politicamente conformadores** *os princípios constitucionais que explicitam as valorações políticas fundamentais do legislador constituinte.* Nestes princípios se condensam as opções políticas nucleares e se reflecte a ideologia inspiradora da constituição. Expressando as concepções políticas triunfantes ou dominantes numa assembleia constituinte, os princípios político-constitucionais são o *cerne político de uma constituição política,* não admirando que: (1) sejam reconhecidos como limites do poder de revisão; (2) se revelem os princípios mais directamente visados no caso de alteração profunda do regime político.

Nesta sede situar-se-ão os *princípios definidores da forma de Estado:* princípios da organização económico-social, como, por ex:, o princípio da subordinação do poder económico ao poder político democrático, o princípio da coexistência dos diversos sectores da propriedade – público, privado e cooperativo; os princípios definidores da *estrutura do Estado* (unitário, com descentralização local ou com autonomia local e regional), os *princípios estruturantes do regime político* (princípio do Estado de Direito, princípio democrático, princípio republicano, princípio pluralista) e os *princípios caracterizadores da forma de governo* e da organização política em geral como o princípio da separação e interdependência de poderes e os princípios eleitorais.

Tal como acontece com os princípios jurídicos gerais, os princípios políticos constitucionalmente conformadores são princípios *normativos, rectrizes* e *operantes,* que todos os órgãos encarregados da aplicação do direito devem ter em conta, seja em actividades interpretativas, seja em actos inequivocamente conformadores (leis, actos políticos).

3. Os princípios constitucionais impositivos

Nos **princípios constitucionais impositivos** *subsumem-se todos os princípios que impõem aos órgãos do Estado, sobretudo ao legislador, a realização de*

fins e a execução de tarefas. São, portanto, princípios dinâmicos, prospectivamente orientados. Estes princípios designam-se, muitas vezes, por «preceitos definidores dos fins do Estado» (assim Scheuner: *Staatszielbestimmungen*), «princípios directivos fundamentais» (Häfelin), ou «normas programáticas, definidoras de fins ou tarefas».

Como exemplo de princípios constitucionais impositivos podem apontar-se o princípio da independência nacional e o princípio da correcção das desigualdades na distribuição da riqueza e do rendimento (arts. 9.°/*d* e 81.°/*b*). Traçam, sobretudo para o legislador, linhas rectrizes da sua actividade política e legislativa.

4. Os princípios-garantia

Há outros princípios que visam instituir directa e imediatamente uma *garantia* dos cidadãos. É-lhes atribuída uma densidade de autêntica norma jurídica e uma força determinante, positiva e negativa. Refiram-se, a título de exemplo, o princípio de *nullum crimen sine lege e de nulla poena sine lege* (cfr. art. 29.°), o princípio do juiz natural (cfr. art. 32.°/7), os princípios de *non bis in idem* e *in dubio pro reo* (cfr. arts. 29.°/4, 32.°/2).

Como se disse, estes princípios traduzem-se no estabelecimento directo de garantias para os cidadãos e daí que os autores lhes chamem «princípios em forma de norma jurídica» (Larenz) e considerem o legislador estreitamente vinculado na sua aplicação [14].

Não é possível fazer-se aqui uma explanação da complexa problemática dos princípios e das suas relações com as normas jurídicas. No texto, a doutrina defendida tende a aproximar-se da opinião que julgamos estar a ganhar o estatuto de doutrina constitucionalística dominante. Cfr., entre nós, por último, Castanheira Neves, *A unidade,* pp. 172 e ss.; Jorge Miranda, *Manual,* II, pp. 57 e ss; Baptista Machado, *Introdução ao Direito,* p. 164, partindo de premissas metodológicas não coincidentes com as que estão subjacentes ao texto. Em termos gerais, cfr. Larenz, *Richtiges Recht,* München, 1979; Esser, *Grundsatz und Norm,* pp. 51 e ss; R. Dworkin, «The Model *of Rules*», I, in *Taking Rights Seriously,* London, 1977, pp. 25 e ss; Scheuner, «Staatszielbestimmungen», in *Festschrift für E. Forsthoff,* München, 1972, pp. 325 e ss; «Normative Gewährleistung und Bezugnahme auf Fakten im Verfassungstext», in *Festschrift für H. U. Scupin,* Berlin, 1973, pp. 324 e ss. Por último, cfr. Alexy, «Zum Begriff des Rechtsprinzips», in Krawietz *et alii.* (org.) – *Argumentation und Hermeneutik in der Jurisprudenz,* 1979, pp. 34 e ss; Alexy, *Theorie der Grundrechte,* 1985, pp. 72 e ss; Eros R. Grau, *A Ordem económica,* cit., p. 106.

---

[14] Cfr. E. R. GRAU, *A ordem económica*, cit., p. 118.

II - Tipologia de regras

1. Normas constitucionais organizatórias e normas constitucionais materiais

Uma distinção, reconduzível à doutrina constitucionalista alemã da época de Weimar e com recepção na Itália, pretende separar as **normas organizatórias** das **normas materiais**: as primeiras regulam o estatuto da organização do Estado e a ordem de domínio (são normas de «acção» na terminologia italiana); as segundas referem-se aos limites e programas da acção estadual em relação aos cidadãos (são «normas de relação»). É uma distinção ultrapassada, ao estabelecer uma dicotomia qualitativa entre os dois tipos de normas, atribuindo só a um dos grupos o carácter material, e introduzindo no seio da constituição dois compartimentos estanques, um formado pelas normas organizatórias e outro constituído pelas normas materiais. A classificação, embora continue a ter interesse heurístico e pedagógico, não responde ao problema da «natureza material» dos próprios preceitos organizatórios. Como salientou Hesse, o dualismo normas organizatórias-normas materiais corresponde à velha concepção segundo a qual a parte organizativa é tão-somente organização do poder estadual oposta à esfera livre e individual constituída pelos direitos fundamentais. Daqui derivaria uma infra-ordenação da parte organizatória em relação ao poder estadual. Subjacente a esta teoria está ainda o pressuposto sociológico da separação Estado-sociedade. Nesse aspecto, nem sequer se coaduna com a própria teoria clássica do constitucionalismo que considerava partes essenciais da constituição quer o catálogo dos direitos fundamentais quer a separação de poderes, isto é, a organização do poder político informada pela separação de poderes [15] (cfr. *infra*).

2. Regras jurídico-organizatórias

Tendo em conta as observações feitas na alínea anterior, é possível partir da bipartição normas organizatórias-normas materiais para se obter uma

---

[15] A distinção entre *direito organizatório e direito material* foi trabalhada principalmente por W. BURCKHARDT, *Die Organisation der Rechtsgemeinschaft*, 2.ª ed., pp. 32 e ss. A subsistência desta distinção justifica ainda hoje a separação da inconstitucionalidade orgânica e formal da inconstitucionalidade material, separação que tem vindo a ser progressivamente posta em causa. Cfr., por ex., HESSE, *Grundzüge,* p. 125. Na doutrina italiana, cfr. também as incisivas considerações de GIANNINI, *Diritto Amministrativo,* Vol. I, 1970, pp. 91 ss, sobre a relevância jurídica das «norme organizative». Por último, cfr. GOERLICH, *Grundrechte als Verfahrensgarantien*, 1981, pp. 371 e ss; K. STERN, *Staatsrecht,* vol. I, pp. 96 e ss; LUCIANI, «La Costituzione dei diritti» e la «Costituzione dei poteri». Noterelle brevi su un modello interpretativo ricorrente», in *Studi in onore Crisafulli,* Padova, 1985.

tipologia das normas constitucionais que, sem ser exaustiva, capte os principais elementos caracterizadores dos vários tipos normativo-constitucionais.

a) *Regras de competência*

Normas constitucionais de competência são aquelas nas quais se reconhecem certas *atribuições* a determinados órgãos constitucionais ou são estabelecidas *esferas de competência* entre os vários órgãos constitucionais.

Normas deste tipo encontram-se, sobretudo, na Parte III, relativa à organização do poder político. Vejam-se, por ex., as normas relativas à competência do Presidente da República (arts. 133.° e ss), à competência da Assembleia da República (arts. 161.° e ss) e à competência do Governo (arts. 197.° e ss).

Saliente-se, de acordo com as referências anteriores sobre a «contaminação material» das normas organizatórias, que as normas de competência comportam, muitas vezes, um conteúdo material respeitante não só ao dever de garantir a competência constitucionalmente fixada, mas também à própria razão de ser da delimitação de competência. É o que acontece, por ex., com a reserva absoluta (art. 164.°) e a reserva relativa (art. 165.°) de competência legislativa da Assembleia da República.

b) *Regras de criação de órgãos (normas orgânicas)*

As chamadas **normas orgânicas** ou de criação de órgãos andam estritamente relacionadas com as normas de competência. Visam disciplinar normalmente a *criação* ou *instituição* constitucional de certos órgãos. Quando, além da criação de órgãos, as normas fixam as atribuições e competências dos mesmos, diz-se que são *normas orgânicas e de competência*. Vejam-se, por ex., as normas criadoras de um Presidente da República (art. 120.°), de uma Assembleia da República (art. 147.°), de um Governo (art. 182.°). Nalguns casos, as *normas de criação* limitam-se a afirmar a existência constitucional de um órgão e o seu processo de formação através do voto ou através de outros órgãos, mas não fixam a competência (ex.: art. 210.°, Supremo Tribunal de Justiça).

c) *Regras de procedimento*

Uma das técnicas de legiferação constitucional (de legislação constituinte) é a de estabelecer normas procedimentais apenas nos casos em que o **procedimento** *é um elemento fundamental da formação da vontade política* e do *exercício* das competências constitucionalmente consagradas. Assim, por ex., o

A constituição como sistema aberto de regras e princípios

procedimento eleitoral e o procedimento de funcionamento do Tribunal Constitucional foram remetidos para as leis ordinárias. Todavia, as normas definidoras dos princípios fundamentais relativas a estes procedimentos constam da constituição. Refiram-se, a título de exemplo, os arts. 113.º (direito eleitoral) e 277.º e ss (processo de fiscalização da constitucionalidade). Normas procedimentais de natureza especial são as normas respeitantes ao *procedimento de revisão* (arts. 284.º e ss).

Como se acaba de ver, as normas organizatórias são normas complexas com uma grande diversidade de funções: (*a*) *função estruturante* das organizações (esquema organizatório, individualização dos órgãos); (*b*) *função atributiva* de um poder (competência); (*c*) *função distributiva* de competências por vários órgãos de um ente público (ex.: normas que distribuem a competência do Governo pelo Conselho de Ministros, Primeiro-Ministro e Ministros); (d) *função procedimental ou processual* (ex.: procedimento de formação das leis, procedimento da destituição do Presidente da República, processo de controlo da constitucionalidade das normas) [16].

3. Regras jurídico-materiais

a) *Regras de direitos fundamentais*

Designam-se por **normas de direitos fundamentais** todos os preceitos constitucionais destinados ao reconhecimento, garantia ou conformação constitutiva de direitos fundamentais (cfr. CRP, arts. 24.º e ss).

A importância das normas de direitos fundamentais deriva do facto de elas, directa ou indirectamente, assegurarem um status *jurídico-material* aos cidadãos.

b) *Regras de garantias institucionais*

As normas que se destinam a proteger instituições (públicas ou privadas) são designadas, pela doutrina, por normas de **garantias institucionais**.

Andam, muitas vezes, associadas às normas de direitos fundamentais, visando proteger formas de vida e de organização social indispensáveis à própria protecção de direitos dos cidadãos. Assim, por ex., a CRP, ao mesmo tempo que reconhece como direito fundamental o direito de constituir família e

---

[16] Uma análise próxima da do texto quanto ao sentido das normas disciplinadoras dos «factos organizativos» ver-se-á em GIANNINI, *Diritto Amministrativo*, 1988, Vol. I, pp. 103 e ss; *Istituzioni di Diritto Amministrativo*, 1981, pp. 39 e ss.

de contrair casamento (art. 36.º/1), assegura a protecção da família como instituição (art. 67.º). O mesmo se diga da paternidade, da maternidade (art. 68.º) e do ensino (art. 74.º). Tradicionalmente, os autores incluem nas chamadas garantias institucionais jurídico-públicas (*institutionelle Garantien* na doutrina alemã, que as distingue das garantias jurídico-privadas, ou seja, das *Institutsgewährleistungen*) a garantia da autonomia local (art. 6.º/1), a garantia do funcionalismo público (art. 269.º) e a garantia da autonomia universitária (art. 76.º/2).

As garantias institucionais, constitucionalmente protegidas, visam não tanto «firmar» «manter» ou «conservar» certas «instituições naturais» mas impedir a sua submissão à completa discricionariedade dos órgãos estaduais, proteger a instituição e defender o cidadão contra ingerências desproporcionadas ou coactivas.

Todavia, a partir do pensamento institucionalístico, inverte-se, por vezes, o sentido destas garantias. As instituições são consideradas com uma existência autónoma *a se*, pré-existente à constituição, o que leva pressuposta uma ideia conservadora da instituição, conducente, em último termo, ao sacrifício dos próprios direitos individuais perante as exigências da instituição como tal. Ao estudarmos o problema das restrições aos direitos fundamentais ver-se-á melhor esta questão. Aqui apenas se volta a acentuar que as garantias institucionais contribuem, em primeiro lugar, para a *efectividade óptima* dos direitos fundamentais (garantias institucionais como meio) e, só depois, se deve transitar para a fixação e estabilização de entes institucionais. Cfr. Häberle, *Die Wesensgehaltgarantie des art. 19 Abs. 2.º Grundgesetz,* 2.ª ed., Karlsruhe, 1972, p. 70. Como informa P. Saladin, *Grundrechte im Wandel,* Bern, 1970, p. 296, o movimento institucionalístico actual encontra paralelo na teologia protestante que considera a «instituição» como um *medium* entre o direito natural e o direito positivo. Sobre a noção (noções) de instituição cfr., por último, Baptista Machado, *Introdução ao Direito,* pp. 14 e ss; J. M. Bano Léon, «La distinción entre derecho fundamental y garantia institucional en la Constitución española», *REDC,* 24 (1988), pp. 155 e ss; Márcio Aranha, *Interpretação Constitucional e as Garantias Institucionais dos Direitos Fundamentais,* São Paulo, 1999, pp. 131 e ss.

Confundidas com estas garantias institucionais, mencionam-se, por vezes, aquelas normas que *prescrevem determinadas exigências ou requisitos aos titulares de certas funções estaduais* (órgãos e agentes), de forma a assegurarem o exercício funcional nos termos normativo-constitucionalmente fixados. É o caso, por ex., dos preceitos relativos à independência e inamovibilidade dos juízes (cfr. arts. 216.º e ss), dos preceitos que vinculam os funcionários públicos à prossecução do interesse público (art. 269.º) e dos preceitos referentes às Forças Armadas (por ex., art. 275.º/4).

c) *Regras determinadoras de fins e tarefas do Estado*

Este tipo de normas deve associar-se aos princípios constitucionais impositivos, pois aqui vem convergir alguma da principal problemática da distinção entre normas e princípios ao mesmo tempo que se torna visível ser a distinção entre os dois tipos de preceitos meramente gradual, não havendo critérios suficientemente seguros para uma determinação rigorosa.

Por **normas determinadoras de fins e tarefas** entendem-se *aqueles preceitos constitucionais que, de uma forma global e abstracta, fixam essencialmente os fins e as tarefas prioritárias do Estado* (cfr., por ex., os arts. 9.° e 81.°).

Algumas normas fixadoras de fins ou tarefas estão relacionadas com a *realização e garantia dos direitos dos cidadãos,* sobretudo com os direitos económicos, sociais e culturais (cfr., por ex., arts. 60.°/2, 63.°/2, 66.°/2, 73.°/2/3, 74.°/3, 75.°). Estas normas não têm muitas vezes densidade suficiente para alicerçar directamente direitos e deveres dos cidadãos, mas qualquer norma contrária ao seu conteúdo vinculativo é inconstitucional.

d) *Regras constitucionais impositivas*

As normas constitucionais impositivas apresentam-se em estreita conexão com as normas determinadoras de fins e tarefas e com os princípios constitucionalmente impositivos. Em relação a estes últimos suscita-se a problemática da distinção entre regras e princípios. Relativamente às primeiras, importa fazer uma importante clarificação: (1) normas constitucionais impositivas em sentido amplo são todas aquelas que fixam tarefas e directivas materiais ao Estado (neste sentido os preceitos definidores dos fins do Estado são normas constitucionais impositivas); (2) normas constitucionais impositivas em sentido restrito (imposições constitucionais) são as *imposições de carácter permanente e concreto*. Nesta última categoria há ainda que distinguir dois subgrupos: (a) *imposições legiferantes* ou *imposições constitucionais;* (b) *ordens de legislar*.

As **imposições legiferantes** – as verdadeiras imposições constitucionais – vinculam constitucionalmente os órgãos do Estado (sobretudo ao legislador), de uma forma permanente e concreta, ao cumprimento de determinadas tarefas, fixando, *inclusive,* directivas materiais. Veja-se, por ex., o art. 63.° (imposição de criação do sistema de segurança social), o art. 64.° (imposição da criação do Serviço Nacional de Saúde), o art. 74.° (política de ensino).

As **ordens de legislar** reconduzem-se a *imposições constitucionais únicas* que impõem ao legislador a emanação de uma ou várias leis, destinadas, em geral, a possibilitar a instituição e funcionamento dos órgãos constitucionais. Veja-se, por ex.: o art. 39.°/5, impositivo da regulamentação legal da Alta Autoridade para a Comunicação Social, o art. 274.°/1, impositivo da emissão de lei reguladora da composição do Conselho Superior de Defesa Nacional, o art. 224.°, relativo à lei reguladora do funcionamento do Tribunal Constitucional.

A importância das normas constitucionais impositivas deriva do facto de elas imporem um dever concreto e permanente, materialmente determinado, que, no caso de não ser cumprido, dará origem a uma *omissão inconstitucional* (cfr. art. 283.º).

Por outro lado, o facto de as imposições constitucionais conterem, algumas vezes, os critérios materiais que o legislador deve observar quando as concretiza, suscita o problema de saber se a *liberdade de conformação do legislador* não será aqui particularmente limitada, a ponto de se poder falar em simples *discricionariedade legislativa*. Isto levanta o problema conexo de saber se neste domínio não haverá possibilidade de se configurar um *vício por excesso do poder legislativo*. Desenvolver-se-ão estes tópicos quando se tratar do problema da inconstitucionalidade [17] (cfr. *infra*).

C. *O Sistema Interno de Regras e Princípios*

A articulação de princípios e regras, de diferentes tipos e características, iluminará a compreensão da constituição como um sistema interno assente em princípios estruturantes fundamentais que, por sua vez, assentam em *subprincípios* e *regras constitucionais* concretizadores desses mesmos princípios. Quer dizer: a constituição é formada por regras e princípios de diferente grau de concretização (= diferente densidade semântica).

Existem, em primeiro lugar, certos princípios designados por **princípios estruturantes**, constitutivos e indicativos das ideias directivas básicas de toda a ordem constitucional. São, por assim dizer, as traves-mestras jurídico-constitucionais do estatuto jurídico do político. Na ordem constitucional portuguesa considerar-se-ão (a título indicativo sem pretensões de exaustividade) como princípios estruturantes:

– o princípio do Estado de direito (arts. 2.º e 9.º);
– o princípio democrático (arts. 1.º, 2.º, 3.º/1 e 10.º);
– o princípio republicano (arts. 1.º, 2.º, 11.º e 288.º/*b*).

---

[17] Para maiores desenvolvimentos remetemos para o nosso estudo, *Constituição Dirigente*, cit., pp. 293 e ss. Cfr., também, JORGE MIRANDA, *Manual*, II, pp. 257 e ss; R. RUSSOMANO, «Das Normas Constitucionais Programáticas», in *Estudos em homenagem ao Prof. Afonso Arinos*, pp. 267 e ss; EROS R. GRAU, *A ordem económica*, cit., p. 104; JOSÉ AFONSO DA SILVA, *Aplicabilidade das normas constitucionais*, 1982, pp. 107 e ss; CELSO RIBEIRO BASTOS, *Curso de Direito Constitucional*, 11.ª ed., S. Paulo, 1989, pp. 118 e ss; PAULO BONAVIDES, *Direito Constitucional*, 6.ª ed., Rio de Janeiro, 1988, pp. 183 e ss.

Estes princípios ganham concretização através de outros princípios (ou subprincípios) que «densificam» os princípios estruturantes, iluminando o seu sentido jurídico-constitucional e político-constitucional, formando, ao mesmo tempo, com eles, um sistema interno (a uma «união perfeita» alude Larenz). Assim, por exemplo, o princípio do Estado de Direito é «densificado» através de uma série de subprincípios: o princípio da constitucionalidade (cfr. art. 3.°/3), o princípio de legalidade da administração (cfr., por ex., art. 112.°/7 e 8), o princípio da vinculação do legislador aos direitos fundamentais (cfr. art. 18.°), o princípio da independência dos Tribunais (art. 203.°). Estes **princípios gerais fundamentais** podem, por sua vez, densificar-se ou concretizar-se ainda mais através de outros princípios constitucionais especiais. Por exemplo, o princípio da legalidade da administração é «concretizado» pelo princípio da preeminência ou prevalência da lei e pelo princípio da reserva de lei (cfr. art. 112.°/6 e 7); o princípio da vinculação do legislador aos direitos fundamentais é «densificado» por outros princípios especiais tais como o princípio da proibição do excesso (cfr. art. 18.°/2) e o princípio da não-retroactividade de leis restritivas (cfr. art. 18.°/3). O mesmo acontece com o princípio democrático. Como princípios constitucionais gerais densificadores podem apontar-se o princípio da soberania popular (arts. 1.° e 3.°/1), o princípio do sufrágio universal (art. 10.°), o princípio da participação democrática dos cidadãos (art. 9.°/c), o princípio da separação e interdependência dos órgãos de soberania (art. 111.°). Estes princípios são ainda susceptíveis de «densificações» especiais: o princípio democrático do sufrágio é concretizado pelos princípios da liberdade de propaganda, igualdade de oportunidades e imparcialidade nas campanhas eleitorais (cfr. art. 113.°/3); o princípio da soberania da vontade popular densifica-se através do princípio de renovação dos titulares de cargos políticos (cfr. art. 118.°); o princípio da separação e interdependência «concretiza-se» através do princípio da tipicidade dos órgãos de soberania e pelo princípio da reserva constitucional no que respeita à formação, composição, competência e funcionamento dos mesmos órgãos (art. 110.°). Finalmente, o princípio republicano ganha densidade através de outros subprincípios como, por ex., o princípio de não-vitaliciedade dos cargos políticos (art. 118.°) e o princípio da igualdade civil e política (art. 13.°).

Os princípios estruturantes não são apenas densificados por princípios constitucionais gerais ou especiais. A sua concretização é feita também por várias *regras constitucionais,* qualquer que seja a sua natureza. Assim, as normas garantidoras do direito de recurso contencioso contra certos actos da administração (art. 268.°/4 e 5) constituem uma concretização do princípio geral da legalidade da administração e do princípio especial da prevalência da lei e do princípio estruturante do Estado de Direito. As normas reconhecedoras de

direitos económicos, sociais e culturais, densificam o princípio da socialidade que, por sua vez, concretiza o princípio democrático na sua dimensão de democracia económica, social e política.

Os princípios estruturantes → princípios constitucionais gerais → princípios constitucionais especiais → regras constitucionais, constituem um sistema interno, cuja ilustração gráfica se poderá apresentar da forma seguinte:

Este esquema não se desenvolve apenas numa direcção, de cima para baixo, ou seja dos princípios mais abertos para os princípios e normas mais densas, ou de baixo para cima, do concreto para o abstracto. A formação do sistema interno consegue-se mediante um processo bi-unívoco de «esclarecimento recíproco» (Larenz). Os princípios estruturantes ganham densidade e transparência através das suas concretizações (em princípios gerais, princípios especiais ou regras), e estas formam com os primeiros uma unidade material (unidade da Constituição) [18]. Todos estes princípios e regras poderão ainda obter maior grau de concretização e densidade através da *concretização legislativa e jurisprudencial* (cfr. *infra*).

---

[18] A compreensão deste processo carece de outras iluminações teoréticas gerais como, por ex., a diferenciação entre «sistema externo» e «sistema interno», a ideia de «tipo», a ideia de concretização, etc. Cfr., por ex., LARENZ, *Methodenlehre der Rechtswissenschaft*, 5.ª ed., pp. 458 e ss (na trad. port., cfr. pp. 531 ss); ENGISCH, *Einführung in das juristische Denken*, 5.ª ed., 1975, p. 120 (na trad. port., cfr. pp. 222 e ss). No plano do direito constitucional, cfr. H. MAACK, *Verfassungsrecht für die öffentliche Verwaltung*, Vol. I, Stuttgart/ Berlin/Köln/Mainz, 1983, pp. 51 e ss, do qual adaptámos o gráfico do texto.

D. Textura Aberta e Positividade Constitucional

I - O direito constitucional como direito positivo

O sentido histórico, político e jurídico da constituição escrita continua hoje válido: a constituição é a ordem jurídica fundamental de uma comunidade. Ela estabelece em termos *de direito* e com os meios *do direito* os instrumentos de governo, a garantia de direitos fundamentais e a individualização de fins e tarefas. As regras e princípios jurídicos utilizados para prosseguir estes objectivos são, como se viu atrás, de diversa natureza e densidade. Todavia, no seu conjunto, regras e princípios constitucionais valem como «lei»: o *direito constitucional é direito positivo* [19]. Neste sentido se fala na «**constituição como norma**» (Garcia de Enterria) e na «**força normativa da constituição**» (K. Hesse).

A complexa articulação da «textura aberta» da constituição com a positividade constitucional sugere, desde logo, que a garantia da força normativa da constituição não é tarefa fácil, mas se o direito constitucional é direito positivo, se a *constituição vale como lei*, então as regras e princípios constitucionais devem obter *normatividade* regulando jurídica e efectivamente as relações da vida (P. Heck), dirigindo as condutas e dando segurança a expectativas de comportamentos (Luhmann).

II - O sentido das normas programáticas

Precisamente por isso, e marcando uma decidida ruptura em relação à doutrina clássica, pode e deve falar-se da "morte" das **normas constitucionais programáticas.** Existem, é certo, normas-fim, normas-tarefa, normas-programa que «impõem uma actividade» e «dirigem» materialmente a concretização constitucional. O sentido destas normas não é, porém, o assinalado pela doutrina tradicional: «simples programas», «exortações morais», «declarações», «sentenças políticas», «aforismos políticos», «promessas», «apelos ao legislador», «programas futuros», juridicamente desprovidos de qualquer vinculatividade. Às «normas programáticas» é reconhecido hoje um valor jurídico constitucionalmente idêntico ao dos restantes preceitos da constituição. Não deve, pois, falar-se de simples

---

[19] Cfr. F. MÜLLER, *Juristische Methodik*, 5.ª ed., 1989, p. 177; K. HESSE, *Die normative Kraft der Verfassung*, 1950, pp. 19 e ss.

eficácia programática (ou directiva), porque qualquer norma constitucional deve considerar-se obrigatória perante quaisquer órgãos do poder político (Crisafulli). Mais do que isso: a eventual mediação concretizadora, pela instância legiferante, das normas programáticas, não significa que este tipo de normas careça de positividade jurídica autónoma, isto é, que a sua normatividade seja apenas gerada pela *interpositio* do legislador; *é a positividade das normas-fim e normas--tarefa (normas programáticas) que justifica a necessidade da intervenção dos órgãos legiferantes.* Concretizando melhor, a positividade jurídico-constitucional das normas programáticas significa fundamentalmente: (1) vinculação do legislador, de forma permanente, à sua realização (*imposição constitucional*); (2) vinculação *positiva* de todos os órgãos concretizadores, devendo estes tomá-las em consideração como *directivas materiais permanentes,* em qualquer dos momentos da actividade concretizadora (legislação, execução, jurisdição); (3) vinculação, na qualidade de limites materiais negativos, dos poderes públicos, justificando a eventual censura, sob a forma de inconstitucionalidade, em relação aos actos que as contrariam [20].

Em virtude da eficácia vinculativa reconhecida às «normas programáticas», deve considerar-se ultrapassada a oposição estabelecida por alguma doutrina entre «norma jurídica actual» e «norma programática» (*aktuelle Rechtsnorm-Programmsatz*): todas as normas são *actuais,* isto é, têm uma força normativa independente do acto de transformação legislativa. Não há, pois, na constituição, «simples declarações (sejam oportunas ou inoportunas, felizes ou desafortunadas, precisas ou indeterminadas) a que não se deva dar valor normativo, e só o seu conteúdo concreto poderá determinar em cada caso o alcance específico do dito valor» (Garcia de Enterria) [21]. Problema diferente é o de saber em que termos uma norma constitucional é susceptível de *"aplicação directa"* e em que medida é exequível por si mesmo.

---

[20] Cfr. também, e em sentido convergente, JORGE MIRANDA, *Manual,* II, p. 533. No direito brasileiro, cfr. EROS R. GRAU, «A Constituição brasileira e as normas programáticas», *Rev. de Dir. Const. e Ciência Política,* 4, p. 45; CELSO RIBEIRO BASTOS, *Curso de Direito Constitucional,* cit., pp. 120 e ss; JOSÉ AFONSO DA SILVA, *Direito Constitucional Positivo,* cit., pp. 82 e ss. Na doutrina espanhola, cfr. P. LUCAS VERDU, *Estimativa y Politica Constitucionales,* Madrid, 1984, pp. 169 e ss, que alude, precisamente, citando LAVAGNA, a preceptividade das "normas-fim" sob o ponto de vista "impeditivo" e sob o ponto de vista "impositivo".

[21] Cfr. SCHLAICH, «Die Verfassungsgerichtsbarkeit im Gefüge der Staatsfunktionen», in *VVDSTRL,* 39 (1981), p. 105; WAHL, «Der Vorrang der Verfassung», in *Der Staat,* 20 (1981), p. 485; «Der Vorrang der Verfassung und der Selbständigkeit des Gesetzesrechts», in *NVWZ,* 1984, p. 402; ZAGREBELSKY, *Il sistema constituzionale,* cit., p. 112.

III - Aplicabilidade directa

1. Rejeição da doutrina tradicional da regulamentação da liberdade

Talvez dominada pelo conteúdo altamente filosófico e doutrinário das declarações de direitos, ao que acrescia, algumas vezes, a sua inserção fora do articulado da constituição (era nos preâmbulos constitucionais que, nalguns casos, as proclamações de direitos encontravam guarida), a doutrina francesa considerava indispensável a intervenção legislativa para dar operatividade prática aos preceitos constitucionais garantidores dos direitos fundamentais. «*Il faut* – escrevia Hauriou – *que chaque droit individuel soit organisé, c'est a dire que les conditions et les limites – soient détérminés par une loi organique*»; «*un droit individuel n'exist pas d'une façon pratique que lors qu'il est organisé*». Cfr. Hauriou, *Précis de Droit Constitutionnel*, Paris, 1929, p. 89; Esmein, *Élements de Droit Constitutionnel*, Paris, 1927, 1, p. 600. Entre nós, Marnoco e Sousa escrevia, também, em 1913: "Por outro lado, para que os cidadãos possam exercer um direito individual, não basta que o seu exercício ou gozo se encontrem sancionados pela constituição, visto os direitos individuais, por mais legítimos que sejam, terem dois limites necessários – o respeito do direito igual dos outros e a ordem pública. O exercício, por isso, dos direitos individuais supõe uma regulamentação pelo Estado sem o qual não passam de uma simples promessa». Cfr. Marnoco e Sousa, *Constituição da República, Comentário*, 1913, p. 14.

Tornava-se evidente que a exigência de uma *réglémentation de la liberté* punha em perigo a eficácia destes mesmos direitos, pois bastava a inércia do legislador para que as normas constitucionais referentes aos direitos fundamentais se transformassem em conceitos vazios de sentido e de conteúdo.

Hoje, é a própria constituição a prescrever a **aplicabilidade directa**: as normas constitucionais além de serem direito actual no sentido acabado de precisar, valem também como normas de *aplicação directa*. Assim, por exemplo, o art. 18.º/1 da CRP (à semelhança do art. 1.º/3 da *Grundgesetz* de Bonn) dispõe que «Os preceitos constitucionais respeitantes aos direitos, liberdades e garantias são directamente aplicáveis e vinculam as entidades públicas e privadas». O que significa, em termos jurídico-constitucionais, aplicabilidade directa? (cfr., também, *infra*).

2. Aplicabilidade directa de normas de direitos, liberdades e garantias

Aplicabilidade directa significa, desde logo, nesta sede – direitos, liberdades e garantias – a rejeição da «ideia criacionista» conducente ao desprezo dos direitos fundamentais enquanto não forem positivados a nível legal. Neste sentido, escreveu sugestivamente um autor (K. Krüger) que, na época actual, se assistia à deslocação da doutrina dos «direitos fundamentais dentro da reserva de lei» para a doutrina da *reserva de lei dentro dos direitos fundamentais*.

Aplicação directa não significa apenas que os direitos, liberdades e garantias se aplicam independentemente da intervenção legislativa (cfr. arts. 17.º e 18.º/1). Significa também que eles *valem directamente contra a lei,* quando esta estabelece restrições em desconformidade com a constituição (cfr. CRP, art. 18.º/3). Em termos práticos, a aplicação directa dos direitos fundamentais implica ainda a *inconstitucionalidade de todas as leis pré-constitucionais* contrárias às normas da constituição consagradoras e garantidoras de direitos, liberdades e garantias ou direitos de natureza análoga (cfr. arts. 17.º e 18.º). Se se preferir, dir-se-á que a aplicação directa dos direitos, liberdades e garantias implica a *inconstitucionalidade superveniente* das normas pré-constitucionais em contradição com eles.

3. Aplicabilidade directa de normas organizatórias

Embora o texto constitucional não o diga expressamente, como o faz para os direitos, liberdades e garantias, há um outro complexo normativo--constitucional que sempre se entendeu ter eficácia directa: o complexo de **normas organizatórias** que constituem a *parte organizatória* da constituição (cfr. *supra,* normas organizatórias).

Com efeito, se o constitucionalismo nem sempre compreendeu o sentido do valor normativo da constituição quanto a direitos fundamentais, não deixou nunca de considerar que a lei constitucional criava, coordenava e separava, de forma directa e imediata, um sistema de poderes e de soberania: órgãos constitucionais. A constituição faz acompanhar a criação de alguns destes órgãos por *ordens de legislar,* pois a sua instituição efectiva depende da intervenção legiferante, disciplinadora do regime jurídico dessa criação (ex.: leis eleitorais para a eleição do Presidente da República e da Assembleia da República) [22]. Esta «execução legal» em nada contraria o sentido da aplicabilidade directa de normas criadoras de órgãos constitucionais: o sistema de órgãos e poderes deriva directamente da constituição, embora deva ser, depois, *actuado* através da lei.

As normas de criação de órgãos são também (ou são acompanhadas) de **normas de competência**. Logicamente, a constituição cria, de forma directa, certos órgãos com certas competências. O exercício das competências constitucionalmente normadas deriva directamente da constituição, afirmando--se contra quaisquer leis concretizadoras dessas competências de forma incompatível com o disposto nas normas organizatórias da lei constitucional.

---

[22] Daí que alguns autores considerem estas normas como normas de «eficácia diferida». Cfr. JORGE MIRANDA, *Manual,* II, pp. 527 e ss; ZAGREBELSKY, *Il sistema constituzionale delle fonti di diritto,* p. 104.

4. Aplicabilidade directa de normas-fim e normas-tarefa

Mais complexa é a questão da **aplicabilidade directa das normas programáticas** (normas-fim ou normas-tarefa). Como se viu, elas constituem direito actual juridicamente vinculante. Mas constituirão também direito directamente aplicável com as consequências acabadas de assinalar para as normas de direitos, liberdades e garantias e para os preceitos organizatórios?

Além de constituirem princípios e regras definidoras de directrizes para o legislador e a administração, as «normas programáticas» vinculam também os tribunais, pois os juízes «têm acesso à constituição», com o consequente dever de aplicar as normas em referência (por mais geral e indeterminado que seja o seu conteúdo) e de suscitar o incidente de inconstitucionalidade, nos feitos submetidos a julgamento (cfr. CRP, art. 204.º), dos actos normativos contrários às mesmas normas.

As normas constitucionais programáticas têm ainda efeito «derrogatório» ou «invalidante» dos actos normativos incompatíveis com as mesmas, devendo, porém, precisar-se (e isso nem sempre é fácil) em que medida as normas programáticas servem de *limite negativo* às leis consagradoras de disciplina contrária [23]. Para além destes "efeitos directos", deve reconhecer-se que as normas-tarefa e normas-fim pressupõem, em larga medida, a clarificação conformadora efectuada pelas autoridades com poderes político-normativos.

> A distinção entre «normas preceptivas» e «normas programáticas» tem servido, neste domínio, para estabelecer uma diferença de tratamento no caso de superveniência de leis constitucionais contrárias posteriores. No caso de o contraste se efectuar entre leis pré-constitucionais e normas constitucionais preceptivas, haveria um fenómeno de *revogação;* na hipótese de a relação de contraditoriedade se estabelecer entre leis pré-constitucionais e normas constitucionais programáticas, o contraste não seria evidente, justificando-se o apelo à figura da *ilegitimidade constitucional superveniente.* Cfr. a 2.ª ed. do nosso *Direito Constitucional*, pp. 223 e ss. Independentemente desta controvérsia, o conhecimento judicial que se defende no texto parece não oferecer grandes discrepâncias. Cfr. Jorge Miranda, *Manual*, II, pp. 639 e ss.

IV - Densidade e abertura das normas constitucionais

A **abertura das normas constitucionais** confunde-se, por vezes, com **abertura da constituição**. São, porém, conceitos diferentes. Se se preferir, são dois

---

[23] Cfr. Jorge Miranda, *Manual*, II, pp. 533 e 639 e ss. O problema, não é, porém, ainda hoje líquido. Cfr., por último, Bin, *Atti normativi*, p. 188; Guastini, *Lezioni sull linguaggio giuridico*, 1985, p. 121; Lucas Verdu, *Estimativa y Politica*, pp. 179 e ss.

diferentes níveis: (1) *abertura horizontal,* para significar a incompletude e o carácter «fragamentário» e «não codificador» de um texto constitucional; (2) *abertura vertical,* para significar o carácter geral e indeterminado de muitas normas constitucionais que, por isso mesmo, se «abrem» à mediação legislativa concretizadora [24]. Aqui interessa apenas o segundo nível. Dizer quais as «normas constitucionais abertas» e quais as «normas constitucionais densas» não é uma tarefa susceptível de ser reconduzida a esquemas fixos e totalizantes. Como tendência, assinala-se a *abertura* das normas constitucionais em assuntos: (1) sobre os quais há um consenso geral; (2) em relação aos quais é necessário criar um espaço de conformação política; (3) em relação aos quais podem ser justificadas medidas correctivas ou adaptadoras.

A *densidade* da norma constitucional impõe-se: (1) quando há necessidade de tomar decisões inequívocas em relação a certas controvérsias; (2) quando se trata de definir e identificar os princípios identificadores da ordem social; (3) quando a concretização constitucional imponha, desde logo, a conveniência de normas constitucionais densas (G. Schmid).

A abertura de uma norma constitucional significa, sob o ponto de vista metódico, que ela comporta uma *delegação* relativa nos órgãos concretizadores; a *densidade,* por sua vez, aponta para a maior proximidade da norma constitucional relativamente aos seus efeitos e condições de aplicação.

A abertura e a densidade são «grandezas variáveis», não se podendo dizer, como é ainda hoje corrente na doutrina juspublicística, que há *normas constitucionais exequíveis por si mesmo e normas constitucionais não exequíveis por si mesmo* (cfr., porém, CRP, art. 283.º). Em nenhum dos casos é possível descortinar, nas normas constitucionais, um «programa-condicional» (Luhmann) reconduzível a um simples esquema subsuntivo: se a norma constitucional estabelece um pressuposto de facto, então os concretizadores da constituição (o legislador, o juiz, a administração) têm de adoptar certos e determinados comportamentos. Isso são modelos de normas praticamente estranhos ao direito constitucional.

Existem certas normas cuja densidade pressupõe um menor espaço de «discricionariedade» ou de «liberdade de conformação» que outras. Assim, por ex., a norma constitucional que regula a liberdade de imprensa é uma norma mais «densa» (cfr. art. 38.º) do que uma norma que estabelece como tarefa de Estado «Promover o aumento do bem-estar social e económico e da qualidade de vida do povo, em especial das classes mais desfavorecidas» (cfr. art. 81.º/a). A primeira possui uma «determinabilidade», «densidade» ou «exequibilidade» muito maior que a segunda. Mesmo que seja necessária, em ambos os casos, a *interpositio legislatoris,* não oferece dúvidas ser a liberdade do legislador muito maior no tipo de norma do art. 81.º/a do que no do art. 38.º

Por outro lado, há tipos de normas que praticamente constituem um *limite* ao legislador (ex.: normas organizatórias), enquanto noutras avulta o carácter dirigente material (ex.: normas impositivas). As primeiras actuam, fundamentalmente, como *determinantes negativas* dos poderes públicos; as segundas surgem como *determinantes positivas.*

---

[24] Cfr., Ch. GUSY, *Die Offenheit des Grundgesezes,* in *JÖR,* 33 (1984), p. 109; W. HÖFLING, *Offene Grundrechtsinterpretation,* 1987, pp. 78 e ss; K. STERN, *Staatsrecht,* 2.ª ed., I, p. 83.

V - Unidade da constituição e antinomias e tensões entre princípios constitucionais

1. Conflito de princípios

O facto de a constituição constituir um sistema aberto de princípios insinua já que podem existir *fenómenos de tensão* entre os vários princípios estruturantes ou entre os restantes princípios constitucionais gerais e especiais. Considerar a constituição como uma ordem ou sistema de ordenação totalmente fechado e harmonizante significaria esquecer, desde logo, que ela é, muitas vezes, o resultado de um *compromisso* entre vários actores sociais, transportadores de ideias, aspirações e interesses substancialmente diferenciados e até antagónicos ou contraditórios. O *consenso fundamental* quanto a princípios e normas positivo--constitucionalmente plasmados não pode apagar, como é óbvio, o pluralismo e antagonismo de ideias subjacentes ao pacto fundador.

A pretensão de validade absoluta de certos princípios com sacrifício de outros originaria a criação de princípios reciprocamente incompatíveis, com a consequente destruição da tendencial unidade axiológico-normativa da lei fundamental. Daí o reconhecimento de momentos de *tensão* ou *antagonismo* entre os vários princípios e a necessidade, atrás exposta, de aceitar que os princípios não obedecem, em caso de conflito, a uma «lógica do tudo ou nada», antes podem ser objecto de ponderação e concordância prática, consoante o seu «peso» e as circunstâncias do caso [25]. Assim, por ex., se o princípio democrático obtém concretização através do princípio maioritário, isso não significa desprezo da protecção das minorias (cfr., por ex., art. 114.° sobre o estatuto de oposição); se o princípio democrático, na sua dimensão económica, exige intervenção conformadora do Estado através de apropriação política dos meios de produção (art. 83.°), isso não significa que se posterguem os requisitos de segurança inerentes ao princípio do Estado de direito (princípio de legalidade, princípio de justa indemnização, princípio de acesso aos tribunais para discutir a medida de intervenção).

Os princípios estruturantes podem, de resto, ser concretizados através dos mesmos princípios, embora com acentuações diversas. Assim, por ex., o princípio da publicidade dos actos da autoridade com efeitos externos (cfr. art. 119.°)

---

[25] Esta ideia de «peso» e de «convivência concorrente» entre princípios poderia, talvez, transferir-se para certos esquemas relacionais entre regras-tarefa ou regras-fim. Cfr. BIN, *Atti Normativi*, p. 188; *Diritti e Argomenti*, pp. 31 e ss; L. GIANFORMAGGIO, «L'Interpretazione della costituzione tra applicazione di regola di argomentazione basata su principi», in *Rv-Int. Fil. Dir.* 1985, p. 71; EROS GRAU, *A ordem económica*, cit., pp. 107 e ss.

é, simultaneamente, uma concretização ou densificação do princípio democrático e do princípio do Estado de direito: a publicidade é o contrário da política de segredo (princípio democrático); a publicidade é uma exigência da segurança dos cidadãos (princípio do Estado de direito).

A densificação dos princípios constitucionais não resulta apenas da sua articulação com outros princípios ou normas constitucionais de maior densidade de concretização. Longe disso: o *processo de concretização constitucional* assenta, em larga medida, nas densificações dos princípios e regras constitucionais feitas pelo legislador (*concretização legislativa*) e pelos órgãos de aplicação do direito, designadamente os tribunais (*concretização judicial*), a problemas concretos. Qualquer que seja a indeterminabilidade dos princípios jurídicos, isso não significa que eles sejam impredictíveis. Os princípios não permitem opções livres aos órgãos ou agentes concretizadores da constituição (*impredictibilidade dos princípios*); permitem, sim, projecções ou irradiações normativas com um certo grau de discricionaridade (*indeterminabilidade*), mas sempre limitadas pela juridicidade objectiva dos princípios. Como diz Dworkin, o «direito – e, desde logo, o direito constitucional – descobre-se, mas não se inventa».

2. O princípio da unidade da constituição

A consideração da constituição como sistema aberto de regras e princípios deixa ainda um sentido útil ao princípio da unidade da constituição: o de *unidade hierárquico-normativa*.

O **princípio da unidade hierárquico-normativa** significa que todas as normas contidas numa constituição formal têm igual dignidade (não há normas só formais, nem hierarquia de supra-infra-ordenação dentro da lei constitucional). Como se irá ver em sede de interpretação, o princípio da unidade normativa conduz à rejeição de duas teses, ainda hoje muito correntes na doutrina do direito constitucional: (1) a tese das *antinomias normativas;* (2) a tese das *normas constitucionais inconstitucionais.* O princípio da unidade da constituição é, assim, expressão da própria *positividade normativo-constitucional* [26] e um importante elemento de interpretação (cfr. *infra*).

---

[26] Cfr. F. MÜLLER, *Juristische Methodik,* 3.ª ed., 1990, p. 217, e, sobretudo, *Die Einheit der Verfassung,* Berlin, 1979. Este excelente estudo veio demonstrar decisivamente como as ideias de «unidade valorativa», «unidade ou plenitude lógica do ordenamento», «unidade codificatória», etc., deixaram hoje de servir de apoio metodológico rigoroso no direito constitucional. Vide, também, DWORKIN, «La chaine du Droit», in *Droit et Societé,* 1/1985, p. 51; BIN, *Diritti e Argomenti,* p. 32; DANIEL SARMENTO, *A ponderação de interesses na Constituição Federal,* Rio de Janeiro, 2001, p. 27; GLAUCO BARREIRA FILHO, *Hermenêutica e Unidade Axiológica da Constituição,* Belo Horizonte, 2001, p. 83 ss.

Comprendido desta forma, o princípio da unidade da constituição é uma exigência da «coerência narrativa» do sistema jurídico. O princípio da unidade, como princípio de decisão, dirige-se aos juízes e a todas as autoridades encarregadas de aplicar as regras e princípios jurídicos, no sentido de as «lerem» e «compreenderem», na medida do possível, como se fossem obras de um só autor, exprimindo uma concepção correcta do direito e da justiça (Dworkin). Neste sentido, embora a Constituição possa ser uma «unidade dividida» (P. Badura) dada a diferente configuração e significado material das suas normas, isso em nada altera a *igualdade hierárquica* de todas as suas regras e princípios quanto à sua validade, prevalência normativa e rigidez.

VI - Sentido global dos princípios estruturantes

1. Dimensão constitutiva e dimensão declarativa

As obras mais recentes de direito constitucional dedicam um ou mais capítulos ao estudo dos **princípios constitucionalmente estruturantes**. Individualizados e caracterizados de forma muito variada pela doutrina[27] («determinações jurídico-constitucionais da estrutura do Estado», «princípios estruturantes do Estado», «princípios ordenadores», «princípios directores», «fundamento da ordem constitucional», «estruturas fundamentais do Estado constitucional»), eles designam os princípios constitutivos do «núcleo essencial da constituição», garantindo a esta uma determinada *identidade* e *estrutura*. Possuem, em geral, duas dimensões: (1) uma *dimensão constitutiva,* dado que os princípios, eles mesmos, na sua «fundamentalidade principial», exprimem, indiciam, denotam ou constituem uma compreensão global da ordem constitucional; (2) uma *dimensão declarativa,* pois estes princípios assumem, muitas vezes, a natureza de «superconceitos», de «vocábulos designantes», utilizados para exprimir a soma de outros «subprincípios» e de concretizações normativas constitucionalmente plasmadas.

Assim, por exemplo, o princípio do Estado de direito significa, de forma global, a ideia de uma ordem de paz estadualmente garantida através do direito. Noutros casos, porém, é um simples vocábulo designante de vários princípios concretizadores com ele conexionados (princípio da juridicidade, princípio

---

[27] Cfr., por ex., K. HESSE, *Grundzüge,* pp. 47 e ss; K. STERN, *Staatsrecht,* vol. I, pp. 441 ss; ISENSEE/KIRCHHOF, *Handbuch des Staatsrechts,* Vol. I, pp. 775 e ss; A. PIZZORUSSO, *Lezioni di diritto costituzionale,* pp. 86 e ss. Entre nós, por último, GOMES CANOTILHO/VITAL MOREIRA, *Fundamentos da Constituição,* 1991, pp. 67 e ss.

de constitucionalidade, princípio da legalidade da administração, princípio da protecção da confiança, princípio da divisão de poderes). De igual modo, o princípio democrático significa, em termos políticos – que são os de Lincoln – «o poder do povo, para o povo e pelo povo», mas é também uma condensação de várias dimensões concretizadoras do fundamento e legitimação do poder político (princípio da soberania popular, princípio eleitoral, princípio partidário, princípio representativo, princípio participativo) [28].

2. Padrões de legitimidade e princípios constitucionalmente conformados

Na sua qualidade de princípios constitucionalmente estruturantes eles devem ser compreendidos como princípios concretos, consagrados numa ordem jurídico-constitucional em determinada situação histórica. Não são, pois, expressões de um direito abstracto ou «pontos fixos», sistematicamente reconduzíveis a uma «ordem divina», «natural» ou «racional», sem qualquer referência a uma ordem política comunitária.

Note-se, porém: embora não sejam princípios transcendentes, podem sempre ser considerados como *dimensões paradigmáticas* de uma ordem constitucional «justa» e, desta forma, servirem de operadores paramétricos para se aquilatar da *legitimidade e legitimação* de uma ordem constitucional positiva. Neste sentido, averiguar se uma ordem constitucional está «informada» pelos princípios do Estado de direito democrático é ou pode ser uma pedra de toque para se concluir, positiva ou negativamente, acerca da sua dignidade de reconhecimento como «ordem constitucional justa», como «Estado de direito» ou «Estado de não direito», como Estado democrático ou como ditadura.

3. Especificidade e concordância prática

Os princípios estruturantes têm, cada um *de per si*, um conteúdo específico, uma «marca distintiva»: o princípio democrático não é a mesma coisa que Estado de direito, assim como o princípio republicano não se confunde nem com um nem com outro. Todavia, estes princípios actuam imbricadamente, completando-se, limitando-se e condicionando-se de forma recíproca.

Desde logo, assentam numa *base antropológica comum*, que na Constituição de 1976 se reconduz à «tríade mágica»: o homem como *pessoa*,

---

[28] Esta dupla dimensão – constitutiva e declarativa – é exposta com clareza por Ph. KUNIG, *Das Rechtsstaatsprinzip*, 1986, pp. 89 e ss, a propósito do Estado de direito.

A constituição como sistema aberto de regras e princípios

como *cidadão* e como *trabalhador*[29]. Consequentemente, o indivíduo é protegido na sua identidade e integridade física e espiritual através da vinculação dos poderes públicos a formas, regras e procedimentos jurídicos (princípio do Estado de direito), é inscrito como homem livre no processo de participação e decisão democráticas (princípio democrático e republicano), é-lhe garantida a liberdade perante os riscos da existência através do acesso ao trabalho, à iniciativa económica e ao direito à segurança social (princípio do Estado social).

Em segundo lugar, os princípios estruturantes articulam-se em termos de complementaridade. Assim, o poder político – «domínio de homens sobre homens» – carece de uma legitimação e justificação que só pode vir do povo, mas a forma democrática exige procedimentos, formas e processos de modo a evitar-se uma «democracia sem Estado de direito» ou um «Estado de direito sem democracia». Acresce que a «decisão democrática» e a «forma de Estado de direito» não dispensam uma medida material – liberdade, igualdade, fraternidade – intrinsecamente informadora da «construção de uma sociedade livre, justa e solidária» (CRP, art. 1.º).

Em terceiro lugar, os princípios estruturantes condicionam-se mutuamente. Nesta perspectiva, a «forma» de organização do poder político segundo o padrão da separação de poderes é justificada, em termos de Estado de direito, como uma forma de «limite» ao domínio estadual. Todavia, esta «divisão de poderes» tem de assentar em bases democráticas – o povo *quer* que o poder seja exercido pelos seus órgãos (de soberania, do poder político) de um modo *funcionalmente* separado.

Finalmente, os princípios estruturantes operam, nas suas relações recíprocas, *«deslocações compreensivas»*: as modificações relativas à compreensão do conteúdo de um princípio são susceptíveis de produzir refracções quanto ao correcto entendimento do outro. As tarefas do Estado, por exemplo, numa compreensão estritamente liberal do Estado de direito, desenvolvem-se mediante a compressão do princípio da democracia económica, social e cultural, mas, nos quadrantes constitucionais portugueses, devem já ser entendidas no sentido de tarefas próprias do Estado de direito social. Do mesmo modo, a democracia, entendida nos termos de um procedimento formal de «escolha de governantes», foi objecto de enriquecimento material, ao exigir-se não apenas uma organização política democrática mas também a realização de uma democracia económica, social e cultural.

As relações de complementaridade, de condicionamento e imbricação entre os princípios estruturantes explicam o sentido da *especificidade e*

---

[29] Cfr. GOMES CANOTILHO/VITAL MOREIRA, *Constituição da República Portuguesa, Anotada*, 3.ª ed., 1993, pp. 51 e ss.

concordância prática: a especificidade (conteúdo, extensão e alcance) própria de cada princípio não exige o sacrifício unilateral de um princípio em relação aos outros, antes aponta para uma tarefa de harmonização, de forma a obter-se a máxima efectividade de todos eles [30].

4. Positividade constitucional

Os princípios estruturantes, bem como os subprincípios que os densificam e concretizam, constituem princípios ordenadores positivamente vinculantes. Em virtude do seu carácter estruturante, vêm quase todos enunciados no capítulo introdutório da CRP, intitulado «Princípios Fundamentais» (CRP, arts. 1.º a 11.º). Isto não significa que eles só aí venham consagrados, devendo procurar-se no conjunto global normativo da constituição as revelações e manifestações concretas desses mesmos princípios.

Referências bibliográficas

A) INTERTEXTUALIDADE

Aarnio, A. – "Taking Rules Seriously", in W. Maihofer/G. Spunger (org.), *Law and the States in Modern Times*, Stuttgart, 1990, pp. 180 e ss.

Canaris, C. W. – *Systemdenken und Systembegriff in der Jurisprudenz*, 2.ª ed., Berlin, 1983 (trad. port. de Menezes Cordeiro, Lisboa, 1989).

Engisch, K. – *Einführung in das Rechtswissenschaft*, 6.ª ed., Stuttgart/Berlin/Köln/Main, 1975 (há tradução port. de João Baptista Machado, *Introdução ao Pensamento Jurídico*).

Günther, K. – *Der Sinn für die Angemessenheit*, Frankfurt/M., 1988.

Habermas, J. – *Faktizität und Geltung*, Frankfurt/M, 1992.

Larenz, K. – *Methodenlehre der Rechtswissenschaft*, 5.ª ed., Berlin/Heidelberg/New York, 1985, pp. 458 e ss (há traduções espanhola e portuguesa).

Luhmann, N. – *Rechtssystem und Rechtsdogmatik*, Stuttgart/Berlin/Köln/Mainz, 1974 (há trad. espanhola de J. de Otto de Pardo, *Sistema Jurídico y Dogmatica Jurídica*, Madrid, 1983).

---

[30] Sobre esta articulação dos princípios estruturantes cfr., por último, P. KIRCHHOF, in ISENSEE/KIRCHHOF, *Handbuch des Staatsrechts*, I, pp. 809 e ss.

Neves, A. C. – «A Unidade do Sistema Jurídico», in *Estudos de Homenagem ao Professor Teixeira Ribeiro,* Vol. II, Coimbra, 1979.

B) BIBLIOGRAFIA ESPECÍFICA DE DIREITO CONSTITUCIONAL

Alexy, R. – *Theorie der Grundrechte*, Frankfurt/M., 1985.
Arce y Flóres-Valdés – *Los Principios Generales del Derecho y sua formulacion Constitucional,* Madrid, 1990.
Atienza, M./Ruiz Manero, J. – *Las piezas del derecho. Teoria de los enunciados juridicos*, Barcelona, 1996.
Badura, P. – «Arten der Verfassungssrechtssätzen», in Isensee/Kirchhof, *Staatsrecht*, vol. III, pp. 34 e ss.
Baladiez Rojo, Margarita – *Los Principios Juridicos*, Madrid, 1994.
Barros, Suzana T. – *O princípio da proporcionalidade e o controlo da constitucionalidade das leis restritivas*, Brasília Jurídica, Brasília, 1996.
Bartole, S. – «Principi di diritto (Dir. Cost.)» in *Enciclopedia del Diritto,* XXXV.
Basile, S. – " 'Valori superiori', Principi costituzionali Fondamentali ed Esigenze Primarie", in *Scritti in Onore Alberto Predieri*, Giuffrè, Milano, 1996, vol. I, pp. 83 e ss.
Bin, R. – *Atti Normativi e Norme Programmatiche,* Milano, 1988.
– *Diritti e Argomenti. Il bilanciamento degli interessi nella giurisprudenza costituzionale*, Milano, 1992.
Bonavides, P. – *Direito Constitucional,* Rio de Janeiro, 1997, pp. 182 e ss.
Borowzski, *Grundrechte als Prinzipien,* Baden-Baden, 1998.
Bydlinski, F. – *Fundamentale Rechtsgrundsätze*, Wien/New York, 1988.
Canotilho, J. J. G. – *Constituição Dirigente e Vinculação do Legislador,* Coimbra, 1982.
Cerri, A. – «Il 'principio' come fattore di orientamento interpretativo e come valore 'privilegiato': spunti ed ipotesi per una distinzione», in *Giur. Cost.*, 1987, pp. 1827 e ss.
Contiades, J. – *Verfassungsgesetzliche Staatsstrukturbestimmungen,* Stuttgart, 1967.
Costa, J. M. Cardoso da – «A hierarquia das normas constitucionais e a sua função na protecção dos direitos fundamentais», BMJ, n.º 356.
Crisafulli, V. – «Norme programmatiche della costituzione», in *Le Costituzione e le sue disposizioni di principio,* Milano, 1952, reproduzido em *Stato, Popolo, Governo,* Milano, 1989.
Dworkin, R. – *Taking Rights Seriously,* 4.ª ed., London, 1984.
– *A Matter of Principle*, Cambridge, 1985.
Espíndola, R. S. – *Conceito de Princípios Constitucionais*, Revista dos Tribunais, São Paulo, 1998.

Farias, Edilsom P. – *Colisão de Direitos*, Sergio Antonio Fabris Editora, Porto Alegre, 1996.

Filho, G. – *Hermenêutica e Unidade Axiológica da Constituição*, Belo Horizonte, 2001.

Garcia de Enterria, E. – *La constitución como norma y el tribunal constitucional*, 2.ª ed., Madrid, 1982.

Gianformaggio, L. – "L'interpretazione della costituzione tra applicazione di regole el argomentazione baseata su principi", *Riv. Inter. di fil. del dir.*, 1985, pp. 68 e ss.

Grau, E. R. – *A Ordem económica na Constituição de 1988*, S. Paulo, 1990.

Guastini, R. – "Principi di diritto", in *Digesto, Disc. Civ.*, vol. XIV, Torino, 1996.

– *Le Fonti del Diritto e l'interpretazione*, Milano, Giuffrè, 1993.

Guerra Filho, Willis – "Notas em torno do princípio da proporcionalidade", in Jorge Miranda (org.), *Perspectivas Constitucionais*, I, pp. 249 e ss.

Gusy, Ch. – «Die Offenheit des Grundgesetzes», in *JÖR*, 33 (1989), pp. 109 e ss.

Häberle, P. – «Arten, Artenreichtum und Vielschichtigkeit von Verfassungsstaates», in *Fs. Für K. J. Partsch*, 1989, pp. 554 e ss.

Lamego, J. – «Discussão sobre os Princípios Jurídicos», in *Revista Jurídica*, 4/1985, p. 106.

Lucas Verdu, P. – *Estimativa y Politica Constitucionales*, Madrid, 1984.

Machete, R. – «Normas constitucionais programáticas e liberdade do legislador», in *Estudos de Direito Público e Ciência Política*, Lisboa, 1991.

Miranda, J. – *Manual*, II, pp. 223 e ss; *Manual*, IV, p. 348.

Modugno, F. – "Principi generali dell'ordinamento", in *Enc. Giur.*, Roma, 1991, p. 2.

Moncada, L. S. – "Os princípios gerais do direito e a lei", in *Estudos de Direito Público*, Coimbra, 2001, pp. 367 ss.

Müller, F. – *Die Einheit der Verfassung*, Berlin, 1979.

Nieto, A. – «Peculiaridades juridicas de la norma constitucional», in *RAP*, 100-102 (1983), pp. 311 e ss.

Peczenik, A. – *On Law and Reason*, Dordrecht, 1989.

Prieto Sanchiz, L. – *Sobre Principios y Normas*, Madrid, 1992.

Reimer, F. – *Verfassungsprinzipien*, Berlin, 2001.

Rothenburg, W. – *Princípios Constitucionais*, Porto Alegre, 1999.

Russomano, R. – «Das normas constitucionais programáticas», in *Tendências Actuais do Direito Público*, Estudos de Homenagem a Afonso Arinos de Melo Franco, Rio de Janeiro, 1976, pp. 267 e ss.

Sachs, M. – «Normtypen im deutschen Verfassungsrecht», in *ZfG*, 1992, pp. 12 e ss.

Scheuner, U. – «Staatszielbestimmungen», in *Festschrift für E. Forsthoff*, 1972, pp. 325 e ss.

– «Normative Gewährleistung und Bezugnahme auf Fakten im Verfassungstext», in *Festschrift für* H. U. Scupin, 1973, pp. 323 e ss.

Schmid, G. – «Offenheit und Dichte in der Verfassungsgebung», in Eichenberger (e outros), *Grundfragen der Rechtssetzung,* Basel, 1978, pp. 317 e ss.

Sieckmann, J. R. – *Regelmodelle und Prinzipienmodelle des Rechtssystems*, Baden--Baden, 1990.

Silva, J. A. – *Aplicabilidade das normas constitucionais*, 2.ª ed., São Paulo, 1982.

– *Curso de Direito Constitucional Positivo*, 5.ª ed., São Paulo, 1989.

– "Aplicabilidade das normas programáticas", *Revista Procuradoria Geral do Estado do Ceará*, 11, 1993.

Sommermann, K. P. – *Staatsziele und Staatszielbestimmung*, 1997.

Stern, K. – *Staatsrecht,* I, pp. 96 e ss. (há trad. espanhola).

Stumm, Raquel D. – *Princípio da proporcionalidade no direito constitucional brasileiro*, Porto Alegre, 1995.

Smith, S. – *The Constitution and The Pride of Reason*, New York, 1998.

Tosi, R. – "Spunti per una riflessione sui criteri di ragionevollezza nella giurisprudenza costituzionale", in *Giur. Cost.*, 1993, pp. 545 e ss.

Warat, L. – *O direito e a sua linguagem*, Porto Alegre, 1988, pp. 76 ss.

Zagrebelsky, G. – *Il Sistema costituzionale delle fonti dell diritto,* Torino, 1984.
– *Il Diritto Mite*, Torino, 1992.

Capítulo 4

Interpretação, Aplicação e Concretização do Direito Constitucional

Sumário

A. O Contexto Teórico-Político da Interpretação Constitucional

I - «Interpretativismo» e «não interpretativismo» na ciência do direito constitucional norte-americano

II - «Método jurídico» e «método científico-espiritual» nas disputas teoréticas alemãs

B. O Ponto de Partida: A Abertura para uma Metódica Estruturante

C. Sentido e Conceitos Básicos

1. A explicação de conceitos
2. Não correspondência biunívoca entre disposições e normas
3. Sentido da interpretação das normas constitucionais

D. Métodos de Interpretação

I - Os métodos da interpretação da constituição

1. O método jurídico (= método hermenêutico clássico)
2. O método tópico-problemático (tópoi: esquemas de pensamento, raciocínio, argumentação, lugares comuns, pontos de vista)
3. O método hermenêutico-concretizador
4. O método científico-espiritual (= método valorativo, sociológico)
5. A metódica jurídica normativo-estruturante
6. A interpretação comparativa

II - Interpretação e dimensões jurídico-funcionais

E. Regras Básicas de Concretização

I - Ponto de partida jurídico-constitucional: postulado normativo da constitucionalidade

1. A norma
2. Mediação do conteúdo semântico
3. Elementos da norma
4. Dificuldades de investigação do conteúdo semântico da norma
5. Texto da norma e norma
6. Sentido da norma e convenções linguísticas

II - Segunda ideia fundamental: o programa normativo não resulta apenas de mediação semântica dos enunciados linguísticos do texto

1. Os elementos de interpretação
2. A função pragmática do texto da norma
3. A análise do «sector normativo» como processo parcial do processo global de concretização das normas constitucionais
4. Espaço de interpretação e o espaço de selecção

III - Norma jurídica

1. Norma jurídica: modelo de ordenação material
2. Norma de decisão
3. O sujeito concretizante
4. O trabalho metódico de concretização

F. O «Catálogo-Tópico» dos Princípios da Interpretação Constitucional

I - Princípios de interpretação da constituição

1. O princípio da unidade da constituição
2. O princípio do efeito integrador
3. O princípio da máxima efectividade
4. O princípio da «justeza» ou da conformidade funcional
5. O princípio da concordância prática ou da harmonização
6. O princípio da força normativa da constituição

II - O princípio da interpretação das leis em conformidade com a constituição

III - O princípio da interpretação do direito interno em conformidade com o direito comunitário

G. Limites da Interpretação

I - Nos limites da interpretação constitucional

1. As mutações constitucionais
2. Interpretação autêntica

3. As normas constitucionais inconstitucionais ('Verfassungswidrige Verfassungsnormen')
4. A interpretação da constituição conforme as leis ('gesetzeskonform Verfassungsinterpretation')

II - A complementação da lei constitucional

1. O significado constitucional da integração
2. Os métodos de complementação constitucional

H. Ponderação de Bens

I - A ponderação no direito constitucional

II - Veja-se um caso

A. O Contexto Teórico-Político da Interpretação Constitucional

1 - «Interpretativismo» e «não interpretativismo» na ciência do direito constitucional norte-americano

Antes de se proceder ao estudo dos problemas de interpretação, aplicação e concretização do direito constitucional, convém tornar transparente o contexto teórico-político subjacente aos vários métodos de interpretação da constituição.[1] Se lançarmos os olhos pelas discussões que, há longos anos, se travam nos Estados Unidos da América em torno dos problemas da interpretação constitucional, verificar-se-á, desde logo, uma bipolarização fundamental entre as direcções chamadas interpretativistas (*interpretivism*) e as correntes designadas por não-interpretativistas (*non interpretivism*).

a) Posições interpretativistas

As **correntes interpretativistas** consideram que os juízes, ao interpretarem a constituição, devem limitar-se a captar o sentido dos preceitos expressos na constituição, ou, pelo menos, nela claramente implícitos. O interpretativismo, embora não se confunda com o *literalismo* – a competência interpretativa dos juízes vai apenas até onde o texto claro da interpretação lhes permite –, aponta como limites de competência interpretativa a textura semântica e a vontade do legislador. Estes limites são postulados pelo princípio democrático – a «decisão pelo judicial» não deve substituir a decisão política legislativa da maioria democrática –, isto é, o papel da *rule of law* não pode transmutar-se ou ser substituída pela *law of judges*. O controlo judicial dos actos legislativos tem dois limites claros: o da própria constituição escrita e o da vontade do poder político democrático. Articulando as várias dimensões salientadas pelos autores interpretativistas (Black, R. Berger, Robert Bork, W. Rehnquist), pode fazer-se uma síntese centrada nos tópicos seguintes. A constituição, na sua qualidade de

---

[1] Cfr., por ex., W. MURPHY/J. FLEMING/S. BARBER, *American Constitutional Interpretation*, 2.ª ed., New York, 1995, pp. 40 e ss.

«supreme Law of the Land», constitui e limita o poder político estatal, que, desta forma, não é um poder incondicionado mas um poder constitucionalmente conformado. De qualquer forma, o *poder político democrático* é o «valor» fundamental da constituição, pelo que o poder de fiscalização dos actos do legislativo pelo judicial deve ser sempre considerado como um mecanismo excepcional. Consequentemente, o controlo judicial em relação a decisões de órgãos politicamente responsáveis só é admissível (e possível) quando o texto, o elemento genético da interpretação («vontade dos pais fundadores») e a delimitação constitucional de competências permitam deduzir uma «regra» clara que sirva de parâmetro seguro ao juízo de constitucionalidade. No caso de não ser possível deduzir uma «regra» jurídica, a competência *decisória* e *decisiva* para a disciplina jurídica dos problemas pertence aos órgãos democraticamente eleitos (e também democraticamente substituídos) por sufrágio. Isto radica ainda na ideia de a *função* de uma constituição ser, a título primário, *institucional* e *procedimental:* compete-lhe estabelecer procedimentos e competências de órgãos (dimensão institucional-procedimental) e não fixar teleologicamente fins ou conteúdos substantivos, como, por ex., a liberdade e a justiça (dimensão substantiva). Neste sentido, a Constituição tem uma estrita função de instrumento de governo. Limitar a constituição a um *«instrument of government»* baseia-se em duas premissas fundamentais de uma ordem democrática e liberal: (*a*) a tese do *pluralismo*, que aponta para a necessidade de confiar a órgãos politicamente responsáveis a concretização dos conteúdos de liberdade e de justiça agitados e defendidos com acentuações substantivas diversas pelos vários grupos e correntes (políticos, religiosos, culturais); (*b*) a tese do *relativismo de valores* (*skepticism*) que obriga a rejeitar uma visão «fundamentalista» de valores e a dar mais peso (relativo) aos valores defendidos por uma maioria democrática do que às posições de uma minoria ou de um órgão judicial.

b) *Posições não interpretativistas (non interpretivism)*

De um modo geral, as **posições não interpretativistas** defendem a possibilidade e a necessidade de os juízes invocarem e aplicarem «valores e princípios substantivos» – princípios da liberdade e da justiça – contra actos da responsabilidade do legislativo em desconformidade com o «projecto» da constituição. Para os defensores do sentido substancial da constituição deve apelar-se para os *substantive values* – justiça, igualdade, liberdade – e não apenas e prevalentemente para o princípio democrático, a fim de permitir aos juízes uma competência interpretativa. Na performativa formulação de um dos autores mais representativos de «significado substancial da constituição» – R. Dworkin –, os

1196

pontos de partida são os seguintes: (1) a *soberania da constituição*, pois o direito da maioria é limitado pela constituição, quer quando existem regras constitucionais específicas (como exigem os interpretativistas) quer quando as formulações constitucionais se nos apresentam sob a forma de «standards» (conceitos vagos); (2) a *objectividade interpretativa* não é perturbada pelo facto de os juízes recorrerem aos princípios da justiça, da liberdade e da igualdade, ou até a outros conceitos (religião, liberdade de imprensa) ancorados num determinado *ethos* social, pois a interpretação da *constituição* faz-se sempre tendo em conta o texto, a história, os precedentes, as regras de procedimento, as normas de competência que, globalmente considerados, permitem uma actividade interpretativa dotada de tendencial objectividade; (3) de resto, a interpretação substancial da constituição deve perspectivar-se em moldes diferentes dos proclamados pelas teorias interpretativistas: o *direito* não é apenas o «conteúdo» de regras jurídicas concretas, é também formado constitutivamente por *princípios jurídicos abertos* como justiça, imparcialidade, igualdade, liberdade. A mediação judicial concretizadora destes princípios é uma tarefa indeclinável dos juízes.

Da enunciação das premissas básicas, alicerçadoras de posições interpretativistas e não interpretativistas, intui-se uma diferença fundamental quanto à compreensão da constituição e da interpretação das normas constitucionais. Esta diferença radica, por sua vez, em pré-compreensões substancialmente diversas de democracia, direito, maiorias/minorias, teorias morais. Uma interpretação objectiva, previsível, democrática, vinculada às regras precisas da constituição é o tema do interpretativismo; uma interpretação – dizem os não interpretativistas – de uma constituição concebida como projecto de ordenação inteligível e susceptível de consenso, dirigida ao futuro, formada por regras concretas e princípios abertos e valorativos, dotada de lacunas e incompletudes, é necessariamente um processo de argumentação principial e objectivante, juridicamente concretizador, a cargo de uma instância jurisdicional. Como se irá ver, embora o interpretativismo aponte para dimensões indispensáveis de qualquer metódica jurídico-constitucional – objectividade, operacionalidade, rigor, respeito pelo princípio democrático, humildade perante o conflito de valores –, ela baseia-se em postulados teorético-políticos claudicantes: (1) o direito constitucional como simples «instrumento de governo» (concepção instrumental); (2) a constituição como produto de uma «vontade» constituinte historicamente situada; (3) o direito como um sistema fechado de regras precisas, susceptíveis de aplicação; (4) um relativismo de valores aparentemente cego a questões substanciais de justiça; (5) antidemocraticidade do controlo judicial dos actos normativos.

Estes postulados não estão em sintonia com a estrutura sistémica desenvolvida no capítulo anterior, ou seja, com a constituição entendida como sistema aberto de regras/princípios/procedimento. Consequentemente, o *background* teorético-político das teorias substancialistas e dos princípios de constituição está mais próximo do *Leitmotiv* informador da concepção defendida no presente capítulo, mas com uma objecção fundamental: não se defende uma concepção exclusivamente «principial» nem se adere a um fundamentalismo valorativo («ordem de valores», «melhor teoria»), postulador de uma "leitura ética" (*moral reading*) da constituição.

II - *«Método jurídico» e «método científico-espiritual» nas disputas teoréticas alemãs*

Uma discussão que apresenta alguns pontos de contacto com a querela entre interpretativistas e não interpretativistas é a polémica da doutrina alemã em torno dos chamados «métodos de interpretação da constituição». Também aqui se colocaram face a face duas posições distintas (cfr. *infra*).

a) *O método científico-espiritual*

Segundo o **método científico-espiritual** (Smend) a interpretação da constituição não pode separar-se da ideia de constituição como «**ordem de valores**», cujo sentido só pode captar-se através de um método que tenha em conta não apenas o «texto», mas também os conteúdos axiológicos últimos da ordem constitucional (cfr. *infra*).

b) *O método jurídico*

De acordo com o **método jurídico** (Forsthoff), a interpretação da constituição não se distingue da interpretação de uma lei e, por isso, para se interpretar o sentido da lei constitucional devem utilizar-se as regras tradicionais da interpretação (cfr. *infra*).

As compreensões e pré-compreensões subjacentes a estes dois métodos aproximam-se, em larga medida, dos *backgrounds* teoréticos subjacentes, respectivamente, às posições interpretativistas e não interpretativistas. Podem transferir-se para aqui as observações já feitas a este propósito.

B. O Ponto de Partida: A Abertura para uma Metódica Estruturante

As considerações anteriores servem já para descodificar o discurso a desenvolver nas páginas subsequentes sobre o problema da interpretação da constituição. Sintetizemos algumas ideias básicas: (1) rejeição de qualquer interpretativismo extremo (= *literalismo, textualismo, originalismo*) vinculado a premissas teóricas insustentáveis: a interpretação como revelação da «vontade de um poder» constituinte histórico, identificação do texto com a norma, limitação da interpretação aos preceitos constitucionais transportadores de regras jurídicas precisas e concretas; (2) rejeição do *«desconstrucionismo»* ou *«pós-estruturalismo interpretativo»*, conducente a uma jurisprudência política, disfarçada na necessidade de mediação e integração dos valores presentes numa ordem constitucional; (3) articulação da concepção *substantiva de constituição* com o *princípio democrático:* os parâmetros substantivos da constituição são concretizados político-jurídico-valorativamente pelo legislador e controlados jurídico-valorativamente pelos tribunais; (4) arrimo da interpretação da constituição numa *teoria constitucionalmente adequada* que postula o apelo simultâneo a «valores» substantivos (igualdade, liberdade, justiça), a «valores» procedimentais (processo democrático, eleições), a «valores» formais (forma de lei, do contrato); trata-se, no fundo, de dar operacionalidade prática à concepção de constituição como *sistema normativo aberto de princípios e regras;* (5) a interpretação da constituição é interpretação-concretização de uma *hard law* e não de uma *soft law:* as regras e princípios constitucionais são padrões de conduta juridicamente vinculantes e não simples «directivas práticas».

O discurso do texto pressupõe o conhecimento da literatura jurídica americana e da doutrina alemã. Relativamente à primeira, os trabalhos mais representativos são os de: Raoul Berger, *Government by Judiciary, The Transformation of the Fourteenth Amendment,* Cambridge, Mass, 1977; Robert Bork, «Neutral Principles and some First Amendment Problems», in *Indiana Law Journal,* 1 (1971); Herbert Wechsler, «Toward Neutral Principles of Constitutional Law», in *Harward Law Review,* 73, 1 (1959); John Hart Ely, *Democracy and Distrust, A Theory of Judicial Review,* Cambridge, Mass, 1980; Michael Perry, *The Constitution, the Courts, and Human Rights,* New Haven, 1982; Ronald Dworkin, *Taking Rights Seriously; Law's Empire,* Cambridge, Mass, 1985. Um bom resumo destas posições ver-se-á em W. Brugger, *Grundrechte und Verfassungsgerichtsbarkeiten in den Vereinigten Staaten von Amerika,* Tübingen, 1987; H. Bungert, «Zeitgenössische Strömungen in der amerikanischen Verfassungsinterpretation», in AÖR, 117, 1/1992, pp. 71 e ss.

Quanto à doutrina alemã, encontra-se um roteiro das principais posições teóricas na colectânea de Dreier/Schwegmann (org.), *Probleme der Verfassungsinterpretation. Dokumentation*

einer Kontroverse, 1976. Note-se que, embora no texto se refiram posições bipolares, a dogmática, quer norte-americana quer alemã, é muito mais rica e matizada do que o texto pode deixar entrever. Assim, por ex., a posição de Ely – *ultimate interpretivism, representation-reinforcing* – não se reconduz a qualquer das posições analisadas e contém sugestões importantíssimas a favor de uma interpretação que concilie a «participação democrática» com a participação dos juízes na interpretação dos preceitos constitucionais e na concretização das cláusulas vagas, segundo o «espírito da constituição».

A discussão centrada na ideia do direito constitucional como *hard law* ou como *soft law* pode ver-se na revista *Constitutional Commentary*, 6, 1/1989, pp. 19 e ss.

C. Sentido e Conceitos Básicos

1. A explicação de conceitos

Uma das formas de clarificar o método de trabalho de concretização constitucional é, desde logo, explicitar o sentido de alguns conceitos que irão ser repetidamente referidos ao longo desta parte.

a) *Realização constitucional*

Realizar a constituição significa tornar juridicamente eficazes as normas constitucionais. Qualquer constituição só é juridicamente *eficaz* (pretensão de eficácia) através da sua realização. Esta realização é uma *tarefa* de todos os órgãos constitucionais que, na actividade legiferante, administrativa e judicial, aplicam as normas da constituição. Nesta «tarefa realizadora» participam ainda todos os cidadãos "pluralismo de intérpretes" que fundamentam na constituição, de forma directa e imediata, os seus direitos e deveres.

b) *Interpretação constitucional*

Interpretar uma norma constitucional consiste em atribuir um significado a um ou vários símbolos linguísticos escritos na constituição com o fim de se obter uma decisão de problemas práticos normativo-constitucionalmente fundada. Sugerem-se aqui três dimensões importantes da interpretação da constituição: (1) interpretar a constituição significa procurar o *direito* contido nas normas constitucionais; (2) investigar o direito contido na lei constitucional implica uma *actividade* – actividade complexa – que se traduz fundamentalmente

na «adscrição» de um significado a um enunciado ou disposição linguística ("texto da norma"); (3) o *produto* do acto de interpretar é o significado atribuído.

A definição do texto põe em relevo a componente adscritivo-decisória da interpretação, afastando-se de uma concepção de interpretação como actividade meramente cognoscitiva ou dirigida ao conhecimento. A actividade do intérprete («discurso do intérprete») reconduz-se à seguinte *forma standard:* «T» significa «S», em que T é a variável do texto normativo (enunciados) e S a variável do sentido ou significado atribuído pelo intérprete ao texto. Cfr., por ex., Tarello, *L'interpretazione della legge*, Milano, 1980, Cap. I.

c) *Concretização da constituição*

Concretizar a constituição traduz-se, fundamentalmente, no *processo de densificação* de regras e princípios constitucionais. A concretização das normas constitucionais implica um processo que vai do *texto da norma* (do seu enunciado) para uma norma concreta – *norma jurídica* – que, por sua vez, será apenas um resultado intermédio, pois só com a descoberta da *norma de decisão* para a solução dos casos jurídico-constitucionais teremos o resultado final da concretização. Esta «concretização normativa» é, pois, um trabalho técnico-jurídico; é, no fundo, *o lado «técnico» do procedimento* estruturante da normatividade. A concretização, como se vê, não é igual à interpretação do texto da norma; é, sim, a *construção de uma norma jurídica* [2].

d) *Densificação de normas*

Densificar uma norma significa preencher, complementar e precisar o espaço normativo de um preceito constitucional, especialmente carecido de concretização, a fim de tornar possível a solução, por esse preceito, dos problemas concretos.

As tarefas de concretização e de densificação de normas andam, pois, associadas: densifica-se um espaço normativo (= preenche-se uma norma) para tornar possível a sua concretização e a consequente aplicação a um caso concreto.

e) *Norma e formulação da norma*

Deve distinguir-se entre *enunciado* (formulação, disposição) da *norma* e *norma*. A **formulação da norma** é qualquer enunciado que faz parte de

---

[2] Cfr. F. MÜLLER, *Juristische Methodik*, 3.ª ed., p. 280; D. BUSSE, «Zum Regelcharakter von Normtextbedeutungen und Rechtsnormen», in *Rth*, 19 (1988), p. 317.

um texto normativo (de «uma fonte de direito»). **Norma** é o sentido ou significado adscrito a qualquer disposição (ou a um fragmento de disposição, combinação de disposições, combinações de fragmentos de disposições). **Disposição** é parte de um texto ainda a interpretar; *norma* é parte de um texto interpretado.

f) *Norma constitucional*

Por **norma constitucional** entender-se-á aqui um modelo de *ordenação* juridicamente vinculante, positivado na Constituição e orientado para uma concretização material e constituído: (1) por uma medida de ordenação expressa através de enunciados linguísticos (*programa normativo*); (2) por uma constelação de dados reais (*sector ou domínio normativo*). Tradicionalmente, a norma reconduzia-se ao programa normativo (simples adscrição de um significado a um enunciado textual); hoje, a norma não pode desprender-se do domínio normativo.

g) *Normatividade*

Normatividade é o efeito global da norma (com as duas componentes atrás referidas) num determinado processo de concretização. O efeito normativo pressupõe a realização da norma constitucional através da sua aplicação--concretização aos problemas carecidos de *decisão*. A normatividade não é uma «qualidade» da norma; é o efeito do procedimento metódico de concretização [3].

h) *Texto normativo*

Considera-se **texto normativo** qualquer documento elaborado por uma autoridade normativa, sendo, por isso, identificável, *prima facie*, como «fonte de direito» num determinado sistema jurídico. Neste sentido, diz-se que um «texto normativo» (uma «fonte de direito») é um conjunto de enunciados do discurso prescritivo. *Discurso prescritivo* (normativo, preceptivo, directivo) é o discurso criado para modificar o comportamento dos homens.

---

[3] Não obstante a oscilação doutrinária na caracterização da «concretização», parece líquido que ela implica sempre a necessidade de introduzir a «realidade», os elementos não normativos, a análise dos conflitos de interesses e dos resultados no procedimento concretizante. Cfr. HESSE, *Grundzüge*, p. 25; STEIN, in *Grundgesetz, Alternativkommentar*, vol. I, Anot. 85 da Introdução. Por último, cfr., entre nós, a clarificação de CASTANHEIRA NEVES, «O actual problema...», *RLJ*, 119, pp. 129 e ss.

i) *Âmbito de regulamentação*

Por **âmbito de regulamentação** entende-se a globalidade dos casos jurídicos eventualmente regulados por uma norma jurídica.

j) *Âmbito de protecção*

O **âmbito de protecção** significa a delimitação intencional e extensional dos bens, valores e interesses protegidos por uma norma. Este âmbito é, tendencialmente, o resultado proveniente da delimitação dogmática feita pelos órgãos ou sujeitos concretizadores através do confronto de normas do direito vigente (ex.: o âmbito de protecção da liberdade de expressão e informação determina-se através do confronto das normas constitucionais entre si e destas com os preceitos do Código Penal e da Lei de Imprensa relativos a crimes relacionados com essa liberdade).

l) *Espaço de interpretação*

Considera-se como **espaço de interpretação** o âmbito dentro do qual o *programa normativo* (= medida de ordenação expressa através de enunciados linguísticos) se considera ainda compatível com o texto da norma (cfr. *infra*, F, limites da interpretação).

Todos estes conceitos vão estar presentes, de forma mais ou menos expressa, na exposição subsequente. Constituirão, assim, um ponto de partida para a descodificação do restante texto relativo às estruturas metódicas. Alguns deles merecerão ainda maior desenvolvimento, se e na medida em que isso se torne necessário para a explicação da matéria[4].

2. Não correspondência biunívoca entre disposições e normas

É muito corrente, em algumas sentenças do Tribunal Constitucional, a alusão a «*fragmentos* de normas», a «*segmentos* de normas», a «articulação de normas». Convém tomar contacto com estes conceitos que, de resto, são também

---

[4] A definição dos conceitos, bem como a sua utilização, sofre grandes oscilações. No texto utilizam-se preferentemente as definições conceituais ancoradas na metódica hermenêutico-concretizante (HESSE) e na metódica normativo-estruturante (F. MÜLLER).

usuais em obras de doutrina sobre «metodologia jurídica», «linguagem jurídica» e «raciocínio jurídico».

Além de serem conceitos correntes nos discursos jurisprudenciais e doutrinários, eles constituem importantes instrumentos metódicos no trabalho de interpretação/concretização do texto constitucional.

a) *Disjunção de normas*

Uma só disposição (formulação, enunciado) pode exprimir uma ou outra norma, segundo as diversas possibilidades de interpretação. Tomemos, como exemplo, o art. 24.º/1 da CRP: «A vida humana é inviolável».

Esta disposição pode conter, pelo menos, três normas, consoante o significado que lhe é adscrito: Norma 1: «a vida humana é inviolável desde o momento do nascimento até ao momento da morte»; Norma 2: «a vida humana é inviolável desde o momento da concepção até ao momento da morte»; Norma 3: «a vida humana é inviolável desde o momento em que, de acordo com os dados da ciência, começa a haver vida intra-uterina até ao momento da morte».

Como se vê, não é indiferente, para efeitos da protecção da vida e da punição da interrupção da gravidez, optar-se por uma ou outra interpretação. Podemos representar simbolicamente esta disjunção

$$D \to N1?\ N2?\ N3?$$

b) *Conjunção de normas*

Muitas disposições exprimem não apenas uma norma, mas várias normas conjuntamente. Tomemos o exemplo do art. 18.º/1 da CRP: «Os preceitos constitucionais respeitantes aos direitos, liberdades e garantias são directamente aplicáveis e vinculam as entidades públicas e privadas». Temos aqui, pelo menos, três normas: N1 – Os preceitos constitucionais respeitantes aos direitos, liberdades e garantias são *directamente aplicáveis;* N2 – Os preceitos constitucionais .... vinculam *entidades públicas;* N3 – Os preceitos constitucionais .... vinculam *entidades privadas*

A forma de anotação simbólica será esta:

$$D \to N1 + N2 + N3$$

c) *Sobreposição de normas*

Duas disposições podem exprimir normas que se sobrepõem parcialmente. Tomemos, como exemplo, as disposições 3.º/3 e 277.º/1 da CRP. Na primeira das disposições consagra-se o *princípio da conformidade* com a constituição das leis, dos demais actos do Estado, das regiões autónomas e do poder local; na segunda estabelece-se o *princípio da constitucionalidade* das normas. O princípio da conformidade abrange também o princípio da constitucionalidade, mas não se esgota nele, porque se estende a outros actos que não são normas (exs.: actos políticos, actos jurisdicionais, actos referendários). Daí que

$$D1 \rightarrow \underset{\text{(Normas)}}{N1} + \underset{\text{(Actos políticos)}}{N2} + \underset{\text{(Actos jurisdicioniais)}}{N3}$$

$$D2 \rightarrow N1$$

d) *Disposições sem normas*

Algumas vezes, os juristas utilizam o conceito de norma num sentido restrito para exprimirem: (1) *normas de conduta* (comandos, proibições, autorizações): nem todas as disposições são idóneas para exprimirem normas, mas apenas os chamados *enunciados deônticos*, incidentes sobre condutas ou comportamentos (ex.; CRP, art. 27.º/2: «Ninguém pode ser total ou parcialmente privado de liberdade...»); (2) *normas ou regras de conduta auto-suficientes*: aqui as regras ou normas de conduta são as *normas completas* que precisam quem deve (pode ou não deve) fazer certas coisas em certas circunstâncias (ex.: art. 28.º/1 da CRP).

Trata-se de conceitos restritivos pouco operacionais no âmbito do direito constitucional. Em rigor, estes conceitos de normas expulsariam as normas programáticas e os princípios que, como vimos (cfr. Parte II, Cap. 2.º), constituem normas de grande relevância no sistema aberto da constituição. Os conceitos restritivos conduzir-nos-iam a anotar muitas regras e princípios da constituição com uma interrogação. Assim:

$$D \rightarrow ?$$

e) *Normas sem disposição*

Com mais interesse metódico-constitucional se apresentam os casos de normas sem disposição. Estruturando-se este curso num *discurso principialista* (= «amigo de princípios»), e caracterizando-se os princípios como normas abertas dotadas de idoneidade normativa irradiante (cfr. *supra*, Cap. 3.º), é fácil concluir que, a nível constitucional, poderemos ter muitas vezes normas sem formulação ou enunciado linguístico. Em formulação simbólica:

? → N

Exemplo: o princípio do *procedimento justo* ou do *due process*. Este princípio não estava enunciado linguisticamente (cf. agora, depois da 4.ª Revisão, art. 20.º/4); não tinha disposição, mas resultava de várias disposições constitucionais (exs.: arts. 31.º, 32.º, 33.º, 269.º/3). Por vezes, os princípios não estão formulados ou enunciados em qualquer disposição nem resultam da combinação de várias disposições; consideram-se, porém, princípios jurídicos gerais normativamente vinculantes (ex.: o princípio da *densidade* e *clareza* das leis ínsito no princípio da protecção da confiança).

Neste último caso, a «norma principial» não é *language-dependent*; não é fruto de uma interpretação, no sentido atrás definido, pois é elaborada sem qualquer disposição. Trata-se de normas produzidas pelo «direito» mediante integração/concretização.

O discurso do texto pressupõe conhecimentos de teoria jurídica geral, de metodologia e filosofia do direito. As suas fontes de inspiração são, entre tantos, P. Comanducci/ R. Guastini (edit.), *L'analisi del ragionamento giuridico. Materiali ad uso degli studenti*, vol. II, Torino, 1989; Castignone/Guastini/Tarello, *Introduzione allo studio del diritto*, Genova, 1981, pp. 20 e ss., Guastini, *Lezioni sul linguaggio giuridico*, Torino, 1985, Parte I, Cap. I; C/O. Weinberger, *Logik, Semantik, Hermeneutik*, München, 1979, pp. 20 e 188; A. Ross, *Directives and Norms*, London, 1968, pp. 34 e ss; G. H. V. Wright, *Norm and Action*, London, 1963.

3. Sentido da interpretação das normas constitucionais

3.1. *Dimensões específicas*

a) *Dimensões metodológicas*

Interpretar as normas constitucionais significa (como toda a interpretação de normas jurídicas) compreender, investigar e mediatizar o conteúdo semântico dos enunciados linguísticos que formam o texto constitucional.

A **interpretação jurídico-constitucional** reconduz-se, pois, à atribuição de um significado a um ou vários símbolos linguísticos escritos na constituição. Esta interpretação faz-se mediante a utilização de determinados critérios (ou medidas) que se pretendem objectivos, transparentes e científicos (*teoria ou doutrina da hermenêutica*).

Interpretar a constituição é uma *tarefa* que se impõe *metodicamente* a todos os aplicadores das normas constitucionais (legislador, administração, tribunais). Todos aqueles que são incumbidos de aplicar e concretizar a constituição devem: (1) encontrar um resultado constitucionalmente «justo» através da adopção de um procedimento (método) racional e controlável; (2) fundamentar este *resultado* também de forma racional e controlável (Hesse). Considerar a interpretação como tarefa, significa, por conseguinte, que toda a norma é «significativa», mas o significado não constitui um dado prévio; é, sim, o resultado da tarefa interpretativa.

b) *Dimensões teorético-políticas*

Sob o *ponto de vista teorético-político,* a interpretação das normas constitucionais deve ter em conta a especificidade resultante do facto de a constituição ser um **estatuto jurídico do político** (cfr. *infra*). A influência dos valores políticos na tarefa da interpretação *legitima* o recurso aos princípios políticos constitucionalmente estruturantes, mas não pode servir para alicerçar propostas interpretativas que radiquem em qualquer sistema de *supra-infra* ordenação de princípios (ex.: princípio do Estado de Direito mais valioso que o princípio democrático) nem em qualquer ideia de antinomia (cfr. *supra*, Cap. 2.º/D) legitimadora da preferência de certos princípios relativamente a outros (ex.: antinomia entre o princípio do Estado de Direito e o princípio da socialidade, solucionando-se a antinomia através do reconhecimento de primazia normativa do primeiro). *O princípio da unidade hierárquico-normativa* da Constituição ganhará, nesta sede, particular relevância.

O princípio da unidade da constituição considerado como princípio interpretativo fundamental foi recentemente estudado por F. Müller, *Die Einheit der Verfassung*. Já antes, o seu valor hermenêutico havia sido posto em realce por Hesse, *Grundzüge*, p. 8; Ehmke, «Prinzipien der Verfassungsinterpretation», in *VVDSTRL,* n.º 20 (1963), 72. Cfr. também *supra,* Cap. 2, D, V. Para uma breve referência a alguns problemas relacionados com a «carga política» das normas constitucionais cfr. a 3.ª ed., do *Direito Constitucional,* pp. 224 e ss. O significado do recurso aos «valores políticos» na interpretação da constituição tem sido objecto de amplo debate doutrinal na Itália, parecendo considerar-se opinião dominante aquela que insiste na legitimidade do recurso a tais valores, mas só e enquanto eles constituirem «valores» positivados, integrados no conteúdo da norma constitucional a interpretar (não é legítima, assim, a invocação de «valores políticos» baseada no facto de eles corresponderem às directivas das forças hegemónicas ou das forças que detêm o poder em determinado momento). Sobre o problema cfr. Crisafulli, *Le Costituzione e le sue diposizioni di prinzipio,* Milano, 1952, p. 42; Mortati, «Costituzione (dottrine generali)» in *Enc. del Dir.,* Xl, Milano, 1962, pp. 82 e ss; Pensovecchio Li Bassi, *L'interpretazione delle norme costituzionali,* Milano, 1972, pp. 51e ss. Por último, cfr. Chierchia, *L'interpretazione sistematica della Costituzione,* Padova, pp. 87 e ss; R. Guastini, *Lezioni sul linguaggio Giuridico*, Marino, 1986, p. 119. O debate entre o «método científico-espiritual» (Smend) e o «método jurídico» (Forsthoff) toca também nesta questão do «elemento» político como critério da interpretação das normas constitucionais. Note-se, por último, que o problema da unidade da constituição e o problema das antinomias carecem de iluminação teorético-jurídica num plano mais global. Cfr., por todos, Castanheira Neves, *O Instituto dos «Assentos» e a Função Jurídica dos Supremos Tribunais,* Coimbra, 1983, pp. 258 e ss; *A Unidade do Sistema Jurídico,* p. 91; Baptista Machado, *Introdução ao Direito,* p. 191. No plano constitucional, cfr. a nossa obra, *Constituição Dirigente,* pp. 143 e ss., e P. Ferreira da Cunha, *Princípios de Direito,* Porto, 1992, pp. 313 e ss e 393 e ss.; Paulo Otero, *Lições de Introdução ao Estudo do Direito,* II/1, Lisboa, 1999, p. 260 ss.

c) *Dimensões teorético-jurídicas*

Sob o ponto de vista *teorético-jurídico,* a interpretação das normas constitucionais apresenta, igualmente, particularidades relevantes relacionadas sobretudo com o carácter hierárquico supremo da constituição e com a função de *determinante heterónoma* dos preceitos constitucionais relativamente às normas colocadas num plano hierárquico inferior (cfr. *supra*). Situadas no «vértice» da «pirâmide normativa», as normas constitucionais apresentam, em geral, uma maior *abertura* (e, consequentemente, uma menor densidade) que torna indispensável uma operação de concretização na qual se reconhece às entidades aplicadoras um «espaço de conformação» («liberdade de conformação», «discricionariedade») mais ou menos amplo. Por isso se afirma implicar o princípio da constitucionalidade a consideração das normas constitucionais como determinantes heterónomas das normas inferiores que as concretizem (leis, regulamentos, sentenças). A operação de «densificação» (= concretização, aplicação, interpretação-criação) não se concebe, porém, sem a existência de *determinantes autónomas* introduzidas pelos órgãos concretizadores.

d) *Dimensões metódicas*

Sob o ponto de vista *metódico,* é indispensável salientar que interpretar uma constituição não se reconduz apenas à fundamentação do «decidir jurídico» de casos concretos submetidos à apreciação jurisdicional com base na constituição (metodologia tradicional); significa também estruturar operadores de concretização (= modos ou regras de densificação) válidos para a aplicação das normas constitucionais pelo legislador e pela administração – *metódica jurídica*.

e) *Dimensões teorético-linguísticas*

Sob o ponto de vista da *linguística e da filosofia da linguagem,* o ponto de partida da interpretação das normas constitucionais é o postulado da constitucionalidade (= postulado da vinculação da lei constitucional). Os aplicadores da constituição não podem atribuir um significado (= sentido, conteúdo) arbitrário aos enunciados linguísticos das disposições constitucionais, antes devem investigar (determinar, densificar) o conteúdo semântico, tendo em conta o *dito* pelo legislador constitucional (= legislador constituinte e legislador da revisão). Isso significa que a tarefa da interpretação, linguisticamente considerada, é fundamentalmente a investigação do *dito* na lei constitucional (= indagação da *mens legis* da teoria objectiva na hermenêutica tradicional). Sob o ponto de vista da linguística, a interpretação das normas constitucionais será, assim, uma *interpretação semântica* das formulações normativas do texto constitucional, que se preocupa fundamentalmente em determinar o *significado* das expressões linguísticas nelas contidas. Note-se, porém, que, sendo a interpretação uma operação de carácter *linguístico* realizada num determinado *contexto* histórico-social, isso significa: (*a*) a interpretação refere-se sempre a normas reveladas por enunciados linguísticos, e não a qualquer intenção ou vontade da lei (*mens/voluntas legis*) ou do legislador (*mens/voluntas legislatoris*); (*b*) a interpretação é uma actividade condicionada pelo *contexto,* pois efectua-se em condições sociais historicamente caracterizadas, produtoras de determinados «usos» linguísticos, decisivamente operantes na atribuição do significado. O primeiro ponto (*a*) é importante porque marca uma decidida ruptura com a metodologia tradicional quer da interpretação subjectiva (interpretação = *investigação da mens legislatoris*) quer da interpretação objectiva (interpretação = *investigação da mens legis*). A atribuição de um significado (mediação semântica de um enunciado linguístico-normativo) não procura ou investiga «vontades» com «pré-existência real»; estas «vontades» só podem ser tomadas em conta no processo de interpretação se e na medida em que tenham expressão linguística. O segundo ponto (*b*) chama-nos a atenção para a ideia de considerar o espaço semântico dos conceitos ou palavras como susceptível de alteração em função do próprio contexto.

f) *Dimensões teórico-constitucionais*

No plano *teórico-constitucional* (também no plano teórico-jurídico e teórico-político), a interpretação da constituição conexiona-se com a problemática do *historicismo e actualismo,* há muito discutida na hermenêutica jurídica. O domínio constitucional seria até o espaço jurídico mais adequado para uma perspectiva *actualista* (= evolutiva, recreativa) (Mortati) da interpretação, dada a necessária repercussão das mudanças político-sociais e do desenvolvimento dos elementos políticos do ordenamento na valoração do conteúdo das disposições constitucionais. Entre um «objectivismo histórico», conducente à rigidificação absoluta do texto constitucional, e um «objectivismo actualista» extremo, legitimador de uma «estratégia política» de subversão ou transformação constitucional, a interpretação constitucional deve permitir o desenvolvimento (= actualização, evolução) do «programa constitucional», mas sem ultrapassar os limites de uma tarefa interpretativa (isto implica proibição de rupturas, de mutações constitucionais silenciosas e de revisões apócrifas) [5].

D. Métodos de Interpretação

I - Os métodos da interpretação da constituição

A questão do «método justo» em direito constitucional é um dos problemas mais controvertidos e difíceis da moderna doutrina juspublicística. No momento actual, poder-se-á dizer que a interpretação das normas constitucionais é um *conjunto de métodos,* desenvolvidos pela doutrina e pela jurisprudência com base em critérios ou premissas (filosóficas, metodológicas, epistemológicas) diferentes mas, em geral, reciprocamente complementares [6]. Não interessando tanto a este curso a problemática geral das «querelas metodológicas» da interpretação (cfr. *supra*) como o fornecimento de instrumentos práticos e específicos da concretização de normas constitucionais, limitar-nos-emos a simples indicações teorético-metodológicas para melhor inteligibilidade da matéria.

1. O método jurídico (= método hermenêutico clássico)

O **método jurídico** parte da consideração de que a constituição é, para todos os efeitos, uma lei. Interpretar a constituição é interpretar uma lei (*tese da identidade:* interpretação constitucional = interpretação legal). Para se captar o sentido da lei *constitucional* devem utilizar-se os *cânones ou regras* tradicionais da hermenêutica. O sentido das normas constitucionais desvenda-se através da

---

[5] Adiante, assinalaremos os limites da interpretação da constituição, a propósito das transições constitucionais e das modificações tácitas. Sobre o problema, cfr., em geral, LERCHE, «Stiller Verfassungswandel als aktueller Politikum», in *Festgabe Th. Maunz,* München, 1971. pp. 285 e ss; CHIERCHIA, *L'Interpretazione Sistematica,* p. 127; U. LAMMEGO BULOS, *Mutação Constitucional,* pp. 93 e ss.

[6] Cfr. K. STERN, *Staatsrecht,* I, p. 21.

utilização como elementos interpretativos: (*i*) do elemento filológico (= literal, gramatical, textual); (*ii*) do elemento lógico (= elemento sistemático); (*iii*) do elemento histórico; (iiii) do elemento teleológico (= elemento racional); (*iiiii*) do elemento genético.

A articulação destes vários factores hermenêuticos conduzir-nos-á a uma *interpretação jurídica* (= método jurídico) da constituição em que o princípio da legalidade (= normatividade) constitucional é fundamentalmente salvaguardado pela dupla relevância atribuída ao texto: (1) ponto de partida para a tarefa de mediação ou captação de sentido por parte dos concretizadores das normas constitucionais; (2) limite da tarefa de interpretação, pois a função do intérprete será a de desvendar o sentido do texto sem ir para além, e muito menos contra, o teor literal do preceito [7].

2. O método tópico-problemático (tópoi: esquemas de pensamento, raciocínio, argumentação, lugares comuns, pontos de vista)

O **método tópico-problemático**, no âmbito do direito constitucional, parte das seguintes premissas: (1) *carácter prático* da interpretação constitucional, dado que, como toda a interpretação, procura resolver os problemas concretos; (2) *carácter aberto, fragmentário ou indeterminado* da lei constitucional; (3) *preferência pela discussão do problema* em virtude da *open texture* (abertura) das normas constitucionais que não permitam qualquer dedução subsuntiva a partir delas mesmo.

A interpretação da constituição reconduzir-se-ia, assim, a um *processo aberto de argumentação* entre os vários participantes (pluralismo de intérpretes) através da qual se tenta adaptar ou adequar a norma constitucional ao problema concreto. Os aplicadores-interpretadores servem-se de vários *tópoi* ou pontos de vista, sujeitos à prova das opiniões pró ou contra, a fim de descortinar, dentro das várias possibilidades derivadas da polissemia de sentido do texto constitucional, a interpretação mais conveniente para o problema. A tópica seria, assim, uma arte de invenção (*inventio*) e, como tal, técnica do pensar problemático. Os vários tópicos teriam como função: (*i*) servir de *auxiliar* de orientação para o intérprete; (*ii*) constituir um *guia de discussão* dos problemas; (*iii*) permitir a decisão do problema *jurídico* em discussão.

---

[7] A defesa estrita do método jurídico no plano da interpretação constitucional foi feita em termos vigorosos por FORSTHOFF, na sua polémica contra o chamado *método científico-espiritual da interpretação*. Cfr. alguns aspectos desta polémica na 3.ª ed. do *Direito Constitucional*, pp. 229 e ss, e em VIEIRA DE ANDRADE, *Direitos Fundamentais,* pp. 116 e ss.

A concretização do texto constitucional a partir dos *tópoi* merece sérias reticências. Além de poder conduzir a um casuísmo sem limites, a interpretação não deve partir do problema para a norma, mas desta para os problemas. A interpretação é uma actividade normativamente vinculada, constituindo a *constitutio scripta* um limite inelimínável (Hesse) que não admite o sacrifício da primazia da norma em prol da prioridade do problema (F. Müller) [8].

3. O método hermenêutico-concretizador

O **método hermenêutico-concretizador** arranca da ideia de que a leitura de um texto normativo se inicia pela *pré-compreensão* do seu sentido através do intérprete. A interpretação da constituição também não foge a este processo: é uma *compreensão de sentido,* um preenchimento de sentido juridicamente criador, em que o intérprete efectua uma actividade prático-normativa, *concretizando* a norma para e a partir de uma situação histórica concreta. No fundo, este método vem realçar e iluminar vários pressupostos da tarefa interpretativa: (1) os pressupostos subjectivos, dado que o intérprete desempenha um papel criador (pré--compreensão) na tarefa de obtenção do sentido do texto constitucional: (2) os pressupostos objectivos, isto é, o *contexto,* actuando o intérprete como operador de mediações entre o texto e a situação em que se aplica: (3) relação entre o *texto* e o *contexto* com a mediação criadora do intérprete, transformando a interpretação em «movimento de ir e vir» (círculo hermenêutico).

O método hermenêutico é uma via hermenêutico-concretizante, que se orienta não para um pensamento axiomático mas para um pensamento problematicamente orientado. Todavia, este método concretizador afasta-se do método tópico-problemático, porque enquanto o último pressupõe ou admite o primado do problema perante a norma, o primeiro assenta no pressuposto do *primado do texto constitucional* em face do problema [9].

4. O método científico-espiritual (= método valorativo, sociológico)

As premissas básicas do chamado **método científico-espiritual** baseiam-se na necessidade de interpretação da constituição dever ter em conta:

---

[8] Nas suas estruturas essenciais, a argumentação tópica remonta à antiga retórica (cfr., sobre isso, VIEHWEG, *Topik und Jurisprudenz,* 5.ª ed., 1974). Historicamente, os métodos tópicos surgem quando o jurista pretende (no plano ideológico, político, cultural) enfrentar o dogma da primazia da lei e do direito positivo. Cfr., entre nós, BAPTISTA MACHADO, *Prefácio à Introdução do Pensamento Jurídico,* de KARL ENGISCH, pp. XV e ss.

[9] A teorização fundamental deste método deve-se a K. HESSE, *Grundzüge des Verfassungsrechts,* pp. 11 e ss, que desenvolveu um catálogo de tópicos de interpretação a que se fará referência no texto. Cfr., também, F. MULLER, *Juristische Methodik,* pp. 173 e ss.

(*i*) as bases de valoração (= ordem de valores, sistema de valores) subjacentes ao texto constitucional; (*ii*) o sentido e a realidade da constituição como elemento do *processo de integração*. O recurso à ordem de valores obriga a uma «captação espiritual» do conteúdo axiológico último da ordem constitucional. A ideia de que a interpretação visa não tanto dar resposta ao sentido dos conceitos do texto constitucional, mas fundamentalmente compreender o *sentido e realidade* de uma lei constitucional, conduz à articulação desta lei com a *integração* espiritual real da comunidade (com os seus valores, com a realidade existencial do Estado) [10].

5. A metódica jurídica normativo-estruturante

Os postulados básicos da metódica **normativo-estruturante** são os seguintes: (1) a metódica jurídica tem como tarefa investigar as *várias funções de realização do direito constitucional* (legislação, administração, jurisdição); (2) e para captar a transformação das normas a concretizar numa «decisão prática» (a metódica pretende-se ligada à resolução de problemas práticos); (3) a metódica deve preocupar-se com a *estrutura* da norma e do texto normativo, com o sentido de normatividade e de processso de concretização, com a conexão da concretização normativa e com as funções jurídico-práticas; (4) elemento decisivo para a compreensão da estrutura normativa é uma teoria *hermenêutica da norma jurídica* que arranca da não identidade entre *norma e texto normativo;* (5) o texto de um preceito jurídico positivo é apenas a parte descoberta do iceberg normativo (F. Müller), correspondendo em geral ao programa normativo (ordem ou comando jurídico na doutrina tradicional); (6) mas a norma não compreende apenas o texto, antes abrange um «domínio normativo», isto é, um «pedaço de realidade social» que o programa normativo só parcialmente contempla; (7) consequentemente, a *concretização normativa* deve considerar e trabalhar com dois tipos de elementos de concretização: um formado pelos elementos resultantes da interpretação do texto da norma (= elemento literal da doutrina clássica); outro, o elemento de concretização resultante da investigação do referente normativo (domínio ou região normativa) [11].

---

[10] O método científico-espiritual é desenvolvido em termos muito variados e o seu fundamento filosófico-jurídico também não é claro. O pensamento da integração de SMEND é aqui sistematicamente invocado. Para uma visão global cfr. GOERLICH, *Wertordnung und Grundgesetz-Kritik einer Argumentationsfigur des Bundesverfassungsgerichts,* Baden-Baden, 1973. Cfr., também, a 3.ª edição do *Curso de Direito Constitucional,* pp. 229 e ss; PAULO BONAVIDES, *Direito Constitucional,* pp. 317 ss.

[11] A metódica estruturante tem sido sobretudo tematizada e problematizada por F. MÜLLER. Cfr. *Juristische Methodik,* pp. 144 e ss; *Strukturierende Rechtslehre,* Berlin, 1984, pp. 225 e ss. Algumas das premissas

6. A interpretação comparativa

O apelo a elementos de direito comparado costuma ser feito, na teoria clássica da interpretação, a propósito do *elemento histórico*[12]. A **interpretação comparativa** pretende captar, de forma jurídico-comparatística, a evolução da conformação, diferenciada ou semelhante, de institutos jurídicos, normas e conceitos nos vários ordenamentos jurídicos com o fito de esclarecer o significado a atribuir a determinados enunciados linguísticos utilizados na formulação de normas jurídicas.

Em tempos recentes, a comparação jurídica é erguida a «quinto método de interpretação»[13]. Esta comparação assume, em geral, uma natureza valorativa, ou seja, reconduz-se a uma *comparação jurídica valorativa* no âmbito do Estado Constitucional. Através dela, é possível estabelecer a *comunicação* entre várias constituições (Häberle) e descobrir critério da melhor solução para determinados problemas concretos. A comparação valorativa tem sido utilizada pelo Tribunal de Justiça da Comunidade Europeia em torno dos direitos fundamentais. Nalguns casos, são as próprias constituições que remetem para textos internacionais como acontece com a Convenção Europeia de Direito Fundamentais (CRP, art. 16.°).

A comparação jurídica pressupõe um *humus* cultural: o direito constitucional comparado converte-se em *cultura comparada* (Häberle). O «problema do método comparativo» é, assim, o de saber se ele consegue mais do que recortar *standards* (medidas regulativas médias correspondentes a condutas sociais correctas) típicos de determinados modelos culturais.

II - Interpretação e dimensões jurídico-funcionais

Fala-se de perspectiva **metódica jurídico-funcional** quando, na interpretação-concretização das normas constitucionais, se tomam, como ponto de partida, as características funcionais específicas das competências de decisão dos vários órgãos constitucionais. A base metódica do trabalho interpretativo concretizador seria, portanto, esta: as funções do Estado são exercidas por aqueles

---

teoréticas e metodológicas da metódica jurídico-estruturante são acolhidas neste curso como se poderá deduzir das páginas seguintes.

[12] Cf. P. HÄBERLE, *Rechtsvergleichung im Kraftfeld des Verfassungsstants*, Berlin, 1992.
[13] Assim, precisamente, PETER HÄBERLE, obs. cit., pp. 20 ss.

Direito Constitucional

órgãos que, segundo a sua estrutura interna, composição e métodos de trabalho, estão legitimados para tomar decisões eficientes segundo procedimentos justos e para suportar a responsabilidade pelos resultados da decisão [14].

Esta perspectiva jurídico-funcional intervém, umas vezes, no plano da discussão da metodologia jurídica em geral; noutros casos, é agitada sobretudo para demarcar os limites entre as competências do legislador e do Tribunal Constitucional.

E. *Regras Básicas de Concretização*

I - Ponto de partida jurídico-constitucional: postulado normativo da constitucionalidade

1. A norma

Num ordenamento jurídico dotado de uma constituição escrita, considerada como ordem jurídica fundamental do Estado e da sociedade, pressupõem-se como pontos de partida normativos da tarefa de concretização--aplicação das normas constitucionais (*constitutional construction* na terminologia americana): (1) a consideração de **norma** como elemento primário do processo interpretativo; (2) a mediação (captação, obtenção) do conteúdo (significado, sentido, intenção) semântico do texto constitucional como tarefa primeira da hermenêutica jurídico-constitucional; independentemente do sentido que se der ao elemento literal (= gramatical, filológico), o processo concretizador da norma da constituição começa com a *atribuição de um significado* aos enunciados linguísticos do texto constitucional.[15]

---

[14] Cfr. GOMES CANOTILHO, «A concretização da Constituição pelo legislador e pelo Tribunal Constitucional», in JORGE DE MIRANDA (coord.), *Nos dez anos da Constituição*, 1986, p. 351. Cfr., também, RINKEN, *Alternativ-Kommentar zum GG*, vol. 2, anotação 61 e ss aos arts. 93.º e 94.º

[15] Afastamo-nos, assim, das propostas metodológicas de CASTANHEIRA NEVES no sentido de reduzir a norma a "critério" da interpretação-concretização. Cfr. A. CASTANHEIRA NEVES, *Metodologia*, pp. 142 e ss., e das correntes metodológicas assentes na deslegitimação da norma jurídico-positiva. Cf., precisamente, L. TRIBE «Taking Text and structure seriously: Reflections on Free form Method in Constitutional Interpretations», in *Harvard Law Rev.*, 10 (1995), p. 1221 ss. Já antes: K. HESSE, «El texto constitucional como Limite de la interpretación», in A.A. VV. *Division de Poderes e Interpretacion*, Madrid, 1987.

2. Mediação do conteúdo semântico

O facto de o texto constitucional ser o primeiro elemento do processo de interpretação-concretização constitucional (= processo metódico) não significa que o *texto* ou a *letra* da lei constitucional contenha já a *decisão do problema* a resolver mediante a aplicação das normas constitucionais. Diferentemente dos postulados da metodologia dedutivo-positivista, deve considerar-se que: (1) a letra da lei não dispensa a *averiguação do seu conteúdo semântico;* (2) a *norma constitucional* não se identifica com o *texto;* (3) a delimitação do âmbito normativo, feita através da atribuição de um significado à norma, deve ter em atenção elementos de concretização relacionados com o *problema* carecido de decisão. Interessa, porém, tornar mais claras as várias dimensões da norma, para se evitar quer as sobrevivências do positivismo quer as encapuçadas desvalorizações da norma (sociológicas, ideológicas, metodológicas).

3. Elementos da norma

Componentes fundamentais da norma são o programa normativo e o domínio normativo e, por isso, a norma só pode compreender-se como uma articulação destas duas dimensões.

O **programa normativo** é o *resultado* de um processo parcial de concretização (inserido, por conseguinte, num processo global de concretização) assente fundamentalmente na *interpretação do texto* normativo. Daí que se tenha considerado o enunciado linguístico da norma como ponto de partida do processo de concretização (dados linguísticos). Por sua vez, o **sector normativo** é o resultado de um segundo processo parcial de concretização assente sobretudo na análise dos elementos empíricos (dados reais, ou seja, dados da realidade recortados pela norma). Desta forma a norma jurídico-constitucional é um *modelo de ordenação orientado para uma concretização material,* constituído por uma medida de ordenação, expressa através de enunciados linguísticos, e por um «campo» de dados reais (factos jurídicos, factos materiais).

Da compreensão da norma constitucional como estrutura formada por duas componentes – o «programa da norma» e o «domínio da norma» – deriva o sentido de **normatividade constitucional**: normatividade não *é* uma «qualidade» estática do texto da norma ou das normas mas o efeito global da norma num processo estrutural e dinâmico entre o programa normativo e o sector normativo. Este processo produz, portanto, um *efeito* que se chama normativo, ou, para dizermos melhor, a normatividade é o efeito global da norma (com as duas componentes atrás referidas) num determinado *processo de concretização* (cfr. *supra,* o gráfico ilustrativo do procedimento concretizador). Compreende-se, assim, a necessidade de manter sempre clara a distinção entre *norma* e *formulação* (disposições, enunciado) *da norma:* aquela é *objecto* da interpretação; esta é o *produto* ou *resultado* da interpretação[16]. Por outras palavras: o 'texto' da constituição não é ainda norma, de não construir já o direito, é apenas um direito *virtual*.

4. Dificuldades de investigação do conteúdo semântico da norma

A investigação do conteúdo semântico das normas constitucionais implica uma **operação de determinação** (= operação de densificação, operação de mediação semântica) particularmente difícil no direito constitucional. Em primeiro lugar, os elementos linguísticos das normas constitucionais são, muitas vezes, *polissémicos ou pluri-significativos* (exs.: os conceitos de Estado, povo, lei, trabalho, têm vários sentidos na constituição).

Os enunciados linguísticos são, noutros casos, *vagos* (= conceitos vagos, conceitos indeterminados), havendo, ao lado de «objectos» que cabem inequivocamente no âmbito conceitual (= candidatos positivos) e ao lado de objectos que estão claramente excluídos do âmbito intencional do conceito (= candidatos negativos), outros objectos em relação aos quais existem sérias dúvidas quanto à sua caracterização (= candidatos neutrais). Exemplo típico é o conceito de «independência nacional» (arts. 7.°-1, 10.°-2, 81.°/*f*, 87.°, 120.°, 273.°-2, 288.°/*a*). A isso acresce o facto de os conceitos utilizados pela constituição serem muitas vezes *conceitos de valor* (exs.: dignidade da pessoa humana, independência nacional, dignidade social), isto é, conceitos com «abertura de valoração» e que, por isso mesmo, têm de ser preenchidos, em grande medida, pelos órgãos ou agentes de concretização das normas. Por último, os preceitos constitucionais contêm, em certos casos, *conceitos de prognose*, o que implica a antecipação de consequências futuras, dificilmente dedutíveis da simples mediação do conteúdo semântico. Ex.: «grave ameaça ... da ordem constitucional» (art. 19.°/2)[17].

---

[16] Cfr. F. MÜLLER, *Juristische Methodik,* 3.ª ed., pp. 144 e ss; "Virtualifüt im Rahmen der strukturierenden Rechtslehre", in Rth, 32 (2001)p. 354 ss. GUASTINI, *Lezioni sul linguaggio giuridico,* p. 129. Entre nós cfr., por todos, A. CASTANHEIRA NEVES, *Metodologia,* p. 145.

[17] Sobre os conceitos referidos no texto ('vaguidez', 'prognose', 'polissemia') e sobre as dificuldades e limites da mediação do conteúdo semântico, cfr. KOCH/RÜSSMANN, *Juristische Begründungslehre,* München, 1982, pp. 188 e ss; L. WARAT, *O direito e a sua linguagem,* Porto Alegre, 1988, pp. 76 e ss.

5. Texto da norma e norma

O recurso ao «texto» para se averiguar o conteúdo semântico da norma constitucional não significa a identificação entre *texto* e *norma*. Isto é assim mesmo em termos linguísticos: o texto da norma é o «sinal linguístico»; a norma é o que se «revela» ou «designa».

6. Sentido da norma e convenções linguísticas

O recurso ao **texto** constitucional, não obstante as dificuldades das operações de determinação dos enunciados linguísticos das normas constitucionais, tem este sentido básico no processo metódico de concretização: (1) o conteúdo vinculante da norma constitucional deve ser o conteúdo semântico dos seus enunciados linguísticos, tal como eles são mediatizados pelas convenções linguísticas relevantes; (2) a formulação linguística da norma constitui o *limite externo* para quaisquer variações de sentido jurídico-constitucionalmente possíveis (função negativa do texto).

Como é sabido, considera-se hoje que o significado de um enunciado linguístico é fixado através de convenções linguísticas. E aqui surge logo o primeiro problema, porque na interpretação da lei constitucional podem ser tomadas em consideração duas convenções linguísticas diferentes. Isto num duplo sentido: (1) escolha entre a convenção baseada no *uso científico* e a convenção baseada no *uso normal;* (2) escolha entre a convenção (científica ou normal) linguística do tempo em que surgiu a lei constitucional e convenção do tempo da sua aplicação (historicismo e actualismo) [18].

II - Segunda ideia fundamental: o programa normativo não resulta apenas de mediação semântica dos enunciados linguísticos do texto

1. Os elementos de interpretação

O programa normativo não é apenas a soma dos dados linguísticos normativamente relevantes do texto, captados a nível puramente semântico.

---

[18] Sobre este último ponto cfr. LARENZ, *Methodenlehre,* pp. 308 e ss. Que o elemento gramatical obriga a decidir entre vários usos dos sinais linguísticos é posto em relevo por F. MÜLLER, *Juristische Methodik,* p. 152. Na jurisprudência e doutrina americanas os dois cânones de «constitutional construction» mais utilizados têm sido os seguintes: (1) as palavras ou termos da constituição devem ser interpretados no seu sentido normal, natural, usual, comum, ordinário ou popular; (2) quando se utilizam termos técnicos eles devem ter o sentido técnico. Cfr. ANTIEAU, *Constitutional Construction,* cit., pp. 11 e ss e 18 e ss.

Outros elementos a considerar são: (1) a sistemática do texto normativo, o que corresponde tendencialmente à exigência de recurso ao elemento sistemático; (2) a *genética* do texto; (3) a *história* do texto; (4) a *teleologia* do texto. Este último elemento «teleologia do texto normativo» aponta para a insuficiência de semântica do texto: o texto normativo quer dizer alguma coisa a alguém e daí o recurso à *pragmática*.

2. A função pragmática do texto da norma

Como se acabou de ver, palavras e expressões do texto da norma constitucional (e de qualquer texto normativo) não têm significado autónomo, ou seja, um significado «em si», se não se tomar em conta o momento de decisão dos juristas e o carácter procedimental da concretização de normas. Daí que: (1) a decisão dos «casos» não seja uma «paráfrase» do texto da norma, pois o texto possui sempre uma dimensão comunicativa (pragmática) que é inseparável dos sujeitos utilizadores das expressões linguísticas, da sua compreensão da realidade, dos seus conhecimentos privados (neste sentido falam também as correntes hermenêuticas do efeito criador da «pré-compreensão»); (2) o texto da norma aponta para um *referente*, o que quer dizer constituir o texto um sinal linguístico cujo significado aponta para um universo de realidade exterior ao texto.

3. A análise do «sector normativo» como processo parcial do processo global de concretização das normas constitucionais

Relevante para o processo concretizador não é apenas a delimitação do âmbito normativo a partir do texto de norma. O significado do texto aponta para um *referente*, para um universo material, cuja análise é fundamental num processo de concretização que aspira não apenas a uma racionalidade formal (como o positivismo) mas também a uma *racionalidade material*. Compreende-se, pois, que: (1) seja necessário delimitar um *domínio ou sector de norma* constituído por uma quantidade de determinados elementos de facto (dados reais); (2) os elementos do domínio da norma são de diferente natureza (jurídicos, económicos, sociais, psicológicos, sociológicos); (3) a análise do domínio da norma seja tanto mais necessária: (*a*) quanto mais uma norma reenvie para elementos não-jurídicos e, por conseguinte, o *resultado* de concretização da norma dependa, em larga medida, da análise empírica do domínio de norma e (*b*) quanto mais uma norma é aberta, carecendo, por conseguinte, de concretização posterior através dos órgãos legislativos.

1219   *Interpretação, aplicação e concretização do Direito Constitucional*

Por outras palavras: se a importância da análise do domínio material se move numa escala cujos limites são: (1) a *determinação máxima* do texto da norma nos casos de preceitos em que o imperativo linguístico do texto é forte (exs.: prazos, definições, normas de organização e de competência); (2) a *determinação mínima* do texto da norma, como acontece nos preceitos que reenviam para elementos não-jurídicos ou que contêm «conceitos vagos» (ex.: «sectores básicos da economia», «correcção das desigualdades de riqueza e de rendimentos», «dignidade humana»).

4. O espaço de interpretação e o espaço de selecção

A análise dos dados linguísticos (programa normativo) e a análise dos dados reais (sector ou domínio normativo) não são dois processos parciais, separados entre si, dentro do processo de concretização. A articulação dos dois processos é necessária por vários motivos.

O programa normativo tem uma *função* de *filtro* relativamente ao domínio normativo, sob um duplo ponto de vista: (a) como limite negativo; (b) como determinante positiva do domínio normativo. Esta função de filtro do programa normativo significa ser ele que separa os factos com efeitos normativos dos factos que, por extravazarem desse programa, não pertencem ao sector ou domínio normativo (função positiva do programa normativo). Além disso, como o programa normativo é obtido principalmente a partir da interpretação dos dados linguísticos, deduz-se o *efeito de limite negativo do texto da norma* (TN): prevalência dos elementos de concretização referidos ao texto (gramaticais, sistemáticos) no caso de conflito dos vários elementos de interpretação. Consequentemente, o espaço de interpretação, ou melhor, o *âmbito de liberdade de interpretação* do aplicador-concretizador das normas constitucionais, tem também o texto da norma como limite: só os programas normativos que se consideram compatíveis com o texto da norma constitucional podem ser admitidos como resultados constitucionalmente aceitáveis derivados de interpretação do texto da norma. Salienta-se, por fim, o programa normativo, considerado como resultado da interpretação do texto de norma, é também o elemento fundamental do chamado *espaço de selecção de factos constitutivos* do domínio normativo: só podem incluir-se no âmbito possível do domínio normativo as quantidades de dados reais compatíveis com o programa normativo.

III - Norma jurídica

1. Norma jurídica: modelo de ordenação material

O processo de concretização normativo-constitucional, iniciado com a mediação do conteúdo dos enunciados linguísticos (programa normativo) e com a selecção dos dados reais constitutivos do universo exterior abrangidos pelo programa de norma, conduz-nos a uma primeira ideia de **norma jurídico--constitucional**: *modelo de ordenação material prescrito pela ordem jurídica como vinculativo e* constituído por: (*a*) uma *medida* de ordenação linguisticamente formulada (ou captada através de dados linguísticos); (*b*) um conjunto de dados reais seleccionados pelo programa normativo (domínio normativo).

A este nível, a norma jurídica é ainda uma *regra geral e abstracta,* que representa o resultado intermédio do processo concretizador, mas não é ainda imediatamente normativa. Para se passar da normatividade mediata para a *normatividade concreta,* a norma jurídica precisa de revestir o carácter de *norma de decisão.*

2. Norma de decisão

Uma norma jurídica adquire verdadeira normatividade quando com a «medida de ordenação» nela contida se decide um caso jurídico, ou seja, quando o processo de concretização se completa através da sua aplicação ao caso jurídico a decidir mediante: (1) a criação de uma disciplina regulamentadora (concretização legislativa, regulamentar); (2) através de uma sentença ou decisão judicial (concretização judicial); (3) através da prática de actos individuais pelas autoridades (concretização administrativa). Em qualquer dos casos, uma norma jurídica que era potencialmente normativa ganha uma *normatividade actual e imediata* através da sua «passagem» a **norma de decisão** que regula concreta e vinculativamente o caso carecido de solução normativa (*supra,* gráfico do procedimento concretizador).

3. O sujeito concretizante

Se a norma jurídica só adquire verdadeira normatividade quando se transforma em norma de decisão aplicável a casos concretos, concluiu-se que cabe ao agente ou agentes do processo de concretização um papel fundamental, porque são eles que, no fim do processo, colocam a norma em contacto com a realidade. No específico plano da concretização normativo-constitucional, a mediação metódica da normatividade pelos **sujeitos concretizadores** assume uma das suas manifestações mais relevantes. Em face do carácter aberto, indeterminado e polissémico das normas constitucionais, torna-se necessário que, a diferentes níveis de realização ou de concretização – legislativo, judicial, administrativo –, se aproxime a norma constitucional da realidade.

4. O trabalho metódico de concretização

Num Estado de direito democrático, o trabalho metódico de concretização é um *trabalho normativamente orientado*. Como corolários subjacentes a esta postura metodológica assinalam-se os seguintes.

O jurista concretizador deve trabalhar a partir do *texto da norma*, editado pelas entidades democrática e juridicamente legitimadas pela ordem constitucional. A *norma de decisão,* que representa a medida de ordenação imediata e concretamente aplicável a um problema, não é uma «grandeza autónoma», independente da norma jurídica, nem uma «decisão» voluntarista do sujeito de concretização; deve, sim, reconduzir-se sempre à norma jurídica geral. A distinção positiva das funções concretizadoras destes vários agentes depende, como é óbvio, da própria constituição, mas não raro acontece que no plano constitucional se verifique a convergência concretizadora de várias instâncias: (*a*) *nível primário de concretização*: os princípios gerais e especiais, bem como as normas da constituição que «densificam» outros princípios; (*b*) *nível político-legislativo*: a partir do texto da norma constitucional, os órgãos legiferantes concretizam, através de «decisões políticas» com densidade normativa – os actos legislativos –, os preceitos da constituição; (*c*) *nível executivo e jurisdicional*: com base no texto da norma constitucional e das subsequentes concretizações desta a nível legislativo (também a nível regulamentar, estatutário), desenvolve-se o trabalho concretizador, de forma a obter uma norma de decisão solucionadora dos problemas concretos.

1222

F. O «Catálogo-Tópico» dos Princípios da Interpretação Constitucional

O catálogo dos **princípios tópicos da interpretação constitucional** foi desenvolvido a partir de uma postura metódica hermenêutico-concretizante. Este catálogo que os autores recortam de forma diversa tornou-se um ponto de referência obrigatório da teoria da interpretação constitucional.[19]

A elaboração (indutiva) de um catálogo de tópicos relevantes para a interpretação constitucional está relacionada com a necessidade sentida pela doutrina e *praxis* jurídicas de encontrar princípios tópicos auxiliares da tarefa interpretativa: (1) relevantes para a decisão (= resolução) do problema prático (princípio da relevância); (2) metodicamente operativos no campo do direito constitucional, articulando direito constitucional formal e material, princípios jurídico-funcionais (ex.: princípio da interpretação conforme a constituição) e princípios jurídico-materiais (ex.: princípio da unidade da constituição, princípio da efectividade dos direitos fundamentais); (3) constitucionalmente praticáveis, isto é, susceptíveis de ser esgrimidos na discussão de problemas constitucionais dentro da «base de compromisso» cristalizada nas normas constitucionais (princípio da praticabilidade).

I - Princípios de interpretação da constituição

1. O princípio da unidade da constituição

O **princípio da unidade da constituição** ganha relevo autónomo como princípio interpretativo quando com ele se quer significar que a constituição deve ser interpretada de forma a evitar contradições (antinomias, antagonismos) entre as suas normas. Como «ponto de orientação», «guia de discussão» e «factor hermenêutico de decisão», o princípio da unidade obriga o intérprete a considerar a constituição na sua globalidade e a procurar harmonizar os espaços de tensão existentes entre as normas constitucionais a concretizar (ex.: princípio do Estado de Direito e princípio democrático, princípio unitário e princípio da autonomia

---

[19] Cfr. K. HESSE, *Grundzüge*, 20.ª ed., 1995, p. 20; LARENZ, *Methodenlehre*, p. 142; PAWLOWSKI, *Einführung*, pp. 71 e ss., TÉRCIO SAMPAIO FERRAZ JUNIOR, *Introdução ao Estado de Direito*, São Paulo, 1994, p. 327 seg.

regional e local). Daí que o intérprete deva sempre considerar as normas constitucionais não como normas isoladas e dispersas, mas sim como preceitos integrados num sistema interno unitário de normas e princípios [20].

2. O princípio do efeito integrador

Anda muitas vezes associado ao princípio da unidade e, na sua formulação mais simples, o **princípio do efeito integrador** significa precisamente isto: na resolução dos problemas jurídico-constitucionais deve dar-se primazia aos critérios ou pontos de vista que favoreçam a integração política e social e o reforço da unidade política. Como *tópico* argumentativo, o princípio do efeito integrador não assenta numa concepção integracionista de Estado e da sociedade (conducente a reducionismos, autoritarismos, fundamentalismos e transpersonalismos políticos), antes arranca da conflitualidade constitucionalmente racionalizada para conduzir a soluções pluralisticamente integradoras.

3. O princípio da máxima efectividade

Este princípio, também designado por **princípio da eficiência** ou princípio da interpretação efectiva, pode ser formulado da seguinte maneira: a uma norma constitucional deve ser atribuído o sentido que maior eficácia lhe dê. É um princípio operativo em relação a todas e quaisquer normas constitucionais, e embora a sua origem esteja ligada à tese da actualidade das normas programáticas (Thoma), é hoje sobretudo invocado no âmbito dos direitos fundamentais (no caso de dúvidas deve preferir-se a interpretação que reconheça maior eficácia aos direitos fundamentais).

4. O princípio da «justeza» ou da conformidade funcional

O **princípio da conformidade constitucional** tem em vista impedir, em sede de concretização da constituição, a alteração da repartição de funções constitucionalmente estabelecida. O seu alcance primeiro é este: o órgão (ou órgãos) encarregado da interpretação da lei constitucional não pode chegar a um resultado que subverta ou perturbe o esquema organizatório-funcional constitucionalmente estabelecido (Ehmke). É um princípio importante a observar pelo

---

[20] Cfr. K. STERN, *Staatsrecht*, cit., pp. 123 e ss; HESSE, *Grundzüge*, p. 26.

1224

Tribunal Constitucional, nas suas relações com o legislador e governo, e pelos órgãos constitucionais nas relações verticais do poder (Estado/regiões, Estado/autarquias locais). Este princípio tende, porém, hoje, a ser considerado mais como um princípio autónomo de competência do que como um princípio de interpretação da constituição [21].

5. O princípio da concordância prática ou da harmonização

Este princípio não deve divorciar-se de outros princípios de interpretação já referidos (princípio da unidade, princípio do efeito integrador). Reduzido ao seu núcleo essencial, o **princípio da concordância prática** impõe a coordenação e combinação dos bens jurídicos em conflito de forma a evitar o sacrifício (total) de uns em relação aos outros.

O campo de eleição do princípio da concordância prática tem sido até agora o dos direitos fundamentais (colisão entre direitos fundamentais ou entre direitos fundamentais e bens jurídicos constitucionalmente protegidos). Subjacente a este princípio está a ideia do igual valor dos bens constitucionais (e não uma diferença de hierarquia) que impede, como solução, o sacrifício de uns em relação aos outros, e impõe o estabelecimento de limites e condicionamentos recíprocos de forma a conseguir uma harmonização ou concordância prática entre estes bens [22].

O princípio da harmonização ou concordância prática implica «ponderações» nem sempre livres de carga política. A existirem essas ponderações, não devem efectuar-se numa única direcção. Por isso é que os autores levantam reticências à consideração do princípio *in dubio pro libertate* como princípio de interpretação (cfr. P. Schneider, «*In dubio pro libertate*», in *Hundert Jahre deutsches Rechtsleben*, II, 1960, p. 263; Maihofer, *Bitbürger Gespräche*, 1976, p. 150). Neste sentido, cfr. Hesse, *Grundzüge*, cit., p. 27; Stern, *Staatsrecht*, p. 123. No plano jurisprudencial cfr., Acs. TC n.ᵒˢ 177/92, 113/97, 288/98.

---

[21] Cfr. SCHUPPERT, *Funktionellrechtliche Grenzen der Verfassungsinterpretation*, 1980, p. 6.
[22] Este tópico da interpretação constitucional – princípio da concordância prática – embora tenha sido ultimamente divulgada na literatura juspublicística sobretudo por influência de K. HESSE, *Grundzüge*, cit., p. 27, há muito que constitui um *canon of constitutional construction* da jurisprudência americana: «It is a cardinal rule of constitutional construction that the interpretation, it possible, shall be such that the provision should harmonize with all others», Arizona Court, cit. por C. J. ANTIEAU, *Constitutional Construction*, London/Rome/New York, 1982, p. 27.

6. O princípio da força normativa da constituição

Segundo o **princípio da força normativa da constituição** na solução dos problemas jurídico-constitucionais deve dar-se prevalência aos pontos de vista que, tendo em conta os pressupostos da constituição (normativa), contribuem para uma eficácia óptima da lei fundamental. Consequentemente, deve dar-se primazia às soluções hermenêuticas que, compreendendo a historicidade das estruturas constitucionais, possibilitam a «actualização» normativa, garantindo, do mesmo pé, a sua eficácia e permanência [23].

II - O princípio da interpretação das leis em conformidade com a constituição [24]

O **princípio da interpretação das leis em conformidade com a constituição** é fundamentalmente um princípio de controlo (tem como função assegurar a constitucionalidade da interpretação) e ganha relevância autónoma quando a utilização dos vários elementos interpretativos não permite a obtenção de um sentido inequívoco dentre os vários significados da norma. Daí a sua formulação básica: no caso de normas polissémicas ou plurissignificativas deve dar-se preferência à interpretação que lhe dê um sentido em conformidade com a constituição. Esta formulação comporta várias dimensões: (1) o *princípio da prevalência da constituição* impõe que, dentre as várias possibilidades de interpretação, só deve escolher-se uma interpretação não contrária ao texto e programa da norma ou normas constitucionais; (2) o *princípio da conservação de normas* afirma que uma norma não deve ser declarada inconstitucional quando, observados os fins da norma, ela pode ser interpretada em conformidade com a constituição; (3) o *princípio da exclusão da interpretação conforme a constituição mas 'contra legem'* impõe que o aplicador de uma norma não pode contrariar a letra e o sentido dessa norma através de uma interpretação conforme a constituição, mesmo através desta interpretação consiga uma concordância entre a norma

---

[23] A elaboração e desenvolvimento destes princípios encontra-se nos autores que se orientam segundo o método hermenêutico concretizador (HESSE), a metódica normativo-estruturante (F. MÜLLER) e a hermenêutica da 'praxis' jurídica ou teoria da decisão racionalizada (M. KRIELE). Cfr. HESSE, *Grundzüge*, pp. 26 e ss; F. MÜLLER, *Juristische Methodik*, pp. 168 e ss; KRIELE, *Theorie der Rechtsgewinnung*, pp. 125 e ss. Para outras informações cfr. a 3.ª edição deste Curso, pp. 234 e ss. Entre nós, cfr. JORGE MIRANDA, *Manual*, II, p. 232.

[24] Por último, cfr., R. ZIPPELIUS, *Recht und Gerechtigkeit in der offenen Gesellschaft*, Berlim, 1994, pp. 395 e ss.

infraconstitucional e as normas constitucionais. Quando estiverem em causa duas ou mais interpretações – todas em conformidade com a Constituição – deverá procurar-se a interpretação considerada como a *melhor orientada* para a Constituição.

Este princípio deve ser compreendido articulando todas as dimensões referidas, de modo que se torne claro: (*i*) a interpretação conforme a constituição só é legítima quando existe um *espaço de decisão* (= espaço de interpretação) aberto a várias propostas interpretativas, umas em conformidade com a constituição e que devem ser preferidas, e outras em desconformidade com ela; (*ii*) no caso de se chegar a um resultado interpretativo de uma norma jurídica em inequívoca contradição com a lei constitucional, impõe-se a *rejeição*, por inconstitucionalidade, dessa norma (= competência de rejeição ou não aplicação de normas inconstitucionais pelos juízes), proibindo-se a sua correcção pelos tribunais (= proibição de correcção de norma jurídica em contradição inequívoca com a constituição); (*iii*) a interpretação das leis em conformidade com a constituição deve afastar-se quando, em lugar do resultado querido pelo legislador, se obtém uma regulação nova e distinta, em contradição com o sentido literal ou sentido objectivo claramente recognoscível da lei ou em manifesta dessintonia com os objectivos pretendidos pelo legislador[25].

O princípio da interpretação das leis em conformidade com a constituição e respectivos limites não é desconhecido da jurisprudência constitucional. Cfr., por ex., Ac. TC 398/89, *DR*, I, 14-9; 63/91, *DR*, II, 3-7; 370/91, *DR*, II, 2-4; 444/91, *DR*, II, 2-4; 254/92, *DR*, I, 31-7. Dentre os Acórdãos mais recentes cabe referir o Ac. 266/92; *Acórdãos*, vol. 22, p. 783; Ac. 508/94, in *Acórdãos*, vol. 28; Ac. 636/94, in *Acórdãos*, vol. 29; Ac. 41/95 in *Acórdãos*, vol. 30,.

III - O princípio da interpretação do direito interno em conformidade com o direito comunitário

Fala-se hoje do princípio da **interpretação do direito interno em conformidade com o direito comunitário** para exprimir o dever de os órgãos de aplicação do direito, sobretudo os juízes (*legal review*), interpretarem o direito nacional em conformidade com o direito comunitário. Esta regra hermenêutica está contida no art. 5.º do Tratado da União Europeia. É questionável o verda-

---

[25] LEIBHOLZ/RINCK/HESSELBERGER, *Grundgesetz, Kommentar*, 6.ª ed., 1989, I p. 11; HESSE, *Grundzüge*, p. 29; PRÜMM, *Verfassung und Methodik*, pp. 118 e ss. Vide, porém, a crítica desta posição – a dominante no direito constitucional – em CASTANHEIRA NEVES, *Metodologia Jurídica*, pp. 90 e ss.

deiro alcance deste princípio, defendendo uma parte da doutrina a subordinação da interpretação conforme o direito comunitário à interpretação conforme a Constituição.[26] O princípio da interpretação conforme o direito comunitário deve articular-se com outros princípios tópicos desenvolvidos pela jurisprudência comunitária como, por ex., o **princípio da funcionalidade do direito europeu** e o **princípio do efeito útil** (*effet utile*).[27] Estes princípios são invocados no sentido de reforçarem a *interpretação em conformidade com directivas europeias* nos casos em que ainda não decorreu o prazo de transposição dos mesmos para o direito interno[28].

G. Limites da Interpretação

I - Nos limites da interpretação constitucional

1. As mutações constitucionais

O esquema conceitual acabado de esboçar permite-nos abordar criticamente o problema das *transições ou mutações constitucionais* (*Verfassungswandlungen*). Antecipando alguma coisa do que será dito a propósito da revisão da constituição, considerar-se-á como **transição constitucional** a revisão informal do compromisso político formalmente plasmado na constituição sem alteração do texto constitucional. Em termos incisivos: muda o sentido sem mudar o texto.

A **alteração constitucional** (*Verfassungsänderung*) consiste na revisão formal do compromisso político, acompanhada da alteração do próprio texto constitucional [29].

O problema que agora se nos põe é o de saber se, através da interpretação da constituição, podemos chegar aos casos-limite de mutações constitucionais ou se, pelo menos, a mutação constitucional não deve transformar-se em princípio «normal» da interpretação (K. Stern). Já atrás ficou dito que a rigorosa

---

[26] Cfr. a análise de BRECHMANN, *Die Richtlinienkonforme Auslegung*, 1994.

[27] Cfr. PIEPER/SCHOLLMEIER, *Europarecht – Ein Case Book*, 1991, pp. 40 e ss.

[28] Cf. V. EHRICKE, «Die richtlinienkonforme Auslegung nationalen Rechts vor Ende der Umsetzungsfrist einer Richtlinie», in *EuZW*, 1999, p. 553; BUCK, *Über dieg Auslegungsmethoden des Gerichtshof EG*, 1998.

[29] Sobre estas noções de *transições e alterações constitucionais*, cfr. ROGÉRIO SOARES, «Constituição», in *Dicionário Jurídico da Administração Pública*; LOEWENSTEIN, *Teoria de la Constitucion*, cit., p. 164; HESSE, *Grundzüge*, cit., pp. 16, 21 e 30; RICHTER, *Bildungsverfassungsrecht*, 1973, p. 34; MÜLLER, *Strukturierende Rechtslehre*, pp. 363 e ss. Cfr. ainda, W. HÖFFLING, *Offene Grundrechtsinterpretation*, Berlin, 1987, p. 186.

compreensão da estrutura normativo-constitucional nos leva à exclusão de mutações constitucionais operadas por via interpretativa. Neste momento, tentar-se-á precisar melhor o problema da chamada **mutação normativa**.

A rejeição da admissibilidade de mutações constitucionais por via interpretativa não significa qualquer aval a um entendimento da constituição como um texto estático e rígido, completamente indiferente às alterações da realidade constitucional. Pese embora o exagero da formulação, há alguma coisa de exacto na afirmação de Loewenstein, quando ele considera que uma «constituição não é jamais idêntica a si própria, estando constantemente submetida ao *pantha rei* heraclitiano de todo o ser vivo»[30]. Todavia, uma coisa é admitirem-se alterações do âmbito ou esfera da norma que ainda se podem considerar susceptíveis de serem abrangidas pelo programa normativo (*Normprogramm*), e, outra coisa, é legitimarem-se alterações constitucionais que se traduzem na existência de uma *realidade constitucional inconstitucional*, ou seja, alterações manifestamente incomportáveis pelo programa da norma constitucional[31]. Uma constituição pode ser flexível sem deixar de ser firme. A necessidade de uma permanente adequação dialéctica entre o programa normativo e a esfera normativa justificará a aceitação de transições constitucionais que, embora traduzindo a mudança de sentido de algumas normas provocado pelo impacto da evolução da realidade constitucional, não contrariam os princípios estruturais (políticos e jurídicos) da constituição. O reconhecimento destas **mutações constitucionais silenciosas** (*'stille Verfassungswandlungen'*) é ainda um acto legítimo de interpretação constitucional[32]. Por outras palavras que colhemos em K. Stern: a mutação constitucional deve considerar-se admissível quando se reconduz a um problema *normativo-endogenético*, mas já não quando ela é resultado de uma evolução normativamente *exogenética*.

Problema mais complicado é o que se levanta quando existe uma radical *mudança de sentido* das normas constitucionais (exs.: considerar que, no

---

[30] Cfr. LOEWENSTEIN, *Teoria de la Constitucion*, cit., p. 164. Por último, G. F. SCHUPPERT «Rigiditüt von Verfassungsrecht, Uberlegungen zur Steaerfunktion von Verfassungsrecht in normalen wie in schwieärigen Zeiten», in AÖR, 120 (1995) p. 32 ss.

[31] Convertendo este princípio no seu contrário, exacerbando as relações de tensão entre direito constitucional e a realidade constitucional, cfr. LUCAS PIRES, *A Teoria da Constituição de 1976*, pp. 125 e ss; No sentido do texto, cfr., por último, HÖFFLING, *Offene Grundrechtsinterpretation*, cit., p. 189.

[32] Próximo desta posição cfr. HESSE, *Grundzüge*, cit., pp. 17 e 30; MAUNZ, *Deutsches Staatsrecht*, cit., p. 54. Em sentido divergente, considerando as mutações constitucionais como uma forma legítima de *complementação* e desenvolvimento do direito constitucional mas não como um acto de interpretação, vide RICHTER, *Bildungsverfassungsrecht*, cit., pp. 34 e ss. Cfr., por último, no sentido do texto, F. MÜLLER, *Strukturierende Rechtslehre*, p. 364. Aludindo à ideia de direito constitucional como «concentrado de direito infraconstitucional», cfr. M. KLOEPFER, «*Verfassungsausweitung...*».

art. 53.º, se incluam no conceito de justa causa de despedimento, os despedimentos por motivos económicos objectivos; admitir que no art. 36.º/1 estão previstos os casamentos entre pessoas do mesmo sexo).

Perspectiva diferente se deve adoptar quanto às tentativas de legitimação de uma interpretação constitucional criadora que, com base na *força normativa dos factos,* pretenda «constitucionalizar» uma alteração constitucional em inequívoca contradição com a *constitutio scripta.* Algumas concepções que defendem a ideia de constituição como *concentrado* de princípios, concretizados e desenvolvidos na legislação infraconstitucional, apontam para a necessidade da *interpretação da constituição de acordo com as leis,* a fim de encontrar um mecanismo constitucional capaz de salvar a constituição em face da pressão sobre ela exercida pelas complexas e incessantemente mutáveis questões económico-sociais. Esta *leitura da constituição de baixo para cima,* justificadora de uma nova compreensão da constituição a partir das leis infraconstitucionais, pode conduzir à *derrocada* interna da constituição por obra do legislador e de outros órgãos concretizadores, e à formação de uma *constituição legal* paralela, pretensamente mais próxima dos momentos «metajurídicos» (sociológicos e políticos)[33]. Reconhece-se, porém, que entre uma mutação constitucional obtida por via interpretativa de desenvolvimento do direito constitucional e uma mutação constitucional inconstitucional há, por vezes, diferenças quase imperceptíveis, sobretudo quando se tiver em conta o primado do legislador para a evolução constitucional (B. O. Bryde: *Verfassungsentwicklungsprimat*) e a impossibilidade de, através de qualquer teoria, captar as tensões entre a constituição e a realidade constitucional[34].

2. Interpretação autêntica

a) *Interpretação autêntica feita pelo legislador ordinário*

Fora das possibilidades da interpretação constitucional se deve situar a interpretação conhecida na metodologia geral do direito por **interpretação autêntica**. Por **interpretação autêntica** entende-se, geralmente, a interpretação feita pelo órgão da qual emanou um determinado acto normativo (ex.: o sentido de uma

---

[33] Cfr. HESSE, *Grundzüge, ob. loc. cit.*
[34] Cfr. B. O. BRYDE, *Verfassungsentwicklung,* p. 452; HÖFLING, *Offene Grundrechtsinterpretation,* cit., p. 194; P. KIRCHHOF, «Die Identität der Verfassung in ihren unabänderlichen Inhalten», in ISENSEE/KIRCHHOF, *Handbuch,* Vol. I, p. 795. Entre nós, realçando com veemência as situações de impasse entre o direito constitucional e a realidade constitucional, cfr. LUCAS PIRES, *A Teoria da Constituição de 1976,* pp. 30 e ss.

lei é fixado «autenticamente» por outra lei; um regulamento com equivocidade de sentidos é interpretado por outro regulamento). Para além da clara dimensão voluntarista inerente à ideia de interpretação autêntica, no âmbito da interpretação da constituição só poderá falar-se de interpretação autêntica quando uma nova lei constitucional, através do processo de revisão constitucionalmente fixado, vier esclarecer o sentido de alguns preceitos contidos no texto constitucional. Uma *interpretação autêntica* da constituição feita pelo legislador ordinário é metodicamente inaceitável. Por um lado, o legislador não pode pretender «fixar» o sentido de uma norma constitucional tal como o faz em relação às leis por ele editadas. Neste caso, ele é o seu «criador», admitindo-se que, se ele pode criar e revogar uma lei, por maioria de razão a poderá interpretar. Por isso, o art. 91.º/1 da Constituição de 1933 consagrava expressamente a competência da Assembleia Nacional para «fazer leis, *interpretá-las,* suspendê-las ou revogá-las». Todavia, em relação às normas constitucionais o legislador não está nesta situação privilegiada. Ele é um dos destinatários das normas constitucionais (e, em relação a algumas normas, o destinatário por excelência), cumprindo-lhe concretizar a constituição, mas não é «dono» das normas constitucionais para poder, *ex voluntate,* fixar o sentido dessas normas. Acresce que uma lei hipoteticamente interpretativa da constituição poderia conter uma *interpretação inconstitucional,* daí decorrendo o perigo, já assinalado, da formação de um «concentrado constitucional» paralelo, conducente à substituição do princípio da constitucionalidade das leis pelo da legalidade da constituição, legalidade essa que poderia até ser inconstitucional[35].

b) *Interpretação autêntica feita pelo Tribunal Constitucional*

Em jurisprudência constitucional recente sugere-se a possibilidade da interpretação autêntica ser feita pelo Tribunal relativamente às declarações de inconstitucionalidade com força obrigatória geral (cfr. Acs n. 196/91, in *Acórdãos*, vol. 19, e 318/93, in *Acórdãos*, vol. 25). A hipótese reconduz-se fundamentalmente à *aplicação da declaração da inconstitucionalidade com força obrigatória geral* em casos de fiscalização concreta dos quais houve recurso para o Tribunal Constitucional. Em rigor, não se trata de uma interpretação autêntica, pois, se assim fosse, exigir-se-ia que, através de *nova declaração abstracta,* se fixasse o sentido de uma anterior declaração abstracta feita pelo Tribunal. Em causa está, sim, a aclaração do sentido do acórdão de declaração de inconstitucionalidade para efeitos da sua aplicação num caso concreto.

---

[35] Rejeitando expressamente a possibilidade de interpretação autêntica do legislador ordinário, cfr. LEIBHOLZ-RINCK, *Grundgesetz, Kommentar,* 4.ª ed., cit., p. 10, e, entre nós, G. CANOTILHO/VITAL MOREIRA, *Fundamentos da Constituição*, p. 53; JORGE MIRANDA, *Direito Constitucional*, II, p. 265.

3. As normas constitucionais inconstitucionais ('verfassungswidrige Verfassungsnormen')

a) *Contradições transcendentes*

O problema das **normas constitucionais inconstitucionais** é levantado por quem reconhece um direito suprapositivo vinculativo do próprio legislador constituinte. É perfeitamente admissível, sob o ponto de vista teórico, a existência de *contradições transcendentes,* ou seja, contradições entre o direito constitucional positivo e os «valores», «directrizes» ou «critérios» materialmente informadores da modelação do direito positivo (direito natural, direito justo, ideia de direito). A questão da *constitucionalidade da constituição* suscita, logicamente, também o problema de saber quem controla a conformidade da constituição com o direito supraconstitucional. O Tribunal Constitucional Alemão, ao admitir uma *ordem de valores* vinculativamente modeladora da constituição, considerou-se igualmente competente para «medir» valorativamente a própria constituição. O Tribunal Constitucional teria um papel de «guia» na defesa da ordem de valores constitucionais.

<small>Desta forma dar-se-ia uma resposta material e racionalmente fundada em valores suprapositivos (embora não metajurídicos). Com isso, porém, o Tribunal envolve-se na complexa questão do *fundamento* da ordem constitucional (o chamado *Fundierungsproblem*) e arroga-se uma autoridade discutivelmente ancorada não apenas na constituição mas também (por julgar isso inerente à função judicial) na própria ideia de direito. Veja-se a crítica de F. Múller, *Die Einheit der Verfassung*, pp. 50 e ss e 128 e ss, a esta doutrina das normas constitucionais inconstitucionais. No direito brasileiro cfr. D. Sarmento, A *Ponderação de Interesses...*, p. 34.</small>

b) *Contradições positivas*

Diversa da hipótese acabada de configurar, é a *contradição positiva* entre uma norma constitucional escrita e outra norma constitucional também escrita.

Nestes casos, a existência de normas constitucionais incons-titucionais continua a ser possível, desde que se conceba (o que neste curso se rejeita) uma relação de hierarquia entre as próprias normas constitucionais. Dito por outras palavras: a inconstitucionalidade de uma norma constitucional resulta do facto de esta norma ser considerada hierarquicamente inferior (*rangniedere Norm*) e estar em contradição com outra norma da constituição julgada hierarquicamente superior (*ranghöhere Norm*). A contradição positiva poderá resultar também da contradição entre uma norma constitucional escrita e um princípio não escrito. A este respeito, o *Bundesverfassungsgericht* (Tribunal Constitucional

Federal) da Alemanha, fixou a doutrina de que «uma norma constitucional pode ser nula se ofender de um modo insuportável os postulados fundamentais da justiça subjacentes às 'decisões' (*Grundentscheidungen*) fundamentais da constituição»[36]. Deve também observar-se que, o problema das normas constitucionais inconstitucionais pode reconduzir-se, antes, a *conflitos de princípios/valores* susceptíveis de soluções, *prima facie,* harmonizatórias.

A probabilidade da existência de uma *norma constitucional originariamente inconstitucional* é bastante restrita em estados de direito democrático-constitucionais. Por isso é que a figura das normas constitucionais inconstitucionais, embora nos reconduza ao problema fulcral da validade material do direito, não tem conduzido a soluções práticas dignas do registo[37]. Isso mesmo é confirmado pela jurisprudência constitucional portuguesa. O problema das normas constitucionais inconstitucionais foi posto no Ac. 480/89, onde se contestou a legitimidade da norma constitucional proibitiva do *lock-out* (art. 57.°/3). O Tribunal Constitucional afastou o cabimento da questão, mas não tomou posição quanto ao problema de fundo (cfr. *Acórdãos TC* 480/89, Vol. IV, p. 155).

A hipótese de normas constitucionais inconstitucionais mais «realista» é a que diz respeito às normas de revisão em desconformidade com os limites de revisão constitucionalmente previstos. Trata-se de **normas constitucionais inconstitucionais supervenientes**[38].

4. A interpretação da constituição conforme as leis ('gesetzeskonform Verfassungsinterpretation')

Como a própria expressão indica, estamos a encarar a hipótese da **interpretação da constituição em conformidade com as leis** e não a das leis em

---

[36] Cfr. MAUNZ, *Deutsches Staatsrecht,* cit., p. 260; LEIBHOLZ-RINCK, *Grundgesetz, Kommentar,* cit., p. 12.

[37] Isto mesmo reconheceu o próprio *Bundesverfassungsgericht.* Cfr. LEIBHOLZ-RINCK, *Grundgesetz,* cit., p. 13. Entre vós, *vide* a tentativa de dar operatividade prática a normas constitucionais inconstitucionais em AFONSO QUEIRÓ, *Lições de Direito Administrativo,* Vol. I, p. 299, e CASTANHEIRA NEVES, *A Revolução e o Direito,* cit., pp. 7 e ss. Cfr., porém, a refutação em JORGE MIRANDA, *A Constituição de 1976,* cit., pp. 203 e ss, e *Manual,* Vol. II, pp. 538 e ss, em termos que, na sua globalidade, julgamos pertinentes e correctos. Na fundamentação das posições é que a questão se poderia pôr num plano diferente do escolhido por este autor. Entre nós, cfr., por último, MARCELO REBELO DE SOUSA, *Valor Jurídico do Acto Inconstitucional,* pp. 128 e ss; CARDOSO DA COSTA, «A hierarquia das normas,...», p. 20. Nesse sentido favorável à existência de normas constitucionais inconstitucionais, partindo da ideia de "heterovinculação axiológica da constituição formal" cfr., PAULO OTERO, *Lições de Introdução ao Estado do Direito,* II/2, p. 344 ss.

[38] Neste sentido, cf. I. VON MÜNCH *Staatsrecht,* I, 6.ª ed., p. 40; DREIER, in *Grundgesetz Kommentar,* II, anotação 11 ao art. 79/III da *Grundgesetz.*

conformidade com a constituição. A expressão deve-se a Leisner e com ela insinua-se que o *problema da concretização* da constituição poderia ser auxiliado pelo recurso a leis ordinárias. Nestas leis encontraríamos, algumas vezes, sugestões para a interpretação das fórmulas condensadas e indeterminadas, utilizadas nos textos constitucionais.

A utilidade da interpretação constitucional conforme as leis seria particularmente visível quando se tratasse de leis mais ou menos antigas, cujos princípios orientadores lograram posteriormente dignidade constitucional. A interpretação da constituição de acordo com as leis não aponta apenas para o passado. Ela pretende também abarcar as hipóteses de alterações do sentido da constituição mais ou menos plasmadas nas leis ordinárias. Estas leis, que começaram por ser actuações ou concretizações das normas constitucionais, acabariam, em virtude da sua mais imediata ligação com a realidade e com os problemas concretos, por se transformar em «indicativos» das alterações de sentido e em operadores de concretização das normas constitucionais cujo sentido se alterou. Do direito infraconstitucional partir-se-ia para a concretização da Constituição.

A interpretação da constituição conforme as leis tem merecido sérias reticências à doutrina. Começa por partir da ideia de uma constituição entendida não só como espaço normativo aberto mas também como campo neutro, onde o legislador iria introduzindo subtilmente alterações. Em segundo lugar, não é a mesma coisa considerar como parâmetro as normas hierarquicamente superiores da constituição ou as leis infraconstitucionais. Em terceiro lugar, não deve afastar-se o perigo de a interpretação da constituição de acordo com as leis ser uma *interpretação inconstitucional,* quer porque o sentido das leis passadas ganhou um significado completamente diferente na constituição, quer porque as leis novas podem elas próprias ter introduzido alterações de sentido inconstitucionais. Teríamos, assim, a *legalidade da constituição* a sobrepor-se à *constitucionalidade da lei*[39].

II - A complementação da lei constitucional

1. O significado constitucional da integração

Distingue-se tradicionalmente entre **interpretação** e **integração**. A interpretação pressupõe a possibilidade de indagação do conteúdo semântico

---

[39] Cfr., por último, BIN, *Diritti e Argomenti,* Milano, 1992, pp. 18 e ss.

dos enunciados linguísticos do texto constitucional (mediante a aplicação dos cânones hermenêuticos já referidos), com a consequente dedução de que a matéria de regulamentação é abrangida pelo *âmbito normativo* da norma constitucional interpretada. A integração existe quando determinadas situações: (1) que se devem considerar constitucionalmente reguladas, (2) não estão previstas (3) e não podem ser cobertas pela interpretação, mesmo extensiva, de preceitos constitucionais (considerados na sua *letra* e no seu *ratio*).

Interpretação e integração consideram-se hoje como dois momentos conexos da *captação* ou *obtenção* do direito, isto é, não se trata de dois procedimentos qualitativamente diferentes, mas apenas de etapas graduais de «obtenção» do direito constitucional. A relativização das diferenças entre processo interpretativo e processo integrativo é particularmente frisante quando se trata de estabelecer os limites entre uma *interpretação extensiva* e uma *integração analógica*. Realça-se também que nos princípios da analogia existe sempre uma certa ambivalência funcional, pois, por um lado, são princípios de interpretação da lei e, por outro, são meios de preenchimento de sentido da mesma lei. Com efeito, em face do carácter incompleto, fragmentário e aberto do direito constitucional, o intérprete é colocado perante uma dupla tarefa: (1) em primeiro lugar, fixar o âmbito e o conteúdo de regulamentação da norma (ou normas) a aplicar (*determinação do âmbito normativo*); (2) em segundo lugar, se a situação de facto, carecedora de «decisão» (legislativa, governamental ou jurisprudencial), não se encontrar regulada no complexo normativo-constitucional, ele deve complementar a lei constitucional preenchendo ou colmatando as suas lacunas.

Uma **lacuna normativo-constitucional** só existe quando se verifica uma *incompletude* contrária ao «plano» de ordenação constitucional. Dito por outras palavras: a *lacuna constitucional autónoma* surge quando se constata a ausência, no complexo normativo-constitucional, de uma disciplina jurídica, mas esta pode deduzir-se a partir do plano regulativo da constituição e da teleologia da regulamentação constitucional. A anterior noção de lacuna constitucional autónoma permite-nos diferenciá-la: (1) das chamadas *lacunas constitucionais heterónomas,* que resultam do não cumprimento das ordens de legislar e das imposições constitucionais concretamente estabelecidas na constituição; (2) das *integrações correctivas,* fundamentadas na ideia de a regulamentação constitucional ser, sob o ponto de vista político, incompleta, errada ou carecida de melhoramento. Ambas as hipóteses caem no domínio da «patologia constitucional»: (*i*) as lacunas heterónomas são inconstitucionais, porque significam a violação de imposições constitucionais constantes da constituição; (*ii*) as integrações correctivas representam a *usurpação* inconstitucional do poder constituinte pelos concretizadores das normas constitucionais.

Antes de se proceder à complementação integrativa da lei constitucional é necessário verificar se existe, na realidade, uma lacuna de regulamentação, e não «espaços jurídicos livres» (*rechtsfreie Räume*) ou «abertura» (reenvio, remissão) para regulamentações infraconstitucionais. É que, como se disse, a lacuna pressupõe necessariamente uma *incompletude* contrária ao plano regulativo constitucional, mas pode dar-se o caso de ser a própria constituição a deixar intencionalmente por regular certos domínios da realidade social ou a remeter a sua disciplina normativa para o legislador (liberdade de conformação legislativa). Verifica-se aqui, com mais intensidade de que noutros domínios jurídicos, a ideia de *abertura e incompletude normativa intencional,* para permitir a luta política, a liberdade de conformação do legislador, a adaptação da disciplina normativa à evolução da vida (realidade) constitucional. Dir-se-á que aqui a incompletude é conforme o *plano* regulativo-constitucional enquanto nas lacunas ela é contra o mesmo plano.

2. Os métodos de complementação constitucional

As lacunas que aqui são consideradas designam-se por **lacunas de regulamentação** (*Regelungslücken,* na terminologia alemã) e abrangem dois grupos distintos: (1) lacunas ao nível das normas (*Normenlücken*), quando um determinado preceito constitucional é incompleto, tornando-se necessária a sua complementação a fim de poder ser aplicado; (2) *lacunas de regulamentação* (*Regelungslücken*), quando não se trata da incompletude da norma mas de uma determinada regulamentação em conjunto.

O método mais frequente para a integração das lacunas de regulamentação abertas é a *analogia* (= *argumentum a simile*). A complementação das lacunas através da analogia traduz-se na transferência de uma regulamentação de certas situações para outros casos merecedores de igualdade de tratamento jurídico e que apresentam uma coincidência axiológica significativa.

H. *Ponderação de Bens*

I - A ponderação no direito constitucional[40]

As ideias de **ponderação** (*Abwägung*) ou de **balanceamento** (*Balancing*) surge em todo o lado onde haja necessidade de "encontrar o direito"

---

[40] Cfr. a recente *mise au point,* de JORGE REIS NOVAIS, *As restrições,* p. 639 ss.

para resolver "casos de tensão" (Ossenbühl) entre bens juridicamente protegidos. O método da ponderação de interesses é conhecido há muito tempo pela ciência jurídica. Nos últimos tempos, porém, a sua relevância tem sido sobretudo reconhecida no direito constitucional e no direito do planeamento urbanístico. Aqui interessar-nos-á a **ponderação no direito constitucional**.

a) *O relevo da ponderação no direito constitucional*

A agitação metódica e teórica em torno do método de balanceamento ou ponderação no direito constitucional não é uma "moda" ou um capricho dos cultores de direito constitucional. Várias razões existem para esta viragem metodológica: (1) inexistência de uma ordenação abstracta de bens constitucionais o que torna indispensável uma operação de balanceamento desses bens de modo a obter uma *norma de decisão situativa*, isto é, uma norma de decisão adoptada às circunstâncias do caso; (2) *formatação principial* de muitas das normas do direito constitucional (sobretudo das normas consagradoras de direitos fundamentais) o que implica, em caso de colisão, tarefas de "concordância", "balanceamento", "pesagem", "ponderação" típicas dos modos de solução de conflitos entre princípios (que não se reconduzem, como já se frisou, a alternativas radicais de "tudo ou nada"); (3) fractura da unidade de valores de uma comunidade que obriga a leituras várias dos conflitos de bens, impondo uma cuidadosa análise dos bens em presença e uma *fundamentação* rigorosa do balanceamento efectuado para a solução dos conflitos.

b) *Interpretação e ponderação*

Em muitas propostas metodológicas a ponderação é apenas um elemento do procedimento da interpretação/aplicação de normas conducente à atribuição de um significado normativo e à elaboração de uma norma de decisão. Aqui o **balancing process** vai recortar-se em termos autónomos para dar relevo à ideia de que no momento de ponderação está em causa não tanto atribuir um *significado normativo* ao texto da norma, mas sim equilibrar e ordenar bens conflituantes (ou, pelo menos, em relação de tensão) num determinado caso. Neste sentido, o balanceamento de bens situa-se a jusante da interpretação. A actividade interpretativa começa por uma reconstrução e qualificação dos interesses ou bens conflituantes procurando, em seguida, atribuir um sentido aos textos normativos e aplicar. Por sua vez, a ponderação visa elaborar critérios de ordenação para, em face dos dados normativos e factuais, obter a solução justa para o conflito de bens.

c) *Exemplos*

Dois exemplos (retirados de dois casos paradigmáticos da jurisprudência alemã e que estão na origem do aprofundamento metodológico da ponderação) demonstrarão que a operação interpretativa (em sentido estrito) e a operação de balanceamento respondem a exigências metódicas diferentes.

CASO 1. *Direito à informação contra o direito à ressocialização individual*

Um determinado indivíduo cometeu um crime grave (assassínio de sentinelas de um quartel militar) e por esse facto foi julgado e condenado a pena de prisão. Pouco antes do termo da sua pena e consequente regresso à liberdade e à sociedade, um canal da televisão anunciou a emissão de um filme-documentário sobre este caso. Reagiu o condenado argumentando que a passagem televisiva do filme implicava uma nova condenação pública, perturbando seriamente a sua ressocialização. Replicou a estação de televisão com o argumento do direito e liberdade de informação. Não é possível metodologicamente estabelecer, de forma abstracta, esquemas de supra/infra-ordenação entre os direitos conflituantes dizendo que o direito à informação "pesa" mais de que o direito à ressocialização, ou, vice-versa, afirmar que este último se sobrepõe ao primeiro. É necessário um *esquema de prevalência parcial* estabelecido segundo a ponderação dos bens em conflito e tendo em conta as circunstâncias do caso. Por mais que procurassem, os juízes não encontravam na "interpretação" das normas constitucionais a solução para o conflito de direitos. O *balancing ad hoc* levou-os a considerar que nas exactas circunstâncias do caso (o "caso Lebach") o direito à ressocialização prevalecia sobre o direito à informação.

CASO 2. *O direito à vida, o dever de protecção de bens constitucionais e o direito das vítimas*

No segundo caso, um outro indivíduo, também autor de um crime grave, estava em vésperas de julgamento público. No entanto, ancorado em relatórios médicos, invocou o risco de perder a vida (por enfarte) se fosse submetido a uma audiência pública de julgamento. O conflito entre o direito à vida e o direito/dever do estado de prossecução da acção penal colocou-se com toda a acuidade. Além disso, deveria ainda ter-se em conta o direito das vítimas a uma decisão judicial justa e eventual reparação. Era inútil prosseguir a rota interpretativa "batendo" nos textos para obter uma norma de decisão situativa. Impunha-se um *balanceamento*, uma *ponderação* para resolver a situação de tensão entre bens constitucionais. E o reconhecimento do direito ao adiamento do julgamento para a protecção do bem da vida (como foi o caso) não significa sempre um esquema de prevalência deste direito sobre o dever de prossecução da acção penal e o direito das vítimas a uma decisão justa e uma eventual reparação de danos.

d) *A topografia do conflito ou da relação de tensão entre bens constitucionais*

A ponderação é um *modelo de verificação e tipicização da ordenação de bens em concreto*. Não é, de modo algum, um modelo de abertura para uma justiça "casuística", "impressionística" ou de "sentimentos". Precisamente por

isso, é que o método de *balancing* não dispensa uma cuidadosa *topografia* do conflito nem uma *justificação* da solução do conflito através da ponderação.[41]

Em termos tendenciais, designa-se por **topografia de conflitos** a descrição das modalidades segundo as quais a norma que regula um determinado direito ou interesse incide, num caso específico, no âmbito (área, esfera) de direitos ou bens conflituantes. A análise da topografia do conflito exige, assim, que se esclareçam dois pontos: (1) se e em que medida a área ou esfera de um direito (âmbito normativo) se sobrepõe à esfera de um outro direito também normativamente protegido; (2) qual o espaço que "resta" aos dois bens conflituantes para além da zona de sobreposição.

e) *O teste de razoabilidade*

A topografia do conflito serve logo para identificar o âmbito normativo dos bens em relação de tensão. Poderá então suceder que as questões fiquem resolvidas nesta primeira abordagem através do *teste de razoabilidade*. O **teste de razoabilidade** permitirá, por exemplo, descobrir o *desvalor* constitucional de alguns interesses pretensamente invocados como dignos de protecção e em conflito com outros. Assim, será desrazoável um direito fundado numa norma que estabelece a presunção do domicílio da mulher no domicílio do marido e será de todo em todo desrazoável essa mesma presunção no caso de separação de facto. O teste de razoabilidade será também um esquema metódico que permite excluir a existência de um verdadeiro conflito de bens pelo facto de um dos direitos invocados não estar ou não se poder considerar "enquadrado" na esfera de protecção de uma norma constitucional.

f) *O "balanço por definição"*

Este teste de razoabilidade não se distinguirá, em muitos casos, do procedimento interpretativo em sentido estrito porque o que está aqui em causa é delimitar o âmbito de protecção de uma norma constitucional, estabelecendo uma espécie de linha de demarcação entre o que entra nesse âmbito e o que fica de fora. É o que a doutrina americana designa por **definitional balancing** ("balanceamento por definição") e que no esquema metódico atrás referido corresponde ao recorte do chamado "âmbito normativo". A linha de *definitional balancing* é seguida pela jurisprudência americana para precisar a esfera de

---

[41] Cfr., por ex., F. COFFIN, "Judicial Balancing: The Protean Scales of Justice", in N.Y.U.L. Rev. 16, 25 (1988).

protecção da norma e excluir certas dimensões não reentrantes nessa esfera: não cabem na *liberdade de manifestação de pensamento* certos "comportamentos expressivos" mas estranhos à esfera de protecção como a "propaganda subversiva", a "instigação", as manifestações sediciosas, as expressões de "baixo valor" (*low--value speech*); não entram na esfera de protecção da norma do *habeas corpus* o acompanhamento coactivo, não sendo necessária qualquer validação, por parte do juiz, quanto à obrigação de comparecer perante a polícia de segurança, à obrigação de o empresário colaborar com os serviços de inspecção de trabalho, à obrigação de o falido se apresentar pessoalmente perante o juiz de falências; não entram na esfera de protecção do *domicílio* os teatros; não entram na *liberdade de circulação* a faculdade de se negar a exibir documentos, o direito a conduzir sem cinto de segurança ou o direito de não pagamento de portagens.

Como se vê, o *definitional balancing* não é, em rigor, um modelo de ponderação, pois localiza-se ainda no procedimento interpretativo destinado a determinar o âmbito de protecção de normas garantidoras de direitos e bens constitucionais. Define, por via geral e abstracta, os "campos normativos".

g) *A ponderação dos bens*

Quando é que, afinal, se impõe a **ponderação** ou o **balanceamento ad hoc** para obter uma solução dos conflitos de bens constitucionais? Os pressupostos metódicos básicos são os seguintes. Em primeiro lugar, a existência, pelo menos, de dois bens ou direitos reentrantes no âmbito de protecção de duas normas jurídicas que, tendo em conta as circunstâncias do caso, não podem ser "realizadas" ou "optimizadas" em todas as suas potencialidades. Concomitantemente, pressupõe a inexistência de regras abstractas de prevalência, pois neste caso o conflito deve ser resolvido segundo o balanceamento abstracto feito pela norma constitucional (ex.: art. 38.º/2/*a* da CRP que faz prevalecer os direitos dos jornalistas sobre o poder de orientação da direcção da empresa jornalística). Excluem-se, por conseguinte, *relações de preferência prima facie*, pois nenhum bem é, *prima facie*, quer excluído porque se afigura excessivamente débil, quer privilegiado porque, *prima facie*, se afigura com valor "reforçado" ou até absoluto. Isto implica a verificação e ordenação, em cada caso ou grupos de casos específicos, de esquemas de prevalência parciais ou relativos, porque, nuns casos, a prevalência pode pender para um lado e, noutros, para outro a do segundo as ponderações ou balanceamentos efectuados *ad hoc*. Finalmente, é indispensável a *justificação* e *motivação* da regra de prevalência parcial assente na ponderação, devendo ter-se em conta sobretudo os princípios constitucionais da igualdade, da justiça e da segurança jurídica. Registe-se, ainda, a observância das regras consti-

tucionais de *competência*, pois o método de *balancing* não pode dissolver os esquemas de competência constitucionalmente definidos.

As "ponderações" subjacentes ao balanceamento *ad hoc* estão já presentes noutros esquemas hermenêuticos anteriormente referidos. É o caso, por exemplo, da concordância prática e da observância do princípio da proporcionalidade em sentido estrito [42]. Em rigor, porém, deve distinguir-se entre *harmonização* de princípios e *ponderação* de princípios. **Ponderar princípios** significa sopesar a fim de se decidir qual dos princípios, num caso concreto, tem maior peso ou valor os princípios conflituantes. **Harmonizar princípios** equivale a uma contemporização ou transacção entre princípios de forma a assegurar, nesse caso concreto, a aplicação coexistente dos princípios em conflito. Por isso, a ponderação reconduz-se, no fundo, como já foi salientado na doutrina (Guastini), à criação de uma hierarquia axiológica móvel entre princípios conflituantes. *Hierarquia*, porque se trata de estabelecer um "peso" ou "valor" maior ou menor entre princípios. *Móvel*, porque se trata de uma relação de valor instável, que é válida para um caso concreto, podendo essa relação inverter-se noutro caso. A importância que, ultimamente, é atribuída à ponderação de bens constitucionais radica, como se disse, na natureza tendencialmente *principial* de muitas normas jurídico-constitucionais. O apelo à metódica de ponderação é, afinal, uma exigência de *solução justa de conflitos entre princípios*. Neste sentido se pôde afirmar recentemente que a ponderação ou o *balancing ad hoc* é a forma característica de aplicação do direito sempre que estejam em causa normas que revistam a natureza de princípios [43]. A *dimensão de ponderabilidade* dos princípios justifica a ponderação como método de solução de conflito de princípios [44].

II - Veja-se um caso

O caso que vai ilustrar a metódica de balanceamento é o *Caso Astra-Portuguesa – Produtos Farmacêuticos*.[45] Neste caso discutiram-se importantes

---

[42] Alguns autores sublinham mesmo que o princípio da proporcionalidade cumpre as mesmas funções da ponderação de bens. Cfr. M. SCHNEIDER, *Die Güterabwägung*, p. 211; K. STERN, *Staatrecht*, III/2, p. 812 ss.; REIS NOVAIS, *As restrições*, p. 639 ss.

[43] Cfr. R. ALEXY, *Recht, Vernunft, Diskurs*, Frankfurt/M, 1995, p. 216, M. SCHNEIDER, *Die Güterabwägung*, p. 154; GUASTINI, *Distinguendo*, pp. 142 e ss.; L. MICHAEL, «Methodenfragen des Abwägungslehre», in JöR, 48 (2000), p. 186 ss.; D. SARMENTO, *A Ponderação de Interesses*, p. 109 ss.

[44] Cfr. MIGUEL NOGUEIRA DE BRITO, *A Constituição Constituinte*, pp. 312 e ss.

[45] Vide *Acórdãos do Tribunal Constitucional*, vol. 43 (1999), Acórdão n.º 254/99, de 4 de Maio de 1999.

questões metódico-metodológicas. Em resumo, o problema era o seguinte: articular o *direito de acesso* a documentos, na forma de direito de consulta e de direito de obter certidão, requerido por uma empresa farmacêutica ao presidente do Conselho de Informação do INFARMED (Instituto Nacional de Farmácia e de Medicamento) com o *direito à protecção do segredo comercial* ou *industrial e direito conexo da propriedade científica*. A empresa farmacêutica alegava ter fortes razões para supor que determinado medicamento a introduzir no mercado era similar de um outro já comercializado por ela, motivo pelo qual pretendia recorrer aos meios administrativos e contenciosos facultados por lei a fim de obter a revogação da autorização de introdução no mercado do medicamento concorrente e de se opor à sua comercialização.

TOPOGRAFIA DE CONFLITOS
NA PONDERAÇÃO DE BENS CONSTITUCIONAIS
Caso Astra-Portuguesa – Produtos Farmacêuticos

DIREITOS EM CONFLITO	
D1 – *Direito ao arquivo aberto*	D2 – *Direito à protecção do segredo comercial e industrial*
DS em concorrência com o direito ao arquivo aberto	DS em concorrência com o direito à protecção do segredo comercial e industrial
– direito de acesso ao direito e aos tribunais – direito de autor – direito de propriedade industrial – direito à investigação científica	– direito de autor – direito de propriedade industrial – direito à investigação científica – liberdade de criação cultural

– Não há *relações de preferência prima facie:* nenhum dos direitos (e dos direitos concorrentes com ele conexos) tem uma menos valia em relação ao outro.
– Está em discussão a existência de uma *regra de prevalência parcial* a fixar *à posteriori* depois do juízo de ponderação

– Testar as operações de *ponderação* e de *harmonização* quer da maioria quer da minoria (votos de vencido) do Tribunal Constitucional

Referências bibliográficas

1. INTERTEXTUALIDADE

A teoria da interpretação-aplicação das normas constitucionais pressupõe o conhecimento da hermenêutica jurídica clássica. Sugere-se, por isso, como leitura indispensável:

Andrade, Manuel de – *Ensaio sobre a teoria da interpretação das leis,* 2.ª ed., Coimbra, 1963.

Bronze, A. J. – *Lições de Introdução no Estudo do Direito*, Coimbra, 2002.

Heck, Philip – *Interpretação das leis e jurisprudência de interesses,* Coimbra, 1963.

Machado, João Baptista – *Introdução ao Direito e ao Discurso Legitimador,* Coimbra, 1983, pp. 175 e ss.

Neves, António Castanheira – *O actual problema metodológico da interpretação jurídica»*, Coimbra, 2003.

– *Metodologia Jurídica,* Coimbra, 1993.

«Entre o 'Legislador', a 'Sociedade' e o 'Juiz', ou entre 'Sistema', 'Função' e 'Problema'. Os Modelos Actualmente Alternativos da Realização Jurisdicional do Direito», in BFDC, 74 (1998), p. 7 segs.

– *O Actual Problema Metodológico da Interpretação Jurídica*, Coimbra, 2003.

Justo, A. S. – *Introdução ao Estudo do Direito*, Coimbra, 2.ª ed., 2003.

2. INTERPRETAÇÃO, APLICAÇÃO E CONCRETIZAÇÃO DA CONSTITUIÇÃO

AA. VV – *Il metodo nella scienza del diritto costituzionale*, Padova, 1997.

Alleinikoff, A. – "Constitutional Law in the Age of Balancing", 96, Yale L. J. (1987), pp. 943 e ss.

Aragon, M. – «La interpretacion de la constitucion y el caracter objectivado del control jurisdicional», *REDC*, 17 (1986).

Baratta, A. – "El Estado de Derecho. Historia de un concepto y problematica actual", *Sistema*, 17/18 (1997).

Badura, P. – «Verfassungsgsänderung, Vergassungswandel, Verfassungsgewohnheitsrecht», in Isensee/Kirchof,. *Staatsrecht,* Vol. VII.

Böukenförde, E. W. – «Anmerkungen zum Begriff Verfassungswanldel», in *Festschrift für* Peter Lerche, Munchen, 1993, p. 3 ss.

Brito, M. N. – "Originalismo e Interpretação constitucional", in *Sub Judice*, 12 (1998), pp. 33 e ss.

Barroso, L. – *Interpretação e Aplicação da Constituição*, São Paulo, 1996.

Berti, G. – *Interpretazione costituzionale*, 2.ª ed., Padova, 1990.
Bin, R. – *Diritti e Argomenti*, Milano, 1992.
Bonavides, Paulo – *Direito Constitucional*, 10.ª ed., Rio de Janeiro, 2000, pp. 267 e ss.
Brügger, W. – «Konkretisierung des Rechts und Auslegung von Gesetzen», AÖR, 119 (1994), p. 1 ss.
Bulos, U. L. – *Manual de Interpretação Constitucional*, São Paulo, 1997.
– *Mutação Constitucional*, São Paulo, 1997.
Callejón, Maria L. – *Interpretación de la Constitución y Ordenamiento jurídico*, Madrid, 1997.
Chierchia, P. M. – *L'Interpretazione sistematica della Costituzione*, Padova, 1983.
Chryssogonos, K. – *Verfassungsgerichtsbarkeit und Gesetzgebung. Zur Methode der Verfassungsinterpretation bei der Normenkontrolle*, Berlin, 1987.
Coelho, Inocêncio – *Interpretação Constitucional*, Porto Alegre, 1997.
Dogliani, M. – "Il posto del diritto costituzionale", in *Giur. Cost.*, 1993, pp. 525 e ss.
– *Interpretazioni della Costituzione*, Torino 1992.
Falcão, R. B. – *Hermenêutica*, Malheiros, São Paulo, 1997.
Filho, G. – *Hermenêutica e Unidade Axiológica da Constituição*, Belo Horizonte, 2001.
Freixes Sanjuan, T. – "Una aproximacion del método de interpretacion constitucional", in *Cuadernos de la Catedra Fadrique Furió Ceriol*, 4/1993.
Garcia, M. – *La Interpretacion de la Constitución*, Madrid, 1985.
Gonzalez Casanova – *Teoria del Estado y Derecho Constitucional*, 3.ª ed., 1984, p. 225.
Guastini, R. – *Distinguendo. Studi di teoria e metateoria del diritto*, Torino, 1996.
– "Specificità dell'interpretazione costituzionale?", in *Analisi e diritto. Ricerche di giurisprudenza analitica*, 1996.
Häberle, P. – *Hermenêutica Constitucional. A Sociedade Aberta dos Intérpretes da Constituição: contribuição para a interpretação pluralista e procedimental da Constituição*, Porto Alegre, 1997.
Henkin, L. – "Infalibility under Law: Constitutional Balancing", in Columb, L. Rev., 1978, pp. 1022 e ss.
Hesse, Konrad – *Grundzüge des Verfassungsrechs zur Bundesrepublik Deutschland*, cit., pp. 10 e ss. *Vide* as ideias fundamentais de K. Hesse na selecção em língua espanhola, *Escritos de Derecho Constitucional* (trad. e prefácio de P. Cruz Villalon, Madrid, 1983, pp. 33 ss).
Koch/Russman – *Juristische Begründungslehre*, München, 1982.
Lipson, J. – "On Balance: Religions Liberty and Third-Party Harms", in Min. L. Rev., 84 (2000), pp. 589 e ss.

Marmor, A. (org.) – *Law and Interpretation*, Oxford, 1995.

Moncada, L. S. – "Sobre a Interpretação da Constituição", in *Estudos de Direito Público*, Coimbra, 2001, pp. 435 ss.

Müller, Friederich – *Juristische Methodik,* Berlin, 3.ª ed., 1989.

– *Strukturierende Rechtslehre,* Berlin, 1984.

Moreso, J. J. – *La indeterminación del derecho e la interpretacción constitucional*, Madrid, 1998.

Queiroz, C. – *Interpretação Constitucional e Poder Judicial. Sobre a Epistemologia da Construção Constitucional*, Coimbra, 2000.

Ramon Peralta – *La Interpretacion del ordenamiento juridico conforme a la norma fundamental del Estado*, Madrid, 1994.

Rubio Llorente, F. – "La interpretacion de la constitucion", in *La Forma del Poder,* 2.ª ed., 1997, pp. 573 e ss.

Sarmento, D. – *A Ponderação de Interesses na Constituição Federal*, Rio de Janeiro, 2000.

Schlink, B. – *Abwägung im Verfassungsrecht*, Baden-Baden, 1976.

Schneider, Hans-Peter – "Verfassungsinterpretation aus theoretischer Sicht", *in Festschrift fur Konrad Hesse*, Heidelberg, 1990, pp. 39 e ss.

Schneider, H. – *Die Güterabwägung des Bundesverfassungsgerichts bei Grundrechtskonflikten*, Baden-Baden, 1979.

Silva, J. A. – "Mutaciones Constitucionales", in CUC 1 (1999), pp. 3 e ss.

Tribe, L. – «Taking Text and Structure Seriously: Reflections on Free-Form Method» in Harv. Law Rev., 108 (1995)), p. 1221.

Wróblewski, Jerzy – *Constitución y teoria general de la interpretacion juridica,* Madrid, 1985.

Título 2

Metódica Constitucional em Âmbitos Particulares

Capítulo 1

Metódica de Direitos Fundamentais

Sumário

A. Os Direitos Fundamentais como Categoria Dogmática

I - Normas garantidoras de direitos subjectivos e normas impositivas de deveres objectivos

1. Normas consagradoras de um direito subjectivo
2. Normas consagradoras de um dever objectivo

II - Regras e princípios

1. Regras
2. Princípios

III - Dimensão subjectiva e dimensão objectiva

IV - Fundamentação subjectiva e fundamentação objectiva das normas consagradoras de direitos fundamentais

1. Fundamentação subjectiva
2. Fundamentação objectiva
3. Presunção da dimensão subjectiva

V - Os direitos fundamentais como direitos subjectivos

1. Normas e posições
2. Direitos a actos negativos
3. Direitos a acções positivas
4. Liberdade/liberdades
5. Competências (poder jurídico, direito de conformação)

B. Conformação e Concretização dos Direitos Fundamentais

I - «Direito da constituição» e «direito da lei» no âmbito dos direitos fundamentais

1. «Âmbito de protecção» e «conteúdo da protecção» dos direitos fundamentais
    1.1. Âmbito de protecção, Domínio normativo
    1.2. Conteúdo de protecção, garantia, efeito de protecção
2. Conformação e restrição
    2.1. Normas legais restritivas e normas legais conformadoras
    2.2. Conformação e concretização
    2.3. Conformação e regulação
3. Leis restritivas e intervenções restritivas
4. Posições jurídicas constitucionais e posições jurídicas legais
5. Posições jurídicas e deveres de entidades públicas

C. Metódica da Colisão e Concorrência de Direitos

I - Concorrência de direitos

II - Colisão de direitos

1. Noção
2. Exemplos
3. Propostas metódicas

D. Metódica da Restrição de Direitos, Liberdades e Garantias

I - A determinação do âmbito de protecção

II - Restrição de direitos

III - Estrutura das normas restritivas

    1. Estrutura das normas constitucionais imediatamente restritivas
    2. Estrutura da lei restritiva

IV - Estrutura dos limites imanentes

    1. A «cláusula da comunidade» ou dos limites «originários» (Krüger)
    2. A teoria das «limitações horizontais»

V - Visão metódica do procedimento jurídico-constitucional de restrição de direitos

E. O Problema Metódico da Aplicação dos Direitos Fundamentais nas Relações Jurídicas Privadas

I - Casos e hipóteses

II - Enunciado do problema

III - Sentido da «eficácia externa»

    1. «Eficácia horizontal» e «eficácia vertical»
    2. Eficácia mediata ou imediata?

IV - Tendências actuais

    1. A necessidade de soluções diferenciadas

V - Metódica da diferenciação

VI - Direitos subjectivos públicos e direitos subjectivos privados

F. *Metódica do «Controlo» do Princípio da Igualdade*

I - *Esquema básico*

II - *Perguntas de controlo*

III - *Princípio da proporcionalidade*

IV - *Concretização jurisprudencial*

G. *Tarefas Metódicas dos Tribunais em Sede de Direitos Fundamentais*

A. Os Direitos Fundamentais Como Categoria Dogmática

Os direitos fundamentais constituem uma *categoria dogmática*. Teoria dogmática em que sentido? Num sentido *analítico*, num sentido *empírico* ou num sentido *normativo*?[1] Em rigor, interessar-nos-ão as três dimensões assinaladas. A perspectiva *analítico-dogmática*, preocupada com a construção sistemático-conceitual do direito positivo, é indispensável ao aprofundamento e análise de conceitos fundamentais (exs.: direito subjectivo, dever fundamental, norma), à iluminação das construções jurídico-constitucionais (exs: âmbito de protecção e limites dos direitos fundamentais, eficácia horizontal de direitos, liberdades e garantias) e à investigação da estrutura do sistema jurídico e das suas relações com os direitos fundamentais (ex.: eficácia objectiva dos direitos fundamentais), passando pela própria ponderação de bens jurídicos, sob a perspectiva dos direitos fundamentais (ex.: conflitos de direitos). A perspectiva *empírico-dogmática* interessar-nos-á porque os direitos fundamentais, para terem verdadeira força normativa, obrigam a tomar em conta as suas condições de eficácia e o modo como o legislador, juízes e administração os observam e aplicam nos vários contextos práticos. A perspectiva *normativo-dogmática* é importante sobretudo em sede de aplicação dos direitos fundamentais, dado que esta pressupõe, sempre, a fundamentação racional e jurídico-normativa dos juízos de valor (ex.: na interpretação e concretização).

A conjugação destas três dimensões iluminará a «natureza praxeológica» do direito constitucional no âmbito dos direitos fundamentais, isto é, o rigor dogmático vai fornecer-nos instrumentos de trabalho para a compreensão do regime jurídico dos direitos fundamentais.

---

[1] Cfr., sobretudo, R. ALEXY, *Theorie der Grundrechte*, cit., pp. 22 e ss. Cfr., também, CRUZ VILLALON, «Formación e evolución...», cit., p. 37.

I - Normas garantidoras de direitos subjectivos e normas impositivas de deveres objectivos

1. Normas consagradoras de um direito subjectivo

Diz-se que uma norma garante um **direito subjectivo** quando o titular de um direito tem, face ao seu destinatário, o «direito» a um determinado acto, e este último tem o dever de, perante o primeiro, praticar esse acto. O direito subjectivo consagrado por uma norma de direito fundamental reconduz-se, assim, a uma *relação trilateral* entre o titular, o destinatário e o objecto do direito. Assim, por ex., quando a Constituição consagra, no art. 24.º, o direito à vida, poder-se-á dizer que:

(1) o indivíduo tem o *direito* perante o Estado a não ser morto por este («proibição da pena de morte legal»); o Estado tem a *obrigação* de se abster de atentar contra a vida do indivíduo;

(2) o indivíduo tem o direito à vida perante os outros indivíduos; estes devem abster-se de praticar actos (activos ou omissivos) que atentem contra a vida de alguém[2].

2. Normas consagradoras de um dever objectivo

Uma norma vincula um sujeito em termos objectivos quando fundamenta deveres que não estão em relação com qualquer titular concreto.

Assim, por exemplo, o art. 63.º/2 da CRP, ao estabelecer que «incumbe ao Estado organizar, coordenar e subsidiar um sistema de segurança social unificado e descentralizado», cria um **dever objectivo** do Estado, mas não garante um direito subjectivo. Neste sentido se alude a *normas de direitos fundamentais objectivas*.

---

[2] Cfr. ALEXY, *Theorie der Grundrechte*, cit., p. 171; GOMES CANOTILHO, «Tomemos a sério os direitos económicos, sociais e culturais», separata dos *Estudos em homenagem ao Professor Ferrer Correia*, Vol. I, Coimbra, 1988; K. STERN, *Handbuch des Staatsrechts*, III/1, p. 558.

II - Regras e princípios

1. Regras

A distinção feita atrás entre regras e princípios é particularmente importante em sede de direitos fundamentais. **Regras** – insista-se neste ponto – são normas que, verificados determinados pressupostos, exigem, proíbem ou permitem algo em termos definitivos, sem qualquer excepção (*direito definitivo*)[3].

Tomemos, como exemplo, o art. 25.º/2, segundo o qual «ninguém pode ser submetido a tortura, nem a tratos ou penas cruéis, degradantes ou desumanos». Trata-se de uma *regra consagradora de um direito definitivo:* o indivíduo *tem direito*, sempre e sem excepção, à integridade moral e física; por consequência, *proíbe-se*, sempre e sem qualquer excepção, a prática da tortura, de tratos ou a sujeição a penas cruéis, degradantes ou desumanas (cfr., também, art. 19.º/6 que confirma a natureza *definitiva* deste direito).

2. Princípios

Princípios são normas que exigem a realização de algo, da melhor forma possível, de acordo com as possibilidades fácticas e jurídicas. Os princípios não proíbem, permitem ou exigem algo em termos de «tudo ou nada»; impõem a optimização de um direito ou de um bem jurídico, tendo em conta a «reserva do possível», fáctica ou jurídica.

Assim, por ex., quando no art. 47.º da CRP se garante a liberdade de escolha de profissão «salvas as restrições legais impostas pelo interesse colectivo ou inerentes à sua própria capacidade», deparamos já com uma dimensão principial: a liberdade de escolha não se impõe em termos absolutos, dependendo de condições fácticas ou jurídicas (assim, um jovem invisual pode ter acesso à Universidade para obter a licenciatura em direito, mas pode já existir a «não possibilidade», em virtude da sua deficiência física, de acesso ao curso de medicina).

III - Dimensão subjectiva e dimensão objectiva

O exemplo acabado de referir demonstra a inexistência de paralelismo entre regra-dimensão subjectiva e princípio-dimensão objectiva das normas

---

[3] Cfr. R. ALEXY, *Theorie der Grundrechte*, cit., p. 91.

consagradoras de direitos fundamentais. Quer as normas garantidoras de direitos subjectivos quer as normas impositivas de obrigações objectivas ao Estado podem ter a natureza de princípio. Assim, a norma garantidora da liberdade de escolha de profissão garante, *prima facie*, um direito subjectivo, mas as restrições impostas pelo interesse colectivo e as inerentes à capacidade fazem dela também um princípio (na medida do possível, deve assegurar-se o direito à liberdade de escolha de profissão). Noutros casos, existem normas definidoras de princípios exclusivamente objectivos (ex. art. 38.º/4: norma consagradora do princípio objectivo da liberdade e independência dos órgãos de comunicação social perante o poder político e económico.) Consequentemente, quando se fala em dimensão objectiva e dimensão subjectiva das normas consagradoras de direitos fundamentais pretende-se salientar a existência de princípios e regras consagradores de direitos subjectivos fundamentais (dimensão subjectiva) e a existência de princípios e regras meramente objectivos (dimensão objectiva).

IV - Fundamentação subjectiva e fundamentação objectiva das normas consagradoras de direitos fundamentais

1. Fundamentação subjectiva

Com esta ideia de **fundamentação subjectiva** procura-se salientar basicamente o seguinte: um fundamento é subjectivo quando se refere ao significado ou relevância da norma consagradora de um direito fundamental para o *indivíduo*, para os seus interesses, para a sua situação da vida, para a sua liberdade. Assim, por ex., quando se consagra, no art. 37.º/1 da CRP, o «direito de exprimir e divulgar livremente o seu pensamento pela palavra, pela imagem ou por qualquer outro meio», verificar-se-á um fundamento *subjectivo* ou *individual* se estiver em causa a importância desta norma para o indivíduo, para o desenvolvimento da sua personalidade, para os seus interesses e ideias.

2. Fundamentação objectiva

Fala-se de uma **fundamentação objectiva** de uma norma consagradora de um direito fundamental quando se tem em vista o seu significado para a colectividade, para o interesse público, para a vida comunitária. É esta «fundamentação objectiva» que se pretende salientar quando se assinala à «liberdade de

expressão» uma «função objectiva», um «valor geral», uma «dimensão objectiva» para a vida comunitária («liberdade institucional»).

3. Presunção da dimensão subjectiva

A epígrafe deste capítulo – «estruturas subjectivas» – aponta para uma *presunção a favor da dimensão subjectiva*[4] dos direitos fundamentais. Esta tese – a da subjectivação dos direitos fundamentais – considera, por conseguinte, que os direitos são, em primeira linha, direitos individuais. Daqui resulta um segundo corolário: se um direito fundamental está constitucionalmente protegido como direito individual, então esta protecção efectua-se sob a forma de *direito subjectivo*.

Mesmo quando, como é o caso da Constituição Portuguesa, se reconhece às formações sociais (partidos, comissões de trabalhadores, sindicatos) direitos fundamentais, estes direitos servem, *prima facie*, para a defesa dos interesses dos trabalhadores (cfr. CRP, arts. 54.°/1, 56.°/1) e não, principalmente, como garantia da ordem objectiva ou de bens colectivos. Note-se, porém, que esta última dimensão está mais fortemente explicitada na Constituição Portuguesa do que noutras constituições. Convém explicar porquê. A «tese do individualismo», ao exigir que os direitos fundamentais sejam, *prima facie*, garantidos como direitos subjectivos, tem a vantagem de apontar para o dever objectivo de o Estado conformar a organização, procedimento e processo de efectivação dos direitos fundamentais, de modo a que o indivíduo possa exigir algo de outrem e este tenha o dever jurídico de satisfazer esse algo. Todavia, os direitos fundamentais são também reconhecidos como direitos do homem, seja como indivíduo seja como membro de formações sociais onde desenvolve a sua personalidade. O fundamento para esta valorização das formações sociais não radica tanto na existência de uma «dimensão objectiva» de direitos fundamentais como na ideia de não coincidência entre *pessoa* e *indivíduo*. A pessoa é uma «unidade interactiva», centro de referência de relações sociais, emancipada do domínio (Baldassare), e daí que a «sua autodeterminação e desenvolvimento» se obtenha também através do reconhecimento de direitos fundamentais a certas formações sociais onde ela se insere. Por vezes, poderá existir uma relação de tensão entre estas duas dimensões, ou seja, entre um direito como direito do indivíduo e um direito da pessoa na sua qualidade de «unidade interactiva» inserida em forma-

---

[4] Cfr., por ex., ALEXY, *Theorie der Grundrechte*, p. 452; «Grundrechte als subjektive Rechte und als objektive Normen», in *Der Staat*, 29 (1990), pp. 49 e ss.

ções sociais[5], mas a CRP parece apontar, ainda neste caso, para o *princípio da prevalência do carácter subjectivo individual* (exs.: arts. 55.º/2/b, onde se consagra a «liberdade negativa» de associação sindical; 41.º/1, a liberdade de consciência e de religião sobrepõe-se aos «direitos das igrejas»). Esta relação de tensão é, de resto, compatível com a *natureza principial* dos direitos fundamentais, o que permitirá «juízos de ponderação» (*Abwägung*) entre os direitos em conflito, a aplicação dos princípios da proporcionalidade, necessidade e adequação, e, em casos extremos, uma ponderação conducente a soluções diferentes das que resultariam da simples aplicação do princípio da concordância prática (cfr. *supra*), tendo em conta as condições fácticas e jurídicas existentes no caso concreto[6] (*ad hoc balancing*).

V - Os direitos fundamentais como direitos subjectivos

1. Normas e posições

Consulte-se o texto da Constituição e leia-se o art. 27.º/1. Temos aí a formulação de uma «norma universal»: «Todos têm direito à liberdade e à segurança». Esta norma universal garante também um direito subjectivo, constituindo **posições** e **relações individuais**.

Com efeito, a norma universal garante o seguinte: o indivíduo *a* tem direito à liberdade e à segurança perante o Estado e os outros indivíduos. Estas posições e relações constitutivas dos direitos subjectivos são muito diferenciadas e se quisermos compreender o sistema estrutural das posições jurídicas fundamentais é necessária a iluminação de algumas destas posições.

2. Direitos a actos negativos

Os direitos fundamentais são garantidos como *direitos a actos negativos* (*Abwehrrechte*) numa tripla perspectiva: (1) direito ao não impedimento por parte dos entes públicos de determinados actos (ex.: art. 37.º/2 – direito a

---

[5] Cfr., em termos coincidentes, BALDASSARE, *Diritti Inviolabili*, cit., p. 16.
[6] Sugerindo esta ideia, cfr. a obra fundamental, muitas vezes citada, de ALEXY, *Theorie der Grundrechte*, p. 146. Cfr., também, E. ROSSI, *Le Formazioni Sociali nella Costituzione Italiana*, Padova, 1989, pp. 156 e ss. Entre nós, cfr. JORGE MIRANDA, *Manual*, IV, p. 78.

exprimir e divulgar livremente o seu pensamento, sem qualquer impedimento ou limitação por parte dos entes públicos); (2) direito à não intervenção dos entes públicos em situações jurídico-subjectivas (ex.: art. 34.º/4 – é proibida toda a ingerência das autoridades públicas na correspondência e telecomunicações); (3) direito à não eliminação de posições jurídicas (ex.: art. 62.º/1 – direito à não eliminação da propriedade privada e à sua transmissão em vida ou por morte).

3. Direitos a acções positivas

Muitas normas da constituição consagram direitos dos indivíduos a acções positivas do Estado, quer reconhecendo o direito a uma *acção positiva de natureza fáctica* (ex.: art. 63.º – direito a prestações fácticas inerentes ao direito à segurança social) quer garantindo o direito a um *acto positivo de natureza normativa* (ex.: direito à protecção do direito à vida através de normas penais, emanadas do Estado).

Muitas vezes, designam-se os direitos referidos em primeiro lugar como **direitos a prestações fácticas** (*Leistungsrechte im engere Sinne*), e os direitos referidos em segundo lugar como **direitos a prestações normativas** (*Leistungsrechte im weiteren Sinne*).

4. Liberdade/liberdades

Uma outra posição jurídica fundamental é expressa pela categoria jurídico-dogmática de **liberdades**. Tradicionalmente ligado aos direitos de defesa perante o Estado (a liberdade seria um *Abwehrrecht*)[7], o conceito de «liberdades» permanece ainda bastante obscuro na doutrina. Proporemos como pontos iluminadores os seguintes. Liberdade, no sentido de **direito de liberdade** (CRP, art. 27.º/1), «significa direito à liberdade física, à liberdade de movimentos, ou seja, o direito de não ser detido ou aprisionado, ou de qualquer modo fisicamente condicionado a um espaço, ou impedido de se movimentar»[8]. Trata-se da liberdade pessoal.

As liberdades (liberdade de expressão, liberdade de informação, liberdade de consciência, religião e culto, liberdade de criação cultural, liberdade de associação) costumam ser caracterizadas como posições fundamentais subjec-

---

[7] Cfr. GOMES CANOTILHO/VITAL MOREIRA, *Fundamentos da Constituição*, Cap. III.
[8] Cfr. GOMES CANOTILHO/VITAL MOREIRA, *Constituição da República*, p. 198.

tivas de natureza defensiva. Neste sentido, as liberdades identificam-se com direitos a acções negativas; seriam *Abwehrrechte* (direitos de defesa). Resulta logo do enunciado constitucional que, distinguindo-se entre «direitos, liberdades e garantias», tem de haver algum traço específico, típico das posições subjectivas identificadas como *liberdades*. Esse traço específico é o da *alternativa de comportamentos*, ou seja, a possibilidade de escolha de um comportamento. Assim, como vimos, o direito à vida é um direito (de natureza defensiva perante o Estado) mas não é uma liberdade (o titular não pode escolher entre «viver ou morrer»). A *componente negativa* das liberdades constitui também uma dimensão fundamental (ex.: ter ou não ter religião, fazer ou não fazer parte de uma associação, escolher uma ou outra profissão)[9].

5. Competências (poder jurídico, direito de conformação)

Uma outra posição jurídica, cujos contornos doutrinais ainda não estão inteiramente definidos, consiste na possibilidade de o indivíduo praticar determinados actos jurídicos e, consequentemente, alterar, através desses actos, determinadas posições jurídicas[10]. O exercício de **competências** pode estar em íntima conexão com o próprio exercício de direitos fundamentais. Assim, o direito de contrair casamento pressupõe a competência para praticar os actos jurídicos tendentes à sua celebração bem como à sua dissolução por divórcio (CRP, art. 36.°); o direito de associação engloba a «competência» para fundar associações, para as transformar e para as extinguir. Por vezes, a limitação do exercício de competências é um elemento básico para a protecção do direito fundamental (ex.: CRP, art. 53.° – a limitação da «competência» da entidade patronal para praticar despedimentos justifica-se em nome do direito à segurança no emprego). Noutros casos, a limitação de competências suscita o problema da salvaguarda do núcleo essencial de um direito (ex.: CRP, art. 62.° – a limitação ou eliminação da «competência» para edificar em solo próprio – *jus aedificandi* –, a restrição de certas actividades agrícolas por motivos ecológicos, são limitações de «competências» para praticar actos inerentes a posições jurídicas fundamentais).

Importante é ainda observar o efeito dinâmico de uma competência no exercício das «liberdades»: enquanto uma liberdade, como se disse, se

---

[9] Cfr. STERN, *Das Staatsrecht der Bundesrepublik Deutschland*, III/1, p. 628; ALEXY, *Theorie der Grundrechte*, p. 208. Diferentemente, VIEIRA DE ANDRADE, «Direitos e Garantias Fundamentais», cit., p. 692, entende que a tríade «direitos, liberdades e garantias» pode ser encarada como um «nome colectivo».
[10] Cfr. K. STERN, *Staatsrecht*, III/1, pp. 573 e ss, que lhe chama *«Bewirkungsrecht»*; ALEXY, *Theorie der Grundrechte*, p. 215, que prefere o termo *«Kompetenz»*.

caracteriza por um momento negativo inerente às alternativas de comportamentos, a garantia de competências contribui para a criação de alternativas activas (ex.: CRP, art. 38.º/2/*a* – competências para constituir «conselhos de redacções» a fim de dinamizar a liberdade de imprensa).

      As considerações do texto devem ser articuladas com os ensinamentos da dogmática civilística sobre a *capacidade de gozo de direitos* (e seus limites) e sobre as *faculdades jurídicas primárias* e *secundárias*. Cfr., por todos, Orlando de Carvalho, *Teoria Geral do Direito Civil* (polic.)[11], 1981, p. 91; Mota Pinto, *Teoria Geral do Direito Civil*, 3.ª ed., p. 168.
      Além desta articulação com a dogmática civilística, as ideias relativas a «competências» e «direitos de conformação» devem ter em conta a problemática teórica dos direitos fundamentais como «feixes» ou «complexos» de posições jurídicas, definitivas e de *prima facie*, que, no seu conjunto e nas suas articulações, formam o direito fundamental como um todo. Cfr., precisamente, Alexy, *Theorie der Grundrechte*, cit., pp. 224 e ss, que sugere a ideia (*Grundrecht als Ganzes*) acabada de referir.

B. Conformação e Concretização dos Direitos Fundamentais

I - «Direito da constituição» e «direito da lei» no âmbito dos direitos fundamentais

      Um dos pontos mais complexos da dogmática jurídica dos direitos fundamentais prende-se com o problema das relações entre as normas constitucionais garantidoras de direitos fundamentais e as normas legais que, a vários títulos, com elas se relacionam. Já atrás se deixou entrever a imbricação entre «direito da constituição» e «direito da lei» quando: (1) se aludiu à aplicabilidade directa das normas constitucionais (cfr. *supra*); (2) se salientou a necessidade de alguns direitos fundamentais carecerem de conformação legislativa (cfr. *supra*); (3) se referiu o significado do princípio da democracia económica, social e cultural (cfr. *supra*).
      As diversas expressões semânticas utilizadas para delimitar este núcleo problemático sugerem logo a grande diversidade de perspectivas: «realização ou efectivação dos direitos fundamentais», «actualização dos direitos fundamentais», «optimização dos direitos fundamentais», «conformação de direitos fundamentais», «garantia de direitos fundamentais», «direitos fundamentais a

---

[11] Merece particular ponderação a ideia de ORLANDO DE CARVALHO acerca do conceito de faculdades jurídicas primárias como um *prius* dos direitos subjectivos. Cfr. obra citada, pp. 91 e ss.

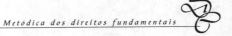

partir da concretização do legislador», «protecção dos direitos fundamentais com base em posições jurídicas constituídas pelo legislador ordinário»[12].

A aproximação a esta problemática exige clarificação de ideias e de conceitos.

1. «Âmbito de protecção» e «conteúdo da protecção» dos direitos fundamentais

Ao iniciar-se o estudo das estruturas metódicas (cfr. *supra*) houve já oportunidade de introduzir alguns conceitos básicos. Agora trata-se de clarificar alguns desses conceitos no contexto dos direitos fundamentais.

1.1. *«Âmbito de protecção», «domínio normativo»*

As normas consagradoras de direitos fundamentais protegem determinados «bens» ou «domínios existenciais» (ex.: a vida, o domicílio, a religião, a criação artística). Estes «âmbitos» ou «domínios» protegidos pelas normas garantidoras de direitos fundamentais são designados de várias formas: «âmbito de protecção» (*«Schutzbereich»*), «domínio normativo» (*«Normbereich»*), «pressupostos de facto dos direitos fundamentais» (*Grundrechtstatbestände*). De acordo com a terminologia anteriormente referida, preferimos falar aqui em **«âmbito normativo»**, para recortar, precisamente, aquelas «realidades da vida» que as normas consagradoras de direitos captam como «objecto de protecção»[13]. Este objecto de protecção reconduz-se, muitas vezes, a *actos* ou *comportamentos*, activos ou omissivos (ex.: art. 46.º – o direito de associação tem como objecto de protecção o acto de um indivíduo se associar – liberdade positiva – ou não se associar – liberdade negativa).

1.2. *«Conteúdo» de protecção, «garantia», «efeito de protecção»*

As normas consagradoras de direitos fundamentais não protegem as «realidades de vida», os «dados reais» como... «dados» ou «realidades». Garantem ou protegem esses «dados reais», configurando *direitos subjectivos* (ex.: direito à

---

[12] Cfr., por último, K. STERN, *Das Staatsrecht*, III/1, cit., p. 594. Veja-se também a tentativa de GOMES CANOTILHO/VITAL MOREIRA, *Fundamentos da Constituição*, Cap. III.

[13] Cfr., K. HESSE, *Grundzüge*, p. 26; MÜLLER, *Juristische Methodik*, pp. 147 e 277. Entre nós, cfr. JORGE MIRANDA, *Manual*, IV, pp. 300 e ss; VIEIRA DE ANDRADE, *Os direitos fundamentais*, cit., pp. 229 ss.

1262

liberdade), *direitos de prestação* (ex.: direito ao ensino, direito aos tribunais), *direitos processuais e procedimentais* (ex.: direito a ser ouvido em processo penal ou em procedimento disciplinar), *garantias de instituto e garantias institucionais* (ex.: protecção da maternidade, garantia da propriedade privada) e *direitos de participação* (ex.: direito de participar na vida pública). Trata-se, como se vê, dos «efeitos jurídicos» que resultam do facto de uma norma recortar certos «dados da realidade» como objecto de protecção. Para dar operatividade a essa protecção cria ou constitui juridicamente liberdades, prestações, instituições e procedimentos.

2. Conformação e restrição

Do estudo do regime das leis restritivas de direitos, liberdades e garantias, poderia concluir-se, erradamente, que todas as normas legais (= normas «postas» por actos legislativos da Assembleia da República ou do Governo) são normas restritivas. Ora, a realidade é completamente outra: muitas normas legais pretendem completar, complementar, densificar, concretizar, o conteúdo fragmentário, vago, aberto, abstracto ou incompleto, dos preceitos constitucionais garantidores de direitos fundamentais. Neste sentido, afirma-se a possibilidade de as normas legais conterem várias espécies de cláusulas desde as cláusulas de restrição até às cláusulas de direcção e realização. Impõe-se, assim, uma primeira distinção básica entre *normas legais restritivas* e *normas legais conformadoras*.

2.1. *Normas legais restritivas e normas legais conformadoras*

Entende-se por **normas legais restritivas** aquelas que limitam ou restringem posições que, *prima facie*, se incluem no domínio de protecção dos direitos fundamentais. As **normas legais conformadoras** completam, precisam, concretizam ou definem o conteúdo de protecção de um direito fundamental[14] (ex.: as normas do código civil «reguladoras» do direito ao casamento; as normas da lei sobre partidos densificadoras do conteúdo do direito de associação partidária).

Por vezes, designa-se como norma conformadora a norma legal que, de qualquer forma, estabelece uma disciplina jurídica incidente sobre o conteúdo de um direito fundamental. Neste sentido amplo, as normas restritivas seriam

---

[14] Cfr. R. ALEXY, *Theorie der Grundrechte*, p. 300.

1263   *Metódica dos direitos fundamentais*

também normas conformadoras. Todavia, no sentido aqui conferido à «conformação de direitos», pressupõe-se que o legislador deixa imperturbado o «âmbito de protecção» (domínio e conteúdo), destinando-se a regulação legislativa a abrir possibilidades de comportamento através das quais os indivíduos exercem os seus direitos fundamentais. Esta intervenção conformadora do legislador impõe-se, inequivocamente, quando os direitos fundamentais carecem, para o seu exercício, da *interpositio legislatoris* (ex.: lei conformadora do direito de antena, lei conformadora do acesso aos registos informáticos). Alguns autores aludem aqui a «âmbitos normativos» carecidos de conformação jurídico-normativa (*rechtsnormgeprägte Schutzbereichen*). A conformação de direitos fundamentais não significa que o legislador possa dispor deles; significa apenas a necessidade da lei para «garantir» o exercício de direitos fundamentais. A conformação dos direitos fundamentais impõe-se, neste contexto, como *tarefa da legislação*[15].

2.2. Conformação e concretização

Estes dois conceitos são, algumas vezes, utilizados como sinónimos. Noutros casos, os autores distinguem entre **conformação**, para designar a «intervenção legislativa» no campo de direitos fundamentais carecidos de regulação, e **concretização**, para qualificar a mediação legislativa no âmbito de direitos que dela não necessitam. Neste último caso, o direito pode ser exercido directamente, mas a lei alarga ou concretiza melhor o modo de exercício (ex.: o direito de demonstração não carece de lei, mas pode haver leis concretizadoras desse direito, como por exemplo, a lei que regula a participação das manifestações às autoridades policiais para melhor exercício do referido direito). A distinção entre conformação e concretização nem sempre é clara, devendo reconhecer-se, por outro lado, que a conformação implica, em alguma medida, um pedaço de concretização[16].

2.3. Conformação e regulação

A Constituição portuguesa utiliza diversas expressões semânticas como «nos termos da lei» (exs.: arts. 26.º/4 e 32.º/4), «a lei define» (exs.: arts. 33.º/8 e 35.º/2), «a lei estabelecerá» (ex.: art. 26.º/2), «segundo as formas previstas na lei» (ex.: art. 34.º/2), «a lei regula» (exs.: arts. 36.º/2/7 e 39.º/5), «a lei fixa» (ex.: art. 52.º/2), «a lei estabelece» (ex.: art. 56.º/4) para significar: (1) a necessidade de conformação dos direitos fundamentais; (2) a autorização de

---
[15] Cfr., K. HESSE, *Grundzüge*, cit., p. 123.
[16] Cfr., K. HESSE, *Grundzüge*, p. 123.

restrição através de lei. Caso a caso, deve apurar-se se a remissão para a lei é apenas uma «remissão conformadora» ou se se trata de uma autorização de conformação-restrição (ex.: art. 26.º/3).

Por vezes, distingue-se entre «regulação» e «restrição» ou melhor, entre «reserva de lei reguladora» e «reserva de lei restritiva», dizendo-se que, no primeiro caso, o legislador «limita internamente» um direito (art. 36.º/2: a lei regula os requisitos e os efeitos do casamento, o que quer dizer que a lei, entre outras coisas, regula os limites de idade nupcial) e, no segundo caso, o legislador «restringe externamente» um direito fundamental (ex.: art. 47.º/1 – restrições impostas a partir de fora à liberdade de escolha de profissão). Esta distinção é perigosa e inexacta porque, em qualquer dos casos, se trata de «restrições impostas de fora» e como tais devem ser jurídico-constitucionalmente tratadas. O conceito de regulação é, além disso, mais extenso que o de restrição porque abrange os casos de simples «conformação» [17]. (Cfr. *infra,* restrição de direitos).

3. Leis restritivas e intervenções restritivas

Os direitos fundamentais não são apenas restringidos por actos legislativos ("leis restritivas"). A intervenção agressiva no âmbito da protecção de um direito pode ser feita através de um acto jurídico ("intervenção restritiva") concreta e imediatamente incidente sobre um direito, liberdade e garantia. Dois exemplos bastarão para clarificar a distinção entre **leis restritivas** e **intervenções restritivas.** A lei que estabelece pena de prisão para o crime de homicídio (cfr. Código Penal, art. 131.º) é uma *lei restritiva* da liberdade; a decisão judicial que decrete a prisão preventiva e a decisão judicial que condene, em termos definitivos, o acusado por um crime de homicídio, são *intervenções restritivas.* A lei que proíbe manifestações a menos de cinquenta metros de uma embaixada é uma lei restritiva da liberdade de manifestação; a ordem proibitiva ou de dissolução de uma manifestação contra a lei é uma intervenção restritiva[18].

Na doutrina clássica, entendia-se que a intervenção restritiva consistia num acto jurídico que, de forma finalística, imediata e vinculativa[19], comprimia

---

[17] Cfr., K. HESSE, *Grundzüge*, p. 124. No plano jurisprudencial, cfr., por ex., Ac. TC 99/88. Cfr., também, M. AFONSO VAZ, *Lei e Reserva de Lei*, pp. 311 e ss.

[18] Cfr., em termos desenvolvidos, JORGE REIS NOVAIS, *As restrições aos direitos fundamentais não expressamente autorizados pela Constituição*, Coimbra, 2003, p. 254; VIEIRA DE ANDRADE, *Os direitos fundamentais*, p. 342

[19] Hoje, tende a considerar-se que este conceito clássico é insuficiente para explicar as agressões fácticas (ex.: bala perdida da polícia que mata uma pessoa na sua própria casa, morte por electrocussão

o âmbito de protecção de um direito, liberdade e garantia. Quer se trate de uma ordem (ex.: ordem de dissolução de uma manifestação), quer de uma proibição (ex.: proibição de afixação de propaganda política em monumentos nacionais), quer de uma injunção (ex.: decisão impositiva de prisão preventiva), estas intervenções restritivas têm uma enorme relevância prática. Embora os princípios constitucionais integrativos do regime dos direitos, liberdades e garantias (princípio da proporcionalidade, proibição da retroactividade, princípio da salvaguarda do núcleo essencial) sejam habitualmente convocados para o controlo de leis restritivas, é óbvio que eles também são princípios constitucionalmente conformadores das intervenções restritivas. A Constituição contém claras explicitações destas *restrições às intervenções restritivas*. Assim, o art. 28º/2, relativo à prisão preventiva, estabelece a excepcionalidade desta medida de coacção ("natureza excepcional") e impõe os princípios da necessidade e da proporcionalidade na sua decretação ou manutenção ("não sendo decretada nem mantida sempre que possa ser aplicada caução ou outra medida mais favorável prevista na lei"). No art. 272º/2, a Constituição estabelece restrições às intervenções restritivas de polícia ("as medidas de polícia são as previstas na lei, não devendo ser utilizadas para além do estritamente necessário").

4. Posições jurídicas constitucionais e posições jurídicas legais

Um outro problema de especial dificuldade na dogmática dos direitos fundamentais é o de determinar quando as «posições jurídicas» garantidas (direitos subjectivos, prestações, procedimentos) ao indivíduo são posições alicerçadas autónoma e imediatamente nas normas constitucionais consagradoras de direitos fundamentais – **posições jurídicas constitucionais** – ou posições estruturadas com base em normas legais – **posições jurídicas legais**. As primeiras são posições imediatas, derivadas da constituição, independentemente da lei; as segundas caracterizam-se por serem posições subjectivas, dependentes do direito legal.

Nalguns casos, as posições jurídicas fundamentais têm uma primeira dimensão concretizadora na Constituição (ex.: art. 68.º/3 – as mulheres têm direito a especial protecção durante a gravidez... incluindo a dispensa de trabalho por período adequado), mas é a lei que fixa concretamente os termos precisos do exercício do direito (ex.: L 4/84, de 5/4, art. 9.º, que fixa em três meses o período de licença de maternidade). A «posição jurídica originária» (da Constituição) é completada por uma «posição jurídica derivada» (da lei), colocando-se o problema de saber (designadamente para efeitos da «proibição de

---

nas sinalizações de trânsito) ou as agressões indirectamente resultantes de normas de regulamentação. Cfr. J. REIS NOVAIS, *As restrições*, cit., p. 208 ss.

retrocesso») se esta «posição derivada» pode ser livremente manipulada pelo legislador depois de ela estar estabelecida. Noutros casos, a «posição jurídica», embora tenha o «fundamento» num direito fundamental, alicerça-se autonomamente na lei (ex.: o direito dos trabalhadores à manutenção da categoria profissional nos termos do Decreto-Lei n.º 49408, de 24-11, arts. 21.º/1/*d* e 23.º). Trata-se, aqui, de posições jurídicas legais. Finalmente, as posições jurídicas são exclusivamente constitucionais quando são constituídas, de forma directa, pelas normas consagradoras de direitos fundamentais, sem necessidade de qualquer regulação legal, mesmo que esta exista para «concretizar» essa posição (ex.: art. 26.º/1 – o direito à cidadania implica o direito à renúncia à cidadania portuguesa, embora exista uma lei – Lei n.º 37/81, de 3-10, art. 8.º – a regular esse direito de renúncia) [20].

5. Posições jurídicas e deveres de entidades públicas

Algumas normas constitucionais consagram **deveres** de entidades públicas susceptíveis de serem regulados por lei e estreitamente associados ao próprio exercício dos direitos fundamentais (exs.: art. 205.º/1, «dever de fundamentação das decisões dos tribunais; art. 266.º/2, dever de actuação dos órgãos e agentes administrativos com respeito pelos princípios da igualdade, da proporcionalidade, da justiça e da imparcialidade; art. 268.º/3, dever de fundamentação dos actos administrativos lesivos de direitos, liberdades e garantias).

Trata-se de **deveres não relacionais**[21] a que não correspondem direitos subjectivos por parte dos cidadãos. Problema diferente é o de saber se estes deveres constitucionais considerados como «pressupostos» de direitos, liberdades e garantias (ou direitos de natureza análoga) são susceptíveis de serem ainda incluídos no âmbito de protecção desses direitos. Rigorosamente, além de se tratar de deveres não relacionais, eles podem ter uma *extensão e intensão* diferente da dos direitos, liberdades e garantias que com eles estão intimamente relacionados (ex.: o dever de fundamentação de decisões dos tribunais ultrapassa a dimensão subjectiva do «direito de acesso dos tribunais» e do «direito a uma decisão materialmente fundada»; o dever de fundamentação dos actos administrativos não é apenas um «instrumento» – ou, se se preferir –, uma dimensão) do recurso contencioso). Todavia, se estes deveres não se «transmutam» em direitos

---

[20] Sobre esta matéria, cfr., por último, STERN, *Das Staatsrecht*, III/1, cit., pp. 594 e ss.
[21] Cfr. o nosso estudo, *Tomemos a sério os direitos económicos, sociais e culturais*, cit., p. 30. Cfr., também, JORGE MIRANDA, *Manual*, IV, p. 164.

e se podem ser regulados pelo legislador com ampla margem de liberdade, eles não se divorciam totalmente de algumas dimensões subjectivas dos direitos, liberdades e garantias (ex.: do direito de acesso aos tribunais, do direito de conhecimento das resoluções definitivas sobre procedimentos a correr perante a administração em que o particular seja directamente interessado, do direito de recurso contencioso).

C. Metódica da Colisão e Concorrência de Direitos

I - Concorrência de direitos

A **concorrência de direitos fundamentais** existe quando um comportamento do mesmo titular preenche os «pressupostos de facto» («*Tatbestände*») de vários direitos fundamentais.[22] Por outras palavras, que colhemos em trabalho recente: existe concorrência de direitos quando "a mesma pretensão subjectiva ou o mesmo comportamento individual, apresentando-se enquanto procedimentos de vida unitários, são simultaneamente subsumíveis em duas ou mais normas de direitos fundamentais, na medida em que, na sua totalidade ou em algum dos seus segmentos, preencham, indiferentemente, os pressupostos das respectivas previsões normativas".

Uma das formas de concorrência de direitos é, precisamente, aquela que resulta do *cruzamento* de direitos fundamentais: o mesmo comportamento de um titular é incluído no âmbito de protecção de vários direitos, liberdades e garantias. O conteúdo destes direitos tem, em certa medida e em certos sectores limitados, uma «cobertura» normativa igual. Exemplifiquemos: o direito de expressão e informação (art. 37.º) «está em contacto» com a liberdade de imprensa (art. 38.º), com o direito de antena (art. 40.º) e com o direito de reunião e manifestação (art. 45.º). Da mesma forma, o direito de formação de partidos políticos (art. 51.º) está «em contacto» com a liberdade de associação (art. 46.º) e com a liberdade de expressão e informação (art. 37.º).

Outro modo de concorrência de direitos verifica-se com a *acumulação de direitos*: aqui não é um comportamento que pode ser subsumido no âmbito de vários direitos que se entrecruzam entre si; um determinado «bem

---

[22] Cfr., J. REIS NOVAIS, *As Restrições*, p. 379. Na manualística, cfr. BLECKMANN, *Allgemeine Grundrechtslehre*, p. 315; PIEROTH/ SCHLINCK, *Grundrechte. Staatsrecht*, II, 3.ª ed., p. 84.

jurídico» leva à acumulação, na mesma pessoa, de vários direitos fundamentais. Assim, por exemplo, a «participação na vida pública» é erigida pela CRP em «instrumento de consolidação do regime democrático» (cfr. art. 112.º). Para se obter uma eficaz protecção deste «bem constitucional» é necessário *acumular* no cidadão vários direitos que vão desde o direito geral de «tomar parte na vida pública e na direcção dos assuntos políticos do país» (art. 48.º) até ao direito de sufrágio (art. 49.º), passando pela liberdade partidária (art. 51.º), o direito de esclarecimento e informação sobre os actos do estado e gestão de assuntos públicos (art. 48.º/2), o direito de petição e acção popular (art. 52.º) e o direito de reunião e manifestação (art. 45.º).

O problema da concorrência de direitos oferece dificuldades quando os vários direitos concorrentes estão sujeitos a *limites divergentes* (*Problem der schrankendivergenten Grundrechte*), devendo determinar-se qual, dentre os vários direitos concorrentes, assume relevo decisivo. Exemplo: na discussão sobre o *numerus clausus* relativo ao acesso à Universidade têm sido invocados vários direitos com limites divergentes: a liberdade de aprender (art. 43.º) e o direito ao trabalho (art. 58.º), não sujeitos a reserva de lei restritiva, e o direito de escolha de profissão ou género de trabalho (art. 47.º) em relação ao qual a CRP admite «restrições impostas pelo interesse colectivo ou inerente à própria capacidade», e o direito de acesso aos graus mais elevados de ensino (prevendo aqui a CRP restrições resultantes das necessidades do país em quadros qualificados – art. 76.º). Os *tópoi* orientadores nesta problemática serão apontados nas alíneas seguintes.

a) *A solução da concorrência quando existem normas constitucionais especiais*

Existe **concorrência inautêntica** «ou parcial» quando uma das várias normas consagradoras de direitos fundamentais é uma norma especial em relação às outras. Assim, por exemplo, o princípio da igualdade (art. 13.º) não colide com a protecção acrescida dos representantes eleitos dos trabalhadores em caso de despedimento (art. 55.º/6)[23].

b) *Prevalência dos direitos fundamentais menos limitados ou que reúnam em maior grau elementos estruturantes de um dos direitos*

Nos casos de concorrência de direitos com limites divergentes mas sem existir entre eles uma relação de especialidade, os critérios mais sufragados

---

[23] Cfr. Acs. TC 126/84, *DR*, II, 11-3-85; 309/85, *DR*, II, 11-4-86; 18/86, *DR*, II, 24-4-86; 64/86, *DR*, II, 3-6-86.

são o da *prevalência dos direitos fundamentais menos limitados* e o da *existência de mais elementos distintivos de um em relação ao outro*. Não se trata de estabelecer uma «escala de valor» entre dois ou mais direitos fundamentais concorrentes mas de verificar: (1) se um dos direitos fundamentais está sujeito a reserva de lei restritiva e o outro é um direito sem «reserva expressa de lei restritiva»; (2) através da comparação dos pressupostos de facto dos dois direitos, verificar qual a «pretensão» que o indivíduo pretende realizar de forma mais directa e imediata. Assim, por exemplo, na apreciação das situações de emprego cumulativo («duplo emprego») deve tomar-se em conta não apenas a liberdade de escolha de profissão (art. 47.º/1), sujeita a restrições, mas também a natureza do «outro» emprego (ex.: actividade cultural, literária, artística) não sujeita a limites legais.

Como se verá na cadeira de Direito Criminal, a concorrência de direitos fundamentais corresponde, em certa medida, à figura do *concurso ideal*. Aqui o problema ultrapassa-se, por vezes, através da fixação de uma concorrência legal que exclua a acumulação de normas. Cfr., no direito criminal, Eduardo Correia, *Direito Criminal*, Vol. 2.º, pp. 30 e ss., e no direito constitucional, J. Reis Novais, *As Restrições*, p. 384. Com clarificações dogmáticas, relativamente ao conceito de «concorrência de normas cumulativas» («concorrência ideal») e a sua aplicação no âmbito dos direitos fundamentais, cfr. M. Degen, *Pressfreiheit, Berufsfreiheit, Eigentumsgarantie*, Berlin, 1981, pp. 277 e ss.

II - Colisão de direitos

1. Noção

De um modo geral, considera-se existir uma **colisão autêntica de direitos**[24] fundamentais quando o exercício de um direito fundamental por parte do seu titular colide com o exercício do direito fundamental por parte de outro titular. Aqui não estamos perante um *cruzamento* ou *acumulação* de direitos (como na concorrência de direitos), mas perante um «choque», um autêntico *conflito* de direitos. A **colisão de direitos em sentido impróprio** tem lugar quando o exercício de um direito fundamental colide com outros bens constitucionalmente protegidos. A colisão ou conflito de direitos fundamentais encerra, por vezes, realidades diversas nem sempre diferenciadas com clareza.

Para uma melhor sistematização desta complexa e pouco estudada problemática é conveniente tomar como ponto de partida uma *tipologia* de con-

---

[24] Cfr., em língua portuguesa, EDILSOM PEREIRA DE FARIAS, *Colisão de Direitos*, Porto Alegre, 1996, pp. 93 e ss. Na literatura estrangeira cfr., STERN, *Staatsrecht*, III/2, pp. 629 e ss e 657.

flitos de direitos constitucionais. Os *grupos* que, tendo como base a titularidade dos direitos e a natureza dos bens em conflito (direitos, posições, interesses), se podem descortinar, são os seguintes: Grupo 1 – Colisão de direitos entre vários titulares de direitos fundamentais (colisão autêntica); Grupo 2 – Colisão entre direitos fundamentais e bens jurídicos da comunidade e do Estado (colisão não autêntica).

2. Exemplos

a) *Colisão entre direitos*

São possíveis casos de colisão imediata entre os titulares de vários direitos fundamentais. Assim, por exemplo, *a liberdade interna de imprensa* (art. 38.º/2.º, que implica a liberdade de expressão e criação dos jornalistas, bem como a sua intervenção na orientação ideológica dos órgãos de informação (cfr. art. cit.), pode considerar-se em colisão com o direito de propriedade das empresas jornalísticas; a liberdade de criação intelectual e artística (art. 42.º/1) é susceptível de colidir com outros direitos pessoais como o direito ao bom nome e reputação, à imagem e à reserva da intimidade da vida familiar (art. 26.º).

b) *Colisão entre direitos e bens jurídicos*

Podem existir conflitos entre direitos fundamentais e bens jurídicos da comunidade. Não se trata de qualquer «valor», «interesse», «exigência», «imperativo» da comunidade, mas sim de um bem jurídico. Exige-se, pois, um *objecto* (material ou imaterial) *valioso* (bem) considerado como digno de protecção, jurídica e constitucionalmente garantido. Nesta perspectiva, quando se fala em bens como «saúde pública», «património cultural», «defesa nacional», «integridade territorial», «família», alude-se a bens jurídicos constitucionalmente «recebidos» e não a quaisquer outros bens localizados numa pré-positiva «ordem de valores». Os bens jurídicos de valor comunitário não são todos e quaisquer bens que o legislador declara como bens da comunidade, mas apenas aqueles a que foi constitucionalmente conferido o carácter de «bens da comunidade»[25].

---

[25] Cfr., por último, em termos incisivos, I. DE OTTO, in I. de OTTO Y PARDO/L. MARTIN RETORTILLO, *Derechos Fundamentales y Constitucion*, cit., p. 112. Cfr., também, JORGE MIRANDA, *Manual*, IV, p. 304; GOMES CANOTILHO/VITAL MOREIRA, *Fundamentos da Constituição*, Cap. III. Cfr., ainda, BADURA, *Staatsrecht*, C, p. 23; TH. WÜLFING, *Grundrechtliche Gesetzesvorbehalte und Grundrechtsschranken*, 1981, pp. 116 e ss.

A possibilidade de conflitos entre direitos fundamentais e bens da comunidade demonstra-se com os exemplos seguintes: (1) o direito de propriedade privada pode ser transmitido em vida ou em morte (art. 62.º), mas o direito de transmissão e utilização é susceptível de vir a sofrer restrições impostas pela necessidade de defesa do bem «património cultural» (art. 78.º/2/c); (2) o bem da comunidade «saúde pública» (cfr. art. 64.º) pode conflituar com direitos fundamentais, como, por exemplo, o direito da deslocação (art. 44.º); (3) o bem jurídico «defesa nacional» (art. 273.º) pode colidir com o direito à objecção de consciência (arts. 41.º/6 e 276.º/4).

Em algumas normas da CRP verifica-se a protecção do Estado como elemento da existência, organização, defesa e unidade de uma certa comunidade. Em primeiro lugar, garante-se a protecção da existência de Portugal como Estado. A «segurança existencial do Estado» é um bem legitimador de importantes restrições aos direitos fundamentais. É o caso da liberdade partidária (art. 51.º) e de associação (art. 46.º) que não podem pôr em causa, por exemplo, a «independência nacional» (cfr. art. 273.º/2). A protecção do bem «defesa nacional», a cargo do Estado, conduz à colisão com alguns direitos fundamentais, como, por exemplo, a liberdade partidária (art. 275.º/4) ou o direito à objecção de consciência (cfr. art. 276.º/4). O bem «ordem constitucional democrática» pode levar à suspensão do exercício de certos direitos fundamentais (cfr. art. 19.º). O bem «segurança pública» legitima certas restrições ao direito à liberdade e à segurança pessoal, designadamente através da instituição de medidas privativas de liberdade (arts. 27.º e 28.º).

Em tese recentemente publicada (cfr. J. Reis Novais, *As Restrições de Direitos não expressamente autorizadas pela Constituição*, Coimbra, 2003) contesta-se a ideia de que os *bens jurídicos* que podem estar em relação de colisão com direitos fundamentais estejam sujeitos a uma "reserva constitucional de bem". À semelhança do que aconteceu na literatura germânica com os escritos de Martin Kriele ("Vorbehaltlose Grundrechte und die Rechte anderer", in *JA*, 1984, p. 629) e de Peter Lerche ("Ausnahmlos und Vorbehaltlos geltende Grundrechtsgarantien", in *Festschriff für Marenholz*, Baden-Baden, 1984, p. 515 ss.) sustenta-se que a distinção entre *bens constitucionais* e *bens infraconstitucionais* não é um esquema categorial satisfatório (cfr. p. 607 ss.), pois o elemento determinante deve ser o conteúdo material do bem em causa e não a sua inscrição formal no plano constitucional ou infraconstitucional (p. 620). O que interessaria, no plano metódico, seria o *peso material relativo* e a *ponderação concreta* associados à natureza estrutural de princípios dos bens em colisão(p. 615). Subjacente a esta tese, está, afinal, a ideia de *bens constitucionais relativos* (cfr. Winkler, *Kollisionen Verfassungsrechtliches Schutznormen*, Berlin, 2000, p. 66), pois os bens jurídico-constitucionalmente protegidos são recortados em cada caso concreto. Daí a retórica da ponderação concreta do Tribunal Constitucional Alemão: o bem que num caso tem prevalência pode deixar de a ter noutro caso.

Mesmo que haja algum "realismo" nesta tese, sobretudo se tivermos em conta que a selecção de bens cabe também a outros ordenamentos (ordenamento comunitário, ordenamento

internacional), não vemos como é que no procedimento de ponderação se possa desvalorizar tão profundamente a reserva constitucional do bem. Dizer-se, como faz o autor em referência, que "o nível constitucional ou infraconstitucional da sua garantia jurídica não é mais do que um factor, entre muitos outros, que deve ser tido em conta na avaliação do peso relativo" (p. 620), abre o caminho para soluções mais do que questionáveis, como, por exemplo, quando dissolve a própria categoria de bens constitucionais, dando guarida a uma tese de ponderação existencialista do bem: bem constitucionalmente protegido será "qualquer bem ou interesse infraconstitucional que surja como candidato à justificação de restrição". Fica aberta a porta não apenas para a relativização da força normativa da constituição mas também para a inversão das regras básicas da hermenêutica constitucional. No fim de contas, a "reserva geral imanente de ponderação que afecta os direitos fundamentais e as correspondentes normas constitucionais de protecção" justifica a interpretação da Constituição a partir da lei ou da ordem de um polícia ou de um governador civil (os que "ponderam as restrições em concreto").

3. Propostas metódicas

a) *Conflito entre direitos fundamentais susceptíveis de restrição*

Os direitos consideram-se **direitos prima facie** e não direitos definitivos, dependendo a sua radicação subjectiva definitiva da ponderação e da concordância feita em face de determinadas circunstâncias concretas.

O *Tatbestand* (o domínio normativo) de um direito é também sempre, em primeiro lugar, «um domínio *potencial*», só se tornando um domínio *actual*, depois de averiguação das condições concretamente existentes. A conversão de um **direito prima facie** em **direito definitivo** poderá, desde logo, ser objecto de lei restritiva, que, nos casos autorizados pela Constituição, representará um primeiro instrumento de solução de conflitos.

b) *Conflitos entre direitos fundamentais insusceptíveis de restrição*

Os direitos fundamentais não sujeitos a normas restritivas não podem converter-se em direitos com «mais restrições» do que os direitos restringidos directamente pela Constituição ou com autorização dela (através da lei). Sendo assim, pouco se adianta dizendo que a colisão de direitos é solucionada: (1) ou através de **limites imanentes** antepostos aos direitos, reduzindo-lhes, *a priori*, o âmbito normativo; (2) ou através da *limitação do âmbito de protecção*, tornando-se extensível o âmbito de protecção de um direito apenas a conteúdos ou efeitos que, sob uma perspectiva de concordância prática, não neutralizam ou aniquilam outros direitos ou bens colidentes; (3) ou através da ideia de *justificação de restrição*, conducente, em termos de concordância prática, à ideia de solução do conflito através da restrição de um dos direitos colidentes. Os conflitos de direitos (ou de bens e direitos) devem solucionar-se tendo em conta vários tópicos e vários exemplos.

Os direitos fundamentais são sempre direitos *prima facie*. Se, nas circunstâncias concretas, se demonstrar, por ex., a alta probabilidade de o julgamento público de um indivíduo pôr em risco o seu direito à vida (risco de enfarte), a ponderação de bens racionalmente controlada justificará, nesse caso, o adiamento da audiência de discussão e julgamento. O direito à vida tem, nas circunstâncias concretas, um peso decisivamente maior do que o exercício da acção penal. Do mesmo modo, a colisão entre o direito à vida, mais concretamente, o direito a nascer, e o direito à interrupção da gravidez por motivos criminógenos (a gravidez resulta de crime de violação), só pode decidir-se quando se demonstre que, num caso concreto, o nascituro é «filho do crime», podendo o legislador solucionar o conflito, excluindo, nestes casos, a ilicitude ou a culpa no comportamento dos intervenientes na interrupção da gravidez.

Os exemplos anteriores apontam para a necessidade de as regras do *direito constitucional de conflitos* deverem construir-se com base na harmonização de direitos, e, no caso de isso ser necessário, na *prevalência* (ou relação de *prevalência*) de um direito ou bem em relação a outro (D1 P D2). Todavia, uma eventual relação de prevalência só em face das circunstâncias concretas e depois de um *juízo de ponderação* se poderá determinar, pois só nestas condições é legítimo dizer que um direito tem mais peso do que outro (D1 P D2)C, ou seja, um direito (D1) prefere (P) outro (D2) em face das circunstâncias do caso (C) [26].

Note-se que este juízo de ponderação e esta valoração de prevalência tanto podem efectuar-se logo a nível legislativo (ex.: o legislador exclui a ilicitude da interrupção da gravidez em caso de violação) como no momento da elaboração de uma norma de decisão para o caso concreto (ex.: o juiz adia a discussão de julgamento perante as informações médicas da iminência de enfarte na pessoa do acusado).

Como se deduz das considerações do texto, as normas dos direitos fundamentais são entendidas como *exigências ou imperativos de optimização* que devem ser realizadas, na melhor medida possível, de acordo com o contexto jurídico e respectiva situação fáctica. Não existe, porém, um padrão ou critério de soluções de conflitos de direitos válido em termos gerais e abstractos. A «ponderação» e/ou harmonização no caso concreto é, apesar da perigosa vizinhança de posições

---

[26] Cfr. R. ALEXY, *Theorie der Grundrechte*, pp. 82 e ss; BARILE, *Diritti dell'uomo e libertà fondamentali*, 1984, p. 42. Na solução destes conflitos, a Declaração Internacional de Direitos do Homem serve, quando muito, como elemento de «ponderação» e nunca como elemento autónomo de restrição. Em sentido diferente, cfr. JORGE MIRANDA, *Manual*, IV, p. 271.

decisionistas (F. Müller), uma necessidade inelimível. Isto não invalida a utilidade de critérios metódicos abstractos que orientem, precisamente, a tarefa de ponderação e/ou harmonização concretas: «princípio da concordância prática» (Hesse); «ideia do melhor equilíbrio possível entre os direitos colidentes» (Lerche). Cfr., por último, F. Kaulbach, «Experiment, Perspektive und Urteilskraft bei der Rechtserkenntnis», in *ARSP*, 1989, p. 455. Cfr. o nosso artigo "Direito Constitucional de Conflitos", in *RLJ*, ano 126, e, ainda, Vieira de Andrade, *O Dever de Fundamentação*, p. 126.

D. Metódica da Restrição de Direitos, Liberdades e Garantias[27]

I - A determinação do âmbito de protecção

Só deve falar-se de restrição de direitos, liberdades e garantias depois de conhecermos o *âmbito de protecção* das normas constitucionais consagradoras desses direitos. A primeira tarefa metódica deve consistir, por conseguinte, na análise da estrutura de uma norma constitucional concretamente garantidora de direitos. Pretende-se determinar quais os bens jurídicos protegidos e a extensão dessa protecção – **âmbito de protecção da norma** – e verificar se os bens jurídicos protegidos por uma norma constitucional consagradora de um direito, liberdade e garantia sofrem de qualquer restrição imediatamente estabelecida pela própria constituição – *restrição constitucional expressa* – ou se a constituição *autoriza* a lei a restringir esse âmbito de protecção – *reserva de lei restritiva*.

Esta operação é uma tarefa metódica, cujas regras não apresentam qualquer modificação substancial relativamente ao procedimento metódico geral de concretização de normas constitucionais (cfr. *supra*, Parte II, Cap. 3). Exs.: (*i*) perante uma lei eventualmente restritiva da liberdade de profissão (cfr. art. 47.º) é necessário delimitar o âmbito de protecção da norma consagradora desta liberdade, e, através deste procedimento delimitador, concluir que os bens protegidos por essa norma abrangem apenas as actividades lícitas (mesmo se elas forem económica, social e culturalmente neutras ou irrelevantes), ficando de fora do âmbito de protecção as actividades ilícitas («passador de droga», «prostituição», «contrabandista»); (*ii*) o procedimento determinador do âmbito de protecção do

---

[27] Sobre a problemática das restrições e respectiva metódica constitucional devem consultar-se as obras muito importantes de J. REIS NOVAIS, *As Restrições aos Direitos Fundamentais não expressamente autorizadas pela Constituição*, Coimbra, 2003, p. 155 ss., 289 ss., e de JÓNATAS MACHADO, *A Liberdade de Expressão. Dimensões Constitucionais da Esfera Pública*, Coimbra, 2002, p. 708 ss.

direito de reunião (cfr. art. 45.°) deve ter em conta a existência de limites estabelecidos pela própria lei fundamental («reuniões pacíficas e sem armas»). Consequentemente, uma lei proibitiva do «contrabando» ou da «prostituição» não é uma verdadeira lei restritiva da liberdade de profissão, pois o âmbito desta não se estende a actividades criminosas ou ilícitas; do mesmo modo, uma lei proibitiva de reuniões armadas não é, em rigor, uma lei restritiva do direito de reunião, pois é a constituição a estabelecer expressamente como elemento constitutivo do «*Tatbestand*» do direito de reunião a sua natureza pacífica[28].

II - Restrição de direitos

Uma vez concluída a tarefa metódica de delimitação do âmbito de protecção, impõe-se trabalho metódico correspondente à 2.ª instância: *averiguar o tipo, natureza e finalidades da medida legal restritiva*. Existe uma **restrição legal de direitos fundamentais** quando o âmbito de protecção de um direito fundado numa norma constitucional é directa ou indirectamente limitado através da lei. De um modo geral, as leis restritivas de direitos «diminuem» ou limitam as possibilidades de acção garantidas pelo âmbito de protecção da norma consagradora desses direitos e a eficácia de protecção de um bem jurídico inerente a um direito fundamental.

A compreensão da problemática das restrições de direitos, liberdades e garantias exige uma «sistemática de limites», isto é, a análise dos *tipos* de restrições eventualmente existentes. Aqui vai pressupor-se a seguinte tipologia: (1) restrições constitucionais directas ou imediatas, ou seja, restrições directamente estabelecidas pelas próprias normas constitucionais; (2) restrições estabelecidas por lei mediante autorização expressa da constituição (reserva da lei restritiva); (3) restrições não expressamente autorizadas pela constituição, isto é, limites constitucionais não expressos, cuja admissibilidade é postulada pela necessidade de resolução de conflitos de direitos.

a) *Restrições constitucionais imediatas*

As **restrições constitucionais imediatas** são positivadas pelas próprias normas constitucionais garantidoras de direitos. Exs.: o art. 45.°/1 estabelece como limite expresso do direito de reunião o seu carácter pacífico e não armado; o art. 46.° impõe limites expressos ao direito de associação (proibição de associações de carácter militar, militarizado ou fascista).

---

[28] Cfr., em termos dogmático-jurídicos, R. ALEXY, *Theorie der Grundrechte*, p. 258.

b) *Limites ou restrições estabelecidos por lei*

Podem existir **restrições estabelecidas por lei** quando os preceitos garantidores de direitos, liberdades e garantias admitem, de forma expressa, a possibilidade de restrições destes através da lei (reserva da lei restritiva).

Daremos como exemplos o art. 47.º que autoriza a lei a estabelecer restrições à liberdade de escolha de profissão justificadas pelo interesse colectivo, e o art. 34.º/4 que admite restrições a estabelecer por lei com fundamento em exigências de processo criminal relativamente à inviolabilidade de correspondência e telecomunicações.

c) *Limites constitucionais não escritos ou restrições não expressamente autorizadas pela Constituição* [29]

O seu reconhecimento é muito problemático, mas a sua admissibilidade é justificada, no contexto sistemático da constituição, em nome da salvaguarda de outros direitos ou bens. Estas restrições identificam-se, em alguns sectores doutrinários, com *limites imanentes*. Propõe-se a substituição desta fórmula pela de **restrições não expressamente autorizadas pela Constituição**. A teoria dos limites imanentes anda associada à chamada *teoria interna* das restrições aos direitos fundamentais que aqui não é sufragada (cfr., *infra*, IV). Mas o problema de restrições não escritas deve colocar-se. Assim, embora a constituição não admita limites ao direito de greve, justificar-se-iam limites constitucionais não escritos a fim de se salvaguardar outros direitos ou bens constitucionalmente garantidos (exigência de garantia de serviços mínimos em hospitais, serviços de segurança). (Cfr., precisamente, o art. 57.º/3, aditado pela LC 1/97).

III - Estrutura das normas restritivas

1. Estrutura das normas constitucionais imediatamente restritivas

Dos exemplos referidos no número anterior pode deduzir-se a estrutura das normas constitucionais imediatamente restritivas de direitos. Estas normas são, ao mesmo tempo, *normas de garantia de direitos e normas limitativas*

---

[29] A fórmula *restrições não expressamente autorizadas pela Constituição* é tributária do trabalho recente de J. REIS NOVAIS, *As restrições aos direitos fundamentais não expressamente autorizadas pela Constituição*, cit., p. 289 ss.

de direitos: (1) *são normas de garantia* porque garantem, constituem ou reconhecem um âmbito de protecção a determinado direito (ex.: art. 45.º/1 – «Os cidadãos têm o direito de se reunir...); (2) *são normas restritivas* porque estabelecem imediatamente limites ao âmbito de protecção (ex.: art. 45.º/1 – «Os cidadãos têm o direito de se reunir pacificamente e sem armas»). Estes limites ou restrições imediatamente criados pelas normas constitucionais conexionam-se intrinsecamente com a norma de garantia, pois é da sua articulação (norma de garantia/norma restritiva) que se deduz o âmbito de protecção concretamente garantido pelos preceitos constitucionais.

O legislador não está impedido de reproduzir, nos actos legislativos, os limites directamente impostos pela constituição. Todavia, a lei não cria, nestas hipóteses, limites; «ilumina» ou revela, de forma não constitutiva, os limites constitucionais expressos (*lei declarativa* de limites constitucionais expressos).

2. Estrutura da lei restritiva

Quando nos preceitos constitucionais se prevê expressamente a possibilidade de limitação dos direitos, liberdades e garantias através de lei, fala-se em direitos sujeitos a **reserva de lei restritiva**. Isto significa que a norma constitucional é simultaneamente: (1) uma *norma de garantia,* porque reconhece e garante um determinado âmbito de protecção ao direito fundamental; (2) uma *norma de autorização de restrições,* porque autoriza o legislador a estabelecer limites ao âmbito de protecção constitucionalmente garantido.

No sistema constitucional português a lei restritiva só pode ser uma lei da Assembleia da República ou um decreto-lei autorizado do Governo (cfr. art. 165.º/1/*c*). É questionável se a lei de AR ou o decreto-lei autorizado do Governo podem «delegar» a regulamentação das restrições, total ou parcialmente, em entidades estaduais com poderes regulamentares (*regulamentos restritivos de direitos mediante autorização legal*) ou em administrações autónomas, dotadas também de autonomia normativa (ex.: Câmaras Municipais). As regras fundamentais a observar são as seguintes: (1) só a lei da AR (art. 165.º/1/*c*) pode ter a iniciativa de estabelecer limites aos direitos, liberdades e garantias com base na autorização constitucional expressa de restrição: (2) a lei da AR pode limitar-se, por sua vez, a ser uma lei de autorização ao Governo no sentido de este estabelecer, através de decretos-leis autorizados, restrições a direitos, liberdades e garantias, mas deve sempre definir o objecto, o sentido, a extensão e a duração da autorização (cfr. art. 165.º/2); (3) em qualquer das hipóteses, ou seja, no caso de direitos restringidos directamente por lei ou no caso de limitação através de

decretos-leis autorizados, é a estes actos legislativos que compete estabelecer uma regulamentação suficientemente *determinada e densa,* incidente sobre os aspectos *essenciais* das restrições, ficando excluída a possibilidade de regulamentos independentes ou autónomos (cfr. arts. 112.º/6 e 7 e 241.º).

A limitação de direitos fundamentais através de regulamentos foi debatida pelo TC no Ac. 74/84, *DR,* I, de 11-9-84, que declarou «com força obrigatória geral, a inconstitucionalidade da norma do art. 2.º da Postura da Câmara Municipal de Vila do Conde sobre propaganda de carácter político-partidário, constante do edital de 30 de Abril de 1979 por violação dos arts. 37.º/1 e 2, 18.º/2 e 167.º, alínea *c*), da Constituição (este último preceito na redacção de 1976).» A mesma doutrina foi reafirmada no Ac. do TC n.º 248/86, *DR,* I, de 15-9. Nalguns casos, os regulamentos das câmaras podem conformar, com alguma autonomia, certas matérias com implicações em sede de direitos, liberdades e garantias (ex.: regulamentos de planos urbanísticos fortemente condicionadores do direito de propriedade). Sendo assim, a ideia de *regulamentos autorizados* proposta por Vieira de Andrade, *Autonomia Regulamentar,* além dos limites apontados por este autor (limitações do núcleo fundamental das atribuições autárquicas, não afectação substancial do alcance normativo dos domínios constitucionais protegidos pela reserva de lei) deve ter em conta a natureza do direito, liberdade e garantia em concreto. Acima de tudo deve frisar-se que a distinção entre "regulamentação" e "restrição" – aquela a poder ser feita por regulamentos e estas apenas por actos legislativos – não deve escamotear o sentido do requisito constitucional: *a regulamentação* dos aspectos essenciais da restrição pertence à lei. Desta forma, se os regulamentos autorizados parecem adequar-se à «realidade urbanística», já nos merece reticências a sua extensão a domínios como a liberdade de expressão. Cfr., por último, Jorge Miranda, *Manual,* IV, p. 298; Vital Moreira, *Administração Autónoma,* p. 181.

IV - Estrutura dos limites imanentes

Da anterior análise sobre a estrutura de restrições dos direitos, liberdades e garantias pode retirar-se a seguinte conclusão: reconduzem-se a restrições de direitos as compressões feitas por actos normativos ou as resultantes de intervenções restritivas de *posições jurídicas* que, *prima facie,* se devem considerar como integradoras do âmbito de protecção de direitos, liberdades e garantias [30].

E quanto aos **limites imanentes**? Nestes, não existe uma *norma* (constitucional ou legal) de restrição, e, por isso, a doutrina tem procurado a sua justificação de outras formas.

---

[30] Cfr. ALEXY, *Theorie der Grundrechte,* p. 254; BOROWSKI, *Grundrechte,* p. 29.

1. A «cláusula da comunidade» ou dos limites «originários» (Krüger)

Os **limites imanentes** justificar-se-iam em virtude da existência de «limites originários ou primitivos» que se imporiam a todos os direitos: (*i*) «limites constituídos por direitos dos outros»; (*ii*) limites imanentes da ordem social; (*iii*) limites eticamente imanentes. Haveria, pois, uma «cláusula da comunidade» nos termos da qual os direitos, liberdades e garantias estariam sempre «limitados» desde que colocassem em perigo bens jurídicos necessários à existência da comunidade.

Esta posição merece sérias reticências. Transferindo a possibilidade de restrições [31] para direitos, liberdades e garantias constitucionalmente consagrados sem qualquer «reserva de restrição», correr-se-ia o risco de, a pretexto de se garantirem os «direitos dos outros», as «exigências de ordem social» ou de «ordem ética», se colocar de novo os direitos, liberdades e garantias na disposição limitativa do legislador [32]. Quer dizer: o giro copernicano assinalado por Krüger – «não são os direitos fundamentais que se movem no âmbito da lei, mas a lei que se move no âmbito dos direitos fundamentais» – acabaria por ser neutralizado, pois a «doutrina da regulamentação das liberdades» reapareceria encapuçada sob a forma de limites imanentes. Em termos práticos, isso equivaleria à reintrodução camuflada da vigência do art. 8.º/§ 1, da Constituição de 1933, em substituição do art. 18.º/2 da Constituição de 1976. Onde se lê «A lei só pode restringir os direitos, liberdades e garantias nos casos expressamente previstos na Constituição» (CRP, art. 18.º/2) passaria a ler-se: «A especificação destes direitos e garantias não exclui quaisquer outros constantes da constituição ou das leis, entendendo-se que os cidadãos deverão sempre fazer uso deles *sem ofensa dos direitos de terceiros, nem lesão dos interesses da sociedade ou dos princípios da moral*» (Constituição de 1933, art. 8.º/§ 1). De igual modo, é inadmissível tentar ladear o regime jurídico constitucional através do apelo ao art. 29.º da DUDH. A teoria dos limites imanentes depara ainda com grandes dificuldades quando se tem de averiguar se as restrições obedecerem ou não ao *princípio da proporcionalidade*. Como pusemos em relevo ao estudar-se o princípio do Estado de direito, o princípio da proporcionalidade em sentido restrito pressupõe uma ponderação que nunca seria possível fazer relativamente aos limites originários.

---

[31] Cfr. F. MÜLLER, *Juristische Methodik*, 3.ª ed., p. 63, que fala aqui em «*Schrankenübertragung*».

[32] Cfr., em termos incisivos, I. DE OTTO Y PARDO, in LORENZO MARTIN RETORTILLO/ I. OTTO Y PARDO, *Derechos Fundamentales y Constitucion*, 1988, p. 112; BOROWSKI, *Grundrechte als Prinzipien*, p. 33 ss. Entre nós, cfr., por último, J. C. VIEIRA DE ANDRADE, *Os Direitos Fundamentais*, p. 282 ss.

O recurso à Declaração Universal dos Direitos do Homem (art. 29.º) e à figura dos limites imanentes conduz ou pode conduzir a soluções caricaturais como a do Ac. 6/87, *DR*, II, 24/3, do TC, que entendeu não ser inconstitucional uma disposição do regulamento dos transportes automóveis que impõe ao pessoal que presta serviço nos veículos de transportes de passageiros a obrigação de se apresentar devidamente uniformizado e *barbeado*. O TC considerou que não havia inconstitucionalidade, pois as limitações ao «direito geral de personalidade» de que seria uma manifestação especial «o direito de a pessoa determinar a sua aparência externa» seriam permitidas através do recurso ao art. 29.º da DUDH. Em sentido crítico, cf. Casalta Nabais "Os direitos fundamentais na jurisprudência do Tribunal Constitucional" (sep.), Coimbra, 1990, p. 22. Veja-se, também: Jorge Miranda, *Manual*, IV, pp. 146 e ss; J. Carlos Vieira de Andrade, *Os direitos fundamentais*, p. 37; Paulo Otero, «Declaração Universal dos Direitos do Homem e Constituição: a inconstitucionalidade de normas inconstitucionais», *O Direito*, 1990, p. 603.

2. A teoria das «limitações horizontais»

Um pouco semelhante à teoria anterior é a chamada **«teoria dos limites horizontais»** (Isensee) assente numa concepção restritiva de *Tatbestand*. O exercício de direitos, liberdades e garantias pressuporia logo uma «reserva de amizade» e de «não prejudicialidade», não como restrição dos direitos mas como limite dos pressupostos jurídicos e fácticos desses mesmos direitos (exs.: a liberdade de criação artística não se exerce sem observância dos «limites da propriedade»; a mesma liberdade de criação não pode ser exercida, por exemplo, no plano teatral, com um homicídio em pleno palco).

Não basta recorrer a «limites imanentes» para justificar uma concepção restritiva do *Tatbestand* de um direito. Mesmo em concepções alargadas do âmbito normativo de um direito, liberdade e garantia, se chegaria às mesmas soluções. O problema reside em que o «exercício de um direito» não está já, de antemão, limitado por reservas de «amizade» ou de «não danosidade»; o direito garantido por uma norma constitucional como direito, liberdade ou garantia «insusceptível de restrições» é mesmo, *prima facie*, um direito sem reserva de restrições [33]. Todavia, *a posteriori*, através do jogo de «argumento e contra-argumento», da ponderação de princípios jurídico-constitucionais, pode chegar-se à necessidade de uma *optimização* racional, controlável, adequada e contextual, de várias constelações de princípios jurídico-constitucionais. Esta optimização é possível porque os princípios transportam dimensões objectivas possibilitadoras de uma *ponderação* de bens jurídico-constitucionais efectuada a

---

[33] Cfr. ALEXY, *Theorie der Grundrechte*, p. 289. Cfr., porém, as considerações de J. C. VIEIRA DE ANDRADE, *Os Direitos Fundamentais*, p. 286, em torno da ideia de *limites imanentes implícitos dos direitos fundamentais*. Vide, ainda, JORGE NOVAIS, *As Restrições*, p. 449.

partir da própria constituição. Nota-se, porém, que esta ponderação assenta na ideia: (1) de que entre as normas constitucionais não há qualquer hierarquia normativa material (ex.: o «bem da saúde pública» não é superior ao «direito de greve»); (2) de que a ponderação é feita entre «bens constitucionais»; não é uma ponderação de valores extraconstitucionais, pois deve tratar-se de bens constitucionalmente reconhecidos [34]; (3) a optimização de bens constitucionais levada a efeito através da ponderação não pressupõe qualquer «exercício abusivo», «arbitrário» ou «inespecífico» de um direito fora do respectivo âmbito de protecção [35], pois o problema dos «limites imanentes» é irresolúvel através de critérios prévios, livres de qualquer ponderação, só podendo construir-se como resultado de ponderação de princípios jurídico-constitucionalmente consagrados. Numa palavra: os *chamados* «limites imanentes» são o resultado de uma ponderação de princípios jurídico-constitucionais conducente ao afastamento definitivo, num caso concreto, de uma dimensão que, *prima facie,* cabia no âmbito protectivo de um direito, liberdade e garantia. Assim, por exemplo, o direito de greve inclui, *prima facie,* no seu âmbito de protecção, a greve dos trabalhadores dos serviços de saúde, mas, através da ponderação de princípios (bens) jurídico-constitucionais – direito à greve, saúde pública, bem da vida –, pode chegar-se a excluir, como resultado dessa ponderação, a «greve total» que não cuidasse de manter os serviços estritamente indispensáveis à defesa da saúde e da vida. Do mesmo modo, o pintor que coloca o seu cavalete de pintura num cruzamento de trânsito particularmente intenso tem, *prima facie,* o direito de criação artística, mas, *a posteriori,* a ponderação de outros bens, a começar pela vida e integridade física do próprio pintor e a acabar noutros direitos como o exercício da actividade profissional dos outros cidadãos, do abastecimento de bens necessários à «existência» dos indivíduos, levará a impedir que aquele direito se transforme, naquelas circunstâncias, num direito definitivo.

O discurso do texto deixa entrever algumas mudanças de posição teoréticas relativas a posições anteriores. Assim, passou-se a manejar o conceito de «ponderação de bens»

---

[34] Em termos um pouco sibilinos, cfr. VIEIRA DE ANDRADE, *Os direitos fundamentais,* p. 215, que considera os limites imanentes como autênticas fronteiras dos direitos fundamentais definidas pela própria constituição «que os cria e os *recebe*». Vejam-se, agora, os esclarecimentos contidos na 2.ª ed., (2001), p. 282 e ss., onde se configuram os limites imanentes implícitos nos direitos fundamentais como restrições constitucionais ao programa normativo. Chegando, ao que nos parece, a resultados semelhantes aos do texto, cfr., por último, JORGE MIRANDA, *Manual,* IV, p. 303. Cfr., também, JORGE NOVAIS, *As Restrições,* p. 437.
[35] Afastamo-nos, assim, de F. MÜLLER, *Juristische Methodik,* 3.ª ed., p. 65; *Positivität der Grundrechte,* p. 100, que afasta do âmbito de protecção de um direito «modalidades de exercício não específico de direitos fundamentais». Cfr. a crítica pertinente de R. ALEXY, *Theorie der Grundrechte,* p. 284; BOROWSKI, *Grundrecht als Prinzipien,* p. 33 ss.

como instrumento metódico de investigação e decisão que não tem de estar necessariamente ancorado numa teoria dos valores (*Wertordnung*), aqui decididamente rejeitada, quer no plano histórico quer no plano metodológico (como ordem hierárquica de valores constitucionais). Todavia, o recurso à «ponderação» como instrumento metódico tornava-se necessário, uma vez que não só a «dimensão objectiva» de princípios possibilitava a «optimização» de bens jurídico-constitucionais, mas também permitia resolver alguns problemas de limites e conflitos de direitos não reconduzíveis a uma tarefa de concordância prática. A isto acresce o facto de a «ponderação» conduzir a construções juridicamente controláveis não carecidas do *background* teorético e metódico de uma «teoria reduzida» do *Tatbestand,* ou seja, uma teoria que recorre à restrição do âmbito de protecção para solucionar questões delicadas de limites e colisões. Neste sentido, aproximamo-nos da proposta de R. Alexy, *Theorie der Grundrechte,* a favor de uma «teoria alargada do *Tatbestand*» e da utilidade da *Abwägung,* sem os arcaísmos filosóficos e metodológicos da *Werordnung* (autor cit., pp. 138 e 290). Mais recentemente, as propostas de M. Borowski, *Grundrechte als Prinzipien*, Baden-Baden, 1991, p. 101 ss., convergem no sentido da melhor aptidão dogmática da *teoria externa* dos limites relativamente à *teoria interna*. Utilizando a ideia de limites imanentes, mas sem o *background* teórico do texto e nem sempre rigorosa na sua retórica argumentativa, cfr. a jurisprudência constitucional portuguesa (Acs. TC 81/84, *DR*, II, 31-1-85; 236/86, *DR*, II, 12-11--86; 7/87, *DR*, I, 9-12-87; 103/87, *DR*, II, 6-5-87). Sobre este último acórdão – que nos merece as mais sérias objecções – cfr. *infra,* relações especiais de poder. Uma visão global da jurisprudência constitucional sobre os limites imanentes pode ver-se em Casalta Nabais, *Os direitos fundamentais*, pp. 23 e ss. Por último, vejam-se as considerações cautelosas sobre a figura dos limites imanentes no Ac. TC 113/97, *DR*, II, 15-4-97. Uma retórica argumentativa merecedora das mais sérias objecções pode ver-se nos Pareceres da Procuradoria Geral da República relacionados com a problemática da publicidade religiosa. Aí se pode ver como o recurso à teoria dos "limites imanentes" acaba numa restrição inconstitucional do âmbito de protecção da liberdade de religião (cfr. PGR, Parecer in Pareceres). Uma visão global destes problemas é fornecida pela obra de J. Reis Novais, *As restrições não expressamente autorizadas,* cit., p. 437 ss.

V - Visão metódica do procedimento jurídico-constitucional de restrição de direitos

1.ª Instância	2.ª Instância	3.ª Instância
Delimitação do âmbito normativo	**Restrição ou limitação**	**Requisitos da lei restritiva (limites dos limites)**
1.º Delimitação do âmbito normativo e do âmbito de protecção do direito garantido pelas normas constitucionais. 2.º **Conteúdo:** protecção actual contra actos lesivos das entidades públicas. 3.º **Natureza da pretensão:** defesa contra actos lesivos das entidades públicas 4.º **Questão:** foi efectivamente agredido o âmbito de protecção através de uma intervenção dos poderes públicos? 5.º **Caracterização do «acto de agressão»:** trata-se, na realidade, de um acto restritivo de direitos, liberdades e garantias. 6.º **Articulação do âmbito de protecção e acto restritivo:** o âmbito de protecção foi restringido por um acto de entidades públicas? 7.º Trata-se de uma restrição constitucional ou inconstitucional?	1.º **Individualização e determinação** dos limites pelas normas da Constituição. 2.º **Finalidade** dos limites estabelecidos pela Constituição: limitação do âmbito de protecção de um «direito» a fim de se garantirem outros direitos ou bens constitucionalmente protegidos. 3.º **Tipos:** de que limites se trata? a) limites *directamente* estabelecidos pela *Constituição*? b) limites estabelecidos por *lei* mediante autorização expressa da Constituição? c) limites não expressamente autorizados? 4.º **Problemas:** demonstração da existência de uma autêntica restrição do âmbito de protecção através da própria Constituição ou da lei. 5.º **Limites** da restrição: os limites estabelecidos por lei observaram os requisitos constitucionais das leis restritivas?	1.º Quais são esses requisitos (limites) estabelecidos pela Constituição relativamente às leis restritivas? 2.º **Função:** através de limites às leis restritivas, visa-se evitar a aniquilação dos direitos por via da lei e garantir uma concordância prática entre direitos e bens constitucionalmente protegidos. 3.º **Problema:** observou a lei restritiva os limites ou requisitos estabelecidos na Constituição para essas leis (proporcionalidade, não retroactividade, abstracção, ressalva do núcleo essencial)?

E. O Problema Metódico da Aplicação dos Direitos Fundamentais nas Relações Jurídicas Privadas

I - Casos e hipóteses

São aqui seleccionados alguns casos, tendo havido a preocupação de os diversificar por vários quadrantes jurídico-culturais.

(1) Uma empresa industrial celebrou contratos de trabalho em que os trabalhadores renunciaram a qualquer actividade partidária e à filiação em sindicatos. Se as normas consagradoras dos direitos, liberdades e garantias (CRP, arts. 46.°, 51.° e 55.°), vinculam entidades privadas, como reagir contra o «desvalor constitucional» de tais contratos de trabalho?

(2) Num congresso de um partido político destinado a escolher os candidatos desse partido às eleições parlamentares, foi excluída a participação de indivíduos de raça negra (hipótese próxima da discutida nos célebres casos da jurisprudência americana, *Smith v. Allright* (1944) e *Terry v. Adams* (1946)). O princípio da igualdade (CRP, art. 13.°/2) vinculará ou não, directamente, uma associação partidária?

(3) A senhora X havia sido contratada como professora por um colégio particular, vinculando-se à «cláusula do celibato». Posteriormente, ela celebrou casamento e a empresa proprietária do colégio desencadeou o procedimento de despedimento, invocando a violação de uma cláusula do contrato. A senhora X contestou a acção de despedimento, apelando directamente para o art. 36.°/1 da CRP, que vincularia entidades privadas como a empresa proprietária do colégio (caso já discutido em Portugal, mas com contornos um pouco diferentes, num Parecer da Comissão Constitucional).

(4) A empresa Z contratou dois indivíduos de sexo feminino para o seu serviço de informática, mas condicionou a manutenção do contrato de trabalho a três cláusulas: (*i*) sujeitarem-se a testes de gravidez no momento da admissão; (*ii*) aceitarem como justa causa de despedimento o facto de ocorrer uma gravidez durante o contrato; (*iii*) considerarem também como justa causa de despedimento o facto eventual de virem a servir de «mães hospedeiras» (inseminação artificial) durante a vigência do contrato. Como conciliar estas cláusulas com direitos, liberdades e garantias com os direitos à intimidade pessoal (CRP, art. 26.°) e o direito de constituir família (CRP, art. 36.°/1)?

(5) As entidades patronais e as organizações sindicais celebraram um contrato colectivo de trabalho, onde incluiram a cláusula de *closed-shop*, ou

1285

seja, a proibição de contratação de operários não sindicalizados. Como conciliar esta cláusula contratual com os arts. 47.º e 55.º/6 da CRP?

(6) Uma escola particular de alunos deficientes, subsidiada pelo Estado, recusa-se a receber crianças deficientes não baptizadas ou cujos pais professem uma religião diferente da ensinada nessa escola. Poderão os pais dessas crianças recorrer directamente aos arts. 13.º/2 e 41.º/2/3?

II - Enunciado do problema

Quando, no art. 18.º/1 da CRP, se estabelece que os preceitos consagradores de direitos, liberdades e garantias «vinculam ... *entidades privadas*», sugere-se, inequivocamente, o alargamento da eficácia desses direitos às «relações cidadão-cidadão», «indivíduo-indivíduo». Em termos tendenciais, o problema pode enunciar-se da seguinte forma: as normas constitucionais consagradoras de direitos, liberdades e garantias (e direitos análogos) devem ou não ser obrigatoriamente observadas e cumpridas pelas pessoas privadas (individuais ou colectivas) quando estabelecem relações jurídicas com outros sujeitos jurídicos privados? Esta questão era conhecida, inicialmente, como questão da **eficácia externa** ou **eficácia em relação a terceiros** dos direitos, liberdades e garantias (*Drittwirkung*). Hoje prefere-se a fórmula *«efeitos horizontais»* (*Horizontalwirkung*) ou a expressão *«eficácia dos direitos, liberdades e garantias na ordem jurídica privada»* (*Geltung der Grundrechte in der Privatrechtsordnung*).

III - Sentido da «eficácia externa»

A Constituição de 1976 (CRP, art. 18.º/1) consagra a eficácia das normas consagradoras de direitos, liberdades e garantias e de direitos análogos na ordem jurídica privada. Resta saber *como* e de *que forma* se concebe esta eficácia. As respostas clássicas reconduzem-se a duas teorias: (1) *teoria da eficácia «directa» ou «imediata»* (*unmittelbare, direkte Drittwirkung*); (2) *teoria da eficácia indirecta ou mediata* (*mittelbare, indirekte Drittwirkung*).

De acordo com a primeira teoria – a **teoria da eficácia directa** –, os direitos, liberdades e garantias e direitos de natureza análoga aplicam-se obrigatória e directamente no comércio jurídico entre entidades privadas (individuais ou colectivas). Teriam, pois, uma eficácia absoluta, podendo os indivíduos, sem

qualquer necessidade de mediação concretizadora dos poderes públicos, fazer apelo aos direitos, liberdades e garantias. Para a teoria referida em segundo lugar – a **teoria da eficácia indirecta** –, os direitos, liberdades e garantias teriam uma eficácia indirecta nas relações privadas, pois a sua vinculatividade exercer-se-ia *prima facie* sobre o legislador, que seria obrigado a conformar as referidas relações obedecendo aos princípios materiais positivados nas normas de direito, liberdades e garantias. Vejamos como se coloca o problema.

1. «Eficácia horizontal» e «eficácia vertical» [36]

A vinculação de entidades privadas, consagrada no artigo 18.º/1, significa que os efeitos dos direitos fundamentais deixam de ser apenas *efeitos verticais* perante o Estado para passarem a ser *efeitos horizontais* perante entidades privadas (*efeito externo dos direitos fundamentais*).

A questão de saber como deve interpretar-se o *efeito externo* dos direitos fundamentais comporta três respostas fundamentais: (1) não existe eficácia externa dos direitos, liberdades e garantias fundamentais em relação a entidades privadas; (2) os direitos, liberdades e garantias têm *eficácia externa mediata* em relação a terceiros; (3) os direitos, liberdades e garantias têm *eficácia externa imediata* em relação a entidades privadas.

2. Eficácia mediata ou imediata?

Quando se fala de eficácia externa dos direitos fundamentais, de que mediata se trata? De *eficácia imediata* ou de *eficácia mediata*? De uma eficácia traduzida no facto de as entidades privadas deverem respeitar, de forma directa e necessária, os direitos constitucionalmente garantidos (eficácia directa), ou de uma mediata revelada na configuração, pelo Estado, da situação jurídica das

---

[36] Sobre a eficácia dos direitos fundamentais em relação a entidades privadas, cfr. MOTA PINTO, *Teoria Geral do Direito Civil*, 3.ª ed., p. 71; VIEIRA DE ANDRADE, *Os direitos fundamentais*, cit., pp. 279 ss; GOMES CANOTILHO/VITAL MOREIRA, *Constituição da República*, I, anotação ao art. 18.º; JORGE MIRANDA, *Manual*, IV, p. 291; ABRANTES, J. J. N., *Vinculação das entidades privadas aos direitos fundamentais*, 1990; VASCO PEREIRA DA SILVA, «A vinculação das entidades privadas pelos direitos, liberdades e garantias», in *Revista de Direito e de Estudos Sociais*, 1987, pp. 299 e ss; T. QUADRA SALCEDO, *El recurso de amparo y los derechos fundamentales en las relaciones entre particulares*, Madrid, 1981; J. GARCIA TORRES/A. JIMÉNEZ-BLANCO, *Derechos Fundamentales y relaciones entre particulares*, Madrid, 1986; MAGER, «Grundrechte im Privatrecht», in *JZ*, 8/1994, pp. 373 e ss; INGO SARLET, "Direitos Fundamentais e Direito Privado…", pp. 107 e ss. De muito interesse: C. W. CANARIS, *Direitos Fundamentais e Direito Privado*, Coimbra, 2003.

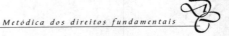

entidades privadas em conformidade com os direitos fundamentais (eficácia indirecta)? Noutras palavras ainda de eficácia irradiando directamente dos direitos fundamentais, ou de eficácia produzida através da actuação legiferante dos órgãos estaduais? Duas observações prévias: *a*) o problema não se põe para os direitos fundamentais que só podem ter como sujeito passivo o Estado (assim, por ex., arts. 22.°, 31.°, 49.°/1, 52.°/2, etc.); *b*) o problema está resolvido, quando é a própria Constituição a reconhecer expressamente aos direitos fundamentais efeitos em relação a terceiros (ex.: arts. 37.°/4, 38.°/2, etc.). Por outro lado, o problema só adquire *autonomia* quando se admite terem os direitos fundamentais *eficácia imediata* em relação a terceiros.

Para além disto, e ao contrário do disposto no art. 1.°/3 da *Grundgesetz* alemã, onde apenas se diz que os direitos fundamentais «vinculam os poderes legislativo, executivo e judicial a título de direito directamente aplicável», a Constituição Portuguesa consagra inequivocamente a eficácia imediata em relação a entidades privadas (art. 18.°/1).[37] Resta saber como se concebe esta eficácia.

Dizer, como faz Dürig, e, na sua senda, os defensores da eficácia mediata, que as posições jurídico-subjectivas reconhecidas pelos direitos fundamentais e dirigidas contra o Estado não podem transferir-se, através de uma eficácia externa, de modo imediato e absoluto, para as relações cidadão-cidadão (melhor: particular-particular), embora se reconheça terem os direitos fundamentais força conformadora quer através da *legislação* civil e criminal quer através da *interpretação* das cláusulas gerais do direito civil susceptíveis ou carecidas de preenchimento valorativo (*wertausfüllungsfähige und wertausfüllungsbedürftigte Generalklauseln*)[38], parece-nos uma conclusão quase «evidente» que não responde, como demonstrou Leisner, ao verdadeiro problema da eficácia dos direitos fundamentais em relação a entidades privadas. Também não resolve o problema a ideia que, partindo do carácter jurídico-objectivo das garantias dos direitos fundamentais, prefere situar a questão, não no plano de uma eficácia directa dos direitos nas relações cidadão-cidadão, mas no plano da *congruência ou conformidade normativa jurídico-objectiva* entre as normas consagradoras dos direitos fundamentais e as normas de direito civil[39]. Isto supõe a existência de dois ordenamentos autónomos e horizontais, quando a ordem jurídica civil não pode deixar de compreender-se dentro da ordem constitucional: o direito civil não é matéria extraconstitucional, é matéria constitucional[40].

---

[37] Cfr. G. CANOTILHO/VITAL MOREIRA, *Constituição da República Anotada*, anotação ao art. 18.°/1.

[38] Cfr. DÜRIG, «Grundrechte und Zivilrechtsprechung», *Festschrift für Nawiasky*, 1956, pp. 157 e 176. Entre nós, cfr. a exposição de VIEIRA DE ANDRADE, *Os direitos fundamentais*, cit., p. 288.

[39] Cfr. LEISNER, *Grundrechte und Privatrecht*, cit., pp. 378 e ss.

[40] Com isto não se pretende transformar a Constituição em supercódigo e reduzir o direito civil a um simples direito constitucional concretizado.

IV - Tendências actuais

1. A necessidade de soluções diferenciadas

O problema da eficácia dos direitos, liberdades e garantias na ordem jurídica privada tende hoje para uma superação da dicotomia eficácia mediata/eficácia imediata a favor de *soluções diferenciadas*. Reconhece-se, desde logo, que a problemática da chamada «eficácia horizontal» se insere no âmbito da *função de protecção dos direitos fundamentais*, ou seja, as normas consagradoras dos direitos, liberdades e garantias e direitos análogos constituem ou transportam *princípios de ordenação objectiva* – em especial, deveres de garantia e de protecção do Estado – que são também eficazes na ordem jurídica privada (K. Hesse). Esta eficácia, para ser compreendida com rigor, deve ter em consideração a *multifuncionalidade* ou *pluralidade de funções dos direitos fundamentais*, de forma a possibilitar soluções diferenciadas e adequadas, consoante o «referente» de direito fundamental que estiver em *causa* no *caso* concreto. Relativamente aos perigos de "perversão" da ordem jurídica civil através da "hipertrofia de direitos", salienta-se que a ideia da eficácia imediata em relação a entidades privadas dos direitos fundamentais não pretende que os titulares dos direitos, colocados numa *situação de igualdade* nas *relações verticais* com o Estado (princípio da igualdade como princípio vinculativo dos actos dos poderes públicos), tenham, nas relações jurídicas civis, essa mesma situação de igualdade mediante o auxílio do Estado. Por outras palavras: as entidades públicas não são «donas» das relações privadas para transformarem a «autonomia individual» num concentrado de deveres harmonizatórios. Daqui se deduz já que a procura de soluções diferenciadas deve tomar em consideração a *especificidade do direito privado*, por um lado, e o significado dos direitos fundamentais na ordem jurídica global por outro.

O problema da eficácia dos direitos fundamentais «na ordem jurídica privada», não obstante ter sido agitado sobretudo a partir da década de 50 (H. P. Ipsen), não era totalmente estranho à própria «ideia constitucional». A *Declaração dos Direitos do Homem de 1789* não afirmava apenas o valor dos direitos fundamentais perante o Estado; dirigia-se também contra os privilégios da nobreza e do clero, contra posições desigualitárias, em virtude da classe social e poder económico, no âmbito do direito privado (cfr., por ex., Constituição Portuguesa de 1822, arts. 12.° e 13.°). O Estado deveria, nesta perspectiva, assegurar também a liberdade no âmbito do direito privado. Só mais tarde, com a radicação da teoria liberal individualista, se alicerçaram duas ideias: (1) a função dos direitos fundamentais é a da defesa dos indivíduos perante o Estado (direitos de defesa); (2) o direito privado tem o seu próprio direito (sobretudo os códigos) separado do direito constitucional. Cfr. Leisner, *Grundrechte und Privatrecht*, 1960, pp. 22 e ss; E. W. Böckenförde, in

Metódica dos direitos fundamentais

Posser/Wassermann (org.), *Freiheit in der sozialen Demokratie*, 1979, p. 79. Como se disse, o problema da eficácia dos direitos fundamentais transformou-se num «tema-paradigma» do direito constitucional e do direito do trabalho nas décadas de 50/60, sobretudo por influência da doutrina alemã, vindo a ciência do direito civil a tratar o problema só muito mais tarde. Cfr., por ex., W. Steindorff, *Persönlichkeitsschutz im Zivilrecht*, 1983, pp. 12 e ss, e, entre nós, Mota Pinto, *Teoria Geral do Direito Civil*, 3.ª ed., p. 71, e Paulo Mota Pinto, "Direito ao livre desenvolvimento da personalidade", in *Colóquio Portugal-Brasil, Ano 2000*, Coimbra, 1999, pp. 229 e ss.; A. Menezes Cordeiro, *Tratado de Direito Civil*, I, p. 209. Ver, por último, a síntese de K. Stern, *Das Staatsrecht*, vol. III/1, pp. 1509 e ss. C. Canaris, *Direitos Fundamentais e Direito Privado*, Coimbra, 2003.

Também nos Estados Unidos, não obstante a clara «eficácia horizontal» da proibição da escravatura contida no *Civil Rights Act de 1875*, se alicerçou a *State Action Doctrine* segundo a qual os direitos fundamentais são primariamente direitos de defesa contra o Estado, não vinculando entidades privadas. Todavia, através da *public function Doctrine*, a jurisprudência americana procura atenuar alguns dos aspectos mais radicais da *State Action Doctrine* (cfr. Lockhart/Kamisar/Choper/Shiffin, *Constitutional Law*, 6.ª ed., 1986, p. 1418). Sobre esta doutrina, cfr. Bilbar Ubillos, *La Eficacia*, pp. 1 e ss.

Deve notar-se que a eficácia horizontal dos direitos não se limita, hoje, à ordem estatal. Problemas semelhantes são agitados no âmbito das convenções internacionais de direitos do homem. A chamada **Drittwirkung da Convenção Europeia dos Direitos do Homem** aponta precisamente para a necessidade de protecção dos direitos do homem perante violação dos mesmos por entidades particulares.[41]

V - Metódica da diferenciação

Vejamos como se podem «arrumar» as várias constelações de eficácia horizontal dos direitos, liberdades e garantias.

GRUPO I – *Eficácia horizontal expressamente consagrada na Constituição*

Como já se disse, as normas consagradoras de direitos, liberdades e garantias podem, elas próprias, estabelecer a eficácia destes direitos na ordem jurídica privada. Consequentemente, aos particulares é facultado, nas suas relações com outros sujeitos privados, apelar imediatamente para as normas constitucionais que, de forma expressa, vinculam os actos dos entes sujeitos aos direitos fundamentais (cfr., por ex., CRP, arts. 26.º/2, 34.º/1, 35.º/2, 36.º/3/4, 38.º/2/*a*, 40.º/3, 42.º/2, 46.º/3, 53.º, 54.º/5/*a*/*b*, 56.º, 57.º/3 e 58.º/2).

---

[41] Cfr. WIESBROCK, *Internationaler Schutz der Menschenrechte vor Verletzungen durch Private*, 1999; SPIELMANN, *L'effet poutentiel de la Convention europeénne des droits de l'homme entre personnes privés*, 1995.

GRUPO II – *Eficácia horizontal através da mediação do legislador no âmbito da ordem jurídica privada*

Em rigor, este caso deveria inserir-se no âmbito da problemática da vinculação de entidades públicas (aqui, em particular, do legislador). Como todos os poderes ou entidades públicas estão vinculados pelas normas consagradoras de direitos, liberdades e garantias (cfr., art. 18.°/1, e *supra*, I, 1), segue-se que o «legislador da ordem jurídica privada» deve, na densificação legal do direito privado, cumprir e aplicar essas normas.

Esta vinculação do «legislador da ordem jurídica privada» é, desde logo, uma vinculação imediata quando edita novas normas jurídico-privadas. Ao carácter jurídico-subjectivo dos direitos, liberdades e garantias é inerente, como já se referiu, uma *função de defesa* (*Abwehrrechte*), o que implica a proibição de restrição, a não ser nas condições atrás estudadas (cfr. *supra*), ou a criação de disciplina normativa em contradição com eles.

Um outro princípio constitucional de grande significado para o legislador da ordem jurídico-privada é o *princípio da igualdade* (CRP, art. 13.°). Algumas das proibições de discriminação vinculativas do legislador resultam da própria constituição (cfr., por ex., arts. 36.°/3 e ss). O sentido geral desta vinculação do legislador pelo princípio e direitos de igualdade continua a ser o de que a lei, ao regulamentar normativamente relações jurídicas privadas, não pode nem deve estabelecer regimes jurídicos discriminatórios, a não ser que haja fundamento material para um tratamento desigual.

Por último, deve salientar-se a existência da vinculação do legislador pelos direitos, liberdades e garantias no domínio da regulação da ordem jurídica privada, nos casos em que estes direitos se afirmam mais como *dimensões objectivas* da ordem jurídico-constitucional do que como direitos de defesa, subjectivamente caracterizados. É o que se passa com o *princípio da igualdade* (quando não existem as dimensões subjectivas a que se acabou de aludir) e com os *direitos de prestação* em que releva sobretudo a *função de protecção* (e não a função de defesa) e em que a liberdade de conformação de legislador é mais extensa do que nos casos de intervenção agressiva na esfera jurídico-subjectiva.

GRUPO III – *Eficácia horizontal imediata e mediação do juiz*

Pode afirmar-se que só nos casos agora em análise se coloca com verdadeira acuidade o problema da eficácia – directa ou indirecta – dos direitos, liberdades e garantias na ordem jurídica privada. As posições teóricas referidas

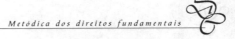

atrás tinham sobretudo em vista dar resposta aos problemas levantados quando não há qualquer referência expressa na Constituição ou na lei relativamente à eficácia dos direitos, liberdades e garantias nas «relações horizontais» entre particulares. Nestes casos, a função de protecção jurídica dos direitos e a consideração das normas consagradoras de direitos fundamentais como normas garantidoras de *bens jurídicos* (dignidade, liberdade, vida, integridade pessoal), aponta não apenas para o dever do legislador estabelecer uma ordenação adequada das relações jurídicas privadas sob o ponto de vista dos direitos, liberdades e garantias, mas também para a responsabilidade de os tribunais encontrarem uma solução justa para os casos de conflitos de posições fundamentais. Os diferentes tribunais (civis, laborais, constitucionais) devem considerar os direitos, liberdades e garantias como *medidas de decisão* dos casos concretos. Os juízes, embora vinculados em primeira linha pela mediação legal dos direitos, liberdades e garantias, devem também dar operatividade prática à *função de protecção* (objectiva) dos direitos, liberdades e garantias.

a) Em primeiro lugar, devem fazer uma *aplicação do direito* privado legalmente positivado em conformidade com os direitos fundamentais pela via da interpretação conforme a constituição.

b) Se a interpretação conforme os direitos, liberdades e garantias for insuficiente cabe sempre na competência dos tribunais a desaplicação da lei (por inconstitucional) violadora dos direitos (subjectivos) ou dos bens constitucionalmente garantidos pelas normas consagradoras de direitos fundamentais.

c) A interpretação conforme os direitos, liberdades e garantias das normas de direito privado utilizará como instrumentos metódicos não apenas as clássicas cláusulas gerais ou conceitos indeterminados (ex.: boa fé, abuso de direito) mas também as próprias normas consagradoras e defensoras de bens jurídicos absolutos (vida, liberdade). Trata-se, pois, de uma *concretização* de bens jurídicos constitucionalmente protegidos através de *normas de decisão* judiciais (captadas ou «extrinsecadas» por interpretação-integração pelo direito judicial).

O Tribunal Constitucional ainda não se pronunciou claramente sobre o sentido da eficácia dos direitos, liberdades e garantias nas relações jurídicas privadas. No Ac. 198/85 insinua-se a existência do problema, mas o Tribunal deixa em aberto o sentido a dar ao problema da *Drittwirkung*: «independentemente do preciso significado que deva atribuir-se em geral, ou no âmbito de outros direitos fundamentais, à extensão da vinculatividade de tais direitos também às entidades privadas, o que é dizer, às relações jurídico-privadas».

GRUPO IV – *«Poderes privados» e «eficácia horizontal»*

Estamos agora perante os casos mais delicados da problemática da eficácia vinculativa das normas de direitos, liberdades e garantias na ordem jurídica privada, não só porque a sua solução é complexa, mas também porque aqui vêm convergir muitas pré-compreensões ideológicas e mundividenciais. Os autores (Nipperdey, Leisner, Lombardi) salientam que a agressão aos direitos, liberdades e garantias, pode resultar não apenas dos poderes públicos mas também de *«poderes sociais»* ou *«privados»* (associações, empresas, igrejas, partidos). Trata-se, no fundo, de uma refracção da problemática geral do «domínio dos grupos», da «representação de interesses organizados», do «corporativismo», dos «complexos sociais de poder». No plano jurídico, alguns dos problemas do «poder dos grupos» têm vindo a ser regulamentados por legislação específica como a legislação do trabalho em caso de despedimentos, legislação sobre concorrência, legislação sobre cláusulas gerais de contratos e obrigação de contratar, legislação sobre a estrutura interna das associações. Resta, porém, o tema de eficácia dos direitos, liberdades e garantias nestes «complexos sociais de poder». As categorias «poder privado» ou «poder social» não são juridicamente assimiláveis a «poderes públicos» e não oferecem contornos jurídicos para se transformarem em categorias operacionais no âmbito da problemática da *Drittwirkung*. Todavia: (1) os direitos, liberdades e garantias não protegem apenas os cidadãos contra os poderes públicos; as ordens jurídicas da liberdade de profissão e da liberdade de empresa, por exemplo, podem também ser perturbadas por forças ou domínios sociais (Bachof); (2) a função de protecção objectiva dos direitos, liberdades e garantias não pode deixar de implicar a eficácia destes direitos no âmbito de relações privadas caracterizadas pela *situação desigualitária* das partes; (3) consequentemente, as leis e os tribunais devem estabelecer normas (de conduta e de decisão) que cumpram a função de protecção dos direitos, liberdades e garantias.

GRUPO V – *O núcleo irredutível da «autonomia pessoal»*

Num plano diametralmente diverso se situam os casos em que os direitos fundamentais não podem aspirar a uma força conformadora de relações privadas dado que isso significaria um confisco substancial da *autonomia pessoal* e à qual não se pode contrapor um direito subjectivo público ou privado, cujo núcleo essencial seja sacrificado por uma utilização anormal dessa autonomia. Só aqui se pode dizer não implicar a eficácia imediata dos direitos fundamentais proibir-se aos cidadãos aquilo que também é vedado ao Estado (Hamel). É difícil, por exemplo, argumentar com o princípio da igualdade ou proibição de não discriminação no caso de um pai que favorece um filho em relação ao outro através da concessão da quota disponível, ou de um senhorio que promove acção de despejo por falta de pagamento de renda, mas abdica desse direito em relação a outro inquilino, nas mesmas circunstâncias, pelo facto de este ter as mesmas convicções políticas.[42]

As indicações exemplificativas anteriores indiciavam já a indispensabilidade de uma tarefa de concordância prática dos vários princípios e interesses relevantes para a solução justa do caso concreto. A eficácia imediata dos direitos, liberdades e garantias na CRP postula ainda a interpretação aplicadora conforme a Constituição, fundamentalmente conducente a uma *interpretação conforme os direitos fundamentais*. Isto não significa uma absolutização da eficácia irradiante dos direitos fundamentais com a correspondente capitulação dos princípios da ordem jurídica civil. Significa apenas que as *soluções diferenciadas* (Hesse) a encontrar não podem hoje desprezar o valor dos direitos, liberdades e garantias como elementos de eficácia conformadora imediata do direito privado. Estas soluções diferenciadas pretendem ter em conta a multiplicidade de relações jurídicas privadas e o diverso conteúdo destas mesmas relações, mas, de modo algum, podem servir para dar cobertura a uma «dupla ética no seio da sociedade» (J. Rivero). Essa «dupla ética» existe quando, por exemplo, se considera como violação da integridade física e moral a exigência de «testes de gravidez» às mulheres que procuram emprego na função pública, e, ao mesmo tempo, se toleram e aceitam esses mesmos testes quando o pedido de emprego é feito a entidades privadas, em nome da «produtividade das empresas» e da «autonomia contratual e empresarial». O mesmo se verifica quando se considera intolerável a pressão dos poderes públicos sobre a liberdade de opinião, e se julga incensurável a pressão do «patrão» sobre o «assalariado», impedindo-o de se exprimir.[43]

VI - Direitos subjectivos públicos e direitos subjectivos privados

À pergunta formulada, ou seja, a de saber se os direitos fundamentais têm eficácia nas relações jurídicas civis como *direitos privados* ou como *direitos subjectivos públicos*, responde-se geralmente no primeiro sentido. Esta conclusão parece ser lógica se partirmos das premissas da doutrina da *eficácia mediata*: o

---

[42] Cfr. VIEIRA DE ANDRADE, *Os direitos fundamentais*, cit., p. 293.
[43] Cfr., agora, JORGE MIRANDA, *O regime dos direitos, liberdades e garantias*, p. 78; VIEIRA DE ANDRADE, *Os direitos fundamentais*, cit., pp. 279 e ss.

conteúdo jurídico dos direitos fundamentais como normas objectivas efectiva-se no direito privado através dos meios jurídicos desenvolvidos neste ramo do direito (invalidade, subordinação à cláusula de ordem pública, ponderação dos princípios da boa fé e da confiança). Mas também as doutrinas da eficácia imediata parecem lidar com o *instrumentarium* típico do direito civil. Esta «recepção civilizada» dos direitos, liberdades e garantias assenta em dois pressupostos questionáveis: (1) que os direitos subjectivos públicos só se concebem nas relações Estado-cidadão; (2) que os direitos, liberdades e garantias, como direitos subjectivos públicos, derivam imperativamente da lei. Em primeiro lugar, os direitos, liberdades e garantias são hoje *direitos subjectivos*, independentemente do carácter público ou privado; em segundo lugar, não se deduzem, com base em concepções imperativísticas, das normas legais. Por isso nada impede que eles valham como direitos subjectivos públicos na sua aplicação ao direito civil, se esta caracterização lhes trouxer uma maior dimensão prática. Desde logo, a de fundarem o direito de acesso aos tribunais para defesa desses mesmos direitos e a de exigirem a aplicação dos princípios constitucionais materiais, como exemplo, os princípios da exigibilidade e da proporcionalidade. Na falta de instrumentos jurídicos concretizadores adequados, podem transferir-se para aqui os instrumentos do direito civil, sem que isso signifique, neste ponto, a transposição da velha máxima referente às relações entre direito constitucional e direito administrativo, dizendo-se agora que o direito constitucional passa e o direito civil fica.

F. Metódica de «Controlo» do Princípio da Igualdade

I - Esquema básico

Saber quando há um *tratamento justo* de igualdade ou desigualdade não é tarefa fácil. Como ponto de apoio metódico sugere-se o seguinte esquema: (1) quais as *situações de facto* que são objecto de comparação, pois, se o princípio da igualdade é, por definição, um princípio relacional, e a norma jurídica comporta sempre um âmbito ou sector «real» ou «fáctico», então importa sempre determinar quais os «candidatos» (objectos, pessoas, situações) que se consideram iguais ou desiguais; (2) quais os *critérios ou medidas materiais* com base nos quais avaliamos se determinados «pressupostos de facto» devem ser tratados de forma «essencialmente igual» ou «essencialmente desigual»? [44]

---

[44] Cfr. F. MÜLLER, *Juristische Methodik*, p. 284.

Relativamente a estas perguntas deve notar-se que as medidas jurídico-materiais de aferição da igualdade ou desigualdade devem encontrar-se, em primeiro lugar, nas normas e princípios da constituição [45], exigindo-se, portanto, aos grupos em comparação relevância jurídico-constitucional. Algum relevo poderá também ter aqui a chamada «**justiça do sistema**» (*Systemgerechtigkeit*), pois, se determinada regulação está em contradição intrínseca com a concepção global do sistema jurídico, isso pode ser um forte indício da violação do princípio da igualdade (exemplo frisante foi o da restrição do direito ao pedido de suspensão judicial dos actos administrativos e do consequente direito ao recurso contencioso operado pelas «leis de revisão da Reforma Agrária» contra todo o sistema legal do contencioso administrativo). [46]

O apelo à ideia de «justiça do sistema» [47] não significa qualquer sugestão no sentido de se considerar, como critério material de diferenciação, a «vontade» ou «motivos» do legislador (ou dos restantes órgãos políticos ou administrativos). Os critérios devem ser *objectivos* (segurança jurídica, praticabilidade, razões financeiras), e *compatíveis* com as próprias normas e princípios da constituição (assim, por exemplo, as normas estabelecedoras de taxas liberatórias, fixadas no art. 74.º do Código do Imposto sobre o Rendimento – IRS –, são inconstitucionais, desde logo porque violam os arts. 103.º e 104.º da CRP, além de serem «injustas» sob o ponto de vista da igualdade).

II - Perguntas de Controlo

Em geral, o modelo argumentativo para, sob o ponto de vista metódico, se controlar a constitucionalidade de qualquer «medida pública» a partir do princípio da igualdade, reconduz-se ao seguinte [48]:

---

[45] Portanto, não se trata de uma simples ideia de igualdade que, em cada momento, a «consciência social impõe», como parece sugerir MARIA DA GLÓRIA FERREIRA PINTO, «O princípio da igualdade...», cit., pp. 40 e ss; CELSO RIBEIRO BASTOS, *Direito Constitucional*, p. 168. No sentido do texto, cfr. F. MÜLLER, *Juristische Methodik*, 3.ª ed., p. 283. Note-se, porém, que o princípio da igualdade é um princípio aberto a novas e alteráveis situações.

[46] Cfr., em termos incisivos: M. FERNANDA MAÇÃS, "A Relevância Constitucional da Suspensão Judicial da Eficácia dos Actos Administrativos", e GUILHERME DA FONSECA, "Garantia do Recurso Contencioso (uma evolução ou involução jurisprudencial)", ambos em *Estudos sobre a Jurisprudência do Tribunal Constitucional*, Lisboa, 1993.

[47] Cfr. K. HESSE, *Grundzüge*, p. 171. ZIPPELIUS, *Der Gleichheitssatz*, in *VVDSTRL*, 1988, alude ao «contexto do direito» que, como expressão de «cultura jurídica», pode fornecer orientações para a concretização do princípio da igualdade».

[48] Cfr. MÜLLER, *Juristische Methodik*, p. 284.

CASO I – *Desigualdade de tratamento*

 (1) existe uma igualdade de situações de facto jurídico-constitucionalmente pertinente?
 No caso afirmativo segue-se:
 (2) estas situações de facto iguais foram tratadas de forma desigual em termos que se considerem jurídico-constitucionalmente pertinentes?
 No caso afirmativo segue-se:
 (3) existe para a desigualdade de tratamento de situações de facto iguais uma razão material suficiente?
 No caso negativo, segue-se:
 (4) existe uma regulação arbitrária, violadora do art. 13.°/1 (injustificadamente discriminatória).

CASO II – *Igualdade de tratamento*

 (1) existe uma desigualdade de situações de facto relevante sob o ponto de vista jurídico-constitucional?
 No caso de resposta negativa:
 (2) foram estes pressupostos desiguais tratados jurídico-constitucionalmente de forma igual pelas autoridades públicas?
 Se sim:
 (3) existe um fundamento material – razão objectiva – para esta igualdade de tratamento de situações desiguais?
 Se não:
 (4) verifica-se uma violação do princípio da igualdade (injustificadamente igualitária)
 Independentemente do que se disser adiante sobre a liberdade de conformação do legislador, o controlo da «razoabilidade» de tratamentos «iguais» ou «desiguais» não se pode reconduzir a um controlo semelhante ao exercido pela jurisprudência administrativa sobre os actos administrativos.[49]

III - *Princípio da proporcionalidade*

 Nos tempos mais recentes, tende-se a reforçar a metódica de controlo do princípio da igualdade através do **princípio da proporcionalidade** (em

---

[49] Em sentido contrário, cfr. BARBERA/COCOZZA/AMATO, «La libertà dei singoli e delle formazione soziali. Il prinzipio di eguaglianza», in AMATO/BARBERA, *Manuale di Diritto Pubblico*, p. 312.

sentido amplo). Talvez seja mais correcto dizer que se exige aqui um esquema de fundamentação e controlo conducentes, em termos gerais, aos mesmos resultados obtidos pela utilização do princípio da proibição do excesso em sede de restrição de direitos.

    O controlo metódico da desigualdade de tratamento terá de testar: (1) a legitimidade do fim do tratamento desigualitário; (2) a adequação e necessidade deste tratamento para a prossecução do fim; (3) a proporcionalidade do tratamento desigual relativamente aos fins obtidos (ou a obter).[50]

    Noutros termos: é o tratamento desigual *adequado* e *exigível* para alcançar um determinado fim? Este fim é tão importante que possa justificar uma desigualdade de tratamento em *sentido normativo*?

IV - Concretização jurisprudencial

    A utilização mais ou menos expressa dos instrumentos metódicos acabados de referir tem permitido ao Tribunal Constitucional Português afirmar o controlo do princípio da igualdade em torno de três princípios básicos (cfr., por ex., Ac. TC 644/94, *DR*, II, 1-2-95): (1) *princípio da proibição do arbítrio*, considerando-se inadmissíveis as diferenciações de tratamento desprovidas de justificação razoável segundo critérios objectivos e a identidade de tratamento para situações manifestamente desiguais; (2) *princípio da proibição de discriminações*, considerando-se ilegítima qualquer diferenciação entre cidadãos fundada sobre categorias meramente subjectivas ou em razões de tais categorias; (3) *princípio da obrigação de diferenciações* como forma de compensação da desigualdade de oportunidades, o que implica a eliminação de desigualdades fácticas por parte dos poderes públicos.[51] Estas medidas de diferenciação devem, porém, ser materialmente fundadas sob o ponto de vista da certeza do direito, da praticabilidade, da justiça e da solidariedade (cfr. Ac. 44/84).

---

[50] Vide, por ex., PIEROTH/SCHLINK, *Grundrechte, Staatsrecht*, II, 3.ª ed., Heidelberg, 1987.
[51] Cfr., também, Acs. 213/93, 330/93, 411/93, 203/94, 207/94, 209/94, 305/94. Cfr., também, Ac. TC 152/93, DR, II, 16-3-93, relativo aos problemas levantados pelas leis de amnistia (*Caso da Lei de Amnistia de 1991*).

D. Tarefas Metódicas dos Tribunais em Sede de Direitos Fundamentais

Em virtude da dupla vinculação dos tribunais – à constituição e à lei –, os juízes, no caso de lei polissémica, devem procurar atribuir-lhe o sentido mais conforme com os direitos, liberdades e garantias. Mas não só por isso. Caso a mácula constitucional da lei seja indiscutível, segundo a perspectiva do juiz da causa, ele deve *desaplicá-la* no caso concreto sobretudo quando a inconstitucionalidade se basear em violação de direitos, liberdades e garantias. Sempre que, por desaplicação da lei, o juiz se veja confrontado com «lacunas», ele deve proceder à sua «complementação», recorrendo, em primeiro lugar, se for caso disso, às normas e princípios constitucionais consagradores de direitos, liberdades e garantias. Neste caso, os tribunais não se encontram perante a alternativa da vinculação pela constituição ou da vinculação pela lei. As duas vinculações convergem concorrentemente: o juiz deve aplicar a lei, mas em conformidade com os direitos fundamentais constitucionalmente garantidos. Assim, por exemplo, os Tribunais ao integrarem lacunas devem observar a proibição do recurso à analogia em matéria penal (cfr. Ac. TC 634/94, *DR*, II, 31-1-95) e em matéria fiscal (cfr. Ac. 756/95, *DR*, II, 27-3-95).

A forma, a medida e a extensão da vinculação não é sempre a mesma, pois é necessário distinguir entre: (*i*) vinculação dos tribunais que actuam nas vestes de «jurisdição civil» e decidem segundo a «medida» do direito privado; (*ii*) e vinculação dos tribunais que aplicam «direito público», actuando como «jurisdição jurídico-pública». Neste último caso, os tribunais administrativos, tributários, financeiros, ao controlarem actos das autoridades administrativas, verificarão se estes estão em conformidade com os direitos fundamentais. As autoridades administrativas, como entidades públicas, estão já vinculadas pelos direitos fundamentais (os direitos fundamentais como normas de acção das entidades públicas); os seus actos estão ainda, em sede de controlo jurisdicional, sujeitos à apreciação dos tribunais competentes, cujas decisões se devem pautar também pelos direitos, liberdades e garantias (os direitos, liberdades e garantias como normas de controlo e decisão da própria actividade jurisdicional).[52] Noutras hipóteses, existe uma *vinculação imediata* dos juízes pelos direitos fundamentais. Exemplos significativos são os casos de «reserva de decisão judicial»

---

[52] Cfr., agora, as informações e problematizações de MARIA JOÃO ESTORNINHO, *A Fuga para o Direito Privado*, Coimbra, 1996, pp. 223 e ss.

(cfr. CRP, arts. 28.°/1 e 34.°/2, relativos à prisão preventiva e entrada no domicílio dos cidadãos) em que os juízes devem observar e aplicar directamente as normas constitucionais consagradoras de direitos, liberdades e garantias (ex.: o juiz não pode «decretar» a prisão preventiva sem observar as condições do art. 28.°; não pode ordenar a entrada no domicílio dos cidadãos sem cumprir as normas do art. 34.°). Uma vinculação especial dos tribunais pelos direitos, liberdades e garantias verifica-se também quando os juízes aplicam «direito público» – **direito público sancionatório** – que, em si mesmo, comporta graves medidas de ingerência na esfera jurídica dos particulares (exs.: actos de execução de sentenças, actos de execução de penas, actos sancionatórios de natureza criminal ou de ordenação social). A actividade típica de poderes públicos que os tribunais desenvolvem só pode conceber-se, aqui, como actividade de entidades públicas directamente vinculadas pelos direitos fundamentais [53].

A vinculação dos tribunais que actuam nas vestes de «jurisdição civil» e decidem segundo a *medida do direito privado* relaciona-se com o problema da «eficácia externa» dos direitos fundamentais (cfr. *supra*). Em todo o caso, deve assinalar-se uma diferença fundamental entre a presente hipótese e a anteriormente estudada (tribunais nas vestes de jurisdições «jurídico-públicas»). A vinculação dos tribunais que decidem segundo a «medida» do direito privado não deriva apenas do facto de eles, ao proferirem decisões, actuarem como «poder público»; deriva, também, da necessidade de eles observarem os direitos, liberdades e garantias, na medida em que eles «valham» para a decisão do caso concreto. Utilizando uma formulação doutrinária expressiva: o Tribunal tem de observar os direitos, liberdades e garantias na medida em que eles constituem «direito aplicável» à causa; eles não vinculam só pelo facto de um tribunal «proferir uma decisão». A vinculação dos tribunais pelos direitos, liberdades e garantias é, deste modo, uma expressão do dever de protecção (*Schutzpflicht*) que incumbe ao Estado relativamente à efectivação destes direitos.

Referências bibliográficas

Alexy, R. – *Theorie der Grundrechte*, 1986, pp. 82 e ss e 300 e ss.
Andrade, J. C. – *Os direitos fundamentais na Constituição de 1976*, pp. 229 e ss.
Bethge, H. – *Grundrechtsverwirklichung und Grundrechtssicherung durch Organisation und Verfahren*, NJW, 1982, pp. 1 e ss.

---

[53] Vide o livro de F. MODERNE, *Sanctions Administratives et Justice Constitutionnel*, Paris, 1993.

Bianca, A. – *Le Autorità Privata*, Napoli, 1972.

Bilbao Ubillos, J. M./Rey Martinez, F. – "Veinte Anos de Jurisprudencia sobre la Igualdad Constitucional", in M. Aragon Reyes/J. Martinez Simancas, *La Constitucion y la Pratica del Derecho*, Arazandi, Madrid, 1998.

Bleckmann, A. – *Allgemeine Grundrechtslehren*, p. 315.

Borowski, M. – *Grundrechte als Prinzipien*, Baden-Baden, 1998.

Buoncristiano M. – *Profili della tutela civile contro i poteri privati*, Padova, 1986.

Canotilho, Gomes J. J. – «Direitos Fundamentais, Procedimento, Processo e Organização», in *BFDC*, 1990.

Canaris, C. W. – *Grundrechte und Privatrecht. Eine Zwischenbilanz*, Berlin/New York, 1999.

Classen, C. D. – «Die Drittwirkung der Grundrechte in der Rechtsprechung des Bundesverfassungsgerichts», in AÖR, 122 (1997), p. 65 ss.

Hesse, K. – *Grundzüge des Verfassungsrechts der Bundesrepublik Deutschland*, 20.ª ed., 1994, pp. 26 ss.

Huber, H. – «Über die Konkretisierung der Grundrechte», in *Der Staat als Aufgabe. Gedenkschrift für Max Imboden*, Basel/Stuttgart, 1972, p. 195.

Huster, S. – *Rechte und Ziele zur Dogmatik des allgemeinen Gleichheitssatzes*, Berlin, 1995.

Machado, Jónatas – *Liberdade de Expressão. Dimensões Constitucionais da Esfera Pública no Sistema Social*, Coimbra, 2002, p. 708 ss.

Mendes, A. R. – «Irradiação das normas e princípios constitucionais para a ordem legislativa (Direito Privado)», in *Perspectivas Constitucionais*, II, pp. 303 e ss.

Mendes, G. F./Coelho, I. M./Branco, P. G. – *Hermenêutica Constitucional e Direitos Fundamentais*, Brasília, 2000.

Miranda, J. – *Manual de Direito Constitucional*, Tomo IV, 1988, pp. 300 e ss.

Müller, F. – *Die Positivität der Grundrechte. Fragen einer Grundrechtsdogmatik*, Berlin, 1969.

Müller, F. – *Juristische Methodik*, 3.ª ed., 1989, pp. 147 e ss.

Nigro, M. – "Formazione sociali, poteri privati e libertà del terzo", in *Prática del Diritto*, 1975, p. 587.

– *Potere emergenti e loro vicissitudini nell'esperienze giuridica italiana*, Padova, 1980.

Novais, A. R. – *As Restrições aos Direitos Fundamentais não expressamente autorizadas*, Coimbra, 2003.

Ossenbühl, F. – «Grundrechtsschutz im und durch Verfahren», in *Festschrift für K. Eichenberger*, 1982, pp. 183 e ss.

Otto, I./Martin-Retortillo, L. – *Derechos Fundamentales y Constitucion*, 1988, pp. 95 e ss.

Oeter, S. – »Drittwirkung der Grundrechte und die Autonomie des Privatrechts», in AÖR, 119 (1994), p. 529 ss.

P. Kirchhof – "Der allgemeine Gleichheitssatz" e "Gleichheit in der Funktionenordnung", in Isensee/Kirchhof, *Staatsrecht*, V, pp. 837 e ss e 973 e ss.

Pieroth B./Schlinck, B. – *Grundrechte, Staatsrecht*, 3.ª ed., 1987, p. 84.

Pinto, P. M. – "Direito ao livre desenvolvimento da personalidade", in *Colóquio Portugal-Brasil, Ano 2000*, Coimbra, 1999.

Rhinow, A. – «Grundrechtstheorie, Grundrechtspolitik und Freiheitspolitik», in *Recht als Prozess und Gefüge. Fest. für H. Huber*, Bern, 1981, 427.

Ribeiro, J. S. – "A Constitucionalização do Direito Civil", in BFDC (1988).

Sarlet, I. – "Direitos Fundamentais e Direito Privado: algumas considerações em torno da vinculação dos particulares aos direitos fundamentais", in Ingo Sarlet (org.), *A Constituição Concretizada*, Porto Alegre, 2000.

Schneider, H. – *Die Güterabwägung des Bundesverfassungsgerichts bei Grundrechtskonflikten*, Baden-Baden, 1979.

Steinmetz, W. A. – *Colisão dos Direitos Fundamentais e Princípio da Proporcionalidade*, Porto Alegre, 2001.

Stern, K. – *Das Staatsrecht der Bundesrepublik Deutschland*, III/1, 1988, p. 594.

Ubillos, J. M. B. – *La eficacia de los derechos fundamentales frente a particulares*, Madrid, 1997.

Capítulo 2
Problemas Metódicos no Âmbito da Jurisdição Constitucional

Sumário

A. Dimensões das Sentenças do Tribunal Constitucional

B. Limites da Jurisdição Constitucional Quanto ao Objecto de Controlo

I - Conhecimento do direito pré-constitucional

1. Inconstitucionalidade superveniente e revogação
2. Insconstitucionalidade superveniente e princípio do *tempus regit actum*

C. Princípios Funcionalmente Limitativos

I - O princípio da autolimitação judicial e a doutrina das questões políticas

II - O princípio da interpretação em conformidade com a constituição

1. Sentido geral
2. Competência legislativa e competência jurisdicional

3. Competência do TC e competência do Tribunal *a quo*
4. Direito pré-constitucional e controlo judicial correctivo

III - O princípio da interpretação adequadora

IV - O princípio da não-controlabilidade do âmbito de prognose legislativa

V - O princípio da insindicabilidade da não contraditoriedade, razoabilidade e congruência do Legislador

VI - O princípio do controlo dos pressupostos vinculados do acto legislativo

VII - O princípio da congruência

VIII - O princípio da fundamentação

A. Dimensões da Jurisdição Constitucional [1]

O Tribunal Constitucional é um órgão de jurisdição. É, nos termos constitucionais, um tribunal. Isso não significa que a jurisdição constitucional exercida pelo Tribunal Constitucional esteja desprovida de especificidades metódicas em relação à actividade jurisdicional desenvolvida por outros tribunais. Em primeiro lugar, o Tribunal trabalha com um parâmetro de controlo – os princípios e regras constitucionais – com fortes cambiantes políticas. Esta *dimensão política* do direito constitucional acabará, de forma mais ou menos explícita, por tornar o Tribunal Constitucional num «regulador político». Num processo contínuo de concretização e desenvolvimento das normas constitucionais, o Tribunal decide «questões políticas» de grande relevância político-constitucional (ex.: sentenças sobre a delimitação dos sectores da propriedade dos meios de produção, sentenças sobre o ensino da religião e moral católicas nos estabelecimentos de ensino público, sentenças sobre o pagamento de propinas universitárias, sentenças sobre a propriedade das farmácias). Bem ou mal (algumas das sentenças referidas merecem-nos as mais sérias reservas), o Tribunal Constitucional converte-se em «parte institucionalizada» de conformação do processo político através de actos em forma de actos jurisdicionais.

Uma outra dimensão de assinalável relevância em sede metódica diz respeito ao chamado *poder de interpretação* do Tribunal Constitucional. Através da conjugação de três factores – primazia da constituição, competência decisória em última instância, falta de cânones metódicos indiscutíveis [2] –, o Tribunal impregna

---

[1] Cfr. K. HESSE, «Funktionelle Grenzen der Verfassungsgerichtsbarkeit» in *Recht als Prozess und Gefüge, Fs für H. Huber, zum 80 Geburtstag*, 1981, pp. 269 e ss; G. F. SCHUPPERT, *Funktionell rechtliche Grenzen der Verfassungsinterpretation*, Baden-Baden, 1980; SIMON, «Verfassungsgerichtsbarkeit», in BENDA/MAIHOFFER/VOGEL (org.), *Handbuch des Verfassungsrechts*, 1983, p. 1288; CRISAFULLI, «Giustizia Costituzionale e potere legislativo», in *Studi in onore C. Mortati*, Milano, 1977 (= *Stato, Popolo Governo*, 1988, pp. 227 e ss); A. PIZZORUSSO, «Sui Limiti delle potestá normativa della Corte Costituzionale», in *Riv. Ital. Dir. Proc. Pen.*, 1982, I, pp. 305 e ss; RUBIO LLORENTE, «La Jurisdiccion Constitucional como forma de creacion de Derecho», in *REDC*, 22/1988, pp. 9 e ss; GOMES CANOTILHO, «A concretização da constituição pelo legislador e pelo Tribunal Constitucional», in J. MIRANDA (org.) *Nos dez anos da Constituição*, pp. 345 e ss.

[2] Cf. E. W. BÖCKENFÖRDE, «Verfassungsgerichtsbarkeit: Strukturfragen, Organization, Legitimation», in *Staat, Nation, Europa*, Frankfurt/M, 1999, p. 157 ss.

a interpretação de normas jurídicas, obrigando todos os operadores jurídicos a ter em conta a leitura que delas faz o órgão de controlo de constitucionalidade.

O poder do Tribunal Constitucional justifica a atenção que a doutrina tem dedicado aos *limites da jurisdição constitucional*. Os perigos de um «Estado de Juízes Constitucionais» leva alguns autores a defender que a constituição deva ser levada para fora dos tribunais («*Taking the Constitution away from the Courts*», proclama Mark Tushnet). O conjunto de todos estes problemas é, hoje, abordado através da convocação de uma série de *tópicos* referentes aos limites da jurisdição constitucional. Referiremos alguns sob um ângulo de análise marcadamente metódico-metodológico.

B. Limites da jurisdição constitucional quanto ao objecto de controlo

I - Conhecimento do direito pré-constitucional

1. Inconstitucionalidade superveniente e revogação

Os juízes podem e devem conhecer da inconstitucionalidade do direito pré-constitucional e o TC pode julgar inconstitucionais normas cuja entrada em vigor retrotrai a um momento anterior ao da entrada em vigor da Constituição.

Ao contrário do que se defende habitualmente na doutrina, julga-se não existir, em relação a leis ordinárias pré-constitucionais contrárias à Constituição, nem uma relação de anterioridade dos juízos de revogação e de inconstitucionalidade nem uma relação de exclusão. Não há uma relação de anterioridade: a respeito de normas revogadas não se suscita um problema de constitucionalidade. Não há uma relação de exclusão: se a revogação deriva ou é provocada por contrariedade com a Constituição então a contrariedade é ela mesma premissa da revogação. A inconstitucionalidade (plano de validade) conduz, num caso concreto, à revogação (plano de vigência). Daí que, na **inconstitucionalidade superveniente**, haja um concurso de revogação (leis que se sucedem no tempo) e nulidade (leis de hierarquia diferente em relação de contrariedade). Como se escreveu noutro lado, «um tribunal não pode certamente aplicar uma norma de direito pré-constitucional contrária à Constituição, pois ela deixou de vigorar, mas só a pode considerar revogada ou caducada depois

de a ter considerado contrária à Constituição (cfr. Ac. TC 133/90, *DR*, II, 4-9-90).[3]

A extensão do controlo ao direito pré-constitucional (inconstitucionalidade superveniente) não oferece hoje dúvidas perante a norma inequívoca do art. 290.º/2. E o facto de as leis ordinárias anteriores inconstitucionais terem deixado de vigorar com a entrada em vigor da Constituição não significa a inutilidade de uma declaração expressa de inconstitucionalidade a efectuar pelo órgão com competência para esse efeito[4].

Esta posição conduz, nos seus resultados práticos, às mesmas consequências que a maioria da Comissão Constitucional defendeu, quando, em diversos pareceres, se debruçou sobre o assunto. Cfr. Acórdão n.º 40, de 28 de Julho de 1977, in apêndice ao *Diário da República*, de 30-12-1977, pp. 71 e ss., e in *Boletim do Ministério da Justiça*, n.º 269, pp. 61 e ss; Acórdão n.º 41, de 20 de Outubro de 1977, apêndice ao *Diário da República* de 30-12-1977, pp. 82 e ss; Acórdão n.º 68, de 5 de Janeiro de 1978, in apêndice ao *Diário da República*, de 3-5-1978, pp. 14 e ss; Acórdão n.º 149, de 13 de Março de 1979, apêndice ao *Diário da República*, de 31-12-1979, p. 46. Ac. 13/85, in *Acórdãos*, vol. 1, p. 151; 73/85, in *Acórdãos*, vol. 5 pp. 557 e ss; Ac. 201/86, in *Acórdãos*, vol. 7/2, p. 953. Quanto ao conhecimento de normas revogadas, cfr. Acs. TC 238/88, *DR*, II, 21-12; 73/90, *DR*, II, 197; 135/90, *DR*, II, 17-9; 400/91, *DR*, I, 15-11.

2. Inconstitucionalidade superveniente e princípio do *tempus regit actum*

A **inconstitucionalidade superveniente** refere-se, em princípio, à contradição dos actos normativos com as normas e princípios materiais da Constituição e não à sua contradição com as regras formais ou processuais do tempo da sua elaboração. O princípio *tempus regit actum* leva a distinguir dois efeitos no tempo: a aprovação da norma rege-se pela lei constitucional vigente nesse momento; a aplicação da mesma norma tem de respeitar os princípios e normas constitucionais vigentes no momento em que se efectiva essa mesma aplicação.

A tradicional dicotomia entre vícios formais e materiais, conducente a uma disciplina de fiscalização diferente (competência do Tribunal Constitucional para conhecimento dos vícios materiais das leis pré-constitucionais e

---

[3] Cfr. GOMES CANOTILHO/VITAL MOREIRA, *Fundamentos da Constituição*, p. 254. De uma forma geral sobre os problemas do direito constitucional intertemporal cfr. o excelente livro de LUÍS ROBERTO BARROSO, *Interpretação e Aplicação da Constituição*, São Paulo, 1996, pp. 49 e ss. Vide uma primeira e incisiva abordagem em VEZIO CRISAFULLU, "Inconstituzionalità o abrogazione?", in *Giur. Cost.*, 1957, pp. 272 e ss. Por último, cfr. PINARDI, *La Corte, i giudici ed il Legislatore*, Milano, 1993, p. 41.

[4] Cfr. JORGE MIRANDA, *Manual*, II, p. 349; GOMES CANOTILHO/VITAL MOREIRA, *Fundamentos da Constituição*, p. 254; ARMINDO RIBEIRO MENDES, "Irradiação das normas e princípios constitucionais para a ordem legislativa (direito privado)", in JORGE MIRANDA (org.) *Perspectivas Constitucionais*, II, pp. 302 e ss.

incompetência para controlar os vícios formais), nem sempre se impõe como uma evidência. Além de não ser princípio constitucional, o **princípio *tempus regit actum*** não pode significar a irrelevância material das normas sobre a produção jurídica (ex.: a exigência de reserva de lei formal aponta para as exigências materiais de democraticidade do órgão e da publicidade do processo). Por outro lado, há que distinguir duas hipóteses: (1) possibilidade de fiscalização da regularidade formal de actos normativos pré-constitucionais, de acordo com os novos parâmetros sobre a produção jurídica; (2) possibilidade de controlo da legitimidade formal dos actos normativos pré-constitucionais, segundo as normas sobre produção jurídica vigente na altura.

No que toca à primeira questão, a resposta só pode ser negativa, pois isso conduziria à inconstitucionalidade de grande parte do ordenamento jurídico anterior, mesmo quando, rigorosamente, as suas normas não estão em contradição com as normas e princípios da Constituição (materialmente considerados). O segundo problema merece também resposta negativa em termos gerais, dado que o Tribunal Constitucional garante a supremacia da Constituição actual, mas não é um defensor do sistema anterior. Mas, por outro lado, poderia haver no anterior sistema requisitos formais, transportadores de garantias ou valores materiais semelhantes aos acolhidos pela nova lei fundamental (ex.: exigências de lei para aprovar restrições aos direitos fundamentais, reserva de lei para aprovação de impostos). O problema ganhará acuidade nos casos de se tratar não apenas de um vício formal, mas de um verdadeiro vício de competência[5]. (Acs. TC 446/91, *DR*, II, de 2-4, e 175/97, *DR*, I, 24-4-97).

C. Princípios Funcionalmente Limitativos

I - O princípio da autolimitação judicial e a doutrina das questões políticas ('judicial self-restraint' e 'political question doctrine')

O **princípio da autolimitação judicial** é outro dos princípios importados da jurisprudência norte-americana e fundamentalmente recondu-

---

[5] Cfr. precisamente as penetrantes observações de MIGUEL GALVÃO TELES, «Inconstitucionalidade pretérita», in JORGE MIRANDA (org.) *Nos dez anos da Constituição*, Lisboa, 1987, pp. 273 e ss, e, sobretudo, pp. 298 ss; JORGE MIRANDA, *Manual*, II, pp. 279 e ss; RUI MEDEIROS, *Valores jurídicos*, p. 520; LUÍS ROBERTO BARROSO, *Interpretação*, cit., p. 81; MENEZES CORDEIRO, "Da inconstitucionalidade de revogação dos assentos", in JORGE MIRANDA, *Perspectivas Constitucionais*, I, pp. 799 e ss. Cfr., ainda, L. M. PIEZ-PICAZO, "Consideraciones en torno a la inconstitucionalidad sobrevenida de las normas sobre la produccion juridica y a la admissibilidade de la cuestion de inconstitucionalidad", in *REDC*, 1985, p. 147

zível ao seguinte: *os juízes devem autolimitar-se à decisão de questões jurisdicionais e negar a justiciabilidade das questões políticas*. O princípio foi definido pelo juiz Marshall como significando haver certas «questões políticas», da competência do Presidente, em relação às quais não pode haver controlo jurisdicional. No entanto, como acentua a própria doutrina americana, a doutrina das questões políticas não pode significar a existência de *questões constitucionais* isentas de controlo[6]. Em primeiro lugar, não deve admitir-se uma *recusa de justiça ou declinação de competência* do Tribunal Constitucional só porque a questão é política e deve ser decidida por instâncias políticas. Em segundo lugar, como já se disse, *o problema não reside em, através do controlo constitucional, se fazer política, mas sim em apreciar, de acordo com os parâmetros jurídico-materiais da constituição, a constitucionalidade da política*. A jurisdição constitucional tem, em larga medida, como objecto, apreciar a constitucionalidade do «político». Não significa isto, como é óbvio, que ela se transforme em simples «jurisdição política», pois tem sempre de decidir de acordo com os parâmetros materiais fixados nas normas e princípios da constituição. Consequentemente, só quando existem parâmetros jurídico-constitucionais para o comportamento político pode o TC apreciar a violação desses parâmetros.

  O princípio da autolimitação dos juízes continuará a ter sentido útil se com ele se quer significar não a inadmissibilidade de juízos de valor na tarefa de interpretação concretização-constitucional (existentes em qualquer actividade interpretativa), mas a contenção da actividade dos tribunais dentro dos limites da função jurisdicional. Isso implica, desde logo, *reflexão* sobre a respectiva precompreensão e *disciplina* na invocação de elementos de interpretações valorativos. Isto apontará, em geral, para os limites de cognição dos juízes quanto aos vícios: cabe-lhes conhecer dos *vícios de constitucionalidade* dos actos normativos mas não dos *vícios de mérito* (oportunidade política dos actos e uso do poder discricionário pelo Parlamento e Governo)[7].

---

[6] Cfr., hoje, por todos, TRIBE, *American Constitutional Law*, pp. 71 e ss; W. BRUGGER, *Grundrechte und Verfassungsgerichtsbarkeit in den Vereinigten Staaten von Amerika*, 1987, pp. 17 e ss.

[7] Cfr., por ex., ZAGREBELSKY, *Giustizia Costituzionale*, pp. 30 e ss; SCHUPPERT "Self-restraints in der Rechtsprechung", *DVBL*, 1988, p. 1191; VIEIRA DE ANDRADE, «Legitimidade da Justiça Constitucional e Princípio da Maioria», in *Legitimidade e Legitimação da Justiça Constitucional*, Coimbra, 1995, p. 80 ss.

II - O princípio da interpretação em conformidade com a constituição

1. Sentido geral

O **princípio da interpretação conforme a Constituição** é um princípio geral de interpretação (cfr. *supra*) que, no domínio específico da jurisdição constitucional, remonta ao velho princípio da jurisprudência americana segundo a qual os juízes devem interpretar as leis *in harmony with the constitution*[7]. O princípio tem sido interpretado no sentido do *favor legis*, no plano do direito interno, e do *favor conventionis*, no plano do direito internacional. Consequentemente, uma lei ou um tratado só devem ser declarados inconstitucionais quando não possam ser interpretados conforme a constituição. Expressões da *presunção da constitucionalidade das leis e das convenções internacionais* podemos vê-las, por ex., nos arts. 277.º/2 e 280.º/3 (recurso obrigatório do Ministério Público de decisões que recusem a aplicação de normas por inconstitucionalidade).

O sentido do princípio da interpretação conforme a Constituição não deve ser apenas o do *favor legis* ou do *favor conventionis*, conducente à sua caracterização como simples meio de limitação do controlo jurisdicional (uma norma não deve considerar-se inconstitucional enquanto puder ser interpretada conforme a constituição). Se assim fosse, seria um mero *princípio de conservação de normas*. Ora, o princípio da interpretação conforme a constituição é um instrumento hermenêutico de conhecimento das normas constitucionais que impõe o recurso a estas para determinar e apreciar o conteúdo intrínseco da lei. Desta forma, o princípio da interpretação conforme a Constituição é mais um *princípio de prevalência normativo-vertical* ou de *integração hierárquico-normativa* de que um simples princípio de conservação de normas.

O princípio da interpretação conforme a Constituição comporta limites jurídico-funcionais precisos (cfr. *supra*) que serão abordados nas considerações subsequentes.

2. Competência legislativa e competência jurisdicional

Esses limites dizem respeito, em primeiro lugar, às relações entre os órgãos legislativos e jurisdicionais[9]. Neste aspecto, justifica-se que se fale de

---

[8] Cfr. ANTIEAU, *Constitucional Construction*, London/Rome/New York, 1982, p. 48.
[9] Cfr. HESSE, *Grundzüge*, cit., p. 33; *Funktionelle Grenzen*, cit., p. 261; PICKER, «Richterrecht

uma *preferência* do legislador como órgão concretizador da constituição. Se os órgãos aplicadores do direito, sobretudo os tribunais, chegarem à conclusão, por via interpretativa, de que uma lei contraria a constituição, a sua atitude correcta só poderá ser a de desencadear os mecanismos constitucionais tendentes à apreciação da *inconstitucionalidade* da lei. Daqui se conclui também que a interpretação conforme a constituição só permite a escolha entre dois ou mais sentidos possíveis da lei mas nunca uma *revisão do seu conteúdo*[10]. A interpretação conforme à constituição tem, assim, os seus limites na «letra e na clara vontade do legislador», devendo «respeitar a economia da lei» e não podendo traduzir-se na «reconstrução» de uma norma que não esteja devidamente explícita no texto[11]. (cfr. Acs. TC 254/92, in *Acórdãos*, 22, p. 83; 162/95, *DR*, I-A, 8-5). Argumenta-se, essencialmente, com o facto de a admissibilidade de uma correcção intrínseca da lei ser um processo muito mais atentório do *favor legislatoris*, ou seja, da preferência legislativa constitucionalmente concretizadora, do que a declaração ou reconhecimento de inconstitucionalidade. Aqui, uma lei pode ficar sem efeito, mas o concretizador da constituição continuará a ser o legislador ao qual será sempre possível elaborar leis em substituição das consideradas inconstitucionais. Pelo contrário, a alteração do conteúdo da lei através da interpretação pode levar a uma *usurpação* de funções, transformando os juízes em legisladores activos. Se a interpretação conforme a constituição quiser continuar a ser interpretação, ela não pode ir além dos sentidos possíveis, resultantes do texto e do fim da lei. Por outras palavras: a interpretação conforme a constituição deve respeitar o texto da norma interpretanda e os fins prosseguidos através do acto normativo sujeito a controlo[12]. Mais problemática é a questão de saber se os limites acabados de sugerir impedem uma complementação jurídica em conformidade com a Constituição. Mais explicitamente pergunta-se se esta complementação jurídica em conformidade com a constituição poderá revestir a forma de **interpretação correcta da lei conforme a constituição**. A interpretação correctiva justifica-se pela prevalência das normas

---

und Richterrechtsetzung», in *JZ*, 1984, pp. 153 e ss; CARDOSO DA COSTA, «A Justiça...», cit., p. 58; RUI MEDEIROS, *A decisão de inconstitucionalidade*. No direito italiano alude-se a «sentenças interpretativas de rejeição» (*sentenze interpretative di rigetto*). Cfr., por ex., ZAGREBELSKY, «Processo costituzionale», in *Enc. di Dir.*, XXXVI, 1988, p. 653.

[10] Cfr. HESSE, *Grundzüge*, cit., p. 33; SIMON, «Verfassungsgerichtsbarkeit», p. 1283.

[11] Cfr., nestes termos, CARDOSO DA COSTA, «A justiça...», cit., p. 58.

[12] Cfr. ZAGREBELSKY, «Processo Costituzionale», cit., p. 657; PICARDI, «Le sentenze integrative della Corte Costituzionale», in *Scritti in onore di C. Mortati*, p. 627; BETTERMANN, *Die Verfassungskonforme Auslegung*, 1986, pp. 33 e ss. Entre nós, cfr. também JORGE MIRANDA, *Manual*, II, pp. 265 e ss. Em sentido crítico, cfr. CASTANHEIRA NEVES, *Metodologia*, pp. 195 e ss.

e princípios constitucionais, mas deve, num Estado de direito democrático, salvaguardar a liberdade de conformação do legislador. Não se pode transformar a conformação legislativa numa heteroconformação metódica imposta ao próprio legislador. Eis o motivo pelo qual a doutrina dominante considera que não há qualquer fundamento para salvar a lei quando o procedimento metódico revela que todos os sentidos possíveis contrariam a constituição.

3. Competência do TC e competência do tribunal *a quo*

Outro caso de limites conexiona-se com a observância do **princípio da conformidade funcional** na delimitação rigorosa entre as funções do TC e as funções do tribunal *a quo* nos processos de fiscalização concreta. Trata-se de saber se o Tribunal Constitucional, além da alternativa constitucionalidade--inconstitucionalidade, poderá optar por uma terceira via que é a de tentar uma interpretação da norma conforme a constituição, impondo essa interpretação aos tribunais. Contra esta possibilidade argumentar-se-á que, se uma lei é objectivamente plurisignificativa, então trata-se verdadeiramente de uma questão de interpretação da lei, tarefa que pertence ao juiz encarregado de aplicar o direito e não ao órgão fiscalizador da constitucionalidade. Aos tribunais comuns cabe, se isso se revelar necessário e adequado, proceder a uma interpretação em conformidade com a Constituição. Pelo menos, o monopólio do TC não se estende para lá do controlo de conformidade das normas com a constituição e da eventual declaração da inconstitucionalidade das mesmas[13]. O Tribunal Constitucional ou declara inconstitucional a norma em discussão ou a considera isenta de qualquer irregularidade. Esta redução dicotómica não chega, porém, a atingir o cerne do problema. O TC encarregado de controlar a constitucionalidade da norma não pode ser impedido de verificar se, ao lado da interpretação dada pelo tribunal recorrido a favor da inconstitucionalidade, não haverá uma interpretação favorável à manutenção da validade da norma. Surgirão teoricamente três possibilidades: (1) ou o Tribunal Constitucional, não obstante considerar possível conservar a norma através da via da interpretação de acordo com a constituição, a declara inconstitucional; (2) ou o Tribunal Constitucional, ao verificar ser possível um entendimento conforme a constituição, declara a norma irrestritamente válida; (3) ou o Tribunal Constitucional considera a norma válida, mas apenas nos termos de uma *interpretação conforme a constituição* (cfr. LTC, 80.°/3).

---

[13] Cfr. R. WANK, «Die Verfassungsgerichtliche Kontrolle der Gesetzesauslegung und Rechtsfortbildung durch die Fachgerichte», in *JUS*, 1980, pp. 545 e ss.

Se a primeira solução tem contra si a presunção da constitucionalidade das leis, a segunda tem a desvantagem de o juiz, encarregado de decidir o caso concreto, poder optar pelo sentido menos conforme com a constituição.

Resta saber se, com a terceira solução, o Tribunal Constitucional não passará de um tribunal com funções específicas, competente para julgar recursos «restritos à questão da inconstitucionalidade», a uma superinstância, decisivamente influente na solução das questões submetidas à apreciação dos tribunais civis ou administrativos[14]. O cerne da questão reconduz-se, assim, a determinar se, nos recursos de inconstitucionalidade, a norma em causa é a "norma em abstracto, ou antes a norma com o sentido concreto que o tribunal lhe atribuiu"[15] e saber se é aplicável às *decisões interpretativas em conformidade com a constituição* feita pelos tribunais o regime dos recursos de decisões de acolhimento da inconstitucionalidade. O art. 80.º/3 da LTC não deixa dúvidas que «no caso de o juízo de constitucionalidade ou de ilegalidade sobre a norma que a decisão recorrida tiver aplicado, ou a que tiver recusado aplicação, se fundar em *determinada interpretação da mesma norma,* esta deve ser aplicada com tal interpretação, no processo em causa» (Cfr. Acs. TC 340/87 e 398/89; 163/95, *DR,* II, 8-6-95). Esta superioridade interpretativa do TC consagrada na LTC merece-nos, porém, algumas reticências sob o ponto de vista da sua constitucionalidade.[16] Quanto à segunda questão, ou seja, a questão da recorribilidade para o Tribunal Constitucional (CRP, art. 280.º/1/*a*) de decisões proferidas pelos tribunais em que, a coberto de uma interpretação conforme a Constituição, se haja julgado, afinal, a norma inaplicável ao caso concreto, a resposta deve ser afirmativa quando a interpretação conforme à Constituição implica, de facto, uma decisão de acolhimento da inconstitucionalidade. No caso de sentenças de rejeição da inconstitucionalidade a questão é mais duvidosa. Na verdade, o princípio da interpretação em conformidade com a Constituição talvez fosse melhor jurídico-funcionalmente entendido se tivesse este sentido: ao juiz da causa está vedada a aplicação da lei com o sentido julgado inconstitucional, mas não está obrigado a aplicar a lei com a interpretação dada pelo Tribunal Constitucional no processo em causa.[17] Bastar-lhe-ia demonstrar que o sentido por ele extrinsecado está em conformidade com

---

[14] Cfr. HESSE, *Grundzüge,* cit., p. 3; BENDA/KLEIN, *Lehrbuch des Verfassungsrechts,* p. 345.
[15] Assim, precisamente, GOMES CANOTILHO/VITAL MOREIRA, *Fundamentos da Constituição,* p. 271; *Constituição da República,* anotação XXVI ao art. 280.º; JORGE MIRANDA, *Manual,* II p. 266.
[16] Cfr. RUI MEDEIROS, *A decisão de inconstitucionalidade,* p. 363. No direito estrangeiro, cfr. K. LARENZ/C. CANARIS, *Methodenlehre,* 1995, p. 161; U. DIEDERICHSEN, "Das Bundesverfassungsgericht...", ACP (1988), pp. 171 e ss.
[17] Cf., por último, A. VOSSKÜHLE, «Theorie und Praxis der Verfassungskonformen Auslegung von Gesetzes durch Fachgerichte», in AöR 129 (2000), p. 177.

a Constituição. Em termos porventura mais claros: a superioridade da Constituição proibiria decisões contrárias à Constituição, mas não exigiria uma interpretação em conformidade com a Constituição no sentido que lhe dá o Tribunal Constitucional. Não é isto que está no art. 80.º/3 da LTC, mas não se descobre no texto constitucional qualquer fundamento para, de forma radical, se afirmar que "o Tribunal Constitucional pode proferir sentenças interpretativas, determinando aos outros tribunais, nos recursos que sobem até ele, que certa norma seja interpretada – e aplicada – no julgamento do caso com o sentido que ele definir como sendo conforme a Constituição" (cfr. Ac. 163/95, *DR*, II, 8-6-95).

A autocontenção do Tribunal Constitucional impor-se-á quando, como agora é referido na doutrina italiana, existe um "*diritto vivente*", ou seja, orientações jurisprudenciais consolidadas sobre a interpretação da lei[18].

4. Direito pré-constitucional e controlo judicial correctivo

Os argumentos referidos em 1 e 2 contra a possibilidade de uma *correcção ou adaptação da lei* por via de interpretação conforme a constituição, se parecem suficientemente sólidos quanto ao direito *pós-constitucional,* já se mostram mais claudicantes quando a questão se põe relativamente ao direito *pré-constitucional.* Aqui perderá força a consideração de a lei se presumir de acordo com a constituição. A lei é anterior à constituição e esta pode nortear-se por princípios radicalmente diversos dos que informavam a constituição anterior.

Mesmo nesta hipótese, julga-se estar vedada aos juízes a «feitura» de uma nova lei com conteúdo diferente da anterior. Aos órgãos aplicadores do direito ficará aberta a possibilidade de *desaplicar* a lei pré-constitucional (arts. 206.º e 207.º da CRP) e *aplicar directamente as próprias normas constitucionais* (art. 18.º). Nem se diga que assim teremos inúmeras lacunas legislativas[19]. É que associados à desaplicação das leis inconstitucionais pelos tribunais devemos assinalar os mecanismos importantíssimos do controlo concentrado pelo TC da inconstitucionalidade por acção e por omissão (cfr. arts. 280.º a 283.º).

Wengler demonstra a este respeito que «em toda a parte do mundo, as modificações das circunstâncias de facto, das concepções políticas, culturais e morais, e, sobretudo, ainda da

---

[18] Cf. GOMES CANOTILHO/VITAL MOREIRA, *Fundamentos*, p. 270; RUI MEDEIROS, *A decisão de inconstitucionalidade*, pp. 363 e ss. Mais aberto à conformação da interpretação do TC é JORGE MIRANDA, *Manual*, VI, p. 75.

[19] Reconhece-se que, na verdade, a aplicação imediata das normas constitucionais e a consequente colmatação das lacunas resultantes da desaplicação da lei pré-constitucional nem sempre é possível. A norma constitucional precisará de um mínimo de determinação intrínseca para poder ser considerada uma «norma de *extorsão*» (*Erzwingungsnorm*). Cfr. MAUNZ, *Deutsches Staatsrecht.* cit. p. 215.

restante legislação pela qual a regra jurídica em questão como se encontra rodeada, conduzem, sem intervenção de uma especial *lex posteriori*, à rejeição do direito contrário aos princípios, isto é, em contradição com os novos princípios [20]. O espírito da nova legislação «exorcizará» o direito antigo, formal, que ainda se encontra em vigor [21]. Em conformidade com estas ideias, considera Wengler que os limites, assinalados depois de 1945, à aplicação de leis nacional-socialistas, são uma *«extrinsecação de uma cláusula geral que é própria de quase todas as ordens jurídicas civilizadas e que autoriza o juiz a adaptar o direito que lhe é dado às circunstâncias espacial ou temporalmente modificadas»* [22].

Uma parte da doutrina admite a figura da *ab-rogação* de todo o o direito anterior à entrada em vigor da Constituição contrário às normas e princípios nesta consignados. Sendo assim, lógico seria admitir a correcção ou adaptação das leis pré-constitucionais através da interpretação da Constituição. Nem seria necessária uma cláusula geral tão ampla como a referida por Wengler. Bastaria que a *interpretação conforme a Constituição* englobasse a *complementação e desenvolvimento* do direito pré-constitucional, de forma a «harmonizá-lo, quanto ao conteúdo, com os princípios da Constituição vigente, e com os princípios das novas leis, interpretando estes de conformidade com aqueles» [23]. Pergunta-se: se o legislador não fizer esta adaptação, podê-la-ão fazer os órgãos encarregados de aplicar o direito, designadamente os juízes? Aceitar-se-á que estes, de acordo com as normas político-jurídico fundamentais consagradas na Constituição, poderão adaptar o direito pré-constitucional, tal como presumivelmente o faria o legislador se houvesse de regular a questão ou se houvesse de fornecer o critério de valoração da legislação fascista? [24]

III - O princípio da interpretação adequadora

Estritamente conexionado com o princípio da interpretação conforme a Constituição, mas com um sentido mais conformador, o **princípio da interpretação adequadora** ("interpretazione adequatrice") é hoje invocado para justificar soluções como as seguintes: (1) *simples declaração de inconstitucionalidade sem fixação de nulidade 'ipso jure'* (ex.: casos em que o Tribunal considera uma nova norma constitucional por violação do princípio da igualdade sem pôr em causa a bondade das soluções legais); (2) acolhimento parcial da inconstitucionalidade, ou seja, a sentença do Tribunal opta pela declaração da *nulidade parcial* das leis, evitando a destruição do acto legislativo *in toto*.

A possibilidade de o TC fixar efeitos mais restritos do que os da nulidade *ipso jure* é indiscutível perante a redacção actual do art. 282.º/4. O TC só

---

[20] Cfr. ECKARDT, *Verfassungskonforme*, cit., pp. 46 e ss; HESSE, *Grundzüge*, cit., p. 33; ENGISCH, *Introdução*, cit., p. 265.
[21] Cfr. ENGISCH, *Introdução*, cit., p. 265.
[22] Cfr. ENGISCH, *Introdução*, p. 265.
[23] Cfr. ENGISCH, *Introdução*, cit., p. 265.
[24] Cfr. com a fórmula usada por WENGLER, in ENGISCH, *Introdução*, cit., p. 265.

se manterá, porém, dentro dos limites impostos pelo princípio da conformidade funcional, quando recorrer à limitação dos efeitos da declaração da inconstitucionalidade a *título de excepção* e ponderar sempre, de acordo com o princípio da proporcionalidade, os custos e benefícios de tal limitação. Já a transformação da excepção em *regra,* abusando sistematicamente da restrição dos efeitos, pode vir a preencher uma hipótese de «excesso de poder» do Tribunal Constitucional[25].

Relativamente aos juízes ordinários, a interpretação adequadora implica quer a possibilidade de eles não suscitarem *ex officio* a questão da inconstitucionalidade, quer a faculdade de eles rejeitarem a impugnação feita pelas partes. O eventual «excesso de interpretação adequadora» dos juízes ordinários poderá ser atenuado pelo recurso contra decisões de rejeição de inconstitucionalidade nos termos atrás explicitados (cfr. *supra).* Discutível será, porém, o alargamento da faculdade conferida pelo art. 282.°/4 da CRP aos próprios juízes dos tribunais ordinários. A resposta é, em geral, negativa, pois uma coisa é limitar, de modo abstracto, os efeitos de uma declaração de inconstitucionalidade; outra coisa é julgar inconstitucional uma norma e aplicá-la, embora com efeitos restritos. A solução poderá ser diferente nos casos de leis penais.[26] O TC não poderá, aqui, através de nova interpretação adequadora, ultrapassar os limites atrás referidos.

IV - *O princípio da não-controlabilidade do âmbito de prognose legislativa*

O **princípio da não-controlabilidade do âmbito de prognose legislativa** radica no facto de o *espaço de prognose legislativa* ser um espaço de livre conformação do legislador, incompatível com qualquer controlo jurídico-constitucional. O princípio é aceitável se com ele se quer significar que ao legislador ou órgãos de direcção política compete conformar a vida económica e social, movendo-se esta conformação num plano de incerteza, conducente, por vezes, a soluções legislativas inadequadas ou erradas, mas cujo mérito não é susceptível de fiscalização jurisdicional. Os limites funcionais da jurisdição constitucional são aqui claros: os tribunais não podem controlar judicialmente, por exemplo, a apreciação da evolução económica global ou a delimitação das

---

[25] Cfr., precisamente, o voto de vencido de VITAL MOREIRA, in Ac. TC n.° 144/85, *DR,* I, 4-9-85. Cfr., também, M. REBELO DE SOUSA, *Valor Jurídico,* cit., p. 191.

[26] Cfr. GOMES CANOTILHO/VITAL MOREIRA, *Constituição da República,* anotação XXVII no art. 286.°; JORGE MIRANDA, *Manual,* VI, p. 40 ss.; ROCHA MARQUES, «O Tribunal Constitucional e os outros tribunais: a execução das decisões do Tribunal Constitucional», in *Estudos sobre a Jurisprudência do Tribunal Constitucional,* p. 471 ss.

quotas de importação para certos produtos. Todavia, as prognoses legislativas podem reconduzir-se também a *conceitos indeterminados* usados em leis concretizadoras das normas constitucionais e incidentes sobre *factos actuais*. Ora o princípio da não controlabilidade do âmbito de prognose legislativa refere-se às «soluções» ou «decisões» das normas adoptadas em situações de incerteza fáctica, mas não à indeterminação das mesmas normas, resultante da sua formulação em termos linguisticamente vagos. É também duvidoso, por ex., se o legislador goza de discricionariedade total quanto à planificação do acesso ao ensino ou à prognose sobre a evolução dos serviços de saúde de tal modo que os «juízos de prognose» possam contrariar abertamente as imposições constitucionais[27].

V - O princípio da insindicabilidade da não contraditoriedade, razoabilidade e congruência do legislador[28]

A figura do **desvio do poder legislativo** (*ecesso di potere legislativo*) surgiu várias vezes na exposição referente às estruturas normativas. Voltou a aparecer-nos ao tratarmos do problema dos vícios materiais da lei. Recordemos alguns contextos em que topámos com esta figura: (*i*) quando tratámos do problema da estrutura da lei e das novas exigências de protecção contra a «administrativização» dos actos legislativos; (*ii*) quando versámos o problema das leis de autorização e as questões levantadas pela não conformidade das leis autorizadas com as leis de autorização; (*iii*) de um modo geral, nos casos de ilegalidade por violação de leis reforçadas com valor paramétrico (cfr. Ac. TC 102/87, *DR*, I, 8-4-87).

No entanto, quando agora se fala em **desvio de poder legislativo** como vício da lei não se pretende tanto confrontar a lei com um parâmetro e daí deduzir a sua inconstitucionalidade ou constitucionalidade, mas confrontar a lei consigo mesma, tendo em especial atenção os fins por ela prosseguidos.

---

[27] Cfr., na jurisprudência constitucional portuguesa, Ac. TC 25/84, *DR*, II, 4-4-84.
[28] Cfr. MODUGNO, *L'invalidità*, cit., Vol. 11, p. 323; CRISAFULLI, *Lezioni*, cit., p. 126; LAVAGNA, *Istituzioni*, cit., p. 1013. Para outros desenvolvimentos, cfr. o nosso livro *Constituição Dirigente e Vinculação do Legislador*, pp. 257 e ss. Na doutrina espanhola, cfr. J. RODRIGUEZ-ZAPATA Y PEREZ, «Desviación de Poder y Discricionalidad del legislador», in *RAP*, n.º 100-102 (1983), pp. 1527 e ss. Cfr. ainda LENER, «L'ecesso di potere del legislatore e i giudici», in *Foro It.*, I, 1981, pp. 3003 e ss; «L'ecesso di potere legislativo e la Corte Costituzionale oggi», *Foro It.*, I, 1982, p. 2693; A. PIZZORUSSO, «Il controllo della Corte Costituzionale sull'uso della discrizionalità legislativa», in *Riv. Trim. Dir. Proc. Civ.*, 1986, pp. 798 e ss; A. BOCKEL «Le pouvoir discrétionnaire du legislateur», in CONAC/MAISL/VAUDIAUX (org.), *Itinéraires. Études en l'honneur de Leo Hamon*, Paris, 1982, pp. 43 e ss. Entre nós, por último JORGE MIRANDA, *Manual*, VI, p. 40 ss.

Com isto tenta-se transferir para os domínios da actividade legislativa a figura do *desvio do poder dos actos administrativos*. Aqui considera-se que os poderes administrativos não são poderes abstractos, utilizáveis para qualquer finalidade, mas sim poderes funcionais, conferidos pela lei em vista de um fim específico. Sempre que a norma atribui a uma autoridade ou órgão de administração um poder com vista a determinado fim (condicionante do exercício da sua competência) e essa autoridade ou órgão prossegue fins distintos dos fixados pela norma, a decisão ou deliberação (acto administrativo) que adopte deve considerar-se viciada de nulidade. Todavia, no que respeita ao acto legislativo, considerava-se que ele era um *acto livre no fim*. A discricionariedade do legislador ou, como hoje se diz, o *âmbito de liberdade de conformação legislativa*, não era uma discricionariedade sujeita a pressupostos vinculados, dado que as opções políticas do legislador não eram susceptíveis de controlo e os fins da lei eram soberanamente estabelecidos pela própria lei[29].

Contra uma concepção tão absoluta de lei como *acto livre no fim*, movem-se hoje poderosas críticas que tendem a assinalar dois momentos *teleologicamente* relevantes nos actos legislativos: (i) em primeiro lugar, a lei tem, por vezes, função de execução, desenvolvimento ou prossecução dos *fins* estabelecidos na constituição, pelo que sempre se poderá dizer que, em última análise, a *lei* é vinculada ao fim constitucionalmente fixado; (ii) por outro lado, a lei, embora tendencialmente livre no fim, não pode ser *contraditória, irrazoável, incongruente* consigo mesma.

Nas duas hipóteses assinaladas, toparíamos com a vinculação do fim da lei: no primeiro caso, a vinculação do fim da lei decorre da constituição; no segundo caso, o fim *imanente* à legislação imporia os limites materiais da **não contraditoriedade, razoabilidade e congruência**.

Consideremos estes dois exemplos.

Uma lei reguladora do *estado de emergência* (cfr. arts. 19.º e 164.º/e) está vinculada ao fim constitucional, justificador da admissibilidade do estado de emergência: *restabelecimento da normalidade constitucional*. Assim, se a lei que disciplina o *estado de emergência* visa não só conferir às autoridades competência para tomarem as providências necessárias e adequadas ao restabelecimento da normalidade constitucional mas alterar o sistema constitucional de repartição de poderes (reforçar, por ex., os poderes do Presidente da República),

---

[29] Cfr. L. PALADIN, «Legittimità e merito delle leggi nel processo costituzionale», *Riv. Trim. Dir. Proc. Civ.*, 1969, pp. 312 e ss; «Osservazioni sulla discrizionalità e sull'ecesso di potere del legislatore ordinario», *RTDP*, 1956, p. 1026; G. AZZARITI, «Ecesso di potere legislativo», in *Giur. Cost.* 1999, II, p. 653; M. MIGNEMI, «Sul inesistenza dell'ecesso di potere legislativo» in RTDP, 1995, p. 187 seg.

essa lei é inconstitucional: o fim indicado pela constituição é não a *alteração de competências* mas sim o *restabelecimento de normalidade constitucional*.

Uma lei reguladora das relações de trabalho – é este o segundo exemplo – considera-se a si própria, através do relatório preambular de justificação dos motivos, uma lei tendente a restringir despedimentos arbitrários e sem justa causa. Todavia, a doutrina constante do articulado é manifestamente incongruente com os motivos alegados para a sua elaboração: não restringe os casos de despedimentos sem justa causa. A lei estaria em contradição com os seus próprios fins.

A doutrina tem mostrado reticências quanto à transferência pura e simples dos vícios dos actos administrativos para os domínios da legislação. É certo que muitas vezes é a própria Constituição que subordina a lei a fins especiais (ex.: de acordo com o art. 87.° a disciplina de actividade económica e investimentos deverá ter em vista o desenvolvimento do país, a independência nacional e os interesses dos trabalhadores). Estes casos pressupõem e exigem uma maior atenção em relação às particulares condições e pressupostos a que as normas constitucionais subordinam a validade da lei, mas não conduzem necessariamente à figura do desvio do poder; há, sim, *inconstitucionalidade material* por violação dos fins constitucionalmente prescritos. O objecto da norma da lei, teleologicamente considerado, permite concluir pelo contraste da lei com a norma hierarquicamente superior da constituição. Existe, como hoje se diz, **violação da lei constitucional**.

Uma consideração especial merecerão as *leis medida*. O problema do desvio do poder legislativo põe-se com grande acuidade neste tipo de actos legislativos. Sendo as leis simultaneamente disciplina e acto, normação e execução, bem pode acontecer que os *poderes legislativos* sejam expressamente utilizados para furtar o acto ao controlo contencioso normal e para tratar desigualmente situações materialmente iguais (princípio da igualdade)[30]. Aqui poderá ser desejável uma maior acentuação do controlo do elemento *fim,* sem que, de qualquer modo, o juízo do órgão encarregado do controlo da constitucionalidade possa ultrapassar os limites da legalidade constitucional para se embrenhar no campo do *mérito* do acto legislativo.

Quanto aos casos de *irrazoabilidade* e de *contraditoriedade* intrínseca da lei, corre-se o risco de transformar o juízo da constitucionalidade em

---

[30] Hoje, em face da nova redacção do art. 268.°/4 da CRP, esta hipótese de fuga ao controlo contencioso é mais difícil, já que estão sujeitos a recurso contencioso todos os actos administrativos, independentemente *da sua forma* e, portanto, também os actos constantes de actos legislativos.

juízo de mérito da lei. Ao órgão fiscalizador da inconstitucionalidade está vedado valorar se a lei cumpre bem ou mal os fins por ela estabelecidos[31].

As questões mais difíceis relacionadas com o controlo da constitucionalidade – desde logo, porque colocam o problema dos limites funcionais da jurisdição constitucional – dizem respeito a estes «vícios de mérito» e não aos clássicos vícios materiais e formais. As questões básicas são duas: (1) a fundamentação da decisão pode assentar em *vícios produzidos no âmbito da liberdade de conformação do legislador* ou no *exercício do poder discricionário dos órgãos legiferantes*?; (2) a fundamentação da decisão pode basear-se em vícios que afectam a *vontade do legislador* como o *erro, dolo* ou *coacção*?

O «excesso» do poder legislativo ou «desvio» do poder legislativo entendido como vício de mérito eventualmente justificativos da nulidade da lei devem ser transpostos para o sistema de fiscalização da inconstitucionalidade com muitas cautelas. Em primeiro lugar, deve demonstrar-se que existe uma *profunda incongruência* entre o uso do poder legislativo e os fins ou escopos fixados pela Constituição.[32] A fixação de fins pela Constituição condiciona o uso em concreto do poder legislativo, sendo possível, em certos casos, controlar se existe ou não adequação entre os fins constitucionais e os meios utilizados para os prosseguir, e se os fins prosseguidos são radicalmente diversa dos visados pelas normas e princípios constitucionais. Nalguns casos, pretende-se confrontar a lei com ela própria, perguntando-se se existem ou não os pressupostos de facto legitimadores da edição de uma determinada disciplina legislativa, ou se o regime jurídico estabelecido por lei é ilógico, arbitrário ou contraditório. As hipóteses de **vícios de mérito** reconduzem-se, fundamentalmente, a duas categorias: (1) vícios de mérito porque o uso do poder legislativo no sentido de impor determinadas soluções é objectivamente inadmissível perante determinadas circunstâncias, violando-se regras e princípios constitucionais (princípio da igualdade, princípio da proibição do excesso, direitos, liberdades e garantias); (2) vícios de mérito por *irrazoabilidade da lei* captada através de um conjunto de manifestações (inconsequência, incoerência, ilogicidade, arbitrariedade, contraditoriedade, completo afastamento do senso comum e da consciência ético-jurídica comunitária). Na primeira hipótese, há casos que se entrecruzam com dimensões presentes na segunda hipótese (ex.: violação do princípio da proibição do excesso). As

---

[31] Cfr. MODUGNO, *L'invalidità*, cit., p. 135. Sobre a cláusula de razoabilidade cfr., por último, C. AZZARITI, «Premessa per uno studio sul potere discrizionale», in *Scritti in onore de Massimo Severo Giannini*, vol. III, Milano, 1988; P. VIRGA «Ecesso di potere per mancata prefissione di parametri di riferimento», in *Scritti Giannini*, vol. I, p. 585; G. ZAGREBELSKY, *La giustizia costituzionale*, Bologna, 1988, p. 137; G. SCACCIA, *Gli 'strumenti' della ragionevolezza nel giudici costituzionale*, Milano, 2000.

[32] Cf., por último, G. DE VERGOTTINI, *Diritto Costituzionale*, 2.ª ed., p. 653.

hipóteses mais discutíveis são aquelas em que os fins da lei ou os meios utilizados são *materialmente* falsos. Nestes últimos casos, a *falsidade material* dos meios e dos fins poderá legitimar um controlo mais intenso, mas sem que o Tribunal Constitucional se possa substituir ao legislador nos juízos sobre a bondade e oportunidade das soluções político-legislativas.

Já é questionável a fundamentação de uma decisão de inconstitucionalidade com base em *vício de vontade* (erro, dolo ou coacção), dado o carácter institucional e colectivo dos órgãos legiferantes.

<blockquote>
Esta última hipótese, embora pareça meramente teórica, já surgiu na prática constitucional italiana (Sentença de 7 de Março de 1964) quando se pediu ao Tribunal Constitucional a declaração da nulidade de uma lei com fundamento em «violência» (depois da votação da mesma, um grupo de deputados declarou votar contra a sua consciência e unicamente obrigado pela disciplina de partido). Para outros desenvolvimentos sobre os *vícios de discricionariedade legislativa*, cfr. o nosso trabalho, *Constituição Dirigente e Vinculação do legislador*, pp. 257 e ss.
</blockquote>

VI - O princípio do controlo dos pressupostos vinculados do acto legislativo[33]

A doutrina tradicional considera que os vícios formais da lei incidem sobre o *procedimento* constitucionalmente estabelecido para a formação das leis e sobre o *acto-lei*, como momento terminal desse processo.

Hoje, põe-se seriamente em dúvida se certos elementos tradicionalmente não reentrantes no processo legislativo não poderão ocasionar vícios de inconstitucionalidade. Estamos a referir-nos aos chamados **pressupostos**, constitucionalmente considerados como elementos determinativos de competência dos órgãos legislativos em relação a certas matérias (pressupostos objectivos). Atentemos nestes exemplos extraídos da nossa Constituição. O art. 54.º/5/*d* considera como direito das comissões de trabalhadores «participar na legislação do trabalho e dos planos económico-sociais que contemplem o respectivo sector». O mesmo direito é reconhecido às associações sindicais no art. 56.º/2/*a*. Se uma lei, decreto-lei ou qualquer acto legislativo, estabelecer a disciplina normativa das relações de trabalho sem a participação das comissões de trabalhadores ou das associações sindicais estaremos perante uma hipótese de falta de um elemento integrativo da competência dos órgãos legislativos quanto

---

[33] Para outras precisões do conceito de discricionariedade e de vícios de discricionariedade, cfr. o nosso livro *Constituição Dirigente*, pp. 257 e ss. Cfr., também, MARCELO REBELO DE SOUSA, *Valor Jurídico*, cit., p. 115, que define pressupostos (de acto do poder político) como sendo os «dados subjectivos ou objectivos que devem encontrar-se previamente preenchidos para que haja acto e acto válido».

à legislação do trabalho e que não se pode considerar propriamente como fazendo parte do procedimento legislativo. No entanto, à semelhança do que acontece com os pressupostos de facto do acto administrativo, a participação dos trabalhadores através das suas comissões ou associações é um *elemento vinculado* do acto legislativo, decisivamente condicionante da competência dos órgãos legislativos quanto a matérias respeitantes aos *direitos dos trabalhadores*. A participação é aqui um *pressuposto objectivo do acto,* cuja falta origina a inconstitucionalidade da lei.

O art. 229.º/2 determina a audiência obrigatória, pelos órgãos de soberania, dos órgãos do governo regional quanto a questões relativas às regiões autónomas. Assim, se uma lei da República definir a política fiscal das regiões autónomas sem ouvir os respectivos órgãos de governo, faltará um pressuposto do exercício de competência em relação a matérias respeitantes às regiões autónomas e essa falta determinará a irregularidade do acto legislativo.

Nestes casos e noutros semelhantes, a audiência e participação obrigatórias são elementos externos ao procedimento de formação das leis, mas condicionam o exercício da competência da Assembleia da República ou do Governo em matérias respeitantes aos direitos dos trabalhadores ou às regiões autónomas[34]. A sua falta afecta a constitucionalidade do acto, sendo apenas problemático se a inconstitucionalidade pode ser invocada autonomizando exclusivamente estes pressupostos. A nós parece-nos que sim, tanto mais que no juízo de inconstitucionalidade o juiz ou o Tribunal Constitucional não poderão deixar de conhecer dos *pressupostos como elementos vinculados do acto legislativo* (cfr., porém, *infra*).

Contra esta solução é irrelevante o facto de a Constituição não ter estabelecido a forma concreta de participação de terceiros. Ao Tribunal Constitucional caberá sempre determinar o limite mínimo essencial, aquém do qual não se pode dizer ter havido participação ou audição. Nem se pode argumentar com o facto de num dos casos se tratar de entidades sem *estatuto jurídico público*. A Constituição, sem atribuir aos sindicatos e às comissões de trabalhadores estatuto público, atribui-lhes, contudo, funções públicas de carácter político.

Relativamente ao problema da participação das organizações de trabalhadores na legislação de trabalho três pontos mereceram, porém, discussão, sem que até ao momento se chegasse a conclusões inteiramente líquidas: (1) qual o grau e forma de intensidade de participa-

---

[34] Note-se que o carácter externo da audiência e da participação relativamente ao procedimento legislativo não é hoje pacífico. Se por procedimento se entender todo o complexo de actos necessários à produção do acto legislativo e não apenas o procedimento formal das entidades, então a audiência e participação farão parte do procedimento e a sua inexistência deve qualificar-se como vício de procedimento.

ção exigida; (2) o que se deve entender por legislação do trabalho; (3) se a participação na legislação de trabalho é um dos direitos fundamentais dos trabalhadores análogo aos direitos, liberdades e garantias. Cfr., logo, Parecer n.º 18/78 da Comissão Constitucional, in *Pareceres*, Vol. 6.º, pp. 3 e ss, e respectivos votos de vencido, pp. 34 e ss.

A resposta ao último problema parece ser líquida em face do texto da LC n.º 1/82 ao incluir nos *direitos, liberdades e garantias dos trabalhadores,* a participação na elaboração da legislação de trabalho (arts. 54.º/5/*d* e 56.º/2/*a*) e o direito à contratação colectiva (art. 57.º/3). Fundamental, a este respeito, no plano jurisprudencial, deve mencionar-se o Acórdão n.º 31/84 do Tribunal Constitucional. Posteriormente cfr. Acs. TC 22/86, 64/91 e 92/92. Uma boa resenha da jurisprudência do Tribunal Constitucional sobre o carácter jurídico-constitucional do direito de participação ver-se-á em Nadir Palma Bico, «O Direito de Participação das Comissões de Trabalhadores e das Associações Sindicais na Legislação do Trabalho», in *Estudos sobre a jurisprudência do Tribunal Constitucional,* pp. 197 e ss.

VII - O princípio da congruência

De uma forma genérica (cfr. *supra*) pode dizer-se que o Tribunal Constitucional observa o **princípio da correspondência entre o requerido e o pronunciado** ou **princípio da congruência** (expressão hoje em desuso) quando respeita a correspondência entre o *pedido* e a decisão, não decidindo nem *ultra petitum* (para além do pedido), nem com outros motivos que não sejam os da *causa petendi,* isto é, as razões ou fundamentos invocados. A questão não tem resposta uniforme, pois existem "lógicas" diferentes nos vários processos de fiscalização da constitucionalidade (cf. Ac. TC 2/16/91, in *Acórdãos,* vol. 20) [35]. O problema é complexo porque: (1) em certos processos (fiscalização abstracta) não vigora o princípio do contraditório; (2) certas normas conexas com a norma declarada inconstitucional carecem de sentido depois da nulidade desta última produzir os seus efeitos (o problema dos limites às sentenças declarativas de nulidade parcial); (3) o princípio da *causa petendi* não pode ser rigorosamente aplicado, pois isso privaria o Tribunal de fundamentar a sua decisão de forma diferente da alegada no pedido (cfr. LTC, art. 80.º/*b*). De qualquer modo, o alcance do princípio do pedido no processo de fiscalização correcta significa que o Tribunal não vai apreciar a questão da constitucionalidade em abstracto mas sim em via de recurso no quadro da *decisão recorrida.*

O princípio da congruência tem de relacionar-se ainda com o princípio da limitação da decisão à questão da inconstitucionalidade, pois se o

---

[35] Cfr. J. MIRANDA, *Manual,* VI, p. 57 ss.; V. CANAS, *Os processos,* p. 144; CARDOSO DA COSTA, *A Jurisdição,* p. 47.

Tribunal Constitucional alargasse os seus poderes à apreciação do mérito da causa principal transformar-se-ia numa «superinstância» ou em «tribunal de revisão», manifestamente incompatível com os preceitos constitucionais (cfr. atrás, n.º 3). Por aqui se vê que a limitação do Tribunal ao julgamento da questão da inconstitucionalidade é o reflexo de um *problema de delimitação de competências* dentro do próprio poder judicial. O critério de delimitação costuma traduzir-se, na Alemanha, na distinção entre **direito constitucional específico** (*spezifsches Verfassungsrecht*) e *simples direito ordinário* (*einfaches Recht*). O Tribunal Constitucional só pode debruçar-se sobre a própria matéria da causa quando houver violação de direito constitucional específico mas não quando houver decisões dos tribunais que aplicam erradamente o direito ordinário (direito civil, direito penal, direito administrativo). Este critério nem sempre é fácil de aplicar, como o demonstra o caso da regulamentação legal de direitos fundamentais, onde claramente se detectam os efeitos de «irradiação» e de «reciprocidade» entre o direito ordinário e o direito constitucional específico (cfr. *supra*). Por isso se reconhece, hoje, que a fórmula distintiva – «direito constitucional específico» *versus* «simples direito ordinário» – é infeliz[36]. Não se pretende dizer que há uma específica qualidade do direito constitucional mas sim que existe uma distinção necessária entre normas constitucionais e normas de direito ordinário. Por isso, tem-se procurado uma tipicização do "direito constitucional específico". Haverá violação do direito constitucional quando: (1) forem violadas directamente normas constitucionais sem qualquer mediação legislativa; (2) forem violados princípios processuais constitucionais mesmo quando eles sejam recebidos nos "códigos" de direito ordinário (ex.: princípio da defesa, princípio do contraditório); (3) forem aplicadas normas inconstitucionais; (4) forem violadas normas constitucionais por interpretação e aplicação do direito ordinário. Esta "tipologia tipicizadora" continua a ser muito vaga. O problema da separação entre direito constitucional e direito ordinário com a consequente repartição de competências entre o Tribunal Constitucional e tribunais ordinários, depende, muitas vezes, da *extensão* e *intensidade* de controlo que só no contexto dos casos concretos é possível compreender.

---

[36] Cfr. PESTALOZZA, *Verfassungsprozessrecht*, 3.ª ed., 1998, p. 601; K. SCHLAICH, *Das Bundesverfassungsgericht*, 3.ª ed., 1994, p. 273; BENDA/KLEIN, *Lehrbuch des Verfassungsprozessrechts*, p. 588; STERN *Staatsrecht*, III/2, p. 1356.

VIII - O princípio da fundamentação

O princípio geral do **dever de fundamentação de decisões dos tribunais** (cfr. art. 210.º/1) tem também importantes consequências jurídico-constitucionais no campo específico da motivação das sentenças do Tribunal Constitucional. Numa decisão do Tribunal Constitucional interessa saber em que «vícios», «causas», «motivos» ou «fundamentos» ela se baseia para considerar e declarar uma norma inconstitucional ou não inconstitucional. A relevância da fundamentação é ainda decisiva nos casos de sentenças interpretativas ou de declaração de nulidade parcial. Estes vícios reconduzem-se, como já se assinalou, aos chamados *vícios de inconstitucionalidade material*, aos *vícios de inconstitucionalidade orgânica (por vício de competência) e aos vícios de inconstitucionalidade formal (por vício de forma ou 'in procedendo')*. Não basta, porém, a invocação genérica destes vícios. A decisão deve especificar quais são, concretamente, os vícios existentes e conducentes à declaração da inconstitucionalidade de um acto[37] (cfr., CRP, art. 205.º/1). A fundamentação das decisões do Tribunal Constitucional tem, também, uma função democrática: materializar a relação de concordância entre o órgão jurisdicional, "guardião da constituição", e o povo em nome do qual são proferidas as decisões jurisdicionais[38]. Esta função democrática é tanto mais importante quanto as sentenças do Tribunal Constitucional afivelem as máscaras de "legislador negativo" ou de "legislador interpretativo correctivo".

Referências bibliográficas

Aja, E. (org.), *Las Tensiones entre el Tribunal Constitucional y el Legislador en la Europa actual*, Barcelona, 1997.

Badura, P. – "Erneute Uberlegungen zur Justitiabilität politischer Entscheidungen", in *Fest. E. Marenholtz*, 1994, p. 869.

Ballaguer Callejon, Maria – *La interpretación de la Constitución por la jurisdicion ordinaria*, Madrid, 1990.

Brito, M. – "Sobre as decisões interpretativas do Tribunal Constitucional", in *RMP*, 1995, n.º 62, pp. 59 e ss.

Canaris, C. W. – *Direitos Fundamentais e Direito Privado*, Coimbra, 2003.

---

[37] Cfr., nestes termos, MARCELO R. DE SOUSA, *Valor Jurídico*, cit., p. 189.

[38] Cfr. A. SAITTA, *Logica e Retorica nulla motivazione delle decisioni della Corte Costituzionale*, Milano, 1986, p. 25.

Canotilho, G. – «A concretização da Constituição pelo legislador e pelo Tribunal Constitucional», in J. Miranda, (org.) *Nos dez anos da Constituição*, pp. 345 e ss.

Cardoso da Costa, J. M. – *"A hierarquia das normas constitucionais e a sua função na protecção de direitos fundamentais"*, pp. 14 e 21.

Crisafulli – «Giustizia Costituzionale e potere legislativo», in *Studi in onore C. Mortati*, Milano, 1977 (= *Stato, Popolo Governo*, 1988, pp. 227 e ss).

Diederichsen, U. – "Das Bundesverfassungsgericht als oberstes Zivilgericht – ein Lehrstück der juristischen Methodenlehre", in ACP (1988), pp. 171 e ss.

Hesse, K. – «Funktionelle Grenzen der Verfassungsgerichtsbarkeit» in *Recht als Prozess und Gefüge, Fs. für H. Hüber, zum 80 Geburtstag*, 1981, pp. 269 e ss.

Heun, W. – *Funktionell-rechtliche Schranken der Verfassungsgerichtsbarkeit*, Baden-Baden, 1992.

Medeiros, R. – «Valores jurídicos negativos da lei inconstitucional», in *O Direito*, 1989, pp. 522 e ss.

– *A decisão de inconstitucionalidade*, Lisboa, 1998.

Miranda, J. – *Manual*, VI, pp. 74 e ss.

Moreira, V. – "Princípio da maioria e princípio da constitucionalidade: legitimidade e limites da justiça constitucional", in *Legitimidade e Legitimação da Justiça Constitucional*, Coimbra, 1995, p. 196.

Pizzorusso, A. – «Sui Limiti delle potestá normativa della Corte Costituzionale», in *Riv. Ital. Dir. Proc. Pen.*, 1982, I, pp. 305 e ss.

Pinardi, R. – *La Corte, i giudice ed il legislatore*, Milano, 1993.

Rubio Llorente – «La Jurisdicción Constitucional como forma de creación de Derecho», in *REDC*, 22/1988, pp. 9 e ss.

Schuppert, G. F. – *Funktionell-rechtliche Grenzen der Verfassungsinterpretation*, Baden-Baden, 1980.

Schenke, W. R. – *Verfassungsgerichtsbarkeit und Fachgerichtsbarkeit*, Heidelberg, 1987.

Schlaich, K. – *Das Bundesverfassungsgericht*, 3.ª ed., München, 1994.

Simon – «Verfassungsgerichtsbarkeit», in Benda/Maihoffer/Vogel (org.), *Handbuch des Verfassungsrechts*, 1983, p. 1288.

Steinwedel, O. – *"Spezifisches Verfassungsrecht" und 'einfaches Recht'*, Baden-Baden, 1976.

Teles, M. G. – "A Competência da Competência do Tribunal Constitucional", in *Legitimidade e Legitimação da Justiça Constitucional*, Coimbra, 1995, pp. 105 e ss.

Tropper, M. – "La motivation des décisions constitutionnelles", in Parelmann/Fariers (org.), *La motivation des décisions de justice: études*, Bruxelles, 1978.

Würtenberger, Th., «Zur Legitimität des Verfassungsrichterrechts", in B. Guggenberger/Th. Württenberger, *Hüter der Verfassung oder Lenker der Politik? Das Bundesverfassungsgericht im Widerstreit*, Baden-Baden, 1998, pp. 57 e ss.

Parte V
Teoria da Constituição

Título 1

*O Estado da Arte:
Situação da Teoria da Constituição*

Capítulo 1

O Lugar Teórico da Teoria da Constituição

Sumário

A. O "Lugar Teórico" da Teoria da Constituição

   I - Inexistência de uma situação clássica

   II - Lugar teórico da teoria da constituição

   III - Origens da Teoria da Constituição

B. Tendências Teóricas Fundamentais

   I - Compreensão formal-processual da Constituição
      1. Ideia geral
      2. Crítica

   II - Compreensão material da Constituição

A. O "Lugar Teórico" da Teoria da Constituição

I - Inexistência de uma situação clássica

Não há hoje uma *situação clássica* em sede de teoria da Constituição. Entendemos por **situação clássica** aquela em que se verifica um acordo duradouro em termos de categorias teóricas, aparelhos conceituais e métodos de conhecimento. Como iremos demonstrar, a divergência profunda quer quanto aos problemas constitucionais da contemporaneidade quer quanto às respostas dadas a esses problemas torna hoje improvável o aparecimento de uma *situação clássica* da teoria da constituição.

Em abono da verdade, talvez não se possa dizer a propósito das teorias clássicas da constituição, como são, por exemplo, as teorias de Heller, Smend e Schmitt, aquilo que ironicamente Schumpeter afirmou acerca das teorias económicas: "a maior parte das criações da inteligência ou da imaginação desaparecem sem deixar rasto após um período que varia entre uma hora depois do jantar e uma geração". Algumas das intranquilidades teóricas agitadas pelos autores referidos ressurgem hoje sob outros nomes ("teoria da justiça", "teoria da democracia", "teoria dos sistemas"), mas tendo em conta o *desenvolvimento constitucional* e a *crítica da razão constitucional*. A *crítica da razão constitucional* obriga-nos a perguntar pela relevância do conteúdo da teoria para o mundo real. O *desenvolvimento constitucional* toma em consideração o arranjo de novas formas organizativas, de novos processos político-sociais e de novas soluções para os problemas nascidos dentro dos sistemas ou subsistemas sociais. Se quisermos captar em poucas palavras a dança molecular da teoria da constituição diriamos que ela tem de lidar com problemas de *complexidade dinâmica, adaptabilidade, auto-organização, emergência e evolução*. Neste sentido, a teoria da constituição compreender-se-á como uma *teoria emergente*. "Emergente" de quê? Do «fim da história», do progresso do estado de direito democrático-constitucional patrioticamente concebido ("patriotismo constitucional") e do começo de novas *ordens* normativas enquadradas em comunidades políticas mais amplas e em universos económicos globalizantes. A *globalização* será aqui entendida apenas como uma dimensão de uma rede complexa de relações políticas, económicas e culturais. Por isso, continuaremos a considerar o estado de direito democrático constitucional como uma parte fundamental de um **sistema de complexidade**. Esta proposta marcará também aquilo que, a nosso ver, representa o insubstituível contributo da *teoria da constituição* no actual discurso comunicativo: (1) a teoria da constituição continua a girar em torno da **problemática do estado de direito democrático-constitucional**, embora com novos actores sistémicos, internacionais e supranacionais; (2) pressupõe, por isso, a indispensabilidade do *direito* e do *Estado*; (3) assenta na indispensabilidade da democracia, e, desta forma, a teoria da constituição tenta conceber-se como **teoria da democracia**; (4) a articulação do processo democrático com o processo de institucionalização de garantias fundamentais conduzirá sempre à análise da complexidade do estado de direito democrático-constitucional.

II - Lugar teórico da teoria da constituição

A localização teórica daquilo a que se costuma chamar *Teoria da Constituição* (*Verfassungslehre*, na terminologia alemã) é incerta e até obscura. No presente trabalho assume-se a **Teoria da Constituição** como uma *teoria política do direito constitucional* e como *teoria científica do direito constitucional*. Porquê *teoria política*? Porquê *teoria científica*? É uma *teoria política* porque pretende compreender a *ordenação constitucional do político*, através da análise, discussão e crítica da força normativa, possibilidades e limites do direito constitucional. É uma *teoria científica* porque procura descrever, explicar e refutar os fundamentos, ideias, postulados, construção, estruturas e métodos (dogmática) do direito constitucional.

A teoria da constituição é, porém, mais do que uma *teoria política* e uma *teoria científica* do direito constitucional. Aspira ainda a ser estatuto teórico da *teoria crítica e normativa da constituição*. Isto num triplo sentido: (1) como *instância crítica* das soluções constituintes consagradas nas leis fundamentais e das propostas avançadas para a criação e revisão de uma constituição nos *momentos constitucionais*; (2) como *fonte de descoberta* das decisões, princípios, regras e alternativas, acolhidas pelos vários *modelos constitucionais*[1]; (3) como *filtro de racionalização das pré-compreensões* do intérprete das normas

---

[1] Em termos semelhantes, mas não inteiramente coincidentes, cfr. GÖRG HAVERKATE, *Verfassungslehre. Verfassung als Gegenseitigkeitsordnung*, Verlag C.H. Beck, München, 1992, pp. 1 e ss; MORLOCK, *Was heisst und zu welchem Ende studiert man Verfassungstheorie?* Berlin, 1988, p. 93.

constitucionais, procurando evitar que os seus prejuízos e pré-conceitos jurídicos, filosóficos, ideológicos, religiosos e éticos afectem a racionalidade e razoabilidade indispensáveis à observação da rede de complexidade do estado de direito democrático-constitucional.

III - Origens da Teoria da Constituição

Uma teoria da constituição no sentido de uma *teoria normativa da política* não é uma inovação do nosso século. É certo que a teoria da constituição anda associada a três brilhantes juspublicistas alemães da década de 20-30: Hermann Heller, Carl Schmitt e Richard Smend (mas não devemos descurar Hans Kelsen e Heinrich Triepel). Todos eles procuraram compreender a crise do constitucionalismo liberal e do positivismo jurídico estatal afirmando a necessidade de uma teoria da constituição atenta à realidade constitucional e às transformações económicas, políticas e sociais. Mas, já antes, a *filosofia do constitucionalismo* desenvolvida por homens como Locke, Rousseau, Montesquieu e Tocqueville, havia estudado as formas *jurídicas do político*, procurando articular um conjunto de conhecimentos temáticos, experiências práticas e ideias normativas sobre o modo de se ordenar jurídico-constitucionalmente a *polis*[2]. No entanto, os cultores da teoria da constituição da década de 30 procuraram, para além de uma teoria normativa sobre o político, uma teoria orientada para a realidade social do seu tempo. Hermann Heller enfrenta a tensão entre estado--constituição e realidade constitucional através de uma teoria democrática do estado[3]. Carl Schmitt desenvolve uma teoria da constituição centrada em categorias nominalistas como "ordem total", "ordem concreta", "direito-situação", "constituição-decisão", "constituição e lei-constitucional", "amigo-inimigo", que viriam a servir de travejamento e suporte dogmático à teoria do direito e do estado nacional-socialista[4]. Richard Smend[5], enfrentando o "virulento" problema da homogeneidade política e social da República de Weimar, propõe a *integração* (teoria da integração) como modo de compreensão do direito constitucional e da realidade constitucional.

---

[2] Cfr. ULRICH PREUSS, *Zum Begriff des Politischen. Die Ordnung des Politischen*, Fischer Verlag, Frankfurt/M, 1994, p. 26, que se refere, precisamente, à "filosofia do constitucionalismo".

[3] Sobretudo em HERMANN HELLER, *Staatsrecht* (1934), edição de Gehrard Niemeyer, 6.ª ed., 1983.

[4] Cfr. CARL SCHMITT, *Verfassunglehre* (1928).

[5] Cfr. RICHARD SMEND, *Verfassung und Verfassungsrecht*, München/Leipzig, 1928.

A teoria da constituição da época de Weimar ainda hoje se considera de valor teórico inultrapassável. Construída em torno de um núcleo problemático central – a discussão sobre o método e orientação da ciência do estado[6] – continua a fornecer até aos nossos dias modelos teóricos dotados de grande força ordenadora relativamente aos principais problemas do estado.

A partir da década de 50, os estudos da teoria da constituição ganham novo fôlego depois do mortório nazi. Löwenstein, Friederich, Scheuner, H. Krüger, Hermens e Ehmke, entre outros, retomam o discurso do conteúdo político do direito constitucional e das suas condicionantes socioeconómicas. Mas notam-se já novas perspectivas em alguns destes autores. A obsidiante concentração dos cultores da teoria da constituição da década de 30 em torno da "unidade da ordem jurídica" e da "unidade do Estado" cede agora o lugar à preocupação de captar as dimensões básicas do estado constitucional, ou melhor, do *estado de direito democrático e constitucional*, e à necessidade de compreender a realidade constitucional através dos ensinamentos da ciência política (aos quais não era indiferente o *approach* da *political science* norte-americana).

B. Tendências Teoréticas Fundamentais

I - Compreensão formal-processual da constituição

1. Ideia geral

Uma significativa parte da teoria da constituição considera as constituições como *instrumentos formais de garantia*, despidos de qualquer conteúdo social e económico. A aceitação e incorporação de actividades socioestaduais no texto constitucional teria como consequência inevitável a perda de "juridicidade" e "estadualidade" por parte da constituição, conduzindo, assim, àquilo que se pode chamar a "inversão", "introversão" e "perversão" da lei constitucional (Forsthoff). Por outras palavras: a introdução de um conteúdo material, socioeconomicamente caracterizado, implica a "insegurança do direito constitucional", pois a constituição

---

[6] Trata-se da chamada *Richtungsstreit*. Veja-se sobre o tema M. FRIEDERICH, "Die Methoden- und Richtungsstreit. Zur Grundlagendiskussion der Weimarer Staatsrechtslehre", in *AÖR*, 112 (1977), pp. 161 e ss. Entre nós, vide, por último, MARIA LÚCIA AMARAL, "Carl Schmitt e Portugal. O problema dos métodos em direito constitucional português", in J. MIRANDA, *Perspectivas constitucionais*, I, pp. 167e ss; *Responsabilidade do Estado e Dever de Indemnizar do Legislador*, Coimbra, 1998, pp. 260 e ss.

deixa de ser lei, perde a sua formalidade, racionalidade, evidência e estabilidade, para se dissolver na "enxurrada" do social. Concebendo-se as leis constitucionais como instrumentos de garantia, compreende-se que só possam garantir o existente, o *status quo*, não podendo ser "leis sociais" transformadoras. Se se quiser salvar o estado de direito e a positividade da lei fundamental necessário se torna transferir os elementos sociais para o nível da administração.

Ainda com alguns pontos de contacto com a anterior está a concepção daqueles autores que visualizam as leis fundamentais como simples *instrument of government*, de natureza processual e não material (Hennis, Possony). A constituição não seria nem mais nem menos do que um instrumento de governo definidor de competências, regulador de processos e estabelecedor de limites à acção política. As leis constitucionais deveriam preocupar-se com o processo da decisão e não com o conteúdo, a substância da decisão. Só assim a constituição deixará de ser um "caminho de ferro social e espiritual", ao mesmo tempo que cumpre a sua missão fundamental – a de criar uma ordem estável para um governo efectivo –, ajustando-se às diferentes situações materiais e aos diferentes programas de governo.

2. Crítica

A substantivização excessiva de uma constituição, onde por vezes avultam pedaços de "utopia concreta", implica, de facto, sérios riscos, o principal dos quais é o do esvaziamento da sua força normativa perante a dinâmica social e política. No entanto, o processo e a forma só têm sentido, num estado democrático, quando relacionados com um certo conteúdo. Uma lei fundamental não pode ser completamente asséptica sob o ponto de vista substantivo. Por outro lado, subjacente à constituição como "instrumento de governo" está a ideia liberal da absoluta *separação estado-sociedade* com o corolário do *estado mínimo*: a constituição limita-se a funções de organização e de processo da decisão política (constituição do estado liberal) e abstém-se de intervir na *res publica* (a sociedade civil). A ideia de liberdade esgrimida contra a "pampoliticização" constitucional é, de novo, uma liberdade pré-estadual indiferente à existência de poderes fácticos de domínio a nível da sociedade civil e ocultando o facto de o estado mínimo e a constituição por ele conformada não serem necessariamente os mais livres e justos.

Além disto, está hoje em crise um conceito de constituição referido exclusivamente ao estado. O problema fundamental não está em contrapor uma constituição entendida como instrumento de governo a uma constituição concebida como lei da sociedade e do estado, mas sim em saber a justa medida de liberdade e de estadualidade que deve informar uma lei básica para ela aspirar à dignidade de ordem fundamental da *res publica* (constituição republicana) sem se converter num instrumento totalizador, integracionista e identificador de concepções unidimensionalizantes do estado e da sociedade.

Acresce que o conceito formal de constituição não é um conceito de constituição constitucionalmente adequado [7]. Além de assentar num *background* histórico-espiritual inaceitável (o estado autoritário e a "sociedade organizada", pelo menos na formulação de Forsthoff), significa o regresso ao estado de direito formal, pois a insistência na tecnicidade, neutralidade e positividade da lei fundamental do estado de direito, com desprezo dos elementos democráticos, sociais e republicanos, materialmente caracterizadores das constituições actuais, encobre um "falso positivismo". Consiste este em eliminar dos documentos constitucionais a sua dimensão material (o seu conteúdo legitimador) e aceitar que os conteúdos sejam impostos, de forma existencial e fáctica, pela prática e decisões dos agentes políticos e administrativos (positivismo sociológico). A função garantística não é, como veremos a seguir, incompatível com a materialização da lei fundamental.

II - Compreensão material da constituição

Uma das concepções de constituição mais aplaudida pela moderna juspublicística – a **teoria material de constituição** – pretende conciliar a ideia de constituição com duas exigências fundamentais do estado democrático-constitucional: (1) a *legitimidade material*, o que aponta para a necessidade de a lei fundamental transportar os princípios materiais informadores do estado e da sociedade; (2) a *abertura constitucional*, pois a constituição deve possibilitar o confronto e a luta política dos partidos e das forças políticas portadores de projectos alternativos para a concretização dos fins constitucionais. Embora não deva restringir-se a um "instrumento de governo" ou a uma simples "lei do estado", a constituição evitará converter-se em lei da "totalidade social", "codificando" exageradamente os problemas constitucionais. Se uma lei básica se propõe conformar relações de vida historicamente cambiantes isso obriga-a a um conteúdo temporalmente adequado, isto é, um conteúdo apto a permanecer "dentro do tempo" [8]. Caso contrário, pode pôr em perigo a sua "força normativa" e sujeitar-se a constantes alterações.

---

[7] Considerando ultrapassados os pressupostos políticos, sociais e económicos deste modelo constitucional, cfr., por último, DIETER GRIMM, *Die Zukunft der Verfassung*, p. 492.

[8] Sobre estas teorias cfr. J. J. GOMES CANOTILHO, *Constituição Dirigente e Vinculação do Legislador*, pp. 79 e ss; F. LUCAS PIRES, *Teoria da Constituição de 1976*, pp. 50 e ss; JORGE MIRANDA, *Manual de Direito Constitucional*, II, pp. 44 e ss.

A **ideia de constituição aberta** condensa algumas das sugestões mais importantes do moderno pensamento constitucional. Relativiza-se a *função material de tarefa* da constituição e justifica-se a "desconstitucionalização" de elementos substantivadores da ordem constitucional (constituição económica, constituição do trabalho, constituição social, constituição cultural). A historicidade do direito constitucional e a indesejabilidade do "perfeccionismo constitucional" (a constituição como estatuto detalhado e sem aberturas) não são, porém, incompatíveis com o carácter de *tarefa* e *projecto* da lei constitucional. Esta terá de ordenar o processo da vida política fixando limites às tarefas do Estado e recortando dimensões prospectivas traduzidas na formulação dos fins sociais mais significativos e na identificação de alguns programas da conformação constitucional.

Referências bibliográficas

1. Literatura básica

Quem desejar fazer o estudo da chamada "situação clássica" da Teoria da Constituição terá de ler seis obras fundamentais:

Friederich, C. – *Der Verfassungstaat der Neuzeit*, 1953. (Existem versões inglesa e castelhana).

Kelsen, Hans – *Reine Rechtslehre*, 1934 (2.ª ed., 1960). (Existe trad. portuguesa). – *Allgemeine Staatslehre*, Berlin, 1925.

Heller, Herman – *Staatslehre* (1934) (reimp. 1963), com numerosas traduções noutras línguas (existe trad. castelhana).

Löewenstein, Karl – *Verfassungslehre*, 1959 (3.ª ed., 1975). (Existe trad. castelhana).

Schmitt, Carl – *Verfassungslehre*, 1928 (8.ª ed., 1993) (tradução em várias línguas, incluindo uma tradução castelhana).

Smend, Richard – *Staatsrechtliche Abhandlungen* 1955 (2.ª ed., 1968). (Existem trad. italiana e castelhana).

2. Literatura contemporânea

O estudo da teoria da constituição continua a fazer-se em obras dedicadas especificamente a este tema.

AAVV – *Constitución y Constitucionalismo Hoy. Cincuentenario del Derecho Constitucional Comparado de Manuel Garcia Pelayo*, Caracas, 2000.

Blanco, Valdés R. L. – *El Valor de la Constitucion*, Madrid, 1994.

Brinkmann, Karl – *Verfassungslehre*, 1992.

Dogliani, M. – *Introduzione al diritto costituzionale*, Bologna, 1994.

Gossi, G. (org.) – *Democrazia, diritti, Costituzione*, Bologna, 1997.
Elster, John/Slagstad R. – *Constitutionalism and Democracy*, Cambridge, 1993.
Grimm, Dieter – *Die Zukunft der Verfassung*, Frankfurt/M, 1991.
Guastini, R. – "Sobre el concepto de Constitución", in *CUC*, 1 (1999), pp. 161 e ss.
Häberle, Peter – *Verfassung als öffentlicher Prozess*, 2.ª ed., Berlin, Duncker y Humblot, 1996.
Haverkate, Jörg – *Verfassungslehre*, Beck, München, 1992.
Hermens, A. – *Verfassungslehre*, 1964 (2.ª ed., 1968).
Morlock, M. (org.) – *Die Welt des Verfassungsstaates Erträge des Wissenschaftlichen Kolloquiums zu Ehren von Prof. M. H. C. mult. Peter Häberle aus Anlass seines 65.° Geburtstages*, Baden-Baden, 2001
Sanchiz, L. P. – *Constitucionalismo y Positivismo*, 1997.
Spadaro, A. – *Contributo per una teoria della Costituzione*, I, Milano, 1994.
Preuss, U. K. – (org.) *Zum Begriff der Verfassung, Die Ordnung des Politischen*, Frankfurt/M, 1994.
Hofmann, H. – *Das Recht des Rechts, der Recht der Herrschaft und die Einheit der Verfassung*, 1998.
– "Von der Staatssoziologie zu einer Soziologie der Verfassung?", in JZ, 22/1999, pp. 1065 e ss.

3. Intertextualidade

O estudo da teoria da Constituição obriga hoje ao estudo de obras sobre teoria da justiça, teoria dos sistemas, teoria do discurso e teoria do direito. Veja-se:
Jürgen Habermas – *Faktizität und Geltung*, Suhrkamp, Frankfurt/M, 1992. (Existem trad. port., americana e francesa).
– *Die Einbeziehung des Anderen*, Suhrkamp, Frankfurt/M, 2.ª ed., 1997.
John Rawls – *Theory of Justice*, 1972, Oxford University Press, Oxford. (Existe trad. port., Ed. Presença, Lisboa, 1993).
– *Political Liberalism*. (Existe trad. port., Ed. Presença, Lisboa, 1996).
Niklas Luhmann – *Rechtssoziologie*, 1972 (2.ª ed., 1983).
Ronald Dworkin – *Law's Empire*, Harvard University Press. Cambridge Mass., 1986. (Existe trad. esp., Gedisa, Barcelona, 1992).

4. Bibliografia portuguesa ou em língua portuguesa

Bonavides, Paulo – *Curso de Direito Constitucional*, 7.ª ed., São Paulo, 1997.
Canotilho, J. J. G. – *Constituição Dirigente e Vinculação do Legislador*, Coimbra, 1982.
Cunha, P. F. – *Constituição, Direito e Utopia*, Coimbra, 1996.

Direito Constitucional — *1340*

Dantas, I. – *O Valor da Constituição do controle de constitucionalidade como garantia da supralegalidade constitucional*, Rio de Janeiro, 1996.

Guerra Filho, Willis – *Ensaios de Teoria Constitucional,* Fortaleza, 1989.

Miranda, Jorge – *Manual de Direito Constitucional,* Vol. II, 4.ª ed., Coimbra, 2000.

Neto, C./Bercovici, G./Filho, J./Lima, M. *Teoria da Constituição. Estudos sobre o lugar da política no Direito Constitucional*, Rio de Janeiro, 2003.

Neves, Marcelo – *A Constitucionalização Simbólica,* São Paulo, 1994.

Pires, Francisco L. – *A Teoria da Constituição de 1976 – A Transição Dualista,* Lisboa, 1988.

Capítulo 2

Problemas Fundamentais da Teoria da Constituição

Sumário

A. Teoria da Constituição e Direito Constitucional

B. Problemas Básicos da Teoria da Constituição

1. Problemas de inclusão
2. Problemas de referência
3. Problemas de reflexividade
4. Problemas de universalização
5. Problemas de materialização do direito
6. Problemas de reinvenção do território
7. Problemas de «tragédia»
8. Problemas de fundamentação: princípios ou paradoxos?
9. Problemas de simbolização
10. Problemas de complexidade
11. Problemas de risco

C. A Dissolução da Teoria da Constituição

I - Considerações gerais

II - Teoria da constituição e teoria da administração

III - Teoria da constituição e teoria da justiça

1. A ideia de constituição como reserva de justiça
2. Estado constitucional democrático e concepção pública da justiça

A. Teoria da Constituição e Direito Constitucional

O direito constitucional já não é o que era. Por isso ou também por isso, a constituição já não é o que era. Comecemos pelo que eles eram. Em termos tendenciais, o direito constitucional concebia-se como um complexo normativo hierarquicamente superior no conjunto do sistema jurídico. Tal como no direito em geral, mas aqui de uma forma mais saliente dada a posição primigénea das normas constitucionais, acreditava-se que estas normas transportavam em si mesmas respostas predefinidas relativamente aos vários problemas surgidos na arquitectura e funcionamento da *polis*. Noutros termos, porventura mais explícitos: as normas constitucionais eram suficientes para "regular", "dirigir" e "decidir" os problemas jurídicos levantados numa comunidade constitucionalmente organizada. Bastava saber interpretar as normas da constituição – o que pressupunha em geral o "saber sábio" de "intérpretes-juristas" – para delas derivarmos todas as respostas que implicassem questões jurídico-político-constitucionais. A forma mais acabada da auto-suficiência normativo-constitucional encontrar-se-á porventura nas constituições programaticamente dirigentes. Além de oferecerem esquemas de regulação do poder político e dos vários *status* dos indivíduos, as normas da constituição aspiravam a uma força normativo-planificadora ou, pelo menos, *rectriz*, da transformação política, económica e social. Esta perspectiva do direito constitucional – aquela que investigámos e que influenciou decisivamente a nossa formação – está hoje numa encruzilhada. Vários factores contribuem ou contribuiram para isso.

Deve reconhecer-se que a auto-suficiência normativa sobrecarregada de pretensões narrativas e emancipatórias (ex.: a revolução ou transformação da sociedade com base na aplicação dedutivo-subsuntiva das normas constitucionais) acabava por ter efeitos irredutivelmente contraditórios. Um conhecido autor[1] teve oportunidade de denunciar alguns desses efeitos. Referia-se ele ao *fecho ideológico* deste modelo para exprimir a ideia de que a cristalização normativa da política implica necessariamente a renúncia aos diferendos e litígios

---

[1] Roberto Mangabeira Unger, *The Critical Legal Studies Movements*, Harvard, UP, 1983.

ideológicos. Mesmo que as normas constitucionais elas mesmas se arvorem em "vanguardas ideológicas do progressismo" não podem impedir que contra elas ou a pretexto delas se desenvolva um profundo debate ideológico. Mas não só isso: a incorporação da "dinâmica histórica" na estabilidade normativo-constitucional provoca um alheamento ou estraneidade óbvios do direito constitucional em relação aos processos político-sociais transformadores.

Em segundo lugar, o direito constitucional clássico e a sua teoria da constituição acabavam por se mover dentro de um *triângulo mágico* (Wahl) cujos ângulos eram os seguintes: (1) imperativo constitucional de "realização" do sistema de valores incorporado na *ordem constitucional*; (2) *judicialização* do controlo desta realização da fiscalização da constitucionalidade dos actos normativos; (3) *liberdade de conformação* do legislador na qualidade de primeiro concretizador dos valores normativo-constitucionais. Todos estes ângulos estão hoje desfocados. A ideia de constituição como "ordem de valores" (*Wertordnung*) obedecia mais às ideias integracionistas de um Smend do que a uma *leitura moral multicultural*, como a que hoje propõe R. Dworkin. O controlo da constitucionalidade representou a alavanca de Arquimedes para transformar o direito constitucional num sistema de *normas perfeitas* dotadas de coactividade e de sanção. Teve o mérito de assegurar força normativa à constituição. Não se evitou um encapuçado neopositivismo: o *positivismo jurisprudencial*. A constituição é o que os juízes dizem a partir da interpretação das normas. Finalmente, a liberdade de conformação do legislador continua a ser um ponto firme do direito constitucional. Associou-se, porém, a liberdade de conformação à "plenitude de legalidade" criada pelo legislador. Legislador e tribunais não deram conta, assim, da erosão do princípio da legalidade através do aparecimento de outras *instâncias normativas intralegais* e até *extralegais*.

Em terceiro lugar, o direito constitucional é um *projecto idealista da modernidade*. A teoria da constituição "tinha obrigação" de não alinhar neste idealismo. Desde Hobbes a Carl Schmitt, passando por Thomas Paine a Tocqueville, sempre os teóricos da constituição exigiram uma margem de "realismo" desprezada pelas arquitecturas normativo-constitucionais. Apesar disso, a teoria da constituição manteve uma relativa cumplicidade com o direito constitucional do estado. Foi, por isso, incapaz de responder ao "desencantamento" objectivista e ao materialismo de uma ordem jurídica global pautada não pela *lex fundamentale* mas pela *lex mercatoria*. Numa palavra: a teoria da constituição não compreendeu a diferenciação funcional das sociedades complexas. Tudo isto colocou uma série de problemas à teoria da constituição. Vejamos quais.

B. Problemas Básicos da Teoria da Constituição

1. Problemas de inclusão

O primeiro (e certeiro!) questionamento da resignação normativo-constitucional é feito pelo chamado "movimento crítico-legal" (perspectiva sociolegal) que denuncia as evidentes **dificuldade de inclusão**, por parte do direito constitucional e da teoria da constituição, dos problemas da mudança e da inovação jurídicas. De uma forma mais sofisticada, diz-se que o direito constitucional não consegue incluir nos seus campos problemáticos nem o fenómeno da *materialização* do direito nem a *autopoiesis* ou *auto-referencialidade* dos vários subsistemas sociais. Mostra dificuldades de inclusão do fenómeno de **materialização do direito** porque, ao partir da ideia de constituição como estatuto jurídico do político não vê que este estatuto, em vez de conformar autoritariamente a sociedade, é ele próprio que tem de proporcionar a adequação da esfera jurídica a diferentes *âmbitos sociais* e a diferentes *práticas sociais*. Em segundo lugar, o direito constitucional e a teoria da constituição revelam incompreensão perante as auto-referencialidades dos vários subsistemas sociais. Não dão conta que a ideia ordenadora do "Estado" e da política subjacente ao modelo constitucional clássico é inapropriada para captar a presença da *sociedade* e o esquema da *teterarquia* social que hoje domina a própria constituição desta sociedade. Nesta perspectiva, as dificuldades de inclusão sentidas pelo direito constitucional e pela teoria da constituição reconduzem-nos, em larga medida, ao seu *défice de informação e de comunicação* com o mundo ambiente exterior.

2. Problemas de referência

Além dos problemas de inclusão, o direito constitucional evidencia também **défices de referência**. Temos aqui em conta a tradicional perspectiva individualista da teoria do estado e da constituição. Os destinatários das normas constitucionais eram os *indivíduos*, quer se tratasse de indivíduos titulares de poderes e de cargos públicos quer se tratasse de particulares "ligados" ao direito constitucional pelo estatuto constitucional dos direitos fundamentais. Mas esta referência individual é duplamente redutora. Por um lado, o direito constitucional permanece indiferente, ou melhor, revela completa opacidade à dominância da *organização* (das grandes organizações!) e dos *actores colectivos neocorporativos*. Por outro lado, a teoria da constituição ignora que os esquemas *comunicativos*

destes grupos, organizações ou actores colectivos tendem a formar unidades comunicativas autónomas relativamente às quais a tradicional *semântica do poder* surge como explicação operativamente *naif.*

3. Problemas de reflexividade

Estreitamente associada – mas não só! – aos problemas da "crise do estado-político" insinua-se, nas modernas teorias do estado e da sociedade, a existência de uma **crise de reflexão** do estado de direito democrático e social. À "crise de ingovernabilidade" gerada pela "sobrecarga do estado" associar-se-ia uma *crise de reflexividade*. Por **crise de reflexividade** pretende-se exprimir a impossibilidade de o sistema regulativo central gerar um conjunto unitário de respostas dotadas de racionalidade e coerência relativamente ao conjunto cada vez mais complexo e crescente de demandas ou exigências oriundas *do* ou constituídas *no* sistema social.

O repto da crise de reflexividade dirige-se, em primeira linha, ao "poder político" ou "centro político" e à sua tecnologia de conformação do sistema social. Colocando-se em causa a tecnologia de conformação do *"centro político"*, naturalmente que se questiona a eficácia do *sistema de fontes* a começar pela fonte primária, ou seja, a constituição. No fundo, as "fontes normativas" deixam de ser funcionalmente adequadas para fornecer os impulsos e as bases juridicamente conformadoras de uma sociedade diferenciada. Consequentemente, o "centro político" e o seu sistema de fontes geram um *vazio funcional.* O *vazio* funcional do centro não equivale, é bem de ver, a um *vazio* do sistema político no seu conjunto. Também aqui não há *vazios estratégicos*. A *periferia* absorve algumas das tarefas de prestação e transformação social com a consequente politização das esferas periféricas. O centro terá de contentar-se com o estatuto político de *supervisor* progressivamente despolitizado e reduzido ao papel de controlador.

4. Problemas de universalização

A força da teoria da constituição radicava na ideia ordenadora central que se reconduzia afinal ao *estado-pessoa*, mesmo quando essa teoria procurava captar a força normativa do fáctico ou da constituição real. A *constituição* no sentido schmittiano, a *integração* no sentido de Smend, o *estado* no esquema de Heller e a *ordem jurídica* na teoria kelseniana, procuravam erguer-se

1348

a *categoria universal* que assegurasse as pretensões da sua própria *universalidade* e **universalização**. As coisas mudaram substancialmente nas décadas de oitenta e noventa do séc. XX. Várias universalidades como o mercado, a empresa, o governo, os sistemas eleitorais, os grupos, os sistemas de informação, as tecnologias, as organizações do sistema de saúde, envolvem o estado fazendo pelo menos concorrência às teorias normativas clássicas da *política* ou às teorias mais modernas da *justiça*. Ao proclamarem as suas *esferas da justiça* (*Spheres of Justice*) afirmam-se simultaneamente como categorias políticas universalizáveis.

A teoria da constituição intuira claramente a necessidade daquilo a que poderemos chamar o *ciclo do estado-pessoa*, ou, por outras palavras, o ciclo do *estado hegeliano* performador, totalizador e integrador das estruturas políticas. Por sua vez, este ciclo do *estado-pessoa* pressupunha um *direito do estado* e um *estado de direito* ancorado, como se referiu, no conceito de *soberania* ou *estado-soberano*. No plano interno, o estado soberano concebia-se como um sujeito dotado de um *estatuto privilegiado*. Se a constituição procura um arrimo preformador ou pré-constitutivo esse já não pode ser o do estado-pessoa-soberano. Em primeiro lugar, ele não estaria em condições de explicar o crescente pluralismo social, os processos extrajudiciais e a pulverização dos princípios ordenadores. No plano externo, mostrar-se-á impotente para explicar o aparecimento de ordenamentos jurídicos supranacionais. Isso significará que o estado e a sua constituição estão feridos num princípio básico do seu discurso – o *princípio da universalidade*. Os participantes nas diferentes redes de comunicação (economia, ensino, telecomunicações) estão em desacordo quanto à validade universal das normas de acção do estado constitucional[2]. Aqui reside um dos *paradoxos* fundamentais do discurso constitucional: sobrepor o discurso jurídico-constitucional aos *discursos reais emergentes* que transportam ou se servem de gramáticas específicas, de códigos e programas informados por racionalidades próprias dos mundos parciais (economia, telecomunicações, informática). Ao *observar-se* apenas a si própria, a teoria da constituição deixa de "constitucionalizar" a pluralidade de *posições de observadores* e de participantes no discurso comunicativo.

5. Problemas de materialização do direito

Entende-se por **materialização do direito** o fenómeno de adequação da esfera jurídica aos diferentes âmbitos sociais (direito social, direito dos

---

[2] Sobre este princípio, cfr. ALEXY, *Theorie der juristichen Argumentation*, 2.ª ed., Frankfurt/M, p. 234; J. HABERMAS, *Faktizität und Geltung*, p. 138.

consumidores, direito do ambiente, direito biomédico). A teoria da constituição revela dificuldades em compreender as lógicas da materialização do direito. Continua a considerar o direito constitucional – e sobretudo a constituição – como *lugar do superdiscurso social* a partir de uma concepção unilateralmente racionalizada e piramidal da ordem jurídica. Isso justifica a *opacidade* que alguns autores atribuem a este direito: "alheia-se" da mudança e da inovação jurídicas, desconhece a *localização de materialização* em áreas periféricas do ordenamento ou em ordenamentos periféricos.

6. Problemas de reinvenção do território

Os problemas do direito constitucional conexionam-se hoje, também, com a sua progressiva transformação num simples *direito regional do estado*, esvaziado de muitas tarefas soberanas que entretanto passaram para o *direito europeu*. A esta transformação está associada a **perda do território**. O território, como vimos ao estudar o aparecimento da categoria política estado, constitui um ponto de referência do agir estatal e, por isso, de grande relevância jurídica e política. Quanto mais o direito estiver "supranacionalizado" ou internacionalizado tanto menos o território constituirá as margens do "mundo jurídico soberano". O velho "direito nas fronteiras" é "dissolvido" pelas quatro liberdades fundamentais do direito comunitário: liberdade de pessoas, liberdade de mercadorias, liberdade de serviços e liberdade de capitais. O velho "direito de defesa" tem hoje operatividade prática fora das fronteiras e com enquadramentos internacionais (NATO, UEO, ONU). As empresas multinacionais saltam de território para território. O tratado conhecido como "Uruguai-Round" convenciona a "transnacionalização da produção". No chamado "quinto mundo", as comunidades de emigrantes e de refugiados criam o "quinto poder multicultural" dentro das fronteiras dos estados de acolhimento. A própria criminalidade salta os territórios e obriga a um sistema internacional de cooperação (Tratado de Maastricht, Tratado de Schengen, Tratado de Dublin). Finalmente, as modernas tecnologias há muito que deixaram de bater nas barreiras dos territórios estatais [3].

---

[3] Cfr. PETER SALADIN, *Wozu noch Staaten? Zu den Funktionen eines modernen demokratischen Rechtsstaats in einer zunehmenden überstaatlichen Welt*, Mainz, Bern, 1995; F. DELPÉREE, "La déstructuration de l'État-Nation", pp. 20 e ss.; F. MÜLLER, *Demokratie in der Defensive. Elemente einer Verfassungstheorie*, vol. 7, 2001, p. 86 ss.

7. Problemas de "tragédia"

O problema da teoria da constituição é tributário da chamada **tragédia do Estado**. Entende-se como *tragédia do Estado* a transmutação do sucesso de *estatalidade* em insucesso do paradigma político-estatal. Em palavras mais simples: o estado é agora vítima do seu sucesso. A "estatalidade pura" que animava as teorias clássicas da constituição (Schmitt, Forsthoff) esquecia uma ideia controversa mas nunca posta em dúvida. Era ela a de que a categoria estado constituia, como tantas outras, apenas uma ideia directriz radicada no seio da sociedade [4]. Na teoria da constituição (com a notável excepção de H. Heller) o estado tornou-se ele próprio ideia directiva. O Estado (com *E* grande) transforma-se em categoria ontológica e ignora sobranceiramente a *secularização* e *civilização* da política e a *contingência* da ordem social. Subsiste quase como categoria religiosa.

8. Problemas de fundamentação: princípios ou paradoxos?

A teoria da constituição e o direito constitucional defrontam-se com **problemas de fundamentação** em sede de *teoria do discurso*. Uma boa parte da teoria da constituição clássica escondia uma *teoria do discurso*. Por **teoria do discurso** compreende-se, em termos aproximados, uma teoria processual da justiça prática. Uma teoria do discurso é, pela sua própria natureza, um *processo de argumentação*. E aqui começam as primeiras dificuldades. Nem sempre se consegue manter um discurso argumentativo. Transita-se para *teorias contratualistas* estruturadas em torno do *conceito de decisão* e utilizam-se as perspectivas da teoria da decisão. Ou desliza-se para *discursos axiológicos* estruturados em torno de conceitos morais (valores, ordem de valores, bens). Não raro se entrecruzam *discursos hermenêuticos* de mundos parciais (de economia, da ética, da biologia) convertidos em métodos do direito constitucional. Tudo "isto" contribuiu para "isto": encher o discurso teórico-constitucional de *paradoxos*, de *dilemas* e de *teoremas*. Uma boa parte das análises constitucionais arredam os valores e captam a "racionalidade discursiva" através da "paradoxia" de discurso. Vamos dar exemplos. Em vez de se discutir as "qualidades da democracia" é racionalmente mais atractivo discutir os requisitos constitucionais mínimos para se poder falar em democracia. Daí os teoremas da decisão maioritária analisados por Kenneth

---

[4] Cfr. H. WILKE, *Die Ironie des Staates*, pp. 20 e ss.

May, Kenneth Arrow, Duncan Black. O "dilema do prisioneiro"[5], o "trilema de Münchenhausen", o "teorema do júri de Condorcet", o "teorema da impossibilidade" de Arrow salpicam hoje as teorias constitucionais da democracia impondo a *razão lógica* à lógica material dos valores.

9. Problemas de simbolização

A teoria da constituição defronta-se com problemas de **simbolização**. Estes problemas são principalmente agitados por três correntes teoréticas: (1) sociologia crítica[6]; (2) teoria sistémica[7]; (3) arqueologia mítico-retórica[8]. A sociologia crítica insiste na simbolização da constituição realçando que as suas normas não conseguem obter eficácia real (eficácia enunciativa). Em muitos casos, existe uma clara dissociação entre a *prática de dizer* e a *prática de fazer o direito*. No que respeita à constituição, existiria mesmo uma relação inversamente proporcional entre o carácter ideológico das normas e a sua eficácia, entre prática criadora e prática aplicadora do direito constitucional[9]. Numa posição próxima mas alicerçada em pressupostos teorético-sistémicos, a constitucionalização simbólica significa que ao "texto constitucional, numa proporção muito elevada, não correspondem expectativas congruentemente generalizadas e, por conseguinte, o consenso suposto na respectiva sociedade". Nesta perspectiva, a constituição não se desenvolveria como instância reflexiva do sistema jurídico[10]. Por fim, a arqueologia mítico-utópica articula constituição, constitucionalismo e codificação a fim de denunciar o artificialismo do sistema constituinte como sistema assente num pacto fundador, mesmo quando esse sistema se esconde atrás de teorias do consenso, de teorias contratualistas, de teorias comunicativas ou de teorias processuais. Aqui, o alvo da crítica não é tanto o do divórcio do discurso constitucional relativamente aos discursos reais no seio da sociedade, mas o do projecto da modernidade ao qual o constitucionalismo está indissoluvelmente ligado[11] e que esquece os *mitos fundadores* das comunidades políticas.

---

[5] Cfr. MIGUEL NOGUEIRA DE BRITO, *A Constituição Constituinte*, p.
[6] Cfr. JOSÉ EDUARDO DE FARIA, *O Direito na Economia Globalizada*, São Paulo, 1997; MAURÍCIO GARCIA VILLEGAS, *La eficacia simbolica del derecho*, Bogotá, 1993.
[7] Cfr. MARCELO NEVES, *A Constitucionalização Simbólica*, São Paulo, 1994.
[8] Cfr. PAULO FERREIRA DA CUNHA, *Constituição, Direito e Utopia. O Jurídico-Constitucional nas Utopias Políticas*, Coimbra, 1996.
[9] Cfr. VILLEGAS, *La eficacia*, p. 152.
[10] Cfr. MARCELO NEVES, *A Constitucionalização*, p. 131.
[11] Cfr. PAULO FERREIRA DA CUNHA, *Constituição, Direito e Utopia*, pp. 251 e ss e 349 e ss.

Direito Constitucional

10. Problemas de complexidade

De uma forma ou de outra, o constitucionalismo concebido como teoria normativa da política transportava sempre (com a relevante excepção do constitucionalismo inglês) esta ideia: o estado constitucional contém a *organização voluntária da sociedade*. A constituição do estado pressupunha-se como o *master code* desta organização. As sociedades pluralistas estruturam-se em termos complexos – **complexidade** – que tornam inconsistente uma construção teórica ou um *artefacto semântico* assente nestas premissas. A teoria da constituição baseava-se na *intencionalidade* construtivista da política; a complexidade social aponta para a *auto-organização*. Acresce que a complexidade social gera *diferenciações funcionais*, dispondo cada sistema diferenciado (político, económico, científico) de um *código funcional* (ex.: o voto no sistema político, a moeda no sistema económico) que determina o significado e a significação das acções de cada sistema social. Isto conduz a crescentes graus de especialização, impessoalidade e abstracção no conjunto do sistema social. Daí a impossibilidade de formação de um código unitarizante dos vários sistemas sociais.

A teoria da complexidade (as leis da complexidade) deve levar-se a sério, e, ao mesmo tempo, deve merecer contestação. Deve merecer contestação quando, em nome da *complexidade* ou da *hipercomplexidade* social, justifica a oposição a qualquer escolha pública e, sobretudo, às deliberações políticas democráticas. Deve levar-se a sério quando pretende salientar a inexistência de hierarquia de *sedes fenomenológicas* (exs.: jurídica > política > económica > científica) e a existência de formas de auto-organização. Estes dois momentos da complexidade têm grande relevância no plano da teoria da constituição. Por um lado, colocam em causa a teoria da constituição como *teoria de político* se e na medida em que esta pressupõe, em *sede fenomenológica,* a hierarquia do político relativamente aos outros sistemas (económico, social). Hoje não há "sobredeterminação", "determinação em última instância" de uns sistemas sobre os outros, mas retroagem indeterminadamente uns com os outros mantendo a sua própria "autodeterminidade". Afirmar-se, por outro lado, que a complexidade aponta para formas de auto-organização isso significa que o poder de a constituição (o direito) produzir os seus próprios códigos implica o seu próprio fecho normativo perdendo uma das dimensões reivindicadas pela lei constitucional: a *dimensão de integração* totalizante do político-social.

11. Problemas de risco

A Constituição, ao condensar normativamente os valores radicados na consciência jurídica geral da comunidade e ao recortar um esquema organizatório pautado pelas ideias da juridicidade, democracia e socialidade, acredita transformar-se ela própria em *reserva de justiça* (cfr. *supra*). O Estado de direito democrático-constitucional seria um Estado dotado de qualidades: *Estado de direito, Estado constitucional, Estado democrático, Estado social* e *Estado ambiental*. Quanto a esta última qualidade, as constituições mais modernas incorporam normas consagrando o direito ao ambiente ou, pelo menos, o ambiente como tarefa constitucional. Ora, é pelos trilhos ambientais que se aloja no seio da sociedade uma *injustiça essencial*,[12] sendo as instituições jurídicas – a começar logo pela constituição – incapazes de lhes dar resposta eficaz. Expliquemos melhor. O **paradigma da sociedade de risco** obriga a teoria da constituição a compreender novos conceitos da teoria social como é, precisamente, o conceito de risco. Ao lado de categorias e conceitos jurídicos como contrato, direito subjectivo, indivíduo, capital, trabalho, classe, integração, racionalização, o conceito de **risco** parece cristalizar as experiências fundamentais das sociedades altamente industrializadas. Qualquer que seja o conceito de risco (e existem vários conceitos, ou, pelo menos, várias acentuações), ele aponta para: (1) os perigos (conhecidos e desconhecidos) gerados pela moderna tecnologia; (2) as ameaças de toda a civilização planetária (Beck); (3) as potencialidades do domínio tecnológico da natureza e da pessoa; (4) os desafios colocados às comunidades humanas no plano da *segurança* e *previsibilidade* perante eventuais catástrofes provocadas pela técnica e pela ciência.[13]

Um dos problemas fundamentais da sociedade de risco é o da radical assinalagmaticidade do risco. Quer-se com isto dizer que o risco de catástrofes civilizatórias (Bophal, Chernobyl, terrorismo) é *criado* por uns e *suportado* por outros. Mas não só isso. Quem *participa* nas decisões de risco são organismos e organizações a quem falta legitimação democrática para decidir sobre a vida e a morte de comunidades inteiras. Por último, a *localização* das fontes de risco pauta-se, não raras vezes, por critérios de *injustiça ambiental*, situando indústrias e actividades perigosas nas zonas e países mais desprotegidos (em termos económicos, sociais, culturais, científicos).

---

[12] Cfr., BENJAMIN DAVY, *Essential Injustice*, Wien/New York, 1997; G. LÜBBE-WOLF, "Präventiver Umweltschutz…", p. 47 ss.

[13] Vide, por todos, U. BECK, *Risikogesellschaft. Auf dem Weg in eine andere Moderne*, Frankfurt/M., 1986; N. LUHMANN, *Soziologie des Risiko*, Berlin/New York, 1991; W. KÖCK, «Risiko als Staatsaufgabe», in AÖR, 121 (1996), p. 1 ss.

O problema que se coloca, em sede de teoria da constituição, é o de saber se ela pode contribuir para a *modernização reflexiva*, isto é, para a análise e crítica do desenvolvimento científico-tecnológico, para a desmonopolização dos conhecimentos, e, consequentemente: (1) para a democratização do conhecimento dos efeitos secundário das decisões de risco; (2) para a democratização do desapossamento da política a favor da ciência e da técnica. Se quisermos empregar termos mais clássicos, diriamos que o problema da Constituição é o de saber se ela pode reabilitar a virtude aristotélica da *prudentia* que outra coisa não é senão a escolha racional de decisões em situações de incerteza. Aí está o problema: os procedimentos, formas e instituições de uma **democracia de risco** e de uma **justiça de risco** passam também pela articulação de vários subsistemas (científico, económico, político, jurídico) que um esquema normativo-constitucional dificilmente pode assegurar. Por outras palavras: a teoria da constituição defronta o problema da conformação da *comunidade política do risco*, com as questões inerentes de uma *nova democracia participatória* e de uma nova *cidadania de risco*.[14]

C. A Dissolução da Teoria da Constituição

I - Considerações gerais

Uma das teses deste livro é esta: a teoria da constituição encontra-se hoje dissolvida noutras teorias o que conduziu à desvalorização da constituição e das teorias nela centradas. De certo modo, as teorias da constituição foram objecto de erosão e esvaziamento a montante e a jusante. A montante, as *teorias filosóficas da justiça* aproveitaram-se da ideia de constituição para recortar em termos moralmente contratualistas os traços da justiça numa sociedade bem ordenada. A jusante, as *teorias sociológicas* do direito descobrem na constituição os últimos traços normativos da razão prática (Habermas) e procuram esquemas regulativos mais adequados à materialização do direito (Luhman, Teubner, Wilke). Comprimida entre a *factualidade* ("facticidade") e a *validade*, a constituição parece impotente para enfrentar a tensão entre o materialismo da ordem

---

[14] Cfr., RICHARD HISKES, *Democracy, Risk and Community*, New York/Oxford, 1998.

jurídica, sobretudo da sua *lex mercatoria*, e o idealismo do direito constitucional que não sabe como recuperar o contacto com a realidade social [15].

A erosão da teoria da constituição vem ainda do interior do direito público. Com efeito, a desvalorização da constituição emerge das tentativas de autonomização e legitimação do *poder administrativo*. A administração assume as funções reservadas ao legislador e à constituição com a vantagem de responder à falta de eficácia da razão normativo-constitucional e normativo-legal. Vejamos mais de perto estas dissoluções.

II - Teoria da constituição e teoria da administração

Uma das propostas teóricas mais insistentemente insinuada – mas nem sempre exposta de forma expressa – reconduz-se à substituição da *teoria da constituição* pela *teoria da administração*. Os rastos da memória desta transmutação podem registar-se de forma sucinta.

Logo após a 2.ª Grande Guerra, alguns dos teóricos da constituição proclamaram com mágoa e saudade o desaparecimento da "estadualidade" ou da "estatalidade" [16]. Perante o desaparecimento do estado como ponto de arrimo da teoria da constituição, passa a procurar-se o nervo ordenador na estrutura administrativa (*Verwaltungsstaat*). A mudança de estrutura da estadualidade reflectida sobretudo no trânsito do estado de direito para o estado democrático e social obriga a sistematizar a administração e as suas tarefas através de uma teoria do direito administrativo (*Verwaltungsrechtslehre*) que, assim, assume as vestes de equivalente funcional da teoria da constituição. Esta centralidade da administação radica na ideia de o aparelho burocrático do alto funcionalismo e do poder judicial administrador da justiça poderem servir como última instância do "poder neutral" outrora constituído pelo estado. Contra as tendências constitucionais democráticas enredados em "pluralismos dissolventes" e "mediações partidárias desagregadoras", a "teoria da administração e do direito administrativo" elege o "poder do *status quo*" – o poder administrativo – como eixo central do poder político. Esta emergência da "teoria do direito administrativo" como sub-rogação teórica da clássica teoria da constituição vai ser aproveitada, em termos jurídico-constitucionais e jurídico-políticos, pelos defensores do "poder administrativo democrático". A administração deixa o estatuto humilhante de "poder não

---

[15] HABERMAS, *Faktizität und Geltung*, pp. 10 e ss.
[16] Referimo-nos sobretudo a E. FORSTHOFF, discípulo de C. SCHMITT. Vide E. FORSTHOFF, *Rechtstaat im Wandel. Verfassungsrechtliche Abhandlungen*, 1954-1973, München, 2.ª ed., 1976.

democrático" ou apenas "indirectamente legitimado" para invocar um estatuto de legitimação igual ao dos outros poderes do estado. Num segundo momento, a legitimação justifica a ideia de *poder administrativo autónomo* directamente vinculado à constituição mas tendencialmente livre da lei. Num terceiro momento, a teoria do direito administrativo e do poder administrativo autónomo passa a defender a existência de uma *teoria do estado administrativo* em que o *Governo* é convertido na «defensor da constituição e guardião dos direitos fundamentais». Com base no dado inquestionável da crescente intervenção regulativa pública através de *governo-legislador* (decretos-leis) e do *governo-administrador* (regulamentos, para-regulamentos, decretos), o Governo, ou melhor, a esfera político-burocrática do centro estatal, faz apelo à sua mais-valia de instância concretizadora da socialidade para reivindicar um acréscimo de legitimação político-constitucional[17]. A pouco e pouco a administração programa-se a ela própria e, mesmo quando tem de observar os chamados *princípios constitucionais da administração* (cfr. CRP, art. 266.º: princípio da imparcialidade, princípio da justiça, princípio da boa fé), estes princípios são mais princípios autónomos da administração do que princípios heterónomos da constituição.

A constituição entendida e compreendida como "lei-quadro" global pressupõe ou implica três ideias fundamentais. A primeira – referida por vários autores mas recentemente acentuada de forma clara[18] – é a de que o carácter "fragmentário", "aberto" e "incompleto" da lei constitucional não pode dispensar uma *actualização concretizadora* levada a efeito, em primeira linha, pelo legislador democrático. Em segundo lugar, a constituição, para se conservar no lugar proeminente de "reserva de justiça", carece de distanciação relativamente ao agir concreto do legislador ou da administração. O direito constitucional não é um direito burocrático-técnico; é direito fundamental do estado e da sociedade. Em terceiro lugar, a constituição deve continuar a assegurar, através da sua fragmentariedade e incompletude, a *primazia da política* democrático-parlamentarmente alicerçada e não uma encapuçada "entronização" do poder administrativo autónomo[19]. Em países onde o executivo tem poderes legislativos (Portugal,

---

[17] Várias destas ideias encontram-se mais ou menos disseminadas numa significativa literatura jusadministrativista. Cfr. ROGÉRIO SOARES, "Administração Pública e Controlo Judicial", in *RLJ*, 127, pp. 226 e ss; VIEIRA DE ANDRADE, *O dever de fundamentação dos actos administrativos*, Coimbra, 1992, p. 72; PAULO OTERO, *O Poder de Substituição*, II, pp. 564 e ss. Refracções das mesmas ideias num plano mais jurídico-constitucional em M. AFONSO VAZ, *Lei e Reserva de Lei*, pp. 512 e ss.

[18] Cfr. BADURA, "Die Verfassung im Ganzen der Rechtsordnung um die Verfassungskonkretisierung durch Gesetz", in J. ISENSEE/P. KIRCHHOF, *Handbuch des Staatsrechts*, Vol. VII, 1992, parágrafo 165.

[19] Cfr. A. DEHNHARDT, *Dimensionen staatlichen Handeln – Verwaltung-Verfassung-Nation*, in J. GETHARDT/RAINER SCHMALZ-BRUNS, *Demokratie, Verfassung und Nation*, Baden-Baden, 1994, pp. 187 e ss. No sentido do texto, cfr., por último, A. TRONCOSO REIGADA, "Dogmatica Administrativa e Derecho Constitu-

Brasil) as disfunções administrativizantes para a teoria da constituição poderão ainda ser maiores, falando-se da "executivização da constituição" e da sua "administração economista" (Bolzan de Morais). A dependência administrativa da Constituição (Paulo Otero) não é, necessariamente um "corolário" de uma teoria da administração. Salienta-se que a programaticidade constitucional com as suas "normas-fim" e "normas-tarefas" é directamente responsável pela erosão da teoria da Constituição em prol do "activismo" constitucional da administração pública.[20]

III - Teoria da Constituição e Teoria da Justiça

1. A ideia de Constituição como reserva de justiça [21]

Até há poucos anos a ideia de Constituição como "*reserva de justiça*" tinha o sentido de as normas constitucionais se afirmarem como garantidoras da "justiça" e do "direito justo" num determinado ordenamento jurídico. Como estalão normativo superior pertencia ao direito constitucional assegurar e garantir a justiça das normas jurídicas e das decisões dos poderes públicos. Pressupunha-se que esta função de reserva de justiça do direito positivo só poderia ser desempenhada por uma constituição também materialmente justa. De certo modo, a elevação da constituição a "jardim de justiça" transportava a ideia, já velha, da sub-rogação da "*higher law*" jusnaturalista por normas constitucionais jusnaturalisticamente iluminadas. Por outras palavras: a constituição "constitucionalizou" a ideia ou ideias de justiça inerentes ao direito superior. Ao incorporarem os "princípios do direito natural" e os "princípios da razão", ao definirem as regras para a "felicidade" individual e dos povos, ao afirmarem o princípio da igualdade, ao positivarem direitos e liberdades, ao obedecerem ao procedimento legitimador contratualista, as constituições foram reservando para si as "ideias de justiça" ou os princípios de justiça que a *experiência* comunitária dos homens ia revelando.

A ideia de "reserva de justiça" atribuída à constituição parecia mesmo reforçar-se em consequência da "tecnicização" do direito positivo [21] e da

---

cional", in REDC, n.º 57 (1999), pp. 87 e ss; J. L. BOLZAN DE MORAIS, "Constituição ou barbárie: perspectivas constitucionais", p. 22.

[20] Veja-se esta observação em PAULO OTERO, *Legalidade e Administração Pública*, p. 28 ss.

[21] Cfr. MARTIN MORLOCK, *Was heisst und zu welchem Ende studiert man Verfassungstheorie?*, Duncker e Humblot, Berlim, 1988, p. 93. Em língua portuguesa, cfr. OSCAR VIEIRA, *A Constituição e a sua reserva de justiça*, São Paulo, 1999.

emergência de novos problemas carecidos de resolução justa numa *comunidade de inclusão*[23]. Em termos práticos, à medida que cresciam as "normas dos engenheiros", dos "farmacêuticos", dos "arquitectos", dos "biólogos", dos "médicos", levianamente consideradas como insensíveis a apelos de justiça, e perante a angústia avassaladora dos "bebés proveta", da "sida", dos "códigos genéticos", das "vigilâncias de Shengen", das "catástrofes de Chernobyl", da "digitalização dos amores e desamores", procurou-se no texto constitucional, sobretudo na sua mensagem "quase bíblica", a resposta, ou, pelo menos, a primeira resposta, para os novos maquinismos "a-in-justos". Como é de calcular, se isto dignificava materialmente o direito constitucional também aumentava a sua *responsabilidade* e intensificava a *pressão da reflexividade* sobre ele mesmo. Em vez de a problemática das *expectativas de justiça* se concentrar sobre todo o sistema social deslocava-se obsessivamente para a lei fundamental. Quando, como acontece hoje, a pluralização e diferenciação da pós-modernidade apela sobretudo para "dissensos" e "diferenças" e não para consensos em torno da "justiça" armazenada nos vasos normativos-constitucionais, é fácil de prever que a constituição corre o risco de se converter mais numa *constituição simbólica*[24] do que numa reserva normativa de justiça dotada de capacidade reflexiva. Ora, se à teoria da constituição pertence discutir, descobrir e criticar os limites, as possibilidades e a força normativa do direito constitucional, ela vê-se confrontada com a *sobrecarga do próprio direito constitucional* e com a *questionabilidade legitimatória de algumas decisões constitucionais* (ex.: sobre a interrupção da gravidez, sobre o tratado de Maastricht, sobre a utilização de tropas fora das fronteiras) que talvez se situem mais num outro mundo – o mundo da *justiça não metafísica*[25] – do que no mundo constitucional da "justiça constitucional".

Perante as dificuldades da teoria da constituição, compreende-se que ela acabasse tembém por dissolver-se nas modernas **teorias da justiça** e **teorias do discurso**. Basta ler as últimas obras dos autores mais representativos destas teorias para verificarmos que assim é[26]. A teoria do liberalismo político de John Rawls procura recortar as instituições básicas de uma "democracia consti-

---

[22] Cfr., por todos, a *"mise au point"* de ROGÉRIO SOARES, *Direito Público e Sociedade Técnica*, Coimbra, 1967, pp. 50 e ss.

[23] Para a explicitação deste conceito cfr., na literatura portuguesa, JONATAS MACHADO, *Liberdade Religiosa numa Comunidade Indusiva*, Coimbra, 1996. JÓNATAS MACHADO, *A Liberdade de Expressão*, p. 142 ss.

[24] Cfr., precisamente, MARCELO NEVES, *A Constituição simbólica*, cit., pp. 35 e ss.

[25] Cfr., por todos, JOHN RAWLS, *Political Liberalism*, pp. 10 e 97.

[26] Referimo-nos a JOHN RAWLS e à sua obra *Political Liberalism* (1993) e a JÜRGEN HABERMAS com as suas duas últimas obras: *Faktizität und Geltung*, Frankfurt/M, 1992, e *Die Einbeziehung des Anderen*, Frankfurt/M, 1997.

tucional"[27] ou de um "regime democrático". As concepções abstractas utilizadas por este autor – "justiça como equidade", "sociedade bem ordenada", "estrutura básica", "consenso de sobreposição", "razão pública" – servem para aprofundar o ideal de democracia constitucional. A democracia constitucional será, no fundo, aquela que dá resposta ao problema central do *liberalismo político*: "como é que é possível a existência de uma sociedade justa e estável de cidadãos livres e iguais que se mantêm profundamente divididos por doutrinas religiosas, filosóficas e morais razoáveis?"[28]. Muitas das categorias a que Rawls faz apelo – legitimidade, consenso constitucional, direitos e liberdades básicos, razão pública, elementos constitucionais essenciais – há muito que fazem parte do arsenal clássico da teoria da constituição. A própria ideia de *razão pública* entendida como "razão dos cidadãos iguais que, como corpo colectivo exercem um poder político e coercivo decisivo uns sobre os outros elaborando leis ou emendando a sua constituição"[29], retoma, sob vestes construtivistas, a discussão teorético-constitucional do poder constituinte. De um modo ainda mais claro, a ideia de que "num regime constitucional com fiscalização da constitucionalidade das leis (judicial review), a razão pública é a razão do seu Supremo Tribunal"[30], Rawls retoma o problema central do constitucionalismo moderno – o direito de exame dos actos legislativos pelo poder judicial – e em termos que, como o próprio reconhece, não têm nada de novo. Finalmente, a análise da "estrutura básica" à qual pertence a "constituição política"[31] bem como a discussão das "liberdades básicas" retomam em termos originais e inovadores a problemática clássica da ordenação constitucional e das garantias de direitos desde sempre associada à teoria da constituição. No entanto, algumas das teorias aqui avançadas (ex.: tutela marginal decrescente dos direitos fundamentais) revelam que as premissas da "razão pública" podem conduzir a questionamentos em sede da teoria da Constituição por demais ???[32].

Por sua vez, a **teoria da razão comunicativa** aplicada por J. Habermas aos problemas do direito, da democracia e do estado de direito, tal como se pode observar nas suas duas últimas obras, é, no fundo, uma teoria da constituição. Ele próprio confessa que pretende clarificar os paradigmas do direito e da constituição e reabilitar os pressupostos normativos inerentes às práticas jurídicas

---

[27] Cfr. JOHN RAWLS, *Political Liberalism*, p. 4.
[28] Cfr. JOHN RAWLS, *Political Liberalism*, p. 47.
[29] Cfr. JOHN RAWLS, *Political Liberalism*, p. 214; "The Idea of Public Reason Revisited", in JOHN RAWLS, *Collected Papers*, Cambridge/London, 2000, pp. 574 e ss.
[30] Cfr. JOHN RAWLS, *Political Liberalism*, p. 231.
[31] Cfr. JOHN RAWLS, *Political Liberalism*, p. 258.
[32] Cfr. entre nós, JÓNATAS MACHADO, *Liberdade de Expressão*, p. 145, que, contudo, parece aplaudir o mundo fechado das "liberdades básicas".

existentes [33]. Reagindo contra o próprio cepticismo dos juristas, Habermas reabilita o *medium* normativo do direito – sobretudo do direito constitucional – para percorrer os problemas clássicos (confessa também que os seus conceitos pressupõem as categorias tradicionais da constituição e do constitucionalismo) e fornecer uma compreensão do estado de direito democrático e da teoria da democracia, tentando fugir quer ao autismo da *validade* normativa quer à pura *facticidade* típica da objectivação sociológica.

2. Estado constitucional democrático e concepção pública da justiça

Depois das referências sumárias à "concepção pública da justiça" e à teoria da razão comunicativa parece necessário enfrentar este problema básico [34]: estas teorias consumirão de todo a teoria da constituição? A nossa resposta é negativa. A teoria da constituição pode e deve continuar a estruturar-se como reflexão do estado constitucional democrático – agora também europeu, internacional e ecológico – se e na medida em que este estado esteja ancorado num *sistema jurídico-normativo* informado por uma *pretensão de justiça* das suas regras. Colocada assim a questão, poder-se-á demonstrar a tendencial centralidade que uma constituição assume neste sistema jurídico. Assentemos nestas características do sistema – o sistema normativo-constitucional – que derivamos de um conhecido cultor alemão da teoria do direito [35]: I – (1) conjunto de normas (2) pertencentes a uma constituição dotada de eficácia social (3) e não intolerantemente injustas; II – conjunto de normas emitidas em conformidade com esta constituição, também não intoleravelmente injustas e dotadas de um mínimo de eficácia social; III – conjunto de princípios e argumentos normativos que servem (ou devem servir) para fundamentar o procedimento de aplicação do direito ou para cumprir a pretensão de correcção do sistema. Perante o "desencanto" e a "trágica do estado" aparecem no campo do político uma *teoria moral* aplicada à política e uma *teoria comunicativa* do direito e da política. A teoria da justiça e a teoria da razão comunicativa não estão aptas, porém, a substituir a teoria da constituição. É esta teoria que aqui se eleva a teoria da reflexão, de explicação e de justificação das leis fundamentais e dos seus princípios materiais estruturantes.

---

[33] Cfr. JÜRGEN HABERMAS, *Faktizität und Geltung*, p. 11.
[34] Cfr. *infra*, Título 4.
[35] Referimo-nos a R. ALEXY, *Begriff und Geltung des Rechts*, Alber, Freiburg im Br., 1992, p. 201.

Referências bibliográficas

Alexy, Robert – *Theorie der Grundrechte,* Frankfurt/M, Suhrkamp, 1985.

Barroso, L. R. – *O direito constitucional e a efectividade das suas normas: limites e possibilidades da Constituição brasileira,* Rio de Janeiro, 1996.

Belvisi, F. – "Un fundamento delle Costituzioni Democratiche Contemporanee? Ovvero: Per una costituzione senza fondamento", in G. Gozzi, (org.), *Democracia, Diritti, Costituzione,* Bologna, 1998, p. 231.

Bohman, James – *Public Deliberation, Pluralism, Complexity and Democracy,* Mit Press, Cambridge, London, 1996.

Canotilho, J. J. C. – "O Direito Constitucional na Encruzilhada do Milénio. De uma disciplina dirigente a uma disciplina dirigida", in *Livro de Homenagem a M. Garcia Pelayo,* Madrid, 2000, pp. 217 e ss.

Cohen, Jean e Arato, Andrew – *Civil Society and Political Theory,* Mit Press, 1992.

Delpérée, F. – "La déstructuration de l'État-Nation", in A. Sedjari (org.), *L'État-Nation et prospective des territoires,* 1996.

Faria, José Eduardo – *O direito na economia globalizada,* São Paulo, 1997.

Guerra Filho, W. – *Autopoiese do Direito na Sociedade Pós-Moderna,* Porto Alegre, 1997.

Gunther, Gerald – *Constitutional Law,* 11, Mineola, New York, 1985.

Günther, Klaus – *Der Sinn für Angemessenheit, Anwendungsdiskurse in Moral und Recht,* Frankfurt/M, 1988.

Habermas, Jürgen – *Faktizität und Geltung. Beiträge zur Diskurstheorie des Rechts und des demokratischen Rechtsstaats,* Frankfurt/M, Suhrkamp, 1992.

Hespanha, A. – *Panorama Histórico de Cultura Jurídica Europeia,* Publicações Europa-América, Lisboa, 1997.

Lübbe-Wolf G. – "Präventiver Umweltschutz – Auftrage und Grenzen des Vorsorgeprinzips im deutschen und im europäischen Recht", in J. Bizer/H. Koch, *Sicherheit, Vielfalt, Solidarität. Ein neues Paradigma des Verfassungsrechts?,* Baden-Baden, 1998.

Luhmann, Niklas – *Soziale System. Grundriss einer allgemeinen Theorie,* Frankfurt/M, Suhrkamp, 1987.

– *Das Recht der Gesellschaft,* Frankfurt/M, Suhrkamp, 1993.

– *Die Wissenschaft der Gesellschaft,* Frankfurt/M, Suhrkamp, 1991.

– *Die Politik der Gesellschaft,* Frankfurt/M, 2002.

Machado, Jónatas – *A Liberdade de Expressão. Dimensões Constitucionais da Esfera Púbica no Sistema Social,* Coimbra, 2002.

Morais, J. L. B. – "Constituição ou barbárie: perspectivas constitucionais", in Ingo Sarlet (org.), *A Constituição Concretizada*, Porto Alegre, 2000.

Morais, J. L. A./L. Streck, *Ciência Política e Teoria Geral do Estado*, 2.ª ed., Porto Alegre, 2001.

Neto, C./Bercovici, G./Filho, J./Lima, M. *Teoria da Constituição. Estudos sobre o lugar da política no Direito Constitucional*, Rio de Janeiro, 2003.

Neves, Marcelo – *Verfassung und Positivität des Rechts in der peripheren Moderne Eine teoretische Betrachtung und eine Interpretation des Falls Brasilien*, Berlin, Duncker y Hamblot, 1992.

– "Symbolische Konstitutionalisierung und faktische Entkonstitutionalisierung: Wechsel und Änderungen in Verfassungstext und Fortbestand der realen Machtverhältnisse", in *Law and Polities in Africa, Asia and Latin America*, 29 (1996), Baden-Baden, pp. 309 e ss.

Nonet, Ph. e Selznick, Ph. – *Law and Society in Transition. Toward Responsive Law*, New York, Harper y Row, 1978.

Reigada, A. T., "Dogmatica Administrativa y Derecho Constitucional: el Caso del Servicio Publico", in REDC, 57 (1999), pp. 87 e ss.

Sanchez, J. A. – "Transformaciones de la Constitución en el siglo XX", in REP (100) (1998), pp. 57 e ss.

Santos, Boaventura – *Toward a New Common Sense*, New York, London, Routledge, 1995.

Streck, L. L. – *Jurisdição Constitucional e Hermenêutica*, Porto Alegre, 2002.

Teubner, Gunther – *Recht als autopoietisches System*, Frankfurt/M, Suhrkamp, 1989 (trad. port. Fund. Calouste Gulbenkian, Lisboa).

Tribe, Laurence – *Constitutional Law*, 2.ª ed., Mineola, New York, 1988.

Wilke, Helmut – *Die Ironie des Staates*, Frankfurt/M, Suhrkamp, 1991.

Zolo, Danilo – *Democracy and Complexity*, Pennsylvania, Pennsylvania University Press, 1992.

Título 2

Teoria da Constituição e Espaços Normativos

Capítulo 1

Teoria da Constituição, Globalização e Integração Europeia

Sumário

A. **Constitucionalismo Global e Constitucionalismo Nacional**

    I - Os pontos de partida do constitucionalismo global

    II - As sugestões do constitucionalismo global

B. **Constitucionalismo Estadual e Constitucionalismo Europeu**

    I - Duas pré-compreensões: a "posição nacionalista" e a "posição europeísta"

    II - Resposta aos reducionismos

        1. Reducionismo constitutivo
        2. Reducionismo explicativo
        3. Reducionismo teórico

    III - A teoria da constituição e as comunidades jurídicas supranacionais e multiculturais

A. Constitucionalismo Global e Constitucionalismo Nacional

1 - Os pontos de partida do constitucionalismo global

Todas as "grandes teorias" das relações internacionais ainda hoje não abdicam da pretensão metodológica de recortar a "realidade internacional" de forma a estabelecer para ela orientações, fins e funções legitimatórias. Embora se corra o risco de nos transformarmos em "filósofos globais", parece metodologicamente correcto traçar os pontos de partida da compreensão/explicação do "mundo" subjacente ao chamado **constitucionalismo global**.

Eis então os pontos de partida. Em primeiro lugar, a *democracia* e o *caminho para a democracia* devem considerar-se como tópicos dotados de centralidade política interna e internacional. No plano interno, a democracia é o "governo menos mau" e no plano externo a democracia promove a paz. Em segundo lugar, na sua qualidade de princípio material, de natureza internacional e constitucional, o **princípio da autodeterminação** deve ser reinterpretado não apenas no sentido de que os "povos" devem deixar de estar submetidos a quaisquer formas de colonialismo, mas também no sentido de que a legitimação da autoridade e da soberania política pode e deve encontrar suportes sociais e políticos a outros níveis – supranacionais e subnacionais – diferentes do "tradicional" e "realístico" Estado-Nação. A *globalização das comunicações e informações* e a "expansão mundial" de unidades organizativas internacionais (organizações não governamentais), privadas ou públicas (mas não estatais), deslocam o papel obsidiante do "actor estatal", tornando as fronteiras cada vez mais irrelevantes e a interdependência política e económica cada vez mais estruturante. A isto acresce que os *fins* do estado não são imutáveis. Se ontem a "conquista territorial", a "colonização", o "espaço vital", o "interesse nacional", a "razão de estado" surgiam sempre como categorias quase ontológicas, hoje os fins dos estados podem e devem ser os da construção de "Estados de direito democráticos, sociais e ambientais", no plano interno, e Estados abertos e internacionalmente "amigos" e "cooperantes" no plano externo. Por isso, o *pathos* de um programa de "paz mundial" assenta na intensificação do "desarmamento" e na viabilização efectiva de uma *segurança colectiva*. Neste contexto, readquire virtualidades crescentes a *organização internacional*, sobretudo na sua forma de associação geral entre as Nações – Nações Unidas.

Estes parâmetros teóricos influenciam hoje claramente as imbricações do direito constitucional com o direito internacional. Com efeito, as relações internacionais devem ser cada vez mais relações reguladas em termos de *direito e de justiça*, convertendo-se o *direito internacional* numa verdadeira ordem imperativa, à qual não falta um núcleo material duro – o *jus cogens* internacional – vertebrador quer da "política e relações internacionais" quer da própria construção constitucional interna. Para além deste *jus cogens*[1], o direito internacional tende a transformar-se em suporte das relações internacionais através da progressiva elevação dos **direitos humanos** – na parte em que não integrem já o *jus cogens* – a padrão jurídico de conduta política, interna e externa. Esta últimas premissas – o *jus cogens* e os *direitos humanos* –, articuladas com o papel da *organização internacional*, fornecerão um enquadramento razoável para o constitucionalismo global.

II - As sugestões do constitucionalismo global

Tentemos aceitar as sugestões do chamado ***constitucionalismo global***. O que é que ele nos propõe? Quais são os seus princípios e as suas regras? De uma forma sintética, os traços caracterizadores deste novo paradigma emergente são os seguintes: (1) alicerçamento do sistema jurídico-político internacional não apenas no clássico paradigma das relações horizontais entre estados (*paradigma hobbesiano/westfalliano*, na tradição ocidental) mas no novo paradigma centrado nas relações entre Estado/povo (as populações dos próprios estados); (2) emergência de um *jus cogens* internacional materialmente informado por *valores, princípios* e *regras* universais progressivamente plasmados em declarações e documentos internacionais; (3) tendencial elevação da *dignidade humana* a pressuposto ineliminável de todos os constitucionalismos.

Este paradigma emergente que alguns pretendem designar como **constitucionalismo global** não está ainda em condições de neutralizar o **constitucionalismo nacional**. Este constitucionalismo assenta, ainda hoje, nas seguintes premissas: (1) *soberania* de cada Estado, conducente, no plano externo, a um sistema de relações horizontais interestaduais e, no plano interno, à

---

[1] Cfr., entre nós, FAUSTO DE QUADROS/ANDRÉ G. PEREIRA, *Manual de Direito Internacional Público*, 3.ª ed., 1993, pp. 277 e ss.

afirmação de um poder ou supremacia dentro de determinado território e concretamente traduzido no exercício das competências soberanas (legislação, jurisdição e administração); (2) particular centralidade jurídica e política da *constituição* interna como carta de soberania e de independência de cada Estado perante os outros Estados; (3) aplicação do direito internacional nos termos definidos pela constituição interna, recusando-se, em muitos estados, a aplicação das normas de direito internacional na ordem interna sem a sua "conversão" ou adaptação pelas leis do Estado; (4) consideração das "populações" ou "povos" permanentemente residentes num território como "povo do Estado" que só nele, através dele e com submissão a ele poderão adquirir a "carta de nacionalidade".

Em nome de um mínimo de "realismo" julga-se que este modelo ainda permanece como paradigma básico da agenda das relações internacionais, mesmo que, noutros sectores, se avance decididamente na globalização e transnacionalização (ex.: relações económicas). De qualquer forma, o recorte cada vez mais exigente de um direito peremptório ou imperativo internacional (*jus cogens*) sugere a ideia, cada vez mais sufragada pelos cultores de direito internacional, de o poder constituinte dos estados e, consequentemente, das respectivas constituições nacionais, estar hoje vinculado por *princípios e regras* de direito internacional peremptório. Como é sabido, o conceito de *jus cogens* permanece envolto em alguma ambiguidade. Mas inclui um mínimo de protecção da vida, liberdade e segurança, no âmbito das liberdades pessoais, e o direito à autodeterminação como direito básico da democracia. Como patamar superior da ideia de direito internacional peremptório – mas, reconheça-se, ainda com grandes reticências jurídicas e políticas dos Estados – entende-se a transformação deste direito em *parâmetro de validade* das próprias constituições nacionais cujas normas deveriam ser consideradas nulas se violassem as normas do *jus cogens* internacional.

Independentemente da elevação do *jus cogens* a parâmetro de validade das constituições internas, parece indiscutível a força conformadora de alguns instrumentos internacionais dos direitos humanos no sentido de: (1) estabelecerem um conjunto de ***standards* materiais mínimos** impositivos da observância, por parte dos estados, de obrigações jurídicas quanto a observância de um sistema penal e processual justo; (2) de uma organização jurídica independente; (3) de protecção de direitos básicos, incluindo a definição de cidadania; (4) de reactualização dos esquemas de *representação política* por forma a incluir *grupos, minorias* e *comunidades migrantes* num **estatuto plural de cidadanias**. Mesmo tendo em conta que este discurso depara ainda hoje com numerosos obstáculos (reservas formais por parte dos Estados, derrogações nacionais justificadas por condições extraordinárias, inexistência de mecanismos internacionais eficazmente coercivos), também não é menos certo que a sistemática inobservância do *jus cogens* torna internacionalmente suspeitos os estados em permanente situação de *opt out* quanto à recepção e aplicação dos princípios e regras jusinternacionais cogentes. Como já se afirmou, o direito de "ficar fora" (*opting out*) do direito internacional e das instituições internacionais é cada vez mais uma ficção.

Qualquer que seja a incerteza perante a ideia de um *standard mínimo humanitário* e quaisquer que sejam as dificuldades em torno de um *sistema jurídico internacional* de defesa de direitos humanos, sempre se terá de admitir a bondade destes postulados e reconhecer que o poder constituinte soberano criador das constituições está hoje longe de ser um sistema autónomo que gravita em torno da soberania do Estado. A *amizade e abertura* ao direito internacional (cfr. CRP, art. 7.°) exigem a observância de princípios materiais de política e direito internacional tendencialmente informadores do direito constitucional interno (cfr. *supra*).

B. Constitucionalismo Estadual e Constitucionalismo Europeu

Dissemos atrás que o direito ordenamental do estado se caracteriza hoje pelo pluralismo de ordenamentos superiores. Um desses ordenamentos é o ordenamento comunitário, ou, por outras palavras, a *ordem jurídica da União Europeia*. Impõe-se agora uma breve referência ao impacto, gerado em sede de teoria da constituição, pela emergência de um novo fenótipo político, constitucional, organizatório e cultural. Verdade seja dita, os direitos constitucionais nacionais têm revelado algum desconforto na compreensão do **direito constitucional europeu**.[2] De igual modo, a subsistência do paradigma clássico da teoria da constituição tem impedido o alicerçamento de uma *teoria da constituição europeia*. Vejamos como, a nosso ver, é possível um *desenvolvimento constitucional* abrangente dos direitos constitucionais estadualmente centrados e do direito constitucional europeu.

---

[2] Cfr., J. H. H. WEILER, "Journey to an unknown Destination", in *Journal of Common Market Studies*, 31, 4/1993; F. RUBBIO LLORENTE, "Constitucion Europea o Reforma Constitucional", in JORGE MIRANDA, *Perspectivas Constitucionais*, II, pp. 695 e ss. Por último, FRANCISCO LUCAS PIRES, *Introdução ao Direito Constitucional Europeu*, Coimbra, 1997, pp. 17 e ss.

I - Duas pré-compreensões: a "posição nacionalista" e a "posição europeísta"

Existem duas pré-compreensões obscurecedoras da complexidade política, normativa e cultural do direito constitucional europeu. Uma é a *pré-compreensão "nacionalista"* ou *"constitucionalista-patriótica"*. Assenta nos postulados clássicos: direito constitucional centrado no estado e no dogma da soberania do estado. A outra pré-compreensão – *"europeísta"* ou *"europeísta-federalista"* – radica em premissas jurídicas e políticas aprioristicamente fixadas por um Tribunal – o Tribunal de Justiça das Comunidades – e numa "vontade política" tendencialmente "governamentalizada". As controvérsias entre "constitucionalistas" e "europeístas" repousam em três reducionismos: (1) reducionismo constitutivo; (2) reducionismo explicativo; (3) reducionismo teórico.

O reducionismo constitutivo conexiona-se com esta primeira questão: qual o fundamento constitucional-democrático para a construção do direito constitucional europeu? O reducionismo explicativo tem a ver com a segunda questão: como se chega à construção de uma ordem jurídica comunitária que "produz" normas dotadas de *aplicação preferente* em relação às normas internas dos Estados-membros? O reducionismo teórico aponta para esta terceira questão: como estruturar a *competência das competências* entre duas ordens jurídicas, em que uma – a nacional – tem uma constituição considerada como *norma superior* e a outra – a comunitária –, que mesmo *sem constituição*, se afirma como ordem de *aplicação preferente*?

II - Resposta aos reducionismos

1. Reducionismo constitutivo

Comecemos pelo reducionismo constitutivo. Em termos político-constitucionais, a tese europeísta apresenta uma indisfarçável contradição[3]. Por um lado, a União Europeia é uma *organização supranacional* fundada em tratados internacionais[4] *sem constituição própria*. Neste ponto, a União Europeia *não é* um

---

[3] Cfr., por último, D. GRIMM, "Braucht Europa eine Verfassung?", in *European Law Journal*, 1, Novembro, 1995; TREVOR C. HARTLEY, *Constitutional Problems of the European Union*, Oxford, Portland, 1999. Vejam-se os fracos argumentos do T.J.C.E. sobre a "Carta constitucional europeia" em F. LUCAS PIRES, *Introdução ao Direito Constitucional Europeu*, pp. 46 e ss.

[4] Sobre a "função constitucional dos Tratados" cfr., LUCAS PIRES, *Introdução*, pp. 55 e 75 e ss.; ANA MARIA MARTINS, *A Natureza Jurídica da Revisão do Tratado da União Europeia*, p. 249 ss.

estado, não é um estado constitucional soberano. Por outro lado, os órgãos da Comunidade criam *direito europeu* vinculativo para os estados-membros. Aqui, a União Europeia dispõe de "poderes soberanos" tendencialmente reservados ao estado e individualizados nas respectivas constituições. Além disso, os órgãos executivos da Comunidade derivam a sua legitimação dos governos dos estados-membros. Consequentemente, não são órgãos de um "Estado europeu" que tenha sido criado por acto de vontade livre dos "cidadãos europeus unidos". Neste ponto vem entroncar a conhecida crítica do *défice democrático europeu*.

As objecções constitucionalistas também não fogem às críticas do reducionismo explicativo. Em primeiro lugar, não está demonstrado que o fenótipo organizativo e fundador de uma nova comunidade, situada algures entre uma "confederação de estados" (*Staatenverbund*) e uma "associação de estados" (*Staatenverband*) tenha de seguir os esquemas do constitucionalismo dualista[5]. Como se viu, distinguia-se entre um "poder extraordinário" que cria uma constituição e um poder "normal" que gere a política nos termos definidos na constituição. Hoje sugere-se a ideia de constituição no sentido de "*acquis*" *evolucinário* (N. Luhmann). Nada impede que surja uma "*constituição evolucionista*" materialmente integradora assente em *esquemas* retirados dos tratados da Comunidade Europeia e de outros esquemas a criar ("parlamento europeu" com verdadeiros poderes, "governo europeu", segunda câmara de países e regiões, tribunais com competências alargadas) e baseada em princípios jurídicos fundamentais, *standards*, costumes, decisões jurisdicionais, constitutivos de um verdadeiro *Jus Commune Europeum*[6] e de uma autêntica *cultura jurídica europeia*[6]. A "tese constitucionalista" peca ainda pela sua limitada compreensão das categorias político-constitucionais. Uma dessas é o conceito de *povo* reconduzido ao "povo do estado" e deliberadamente "homogeneizado" e "substantivado". A "homogeneidade do povo do estado" como base de legitimação de um estado democrático serve de pretexto para, na ausência de um "povo europeu" com as mesmas características, se concluir pela impossibilidade teórica e prática de uma "democracia europeia". Uma democracia pode construir-se com base numa comunidade *multicultural* de cidadãos. Como acentua um conhecido "maître-penseur" da nossa contemporaneidade[8], as comunidades de emigração

---

[5] Vide, F. Lucas Pires, *Introdução*, pp. 90 e ss.

[6] Vide as sugestões de Grimm, *Braucht Europa eine Verfassung?*, cit.

[7] Assim, Peter Häberle, *"Gemeineuropäisches Verfassungsrecht"*, in *EUGRZ*, 18 (1991), reproduzido agora em *Europäisches Rechtskultur*, Frankfurt/M, 1997, pp. 33 e ss.

[8] Cfr. Jürgen Habermas, *Die Einbeziehung des Anderen*, Frankfurt/M, 1997, p. 190. Vide, também, F. Lucas Pires, *Introdução*, pp. 64 e ss e 68 e ss; John Weiler, Does Europe need a Constitution, Reflections on Demos, Telos and the German Maastricht Decision", in *European Law Review*, 1995, I, n.º 3, pp. 328 e ss.

como os Estados Unidos e o Canadá, geradoras de uma *autocompreensão multicultural* da "governação", estão mais próximas do "povo europeu" do que as categorias históricas do "povo do estado" ou de "povos assimilados" pelo "povo civilizador". A outra categoria é de *poder constituinte* criador de uma constituição (constitucionalismo dualista, heteroconstituição). A ideia de auto-organização (auto-constituição) pode ter aqui aplicação no sentido, pelo menos, de autoprodução de um sistema material-constitucional europeu. Falta, porém, o suporte de legitimação do esquema normativo deste sistema, pois, até ao presente momento, não se pode conferir ao Parlamento Europeu o suprimento do défice da cadeia de legitimação democrática[9].

2. Reducionismo explicativo

A visão "europeísta" pode centrar-se nesta linha argumentativa reiteradamente desenvolvida pelo Tribunal de Justiça das Comunidades (TJCE): não pertence a uma norma nacional interna decidir acerca da força e valor jurídicos de uma regra comunitária supranacional. Esta retira o seu valor – *o valor de norma comunitária* – do próprio sistema jurídico comunitário. Precisamente por isso, torna-se insustentável o recurso às normas da constituição de cada estado-membro para "legitimar" e "fundar" a hierarquia das normas comunitárias. Esta forma de raciocínio articula-se ainda com outro "modus" argumentativo do Tribunal de Justiça das Comunidades: o ordenamento comunitário pressupõe funcionalmente a ideia de aplicação preferente das normas comunitárias sob pena de não existir direito comunitário ("exigência existencial").

Trata-se, a nosso ver, de argumentos redutores e tautológicos: (1) o ordenamento comunitário é superior porque tem de ser superior sob pena de não existir ordem comunitária; (2) o ordenamento comunitário arranca dele próprio (da sua constituição?) a força das suas normas. A "posição constitucionalista" pode, assim, invocar dois argumentos: (1) não existe uma base constitucional comum para se afirmar a "verdade" de um *supranacionalismo normativo* da União; (2) a preferência de aplicação ou até a invocada primazia normativa do direito comunitário dá como demonstrado aquilo que é preciso demonstrar: quem tem a *competência da competência*.

---

[9] Cfr. B. ALAEZ CORRAL, "Soberania Constitucional e Integracion Europea", in *Fundamentos*, 1/1998, pp. 503 e ss; DIETER WYDUCKEL, "La Soberania en la Historia de la Dogmatica Alemana", *Fundamentos*, 1998, p. 291; ANA M. MARTINS, *A Natureza Jurídica*, p. 392 ss.

3. Reducionismo teórico

Isto implica a análise do que chamamos reducionismo teórico. Não existe na Comunidade Europeia qualquer poder para legitimar a sua existência como ordem jurídica e para alterar ou alargar o seu âmbito de competências. É nisto que consiste a **competência da competência**. Compreende-se, por isso, que a "comunidade jurídica dos povos dos estados integrados na União Europeia" não possa dispor quer da *estatalidade* quer da *ordem constitucional* dos estados-membros [10]. Se é admissível um *direito constitucional europeu* já não o é um *direito do estado europeu*. Um *poder de estado europeu* neutralizaria o carácter supranacional da comunidade a favor de uma construção federal substancialmente revisora da "forma estadual". Mas, por outro lado, o *estado constitucional nacional* tornou-se, no contexto da União Europeia, um *estado constitucional cooperativo* que, sem deixar de observar os padrões básicos do estado constitucional (soberania popular, divisão de poderes, garantia de direitos, primazia da constituição, superioridade da lei do parlamento), passou a incorporar *competências normativas europeias*. Embora a Comunidade não disponha da competência das competências, ela possui, por força dos actos convencionais e do *acto global de supranacionalidade,* do poder normativo de editar actos jurídicos dotados de eficácia imediata e vinculatividade igual e unitária nos países membros da Comunidade.

III - A teoria da constituição e as comunidades jurídicas supranacionais e multiculturais

A complexidade política e jurídica criada pela comunidade jurídica dos povos dos estados integrados na União Europeia lança novos desafios à teoria da constituição. Esta terá agora de teorizar a "arte da forma supranacional" e de fornecer suportes dogmáticos para a compreensão de uma *nova ordem jurídica*: (1) que cria direitos de aplicação preferente relativamente ao direito dos estados-membros e cujos destinatários (sujeitos de direito) são não apenas os estados mas também os cidadãos europeus; (2) que possui órgãos e poderes de decisão

---

[10] Cfr. J. SCHWARZE, "Das Staatsrecht in Europa", in *JZ*, 1993, p. 585; P. BADURA, "Supranationalität und Bundesstaatlichkeit durch Rangordnung des Rechts", in CH. STARCK (org.), *Rangordnung der Gesetze*, Göttingen, 1995, p. 114; P. HÄBERLE, "Gemeineuropäisches Verfassungsrecht", pp. 33 e ss. Sobre a problemática da "competência da competência", vide MIGUEL GALVÃO TELES, "A Competência da Competência do Tribunal Constitucional", in *Legitimidade e Legitimação da Justiça Constitucional,* pp. 105 e ss.; F. LUCAS PIRES, «Competência das Competências: Competente sem Competências?», in RLJ, n.º 3585 (1996-97), p. 154.

supranacionais ("supranacionalismo decisório"); (3) que densifica o princípio constitucional comunitário da integração supranacional sem deixar de observar os princípios de *estatalidade ou existência dos membros*, da *autonomia constitucional nacional* e da *identidade nacional* dos membros europeus; (4) que articula a supranacionalidade normativa e decisória com a observância do princípio de *atribuição específica de competências* (e não de uma transferência global de competências dos estados para a "União"); (5) que está vinculada a princípios jurídico--materiais e a princípios de competência como os princípios jurídicos gerais incorporados em *direitos fundamentais* comuns aos estados membros, o *princípio da subsidiariedade* e o *princípio da coesão social*[10].

Referências bibliográficas

Aláez, Corrol – "Soberania Constitucional e Integración Europeia", in *Fundamentos* 1/1998, pp. 503 e ss.

Alonso Garcia, R. – *Derecho Communitario, Derechos Nacionales y Derecho Commun Europeo*, Madrid, 1989.

Bin, R. – *Capire la costituzione*, Roma – Bari, 1998.

Camilleri, J. A./Falk, J. – *The End of Sovereignty. The Politics of a Shrinking and Fragmenting World*, Aldershot, Edward Elgar, 1992, p. 33.

Cassese, A. – *Il dirito internazionale nel mondo contemporaneo*, Il Mulino, Bologna, 1984.

Di Fabio, U. – *Der Verfassungsstaat in der Weltgesellschaft*, Berlin, 2001.

Duarte, Maria L. – *"Les Constitutions Nationales à l'Épreuve de l'Europe"*, org. de Jean Claude Maschet et Didier Maus, Paris, 1994, pp. 209 e ss.

Falterbaum, J. – "Auf dem Weg zu einer effektiveren internationalen Rechtsordnung Zugleiche eine kritische, rechtsphilosophische und rechtstheoretische Betrachtung zur Bedeutung von Menschenrechts im internationalen Recht", in *Archiv für Völkerrecht*, 1994, pp. 245 e ss.

Ferrajoli, L. – "Mas allá de la soberania y la ciudadania: un constitucionalismo global", in M. Carbonell, (org.), *Teoria de la Constitución*, Mexico, 2000.

---

[11] Cfr. W. EVERLING, "Uberlegungen zur Struktur der Europäischen Union und zum neuen Europaartikel des Grundgesetzes", *DVBL*, 1993, p. 936; F. LUCAS PIRES, "A experiência comunitária do sistema de governo na Constituição Portuguesa", pp. 831 e ss, e J. SOLOZÁBAL ECHEVARRIA, "Alcunas consideraciones constitucionales…", ambos em Jorge Miranda (org.), *Perspectivas Constitucionais*, II, p. 695; FAUSTO DE QUADROS, *O Princípio de Subsidiariedade no Direito Comunitário após o Tratado da União Europeia*, Coimbra, 1995.

Garcia, P. V. – "Mundializácion y Derecho Constitucional: La crisis del principio democratico en el constitucionalismos actual", in REP, 100 (1998), pp. 13 e ss.

Häberle, P. – "Gemeineuropäisches Verfassungsrecht", in *Europäische Grundrechte*, 18 (1991), 12/13, p. 261.

– "Verfassungsentwicklung" in Osteuropa- aus der Sicht der Rechtsphilosophie und der Verfassungslehre", in *Archiv des öffentlichen Rechts*, (AÖR) ano 117, 2 (1992), pp. 170 e ss.

– *Europäische Verfassungslehre in Einzelstudien*, Baden-Baden, 1999.

Hartley, T. C. – *Constitutional Problems of the European Union*, Oxford, Portland, 1999.

Hertel, W. – "Die Normativität der Staatsverfassung und einer Europäischen Verfassung. Ein Beitrag zur Entwicklung einer Europäischen Verfassungstheorie", in JöR, n.° 48 (1999), pp. 232 e ss.

Hobe, S. – *Der offene Verfassungsstaat zwischen Souveränität und Interdependenz*, Tübingen, 1998.

Höffe, O. – *Demokratie im Zeitaltter der Globalisierung*, Ch. Beck, München, 1999.

Jáurequi, G. – *La Democracia Planetaria*, Oviedo, 2000.

Kauppi, M./Viotti, P. – *The Global Philosophers: World Politics in Western Thought*, New York, 1992.

Kegley, Ch. – "The Neoliberal Challenge to Realist Theories of World Politics. An Introduction", in Kegley, *Controversies*, cit., pp. 10 e ss.

Kegley, Ch. (org.) – *Controversies in International Relations Theory*, St. Martin Press, New York, 1995.

Kegley, Ch./Wittkopf, E. – *World Politics: Trend and Transformation*, 5.ª ed., New York, 1995.

Korioth, S./Bogdandy, A. von – *Europäische und nationale Identität: Integration durch Verfassungsrecht?* in VVDSTRL (62), Berlin 2003, p. 117 ss.

Lucas Pires, F. – "A Experiência Comunitária do Sistema de Governo da Constituição Portuguesa", in Jorge Miranda, *Perspectivas Constitucionais*, II, pp. 831 e ss.

– *Introdução ao Direito Constitucional Europeu*, Coimbra, Almedina, 1997.

Hobe, S. – *Der offene Verfassungsstaat zwischen Souveränität und Interdependenz. Eine Studie zur Wandlung des Staatsbegriffs der deutschsprächigen Staatslehre im Kontext internationaler institutionalisierter Kooperation*, Berlin, 1998.

Jyränki, A. – *National Constitutions in the Era of Integration*, London, 1999.

Loureiro, J. "Desafios de Témis, Trabalhos do Homem (Constitucionalismo, Constituição Mundial e «Sociedade de Risco»", in *Nação e Defesa*, 97/2001, p. 43 ss.

Manzella, A. – "Lo Stato Comunitario", in *Quad. Cost.* 2/2003, p. 273 ss.

Martins, Ana M. G. – *A Natureza Jurídica da Revisão do Tratado da União Europeia*, Lisboa, 2000.

Maccormick, N. – *Questioning Sovereignty Law, State and Nation in the European Commonwealth*, Oxford, 1999.

Meron, T./Rosas, A. – "A declaration of a minimum humanitarian standard", in *American Journal of International Law, 85* (1991), p. 375.

Meyers, R. – "Die Theorie des Internationalen Beziehungen zwischen Empirismus und paradigmatischer Koezistenz. Ein typologischtaxonomischer Versuch", in P. Haungs (org.), *Wissenschaft, Theorie und Philosophy der Politik*, Baden-Baden, 1990, p. 223.

Miranda, Jorge – "La Constitution Portugaise et le Traité de Maastricht", in *Revue Française de Droit Constitutionnel*, 12 (1992), pp. 679 e ss.

Oppermann, Th. – "Il Processo Costituzionale Europeo Dopo Nizza", in RTDP, 2/2003, p. 353 ss.

Perez Tremps, Pablo – *Constitucion española y Comunidad Europea*, Madrid, 1993.

Pernice, I. – *Deutsches und europäisches Verfassungsrecht*, in VVDSTRL, 60 (2001).

Panunzio, S. (org.) – *I costituzionalisti e l'Europa*, Milano, 2002.

Pires, F. L. – *Introdução ao Direito Constitucional Europeu (Seu Sentido, Problemas e Limites)*, Coimbra, 1997.

– *Amsterdão. do Mercado à Sociedade Europeia*, Cascais, 1999.

Preuss, U. K. – "Europäische Einigung und die integrative Kraft von Verfassungen", in Jürgen Gebhardt/Rainer Schmalz-Bruns (org.), *Demokratie, Verfassung und Nation*, Baden-Baden, 1994, pp. 271 e ss.

Requejo, J. L. – *Sistemas Normativos, Constitución y Ordenamiento*, Madrid, 1995.

Rubio Llorente, F. – "El constitucionalismo de los Estados Integrados de Europa", in Rubio Llorente/Daranas Peláez, *Constituciones de los Estados de la Unión Europea*, Barcelona, 1997.

Rodrigues, M. – *Poder Constituinte Supranacional. Esse Novo Personagem*, Porto Alegre, 2000.

Scharpf, F. W. – "Verso una teoria della multi-level governance in Europa", in *Rev. It. Pol. Pub.,* I/2002, p. 15 ss.

Solozabal Echevarria, J. J. – "Alcunas consideraciones constitucionales sobre el alcance y los efectos de la integración Europea de Portugal y España", in J. Miranda (org.), *Perspectivas Constitucionais*, II, pp. 709 e ss.

Sommermann, K. P. – "Der entgrenzte Verfassungsstaat", in *Kritv*, 4/1998, p. 404 ss.

Sousa, Marcelo R. de – "A Integração Europeia pós-Maastricht e o sistema de governo dos Estados membros", in *Análise Social*, 118-119 (1992), pp. 789 e ss.

Steinberger, H./Klein, Eck./Thurer, D. – "Der Verfassungstaat als Glied einer europäischen Gemeinschaft", VVDSTRL, 50, pp. 9 e ss.

Sundfeld, C. A./Vieira, O. (org.) – *Direito Global*, São Paulo, 1999.

Tomuschat, Ch. – *Modern Law of Self-Determination*, Dordrecht, Martines Nijhof 1993, pp. 225 e ss.

– "Das Endziel der europäischen Integration. Maastricht ad infinitum", DVG, 1996, pp. 1073 e ss.

Torres, R. L. – "A cidadania multidimensional na era dos direitos", in Ricardo Lobo Torres (org.), *Teoria dos Direitos Fundamentais*, Rio de Janeiro, 1999.

Treinz, R. – "Der Verfassungstaat als Glieder einer europäischen Gemeinschaft", in *Deutsches Verwaltungsblatt*, 105, 1990, pp. 949 e ss.

– *Peremptory Norms (Jus Cogens) in International Law: Historical Development. Criteria. Present States*, Helsinkia, Finnish Lawyers, 1988.

Viotti, P./Kauppi, M. – *International Relations Theory. Realism, Pluralism, Globalism,* New York, 1987.

Weiler, J. H. – "The Transformation of Europe", in *Yale Law Journal*, 100, pp. 2418 e ss.

– *The Constitution of Europe*, Cambridge, 1999.

Zagrebelsky, G. – *Il diritto mite,* Einaudi, Torino, 1992, pp. 3 e ss.

Wendt, A. – "Der Internationalstaat: Identität und Strukturwandel in der internationalen Politik", in U. Beck (org.), *Perspektiven der Weltgesellschaft*, Frankfurt, 1998.

Capítulo 2

Teoria da Constituição e Sistema Político

Sumário

A. As Duas Gerações Sistémicas

   I - O sistemismo cibernético

   II - O sistemismo auto-organizativo

B. A Constituição e os Sistemas

   I - Gerações sistémicas e paradigmas do direito

   II - As novas sugestões de constituição: suavidade, responsabilidade, reflexividade e processualização

A. As Duas Gerações Sistémicas

I - O sistemismo cibernético

Existem dois sistemismos: o sistemismo cibernético e o sistemismo auto-organizativo. O paradigma dos sistemas autopoiéticos (auto-organizativos) não é facilmente intelegível se o não relacionarmos com a geração sistémica que o precedeu: o **sistemismo artificialista cibernético**.

A primeira geração de "teorias sistémicas" procurou, de certa forma, reconduzir os sistemas naturais a sistemas artificiais. Umas vezes, o sistemismo político-social desenvolveu autonomamente as suas premissas teóricas (ex.: o "sistema político" de David Easton); outras vezes, recolhe o modelo cibernético elaborado por engenheiros e físicos (ex.: o sistema cibernético de T. Ashby e de N. Wiener). Como o próprio nome indica (cibernética: *qubernator*), a teoria sistémico-cibernética era tributária de uma *ciência de pilotagem*, ou seja, uma ciência de concepção, comando e regulação de sistemas complexos. As máquinas de *inputs/outputs* são o símbolo de um sistemismo preocupado com o processo de *conversão* de demandas políticas exógenas que entravam no interior de uma *caixa negra* da política e do político, cujo mecanismo interior permanecia na penumbra, só dando sinal através das respostas tornadas possíveis pelos circuitos de *informação* e de *retroacção*. Os sistemas de "*feed-backs*", ou, como em termos tendencialmente caricaturais, também se designaram – os "*sistemas retroactas*" –, não ousavam entrar no interior mesmo do próprio sistema. Contentavam-se com as influências recíprocas sistema/ambiente.

II - O sistemismo auto-organizativo

A teoria dos **sistemas auto-organizativos** insinua logo ao nível dos enunciados semânticos o seu propósito ambicioso: compreender como os sistemas se organizam a partir do interior. Os sistemas vivos organizam-se a si próprios. Daí que a transferência da *autopoiesis* biológico-natural desenvolvida originariamente pela Escola de Santiago – Maturana e Varela – começasse a merecer a atenção dos cientistas sociais (Luhmann, Teubner).

A definição aqui avançada é retirada de um dos livros mais importantes sobre a cultura jurídico-autopoiética – *Recht als autopoietisches System* de Gunther Teubner [1]. Eis a definição que ele nos propõe: "O direito é um sistema social autopoiético de segundo grau porque ele obtém uma cláusula operativa autónoma face à Sociedade, entendida como sistema autopoiético de primeiro grau, graças à constituição auto-referencial dos seus componentes sistémicos e à articulação destes num hiperciclo". Para os menos familiarizados com a gramática conceitual autopoiética a definição proposta seria desconsoladora. Em termos tendenciais e aproximados descodifiquemos este discurso. Dizer que o direito constitui um sistema autopoiético significa que ele produz os seus próprios elementos, determina as suas estruturas e fixa os seus limites. *Auto-poiése* (*autopoiesis*) é, no fundo, isto: acção de se fazer a si mesmo. Na definição lapidar de Stuart Kaufmann [2]: "um sistema autopoiético é aquele que tem o poder de se gerar a ele próprio".

A "descoberta" de uma nova "galáxia" sistémica e a emergência de um novo "paradigma" estão associados a questionamentos científicos, metódicos, sociais e culturais da chamada pós-modernidade. Vamos aludir a alguns deles. O sistemismo autopoiético surge desde logo relacionado com o questionamento dos pressupostos teorético-cognitivos das correntes ainda hoje dominantes sobre a direcção ou comando da sociedade através do direito. Estamos a referir-nos ao *individualismo* e ao *realismo* metodológicos, qualquer que seja a sua expressão e esquema conceitual concretos. Nem o "indivíduo" nem a "sociedade" oferecem nos tempos actuais uma base operatória suficiente para explicar as estruturas complexas e artificiais de uma "sociedade diferenciada". Daí que se assinale a necessidade da substituição do realismo teorético-cognitivo por um novo *construtivismo social* e da substituição do acto racional do individualismo metodológico por *constructa* de natureza social, tais como *discurso, auto-referência, auto-reflexão, auto-organização*. No campo específico do direito, as novas propostas teorético-cognitivas insistem sobretudo no seguinte: (1) o *discurso jurídico* assume-se como *sujeito epistémico* que constrói *autonomamente* a sua realidade; (2) o direito, como *processo comunicativo*, produz o *sujeito do direito* apenas como *artefacto semântico*; (3) o direito é uma instância epistémica autónoma que não dispõe nem intervém noutras instâncias autopoiéticas e auto-referentes, recebendo apenas alguns *ruídos* ou *interferências* de outros sistemas autopoiéticos.

---

[1] Cfr. GUNTHER TEUBNER, *Recht als autopoietisches System*, Frankfurt/M, 1989. Tradução portuguesa de Engrácia Antunes, *O direito como sistema autopoiético*, Fundação Gulbenkian, Lisboa, 1993.
[2] Cfr. STUART KAUFMANN, *At Home in the Universe. The Search for Laws of Complexity*, 1995, p. 274. Entre nós, por último, JÓNATAS MACHADO, *A Liberdade de Expressão*, p. 124 ss.

B. A Constituição e os Sistemas

I - Gerações sistémicas e paradigmas do direito

No "mundo interior" do direito, o sistema jurídico essencialmente concebido como um sistema de *"legislatio"*, ou seja, um sistema programado ou dirigido por normas, apresentava já desde a década de 60 manifestas dificuldades teoréticas, metódicas e metodológicas. Os momentos da "codificação" e do "constitucionalismo" ("códigos constitucionais") deram alento a uma concepção próxima da teoria cibernética. O direito é tratado como um sistema artificial de comando, pilotagem e organização de uma "sociedade" que, por natureza, era dirigida por um "órgão" funcionalmente superior a ela. O direito por excelência residia nas normas. O sistema jurídico consubstanciava-se em regras imperativas, heteronomamente vinculantes.

São inequívocas as insuficiências de um sistema iluministicamente dominado pela ideia de "sujeito da história" (Estado, Povo, Nação, Partido) que conformava a sociedade através de injunções políticas formalmente plasmadas em regras imperativas. A ideia de um direito fundamentalmente *jurisdicional – jurisdictio* – apontava já para um aspecto posteriormente salientado pela viragem autopoiética: a de que o direito não deve ser reduzido a uma componente subordinada da regulação política, antes deve conceber-se como uma regulação autónoma que age ao nível comunitário da realização concreta do direito e da arbitragem de conflitos.

Quando o "sistema jurídico" regulativo alargou a sua intervenção para dar guarida às dimensões da socialidade e do Estado-providência, a *"legislatio"* converteu-se em comando dirigente, inflacionado e desadequado de regulação de uma sociedade cada vez mais complexa e diferenciada. "Juridicização", "legalização" da vida era uma resposta pouco "realista" face à autonomia e pluralidade do mundo social. A passagem de um *direito de concepção cibernética (teoria do mando)* a um *direito de concepção auto-organizativo (teoria da autonomia)* anuncia, pois, a emergência do novo paradigma – o *paradigma da auto-organização*.

As duas gerações sistémicas – cibernética e auto-organizativa – recortam dois paradigmas de direito. Recordemos os pontos de partida teóricos: (1) um *direito é cibernético* quando se apresenta como um sistema de regras destinadas a dar à sociedade uma estrutura estável e distinta da sua ordem natural ou espontânea; (2) um *direito é auto-organizativo* quando se concebe como um sistema endógeno de relações sociais emergente da interacção espontânea dos seus agentes.

Teoria da constituição e sistema político

1385

O *direito cibernético tem história*: desde Moisés e a Lei das Doze Tábuas até aos revolucionários franceses de 1789 e a Declaração dos Direitos do Homem e do Cidadão que o direito encontra expressão em "tábuas" gravadoras dos comandos dos "legisladores". O *direito auto-organizativo* também tem história: desde o direito romano e o seu pretor, passando pelo direito jurisprudencial da *common law*, até aos modernos movimentos de criação judicial do direito e "do direito achado na rua", que as ideias de um direito auto-organizativo fazem parte dos "momentos reflexivos" do próprio direito. Em termos resumidos dir-se-á, pois, que o *direito cibernético* é um direito do legislador e da lei positiva e que o *direito auto-organizativo* é um direito do juiz e das produções comunitariamente espontâneas. Ao direito cibernético estão associadas as doutrinas racionalistas e voluntaristas (hobbesianas e rousseaunianas); ao *direito auto-organizativo* está associado o direito natural clássico (aristotélico-tomista), de feição realista, hermenêutica e jurisprudencial.

Ainda hoje não está historicamente demonstrada a emergência e a consagração efectiva destes dois modelos. Os estudos das sociedades antigas sugerem que algumas delas parecem ter sido dotadas de esquemas com dominância cibernética (Babilónia-Assíria, Hebreus) e outras foram capazes de gerar modelos predominantemente auto-organizativos (Alto Império Egípcio). A ligação entre uma ordem sagrada e a ordem jurídica parece indiciar uma predominância lógica da organização cibernética (Deus *dita* o Decálogo). A teocracia assumia-se, assim, como uma estrutura cibernética. Todavia, o estatismo moderno que pretendeu substituir esta estrutura, insinuando-se como modelo auto-organizativo da sociedade, acaba ele próprio na forma mais total de organização cibernética. Eis aqui um dos pontos de interesse da cultura jurídica autopoiética: a de tentar "descodificar" o voluntarismo cibernético do estado e dos sistemas políticos instituídos e de procurar a reabilitação das formas jurídico-auto-organizativas. O desafio da auto-organização à teoria da constituição é facilmente intuído: aceitar o desafio de reconversão de um direito constitucional ancorado no direito do estado num direito constitucional sem "centro", ou seja, converter-se num estatuto auto-reflexivo do político nos termos que a seguir referiremos.

II - As novas sugestões de constituição: ductilidade, responsabilidade, reflexividade e processualização

De uma forma fragmentária, adiantámos já anteriormente algumas sugestões da moderna teoria da constituição. Vale a pena proceder-se a uma aproximação ao discurso teorético-constitucional – melhor: *discursos* – desenvolvido nas décadas de oitenta e noventa.

Algumas das sugestões avançadas estão longe de ser novas embora o *modo* e o *dom* da escrita sejam literalmente novos. Assim, por exemplo, fala-se de uma **constituição dúctil** (Zagrebelsky) para exprimir a necessidade de a constituição acompanhar a perda do centro ordenador do estado e reflectir o pluralismo social, político e económico. Neste sentido, a uma constituição caberá a tarefa básica de assegurar apenas as condições possibilitadoras de uma vida em comum, mas já não lhe pertence realizar directamente um projecto pré-determinado dessa vida comunitária. As constituições concebem-se, pois, como plataformas de partida para a realização de políticas constitucionais diferenciadas que utilizem em termos inventivos os "vários materiais de construção" semeados nos textos constitucionais [3].

Por sua vez, as chamadas **teorias responsivas da constituição** reclamam para as leis constitucionais as exigências do *direito responsivo* (*responsive law*). A exigência de **responsividade** postula que o direito não deve limitar-se a um *direito repressivo* (*repressive law*), isto é, um direito funcionalmente instrumental em relação aos fins do poder político e económico. Também não se autoconstitui como *direito autónomo* (*autonomous law*), pois isso traduzir-se-ia na recondução da constituição a uma lei formal exclusivamente preocupada com a manutenção da integridade institucional do sistema. Deve, sim, conciliar as exigências de **integridade**, isto é, as exigências da unidade da ordem jurídica e o consequente postulado de autonomia do direito perante o *ambiente*, com a necessidade de *abertura*, ou seja, a adaptação das normas constitucionais a esse "meio ambiente". A "*constituição responsiva*" procura, pois, responder à questão da rematerialização do direito em termos de adaptatividade e flexibilidade da acção dos órgãos constitucionais furtando-se ao instrumentalismo do direito repressivo e ao formalismo do direito autónomo [4].

As **teorias reflexivas da constituição** procuram captar os "três estádios" programáticos do direito (e também, por maioria de razão, do direito constitucional): *programa condicional, programa instrumental* e *programa relacional*. No esquema de programa condicional o direito estabelece um amplo conjunto de regras condicionadoras do âmbito das acções e condutas dos indivíduos concebidos como sujeitos abstractos (esquema condicional – *se* ....

---

[3] Cfr. G. ZAGREBELSKY, *Il diritto mite*, Einaudi, Torino, 1992, que alude a "constituição suave" ou, se preferirmos, "dúctil" ('*costituzione mite*').

[4] Lidando com estas categorias – direito repressivo, direito autónomo e direito responsivo – e explicando o seu alcance cfr., por todos, PH. NONET/PH. SELZNICK, *Law and Society in Transition. Toward Responsive Law*, Octagon Books, New York, 1978, p. 76.

então ....). O esquema do programa instrumental confia ao direito a missão de regular directa e especificamente condutas e acções de indivíduos concretamente determinados. É este o esquema seguido pelas "constituições programáticas" ou pelas constituições carregadas de normas sociais, pois elas seleccionam *tarefas* e *fins* concretamente impositivos de medidas a cargo dos órgãos e autoridades do estado. O *programa relacional* procura responder ao sentido da chamada **constituição de organização**[5] (*constitution of organization*), definidora de condições de conduta dos grupos e organizações sociais. A "constituição relacional", ou, se se preferir, a *constituição reflexiva* limita-se a possibilitar a realização do controlo jurídico da auto-regulação social e a unir a estruturação plural das fontes de direito adequada ao mundo-social e económico neocorporativista[6]. Finalmente, a **constituição processual** responderia às exigências de uma "moral racional flexível" ou "moral racional comunicativa". Concordantemente com a relativização dos "critérios absolutos de verdade", a processualização visa não tanto garantir posições jurídicas subjectivas ou prestações sociais mas sim assegurar ou estabelecer as condições de possibilidade dessas prestações e dessas garantias. A *processualização da constituição* radicaria, portanto, na transformação do contexto social de liberdade legal num sistema de justificação do novo contexto social de ideias e interesses[7].

As *sugestões autopoiéticas* mais recentes adiantam alguns elementos referentes à ideia de uma constituição dessubstantivada. O mote é o da constituição como **estatuto auto-reflexivo** (cfr. *supra*). A ideia de constituição como "centro" de um conjunto normativo "activo" e "finalístico", regulador e dirigente da sociedade, é criticada por esta doutrina sob vários pontos de vista. Em primeiro lugar, assinalam-se os limites da *regulação* dos problemas sociais, económicos e políticos através do direito. O "direito só regula a sociedade, organizando-se a si mesmo" (Teubner). Isto significa que o direito – desde logo, o direito constitucional – é, não um direito activo, dirigente e projectante, mas um *direito reflexivo* autolimitado ao estabelecimento de processos de informação e de mecanismos redutores de interferências entre vários *sistemas autónomos* da sociedade (jurídico, económico, social e cultural). Por isso se diz que o *direito constitucional pós-moderno* é um *direito pós-intervencionista* (="processualizado", "dessubstantivado", "neo-corporativo", "ecológico", "medial").

---

[5] Cfr., por todos, José Eduardo de Faria, *Economia e Constituição* (pol.), São Paulo, 1997, pp. 244 e ss.

[6] Cfr., sobretudo, G. Teubner, "After Legal Instrumentalism? Strategic Models of Posregulatory Law", in *International Journal of Sociology of Law*, 1984, p. 384.

[7] Assim, precisamente, R. Wiethölter "Materialization and Proceduralization in Modern Law", in G. Teubner, *Dilemas of Law in the Welfare State*, De Gruyter, Berlin, 1986, pp. 246 e ss.

Em segundo lugar, a constituição deixa de ser possível conceber-se com um pacto fundador e legitimador de uma acção prática racionalmente transformadora. Por outras palavras: a constituição fecha-se ao processo histórico de emancipação da sociedade (quer como "texto" de garantias individuais e arranjos organizatórios de tipo liberal, quer como "programa dirigente" de cariz marxizante). Como se concebe, então, a constituição na época pós-moderna? Em termos tendenciais, constituição é um *estatuto reflexivo* que, através do estabelecimento de esquemas procedimentais, do apelo a auto-regulações, de sugestões no sentido da evolução político-social, permite a existência de uma pluralidade de opções políticas, a compatibilização dos dissensos, a possibilidade de vários jogos políticos e a garantia da mudança através da construção de rupturas (Teubner, Ladeur).

A nosso ver, a reflexividade pós-moderna não elimina a compreensão racional da modernidade constitucional. A consciência projectante dos homens e a força conformadora do direito permanecem como *background* filosófico-político do constitucionalismo moderno. A constituição de um estado de direito democrático terá de continuar a propor uma melhor organização da relação homem-mundo e das relações intersubjectivas (entre e com os homens) segundo um projecto-quadro de "estruturas básicas da justiça".

Referências bibliográficas

Arnaud, A. J. – *Entre modernité et mondialisation: cinq leçons d'histoire de la philosophie du droit et de l'État*, Paris, 1998.

Arnauto, A. J./Guibentiff, P. (org.) *Nikla Luhmann, Observatans en Droit*, Paris, 1993.

Hespanha, A. – *Panorama Histórico da Cultura Jurídica Europeia*, Lisboa, 1997.

Morais, J. L. B. – "Constituição ou barbárie: perspectivas constitucionais", in Ingo Sarlet (org.), *A Constituição Concretizada*, Porto Alegre, 2000.

Luhmann, N. – *Organisation und Entscheidung*, Opladen/Wiesbaden, 2000.

– "Selbstorganization und Information im politischen System", in W. Niedersen/L. Pohlmann, *Selbstorganisation*, Duncker y Humblot, Berlin, 1991.

– *Das Recht der Gesellschaft*, Frankfurt/M, Suhrkamp, 1993.

– Trad. It. *Scelte Sociali e Valori individuali*, Milano, etas Libri, 1977.

– *Soziale System. Grundriss einer allgemeinen Theorie*, Frankfurt/M, Suhrkamp, 1987.

– *Die Wissenschaft der Gesellschaft,* Frankfurt/M, Suhrkamrp, 1991.

– "La Constitution comme acquis evolutionnaire", in *Droits*, n.° 22 (1995), pp. 112 e ss.

Rosenfeld, M. (org.) – *Constitutionalism, identity, difference and legitimacy: theoretical perspectives*, Durham, Duke University Press 1998.

Teubner (org.), G. – *Entscheidungsfolgen als Rechtsgründe: Folgenorientiertes Argumentieren in rechtsvergleichender Sicht*, Baden-Baden, Nomos, 1995.

Teubner, G./Febbrajs, A. (org.) – *State, Law and Economy as Autopoietic System*, Milano, 1992.

Wilke, Helmuth – *Die Ironie des Staates*, Frankfurt/M, Suhrkamp, 1991.

Schmidt Preuss, M./Di Fabio, U. – *Verwaltung und Verwaltungsrecht zwischen gesellschaftlicher Selbstregulierung und staatlicher Steuerung*, VVDSTRL, 56, 1997, pp. 160 e ss. 235 e ss.

Machado, Jónatas – *Liberdade de Expressão. Dimensões Constitucionais da Esfera Pública no Sistema Social*, Coimbra, 2002, p. 121 ss.

Neves, M. – *Zwischen Themis und Leviathan: Eine Schwierige Beziehung. Eine Rekonstruktion des demokratischen Rechtsstaates in Auseinandersetzung mit Luhmann und Habermas*, Nomos Verlagsgesellschaft, Baden-Baden, 2000.

Mingers, J. – *Self – Producing Systems: Implications and Applications of Autopoiesis*, New York, 1995.

Título 3
A Teoria da Constituição como Rede de Teorias

Capítulo 1

Teoria da Constituição e Teorias dos Direitos Fundamentais

Sumário

A. As Deslocações Compreensivas das Teorias de Direitos Fundamentais

   I - Teorias e "viragem" dogmática

   II - As teorias dos direitos fundamentais

B. Das Teorias à Multifuncionalidade dos Direitos Fundamentais

C. Os Direitos Fundamentais dentro da Teoria da Constituição através da Teoria do Agir Comunicativo e da Teoria da Justiça

   I - A "fundação" dos direitos fundamentais sobre uma teoria da discussão

   II - A "Constituição e as liberdades básicas"

A. As Deslocações Compreensivas das Teorias de Direitos Fundamentais

I - Teorias e "viragem" dogmática

As **teorias dos direitos fundamentais** elaboradas a partir de meados da década de setenta (sobretudo na juspublicística alemã) tinham como objectivo esclarecer se a **interpretação dos direitos fundamentais** pressupunha ou não uma **teoria de direitos fundamentais** capaz de fornecer uma compreensão lógica, global e coerente dos preceitos da constituição consagradores de direitos fundamentais. Pouco a pouco, foram surgindo várias teorias que umas vezes pretendiam captar fundamentalmente os valores básicos subjacentes às normas constitucionais e outras vezes se propunham esclarecer as *dimensões funcionais* (funções) dos próprios direitos fundamentais. Para se compreender melhor o sentido deste campo teórico sintetizar-se-ão as grandes linhas das principais teorias recortadas na juspublicística constitucional. Em boa parte, a teoria da constituição procurou abranger as teorias de direitos fundamentais mas sem haver grande rigor quanto à sua própria localização teórica. As fórmulas doutrinais revelavam esta insegurança: "teorias de direitos fundamentais", "compreensões dos direitos fundamentais", "pensamento de direitos fundamentais". Compreende-se, assim, que em breve as teorias constitucionais dos direitos fundamentais se deslocassem para a filosofia[1] ao mesmo tempo que os autores iniciavam o "tournant" dogmático exigindo "mais dogmática e menos teoria" (W. Brugger) a fim de se poder alicerçar uma metódica mais rigorosa de interpretação-aplicação dos direitos fundamentais constitucionalmente consagrados (cfr. *supra*). As exigências funcionais das teorias sistémicas também se começaram a sentir, interessando mais discutir as *funções* (subjectiva e objectiva) dos direitos do que as *teorias* em torno dos direitos[2]. Por fim, as exigências de

---

[1] Cfr. Pérez-Luno, *Los Derechos Fundamentales*, Madrid, 1984. Em geral, cfr. Peces Barba, *Curso de Derechos Fundamentales. Teoria General*, Madrid, 1995, pp. 39 e ss; K. Stern, *Staatsrecht*, III/2, 1994, pp. 1678 e ss. Por último, B. Braczyk, *Rechtsgrund und Grundrecht. Grundlegung eine systematischen Grundrechtstheorie*, Berlin, 1996; M. Jestaedt, *Grundrechtsentfaltung*, p. 102 ss.

[2] Cfr., sobretudo, H. Wilke, *Stand und Kritik der neueren Grundrechtstheorie*, Berlin, 1975. Por último, vide, em lingua portuguesa, Willis Guerra Filho, *Processo Constitucional e Direitos Funda-*

instrumentos de trabalho mais operacionais e "próximos da prática" conduzem a uma *teoria dogmática geral dos direitos fundamentais* que, no fundo, pretende fornecer as bases de uma metódica geral dos direitos positivamente constitucionalizados[3]. Vejamos as consequências que esta deslocação da teoria para a dogmática origina em sede da teoria da constituição. Primeiro aludiremos ao *estado da arte* sobre as teorias. Depois assinalaremos a *redescoberta* dos direitos em sede de teoria da constituição.

II - As teorias dos direitos fundamentais

a) Teoria liberal

São conhecidos os postulados mais característicos desta **teoria liberal**: (1) os direitos fundamentais são direitos do particular perante o Estado, são essencialmente *direitos de autonomia e direitos de defesa*; (2) os direitos fundamentais revestem, concomitantemente, o carácter de *normas de distribuição de competências* entre o indivíduo e o Estado, distribuição esta favorável à ampliação do domínio de liberdade individual e à restrição da acção estadual aos momentos de garantia e ordem necessários ao livre desenvolvimento desses direitos; (3) os direitos fundamentais apresentam-se como *pré-estaduais*, definindo um domínio de liberdade individual e social, no qual é vedada qualquer ingerência do estado; (4) a substância e o conteúdo dos direitos, bem como a sua utilização e efectivação, ficaram fora de competência regulamentar dos entes estaduais, dependendo unicamente da iniciativa dos cidadãos; (5) a finalidade e o objectivo dos direitos fundamentais é de natureza puramente *individual*, sendo a liberdade garantida pelos direitos fundamentais uma liberdade pura, *Freiheit in se* e não *Freihet um zu*, isto é, liberdade em si e não liberdade para qualquer fim (ex.: liberdade para a defesa da ordem democrática, liberdade ao serviço do socialismo).

Além de não corresponder inteiramente à própria tradição dos direitos humanos, a defesa actual da teoria burguesa numa desesperada tentativa de sobrevivência dos arquétipos liberais, é uma "reacção" contra o processo de objectivação e socialização dos direitos fundamentais. Esquece, porém, alguns elementos inelimináveis numa teoria temporalmente adequada dos direitos fundamentais: (*i*)

---

mentais, São Paulo, 1999, pp. 32 e ss.; J. C. VIEIRA DE ANDRADE, *Os Direitos Fundamentais na Constituição Portuguesa de 1976*, 2.ª ed., Coimbra, 2001, p. 13 ss.

[3] Cfr. R. ALEXY, *Theorie der Grundrechte*, Frankfurt/M, 1985; STERN, *Staatsrecht*, III/2, pp. 1679 e ss.

a efectivação real de liberdade constitucionalmente garantida não é hoje apenas tarefa de iniciativa individual, sendo suficiente notar que, mesmo no campo das liberdades clássicas (para já não falar dos direitos sociais, económicos e culturais), não é possível a garantia da liberdade sem intervenção dos poderes públicos (assim, por ex., art. 38.º/4); (*ii*) «o homem situado» não abdica de prestações existentes estritamente necessárias à realização da sua própria liberdade, revelando, neste aspecto, a teoria liberal uma completa «cegueira» em relação à indispensabilidade dos pressupostos sociais e económicos da realização da liberdade.

b) *Teoria da ordem de valores*

Os direitos fundamentais apresentam-se, na **teoria da ordem de valores**, primeiramente, como valores de carácter objectivo e não como direitos ou pretensões subjectivas. Concebidos os direitos fundamentais como **ordem de valores objectiva**, dotada de *unidade material* e na qual se insere o sistema de pretensões subjectivas (*Anspruchssystem*), deduz-se que: (1) o indivíduo deixa de ser a medida dos seus direitos, pois os direitos fundamentais reconduzem-se a princípios objectivos, através da realização dos quais se alcança uma eficácia óptima dos direitos e se confere um estatuto de protecção aos cidadãos; (2) se a teoria dos valores postula uma dimensão essencialmente objectiva, então no conteúdo essencial dos direitos fundamentais está compreendida a tutela de bens de valor jurídico igual ou mais alto; (3) consequentemente, através da ordem de valores dos direitos fundamentais respeita-se a totalidade do sistema de valores do direito constitucional; (4) os direitos fundamentais, sendo expressão dos valores aceites por determinada comunidade, só no quadro dessa ordem podem e devem ser realizados; (5) a dependência dos direitos fundamentais de uma ordem de valores total origina a relativização desses mesmos direitos que podem tornar-se susceptíveis de controlo jurídico ancorado precisamente na ordem de valores objectiva; (6) além dessa relativização, a transmutação dos direitos fundamentais em realização de valores justificará intervenções concretizadoras dos entes públicos de forma a obter a *eficácia óptima* de que se falou atrás. A teoria da ordem de valores, que os autores associam à *teoria da integração* de Smend e à *filosofia de valores*, procura um sistema de garantias sem lacunas a partir da objectivação dos direitos fundamentais. Só que, como já várias vezes pusemos em relevo, ela é uma teoria perigosa: (1) a indagação da ordem de valores, através de um pretenso método científico-espiritual, pode conduzir a uma ordem e a uma hierarquia de valores, caracterizadamente subjectiva, sem qualquer apoio em critérios ou medidas de relevância objectiva; (2) a ordem de valores tenta transformar os direitos fundamentais num *sistema fechado*, separado do resto da constituição; (3) a ordem de valores abre o caminho para a interpretação dos direitos fundamentais desembocar numa *intuição espiritual,* conducente a uma *tirania de valores,* estática e decisionista.

c) *Teoria institucional*

Esta teoria aproxima-se da teoria da ordem de valores na medida em que nega aos direitos fundamentais uma dimensão exclusivamente subjectiva. A **teoria institucional**, ao contrário das teorias essencialistas do valor, não procura uma ordem objectiva, jusnaturalística espírito-cultural ou fenomenologicamente captada –, mas sim o quadro (*instituição*) definidor e ordenador do sentido, conteúdo e condições de exercício dos direitos fundamentais. Daqui resultam vários corolários: (1) os direitos fundamentais, existindo no âmbito de uma instituição e sendo condicionados pela ideia ordenadora dessa mesma instituição, adquirem uma *dimensão funcional* na medida em que aos titulares dos direitos cabe o dever de participar na realização dessa ideia[4]; (2) enquadrando-se os direitos fundamentais na instituição, na qual estão presentes outros bens de valor constitucional, então os direitos fundamentais situam-se sempre em relação a estes últimos numa *relação de condicionalidade,* de onde resulta que o seu conteúdo e limites em relação aos outros bens constitucionais se afere mediante um critério de *ponderação de bens* (*Guterabwägung*); (3) consequentemente, se todo o direito está numa *relação de valor* com outros bens, fica aberta à regulamentação legal um maior campo de conformação do que aquele que seria permitido numa teoria liberal dos direitos fundamentais (sirvam de exemplo as intervenções regulamentadoras destinadas a assegurar a instituição da imprensa livre); (4) os direitos fundamentais apresentam um *duplo carácter – individual* e *institucional* – que explicará o facto de os direitos fundamentais, tais como as clássicas *garantias institucionais ou garantias de instituto,* deverem ser limitados na dimensão individual para se reforçar a dimensão institucional (vejam-se, por ex., os limites do art. 46.º/4 ao direito individual de associação com o fim de salvaguardar o direito de associação como instituição). À teoria da instituição cabe o mérito de ter salientado a dimensão objectiva institucional dos direitos fundamentais. Todavia, há que fazer algumas reservas substanciais: (*a*) a faceta institucional dos direitos fundamentais é apenas uma das dimensões destes

---

[4] A liberdade do indivíduo é, pois, uma *liberdade consignada.* Cfr. VIEIRA DE ANDRADE, *Os direitos fundamentais,* cit., p. 59. Por isso, HÄBERLE, *Die Wesensgehaltgarantie des Art. 19 Abs. 2 Grundgesetz,* 1962, assinala aos direitos fundamentais um momento de *cidadania activa* (*aktivbürgerliches Moment*) necessário à realização da instituição democrática. Cfr., também, MÁRCIO ARANHA, *Interpretação Constitucional e as Garantias Institucionais dos Direitos Fundamentais,* São Paulo, 1999.

direitos, ao lado das dimensões individual e social; (*b*) o enquadramento dos direitos fundamentais no «mundo institucional» pode acarretar a «paragem» dos próprios direitos, na medida em que as instituições sejam consideradas mais como *subsistemas de estabilização* do que como formas de vida e de relações sociais e jurídicas, necessariamente mutáveis no mundo evolutivo do ser social; (*c*) o critério da ponderação de bens utilizado pela teoria institucional conduz a uma perigosa *relativização* dos direitos fundamentais, além de não oferecer qualquer clareza e segurança no caso de conflitos de bens constitucionais [5].

d) *Teoria social*

A **teoria social** parte da tripla dimensão que deve ser assinalada aos direitos fundamentais: a *dimensão individual* (pessoal), a *dimensão institucional* e a *dimensão processual*. Continua a considerar-se, como na teoria liberal, que a liberdade, embora tenha uma dimensão subjectiva, adquire hoje uma dimensão social (*Freiheitsrecht und soziale Zielsetzung*). Por outro lado, muitas vezes o que está em causa não é o uso razoável de um direito fundamental, mas a impossibilidade de o particular poder usufruir as situações de vantagem abstratamente reconhecidas pelo ordenamento. Daí a problemática dos *direitos sociais* que, ao contrário do que a teoria liberal defendia, não postula a abstinência estadual, antes exige uma intervenção pública estritamente necessária à realização destes direitos; a intervenção estadual é concebida não como um *limite* mas como um *fim* do Estado. A socialidade passa a ser considerada como um *elemento constitutivo* da liberdade e não como limite meramente externo da mesma. Mas não basta exigir prestações existenciais e impor ao Estado deveres sociais, se não configurarmos a posição dos cidadãos no processo de realização dos direitos como um *status activus processualis* (Häberle). Intervém aqui a terceira dimensão assinalada aos direitos fundamentais: a *componente processual* permite aos cidadãos participar na efectivação das prestações necessárias ao livre desenvolvimento do seu *status activus*. Não obstante o avanço positivo que a teoria social trouxe quanto à compreensão multidimensional dos direitos fundamentais, permanecem obscuros alguns pontos: (1) reconhece a

---

[5] Cfr. MÜLLER, *Juristische Methodik*, cit., p. 52; DENNINGER, *Staatsrecht*, Hamburgo, 1979, Vol. 2.º, p. 183; VIEIRA DE ANDRADE, *Os direitos fundamentais*, cit., p. 60. A ambiguidade da compreensão institucionalista dos direitos fundamentais revela-se também nas diversas dimensões que nela se detectam: quando se *reforça o significado normativo*, a teoria institucional pode ganhar sentido dinâmico; quando se salientar a *dimensão analítica*, o que nos surge é uma perspectiva conservadora, pois os direitos fundamentais, longe de terem um efeito dirigente, são determinados pela realidade social densificada nas instituições. Cfr. DIETER GRIMM, *Grundrechte und soziale Wirklichkeit*, München, 1982.

teoria social que os direitos sociais são verdadeiros direitos subjectivos, ou serão antes «cavalos de Tróia» na cidade, ainda dominada pelo individualismo impenitente[6]; (2) haverá efectivamente direitos de *quota-parte* (*Teilhaberechte*) dos cidadãos na realização dos direitos fundamentais, ou tratar-se-á de simples questões de organização e administração?; (3) quais as garantias efectivamente concedidas aos cidadãos quanto à realização dos novos direitos: haverá prestações estaduais à medida dos direitos fundamentais ou simplesmente *direitos dependentes à medida das prestações do Estado?*

e) *Teoria democrático-funcional*

Na **teoria democrático-funcional** acentua-se particularmente o momento teleológico-funcional dos direitos fundamentais no processo político-democrático. Daí várias consequências: (*a*) os direitos são concedidos aos cidadãos para serem exercidos como membros de uma comunidade e no interesse público; (*b*) a liberdade não é a liberdade pura e simples mas a liberdade como *meio* de prossecução e segurança do processo democrático, pelo que se torna patente o seu carácter *funcional;* (*c*) se o conteúdo e alcance dos direitos fundamentais se encontra funcionalmente condicionado, também se compreende que o respectivo exercício não esteja na completa disponibilidade dos seus titulares: o direito é simultaneamente um *dever;* (*d*) dado o carácter marcadamente funcional dos direitos, aos poderes públicos é reconhecido o direito de intervenção conformadora do uso dos direitos fundamentais. Esta teoria parte da ideia de cidadão activo, com direitos fundamentais postos ao serviço do *princípio democrático.* Opera-se uma despersonalização-funcionalização dos direitos para se tentar salvaguardar a própria ordem que os reconhece. Isto pode conduzir a institutos censuráveis como os de *perda ou suspensão* dos direitos fundamentais pela sua utilização abusiva, tal como se consagra no art. 18.º da Constituição de Bona (ex.: uso não conforme ao pretenso princípio democrático). Alguns pontos de partida das actuais doutrinas incidentes sobre a *razão comunicativa*, a liberdade política e a liberdade de expressão parecem estar próximas desta teoria democrática-funcional dos direitos.[7]

---

[6] Cfr. Amâncio Ferreira, «Uma abordagem dos direitos sociais», in *Fronteira,* n.º 6, 1979, p. 68. Cfr., também, Vieira de Andrade, *Os direitos fundamentais,* p. 67.

[7] Cfr. a exposição e crítica recente de T. Wülfing, *Grundrechtliche Gesetzesvorbehalt,* cit., pp. 91 e ss. Veja-se, também, no contexto norte-americano, as teorias de autodeterminação democrática a propósito da liberdade de expressão. Cf. por todos, Cass Sunstein, *The Partial Constitution,* Cambridge, Mass., 1993, p. 195 ss.

f) *Teoria socialista dos direitos fundamentais*

A **teoria socialista** dos direitos fundamentais, oposta à chamada concepção burguesa, tem de ser analisada tendo em conta a *pré-compreensão antropológica marxista*. Recorde-se a célebre Tese n.° 6 sobre Feuerbach: «...a essência do homem não é uma abstracção inerente ao indivíduo isolado. Na sua realidade é um conjunto de relações sociais»[8]. Os pressupostos antropológicos da concepção marxista têm logo incidência na caracterização dos direitos do homem. «Assim, nenhum dos pretensos direitos do homem ultrapassa o homem egoísta, o homem enquanto membro da sociedade burguesa, isto é, o indivíduo separado da comunidade, ensimesmado, preocupado apenas com o seu interesse pessoal, obedecendo apenas à sua arbitrariedade privada»[9]. Trata-se, portanto, da «liberdade do homem considerado como nómada isolada, fechada sobre si próprio». Desta forma, os *droits de l'homme*, distintos dos *droits du citoyen*, nada mais são que os direitos dos membros da sociedade burguesa, isto é, do homem egoísta, do homem separado do homem e da comunidade[10]. Por sua vez, «a aplicação prática do direito de liberdade é o direito da propriedade privada». As citações anteriores permitem-nos concluir que a teoria marxista dos direitos fundamentais parte de uma base antropológica completamente diversa da teoria liberal. Para esta, o homem, na sua individualidade e personalidade, é a base das acções políticas e do próprio direito; para a teoria marxista, o homem tem uma essência social que faz com que não se possa bastar a si próprio, e só se consiga transformar em *homem total* através de uma nova sociedade. A partir daqui a teoria marxista aponta várias consequências para os direitos fundamentais: (*a*) os interesses do indivíduo identificam-se com os da sociedade, sendo mera «ficção» a teoria burguesa da esfera individual e livre, oposta à ordem estadual; (*b*) o direito de participação (*Mitgestaltung*), na medida em que proporciona a transformação das condições sociais possibilitadoras da plena realização dos direitos, é o «direito mãe» dos direitos fundamentais; (*c*) dada a imbricação profunda do indivíduo e da sociedade, os direitos fundamentais não podem divorciar-se da criação de *garantias materiais concretas* necessárias à sua efectivação; (*d*) o compromisso activo e a participação na criação das condições necessárias ao livre desenvolvimento dos direitos pressupõe a *unidade dos direitos* e *deveres* dos cidadãos; (*e*) a criação das condições materiais possibilitadoras do livre

---

[8] Cfr. K. MARX, *Ludwig Feuerbach e o fim da filosofia clássica alemã e outros textos filosóficos*, Ed. Estampa, 3.ª ed., 1975, p. 23.
[9] Cfr. KARL MARX, *A Questão Judaica*, Ed. Ulmeiro, s.d., p. 39; B. ROMANO, «Emanzipazione e violenza. A proposito dei diritti dell'uomo nella Judenfrage», in *Riv. Int. Fil. Dir.*, 4/1982, pp. 595 e ss.
[10] Cfr. KARL MARX, *A Questão Judaica*, cit., p. 36; A. M. REVEDIN, *La negazione teoretica. I diritti dell'uomo e la critica di Marx*, 1985; M. ATIENZA, *Marx y los derechos humanos*, 1983.

«desabrochar» dos direitos fundamentais exige ou pressupõe a apropriação colectiva dos meios de produção e a gestão colectiva da economia. A concepção socialista apontou com indiscutível rigor as «fraquezas» das «teorias burguesas» dos direitos fundamentais: (1) mistificação das declarações dos direitos quanto ao sentido igualitário dos direitos do homem, principalmente na feição que lhes imprimiu o liberalismo proprietarista; (2) carácter platónico do reconhecimento dos direitos, se não se assegurarem ao indivíduo as condições materiais necessárias à plena efectivação desses direitos, de forma a garantirem-se *liberdades concretas* e *reais*. A concepção socialista pretende ser uma *concepção originária* dos direitos fundamentais que implicaria uma *ruptura* com as concepções liberais; não se trataria, pois, de aperfeiçoar o núcleo clássico dos direitos fundamentais através do catálogo dos direitos sociais, económicos e culturais, só plenamente logrados numa sociedade socialista. Mas o *corte* antropológico que a teoria socialista operou em relação à teoria tradicional dos direitos do homem conduziu às suas deficiências principais: (1) funcionalização extrema dos direitos fundamentais e *minimização de uma irredutível dimensão subjectiva;* (2) *tendencial redução dos direitos à existência de condições materiais,* económicas e sociais, com manifesto desprezo das garantias jurídicas. Estas duas reduções acabaram por explicar o «nihilismo» político, económico, antropológico e ecológico, posto a nu pela «Perestroika» e a sua derrocada com a queda do "muro de Berlim".

B. Das Teorias à Multifuncionalidade dos Direitos Fundamentais

As teorias acabadas de expor não são um fim em si. Com a sua explanação pretende-se abrir caminho para as interrogações deixadas em aberto: quais as teorias fundamentais eventualmente subjacentes ao regime dos direitos fundamentais da lei constitucional portuguesa e qual a possibilidade de se fazer uma escolha livre dessas teorias. Do discurso antecedente afigura-se legítima uma primeira ilação: aos direitos fundamentais não poderá hoje assinalar-se uma única *dimensão* (subjectiva) e apenas uma *função* (protecção da esfera livre e individual do cidadão). Atribui-se aos direitos fundamentais uma *multifuncionalidade*[11], para acentuar todas e cada uma das funções que as teorias dos direitos fundamentais captavam unilateralmente.

---

[11] Cfr. LUHMANN, *Grundrechte als Institution*, 1965, pp. 80 e 134; WILKE, *Stand und Kritik der neueren Grundrechtstheorie*, Berlin, 1975; F. OSSENBÜHL, «Die Interpretation der Grundrechte in der Rechtsprechung des Bundesverfassungsgerichts», in *NJW*, 1976, pp. 2110 e ss; R.A. RHINOW, «Grundrechtstheorie, Grundrechtspolitik und Freiheitspolitik», in *Recht als Prozess und Gefüge, Festschrift für Hans Hüber*, Bern, 1981, p. 429, que se pronuncia também sobre a «pluridimensionalidade dos direitos fundamentais».

Quanto ao problema da escolha livre de uma teoria dos direitos fundamentais, poder-se-ia ser tentado a, caso por caso, mediante uma adaptação *tópica,* procurar a teoria mais adequada à solução concreta. Significaria isto não haver uma **teoria dos direitos fundamentais conforme a constituição** (*verfassungsgemässe Grundrechtstheorie*[12]), mas várias teorias *pré-compreendidas, iluminadoras da compreensão* das normas constitucionais. Aceitar esta conclusão seria não só admitir uma espécie de direito livre intimamente ligado à pré-compreensão do intérprete, como reconhecer a inexistência de um *pressuposto constitucional comum,* vinculativamente operante na interpretação-concretização dos direitos fundamentais. E este *pressuposto constitucional,* comum e inelimínável, tendo em vista o carácter compromissório da Constituição e a síntese dialéctica por ela operada entre os direitos de "várias gerações", dificilmente pode ser reconduzido a esquemas teóricos puros. Estes apenas auxiliam na busca de uma *compreensão material, constitucionalmente adequada,* dos direitos fundamentais. Neste sentido, sim, torna-se necessária uma *doutrina constitucional dos direitos fundamentais,* construída com base numa constituição positiva, e não apenas uma *teoria de direitos fundamentais* de carácter exclusivamente teorético [13].

Esta conclusão não significa que as teorias dos direitos fundamentais devam eclipsar-se definitivamente da teoria da Constituição. Por um lado, como o demonstra a moderna metódica constitucional, a teoria da constituição é uma dimensão importante na concretização dos direitos fundamentais. Por outro lado, e como o demonstra a recepção em sede dogmática (Alexy) da construção principial dos direitos fundamentais (Dworkin), a única maneira de as teorias dos direitos fundamentais não serem consumidas por abstractas "teorias da justiça" é a de elas continuarem dentro de uma teoria do direito praxeologicamente orientada. As teorias dos direitos fundamentais podem, desta forma, enriquecer a dogmática

---

[12] Cfr. BÖCKENFÖRDE, «Grundrechtstheorie und Grundrechtsinterpretation» cit., p. 1536. ALEXY, *Theorie der Grundrechte,* cit., p. 32, alude agora a uma «teoria integrativa adequada».

[13] Salientando a autonomia da concepção de direitos fundamentais subjacente ao texto constitucional de 1976 relativamente aos modelos teóricos, cfr. GOMES CANOTILHO/VITAL MOREIRA, *Fundamentos da Constituição,* Cap. III. Defendendo, pelo contrário, a tese da funcionalização dos direitos, liberdades e garantias em virtude da «opção socialista» da constituição, cfr. LUCAS PIRES, *A Teoria da Constituição,* cit., p. 310. Num sentido próximo do desenvolvido no texto quanto ao papel das «teorias dos direitos fundamentais», cfr. JORGE MIRANDA, *Manual,* vol. IV, pp. 48 e ss. Cfr., também, VIEIRA DE ANDRADE, *Os direitos fundamentais,* cit., p. 106; «Direitos e Garantias Fundamentais», in Baptista Coelho (org.), *Portugal: Sistema Político-Constitucional,* p. 696, que pretende «subtrair» os direitos fundamentais ao compromisso global da constituição (seriam um «subsistema autónomo») e reconduzir, ao contrário de LUCAS PIRES, a concepção constitucional a uma «concepção liberal moderna» (p. 689). Mesmo a admitir-se uma aproximação antropológica entre as «teorias sociais democráticas» e as «teorias liberais» continua a existir uma substancial diferença entre o «homem da catalecsia hayekiana» e o «homem situado» do pensamento social democrata e socialista. Cfr. L. FERRY/A. RENAUT, *Philosophie Politique, Des Droits de l'Homme à l'idée republicaine,* pp. 276 e ss.

dos direitos fundamentais e a teoria da constituição se elas fornecerem um suporte constitucionalmente sustentável a um **estado constitucional de direitos fundamentais** e a uma **sociedade civil de direitos fundamentais** [14].

C. Os Direitos Fundamentais Dentro da Teoria da Constituição Através da Teoria do Agir Comunicativo e da Teoria da Justiça

Se é visível o enriquecimento que a acentuação da teoria dos direitos fundamentais compreendida como *teoria dogmática dos direitos fundamentais* trouxe à metódica constitucional, nem por isso, como se acabou de dizer, as teorias dos direitos fundamentais se eclipsaram de uma teoria da constituição. Justifiquemos esta asserção através do recurso às construções teóricas de Habermas e de Rawls.

I - A "fundação" dos direitos fundamentais sobre uma teoria da discussão

J. Habermas, numa obra fundamental [15], enuncia a seguinte tese: a génese lógica dos direitos fundamentais constitui um processo circular no qual o código do direito e o mecanismo dirigido a constituir direito legítimo, ou seja, o princípio democrático, se constituem co-originariamente. Algumas categorias de direitos são mesmo princípios "vinculativos" do poder constituinte. Habermas distingue cinco categorias de direitos fundamentais: (1) direitos fundamentais resultantes do desenvolvimento politicamente autónomo do direito ao mais amplo leque de *liberdades subjectivas de acção iguais para todos*; (2) direitos fundamentais resultantes do desenvolvimento politicamente autónomo do *estatuto de membro* numa associação livre de "sócios" jurídicos; (3) direitos fundamentais que resultam de modo imediato da *exigibilidade* dos direitos e do desenvolvimento, politicamente autónomo, da *protecção jurídica individual*; (4) direitos fundamentais a uma *participação* em condições de igualdade nos processos de formação da opinião e da verdade no âmbito do qual os cidadãos exercem a sua autonomia política e através do qual instauram o direito legítimo; (5) os direitos

---

[14] Cfr. P. HÄBERLE, "Das Konzept der Grundrechte", in *Europäische Rechtskultur*, Frankfurt/M, 1997, pp. 279 e ss; PAULO BONAVIDES, *Direito Constitucional*, 6.ª ed., 1997, pp. 582 e ss.
[15] Cfr. J. HABERMAS, *Faktizität und Geltung*, pp. 155 e ss.

fundamentais à garantia das condições de vida a nível técnico, social e ecológico na medida em que isso se possa considerar necessário, em determinadas circunstâncias, à existência de uma igualdade de oportunidades para o exercício dos direitos cívicos enumerados de (1) a (4). Os três primeiros direitos têm uma função constitutiva, pois eles estabelecem os princípios norteadores do poder constituinte quanto à especificação dos direitos, liberdades e garantias. São, pois, princípios jurídicos em função dos quais se orientará o legislador constituinte [16].

Independentemente da análise (que não poderá aqui ser feita) dos restantes momentos discursivos do autor, uma coisa parece certa: regressa-se ao problema do poder constituinte e dos seus limites fundamentalmente radicados em determinados direitos fundamentais. Estamos no cume da teoria da constituição.

II - A "constituição e as liberdades básicas"

É uma teoria de direitos fundamentais que está subjacente à configuração institucional do *liberalismo político* tal como ele é construído por John Rawls. A própria constituição – incluída na *estrutura básica*[17] – é encarada como um procedimento justo que incorpora as *iguais liberdades políticas* e garante a liberdade de pensamento. O modo como se combinam as liberdades num *esquema coerente* outra coisa não é senão uma teoria das liberdades básicas assente numa *concepção política da pessoa* e indispensável à justificação de um *regime constitucional*[18]. Mais uma vez, as teorias dos direitos básicos são momentos fundamentais de uma teoria normativa da constituição incluída numa *teoria do político*. A constituição é, precisamente, entendida como um procedimento político justo que incorpora as iguais liberdades políticas e procura assegurar o seu justo valor de modo que os processos de decisão política sejam acessíveis a todos numa base aproximadamente igual.[19] Neste sentido, a Constituição será também o *estatuto comum de cidadãos iguais* na medida em que incorpora e específica as liberdades básicas.[20]

---

[16] Cfr. J. HABERMAS, *Faktizität und Geltung*, p. 160.
[17] Cfr. J. RAWLS, *Political Liberalism*, p. 258.
[18] Cfr. J. RAWLS, *Political Liberalism*, p. 38.
[19] Cfr. J. RAWLS, *Political Liberalism*, p. 337.
[20] Cfr., por último, JÓNATAS MACHADO, *Liberdade de Expressão*, p. 144.

Referências bibliográficas

Andrade, J. C. V. – *Os Direitos Fundamentais na Constituição Portuguesa de 1976*, 2.ª ed., Coimbra, 2001.

Alexy, R. – *Theorie der Grundrechte*, Suhrkamp, Frankfurt/M, 1985. (Existe trad. cast.).

Böckenförde, E. W. – *Zur Lage der Grundrechtsdogmatik nach 40 Jahren Grundgesetz*, München, 1989.

Bonavides, P. – *Direito Constitucional*, 6.ª ed., 1997, pp. 582 e ss.

Brugger, W. – *Grundrechte und Verfassungsgerichtsbarkeit in den Vereinigten Staaten von Amerika*, Tübingen, 1987.

Corradini, D. – *Garantismo e statualismo*, Milano, 1971.

Cunha, P. F. – *Teoria da Constituição. Direitos Humanos. Direitos Fundamentais*, Lisboa, 2000.

Denninger, E. – *Menschenrechte und Grundgesetz*, Berlin, 1992.

Dreier, H. – *Dimensionen der Grundrechte*, Berlin, 1993.

Faria, J. E. (org.) – *Direitos Humanos, Direitos Sociais e Justiça*, São Paulo, 1998.

Ferrajoli, L. – *Diritto e ragione. Teoria del garantismo penale*, Bari-Roma, 1989.

Habermas, J. – *Faktizität und Geltung*, pp. 160 e ss.

Häberle, P. – *Europäische Rechtskultur*, Frankfurt/M, 1997, pp. 279 e ss.

Jestaedt, M. – *Grundrechtsentfaltung im Gesetz. Studien zur Interdependenz von Grundrechtsdogmatik und Rechtsgewinnungstheorie*, Berlin, 1999.

Kramer, M./Simmonds, N. E./Steiner, H. – *A Debate over Rights – Philosophical Enquires*, Oxford, 2000.

Luhmann, N. – *Grundrechte als Institution*, 1965.

Peces Barba, G. (com a colaboração de R. de Assis Roig, C. R. Fernandes Liesa, A. LLamas Cascón) – *Curso de Derechos Fundamentales*, Universidade Carlos III, Madrid, 1995.

Rawls, J. – *Political Liberalism*, pp. 258 e ss.

Ridola, P. – *Diritti di libertá e Costituzionalismo*, Torino, 1997.

Stern, K. – *Das Staatsrecht der Bundesrepublik Deutschland*, III/2, Beck, München, 1994, pp. 1633 e ss.

Vilaverde, I. – *Esbozo de una teoria general de los Derechos Fundamentales*, separata da *Revista Juridica de las Asturias*, 22/1998.

Wilke, H. – *Stand und Kritik der neuen Grundrechtstheorie*, Berlin, 1975.

Capítulo 2
Teoria da Constituição e Teorias da Democracia

Sumário

A. As Teorias da Democracia

   I - A teoria democrático-pluralista

   II - A teoria elitista da democracia

   III - A teoria da democracia do «ordo-liberalismo»

B. As Teorias Normativas da Democracia

   I - Teoria liberal

   II - Concepção republicana

   III - Democracia deliberativa

   IV - Democracia discursiva

   V - Democracia corporativa

C. Concepção Minimalista de Democracia

D. As sugestões da Democracia Electrónica

A. As Teorias da Democracia

I - A teoria democrático-pluralista

A chamada **teoria pluralista da democracia**, oriunda dos Estados Unidos, pretende ser uma autocompreensão das democracias ocidentais [1]. O seu teorema fundamental é o seguinte: o processo de formação da vontade democrática não assenta nem no povo indiferenciado dos sistemas plebiscitários, nem no indivíduo abstracto da teoria liberal, mas sim em grupos definidos através da frequência de interacções sociais. As decisões estaduais constituiriam, assim, os *inputs* veiculadores das ideias, interesses e exigências dos grupos.

O pluralismo, ancorado numa teoria de *inputs* dos grupos é, ao mesmo tempo, uma teoria empírica e uma teoria normativa. Como teoria empírica pretende captar a realidade social e política das democracias ocidentais, nas quais todas as decisões políticas se reconduziriam a interesses veiculados pelos vários grupos sociais. Como teoria normativa – o pluralismo como ideia dirigente – a teoria pluralista pressuporia um *sistema político aberto,* com ordens de interesses e valores diferenciados e que, tendencialmente, permitiria a todos os grupos a *chance* de influência efectiva nas decisões políticas. Desta forma, realizar-se-ia a aspiração da distribuição de poderes por vários subsistemas concorrentes, substituindo-se a concorrência liberal de ideias pelo interesse concorrente dos grupos. Ao mesmo tempo, conseguir-se-ia obter uma dimensão igualitária, na medida em que, estando no sistema pluralístico todos os interessados tendencialmente organizados da mesma maneira, todos eles teriam uma quota de influência e mobilização.

As críticas a esta teoria pluralista da democracia avolumaram-se nos tempos mais recentes: (1) no próprio campo das suas investigações empíricas se

---

[1] Cfr., por ex., D.B. TRUMAN, *The Governmental Process. Political Interest and Public Opinion*, New York, 1951; R. A. DAHL, *Pluralist Democracy in the United States. Conflict and Consent*, Chicago, 1967. Em geral sobre as modernas teorias da democracia cfr. F. GRUBE/G. RICHTER, *Demokratietheorien*, Hamburg, 1975. Mais recentemente, cfr. W. A. KELSO, *American Democratic Theory. Pluralism and its Critics*, Westport, Connecticut, 1978; DAVID HELD, *Models of Democracy*, 2.ª ed., Stanford, 1997. Cfr., ainda, K. von BEYME, *Die politischen Theorien der Gegenwart*, 1980; A. ARATO, "Construção Constitucional e Teorias da Democracia", in *Lua-Nova*, 42 (1997), p. 30 ss.

demonstrou que a tese da pluralidade de grupos e da sua influência igual e recíproca era infirmada pela demonstração de a influência nos processos de decisão pertencer a uma camada política restrita, sendo a maioria *citizenship without politics*[2]; (2) em segundo lugar, a teoria pluralista não demonstrou terem os diferentes grupos iguais oportunidades de influência política, e deixa pouco esclarecido o modo como se faz a articulação dos interesses destes vários grupos na formação de decisões[3]; (3) a teoria pluralista da democracia apresenta o quadro de uma sociedade fundamentalmente homogénea e harmónica, na qual todos os interesses têm o mesmo peso e são igualmente ponderados; com isto, a teoria pluralista transformou-se em *ideologia de justificação* dos grupos no poder, pois de um pluralismo democrático transita-se para *o Monopolpluralismus*, na expressão de Spinner [4-5]; (4) a teoria pluralista está longe de corresponder a uma *sociedade activa* como, em geral, pressupõem os seus defensores: dentro dos grupos manifesta-se profunda apatia e letargia, que alguns autores (mesmo situados no campo das teorias pluralistas) consideram como défice da democracia[6]; (5) além das críticas anteriores, outras há mais radicalizadas e que costumam ser rotuladas de «críticas de direita» e «críticas de esquerda». As primeiras arrancam da ideia de «unidade do Estado», «unidade política», «domínio neutral do Estado», «estadualidade superpartidária» (tudo unidades pressupostas ou autoritariamente impostas) contra a «dissolução da unidade do Estado através dos grupos» (C. Schmitt, Forsthoff, W. Weber)[7]. As segundas partem da análise da estrutura social das sociedades pluralistas e concluem ser o pluralismo apenas uma cobertura de legitimação da unidimensionalidade capitalista (Agnoli, Marcuse, Offe).

Analisadas as perspectivas da teoria pluralista da democracia e as críticas que lhe são dirigidas, deve situar-se agora o problema no plano normativo-constitucional. Aqui parece-nos líquido que se o *pluralismo* (cfr. art. 2.º) não

---

[2] Foi a conclusão a que chegou R. DAHL no estudo sobre o sistema pluralístico da comuna de New Haven. Cfr. R. DAHL, *Who Governs? Democracy and Powers in American City*, New Haven, 1961, p. 276.

[3] Cfr. C. OFFE, *Politische Herrschaft und Klassenstruktur*, Frankfurt/M., 1969, p. 171.

[4] Cfr. H. SPINNER, *Pluralism als Erkenntnismodell*, Frankfurt/M, 1974, pp. 237 e ss.

[5] Fora das críticas de esquerda (teoria do capitalismo monopolista de Estado, anti-revisionismo, crítica de legitimação), esta tendência do pluralismo é salientada por diversos autores. BÄUMLIN, *Lebendige oder gebändigte Demokratie*, cit., p. 20, refere-se ao «harmónio» dos interesses tocado pela teoria pluralista como «instrumento suspeito»; F. SCHARPF, *Demokratietheorie*, cit., p. 34, põe em relevo que o pluralismo como modelo pode ser a acomodação tranquila de grupos saturados: *«für die friedliche Akkomodation der begrenzten Ziele grundsätzlich saturierter Gruppe»*.

[6] Cfr. FRAENKEL, apud SCHARPF, *Demokratietheorie*, cit., p. 21.

[7] Cfr. as considerações de ROGÉRIO SOARES, *Direito Público*, cit., pp. 111 e ss, e de R. ZIPPELIUS, *Allgemeine Staatslehre*, 10.ª ed., pp. 220 e ss.

se reconduz ao idílio concorrencial e à estratégia de legitimação concebida pela teoria pluralista da democracia, ele tem dimensão empírico-normativa indiscutível. O pluralismo é uma *realidade:* sociedade heterogénea de classes e fracções de classes, grupos sociais, económicos, diversidades culturais e ideológicas. Por outro lado, ao pluralismo é assinalada uma evidente dimensão ou componente *normativa:* acentuação do pluralismo de expressão e organização política democráticas como elementos constitutivos de um estado democrático (cfr. art. 2.º) e, nesta medida, recusa de quaisquer reduções autoritárias. Além disso, pretende-se reconhecer às forças sociais e aos grupos colectivos capacidade de transformação qualitativa das relações humanas. Finalmente, o pluralismo é concebido na Constituição como tendo uma força *dialéctica* e, ao mesmo tempo, *dialógica* (ex.: pluralismo ideológico nos meios de comunicação social do Estado, art. 39.º/1 e 2). Com esta dimensão normativa, compreende-se que o pluralismo – sobretudo o pluralismo de expressão e o pluralismo de expressão e organização políticas – seja não apenas uma dimensão do princípio democrático mas também um *elemento constitutivo da ordem constitucional* (art. 288.º/*i*).

II - A teoria elitista da democracia

Perante o relativo inêxito da teoria pluralista da democracia em explicar a falta de correspondência entre as intenções normativas e a realidade político-social (pluralismo como facto não demonstrado), a **teoria elitista da democracia** pretende assumir-se como alternativa explicativa. Partindo do conceito de democracia desenvolvido por J. Schumpeter [8] – a democracia como *método* (e apenas método) de obter o apoio do povo pela concorrência –, a teoria elitista aceita que a democracia é uma *forma de domínio*. Distinguir-se-ia das outras formas de domínio pelo facto de nela se verificar uma concorrência para o exercício do poder: os governados, de tempos a tempos, através do voto, decidiriam qual a elite concorrente que deveria exercer o poder. No modelo da teoria elitista (diversamente formulado pelos seus adeptos, como Dahl, Sartori, Berelson, Lipset, Kornhauser, E. Schatsschneider), podem assinalar-se vários elementos caracterizadores: (1) na escolha das políticas alternativas, as camadas não-elitistas não participam activamente, podendo apenas apoiar ou rejeitar o programa das elites; (2) a limitação às elites das escolhas políticas é uma condição de sobrevivência do sistema democrático, ameaçado pelo excesso de perfeccio-

---

[8] Cf. J. SCHUMPETER, *Capitalism, Socialism und Democracy,* London, 1943/1992, p. 250 ss.

nismo, pela demagogia democrática e pelo princípio da maioria; (3) as elites profissionais, para conseguir a estabilidade do sistema, esforçam-se por defender também os interesses das não-elites; (4) a reserva da política às elites é uma defesa contra o *working-class authoritarianism*[9], pois só as elites, em virtude de um intensivo processo de «socialização» (cultura política), garantem o processo liberal e democrático.

Das considerações precedentes resulta já que as teorias elitistas manifestam profunda desconfiança em qualquer política de autodeterminação através da participação popular activa. Elas são uma espécie de síntese de uma pretensa teoria democrática com uma *teoria das elites de poder* (no conhecido sentido de Mosca e Pareto): democracia não é o poder do povo, mas poder das elites para o povo que se limita a escolher as elites.

Mesmo que a teoria elitista da democracia corresponda à realidade política de alguns países (assim a conhecida tese da «elite do poder» de C. Wright Mills), ela não corresponde nem de perto nem de longe ao sentido do princípio democrático na Constituição de 1976: (1) ao contrário da pessimista ideia do «estado de massas autocrático», da «mass society», detecta-se na CRP a ideia de que a vitalidade democrática não assenta na «circulação de elites», mas numa «activa publicidade» (Dahrendorf), traduzida na participação permanente, aberta e variada do povo na resolução dos problemas nacionais (cfr. art. 9.º/c); (2) em segundo lugar, contra o «bloqueamento» das decisões, pelas elites, dos problemas nacionais – «*non decision making*» [10] – a CRP atribui relevo à participação política (cfr. arts. 48.º/1, 55.º/1, 115.º, 263.º, 267.º); (3) o princípio democrático não pode assentar ou continuar a assentar (*vide*, atrás, a ideia antidemocrática do liberalismo) numa desconfiança em relação ao povo e na criação de modelos teóricos ou explicativos da protecção das elites perante as «massas» [11], pois o *telos* da democracia é autodeterminação do homem através da participação política dos cidadãos e não apenas das elites (art. 9.º/c) [12]; (4) o princípio democrático é entendido como um processo de democratização para cuja realização a lei constitucional atribui importante papel ao princípio participativo (contra a ideia do autoritarismo da classe

---

[9] A expressão é de S. M. LIPSET, *Political Man*, London, 1966, p. 97, mas ela é defendida pelos outros adeptos das teorias elitistas. Veja-se R. Dahl, *A Preface to Democratic Theory*, 1956; D. HELD, *Models of Democracy*, pp. 157 e ss.; W. RIKER, *Liberalism against Populismus*, San Francisco, 1982.

[10] Sobre o conceito de não decisão cfr., especialmente, BACHRACH/BARATZ, *Power and Poverty. Theory and Pratice*, New York, 1970, pp. 9 e ss.

[11] Cfr. BACHRACH, *The Theory*, cit., pp. 10 e ss; W. D. NARR, *Theorie der Demokratie*, Stuttgart, 1971, p. 81; BAUMLIN, *Lebendige*, cit., p. 28; PAULO BONAVIDES, *Do Estado Liberal ao Estado Social*, Rio de Janeiro, 1980, pp. 216 e ss; D. HELD, *Models of Democracy*, 1987, p. 70 ss.

[12] Num sentido diferente, cfr. BAPTISTA MACHADO, *Participação*, cit.

operária defendida pela teoria elitista); (5) a CRP reconhece e garante um amplo catálogo de direitos, liberdades e garantias dos trabalhadores (cfr. arts. 53.º e ss), assegura a participação dos trabalhadores» na gestão das unidades de produção do sector público (art. 89.º) e coloca a «participação das organizações representativas dos trabalhadores e das organizações representativas das actividades económicas na definição das principais medidas económicas e sociais» (art. 80.º/g).

III - A teoria da democracia do «ordo-liberalismo»

A «constituição da liberdade» [13] do neoliberalismo assenta no valor irrenunciável que a liberdade económica, sobretudo a propriedade privada dos meios de produção, tem para a ordem social-liberal. A democracia volta a ser definida novamente como «método» através do qual é determinado o que deve valer como lei. A democracia para a **teoria do ordo-liberalismo** é um método que não assenta fundamentalmente na soberania do povo, como sempre pretenderam os «democratas doutrinários»; ela alicerça-se na ordem económica e social-liberal, na «economia livre de mercado». Uma ordem livre e democrática, definida por regras e leis, baseia-se na afirmação da pessoa humana e nos seus direitos de liberdade [14]. Levada aos extremos, na sua dimensão económica, a teoria democrática do ordo-liberalismo coloca a alternativa: poder ou mercado (*Macht oder Markt*, L. Erhardt/ Müller-Armack) [15].

Da esquemática formulação que se acaba de traçar, fácil é de intuir que a discussão do ordo-liberalismo pressupõe a discussão não só dos dois sistemas económicos – capitalismo e socialismo –, como de políticas económicas (social-democracia, liberalismo económico). Isto ultrapassaria a temática do princípio democrático. Basta assinalar que a «liberdade económica» assente na propriedade privada dos meios de produção se converte aqui em «dogma», em *ratio essendi* da democracia e da liberdade. A tentativa de uma «ordem» democrática em que a dignidade e liberdade humanas sejam respeitadas pode partir de

---

[13] *Die Verfassung der Freiheit* é, precisamente, o título do livro de um dos mais conhecidos teorizadores do ordo-liberalismo. Cfr. F. V. HAYEK, *Die Verfassung der Freiheit*, Tübingen, 1969. Entre nós, cfr., por último, LUCAS PIRES, *A Teoria da Constituição de 1976*, pp. 287 e ss.

[14] Os principais *topói* do ordo-liberalismo ver-se-ão em *Zur Verfassung der Freiheit*, Festgabe für F. V. HAYEK, 80 Geburtstag, 1979.

[15] Este «maniqueísmo» da concepção «ordo-liberal» foi salientado já por VITAL MOREIRA, *Economia e Constituição*, 2.ª ed., p. 25. A crítica mais actual encontra-se em J. ELSTER, "The market and the forum: Three varieties of political theory", in *Deliberative Democracy*, 1997, p. 3 ss.

outros pressupostos [16]. Isso mesmo pretendeu a Constituição, ao consagrar um *sistema económico complexo,* com várias formações económicas, onde ao lado de um sector privado (art. 82.º/4), aparecem sectores não capitalistas (cfr., sobretudo, o art. 82.º) [17].

B. As Teorias Normativas da Democracia

As chamadas **teorias normativas da democracia** não operam uma completa ruptura em relação às teorias da democracia anteriormente mencionadas. Verifica-se, sim, o fenómeno repetidamente assinalado no desenvolvimento constitucional: há continuidade e mudança. Existe continuidade quanto à discussão das qualidades "essenciais" da democracia: *representação* (Mill), *participação* (Rousseau), *freios e contrapesos* (Madison), *concorrência de elites* (Schumpeter), *descentralização* (Tocqueville), *igualdade* (Marx), *liberdade* (Hayek), *discussão* (Habermas), *justiça* (Rawls).

No entanto, as discussões sobre a democracia nas décadas de oitenta e noventa revelam outras preocupações. Deve relevar-se, desde já, que muitas das teorias agitadas nos últimos tempos andam estritamente associadas às discussões em torno do estado de direito, da constituição e do constitucionalismo. Por isso, e embora não o confessem sempre de forma expressa, elas são *teorias normativas constitucionais da democracia* [18]. Se quisermos uma síntese preambular destas teorias da democracia podemos dizer que todas elas se articulam com as concepções da política e do processo democrático no estado de direito constitucional: *perspectiva liberal, perspectiva comunitária* e *perspectiva deliberativa*.

I - Teoria liberal

A **teoria liberal** assenta nos seguintes postulados: (1) a política é um meio para a prossecução de fins, estando estes fins radicados numa esfera de liberdade social preexistente à própria política; (2) o processo democrático serve

---

[16] Cfr. BÄUMLIN, *Lebendige Demokratie,* p. 25.

[17] Cfr. mais indicações sobre a caracterização da «constituição económica em GOMES CANOTILHO/VITAL MOREIRA, *Constituição da República Portuguesa,* pp. 381 e ss.

[18] Cfr. J. HABERMAS, "Drei normative Modelle der Demokratie", in *Die Einbeziehung des Anderen,* 1997, p. 277; ALAN HAMLIN/PHILIPE PETIT, (org.), *The Good Polity: Normative Analysis of the State,* Oxford, 1989, pp. 17 e ss.; S. N. EISENSTADT, *Os Regimes Democráticos,* Lisboa, 2000, p. 5 ss.

para colocar o estado ao serviço da sociedade, reduzindo-se este estado a um aparelho administrativo e estruturando-se a sociedade como um sistema económico baseado no comércio entre pessoas privadas; (3) a política deve orientar-se no sentido de prosseguir estes interesses privados perante um aparelho administrativo que se transformou em poder especializado de prossecução de fins colectivos.

II - Concepção republicana

Segundo a **teoria republicana** a política é uma dimensão constitutiva da formação da vontade democrática e por isso: (1) assume a forma de um compromisso ético-político referente a uma identidade colectiva no seio da comunidade; (2) não existe espaço social fora do espaço político traduzindo-se a política numa forma de reflexão do bem comum; (3) a democracia é, desta forma, a auto-organização política da comunidade no seu conjunto [19].

Estes traços simples escondem uma complexa discussão na qual estão envolvidos os mais representativos "maître penseurs" da nossa contemporaneidade e a tensão central de uma sociedade democrática – *regime of rights* e *welfare state*. A teoria liberal continua a compreender esta tensão da seguinte forma: (1) *desconfiança* (*distrust*) perante a racionalidade da política e por isso é que a desestabilização de uma sociedade só pode ser evitada através de um sistema de direitos "pré-políticos"; (2) *antipaternalismo* relativamente ao estado de bem-estar subjectivo (*subjective welfarism*) e aqui radica a justificação de o direito constitucional dever comportar-se como um modelo de agregação de preferências "pré-políticas" tal como o direito privado actua relativamente às interacções do mercado; (3) *neutralidade* constitucional como critério de referência para maximização de preferências subjectivas e distribuição de recursos; (4) carácter "a principal" (*un-principled*) do complexo de medidas regulatórias – acção do estado, *affirmative action*, prestações estatais, cuidado assistencial, liberdade positiva e negativa, eficácia dos direitos fundamentais nas relações jurídicas privadas –, pois estas convenções jurídicas e políticas mais não são do que uma ideologia de legitimação política.

Muito diferente é a concepção republicana quanto a três ideias básicas: (1) o *estatuto de cidadão* não se define através de um modelo de liberdade negativa que os cidadãos podem reivindicar enquanto praticados, (2) mas antes

---

[19] Cfr., PHILIP PETTIT, *Republicanism*, Oxford, 1997. Entre nós, vide R. LEITE PINTO, *O 'Momento Maquiavélico' na Teoria Constitucional Norte-Americana*, Lisboa, 1998, pp. 115 e ss.; B. GROFMAN, «Public Choice, Civic Republicanism...», TLR, 71 (1993), p. 1541 ss.

através do *estatuto de direitos cívicos* (em primeiro lugar os direitos de participação e de comunicação política), concebido como liberdades positivas.

III - Democracia deliberativa

A ideia de **democracia deliberativa** está ligada sobretudo à escola do "republicanismo liberal" ("liberal republicanism"). Esta escola parte do ideal republicano do *self government*, isto é, as pessoas governam-se a si próprias através da acção política e das leis que elas próprias dão a elas mesmas. Em termos sintéticos as premissas teóricas da democracia deliberativa reconduzem-se ao seguinte: (1) política deliberativa assente na ideia de "virtude cívica" ("civic virtue"); (2) igualdade dos participantes no processo político; (3) possibilidade de consentimento universal nas disputas normativas através da razão prática; (4) direitos de participação dos cidadãos na vida pública e controlo dos representantes.

As ideias acabadas de referir encontram-se também de forma mais ou menos expressa em muitas outras formulações da democracia. A categoria conceitual mais importante é a de **política deliberativa**. A deliberação pressupõe uma concepção dialógica da política e a consideração desta como um processo racional de discussão dos problemas e alternativas, de forma a obterem-se soluções justas, boas, ou, pelo menos, razoáveis, de ordenação da vida comunitária. A política serve para deliberar sobre a ordenação comunitária e não apenas para fornecer aberturas processuais à prossecução de interesses privados ou à optimização de preferências subjectivas.[20]

IV - Democracia discursiva

Próxima da democracia deliberativa situa-se a **democracia discursiva** (J. Habermas). A grande diferença relativamente ao "republicanismo liberal" norte-americano radica no facto de a democracia discursiva não assentar em

---

[20] Cfr. MICHELMANN, "Law's Republic", in *Yale Law Journal*, 97 (1988), pp. 1493 e ss, "Kolletiv, Gemeinschaft, und das liberalen Denken in Verfassungen", in GÜNTER FRANKENBERG (org.), *Auf der Suche nach der gerechten Gesellschaft*, Frankfurt/M, 1994; J. HABERMAS, *Faktizität und Geltung*, pp. 324 e ss; JOHN ELSTER (org.), *Deliberative Democracy*, New York, 1998; JÓNATAS MACHADO, *Liberdade de Expressão*, p. 172 ss. Em língua portuguesa, cfr. o penetrante trabalho de C. SOUSA NETO, "Teoria da Constituição, Democracia e Igualdade", in C. SOUSA NETO, e *alii*, *Teoria da Constituição*, Rio de Janeiro, 2003, p. 28 ss.

direitos universais do homem (ou direitos preexistentes na perspectiva liberal) nem na moral social de uma comunidade determinada (como sustenta a visão republicana), mas em regras de discussão, formas de argumentar, institucionalização de processos – rede de discussão e negociação – cujo fim é proporcionar uma solução nacional e universal a questões problemáticas, morais e éticas da sociedade [21]. O *conceito processual de política deliberativa* assume aqui um conteúdo normativo que faz dele conceito central da democracia. A democracia equivale a um processo de auto-organização política da sociedade. Daí as propostas mais relevantes desta teoria de democracia discursiva: (1) contra o privatismo burguês de um povo despolitizado e contra a redução legitimatória operada por partidos estatalizados é necessário regenerar a publicidade crítica através de formas deliberativas descentralizadas; (2) contra a compreensão da política centrada no estado procura-se dar vida a uma rede de comunicação e participação estruturante de uma sociedade democrática; (3) diferentemente da concepção ético-comunitária republicana, a democracia discursiva parte das condições actuais de pluralismo cultural e social incompatíveis com uma identidade ético-comunitária.[22]

V - Democracia corporatista

A **democracia corporatista** (Ph. Schmitter) pretende recortar um modelo pluralista-cooperativo ou negociador. O modelo democrático liberal assente na centralidade partidária cede o protagonismo representativo e de controlo às associações corporativas e aos grupos de pressão. O próprio governo troca o estilo autoritário e unilateral por um estilo negociador, promotor e arbitral entre interesses (associações empresariais e sindicatos). O corporativismo tenderá para uma democracia forte conjugando o debate parlamentar com a negociação corporativa [23]. A negociação corporativa devolverá a centralidade política aos cidadãos e à sociedade civil, ficando para o Estado o papel de mediador ou de árbitro entre grupos de interesses económicos.

---

[21] Cfr. JÜRGEN HABERMAS, *Faktizität und Geltung*, cit., pp. 331 e ss; *Die Einbeziehung des Anderen*, pp. 284 e ss.
[22] Cfr. J. HABERMAS, *Die Einbeziehung des Anderen*, p. 284.
[23] Cfr. PH. SCHMITTER/G. LEHMBRUCH, *Trends toward corporatist Intermediation*, London, 1970.

C. Concepção Minimalista de Democracia

Uma série de autores tem investigado o conjunto de regras, requisitos e instituições para se poder falar em "estado democrático" ou em "sociedade democrática" ou ainda em "sistema constitucional democrático". Trata-se do problema hoje conhecido sob o nome de **democracia mínima**.[24] Em termos considerados paradigmáticos, um conhecido publicista italiano resumiu a questão elencando os tópicos básicos da democracia. A democracia distingue-se de todas as formas de governo autocráticos porque se caracteriza por um sistema de regras, primárias e fundamentais,[25] que estabelecem: (1) *quem* está autorizado a tomar decisões colectivas; (2) *quais* os processos para essa tomada de decisões. De um modo mais informativo, uma definição mínima de democracia implica: (*a*) *participação* de um número tão elevado de cidadãos quanto possível; (*b*) *regra da maioria* para a tomada de decisões colectivas e vinculantes; (*c*) existência de *alternativas reais* e sérias que permitam opções aos cidadãos de escolher entre governantes e programas políticos; (*d*) *garantia de direitos* de liberdades e participação política. Estes requisitos mínimos estão reunidos no estado de direito democrático. É pouco provável que exista um estado que não seja um estado liberal de direito quanto à existência e preexistência destes direitos e funcionamento da democracia. É pouco provável que um estado não democrático esteja em condições de garantir as liberdades fundamentais.[26]

D. As Sugestões da Democracia Electrónica

Na literatura politológica começa a discutir-se o sentido e alcance da chamada **democracia electrónica** [27] ou **democracia digital** [28]. O problema (ou problemas) que se coloca aqui é o de saber se, através das modernas técnicas de

---

[24] Cfr., por último, ROBERT DAHL, "Thinking About Democratic Constitutions", in Ian SHAPIRO/RUSSEL HARDIN, *Political Order*, Nomos, XXXVIII, New York University Press, New York and London, 1996, pp. 175 e ss.

[25] Cfr., NORBERTO BOBBIO, *Il futuro delle democracia*, Einaudi, Torino, 1995, pp. 3 e ss.

[26] Cfr., a informação e análise do paradigma democrático em JOSÉ RUBIO CARRACEDA, «Democracia Mínima. El paradigma democrático», in *DOXA*, 15-16 (1994), pp. 199 e ss.

[27] Cfr., por ex., STEFANO RODOTÀ, *La Démocratie Eléctronique. Les nouveaux concepts et expériences politiques*, Rennes, 1999.

[28] Vide CYNTIA J. ALEXANDER/LESLIE PAL (org), *Digital Democracy. Policy and Politics in the Wired World*, Toronto, 1998. Entre nós, cfr., NUNO PERES MONTEIRO, *Democracia Electrónica*, Lisboa, 1999.

comunicação, se podem aperfeiçoar os esquemas tradicionais da democracia (sobretudo da democracia participativa) ou se está em causa a emergência de um novo esquema de decisão e formação da vontade política. A introdução de novos métodos de expressão da «vontade do povo» – eleições e referendos através do voto electrónico – não traz problemas normativo-constitucionais desde que estejam assegurados os princípios constitucionais estruturantes do sufrágio e respectivo procedimento. A questão técnica residirá em saber se as novas tecnologias da comunicação poderão alicerçar outras formas de parla, de discussão e de argumentação (vídeo-conferência, debates televisivos, sondagens) que substituam a organização (Parlamento) e procedimentos (eleições) formalmente constitucionalizados. Os métodos dialógico-democráticos e a participação activa através de sistemas electrónicos (via Internet) exigirão a observância de princípios como os da universalidade e da igualdade.

As constituições e os sistemas políticos deverão começar, assim, a formatar os contornos jurídico-normativos dos *equivalentes funcionais electrónicos* da emergente democracia electrónica, quer a nível nacional quer no plano supranacional. A não democratização das modernas tecnologias de comunicação e de informação será o caminho para um «novíssimo principe» – o *principe electrónico* (cf. Resolução n.º 1120, 1997, do Conselho da Europa).

Referências bibliográficas

1. Intertextualidade

O estudo do princípio democrático pressupõe o conhecimento das obras clássicas do pensamento político. Indispensáveis para a história das ideias e das teorias políticas são:

C. Montesquieu – «L'Esprit des Lois», in *Oeuvres Complètes,* notas de R. Caillois, La Pléiade, Paris, 1949-1951.

E. Sieyès – *Qu'est ce que le Tiers État?,* ed. de R. Zapperi, Genève, 1970.

G. W. Hegel – *Grundlinien der Philosophie des Rechts,* ed. de J. Hoffmeister, Hamburg, 4.ª ed., 1955.

J. J. Rousseau – «Du Contrat Social», in *Oeuvres Complètes de J. J. Rousseau,* La Pléiade, Paris, 1959-1964.

J. Locke – *Two Treatises of Government,* introdução e notas de P. Lasett, Cambridge, 1960, 1963.

K. Marx – «Kritik des Hegelschen Staatsrecht», in *Marx-Engels Werke,* Vol. I, Dietz, Berlin, 1961.
– *Zur Kritik der Hegelschen Rechtsphilosophie,* idem, Vol. I.

Existem versões destas obras em espanhol, francês e inglês. Algumas delas estão também publicadas em português.

2. Bibliografia

A bibliografia sobre o princípio democrático é praticamente inacabável. Aqui serão referidas obras em língua mais acessível.

Ackermann, B. – *We the People Foundations*, MA, 1991.
– *We the People 2 – Transformations*, MA, 1998.
Agnoli-Bruckner – *Die Transformation der Demokratie,* 1968 (existe trad. esp.).
Arato, A. – "Construção Constitucional" in *Lua Nova*, 42, (1997), pp. 5 ss.
Barber, B – *Strong Democracy. Participatory Politics for a New Age*, Berkeley, 1984.
Bachrach, P. – *The Theory of Democratic Elitism,* Boston, 1969 (existe trad. esp.).
Bobbio, N. – *O futuro da Democracia*, Lisboa, 1998.
Bonham, J./Reigh, W. (org.) – *Deliberative Democracy. Essays on reason and politics*, Cambridge/London, 1997.
Dahl, R. – *Dilemmas of Pluralist Democracy*, Yale U, 1982.
–*On Democracy*, New Haven/London, 1998.
Duverger, M. – *Institutions Politiques et Droit Constitutionnel,* Paris, 15 ed., 1978 (o 1.º volume desta obra é consagrado aos grandes sistemas políticos).
Elster, J. (org.) – *Deliberative Democracy*, New York, 1998.
Fishkin, J. – *Democracy and Deliberation*, New York, 1971.
Grofman, B. – "Public Choice, Civic Republicanism, and American Politics: Perspectives of A "Reasonable Choice Modeller", in *Texas Law Review*, 7/71 (1993), p. 1541 ss.
Gozzi, G. (org.) – *Democrazia, Diritti, Costituzione*, Bologna, 1997.
Hayek, F. – *Law, Legislation and Liberty: a new statement of liberal principles of justice and political economy*, vol. I, *Rules and Order*, Chicago, 1973; vol. II, *The mirage of social justice*, Chicago, 1976; vol. III, *The political order of a free people*, Chicago, 1979 (trad. brasileira dirigida por Henry Maksoud, São Paulo, 1985).
Held, D. – *Models of Democracy*, 2.ª ed., Cambridge, 1996.
Kelsen, M. – *Vom Wesen und Wert der Demokratie,* 1929 (existem trad. esp., franc., port. Estudo Clássico).
Rawls, J. – *Political Liberalism,* Columbia University Press, 1993.

Lijphart, A. – *Democracies. Patterns of Majoritarian and Consensus in Twenty-One Countries*, London, 1984 (existem trad. port., esp. e italiana).

Luciani, M. – *La democrazia alla fine del Secolo*, Roma – Bologna, 1995.

Macedo, S. (ed.), *Deliberative Politics – Essays on Democracy and Disgreement*, New York/Oxford, 1999.

Massari, O.-Pasquino, G. (org.) – *Rappresentare e Governare*, Bologna, 1994.

Neto, C. P. S./Bercovici, G./Filho, J. F. M./Lima, M. M., *Teoria da Constituição. Estudos sobre o Lugar da Política no Direito Constitucional*, Rio de Janeiro, 2003.

Parker, R. – *Here, the People Rules: A Constitutional Populist Manifesto*, Cambridge, MA, 1994.

Popper, K. – "Alguns problemas práticos da Democracia", in *Balanço do Século*, Lisboa, 1990.

Rodotá, S. – *Tecnopolítica. La democrazia e le nuove tecnologie della comunicazione*, Roma – Bari, 1997.

Sartori, G. – *Teoria de la democracia*, 2 vols., Madrid, 1987.

Schmitter, Ph./Lehmbruch, G. – *Trends Toward Corporatist Intermediation*, London, 1970.

Sen, A. – *Development as Freedom*, New York, 1999.

Shapiro, I./Hardin, R. – *Political Order*, New York, 1994.

Schumpeter, J. – *Capitalism, Socialism and Democracy*, London 1943/1992, introdução de Tom Bottomore.

Capítulo 3

A Teoria da Constituição e a Rede da Interconstitucionalidade

Sumário

A. Teoria da Interconstitucionalidade

B. Elementos da Teoria da Interconstitucionalidade

I - O texto da interconstitucionalidade

1. Autodescrição e autoreferência nas constituições nacionais
2. O texto interorganizativo

II - Interconstitucionalidade e interculturalidade

III - Interconstitucionalidade e interparadigmaticidade constituinte

1. Paradigma fundacional e paradigma não fundacional
2. Poder constituinte evolutivo.

IV - Interconstitucionalidade e intersemioticidade

A. Teoria da Interconstitucionalidade

A teoria da Constituição pressupõe hoje o estudo da **teoria da interconstitucionalidade** [1].

A **teoria da interconstitucionalidade** estuda as relações interconstitucionais, ou seja, a concorrência, convergência, justaposição e conflito de várias constituições e de vários poderes constituintes no mesmo espaço político. O fenómeno de interconstitucionalidade tem, de certo, precedentes. Sirva-nos de exemplo a articulação da constituição federal com as constituições estaduais (nos estados federais e nas confederações). O que há de especificamente novo é: (1) a existência de uma *rede de constituições* de estados soberanos; (2) as *turbulências* produzidas na organização constitucional dos estados constitucionais por outras organizações políticas (ex.: comunidades políticas supranacionais); (3) a *recombinação* das dimensões constitucionais clássicas através de sistemas organizativos de grandeza superior; (4) a articulação da *coerência constitucional* estadual com a *diversidade* de constituições inseridas na *rede interconstitucional*; (5) a criação de um esquema jurídico-político caracterizado por um grau suficiente de *confiança condicionada* entre as várias constituições imbricadas na rede e entre a «constituição» revelada pela organização política de grandeza superior [2].

A teoria da interconstitucionalidade postula, como se verá melhor em seguida, «a articulação entre constituições, a afirmação de poderes constituintes com fontes e legitimidades diversas», e a «compreensão da fenomenologia jurídica e política amiga do pluralismo de ordenamentos e de normatividades» [3]. No fundo, a teoria da interconstitucionalidade é uma forma específica da *interorganização* política e social.

---

[1] Cf. a sugestão estimulante de F. LUCAS PIRES, *Introdução ao Direito Constitucional Europeu*, p. 18 e, agora, PAULO RANGEL, «Uma Teoria da Interconstitucionalidade, Pluralismo e Constituição no Pensamento de Francisco Lucas Pires, in *Themis* 1/2 (2000), p. 127 ss.

[2] Recolhem-se, no texto, sugestões de claro recorte luhmanniano. Vide, por último, NIKLAS LUHMANN, *Organisation und Entscheidung*, 2000, p. 302 ss.

[3] Assim, precisamente, PAULO RANGEL, "Uma Teoria da Interconstitucionalidade", cit. p. 150.

B. Elementos da teoria da interconstitucionalidade

I - Texto da interconstitucionalidade

1. Autodescrição e autosuficiência nas constituições nacionais

A rede da interconstitucionalidade aponta para duas *autodescrições* aparentemente contraditórias. Por **autodescrição**[4] entende-se aqui, num sentido luhmanniano, a produção de um texto com o qual e através do qual uma determinada organização se identifica com si própria. Não é por acaso que na teoria clássica da constituição o texto constitucional é muitas vezes considerado «carta de identidade nacional» e «texto fundador». Dir-se-á, por palavras mais modernas, que o texto constitucional não se assume como uma «bíblia», mas deve sempre cumprir funções de *autoreferência*. Isto significa que os pluralismos e dinamismos da vida constitucional são captados através da identidade da referência, pois as regras e os princípios constitucionais autodescritos num texto permanecem os mesmos, sem deixarem de estar abertos ao tempo através da felixibilização dos conteúdos. Ora, é como autodescrição das identidades nacionais que as várias constituições dos vários países *reentram* em formas organizativas superiores. Os textos constitucionais dos estados conservam a memória social e a identidade política. Precisamente por isso, os textos consxtitucionais inseridos na rede interconstitucional assumem-se sempre como *autoreferência*.

A insistência no carácter autodescritivo e autoreferente dos textos constitucionais estaduais aponta para uma outra ideia da interconstitucionalidade: a da *manutenção do valor e função das constituições estaduais*. Estas constituições desceram do «castelo» para a «rede»[5], mas não perderam identidade em virtude de agora estarem em interligação umas com outras. A rede formada por normas constitucionais nacionais e por normas europeias faz abrir os castelos e relativizar outros princípios estruturantes clássicos dos ordenamentos como os princípios da hierarquia e da competência, mas não dissolve nas suas malhas o tipo de Estado Constitucional.[6]

---

[4] Cfr., LUHMANN, *Organisation und Entscheidung*, p. 417 ss.

[5] Cfr., precisamente F. BUTÉRA, *Il castello e la rete: Impresa, organizzazioni e professioni nell'Europe degli anni 90*, 2.ª ed., Milano, 1991, cit., por LUHMANN, ob. cit., p. 412, nota 54. Mais recentemente: F. OST/M. VAN DE KERCHOVE, *De la pyramide au réseau? Pour une théorie dialectique du droit*, Bruxelles, 2002.

[6] Cfr., agora, SCHULZE-FIELITZ, in H. DREIER (org.) *Grundgesetz Kommentar*, I, anotação ao art. 5.º

2. O texto interorganizativo

A interconstitucionalidade é, como referimos uma expressão de interorganizatividade.

Assim, a *autodescrição* aponta também num outro sentido: o da *necessidade autodescritiva* da organização superior (no caso concreto, a organização da União Europeia). Tomando como exemplo a União Europeia, o Tribunal de Justiça das Comunidades começou a falar dos tratados constitutivos, ou pelo menos, de alguns dos seus princípios, como «constituição europeia». A discussão actual em torno da constituição europeia indicia claramente a procura da nova autodescrição textual por parte da nova organização política. Nesta perspectiva, também a *Carta dos Direitos Fundamentais da União Europeia*[7] pretende, de certo modo, articular a *autodescrição* das constituições nacionais em rede com a *autodescrição* identificadora da nova organização política. Os textos constitucionais que mantêm a autoreferência dos sistemas nacionais «recentram» na rede para, desde logo, assegurarem a implantação/respeito das identidades nacionais (cf. TUE, art. 6/3). Mas não só: estar em rede implica também a possibilidade de *observação* das outras descrições nacionais e supranacionais.

II - Interconstitucionalidade e interculturalidade

A teoria da interconstitucionalidade não se resume a um problema de inteorganizatividade. É também uma **teoria de interculturalidade constitucional**. A definição de **intercultura** presente em qualquer dicionário moderno faz realçar logo uma ideia fundamental: a «de *partilha* de cultura», «de ideias ou formas de encarar o mundo e os outros»[8]. A interconstitucionalidade perspectivada a partir de uma *teoria pura da interorganizatividade* deixaria por explicar os esforços sempre desenvolvidos por um representativo sector da teoria clássica da constituição: o papel *integrador* dos textos constitucionais implica também inserir *conteúdos comunicativos* possibilitadores da estruturação de *comunidades inclusivas*. A comunicação interconstitucional assenta em princípios comuns que, de uma forma ou de outra, apontam para a ideia de **constituição cultural**[9] e

---

[7] Vide *Carta dos Direitos Fundamentais da União Europeia*, Assembleia da República, 2001.

[8] *Dicionário da Língua Portuguesa Contemporânea*, Academia das Ciências de Lisboa, Lisboa, 2001, palavra "Intercultural".

[9] Cfr., por todos, PETER HÄBERLE, *Europäische Rechtskultur*, 1994.

estado constitucional cultural. É a **cultura** concebida como um acervo de saber em que os participantes na comunicação se munem de interpretações para se entenderem sobre alguma coisa no mundo [10]. Os processos de troca entre as várias constituições (com a sua história própria e tradições culturais) produzem uma *cultura constitucional* reconduzível a ideias, valores, acções de indivíduos e de grupos. A interculturalidade começa por ser uma partilha comunicativa destes valores e ideias [11] concretamente traduzida em fórmulas não jurídicas, para, mais tarde, possibilitar uma tendencial normativização.

III - Interconstitucionalidade e interparadigmaticidade constituinte

1. Paradigma fundacional e paradigma não fundacional

A rede da interconstitucionalidade coloca um problema de inequívoca complexidade: a articulação de *paradigmas* diversos de poderes constituintes. Foi recentemente sugerida [12] a distinção entre *paradigma fundacional* e *paradigma não fundacional* de poder constituinte. No "paradigma fundacional a norma fundamental é constituída como norma individual (no que toca ao seu objecto) referida a determinado ou a determinados actos constituintes"; no *paradigma não-fundacional* a norma fundamental é "constituída como norma geral, sendo a competência reclamada por e para todos os actos de certa natureza".[13] Basta olhar para a organização comunitária europeia para se verificar que na rede estão já paradigmas constituintes fundacionais (Portugal, França, Alemanha, Itália, Espanha) e paradigmas não-fundacionais (ex.: Reino Unido). Quando agora se coloca o problema constituinte indispensável à autodescrição identificadora da organização política superior é possível que a articulação de paradigmas oscile entre uma visão não fundacional (aquela que, de certo modo, se revelava na jurisprudência do Tribunal de Justiça da Comunidade Europeia ao afirmar que já existia uma "constituição europeia") e uma compreensão fundacional (aquela que se detecta na exigência actual de uma "Constituição para a Europa").

---

[10] Trata-se de um conceito marcadamente habermasiano. Cf. JÜRGEN HABERMAS, *Die Einbeziehung des Anderen*, 1996.

[11] Cf. P. HÄBERLE, *Zeit und Verfassungskultur*, 1992, s. 656.

[12] Cfr., MIGUEL GALVÃO TELES, "Revolution, Lex Posterior and Lex Nova", in ELSPETH ATTWOOL (org.), *Shaping Revolution*, Aberdeen, 1991, p. 76; "Temporalidade Jurídica e Constituição", in *20 Anos da Constituição de 1976*, Coimbra, 2000, p. 40.

[13] Assim, textualmente, MIGUEL GALVÃO TELES, "Temporalidade e Constituição", cit., p. 41.

2. Poder constituinte evolutivo

O primeiro paradigma mostra-se adequado a um *poder constituinte evolutivo* que não precisa de identificar o acto constituinte originário; o segundo revela-se indispensável quando sobre as pluralidades constituintes fundacionais é preciso religitimar democraticamente os momentos anteriores (da "constituição europeia") e desenhar os esquemas constitucionais inteorganizativas para o futuro.

A interconstitucionalidade, levada até às últimas consequências no que respeita a opções paradigmáticas constituintes, defronta-se com um claro dilema: (1) ou pretende assegurar a evolução do sistema interorganizativo segundo um esquema de valores ou de uma programação finalista (comunidade de defesa comum, política externa comum) e dificilmente poderá continuar a falar-se de evolução, pois a evolução não tem dimensões teleológicas ou programantes; (2) ou pretende a ser evolução segundo o modelo de aquisição sucessivas e, nesse caso, a selecção e reforma planificada de estruturas casam-se bem com uma constituição interorganizativa não fundacional.

IV - Interconstitucionalidade e intersemioticidade

A interconstitucionalidade sugere *intersemioticidade* no sentido de que ela não dispensa a investigação e descoberta de um conjunto de regras respeitantes à produção e interpretação dos textos constitucionais e dos respectivos discursos e práticas sociais com eles relacionados. Neste sentido se pode afirmar recentemente que as Constituições nacionais são dimensões relevantes de uma *hermenêutica jurídica europeia*.

As constituições desempenham, com efeito, na actualidade, funções de *integração cultural*. Há mesmo autores (P. Häberle) que defendem uma *compreensão científico-cultural de constituição* para lhes conferir um papel chave nos processos de formação, desenvolvimento e sedimentação cultural. Depois de terem desempenhado e continuarem a desempenhar a função primordial de cartas vivas da *identidade nacional*, ou, como sustentou recentemente B. Ackermann, a função de reserva de *imperativos políticos profundos (deeper imperatives)*,[14] passaram a contribuir, na qualidade de constituições parciais de espaços comunitários, para a sedimentação e revelação de identidades culturais pluralmente

---

[14] Cfr. B. ACKERMANN, *We The People 2 – Transformations*, Cambridge/London,1998, pp. 384 e ss.

inclusivas. Neste contexto, por exemplo, as Constituições da União Europeia converter-se-ão em instrumentos relevantíssimos de uma **hermenêutica europeia**[15] que procura articular o reconhecimento das identidades nacionais com a formação de uma *identidade cultural europeia* (cfr., CRP, artigo 7.º/5). A partir das constituições nacionais (mas também, saliente-se, dos tratados e convenções internacionais, desde a Carta das Nações Unidas à Convenção Europeia de Direitos do Homem), é possível assentar os princípios e normas respeitantes aos espaço cultural-constitucional europeu no que diz respeito, por exemplo, aos direitos fundamentais, às estruturas territoriais (federalismo, regionalismo, municipalismo), às comunidades religiosas, às minorias e às organizações partidárias. Nesta perspectiva, o direito constitucional europeu não pode nem deve ser um direito construído contra as constituições nacionais antes deve descrever-se como um direito materialmente informado pelos princípios estruturantes dos estados de direito democrático-constitucionais que, ao fim e ao cabo, continuam a ser estruturas políticas profundas da União Europeia. Parece ser esta função hermenêutica que perpassa no Tratado da União Europeia (artigo 6.º): respeito dos "direitos fundamentais (...) tal como resultam das tradições constitucionais comuns aos Estados-membros, enquanto princípios gerais de direito comunitário".

Referências bibliográficas

Häberle, P. – *Verfassungslehre als Kulturwissenschaft am Beispiel von 50 Jahren Grundgesetz, in Aus Politik und Zeitgeschichte* 16/99, p. 20 ss.

— "Pluralismus der Rechtsquellen in Europa nach Maastricht: Ein Pluralismus von Geschrieben und Ungeschrieben vieler Stufen und Räume, von Staatlichen und Transstaatlichen", in *JöR*, 47 (1999), p. 79 ss.

Pires, F. L. – *Introdução ao Direito Constitucional Europeu*, Coimbra, 1998.

Rangel, P. – "Uma teoria da interconstitucionalidade. Pluralismo e Constituição no pensamento de Francisco Lucas Pires", in *Thémis*, 1/2 (2000), p. 127 ss.

Thompson, G./Francis, J./Mitchell, J. – *Hierarchies and Networks. The coordination of social life*, London, 1991.

Weiler, J. – *The Constitution of Europe*, Cambridge, 1999.

---

[15] Cfr., especialmente, PETER HÄBERLE, *Europäische Verfassungslehre in Einzelstudien*, Baden-Baden, 1999, pp. 12 e ss; J. H. H. WEILER, *The Constitution of Europa*, Cambridge, 1999, pp. 221 e ss.; KÖNIG, T./RIEGER, E./SCHMITT, H. (org.) *Das europäische Mehr-Ebenen System*, 1996.

Título 4

Dimensões Actuais da Teoria da Constituição

Capítulo 1
Funções Clássicas da Constituição

Sumário

A. A Constituição Como Ordem

   I - Constituição como ordem-aberta

   II - Constituição como ordem-quadro

B. As Funções Clássicas da Constituição

   1. Consenso fundamental
   2. Legitimidade e legitimação da ordem jurídico-constitucional
   3. Garantia e protecção
   4. Ordem e ordenação
   5. Organização do poder político

Capítulo 7

Funções Clássicas da Constituição

A. A Constituição Como Ordem

I – Constituição como marco-obra

II – Constituição como marco-quadro

B. As Funções Clássicas da Constituição

1. Consenso fundamental
2. Legitimidade e legitimação da ordem jurídico-constitucional
3. Garantia e proteção
4. Ordem e organização
5. Organização do poder político

A. A Constituição Como Ordem

I - Constituição como ordem-aberta

A constituição é a ordem jurídica fundamental do Estado (Kägi). Outros autores (Castanheira Neves) designam-na como "estatuto jurídico do político".[1] Captam-se já duas dimensões fundamentais de qualquer texto constitucional: *pretensão de estabilidade* na sua qualidade de "ordem jurídica fundamental" ou de "estatuto jurídico" e *pretensão de dinamicidade* tendo em conta a necessidade de ela fornecer aberturas para as mudanças no seio do político. Precisamente por isso, e como acabamos de ver, devemos relativizar a distinção entre constituições *rígidas* e constituições *flexíveis*. Constituição implica, como "ordem jurídica fundamental", a ideia de *estabilidade* e *rigidez*, designadamente quanto às suas dimensões estruturantes ou ao seu "núcleo duro" caracterizador (princípio do estado de direito, princípio democrático, direitos, liberdades e garantias, separação dos órgãos de soberania, descentralização territorial, etc.). Por outro lado, e de acordo com aquilo que já se referiu atrás, o *futuro* é uma tarefa indeclinável da constituição, devendo, por isso, a lei constitucional fornecer aberturas para captar a dinamicidade da vida política e social. Compreende-se, assim, que um conhecido juspublicista alemão[2] fale da *polaridade* dos elementos de estabilidade e flexibilidade como um problema de "coordenação justa" desses momentos e não como um problema de alternativa. No mesmo sentido se fala da relação de *continuidade/mudança* garantida pelas constituições: (1) ao estabelecerem princípios e procedimentos socialmente institucionalizados, os textos constitucionais procuram assegurar a "segurança", "certeza", "vinculatividade" e "calculabilidade" indispensáveis a qualquer *ordem* jurídica; (2) ao introduzirem procedimentos de mudança (ex.: normas de revisão) as constituições introduzem no *estatuto jurídico do político* horizontes temporais

---

[1] Cfr. CASTANHEIRA NEVES, "A redução política do Pensamento Metodológico-Jurídico", in *Estudos em Homenagem ao Prof. Doutor Afonso Rodrigues Queiró*, agora reeditado em A. CASTANHEIRA NEVES, *Digesta*, Vol. 2, Coimbra, 1995, p. 406.

[2] Referimo-nos a KONRAD HESSE, *Grundzüge des Verfassungsrechts der Bundesrepublik Deutschland*, 20.ª ed., Heidelberg, 1995, p. 2.

diferenciados [3] que lhes permite continuar a assegurar um eventual *consenso intergeracional* e evitar uma insustentável *distância* entre a constituição escrita e a constituição material.

II - Constituição como ordem-quadro

Para ser uma ordem aberta a constituição terá de ser também uma **ordem-quadro**, uma *ordem fundamental* e não um *código constitucional* exaustivamente regulador. Isto não significa que, ao contrário do que muitas vezes se afirma, a constituição seja apenas uma *lei fundamental do Estado* e não também uma *lei fundamental da sociedade*. A constituição pode e deve fixar não apenas uma *estadualidade juridicamente conformada* mas também estabelecer *princípios relevantes para uma sociedade aberta bem ordenada*. Neste sentido, a Constituição define, por exemplo, os princípios fundamentais da família (CRP, art. 67.º), as dimensões essenciais do direito de e à propriedade (CRP, art. 62.º), os princípios estruturantes de ordem económica (CRP, art. 80.º). Há que reconhecer, porém, que a constituição é sempre um *processo público* que se desenvolve hoje numa *sociedade aberta*[4] ao pluralismo social, aos fenómenos organizativos supranacionais e à globalização económica. Sendo assim, a ordem-quadro fixada pela constituição é necessariamente uma *ordem parcial e fragmentária* carecida de uma *actualização concretizante* quer através do "legislador" (interno, europeu e internacional) quer através de esquemas de regulação "informais", "neocorporativos", "concertativos", ou "processualizados" desenvolvidos a nível de vários subsistemas sociais (económico, escolar, profissional, desportivo).

A autocontenção dos textos constitucionais no sentido de se limitarem a definir uma *ordem essencial constitucional básica* prende-se com o assinalado fenómeno da *pluralização dos mundos* e *pluralização dos pontos de vista*[5] característicos das chamadas sociedades pós-modernas. Expliquemos. O mundo actual parece, por um lado, exigir novas *pretensões do absoluto* e da *universalidade* (fundamentalismos religiosos, económicos, científicos, étnicos) que, em último termo, se transformam em "forças de erosão" da "força normativa" de uma constituição aberta e plural. Por outro lado, avolumam-se as fracturas relativamente

---

[3] Assim, Dieter Grimm, *Die Zukunft der Verfassung*, cit., p. 23.

[4] Cfr. sobretudo os trabalhos de Peter Häberle: Peter Häberle, *Verfassung als öffentlicher Prozess, Materialien zu einer Verfassungstheorie der offenen Gesellschaft*, Duncker e Humblot, 2.ª ed., Berlin, 1996.

[5] A esta pluralização alude, por exemplo, Karl-Heinz Ladeur, *Postmoderne Rechtstheorie*, 2.ª ed., Duncker y Humblot, Berlin, 1994, pp. 33 ss.

aos valores e aos fins orientadores do *consenso constitucional*[6]. Contesta-se a igualdade "e proclama-se a coexistência pacífica das diferenças"; combatem-se as normas metafísicas universais se estas pretenderem ser padrões de conduta coercivos (no âmbito religioso, sexual, social); as acções colectivas desenvolvem-se sem subordinação a ordens superiores impositivas de ideias e acções. Compreender-se-á que se a constituição tem de ser cautelosa ao querer conformar dimensões básicas da sociedade, muito mais cuidados deverá ter no momento em que se vê confrontada com as tentativas de a transformarem de *consenso constitucional básico* em *conglomerado de diferenças*. Aqui, de novo, a exigência de uma lei constitucional servir de *ordem-quadro* capaz de recolher as tensões da *integração republicana e comunitária* e o **pluralismo social**, económico e político. As considerações anteriores explicarão também que a constituição portuguesa se confronte hoje com a questão dos *limites e alternativas de "direcção"*, "regulação" ou comando da sociedade através do direito. A lei constitucional não tem capacidade para ser uma *lei dirigente*[7] *transportadora de metanarrativas* ("transformação da sociedade no sentido de uma sociedade sem classes", "garantia da felicidade dos cidadãos", etc.). O carácter dirigente de uma constituição converter-se-á paradoxalmente em *défice de direcção* se a constituição for também uma lei com hipertrofia de normas programáticas articuladas com *políticas públicas* (da economia, do ensino, da saúde) sujeitas à *mudança política democrática* ou dependentes da *capacidade de prestação* de outros subsistemas sociais (ex.: políticas de pleno emprego, política de investimentos, política de habitação). Neste aspecto, pergunta-se, hoje, se o texto constitucional de 1976 poderá ainda reivindicar algumas pretensões de dirigismo social e económico concebido em termos dirigentes. As considerações acabadas de referir relativizam o carácter dirigente de um texto constitucional mas tão pouco significam que as constituições não possam e não devam ter um papel de *mudança social*. Tendo em conta os limites da realidade (constituição material) e os limites "reflexivos" de uma lei (ou seja a "relativa incapacidade de prestação"), a constituição continua a ser um "documento radical". Como recentemente disse o juspublicista M. Walzer ..."*the constitution is also a radical document, opening the way for, if not actually stimulating, social change*"[8].

---

[6] Cfr., por último, PETER HÄBERLE, *Erziehungsziele und Orientierungswerte im Verfassungsstaat*, Alber Verlag, Freiburg i. Br., 1996.

[7] Para uma teorização da *Constituição dirigente*, típica das décadas de sessenta e setenta e dos começos da década de oitenta, cfr. o nosso trabalho, *Constituição Dirigente e Vinculação do Legislador*, Coimbra, 1982.

[8] Assim, M. WALZER, *What it Means to Be an American*, 1992, p. 111.

1437 — *Funções clássicas da Constituição*

B. As Funções Clássicas da Constituição

Para que serve uma constituição? Tal como se fala de "multiusos" do conceito de constituição pode, do mesmo modo, falar-se de "multifunções" da lei fundamental. Os autores arrumam de forma muito diversa estas várias funções da constituição. A título de exemplo, referiremos as propostas de Hans--Peter Schneider e de Klaus Stern. O primeiro [9] refere quatro funções: função de unidade, função de justificação, função de protecção e função de ordenação. O segundo [10] individualiza nada menos que oito: função de ordenação, função de estabilização, função de unidade, função de controlo e limite do poder, função de garantia de liberdade e da autodeterminação e da protecção jurídica do indivíduo, função de fixação de estrutura organizatória fundamental do estado, função de determinação dos fins materiais do Estado, função definidora da posição jurídica do cidadão no e perante o Estado.

Vamos tentar explicitar algumas das principais funções da Constituição de 1976 de acordo com o roteiro seguinte: função de revelação de consensos fundamentais, função de legitimação da ordem política, função de garantia e de protecção, função de organização do poder político e função de ordem e ordenação.

1. Consenso fundamental

Uma das principais funções de uma lei constitucional continua a ser a da *revelação normativa do* **consenso fundamental** de uma comunidade política relativamente a princípios, valores e ideias directrizes que servem de padrões de conduta política e jurídica nessa comunidade. Esta função pode ser ilustrada através dos princípios nucleares individualizados na Constituição da República de 1976. O princípio do Estado de direito, o princípio democrático, o princípio da socialidade, o princípio republicano, o princípio da dignidade da pessoa humana, o princípio pluralista, o princípio da separação e interdependência dos órgãos de soberania, o princípio maioritário, o princípio da fiscaliza-

---

[9] Cfr. HANS PETER SCHNEIDER, "Die Funktion der Verfassung", in DIETER GRIMM (org.), *Einführung in das öffentliche Recht*, *Verfassung und Verwaltung*, Heidelberg, 1985, pp. 1 e ss.

[10] Cfr. KLAUS STERN, *Das Staatsrecht der Bundesrepublik Deutschland*, Vol. 1, 2ª ed., 1984, pp. 78 e ss.; G. FOLKE SCHUPPERT/CH. BUMKE (org.), *Bundesverfassungsgericht und gesellschaftlicher Grundkonsens*, 2000.

ção judicial dos actos do poder público constituem, no seu conjunto, *padrões de conduta* política e jurídica relativamente aos quais é possível afirmar-se existir um *consenso* fundamental dos portugueses e entre portugueses. É neste sentido que alguns autores se referem a uma "função de integração" ("função de unidade", "função principial") da constituição. Diríamos, talvez com mais rigor, que existe aqui uma *função de integração principial*, pois estes princípios são aceites simplesmente como princípios e não como programas ideológicos ou políticos [11].

2. Legitimidade e legitimação da ordem jurídico-constitucional

A constituição confere **legitimidade** a uma ordem política e dá **legitimação** aos respectivos titulares do poder político. Precisamente por isso se diz que a constituição se assume como *estatuto jurídico do político* (Castanheira Neves) num duplo sentido – o da legitimidade e da legitimação. O esforço de constituir uma ordem política segundo *princípios justos* consagrados na constituição confere a esta ordem uma indispensável bondade material (*legitimidade*) e ao vincular juridicamente os titulares do poder *justifica* o poder de "mando", de "governo", de "autoridade" destes titulares (*legitimação*) [12].

A articulação destas duas dimensões – a da legitimidade e a da legitimação – implica que a constituição não seja considerada como uma simples "carta" ou "folha de papel" resultante de relações de poder ou da pressão de forças sociais. A constituição não se legitima através da simples *legalidade*, ou seja, não é pelo facto de ela ser formalmente a lei superior criada por um poder constituinte, que ela pode e deve ser considerada legítima. A legitimidade de uma constituição (ou validade material) pressupõe uma conformidade substancial com a **ideia de direito**, os valores, os interesses de um povo num determinado momento histórico. Consequentemente, a constituição não representa uma simples positivação do poder. É também a positivação dos valores jurídicos radicados na consciência jurídica geral da comunidade. Quando uma lei constitucional logra obter *validade* como ordem justa e *aceitação*, por parte da colectividade, da sua bondade "intrínseca", diz-se que uma constituição tem **legitimidade**. Mas se a constituição tem legitimidade compreende-se que ela própria tenha uma *função de legitimidade*. Ela contribui para a sua aceitação real (consenso fáctico ou

---

[11] Cfr. J. RAWLS, *Political Liberalism*, cit. (p. 162 da trad. port.).
[12] Cfr. DAVID BEETHAM, *The Legitimation of Power*, MacMillan, London, p. 42. Por último, ELOY GARCIA, "*Legitimidade e Democracia. A Democracia ante o seu momento maquiavélico*", Universidade de Vigo, 1998.

aceitação fáctica ou sociológica) e para uma *boa ordenação da sociedade* assente em princípios de justiça normativo-constitucionalmente consagrados.

À constituição pertence também uma importantíssima função de **legitimação do poder**. É a constituição que funda o poder, é a constituição que regula o exercício do poder, é a constituição que limita o poder [13]. Numa palavra: é a constituição que *justifica* ou dá legitimação ao "poder de mando", ou, para utilizarmos uma formulação clássica, é a constituição que confere legitimação ao exercício da "coacção física legítima". A consequência prática mais importante desta função legitimatória é basicamente esta: no *estado constitucional* não existe qualquer "poder" que, pelo menos, não seja "constituído" pela constituição e por ela juridicamente vinculado.

3. Garantia e protecção

Uma das principais funções da constituição é a *função garantística*. Garantia de quê? Desde logo, dos direitos e liberdades. Uma das principais dimensões do constitucionalismo moderno – recorde-se – foi a de, através da *constitucionalização dos direitos e liberdades,* subtrair à livre disponibilidade do soberano (rei, estado, nação) a titularidade e exercício de direitos fundamentais. Nas constituições modernas, os direitos e liberdades não se reconduziam, em termos genéticos e segundo o "entendimento dos homens", a qualquer ideia de competência subjectiva atribuída pelo poder político. Os direitos constitucionalmente garantidos e protegidos representavam a positivação jurídico-constitucional de direitos e liberdades inerentes ao indivíduo e preexistentes ao estado.

Em segundo lugar a constituição assume-se e é reconhecida como "direito superior", como "lei superior", que vincula, em termos jurídicos e não apenas políticos, os titulares do poder. Através da subordinação ao direito dos titulares do poder, pretende-se realizar o fim permanente de qualquer lei fundamental – a **limitação do poder**.

4. Ordem e ordenação

A constituição é – insista-se – uma *ordem* jurídica fundamental. Não admira, por isso, que dentre as suas principais funções se inclua a de ela ser

---

[13] Cfr. DAVID BEETHAM, *The Legitimation of Power*, MacMillan, London, p. 42.

uma **ordem fundamental do estado** [14], pois é ela que conforma juridicamente a instituição social de natureza global, composta por uma multiplicidade de órgãos diferenciados e interdependentes, que nós designamos *estado*. O estado concebido como um complexo institucional é determinado e conformado na sua organização e formas de actuar pelo *direito* (estado de direito) e, desde logo, pelo direito plasmado na constituição.

A constituição é ainda uma *ordem fundamental* noutro sentido: no sentido de constituir a pirâmide de um sistema normativo que nela encontra fundamento. Neste sentido, a constituição aspira, como se viu, à natureza de *norma das normas* (cfr. art. 112.º), pois é ela que fixa o valor, a força e a eficácia das restantes normas do ordenamento jurídico (das leis, dos tratados, dos regulamentos, das convenções colectivas de trabalho, etc.).

5. Organização do poder político

Dado o seu carácter de ordem fundamental do estado, pertence à constituição criar os *órgãos constitucionais* – quer dos órgãos constitucionais de soberania quer dos órgãos constitucionais simples (ver, por ex., art. 112.º). Mas, além da criação de órgãos, pertence-lhe definir as competências e atribuições desses órgãos de forma a que se cumpra, de forma tendencial, o chamado *princípio da tipicidade de competências*. Como já atrás se assinalou, as competências e atribuições dos órgãos de soberania são apenas, e por via de princípio, aquelas que forem identificadas pelo própria constituição.

A organização do *poder político* pela constituição não se limita à criação de órgãos e definição das respectivas competências e funções. À constituição pertence definir os princípios estruturantes da organização do poder político (ex.: princípio da separação e interdependência), recortar as relações intercorrentes entre os órgãos de soberania bem como o desenhar a repartição entre os mesmos do poder político. É neste sentido que se diz que a constituição "dá forma" ao estado através da constitucionalização da *forma de governo* ("governo parlamentar", "governo presidencialista", "governo semipresidencialista", etc.).

---

[14] Cfr., P. COMANDUCCI, "Ordine o norma? Su alcuni concetti di costituzione nel settecento", in *Saggi Storici. Studi in memoria di Giovanni Tarello*, Milano, 1990, Vol. I, p. 173-208.

Referências bibliográficas

Ackerman, Bruce – *We the People. Foundations*, Cambridge, Harvard University Press, 1991.
– *We The People, 2 – Transformations*, Cambridge/London, 1998.
Baldassare A. – "Costituzione e teoria dei valori", in *Politica del Diritto*, 1991, pp. 639 e ss.
Baracho, J. A. O. – "Teoria Geral do Constitucionalismo", in *Revista de Informação Legislativa*, 91 (1986), pp. 5 e ss.
Bastid, P. – *L'idée de Constitution*, Paris, 1985.
Bastos, Celso Ribeiro – *Curso de Direito Constitucional*, 6.ª ed., S. Paulo, 1983, pp. 37 e ss.
Beetham, D. – *The Legitimation of Power*, MacMillan, London, 1991.
Bonavides, P. – *Política e Constituição*, Rio de Janeiro, 1984.
Brunner, O. – "Moderne Verfassungsbegriff und mittelalterliche Verfassungsgeschichte", in *Herrschaft und Staat im Mittelalter*, Darmstadt, 1965.
Burdeau G. – "Une Survivence: la notion de Constitution", in *Études en l'honneur de A. Mestre*, Paris, 1956.
– *Traité de Science Politique*, Vol. IV, Paris, 1974, pp. 21 e ss.
Canotilho, J .J. G. – *Constituição Dirigente e Vinculação do Legislador*, Coimbra, 1982, pp. 79 e ss.
Carbonell, M. (org.) – *Teoria de la Constitución, Ensayos Escogidos*, Mexico, 2000.
Denninger, Erarhdt. – "Constitutional Law between Statutory Law and Higher Law", in A. Pizzorusso, *Law in the Making. A comparative survey*, Berlin-Heidelberg-New York, 1988.
Enterria, E. Garcia de – *La Constitución como norma y el Tribunal Constitucional*, Civitas, Madrid, 1981.
Ferrero, G. – *Pouvoir. Les Génies Invisibles de la Cité*, Paris, 1998 (trad. castelhana de Eloy Garcia, Madrid, 1998).
Fioravanti, M. – "Costituzione e Stato di diritto", in *Filosofia Politica*, 2/1991, pp. 325, ss.
Garvey, John /Aleinikoff, Alexander, (org.) – *Modern Constitutional Theory: A Reader*, 3.ª ed., S. Paulo, West Publishing, 1994.
Grimm, Dieter – *Die Zukunft der Verfassung*, Suhrkamp, Frankfurt/M, 1991.
Gusy, G. – "Die Offenheit des Grundgesetzes", in *JÖR*, 1985, pp. 105 e ss.
Häberle, P. – *Verfassung als öffentlicher Prozess*, München, 1978.
– *Die Verfassung des Pluralismus*, Athenäum, Königstein, 1980.
Haverkate, J. – *Verfassungslehre*, München, 1993.

Hesse, K. – *Escritos de Derecho Constitucional*, Centro de Estudios Constitucionales, Madrid, 1983.

Hesse, K. – *Grundzüge des Verfassungsrechts der Bundesrepublik Deutschland*, 20.ª ed., Heidelberg, 1995, pp. 3 e ss.

Kägi, W. – *Die Verfassung als rechtliche Grundordnung des Staates*, Zürich, 1954.

Kriele, M. – *Einführung in die Staatslehre*, Reinbeck bei Hamburg, 1975.

Levinson, S. – *Constitutional Faith*, Princeton University Press, Princeton, 1988.

Lowenstein, K. – *Verfassungslehre* (trad. esp. *Teoria de la Constitución*, 2.ª ed., Barcelona, 1976).

Lucas Verdu, P. – *Estimativa y Politica Constitucionales*, Madrid, 1984.

Maduro, M. P. – *We the Court the European Court of Justice and the European Constitution*, Oxford, 1998.

McIlwain, C. H. – *Constitutionalism: Ancient and Modern*, 4.ª ed., Itaca and London, 1976.

Michael J. Gerhardt/D. Rowe, Thomas – *Constitutional Theory: Arguments and Perspectives*, Charlottesville VA, Michig, 1993.

Miranda, J. – *Manual*, I/2, pp. 359 e ss.

– *A Constituição de 1976*, pp. 44 e ss.

– *Manual de Direito Constitucional*, II, 4.ª ed., pp. 44 e ss.

Mortati, C. – "Scritti sulle fonti del diritto e sul'interpretazione", in *Raccolta di Scritti*, Vol. II, Milano, 1972.

Müller, P. J. – *Soziale Grundrechte in der Verfassung*, pp. 2 e ss.

Murphy, W./Fleming, J./Barber S., – *American Constitutional Interpretation*, Foundation Press, Westbury, New York, 1995.

Murphy, Walter – "La natura della costituzione americana", in Tiziano Bonazzi (org.), *La Costituzione statunitense e il suo significato odierno*, Il Mulino, Bologna, 1988, pp. 57 e ss.

Pires, F. L. – *A Teoria da Constituição de 1976. A Transição Dualista*, Coimbra, 1988, pp. 56 e ss.

Preuss, U. K. (org.) – *Zum Begriff der Verfassung. Die Ordnung des Politischen*, Fischer Verlag, Frankfurt/M., 1994.

– *Revolution, Fortschritt und Verfassung*, 1990.

Rath, H. D. – "Verfassungsbegriff und politischer Prozess", in *JÖR*, 33 (1987), pp. 131 e ss.

Rawls, John – *Political Liberalism*, Columbia University Press, New York, 1993.

Rocha, Carmen Lúcia – *Constituição e constitucionalismo*, Editora Lê, Belo Horizonte, 1991, pp. 25 e ss.

Schneider, P. – *Die Verfassung: Aufgabe und Struktur*, *AÖR*, 1974, pp. 61 e ss.

Shapiro (ed.), I. – *The Rule of Law*, New York University Press, New York, 1994.
Silva, J. A. – *Aplicabilidade das normas constitucionais*, 2.ª ed., São Paulo, 1982, pp. 9 e ss.
Soares, Rogério – "O conceito ocidental de constituição", in *RLJ*, 119, pp. 36 e ss.
Stern, K. – *Das Staatsrecht der Bundesrepublik Deustschland*, Vol. 1, München, 1984, pp. 61 e ss.
Vorländer, H. – *Verfassung und Konsens*, Berlin, 1981, pp. 275 e ss.
Wahl, Rainer – "O primado da constituição", *ROA*, 48 (1987), pp. 61 e ss.
Zagrebelsky, G. – *Il Diritto Mite*, Einaudi, Torino, 1992.

Capítulo 2
A Revisão das Funções da Constituição

Sumário

A. A Função de Autovinculação

I - A ideia de autovinculação

II - Constituição e função de autocorrecção

1. O paradoxo da democracia
2. Os «puros democratas» e os «puros constitucionalistas»

B. A Função de Inclusividade Multicultural

C. A Constituição e a Autopoiesis

1. A função de "boot-strapping"
2. A institucionalização de um processo de aprendizagem fraco
3. Concorrência de pretensões de universalidade
4. Integração da policontextualidade

D. Controlo Débil e Difuso

A. A Função de Autovinculação

I - A ideia de autovinculação

As constituições servem para estabelecer mecanismos constitucionais destinados a assegurar a subsistência do compromisso-consenso constitucional, evitando novos ou permanentes conflitos. Numa imagem hoje célebre, dir-se-ia que tal como Ulisses se atou aos mastros do navio para evitar o chamamento das sereias, também as pessoas se autovinculam a si próprias para evitar conflitos ou assegurar com mais operatividade as suas preferências [1]. As sociedades e os indivíduos autovinculam-se através de uma constituição a fim de resolver os problemas resultantes da racionalidade imperfeita e dos desvios das suas vontades. A existência e função de uma constituição justificar-se-iam segundo esta forma de discurso constitucional – o chamado *precommitment model* – através de um compromisso relativamente a certos princípios ("prior agreements", "point commitment to certain principles"). A autovinculação pode ser concebida de vários modos. Desde logo, em termos de *autovinculação negativa* e em termos de *autovinculação positiva*. A *autovinculação negativa* assenta o compromisso em omissões e proibições (ex.: os direitos de liberdade clássicos que "proíbem" ou impõem omissões de actos de poder no âmbito de liberdade de consciência, na liberdade de expressão). A *autovinculação positiva* alicerça o compromisso na exigência de actos positivos (ex.: cláusula da socialidade, cláusula da protecção ambiental). A **ideia de autovinculação** através de uma lei constitucional pode, assim, articular-se com um *discurso liberal-constitucional* ou com um *discurso social-constitucional*. Numa perspectiva liberal, a constituição compreende-se como um "cluster" de técnicas de *self-management* colectivo ou como instrumento de autogoverno em que quer os indivíduos quer os grupos estão em condições de impor regras a eles próprios ("to gag themselves", "self-binding", "the citizenry rules itself") [2]. É ainda em termos de

---

[1] Cfr. JOHN ELSTER, *Ulysses and the Sirens*, pp. 36 e ss. Em língua portuguesa, cfr. NOGUEIRA DE BRITO, *A Constituição Constituinte*, pp. 125 e ss, e ÓSCAR VILHENA VIEIRA, *A Constituição e a sua Reserva de Justiça*, p. 20.

[2] Assim, ST. HOLMES, "Gag Rules and the Politics of Democracy", in JOHN ELSTER/RUNE SLAGSTADT, *Constitutionalism and Democracy*, pp. 19 e ss.

autovinculação negativa que a escola da *constitutional choice* ou da *economia política constitucional* explica a *razão das regras* constitucionais [3]. As regras definem os espaços privados dentro dos quais cada um de nós pode levar a cabo as suas próprias actividades (Brennan/Buchanan). A escolha de regras constitucionais, ou melhor, a assunção antecipada de uma série de restrições à conduta de cada um no futuro ("pré-restrições"), converte-se num meio através do qual os membros da *polis* incorporam considerações de longo prazo nas suas decisões no presente. É ainda a ideia de autovinculação que está presente na *teoria sistémica* quando se considera a escolha ou selecção de pré-restrições como uma ponte para o sistema social organizado poder transcender as racionalidades parciais dos vários subsistemas conducentes a resultados danosos ou perturbadores para esses sistemas. A autovinculação através de regras constitucionais será assim um modo de assegurar a realização descentralizada de racionalidades sistémicas parciais mediante a fixação de pressupostos de decisões globais [4].

A ideia de "auto-restrição" ou "autovinculação" através de constituições pode também formular-se em termos de *autovinculação positiva*. As constituições criam condições institucionais adequadas à "auto-racionalização" e "auto-aperfeiçoamento" da sociedade [5]. Autovinculação significa estar vinculado a alguma coisa porque a *necessidade de reflexão* das sociedades modernas não significa indiferença das regras quanto à formação das *preferências* individuais. As constituições estabelecem, assim, pré-restrições com um *sentido moralmente reflexivo*. As autovinculações transportadas em regras constitucionais não obedecem apenas a requisitos de neutralidade ou de justiça processual. A "autovinculação" encontra expressão em regras ou princípios que vinculam os indivíduos e os sistemas, por exemplo, ao respeito da *"dignidade da pessoa humana"*, à eliminação de *formas de discriminação* (racial, sexual, étnica). Estas regras servirão para legitimar a "formação" e "educação" das próprias preferências individuais [6]. Por outras palavras: o conjunto de regras pré-restritivas incluídas numa constituição *gera* preferências, *selecciona* preferências, estabelece *preferências acerca das preferências* ou *preferências de segundo grau* ("second-order preferences). Estas preferências de segundo grau são precisamente "aquelas que resultam do

---

[3] Cfr., por todos, G. BRENNAN/J. BUCHANAN, *The Reason of Rules – Constitutional Political Economy*, Cambridge, 1985 (utilizou-se a trad. it. *La Ragione delle Regole*); C. ROWLEY, (org.) – *Constitutional Political Economy in a Public Choice Perspective*, Dordrecht/Boston/London, 1997.

[4] Cfr. H. WILKE, *Die Ironie des Staates*, p. 138.

[5] Ver U. PREUSS, *Revolution, Fortschritt und Verfassung*, Berlin, 1990.

[6] Cfr. C. SUNSTEIN, "Constitutions and Democracies: an Epilogue", in ELSTER/SLAGSTADT *Constitutionalism and Democracy*, pp. 348 e ss. Entre nós, cfr. M. NOGUEIRA DE BRITO, *A Constituição Constituinte*, pp. 180 e ss.

facto de os representados, através das deliberações dos seus representantes, se vincularem a si próprios a não satisfazerem as escolhas que efectuariam na ausência de processo deliberativo público"[7].

Como se vê, a função de *self-binding* da constituição tanto pode ver-se sob um prisma liberal como sob uma perspectiva moralmente reflexiva. Na primeira visão das coisas, as pré-restrições concebem-se como *negativas*, de natureza *processual, rígidas* e dirigidas aos *actos* ou comportamentos dos indivíduos (ou subsistemas sociais). Em termos "reflexivos" ou "responsáveis", as autovinculações surgem sob a forma *positiva*; transportam dimensões *substantivas* (princípios), têm de adaptar-se à evolução das leituras morais reflexivas e, por isso, são *flexíveis*, conformam escolhas, *interferem na própria preferência* dos actores sociais (individuais ou colectivos).

O painel seguinte[8] resume estas posições.

CONSTITUIÇÃO E PRÉ-RESTRIÇÕES CONSTITUCIONAIS	
Autovinculação em sentido liberal	Autovinculação moralmente reflexiva
Negativa Processual	Positiva Substantiva
Rígida Actos	Flexível Ideias/valores

II - *Constituição e função de autocorrecção*

1. O paradoxo da democracia

A Constituição entendida como um conjunto de regras vinculativas tem sido confrontada quer com o **paradoxo da democracia** quer com o **paradoxo intergeracional**. John Elster formulou estes paradoxos[9] em termos agora considerados clássicos: cada geração quer ser livre para vincular as gerações seguintes mas não quer ser vinculada pelos seus predecessores.

---

[7] Assim, precisamente, M. NOGUEIRA DE BRITO, *Sobre o Poder de Revisão*, I, p. 150.

[8] Inspirado em H. BUCHTSTEIN, "Selbstbindung als Verfassungstheoretische Figur", in J. GEBHARDT/R. SCHMALZ-BRUNS (org.), *Demokratie, Verfassung und Nation*, Baden-Baden, 1994, pp. 231 e ss.

[9] JOHN ELSTER, *Ulysses and the Sirens*, cit., p. 93, alude apenas ao paradoxo de democracia, mas cremos que o paradoxo transporta também um paradoxo intergeracional.

O paradoxo da democracia e o paradoxo intergeracional conduzem mesmo a duas posições teoréticas substancialmente distintas. Radicalizando estas posições poderemos falar de teorias *democrático-representativos puras* e de *teorias constitucionalistas puras*. A função da Constituição não é a mesma para uns e para outros, tal como não é a mesma na leitura liberal ou na leitura moralmente reflexiva da autovinculação através de regras constitucionais.

2. Os "puros democratas" e os "puros constitucionalistas"

Impõe-se uma advertência prévia. A dicotomia "puros democratas"/"puros constitucionalistas" não significa de modo algum que os "constitucionalistas" não sejam "democratas" e os "democratas" não sejam "constitucionalistas". O constitucionalismo considera fundamental o processo democrático e a teoria democrática reconhece a importância dos direitos individuais garantidos na Constituição. A divergência básica radica na forma de proteger estes direitos e os bens constitucionais a eles inerentes. Os "democratas puros" acreditam na primazia do autogoverno democrático e no processo político democrático como a forma de assegurar a protecção das liberdades e direitos das pessoas. Os "constitucionalistas" tomam o processo político como base das políticas públicas em relação aos direitos, mas o processo político não é *suficiente* para se avaliar a justeza dessas políticas.

B. A Função de Inclusividade Multicultural

O moderno estado constitucional – vimos já isso atrás – seguiu o *paradigma estatalista-constitucional*[10]. Existe só uma constituição – a do estado – e apenas um poder criador de constituições, ou seja, o poder constituinte. Tendencialmente, a "função social da constituição" era semelhante à do estado: "integrar" e "unir" pessoas, credos, culturas, grupos, etnias, "nações" e "povos" no mesmo território e sob a soberania do estado. A função integradora da constituição carece hoje de uma profunda revisão originada pelos fenómenos do

---

[10] Cfr. THOMAS WÜRTENBERGER, "Rechtspluralismus oder Rechtsetatismus?", in ERNST JOACHIM LAMPE (org.), *Rechtsgleicheit und Rechtspluralismus*, Baden-Baden, 1995, pp. 93 e ss; M. CARBONELL, "Constitucionalismo, minorías y derechos", in M. CARBONELL *et alii*, *Derechos Sociales y Derecho de las minorías*, Mexico, 2000, pp. 247 e ss. Sobre a origem das ordens jurídicas pluralistas, cfr. A. HESPANHA, *Panorama Histórico*, pp. 92 e 255 e ss; J. TULLY, *Strange Multiplicity*, pp. 1 e ss

pluralismo jurídico e do *multiculturalismo social*. Designa-se **pluralismo jurídico** a situação em que existe uma pluralidade heterogénea de direitos dentro do mesmo campo social. O "pluralismo de direitos" pressupõe uma *sociedade multicultural* ("pluralismo cultural") formada por vários grupos culturais ("índios", "hispânicos", "cabo-verdianos", "africanos", "turcos", "indianos") que produzem normas (relativas, por ex., a casamentos, modas, contratos, ensino de religião) que actuam no mesmo espaço social e interagem com as normas produzidas pelas "macroculturas" dominantes nesse mesmo espaço.

A constituição tem de enfrentar dois dilemas: o *dilema liberal* e o *dilema comunitário*[11]. O dilema comunitário trabalha com o código binário *unidade/pluralidade*, reconduzindo ou reduzindo a pluralidade de normas (jurídicas, éticas, religiosas) às normas adoptadas ou deliberadas pela comunidade e, por conseguinte, pela macrocultura comunitária. A *territorialização* da cultura e do poder reduz a pluralidade a uma tendencial unidade comunitária. Por sua vez, o dilema liberal enfrenta a dicotomia *um/todos*, segundo as regras "universais" do voto ou do preço do mercado, esquecendo que a *razão das regras,* ditada pelas eleições ou pelo mercado, pode marginalizar outras razões – as razões de outras culturas.

A consideração das *objecções multiculturais* obriga a teoria da constituição a insistir numa nova função da lei fundamental: a função de estruturar e garantir um **sistema constitucional pluralístico**. Esta estruturação e garantia passa, desde logo, pela proibição de organizações aniquiladoras ou defensoras da aniquilação do pluralismo ideológico e do multiculturalismo racial ("organizações fascistas", "organizações racistas"). Mais complexa é a questão de saber: (1) se a constituição deve conter uma *cláusula de protecção de minorias étnicas*; (2) se essa cláusula implica a abertura da ordem jurídico-constitucional a estruturas jurídicas específicas de tais minorias. A resposta à primeira questão não pode deixar de ser positiva, pois o estado constitucional de direito democrático é um estado dirigido pelos representantes da maioria mas com garantia dos direitos das minorias. A questão (2) apresenta mais dificuldades porque se trata, no fundo, de saber se a moderna estatalidade territorial deve de novo ser substituída (ou complementada) pela *personalização da ordem jurídica* e, sobretudo, se ela pode ser *hiperinclusiva* acolhendo grupos estratégicos fundamentalistas[12] ou

---

[11] Cfr. JAMES BOHMANN, *Public Deliberation*, 1996, p. 74; ST. ROCKFELLER/M. WALZER//S. WOLF (org.), *Multiculturalism and the "Politics of Recognition"*, Princeton U. P., Princeton, 1992, pp. 3 e ss; P. COMANDUCCI, "Derechos Humanos y Minorias: en acercamiento analitico neoilustrado", in M. CARBONELL, *et alii, Derechos Sociales y derechos de las minorias*, Mexico, 2000, pp. 185 e ss.

[12] Cfr. F. MICHELMANN, *Justification (and Justifiability) of Law in a Contradictory World*, in J. PENNOCK/J. CHAPMANN (org.), Nomos, XVIII, 1986, pp. 71 ss; PETER HABERLE, "El fundamentalismo

"enclaves tradicionalistas iliberais". No fundo, a Constituição é o espaço de jogo do **paradoxo da tolerância**: a tolerância aponta para um *pluralismo limitado* sob pena de a tolerância total, típica de um *pluralismo compreensivo*, albergar a igualitarização radical de todas as concepções, mesmo as da intolerância máxima (neo-nazis, terrorismo religioso e político, ódio racial).

C. *A Constituição e a Autopoiesis*

Há um ponto central em que as concepções autoorganizativas põem em crise a teoria da constituição: a da excessiva sobrecarga de estruturas constitucionais, instrumentalizando o direito constitucional para fins de regulação política. A *autopoiesis* chama-nos precisamente a atenção para a fraqueza de um voluntarismo excessivo.[13] Os sistemas resistem a modificações artificialmente impostas. No entanto, a constituição é ainda o local próprio para ouvir o outro – *altera pares audiatur*. Queremos com isto significar que a auto-organização não dispensa um *diálogo*, uma *conversação*, uma conexão interactiva entre os vários sistemas sociais. Vejamos como.

1. A função de "bootstrapping"

Foi o cientista político norte-americano John Elster que nos seus trabalhos sobre racionalidade e irracionalidade da política aludiu a situações constitucionais de *bootstrapping*. *Bootstrapping* é, em rigor, o processo pelo qual uma assembleia constituinte liberta os atacadores que as autoridades lhe haviam posto, arrogando-se a todos ou a algum dos poderes destas mesmas autoridades. Esta "libertação de amarras" tem, porém, os seus limites. Significa isso que as normas constitucionais devem revelar-se aptas a conseguir uma articulação das preferências e interesses públicos dos "produtores" de normas (o povo, os deputados constituintes, os eleitores) e as preferências e interesses dos destinatários (consumidores) dessas normas. As normas constitucionais não podem fugir a esta medida de *aptidão* (*fitness*): grau de adequação do espaço normativo constitucional à constante

---

como desafio del Estado Constitucional: consideraciones desde la ciência del Derecho y de la Cultura", in *Retos actuales del Estado Constitucional*, Oñati, 1996, pp. 133 e ss; M. ROSENFELD, *Just Interpretation*, p. 208.

[13] Cfr. as exposições sintéticas mas iluminantes de A. HESPANHA, *Panorama histórico,...*, pp. 259 e ss, e J. ENGRÁCIA ANTUNES, prefácio à tradução de G. Teubner, *O Direito como sistema Autopoiético*, Lisboa, 1993.

redefinição interactiva entre interesses públicos e privados. Em que medida as normas constitucionais garantem um grau razoável de aptidão? A resposta pode sintetizar-se da forma seguinte.[14]

2. A institucionalização de um processo de aprendizagem fraco

Qualquer sociedade possui uma estrutura constitucional quando se confronta ela própria através de formas institucionais apropriadas e de processos regulados por normas de adaptação, resistência e autocorrecção. Precisamente por isso, a constituição é hoje a institucionalização de um *processo de aprendizagem falível* através do qual uma sociedade ultrapassa pouco a pouco a sua capacidade para se tematizar a ela mesmo sob o ângulo normativo[15]. Nesta perspectiva, a constituição deixará de ser uma utopia social ou um sucedâneo de utopia (Habermas) se se despojar de fórmulas emancipatórias e se conseguir manter-se no *pico das normas* através do seu alto grau de adaptabilidade. É para isso que existem normas de revisão constitucional e que as normas constitucionais se devem caracterizar pelo carácter aberto, fragmentário e incompleto.

3. Concorrência de pretensões de universalidade

A constituição, na sua qualidade de estatuto do político, pretende *politizar* os restantes sistemas da sociedade (económico, científico) fazendo valer nestes as suas regras e princípios estruturantes (*pretensão de universalidade*). Só o poderá fazer de forma "não imperialista", ou seja, se não perturbar estes outros sistemas. Em primeiro lugar, o direito e o político não podem desempenhar as funções, por exemplo, do sistema económico, do sistema científico, do sistema familiar, do sistema religioso. Estes sistemas têm legítimas pretensões de universalidade: a religião procura a universalidade salvífica; a economia anseia encontrar a mão invisível da criação e distribuição de riqueza; a ciência procura a verdade; a família ergue a universalidade o bem da felicidade pessoal. A constituição concorre hoje com estas universalidades[16].

---

[14] Cfr., J. ELSTER, "Constitutional bootstrapping in Philadelphia and Paris", in M. ROSENFELD (org.), *Constitutionalism, Identity, Difference and Legitimacy*, Durhan, 1994.

[15] Assim, precisamente, PREUSS, *Revolution, Fortschritt und Verfassung. Zum einem neuen Verfassungsverständnis*, Berlin, 1990, p. 94.

[16] Cfr. GERD ROELLECKE, "Die Legitimation des Grundgesetzes in der Sicht der Systemtheorie", in W. BRUGGER (org.), *Legitimation des Grundgesetzes aus der Sicht von Rechtsphilosophie und Gesellschaftstheorie*, Baden-Baden, 1996, p. 433.

4. Integração da policontextualidade

A concorrência destas universalidades pode radicalizar as fracturas sociais e a pluralização dos discursos dos vários sistemas e intensifica ainda mais o problema central das sociedades modernas. Esse problema é o da subsistência de *padrões* de comportamento integradores de campos sistémicos heterogéneos. Citemos um exemplo. A recente revisão constitucional (4.ª revisão) aditou um número novo ao art. 26.º (direitos pessoais) com o teor seguinte: "A lei garantirá a dignidade pessoal e a identidade genética do ser humano, nomeadamente na criação, desenvolvimento das tecnologias e na experimentação científica". A constituição não pode pretender impor valores (éticos, científicos, religiosos) aos mundos-sistemas da religião, da ciência, da moral. Deve, porém, continuar a aspirar a um papel integrativo e compensador da policontextualidade dos discursos próprios destes mundos. Assim, a constituição parte de uma premissa universal e universalizável: garantia da dignidade pessoal e isso constituirá não um *diktat* de valor mas o elemento básico do *diálogo* entre médicos, cientistas, biólogos, teólogos, juristas, seja em "comissões de ética nacionais", seja em "comissões de ética locais" (universidades, clínicas, igrejas). Neste sentido, bem próximo do utilizado pela teoria dos sistemas complexos, a constituição é o local do **diálogo**, ou seja, o espaço da interactividade entre os vários sistemas sociais. Mas é mais do que isso: o diálogo é o instrumento destinado a abrir os *espaços de possibilidade* para, através da criação de "contra-instituições", suavizarmos o discurso ultra-especializado dos vários subsistemas [17]. Por outras palavras: a constituição é agora uma gramática aleatória (mas gramática!) fornecedora de regras mínimas garantidoras da própria *integridade* dos sistemas sociais interactivos e de uma dimensão de justiça no seio da complexidade social.

D. Controlo Débil e Difuso

Uma das mais importantes funções dos textos constitucionais dos estados de direito democrático foi sempre o **controlo do poder**. No entanto, se a constituição perde carácter dirigente é lógico que esta perda de regulação activa seja compensada pelo aumento do *poder de controlo* da constituição. Quer dizer:

---

[17] Cfr. GUNTHER TEUBNER, "Altera Pars Audiatur. Das Recht in der Kollision anderer Universalitätsansprüche", in HANS-MARTIN PAWLOWSKI/GERD ROELLECKE, *Der Universalitätsansprüche des demokratischen Rechtsstaates*, Stuttgart, 1996, p. 217.

1454

a constituição tem agora de se preocupar com o poder não apenas para lhe dar legitimidade mas também para se afirmar definitivamente como uma *estrutura básica de controlo*[18]. A capacidade reflexiva de controlo de uma constituição do estado de direito democrático consiste em institucionalizar *sistemas de observação* que permitam: (1) *supervisionar* os tradicionais privilégios dos poderes públicos (2) e ainda de outros subsistemas (associações, *lobbies*, grupos neocorporativos, partidos políticos, multinacionais, laboratórios científicos, meios de comunicação, serviços secretos). Estes subsistemas exigirão a institucionalização de formas de controlo "débeis" ou à "distância" (através de entidades independentes, comissões deontológicas, auditorias financeiras independentes, sistemas de responsabilidade, visibilidade dos actos e dos haveres, declarações e registos públicos). Trata-se, em muitos casos, de um "olhar por alto"[19] ou de uma supervisão, que, em vez de intervenções políticas autoritárias, directas e hierárquicas, prefere procedimentos discursivos possibilitadores de um confronto dos controladores com as regras asseguradoras da reflexibilidade e estabilidade dos vários sistemas sociais.[20]

Estes "controlos débeis" não dispensam os controlos não institucionalizados do povo. A existência de um espaço político público "desconfiado, móvel, vigilante e bem informado" (J. Habermas) que dinamize iniciativas populares, introduza alternativas nas escolhas políticas, domestique o poder dos *media*, imponha justificações rigorosas aos actos políticos, defenda o espaço dos cidadãos perante os privilégios neocorporativos, é hoje um controlo insubstituível nos estados constitucionais.[21]

Referências bibliográficas

Brennan, G./Buchanan, J. – *The Reason of Rules – Constitutional Political Economy*, Cambridge University Press, Cambridge, U. K., 1985.

Brugger, W. – "Kommunitarismus als Verfassungstheorie des Grundgesetzes", AöR, 3/1998, pp. 337 e ss.

---

[18] Cfr. PEDRO BACELAR DE VASCONCELOS, *Teoria Geral do Controlo Jurídico do Poder*, Lisboa, 1996, pp. 86 ss e 114 e ss.; H. WILLKE, *Supervision des Staates*, p. 41 ss.
[19] Cfr. PEDRO BACELAR DE VASCONCELOS, *Teoria Geral*, cit., p. 238.
[20] Cfr. H. WILKE, *Die Ironie des Staates*, pp. 350 e ss.
[21] Cfr. J. HABERMAS, *Faktizität und Geltung*, pp. 435 e ss. Desenvolvidamente, JÓNATAS MACHADO, *Liberdade de Expressão Dimensões Constitucionais da Esfera Pública no Sistema Social*, Coimbra, 2002, p. 119 ss.

Brugger, W. (org.) – *Legitimation des Grundgesetzes aus der Sicht von Rechtsphilosophie und Gesellschaftstheorie*, Baden-Baden, 1990.

Elster, J. – *Ulysses and the Sirens, Studies in Rationality and Irrationality*, Cambridge University Press, Cambridge, 1984.

Häberle, P. – "Der Fundamentalismus als Herausforderung des Verfassungsstaates: rechts – bzw. kulturwissenschaflich betrachtet", in *Liber Amicorum Josef Esser*, Heidelberg, 1995, p. 49-75 (reproduzido em P. Häberle, *Retos Actuales del Estado Constitucional*, Ónati, 1996).

Hespanha, A. M. – *Panorama Histórico da Cultura Jurídica Europeia*, Lisboa, Publicações Europa-América, 1997.

Horwitz, M. – "Foreword: The Constitution of Change Legal Fundamentality without Fundamentalismus", in *Har L. Rev.* 30 (1993).

Holmes, St. – "Gag Rules and the Politics of Democracy", in J. Elster/Rune Slagstadt, *Constitutionalism and Democracy*, New York, Cambridge University Press, 1988.

– *Passions and Constraint. On the Theory of Liberal Democracy*, Chicago-London, 1995.

Preuss, U. K. – *Revolution, Fortschritt und Verfassung. Zu einem neuen Verfassungsverständnis*, Berlin, 1990.

Rosenfeld, M. – *Just Interpretations. Law between Ethics and Politics*, University California Press, Berkeley, Los Angeles, London, 1998.

– Constitutionalism, Identity, Difference and Legitimacy Theoretical Perspectives, Durhan/London, 1994.

Taylor, Ch. – *Philosophical Arguments*, Cambridge, 1995.

Teubner, G. – *O Direito como Sistema Autopoiético*, Lisboa, Fundação Calouste Gulbenkian, 1993.

Tully, J. – *Strange multiplicity. Constitutionalism in an age of diversity*, Cambridge, 1995.

Willke, H. – *Supervision des Staates*, Frankfurt/M, 1997.

Vieira, O. V. – *A Constituição e a sua Reserva de Justiça. Um Ensaio sobre os Limites Materiais do Poder de Reforma*, São Paulo, 1999.

Índice Ideográfico

Abertura da constituição, 1180
– das normas constitucionais, 1180
– internacional, 370
Acção de responsabilidade, 508
Acções constitucionais de defesa, 939
Acto legislativo procedimental constituinte, 78
Actos
– administrativos inconstitucionais, 939
– da administração, 505
– de governo, 445
– *interna corporis*, 856
– negociais, 566
– normativos para efeitos de controlo, 932 ss, 935 ss.
– normativos editados pela administração, 936
– normativos privados, 944
– políticos negociais, 566
Administração coactiva e ingerente, 726
– de prestações, 730
– independente, 567
– por objectivos, 729
– pública, 123
Afirmative actions, 410
Alta administração, 647
– Autoridade para a Comunicação Social, 516
Âmbito de prognose legislativa, 1316
– de protecção, 1203, 1263
– de protecção da norma, 1262
– de regulamentação, 1203
Amendments, 1069

Amizade e a abertura ao direito internacional, 232
Amparo, 893
Análise estrutural de lei, 718
Ancien régime, 57
Anulabilidade, 950, 952
Aplicabilidade directa, 438, 1178
– directa das normas programáticas, 1180
Aplicação dos Direitos Fundamentais nas Relações Jurídicas Privadas, 1285
Aplicação preferente de normas comunitárias, 828
Apreciação dos decretos legislativos regionais, 813
– parlamentar dos actos legislativos, 797
Aprovação parlamentar de alterações aos decretos-leis, 800
Artigo-Europa, 367
Assembleia constituinte, 71, 78
– constituinte não soberana, 79
– constituinte soberana, 78
– da República, 627 ss
– Nacional, 184
Assento, 938
Assinatura de diplomas, 624, 1031
Autodeterminação, 224
– do povo, 229
– informativa, 515
– descrição constitucional, 1426, 1427
Autogoverno, 224
Autonomia do Governo, 595
– pessoal, 1277
– privada, 384

1457

Autopoiesis, 1084, 1452
Autoprimazia normativa, 1147
Autoridade, 158
Autorização legislativa, 761 ss
Autorizações legislativas orçamentais, 773
Autovinculação constitucional, 1447
Autovinculação da administração, 735

Balanceamento, 1286
– ad hoc, 1240
Balancing process, 1237
Bandeira Nacional, 1134
Base antropológica, 248
Bases gerais do regime jurídico, 754
Bem comum, 53
Bicameralismo paritário, 164
Bill de indemnidade, 1093
– *of Rights*, 55
Bills of attainder, 673
Bloco autonómico de legalidade, 815
– de juridicidade e legalidade comunitária, 929
Bloco de constitucionalidade, 919 ss, 1001
Bloco de legalidade reforçada, 699
– europeu de juridicidade e de legalidade, 929
Bootstrapping, 1452

Câmara Corporativa, 184
– dos Deputados, 144, 171
– dos Pares, 144
Caos, 1146
Capacidade de exercício ou capacidade de agir, 424
– jurídica, 424
– política, 117
Capitalismo mercantil, 385
Cargos públicos, 227
Carta Comunitária dos Direitos Sociais Fundamentais dos Trabalhadores, 525
– constitucional, 137
– – de, 1828, 140, 141
– Social Europeia, 521
– de franquias medievais, 382

Cartismo, 148
Caso julgado, 264, 943, 1000, 1013, 1015
Catálogo de liberdades, 229
– de matérias de interesse específico, 815
– dos direitos e deveres individuais, 130
– -Tópico» dos Princípios da Interpretação Constitucional, 1223
Centralismo, 119
Certeza do direito, 109
Checks and balances, 229
Chefe do Estado, 183, 619
Cidadãos portugueses residentes no estrangeiro, 420
Cláusula da liberdade e da propriedade, 716
– de integração europeia, 234
– de plenos poderes, 1093
– europeia, 234
– de proibição de evolução reaccionária ou de retrocesso social, 479
– da comunidade na restrição de direitos, 1280
Codificação, 121
Colisão autêntica de direitos, 1270
– de direitos, 1270
– de direitos em sentido impróprio, 1270
Comissões, 632, 874
– de inquérito, 636
Competência, 543, 1026
– da competência, 1373
– legislativa, 635
– – dependente, 795
– – originária ou independente, 795
– originária, 795
– regulamentar, 737
– reservada, 699
Competências, 1260
– comunitárias, 549 ss
– concorrentes, 548
– constitucionais, 547
– constitucionais (escritas) implícitas, 548
– – escritas expressas, 548
– estaduais, 549
– exclusivas, 547
– explícitas, 547

1458

- implícitas, 549 ss
- legais, 546
- legislativa, 546
- não escritas, 548
- -quadro, 547

Competência, 538
Competência da competência, 1376 ss
Complementação da lei constitucional, 1234
Composição de conflitos, 672
Compreensão formal-processual da constituição, 1336
- material da constituição, 1338

Compromisso constitucional, 218
- constitucional conservador-liberal, 159

Comunidade constitucional inclusiva, 225, 419, 1450 ss
- de direito europeia, 236
- Jurídica de Estados Democráticos de Direito, 233

Comunidades inclusivas, 302, 1376, 1450
- jurídicas supranacionais e multiculturais, 1376

Conceito constitucional de administração pública, 646
- – organizatório de administração pública, 650
- de lei, 554
- – norma funcionalmente adequado, 933
- histórico de Constituição, 53
- liberal de constituição, 54

Concepção "realista" de povo, 76
Concordância prática, 1185
Concorrência de direitos fundamentais, 1268
Concretização, 1250
- e desenvolvimento do direito constitucional, 885

Concretização da constituição, 1201
Conflito de princípios, 1182
Conformação e Concretização dos Direitos Fundamentais, 1261
Congelamento do grau hierárquico, 841
Constituições outorgadas, 137
Conselho de Estado, 133, 184, 652

- – de administração e gestão das magistraturas, 685

Consenso constitucional, 1438
Conservadorismo, 160
Conservantismo, 160
Constitucionalização das liberdades, 55
Constitucionalidade do direito de necessidade, 1093
Constitucionalismo, 51, 74, 109, 110, 115, 121
Constitucionalismo americano, 58
- antigo, 52
- Corporativo, 178
- da Restauração, 134, 137
- Estadual, 1372 ss
- Europeu, 1372 ss
- francês, 56
- Global, 1369 ss
- histórico, 134
- inglês, 55
- moderno, 52
- Republicano, 162
- romântico, 136
- romântico e cartismo, 134
- setembrista, 147
- Vintista, 128
- –, 378

Constitucionalização do direito de necessidade estadual, 1085
- dos partidos, 315

Constituição, 51, 58, 107, 693
- aberta, 1339
- *acquis* evolutivo, 1374
- bio-médica, 212
- como documento, 1129
- – norma, 1133, 1176
- compromissória, 218
- constituinte, 827
- cultural, 349
- da República, 88
- – –, 1824, 128, 129
- – –, 1840, 151
- – –, 1913, 162, 169, 914
- – –, 1935, 178, 182, 914

– –, 1978, 195
– – necessidade, 1099
– do Estado, 88
– – trabalho, 346
– dúctil, 1387
– económica, 181, 183, 209, 345
– em sentido normativo, 1130
– força normativa, 1150
– estatuto reflexivo, 1388 ss
– europeia, 211
– funções, 1433 ss
– histórica, 52
– – -natural, 135
– limitação do poder, 1440
– longa, 216
– material, 1139
– mista, 56
– moderna, 52
– ordem aberta, 1435
– normativa, 1131 ss
– ordem-quadro, 1436
– organização do poder político, 1441
– outorgada, 148
– pactuada, 147, 148
– processual, 1159 ss
– programática, 217
– regional, 210
– rígida, 215
– sistema aberto de regras e princípios, 1159 ss
– social, 347
– unitextual, 215
Constituições curtas, 216
– longas, 216
Construção da união europeia, 367
– europeia, 601
Conteúdo da protecção de um direito, 1262
Continuidade constitucional, 195
Contraditoriedade e incongruência da lei, 1318
Contrato social, 53
– de domínio, 55, 69
– – domínio medievais, 69
Contratos e acordos colectivos de trabalho, 937

Contratualismo, 54
– jusracionalista, 383
Controlo de constitucionalidade
– abstracto, 900, 918
– caracterização do sistema português, 917 ss
– – de normas, 910
– história, 913 ss
– parâmetro de controlo
– – preventivo, 918, 1015
– – sucessivo, 996
– concreto, 899
– – constitucionalidade, 928
– – – por acção e por omissão, 918
– da legalidade, 928, 1039 s
– de normas, 910, 995
– do poder, 1454
– difuso, 982
– – concreto e incidental, 899, 914
– judicial da constitucionalidade das leis, 170
– judicial da realização dos direitos sociais, 519
– jurisdicional da declaração do estado de sítio ou de emergência, 1108
– norma revogada, 946
– objecto do controlo, 932
– políticas públicas, 945
– político, 897
– – via de incidente, 898, 914, 983 ss
– – via principal, 898, 899
– preventivo, 901, 910
– sanções, 947
– controlo político
– primário, 577
– – ou subjectivo, 577
– secundário, 577
– – ou objectivo, 577
– parlamentar da declaração do estado de necessidade, 1106
Convalidações legislativas, 675
Convenção Europeia dos Direitos do Homem, 520, 930
Convenções constitucionais, 863

1460

– do Povo, 80
Corpo eleitoral, 142
Corpus da constituição, 1132
　– Constitucional, 1131, 1133, 1117
　– e texto constitucional, 1133
Correntes interpretativistas, 1195
Cortes, 131
Cosmos Normativo, 688, 1142
Costume, 861
　– constitucional, 1135
　– inconstitucional, 862
Crimes de responsabilidade, 1107
Critério "presidencial", 576
　– da posição jurídica e política do presidente no funcionamento das instituições, 576
Critérios de ordenação de funções, 551
　– estruturais, 116
　– institucionais, 116
Cultura, 1427

Decisão de não-assinatura, 1028
　– – – -ratificação, 1029
　– – referendo, 299
　– negativa da inconstitucionalidade, 992
　– -regra, 861
Decisões de inconstitucionalidade, 1000
　– interpretativa, 1002
　– – provimento, 1004
　– – rejeição de inconstitucionalidade de normas já anteriormente julgadas inconstitucionais pelo TC, 999
　– judiciais de rejeição de inconstitucionalidade, 999
　– jurisdicionais inconstitucionais, 942
　– negativas de inconstitucionalidade, 1001
Declaração de direitos, 152, 169
　– do estado de sítio ou do estado de emergência, 1104
Decreto, 847 e ss
　– do Governo, 851
　– do Presidente da República, 899
　– das Regiões Autónomas, 852

– de declaração do estado-de-sítio ou de emergência, 846
Decreto-Lei
　– apreciação parlamentar, 797
　– competência, 795
　– história, 791 ss
　– decreto-lei autorizado, 771 ss, 795
　– decreto-lei de desenvolvimento, 758, 795
　– suspensão, 799
Decretos das Regiões Autónomas, 854
　– do Governo, 850
　– – Presidente da República, 849
　– legislativos regionais, 803
　– – – autorizados, 811
　– – – de desenvolvimento, 760
　– – – de desenvolvimento em algumas matérias reservadas à competência da Assembleia da República, 811
　– políticos, 850
　– regulamentares, 851
　– simples, 851
　– -leis, 791
　– – autorizados, 767, 791
　– – de desenvolvimento, 756, 797
　– – originários, 797
Defeito de protecção, 273
Defesa de Direitos perante Autoridades Administrativas Independentes, 514
　– do Estado, 887
　– ou garantia da constituição, 887
Definitional balancing, 1229
Delitos do Estado, 891
Democracia, 98
　– de Chanceler, 579
　– – risco, 1339
　– deliberativa, 224, 1416
　– corporatista, 1417
　– discursiva, 1416
　– digital, 1418
　– democrático pluralista, 1409
　– dos cidadãos, 296
　– dualista, 59

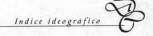

- electrónica, 1418
- elitista, 1411
- interna, 318
- mínima, 1418
- liberal, 1414
- participativa, 288
- ordo-liberalismo, 1413
- republicana, 1415
- semidirecta, 297
- teorias normativas, 1414

Densificação de normas, 1201
Descentralização, 699
- administrativa, 174
- regulativa, 704

Desconcentração, 703
- normativa, 703

Desconstitucionalização, 1070
Descontinuidade constitucional, 195
- formal, 196
- material, 196

Desenvolvimento constitucional, 1073, 1141
Deslegalização, 841
Desobediência civil, 326
Destinatário das autorizações legislativas, 766
Desvio de poder legislativo, 1317
- do princípio da divisão de poderes, 252

Determinabilidade constitucional, 401
Determinantes negativas, 1149
- positivas, 1149

Dever de fundamentação de decisões dos tribunais, 1325
- de protecção, 399
- objectivo, 1240

Deveres fundamentais, 531 ss
Dignidade da pessoa humana, 225
Dimensões constitucionais essenciais, 1141
Direcção política, 565, 624
- política presidencial, 624

Directivas comunitárias, 823
Direito, 244, 926
- à autodeterminação informativa, 514
- - execução das decisões dos tribunais, 500

- a pressupostos constitucionais materialmente adequados, 499
- à tutela jurisdicional, 496
- a um procedimento justo, 515
- - - processo célere e prioritário, 507
- a uma decisão fundada no direito, 499
- ao arquivo aberto, 516
- - desenvolvimento da personalidade, 396
- - processo equitativo, 492
- - Europeu, 235, 1372
- - judicial, 704, 967
- - organizatório, 541
- - processual, 927, 965
- da constituição, 1261
- - lei, 927, 1261
- de acção popular, 510 ss
- - acesso à Justiça Administrativa, 502
- - - à via judiciária, 495 ss
- - - directo à constituição, 451
- - - - dos juízes à Constituição, 913
- - dissolução, 537, 604
- - interpelação, 637
- legislação, 1036
- - oposição democrática, 324
- - petição, 512
- - recurso para a Comissão Europeia de Direitos do Homem, 520
- - recurso para o Tribunal Europeu de Direitos do Homem, 520
- - recusa de referendo, 626
- - resistência, 73, 448, 512
- - sufrágio, 301
- - suscitar a «questão» de inconstitucionalidade ou de ilegalidade, 507
- - veto, 605
- - veto político, 626
- - veto por inconstitucionalidade, 626
- directamente aplicável, 824
- dos estrangeiros, 387
- eleitoral, 117
- fundamental à legislação, 1037
- internacional geral, 819, 935

– – particular, 821
– – Privado, 821
– pré-constitucional, 1306, 1314
– prima facie, 1282
– procedimental de participação popular, 511
– processual constitucional, 963 ss
– público sancionatório, 1300
– reflexivo, 1153, 1387
– responsivo, 1387
– subjectivo, 1240
– supranacional, 927
Direito autopoiético, 1384, 1452
Direito cibernético, 1385
Direito auto-organizativo, 1385
Direitos
– – prestações, 412, 479
– adquiridos, 55
– civis, 394, 395
– da terceira geração, 386
– de defesa, 407
– – igualdade, 431
– – liberdade, 395
– – natureza análoga aos direitos, liberdades e garantias, 404
– – oposição, 325
– – personalidade, 396
– – quarta geração, 386
– derivados, 478
– – a prestações, 479
– do homem, 110, 233, 383, 393, 418
– – – e direitos do cidadão, 393
– dos povos, 386
– económicos, sociais e culturais, 402
– estamentais, 382
– fundamentais, 130, 143, 182, 248, 290, 393
– – colectivos, 423, 424
– normas, 258
– – de exercício colectivo, 424
– – de menores, 425
– – dispersos, 404
– – dos seres vivos, 227
– – em sentido formal e material, 406

– – em sentido meramente formal, 406
– – exclusivos de estrangeiros, 418
– – fora da constituição formal, 170
– – formalmente constitucionais, 403
– – no âmbito da União Europeia, 523
– teorias, 296 ss
– humanos, 232, 1354
– individuais, 382, 395
– legais sociais, 482
– materialmente fundamentais, 403
– multifuncionalidade, 1402 s
– naturais, 394
– originários, 477
– originários a prestações, 477
– políticos, 394
– prima facie, 1257
– processuais fundamentais, 446
– sociais, 348
– sociais derivados, 408
– – originários, 408
– – económicos e culturais, 385
– subjectivos, 474, 1258
– – privados, 1294
– – públicos, 1294
– liberdades e garantias, 398, 520
Diritto vivente, 1314
Direito de necessidade, 1083 ss
Direito comunitário supranacional, 822 ss
Discricionariedade, 446
Discussão e votação na especialidade, 874
– – – na generalidade, 874
Divisão de poderes, 250, 555 ss
Doutrina da lei protectora dos direitos de liberdade e de propriedade, 97
– da reserva de lei, 97
– das questões políticas, 1305
Drittwirkung dos direitos fundamentais, 1285
Drittwirkung da Convenção Europeia dos Direitos do Homem, 1290
Due process of law, 488
Dupla responsabilidade, 561
– – governamental, 605
Duplo grau de jurisdição, 667

1463

– processo de revisão, 1067
Efeitos das sentenças do Tribunal Constitucional, 1022
Efeitos das decisões do Tribunal Constitucional
  – nos processos de fiscalização concreta, 999
  – repristinatórios, 1016
  – limitação de efeitos, 1017
  – gerais, 1009
  – particulares, 1009
  – prospectivos, 1009
  – repristinatórios, 1016
  – retroactivos, 1009
Eficácia dos direitos fundamentais em relação a terceiros, 1286 ss
  – horizontal dos direitos económicos, sociais e culturais, 481
Elementos de interpretação, 1218
Entidades administrativas independentes, 514, 568
  – públicas, 441
Escrutínio plurinominal, 310
  – uninominal, 310
Esfera de justiça, 245
Esgotamento de recursos, 995
Estado, 89
  – constitucional, 87, 90, 92, 100, 245
  – – de partidos, 315
  – – democrático de direito, 231
  – de direito, 93, 98, 243, 660
  – – – democrático, 93, 98, 230
  – – – democrático internacionalmente vinculado, 231
  – – – democrático na Comunidade de Países de Língua Portuguesa (CPLP), 236
  – – – democrático-constitucional, 97
  – – – europeu, 235
  – – distância, 244
  – – emergência, 1100
  – – – (militar), 1100
  – – guerra, 1088, 1100
  – – justiça, 245
  – – necessidade externo, 1100
  – – – interno, 1102
  – – Polícia, 91, 92
  – forte, 179
  – legal, 95
  – novo, 178
  – regulador, 352
  – social, 353
  – – de regulação, 351
  – unitário, 359
Estadualidade partidária, 317
Estatuto
  – de cidadania da União Europeia, 524
  – jurídico do político, 1207, 1435
  – plural de cidadanias, 1371
  – das Regiões Autónomas, 774 ss
Estatutos das Regiões Autónomas, 774
  – conteúdo, 779
  – hierarquia, 781
  – poder estatutário, 774
  – procedimento estatutário, 775
  – reserva de iniciativa, 780
  – rigidez estatutária, 777
Estrangeiros, 317
Estrutura da Constituição de, 1824, 129
  – – – –, 1840, 151
  – – lei restritiva, 1276
  – das normas constitucionais imediatamente restritivas, 1277
  – dos limites imanentes, 1280
  – mista parlamentar-presidencial, 591
  – partidária, 591
  – político-organizatória, 183
État Légal, 95
Excepção ao princípio da intangibilidade do caso julgado, 1019
  – de inconstitucionalidade, 982
Excesso ou defeito de autorização, 775
  – do poder legislativo ou «desvio» do poder legislativo, 1320
Execução das decisões do Tribunal Constitucional, 1049
Exército nacional, 119
Exposição ao Comité dos Direitos do Homem, 521

Expurgação, 1019
Extradição, 212

Falta de promulgação e assinatura, 1031
Fases e Actos do Procedimento Legislativo, 875
Federalismo, 588
Fenómeno evolucionista da constituição, 68
Fenomenologia do procedimento constituinte, 77
Filtragem de recursos para o Tribunal Constitucional, 1004
Financiamento público dos partidos, 321
– privados, 321
Fonte primária da produção jurídica, 1148
Fontes de Direito, 693
– – – comunitário, 823
Força de caso decidido dos actos administrativos, 265
– – – julgado formal e material, 1009
– – lei, 697, 722, 1009
– e supremacia normativa da constituição, 890
– obrigatória geral da declaração e de inconstitucionalidade, 1009
Forma de governo, 562 ss
– – – autonómica, 612
– – – directorial, 591
– – – dualista monárquica-representativa, 583
– – – nas Regiões Autónomas, 612
– – – parlamentar, 584
– – – presidencial, 586
– – lei orgânica, 752
– republicana de governo, 228
Formas de Estado, 562
– – governo semipresidencialistas, 592
Fórmula de Lincoln, 287
– de Popper, 291
– – proporcionalidade, 309
Framers, 59
Funções da Assembleia da República, 547 ss
– europeia, 639
– autorizante, 639

– de controlo, 635
– – fiscalização, 638
– – representação, 639
– electiva e de criação, 634
– legislativa, 634, 649
– política de controlo, 635
– – ou de governo, 648
Funções administrativas, 649, 650
– da justiça constitucional, 895
– de governo, 648 ss
Fundamento jurídico do poder regulamentar, 834
– – -constitucional, 823
Fundos comunitários, 732

Gabinete, 145, 173
Garantia, 1248
– da Constituição, 887, 1059
– do acesso aos tribunais, 491
– – recurso contencioso, 492
Garantias, 396
– do processo judicial, 274
– gerais de procedimento e de processo, 274
– impugnatórias no procedimento administrativo, 514
– institucionais, 397, 1170
Glorious Revolution, 58
Governo, 54, 640 ss
– de legislatura, 584
– moderado, 69
– parlamentar, 115
– representativo, 113
– simplesmente representativo, 145
Graus de invalidade, 945
Grupos parlamentares, 630 ss

Habeas corpus, 170
Higher Law, 70
Hino Nacional, 1134
Homo œconomicus, 385

Identidade constitucional, 214
Identidade europeia, 1443

Identidade reflexiva, 1081
Igualdade, 156, 245
   – de oportunidades, 319, 323, 430
   – – – dos partidos, 319
   – – – na concorrência eleitoral, 320
   – formal, 426
   – justa, 428, 429
   – material, 380
   – – através da lei, 428
   – na aplicação do direito, 426
   – – própria lei, 427
   – natural, 381
   – perante os encargos públicos, 431
Imposições legiferantes, 1172
Incidente de ilegalidade, 997, 1041
Inclusividade, 387, 1450
Incompatibilidades, 252
Inconstitucionalidade, 947 ss
   – da lei por violação do princípio da socialidade, 343
   – de normas já revogadas, 946
   – – políticas públicas, 945
   – directa, 924
   – indirecto, 925
   – parcial, 1010
   – – horizontal ou quantitativa, 1011
   – – qualitativa, 1011
   – superveniente, 1003, 1013, 1306 ss
Independência dos tribunais, 663
   – dos tribunais, 660
   – externa, 664
   – funcional, 663
   – interna, 664
   – pessoal, 663
Indirizzo político, 600
Individualismo, 54, 110
   – possessivo, 384
Indivíduo, 110
Ineficácia, 964
Inexistência, 960, 962
   – das leis de revisão, 1089
Iniciativa do referendo, 299
   – popular, 295
Inimizade constitucional, 318

Inquéritos, 636
Instabilidade governamental, 175
Instituição, 1145, 1171
Institutos de defesa da Constituição, 888
Integração de normas constitucionais, 1234
   – Europeia, 367
Interconstitucionalidade, 1429
Intersemosticidade, 1429
   – interculturalidade, 1427
Interdependência institucional, 602 ss
Interesse específico para as regiões, 809 ss
Interpretação, 1195 ss
   – adequadora, 1315
   – autêntica, 1230
   – comparativa, 1214
   – constitucional, 1200
   – correcta da lei conforme a constituição, 1310 ss
   – da constituição em conformidade com as leis, 1233
   – das leis em conformidade com a Constituição, 958, 1226
   – em conformidade com o direito comunitário, 1227
   – limites, 1228
Interpretações do texto, 1137
Intervenções restritivas, 451, 1265
Intervenções restritivas nos direitos fundamentais, 1265
Invalidade, 953
   – consequencial ou sucessiva, 772
Invenção do território, 118
Irregularidade, 956

John Locke, 72, 576
Judicial, 542
   – *review*, 60, 1134
   – *review of legislation*, 95, 893
   – *self-restraint' e 'political question doctrine'*, 1308
Juiz, 651, 671
Juramento, 534
Juridicidade, 243
Jurisdição constitucional, 895

- limites, 1306
- conhecimento do direito pré-constitucional, 1306
- auto-limitação, 1308

Jurisprudência do Tribunal Constitucional, 968
Jusnaturalismo, 54
Jusracionalismo, 54
Juste milieu, 140
Justiça constitucional, 895
- – autónoma, 894
- de risco, 1339
- procedimental constituinte, 200
- – imperfeita, 200
- do sistema, 1296

Lacuna normativo-constitucional, 1235
- de regulamentação, 1236

Legitimação, 66, 112
- e legitimidade, 67, 1439
- do poder político, 229, 1440
- /fundação, 57
- democrática directa, 623

Legitimidade nos processos de fiscalização da constitucionalidade, 112
- «*ex officio*», 902
- «*quisque de populo*», 895
- activa, 902, 1007
- das partes, 902
- de órgãos públicos, 902
- – passiva, 998
- restrita, 895
- universal, 895

Lei, 713
- como tarefa de administração, 731
- de Organização, Funcionamento e Processo do Tribunal Constitucional, 969
- do parlamento, 721
- geral da República, 721
- – e abstracta, 452, 718
- individual e concreta, 452, 718 s
- – restritiva inconstitucional, 452
- material, 715
- na Constituição Portuguesa de 1976, 720

- -direitos fundamentais, 725

Leis, 132
- concretas, 718
- constitucionais, 749, 935
- – autorização, 760, 767
- – bases, 752 ss
- – delegação, 760
- – enquadramento, 785
- de medida, 717
- – revisão e ausência de causa ou intenção constituinte, 1077
- Estatutárias, 774 ss
- fundamentais do reino, 108
- história, 713
- individuais, 718 ss
- individuais camufladas, 453
- interpretativas, 670
- jurídicas, 714
- Orgânicas, 749
- Reforçadas, 781 ss, 920
- retroactivas, 259, 456, 670
- temporárias, 719
- -medida, 674, 713
- -norma, 718
- -quadro, 781

Liberalismo, 109, 158
- compromissório, 158
- constitucional (centro-direita), 159
- económico, 109, 117
- político, 109, 1343, 1405
- radical, 155

Liberdade, 158
- de conformação dos órgãos político-legislativos, 1150
- – religião e crença, 383
- – religião e culto, 170
- dos antigos, 226, 229, 392
- dos modernos, 226, 229, 394
- externa, 317
- igual, 478
- interna, 318

Liberdades, 1259
- básicas, 226, 1405
- individuais, 395

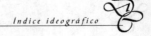

1467   *Índice ideográfico*

– republicanas, 226
Limitação dos efeitos da declaração de inconstitucionalidade, 1007
Limite de idade, 425
Limited government, 59
Limites
  – ao poder estatutário da Assembleia da República, 775
  – circunstanciais, 1063
  – constitucionais imediatos, 1275
  – da revisão constitucional, 886
  – – – da Constituição, 1060
  – de revisão constitucional, 779
  – dos limites, 449
  – expressos, 1064
  – – ou textuais, 1064
  – formais, 1060
  – imanentes, 1277, 1280 ss
  – inferiores, 1064
  – materiais, 1063
  – relativos, 1067
  – superiores, 1064
  – tácitos, 1064 ss
  – temporais, 769, 1062
  – textuais implícitos, 1065

Magistratura, 661
Magna Charta, 55, 69, 382
Mandato imperativo, 114, 628
  – livre, 113, 624
Matrizes Estrangeiras, 199
Mediador judicial, 673
Medidas, 717
  – do estado de sítio ou de estado de emergência, 1105
Metanarrativas, 208
Metódica constitucional, 1115 ss
  – metodologias regionais, 1122
  – da colisão e concorrência de direitos, 1268
  – – restrição de direitos, liberdades e garantias, 1275
  – de «controlo» do princípio da igualdade, 1295

– estruturante, 1117 ss, 1213
– jurídica normativo-estruturante, 1213
– jurídico-funcional, 1214
– científico-espiritual, 1184, 1198
Metódica de direitos fundamentais, 1253 ss
  – âmbito de protecção e conteúdo de protecção, 1262
  – conformação e concretização, 1261, 1264
  – conformação e restrição, 1263
  – leis restritivas e intervenções restritivas, 1265
  – de colisões e de concorrência de direitos, 1268 ss
  – de restrição de direitos, 1275
  – aplicação de direitos nas relações jurídicas privadas, 1285
  – do princípio da igualdade, 1295 ss
  – no âmbito da jurisdição constitucional, 1303 ss
Método hermenêutico-concretizador, 1212
  – jurídico, 1198, 1210
  – tópico-problemático, 1211, 1223
Metodologias Regionais, 1118
Métodos de interpretação, 1210 ss
Milícias, 119
Ministério, 145, 173
  – Público, 683 ss, 991
Minoria, 387
Moção de censura, 599, 605, 639
  – – confiança, 600
Modelo de justiça funcional, 552
  – do balanceamento de poderes, 551
  – – núcleo essencial, 551
  – historicista, 55
  – individualista, 56
  – político-constitucional, 129
Modelos constitucionais, 128
  – de «Justiça Constitucional», 895
Modernidade Constitucional, 63
Momento extraordinário, 205
  – maquiavélico, 205
  – revolucionário, 203
Momentos constitucionais, 203

– constitucionais extraordinários, 77
Monarquia constitucional, 145
Monopólio do juiz da primeira palavra, 672
– – última palavra, 672
Montesquieu, 582
Movimento constitucional, 51
– – moderno, 51
Multipartidarismo competitivo, 176
Municipalismo, 119
Mutação normativa, 1229
Mutações constitucionais, 1228
– – silenciosas, 1229

Nação, 71
Não contraditoriedade, razoabilidade e congruência, 1318
Neo-institucionalismo, 573
Norma, 1276 ss
    – âmbito de protecção, 1203
    – constitucional, 1202
    – – consuetudinária, 1135
    – de decisão, 1221
    – e ordem, 1153
    – formulação, 1201
    – jurídica, 716, 1143, 1221
    – jurídico-constitucional, 1207
    – ou acto normativo, 930
    – primária sobre a produção jurídica, 693
    – programa normativo, 1203, 1216
Normação privada, 705
Normas, 932, 992
    – constitucionais consuetudinárias, 860
    – – de competência, 1169
    – – inconstitucionais, 1232
    – – – supervenientes, 1219
    – – programáticas, 1176, 1180
    – de competência, 1179
    – de direitos fundamentais, 1170
    – procedimento, 1169
    – garantias institucionais, 1170
    – determinadoras de fins e tarefas, 1172
    – do direito internacional, 935
    – e posições, 1266

– garantidoras de direitos subjectivos, 1254
– impositivas de deveres objectivos, 1254
– impugnadas, 988
– interpostas, 922, 924
– legais conformadoras, 1278
– – restritivas, 1278
– materiais, 1168
– orgânicas, 1169
– organizatórias, 541, 1168, 1179
– ou disposições transitórias, 263
– revogadas, 948
– sem suficiente densidade, 1035
– sociais, 474
– – como "garantias institucionais", 475
– – – direitos subjectivos públicos, 475
– – – normas de organização, 475
– técnicas, 705
Normatividade, 1202
– constitucional, 1216
Núcleo básico de direitos sociais, 517
– essencial, 252, 551, 559
– – da garantia institucional da via judiciária, 494
– – de direitos fundamentais de estrangeiros e apátridas, 420
– – de reserva autónoma regulamentar, 843
– – do poder autárquico, 361
Nulidade, 949 ss
– 'ipso jure', 1012
– absoluta, 950
– das leis de revisão, 1076
– teoria administrativa, 951
– parcial, 959, 1020
– relativa, 949
– teoria civilística, 949

Omissão legislativa, 1033
– por falta de actualização ou aperfeiçoamento de normas, 1035
Omissões legislativas parciais, 1035
– relativas, 1035

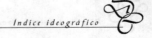

1469 Índice ideográfico

Oposição e desobediência civil, 327
Ordem de valores, 1184
— jurídica, 1142, 1387
— — comunitária europeia, 822
— — internacional, 822, 1014
Ordenação de funções, 251, 552
Ordenamento judiciário, 660
— jurídico, 720, 1140 ss, 1150
Ordens de legislar, 1172
Organicismo, 161
Organização do poder político, 153, 567
Organização de ideologia fascista, 318
Órgão colegial, 632
— permanente, 630
— presidencial autónomo, 620
— unicameral, 631
Órgãos constitucionais, 564 ss
— — de soberania, 564

Pacto Internacional sobre direitos económicos, sociais e culturais, 522
Padrão básico, 578 s
Panachage, 310
Paradigma da sociedade de risco, 1338
— fundacional, 1428
— não fundacional, 1428
— processual, 967
Paradoxo da democracia, 74, 1449
Paradoxo intergeracional, 1449
Parametricidade das normas interpostas e pressupostas, 923, 926
— dos direitos fundamentais, 922
Parâmetro constitucional, 920
— de Controlo ou Determinação do «Bloco da Constitucionalidade», 920
— Europeu de Controlo ou Determinação do "Bloco Europeu de Juridicidade e de Legalidade", 930
Paramount law, 59
Parlamentarismo, 115
— absoluto, 175
— liberal (centro-esquerda), 160
— monístico, 164
Parlamento, 623

Participação política, 301
Partidarismo, 122
Partido Progressista Histórico, 150
— Regenerador, 150
Partidos políticos, 177
— dimensões constitucionais, 314 ss
— liberdade interna e externa, 317
— igualdade de oportunidades, 319
— políticos como direito constitucional formal, 314
— financiamento, 321
— prestação de contas, 324
— posição dos filiados, 325
People-at-large, 70
Perda de direitos fundamentais pela sua utilização abusiva, 461
Perguntas, 635
— e interpelações, 635
Pessoalização de voto, 310
Pessoas colectivas, 420, 421
— colectivas de direito público, 424
Petições, 637
Petition of Rights, 55
Pirâmide normativa, 1151
Plataformas de Acordo Constitucional, 202
Plebiscito, 80, 296
Plenário, 632
Pluralidade de fontes de direito, 1146
Pluralismo de "ordenamentos superiores", 695, 1148
— legislativo, 696
— partidário, 313
— jurídico, 1451
— social, 1437
Pluricentrismo legislativo, 696
Plurimodalidade, 696
— de actos legislativos, 696
Poder, 158, 538
— administrativo municipal, 120
— constituinte, 53, 58, 59, 63, 65, 70, 73, 81, 128, 141, 182, 826, 1429
— de auto-organização, 641
— — exteriorização política, 627
— — organização, 736

1470

- – revisão constitucional, 74
– discricionário da administração, 738
– – de decisão, 734
– – – escolha, 734
– estatutário, 774
– judiciário, 660
– jurisdicional, 660
– legislativo, 131
– – autorizado, 812
– – regional, 805
– – – de desenvolvimento de leis de bases, 810
– local, 120, 361
– moderador, 143
– político, 542
– regulamentar, 833
– – originário e autónomo, 839
– -dever de rejeição de leis (normas) inconstitucionais pela administração, 445
Poder constituinte europeu, 826
Poderes constituídos, 73
 – de controlo, 625
 – – Estado, 543
 – implícitos, 1092
 – partilhados, 621 ss
 – próprios, 620 s
Polícia, 91, 92
Politeia, 54
Política deliberativa, 1416
Política de solidariedade social, 517
Political Question Doctrine, 1308
Políticas públicas, 517, 945
 – sociais activas, 408
 – político, 1207, 1435
Ponderação, 1236 ss
 – *ad hoc*, 1240
Posição europeísta, 1373
 – nacionalista, 1373
Posições, 1258, 1267
 – jurídicas, 1266
 – – constitucionais, 1266
 – – legais, 1266
Positivação, 377

– de direitos a nível comunitário, 524
Positivismo social, 168
Pouvoir constituant, 73
Povo, 65, 75, 292
 – activo, 76
 – eleitor, 579
 – legitimador, 579
 – maioritário, 76
 – real, 76
Praxes constitucionais, 864
Preâmbulo, 212
Precedência da lei, 837, 840
Preferência de aplicação, 701
 – – validade, 701
Presidencialismo latino-americano, 590
Presidente da República, 172, 176, 604, 619
Pressuposição de normas, 926
Pressupostos
 – de direitos fundamentais, 473
 – dos direitos económicos, sociais e culturais, 473
 – dos actos legislativos, 1321
Prestação de contas dos partidos, 323
Primazia do direito comunitário, 825
Primeira revisão (1982), 208
Primeiro-Ministro, 642
Princípe electrónico, 1419
Princípio da legalidade da administração, 833
 – básico sobre a produção de normas jurídicas, 702
 – censitário, 142
 – da «justeza» ou da conformidade funcional, 1224
 – da abertura internacional, 369
 – – aplicação preferente, 827
 – – auto-administração, 666
 – – auto-responsabilidade, 342
 – – autodeterminação dos povos, 233
 – – autolimitação judicial, 1324
 – – autonomia do parlamento, 630
 – – autovinculação da administração, 735
 – – capacidade funcional, 696

– – cidadania, 322
– – colegialidade, 641
– – competência, 706
– – complementaridade ou acessoriedade dos regulamentos, 837
– – concordância prática ou da harmonização, 1225
– – conformidade constitucional, 1224
– – conformidade dos actos do estado com a constituição, 246
– – conformidade funcional, 547, 1224, 1312
– – conformidade ou adequação, 269
– – congruência, 972, 1323
– – – ou da adequação, 972
– – constitucionalidade, 277
– – – imediata da administração, 443
– – correspondência entre o requerido e o pronunciado, 1323
– – democracia económica, social e cultural, 337
– – – semidirecta, 294
– – – social, 348
– – divisão de poderes, 142, 555 ss
– – eficiência, 1224
– – – da administração, 737
– – exigibilidade, 270
– – força normativa da constituição, 1226
– – funcionalidade do direito europeu e o princípio do efeito útil, 1228
– – fundamentação, 1325
– – – de decisões judiciais, 667
– – garantia da autonomia local, 253
– – – de via judiciária, 275
– – hierarquia, 700
– – igualdade, 305, 350, 430, 432, 1137, 1295
– – – de voto, 305
– – – eleitoral, 309
– – – perante a lei, 96
– – imediaticidade, 302
– – imputação da responsabilidade, 540
– – indisponibilidade de competências, 546

– – insindicabilidade da não contraditoriedade, razoabilidade e congruência do legislador, 1317
– – instrução, 971
– – intangibilidade do caso julgado, 265, 1080
– – integração, 550
– – interpretação adequadora, 1315
– – interpretação conforme a Constituição, 1310
– – interpretação das leis em conformidade com a constituição, 1226, 1311
– – interpretação do direito interno em conformidade com o direito comunitário, 1227
– – lealdade constitucional, 645
– – legalidade comunitária, 723
– – – da administração, 96, 97, 256, 277
– liberdade, 317
– – liberdade de voto, 303
– – máxima efectividade, 1224
– melhor tutela europeia, 526
– – não retroactividade, 454
– – – – de preceitos comunitários, 264
– – não-controlabilidade do âmbito de prognose legislativa, 1316
– obrigatoriedade das decisões jurisdicionais, 1050
– – participação, 301
– – periodicidade do sufrágio, 306
– – plenitude da garantia jurisdicional administrativa, 506
– – pluralidade de graus de jurisdição, 666
– – – de jurisdições, 661
– – polaridade individual do poder judiciário, 662
– – precedência da lei, 840
– – precisão ou determinabilidade dos actos normativos, 258
– – preeminência da lei, 839
– – preferência da lei, 256, 725 ss
– – primariedade normativa, 699
– – primazia ou prevalência da lei, 723

1472

– – proibição de excesso, 267
– – – – pré-efeitos, 259
– – – do excesso, 97, 267, 457, 735
– proibição de subrepresentação de sexos, 319
– – proporcionalidade, 268, 271, 1297, 1298
– – proporcionalidade em sentido amplo, 267
– – – – – restrito, 270
– – publicidade, 876
– – – do património e contas, 324
– – referenda ministerial, 643
– – repartição de competências, 643
– – representação, 293
– – reserva de lei, 256, 841
– – – legislativa de bases gerais, 755
– – responsabilidade, 641
– – salvaguarda do núcleo essencial, 460
– – segurança jurídica, 264
– – separação, 562
– – – de poderes, 250, 555
– – – e interdependência dos órgãos de soberania, 547
– – soberania popular, 292
– – socialidade, 333, 351, 641
– – subsidiariedade, 341, 362, 368
– – – territorial, 342
– – tipicidade de competências, 546
– – unicidade, 306
– – unidade, 661
– – – da constituição, 1169, 1223
– – – do Estado, 359, 367
– – – hierárquico-normativa, 1183
– – universalidade, 416
– – – de acesso das pessoas aos bens indispensáveis a um mínimo de existência, 344
– – universalidade do sufrágio, 302
– das maiorias qualificadas, 698
– de auto-organização, 856
– – divisão dos poderes, 114
– – gabinete, 642
– – – ou da colegialidade, 642

– – integração, 696
– – justiça social, 430
– democrático, 287, 301, 306, 313, 326
– – e os seus limites, 325
– do acesso ao direito e aos tribunais, 433
– – congelamento do grau hierárquico, 841
– – controlo material, 973
– – efeito integrador, 1224
– – estado de direito, 254
– – pedido, 971
– – sistema representativo, 112
– – tempus regit actum, 1291
– – voto secreto, 304
– dos poderes implícitos, 550
– – – nominados, 549
– fundamental da constitucionalidade dos actos normativos, 890
– geral da segurança jurídica, 257
– – de subsidiariedade, 363
– maioritário, 326
– – como princípio constitucional geral, 328
– monárquico, 138, 142
– republicano, 223
– – do povo, 70
Princípios, 1159 ss
– consignados na constituição, 920
– constitucionais impositivos, 1166
– constitucionalmente estruturantes, 1188
– cooperativos, 1134
– – igualdade, 431
– das leis gerais da República, 806
– de direito internacional, 81
– – justiça, 81
– – processo, 1006
– e regras, 230
– – – no direito constitucional, 1173
– estruturantes, 1188, 1198
– – da República, 810
– fundamentais, 810
– – da ordem pública, 822
– – das leis gerais da República, 807
– gerais do direito processual constitucional, 981

1473

– – fundamentais, 1188
– hermenêuticos, 1171
– jurídicos, 1171, 1269
– – fundamentais, 1175
– materiais do sufrágio, 301
– materialmente informadores do processo penal, 274
– politicamente conformadores, 1172
– tipologia, 1174 ss
– tópicos da interpretação constitucional, 1223
– -garantia, 1167
Problema da teoria da Constituição, 1345 ss
– de "tragédia", 1351
– – fundamentação, 1351
– – inclusão, 1347
– – materialização do direito, 1349
– – referência, 1347
– – reflexividade, 1348
– – reinvenção do território, 1350
– – risco, 1353
– – simbolização, 1352
– – universalização, 1348
Problemática do estado de direito democrático-constitucional, 1334
Procedência da questão, 980
Procedimento, 542, 545, 1169
– administrativo justo, 274
– constituinte, 76, 77
– – de, 1976, 200
– – directo, 80
– – representativo, 78
– estatutário, 775
– legislativo, 146, 871
– metódico, 1123
Processo de aprendizagem, 1454
Processo de fiscalização da constitucionalidade, 978 ss
– – Fiscalização Abstracta, 1004
– – – – Preventiva, 1025
– – – da Inconstitucionalidade por Omissão, 1033
– – generalização, 1024, 1047
– – verificação da contrariedade de uma norma legislativa com uma convenção internacional, 1042
– – verificação de normas de direito internacional, 1042
– incidental ou acção judicial de inconstitucionalidade, 975
– justo, 490
– relativo à fiscalização de referendos, 1037
Processualização da constituição, 1386
Produção do direito, 703
Proibição constitucional de retroactividade, 260
– da pena de morte, 169
– de autorização em branco, 735
– – cláusulas-barreira, 305
– – ingerência do legislador na reserva de jurisdição, 673
– – normas retroactivas, 259, 450
– – retrocesso social, 338, 339
– do excesso, 268
– geral do arbítrio, 428
– por defeito, 273
Projectos de carta constitucional, 140
– de lei, 872
Promulgação, 624, 873, 875, 1031, 1033
Proposta de lei, 872
– de alteração, 872
Propriedade intelectual, 152
Protecção da confiança, 257
– – – dos cidadãos, 257
– dos direitos económicos, sociais e culturais, 518
– – – fundamentais na União Europeia, 523
– jurídica eficaz e temporalmente adequada, 499
– – individual, 499
– – -judiciária individual, 273
Protocolo adicional ao pacto internacional de direitos civis e políticos, 521
Provedor de Justiça, 513
Providências cautelares de suspensão provisória da eficácia de actos legislativos, 1019

1474

Publicação, 876 ss
Publicidade, 876

Qualificação de normas, 1046
Quarta revisão (1997), 211
Queixa constitucional, 502
Questão colonial, 133
— inconstitucionalidade, 985
— de confiança, 601
— — ilegalidade, 1040
— — inconstitucionalidade, 977, 997
— ibérica, 120
— suscitada durante o processo, 978
Questões nos processos de fiscalização da inconstitucionalidade
— questão de inconstitucionalidade, 985 s, 1006
— questão suscitada durante o processo, 985, 997
— questão relevante para a causa, 987
— questão do esgotamento dos recursos, 997
— questão de ilegalidade, 1040
Quinta revisão, 214
Quotas, 410
— femininas, 319

Racionalidade diferenciada, 117, 157
Racionalismo, 160
Ratificação, 798
Razão pública, 94, 236, 1360
Razoabilidade da lei, 1317 ss
Realismo político, 158
Realização da constituição, 1200
Rechtsstaat, 96
Rectificação, 880
Recursos nos processos de fiscalização da constitucionalidade, 1004
— de constitucionalidade, 989
— — decisões negativas, 992
— — — positivas, 992
— filtragem dos recursos, 1004
— para o plenário, 1004
— por constitucionalidade, 984

— — ilegalidade, 990
— — inconstitucionalidade, 984
Recursos de parte, 991
— facultativos, 991
— — de parte, 991
— obrigatórios, 983
— obrigatórios do MP, 993
— oficiosos, 980
Reenvios legais, 736
— para normas jurídicas extraconstitucionais, 1134
Referenda, 560, 622, 873
— ministerial, 647
Referendo, 295, 864
— constituinte, 80
— electrónico, 297
— local, 300, 945
— nacional, 298, 1041
— regional, 300, 937, 1047
— processo de fiscalização, 1031
Referendos locais e regionais, 929
Reformulação, 1021
— da norma em fiscalização preventiva, 1031
Regeneração, 151
Regime autonómico insular, 359, 360, 805
— censitário, 138
— comum ou normal, 754
— das leis restritivas, 450
— específico dos direitos, liberdades e garantias, 417
— geral dos direitos fundamentais, 415
— misto parlamentar-presidencial, 598
— parlamentar, 116
— — de assembleia, 164
— — — responsabilidade política, 145
— — dualista ou orleanista, 145
— — maioritário, 583
— próprio dos direitos, liberdades e garantias, 441
— representativo, 163
Regimento, 853
— das assembleias, 936
Regiões administrativas, 362

1475 — — — — — — — — — — — — — — — — *Índice ideográfico*

Regionalização administrativa, 362
Regras
 – e princípios jurídicos, 1160 ss
 – básicas de concretização, 1215
 – determinadoras de fins e tarefas do Estado, 1171
 – e princípios, 1160
 – jurídicas, 1161
 – jurídico-organizatórias, 1168
Regulação
 – autónoma estatutária, 704
 – jurídica, 702
 – privada, 705
Regulamento, 833 ss
 – acessoriedade, 837
 – fundamento jurídico, 834
 – regime constitucional, 835
Regulamentos autónomos, 738, 741, 838
 – comunitários, 823
 – dos entes autónomos, 842
 – editados pelas entidades adminis- trativas independentes, 844
 – independentes, 838, 844
Regularidade de formação dos órgãos constitucionais, 889
Regulática, 706
Rei, 133
Relação de confiança, 575
Relações entre o ordenamento jurídico português e o ordenamento da União Europeia, 824
 – especiais, 467
 – individuais, 1258
 – jurídicas especiais, 463, 739
Remissões, 732
Renúncia a direitos, 463
 – – – fundamentais, 464
 – aos direitos de personalidade, 464
 – contratual, 461
 – por via de contratos ou acordos colectivos, 464
Repartição horizontal, 556
 – ou divisão social de funções, 561
 – vertical, 556

– – de funções, 561
Representação, 56
 – democrática, 293
 – – material, 294
 – formal, 293
 – parlamentar, 628
 – política, 113, 545
Representatividade, 546
Repristinação de normas, 1016
República, 156, 225
 – corporativa, 178
 – democrática, 162
 – descentralizada, 166
 – ecologicamente autosustentada, 227
 – laica, 165
 – Portuguesa, 223
 – soberana, 224
Reserva
 – absoluta de jurisdição, 668
 – autónoma regulamentar, 842
 – constitucional de juiz, 670
 – da função de juiz, 671
 – – – – julgar, 667
 – – República, 621
 – – via judiciária, 664
 – de acto legislativo, 727
 – – administração, 739, 742
 – – constituição, 247, 309, 1140
 – – – quanto a deveres fundamentais, 532
 – decreto-lei, 731
 – – decreto regional, 814
 – – – -lei, 728, 796
 – – densificação parcial, 728
 – – – total, 728
 – – estatuto regional, 778
 – – execução das leis, 744
 – – governo, 746
 – – juiz, 664 ss
 – – – arbitral, 671
 – – – e administração, 675, 743
 – – – estadual, 671
 – – jurisdição, 665 ss
 – – justiça, 1358

1476

– – lei, 721 ss 844
– – – do parlamento, 724
– – – formal, 730
– – – material, 734
– – – reforçada, 730
– – – regional, 814
– – – restritiva, 452, 1272
– – norma jurídica, 734
– – parlamento, 730
– – plenário, 756
– – poder de organização, 745
– – tribunal, 664
– do possível, 481
– institucional de lei, 729
– legal de juiz, 670
– orçamental, 731
– relativa, 727
– – de jurisdição, 669
– total de lei, 729
Reserva de Constituição, 1140
Reservas constitucionais de administração, 742
– especiais de administração, 742
– – – jurisdição, 676
– – administração autónoma, 740
Resolução, 862
Resoluções da AR e das assembleias regionais, 862, 944
Responsabilidade, 542, 554
– civil, 1109
– constitucional, 544, 555
– da administração, 507
– do «Estado legislador», 509
– – Estado, 92
– dos poderes públicos perante as gerações futuras, 227
– ministerial individual, 173
– parlamentar do Governo, 644
– penal, 540
– política, 544, 577, 599
– – perante a AR, 644
– – – o PR, 644
– por facto da função jurisdicional, 574
Restrição

– de direitos, 450, 1276
– legal de direitos fundamentais, 1277
Restrições aos direitos fundamentais, 1105
– de direitos fundamentais, 534
– constitucionais imediatas, 1277
– estabelecidas por lei, 1277
– não expressamente autorizadas pela Constituição, 1277
Retroactividade, 261
– autêntica, 262
– e retrospectividade, 456
– inautêntica, 262
Retrospectividade, 262
Revisão da Constituição, 1059 ss
– de, 1982, 916
– –, 1989, 916
– –, 1997, 916
– e poder constituinte, 1059
– duplo processo de revisão, 1067
– expressa, 1069
– tácita, 1069
– total, 1072
– limites, 1060 ss
Revisionismo, 1074
Revisões da constituição, 207
– através do direito comunitário, 1058
– extraordinárias, 1062
– não expressas, 1069
– ordinárias, 1062
– através de recursos, 1070
Revolução, 203, 204
– Jurídica, 1065
Rigidez, 215
– da Constituição, 1059
– estatutária, 777
Rule of Law, 93
Ruptura da constituição, 1060, 1077

Sanção do rei, 132
Sanções do controlo de constitucionalidade, 947
Secularização do direito natural, 382
Segunda revisão (1989), 209
Segurança jurídica, 109, 257

Self-government, 229
Semântica da modernidade, 89
Senado, 171
Sentença substitutiva, 1019
Sentenças aditivas, 1019
– de apelo, 1018
– – mera declaração de inconstitucionalidade, 1018
– – rejeição da inconstitucionalidade, 1022
– declarativas de inconstitucionalidade, 1009
Separação de poderes, 163, 250, 571
– e interdependência dos órgãos de soberania, 889
– pessoal de poderes ou funções, 252
Serviço militar, 213
– público, 353
Serviços de interesse económico geral, 44, 352
Setembrismo, 148
Sieyès, 73
Silêncio legislativo, 1033
Simples fixação de inconstitucionalidade, 949
Sistema aberto de regras e princípios, 1157 ss
– – representação proporcional pessoalizado, 311
– eleitoral, 306
– – proporcional, 309
– maioritário, 306, 307
– normativo aberto de regras e princípios, 1159
– partidário, 313
– político, 573 ss
– proporcional, 306, 307
Sistema constitucional pluralístico, 1451
Sistemas complexos, 1143
Situações jurídicas e controlo da constitucionalidade, 957
Sistemismo, 1383
– auto-organizativo, 1383
– cibernético, 1385

Situação ainda constitucional mas a tender para a inconstitucionalidade, 958
Situações constitucionais imperfeitas, 957
– juridicamente consolidadas, 1014
Soberania, 89
– constituinte do povo, 72
– nacional, 112, 117, 162
– parlamentar, 56, 156
– popular, 155, 224
Socialismo, 385
Sociedade, 88
Solidariedade intergeracional, 1141
Sondagens, 304
Standards, 268
– materiais mínimos, 1371
Subsidiariedade, 549
– horizontal ou social, 341
Sufrágio universal, 163
Súplica de Constituição, 127
Supranacionalização, 704
Supremacia da constituição, 246
Supreme power, 72
Supremo Tribunal Administrativo, 677
– – de Justiça, 676
Suspensão colectiva de alguns direitos, liberdades e garantias, 1103
– da Constituição, 1089
Suspensão dos decretos-leis submetidos a apreciação parlamentar, 799

Tarefa, 542
– de direcção política, 566
Tempus regit actum, 1307 ss
Teoria clássica da inconstitucionalidade, 947
Teoria constitucionalmente adequada das funções do Estado, 552
– da administração, 1340
– – Constituição, 1331 ss
– – democracia, 1334
– – eficácia directa dos direitos fundamentais, 1284
– – – indirecta, 1285
– – Justiça, 1342

1478

– – razão comunicativa, 1358
– das «limitações horizontais», 1279
– democrática representativa, 288
– do eleitorado-direito, 117
– – eleitorado-função, 117
– – Estado, 714
– – núcleo essencial, 559
– – poder, 74
– dos limites horizontais, 1279
– material das funções de Estado, 552
– – de constituição, 1407
– processual, 490
– democracia, 1407 ss
Teoria do agir comunicativo, 1404
Teorias da justiça, 1343
   – da discussão, 1404
   – do discurso, 1343
   – dos direitos fundamentais, 1396
   – reflexivas da Constituição, 1387
Terceira revisão constitucional (1992), 210
Teste de razoabilidade na ponderação de bens, 1239
Texto, 1208
Textura, 1158 ss
   – constitucional, 1136
   – normativo, 1202
The English Constitution, 52
The Reign of Law, 94
The Rule of Law, 93
Titular do Poder Constituinte, 75
Titularidade de direitos fundamentais, 421
Tolerância religiosa, 383
Traços do regime presidencial, 601
Tradicionalismo, 161
Tráfico comunicativo, 320
Transição constitucional, 1228
Tratado de Maastricht, 210
Tratados internacionais, 819 ss, 1042
Tribunais, 653, 655, 976
   – administrativos e fiscais, 679
   – judiciais da, 1.ª instância, 679
   – – da, 2.ª instância, 673
Tribunal Constitucional, 678 ss, 908

– Constitucional como «defensor da constituição de necessidade», 1109
– de Contas, 678
– – Justiça das Comunidades, 827
– – Primeira Instância, 827
– Europeu para os Direitos do Homem, 930

União Europeia, 822
Unidade da constituição e antinomias e tensões entre princípios constitucionais da Constituição, 1138, 1168, 1182, 1183
– – ordem jurídica, 1144
– do sistema jurídico, 700
– legislativa da República, 213
Unitextualidade, 215
Universalidade, 1454
Universalismo, 161
Universo eleitoral, 300

Valor de lei, 697
– do direito comunitário, 696
– jurídico das normas do direito internacional, 821
Veto, 295
– político, 602
– por inconstitucionalidade, 1028
– – – dos Ministros da República, 1030
Vícios de inconstitucionalidade, 959
Vícios
– – procedimento, 960
– dos actos jurídicos de excepção, 1110
– formais, 959
– interna corporis, 859
– materiais, 959
Vinculação da administração, 446
– da jurisdição pelos direitos fundamentais, 452
– de entidades privadas, 453
– – entidades públicas, 441
– – todos os tribunais, 1012
– do legislador, 446
– – legislador à constituição, 246

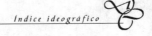

Índice ideográfico

– – legislador e dos actos legislativos pelos direitos, liberdades e garantias, 440
– – próprio legislador à decisão do TC, 1010
– – TC às suas próprias decisões, 1012
– dos tribunais pelos direitos, liberdades e garantias, 446
– geral, 1000
– imediata da administração pelo direito europeu, 445

Vinculatividade das decisões da declaração de inconstitucionalidade, 1009
Vinculo de controlo e de responsabilidade, 575
Votação final global, 874
Votação na especialidade, 873
Voto directo, 302
– por correspondência, 304
– preferencial, 311

We the People, 58, 70

Índice Geral

Nota prévia 7
Nota prévia à 5.ª edição 9
Siglas de revistas e obras colectivas 11

CAPÍTULO INTRODUTÓRIO
O ENSINO E A TEORIA

I – O ensino e a teoria 17
   1. Orientação profissional e discurso académico 17
   2. "Leitura dogmática" e "leitura teorética" 18
   3. "Leitura estruturante" e "discurso historicista" e "comparatístico" 19
   4. Orientação geral 20
   5. Os destinatários do discurso 20
II – Como se ensina e o que se ensina 21
   1. Lance de olhos em redor do ensino do direito constitucional ... 21
   2. As "modas" e as práticas: o "novo" e o "novíssimo" direito constitucional ... 25
III – Os estudantes chegam carregados de "memórias constitucionais" ... 27
   1. Uma presença difusa 27
   2. O entendimento do "dito textual" e sistematização 28
IV – Visão global da literatura sobre direito constitucional 30
V – "Janelas" para o direito constitucional 45

PARTE I
CONSTITUIÇÃO E CONSTITUCIONALISMO

CAPÍTULO 1
CONSTITUCIONALISMO ANTIGO E CONSTITUCIONALISMO MODERNO

A. Constituição e constitucionalismo 51
   I – Movimentos constitucionais e constitucionalismo 51
   II – Constituição moderna e constituição histórica 52

B. Modelos de compreensão 54
   I – Modelo historicista: o tempo longo dos "jura et libertates" 55
   II – Modelo individualista: os momentos fractais da Revolução 56
   III – "Nós, o povo" e os usos da história: a técnica americana da liberdade 58
Referências bibliográficas 60

CAPÍTULO 2
MODERNIDADE CONSTITUCIONAL E PODER CONSTITUINTE

A. Aproximação à problemática do poder constituinte 65
   1. Quatro perguntas 65
   2. Pluralidade de abordagens 66
B. A dimensão genética: revelar, dizer ou criar uma lei fundamental 68
   I – Problemática do poder constituinte e experiências constituintes 68
   II – Revelar, dizer e criar a Constituição 69
      1. Revelar a norma – a desconfiança perante um poder constituinte. A Magna Charta e os contratos de domínio medievais 69
      2. Dizer a norma – o poder constituinte e a criação de um corpo de regras superiores e invioláveis no exemplo americano 70
      3. Criar a norma – o poder constituinte como fórmula fractal e projectante no modelo francês 71
C. A dimensão teorético-constitucional: as teorias sobre o poder constituinte 72
   1. John Locke e o "supreme power" 72
   2. Sieyès e o "pouvoir constituant" 73
   3. Teoria do poder constituinte e constitucionalismo 74
D. O titular do poder constituinte 75
   I – Conceito de povo 75
   II – Conceitos redutores de povo 76
E. O procedimento constituinte 76
   I – Fenomenologia do procedimento constituinte 77
      1. Decisões pré-constituintes 77
      2. Decisões constituintes – o acto procedimental constituinte 78
F. Vinculação jurídica do poder constituinte 81
Referências bibliográficas 82

CAPÍTULO 3
O ESTADO CONSTITUCIONAL

A. A constituição e o seu referente: Estado? Sociedade? 87
   I – O referente da constituição 87

Direito Constitucional   1482

1. A sociedade e a constituição	88
2. A Constituição como norma ou lei do Estado	88
II – Que coisa é o Estado?	89
1. Estado e semântica da modernidade	89
2. Estado e polícia	91
B. O estado constitucional	92
I – Estado de direito	93
1. *The Rule of Law*	93
2. Constituição e lei – *always under law*	94
3. *L'État légal* – Declaração, constituição e lei	95
4. O *Rechtsstaat*	96
II – Estado de direito democrático-constitucional	97
1. Estado de direito e democracia – haverá "dois corações políticos"?	98
2. O Estado constitucional democrático	100
Referências bibliográficas	100

PARTE II

O CONSTITUCIONALISMO PORTUGUÊS

CAPÍTULO 1

PROBLEMAS FUNDAMENTAIS NA HISTÓRIA/MEMÓRIA DO CONSTITUCIONALISMO

I – Constitucionalismo e construtivismo racionalista	107
II – Constitucionalismo e liberalismo	109
III – Constitucionalismo, individualismo e direitos do homem	110
IV – Constitucionalismo, soberania, legitimidade e legitimação	112
V – Constitucionalismo e representação política	113
VI – Constitucionalismo e divisão de poderes	114
VII – Constitucionalismo e parlamentarismo	115
VIII – Constitucionalismo e direito eleitoral	117
IX – Constitucionalismo e «invenção do território»	118
1. A questão do exército nacional e das milícias	119
2. Municipalismo e centralismo	119
3. A «questão ibérica»	120
X – Constitucionalismo e codificação	121
XI – Constitucionalismo e partidarismo	122
XII – Constitucionalismo e administração pública	123
Referências bibliográficas	124

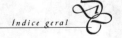

CAPÍTULO 2
FORMA CONSTITUCIONAL E CONSTITUIÇÃO

A. O movimento pré-constitucional 127
    1. A «súplica» de constituição (1808) 127
    2. A «proposta» de constituição 127
B. O constitucionalismo vintista 128
    I – Poder constituinte e modelos constitucionais 128
        1. O poder constituinte 128
        2. Os modelos constitucionais em confronto 129
    II – Estrutura da Constituição de 1822 129
        1. Os direitos fundamentais 130
        2. O poder legislativo 131
        3. O Rei 133
        4. O Conselho de Estado 133
        5. Delegação do poder executivo no Brasil 133
        6. A força militar 134
        7. Início e cessação da vigência da Constituição de 1822 134
C. O constitucionalismo da restauração 134
    I – Constitucionalismo histórico, constitucionalismo romântico e cartismo ... 134
        1. A concepção puramente histórica de constituição 134
        2. O constitucionalismo romântico 136
        3. O constitucionalismo da Restauração 137
    II – Estrutura e significado da Carta Constitucional de 1826 140
        1. Carta prometida e projectos de carta constitucional 140
        2. A Carta Constitucional de 1826 141
D. O constitucionalismo setembrista 147
    I – O constitucionalismo setembrista 147
        1. A ideia de Constituição pactuada 147
        2. Cartismo e setembrismo 148
    II – Estrutura da Constituição de 1838 151
    III – A dinâmica ideológico-partidária liberal 154
        1. Liberalismo radical 155
        2. O liberalismo compromissório (liberal-conservador) 158
        3. O conservadorismo ou conservantismo 160
E. O constitucionalismo republicano 162
    I – Visão global dos princípios republicanos 162
        1. A república democrática 162
        2. República laica 165
        3. República descentralizada 166
        4. Suporte social 168
    II – A estrutura da Constituição de 1911 169
        1. A declaração de direitos 169
        2. A estrutura organizatória do poder político 171

1484

III – As características dominantes do regime republicano e as deformações político-institucionais 175
    1. O parlamentarismo absoluto 175
    2. A instabilidade governamental 175
    3. O «apagamento» do Presidente da República 176
    4. O multipartidarismo competitivo e desorganizado 176
    5. A «realidade» das forças colectivas 177
    6. A recepção constitucional dos partidos políticos 177
F. O constitucionalismo corporativo 178
  I – A ideologia constitucional do «Estado Novo» 178
    1. A ideia hierárquico-corporativa de Estado 178
    2. A ideia de Estado forte 179
    3. A ideia supra-individualista de Nação 180
    4. A ideia de economia dirigida e a existência de uma constituição económica 181
  II – Estrutura e princípios da Constituição de 1933 182
G. Estrutura formal das Constituições Portuguesas 188
Referências bibliográficas 185

PARTE III
PADRÕES ESTRUTURAIS DO DIREITO CONSTITUCIONAL VIGENTE

TÍTULO 1
Constituição, República e Estado na Ordem Jurídico-Constitucional de 1976

CAPÍTULO 1
NOTAS GERAIS SOBRE A CONSTITUIÇÃO DA REPÚBLICA DE 1976

A. A Constituição de 1976 e as continuidades e descontinuidades constitucionais ... 195
  I – Descontinuidades 195
    1. A tradição constitucional portuguesa das rupturas constitucionais 195
    2. Descontinuidade material 196
  II – Continuidades 197
B. A constituição e as matrizes estrangeiras 199
C. O procedimento constituinte de 1976 200
  I – Justiça procedimental imperfeita 200

1485

II – Os momentos constitucionais 203
   1. Momento revolucionário 203
   2. Momento extraordinário 205
   3. Momento maquiavélico 205
   4. Conclusão 206
D. A constituição e as revisões da constituição. De quantas "constituições" é composta a "constituição"? 207
   1. As tensões e contradições 207
   2. A primeira revisão (1982) e o fim das metanarrativas e da legitimidade revolucionária 208
   3. A segunda revisão (1989) – a reversibilidade da constituição económica 209
   4. A terceira revisão constitucional – a caminho de uma constituição regional? . 210
   5. A quarta revisão (1997) – o renascer da questão constitucional 211
   6. A quinta revisão constitucional. A internacionalização da Constituição Penal (2001) 214
   7. Conclusão 214
E. Características formais da Constituição de 1976 215
   1. Constituição unitextual 215
   2. Constituição rígida 215
   3. Constituição longa 216
   4. Constituição programática 217
   5. Constituição compromissória 217
Referências bibliográficas 219

CAPÍTULO 2
A REPÚBLICA PORTUGUESA

A. O que é que constitui a República Portuguesa? 223
   1. Autodeterminação e autogoverno 224
   2. República soberana e soberania popular 224
   3. República e dignidade da pessoa humana 225
   4. República e liberdades 226
   5. *Res publica* e *res privata* 227
B. A forma republicana de governo 228
   1. O rasto textual 228
   2. Densificação da forma republicana de governo 228
C. O Estado de direito democrático 203
   1. Estado de direito democrático português 230
   2. O estado de direito democrático internacionalmente vinculado 231
   3. Estado constitucional integrante de uma comunidade jurídica de Estados Democráticos de Direito 233
   4. Estado de direito democrático na Comunidade de Países de Língua Portuguesa (CPLP) 236
Referências bibliográficas 238

1486

TÍTULO 2
A República Portuguesa e os seus Princípios Estruturantes

CAPÍTULO 1
O PRINCÍPIO DO ESTADO DE DIREITO

A. Dimensões formais e materiais do princípio do estado de direito 243
   1. Juridicidade 243
   2. Constitucionalidade 245
   3. Sistema de direitos fundamentais 248
   4. Divisão de poderes 250
   5. Garantia da administração autónoma local 253
B. O princípio do estado de direito democrático na Constituição de 1976 254
   1. A Constituição e o princípio do estado de direito 254
   2. Elementos formais e elementos materiais 255
C. O princípio do estado de direito e os subprincípios concretizadores 256
   I – O princípio da legalidade da administração 256
   II – Os princípios da segurança jurídica e da protecção da confiança dos cidadãos 257
      1. O princípio geral da segurança jurídica 257
      2. Protecção da segurança jurídica relativamente a actos normativos 258
      3. Protecção da segurança jurídica relativamente a actos jurisdicionais ... 264
      4. Protecção da segurança jurídica relativamente a actos da administração ... 265
   III – O princípio da proibição do excesso 266
      1. Origem do princípio 266
      2. A «europeização» do princípio 267
      3. Subprincípios constitutivos 269
      4. Dimensão normativa 271
      5. Campos de aplicação 272
      6. "Proibição por defeito" 273
   IV – O princípio da protecção jurídica e das garantias processuais 273
      1. As garantias processuais e procedimentais 274
      2. O princípio da garantia de via judiciária 275
Referências bibliográficas 278

CAPÍTULO 2
O PRINCÍPIO DEMOCRÁTICO

A. Caracterização do princípio democrático 287
   I – Justificação do princípio democrático. "A fórmula de Lincoln" 287
      1. A democracia como princípio normativo 287
      2. O princípio democrático-normativo como princípio complexo 288

1487

	3. A democracia como processo dinâmico	289
	4. O princípio democrático como princípio informador do Estado e da sociedade	289
	5. O princípio democrático como princípio de organização	290
	6. O princípio democrático e os direitos fundamentais	290
	II – Justificação negativa do princípio democracia. "A fórmula de Popper"	291
B.	A concretização constitucional do princípio democrático	292
	I – O princípio da soberania popular	292
	II – O princípio da representação popular	293
	1. Representação democrática formal	293
	2. Representação democrática material	294
	III – O princípio da democracia semidirecta	294
	1. Procedimentos de democracia semidirecta	294
	2. As iniciativas dos cidadãos e as acções directas	296
	3. Os procedimentos de democracia semidirecta na Constituição	297
	IV – Traços fundamentais do regime jurídico-constitucional do referendo	298
	1. Referendo nacional	298
	2. Referendo regional	300
	3. Referendo local	300
	V – O princípio de participação	291
C.	Princípio democrático e direito de sufrágio	301
	I – Os princípios materiais do sufrágio	301
	1. Princípio da universalidade do sufrágio	302
	2. Princípio da imediaticidade do voto	302
	3. Princípio da liberdade de voto	303
	4. Princípio do voto secreto	304
	5. Princípio da igualdade de sufrágio	305
	6. Princípio da periodicidade do sufrágio	306
	7. Princípio da unicidade	306
D.	Princípio democrático e sistema eleitoral	306
	I – Sistema proporcional e sistema maioritário	306
	II – O sistema eleitoral na Constituição	308
	1. O sistema eleitoral como reserva de constituição	309
	2. O sistema proporcional como elemento constitutivo do princípio democrático	309
	3. As tentativas de pessoalização do voto e de garantia de proximidade entre eleitores e eleitos	310
	4. A nova redacção do art. 149.º da CRP	313
E.	Princípio democrático e sistema partidário	313
	I – Concepção constitucional	313
	II – As dimensões constitucionais do sistema partidário	314
	1. Os partidos políticos como direito constitucional formal	314
	2. Os partidos políticos como associações privadas com funções constitucionais	315
	3. Liberdade interna e liberdade externa	317

   4. A igualdade de oportunidades dos partidos 319
   5. Prestações de contas dos partidos 323
   6. A posição jurídico-constitucional dos filiados partidários dentro do partido 324
  III – O direito à oposição 326
  IV – Oposição e desobediência civil – O princípio democrático e os seus limites . . . 327
F. Princípio democrático e princípio maioritário 328
  I – Fundamento 328
  II – Limites 328
  III – Consagração constitucional 329
Referências bibliográficas 330

CAPÍTULO 3
O PRINCÍPIO DA SOCIALIDADE

A. «Decisão socialista» e «abertura» económica, social e cultural 335
  I – A «decisão socialista» no texto originário da Constituição 335
  II – A abertura económico-social operada pelas leis de revisão 337
B. Significado jurídico-constitucional do princípio da democracia económica e social 338
  1. Imposição constitucional e discricionariedade legislativa 338
  2. O direito como instrumento de conformação social 338
  3. O princípio do não retrocesso social 338
  4. O princípio da democracia económica, social e cultural como elemento de
    interpretação 340
  5. Imposição da democracia económica, social e cultural 341
  6. O princípio como fundamento de pretensões jurídicas 342
  7. O princípio da democracia económica, social e cultural como princípio organizatório 344
  8. O princípio da democracia económica, social e cultural como limite da revisão
    constitucional 344
C. A concretização constitucional do princípio da democracia económica e social . . . 345
  1. A «constituição económica» 345
  2. A «constituição do trabalho» 345
  3. A «constituição social» 346
  4. A «constituição cultural» 349
  5. O princípio da igualdade 350
D. O princípio da socialidade e o Estado regulador 351
  I – O Estado social de regulação 351
  II – Estado social e novo serviço público 353
Referências bibliográficas 354

CAPÍTULO 4
O PRINCÍPIO DA UNIDADE DO ESTADO

I – O Estado unitário na constituição 359
II – O regime autonómico insular 359
III – O princípio da autonomia das autarquias locais 361
IV – Regiões administrativas 362
V – O princípio da subsidariedade 362

Referências bibliográficas 363

CAPÍTULO 5
OS PRINCÍPIOS DA INTEGRAÇÃO EUROPEIA E DA ABERTURA AO DIREITO INTERNACIONAL

A. O princípio da integração europeia 367
   I – O exercício em comum de poderes soberanos 367
   II – Os princípios da unidade do Estado e da Integração Europeia ... 367
      1. O princípio da limitação de competências 367
      2. O princípio da subsidariedade 368
B. A constituição e a abertura internacional 369
   I – Sentido da abertura internacional 369
   II – Limites à abertura internacional 370

Referências bibliográficas 370

TÍTULO 3
Os Direitos e Deveres Fundamentais

CAPÍTULO 1
SENTIDO E FORMA DOS DIREITOS FUNDAMENTAIS

A. Constitucionalização e fundamentalização 377
   1. Positivação 377
   2. Constitucionalização 378
   3. Fundamentalização 378
B. História e memória 380
   1. Da igualdade material ao «*nomos*» unitários e à «*recta ratio*» ... 380
   2. Da «*lex natura*» cristã à secularização do direito natural 382
   3. Dos direitos estamentais aos direitos individuais 382

    4. Da tolerância religiosa à liberdade de religião e crença 383
    5. Do contratualismo jusracionalista aos direitos do homem 383
    6. Da autonomia privada ao individualismo possessivo 384
    7. Capitalismo mercantil e autonomia do «*homo æconomicus*» 385
    8. Socialismo, direitos sociais, económicos e culturais 385
    9. Generatividade geracional: os direitos da terceira geração 386
   10. A inclusividade: o direito dos estrangeiros e das minorias 387
Referências bibliográficas 388

CAPÍTULO 2
SISTEMA, ESTRUTURA E FUNÇÃO DOS DIREITOS FUNDAMENTAIS

A. O sistema dos direitos fundamentais 393
   I – Classificações doutrinais e históricas 393
    1. Direitos do homem e direitos fundamentais 393
    2. Direitos do homem e direitos do cidadão 393
    3. Direitos naturais e direitos civis 394
    4. Direitos civis e liberdades ou direitos políticos 394
    5. Direitos civis e direitos ou liberdades individuais 395
    6. Direitos e liberdades públicas 395
    7. Direitos e garantias 396
    8. Direitos fundamentais e direitos de personalidade 396
    9. Direitos, liberdades e garantias e direitos económicos, sociais e culturais . 397
   10. Direitos fundamentais e garantias institucionais 397
  II – O sistema do direito constitucional positivo 398
    1. Os direitos, liberdades e garantias 398
    2. Direitos económicos, sociais e culturais 402
    3. Direitos fundamentais formalmente constitucionais e direitos fundamentais sem assento constitucional 403
    4. Direitos fundamentais dispersos 403
    5. Direitos de «natureza análoga» aos direitos, liberdades e garantias 404
    6. Direitos formal e materialmente constitucionais e direitos só formalmente constitucionais 406
B. Funções dos Direitos Fundamentais 407
   I – Função de defesa ou de liberdade 407
  II – Função de prestação social 408
 III – Função de protecção perante terceiros 409
  IV – Função de não discriminação 409
Referências bibliográficas 410

1491

CAPÍTULO 3
REGIME GERAL DOS DIREITOS FUNDAMENTAIS

A. Regime geral de direitos fundamentais e regime específico de direitos, liberdades e garantias 415
   1. Regime/regimes 415
   2. Significado jurídico 416

B. O regime geral dos direitos fundamentais 416
   I – Âmbito da titularidade de direitos fundamentais 416
      1. O princípio da universalidade 416
      2. Direitos de cidadãos portugueses, direitos de cidadãos de países de língua portuguesa, direitos de cidadãos da União Europeia e direitos de estrangeiros e apátridas 417
      3. Direitos fundamentais de cidadãos portugueses residentes no estrangeiro ... 420
      4. Direitos fundamentais de pessoas colectivas 420
      5. Direitos fundamentais colectivos 423
      6. Titularidade e capacidade de direitos 424
   II – O princípio da igualdade 426
      1. Igualdade na aplicação do direito e igualdade na criação do direito 426
      2. Princípio da igualdade e igualdade de oportunidades 430
      3. A igualdade perante os encargos públicos 431
      4. Princípio da igualdade e princípios da igualdade (ou direitos de igualdade) ... 431
      5. A dimensão objectiva do princípio da igualdade 432
   III – O princípio de acesso ao direito e garantia da tutela jurisdicional efectiva ... 433

Referências bibliográficas 433

CAPÍTULO 4
REGIME ESPECÍFICO DOS DIREITOS, LIBERDADES E GARANTIAS

A. Visão global do regime específico de direitos, liberdades e garantias 437
B. Análise do regime específico dos direitos, liberdades e garantias 438
   I – A aplicabilidade directa (artigo 18.º/1, segmento 1) 438
   II – A vinculação de entidades públicas e privadas (artigo 18.º/1, segmento 2) 438
      1. Vinculação de entidades públicas 438
      2. Vinculação de entidades privadas 448
   III – O regime das leis restritivas (artigo 18.º/2/3) 450
      1. Âmbito de protecção de direito e conteúdo juridicamente garantido ... 450
      2. Restrições de direitos 450
      3. Os limites dos limites 451

C. Casos especiais de restrição 461
   1. Perda de direitos 461
   2. Renúncia a direitos 463
   3. Estatutos especiais 466

Referências bibliográficas 467

CAPÍTULO 5
REGIME DOS DIREITOS ECONÓMICOS, SOCIAIS E CULTURAIS

A. Pressupostos dos direitos económicos, sociais e culturais 473
   I – Pressupostos 473
   II – Elementos estruturais 473
B. Modelos de positivação 474
   1. As "normas sociais" como normas programáticas 474
   2. As "normas sociais" como normas de organização 475
   3. As "normas sociais" como "garantias institucionais" 475
   4. As "normas sociais" como direitos subjectivos públicos 475
C. Dimensões subjectiva e objectiva 476
   I – Dimensão subjectiva 476
   II – Dimensão objectiva 476
D. A problemática dos direitos a prestações 477
   I – Direitos originários 477
   II – Direitos derivados 478
E. Dimensões constitutivas 480
   I – Liberdade igual 480
   II – Conteúdo determinado a nível constitucional 480
   III – Garantias relativas à organização e procedimento 482
F. Eficácia nas relações jurídico-privadas 483
Referências bibliográficas 484

CAPÍTULO 6
A PROTECÇÃO DOS DIREITOS FUNDAMENTAIS

A. Meios de defesa jurisdicionais 491
   I – A garantia de acesso aos tribunais 491
   II – Protecção através de um processo justo (*due process*) 492
      1. Origens do direito ao processo equitativo 492
      2. O que é um processo justo? 494
   III – O direito à tutela jurisdicional 495
      1. Natureza do direito à protecção judicial 495
      2. O direito de acesso aos tribunais como direito a uma protecção jurisdicional adequada 498
   IV – Dimensões jurídico-constitucionais do direito ao processo equitativo ... 499
      1. Direito a uma decisão fundada no direito 499

1493

  2. Direito a pressupostos constitucionais materialmente adequados 499
  3. Protecção jurídica eficaz e temporalmente adequada 499
  4. Direito à execução das decisões dos tribunais 501
  5. Dimensões garantísticas e dimensões prestacionais 501
  6. Veja-se um caso 501
 V – Direito de acesso à justiça administrativa 502
  1. Garantia do recurso contencioso 502
  2. O princípio da plenitude da garantia jurisdicional administrativa ... 506
 VI – Direito a processos céleres e prioritários 506
 VII – Direito de suscitar a «questão» da inconstitucionalidade ou de ilegalidade ... 507
 VIII – Acção de responsabilidade 508
  1. Responsabilidade da administração 508
  2. Responsabilidade por facto da função jurisdicional 508
  3. Responsabilidade do «Estado legislador» 510
 IX – Direito de Acção Popular (artigo 52.º/3) 510
B. Meios de defesa não jurisdicionais 512
 I – Direito de resistência 512
 II – Direito de petição 512
 III – Direito a um procedimento justo 514
 IV – Direito à autodeterminação informativa 514
 V – Direito ao arquivo aberto 515
 VI – Garantias impugnatórias no procedimento administrativo 516
C. Defesa de direitos perante autoridades administrativas independentes 516
D. Problemas específicos na protecção dos direitos económicos, sociais e culturais 518
 I – Garantia do núcleo essencial 518
 II – Política de solidariedade social 518
 III – Concretização legislativa das imposições constitucionais 519
 IV – Controlo judicial da realização dos direitos sociais 519
E. Protecção internacional 520
 1. O direito de recurso para Tribunal Europeu de Direitos do Homem 521
 2. Exposição ao Comité dos Direitos do Homem 521
 3. A protecção internacional dos direitos económicos, sociais e culturais 522
F. Protecção dos direitos fundamentais na União Europeia 523
 I – Os momentos de consciencialização europeia dos direitos fundamentais .. 523
 II – Positivação de direitos a nível comunitário 525
  1. Direitos, liberdades e garantias 525
  2. Direitos económicos, sociais e culturais 526
 III – A constitucionalização do princípio da melhor tutela europeia 526
Referências bibliográficas 527

CAPÍTULO 7
DEVERES FUNDAMENTAIS

A. Enquadramento constitucional 531
B. Compreensão 532
    I – Não correspectividade entre direitos e deveres fundamentais 532
    II – Deveres autónomos e deveres conexos com direitos 533
C. Tipologia 534
    I – Deveres cívico-políticos e deveres de carácter económico-social 534
    II – «Deveres constitucionais formais» e «deveres constitucionais materiais» 534
D. Deveres fundamentais e restrições de direitos fundamentais 535
E. Estrutura 535
Referências bibliográficas 536

TÍTULO 4
Estruturas Organizatórias e Funcionais

CAPÍTULO 1
REGRAS E PRINCÍPIOS
DO DIREITO CONSTITUCIONAL ORGANIZATÓRIO

A. Sentido da compreensão material das normas organizatórias 541
    I – Noção de direito constitucional organizatório 541
    II – Compreensão material das normas organizatórias 541
B. Os conceitos operatórios: poder, competência, função, tarefa, responsabilidade, procedimento e controlo 542
    I – Caracterização sumária 542
    II – Competência 546
        1. Competências legislativa, executiva e judicial 546
        2. Competências constitucionais e competências legais 546
        3. Competências exclusivas, competências concorrentes e competências-quadro 547
        4. Competências implícitas e competências explícitas 547
        5. Competências estaduais e competências comunitárias 549
    III – Função 551
        1. Critérios de ordenação de funções 551
        2. Teoria constitucionalmente adequada das funções do Estado 552
    IV – Responsabilidade 554
C. O princípio da separação e interdependência dos órgãos de soberania 555

1495

I – Dimensões materiais do princípio 555
  1. O princípio como directiva fundamental 556
  2. O princípio como princípio histórico 556
  3. O princípio é orgânico-institucionalmente referenciado 557
  4. O princípio é funcionalmente orientado 557
  5. O princípio pressupõe uma relativa adequação entre órgãos e funções ... 557
  6. O princípio exige separação no plano pessoal 558
  7. Freio, balanço e controlo na ordenação de órgãos e funções 558
  8. A teoria do núcleo essencial 559
II – Manifestações modernas do princípio 560
  1. Repartição vertical de funções 561
  2. Repartição social 561
  3. Separação e estrutura partidária 561
III – Princípio da separação e forma de governo 562
  1. Forma de governo 562
  2. Órgãos constitucionais 564
  3. Órgãos constitucionais e direcção política 565
  4. Órgãos constitucionais e autoridades administrativas independentes ... 567
Referências bibliográficas 568

CAPÍTULO 2
ORGANIZAÇÃO DO PODER POLÍTICO E FORMAS DE GOVERNO

A. Forma de governo 573
  I – Conceito 573
  II – Tipologia das formas de Governo 575
  III – Conceitos operatórios 578
    1. Quanto à relação fiduciária entre os órgãos de soberania 579
    2. Quanto às variáveis de influência sistémica 579
B. O padrão básico: a separação de poderes nos esquemas teóricos de John Locke e de Montesquieu 579
  I – Sentido de um padrão básico 579
  II – Paineis ilustrativos 581
C. As formas de governo 583
  I – Estrutura da forma de governo dualista monárquico-representativa 583
    1. Caracterização sumária 583
    2. Painel ilustrativo 583
  II – Estrutura da forma de governo parlamentar 584
    1. Breve caracterização 584
    2. Paineis ilustrativos 585
  III – Estrutura da forma de governo presidencial 586
    1. Breve caracterização 586

Direito Constitucional

1496

  2. Presidencialismo e presidencialismos 588
  3. Painel ilustrativo 589
 IV – Estrutura da forma de governo directorial 591
  1. Caracterização 591
  2. Painel ilustrativo 591
 V – Estrutura mista parlamentar-presidencial 592
  1. Breve caracterização 592
  2. Painel ilustrativo 593
  3. Referências bibliográficas 594

CAPÍTULO 3

A VARIÁVEL PORTUGUESA DO PADRÃO BÁSICO – REGIME MISTO PARLAMENTAR-PRESIDENCIAL

A. Origem do sistema 597
 I – Traços de memória interna 597
 II – Traços de memória externa 597
 III – Racionalização da forma de governo 598
B. Os elementos caracterizadores 598
 I – Justificação da fórmula "regime misto parlamentar-presidencial" 598
 II – Os elementos caracterizadores 599
  1. Traços de regime parlamentar 599
  2. Traços do regime presidencial 600
  3. Traços de racionalização parlamentar-Presidencialista 601
 III – Interdependência institucional 602
  1. Presidente da República e Primeiro Ministro 603
  2. Presidente da República e Assembleia da República 604
  3. Assembleia da República e Governo 605
  4. Paineis 606
 IV – A interpretação «estratégica» do regime misto parlamentar-presidencial português 608
C. A recepção do regime misto nos países de língua oficial portuguesa (CPLP) ... 611
D. A forma de governo nas Regiões Autónomas 612
Referências bibliográficas 613

CAPÍTULO 4

ESTRUTURA E FUNÇÃO DOS ÓRGÃOS DE SOBERANIA PORTUGUESES POLITICAMENTE CONFORMADORES

A. O Presidente da República (PR) 619
 I – Posição jurídico-constitucional 619

II – Os poderes do Presidente da República 621
   1. Poderes próprios e poderes partilhados 621
   2. Direcção política 623
   3. Poderes de controlo 625
   4. Poderes de exteriorização política 627
B. A Assembleia da República (AR) 627
   I – Posição jurídico-constitucional 627
   II – Competências e funções 634
   III – Funções 634
      1. Função electiva e de criação 634
      2. Função legislativa 634
      3. Função de controlo 635
      4. Função de fiscalização 638
      5. Função autorizante 639
      6. Função de representação 639
      7. Função "europeia" 639
C. O Governo 640
   I – Conceito orgânico-institucional de governo e posição jurídico-constitucional 640
      1. O Governo 640
      2. O Primeiro-Ministro 642
      3. Princípios estruturantes 642
   II – A responsabilidade política do governo 644
      1. Responsabilidade política perante a AR 644
      2. Responsabilidade política perante o PR 645
   III – As funções do Governo 648
      1. Função política ou de governo 648
      2. Função legislativa 649
      3. Funções administrativas 649
D. O Conselho de Estado 652
Referências bibliográficas 653

CAPÍTULO 5

ESTRUTURA E FUNÇÃO DOS TRIBUNAIS

A. Os tribunais na constituição 657
   I – Os tribunais como órgãos de soberania 657
   II – Os tribunais e o Estado de direito 659
   III – O poder judicial e o ordenamento judiciário 660
B. Os princípios estruturantes do poder judiciário 661
   I – Princípio da unidade e princípio da pluralidade de jurisdições 661
   II – Princípio da polaridade individual do poder judiciário 662
   III – Princípios jurídico-estatutários 663

    1. O princípio da independência 663
    2. O princípio da exclusividade da função de julgar 664
    3. O princípio da imparcialidade dos juízes 665
    4. O princípio da irresponsabilidade 665
IV – Princípios jurídico-organizatórios e funcionais 666
    1. O princípio da auto-administração 666
    2. O princípio da pluralidade de graus de jurisdição 666
    3. O princípio da fundamentação de decisões judiciais 667
V – A reserva da função de julgar 667
    1. O princípio da reserva de juiz e da reserva de tribunais 667
    2. O "sentido jurisprudencial" da reserva de jurisdição 669
    3. Reserva de juiz e legislador 673
    4. Reserva de juiz e administração 675
    5. Reserva de jurisdição e reservas especiais de jurisdição 675

C. Estrutura orgânica 676
D. Tribunal Constitucional 677
    I – Posição jurídico-constitucional 677
    II – Tribunal 678
    III – Competência e funções 680
        1. A diversidade de funções 680
        2. "Guardião da Constituição" 680
        3. Composição 681
E. O Ministério Público 683
    I – Órgão do poder judicial 683
    II – Funções 684

F. Conselhos Superiores 685

Referências bibliográficas 686

TÍTULO 5
As Fontes de Direito e as Estruturas Normativas

CAPÍTULO 1
A CONSTITUIÇÃO E O SISTEMA DAS FONTES DE DIREITO

A. Fontes de direito e constituição 693
    I – Relevo da constituição no âmbito das fontes de direito 693
    II – A constituição e o "cosmos" normativo 694
        1. Pluralismo de ordenamentos superiores 694
        2. Pluralismo legislativo e plurimodalidade de actos legislativos 696
        3. Força de lei, valor de lei 697

  4. Blocos de legalidade e de competências 699
 III – Os princípios estruturantes dos esquemas relacionais entre as fontes de direito   700
  1. Princípio da hierarquia 700
  2. Princípio da competência 701
  3. Princípio básico sobre a produção jurídica 702
B. A regulação jurídica no Estado constitucional pluralista 702
  1. O desafio da regulática 702
  2. Desconcentração e descentralização 703
  3. Internacionalização e supranacionalização 704
  4. Direito judicial 704
  5. Normação privada 705
C. Painéis ilustrativos do pluricentrismo e da plurimodalidade legislativos 707
Referências bibliográficas 708

CAPÍTULO 2
A LEI

A. História, memória e teorias 713
 I – A lei na teoria do Estado 713
  1. A memória da lei na teoria do estado e do direito 713
  2. A caracterização material da lei 715
 II – A estrutura da lei 717
  1. Lei e medida 717
  2. As leis-medida – *Massnahmegesetze* 717
B. O sentido da lei na Constituição Portuguesa de 1976 720
C. Os princípios da prevalência e da reserva de lei 721
 I – Princípio da prevalência da lei 721
  1. Ideia básica e tradicional 721
  2. Eficácia formal e força de lei 722
  3. Conteúdo actual 722
  4. Relativização do princípio de prevalência da lei 723
 II – Princípio da reserva de lei 724
  1. Reserva de lei e estrutura constitucional 724
  2. O sentido da reserva de lei de parlamento na Constituição de 1976 ... 724
  3. Dimensão positiva e dimensão negativa da reserva de lei 726
  4. Reserva de lei/reservas de lei 726
  5. Reserva de densificação total e reserva de densificação parcial 728
D. Problemas actuais da reserva de lei 729
 I – Reserva de lei e garantia de direitos fundamentais 729
 II – Reserva total de lei 730
  1. Reserva de lei e administração de prestações 730

Direito Constitucional   *1500*

      2. Reserva de lei e organização de administração 732
      3. Reserva de lei e administração por objectivos 732
      4. Vinculação à lei e poder discricionário da administração 734
      5. Reserva de lei e reenvios legais 736
      6. Reserva de lei e competência regulamentar 737
      7. Delimitação da competência regulamentar autónoma 738
   III – Reserva de lei e relações jurídicas especiais 738
E. Limites da reserva de lei 739
      1. Reserva de administração 739
      2. A «reserva de Governo» 742
      3. Reservas constitucionais de administração 742

Referências bibliográficas 743

CAPÍTULO 3
INDIVIDUALIZAÇÃO E ANÁLISE DE ALGUMAS CATEGORIAS DE LEIS

A. Leis constitucionais 749
B. Leis orgânicas 749
   I – Sentido jurídico e político-constitucional 749
   II – Características jurídico-constitucionais 751
C. Leis de bases 752
   I – As leis de bases na tipologia das leis 752
   II – As leis de bases na Constituição de 1976 753
      1. O sentido das «bases gerais» do regime jurídico 754
      2. O sentido da primariedade material das leis de bases relativamente aos decretos-leis de desenvolvimento 756
      3. Vício resultante da violação dos parâmetros normativos das leis de bases ... 758
      4. Sentido da primariedade das leis de bases relativamente aos decretos legislativos regionais de desenvolvimento 761
D. Leis de autorização legislativa 761
   I – Regime geral 761
      1. Considerações de natureza dogmática 761
      2. Leis de autorização e leis de bases 764
      3. Natureza jurídico-constitucional das leis de autorização 765
      4. O objecto das leis de autorização 765
      5. Os destinatários das autorizações legislativas 766
      6. Limites das autorizações legislativas 768
      7. Leis de autorização e decretos-leis autorizados 771
   II – Autorizações legislativas orçamentais 773
E. As leis estatutárias 774
   I – O momento estatutário: relevância jurídico-constitucional 774

1501

1. Elaboração e alteração dos estatutos 775
2. Rigidez estatutária: garantia de autonomia? 777
3. Reserva de estatuto: conteúdo necessário 778
4. Conteúdo estatutário e limites da revisão constitucional 779
II – Os estatutos como leis formais da AR 780
1. Reserva de iniciativa estatutária e reserva de competência estatutária ... 780
2. A hierarquia normativa das leis estatutárias 781
F. Leis reforçadas 781
1. Os dados normativos constitucionais 781
2. Caracterização das leis reforçadas 782
G. Leis de enquadramento 786
Referências bibliográficas 787

CAPÍTULO 4
O DECRETO-LEI

A. Os decretos-leis na experiência constitucional portuguesa 791
I – Constitucionalismo monárquico 791
II – Constitucionalismo republicano 792
1. Constituição de 1911 792
2. Constituição de 1933 793
B. Os decretos-leis na Constituição de 1976 795
I – Competência legislativa do Governo e tipos de decretos-leis 795
1. Competência legislativa originária ou independente – decretos-leis originários 795
2. Competência legislativa dependente – os decretos-leis autorizados e os decretos-leis de desenvolvimento 795
3. Competência exclusiva – reserva de decreto-lei 796
II – O Governo como titular de competência legislativa 796
1. Titularidade 796
2. Âmbito material 797
3. Estrutura dos actos legislativos do Governo 797
III – A apreciação parlamentar dos actos legislativos 797
1. Eliminação do instituto de ratificação 798
2. A ambiguidade da ratificação na revisão de 1989 798
3. Objecto da apreciação parlamentar 799
4. Suspensão dos decretos-leis submetidos a apreciação parlamentar 799
5. Aprovação da cessão de vigência 800
6. Aprovação parlamentar de alterações aos decretos-leis 801
7. Efeitos 801
Referências bibliográficas 802

Direito Constitucional

1502

CAPÍTULO 5
OS DECRETOS LEGISLATIVOS REGIONAIS

A. Configuração do poder legislativo regional 805
    I – Os poderes legislativos como manifestação típica da autonomia regional ... 805
    II – Os tipos de poderes legislativos regionais 805
        1. Poder legislativo primário 805
        2. Poder legislativo de desenvolvimento 810
        3. Poder legislativo autorizado 812

B. Visão global do sistema normativo-regional 814
    1. Reserva de lei regional 814
    2. Limites territoriais e materiais 815
    3. Carácter dependente 815

Referências bibliográficas 816

CAPÍTULO 6
O DIREITO INTERNACIONAL E O DIREITO SUPRANACIONAL

A. Normas de direito internacional 819
    I – Direito internacional geral ou comum 819
    II – Direito internacional particular 821
    III – Direito internacional privado 821

B. Direito comunitário supranacional 822
    I – Enquadramento jurídico-constitucional 822
    II – Relações entre o ordenamento jurídico português e o ordenamento
          da União Europeia 824
    III – O direito comunitário no plano da hierarquia das fontes do direito 824
    IV – O problema do controlo 827

Referências bibliográficas 828

CAPÍTULO 7
OS REGULAMENTOS

A. Fundamento constitucional do poder regulamentar 833
    I – Poder regulamentar e princípio de legalidade da administração 833
    II – Fundamento jurídico do poder regulamentar 834

B. Regime constitucional dos regulamentos 835
    I – Relações entre as leis e os regulamentos 835
        1. Princípio da preferência ou da preeminência da lei 835
        2. Princípio da precedência da lei 836

3. Princípio da complementaridade ou acessoriedade dos regulamentos ... 837
4. O problema dos regulamentos autónomos 838
5. Princípio do congelamento do grau hierárquico 841
6. Princípio da separação entre o «direito da lei» e o «direito dos regulamentos» 842
II – Os regulamentos dos entes autónomos 842
1. Núcleo essencial da reserva autónoma regulamentar 842
2. Os regulamentos dos entes autónomos como regulamentos independentes 843
III – Regulamentos das autoridades administrativas independentes 844
Referências bibliográficas 845

CAPÍTULO 8
OS DECRETOS

A. O sentido do termo decreto: Antecedentes históricos 849
B. Os decretos na actual Constituição 849
1. Decretos do Presidente da República 849
2. Decretos do Governo 850
3. Decretos das regiões autónomas 851
Referências bibliográficas 852

CAPÍTULO 9
ACTOS NORMATIVOS ATÍPICOS

A. Regimentos de assembleias 855
I – Natureza jurídica 855
1. Reserva de regimento 855
2. Publicação 856
3. Actos "interna corporis" 856
II – Controlo da constitucionalidade e da ilegalidade 857
1. Ilegalidade de leis 857
2. Apreciação de inconstitucionalidade 857
B. Resoluções 858
I – As resoluções na Constituição de 1976 858
II – O problema do controlo das resoluções 859
C. Normas constitucionais consuetudinárias 860
I – A perspectiva político-constitucional do costume como fonte de direito .. 860
II – A relevância constitucional do costume 861
III – Costume, convenções constitucionais, praxes constitucionais e precedentes
judiciais 863
1. Convenções constitucionais ('conventions of the Constitution') 863

1504

      2. Praxes constitucionais 864
      3. Precedentes judiciários em matéria constitucional 864
D. Referendo 864
      1. O referendo como fonte de direito 864
      2. O referendo como decisão-regra 865
Referências bibliográficas 866

CAPÍTULO 10
O PROCEDIMENTO LEGISLATIVO

A. Conceito 871
B. Fases e Actos do Procedimento Legislativo 871
    I – Fase de iniciativa 871
    II – Fase instrutória 872
    III – Fase constitutiva 873
    IV – Fase de controlo 875
    V – Fase de integração de eficácia 875
        1. Princípio da publicidade 876
        2. Publicidade e publicação 876
        3. Caracterização da publicação 876
        4. Falta de publicação e ineficácia jurídica 880
        5. Rectificação 880
Referências bibliográficas 881

TÍTULO 6
Garantia e Controlo da Constituição

CAPÍTULO 1
SENTIDO DA GARANTIA E CONTROLO DA CONSTITUIÇÃO

A. A compreensão constitucional das estruturas de garantia e de controlo 887
    I – Garantia e controlo 887
        1. «Defesa do Estado» e «defesa da constituição» 887
        2. «Garantias constitucionais» e «garantias da constituição» 887
    II – Meios e institutos de defesa da Constituição 888
        1. A vinculação constitucional dos poderes públicos 888
        2. Os limites da revisão constitucional 888
        3. A fiscalização judicial da constituição 889
        4. A separação e interdependência dos órgãos de soberania 889

B. A fiscalização judicial como instituto de garantia e de controlo da constituição ... 890
   III – Pressupostos do controlo judicial da constituição 890
      1. Força e supremacia normativa da constituição 890
      2. Controlo e concretização 891
      3. Controlo e «justiça constitucional» 892
C. Os modelos de «justiça constitucional» 895
   I – Os modelos fundamentais 895
   II – Quem controla: os sujeitos do controlo 896
      1. Controlo político 896
      2. Controlo jurisdicional 897
   III – Como se controla: o modo do controlo 899
      1. Controlo por via incidental 899
      2. Controlo por via principal 899
      3. Controlo abstracto e controlo concreto 900
   IV – Quando se controla: o tempo do controlo 901
      1. Controlo preventivo 901
      2. Controlo sucessivo 901
   V – Quem pede o controlo: a legitimidade activa 901
      1. Legitimidade «quisque de populo» e legitimidade restrita 901
      2. Legitimidade «ex officio», legitimidade das partes, legitimidade de órgãos públicos 902
   VI – Os efeitos do controlo 903
      1. Efeitos gerais e efeitos particulares 903
      2. Efeitos retroactivos e efeitos prospectivos 903
      3. Efeitos declarativos e efeitos constitutivos 904
Referências bibliográficas 905

CAPÍTULO 2

O SISTEMA DE CONTROLO DA CONSTITUCIONALIDADE NA CONSTITUIÇÃO DE 1976

A. Memória e história 913
   I – Constitucionalismo monárquico 913
   II – Constituição de 1911 914
   III – Constituição de 1933 914
   IV – Regime pré-constitucional 915
   V – Sistema originário da Constituição de 1976 915
   VI – O sistema de fiscalização depois das revisões de 1982 e 1989 916
      1. Revisão de 1982 916
      2. Revisão de 1989 916
      3. Revisão de 1997 916
B. Caracterização global do sistema português vigente 917
   I – Sistema misto complexo 917

1506

  1. O controlo difuso, concreto e incidental 917
  2. O controlo abstracto de normas 918
  3. O controlo da constitucionalidade por acção e por omissão 918
C. O parâmetro de controlo ou determinação do «bloco da constitucionalidade» .. 919
  1. A determinação do parâmetro constitucional 919
  2. A parametricidade do direito suprapositivo 920
  3. A parametricidade dos direitos fundamentais 921
  4. A parametricidade das normas interpostas e pressupostas 922
  5. «Direito da constituição» e «direito da lei» 927
D. O parâmetro europeu de controlo ou determinação do "bloco europeu de juridicidade e de legalidade" 929
 I – O parâmetro do direito comunitário 929
 II – A convenção europeia dos direitos do homem 930
E. Objecto de controlo: actos normativos 932
  1. Os actos normativos como objecto de controlo 932
  2. Conceito funcional de norma 932
  3. O catálogo dos actos normativos sujeitos a controlo 935
  4. Os actos administrativos e as decisões jurisdicionais 939
  5. Inconstitucionalidade e actos privados 943
  6. Inconstitucionalidade das políticas públicas 945
  7. Normas revogadas 946
E. As sanções do controlo 946
 I – A construção clássica da inconstitucionalidade 947
  1. A inconstitucionalidade como figura unitária 947
  2. A teoria clássica das nulidades 949
 II – A inconstitucionalidade no direito constitucional vigente 952
  1. Inconstitucionalidade e nulidade 952
  2. O problema em face da Constituição 953
 III – O problema das «situações constitucionais imperfeitas» 955
  1. Declaração de inconstitucionalidade sem as consequências da nulidade ... 957
  2. Situação ainda constitucional mas a tender para a inconstitucionalidade 958
  3. Interpretação em conformidade com a Constituição 958
  4. Nulidade parcial 958
 IV – Os vícios geradores de inconstitucionalidade 959
  1. Vícios formais, materiais e procedimentais 959
Referências bibliográficas 960

CAPÍTULO 3
DIREITO PROCESSUAL CONSTITUCIONAL

A. Direito Processual Constitucional 965
 I – Direito Constitucional Processual e Direito Processual Constitucional 965

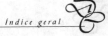

   1. Conceito de direito processual Constitucional 965
   2. Direito Constitucional processual 966
   3. Direito Constitucional judicial 967
  II – Direito Processual Constitucional: fontes e funções 968
   1. Fontes 968
   2. Funções 969
   3. Extensão 970
C. Princípios Gerais do Direito Processual Constitucional 970
  I – Processos e processos 970
  II – Os princípios gerais do direito processual constitucional 971
   1. O princípio do pedido 971
   2. O princípio da instrução 971
   3. O princípio da congruência ou da adequação 972
   4. O princípio da individualização 972
   5. O princípio do controlo material 973
Referências bibliográficas 974

CAPÍTULO 4

OS PROCESSOS DE FISCALIZAÇÃO DA INCONSTITUCIONALIDADE E DA ILEGALIDADE

A. Individualização 981
B. Processo de fiscalização difuso, concreto e incidental 982
  I – Sentido geral da fiscalização judicial concreta 983
  II – Requisitos processuais 983
   1. Requisitos subjectivos 983
   2. Requisitos objectivos 983
  III – Recurso para o Tribunal Constitucional 989
   1. Tipos de recurso 989
   2. Análise dos recursos 992
   3. Efeitos das decisões do TC 999
   4. O recurso para o plenário 1003
C. Processo de fiscalização abstracta 1003
  I – Requisitos processuais 1004
   1. Requisitos objectivos 1004
   2. Requisitos subjectivos 1005
  II – Princípios de processo 1006
  III – Processo de decisão 1009
  IV – Efeitos das decisões do TC 1009
   1. Sentenças declarativas de inconstitucionalidade 1009
   2. Sentenças de rejeição de inconstitucionalidade 1023
D. Processo de declaração da inconstitucionalidade com base em controlo concreto ... 1024
E. Processo de fiscalização abstracta preventiva (= controlo prévio da inconstitucionalidade) 1025

  I – Controlo preventivo e controlo sucessivo 1025
  II – Requisitos processuais 1026
   1. Requisitos subjectivos 1026
   2. Requisitos objectivos 1027
   3. Requisitos temporais 1028
  III – Efeitos 1028
   1. Veto e reenvio 1028
   2. Expurgação ou confirmação 1029
   3. Reformulação 1031
   4. Falta de promulgação e assinatura 1031
   5. Efeitos em relação ao TC 1032
  IV – O processo de fiscalização preventiva abstracta de leis orgânicas 1032
   1. Requisitos processuais 1033
   2. Promulgação temporalmente condicionada 1033
F. Processo de fiscalização da inconstitucionalidade por omissão 1033
  I – Conceito de omissão 1033
   1. Espécies de omissões inconstitucionais 1033
   2. As omissões legislativas parciais 1036
   3. Dever de legislação e direito à legislação 1036
  II – Requisitos processuais 1037
   1. Requisitos subjectivos 1037
   2. Requisitos objectivos 1038
  III – Efeitos 1038
G. Processos de fiscalização da ilegalidade 1039
  I – Fiscalização abstracta da legalidade 1039
   1. Requisitos objectivos 1039
   2. Requisitos subjectivos 1040
   3. O processo de controlo incidental ou de fiscalização concreta de ilegalidade junto do Tribunal Constitucional 1040
H. Processo de verificação da contrariedade de uma norma legislativa com uma convenção internacional 1041
   1. Os arts. 70.º/1/*i* e 71.º/2 da LTC 1041
   2. Inconstitucionalidade dos arts. 70.º/1/*i* e 71.º/2 da LTC? 1042
   3. Natureza e finalidade do processo 1042
   4. Questões jurídico-constitucionais e questões jurídico-internacionais ... 1043
   5. Pressupostos de admissibilidade 1044
   6. Efeitos da decisão 1046
   7. Insusceptibilidade de generalização das decisões do TC 1046
I. Processo de verificação da constitucionalidade e da legalidade de referendos 1047
   1. Regime jurídico 1047
   2. O objecto da fiscalização 1048
   3. Tipos de sentenças 1048
J. A execução das decisões do Tribunal Constitucional 1049
Referências bibliográficas 1049

1509

TÍTULO 7
Revisão da Constituição

CAPÍTULO 1
GARANTIA DA CONSTITUIÇÃO E REVISÃO CONSTITUCIONAL

A. Rigidez constitucional e garantia da constituição 1059
    I – Rigidez constitucional e garantia da constituição 1059
    II – Poder constituinte e poder de revisão 1059
B. Os limites da revisão da constituição 1060
    I – Os limites formais 1060
        1. Limites quanto ao titular do poder de revisão 1061
        2. Limites relativos às maiorias deliberativas 1062
        3. Limites temporais 1062
        4. Limites quanto à legitimidade do órgão com poder de revisão 1063
        5. Limites circunstanciais 1063
    II – Os limites materiais 1064
        1. Limites superiores e limites inferiores 1064
        2. Limites expressos e limites tácitos 1064
        3. Limites absolutos e limites relativos 1067
    III – Revisão expressa e revisão tácita 1069
        1. A regra: nenhuma alteração sem revisão do texto constitucional 1069
        2. Excepções: o direito comunitário e a segunda via de revisão 1071
    IV – Revisão total e revisão parcial 1072
    V – Revisão e desenvolvimento constitucional 1073
    VI – Revisão e revisionismo 1074
C. Revisão constitucional e inconstitucionalidade 1074
    I – Inexistência das leis de revisão 1075
        1. Leis de revisão e incompetência do órgão 1075
        2. Leis de revisão e ausência de causa ou intenção constituinte 1077
    II – Nulidade das leis de revisão 1077
D. As rupturas constitucionais 1078
Referências bibliográficas 1079

TÍTULO 8
Estados de Necessidade Constitucional e Suspensão do Exercício de Direitos Fundamentais

CAPÍTULO 1
A INCORPORAÇÃO CONSTITUCIONAL DO DIREITO DE NECESSIDADE

A. A «incorporação constitucional» do direito de necessidade 1088

1510

  I – A «incorporação constitucional» do direito de necessidade 1086
  II – O direito de necessidade na história constitucional 1088
    1. O processo de legitimação e legalização do direito de necessidade 1088
    2. O direito de necessidade estadual nas constituições portuguesas 1090
B. As «técnicas» de juridicização constitucional do direito de necessidade do Estado ... 1092
    1. Poderes implícitos 1092
    2. Cláusula de plenos poderes 1093
    3. Constitucionalização do direito de necessidade 1093
    4. Bill de indemnidade 1093
Referências bibliográficas 1094

CAPÍTULO 2

O DIREITO DE NECESSIDADE CONSTITUCIONAL NA CONSTITUIÇÃO PORTUGUESA DE 1976

A. A tipologia de «estados de necessidade» na Constituição de 1976 1099
  I – Estado de necessidade externo 1100
    1. Estado de guerra 1100
    2. Estado de emergência (militar) 1101
  II – Estado de necessidade interno 1102
B. O problema da suspensão individual dos direitos, liberdades e garantias 1103
C. A disciplina constitucional dos estados de necessidade constitucional 1104
  I – A competência para a declaração do estado de sítio ou de emergência 1104
  II – As medidas do estado de sítio ou de estado de emergência 1105
  III – As restrições aos direitos fundamentais 1105
  IV – O controlo parlamentar da declaração do estado de necessidade 1106
  V – A intervenção governamental na declaração do estado de sítio ou de emergência 1107
  VI – O controlo jurisdicional da declaração do estado de sítio ou de emergência 1108
    1. Subsistência do acesso à via judiciária 1108
    2. O Tribunal Constitucional como «defensor da constituição de necessidade» 1109
  VII – Responsabilidade 1109
    1. Responsabilidade política 1109
    2. Responsabilidade civil 1109
  VIII – Vícios dos actos jurídicos de excepção 1110
Referências bibliográficas 1110

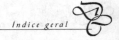

1511

PARTE IV
METÓDICA CONSTITUCIONAL

TÍTULO 1
Metódica Constitucional Geral

CAPÍTULO 1
SENTIDO DA METÓDICA CONSTITUCIONAL

A. Considerações gerais 1117
   I – Base teórica – a metódica estruturante 1117
   II – Dificuldades metódicas 1118
B. Veja-se um caso 1120
   I – Topologia do caso 1120
   II – Painel: os caminhos da razão pública 1122
C. Metódica constitucional e metodologias regionais 1122
D. Objectos de investigação e procedimento metódico (gráficos) 1123
Referências bibliográficas 1125

CAPÍTULO 2
CONSTITUIÇÃO E ORDENAMENTO JURÍDICO

A. Os usos da constituição, o *"corpus"* constitucional e os seus candidatos 1129
   I – Compreender os usos da constituição 1129
      1. Todos os países têm uma constituição: o uso descritivo de constituição ... 1129
      2. A constituição como documento 1129
      3. A constituição em sentido normativo 1130
   II – A constituição normativa 1130
B. O "corpus" constitucional e os seus candidatos 1131
      1. O texto 1133
      2. Mais do que o texto – problemas de inclusão derivados de reenvios constitucionais 1133
      3. Mais do que texto – o texto, as práticas e as interpretações 1135
      4. Menos do que o texto – problemas de exclusão 1138
      5. Constituição: *"Law in the books"*? *"Law in action"*? Ambas as coisas? 1139
C. O *"corpus"* constitucional e os seus conteúdos 1140
      1. A ideia de reserva de constituição 1140
      2. Reserva de constituição e desenvolvimento constitucional 1141

D. O cosmos normativo 1142
   I – Tópicos gerais 1142
      1. A ideia de cosmos normativo 1142
      2. Problemas fundamentais 1142
   II – Navegar no cosmos normativo 1144
      1. Norma e ordem 1144
      2. A teoria dos ordenamentos jurídicos 1144
      3. As instituições 1144
      4. Ordem e caos 1146
   III – A constituição como norma superior do ordenamento jurídico 1147
      1. Posição hierárquico-normativa 1147
      2. A Constituição no vértice da pirâmide normativa 1151
      3. Complexidade e heterogeneidade do ordenamento jurídico 1151
Referências bibliográficas 1154

CAPÍTULO 3
A CONSTITUIÇÃO COMO SISTEMA ABERTO DE REGRAS E PRINCÍPIOS

A. O ponto de partida: sistema aberto de regras e princípios 1159
   I – O «acesso» ao ponto de partida 1159
   II – Princípios e regras no direito constitucional 1159
      1. Normas, regras e princípios 1160
      2. Regras e princípios 1160
   III – Sistema de princípios e sistema de regras 1162
B. Tipologia de princípios e de regras 1164
   I – Tipologia de princípios 1164
      1. Princípios jurídicos fundamentais (Rechtsgrundsätze) 1165
      2. Princípios políticos constitucionalmente conformadores 1166
      3. Os princípios constitucionais impositivos 1167
      4. Os princípios-garantia 1168
   II – Tipologia de regras 1168
      1. Normas constitucionais organizatórias e normas constitucionais materiais . 1168
      2. Regras jurídico-organizatórias 1168
      3. Regras jurídico-materiais 1170
C. O sistema interno de regras e princípios 1173
D. Textura aberta e positividade constitucional 1176
   I – O direito constitucional como direito positivo 1176
   II – O sentido das normas programáticas 1176
   III – Aplicabilidade directa 1178
      1. Rejeição da doutrina tradicional da regulamentação da liberdade 1178
      2. Aplicabilidade directa de normas de direitos, liberdades e garantias ... 1178
      3. Aplicabilidade directa de normas organizatórias 1179
      4. Aplicabilidade directa de normas-fim e normas-tarefa 1180

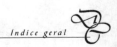

IV – Densidade e abertura das normas constitucionais 1180
V – Unidade da constituição e antinomias e tensões entre princípios constitucionais 1182
   1. Conflito de princípios 1182
   2. O princípio da unidade da constituição 1183
VI – Sentido global dos princípios estruturantes 1184
   1. Dimensão constitutiva e dimensão declarativa 1184
   2. Padrões de legitimidade e princípios constitucionalmente conformados 1185
   3. Especificidade e concordância política 1185
   4. Positividade constitucional 1187
Referências bibliográficas 1187

CAPÍTULO 4
INTERPRETAÇÃO, APLICAÇÃO E CONCRETIZAÇÃO DO DIREITO CONSTITUCIONAL

A. O contexto teorético-político da interpretação constitucional 1195
   I – «Interpretativismo» e «não interpretativismo» na ciência do direito constitucional norte-americano 1195
   II – «Método jurídico» e «método científico-espiritual» nas disputas teoréticas alemãs 1198
B. O ponto de partida: a abertura para uma metódica estruturante 1199
C. Sentido e conceitos básicos 1200
   1. A explicação de conceitos 1200
   2. Não correspondência biunívoca entre disposições e normas 1203
   3. Sentido da interpretação das normas constitucionais 1206
D. Métodos de interpretação 1210
   I – Os métodos da interpretação da constituição 1210
      1. O método jurídico (= método hermenêutico clássico) 1210
      2. O método tópico-problemático (tópoi: esquemas de pensamento, raciocínio, argumentação, lugares comuns, pontos de vista) 1211
      3. O método hermenêutico-concretizador 1212
      4. O método científico-espiritual (= método valorativo, sociológico) 1212
      5. A metódica jurídica normativo-estruturante 1213
      6. A interpretação comparativa 1214
   II – Interpretação e dimensões jurídico-funcionais 1215
E. Regras básicas de concretização 1215
   I – Ponto de partida jurídico-constitucional: postulado normativo da constitucionalidade 1215
      1. A norma 1215
      2. Mediação do conteúdo semântico 1216
      3. Elementos da norma 1216
      4. Dificuldades de investigação do conteúdo semântico da norma 1217

  5. Texto da norma e norma 1218
  6. Sentido da norma e convenções linguísticas 1218
 I – Segunda ideia fundamental: o programa normativo não resulta apenas de mediação semântica dos enunciados linguísticos do texto 1218
  1. Os elementos de interpretação 1218
  2. A função pragmática do texto da norma 1218
  3. A análise do «sector normativo» como processo parcial do processo global de concretização das normas constitucionais 1219
  4. O espaço de interpretação e o espaço de selecção 1220
 III – Norma jurídica 1221
  1. Norma jurídica: modelo de ordenação material 1221
  2. Norma de decisão 1221
  3. O sujeito concretizante 1221
  4. O trabalho metódico de concretização 1222
F. O «catálogo-tópico» dos princípios de interpretação constitucional 1223
 I – Princípios de interpretação da constituição 1223
  1. O princípio da unidade da constituição 1223
  2. O princípio do efeito integrador 1224
  3. O princípio da máxima efectividade 1224
  4. O princípio da «justeza» ou da conformidade funcional 1224
  5. O princípio da concordância prática ou da harmonização 1225
  6. O princípio da força normativa da constituição 1226
 II – O princípio da interpretação das leis em conformidade com a constituição 1226
 III – O princípio da interpretação do direito interno em conformidade com o direito comunitário 1227
G. Limites da interpretação 1228
 I – Nos limites da interpretação constitucional 1228
  1. As mutações constitucionais 1228
  2. Interpretação autêntica 1230
  3. As normas constitucionais inconstitucionais ('verfassungswidrige Verfassungsnormen') 1232
  4. A interpretação da constituição conforme as leis ('gesetzeskonform Verfassungsinterpretation') 1233
 II – A complementação da lei constitucional 1234
  1. O significado constitucional da integração 1234
  2. Os métodos de complementação constitucional 1236
H. Ponderação de bens 1236
 I – Ponderação de bens no direito Constitucional 1236
 II – Veja-se um caso 1241
Referências bibliográficas 1243

TÍTULO 2
Metódica Constitucional em Âmbitos Particulares

CAPÍTULO 1
METÓDICA DE DIREITOS FUNDAMENTAIS

A. Os direitos fundamentais como categoria dogmática 1253
    I – Normas garantidoras de direitos subjectivos e normas impositivas de deveres objectivos 1254
        1. Normas consagradoras de um direito subjectivo 1254
        2. Normas consagradoras de um dever objectivo 1254
    II – Regras e princípios 1255
        1. Regras 1255
        2. Princípios 1255
    III – Dimensão subjectiva e dimensão objectiva 1255
    IV – Fundamentação subjectiva e fundamentação objectiva das normas consagradoras de direitos fundamentais 1257
        1. Fundamentação subjectiva 1257
        2. Fundamentação objectiva 1257
        3. Presunção da dimensão subjectiva 1258
    V – Os direitos fundamentais como direitos subjectivos 1259
        1. Normas e posições 1259
        2. Direitos a actos negativos 1259
        3. Direitos a acções positivas 1259
        4. Liberdade/liberdades 1259
        5. Competências (poder jurídico, direito de conformação) 1260

B. Conformação e concretização dos direitos fundamentais 1261
    I – «Direito da constituição» e «direito da lei» no âmbito dos direitos fundamentais 1261
        1. «Âmbito de protecção» e «conteúdo da protecção» dos direitos fundamentais 1262
        2. Conformação e restrição 1263
        3. Leis restritivas e intervenções restritivas 1264
        4. Posições jurídicas constitucionais e posições jurídicas legais 1266
        5. Posições jurídicas e deveres de entidades públicas 1267

C. Metódica da colisão e concorrência de direitos 1268
    I – Concorrência de direitos 1269
    II – Colisão de direitos 1269
        1. Noção 1269
        2. Exemplos 1271
        3. Propostas metódicas 1272

D. Metódica da restrição de direitos, liberdades e garantias 1273
    I – A determinação do âmbito de protecção 1273
    II – Restrição de direitos 1274
    III – Estrutura das normas restritivas 1275

1516

  1. Estrutura das normas constitucionais imediatamente restritivas 1275
  2. Estrutura da lei restritiva 1276
 IV – Estrutura dos limites imanentes 1177
  1. A «cláusula da comunidade» ou dos «limites originários» (Krüger) 1278
  2. A teoria das «limitações horizontais» 1279
 V – Visão metódica do procedimento jurídico-constitucional de restrição de direitos 1282
E. O problema metódico da aplicação dos direitos nas relações jurídicas privadas 1283
 I – Casos e hipóteses 1283
 II – Enunciado do problema 1284
 III – Sentido da «eficácia externa» 1284
  1. «Eficácia horizontal» e «eficácia vertical» 1285
  2. Eficácia mediata ou imediata? 1285
 IV – Tendências actuais 1287
 V – Metódica da diferenciação 1288
 VI – Direitos subjectivos públicos e direitos subjectivos privados 1292
F. Metódica do «controlo» do princípio da igualdade 1293
 I – Esquema básico 1293
 II – Perguntas de controlo 1294
 III – Princípio da proporcionalidade 1295
 IV – Concretização jurisprudencial 1296
G. Tarefas metódicas dos tribunais em sede de direitos fundamentais 1296
Referências bibliográficas 1300

CAPÍTULO 2

PROBLEMAS METÓDICOS
NO ÂMBITO DA JURISDIÇÃO CONSTITUCIONAL

A. Dimensões das sentenças do tribunal constitucional 1305
B. Limites da jurisdição constitucional quanto ao objecto de controlo 1306
 I – Conhecimento do direito pré-constitucional 1306
  1. Inconstitucionalidade superveniente e revogação 1306
  2. Inconstitucionalidade superveniente e princípio do *tempus regit actum* ... 1306
C. Princípios funcionalmente limitativos 1308
 I – O princípio da autolimitação judicial e a doutrina das questões políticas .. 1308
 II – O princípio da interpretação em conformidade com a constituição 1310
  1. Sentido geral 1310
  2. Competência legislativa e competência jurisdicional 1310
  3. Competência do TC e competência do Tribunal *a quo* 1312
  4. Direito pré-constitucional e controlo judicial correctivo 1314
 III – O princípio da interpretação adequadora 1315
 IV – O princípio da não-controlabilidade do âmbito de prognose legislativa ... 1316
 V – O princípio da insindicabilidade da não contraditoriedade, razoabilidade e
   congruência do legislador 1317

1517

VI – O princípio do controlo dos pressupostos vinculados do acto legislativo . 1321
VII – O princípio da congruência 1323
VIII – O princípio da fundamentação 1325

Referências bibliográficas 1325

PARTE V
TEORIA DA CONSTITUIÇÃO

TÍTULO 1
O Estado da Arte: Situação da Teoria da Constituição

CAPÍTULO 1
O LUGAR TEÓRICO DA TEORIA DA CONSTITUIÇÃO

A. O "lugar teórico" da teoria da constituição 1333
   I – Inexistência de uma situação clássica 1333
   II – Lugar teórico da teoria da constituição 1334
   III – Origens da teoria da constituição 1335

B. Tendências Teoréticas Fundamentais 1336
   I – Compreensão formal-processual da constituição 1336
      1. Ideia geral 1336
      2. Crítica 1337
   II – Compreensão material da constituição 1338

Referências bibliográficas 1339

CAPÍTULO 2
PROBLEMAS FUNDAMENTAIS DA TEORIA DA CONSTITUIÇÃO

A. Teoria da constituição e direito constitucional 1345
B. Problemas Básicos da Teoria da Constituição 1347
   1. Problemas de inclusão 1347
   2. Problemas de referência 1347
   3. Problemas de reflexividade 1348
   4. Problemas de universalização 1348
   5. Problemas de materialização do direito 1349
   6. Problemas de reinvenção do território 1350
   7. Problemas de "tragédia" 1351
   8. Problemas de fundamentação: princípios ou paradoxos? 1341
   9. Problemas de simbolização 1352
   10. Problemas de complexidade 1353

1518

11. Problemas de risco 1354
C. A dissolução de teoria da constituição 1355
    I – Considerações gerais 1355
    II – Teoria da constituição e teoria da administração 1356
    III – Teoria da constituição e teoria da justiça 1358
        1. A ideia de Constituição como reserva de justiça 1358
        2. Estado constitucional democrático e concepção pública da justiça ... 1360
Referências bibliográficas 1361

TÍTULO 2
Teoria da Constituição e Espaços Normativos

CAPÍTULO 1
TEORIA DA CONSTITUIÇÃO, GLOBALIZAÇÃO E INTEGRAÇÃO EUROPEIA

A. Constitucionalismo global e constitucionalismo nacional 1369
    I – Os pontos de partida do constitucionalismo global 1369
    II – As sugestões do constitucionalismo global 1370
B. Constitucionalismo estadual e constitucionalismo europeu 1372
    I – Duas pré-compreensões: a "posição nacionalista" e a "posição europeísta" ... 1373
    II – Resposta aos reducionismos 1373
        1. Reducionismo constitutivo 1373
        2. Reducionismo explicativo 1375
        3. Reducionismo teórico 1376
    III – A teoria da constituição e as comunidades jurídicas supranacionais e multi-
    culturais 1376
Referências bibliográficas 1378

CAPÍTULO 2
TEORIA DA CONSTITUIÇÃO E SISTEMA POLÍTICO

A. As duas gerações sistémicas 1383
    I – O sistemismo cibernético 1383
    II – O sistemismo auto-organizativo 1383
B. A constituição e os sistemas 1385
    I – Gerações sistémicas e paradigmas do direito 1385
    II – As novas sugestões de constituição: suavidade, responsabilidade, reflexividade
    e processualização 1386
Referências bibliográficas 1389

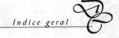

TÍTULO 3
A Teoria da Constituição como Rede de Teorias

CAPÍTULO 1
TEORIA DA CONSTITUIÇÃO E TEORIAS DOS DIREITOS FUNDAMENTAIS

A. As deslocações compreensivas das teorias de direitos fundamentais 1395
    I – Teorias e "viragem" dogmática 1395
    II – As teorias dos direitos fundamentais 1396
B. Das teorias à multifuncionalidade dos direitos fundamentais 1402
C. Os direitos fundamentais dentro da teoria da constituição através da teoria do agir comunicativo e da teoria da justiça 1402
    I – A "fundação" dos direitos fundamentais sobre uma teoria da discussão 1404
    II – A "Constituição e as liberdades básicas" 1405
Referências bibliográficas 1406

CAPÍTULO 2
TEORIA DA CONSTITUIÇÃO E TEORIAS DA DEMOCRACIA

A. As teorias da democracia 1409
    I – A teoria democrático-pluralista 1409
    II – A teoria elitista da democracia 1311
    III – A teoria da democracia do «ordo-liberalismo» 1313
B. As teorias normativas da democracia 1314
    I – Teoria liberal 1314
    II – Concepção republicana 1315
    III – Democracia deliberativa 1416
    IV – Democracia discursiva 1416
    V – Democracia corporativa 1417
C. Concepção minimalista de democracia 1418
D. As sugestões da democracia electrónica 1418
Referências bibliográficas 1419

CAPÍTULO 3

A TEORIA DA CONSTITUIÇÃO E A REDE DA INTERCONSTITUCIONALIDADE

A. Teoria da Interconstitucionalidade 1426
B. Elementos da Teoria da Interconstitucionalidade 1426
    I – O texto da interconstitucionalidade 1426
        1. Autodescrição e autoreferência nas constituições nacionais 1426
        2. O texto interorganizativo 1427
    II – Interconstitucionalidade e interculturalidade 1427
    III – Interconstitucionalidade e interparadigmaticidade constituinte 1428
        1. Paradigma fundacional e paradigma não fundacional 1428
        2. Poder constituinte evolutivo 1429
    IV – Interconstitucionalidade e intersemioticidade 1429
Referências bibliográficas 1430

TÍTULO 4

Dimensões Actuais da Teoria da Constituição

CAPÍTULO 1

FUNÇÕES CLÁSSICAS DA CONSTITUIÇÃO

A. A constituição como ordem 1435
    I – Constituição como ordem-aberta 1435
    II – Constituição como ordem-quadro 1436
B. As funções clássicas da constituição 1438
    1. Consenso fundamental 1438
    2. Legitimidade e legitimação da ordem jurídico-constitucional 1439
    3. Garantia e protecção 1440
    4. Ordem e ordenação 1440
    5. Organização do poder político 1441
Referências bibliográficas 1442

CAPÍTULO 2

A REVISÃO DAS FUNÇÕES DA CONSTITUIÇÃO

A. A função de autovinculação 1447

    I – A ideia de autovinculação 1447
    II – Constituição e função de autocorrecção 1449
        1. O paradoxo da democracia 1449
        2. Os "puros democratas" e os "puros constitucionalistas" 1450
B. A função de inclusividade multicultural 1450
C. A Constituição e a Autopoiesis 1452
    1. A função de "boot-strapping" 1453
    2. A institucionalização de um processo de aprendizagem fraco 1453
    3. Concorrência de pretensões de universalidade 1453
    4. Integração da policontextualidade 1454
D. Controlo débil e difuso 1454
Referências bibliográficas 1455
Índice ideográfico 1457
Índice geral 1463